ALBERT CAMUS

Œuvres complètes

I

1931-1944

ÉDITION PUBLIÉE SOUS LA DIRECTION
DE JACQUELINE LÉVI-VALENSI,
AVEC, POUR CE VOLUME, LA COLLABORATION
DE RAYMOND GAY-CROSIER
ET D'ANDRÉ ABBOU, ZEDJIGA ABDELKRIM,
MARIE-LOUISE AUDIN, SAMANTHA NOVELLO,
PIERRE-LOUIS REY, PHILIPPE VANNEY,
DAVID H. WALKER ET MAURICE WEYEMBERGH

GALLIMARD

CE VOLUME CONTIENT :

Introduction
par Jacqueline Lévi-Valensi
Chronologie
par Pierre-Louis Rey
Note sur la présente édition

LE MALENTENDU

*Texte établi, présenté et annoté
par David H. Walker*

Articles, préfaces, conférences
1931-1944

*Textes établis, présentés et annotés
par André Abbou, Raymond Gay-Crosier,
Jacqueline Lévi-Valensi, Samantha Novello
et Philippe Vanney*

Écrits posthumes

PREMIERS ÉCRITS
1932-1936

*Textes établis, présentés et annotés
par Jacqueline Lévi-Valensi,
Samantha Novello
et Maurice Weyembergh*

LE THÉÂTRE DU TRAVAIL
LE THÉÂTRE DE L'ÉQUIPE

*Textes établis, présentés et annotés
par Jacqueline Lévi-Valensi
et Raymond Gay-Crosier*

LA MORT HEUREUSE

*Texte établi, présenté et annoté
par André Abbou*

Notices, notes et variantes

*Cette édition a bénéficié de la relecture
de Raymond Gay-Crosier.*

INTRODUCTION

> « Je n'ai pu renier la lumière où je suis
> né et cependant je n'ai pas voulu refuser les
> servitudes de ce temps. »
> « Retour à Tipasa »,
>
> *L'Été*[1]

> « J'ai toujours eu l'impression de vivre en
> haute mer, menacé, au cœur d'un bonheur
> royal. »
> « La Mer au plus près »,
>
> *L'Été*[2]

L'« envie d'être écrivain ».

À Jean-Claude Brisville qui l'interrogeait en 1959 sur le
moment où il avait « nettement pris conscience de [sa] vocation
d'écrivain » Albert Camus répondait : « Vocation n'est peut-être
pas le bon mot. J'ai eu envie d'être écrivain vers dix-sept ans, et,
en même temps, j'ai su, obscurément, que je le serais[3]. »

S'il récuse le terme de « vocation », c'est sans doute qu'il ne
s'est pas senti « appelé » à quelque mission, mais a mesuré très
tôt le rôle du choix personnel et de la volonté dans l'accomplissement de son destin d'écrivain ; et l'on reconnaît, ici comme
tout au long de l'œuvre, le souci d'employer le mot juste pour
rendre compte de la réalité des faits et de la vérité des sentiments ou des sensations. Mais cette déclaration a surtout le
double intérêt de faire état de la précocité de l'« envie d'être écrivain » — ce que corroborent les premiers manuscrits et l'hommage rendu à *La Douleur* d'André de Richaud, lu en 1930[4] — et
de souligner que, pour assurée que soit la conviction de le
devenir, elle reste obscure. La préface émue que Camus donnera en 1959 à la réédition des *Îles* de Jean Grenier insistera, elle

---

1. « Retour à Tipasa », *L'Été* (1954), Gallimard, coll. « Folio », p. 165.
2. « La Mer au plus près », *ibid.*, p. 183.
3. « Réponses à Jean-Claude Brisville », *Camus*, par Jean-Claude Brisville,
Gallimard, coll. « La Bibliothèque idéale », 1959, p. 256.
4. Voir « Rencontres avec André Gide », *Hommage à André Gide*, N.R.F.,
novembre 1951 ; *Pléiade Essais*, p. 1118 : « *La Douleur* me fit entrevoir le monde
de la création » ; Camus a dix-sept ans lorsqu'il lit ce livre prêté par Jean
Grenier. (Pour les références abrégées, voir la Note sur la présente édition.)

aussi, sur cette part irréductible de mystère qui entoure la naissance à l'écriture : « Quelque chose, quelqu'un s'agitait en moi,
obscurément, et voulait parler[1]. »

Ainsi Camus lui-même, revenant sur sa découverte de la littérature, place-t-il aux commencements de cette œuvre si souvent baignée de soleil et de lumière, et témoignant toujours d'un
effort de lucidité, « quelque chose », « quelqu'un » qui résistent à
l'analyse et à la compréhension. La Préface à la réédition (1958)
de *L'Envers et l'Endroit* (1937), méditation sur l'art et l'artiste
longuement mûrie, met également l'accent sur ce qui échappe
à la claire intelligence et à la volonté dans la création : « Pour
être édifiée, l'œuvre d'art doit se servir d'abord de ces forces
obscures de l'âme[2]. »

Parallèlement, Camus intitule un chapitre du *Premier Homme*
« Obscur à soi-même[3] », et évoque, à propos de Jacques Cormery, son héros, « la part obscure de l'être », « ce mouvement
aveugle en lui », « ce mouvement obscur à travers toutes ces
années » ou encore « ces racines obscures et emmêlées », cette
« suite de désirs obscurs et de sensations puissantes et indes-
criptibles », qui sont devenus, finalement, « cette force obscure
qui pendant tant d'années l'avait soulevé au-dessus des jours,
nourri sans mesure ». Même si ce chapitre — le dernier du
manuscrit — est inachevé, et s'il porte un titre provisoire, ce titre
et ces quelques pages soulignent l'importance fondatrice de la
connaissance de soi, la conscience que le désir de se connaître
ne peut qu'être inassouvi, et le rôle de l'écriture dans l'approfondissement de cette question à la réponse incertaine.

Tous ces textes qui insistent sur le caractère mystérieux de
l'être et de la création datent de la même époque ; après coup,
l'accident du 4 janvier 1960 leur confère la valeur d'un ultime
regard jeté par l'écrivain sur son œuvre et sur lui-même. Ils
invitent le lecteur à faire preuve de modestie : aussi attentive
que soit sa lecture, elle ne saurait prétendre épuiser toutes les
significations de l'œuvre, mais devra reconnaître que celle-ci lui
échappe en ses secrets. Conscient de ses propres contradictions,
et de la tension qu'elles créent en lui, Camus n'a pas cherché
à les dissimuler : sa vérité est à la fois celle du soleil et celle de

---

1. *Les Îles* (1933 ; rééd. 1959), Gallimard, coll. « L'Imaginaire », p. 13. Sur
les rapports de Grenier et de Camus (qui fut son élève puis son ami), voir
Jean Grenier, *Albert Camus. Souvenirs*, Gallimard, 1968, et Albert Camus-Jean
Grenier, *Correspondance 1932-1960*, éd. Marguerite Dobrenn, Gallimard, 1981.
   2. P. 37.
   3. *Le Premier Homme* (1994), Gallimard, coll. « Folio », p. 299.

la mort. Le goût du bonheur et le sens du tragique, loin de s'annihiler mutuellement, se renforcent l'un l'autre. Il n'est alors pas question de trouver un compromis entre eux, mais de respecter chaque terme de ces désirs ou de ces convictions, et de trouver dans ce respect de soi-même une cohérence qui transparaît dans l'œuvre, et dans les prises de position de l'homme. N'est-ce pas là, en fait, la signification et la portée de la « pensée de midi », celle de l'homme révolté, toujours à reconquérir ? Camus lui-même a considéré son œuvre comme une interrogation, une quête, poursuivie de livre en livre sous des formes diverses, centrée sur les pouvoirs et les limites de l'homme, sur sa manière d'être au monde, sur sa relation aux autres et à lui-même, sur la puissance créatrice de l'écriture. C'est sans doute pourquoi cette œuvre fondée sur une exigence morale ne s'est jamais voulue moralisatrice : il s'agit de susciter la réflexion, et non de figer la pensée dans quelque assertion définitive. C'est sans doute pourquoi aussi, malgré la clarté du langage — ou peut-être grâce à cette clarté incontestable —, elle garde ses prestigieuses énigmes.

Il serait évidemment téméraire d'affirmer que Camus a, dès ses débuts, une idée précise de son œuvre future, ni même qu'il sait déjà qu'elle recèlera cette « part obscure » qui lui paraîtra si importante. Mais les premiers écrits, les notes des *Carnets*, les confidences au gré de conversations ou de lettres montrent que cette œuvre à venir vit déjà en lui et que certaines de ses lignes de force se dessinent très tôt. Avec un mélange d'enthousiasme et d'incertitude, d'élans et de réserve, d'assurance et d'hésitations, il multiplie les plans, les projets, les ébauches ; il entrevoit des moments successifs dans sa réflexion. Il connaîtra des périodes de découragement et de doute ; il aura, jusqu'au bout, l'impression que son « œuvre n'est même pas commencée[1] » ; il évoquera souvent l'angoisse de l'écrivain et son déchirement de se savoir pris entre la solitude indispensable à la véritable création et les obligations de l'artiste refusant de se séparer de son époque et des combats qu'elle exige, et jugeant la solidarité avec ses contemporains d'autant plus essentielle que l'Histoire se fait plus pressante et plus pesante. Il connaîtra la tentation du silence, qui en lui-même peut être plus riche que la parole ; et parce qu'il est lié à la présence silencieuse de sa mère, Camus lui donnera une valeur essentielle et sacrée, qu'il aura parfois l'impression de trahir.

Ces difficultés, ces besoins ou ces devoirs contradictoires que l'on ne saurait minimiser ne parviennent cependant pas, le plus souvent, à éliminer le bonheur d'écrire et de créer :

---

1. Préface à *L'Envers et l'Endroit*, p. 38.

« Écrire, ma joie profonde ! » s'exclame l'auteur des *Carnets*[1], à l'orée de cette aventure ; ce n'est pas un plaisir passager et superficiel, mais un véritable besoin charnel : « Il me faut écrire comme il me faut nager, parce que mon corps l'exige[2] », affirme une note de 1936. L'expression n'est pas banale. Considérer l'écriture sous l'angle du désir physique dit assez nettement la force de ce désir, et sa sensualité. C'est l'auteur de *Noces* dont on entend ici la voix. Tous les textes de Camus n'ont pas la tonalité fervente de ces hymnes au bonheur de vivre, qui n'excluent d'ailleurs pas la conscience aiguë de la précarité de la vie humaine. Mais il est bien d'autres pages où se sent, à la lecture, la volupté d'écrire — sans complaisance à soi ni concession aux facilités d'un certain lyrisme. C'est de tout son être que Camus s'est voulu écrivain ou — mais les deux termes sont bientôt équivalents pour lui — « artiste », comme il aimera à se définir. Le « Discours du 10 décembre 1957 » affirmera encore qu'écrire est une nécessité vitale : « Je ne puis vivre personnellement sans mon art. » Ce qui ne signifie pas qu'il sacralise cet art, ou y voit une possibilité de sacraliser la personne de l'écrivain ; au contraire, loin de toute tour d'ivoire, de tout signe d'élection, l'art rassemble : « S'il m'est nécessaire […] c'est qu'il ne se sépare de personne et me permet de vivre, tel que je suis, au niveau de tous. » La conviction que l'écrivain ne peut s'isoler de la communauté des hommes se double de celle, non moins profonde, que l'écrivain et l'être ne se dissocient pas. Il y a là un gage d'authenticité de l'auteur et de sa création qui éclaire singulièrement non seulement le « je » des essais, mais aussi les vérités incarnées par Caligula ou Martha, Diego ou Kaliayev, Meursault, Rieux ou Cormery, et même Clamence dans sa comédie révélatrice.

« Qui suis-je[3] ? »

En même temps que de cette exigence de vérité, Camus est habité d'un étrange fantasme, dont on trouve la présence ou la trace dès ses premières ébauches, puis dans les *Carnets* et dans *L'Envers et l'Endroit* — et jusque dans la nativité sur laquelle s'ouvre *Le Premier Homme* : celui d'assister à sa propre naissance. Ce curieux dédoublement joue, me semble-t-il, un rôle essentiel dans sa venue à l'écriture, puisqu'il est une représentation originelle de la quête de soi.

---

1. *Carnets 1935-1948*, t. II de la présente édition, p. 833.
2. *Ibid.*, p. 811.
3. « L'Envers et l'Endroit », *L'Envers et l'Endroit*, p. 70.

Sans attacher au « Dernier jour d'un mort-né » plus d'importance que n'en mérite ce texte maladroit — et que Camus n'a jamais repris après sa publication en 1931 dans l'éphémère revue *Sud* —, il est troublant d'y lire : « je me représente naissant[1] ». Il n'y aurait pas lieu de s'attarder sur ce fantasme adolescent s'il ne réapparaissait dans l'œuvre véritable, à plusieurs reprises, de façon beaucoup plus élaborée et maîtrisée. En janvier 1936, plusieurs pages des *Carnets* sont consacrées à une méditation sur la relation du « je » et du monde, fondée sur la contemplation heureuse, mais non dépourvue d'angoisse, de jeux d'ombre et de lumière perçus à travers une fenêtre. Au centre de cette version très personnelle du mythe platonicien de la caverne figure cette remarque : « Je ne me plains plus, puisque je me regarde naître[2]. » Cette naissance à soi, que l'on pourrait être tenté de lire comme un credo égoïste ou la manifestation d'un narcissisme exacerbé, est révélatrice d'un chemin beaucoup plus complexe, et plus singulier. La psychanalyse y verrait peut-être le désir d'un retour à la fusion avec la mère ; mais l'accent est mis sur la contemplation de la naissance, non sur ce rapport fusionnel qui la précède. En fait, se regarder naître, n'est-ce pas, déjà, une manière de se vouloir Premier Homme ? D'autant que les géniteurs sont absents de cette vision. Faut-il rappeler les éléments biographiques qui justifient cette absence — la disparition du père, la présence silencieuse « de cette mère étrange[3] » dont l'indifférence fascine et parfois désespère son fils ? Cependant, Camus a très tôt reconnu l'importance décisive, dans l'édification de sa propre personnalité, de celle de sa mère, comme en témoigne, entre autres, un passage de « Louis Raingeard » (ébauche de roman autobiographique restée inédite) : « Et lui savait bien que tout ce qui faisait sa sensibilité, c'était tel jour où il avait compris qu'il était né de sa mère et que celle-ci ne pensait presque jamais[4]. »

La réalité biographique oriente la quête de soi que Camus a entreprise ; elle aurait pu l'enfermer dans le ressassement et le ressentiment, le condamner à la stérilité, ou à faire de lui-même la source et l'aboutissement de son œuvre, en le séparant des hommes et du monde. Mais, non sans difficulté, Camus, par ses choix éthiques, intellectuels, affectifs et charnels, par ses engagements politiques et culturels — en un mot, par l'idée qu'il se fait de lui-même et de ses rapports avec les autres —, parvient à

1. « Le Dernier Jour d'un mort-né », p. 513.
2. *Carnets*, t. II de la présente édition, p. 799.
3. « Entre oui et non », *L'Envers et l'Endroit*, p. 50.
4. « Louis Raingeard », p. 90 (phrase biffée).

transformer cette réalité difficile en richesse, en source rayonnante et vivifiante. Aurait-il pu réussir cette transmutation s'il
n'avait eu la conviction, plus ou moins consciente, et sans doute
intermittente, que sa douloureuse quête d'identité ne se disso-
ciait pas de son désir et de sa volonté de créer ? Il lui faudra bien
des années avant de pouvoir proclamer fièrement : « voici les
miens, mes maîtres, ma lignée[1] » ; mais il a su, très tôt, où était
« le sens vrai de la vie[2] » qui, seul, pouvait le guider vers l'œuvre
dont il rêvait : « dans ce monde de pauvreté et de lumière » où
il était né, et qu'il devait quitter pour devenir lui-même, sans
jamais le renier ; l'éloignement nécessaire donnera souvent à
l'Algérie de son enfance les couleurs nostalgiques d'un paradis
perdu, mais n'effacera jamais la « fidélité instinctive » à ce paradis, et le sentiment profond qu'un « soleil inépuisable[3] » peut
continuer de rayonner au centre de la vie et de l'œuvre — même
s'il n'est pas immédiatement visible.

D'autre part — et ce n'est pas le moindre paradoxe — la
réponse à l'interrogation fondamentale : « Qui suis-je », passe
par l'ouverture au monde : « Si j'essaie de m'atteindre, c'est tout
au fond de cette lumière[4]. » L'accession à soi n'est possible qu'à
travers ce détour par la beauté du monde qui, pour un instant
du moins[5], loin de signifier une altérité lointaine, se confond
avec la présence de l'être : « c'est moi-même que je trouve au
fond de l'univers. Moi-même, c'est-à-dire cette extrême émotion qui me délivre du décor[6]. » Il s'agit là moins d'un donné,
semble-t-il, que d'une conquête volontaire, dont les *Carnets*
gardent la marque[7].

Cette détermination a une indéniable portée spirituelle ; c'est
l'être et non l'avoir qui est en jeu. Mais Camus retient surtout
son aspect affectif. Ce que le monde révèle, et ce qu'il doit sau-
vegarder, ce n'est pas seulement la présence et la réalité de soi,
mais aussi le fait que cette présence et cette réalité se découvrent
sur le mode de l'« émotion ». Et la délivrance évoquée, dans tous
les sens du terme (le « décor » n'emprisonne plus, puisqu'il a
permis l'accession à soi-même, et c'est une véritable mise au
monde), est aussi d'ordre éthique, placée sous le signe de la

---

1. Préface à *L'Envers et l'Endroit*, p. 37.
2. *Carnets*, t. II de la présente édition, p. 795.
3. « L'Énigme », *L'Été*, p. 149.
4. *Carnets*, t. II de la présente édition, p. 799.
5. Voir *ibid.* : « Instant d'adorable silence » ; et « L'Envers et l'Endroit »,
p. 71 : « cet impalpable instant ».
6. « L'Envers et l'Endroit », p. 70. Repris des *Carnets*, t. II de la présente
édition, p. 799.
7. Voir *ibid.*, p. 808.

vérité où se rejoignent, dans une unité insolite, l'être et le monde : « Et quand donc suis-je plus vrai que lorsque je suis le monde[1] ? »

Il y a tout lieu de croire à la réalité vécue de ce dont témoigne ce récit, qu'il s'agisse d'une expérience unique ou, plus probablement, de la volonté d'analyser et de rassembler par l'écriture des moments de contemplation et de révélation ressentis comme fondateurs. Camus ne s'y est pas trompé : avec une intuition féconde, il a mis en évidence l'importance vitale de ce qui s'est joué en ces instants ; il est passé de l'ordre du fantasme à l'élaboration intellectuelle, à la lucidité, à l'ordre de la représentation, sans pour autant priver ces visions de leurs forces de vie ; les pages des *Carnets* et plus encore celles de « L'Envers et l'Endroit » qui en rendent compte expriment l'étonnement, l'angoisse et l'émerveillement d'être au monde. L'écriture permet de garder la trace de ces découvertes fondamentales ; elle permet de les revivre et de les faire partager ; mieux encore, elle leur donne une légitimité incontestable. Camus, désormais, sait que cette naissance à lui-même est aussi celle d'un écrivain, conscient des pouvoirs de l'écriture. Lorsqu'il affirme : « À cette heure, tout mon royaume est de ce monde[2] », signalant tout à la fois l'étendue de sa puissance et sa précarité, ce cri d'orgueil et d'humilité est aussi celui du créateur.

Si le « je » n'apparaît pas dans le récit de nativité païenne qui ouvre *Le Premier Homme*, on ne saurait cependant mettre en doute le caractère autobiographique de ce roman des origines — même s'il s'agit, en l'occurrence, d'une autobiographie imaginaire. Il est probable que les détails de ce premier chapitre répondent à l'injonction notée plus loin, à propos du père : « Le reste, il fallait l'imaginer[3] » ; en fait, tout est à imaginer dans la représentation de cette naissance de soi-même. Elle n'en a que plus de signification et de valeur symbolique. La présence du « je » biographique est ramenée à celle d'un nouveau-né vagissant ou dormant ; et contrairement aux précédentes mises en scène de la naissance, c'est l'écrivain seul qui prend en charge la relation de l'événement.

À tant d'années de distance, cette nativité semble un écho des premières pages des *Carnets*, et de « L'Envers et l'Endroit ». La présence du monde extérieur n'est pas un simple décor, qui dramatiserait les scènes de l'arrivée dans une maison vide et de

---

1. « L'Envers et l'Endroit », p. 71. Repris des *Carnets*, t. II de la présente édition, p. 799, avec une légère variante.

2. *Ibid.*, également avec une légère variante.

3. *Le Premier Homme*, p. 79.

l'accouchement. La violence des éléments n'est pas seulement
une manière de signaler, dès l'abord, celle du pays et de la vie
qu'y mènent ses habitants ; si, comme Camus l'affirmait lorsqu'il
se décrivait assistant à sa propre naissance, il ne peut se trouver
qu'« au fond de l'univers[1] », cette « drôle d'arrivée[2] » la nuit,
sous la pluie, dans un pays inconnu, parmi des gens étrangers,
semble suggérer les difficultés qui attendent le nouveau-né, et
« la part obscure » de sa personnalité. On ne sait si cette « drôle
d'arrivée » désigne la venue à la ferme de Saint-Apôtre, ou
la venue au monde de l'enfant ; mais la remarque souligne à
quel point ce récit de naissance diffère de ceux, traditionnels
ou conventionnels, qu'offre la littérature biographique ou autobiographique.

   Dans cette partie du livre qui s'énonce comme « Recherche
du père », celui-ci semble être le héros principal et avoir la
maîtrise de l'action ; mais, en fait, il reste anonyme — simplement appelé « l'homme » — et surtout, parti chercher le docteur, il est absent au moment de la naissance. Les commentaires,
lapidaires, ne viennent pas de lui ni de la mère, mais des personnages secondaires : le médecin, la patronne de la cantine,
l'Arabe qui les a conduits jusqu'à la ferme[3]. Tout se passe
comme si la venue au monde de l'enfant tirait son authenticité
du monde même et des « autres[4] », donnant ainsi une nouvelle illustration du problème fondamental de la quête d'identité. Le narrateur-écrivain ne commente pas non plus ; mais il
donne une double dimension à son récit : réaliste, par la description minutieuse des êtres, et lyrique, à propos des éléments
et en particulier des nuages et de la pluie. Cette naissance a lieu
dans le dénuement, mais elle n'en est pas moins fabuleuse — au
sens le plus fort du terme ; ancrée dans la réalité la plus nue,
elle est cependant une ouverture sur le légendaire, et même le
mythique. Le pouvoir de l'écriture revêt d'une étrange puissance
cette évocation d'une scène placée sous les signes complémentaires de la solitude et de la solidarité, et, simultanément, d'un
pays tout entier, cette « immense terre quasi déserte » où s'est
joué le destin de toute une population, et où débute l'aventure
singulière d'un personnage en quête de lui-même. Toute l'œuvre
de Camus s'inscrit dans ces doubles postulations — réel et
mythe, singularité et universalité — dont chacun des éléments,
loin de s'opposer à son contraire, le complète et l'enrichit.

---

1. Voir ci-dessus, p. XIV.
2. *Le Premier Homme*, p. 23.
3. *Ibid.*, p. 27.
4. Voir « Entre oui et non », p. 51.

Cette nouvelle mise en scène, romanesque et romancée, du
« Je me regarde naître » des *Carnets* et des essais passe donc, à
son tour, par la prise en charge du monde extérieur — comme
si le « je » ne pouvait apparaître qu'à travers la présence de ce
qui n'est pas lui. Le « je » ne peut se constituer seul. N'était-ce
pas déjà le cas des tout premiers tâtonnements, « Intuitions[1] »,
avec le personnage mystérieux du « Fou », ou « Les Voix du
quartier pauvre[2] », qui supposent un auditeur attentif ? Et l'on
pourrait aisément montrer l'importance du monde extérieur
— décor naturel, objets réels, personnages — dans la manière
dont se forment et s'affirment les personnages des romans et
des nouvelles, de Meursault à Clamence et à Jacques Cormery,
en passant par Rieux, Rambert, ou Tarrou, Janine, Jonas, Daru,
d'Arrast ou les « Muets ». S'agit-il d'une impossibilité existentielle d'être seul, ou de la nécessité que soit reconnue et approuvée par un regard extérieur la manifestation de l'existence du
« je » ? Quoi qu'il en soit, le fait est significatif ; pour *Le Premier
Homme*, le monde n'est pas seulement la nature hostile, c'est
aussi la présence du docteur, de la patronne de la cantine, de
l'Arabe ; jointe à ce que l'on devine de la personnalité du père
et de la mère, elle est déterminante dans la venue au monde de
l'enfant. Le fantasme prend alors une portée sociale, ou sociologique ; l'enfant est bien fils de ce pays, mais en même temps il
est l'hôte de ses habitants qui se montrent fraternels et proches
en toute simplicité, comme si leur manière d'être et d'aider allait
de soi. On comprend alors pourquoi il était nécessaire que l'histoire de Jacques Cormery / Albert Camus commençât dès ce
récit de naissance ; non seulement il donne corps à sa lointaine
vision onirique, mais il la fonde en droit, et affirme clairement
l'enracinement ontologique du personnage et de l'écrivain.

Peut-on considérer que *Le Premier Homme*, par là, proclame
l'aboutissement de la quête d'identité ? En son état interrompu,
il insiste encore sur la « recherche » : celle du père, celle du
fils, celle du passé de l'Algérie — qui sont inséparables ; mais
il met l'accent sur la construction du « je », qui ne se trouvera lui-
même que dans son retour à la mère.

Les années d'apprentissage.

La conception que Camus se fait de l'écrivain et de sa création, qui ne sépare pas le parcours de l'homme et la construction de son œuvre, oblige à accorder une extrême importance à

1. Voir p. 941.
2. Voir p. 75.

la succession chronologique des livres qui la composent. L'œuvre véritable — celle en qui s'inscrit la courbe d'une vie, non seulement dans les événements qui l'orientent ou les actions qui l'engagent, mais aussi dans ses dimensions et ses visées intellectuelles, affectives, spirituelles ou imaginaires — est « en continuel devenir[1] ». Pour n'en donner que quelques exemples, il est probable que l'écriture de *L'Étranger* aurait été bien différente si Camus n'avait pas tiré les leçons des erreurs de *La Mort heureuse*. Et l'on sait que la révolte est annoncée comme une « conséquence » de l'absurde et que les prémices de *L'Homme révolté* sont déjà contenues dans *Le Mythe de Sisyphe* ; malgré son anonymat, l'homme révolté tel que Camus le décrit n'est-il pas l'héritier direct des personnages révoltés des romans ou du théâtre ? Attentif à ce que l'on peut appeler le travail de l'œuvre sur l'œuvre, affirmant qu'en ce qui le concerne il ne croit pas « aux livres isolés », convaincu au contraire que « chez certains écrivains » — parmi lesquels il se range sans aucun doute — les « œuvres forment un tout où chacune s'éclaire par les autres, et où toutes se regardent[2] », Camus est conscient de l'unité profonde de son œuvre ; il souhaite cependant l'ouvrir à la diversité des thèmes, des formes, et des approches.

Si la quête de l'identité est fondatrice, elle ne saurait évidemment résumer toute la démarche créatrice de Camus. Elle ne recouvre pas — du moins, pas directement — tous les problèmes *philosophiques* auxquels le jeune Camus s'affronte en même temps qu'il découvre les affres et l'exaltation de l'écriture. L'intrusion brutale de la maladie en 1930, une grave tuberculose dont il ne guérira pas, est d'une importance capitale pour son appréhension de la vie — et donc de ce qu'il entrevoit très tôt comme son œuvre ; un texte comme « L'Hôpital du quartier pauvre », surtout dans ses premières formulations[3], ou telle remarque de *Noces*[4] peuvent nous permettre d'imaginer ce que furent pour l'adolescent épris des joies du corps, aimant passionnément jouer au football, se livrer au plaisir de la nage, la découverte de sa propre faiblesse et le fait de basculer brusquement dans l'univers de la maladie : Camus connaissait déjà la solitude, mais il pouvait la rendre féconde ; celle qu'inflige la maladie est stérile et, désormais, il sait de tout son corps et de toute sa lucidité qu'il est mortel. Cette connaissance absolue, cette expérience doulou-

---

1. *Le Mythe de Sisyphe*, p. 297.
2. « Entretien sur la révolte », *Actuelles II* ; *Pléiade Essais*, p. 743. Ce texte est de février 1952 : les cycles de l'absurde et de la révolte sont alors achevés.
3. Qui datent de 1933.
4. Voir « Le Vent à Djémila », *Noces*, p. 114-115.

reuse auraient pu faire de lui un personnage semblable à ceux de *La Montagne magique* de Thomas Mann ; il n'en est rien. Il semblerait que la maladie, dès qu'elle lui laisse quelque répit, donne un nouvel élan à sa jeunesse, décuple sa hâte de jouir de la vie, son goût du bonheur — et son désir d'écrire. Il fera preuve, tout au long de sa vie, d'une étonnante vitalité, mènera de front de multiples activités, fera cohabiter en lui le journaliste, l'homme de théâtre, le penseur, le romancier ; sans doute l'homme et le créateur en lui sont-ils mus, plus ou moins consciemment, par un sentiment d'urgence.

À ses tout débuts, une sorte de ligne de partage semble opposer deux domaines d'expression : Camus écrit et garde pour lui des textes très subjectifs où se dit, directement, « le souhait d'une âme trop mystique, qui demande un objet pour sa ferveur et sa foi[1] », ou au fil desquels, de façon plus métaphorique, ses incertitudes, ses inquiétudes s'inscrivent dans l'alternance de l'ombre et du soleil d'une « maison mauresque[2] », ou encore dans lesquels il note de brèves réflexions sur la mort, la perte, Dieu — non sans humour d'ailleurs. En même temps, le jeune philosophe, soutenu par Jean Grenier, publie dans une revue d'étudiants des textes beaucoup plus « extérieurs » : dissertations littéraires ou philosophiques, où inquiétudes et humour font place aux certitudes, au sérieux, aux affirmations péremptoires. Ces exercices d'étudiant, dont la part vraiment personnelle est relative, montrent en tout cas un goût indéniable pour l'analyse intellectuelle. Camus a découvert le jardin de la culture grâce à l'école, aux livres, à ses maîtres, bientôt aux « intercesseurs » qu'il se choisit, au sens baudelairien du terme, et parmi lesquels figure Baudelaire lui-même ; si *La Douleur* d'André de Richaud a été un révélateur, et lui est apparu comme une autorisation à écrire, la lecture de Gide est capitale, comme celle de Malraux, de Montherlant — mais aussi de Nietzsche ; Camus est fasciné par les classiques — Pascal, Molière —, par Stendhal ou Proust, mais il lit aussi les écrivains de la NRF et ne peut être insensible à l'exemple de Jean Grenier, qui offre à ses étudiants le modèle d'un philosophe élaborant devant eux sa pensée. Camus ne se contente pas d'apprendre, de recevoir, il commence à bâtir son propre édifice. Et déjà se manifeste — certes, avec timidité ou maladresse, mais lucidement — sa volonté de trouver, pour chacun des domaines qu'il explore, l'expression qui lui convient. Il « évite », déjà, « le mélange des genres[3] ». Les

---

1. « Intuitions », p. 941.
2. « La Maison mauresque », p. 967.
3. Voir sa « Dernière interview », *Pléiade Essais*, p. 1926.

gammes auxquelles il s'exerce vont de textes réalistes, descriptifs, centrés sur tout ce qu'il a pu capter du « quartier pauvre » au plus près de son expérience, à l'affirmation emphatique d'un besoin d'idéal et d'idéalisme ; il le situe dans l'Art, qu'il magnifie d'une majuscule[1]. Mais même les écrits du « quartier pauvre » ne sont pas simplement descriptifs ; à travers ce qui est perçu par les sens, à travers la signification immédiate de ce qui est vu ou entendu, ces textes suggèrent autre chose, le mystère de la vie, de l'âme, la « part obscure » de l'être et des choses. L'attention portée aux « voix » autant qu'aux paroles prononcées témoigne — peut-être confusément encore — de la recherche d'une vérité cachée, d'un au-delà du langage. En même temps, Camus s'essaie au conte, avec « Le Livre de Mélusine[2] » ; il s'improvise critique musical et plus encore d'art plastique, et excelle à mettre en évidence le talent de ses jeunes amis, sculpteurs ou peintres. Et bientôt, il tente d'écrire un roman autobiographique, « Louis Raingeard », où se diraient tout à la fois sa vie réelle, ses rêves, l'obscur sentiment de culpabilité qui l'habite parce qu'il a quitté le « quartier pauvre » et que tout l'éloigne de sa mère : en fait, ce qu'il appellera un peu plus tard « l'amour de vivre » et « le désespoir de vivre[3] ». L'entreprise était probablement trop précoce : il ne parvient pas à trouver la distance nécessaire avec une expérience douloureuse. Il ne parlera jamais de ce « Louis Raingeard », mais ne l'oubliera pas, puisque plusieurs passages de *L'Envers et l'Endroit* prennent leur source dans ce texte, et que certaines formules se retrouveront dans *Le Premier Homme*… Et dans ce roman impossible à écrire, sans doute parce qu'il a été difficile à vivre, se dessine une conception exigeante de l'écriture comme expression du plus profond et du plus vrai de l'être — qui s'affirmera dans toute l'œuvre.

La passion du théâtre.

Peut-être est-ce pour échapper au moins un moment à la solitude, et en retrouver ensuite le désir, que Camus s'est tourné vers le théâtre ; il y a exercé toutes les activités liées à la représentation, tout en affrontant l'écriture dramatique : « J'ai écrit pour le théâtre parce que je jouais et je mettais en scène[4] », dira-t-il. Acteur dans diverses troupes à Alger, dont le Théâtre du Travail, puis le Théâtre de l'Équipe qu'il crée et dirige lui-même,

---

1. Voir « L'Art dans la Communion », p. 960.
2. Voir p. 988.
3. « Amour de vivre », *L'Envers et l'Endroit*, p. 67.
4. Interview donnée à *Paris-Théâtre* en 1958, reproduite dans *Pléiade TRN*, p. 1715.

il est aussi metteur en scène, s'occupe des décors, des costumes ;
le théâtre n'est pas seulement une forme de langage — même
s'il devait le définir comme « le plus haut des genres littéraires
et en tout cas le plus universel[1] » ; et même si, auteur de quatre
pièces originales, il s'est livré à de nombreuses adaptations,
depuis celle, en 1936, du *Temps du mépris* de Malraux jusqu'à celle
des *Possédés*, en 1959, qui, comme celle de *Requiem pour une nonne*,
est une véritable réécriture. Le théâtre réclame un travail partagé
par une « équipe », une solidarité, voire une fraternité entre tous
ceux qui participent à la représentation. La scène est un lieu de
fête collective, de communion dans le bonheur : « une scène
de théâtre est un des lieux du monde où je suis heureux[2] »,
devait-il déclarer ; on peut penser que Clamence est son porte-
parole lorsque du fond de son enfer il reconnaît : « Maintenant
encore, les matches du dimanche, dans un stade plein à craquer,
et le théâtre, que j'ai aimé d'une passion sans égale, sont les seuls
endroits du monde où je me sente innocent[3]. » Ce bonheur de
l'innocence et du dépassement de la solitude, éprouvé au théâtre
ou au stade, on verra que Camus devait le trouver également
dans le journalisme. L'adaptation, en 1936, du roman de Malraux ou, quelques mois plus tard, *Révolte dans les Asturies*, dont
la rédaction est collective, sont écrits pour être joués par le
Théâtre du Travail. Ces choix sont d'ordre politique : la troupe
a été créée sous l'égide du Parti communiste, et ce n'est pas un
hasard si elle débute par l'adaptation d'un roman qui soutient les
communistes allemands ; quant à la pièce originale que la troupe
devait monter pour son deuxième spectacle, et qui, faute de
pouvoir être représentée, fut éditée, constituant ainsi la première œuvre publiée de Camus, qui était le plus important de
ses coauteurs, elle a pour thème le combat perdu des mineurs
asturiens, deux ans avant le début de la guerre d'Espagne ; loin
d'être un simple témoignage, la pièce exprime le soutien aux
mineurs révoltés et vaincus. On sait l'attachement que Camus
ne cessera de manifester en faveur de l'Espagne républicaine.
Mais outre cette dimension politique, ces choix signalent la
volonté de ne pas se contenter de reprendre des pièces qui
existent, mais de faire œuvre novatrice, tant par l'écriture que
par la mise en scène ; peut-être Camus, plus ou moins conscient-
ment, songe-t-il déjà à créer cette « tragédie moderne[4] » qu'il

---

1. « Pourquoi je fais du théâtre ? », *Gros plan*, émission de télévision,
mai 1959 ; *Pléiade TRN*, p. 1726.
2. *Ibid.*, p. 1720.
3. *La Chute* (1956), Gallimard, coll. « Folio », p. 93.
4. Voir, entre autres, la « Conférence sur l'avenir de la tragédie » ; *Pléiade
TRN*, p. 1701.

appellera de ses vœux et illustrera par ses propres œuvres théâtrales. Il a en tout cas souhaité mettre ses débuts d'auteur
dramatique à l'épreuve immédiate de la représentation. S'il envisage, dès 1937, un *Caligula* qui ne connaîtra sa version définitive que bien plus tard, et ne sera représenté qu'en 1945, c'est
qu'il pense le mettre en scène et le jouer lui-même. La création
collective, le fait d'adapter, de mettre en scène et de jouer des
textes qu'il aime peuvent apparaître comme un exercice préparatoire à la création proprement dite ; en fréquentant ces textes
de manière concrète, Camus fait son apprentissage de dramaturge. C'est peut-être pourquoi il ne s'interroge pas sur le
bien-fondé de l'écriture théâtrale, alors que *Le Mythe de Sisyphe*
verra dans le roman le symbole de la création absurde, et que
L'Homme révolté affirmera qu'écrire un roman « n'a rien d'inévitable ni de nécessaire[1] ». L'innocence fondamentale qu'il retrouve
sur une scène a peut-être rejailli sur l'écriture théâtrale elle-
même, qui n'a pas besoin d'être justifiée. En revanche, le comédien, « mime du périssable[2] », fournira un exemple d'« homme
absurde » au *Mythe de Sisyphe*, montrant par là que Camus a parfaitement conscience de la signification symbolique d'un destin
d'acteur.

« Si tu veux être philosophe… »

Ces années d'initiation littéraire et théâtrale sont aussi celles
des études philosophiques. Il faudra toute la malveillance de
certains lecteurs de *L'Homme révolté* pour contester la culture
de Camus en ce domaine, et sa capacité à comprendre les philosophes… Pourtant, il ne s'accordait pas à lui-même cette
étiquette ; certes, il avait envisagé de mener jusqu'au bout ce
cursus — ce que la maladie l'empêchera de faire — mais, attentif
à son propre mode de pensée, il s'estime romancier ou artiste
plus que philosophe : il note dans ses *Carnets*, en 1936 : « On
ne pense que par image. Si tu veux être philosophe, écris des
romans[3]. »

Cest pourtant le moment où il rédige son Diplôme d'études
supérieures, « Métaphysique chrétienne et néoplatonisme »,
centré sur Plotin et Augustin ; de cet exercice où la part vérita-

1. *L'Homme révolté* (1951), Gallimard, coll. « Folio », p. 324.
2. *Le Mythe de Sisyphe*, p. 274.
3. *Carnets*, t. II de la présente édition, p. 800. On trouvera la même idée
dans la critique de *La Nausée* de Sartre, parue en octobre 1938 dans « Le Salon
de lecture » d'*Alger républicain* : « Un roman n'est jamais qu'une philosophie
mise en images » (p. 794).

blement personnelle est assez réduite, on retiendra cependant l'attrait pour la pensée grecque de l'Unité, qui restera une référence majeure, l'intérêt pour l'évêque d'Hippone, né sur les mêmes rivages que lui, et certaines formules qui se retrouveront dans *L'Homme révolté*.

Quelques années plus tard, en 1945, à deux reprises au moins, Camus refusera le qualificatif de philosophe, aussi bien pour lui-même, dans ses *Carnets*, que dans une interview publiée, où la réponse est plus argumentée : « Pourquoi suis-je un artiste et non un philosophe ? C'est que je pense selon les mots et non selon les idées[1]. » S'il se défend d'être philosophe, si sa pensée se construit sur les « images » et sur les « mots », c'est qu'il refuse le jeu abstrait des idées qui n'engagent pas la réalité de l'être, qu'il récuse tout enfermement dans un système idéologique clos. Il se défie des spéculations qui oublient les aspects concrets de la vie, et, par là, risquent de mutiler l'homme. Ses préoccupations éthiques ne se manifestent pas par une élaboration théorique, mais par la réflexion sur les manières possibles d'être et de vivre. Même si elle n'est pas encore explicitement formulée, c'est bien la recherche d'une morale sans recours à la religion, d'une conduite « à hauteur d'homme », comme il aimera à le dire, qui l'anime déjà. Ce qui se traduit aussi par un engagement actif à la fois politique et culturel. Le plus important n'est pas son court passage au Parti communiste, qu'il avait rejoint par solidarité avec son milieu, et non par adhésion à une doctrine ; le plus important pour lui est de mettre sa vigilance et son talent au service de ceux que la misère accable ou que l'Histoire opprime. Rien d'étonnant dès lors à ce qu'il milite en faveur d'un régime colonial plus juste, qu'il envisage une « culture méditerranéenne » où se retrouveraient, dans la fraternité, tous les peuples de la Méditerranée, qu'il ne sépare pas politique et diffusion d'une culture populaire.

Si Camus n'a pas élaboré de système de pensée, s'il a préféré écrire des « essais » plutôt que des traités, il incarne déjà, dans son mode d'être, une morale qui ne cessera d'être la sienne : ouverte au bonheur, désireuse de ne rien perdre de la beauté de la nature, mais gardant la mémoire de ce qui peut faire le malheur des hommes. Il le formulera parfaitement plus tard : « Il y a la beauté et il y a les humiliés. Quelles que soient les difficultés de l'entreprise, je voudrais n'être jamais infidèle ni à l'une, ni aux autres[2]. »

---

1. *Carnets*, t. II de la présente édition, p. 1029. Voir aussi l'interview à *Servir*, t. II de la présente édition, p. 659.
2. « Retour à Tipasa », *L'Été*, p. 166.

C'est cette forme de « philosophie » que l'on trouve dans sa première œuvre personnelle, publiée en 1937, *L'Envers et l'Endroit* : titre programmatique, qui annonce, précisément, que le jeune auteur souhaite ne rien renier de la vie. Dans *Le Mythe de Sisyphe*, s'interrogeant sur « Philosophie et roman », il affirmera que « Les grands romanciers sont des romanciers philosophes[1] », qui, à travers l'histoire qu'ils construisent, offrent une vision du monde. Nul doute que ce soit là, dès ses débuts, un aspect essentiel de l'ambition créatrice de Camus, qui ira plus loin encore : à partir de cette vision du monde, aussi bien dans ses romans que dans ses pièces de théâtre ou ses essais, il proposera de véritables mythes de la condition humaine. Sisyphe et Prométhée deviennent nos contemporains, et voisinent avec Meursault, Caligula ou Rieux, entre autres. Dotés d'un destin singulier, d'une morale individuelle, d'un mode de vie personnel ou même original, ces personnages et leur histoire nous parlent de nous, de l'homme aux prises avec ce qui le mutile et ce qui l'exalte.

Dès *L'Envers et l'Endroit*, cette vision « philosophique » des réalités de la vie, au plus près du quotidien, se devine. La part faite à l'enfance ou à l'adolescence est encore belle, dans « L'Ironie » ou dans « Entre oui et non », composés de souvenirs personnels, de portraits de personnages proches, d'autres plus lointains, ou de simples rencontres, dont beaucoup figuraient dans les textes antérieurs. Délivrée d'une certaine nostalgie, l'expérience vécue de voyages encore proches dans le temps devient récit, dans « La Mort dans l'âme » et « Amour de vivre », mais très vite elle se transforme en méditation. L'anecdote n'est plus qu'un prétexte à la réflexion morale et métaphysique dans « L'Envers et l'Endroit ». La présence de mieux en mieux assumée d'un « je », que l'on dirait volontiers devenu adulte, donne leur unité à ces textes riches de renseignements biographiques, faisant revivre la redoutable grand-mère, ou évoquant les liens avec la mère, fervents et difficiles ; mais l'intérêt de ces textes ne tient pas seulement aux confidences pudiques qu'ils contiennent. Ils mettent en évidence le réalisme symbolique où se perçoit déjà le génie propre de Camus. À partir d'événements banals, d'objets familiers, de personnages routiniers, le « je »-narrateur suggère une interrogation à la fois très personnelle et universelle sur le sens de la vie, et sur la relation de l'être au monde. Camus dévoile l'un de ses procédés ; en voyage, privés de nos repères habituels, nous nous sentons « l'âme malade » ; mais cela nous permet de rendre « à chaque

1. P. 288.

être, à chaque objet sa valeur de miracle [...] chaque image devient un symbole[1] ». Par là, les éléments de ses récits deviennent significatifs de l'absurdité de la vie, de la révolte qu'elle peut susciter, de l'indifférence du monde ; il parvient à en faire les supports d'une « vision du monde » et de l'homme en proie au malheur, à la maladie, à la solitude, à l'angoisse, mais capable aussi de connaître l'exaltation de vivre, le bonheur d'être, l'amère grandeur de la lucidité, et, tel Sisyphe, « les yeux ouverts sur la lumière comme sur la mort[2] », de devenir supérieur à son destin mortel. Il s'agit bien de montrer « l'envers et l'endroit » de la vie des hommes.

Le recueil s'ouvre et se ferme sous le signe de « l'ironie » ; le titre du premier texte est d'autant plus significatif que l'un des récits qui le composent était d'abord intitulé « Le Courage » : c'est une « ironie éthique », comme la définit Vladimir Jankélévitch[3], une force active et positive d'ordre moral et intellectuel, qui est à la fois conscience du monde et de soi-même, et exercice de détachement, et qui permet de faire surgir le scandale et l'absurde. Elle est inséparable de la douleur, qu'elle reconnaît mais s'efforce de tenir à distance pour pouvoir l'évoquer sans pathos. Sous-jacente ou explicite, l'ironie comme mode d'appréhension et de représentation du monde sera présente dans toute l'œuvre de Camus[4], et portée à son point de perfection dans *La Chute* ; l'un des titres envisagés pour ce premier ensemble de récits était d'ailleurs « In deserto », dont Clamence — « *vox clamantis in deserto* » — semblera recueillir l'écho lointain. Il semblera aussi reprendre à son compte la leçon de l'ironie, donnée dans le dernier texte du recueil : « " Vivez comme si[5]... " »

Entre le récit et l'essai, Camus a déjà trouvé un ton singulier, une forme particulière et les thèmes qui hanteront toute son œuvre ; parfois, ils ne semblent encore qu'effleurés, mais il ne

---

1. « Amour de vivre », p. 66.
2. « L'Envers et l'Endroit », p. 71.
3. « De même que l'ironie fait saillir l'absurdité latente, ainsi l'ironie éthique fait éclater les scandales invisibles » (*L'Ironie*, Flammarion, 1964, p. 109). Voir aussi *ibid.*, p. 199 : « [...] le but de l'ironie n'était pas de nous laisser macérer dans le vinaigre des sarcasmes, ni, ayant massacré tous les fantoches d'en dresser un autre à la place, mais de restaurer ce sans quoi l'ironie ne serait même pas ironique : un esprit innocent et un cœur inspiré. »
4. « Toute mon œuvre est ironique », note-t-il dans ses *Carnets II*, Gallimard, 1964, p. 317, en 1950 (à paraître au tome IV de la présente édition). Sur la place et la « stratégie » de l'ironie dans l'ensemble de l'œuvre, voir Raymond Gay-Crosier, *Albert Camus : paradigmes de l'ironie, révolte et négation affirmative*, Toronto, Paratexte, 2000.
5. « L'Envers et l'Endroit », p. 71.

cessera d'y revenir ; il reconnaîtra lui-même que sa « source[1] » est dans ce recueil ; loin des spéculations abstraites, ce sont les fondements essentiels de la vie et de la conscience de l'homme qui l'ont inspiré.

Les noces avec le monde.

L'attention portée aux autres ne suffit pas pour que se découvre ou du moins se devine « le vrai sens de la vie » ; les rapports que le « je » entretient avec le monde, au sens de monde naturel, au-delà de la quête d'identité, jouent aussi un rôle essentiel dans la conception ontologique et la représentation de l'existence propres à Camus.

Les paysages ne sont pas absents de certains des récits de *L'Envers et l'Endroit*. C'est un lien à la fois charnel, affectif et spirituel qui unit Camus à la Méditerranée, et c'est ce même lien qui est à l'origine des essais lyriques et philosophiques recueillis dans *Noces*. En certains lieux d'Algérie ou d'Italie, le « je », témoin ébloui des « noces » entre les éléments, célèbre son propre accomplissement dans son union avec la mer, le vent, le soleil, la terre, les couleurs et les parfums dont il se pénètre ; mieux, il devient lui-même couche nuptiale : « Il me faut être nu et puis plonger dans la mer, encore tout parfumé des essences de la terre, laver celles-ci dans celle-là, et nouer sur ma peau l'étreinte pour laquelle soupirent lèvres à lèvres depuis si longtemps la terre et la mer[2]. »

Ici encore, c'est une expérience authentique qui est à l'origine de l'analyse et du chant lyrique ; Camus concilie, dans un langage sensuel et précis, la réalité charnelle et l'exaltation, l'évidence de la présence du monde et le fantasme lyrique de la fusion en lui, dans une unité totale. À la fois par ce qu'il vit ou a vécu, et par le récit inspiré qu'il en fait, il est partie prenante de la vision mythique qu'il propose. Alors même qu'il récuse les divinités de la mythologie traditionnelle, dans ce qu'elles peuvent avoir de figé et d'abstrait, il devient lui-même le héros d'une aventure fabuleuse, où le bonheur d'être au monde lui est donné comme une grâce ; il fait de Tipasa un lieu magique, où la contemplation devient acte de foi dans la splendeur du monde, dans « l'orgueil de [l]a condition d'homme », dans « le droit d'aimer sans mesure » et dans la certitude d'un accord profond entre l'être et la nature. « Habitée par les dieux[3] », Tipasa

---

1. Préface à *L'Envers et l'Endroit*, p. 32.
2. « Noces à Tipasa », *Noces*, p. 107.
3. *Ibid.*, respectivement : p. 108 et 105.

a le pouvoir de transformer l'homme en dieu — au moins pour un temps.

Camus n'oubliera jamais ces moments de joie intense et de communion parfaite, corps et âme, avec la beauté du monde ; aux heures les plus sombres de l'Histoire, ou face à la tentation du désespoir, il s'efforcera de trouver dans le « soleil inépuisable » de leur souvenir la force nécessaire pour garder le goût de vivre et de lutter. Pour autant, cette contemplation passionnée, et même cette intégration de l'être au monde, ne suscite pas un optimisme béat sur la condition humaine… Le vent qui souffle sur la ville morte de Djémila s'empare de l'être, le dépouille, le façonne à l'image de la nudité du lieu, le transforme en élément du paysage ; Djémila, « symbole de cette leçon d'amour et de patience qui peut seule nous conduire au cœur battant du monde », est aussi l'endroit où peut se trouver « le mot exact qui dirait, entre l'horreur et le silence, la certitude consciente d'une mort sans espoir[1] ». Une fois encore, l'écrivain en Camus s'affirme comme indissociable de son être même. La quête de l'expression juste fait partie de la vérité que l'expérience de Djémila permet d'appréhender pleinement ; la beauté du monde, douée du pouvoir de suggérer l'écriture, le soleil et le vent, signes éclatants de vie, apportent aussi à l'être la certitude de sa propre mort, le constat que la vérité du soleil ne se sépare pas de celle de la mort. Les héros de *La Mort heureuse* et de *L'Étranger*, qui n'iront pas aussi loin que le chantre lyrique de *Noces* dans l'analyse (ou du moins dans la formulation) de leur relation au monde, à la vie, à la mort, héritent, chacun à sa manière, de cette certitude, et l'incarnent jusqu'à en mourir. Ce n'est pas un hasard si la même formule, « pierre parmi les pierres », décrit la métamorphose du « je » dans « Le Vent à Djémila » et, dans la dernière phrase de *La Mort heureuse*, s'applique à Patrice Mersault mourant et retournant « dans la joie de son cœur à la vérité des mondes immobiles[2] » ; ce n'est pas un hasard non plus si, finalement, la signification de Djémila se résume en quelques mots qui semblent définir Meursault : « lucidité, indifférence, les vrais signes du désespoir ou de la beauté[3] ». À l'image de leur créateur, Mersault et Meursault sauront apprendre ce qu'enseignent Alger, l'Algérie, les pays méditerranéens ; ils illustreront, dans leur aventure singulière, certains aspects de la vie quotidienne évoqués dans « L'Été à Alger » ; ils partageront le credo affirmé à Florence : « Le monde

---

1. « Le Vent à Djémila », p. 112 et 113.
2. *La Mort heureuse*, p. 1196.
3. « Le Vent à Djémila », p. 115.

est beau, et hors de lui point de salut[1]. » Entre les essais personnels où Camus s'exprime en son nom et l'univers romanesque qu'il commence à entrevoir — comme en témoignent les
Carnets de cette époque —, il n'y a pas de rupture. Et si la notion
ou le sentiment de l'absurde ne sont pas nommés dans ces
essais, ceux-ci constatent que le monde peut rester silencieux
face à l'appel humain — confrontation où *Le Mythe de Sisyphe*
verra précisément la naissance de l'absurde[2].

Un journaliste engagé.

À lire *L'Envers et l'Endroit*, *Noces*, *La Mort heureuse* ou *L'Étran-*
ger, on pourrait croire Camus détaché de l'histoire événementielle, qui, en cette fin des années 1930 et ce début des années
1940, se fait si pesante. On peut s'étonner que « La Mort dans
l'âme », récit d'un voyage fait en 1936 en Europe centrale et
en Italie, ne réserve aucune place aux tensions politiques pourtant déjà bien visibles, et que l'on n'en trouve pas plus d'écho
dans *La Mort heureuse*, qui prête à Mersault le même itinéraire.
On l'a dit, Camus ne pratique pas le mélange des genres. Si,
dès *L'Envers et l'Endroit*, l'intérêt porté au « quartier pauvre »
témoigne d'un indéniable engagement d'ordre social, cet engagement n'a pas de dimension politique explicite. Camus réserve
ses prises de position d'homme de gauche pour ses activités culturelles — le théâtre, le secrétariat de la Maison de la culture qui
tente de se créer — et, bientôt, pour le journalisme. Recruté par
Pascal Pia qui en est le directeur, il entre à *Alger républicain*
dès la naissance de ce journal qui entend soutenir le Front populaire
à Alger, en octobre 1938. Sa contribution est loin de se résumer à la trentaine de critiques littéraires du « Salon de lecture »,
qui portent parfois sur la littérature nord-africaine, mais sont
surtout attentives aux publications de Montherlant, Sartre,
Nizan, Bernanos, Jorge Amado, ou Ignazio Silone. L'engagement politique et social de Camus se manifeste ouvertement
dans ses articles polémiques sur « le regrettable maire d'Alger »,
Rozis, dont il combat ardemment les décisions ; dans ses
attaques contre le gouvernement Daladier, dont il restera toujours l'adversaire ; dans ses chroniques judiciaires, qui prennent
fait et cause, avec passion, pour l'innocence injustement accusée
(l'affaire Hodent, à cet égard, est exemplaire) ; dans sa défense
de l'Espagne républicaine ; et, bien sûr, dans le grand reportage,
prémonitoire, sur la « Misère de la Kabylie », qui, seul dans la

---

1. « Le Désert », *Noces*, p. 135.
2. Voir *Le Mythe de Sisyphe*, p. 238.

presse de l'époque, dénonce les carences de la politique coloniale. Chaque article est le signe d'un combat : contre le mensonge, la lâcheté, la compromission, pour la justice en politique et au prétoire, pour les droits des « Nord-Africains », pour le respect de l'homme, pour une éthique du journalisme. Quand l'éphémère *Soir républicain* succède à *Alger républicain* en septembre 1939, s'ajoute, en pleine guerre, le combat « pour la vraie paix », comme le répète quotidiennement la manchette du journal — lequel sera rapidement censuré. Camus a déjà la conception exigeante de ce qu'il considère comme un véritable métier, il est déjà le journaliste engagé, conscient de sa responsabilité, que l'on retrouvera au temps de *Combat* et de sa collaboration à *L'Express.*

L'écrivain met au service de ses idées son emploi du mot juste, son sens de la formule, son ironie, le pouvoir de son langage. Mais le militant de ce que l'on appellerait volontiers « les droits de l'homme », si l'on pouvait redonner à cette expression tout le sens qu'elle a sans doute un peu perdu à force de trop servir, ne se confond pas avec lui. La morale, la réflexion sur le sens de la vie, la défiance à l'égard de l'Histoire, la révolte contre tout ce qui risque de mutiler l'être, le désir de bonheur sont évidemment les mêmes chez le journaliste et chez l'écrivain ; mais la pensée politique, l'idée d'un combat d'ordre politique n'apparaissent pas dans les œuvres, alors qu'à l'évidence elles sont centrales dans les articles. Faut-il s'en étonner ? Camus se défie de la littérature engagée, des romans à thèse, signes de « pensée satisfaite », où l'affirmation l'emporte sur la suggestion, où le désir de convaincre et la certitude d'avoir raison l'emportent sur le souci de l'objectivité et de la vérité. À cette époque, il sépare dans ses écrits ce qui concerne l'Histoire — à laquelle il sait bien que l'on ne peut échapper — et ce qui se situe hors des exigences d'une époque de plus en plus cruelle. Il n'y a pas là de contradiction, mais une complémentarité qui restera sa règle.

La nette dichotomie que Camus opère au moment de *Noces* et d'*Alger républicain* sera dépassée, pendant la Résistance, dans les *Lettres à un ami allemand*, à la fois acte de combat, et œuvre méditée de l'écrivain. En fait, l'artiste ne peut se désintéresser de son temps — ce sera le thème des discours du prix Nobel — mais, comme il le dira, la lutte menée dans l'Histoire cherche à « préserver cette part de l'homme qui ne lui appartient pas[1] » — ce que l'on peut lire comme une définition de la littérature et de l'art.

---

1. « Ni victimes ni bourreaux », *Combat*, novembre 1946 ; *Actuelles*, t. II de la présente édition, p. 455.

Le « cycle de l'absurde ».

Caligula, que l'auteur rêvait de monter au temps du Théâtre
de l'Équipe, et *Le Malentendu*, né aux heures les plus sombres
de l'Occupation, dans la solitude, l'exil, et une certaine claus-
tration dont il porte la marque, sont de facture, de langage et
de thèmes apparemment très différents, mais forment ensemble
ce que Camus a nommé un « théâtre de l'impossible[1] », la première pièce par son personnage, la seconde par son intrigue : un
fils qui ne sait pas se faire reconnaître de sa mère et de sa sœur
après une longue absence est tué par elles. Par là, les deux pièces
semblent bien loin de l'épigraphe que Camus emprunte à Pindare pour *Le Mythe de Sisyphe* et que l'on pourrait mettre en
exergue à l'ensemble de sa pensée et de son œuvre : « Ô mon
âme, n'aspire pas à la vie immortelle, mais épuise le champ du
possible. »

La contradiction est plus apparente que réelle : en explorant
les effets meurtriers de la liberté absolue de Caligula, ou le crime
né de l'incapacité de Jan à dire simplement qui il est, les deux
pièces mettent en évidence les limites de ce qui est possible
pour l'homme. On comprend que Camus les désigne comme
un moyen de préciser la « pensée dont *L'Étranger* et *Le Mythe de
Sisyphe* […] avaient marqué les points de départ[2] » : elles relèvent
effectivement d'une même interrogation sur ce qui fait la valeur
et le sens de la vie. Les premiers mots du *Mythe de Sisyphe*
l'affirment clairement : « Juger que la vie vaut ou ne vaut pas la
peine d'être vécue, c'est répondre à la question fondamentale de
la philosophie[3]. » À cette interrogation, qui s'ajoute désormais
pour Camus au « Qui suis-je ? » inaugural sans le remplacer, on
sait la réponse qu'il apporte, par le truchement de ses personnages, par les analyses de ses essais — et par l'interprétation qu'il
donne de Sisyphe : la vie n'a pas d'autre sens qu'elle-même. Et
quand ce sens est perdu ou dévoyé, il n'y a d'autre issue que le
meurtre ou le suicide. C'est ce qu'incarnent Martha et sa mère,
criminelles endurcies et sans remords, mais conduites au suicide
par le meurtre absurde de Jan, leur frère, leur fils ; ce qu'incarne
aussi, à sa manière, Caligula, dont l'assassinat est défini par
Camus lui-même comme un « suicide supérieur » ; Caligula en
effet ne s'oppose en rien au complot qui aboutit à sa mort ; à
travers lui, Camus semble proposer une version inversée de

---

1. Prière d'insérer pour l'édition commune de 1944, p. 442.
2. *Ibid.*
3. P. 221.

la quête d'identité : par ses déguisements et ses jeux mortels, il tente, sans y parvenir, de s'échapper de lui-même, de fuir l'image que le miroir lui renvoie.

Sous la triple forme du théâtre, du roman et de l'essai, Camus explore ce qu'il a lui-même appelé le « cycle de l'absurde » ; il affirmera, beaucoup plus tard[1], qu'il avait « un plan précis » quand il a commencé son œuvre ; après l'absurde et « la néga-tion » viendraient la révolte et « le positif » ; et il envisageait un troisième « étage », le cycle de Némésis, autour du thème de l'amour auquel devait appartenir *Le Premier Homme*. Aussi étonnante que soit cette vue si claire de l'avenir, qui se mani-feste, dès cette époque, dans ses *Carnets* ou ses lettres, on sait qu'il construira son œuvre, effectivement, selon cette succession de « cycles ».

Camus a souvent insisté sur cette répartition rigoureuse, dont on peut cependant noter qu'elle n'englobe pas tous ses écrits. Très tôt, il a compris que l'absurde était bien plus qu'un thème littéraire susceptible d'être illustré par des genres différents : il y a vu le fondement d'une appréhension du monde, d'un mode de vie, et même s'il s'agit du « sentiment de l'absurde » et non de sa « notion », un passage obligé de la réflexion ; mais il ne peut être un aboutissement. Dès l'avertissement du *Mythe de Sisyphe*, Camus signale que l'absurde, c'est-à-dire le constat dou-loureux du divorce entre l'homme mortel et le monde éternel, n'est pas une « conclusion », mais « un point de départ ».

L'essai ne cherche pas à établir une philosophie de l'absurde : « Il y a un mythe absurde, il n'y a pas de pensée absurde[2] », écrit Camus à Jean Grenier le 28 mai 1943 ; il s'agit de décrire la prise de conscience de la non-signification du monde, et d'en tirer les conséquences logiques en termes de pratique d'existence — ce que font le conquérant, Don Juan, le comédien ; ce que fait aussi le créateur, dont l'œuvre, comme le travail de Sisyphe, n'est jamais achevée ; ce que fait encore l'homme qui, sans illusion au sujet d'un autre monde, accepte lucidement les limites de son destin terrestre et, parce qu'il le comprend, y trouve sa gran-deur, peut lui être supérieur et connaître le bonheur, comme Sisyphe redescendant de sa montagne, libéré un moment de son rocher. Si l'expérience de l'existence est à l'origine de cette prise de conscience, si Camus examine de près — quoi qu'on en ait dit — l'existentialisme chrétien ou athée, il refuse d'être confondu avec les philosophes existentialistes : ce n'est pas

---

1. Au moment de la remise du prix Nobel, en 1957 ; voir *Pléiade Essais*, p. 1610.
2. *Correspondance 1932-1960*, p. 96.

l'En-soi, ou le Pour-soi, qui l'intéresse, mais la manière d'appréhender le monde, l'Histoire, la relation à soi et aux autres.

C'est bien le constat, l'expérience, le sentiment, la conscience de l'absurde qui animent Martha ou Caligula, Meursault ou Sisyphe ; mais ces héros de l'absurde ne sont pas des héros passifs. Ils trouvent dans la prise de conscience aiguë de l'absurde le principe même de leur révolte. *Le Mythe de Sisyphe* le définit comme « la révolte de la chair » devant le temps et la mort, et affirme qu'il « n'a de sens que dans la mesure où l'on n'y consent pas ». Mieux encore, l'absurde, expression de la négation de l'homme, conduit à sa reconnaissance : « Partie d'une conscience angoissée de l'inhumain, la méditation sur l'absurde revient à la fin de son itinéraire au sein même des flammes de la révolte humaine[1]. »

Mais la révolte des héros de l'absurde reste individuelle ; pour Martha ou Caligula, elle est pervertie, leur « liberté n'est pas la bonne[2] », car elle s'est exercée sans limites ; face à l'empereur, Cherea le raisonnable note que, pour la première fois, celui qui détient « un pouvoir sans limites [...] s'en sert sans limites, jusqu'à nier l'homme et le monde[3] ». Cette négation de l'autre corrompt la révolte solitaire — et criminelle — de Martha ou de Caligula ; comment aurait-elle la valeur universelle que *La Peste* représentera en rappelant que le combat contre la maladie et la maladie elle-même sont « l'affaire de tous », ou que *L'Homme révolté* résumera dans la formule : « Je me révolte, donc nous sommes » ?

Meursault ne prétend pas à cette valeur universelle ; son constat de l'absurde ne donne lieu à aucune interprétation métaphysique ou intellectuelle, mais se traduit par son comportement, et sa façon de relater sa vie quotidienne et les événements qui viennent la troubler. Pourtant, en ne parlant que de lui-même, ne témoigne-t-il pas de la condition humaine ?

L'Étranger n'est pas « construit de manière à fournir une illustration concertée des théories soutenues dans *Le Mythe de Sisyphe*[4] », comme l'affirmait Sartre ; certes, la parenté thématique est évidente ; certes, la relation entre l'étrangeté et l'absurde est éclairée par ce qu'en dit le *Mythe* lorsqu'il décrit la prise de conscience de l'absence de sens du monde : « dans un univers soudain privé d'illusions et de lumières, l'homme se sent

1. P. 262-263.
2. *Caligula*, p. 338.
3. *Ibid.*, p. 342.
4. « Explication de *L'Étranger* », *Situations, I*, Gallimard, 1947, p. 99. Cet article, publié en février 1943 dans les *Cahiers du Sud*, constitue la première grande étude sur Camus, et a durablement orienté la critique.

un étranger. [...] Ce divorce entre l'homme et sa vie, l'acteur et son décor, c'est proprement le sentiment de l'absurdité[1]. » Ou encore lorsqu'il évoque, pour définir l'absurde, « l'étranger qui à certaines secondes vient à notre rencontre dans une glace[2] » — expérience que fait Meursault lorsque, dans sa prison, il se regarde dans sa gamelle de fer et ne se reconnaît pas[3]. Mais *L'Étranger* est trop inventif et trop riche pour être réduit à une « illustration » — aussi « concertée » soit-elle — de théories ; il a sa structure autonome, son existence propre, il représente l'absurde par une approche bien différente de celle du *Mythe*, bien différente aussi de celle de *Caligula* et du *Malentendu*.

Un « mythe incarné ».

Plus de soixante ans après sa publication, *L'Étranger* n'a rien perdu de sa singularité, ni de son caractère novateur et énigmatique. Ce texte dont le vocabulaire et la syntaxe sont si clairs résiste à toute interprétation simplificatrice, comme Meursault lui-même échappe à toute définition réductrice.

L'Étranger, publié en 1942, n'est pas le premier roman fondé sur la représentation de l'absurdité de la vie ; il suffit de rappeler ceux de Malraux, *Les Conquérants* (1928) et *La Voie royale* (1930), romans d'aventures, mais aussi romans de l'absurde : « la conduite de l'aventurier voudrait être une réaction à l'absurdité du monde », note Pierre Brunel[4] ; les termes d'« absurde » et d'« absurdité » reviennent souvent dans la bouche de Garine, et du narrateur de son histoire, ou dans les propos de Claude Vannec ou de Perken, et leur commentaire ; Camus, qui admirait Malraux, connaissait évidemment ces livres, et il est possible que la manière dont est évoqué le procès de Garine ait influencé la façon dont Meursault relate le sien[5].

D'autre part, Camus lui-même invite, dans *Le Mythe de Sisyphe*, à lire *La Nausée* (1938) comme un récit de la prise de conscience de l'absurdité de l'existence, toujours « en trop » : « Ce malaise devant l'inhumanité de l'homme même, cette incal-

---

1. P. 223.
2. P. 229.
3. Voir *L'Étranger*, p. 188.
4. Introduction aux *Œuvres complètes* de Malraux, Bibl. de la Pléiade, t. I, p. XLII ; dans ce même texte, P. Brunel signale que, si Malraux refuse l'expression mythologique, certains passages de ses romans font penser à Sisyphe, en particulier le sort de Grabot attaché à la meule dans *La Voie royale*.
5. Voir, dans cette même édition, p. 152 : « Pendant toute la durée du procès, il eut l'impression d'un spectacle irréel ; non d'un rêve, mais d'une comédie étrange [...]. »

culable chute devant l'image de ce que nous sommes, cette
" nausée " comme l'appelle un auteur de nos jours, c'est aussi
l'absurde[1]. » Mais l'une des trouvailles de Camus est, à travers
son personnage, de donner à vivre l'absurde, et non de le donner à penser. Le mot n'apparaît qu'une fois dans le roman, où il
qualifie non seulement la vie de Meursault, mais celle de tout
mortel. Le statut ambigu du texte, que l'on ne peut définir ni
comme un journal ni comme un récit oral, contribue à rendre
perceptible l'étrangeté de l'aventure et du personnage narrateur.
En même temps, le lecteur se sent le témoin d'une histoire dont
il croit tout connaître. Il épouse totalement le point de vue de
Meursault, qui lui a confié ses pensées, ses sensations, et lui
a fourni tous les détails de sa vie quotidienne ; contrairement
au tribunal, le lecteur connaît l'enchaînement qui a conduit à
un meurtre absurde ; il est prêt à témoigner du rôle décisif du
hasard et du soleil dans ce meurtre, qui font de Meursault un
« meurtrier innocent ». Il peut comprendre la manière d'être au
monde de Meursault, son refus de croire en une autre vie ; il
peut adhérer à sa révolte contre l'absurdité fondamentale de la
vie et de la mort, contre la surenchère de la société absurde qui
le condamne plus pour son indifférence que pour son crime
; il peut partager son désir de tout revivre, et son bonheur d'être
vivant. *L'Étranger* produit un prodigieux effet de réel, qui ne
s'estompe pas à la relecture, et son personnage, dans sa singularité, acquiert une stature universelle, symbolique et éthique,
d'ordre mythique.

Cette dimension mythique est créée dès l'« Aujourd'hui » qui
ouvre le roman et réactualise chaque lecture, installant le lecteur
non seulement dans cette « expérience temporelle fictive » que
constitue le roman, selon la juste expression de Paul Ricœur,
mais dans le même temps que le personnage. Le destin du héros
s'inscrit dans l'épaisseur de la vie quotidienne. Meursault tient
tellement à préserver le rythme de ses habitudes qu'il tente de
minimiser et même d'escamoter la mort de sa mère ; son récit
s'efforce de ne faire aucune place à la réalité de cette mort,
s'égare en commentaires ou en descriptions extérieures. De la
même manière, l'accomplissement du meurtre, en regard du
déchaînement apocalyptique où il se produit, de l'importance
donnée aux sensations de Meursault, occupe bien peu de temps
et d'espace dans le récit. Mais Camus ne s'en tient évidemment
pas là : la mort s'impose, et Meursault, finalement, l'accueille
avec douleur et lucidité, apaisé par « la tendre indifférence
du monde ». Le monde créé par le roman n'a rien d'abstrait ;

1. P. 229.

il est construit « sur le concret, non dans le matériau du rêve », « dans l'épaisseur de la réalité[1] », la réalité la plus charnelle, la plus humaine. L'histoire de Meursault ne se déroule pas en des temps antiques, à Corinthe ou à Thèbes, mais dans les rues d'Alger, ou sur une plage d'Algérie. C'est pourtant bien un mythe que propose *L'Étranger*, celui de l'homme moderne, pris dans l'absurdité de la vie quotidienne et du hasard, absurdité accrue par la sottise aveugle des institutions et de la société. L'histoire d'un homme qui refuse de mentir sur lui-même et sur son rapport au monde. Une histoire à la fois « naturelle » et « invraisemblable » — pour reprendre la formule de Meursault qualifiant « l'histoire du Tchécoslovaque » qu'il lit et relit dans sa prison, et qui n'est autre, on le sait, que la trame du *Malentendu*. Ces mêmes termes se retrouveront au début de *La Peste*, pour définir les faits qui vont être relatés[2] ; avec une légère variante, « extraordinaire » au lieu d'« invraisemblable », ils sont utilisés, également ensemble, pour définir l'art de Kafka[3]. Dans leur contradiction, que Camus ne cherche en rien à atténuer, le « naturel » et « l'invraisemblable » recouvrent l'exacte réalité et l'évidence de la condition humaine : n'est-il pas « naturel » et « invraisemblable » de vivre et de mourir ? On ne saurait donc s'étonner que Camus puisse y voir les éléments fondamentaux de sa création romanesque, qui se tient au plus près de la vie, dans ses moments de bonheur et de malheur à la fois inimaginables et vrais. Au-delà de l'aventure de Meursault, c'est l'ensemble de l'univers romanesque de Camus que ces termes semblent définir. L'alliance du « naturel » et de l'« invraisemblable » renvoie à l'ambition mythologique du roman : mythologie du possible, comme l'enjoint l'épigraphe du *Mythe de Sisyphe*, qui représente les actions éventuelles et réalisables des hommes, leurs ambitions, leurs rêves, leur pouvoir et leurs limites, dans un temps et un espace inspirés de l'expérience réelle, mais recréés, redessinés pour devenir époque et lieu spécifiques à l'aventure relatée ; mythologie du réel, qui ne nie pas la pesanteur de notre condition mortelle, ni celle des éléments qui composent notre vie ou des événements que nous ne maîtrisons pas toujours, mais qu'elle « transfigure », et leur donne le visage d'un destin, comme le dira Camus[4]. Il voit d'ailleurs lui-même en Meursault « un mythe incarné, mais très

---

1. « Herman Melville », *Pléiade TRN*, p. 1909-1910.
2. *La Peste*, t. II de la présente édition, p. 37.
3. « L'Espoir et l'Absurde dans l'œuvre de Franz Kafka », *Le Mythe de Sisyphe*, p. 307.
4. Voir *L'Homme révolté*, p. 336.

enraciné dans la chair et la chaleur des jours[1] ». Cet enracinement se fait dans la réalité d'un été algérien, et dans la réalité
historique de l'Algérie coloniale. Non que Meursault commette
un crime raciste, comme on a pu vouloir le lire ; mais en cherchant à retrouver « la source fraîche derrière le rocher [...], le
murmure de son eau », il rencontre l'obstacle d'un premier
occupant, l'Arabe, gardien du royaume qu'il voudrait atteindre[2] ;
il franchit la frontière invisible qui sépare les deux communautés ; la fiction, sans le dire, prend en compte la situation
de l'Algérie[3], comme « L'Hôte » le fera ouvertement, comme,
directement ou non, le reflétera la thématique de l'ensemble de
L'Exil et le Royaume. Au mythe intemporel de l'absurde s'ajoute
la perception de l'absurde liée à l'Histoire, qui ira en s'amplifiant.

   Meursault semblait tout dire de son comportement et de ce
que ses sens lui apprenaient et lui apportaient, mais loin de
dévoiler le mystère de sa relation au monde, aux autres et à lui-
même, il ne fait que le renforcer. Si sa dénonciation silencieuse
de l'absurde social et existentiel est éclairante, et sa révolte compréhensible, il n'en garde pas moins « une part obscure » ; l'admirable est que cette « part obscure », loin de nuire à la portée symbolique et mythique du personnage, contribue à lui
donner son épaisseur, son ouverture à de multiples significations, et l'étonnant pouvoir de sa présence.

   On a souvent dit que le « je » de Meursault était l'équivalent
d'un « il » ; mais Meursault ne se traite pas avec le détachement
que suppose l'emploi de la troisième personne ; il est parfaitement maître de l'expression de sa propre indifférence, mais aussi
de ses sensations, de son goût du bonheur, de sa peur de la mort.
Si Camus se sépare de la tradition du roman psychologique,
si son personnage ne pratique pas l'introspection — du moins
jusqu'à un certain point —, il ne le prive ni d'intelligence ni de
réflexion. Le choix d'un personnage narrateur qui supporte tout
le récit est tout à la fois d'ordre esthétique et philosophique ;
« les méthodes impliquent des métaphysiques », lit-on dans *Le
Mythe de Sisyphe*[4]. Par ce choix, Camus refuse l'omniscience et
le pouvoir discrétionnaire du romancier démiurge ; il inaugure

---

   1. Lettre de 1954 à Hädrich (voir la notule de la Préface à l'édition universitaire américaine, p. 1268-1269).
   2. Voir André Abbou, « Le Quotidien et le Sacré : introduction à une nouvelle lecture de *L'Étranger* », *Albert Camus : œuvre fermée, œuvre ouverte ?*, *CAC 5*,
p. 257.
   3. Voir l'analyse de Christiane Chaulet-Achour, dans *Albert Camus, Alger,
« L'Étranger » et autres récits*, Biarritz, Atlantica, coll. « Les Colonnes d'Hercule », 1998.
   4. P. 227.

ce qu'il reprendra sous des formes différentes dans *La Peste* et *La Chute*, restant ainsi fidèle à l'idée de l'œuvre comme témoignage singulier qu'il évoquait dès 1935. La tâche du narrateur, comme celle du romancier qui se coule à l'intérieur d'un de ses personnages et ne révèle que son champ de vision ou d'expérience, est semblable à celle du chroniqueur selon Rieux : « [...] seulement de dire : " Ceci est arrivé ", lorsqu'il sait que ceci est, en effet, arrivé[1]. » Les points de vue extérieurs sont pris en compte par Meursault lui-même, qui semble les rapporter objectivement — mais parfois avec une distance ironique qui laisse deviner quelque arrière-pensée, en particulier dans sa relation du procès. Mais au-delà d'un parti pris méthodologique, confier la narration à un personnage narrateur est bien, on l'a vu, l'expression d'une métaphysique : la conception d'un monde sans Dieu, où le destin humain se joue tout entier dans l'expérience unique, irremplaçable et limitée de la vie terrestre. Il s'agit bien de la même « vision du monde » qui anime Martha ou Caligula, les modèles d'homme absurde que propose *Le Mythe de Sisyphe*, et Sisyphe lui-même, tel que le présente Camus. Mais ses héros n'ont pas tous la même signification ; à l'impossibilité pour Martha de réaliser son rêve de bonheur, au constat de Caligula — « les hommes meurent et ne sont pas heureux » —, on peut opposer l'affirmation de Meursault : « j'ai senti que j'avais été heureux et que je l'étais encore », ou l'injonction d'« imaginer Sisyphe heureux ». L'absurde n'entraîne pas le désespoir de vivre : il est frère du bonheur et de l'amour de vivre. Meursault et Sisyphe, parce qu'ils ont pleine conscience de leur destin, peuvent le surmonter et affirmer leur liberté ; dans ce dépassement de soi, dans cet au-delà de la douleur, ou dans l'exaltation du bonheur, il y a une véritable transcendance, mais qui garde la mesure humaine — ce que Camus appellera une « transcendance horizontale ».

De Sisyphe à Prométhée.

La notion de « cycle » souligne la parenté profonde des œuvres qui composent chacun d'entre eux, aussi différents que soient leurs modes d'expression ; Camus évoque souvent sa propre « obstination » dans l'analyse et la représentation de ce qui l'intéresse, ou dans l'affirmation de ses convictions. Mais chaque « cycle » ne se referme pas sur lui-même ; si l'argument du *Malentendu* figure dans *L'Étranger*, et si les échos sont nombreux entre ce roman et *Le Mythe de Sisyphe*, ce jeu de miroirs ne

---

1. *La Peste*, t. II de la présente édition, p. 37.

se limite pas aux œuvres d'un même cycle : *La Peste* contient une allusion à Meursault[1], que le contexte peut justifier, mais qui n'a rien d'indispensable. Et certaines obsessions parcourent toute l'œuvre, telle celle de la condamnation à mort, depuis la brève mention qui conclut « Entre oui et non » jusqu'au fantasme de la décapitation de Clamence, ou au récit de l'expérience du père, spectateur d'une exécution, dans *Le Premier Homme* ; expérience qui a été attribuée au père de Meursault, avant d'être reconnue comme vécue authentiquement par Lucien Camus dans les *Réflexions sur la guillotine*. Qu'elle soit présente de manière allusive ou constitue un thème central, aucun des essais, aucune des fictions n'échappe à cette obsession. C'est l'exemple le plus évident, mais non le seul, de la continuité des interrogations de Camus[2].

Loin d'établir des frontières, la notion de « cycle » invite à voir dans leur succession les différentes étapes d'une même recherche ; elle souligne que l'œuvre évolue « selon une sorte de spirale où la pensée repasse par d'anciens chemins sans cesse de les surplomber[3] ».

Au moment de la remise du prix Nobel, Camus reviendra sur le dessein global de son œuvre, rappelant qu'il avait d'abord exprimé « la négation », sous les formes « romanesque », « dramatique », « idéologique ». « Mais, ajoute-t-il, c'était pour moi le doute méthodique de Descartes. Je savais que l'on ne peut vivre dans la négation [...] ; je prévoyais le positif sous les trois formes encore. Romanesque : *La Peste*. Dramatique : *L'État de siège* et *Les Justes*. Idéologique : *L'Homme révolté*[4]. » Ce chemin qui part de la négation et d'une forme de nihilisme pour les dépasser et mener au positif, à l'action, à la fécondité de la « pensée de midi » est bien celui qu'a suivi Camus. Cependant son itinéraire, aussi personnel et profondément médité qu'il soit, est influencé par l'histoire en train de se faire. Il note dans ses *Carnets*, le 21 février 1941 : « Terminé *Sisyphe*. Les trois Absurdes sont achevés. » Et il ajoute : « Commencements de la liberté[5]. » Mais

---

1. Voir *ibid.*, p. 71 : la marchande de tabacs « avait parlé d'une arrestation récente qui avait fait du bruit à Alger. Il s'agissait d'un jeune employé de commerce qui avait tué un Arabe sur une plage. »
2. Voir « Entretien sur la révolte », *Actuelles II* ; *Pléiade Essais* ; p. 12-13.
3. Lettre à André Nicolas écrite en 1955, citée dans André Nicolas, *Camus*, Seghers, 1966, p. 148, et dans *Pléiade Essais*, p. 1615.
4. Cité dans *Pléiade Essais*, p. 1610.
5. *Carnets*, t. II de la présente édition, p. 920. Il s'agit de *L'Étranger*, du *Mythe de Sisyphe* et de *Caligula* ; en réalité, ces trois œuvres — auxquelles viendra s'ajouter *Le Malentendu* — connaîtront des remaniements avant leur mise au point définitive.

ce cri de délivrance est bientôt démenti par les faits. L'absurde
est plus présent que jamais. Le « cycle de l'absurde », commencé
en Algérie, s'achève en France occupée. À l'absurde de la condition humaine, au divorce entre le désir de l'homme et la réalité
de sa vie précaire, la guerre, la défaite, le nazisme, l'Occupation — c'est-à-dire l'Histoire — ont ajouté la terreur, la privation
de la liberté, l'oppression sous tous ses aspects. Ce n'est plus
seulement le sort commun, que déplorait Caligula, ce n'est pas
le hasard, fatal à Meursault, qui provoquent le malheur des
hommes, ce sont les actions menées par les responsables politiques, et les idéologies meurtrières. « À hauteur d'homme »,
cependant, la lutte est possible et nécessaire contre le mal lié
à l'Histoire. Les *Lettres à un ami allemand* marquent le début de
ce qui sera désormais l'un des aspects majeurs de l'action, de la
pensée, et de l'œuvre de Camus, qui se manifestera dans sa participation à la Résistance, dans les articles de *Combat*, dans les
différents volumes d'*Actuelles*, mais également dans *La Peste*, *Les
Justes*, *L'État de siège* ou *L'Homme révolté* : « Vous avez fait ce qu'il
fallait, nous sommes entrés dans l'Histoire[1]. » L'entrée dans
l'Histoire, même malgré soi et sous la contrainte, est aussi une
manière de passer de la « négation » au « positif » — et de l'individualisme au collectif.

   Publiées dans la clandestinité, ou destinées à l'être, les *Lettres
à un ami allemand* seront présentées par Camus comme « un
document de la lutte contre la violence[2] ». Ces termes généraux
ne disent rien de l'originalité de ces textes dont la forme même
est singulière ; en s'adressant à un être particulier, même fictif,
en employant le « je », Camus donne sa pleine réalité au combat
concret dans lequel, parallèlement, il s'engage ; et le contenu
de ces lettres ainsi personnalisées n'est pas seulement un appel
à l'action, mais une réflexion sur la légitimité de la violence.
Ces écrits de circonstance ne justifient pas la lutte par une peinture manichéenne du bien et du mal, ils s'efforcent de définir
les « nuances » qui séparent une doctrine injuste et meurtrière
de la juste révolte qu'elle suscite : nuances qui séparent « le
sacrifice de la mystique, l'énergie de la violence, la force de la
cruauté ». Camus pose ici les principes fondateurs de sa participation à l'Histoire en train de se faire, et de son éthique politique : combattre pour refuser tout ce qui mutile l'homme, et
résister à la tentation de devenir bourreau à son tour, par un
usage illimité de la violence ; la violence de la révolte est nécessaire pour répondre à celle de l'oppression ; mais si elle est

   1. *Lettres à un ami allemand*, t. II de la présente édition, p. 27.
   2. Préface à l'édition italienne, t. II de la présente édition, p. 8.

« inévitable », elle est « injustifiable[1] » : elle doit être limitée et
rester exceptionnelle, ne pas être banalisée ni acceptée comme
une fatalité. C'est la position que Camus défendra après la Libération dans *Combat*, et dans *Actuelles*, en particulier dans « Ni
victimes ni bourreaux ». C'est cette position qui sera à l'origine
de bien des pages de *L'Homme révolté* sur le terrorisme ; c'est
encore celle qu'il tiendra au moment de la guerre d'Algérie,
et de sa tentative pour établir une « trêve civile » ; c'est elle qui
lui fera dénoncer l'engrenage de la violence, partout où elle
se manifestera, et rechercher la possibilité du dialogue. Il n'y
a aucun angélisme dans cette attitude, quoi qu'on en ait dit ; au
contraire, Camus ne se berce d'aucune illusion sur la bonté
humaine ; mais il ne peut consentir à ce que la violence devienne
tout l'horizon vital de l'homme.

On peut penser que c'est avec les *Lettres à un ami allemand*
que commence véritablement le « cycle de la révolte », même
si Camus ne les y inclut pas. De fait, la réflexion sur la révolte,
déjà présente dans l'œuvre et dans les engagements, a pris une
dimension nouvelle avec la Résistance, et avec la lutte pour
maintenir ses idéaux moraux et politiques après la Libération ;
les articles de *Combat* ne se contentent pas de les décrire : jour
après jour, ils militent ardemment pour les défendre. Le sous-
titre de *Combat*, « De la résistance à la révolution » — qui n'est
pas de Camus, mais qu'il a approuvé[2] —, résume ces idéaux : une
société plus juste, une politique plus morale et véritablement
démocratique, un gouvernement où des hommes neufs, issus de
la Résistance, remplaceraient le personnel politique usé par des
années de compromis et de lâcheté ; une presse libre et consciente
de sa responsabilité, une Europe reconstruite sur le respect
mutuel, des institutions internationales fondées sur la volonté
des peuples, et non sur les accords hypocrites des dirigeants.

Dans une formule plus critique qu'élogieuse, puisqu'elle est
au passé et figure dans un contexte très polémique, Sartre
résume l'aura de Camus en ces années 1944-1947 : « Vous avez
été pour nous [...] l'admirable conjonction d'une personne,
d'une action, et d'une œuvre[3]. » L'image est peut-être un peu
trompeuse ; après l'exaltation de la liberté recouvrée, les désillu-
sions sont nombreuses dans ces années de l'après-guerre, qui
n'apportent pas la justice espérée ; dès les émeutes de Sétif, en

---

1. « Deux réponses à Emmanuel d'Astier de La Vigerie », *Actuelles*, t. II de
la présente édition, p. 457.
2. Il est de Léo Hamon ; voir *Camus à « Combat »*, *CAC 8*, p. 41.
3. « Réponse à Albert Camus », *Les Temps modernes*, nº 82, août 1952 ; repris
dans *Situations*, *IV*, Gallimard, 1964, p. 111. Il s'agit de la polémique née
autour de *L'Homme révolté*.

mai 1945, Camus pressent l'avenir douloureux de l'Algérie[1] ;
la rédaction de *La Peste* est laborieuse ; l'équipe fondatrice de
Combat se disloque et doit céder le journal, ce qui ne se fait pas
sans amertume. Mais Camus ne laisse pas s'estomper la volonté
de créer et d'agir. La quête d'identité, l'interrogation sur la
valeur de la vie s'accompagnent désormais d'une autre question,
qui les englobe sans les résoudre : « que puis-je ? » — ou plutôt :
« que pouvons-nous ? » Que pouvons-nous faire pour que les
hommes jouissent de la paix, de la justice, de la beauté, de
l'amour, du simple bonheur d'être, dont les tourments d'une
histoire démente les ont détournés ? Que pouvons-nous faire
sans nous en remettre à quelque volonté divine, sans faire
confiance à la raison, qui n'a que trop montré ses insuffisances ?
La révolte n'a jamais été absente de la pensée de Camus : elle
était déjà présente chez Martha ou chez Meursault ; elle
affleurait dans les *Carnets* ; elle était déjà à la source de la participation à l'Histoire, et de l'acte même du créateur. Elle est à
l'origine de nombre d'articles de *Combat* ; face au siècle de « la
peur », Camus refuse l'engrenage de la terreur et de la violence,
refuse les utopies absolues, qui sont mortifères, et s'efforce de
définir les principes démocratiques d'une utopie modeste, mais
capable de résister aux totalitarismes ; il rejette avec force, on
l'a dit, toute légitimation du meurtre[2]. La révolte qu'exprime
le journaliste sous-tend celle de l'écrivain et, avec le cycle qui
lui est consacré, devient le centre même de la réflexion et de
l'œuvre de Camus.

Comme l'absurde avait Sisyphe, la révolte a son héros
mythique : Prométhée. Il n'est pas sans importance que chacun
des « cycles » soit ainsi symbolisé par un personnage emprunté
à la mythologie grecque. Séduit par la philosophie grecque,
Camus fait de la Grèce une sorte de patrie intellectuelle, où
la parenté méditerranéenne joue un rôle certain, et dont son
propre univers imaginaire et symbolique se nourrit ; mais il
redonne vie et chair aux personnages mythiques qui l'inspirent.
Ses héros ne sont pas des dieux, il met l'accent sur leurs aspects
les plus humains. S'il est vrai, comme le dit *Le Mythe de Sisyphe*,
que « les mythes sont faits pour que l'imagination les anime[3] »,

1. Voir « Crise en Algérie », articles de *Combat*, mai 1945, repris dans *Camus
à « Combat »*, CAC 8, p. 497-519, 522-532 et 549-552 (articles partiellement
repris dans *Actuelles III*). Voir aussi l'article du 23 mai 1945, reproduit dans le
tome II de la présente édition, p. 617.
2. Voir « Ni victimes ni bourreaux », *Actuelles*, t. II de la présente édition,
p. 439.
3. P. 302 ; la même idée apparaît dans « Prométhée aux Enfers », *L'Été*,
p. 123.

le choix de Sisyphe et de Prométhée indique clairement que cette imagination ne vise pas à s'éloigner de la réalité du monde, ni surtout de celle de l'homme, dans sa condition charnelle et sa situation historique.

Dessinée dès 1946 dans « Prométhée aux Enfers », l'image exemplaire de Prométhée imprègne l'ensemble des œuvres de la révolte : le « héros enchaîné » enseigne aux hommes qu'« on ne sert rien de l'homme si on ne le sert pas tout entier », et que l'on doit s'opposer à toute mutilation ; que « la foi tranquille en l'homme » peut être préservée « au cœur le plus sombre de l'histoire » ; il leur apprend « la longue obstination », qui le rend « plus dur que son rocher et plus patient que son vautour », la volonté de ne rien exclure, qui réconcilie « le cœur douloureux des hommes et les printemps du monde ». N'est-ce pas là ce qu'illustrent l'attitude et le récit de Rieux ? Ou la révolte solitaire et le sacrifice de Diego ? Kaliayev retrouve la pureté innocente de Prométhée ; et *L'Homme révolté* aurait pu être placé sous l'invocation de Prométhée — évoqué à plusieurs reprises dans le texte — comme l'absurde l'avait été sous celle de Sisyphe, si Camus, n'avait, probablement, souhaité diversifier ses titres, mais surtout, mettre l'accent sur l'incarnation humaine de la révolte.

Au reste, il ne s'est pas contenté de cette référence majeure. Pour *La Peste*, pour *Les Justes*, comme pour *L'Homme révolté*, il a multiplié les lectures et la documentation — médicale, historique, ou philosophique. Ce que propose l'ensemble du « cycle », c'est à la fois une méditation sur les différentes formes de la révolte dans l'essai, et, dans les œuvres de fiction, la représentation d'actes précis de révolte, tirés d'une situation réelle — en ce qui concerne *Les Justes* — ou nés de l'imagination et de la mythologie personnelle de l'auteur, pour *La Peste* et *L'État de siège*. Mais la révolte n'est pas seulement un objet d'étude, elle est pour Camus une expérience vitale. Il a été un « homme révolté » par tout ce qui humilie et diminue l'être, et empêche son bonheur. Il a refusé de se soumettre à la terreur, ou de l'accepter pour les autres, et l'a dénoncée partout où elle s'est manifestée ; il a vu les dangers de la révolte et de la révolution lorsqu'elles oublient leur innocence et leur légitimité originelles, ne se donnent pas de limites, et finissent par engendrer la terreur et le pouvoir despotique. C'est pourquoi on ne saurait simplifier sa vision de la révolte, ni la réduire à quelques vœux pieux d'idéaliste. Appuyée sur des convictions fortes et sans compromis, cette vision est complexe et nuancée. Dès sa première formulation, en 1945 — formulation qui sera reprise telle quelle au début du livre de 1951 —, la définition d'« un homme révolté » insiste sur cette complexité et ces nuances : « Qu'est-ce qu'un homme révolté ? C'est d'abord un homme qui dit *non*. Mais s'il refuse, il ne renonce pas : c'est aussi un homme qui dit *oui*[1]. »

La tension entre le oui et le non, entre la révolte et l'acquiescement, n'est pas nouvelle ; elle était déjà présente au temps de *Noces*[2]. C'est cette attitude que vont incarner les personnages des fictions centrées sur la recherche d'une éthique et d'une ligne de conduite, qui luttent contre les forces du mal en s'efforçant de garder le goût du bonheur et l'amour de la vie.

« Cette histoire nous concerne tous[3] ».

Sous certains angles, Camus semble vouloir, dans *La Peste*, prendre le contre-pied de *L'Étranger* ; à l'aventure d'un seul individu, brièvement relatée et jamais commentée, s'oppose la longue description d'une épidémie, dont le récit souligne sans cesse la dimension collective. Même si elle est toujours postulée pour certains personnages, ce n'est plus tant l'innocence de l'homme qui est mise en valeur que sa responsabilité, à l'égard de lui-même et des autres, face à la présence du mal dans le monde. De plus, contrairement à la singularité énigmatique du statut du texte de *L'Étranger*, et à sa brusque entrée en matière, *La Peste* est définie comme une « chronique », et un prologue est voué à la justification de la narration et du narrateur ; celui-ci est qualifié d'« historien », ce qui valide son témoignage, les confidences et les textes qu'il a recueillis.

Les choses paraissent donc claires, et l'aspect réaliste du roman indubitable — d'autant qu'il est accrédité par la situation de l'action à Oran. Mais l'épigraphe empruntée à Daniel Defoe contredit quelque peu ce prologue : « Il est aussi raisonnable de représenter une espèce d'emprisonnement par une autre que de représenter n'importe quelle chose qui existe réellement par quelque chose qui n'existe pas. »

La chronique, par là, revendique ses droits à l'invention, à l'imaginaire, au symbolique, en les légitimant par la raison, sans pour autant renoncer à la représentation de ce « qui existe réellement ». S'il s'agit d'une nouvelle forme du réalisme symbo-

---

1. « Remarque sur la révolte », *L'Existence*, Gallimard, 1945 ; *Pléiade Essais*, p. 1682 ; voir aussi *L'Homme révolté*, p. 27.

2. Voir « Le Désert », p. 137.

3. *La Peste*, t. II de la présente édition, p. 92 et 178 ; voir également p. 78 : « À partir de ce moment, il est possible de dire que la peste fut notre affaire à tous » ; et p. 124.

lique sur lequel Camus, depuis ses premiers écrits, a fondé son
œuvre, cette chronique réaliste d'une épidémie imaginaire vise
plus à dévoiler la réalité qu'à la prendre comme point de départ.
La Peste, dès sa conception, est chargée de significations ; Camus
sait non seulement ce qu'il veut représenter, mais le sens qu'il
veut donner à cette représentation ; le roman connaît plusieurs
versions et évolue considérablement jusqu'à la rédaction finale,
mais il reste fidèle à la volonté que Camus notait dès la fin de
1942 ou le début de 1943 : « Je veux exprimer au moyen de la
peste l'étouffement dont nous avons tous souffert et l'atmosphère de menace et d'exil dans laquelle nous avons vécu. Je
veux du même coup étendre cette interprétation à la notion
d'existence en général. La peste donnera l'image de ceux qui
dans cette guerre ont eu la part de la réflexion, du silence — et
celle de la souffrance morale[1]. »

Le point de départ est donc la volonté d'apporter un témoignage historique précis, sur lequel les lecteurs de 1947 ne se sont
pas trompés ; les conditions matérielles de la vie sous le règne
de la peste portent les marques visibles de l'expérience de
l'Occupation ; les camps d'isolement, l'évocation, à plusieurs
reprises, de « fours crématoires » ne laissent aucun doute sur la
volonté de Camus de rendre compte de l'univers concentra-
tionnaire. Et la lutte contre la peste est à l'évidence une image
de la Résistance[2]. Mais *La Peste*, dès sa conception, n'est pas que
cela. L'ambition, dévolue à la création romanesque, de proposer
une vision de l'« existence en général » reprend la définition des
« romanciers philosophes » qu'évoquait déjà *Le Mythe de Sisyphe* ;
on sait que Dostoïevski figurait parmi eux, et ce n'est pas un
hasard si les premières phrases du roman rappellent le début des
Possédés, ni surtout si la révolte devant la souffrance d'un enfant
innocent, l'un des sujets des *Frères Karamazov*, donne lieu à l'une
des scènes les plus fortes de *La Peste*. En voulant représenter
tout à la fois un moment de l'histoire de l'Europe, et le destin
de l'homme sans considération de temps ni de lieu, Camus
rejoint la visée de Malraux dans *La Condition humaine*, dont le
titre même affirmait qu'il n'était pas seulement question de la
révolution en Chine. À ceci près que Camus ne décrit pas
directement l'Histoire, mais a recours à un fléau à la fois réel
et mythique pour dépeindre cette « espèce d'emprisonnement »
bien réelle des années noires. À ceci près aussi que Camus, à
l'opposé de Malraux, n'exalte pas les vertus de l'action héroïque ;
il insiste au contraire sur la monotonie de la lutte quotidienne,

---

1. *Carnets*, t. II de la présente édition, p. 979.
2. Voir la lettre à Roland Barthes, t. II de la présente édition, p. 285.

sur la modestie et l'honnêteté de ceux qui estiment normal de
« faire ce qu'il fallait », par quoi peut se traduire une autre forme
d'héroïsme. *La Peste* propose une fresque des attitudes de
l'homme devant le mal, et encourage la révolte qui tente de s'y
opposer, sans cacher que le combat n'est jamais fini ; les personnages principaux ont en commun une même conscience
des limites de leur action, un même refus de l'héroïsme spectaculaire, une même morale fondée sur l'évidence de la responsabilité et de la solidarité.

Le docteur Rieux, narrateur qui préserve son anonymat jusqu'aux dernières pages, et acteur essentiel de la lutte contre l'épidémie, donne le ton. L'anonymat, selon lui, est un gage d'objectivité[1] ; son statut et son activité de médecin lui ont permis de
suivre de près l'évolution de la peste et ses conséquences, mais
il a voulu porter témoignage « avec la retenue désirable », en gardant « une certaine réserve » ; « témoin de bonne volonté », il a
cependant « pris délibérément le parti de la victime[2] ». Il est ainsi
passé du rôle de chroniqueur, qu'il s'attribuait au début de son
récit, à celui de témoin de la défense ; du témoignage sur des
événements, au témoignage « *en faveur* de ces pestiférés[3] », et,
à travers eux, en faveur de tous les hommes, en qui le fléau lui
a permis de découvrir qu'il y avait « plus de choses à admirer que
de choses à mépriser ». En insistant ainsi sur la nécessité non
seulement historique, mais morale de témoigner — ce que l'on
appellera plus tard « le devoir de mémoire » —, Rieux se fait l'interprète exact de son créateur, qui écrira, peu de temps après
La Peste : « Qui répondrait en ce monde à la terrible obstination
du crime, si ce n'est l'obstination du témoignage[4] ? »

Mais comme son créateur, Rieux souffre lui-même de la douleur qu'il décrit, et il est au centre de la lutte et de la résistance.
« L'essentiel » est pour lui de « bien faire son métier[5] » : de
médecin, bien entendu, mais aussi son « métier d'homme » ; la
peste, précisément, symbolise tout ce qui en empêche l'exercice : « À qui donc, parmi cette foule terrorisée et décimée,
avait-on laissé le loisir d'exercer son métier d'homme[6] ? » Il
passe dans cette interrogation comme un écho nostalgique de
Noces, du temps où l'Histoire n'avait pas apporté le malheur :
« J'avais fait mon métier d'homme et d'avoir connu la joie tout

---

1. Il s'en explique clairement au début du dernier chapitre du roman, t. II
de la présente édition, p. 243.
2. *Ibid.* et p. 248.
3. C'est moi qui souligne.
4. « Persécutés-persécuteurs » (1948), *Actuelles II* ; *Pléiade Essais*, p. 719.
5. *La Peste*, t. II de la présente édition, p. 62.
6. *Ibid.*, p. 166.

un long jour ne me semblait pas une réussite exceptionnelle, mais l'accomplissement ému d'une condition qui, en certaines circonstances, nous fait un devoir d'être heureux[1]. »

Les circonstances ont bien changé ; le devoir, tel que Rieux le conçoit, est désormais dans le combat sans illusion contre le mal et le malheur, en essayant de préserver le souvenir et peut-être les chances du bonheur. C'est pourquoi Rieux comprend si bien l'attitude de Rambert, venu à Oran par le hasard de son travail de journaliste, qui refuse longtemps de se sentir concerné par la peste et cherche à fuir la ville ; il finira cependant par faire passer la solidarité avant son désir de retrouver la femme qu'il aime et d'être heureux. À Rieux qui lui affirme qu'il n'y a « pas de honte à préférer le bonheur », Rambert répond qu'« il peut y avoir de la honte à être heureux tout seul[2] ». Dans sa simplicité, la formule résume toute une exigence morale, qui participe à la définition du « métier d'homme ».

Grand et Tarrou complètent cette définition. Grand, en qui le narrateur propose de voir le « héros » de l'histoire, est habité par un rêve, celui d'écrire une œuvre parfaite ; il y a sans doute une certaine autodérision dans la peinture ironique des affres de l'écrivain ; mais en recommençant indéfiniment la même phrase initiale, qui devrait rendre perceptible le trot d'une amazone dans les allées du Bois de Boulogne, Grand échappe à la pesanteur de la peste, il préserve la possibilité d'un autre temps, d'un autre monde. C'est lui qui qualifie le plus exactement Rieux : « le docteur est responsable », et qui, donnant tout leur sens aux mots, formule le degré le plus élémentaire de la solidarité : « il faut bien s'entraider[3] ». Sa quête infinie du mot juste a pris des proportions ridicules, mais elle traduit avec humour l'importance de la question du langage, que le roman pose avec gravité par l'intermédiaire de Tarrou. Celui-ci garde une part de mystère, mais il ne fait aucun doute qu'il est le porte-parole de Camus lorsqu'il déclare : « j'ai compris que tout le malheur des hommes venait de ce qu'ils ne tenaient pas un langage clair[4] ». Dans une étude sur Brice Parain, Camus ne disait pas autre chose : « Mal nommer un objet, c'est ajouter au malheur de ce monde[5] » ; et nombreux sont les articles de *Combat* qui réclament de la presse et de la politique un langage sans mensonge et sans compromis : nommer la peste par son nom est le premier pas indispensable

---

1. « Noces à Tipasa », p. 110.
2. *La Peste*, t. II de la présente édition, p. 178.
3. *Ibid.*, respectivement : p. 72 et 47.
4. *Ibid.*, p. 210.
5. « Sur une philosophie de l'expression », p. 908.

pour se donner les moyens de la combattre ; tenir un langage clair, c'est participer à la lutte contre le mal ; c'est aussi mettre ses actes en conformité avec ses paroles et ses convictions. L'itinéraire de Tarrou est exemplaire en ce domaine : son horreur de la peine de mort l'a conduit à l'action révolutionnaire pour lutter contre la société qui la légitimait ; mais lorsqu'il a compris que cette action pouvait aussi mener au meurtre, il a « décidé de refuser tout ce qui, de près ou de loin, pour de bonnes ou de mauvaises raisons, fait mourir ou justifie qu'on fasse mourir[1] ». Ce refus lucide et obstiné est celui même de Camus, tel qu'il l'exprime dans « Ni victimes ni bourreaux[2] », tel qu'il le développera dans *L'Homme révolté*, tel qu'il le répétera inlassablement dans ses articles et ses prises de position sur le terrorisme[3].

Doit-on, pour autant, voir en Tarrou un autoportrait de Camus ? Ce serait considérablement simplifier les rapports que l'écrivain entretient avec l'ensemble de ses créatures, dont il a pu dire qu'elles avaient toutes quelque chose de lui, mais qu'il ne se confondait avec aucune d'elles. Tarrou définit lui-même sa difficile conquête de la paix intérieure comme une recherche d'une sainteté sans Dieu ; cela a suffi à certains critiques pour ironiser sur la volonté prêtée à Camus de devenir un « saint laïque ». Camus partage avec Tarrou une morale de la « compréhension » ou de la « sympathie[4] » — qui donc, tout entière tournée vers autrui, ne peut exister que par rapport à l'autre —, mais c'est aussi celle de Rieux, qui, refusant le héros et le saint, ne se préoccupe que « d'être un homme » ; ce qui, aux yeux de Tarrou, et peut-être de Camus, est beaucoup plus ambitieux.

Avec le personnage du père Paneloux, Camus a voulu « rendre justice » à ses amis chrétiens rencontrés dans la Résistance[5] ; et, de fait, Paneloux prend une part active aux formations sanitaires qui tentent d'endiguer l'épidémie ; mais l'attitude du prêtre est d'autant plus intéressante qu'elle évolue. Son premier prêche utilise la peste et les images de terreur qu'elle véhicule pour éveiller ou ranimer la foi des Oranais ; il voit dans le fléau une punition collective et méritée, de laquelle il s'exclut. Mais

---

1. *La Peste*, t. II de la présente édition, p. 209.
2. Sur le rapport étroit entre *Combat* et *La Peste*, voir le « Foliothèque » sur *La Peste*, p. 163-168.
3. Voir *Albert Camus. Réflexions sur le terrorisme*, textes choisis et introduits par Jacqueline Lévi-Valensi, commentés par Antoine Garapon et Denis Salas, Éditions Nicolas Philippe, 2002.
4. *La Peste*, t. II de la présente édition, p. 123 et 210.
5. Voir « Pourquoi l'Espagne ? », *Actuelles*, t. II de la présente édition, p. 486.

confronté à la souffrance des êtres et à la mort d'un enfant, dans son second prêche il passe du « vous » au « nous », et Rieux lui-même souligne, alors, que leur combat est commun. Au-delà de l'hommage aux combattants chrétiens, c'est le problème de la foi qui est posé : comment concilier la croyance en Dieu et l'existence du mal, responsable de la souffrance des innocents ? Camus n'a jamais accepté de faire le « saut » métaphysique dont il parlait dès *Le Mythe de Sisyphe*, et que constitue l'acte de foi. Mais il n'a jamais simplifié la question. La peinture de Paneloux est, finalement, nuancée ; et le « cas douteux » qui qualifie la maladie dont il meurt concerne, certes, la peste, mais peut-être aussi sa croyance ébranlée.

Camus se défie trop du manichéisme pour proposer une personnification schématique du mal ; auteur, avant que la peste ne se déclare, d'on ne sait trop quel crime pour lequel il risque la prison ou les travaux forcés, Cottard est surtout coupable de pactiser avec elle. Parce qu'elle entraîne une désorganisation qui le protège, et qu'elle fait régner l'arbitraire, il souhaite qu'elle se prolonge ; il affiche un défaitisme démobilisateur, et surtout, dans son « cœur ignorant, c'est-à-dire solitaire[1] », il a « approuvé [...] ce qui faisait mourir des enfants et des hommes » — attitude impardonnable. Il incarne la collaboration avec l'occupant, et l'indifférence au malheur des autres. On peut s'étonner que la chronique se termine sur ce qu'il advient de Cottard ; mais Rieux se justifie : précisément, sa solitude, son acceptation de la peste, son refus de lui résister interdisaient de l'intégrer à la chronique collective ; la liesse de la Libération ne le concerne pas. Dans le malaise qu'éprouve Rieux au terme de son arrestation mouvementée, on peut voir un rappel de l'amertume que Camus exprime dans *Combat* à propos de l'épuration qu'il juge manquée, parce qu'elle ne s'est pas attaquée aux vrais responsables. Cottard n'est pas innocent, il n'a pas fait son « métier d'homme », il a tiré profit de la peste et l'a approuvée ; mais il ne l'a pas suscitée.

On a reproché à Camus d'avoir choisi, pour représenter un mal historique dont les hommes portent l'entière responsabilité, un fléau d'ordre « naturel » ; mais il n'a pas cherché à peindre des bourreaux, ni l'horreur d'un système qu'il a par ailleurs dénoncé dans ses écrits politiques ; c'est de la douleur des victimes, des souffrances et du courage des combattants, de la peur, de l'exil hors de la liberté et du bonheur que le roman veut témoigner. Et le choix de la peste se révèle particulièrement riche ; ses épidémies ont été nombreuses à travers l'Histoire et toujours très

---

1. T. II de la présente édition, p. 244 ; *ibid.* pour la citation suivante.

meurtrières ; elle est escortée d'une littérature et d'une iconographie terrifiantes ; et c'est la forme que prend souvent la punition divine dans la Bible[1], comme le rappelle Paneloux. En elle-même, la peste a une portée mythique, qui ajoute à la terreur qu'elle inspire, et qui rejaillit sur l'ensemble de la chronique. Dès les premières pages, Oran semble avoir vocation à atteindre cette dimension ; illustration exemplaire de la séparation des amants, le mythe d'Orphée et Eurydice est l'objet de multiples reprises sur la scène de l'Opéra ; l'aspect répétitif de la lutte contre la peste, l'insistance sur le fait que la victoire n'est jamais définitive font songer à Sisyphe… Les mythes grecs ainsi revisités semblent se mettre au service de la chronique. Mais le roman intègre aussi le mouvement inverse : la soumission de la chronique à une symbolique qui relève du mythe ; c'est ainsi que sont convoqués, de façon métaphorique, au moment de la mort de l'enfant ou de celle de Tarrou, le « vent furieux », les « flammes », « l'orage », « la tempête », qui ne désignent pas les éléments naturels, mais les forces dévastatrices de la peste ; le temps et la nature se dérèglent, et font régner le « temps de peste », ou « le soleil de peste ». Il ne s'agit pas pour Camus d'opposer réalisme et fantastique, mais bien de montrer que la réalité la plus charnelle n'échappe pas à l'imaginaire. La portée mythique, enfin, suppose une visée éthique ; cette visée, cette morale de la « compréhension », de la solidarité, du courage, de la responsabilité, ne prend tout son sens que par l'inscription des destins individuels dans une histoire collective, et par le dépassement de cette histoire événementielle par le mythe de la condition humaine.

Un an après la publication du roman, Camus reprend les thèmes de la peste et de la révolte, mais en renouvelle complètement l'approche dans *L'État de siège*. La pièce fut mal accueillie lors de sa représentation ; elle est pourtant — mais cela a pu la desservir — la plus originale de l'œuvre théâtrale de Camus, tant par son contenu que par sa forme, qui servent le même désir d'innovation. *Caligula* est directement tiré de l'histoire romaine ; le sujet du *Malentendu* est repris d'un fait divers ; bientôt, *Les Justes* s'inspirera d'un épisode de l'histoire du terrorisme russe en 1905. *L'État de siège*, au contraire, est né de l'imagination de son auteur. Bien entendu, l'expérience toute récente de l'Occupation et du nazisme, le règne du totalitarisme à l'Est, du franquisme en Espagne lui fournissent la trame même de la

---

1. Dans les *Carnets*, t. II de la présente édition, p. 975, figure une série de références renvoyant à la mention de la peste dans la Bible.

pièce ; il l'a clairement exposé[1]. Le thème est donc emprunté
à la réalité de l'Histoire ; mais l'intrigue, les péripéties, les situations, les personnages, la façon de les représenter n'émanent
que de l'auteur.

Camus s'est longuement expliqué sur le fait que sa pièce soit
située en Espagne. Ses explications donnent les raisons historiques
et politiques de ce choix : l'Espagne est depuis la victoire de
Franco un pays bâillonné. Il est probable cependant que des
motifs plus personnels s'y ajoutent. *L'État de siège* est un acte de
défense pour l'Espagne républicaine et libre, un hommage à ses
combattants vaincus, mais aussi un hymne à l'Espagne idéale
que Camus porte en son cœur[2]. Elle est « sa seconde patrie »,
haut lieu de sa mythologie personnelle, liée à l'image maternelle ; victime de l'injustice de l'Histoire, l'Espagne contemporaine rejoint une vision de l'Espagne éternelle pour symboliser
certains thèmes centraux de sa pensée : la liberté, la fidélité, l'orgueil de vivre, l'exil, la révolte. La pièce rassemble et illustre les
diverses images de l'Espagne que Camus porte en lui. Et comme
si ce qui touche à ce pays avait besoin d'une dramaturgie particulière, permettant au lyrisme de s'exprimer plus librement et
plus largement que dans une structure classique, *L'État de siège*
renoue avec la liberté scénique de *Révolte dans les Asturies*, en rupture avec la conception traditionnelle de la tragédie respectée
dans *Caligula* et *Le Malentendu* et qui le sera de nouveau dans *Les
Justes*. Camus a voulu placer son « spectacle[3] » dans la lignée des
« moralités » médiévales et des « autos sacramentales » espagnoles — c'est-à-dire d'un théâtre à la fois réaliste et allégorique ;
la présence d'un chœur, les nombreux changements de lieux,
l'alternance des rythmes, des langages, des tons et des registres,
les personnages émouvants ou grotesques, burlesques ou tragiques, répondent bien à son désir de « mêler toutes les formes
d'expression dramatique[4] », de renouveler le genre même du
théâtre, et à son ambition, à travers un spectacle à la fois hors
du temps et précisément daté et localisé, d'« imaginer un mythe
qui puisse être intelligible pour les spectateurs de 1948 ».

1. Voir « Pourquoi l'Espagne ? » *Actuelles*, t. II de la présente édition,
p. 483. Cet article, d'abord publié dans *Combat*, est une réponse à Gabriel
Marcel, qui s'était étonné que la pièce n'ait pas été située dans un pays de
l'Est.

2. Sur ce sujet, voir J. Lévi-Valensi, « Camus et l'Espagne », *Espagne et
Algérie au XXᵉ siècle : contacts culturels et création littéraire*, dir. J. Dejeux et
D.-H. Pageaux, L'Harmattan, 1985, p. 141-159.

3. C'est le terme qu'il emploie dans l'Avertissement qui précède la pièce,
t. II de la présente édition, p. 291.

4. *Ibid.* ; de même pour la citation suivante.

La formule aurait pu convenir à *La Peste*... La pièce n'est cependant en rien une adaptation du roman, comme on l'a dit un peu trop vite. Certes, la première mention de « la peste » désigne bien la même maladie mortelle ; mais elle est bientôt personnifiée par un personnage — masculin — qui, sous ce nom, répand la terreur ; le fait même qu'il s'agit d'une incarnation transforme singulièrement sa signification : la Peste et sa Secrétaire, la Mort, apparaissant sous des traits humains, montrent clairement que ce sont des hommes qui apportent le mal et le malheur. Et en prenant la place du gouverneur, qui abandonne lâchement la ville à cette « puissance nouvelle », la Peste ne laisse aucun doute sur la dimension politique de ce qu'elle représente : le totalitarisme[1]. En proclamant l'« état de siège », elle annonce le règne de l'ordre ; elle instaure un véritable terrorisme d'État, une bureaucratie absurde, l'arbitraire, le déni de toutes les forces de vie et d'amour ; elle n'est pas un fléau, mais un bourreau. Loin des scènes émouvantes qui, dans *La Peste*, décrivaient l'agonie de l'enfant ou celle de Tarrou, la mort est ici affaire d'administration. La terreur au XXᵉ siècle est une entreprise de déshumanisation, mais « il a toujours suffi qu'un homme surmonte sa peur et se révolte pour que leur machine commence à grincer[2] ». Diego ne cache pas son premier mouvement de peur, ni son amour, ni son attachement à la vie ; il choisit cependant la révolte ; elle ne peut le sauver lui-même, mais son sacrifice apporte la vie et la liberté à Victoria et à la ville entière. Au moins pour un temps, la peste, la mort et Nada sont vaincus. Si cette victoire relative n'apporte pas la justice, elle montre, selon le chœur, qu'« il y a des limites[3] ». *L'État de siège* n'est pas sans lien avec les autres œuvres de Camus, en dehors même de *La Peste*. La pièce reprend, par la bouche de la Secrétaire, un constat déjà fait, et répété dans *L'Étranger* : « Il n'y a pas d'issue[4]. » Porte-parole de la Peste, cette même Secrétaire se fait disciple de Caligula pour affirmer : « Notre conviction, c'est que vous êtes coupables[5] » ; « l'ordre » mis en place par la Peste et la Mort n'est d'ailleurs guère différent de celui que faisait régner l'empereur, mêlant l'arbitraire, la terreur, et une absurde logique. Le cri désespéré de Diego : « Qu'ai-je donc à vaincre en ce

---

1. Lors de la création, elle était vêtue d'un uniforme allemand, ce qui a sans doute restreint sa portée symbolique.
2. *L'État de siège*, t. II de la présente édition, p. 348.
3. *Ibid.*, p. 365.
4. Voir *L'Étranger*, p. 150 et p. 188 ; et *L'État de siège*, t. II de la présente édition, p. 329.
5. *Ibid.*, p. 328 ; *Caligula*, p. 339 : « Il me faut des coupables. Et ils le sont tous. »

monde, sinon l'injustice qui nous est faite », se confond avec
celui de Martha[1]. Il s'agit toujours de la représentation de
la misère et de la grandeur de l'homme, aux prises avec l'absurde, le malheur et la mort, en quête, sans illusion, de liberté,
d'amour et de justice.

L'*État de siège*, comme *La Peste*, reflète l'expérience de l'histoire
immédiate — telle que Camus l'a vécue, commentée et méditée,
au jour le jour, dans les articles de *Combat* ; les œuvres de fiction
ne se contentent pas de prendre en compte, ou d'illustrer, la
réflexion que Camus mène parallèlement sur la révolte, et qui
aboutira à la somme de *L'Homme révolté*, elles la font avancer ;
l'écriture des *Justes* lui permet de préciser sa pensée sur la violence et le terrorisme.

Des « meurtriers délicats[2] ».

La conscience de la mort ou de sa représentation est présente dans l'œuvre de Camus, depuis *L'Envers et l'Endroit* jusqu'au *Premier Homme*. Cette présence revêt différents aspects,
depuis la banalité de la conclusion de « L'Ironie » : « La mort
pour tous, mais à chacun sa mort[3] », jusqu'au pèlerinage de
Jacques Cormery au cimetière de Saint-Brieuc, en passant par le
titre même et le sujet de *La Mort heureuse*, la méditation de *Noces*
sur la mort consciente, celle du *Mythe de Sisyphe* sur le sens et la
valeur de la vie, la confrontation de Meursault avec la mort de
sa mère, la mort qu'il donne et sa propre mort, la folie meurtrière de Caligula, le fratricide de Martha, l'épidémie meurtrière
qui décime Oran, la Mort personnifiée de *L'État de siège*. Tout
autant que le goût passionné de la vie, le thème de la mort et
sa puissance dramatique sont inépuisables, et nourrissent la
réflexion de Camus. Le problème spécifique du meurtre est également omniprésent. Meurtrier innocent, Meursault ne cherche
pas à se justifier autrement que par l'enchaînement du hasard
et l'ardeur du soleil. Caligula revendique la logique pédagogique
de ses actes, et affirme la culpabilité universelle. Martha ne prétend pas à l'innocence, mais, fondant ses crimes sur son droit
au bonheur, en fait une réponse à l'injustice fondamentale de la
condition humaine. On ne saurait s'étonner que le meurtre soit
au centre de l'ensemble du cycle de la révolte : il la suscite, mais

---

1. *L'État de siège*, t. II de la présente édition, p. 342 ; *Le Malentendu*, p. 496 :
« [...] votre douleur ne s'égalera jamais à l'injustice qu'on fait à l'homme. »
2. Titre d'un article paru en janvier 1948 (repris dans *Pléiade TRN*, p. 1819-
1823) et d'un chapitre de *L'Homme révolté*, p. 211-221.
3. « L'Ironie », *L'Envers et l'Endroit*, p. 46.

il peut aussi en être l'aboutissement. Après l'expérience de la Résistance, de la Libération, et de ses lendemains si décevants, Camus, directement dans ses articles, ou par la voix de Tarrou, affirme avec force que rien ne peut légitimer le meurtre. Mais il est fasciné par ceux qu'il appelle « les meurtriers délicats », ou « les justes » : ceux qui ont tenté d'infléchir le cours de l'Histoire sans perdre leurs qualités humaines, ceux qui « dans la plus impitoyable des tâches, n'ont pas pu guérir de leur cœur[1] » ; avec « respect » et « admiration[2] », il fait d'eux les héros des *Justes*, représenté en 1949, et leur consacre un chapitre de *L'Homme révolté*.

Loin de l'écriture baroque de *L'État de siège*, *Les Justes* retrouve la structure traditionnelle de la tragédie, l'unité du ton et de l'action. L'argument, fondé sur des faits authentiques, permet de poser le problème de la légitimité de l'acte terroriste. Chargé de lancer une bombe sur la calèche du Grand Duc, Kaliayev n'a pu le faire, parce que des enfants accompagnaient l'oncle du Tsar. Il ne remet pas en cause le meurtre politique — acte nécessaire qu'il effectuera un peu plus tard —, mais il impose des limites à son accomplissement : tuer des enfants serait un crime qui priverait sa révolte et son sacrifice de toute signification. Condamné à mort, Kaliayev refuse d'obtenir sa grâce en dénonçant ses camarades ; la mort lui paraît le juste prix de son acte. La tension dramatique, perceptible tout au long de la pièce, où la menace de la mort rôde sans cesse, prend une dimension particulière dans la scène[3] qui oppose Stepan, révolutionnaire absolu et doctrinaire, à Kaliayev et Dora, lesquels défendent leur conception d'un terrorisme fidèle à l'homme, à la fraternité, à l'amour. Pour Stepan, « Il n'y a pas de limites » au terrorisme révolutionnaire ; pour Kaliayev et Dora, ces limites sont indispensables pour ne pas ressembler aux tyrans qu'ils condamnent. Ils reprennent la conclusion du chœur de *L'État de siège* : « il y a des limites[4] ». Kaliayev a « choisi de mourir pour que le meurtre ne triomphe pas », il a « choisi d'être innocent[5] ».

La notion de « limites » et la volonté de garder à la violence un caractère exceptionnel étaient déjà exposées dans les *Lettres à un ami allemand*, évoquées *a contrario* dans *Caligula*, et illustrées

---

1. *Les Justes*, « Prière d'insérer », *Pléiade TRN*, p. 1826.
2. *Ibid.*
3. Acte II, *Pléiade TRN*, p. 331-341.
4. *L'État de siège*, t. II de la présente édition, p. 365 ; *Les Justes*, *Pléiade TRN*, p. 338 : « Même dans la destruction, il y a un ordre, il y a des limites. »
5. Acte II, *Pléiade TRN*, p. 341.

par *La Peste* ou *L'État de siège* ; elles deviennent désormais centrales. L'hommage à Kaliayev et à Dora, ces « meurtriers délicats » sur lesquels il reviendra longuement dans *L'Homme révolté*,
exprime des prises de position dont Camus ne déviera pas : le
refus des principes idéologiques qui, au nom d'une justice
abstraite à venir, font régner une injustice plus forte ; le refus
d'admettre que « la fin justifie les moyens ». « Les révoltés de
1905 » resteront pour lui l'incarnation d'une révolte créatrice
de valeurs.

Entre *Les Justes* et *L'Homme révolté* le lien est donc évident ;
et le rapport que l'œuvre de fiction et l'essai entretiennent avec
l'histoire la plus contemporaine ne l'est pas moins : en 1950,
quelques mois après la représentation des *Justes*, un an avant
L'Homme révolté, Camus rassemble dans *Actuelles. Chroniques 1944-
1948* un certain nombre d'articles de *Combat*, et de textes ou
interventions d'ordre politique. Il n'y a rien d'étonnant à ce que
les idées défendues dans ce livre se retrouvent mises en œuvre
dans les fictions. Mais cela permet de mesurer la gravité de la
littérature pour Camus : l'œuvre ne cherche pas à divertir, au
sens pascalien du terme, c'est-à-dire à détourner l'homme de
la conscience de sa condition, mais au contraire à l'aider à
se connaître, à approfondir sa relation avec les autres, à mieux
comprendre l'Histoire, à mieux se situer dans le monde. La
gravité n'exclut ni l'humour ni l'ironie ; c'est à la futilité, à la fri-
volité qu'elle s'oppose. Elle n'exclut pas non plus l'exigence
artistique. Quoi qu'on en ait dit, les termes d'« écrivain engagé »,
forts à la mode dans les années 1950, sont trop liés à une
conception de l'art asservi à un parti pris politique pour
convenir à Camus. L'artiste et l'homme public défendent les
mêmes causes ; mais Camus ne met pas son œuvre « au service
de ceux qui font l'histoire » ; elle est « au service de ceux qui la
subissent[1] », de ceux que l'injustice révolte, mais qui n'ont pas
toujours la possibilité d'exprimer cette révolte.

Longuement porté et médité, *L'Homme révolté* a quelque
chose de l'obstination décrite dans *La Peste*, du baroque de
L'État de siège, de la rigueur dialectique des *Justes*, et hérite des
articles de circonstance, repris ou non dans *Actuelles*. Mais il se
situe aussi dans la continuité directe du *Mythe de Sisyphe* : « Cet
essai se propose de poursuivre, devant le meurtre et la révolte,
une réflexion commencée autour du suicide et de la notion
d'absurde[2]. » Le mode d'écriture et la démarche sont bien les

---

1. « Discours du 10 décembre 1957 », *Discours de Suède* (1958), Gallimard,
coll. « Folio », p. 16.
2. *L'Homme révolté*, p. 17.

mêmes dans les deux essais, expressions d'une pensée inquiète, qui se refuse aux certitudes des abstractions, et cherche à rester au plus près des événements de l'Histoire et de l'expérience. En indiquant, dès l'abord, que la révolte nécessite « une enquête sur ses attitudes, ses prétentions et ses conquêtes », Camus souligne l'aspect concret, si l'on peut dire, de son propos ; en affirmant que « l'homme est la seule créature qui refuse d'être ce qu'elle est », il met l'accent sur un aspect ontologique que les philosophes existentialistes ne lui pardonneront pas : il existe, pour lui, une nature humaine. Partant de l'aspect métaphysique de la révolte, sous l'ombre tutélaire de Prométhée, *L'Homme révolté* consacre son plus long développement à ses manifestations historiques, et à son dévoiement, rappelle qu'elle est à l'origine de toute création véritable, et que d'elle procède la « pensée de midi », seule capable de s'opposer aux fureurs de l'Histoire et de dépasser le nihilisme. Par là, Camus établit une véritable généalogie de la révolte, analyse ses conséquences dans l'Histoire, en particulier lorsqu'elle se transforme en révolution, et propose d'en faire le fondement éthique d'une conduite personnelle, mais qui ne prend tout son sens que dans la solidarité qu'elle fonde : « Je me révolte, donc nous sommes. »

Comme l'ensemble de l'œuvre, *L'Homme révolté* est très lié aux circonstances historiques qui ont entouré sa conception : l'Occupation, l'après-guerre, bientôt la formation des « blocs », la guerre froide. Mais l'inscription dans la réalité historique contemporaine n'est pas un obstacle à la portée universelle de l'essai ; Prométhée n'a rien perdu de sa valeur exemplaire, même si l'injustice et l'oppression ont pris des formes nouvelles. Nourri de lectures, mais aussi et surtout de l'expérience et de la réflexion qu'engendrent ces années d'après-guerre, de l'intérêt pour la pensée libertaire, du désir de trouver une « troisième voie », entre capitalisme et communisme, *L'Homme révolté* participe aux débats d'idées de l'époque, centrés sur les réalités des régimes communistes. Camus est de ceux qui ont su lire et entendre Arthur Koestler ou Margarete Buber-Neumann. À certains égards, on peut voir dans son livre une réponse à *Humanisme et terreur* de Merleau-Ponty[1] qui, en 1947, distinguait la violence progressive, qu'il estimait légitime, de la violence rétrograde. Pour Camus aucune raison, progressiste ou réactionnaire, ne peut justifier l'instauration de la terreur, qu'elle soit le fait d'individus ou d'États.

---

1. *Humanisme et terreur*, Gallimard, 1947 ; la rupture avec Merleau-Ponty date de cette époque.

L'Homme révolté n'est pas un bréviaire d'angélisme ; l'analyse des philosophies convoquées et des systèmes politiques qui ont régné ou règnent encore sur les hommes ne verse pas dans l'idéalisme ; il s'agit toujours, avec une lucidité accrue par l'évolution de l'histoire contemporaine, de chercher comment se conduire pour ne pas ajouter à l'injustice et au malheur du monde. L'artiste, en particulier le romancier, peut offrir un modèle de révolte qui reste fidèle à elle-même, à la fois attentive au réel, et cependant s'efforçant de le corriger. La « pensée de midi », une fois encore, rappelle qu'il y a une mesure, qui n'est en rien un juste milieu, mais une tension entre les extrêmes ; elle peut s'opposer au meurtre nihiliste, parce qu'elle proclame que la fin ne justifie pas les moyens, réhabilite les notions de droit et de justice, et, sans nier le tragique de sa condition métaphysique et historique, affirme la valeur de l'homme et de sa vie, et s'efforce de préserver en lui le goût et la possibilité de la liberté et du bonheur.

L'Homme révolté, accusé par Sartre et *Les Temps modernes* de mettre sur le même plan nazisme et stalinisme, considéré comme « réactionnaire », disqualifié pour insuffisance philosophique et incompréhension du « sens de l'histoire », fut l'objet d'une polémique aux retombées multiples et durables dans la réception critique de la pensée de Camus, mais aussi en ce qui concerne la création même de l'écrivain. Sa personne autant que sa pensée ont été attaquées ; la blessure est profonde, et Camus traverse une période de doute que reflètent ses *Carnets* et ses lettres[1]. C'est peut-être là une des raisons qui font que, s'il continue à écrire, il n'entreprend plus d'œuvre qui aurait l'envergure de *La Peste* ou de *L'Homme révolté*. L'incompréhension à laquelle il se heurte provoque en lui une déception à la fois intellectuelle et affective, accentue sa lassitude, et, probablement, lui fait craindre une certaine stérilité. Est-ce un hasard s'il renoue alors avec l'adaptation théâtrale, telle qu'il l'a pratiquée à ses débuts ? Pour le Festival d'Angers de 1953, il transpose en français moderne *Les Esprits* de Pierre de Larivey[2], et traduit *La Dévotion à la Croix* de Calderón[3] ; deux ans plus tard, dans un autre registre, il adaptera *Un cas intéressant*, de Buzzati, et pour le Festi-

---

1. Sur la polémique et les difficultés de Camus, voir Olivier Todd, *Albert Camus. Une vie* (1996), Gallimard, coll. « Folio », p. 766 et suiv.
2. Cette transposition d'une pièce du XVIe siècle était prévue dès 1940 pour le Théâtre de l'Équipe ; mais elle n'avait pas été montée.
3. Reprendre le répertoire du Siècle d'Or espagnol était dans les projets des deux troupes de théâtre dirigées par Camus avant la guerre à Alger.

val d'Angers de 1957, fidèle à son goût du théâtre du Siècle d'Or espagnol, il adaptera et mettra en scène *Le Chevalier d'Olmedo*, de Lope de Vega. Sa passion pour le théâtre ne se démentira pas, mais il n'écrira plus de pièces originales, bien que ses deux dernières adaptations, d'après Faulkner et Dostoïevski, soient de véritables œuvres personnelles.

La polémique n'a pas que des effets négatifs sur la création : c'est à propos des existentialistes que Camus invente la formule « juges pénitents », illustrée par Clamence : *La Chute* devra beaucoup dans son ton et ses thèmes, dans ses sarcasmes, son ironie, et la douleur qu'elle exprime, à cette expérience difficile.

Dans l'immédiat, *L'Homme révolté* trouve son prolongement, sa défense et son illustration à travers les textes recueillis dans *Actuelles II. Chroniques 1948-1953*. Dans son avant-propos, Camus tient à les inscrire dans le mouvement qu'il a défini lui-même comme allant de la « négation » au « positif » : il affirme sa certitude que l'époque voit la sortie du nihilisme, que l'on peut « servir l'espérance des valeurs », et que la création et l'art sont plus que jamais nécessaires à la sauvegarde de la justice et de la liberté. *Actuelles II*, en contrepoint de l'œuvre, souligne où vont les sympathies politiques de l'écrivain : aux « persécutés », à l'Espagne républicaine, aux syndicalistes révolutionnaires ; en reprenant ses réponses aux critiques de *L'Homme révolté*, il démontre la cohérence de sa pensée et de ses positions. Il est significatif que la dernière section de ce recueil essentiellement politique s'intitule « Création et liberté » ; le titre de l'interview synthétique qui clôt *Actuelles II*, « L'Artiste et son temps », servira d'intitulé à la conférence prononcée à Stockholm le 14 décembre 1957 : Camus ne cesse de s'interroger sur la place et la responsabilité du créateur dans les luttes contre l'oppression, d'approfondir le sens de « la création authentique » — en laquelle il voit « un don à l'avenir ». C'est un acte d'espoir, qui ne renie en rien son temps, mais tente de le dépasser.

Un « été invincible[1] *» ?*

Il est probable qu'après la longue élaboration de *L'Homme révolté* et les moments difficiles qui ont suivi sa publication, Camus ressent le besoin d'un retour aux sources — l'Algérie, la Grèce mythique, la mer, la nature — qui est aussi un retour sur soi. Il prépare la préface à la réédition de *L'Envers et l'Endroit*, qui exprime cette nécessité. C'est également le moment où la

---

1. « Au milieu de l'hiver, j'apprenais enfin qu'il y avait en moi un été invincible » (« Retour à Tipasa », *L'Été*, p. 164).

première ébauche de ce qui devait devenir *Le Premier Homme*, ce roman des origines, apparaît dans les *Carnets*[1]. *L'Été*, publié en 1954, rassemble des textes écrits entre 1939 et 1953, et pour certains, déjà publiés en revue ; leur regroupement est d'autant plus significatif que Camus indique, pour chacun d'eux, leur date de rédaction, soulignant ainsi la chronologie de ses réflexions et de ses confidences.

Le livre propose, en quelque sorte, une vision dynamique de « L'Artiste et son temps », de ses interrogations, de ses tentations, de ses espoirs tenaces ; une approche affective et ontologique des rapports du créateur avec sa propre vie, et avec son époque. Selon le prière d'insérer, les essais qui composent le recueil « reprennent tous, quoique avec des perspectives différentes, un thème qu'on pourrait appeler solaire, et qui fut déjà celui d'un des premiers ouvrages de l'auteur, *Noces*, paru en 1938. / Vingt ans après, ces nouvelles *Noces* témoignent donc, à leur manière, d'une longue fidélité[2] ».

Thème solaire, oui, et qui s'inscrit, effectivement, dans la continuité du lyrisme, de la méditation, de la lucidité, de l'ironie attendrie déjà présents dans *Noces* ; mais plus ouvertement, dans *L'Été*, l'accent est mis sur le « tragique solaire » dont « L'Exil d'Hélène » donne à la fois la source et la représentation ; la « pensée de midi » — invoquée ici avant d'être analysée dans *L'Homme révolté*[3] — saura-t-elle préserver non pas l'amour nostalgique de la paix et de la beauté disparues, mais le goût et la volonté de les faire renaître ? Le « je » qui s'exprime ici avec force veut le croire et proclame qu' « un été invincible » l'habite au cœur même de l'hiver. Pourtant, si ces textes disent cette certitude, ils parlent aussi de « secret », d'« énigme », d'attentes, d'« anxiété ». L'heure n'est plus à l'éblouissement des noces avec le monde, ni à la découverte fiévreuse de sa propre conscience, dans l'innocence, la plénitude et l'orgueil de sa condition d'homme. Certes, l'été, le soleil, la mer demeurent ; mais il faut les retrouver, réapprendre ce que l'on sait ; il ne s'agit plus d'une naissance à soi-même, mais de la reconnaissance d'un destin ; la question n'est plus « qui suis-je ? », mais « que suis-je devenu ? », avec le poids des œuvres, de la réputation, des légendes, de la notoriété et des étiquettes trompeuses, avec les années, avec la pesanteur de l'Histoire qui ne se laisse pas oublier. Tipasa est

---

1. *Carnets III*, Gallimard, 1989, p. 96-97 (1953).
2. En fait, *Noces* a paru en 1939 ; ce « Prière d'insérer », non signé, est sans aucun doute de la main de Camus.
3. « L'Exil d'Hélène » a d'abord été publié dans les *Cahiers du Sud*, n° 8, « Permanence de la Grèce », Marseille, 1948.

désormais entourée de barbelés ; le royaume solaire de la nature n'est plus à l'abri des blessures de l'Histoire. Quelques mois après la publication de *L'Été* éclate ce que l'on finira par appeler la guerre d'Algérie. On sait que ce fut pour Camus une tragédie personnelle. Dès 1939, son reportage sur la Kabylie, dès 1945, dans ses articles d'après les émeutes de Sétif, il avait pris la mesure de la crise qui risquait de séparer les communautés, si la France ne modifiait pas sa pratique coloniale. Revenu pour quelques mois au journalisme, il collabore en 1955-1956 à *L'Express*, pour soutenir le retour au pouvoir de Pierre Mendès France, dont il pense qu'il est le seul à pouvoir rénover la politique française, et à pouvoir régler le problème algérien. Comme au temps de *Combat*, chacun de ses éditoriaux a valeur d'acte ; une quinzaine d'entre eux est consacrée à l'Algérie. Camus appelle inlassablement au dialogue, à la constitution d'une table ronde, à une trêve civile ; inlassablement et désespérément, il ne cesse de dénoncer ce qu'il appelle « les noces sanglantes du terrorisme et de la répression[1] ». Les réflexions de « Ni victimes ni bourreaux », ou de *L'Homme révolté*, mises à l'épreuve des « événements » d'Algérie, comme l'on disait alors, n'en prennent que plus de valeur, d'actualité. Mais elles n'en sont pas mieux entendues. Camus quittera *L'Express* peu après l'échec de son « Appel à la trêve civile ». Doit-on parler de son « silence » sur l'Algérie ? Il a depuis longtemps dénoncé l'injustice et les abus de la colonisation, mais il ne peut envisager que sa terre natale ne soit plus sa patrie, ni accepter le terrorisme meurtrier ; il voit s'effacer, jour après jour, son rêve d'une Algérie fraternelle. S'il continue à agir discrètement, pour venir en aide à des Français ou à des Algériens emprisonnés, il refuse toute intervention publique qui risquerait d'être exploitée par l'un ou l'autre parti, pour ne pas ajouter au malheur existant. Pourtant, bien avant qu'il ne réunisse ses *Chroniques algériennes*, l'Algérie ne cesse d'être présente à l'horizon de son œuvre, directement ou sous forme de métaphore. Elle est le lieu de cet « été invincible » dont « Retour à Tipasa » affirmait la permanence, la « lumière » perdue de l'innocence, que Clamence ne peut oublier dans les brumes d'Amsterdam. Elle donne ses couleurs, ses parfums, sa beauté au « Royaume », dont l'exil est si douloureusement ressenti. Enfin et peut-être surtout, elle est la réalité où s'enracine l'histoire interrompue du *Premier Homme*, qui hante déjà l'esprit et l'imagination de Camus.

---

1. « Le Parti de la trêve », *L'Express*, éditorial du 17 janvier 1956, repris dans *Actuelles III*, chapitre « L'Algérie déchirée ».

« La douleur, et ce qu'elle promet[1] ».

Prévu pour être une nouvelle, parmi celles que rassemble-rait *L'Exil et le Royaume*, et pour proposer « le portrait d'un petit prophète comme il y en a tant aujourd'hui », *La Chute* change, en quelques mois, d'ampleur, de visée et de statut ; le texte devient un récit autonome, même si sa thématique et sa signi-fication ne sont pas sans rapport avec celles des « nouvelles de l'exil » qui s'élaborent parallèlement ; Clamence est trop bavard, sa stratégie trop habile, ses discours trop riches pour qu'il puisse se contenter de figurer, parmi d'autres « héros », dans un recueil... Une nouvelle fois, Camus innove et déconcerte, par l'ambiguïté de son personnage et de sa parole, et par son ton insolite. Comme dans *L'Étranger* ou dans *La Peste*, un person-nage narrateur prend le texte en charge ; mais il s'agit cette fois d'une « confession » qui exhibe son oralité, et non d'un récit ; en utilisant les techniques théâtrales du « monologue dramatique », Clamence, « comédien tragique[2] », ne renonce pas pour autant aux procédés du romanesque, créant ainsi une forme originale adaptée au sens même de ses discours troublants. Il joue des ressources des trois formes que Camus, jusque-là, avait souhaité séparer : roman, théâtre, essai. Le lecteur s'identifie à l'interlo-cuteur invisible, dont la présence s'inscrit en creux à travers les paroles de Clamence ; il est pris à partie, poussé à sa propre remise en question par la « confession calculée[3] » de l'ancien avocat parisien devenu « juge-pénitent » à Amsterdam. Com-ment, en effet, échapper à la séduction d'un guide si affable, qui s'offre à faire comprendre « le cœur des choses » ? Le choix même de son nom, Jean-Baptiste Clamence — d'autant plus révélateur qu'il s'agit d'un pseudonyme —, est une admirable trouvaille, qui ravive la richesse polysémique du titre de l'œuvre ; cette « *vox clamantis in deserto* », venue du prophète Isaïe, reprise dans les Évangiles comme étant celle de Jean-Baptiste, per-met de fréquentes références à la Bible : Clamence se défi-nit comme un « Élie sans messie », un « prophète vide pour temps médiocres » ; et son évangile à rebours annonce la mau-vaise nouvelle d'une culpabilité générale. Les thèmes de l'inno-cence et de la culpabilité, et du jugement qui les accompagne, parcourent toute l'œuvre de Camus ; innocence de l'homme devant le monde, telle qu'elle est célébrée dans *Noces*, innocence

---

1. Prière d'insérer de *La Chute* ; *Pléiade Essais*, p. 2015.
2. Camus, interview à *Venture*, 20 décembre 1959.
3. Prière d'insérer de *La Chute* ; *Pléiade Essais*, p. 2015.

irréparable de l'homme absurde, meurtriers au cœur innocent, comme Mersault et Meursault, innocence des victimes
de la peste, de Kaliayev ou de Diego. La cause de l'innocence
des hommes est longuement plaidée par Camus ; mais elle
n'exclut pas la question obsédante de la culpabilité. Caligula
avait déjà tenté une entreprise de culpabilisation générale de
ses sujets et même de l'humanité tout entière ; mais il s'agissait
alors d'une culpabilité d'ordre moral ou métaphysique, liée
au refus de prendre conscience de la condition mortelle de
l'homme. Depuis, la culpabilité s'est inscrite dans l'Histoire,
elle est devenue responsabilité. À une époque de terreur, qui
exige que l'on choisisse d'être « victimes » ou « bourreaux »,
peut-on parler encore d'innocence ? *L'Homme révolté* se proposait d'examiner si la révolte « sans prétention à une impossible
innocence, [...] peut découvrir le principe d'une culpabilité
raisonnable[1] » — où la révolte n'oublierait pas ses origines, où
la « pensée de midi » pourrait faire régner la mesure. Mais il
n'y avait guère de mesure ni de raison dans les propos de la
Secrétaire de la Peste affirmant la culpabilité des habitants de
Cadix, et l'obligation pour eux d'en prendre conscience[2]. Il y
en a moins encore chez Clamence, qui nie toute possibilité
d'innocence pour l'homme. Il multiplie les exemples empruntés
à la vie quotidienne ou à l'Histoire et qui prouvent que personne
n'échappe au mal, mais que chacun, lui le premier, s'efforce
d'échapper au jugement des autres, en s'empressant de les
juger ; telle est la « fonction » du juge-pénitent, dont la confession n'a d'autre but que de provoquer celle de l'autre, et de l'entraîner à reconnaître sa propre culpabilité. Une fois encore, les
aventures de Clamence, qui sont celles d'un « héros de notre
temps[3] », homme du demi-siècle, marqué par l'histoire contemporaine, sont aussi la représentation de l'immuable condition
humaine. Une représentation située tout entière dans l'univers
du jugement, une mise en procès de la parole et de l'être, une
vision du monde qui semble ne plus croire en la possibilité de
la sincérité, ni plaider « en faveur » de l'homme ; pourtant,
Camus porte-t-il entièrement condamnation de son personnage ? À travers les sarcasmes et les mensonges de Clamence,
sa vanité, sa lâcheté, son incapacité d'aimer sont affirmées
sans équivoque ; mais sa douleur n'est pas plus contestable, ni
son désespoir de ne pouvoir « être un autre », ni sa nostalgie de
la lumière et de l'innocence. Son dernier mot — « heureuse-

---

1. *L'Homme révolté*, p. 24.
2. *L'État de siège*, IIe partie, t. II de la présente édition, p. 328.
3. Camus avait songé à reprendre ce titre de Lermontov.

ment ! » — est le comble de l'ironie ; mais l'ironie n'est pas une vertu négative pour Camus[1].

Il fallait sans doute le passage par *La Chute* pour que puisse naître un « premier homme », en quête d'innocence.

Tout autant que *La Chute*, les nouvelles de *L'Exil et le Royaume* reflètent le désarroi et les doutes de Camus. Les paysages lumineux d'Algérie sont devenus le décor d'affrontements sanglants ; l'espoir en la fécondité de la « pensée de midi » s'amenuise face à la médiocrité de la politique en France, et surtout à la guerre froide, à l'écrasement des révoltes à Berlin ou à Budapest. Comment préserver en soi et autour de soi la promesse d'un royaume ? On ne saurait mettre en doute la parole de Camus disant qu'il a voulu que ses six récits soient de facture différente ; de fait, « depuis le monologue intérieur jusqu'au récit réaliste[2] », chaque nouvelle a son style et sa forme singuliers. Mais l'originalité du recueil ne se résume pas à cette recherche formelle ; d'une certaine manière, chaque nouvelle prépare, prolonge ou rejoint la confession douloureuse de Clamence, et tous les personnages sont en exil d'eux-mêmes. Exil quotidien dont Janine prend conscience mais auquel elle échappe dans la découverte d'une autre vie. Exil définitif du Renégat, rejeté hors de toute foi. Exil des Muets, privés de la parole qui permettrait de dire la compassion. Exil et solitude de Daru dans son pays même, qui donne l'image tragique du déchirement que connaît l'Algérie. Exil de Jonas, l'artiste qui perd son étoile — son « royaume » — et dont on comprend qu'elle ne pourrait briller à nouveau que s'il réussissait l'irréalisable conciliation : être à la fois « solitaire » et « solidaire » — écho de l'état où se trouve Camus, pris entre la tentation de la solitude et la nécessité morale de la solidarité. Exil, enfin, mais provisoire, de d'Arrast, qui va regagner le royaume de la fraternité. Comme Clamence, mais aussi comme Meursault ou Rieux, tous ces personnages sont habités, plus ou moins consciemment, d'un désir ou d'une nostalgie de transcendance qui les porte au-delà d'eux-mêmes et de la vie qu'ils mènent ; ces nouvelles sur la solitude, loin d'opposer radicalement l'« exil » et le « royaume », montrent leurs liens étroits, et peut-être réversibles : ne sont-ils pas « l'envers et l'endroit » de la vie des hommes ?

En adaptant pour la scène *Requiem pour une nonne*, Camus ne s'éloignait pas de la thématique de *L'Exil et le Royaume* — ni de celle de *La Chute*. Non que l'on doive déceler dans la suite de ces

---

1. Qui pourrait reprendre à son compte ce qu'en dit Vladimir Jankélévitch : voir p. xxv et n. 3.
2. Prière d'insérer de *L'Exil et le Royaume* ; *Pléiade TRN*, p. 2039.

œuvres, élaborées d'ailleurs parallèlement, une évolution vers le christianisme, comme trop de critiques se sont empressés de le faire, ce contre quoi Camus n'a cessé de s'insurger. L'élan vers la transcendance ne signifie pas l'affirmation de la foi, mais l'attente, la quête ou l'espérance de quelque chose qui s'apparente à ce royaume terrestre, « à hauteur d'homme », et pourtant dépassant les limites humaines, où régneraient l'amour, la justice, la liberté, le bonheur. « Nous vivons pour quelque chose qui va plus loin que la morale », écrivait Camus dans *L'Été* ; et il ajoutait : « Si nous pouvions le nommer, quel silence[1] ! » Paradoxalement, l'œuvre s'efforce sinon de « nommer » ce « quelque chose », du moins de le suggérer — afin d'atteindre le silence. Au-delà de la quête de l'identité et du bonheur dans un monde absurde, au-delà de la volonté d'agir sur ce monde par la révolte, Camus, depuis longtemps, est à la recherche de ce « quelque chose » — cette « part obscure ». Depuis longtemps, il s'interroge : « Qu'est-ce que je médite de plus grand que moi et que j'éprouve sans pouvoir le définir[2] ? » Cette interrogation pourrait être celle des personnages principaux des fictions, de Caligula ou de Meursault à Jacques Cormery. Elle semble s'exprimer avec une acuité accrue à travers l'intrigue même des nouvelles de *L'Exil et le Royaume*, ou, sous la forme inversée de la dérision, dans *La Chute* ; elle imprègne *Requiem pour une nonne*, comme elle sera au cœur des *Possédés*. Et c'est elle encore qui animera Jacques Cormery, le « premier homme », dans sa quête inachevée.

La diversité, le renouvellement des formes, l'évolution des problématiques ne sauraient masquer la cohérence profonde de la thématique des œuvres de fiction, ni celle de la pensée, ni celle des combats. Présente dès les premiers textes, évoquée à maintes reprises, l'image du condamné à mort est au centre des *Réflexions sur la guillotine* ; cet ardent plaidoyer contre la peine de mort n'est pas une méditation morale hors du temps ; il prend en compte la réalité de ce meurtre « légal », l'état de la société qui le tolère. Et ces *Réflexions* continuent et complètent les analyses de certains articles de *Combat* et de *L'Homme révolté* sur la terreur et le refus de légitimer le meurtre, fût-il « légal », mais aussi les multiples interventions de Camus en faveur de condamnés à mort politiques en France ou à l'étranger. « Nul d'entre nous ne peut prétendre à l'innocence absolue[3] », affirme-t-il, reprenant, apparemment, les propos qu'il prêtait à Clamence ; mais alors que le juge-pénitent en déduisait la culpa-

1. « Retour à Tipasa », *L'Été*, p. 166.
2. *Carnets*, t. II de la présente édition, p. 951.
3. *Pléiade Essais*, p. 1056.

bilité générale, les *Réflexions sur la guillotine* en concluent que
« personne parmi nous ne peut s'ériger en juge absolu » et appellent à la « mise hors la loi » de la peine de mort.

On sait qu'il faudra quelque vingt-quatre ans pour que cet
appel soit entendu… Il en faudra bien davantage encore pour
que soient vraiment lues les *Chroniques algériennes*, que l'on a redé-
couvertes dans les années 2000, mais qui furent accueillies dans
le plus grand silence en 1958. Peut-être l'attribution du prix
Nobel de littérature, quelques mois plus tôt, avait-elle fait trop de
bruit pour certains ; mais surtout, comment ces textes qui conju-
guaient passion, mesure et lucidité, et qui étaient souvent pré-
monitoires, pouvaient-ils être compris par l'un ou l'autre camp,
en pleine guerre d'Algérie ? Ceux-là mêmes qui reprochaient à
Camus de s'être tu sur l'Algérie depuis 1956[1] ne savent ou ne
veulent pas le lire quand il rompt ce silence. Ce recueil rassemble
l'essentiel des textes politiques de Camus sur l'Algérie, en particulier « Misère de la Kabylie », publiée dans *Alger républicain* en
1939, les articles de 1945 parus dans *Combat*, ceux de *L'Express*
de 1955-1956. « Témoignage », selon l'avant-propos, « dernier
avertissement », comme le disent les derniers mots du dernier
texte, ces *Chroniques algériennes* — Camus l'annonce lui-même —
résument sa position sur l'Algérie, et il n'y ajoutera plus rien. La
solution du fédéralisme, où il voit une dernière chance pour les
deux communautés de « vivre ensemble », est déjà dépassée au
moment où il tente désespérément de la proposer ; et sans doute
imaginait-il mal une Algérie indépendante. L'avant-propos, non
sans amertume, souligne que le livre est « aussi l'histoire d'un
échec » ; mais cet « échec » garde la trace des positions que
Camus et quelques autres avaient su prendre depuis longtemps,
en s'opposant à la politique coloniale menée par la France. À
relire ces pages, qui ignorent encore la suite de l'histoire tragique
de l'Algérie, on mesure la pertinence de l'analyse et l'actualité
de la dénonciation du terrorisme, mais aussi de la répression
« aveugle et imbécile ». Camus sait, en les publiant, que son cri
solitaire n'éveillera guère d'échos. Cette ultime tentative manifeste, une fois encore, sa fidélité à sa terre natale aux principes éthiques qui fondent sa conception de l'homme et de la
vie. Le discours et la conférence que Camus a prononcés lors de
la remise du prix Nobel, respectivement le 10 et le 14 décembre
1957[2], ne sont pas des propos de circonstance. Ils expriment sa
conviction, établie de longue date, que l'écrivain a des devoirs par

---

1. Le dernier éditorial dans *L'Express* est publié en 1956, après l'échec de
l'« Appel à la trêve civile ».
2. Les deux textes ont été publiés en 1958, sous le titre *Discours de Suède*.

rapport à l'histoire de son époque ; le titre de la conférence, « L'Artiste et son temps », conviendrait tout autant au discours de remerciement ; les deux textes reprennent et théorisent, non sans solennité, ce qui fonde, aux yeux de Camus, « la grandeur de son métier : le service de la vérité et celui de la liberté ». Face à l'histoire particulièrement destructrice que sa génération a dû et doit encore affronter, Camus affirme à nouveau l'obstination de l'artiste à parler pour ceux que la tyrannie ou la misère réduisent à la servitude, à créer pour témoigner de la dignité de l'homme, « partagé entre la douleur et la beauté ». Il a depuis longtemps choisi sa fidélité : il la voue, tout à la fois, à la « beauté » et aux « humiliés ». La justification de l'artiste est dans la conciliation de cette double aspiration, et dans sa victoire sur ses propres déchirements. Affirmation de liberté, manifestation paradoxale qui dit la « révolte » contre le réel et le « consentement » au monde, l'œuvre véritable est celle qui permet à l'artiste d'être, simultanément, « solitaire » et « solidaire » ; celle qui connaît la misère de l'homme et parie pour sa grandeur ; celle qui incarne, contre tout ce qui les nie, les forces de la vie et de l'espoir.

« Le Premier Homme ».

« Qu'est-ce que le roman [...] sinon cet univers où l'action trouve sa forme, où les mots de la fin sont prononcés, les êtres livrés aux êtres, où toute vie prend le visage du destin[1]. » Camus avait donné dans *L'Homme révolté* cette définition où s'énonce la portée ontologique de la littérature, et qui paraît étrangement prémonitoire. Dans sa dernière œuvre, en effet, l'action n'a pas trouvé sa forme définitive, les mots de la fin ne sont pas prononcés, mais c'est le manuscrit interrompu qui est à l'image du destin de son auteur.

Même dans son état d'inachèvement, *Le Premier Homme* est une œuvre à part entière, tant par sa richesse que par la singularité de son écriture. Camus n'a pas pu relire son manuscrit ; sans doute l'aurait-il corrigé ; peut-être aurait-il souhaité contenir davantage la passion et le lyrisme éclatant dans ces longues phrases, parfois haletantes, qui épousent le rythme d'une vie, au gré de l'histoire personnelle, de l'histoire d'une famille, de l'histoire d'un pays. Peut-être parce qu'il a longuement porté en lui le projet de ce roman, et parce que ce roman est nourri de toute son expérience, vécue ou rêvée, il semble que Camus libère un flot de scènes, d'images, de souvenirs, de sentiments qui ne pouvaient être canalisés.

1. *L'Homme révolté*, p. 328.

Habité depuis longtemps par le désir d'écrire un roman autobiographique, c'est à l'heure des doutes et du besoin de revenir
à ses sources que Camus, en 1953, donne une première forme à
ce projet[1]. La structure et la vue générale du futur *Premier Homme*
sont déjà fixées : la recherche du père, la pauvreté, la scène du
cimetière, la naissance dans un déménagement, l'enfance —
autant de thèmes et de scènes envisagés qui se retrouveront
dans le roman. Mais si l'inspiration autobiographique ne fait
aucun doute[2], le roman est loin de n'être que le récit d'une
introspection narcissique. Dès son titre — semblable en cela à
toutes les œuvres romanesques de Camus —, il s'ouvre à de multiples significations, qui s'enrichissent les unes les autres. Et on
ne saurait oublier la résonance édénique et vivante que lui
donne un des textes — ou plutôt un des poèmes — de *La Postérité du soleil* : « Des vieux troncs de saule jaillissent des gerbes
de branches fraîches. C'est le premier jardin du monde. À
chaque aurore, le premier homme[3]. »

Cette aura poétique s'ajoute aux sens que le roman lui-
même suggère. Le titre est repris en tête de la deuxième partie,
dans un énoncé quelque peu contradictoire, « Le fils ou le premier homme », qui semble signer l'échec de la recherche du
père[4], et s'éclaire par des notes destinées au roman : « Il retrouve
l'enfance et non le père. / Il apprend qu'il est le premier
homme[5]. » Ce « il » est celui de Jacques Cormery. Mais ce n'est
pas aussi simple ; « le premier homme » ne désigne pas seulement le personnage dans lequel s'incarne l'auteur : c'est l'Algérie
tout entière qui est « la terre de l'oubli où chacun est le premier homme[6] », c'est la « conscience algérienne » qui est « celle
du premier homme[7] » ; il est difficile de dire si Camus songe à
ses frères d'Algérie, ou à toute sa génération, lorsqu'il écrit :
« Affrontés à… dans l'histoire la plus vieille du monde, nous
sommes les premiers hommes, non pas ceux du déclin […] mais
ceux d'une aurore indécise et différente[8]. »

Dans l'un et l'autre cas, aussi subjective que soit la recherche

1. Voir les *Carnets III*, p. 96-97.
2. Le nom des personnages fictifs est parfois remplacé par le nom réel de
leurs modèles ; et « je » vient parfois à la place de « il ».
3. *La Postérité du soleil*, photographies de Henriette Grindat, itinéraire par
René Char, Genève, G. Engelberts, 1965.
4. « Ô père ! J'avais cherché follement ce père que je n'avais pas et voici
que je découvrais ce que j'avais toujours eu, ma mère et son silence » (ébauche
du *Premier Homme*).
5. *Le Premier Homme*, p. 350 ; voir également p. 311 et 324.
6. *Ibid.*, p. 213.
7. *Ibid.*, p. 359.
8. *Ibid.*, p. 365-366.

inaboutie du père, aussi personnel que soit le récit d'une enfance singulière, *Le Premier Homme* parle de tous ceux qui ont dû « apprendre à vivre sans leçon et sans héritage », des « Enfants sans Dieu ni père[1] » qui se sont « édifiés seuls[2] », des démunis qui n'ont même pas la richesse de la mémoire, de toute une communauté qui a eu à inventer sa propre histoire. Un étrange glissement s'opère, qui remplace l'histoire fragmentaire du père par une vision épique, mi-réaliste, mi-mythique, de la difficile installation des Français en Algérie. L'histoire immédiate affirme sa présence dans certaines pages du roman, mais la recherche inaboutie des origines fait surgir une étonnante fresque onirique de l'odyssée des premiers émigrants, des quarante-huitards en quête de Terre promise, et qui ne trouvent qu'« un espace nu et désert », l'hostilité des Arabes, et une vie dangereuse. L'écrivain sait que cette fresque ne reconstitue pas l'histoire réelle de son père et de sa famille ; et cependant, elle est semblable à ce qu'ils ont connu : il s'agit toujours d'émigrants pauvres, sans passé ni avenir, et dont les maigres traces sont vouées à l'oubli. En écrivant sa propre histoire, en cherchant ses propres traces, Camus porte témoignage pour toute une population, alors en voie de disparition. L'absence du père ne peut être comblée, l'histoire des Français d'Algérie ne peut tenir lieu de tradition, ce qu'ils ont cru fonder sera détruit ; Cormery-Camus se retrouve « seul, sans mémoire et sans foi », renvoyé au « monde des hommes de son temps[3] ». Pourtant, ce passage par l'histoire collective était nécessaire ; il permet d'inscrire le présent dans une nouvelle dynamique, où la solitude individuelle devient celle de tout un peuple, où le temps peut se remettre en mouvement. L'exploration du passé se fait en fonction d'un devenir ; et la question de l'identité se pose différemment. Le récit de l'enfance n'est pas une description statique ; par cette remontée dans le temps, il s'agit non seulement d'évoquer des souvenirs, mais de les revivre, de retrouver les sentiments et les sensations qui ont été ceux de l'enfant, et peuvent permettre au « je » adulte de mieux se comprendre, de mieux comprendre ce « premier homme », qui revendique de s'être « édifié seul », mais dont le récit même montre que cette construction de soi s'est faite avec *et* contre les autres, avec *et* contre son monde « de pauvreté et de lumière[4] » — dans la révolte et le consentement.

1. *Ibid.*, p. 366.
2. « Il s'était édifié seul » (*ibid.*, p. 35). Le terme est souvent repris dans le texte.
3. *Ibid.*, p. 215.
4. Préface à *L'Envers et l'Endroit*, p. 32.

Cet enjeu existentiel de l'œuvre n'est pas nouveau, mais *Le Premier Homme* semble le porter à l'incandescence, peut-être parce que Camus a laissé libre cours à ses émotions, et que le texte reflète d'autant mieux cette liberté qu'il n'a pas été retravaillé. Il dit admirablement toute la difficulté d'accéder à soi, et d'être pleinement soi-même, sans trahir son monde originel ; toute la passion de vivre, les joies du corps saisies dans l'instant, l'exigence de clarté et de lucidité, et « la part obscure de l'être[1] ». Les notes laissées par Camus envisageaient notamment une troisième partie consacrée à la mère, et plusieurs fins pour le roman qui convergent vers la confession à la mère, la demande de pardon, une prière devant la mère pour que la terre soit rendue aux pauvres, et qui réunit dans un même élan d'amour la terre d'Algérie et la mère. Si la recherche du père n'a pas abouti, si le « Je » reste encore obscur à lui-même, il revient vers la mère — l'a-t-il jamais réellement quittée ? — comme si l'œuvre tout entière lui était offerte, en hommage à sa présence lumineuse et silencieuse.

L'inachèvement du roman est évidemment dû aux circonstances ; mais il est troublant de lire que Camus avait envisagé de terminer sur une phrase en suspens : « Le livre doit être inachevé. Ex. : " Et sur le bateau qui le ramenait en France… " » Interrompu trop tôt, comme la vie de son auteur, *Le Premier Homme* illustre ce que Camus avait parfaitement pressenti, compris et formulé dès *Le Mythe de Sisyphe* : « Une pensée profonde est en continuel devenir, épouse l'expérience d'une vie et s'y façonne. De même, la création unique d'un homme se fortifie dans ses visages successifs et multiples que sont les œuvres. Les unes complètent les autres, les corrigent ou les rattrapent, les contredisent aussi. Si quelque chose termine la création, ce n'est pas le cri victorieux et illusoire de l'artiste aveuglé : " J'ai tout dit ", mais la mort du créateur qui ferme son expérience et le livre de son génie[2]. »

Cette œuvre sans point final ne se referme pas sur elle-même. Miroir de nos inquiétudes et de nos bonheurs, parce qu'elle ne cesse de nous parler de nous-mêmes, de nos incertitudes et de nos espérances, elle nous est donnée comme une source féconde où puiser le courage lucide et la joie précaire et profonde d'être au monde.

JACQUELINE LÉVI-VALENSI.

---

1. *Le Premier Homme*, p. 300.
2. P. 297.

CHRONOLOGIE

1809-1910

1809 : naissance à Bordeaux de Claude Camus, arrière-grand-père d'Albert. Il semble qu'il ait immigré en Algérie peu après la conquête du pays (1830) avec son épouse Marie-Thérèse, née Béléoud, originaire de Marseille. Le couple s'installa à Ouled-Fayet, bourgade située à une vingtaine de kilomètres au sud d'Alger.

1842 : naissance à Marseille de Baptiste Camus, fils de Claude et Marie-Thérèse.

1850 : naissance à Alger d'Étienne Sintès, grand-père maternel d'Albert Camus. Ses parents étaient originaires de l'île de Minorque (archipel des Baléares, Espagne).

1852 : naissance à Ouled-Fayet de Marie-Hortense Cormery, grand-mère paternelle d'Albert Camus. Le père de Marie-Hortense, Mathieu, était originaire de l'Ardèche ; sa mère, Marguerite, née Léonard, de Moselle. Quand il écrira son roman autobiographique *Le Premier Homme*, Albert Camus appellera son héros « Jacques Cormery ».

1857 : naissance à San Luis (Minorque) de Catherine Marie Cardona, grand-mère maternelle d'Albert Camus.

1873 : mariage à Ouled-Fayet de Baptiste Camus et de Marie-Hortense Cormery.

1874 : mariage à Kouba (banlieue d'Alger) d'Étienne Sintès et de Catherine Marie Cardona.

1882 : naissance à Birkadem, commune située à dix kilomètres d'Alger, de Catherine Sintès, fille des précédents et mère d'Albert Camus.

1885 : naissance à Ouled-Fayet de Lucien Camus ; fils de Baptiste et de Marie-Hortense, il sera le père d'Albert. Lucien Camus va grandir dans un orphelinat, trouver grâce à un de ses frères un emploi dans la viticulture et faire son service militaire dans les zouaves au Maroc, avant d'entrer comme employé chez un négo-

ciant et exportateur de vins, Ricôme et Fils, dans le quartier de
Bab-el-Oued, à l'ouest d'Alger.

1909 : le *13 novembre*, mariage à Alger de Lucien Camus et de
Catherine Sintès. Ils habitent le populeux quartier de Belcourt, situé
dans l'est d'Alger.

1910 : le *20 janvier*, naissance à Alger de leur premier fils, prénommé Lucien comme son père.

1913

Au *printemps*, la maison Ricôme envoie Lucien Camus à Mondovi,
à cent quatre-vingt-quinze kilomètres à l'est d'Alger, près de Bône
(actuelle Annaba), dans le département de Constantine, pour y gérer
le domaine viticole du Chapeau-de-Gendarme. En *septembre*, Catherine, qui est enceinte, le rejoint avec leur fils Lucien pour s'installer
au domaine.

7 novembre : naissance d'Albert Camus à Mondovi.

1914

14 juillet : Lucien Camus, inquiet des risques de paludisme encou-
rus par sa famille, fait savoir à son patron qu'il a décidé de rentrer
à Alger à la *fin du mois*.

3 août : l'Allemagne déclare la guerre à la France. Lucien Camus
est mobilisé en métropole dans le corps d'infanterie des zouaves.

30 août : Mme Camus quitte le domaine de Mondovi avec ses
deux enfants pour s'installer à Alger, au 17, rue de Lyon (aujour-
d'hui rue Belouizdad), dans le quartier du Champ de Manœuvres
(est de la ville), où Albert jouera plus tard au football sur un terrain
vague et à proximité duquel se trouve l'hôpital de Mustapha, où il
sera soigné. Mme Camus y loge sous le même toit que sa mère,
Mme Sintès, et que ses deux frères Étienne et Joseph.

11 octobre : blessé au front lors de la bataille de la Marne, en
septembre, Lucien Camus meurt à l'hôpital militaire de Saint-Brieuc.
Sa veuve recevra une maigre pension viagère et devra faire des
ménages pour subvenir aux besoins de sa famille.

1920

Un des oncles d'Albert, Joseph, quitte le domicile familial. Reste
Étienne, tonnelier, sourd et presque muet, d'une intelligence
bornée, dont Camus se souviendra avec émotion qu'il l'emmenait à
la chasse et à la plage (*Le Premier Homme*).

1921

Catherine Camus et sa famille quittent le 17 pour le 93 de la rue
de Lyon. Avec ce nouveau logement (de trois pièces), plus éloigné

du centre et sans doute moins coûteux, elle retrouve le quartier de Belcourt où elle a commencé sa vie conjugale. La grand-mère Sintès, qui manie la cravache, fait régner l'ordre dans la famille. Catherine, sa fille, parle peu ; dans *L'Envers et l'Endroit*, Camus témoignera que ses regards suffisaient pour exprimer la tendresse.

1923

À l'école communale de son quartier (rue Aumerat), Camus attire l'attention de son instituteur du cours moyen deuxième année, Louis Germain, qui le prépare au concours des bourses des lycées et collèges en lui donnant gratuitement des leçons particulières. Toute sa vie, il manifestera sa reconnaissance envers son maître, et il lui dédiera ses *Discours de Suède* (1958), prononcés en décembre 1957 à l'occasion de la réception du prix Nobel.

1924

Camus fait sa première communion. Reçu au concours des bourses, il entre en classe de sixième au Grand Lycée d'Alger (qui sera baptisé lycée Bugeaud à l'occasion du centenaire de la colonisation célébré en 1930 en Algérie, puis lycée Abd-el-Kader quand l'Algérie deviendra indépendante, en 1962). Le lycée étant situé dans le quartier de Bab-el-Oued, à l'autre extrémité de la ville, Camus effectue matin et soir les trajets en tramway.

1925-1928

Il prend mieux conscience, en côtoyant ses camarades de lycée, de la pauvreté de sa famille, et avouera plus tard en avoir eu honte. Les élèves arabes sont rares ; au moins Camus trouve-t-il, grâce au football, l'occasion de vivre avec eux une fraternité d'équipe. Il se distingue au poste de gardien de but, au lycée d'abord, puis dans l'équipe algéroise de l'association sportive de Montpensier. L'été, il occupe de petits emplois, d'abord dans une quincaillerie du centre d'Alger, puis chez un courtier maritime sur le boulevard du front de mer (il se souviendra de ce dernier emploi quand il imaginera le personnage de Meursault, dans *L'Étranger*).

1929

Son oncle Gustave Acault (mari de sa tante maternelle Antoinette), boucher installé près de la rue Michelet (actuelle rue Didouche Mourad), dans les beaux quartiers d'Alger, possède une bibliothèque étonnante. Il lui fait découvrir André Gide. « Je lisais tout, confusément, en ce temps-là ; j'ai dû ouvrir *Les Nourritures terrestres* après avoir terminé *Lettres de femme* ou un volume des *Pardaillan*. Ces invocations me parurent obscures. Je bronchai devant l'hymne aux biens naturels. À Alger, à seize ans, j'étais saturé de ces richesses ; j'en souhaitais d'autres, sans doute » (« Rencontres avec André Gide », dans *Hommage à André Gide*, N.R.F., novembre 1951).

1930

Camus est reçu à la première partie du baccalauréat et entre, à l'*automne*, en classe de Philosophie. Son professeur de philosophie, Jean Grenier, va exercer sur lui une influence décisive. Au football, il s'illustre dans les buts de l'équipe junior du Racing universitaire d'Alger. Mais, à partir de *décembre*, les premières atteintes de la tuberculose le privent de ces joies simples, qu'il célébrera toujours à l'égal de celles du théâtre. Il est soigné quelque temps à l'hôpital de Mustapha. Un jour, Jean Grenier lui rend visite à son domicile de Belcourt et découvre une pauvreté dont il n'avait pas idée.

1931

Camus quitte, afin de mieux se soigner, le domicile maternel pour aller habiter chez l'oncle Gustave Acault. Il occupera par la suite différents logements dans Alger, le plus souvent avec des amis. En *octobre*, il peut reprendre ses cours au lycée, en classe de Philosophie, et retrouve ainsi Jean Grenier. Sa grand-mère maternelle, Catherine Marie Sintès, est morte au cours de l'année.

1932

Mars : Camus publie dans *Sud* « Un nouveau Verlaine ».
Mai : il publie dans *Sud* « Le Poète de la misère, Jehan Rictus ».
Juin : il publie dans *Sud* « La Philosophie du siècle » (sur Bergson) et « Sur la musique ». Il obtient la deuxième partie du baccalauréat avec mention assez bien.
Jean Grenier lui fait lire un roman d'André de Richaud, *La Douleur*. « Je ne connais pas André de Richaud. Mais je n'ai jamais oublié son beau livre, qui fut le premier à me parler de ce que je connaissais : une mère, la pauvreté, de beaux soirs dans le ciel. Il dénouait au fond de moi un nœud de liens obscurs, me délivrait d'entraves dont je sentais la gêne sans pouvoir les nommer » (*Hommage à André Gide*). Il a appris à mieux apprécier Gide grâce au *Journal*, au point de le préférer à tout autre écrivain ; à l'inverse, il déteste Cocteau. Jean Grenier lui fait aussi découvrir Proust, qui devient pour lui la figure même de l'« artiste ».
Octobre : il entre en classe de première supérieure préparatoire (hypokhâgne), où il est le condisciple, notamment, de deux Oranais, André Belamich (qui traduira plus tard les œuvres de Lorca) et Claude de Fréminville qui, sous le pseudonyme de Claude Terrien, fera une belle carrière dans le journalisme. Son professeur de lettres est Paul Mathieu. Sont datées de ce mois cinq « rêveries », réunies

sous le titre « Intuitions » et en épigraphe desquelles Camus place une phrase de Gide : « J'ai souhaité d'être heureux comme si je n'avais rien d'autre à être. »

1933

C'est probablement cette année-là que Camus écrit une nouvelle dont le personnage principal s'appelle Bériha et qui a été perdue ; nous n'en connaissons le sujet que par la Note qu'il adresse à Max-Pol Fouchet, avec qui il s'est lié d'amitié.

30 janvier : Hitler prend le pouvoir en Allemagne. Camus va bientôt militer dans le mouvement antifasciste Amsterdam-Pleyel.

Avril : « Notes de lecture », où il se réfère à Stendhal, Eschyle, Gide, Chestov, Jean Grenier, et où il signale qu'il a déjà terminé « La Maison mauresque ». Il écrit « Le Courage », ébauche de « L'Ironie » (*L'Envers et l'Endroit*). Le texte « L'Art dans la Communion » date sans doute de cette époque.

Mai : Jean Grenier publie *Les Îles*, recueil de petits essais, dont Camus préfacera la réédition en 1959 : « J'avais vingt ans lorsqu'à Alger je lus ce livre pour la première fois. L'ébranlement que j'en reçus, l'influence qu'il exerça sur moi, [...] je ne peux mieux les comparer qu'au choc provoqué sur toute une génération par *Les Nourritures terrestres*. »

Juin : Camus obtient le premier prix de composition française et le deuxième (*ex aequo*) de philosophie.

Camus, qui s'est brouillé avec son oncle Acault, a quitté son domicile. Il loge à Hydra (banlieue située sur les hauteurs d'Alger), non loin du domicile de J. Grenier, puis, à partir de *juillet*, chez son frère Lucien, rue Michelet.

Octobre : il rédige « Méditerranée » et « Perte de l'être aimé... ». Datent sans doute de cette même époque : « Voilà ! Elle est morte... », « Dialogue de Dieu avec son âme », « Accepter la vie... », « L'Hôpital du quartier pauvre » (souvenir de son séjour à l'hôpital de Mustapha).

Ayant renoncé pour raison de santé à préparer le concours d'entrée à l'École normale supérieure, il poursuit ses études à la faculté des lettres d'Alger, où il assiste à nouveau à des cours de Jean Grenier, ainsi qu'à ceux de René Poirier.

Décembre : *La Condition humaine*, de Malraux, obtient le prix Goncourt. Ce roman, ainsi que l'ensemble de l'œuvre de Malraux, exercera une grande influence sur Camus.

1934

Janvier-mai : Camus écrit plusieurs comptes rendus d'expositions de peinture, qui paraissent dans *Alger-Étudiant*. Il se lie d'amitié avec un jeune sculpteur, Louis Bénisti.

Printemps : nouvelles inquiétudes pour sa santé. Le deuxième poumon est atteint.

16 juin : Camus épouse Simone Hié, une jeune fille de vingt ans séduisante et légère, morphinomane, fille d'une ophtalmologue réputée d'Alger ; il l'avait connue un ou deux ans auparavant grâce à Max-Pol Fouchet, dont elle était, disait-on, la fiancée. Le couple s'installe à Hydra. Leurs rapports seront très vite orageux.

Camus envoie à Claude de Fréminville, qui a décidé de fonder une revue à Alger, un article sur Malraux. N'ayant plus de bourse, il donne des leçons particulières, travaille pendant l'*été* au service des permis de conduire et des cartes grises de la préfecture d'Alger, et cherche à se faire employer comme journaliste.

Octobre : il reprend ses études de philosophie à la faculté des lettres d'Alger. Il suit aussi les cours d'un professeur réputé de langue et littérature latines, grand amateur de théâtre et ami d'André Gide, Jacques Heurgon.

Décembre : Simone reçoit en cadeau « Le Livre de Mélusine », que Camus a sans doute composé pendant l'année. Lui sont aussi dédiées « Les Voix du quartier pauvre », datées par Camus du 25 décembre 1934, et qui forment le noyau de *L'Envers et l'Endroit*.

1935

Camus travaille à *L'Envers et l'Endroit* et achève sa licence de philosophie.

Mai : il commence à écrire ses *Carnets*.

Juin : il obtient sa licence de philosophie.

Août : il doit interrompre, en raison d'une nouvelle alerte de santé, un voyage en cargo qui devait le mener jusqu'en Tunisie. Rassuré dès son retour, il passe à la *fin du mois* trois ou quatre jours à Tipasa, village et site de ruines romaines (à 68 kilomètres à l'ouest d'Alger) qu'il célébrera dans le premier texte de *Noces*.

Août ou *septembre :* cédant aux arguments de Fréminville et de J. Grenier, il adhère au Parti communiste, où il sera chargé de missions de propagande dans les milieux musulmans.

Début de septembre : il effectue un court voyage aux Baléares avec sa femme.

Automne : il fonde avec des amis le Théâtre du Travail. Avec deux jeunes professeurs algérois, Yves Bourgeois et Alfred Poignant, et une amie, Jeanne-Paule Sicard, il compose une création théâtrale collective, *Révolte dans les Asturies*.

1936

Janvier : le Théâtre du Travail monte, aux bains Padovani (Alger), une adaptation du *Temps du mépris*, d'après le roman de Malraux publié en 1935.

Printemps : Jeanne-Paule Sicard et Marguerite Dobrenn louent la maison Fichu, la « Maison devant le Monde », sur les hauteurs d'Alger. Camus viendra souvent y séjourner.

Avril : *Révolte dans les Asturies,* qui devait être représenté peu avant Pâques, ne peut l'être : le maire d'Alger, Augustin Rozis, refuse la location de la salle au Théâtre du Travail sous prétexte de campagne électorale ; mais la pièce est presque aussitôt publiée, à tirage limité, aux Éditions Charlot (éditeur algérois alors âgé de vingt et un ans).

3 mai : le Front populaire remporte la majorité aux élections législatives.

Mai : Camus est reçu au Diplôme d'études supérieures de philosophie, grâce à un mémoire intitulé « Métaphysique chrétienne et néoplatonisme. Plotin et saint Augustin ».

17 juillet : début de la guerre civile espagnole.

Avec sa femme et son ami Yves Bourgeois, Camus vient d'entreprendre un voyage qui les mène à Innsbruck, puis à Salzbourg. C'est dans cette ville que, ayant surpris une lettre lui apprenant que le médecin qui fournit de la drogue à Simone est aussi son amant, il décide de rompre avec elle.

Fin de juillet-août : il passe quatre jours solitaires et sombres à Prague (voir « La Mort dans l'âme », *L'Envers et l'Endroit*), puis retrouve Simone et Yves Bourgeois. Tous trois visitent Dresde, la Silésie, Olmütz, Vienne. Camus se sent renaître quand il arrive enfin en Italie (Venise, Vicence, Vérone). Il s'est préoccupé, pendant l'*été,* de trouver pour la rentrée un emploi dans l'enseignement ou le journalisme.

9 septembre : retour à Alger. La séparation avec Simone est consommée, mais le divorce ne sera prononcé qu'en février 1940.

Octobre : une jeune sténodactylo, Christiane Galindo (qui tapera plusieurs textes de Camus), rejoint le groupe de la « Maison devant le Monde ».

Novembre : Camus est engagé comme acteur par la troupe de Radio-Alger, au sein de laquelle il va interpréter notamment le rôle d'Olivier le Daim dans *Gringoire,* de Théodore de Banville. Son nom de scène est Albert Farnèse. Le *26,* le Théâtre du Travail monte *Les Bas-fonds,* de Gorki.

Décembre : le Théâtre du Travail monte *Le Secret,* de Ramón Sender.

1937

Janvier : Camus note dans ses *Carnets* : « Caligula ou le sens de la mort. 4 actes ».

8 février : conférence à la Maison de la culture d'Alger : « La Culture indigène. La Nouvelle Culture méditerranéenne » (publiée en *avril* dans *Jeune Méditerranée,* nº 1).

Le Théâtre du Travail monte en *mars* : *Prométhée enchaîné* d'Eschyle, *Épicène ou la Femme silencieuse* de Ben Jonson, *Don Juan* de Pouchkine ; en *avril* : *L'Article 330* de Courteline. Camus habite rue Michelet, puis de plus en plus souvent à la « Maison devant le Monde ».

Avril : il soutient, au cours d'une réunion publique, le projet Blum-Viollette qui prévoit notamment d'accorder la citoyenneté française à un certain nombre de musulmans d'Algérie (il écrit avec d'autres le « Manifeste des intellectuels d'Algérie en faveur du projet Viollette », *Jeune Méditerranée*, nº 2).

Mai : « Projet de préface pour *L'Envers et l'Endroit* » (*Carnets*). Le recueil, dédié à Jean Grenier, paraît toutefois sans préface chez Charlot. C'est à l'occasion de la réédition de 1958 que Camus en rédigera une.

Août : projet de plan pour *La Mort heureuse*.

Août-septembre : il se rend à Paris, puis à Marseille (peut-être va-t-il jusqu'à Lourmarin, où Jean Grenier passe généralement ses vacances), voyage en Savoie, à Embrun (Hautes-Alpes), se rend ensuite en Italie (Pise, Florence, Gênes, Fiesole) où il prend, pour ses *Carnets*, des notes sur la peinture italienne. Au retour, il se remet à *La Mort heureuse*, refuse par crainte de la routine un poste de professeur à Sidi-bel-Abbès (département d'Oran) et quitte le Parti communiste, dont l'anticolonialisme a, pour des raisons de stratégie internationale, cessé d'être une priorité. C'est au cours de l'*automne* qu'il va rencontrer pour la première fois une jeune Oranaise, Francine Faure, qui deviendra sa femme.

Octobre : le Théâtre du Travail cède la place au Théâtre de l'Équipe.

Novembre : Camus est embauché comme assistant temporaire à l'Institut de météorologie d'Alger jusqu'en septembre 1938.

Décembre : le Théâtre de l'Équipe monte *La Célestine*, de Fernando de Rojas. Avec Fréminville, Camus envisage de fonder les Éditions Cafre (« Ca » comme Camus, « fre » comme Fréminville), qui publieront une demi-douzaine de titres, dont, en 1939, *L'Iran de Gobineau*, de Jean Hytier, professeur à la faculté des lettres d'Alger.

1938

Camus achève *Noces*, prend des notes pour *Caligula* et, sans renoncer encore à *La Mort heureuse*, écrit des fragments qui se retrouveront dans *L'Étranger*.

Février : il est retourné habiter rue Michelet. Au théâtre, l'Équipe monte *Le Paquebot « Tenacity »* de Charles Vildrac, et *Le Retour de l'enfant prodigue* de Gide, où Camus tient le rôle de l'enfant prodigue.

Songeant à écrire un essai philosophique, Camus lit Nietzsche et Kierkegaard, mais aussi le romancier américain Melville.

10 avril : texte de présentation dans *Oran républicain* de *Rivages*, que Camus a décidé de lancer avec Gabriel Audisio, René-Jean Clot, Fréminville, Jacques Heurgon et Jean Hytier. Deux numéros seulement paraîtront, en décembre 1938 et en février-mars 1939.

Mai : le Théâtre de l'Équipe monte une adaptation des *Frères Karamazov*, de Dostoïevski. Camus y tient le rôle d'Ivan Karamazov. Un fragment des *Carnets* (« La vieille femme à l'asile de vieillards, qui meurt ») annonce à nouveau *L'Étranger*.

Juin : dans les *Carnets* figure une série de projets, parmi lesquels « essai sur théâtre » et « récrire roman » (*La Mort heureuse*). Publication de l'*Essai sur l'esprit d'orthodoxie*, de Jean Grenier.

30 septembre : signature des accords de Munich.

Octobre : son projet de se présenter à l'agrégation de philosophie se heurte au verdict d'une visite médicale : les séquelles de la tuberculose empêchent qu'il serve dans la fonction publique. Il a fait la connaissance de Pascal Pia, rédacteur en chef d'un nouveau journal, *Alger républicain*, « journal des travailleurs », fidèle au programme exposé en 1936 par le Front populaire (premier numéro daté du *6 octobre*). Camus en devient rédacteur et y donnera aussi des comptes rendus d'ouvrages littéraires dans la rubrique intitulée « Le Salon de lecture ».

20 octobre : compte rendu de « *La Nausée*, par Jean-Paul Sartre » (« Le Salon de lecture ») : « Un roman n'est jamais qu'une philosophie mise en images. »

23 octobre : « *André Gide*, par Jean Hytier » (« Le Salon de lecture »).

11 novembre : « *La Conspiration*, par Paul Nizan » (« Le Salon de lecture »).

Décembre : premières notes pour le roman qu'il appellera *La Peste*.

1939

Début de l'année : fragment du « Vent à Djémila » dans *Mithra*, n° 2, janvier-février, et extrait de « L'Été à Alger » dans *Rivages*, n° 2, février-mars (recueillis dans *Noces*).

5 février : « *L'Équinoxe de septembre*, par Henry de Montherlant » (« Le Salon de lecture »).

Camus travaille à son « essai sur l'Absurde » et achève une étude sur Kafka.

Mars : première rencontre avec André Malraux.

12 mars : « *Le Mur*, par Jean-Paul Sartre » (« Le Salon de lecture »).

31 mars et *2 avril* : le Théâtre de l'Équipe monte *Le Baladin du monde occidental* de John Millington Synge.

Printemps : « Sujet de pièce. L'homme masqué » (*Carnets*, sans date), première ébauche de ce qui deviendra *Le Malentendu*.

Avril : voyage à Oran.

Mai : *Noces* est publié à Alger, aux Éditions Charlot.

23 mai : « *Le Pain et le Vin*, par Ignazio Silone » (« Le Salon de lecture »).

5-15 juin : onze articles sur la Kabylie dans *Alger républicain* (partiellement recueillis dans *Actuelles III*, dans la section « Misère de la Kabylie »).

21-29 juin : comptes rendus pour *Alger républicain* du procès du cheikh el-Okbi.

15 juillet : « *Oiseau privé*, par Armand Guibert » (« Le Salon de lecture »).

25 juillet : Camus écrit à Christiane Galindo qu'il vient de terminer *Caligula* et va commencer *L'Étranger*.

Août : les tensions de la situation internationale le contraignent à renoncer à un voyage en Grèce. Il a traduit *Othello*, de Shakespeare, et répète la pièce avec le Théâtre de l'Équipe (il doit y tenir le rôle de Iago). Les répétitions seront interrompues par la déclaration de la guerre.

3 septembre : la Grande-Bretagne et la France déclarent la guerre à l'Allemagne. Camus, qui souhaitait s'engager, est réformé pour raison médicale.

Septembre : Alger républicain suspend sa parution et laisse la place au *Soir républicain* (à partir du *15*). Camus y donne des articles en faveur de la justice en Algérie et des républicains espagnols. Il refuse un poste de professeur de latin au lycée de la Bouzareah (banlieue d'Alger). Un premier état de *Caligula* est au point.

Octobre : nouveau voyage à Oran. Il commence à écrire « Le Minotaure ou la Halte d'Oran » (qui sera recueilli dans *L'Été*).

1940

Janvier : Le Soir républicain est interdit.

Février : vers la *fin du mois*, il se rend encore à Oran pour y donner des cours particuliers de philosophie et écrit de nouveaux fragments pour « Le Minotaure ».

14 mars : il part pour Paris où, sur la recommandation de Pascal Pia, il entre comme secrétaire de rédaction à *Paris-Soir*.

Il loge à l'hôtel du Poirier, près de Montmartre, mais le quitte bientôt pour l'hôtel Madison, situé en face de l'église Saint-Germain-des-Prés. Il prend des notes en vue d'un « Don Juan » (*Carnets*), qu'il songera à écrire jusqu'à la fin de sa vie, sans que le projet aboutisse. Il fait la connaissance de Janine Thomasset, d'abord mariée à Pierre Gallimard et qui deviendra ensuite la femme de Michel Gallimard.

5 avril : « Maurice Barrès et la Querelle des " héritiers " » (*La Lumière*).

1ᵉʳ mai : « Je viens de terminer mon roman […] Sans doute, mon travail n'est pas fini » (lettre à Francine Faure). Il s'agit de *L'Étranger*.

10 mai : « Jean Giraudoux ou Byzance au théâtre » (*La Lumière*).

Début de juin : les Allemands étant sur le point d'occuper Paris, Camus se replie avec la rédaction de *Paris-Soir* sur Clermont-Ferrand, puis sur Bordeaux et de nouveau sur Clermont-Ferrand.

Septembre : il suit l'équipe du journal à Lyon, où il loge à l'hôtel Éden.

12 novembre : lettre à sa « chère Équipe » où il parle de la préparation de son adaptation de la pièce *Les Esprits*, de Pierre de Larivey, qui sera jouée une première fois en 1946 par une troupe d'amateurs avant d'être créée en 1953.

Fin de novembre : Francine Faure rejoint Camus à Lyon.

3 décembre : il l'épouse à Lyon. Pascal Pia assiste à la cérémonie comme témoin.

Décembre : Camus est licencié de *Paris-Soir*, qui a dû procéder à une compression de personnel. Les jeunes époux n'ont d'autre solution que de retourner à Oran.

1941

À Oran, le couple loge rue d'Arzew, dans un appartement prêté par la famille Faure, et affronte des difficultés matérielles (Albert est sans emploi fixe ; Francine est institutrice suppléante). Leurs amis juifs (parmi lesquels André Bénichou) sont victimes de la politique de Vichy. Au cours de ces *premiers mois*, Camus fera quelques voyages à Alger.

Janvier : il projette avec Pascal Pia la création d'une revue, *Prométhée*, qui ne verra pas le jour.

25 janvier : il publie dans *La Tunisie française* « Pour préparer le fruit », qui deviendra « Les Amandiers » et sera recueilli dans *L'Été*.

Février : il donne des cours à Oran dans des établissements privés, fait dactylographier *Caligula* (version dite de 1941).

21 février : « Terminé *Sisyphe*. Les trois Absurdes sont achevés » (*Carnets*).

Avril : parmi ses projets : « Budejovice (3 actes) », titre provisoire de ce qui deviendra *Le Malentendu*, et « Peste ou aventure (roman) », en vue duquel il écrit un développement sur « *la peste libératrice* » (*Carnets*). Jean Grenier lui adresse, à la réception du manuscrit de *L'Étranger*, des compliments mitigés. Après des hésitations, sa santé lui faisant redouter le voyage en train, Camus se rend enfin à Alger.

24 mai : nouvel article dans *La Tunisie française* : « Comme un feu d'étoupes ».

Pia puis Malraux se montrent beaucoup plus enthousiastes que Jean Grenier à la lecture de *L'Étranger*. C'est grâce à eux, puis grâce à Jean Paulhan, que le roman, et à sa suite *Le Mythe de Sisyphe*, parviendront jusqu'au comité de lecture de Gallimard.

Juillet : une épidémie de typhus sévit en Algérie et en particulier dans la région d'Oran. Elle influencera en partie la composition de *La Peste*.

Camus confie à Jean Grenier l'ennui et l'isolement qui règnent l'été à Oran. « Heureusement, il y a la plage et le soleil. »

Octobre : il commence à réunir une documentation sur les grandes épidémies de peste dans l'histoire en vue de son futur roman.

15 novembre : lettre reconnaissante à Malraux pour sa lecture de *L'Étranger*.

Novembre : Camus tente de remonter le Théâtre de l'Équipe. *L'Étranger* est accepté par le comité de lecture de Gallimard.

1942

Camus passe encore la *première partie* de l'année à Oran et y développe son amitié avec Emmanuel Roblès. Toujours en songeant à *La Peste*, il relit de près *Moby Dick*, de Melville. Autres lectures : Stendhal, Balzac, Homère, la *Correspondance* de Flaubert.

Janvier-février : les *Carnets* enregistrent le projet d'un « essai sur la révolte ».

Février : Camus est victime d'une rechute de tuberculose.

Avril : il s'enquiert auprès d'amis pour trouver en métropole un lieu de séjour plus favorable à sa santé que la côte algérienne.

Mai : L'Étranger est publié chez Gallimard (achevé d'imprimer le *21 avril*).

Juillet : lettre de Jules Roy à Camus, qui marque le début de leur amitié.

Fin de juillet-début d'août : Camus séjourne avec sa femme et des amis à Aïn-el-Turk, station balnéaire proche d'Oran, où il est parti se reposer.

Mi-août : Camus quitte l'Algérie avec sa femme et se rend au Panelier, à quatre kilomètres du Chambon-sur-Lignon, dans le Vivarais (non loin de Saint-Étienne), chez la mère de l'acteur et metteur en scène Paul Œttly, dont la ferme sert de pension de famille.

Camus travaille au *Malentendu,* qu'il appelle encore à cette date « Budejovice », et prend des notes en vue d'un roman qu'il intitule « Les Prisonniers » ou « Les Exilés » (*La Peste*). Il lit, entre autres, Proust et Spinoza.

Septembre-octobre : notes, dans les *Carnets,* sur l'« enfance pauvre », annonçant certains thèmes du *Premier Homme.*

Octobre : Francine regagne l'Algérie pour la rentrée des classes. *Le Mythe de Sisyphe* est publié chez Gallimard (achevé d'imprimer le *22 septembre*). Par crainte de la censure, Camus en a retranché le chapitre consacré à Kafka (d'après l'étude composée en mars 1939), qui sera publié séparément durant l'été de 1943 dans *L'Arbalète* (revue de « contrebande » publiée à Lyon) et ne sera réintégré dans l'essai qu'en 1945 (sous forme d'« appendice »).

8 novembre : débarquement des troupes alliées au Maroc et en Algérie.

11 novembre : les Allemands répliquent en occupant la zone sud (« zone libre ») de la métropole. Celle-ci est désormais coupée de l'Algérie. « Comme des rats », note Camus dans ses *Carnets.* Il sera séparé de sa femme jusqu'à la Libération, et il est pendant quelque temps sans nouvelles d'elle. À son roman sur la peste, il envisage alors de donner pour titre « Les Séparés ».

Décembre : il voyage fréquemment entre Saint-Étienne et Lyon, prend des notes sur *La Princesse de Clèves* et projette un « essai sur la révolte » (*Carnets*). Il fait la connaissance de René Leynaud (poète, journaliste au *Progrès de Lyon* et résistant, qui sera fusillé en juin 1944) et entre en relation avec Francis Ponge.

1943

Janvier : Camus passe quinze jours à Paris, à l'hôtel Aviatic, 105, rue de Vaugirard (VIᵉ arrondissement). Il y séjournera à nouveau en *juin.*

Pendant les *premiers mois* de l'année, au Panelier, il travaille à *La Peste* (« 2ᵉ version » d'après les *Carnets*) et participe à un texte collectif, « Les Exilés dans la peste », publié dans *Domaine français* (*Messages*, Bruxelles), dont on retrouvera des éléments dans la deuxième partie de son roman. Il travaille aussi à l'« essai sur la révolte » et au *Malentendu*. Il se rend souvent à Saint-Étienne pour s'y faire soigner.

À Lyon, il rencontre Aragon et Elsa Triolet.

Avril : « Portrait d'un élu », compte rendu du *Portrait de M. Pouget*, de Jean Guitton (*Cahiers du Sud*).

Juin : à Paris, Camus rencontre Jean-Paul Sartre et Simone de Beauvoir à la générale des *Mouches*.

Juillet : il a repris *Caligula*. Première « Lettre à un ami allemand » (parue dans la clandestinité, *Revue libre*, nᵒ 2). « L'Intelligence et l'Échafaud », réflexions sur le roman classique français, paraît dans la revue *Confluences* (nᵒ 21-24).

Septembre : Camus séjourne pendant deux semaines chez les dominicains, à Saint-Maximin (Var), à l'invitation du père Bruckberger. Il y termine *Le Malentendu*, puis retourne au Panelier. Il accepte de faire partie du jury du prix de la Pléiade (il en démissionnera en juin 1947).

Octobre : il envoie aux Éditions Gallimard *Le Malentendu* et *Caligula*. À Paris, il loge à l'hôtel Mercure, 22, rue de la Chaise (VIIᵉ arrondissement). Il a pris contact avec le mouvement clandestin « Combat ».

Novembre : il devient lecteur chez Gallimard.

Décembre : deuxième « Lettre à un ami allemand » (elle paraîtra au début de 1944 dans les *Cahiers de la Libération*, nᵒ 3). Le chanteur et écrivain Mouloudji obtient le premier prix de la Pléiade pour son roman *Enrico* ; Camus et Sartre ont voté pour lui. Sartre propose à Camus d'assurer la mise en scène de *Huis clos* et d'y tenir le rôle de Garcin. Camus rencontre Claude Bourdet, responsable du Comité national de la Résistance, et va participer aux activités du journal *Combat* (clandestin), y assurant au début de l'année suivante, avec Jacqueline Bernard, les principales tâches de la rédaction en remplacement de Pascal Pia, appelé à d'autres missions.

1944

Pendant une grande partie de cette année, il continue de travailler à *La Peste* et à l'« essai sur la révolte ».

Février : Sartre ayant été pressé de trouver un metteur en scène plus connu, Camus le délie de sa promesse : *Huis clos* sera créé le *27 mai* au théâtre du Vieux-Colombier dans une mise en scène de Raymond Rouleau, avec Michel Vitold dans le rôle de Garcin. Camus publie « Sur une philosophie de l'expression » (*Poésie 44*).

Mars : dans *Combat* clandestin (nᵒ 55) paraît « À guerre totale résistance totale », signé « C » (pour *Combat*), que certaines formules — évoquant le thème et le ton de *La Peste* — permettent d'attribuer à Camus. D'autres articles, d'attribution plus ou moins certaine, se succéderont au cours des mois suivants.

19 mars : Michel Leiris et sa femme organisent chez eux la lecture d'une pièce de Picasso, *Le Désir attrapé par la queue*. Camus y distribue les rôles et en ébauche une mise en scène.

Avril : troisième des *Lettres à un ami allemand* (qui sera publiée dans *Libertés*, n° 58, le 5 janvier 1945).

Mai : Le Malentendu et Caligula sont publiés en un seul volume chez Gallimard. L'article intitulé « Tout ne s'arrange pas » paraît dans *Les Lettres françaises* (n° 16).

Juin : Camus loue un studio occupé d'ordinaire par Marc Allégret et attenant à l'appartement d'André Gide, 1 *bis*, rue Vaneau (VIIe arrondissement).

6 juin : débarquement des troupes alliées en Normandie.

23 juin : création du *Malentendu* au théâtre des Mathurins, dans une mise en scène de Marcel Herrand. Camus a succombé, au cours des répétitions, au charme de Maria Casarès (interprète du rôle de Martha).

Juillet : le 23, *Le Malentendu* est retiré de l'affiche. L'occupant redouble de vigilance. Jacqueline Bernard est arrêtée ; Camus doit quitter Paris pendant quelques jours. Quatrième des *Lettres à un ami allemand* (publiée après la Libération).

Août : « Introduction aux *Maximes et anecdotes* de Chamfort » (DAC, Monaco).

21 août : c'est dans le premier numéro de *Combat* paraissant au grand jour que Camus signe son premier éditorial, « Le combat continue… ». Jusqu'au début de janvier 1945, il donne à ce journal des articles (souvent des éditoriaux) quasi quotidiennement.

25 août : Paris est libéré. L'éditorial de Camus dans *Combat* s'intitule « La Nuit de la vérité ».

31 août : dans *Combat*, premier article d'une série sur la liberté de la presse.

Septembre-octobre : à la suite de Paulhan, Camus démissionne, pour préserver son « indépendance morale », du Comité national des écrivains. Dans un éditorial de *Combat* (*18 octobre*), il juge toutefois l'épuration nécessaire ; sur ce point, il s'oppose notamment à François Mauriac. Francine l'a rejoint rue Vaneau. Du *17* au *31 octobre* : nouvelle série de représentations du *Malentendu*.

1945

Janvier : dans son article « Justice et charité » (*Combat, 11 janvier*), Camus continue de s'opposer à Mauriac. Mais, refusant par principe la peine capitale, il va s'associer à une pétition sollicitant du général de Gaulle la grâce de Robert Brasillach. Condamné à mort le *19 janvier*, celui-ci sera finalement fusillé le *6 février*.

Vers le *début* de cette année, Camus ébauche dans ses *Carnets* un texte, « De l'insignifiance », qui sera publié, un peu modifié, dans le *Cahier des saisons*, n° 15, en 1959.

9 février : il réaffirme dans son éditorial les positions de *Combat.*

Mars : il s'oppose au ministre de l'Information du Gouvernement provisoire, Pierre-Henri Teitgen, et, au-delà de sa personne, aux positions du M.R.P. (Mouvement républicain populaire).

Avril-mai : « Préface au *Combat silencieux* d'André Salvet » (Éditions France-Empire). « Remarques sur la politique internationale », *Renaissance*, n° 10.

18 avril-7 mai : séjour et enquête en Algérie.

8 mai : capitulation du Troisième Reich.

8-13 mai : de graves émeutes qui ont éclaté dans le Constantinois, notamment à Guelma et à Sétif, sont durement réprimées.

13-23 mai : série de huit articles dans *Combat* sur la crise en Algérie, dont le dernier est intitulé : « C'est la justice qui sauvera l'Algérie de la haine » ; il ne sera pas repris par Camus dans *Actuelles III,* chroniques algériennes.

5 juin : conférence au Centre d'études de politique étrangère, « La Crise algérienne et l'Avenir français en Afrique du Nord ».

Juin : voyage en Allemagne et en Autriche.

23 juillet-15 août : procès du maréchal Pétain, auquel Camus assiste au moins en partie.

6 août : première bombe atomique, sur Hiroshima.

8 août : à la suite de cette explosion, et à la veille de celle de Nagasaki, Camus donne à *Combat* un éditorial sur « les perspectives terrifiantes qui s'ouvrent à l'humanité ».

Août : « Remarque sur la révolte » (dans *L'Existence,* ouvrage collectif, Gallimard, coll. « Métaphysique »).

5 septembre : naissance des enfants d'Albert et Francine Camus, Catherine et Jean.

26 septembre : création de *Caligula* au théâtre Hébertot, dans une mise en scène de Paul Œttly. Gérard Philipe tient le rôle-titre.

Octobre : Camus devient directeur de la collection « Espoir » chez Gallimard. Publication chez Gallimard des *Lettres à un ami allemand.* Le volume est dédié à la mémoire de René Leynaud.

15 novembre : interview aux *Nouvelles littéraires :* « Non, je ne suis pas existentialiste », où Camus marque ses distances avec la philosophie, non avec la personne de Sartre.

20 décembre : interview à *Servir.* En cette *fin* d'année, Camus habite à Bougival.

1946

Janvier : Camus séjourne à Cannes avec Michel et Janine Gallimard. À son retour à Paris, il loge au 17, rue de l'Université (VIIᵉ arrondissement). Le général de Gaulle a démissionné. Le premier projet de Constitution de la IVᵉ République (qui sera rejeté par référendum le *5 mai*) attise les divisions à *Combat.* Camus cesse d'y collaborer. Il rencontre à plusieurs reprises Louis Guilloux et se lie d'amitié avec lui.

Février : Le Minotaure paraît dans *L'Arche* (n° 13).

10 mars : Camus embarque pour les États-Unis. Pendant la traversée, il essaie de travailler à *La Peste*, dont la composition sera pratiquement interrompue au cours de son séjour.

À New York, il est accueilli par le conseiller culturel français, Claude Lévi-Strauss, et donne une série de conférences devant des étudiants américains — dont « La Crise de l'homme », au McMillin Theater le *28 mars*. Il rencontre, le *16 avril*, la jeune Patricia Blake, qu'il reverra parfois et à laquelle il écrira jusqu'à ses derniers jours. Une brève excursion le conduit à Montréal, puis à Québec. La pointe du Saint-Laurent lui donne « pour la première fois dans ce continent l'impression réelle de la beauté et de la vraie grandeur ». On lira un écho de son voyage dans « Pluies de New York » (*Formes et couleurs*, 1947).

Juin : Camus rentre en France ; long voyage mélancolique auquel « les soirs sur la mer » offrent une consolation. Il va découvrir l'œuvre de Simone Weil.

Juillet : il séjourne chez Brice Parain. Préface à *L'Espagne libre*, volume publié chez Calmann-Lévy.

Août : Camus séjourne en Vendée, chez la mère de Michel Gallimard, et y achève *La Peste*.

Septembre : il voyage dans le Vaucluse avec Jean Amrouche et Jules Roy, passe trois jours à Lourmarin et rencontre Henri Bosco.

13 octobre : le second projet de Constitution de la IVe République est adopté par référendum.

Novembre : Camus se lie d'amitié avec René Char (« Char que j'aime comme un frère », à Pierre Berger).

19-30 novembre : nouvelle collaboration de Camus à *Combat* sous la forme d'une série de huit articles : « Ni victimes ni bourreaux ». Il publie aussi dans *Franchises* (n° 3) « Nous autres meurtriers ». Discussions avec Koestler, Malraux, Sperber et Sartre, avec lequel les relations semblent désormais moins cordiales.

1er décembre : Camus prononce au couvent des dominicains de Latour-Maubourg une conférence dont il publiera des extraits retouchés dans *Actuelles*, sous le titre « L'Incroyant et les Chrétiens ».

Décembre : il écrit une réflexion sur la relation de l'absurde à la révolte (esquisse du premier chapitre de *L'Homme révolté*). Le couple Camus et leurs enfants sont enfin locataires d'un appartement, situé dans un hôtel particulier, 18, rue Séguier (VIe arrondissement). Toutefois, à Noël et jusqu'au début de 1947, en raison de l'état de santé de Camus, ils séjournent à Briançon.

1947

17 janvier : réponse à une enquête de Jean Desternes sur la littérature américaine (*Combat*).

Février : grève des ouvriers du Livre. *Combat* connaît de sérieuses difficultés financières. Articles sur *La Vallée heureuse* de Jules Roy

(Éditions Charlot) et sur *Temps lointain* de Blanche Balain, dans *L'Arche*.

Mars-mai : le *17 mars*, Pascal Pia s'étant retiré de *Combat*, Camus prend la direction du journal. Il donne plusieurs éditoriaux. Il est un des rares, dans la presse française, à protester, dans son article du *10 mai*, contre la répression des émeutes qui ont éclaté à partir du *29 mars* à Madagascar. Le *22 avril*, il rappelle que *Combat* ne saurait être « le journal d'un parti », fût-il celui du général de Gaulle. Ce *même mois*, il a pris acte de la démission de Pia, et va se brouiller définitivement avec lui. « Introduction aux *Poésies posthumes* de René Leynaud » (Gallimard).

Première note dans les *Carnets* sur « Némésis — déesse de la mesure » qui, jusqu'à la fin, inspirera sa réflexion.

3 juin : dans un billet adressé « À nos lecteurs », il annonce à son tour son retrait définitif de *Combat*. Le journal continue sous la direction de Claude Bourdet.

10 juin : publication de *La Peste*, chez Gallimard (achevé d'imprimer le *24 mai*). C'est le premier très grand succès de Camus (96 000 exemplaires seront vendus de *juillet* à *septembre*), couronné par le Prix des critiques.

Juin-15 juillet : il prend avec sa famille des vacances au Panelier. Il songe à un grand ouvrage qui s'appellerait « Le Système ». Le succès de *La Peste* le rend plutôt morose.

Été : de retour à Paris, il est sollicité par Jean-Louis Barrault pour écrire en collaboration une pièce sur la peste ; ce sera *L'État de siège*. Il travaille aussi à une nouvelle (« Jonas », recueillie plus tard dans *L'Exil et le Royaume*), ainsi qu'à *L'Homme révolté*.

Septembre : il fait un court séjour à Choisel, dans la vallée de Chevreuse, chez Jules Roy.

Novembre : il s'associe au manifeste lancé par *Esprit* (revue mensuelle dirigée par Emmanuel Mounier) et signé, entre autres, par Bourdet, Sartre, Merleau-Ponty, pour en appeler à l'indépendance de la France vis-à-vis des États-Unis et de l'U.R.S.S. Il se brouillera (ou s'est déjà brouillé) avec Merleau-Ponty. Il apporte sa contribution à *Caliban* (revue bimensuelle dirigée par Jean Daniel), autorisant notamment la revue à reprendre ses textes « Ni victimes ni bourreaux ».

1948

Janvier : « À propos de *La Maison du peuple*, Albert Camus vous parle de Louis Guilloux » (*Caliban*). Ce roman, publié en 1927, sera réédité en 1953 avec le texte de Camus en préface. Camus achève *L'État de siège* — à quoi il travaillera encore en *juillet* à L'Isle-sur-la-Sorgue. Puis, tandis que sa femme et ses enfants sont à Oran, il va voir Michel Gallimard, lui aussi atteint par la tuberculose, au sanatorium de Leysin (Suisse). Publication dans *La Table ronde* des « Meurtriers délicats », texte qui préfigure un chapitre de *L'Homme révolté*, et analyse par avance les données de sa pièce *Les Justes*.

28 février : création, à l'initiative de David Rousset et Altman, du Rassemblement démocratique révolutionnaire (R.D.R.), qui compte Sartre parmi ses adhérents et est soutenu par *Franc-Tireur* et par *Combat.* Camus n'y adhérera jamais, mais, durant près d'un an, il soutiendra des positions proches de ce mouvement.

Fin de février-début de mars : il rejoint sa famille à Oran, puis passe deux semaines à Sidi-Madani (département d'Alger), centre culturel, où il rencontre de jeunes écrivains et artistes, et retrouve Louis Guilloux, à qui il fait admirer le ciel bleu de Tipasa, mais celui-ci préfère les ciels de sa Bretagne.

Mars : début de la polémique, dans *Caliban,* avec Emmanuel d'Astier de La Vigerie, directeur de *Libération* (« progressiste », proche des communistes), qui a ironisé sur la « troisième voie » recherchée par les intellectuels et sur les positions « morales » de Camus.

Mai : conférences à Londres et à Édimbourg.

Juin-juillet : publication dans *Caliban* de la « Première réponse à Emmanuel d'Astier de La Vigerie ».

Juillet-août : Camus rejoint sa famille à L'Isle-sur-la-Sorgue (Vaucluse), où habite René Char. Il y a loué une maison, avec le projet d'en acheter une dans la région.

30 août : « L'Exil d'Hélène », dédié à René Char, publié dans les *Cahiers du Sud* (Marseille) et recueilli dans *L'Été.*

Octobre : le 27, création au théâtre Marigny de *L'État de siège,* « spectacle » écrit en collaboration avec Jean-Louis Barrault, qui en a assuré la mise en scène, avec, dans les principaux rôles, Pierre Bertin, Madeleine Renaud, Maria Casarès et Pierre Brasseur. L'échec, auprès de la critique comme du public, est total. La polémique avec d'Astier de La Vigerie se poursuit : publication dans *La Gauche* de la « Deuxième réponse à Emmanuel d'Astier de La Vigerie ».

Novembre : Camus apporte son soutien à Garry Davis, un Américain pacifiste qui se veut « citoyen du monde ». Il publie dans *Franc-Tireur* « Nous sommes avec Davis ! ».

25 novembre : le philosophe Gabriel Marcel l'ayant accusé d'avoir, dans *L'État de siège,* réservé ses traits au régime de Franco, Camus lui répond dans *Combat.*

3 décembre : dans le cadre de la campagne de soutien à Garry Davis, un meeting est organisé à la salle Pleyel au cours duquel Camus prend la parole. Son allocution sera reproduite dans *Combat* le *9 décembre* sous le titre « À quoi sert l'O.N.U. ? » et dans *La Patrie mondiale* (n° 1) sous celui de « Je réponds… ».

7 décembre : « L'Embarras du choix » (*Franc-Tireur*), article où, contre « les idéologies conquérantes », Camus juge « préférable de s'engager sur la voie la plus lente de la démocratie internationale ».

13 décembre : lors d'un meeting organisé salle Pleyel par le R.D.R., allocution de Camus, « L'artiste est le témoin de la liberté », publiée une première fois par *La Gauche,* n° 10 du *20 décembre,* puis reprise dans le premier numéro d'*Empédocle,* en avril 1949. Ce texte sera recueilli dans *Actuelles* sous le titre « Le Témoin de la liberté ».

25-26 décembre : « Réponses à l'incrédule » (à François Mauriac), dans *Combat*, où Camus continue de justifier Garry Davis.

Fin de décembre : il se rend en Algérie où sa tante Acault a été opérée.

1949

Janvier : Camus prend, comme Sartre, ses distances avec le R.D.R.

Février : dans *Combat* du *26-27* paraît « Pour sauver dix intellectuels grecs. Un appel d'intellectuels français », appel signé par Camus et Breton. « Madeleine Renaud » (*Caliban*, n° 24).

Avril : « Le Meurtre et l'Absurde » dans *Empédocle* (n° 1). Dans le même numéro, deuxième publication de « L'artiste est le témoin de la liberté ».

Juin : présentation de *L'Enracinement* (coll. « Espoir »), de Simone Weil, pour le Bulletin de la *N.R.F.*

30 juin : Camus embarque à Marseille pour l'Amérique du Sud, où il va donner, dans plusieurs pays, une série de conférences.

Juillet : le *21*, après une escale à Dakar, arrivée à Rio de Janeiro. Pendant la traversée, Camus lit le *Journal* de Vigny ; il écrit des pages de « La Mer au plus près » (recueilli dans *L'Été*), à peine ébauché pendant le voyage à New York. Les *22-23*, voyage à Recife et à Bahia. Le *26*, il assiste, à Rio, à une représentation d'un acte de *Caligula* (« Bizarre de voir ces Romains noirs »). Publication dans *Défense de l'Homme* de « Dialogue pour le dialogue », qui sera repris dans *Actuelles*.

Août : le *2*, départ pour São Paulo. Interview au *Diário* de cette ville (« Char est le plus grand événement dans la poésie française depuis Rimbaud »). Du *5* au *7*, voyage à Iguape, où se passera l'intrigue de « La Pierre qui pousse » (*L'Exil et le Royaume*). Le *9*, il part pour Montevideo, puis se rend à Buenos Aires, où il séjourne chez Victoria Ocampo. Du *14* au *19*, il séjourne au Chili. *19-21 :* retour à Rio en passant à nouveau par Buenos Aires et Montevideo, où il rencontre José Bergamín. Le *31*, il repart de Rio, en avion, pour la France. Il a plus ou moins souffert, durant tout son séjour en Amérique du Sud, de ce qu'il croit être des attaques de grippe. À son retour, les médecins constatent que l'état de ses poumons s'est sérieusement aggravé, et ils lui ordonnent deux mois de repos et de soins. C'est durant ce voyage que Camus semble avoir apporté les dernières modifications à sa pièce *Les Justes*.

Septembre : il séjourne au Panelier.

Octobre : à Paris, répétitions pour *Les Justes*.

12 novembre : dans *Le Figaro littéraire*, David Rousset lance un appel aux anciens déportés pour la création d'une commission d'enquête sur le goulag.

15 décembre : création des *Justes* au théâtre Hébertot, dans une mise en scène de Paul Œttly, avec Serge Reggiani et Maria Casarès dans les rôles principaux. Camus y assiste malgré un état de santé très précaire. La pièce connaîtra, selon son expression, un « demi-succès ».

1950

Janvier : Camus séjourne à Cabris, près de Grasse (Alpes-Maritimes), pour une cure de semi-altitude. Il y reviendra pour d'autres séjours jusqu'en *juin*. Sa santé s'améliore lentement.

Février : il lit notamment le *Journal* de Delacroix et *Adolphe* de Benjamin Constant. Publication chez Gallimard des *Justes*.

Mars : séjour dans les Vosges.

Avril : Camus passe quatre jours à L'Isle-sur-la-Sorgue, toujours en vue de l'achat d'une maison. Achève « L'Énigme », essai dédié à René Char et recueilli dans *L'Été*.

Mai : « La justice elle aussi a ses pharisiens » (*Caliban*, n° 39).

Juin : publication chez Gallimard de *Actuelles, chroniques 1944-1948*, avec une dédicace à René Char. À Berlin se tient un Congrès pour la liberté de la culture, à la suite duquel Camus s'associe à la publication d'un Manifeste aux hommes libres (« Privé du droit de dire non, l'homme devient un esclave »). Francine et ses enfants sont avec lui à Cabris, puis à Grasse en *juillet*.

Juillet : début de la guerre de Corée.

Mi-juillet – août : nouveau séjour dans les Vosges.

Septembre : séjour en Savoie.

Décembre : Camus s'installe avec sa famille dans un appartement qu'il a acheté, au 29, rue Madame, à Paris (VIᵉ arrondissement).

1951

Publication dans les *Cahiers du Sud* de « Lautréamont et la banalité ».

Mi-janvier – mi-mars : Camus séjourne à nouveau à Cabris et y travaille d'arrache-pied à *L'Homme révolté*, dont la « première rédaction » est terminée le *7 mars* (*Carnets*).

Février : projet de « réunir un livre d'essais : la Fête » (*Carnets*), correspondant à ce qui deviendra *L'Été*.

19 février : mort d'André Gide.

10 mai : interview aux *Nouvelles littéraires*, « Rencontre avec Albert Camus ».

Juillet : voyage en Dordogne. Le *12*, il a envoyé à René Char un exemplaire dactylographié et corrigé de *L'Homme révolté*.

Août : séjour au Panelier. Publication dans *Les Temps modernes* de « Nietzsche et le Nihilisme », fragment de *L'Homme révolté*. « Une des plus belles professions que je connaisse » (*Caliban*, n° 54).

Octobre : le *12*, réaction indignée d'André Breton dans *Arts* contre le « Lautréamont » de Camus. Le *19*, réponse de Camus dans le même journal (repris dans *Actuelles II*, sous le titre « Révolte et conformisme »). Le *18*, publication de *L'Homme révolté*, chez Gallimard. La vente de l'ouvrage démarre bien, mais s'essoufflera au cours de l'année suivante.

Novembre : « Rencontres avec André Gide » dans l'*Hommage à André Gide* publié par *La Nouvelle Revue française.*

23 novembre : nouvelle lettre à *Arts* (repris dans *Actuelles II*, sous le titre « Révolte et conformisme, [suite] »).

24 novembre : Jean Guéhenno publie dans *Le Figaro littéraire* un éloge de *L'Homme révolté :* Camus est « sur le grand chemin ». Au cours de ce mois de novembre, sa mère s'étant cassé une jambe, Camus fait un bref voyage à Alger.

13 et 20 décembre : Claude Bourdet, directeur de *France-Observateur,* y publie deux études, plutôt favorables, sur *L'Homme révolté,* mais Camus prend ombrage d'une note qui, dans le même journal, loue un article désagréable paru dans *La Nouvelle Critique* et signé du communiste Pierre Hervé.

Fin de décembre : « J'attends avec patience une catastrophe lente à venir », et aussi : « Je me fais de moi l'idée la plus affreuse, des jours durant » (*Carnets*). Interview au *Progrès de Lyon,* « Servitudes de la haine ».

1952

Janvier : Camus travaille à « La Pierre qui pousse », nouvelle ébauchée en Amérique du Sud (recueillie dans *L'Exil et le Royaume*). Voyage en Algérie, dont on trouve un écho dans « Retour à Tipasa » (*L'Été*).

15 février : « Entretien sur la révolte » avec Pierre Berger dans la *Gazette des Lettres* (repris dans *Actuelles II*).

22 février : appel à la salle Wagram pour appuyer des syndicalistes espagnols condamnés à mort par le régime franquiste ; il sera publié dans *Esprit* (avril) ; Camus y assiste aux côtés de Sartre.

Avril : chronique dans *Esprit* sur le franquisme.

28 mai : lettre au directeur de la revue *Dieu vivant,* publiée sous le titre « Épuration des purs » dans *Actuelles II*.

Mai : lettre au *Libertaire* en réponse aux articles que Gaston Laval a consacrés dans ce journal à *L'Homme révolté* (« Révolte et romantisme », repris dans *Actuelles II*). Francis Jeanson, chargé par Sartre de rendre compte dans *Les Temps modernes* de l'essai de Camus, publie un article violent et insultant.

Juin : dans une lettre à *France-Observateur,* Camus s'indigne de l'écho bienveillant que l'hebdomadaire a donné en décembre 1951 à la critique de Pierre Hervé (repris dans *Actuelles II*, sous le titre « Révolte et police »). Il signe une pétition qui s'oppose à l'entrée de l'Espagne de Franco à l'Unesco.

Août : *Les Temps modernes* publient une réponse de Camus datée du *30 juin* et adressée, non à Jeanson, mais à « Monsieur le Directeur » de la revue, Jean-Paul Sartre (« Révolte et servitude », repris dans *Actuelles II*). Sartre lui répond à son tour : « Mon cher Camus,

notre amitié n'était pas facile, mais je la regretterai. » La lettre de
Sartre est ouvertement blessante. Elle donne aussi à leur polémique
un tour franchement politique, Sartre dénonçant à égalité le scandale des camps soviétiques et le profit qu'en tire la « presse bourgeoise ».

Automne : aux attaques des *Temps modernes* se sont ajoutées celles
d'*Arts*, ainsi que de *Carrefour* (hebdomadaire de droite) et de *Rivarol*
(hebdomadaire d'extrême droite). « Paris est une jungle, et les fauves
y sont miteux », et encore : « Polémique T.M. — Coquineries. Leur
seule excuse est dans la terrible époque » (*Carnets*).

Novembre : Camus démissionne de l'Unesco, qui a fini par
admettre l'Espagne. Préface à *L'Artiste en prison*, d'Oscar Wilde,
Éditions Falaize (reprise dans *Arts*, *19-25 décembre*). Le *30*, allocution
à la salle Wagram, « L'Espagne et la Culture » (repris dans *Actuelles II*).

Décembre : « Défense de *L'Homme révolté* », texte où Camus explique
les intentions qui ont guidé l'écriture de son essai. « Défense de la
liberté », *Franc-Tireur* (repris dans *Actuelles II*). Voyage en Algérie :
Oran, Alger et les Territoires du Sud algérien (Laghouat, Ghardaïa)
que Camus visite seul en voiture. Notes pour « Les Muets ». Plan
pour un recueil : « Nouvelles de l'exil » (*L'Exil et le Royaume*) :
« Laghouat. La Femme adultère », « Iguape » (« La Pierre qui
pousse »), « L'Hôte », « Jonas », « Un esprit confus » (« Le Renégat »). L'histoire du peintre Jonas lui inspire en outre un « mimo-
drame » en deux parties, *La Vie d'artiste*, qui paraîtra en avril 1953
dans la revue *Simoun* (n° 8).

Au cours de cette année a paru aux Éditions Mazenod le tome III
des *Écrivains célèbres* où figure une étude de Camus sur Melville.

1953

Janvier : il revient d'Algérie « redressé et pacifié », et écrit « Retour
à Tipasa », qui sera recueilli dans *L'Été*.

Printemps : préface à *Moscou au temps de Lénine*, d'Alfred Rosmer
(« Le Temps de l'espoir », repris dans *Actuelles II*).

Mai : lettre de protestation contre l'arrestation en Argentine de
Victoria Ocampo.

10 mai : conférence à la Bourse du travail de Saint-Étienne
(publiée dans *Actuelles II*, sous le titre « Le Pain et la Liberté »).

16 mai : premier numéro de l'hebdomadaire *L'Express*.

14 juin : création au festival d'art dramatique d'Angers de *La
Dévotion à la Croix*, d'après Calderón, avec notamment Maria Casarès
et Serge Reggiani, dans une mise en scène de Marcel Herrand. Celui-
ci, avant de mourir l'avant-veille de l'ouverture du festival, avait
demandé à Camus d'assurer les dernières répétitions.

16 juin : représentation au même festival des *Esprits*, adaptation
de Camus d'après Pierre de Larivey, avec, dans les rôles principaux,
Maria Casarès, Jean Marchat et Pierre Œttly, dans une mise en scène
de Marcel Herrand achevée par Camus.

17 juin : émeutes ouvrières à Berlin-Est, réprimées par le pouvoir communiste ; Camus y réagit dès le lendemain dans une allocution prononcée à la salle de la Mutualité.

Publication chez Gallimard du volume d'*Actuelles II (1948-1953)*.

14 juillet : des manifestants nord-africains ont été abattus ou molestés par la police parisienne ; protestation de Camus dans *Le Monde*.

8 août : « La Littérature prolétarienne », lettre à Maurice Lime, qui sera publiée dans *La Révolution prolétarienne* (n° 146, février 1960).

Octobre : Francine Camus commence à souffrir d'une grave dépression.

Novembre : ébauche du roman qu'il intitulera *Le Premier Homme* (*Carnets*).

Décembre : il renonce à un projet de voyage en Égypte et rejoint, en compagnie de son fils Jean, sa femme partie se reposer à Oran.

Au cours de cette année, il a pris des notes sur Dostoïevski, dont il prévoit d'adapter *Les Possédés*.

1954

Janvier : l'état dépressif de Francine s'est aggravé. Camus rentre avec elle à Paris ; elle sera soignée dans une maison de santé à Saint-Mandé. Publication dans la *N.R.F.* de « La Mer au plus près » (recueilli dans *L'Été*).

Février : « La Femme adultère » aux Éditions de l'Empire, à Alger (nouvelle recueillie dans *L'Exil et le Royaume*).

15 mars : interview donnée à Franck Jotterand dans *La Gazette de Lausanne*, où Camus parle de son projet du *Premier Homme*.

Printemps : publication de *L'Été* dans la collection « Les Essais » (Gallimard). Désemparé par l'état de santé de Francine, Camus avoue à ses proches qu'il n'arrive plus à écrire. Il a confié sa fille Catherine à la grand-mère Faure, à Oran, tandis que Jean est à Saint-Rémy-de-Provence. Il loge provisoirement dans un petit appartement au 4, rue de Chanaleilles (VIIe arrondissement). Publication dans *Témoins* (printemps 1954, n° 5) de son allocution prononcée au lendemain des émeutes de Berlin-Est (juin 1953).

12 avril : intervention auprès du président René Coty en faveur de sept Tunisiens condamnés à mort.

Mai : message au « Comité pour l'amnistie aux condamnés politiques d'outre-mer ».

7 mai : « Chute de Dien Bien Phu. Comme en 40, sentiment partagé de honte et de fureur » (*Carnets*).

Juin-juillet : Francine se fait soigner à Divonne.

Mi-juillet : il s'installe pour un mois avec ses deux enfants chez Michel et Janine Gallimard, à Sorel-Moussel (Eure-et-Loir).

Juillet : nouveau message en faveur d'une entente future entre les « deux peuples » d'Algérie (« Terrorisme et amnistie » paru dans *Libérons les condamnés d'outre-mer*). « Présentation du désert », texte commandé pour un album de Walt Disney, *Désert vivant* (Société du livre).

Août : Camus écrit une préface pour *L'Allemagne vue par les écrivains de la Résistance française* de Konrad F. Bieber.

Septembre : Francine va mieux ; Camus se réinstalle avec elle rue Madame.

Octobre : voyage en Hollande où il prend, dans les *Carnets*, des notes qui préfigurent certains passages de *La Chute*.

1ᵉʳ novembre : début de l'insurrection nationaliste en Algérie.

24 novembre : il part pour une tournée de conférences en Italie (Turin, Gênes et Rome).

6 décembre : le prix Goncourt est attribué aux *Mandarins*, roman par lequel, selon Camus, Simone de Beauvoir a bassement réglé ses comptes avec lui à la suite de sa brouille avec Sartre.

Mi-décembre : retour en France. « Existentialisme. Quand ils s'accusent on peut être sûr que c'est toujours pour accabler les autres. Des juges pénitents » (*Carnets*) : ce sera l'idée centrale de *La Chute*. Il prend des notes pour *Le Premier Homme* et pour un autre ouvrage, jamais écrit, sur le mythe de Faust.

1955

Janvier : le *11*, lettre de Camus à Roland Barthes, en réponse à l'analyse que celui-ci a faite de *La Peste* (l'analyse de Roland Barthes et la réponse de Camus sont publiées dans le numéro de février de *Club*).

5 février : le gouvernement de Pierre Mendès France, mis en minorité, doit démissionner.

17 février : départ de Camus pour Alger. Il retrouve son quartier de Belcourt, des souvenirs qui nourriront *Le Premier Homme* ; puis il se rend à Tipasa et à Orléansville, ravagée en septembre 1954 par un tremblement de terre.

12 mars : création de son adaptation d'*Un cas intéressant*, d'après une nouvelle de Dino Buzzati, au théâtre La Bruyère, dans une mise en scène de Georges Vitaly, avec Daniel Ivernel et Pierre Destailles dans les rôles principaux.

31 mars : Edgar Faure, président du Conseil, instaure l'état d'urgence en Algérie.

Printemps : Camus travaille à une préface en vue de l'édition des *Œuvres complètes* de Roger Martin du Gard, avec qui il entretient des rapports d'amitié depuis 1948.

Reprise dans *Témoins*, sous le titre « Le Refus de la haine », de sa préface à l'ouvrage de Konrad F. Bieber.

5 avril : lettre à *Témoins* de Jean-Marie Domenach, directeur de la revue *Esprit*, justifiant le silence observé par sa revue sur « Le Refus de la haine ».

26 avril : départ de Camus pour un voyage en Grèce : Athènes (où il donne une conférence sur l'avenir de la tragédie), Delphes, le Péloponnèse, l'île de Délos…

16 mai : retour à Paris. Il a envoyé son premier article à *L'Express* (*14 mai*), sur le récent tremblement de terre de Volos.

Mai : polémique avec *France-Observateur*. Note pour « L'Hôte » (nouvelle recueillie dans *L'Exil et le Royaume*) et une « étude sur Grenier » (future préface à la réédition des *Îles* en 1959).

Juin : réponse à Jean-Marie Domenach dans *Témoins*.

9 et 23 juillet : longs articles — « Terrorisme et répression » et « L'Avenir algérien » — dans *L'Express*, appelant à une « conférence » qui réunirait les différentes parties aux prises en Algérie, et à une solution politique qui consacrerait à la fois la différence de l'Algérie et son appartenance à une « Fédération française ».

Fin juillet-août : Camus voyage en Italie, s'intéressant notamment aux peintures de Piero della Francesca. Ce voyage l'a « redressé » : « J'ai travaillé, et terminé, dans sa première version, un volume de nouvelles [*L'Exil et le Royaume*] » (lettre à Jean Grenier du *24 août*).

20-21 août : graves émeutes nationalistes et sévère répression des forces de l'ordre à Philippeville (actuelle Skikda), dans le département de Constantine.

Octobre : le *1er*, « Lettre à un militant algérien », *Communauté algérienne*, n° 1 (repris dans *Actuelles III*). Du *18 octobre* au *2 février 1956*, fréquents articles dans *L'Express* (provisoirement devenu quotidien), où il affirme notamment que « l'Algérie n'est pas la France » tout en rappelant qu'elle compte un million de Français.

Publication des *Œuvres complètes* de Roger Martin du Gard dans la Bibliothèque de la Pléiade, avec une préface de Camus.

12 novembre : « L'Espagne et le Donquichottisme » (*Le Monde libertaire*).

Cette année paraît à Turin dans *Quaderni Aci* (n° 16) « L'Artiste et son temps », texte très proche des discours de Suède (1957).

1956

2 janvier : le Front républicain (radicaux, socialistes, R.G.R., républicains sociaux) remporte les élections législatives.

22 janvier : au cours d'une réunion mouvementée, Camus lance à Alger un appel en faveur d'une trêve civile.

À la *fin de janvier*, Camus s'est installé pour environ deux semaines dans l'appartement de Jules Roy (61, boulevard Montmorency, XVIe arrondissement), parti en voyage.

2 février : dernière collaboration à *L'Express* : « Remerciement à Mozart ».

6 février : manifestations à Alger contre le nouveau président du Conseil, Guy Mollet, venu introniser un ministre résident de réputation libérale (le général Catroux). G. Mollet va céder les jours suivants aux exigences des manifestants.

8 février : en désaccord avec les articles sur l'Algérie de son directeur, Jean-Jacques Servan-Schreiber, Camus démissionne de *L'Express*.

12 mars : l'Assemblée nationale accorde au gouvernement, à une très large majorité (communistes compris), les « pouvoirs spéciaux » en Algérie. La guerre va s'intensifier.

Mai : publication de *La Chute*, chez Gallimard.

28 mai : Camus écrit une lettre au *Monde* en faveur de son ami Jean de Maisonseul, arrêté pour ses activités prétendument subversives en Algérie.

Juin : « Un esprit confus » (*Nouvelle Revue française*, n° 42), nouvelle recueillie dans *L'Exil et le Royaume*.

25 juin : Camus exprime ses regrets à l'écrivain polonais Gustav Herling pour n'avoir pu publier *Un monde à part* (1951), témoignage sur les camps soviétiques (qui ne sera publié en français qu'en 1985).

2 juillet : il signe dans la revue *Cultura* un texte de protestation contre la répression des insurgés de Poznan (Pologne).

Juillet-début d'août : vacances familiales en Provence, à L'Isle-sur-la-Sorgue.

Août : de retour à Paris, Camus commence les répétitions de *Requiem pour une nonne*, pièce qu'il a tirée du roman de William Faulkner. Il fait ainsi la rencontre de Catherine Sellers, à qui a été confié le premier rôle féminin.

24 août : reproduction dans *L'Express* d'une préface donnée à un numéro spécial anniversaire de *Témoins* (printemps-été), où Camus affirme sa confiance dans l'avenir d'une Espagne libérée.

31 août : interview au *Monde* sur ses positions religieuses (« Je ne crois pas en Dieu, c'est vrai. Mais je ne suis pas athée pour autant »).

Septembre : publication dans la *N.R.F.* de la « Lettre au sujet du Parti pris » (*Le Parti pris des choses* de Ponge), datée du 27 janvier 1943.

20 septembre : création au théâtre des Mathurins-Marcel Herrand de *Requiem pour une nonne*, dans une mise en scène de Camus, avec Catherine Sellers et Michel Auclair dans les rôles principaux. La pièce obtient un franc succès.

30 octobre : discours en hommage à Salvador de Madariaga à l'occasion d'une manifestation organisée par le gouvernement républicain espagnol en exil (reproduit dans *Monde nouveau*, avril 1957, n° 110-111).

4 novembre : les troupes soviétiques entrent dans Budapest pour réprimer les soulèvements qui ont agité la Hongrie au cours des dernières semaines.

10-11 novembre : Camus publie « Pour une démarche commune à l'O.N.U. des intellectuels européens », en faveur des insurgés hongrois (*Franc-Tireur*).

23 novembre : message à un meeting des étudiants français sur la Hongrie.

Décembre : « Préface au catalogue de l'exposition Balthus », exposition consacrée au peintre à la galerie Pierre-Matisse de New York.

1957

21-27 février : « Le Socialisme des potences » (hebdomadaire socialiste *Demain*, n° 63).

Mars : le *15*, discours à la salle Wagram (« Kadar a eu son jour de peur », extraits repris dans *Franc-Tireur*, le *18*). Publication de *L'Exil et le Royaume*, chez Gallimard.

Avril : lettre au président du Conseil pour expliquer pourquoi il refuse de participer à une Commission de sauvegarde des droits et des libertés individuelles.

Juin : lettre à *Encounter*, n° 45, sur la situation en Algérie. Il participe au festival d'art dramatique d'Angers, où *Caligula* est repris dans une version légèrement remaniée. Le *21*, création à Angers, dans sa propre mise en scène, de sa version du *Chevalier d'Olmedo*, comédie drama- tique en trois journées d'après Lope de Vega, avec Michel Herbault, Jean-Pierre Jorris et Dominique Blanchar dans les rôles principaux.

Juin-juillet : *Réflexions sur la guillotine* (N.R.F., n° 54-55).

17 juillet-13 août : séjour à Cordes (Tarn).

Automne : publication de *Réflexions sur la peine capitale*, chez Calmann-Lévy, ouvrage qui comprend les *Réflexions sur la guillotine* de Camus, les *Réflexions sur la potence* d'Arthur Koestler, ainsi qu'une introduction et une étude de Jean Bloch-Michel. Camus donne un avant-propos à la traduction de *Requiem pour une nonne*, le roman de Faulkner, publiée chez Gallimard.

1er octobre : entretien sur l'Algérie avec l'ethnologue Germaine Tillion (on en lit des éléments dans les *Carnets*).

16 octobre : le prix Nobel de littérature est décerné à Camus « pour l'ensemble d'une œuvre mettant en lumière les problèmes qui se posent de nos jours à la conscience des hommes ».

19 octobre : « Effrayé par tout ce qui m'arrive et que je n'ai pas demandé. Et pour tout arranger attaques si basses que j'en ai le cœur serré » (*Carnets*).

24-30 octobre : « Le Pari de notre génération », interview à *Demain* (n° 98).

Novembre : « Hommage à un journaliste exilé » (*La Révolution prolé- tarienne*, n° 442).

9 décembre : arrivée à Stockholm, en compagnie de sa femme, pour la remise du prix Nobel.

10 décembre : discours à l'hôtel de ville de Stockholm à l'issue du banquet.

12 décembre : rencontre à la Maison des étudiants de Stockholm. Interpellé par un jeune Algérien, il répond par une phrase sur la jus- tice qui suscitera de nombreuses polémiques.

14 décembre : il donne une conférence, « L'Artiste et son temps », dans le grand amphithéâtre de l'université d'Upsala.

Il écrit une préface à l'édition américaine de son théâtre (publiée chez Knopf en 1958).

Décembre : il est en proie, à la fin de cette année et au début de la suivante, à de graves crises d'anxiété.

1958

Janvier : Discours de Suède (Gallimard), réunissant le discours du 10 décembre 1957 et la conférence du 14.

5 mars : entretien avec le général de Gaulle.

Mars : « Albert Camus nous parle de son adaptation des *Possédés* » (interview donnée à *Spectacles*, n° 1). « Ce que je dois à l'Espagne » (*Preuves*). *L'Envers et l'Endroit* est réédité avec une nouvelle préface, dont le projet était déjà mentionné dans les *Carnets* en 1949. On voit souvent Camus avec « Mi », une jeune étudiante danoise rencontrée quelques mois auparavant.

Mars-avril : voyage en Algérie. À Alger, Camus sympathise avec l'instituteur et écrivain Mouloud Feraoun. Il se rend à Tipasa. De retour à Paris, il entreprend avec Micheline Rozan des démarches pour trouver un théâtre.

13 mai : une immense manifestation, à Alger, va entraîner le retour au pouvoir du général de Gaulle.

Juin : publication chez Gallimard d'*Actuelles III. Chroniques algériennes (1939-1958)*, choix d'articles et de textes précédés d'un « Avant-propos » daté de *mars-avril* ; le livre est accueilli avec hostilité ou indifférence.

9 juin : Camus part pour un voyage de près d'un mois en Grèce en compagnie de Maria Casarès, Michel et Janine Gallimard. Croisière dans les Cyclades. « Et la mer lave tout » (à Jean Grenier).

Juillet-août : il travaille à son adaptation des *Possédés* et à un projet de pièce sur Julie de Lespinasse.

Également éloigné de ceux qui réclament le maintien de l'« Algérie française » et des partisans de l'indépendance, Camus s'abstient désormais de prises de position publiques, se raccrochant à l'espoir d'une solution fédérale qui préserverait les droits des deux communautés qui composent l'Algérie. Il envisage aussi comme un moindre mal, dit-on, la perspective d'une partition du territoire.

Août : le 22, mort de Roger Martin du Gard. Le 30 paraît en première page du *Figaro littéraire* une note de Camus (« Il aidait à vivre »).

Septembre : il séjourne dans le Vaucluse, voit souvent René Char à L'Isle-sur-la-Sorgue et achète une maison à Lourmarin.

28 septembre : le projet de Constitution de la Ve République est approuvé par les Français.

18-27 octobre : nouveau séjour dans le Vaucluse.

21 décembre : le général de Gaulle est élu président de la République.

Cette année sont également publiés la préface de Camus à *La Vérité sur l'affaire Nagy* (Plon) et « L'Artiste et son temps ». Albert

Camus, lauréat du prix Nobel, répond aux questions de Jean Bloch-Michel » (*Ocidente*, nº 237).

1959

30 janvier : création au théâtre Antoine de l'adaptation par Camus des *Possédés*, d'après Dostoïevski, avec, dans les rôles principaux, Pierre Blanchar, Pierre Vaneck, Alain Mottet et Catherine Sellers. La mise en scène est de Camus lui-même. La presse remarque dans la salle la présence d'André Malraux, ministre des Affaires culturelles, de qui Camus espère la direction d'un théâtre parisien.

Mars : « Notre ami Roblès » (*Simoun*, nº 30). « Sur *Les Îles* de Jean Grenier » (*Preuves*, nº 95), texte donné en préface à la réédition de l'ouvrage.

23-29 mars : Camus se rend à Alger où sa mère a été opérée, puis à Ouled-Fayet, lieu de naissance de son père, et travaille au *Premier Homme*, dont il avancera toute l'année la rédaction.

28 avril-fin mai : il séjourne à Lourmarin et dans le Midi (Arles, Marseille).

Mai : le *12*, diffusion de « Gros plan », émission télévisée de Pierre Cardinal à laquelle Camus a participé, et où il explique « Pourquoi je fais du théâtre » ; des extraits en sont publiés dans *Le Figaro littéraire* du *16*.

6-13 juillet : Camus séjourne à Venise où on joue *Les Possédés* au théâtre de La Fenice. Il veille à la mise en scène.

Fin d'août-début de septembre : nouveau séjour à Lourmarin.

16 septembre : allocution télévisée du général de Gaulle proclamant le droit des habitants de l'Algérie à l'autodétermination.

Octobre : tournée en France et à l'étranger des *Possédés*.

15 novembre : Camus retourne à Lourmarin.

Décembre : notes dans les *Carnets* : « Pour Némésis » et « Pour Don Faust ».

14 décembre : entretien avec des étudiants étrangers à Aix-en-Provence (« Êtes-vous un intellectuel de gauche ? — Je ne suis pas sûr d'être un intellectuel. Quant au reste, je suis pour la gauche, malgré moi, et malgré elle »).

20 décembre : interview sur son métier d'écrivain (publiée par la revue new-yorkaise *Venture*, printemps-été 1960).

1960

3 janvier : Camus quitte Lourmarin pour Paris dans la voiture de Michel Gallimard, où ont aussi pris place l'épouse de Michel, Janine, et sa fille Anne. Francine Camus est rentrée la veille par le train.

4 janvier : Camus est tué sur le coup dans un accident à Villeblevin, près de Montereau (Yonne). Michel Gallimard mourra cinq jours plus tard.

Catherine Camus, la mère de Camus, mourra en *septembre* à son domicile de Belcourt.

Albert Camus est enterré au cimetière de Lourmarin.

PIERRE-LOUIS REY.

NOTE SUR LA PRÉSENTE ÉDITION

Au lendemain de la mort accidentelle d'Albert Camus, survenue le 4 janvier 1960, les Éditions Gallimard souhaitent voir son œuvre inscrite au catalogue de la Pléiade. On décide de faire paraître, d'une part, un volume rassemblant son théâtre, ses récits et ses nouvelles, d'autre part un tome réunissant ses essais. Roger Quilliot est chargé d'établir l'édition. Lié à l'écrivain, il lui avait consacré en 1956 une étude, *La Mer et les Prisons*, que l'intéressé avait jugée « aussi complète, et discrète, qu'on peut le souhaiter[1] ».

Roger Quilliot fait œuvre de pionnier. Il ne se contente pas de réunir les ouvrages que Camus avait publiés en librairie ; il consulte tous les manuscrits alors disponibles, compare les éditions successives des livres et rassemble, sous l'intitulé « Textes complémentaires », quantité d'écrits souvent introuvables, parfois inédits ; une large place est faite aux travaux journalistiques de Camus, à sa critique littéraire, à ses préfaces, à ses déclarations publiques et à celles de ses lettres qui apportent un éclairage sur son œuvre. Le premier volume, *Théâtre, récits, nouvelles*, paraît dès 1962, avec une préface de Jean Grenier ; le second, *Essais*, établi en collaboration avec Louis Faucon, voit le jour en 1965. En conclusion de l'« Introduction critique » du volume de 1962, Roger Quilliot, qui a accompli un travail considérable, songe déjà à l'avenir : « Je me suis seulement efforcé de rendre à Camus, pour les années à venir, l'hommage vivant qui lui était dû et que d'autres, sans nul doute, voudront parfaire[2]. »

Quarante années ont passé, pendant lesquelles les deux volumes de la Pléiade ont assuré à l'œuvre d'Albert Camus la diffusion la plus

---

1. Lettre de Camus à R. Quilliot, 30 juin 1955. *La Mer et les Prisons. Essai sur Albert Camus* a été publié chez Gallimard (1re édition, 1956 ; édition revue et corrigée, 1970 ; nouvelle édition, 1980).
2. *Théâtre, récits, nouvelles*, p. XXVI.

large. Plus que jamais vivante, cette œuvre est désormais mieux connue. Les archives ont été classées[1]. Des articles demeurés épars ont été rassemblés et édités. Les *Carnets* de Camus (dont il avait lui-même préparé la publication), mais aussi des récits restés inédits, comme *La Mort heureuse* et *Le Premier Homme*, ont été peu à peu révélés, dans la collection Blanche ou par l'intermédiaire des *Cahiers Albert Camus*. Le regard porté sur ses écrits et sur les engagements dont ils témoignent s'en trouve modifié.

Bien des questions soulevées par Camus se posent toujours à notre époque ; il suffit pour s'en convaincre de consulter la liste des articles qu'il a publiés dans la presse au cours des années 1940 ou 1950. Il reste que le temps a éloigné de nous les événements qui suscitaient ces réflexions, et que l'« actualité » d'un article comme, par exemple, « Terrorisme et répression » (*L'Express*, 9 juillet 1955) ne saurait être appréciée convenablement par qui ne dispose que d'un éclairage vague, ou oblique, sur les « événements d'Algérie ». Les lecteurs qui ont lu ce texte en 1965 dans le volume *Essais*, trois ans après la signature des accords d'Évian, et ceux qui le découvriront dans le dernier volume de la présente édition n'ont pas connu les mêmes expériences, ne disposent pas des mêmes références, n'ont pas la même sensibilité. Ils ne vivent pas dans le même monde. Une édition doit en tenir compte.

L'œuvre, telle que nous la connaissons aujourd'hui — et telle qu'elle apparaît, en train de se faire, dans les *Carnets* tenus par Camus entre 1935 et 1959 —, a acquis, d'autre part, une cohérence nouvelle. En 1965 déjà, Roger Quilliot s'interrogeait, dans son introduction aux *Essais*, sur les critères de classement susceptibles d'être retenus pour une édition, et il en arrivait à cette conclusion : « toute classification tient un peu de l'arbitraire, la politique ne se séparant jamais chez Camus de la réflexion philosophique et morale, de la méditation sur l'art ou de la recherche littéraire[2] ». Il choisissait donc de ne pas définir, dans le corpus des essais, de catégories tranchées, et de respecter la chronologie de publication en librairie.

Mais l'organisation générale de l'édition en deux grands blocs — d'un côté la « fiction », dramatique ou narrative, de l'autre la « réflexion » — faisait appel à une typologie qui, si elle semblait logique (et pratique) au moment où elle avait été établie, ne doit pas moins être réexaminée, notamment à la lumière des publications posthumes, dans le cadre d'un nouveau projet éditorial. On trouve par exemple dans les *Carnets* plusieurs plans d'ensemble de l'œuvre, que Camus organisait par « séries », chacune de ces séries comprenant des ouvrages appartenant à des genres littéraires différents ; ainsi, dans cette note de 1947 :

---

1. En dehors des documents appartenant à des collections particulières, les archives de Camus sont conservées à la bibliothèque Méjanes d'Aix-en-Provence. Mme Marcelle Mahasela, responsable du Fonds Albert Camus de la Méjanes, a grandement facilité la préparation de cette édition ; nous l'en remercions vivement.

2. *Essais*, p. IX.

« 1re série. Absurde : *L'Étranger* — *Le Mythe de Sisyphe* — *Caligula* et *Le Malentendu*.

« 2e — Révolte : *La Peste* (et annexes) — *L'Homme révolté* — Kaliayev [c'est-à-dire *Les Justes*].

« 3e — Le Jugement [c'est-à-dire sans doute *La Chute*] — Le premier homme.

« 4e — L'amour déchiré : Le Bûcher — De l'Amour — Le Séduisant.

« 5e — Création corrigée ou Le Système — grand roman + grande méditation + pièce injouable[1]. »

Il n'est nul besoin de rappeler que l'œuvre de Camus, dont la vie a été brutalement interrompue, est inachevée, de sorte que l'on ne saurait placer sous chaque intitulé un titre de livre. D'autre part, Camus n'a jamais, que l'on sache, manifesté l'intention de rassembler en un volume celles de ses œuvres qui appartiennent à une même « série » : objets intellectuels, ces séries ou ces cycles ne semblaient pas destinés à devenir des objets éditoriaux. Enfin, leurs dénominations ont pu connaître des variantes[2]. Mais il n'en demeure pas moins que de tels plans fournissent à l'éditeur des indications précieuses.

★

Près d'un demi-siècle après la disparition de l'auteur, le moment était donc venu de proposer, en quatre volumes de la Bibliothèque de la Pléiade, une édition des *Œuvres complètes* de Camus, dotée d'un appareil critique qui tienne compte du renouvellement du lectorat et présentée au plus près de ce que nous savons des intentions de l'auteur.

On a vu pourquoi les genres littéraires traditionnels — romans, récits, théâtre, essais, etc. — paraissent ne plus pouvoir régir l'organisation de cette nouvelle édition. C'est la chronologie de publication des œuvres, tous genres confondus, qui a été retenue, et, à défaut de publication, la chronologie de rédaction. Le tome I couvre la période qui s'étend de 1931 à 1944 ; le tome II va de 1945 à 1948[3] ; le tome III, de 1949 à 1956 ; et le tome IV, de 1957 à 1959. Chaque volume comprend, pour l'essentiel, trois grandes parties.

1. *Les livres publiés du vivant de Camus.* — Ce sont eux qui figurent en premier lieu dans chaque tome. L'ordre chronologique, et non générique, a ici des conséquences particulièrement claires : même

1. *Carnets*, t. II de la présente édition, p. 1084-1085. Les précisions entre crochets sont de l'éditeur.
2. Voir par exemple cette note de 1950 : « I. Le Mythe de Sisyphe (absurde). — II. Le Mythe de Prométhée (révolte). — III. Le Mythe de Némésis » (*Carnets II*, Gallimard, 1964, p. 328). Némésis, qui personnifie la Vengeance divine, a évidemment partie liée avec le Jugement et avec la justice distributive.
3. *Actuelles*, publié en 1950, figure pourtant au tome II et non pas au tome III. En effet, comme l'indique son sous-titre, ce livre se compose de chroniques parues entre 1944 et 1948. Il fallait naturellement éviter de les couper de leur contexte historique, et se garder de les séparer des écrits de Camus datant de la même période.

s'il convenait, à l'évidence, qu'aucun surtitre ne signale leur appartenance commune à la « série » de l'Absurde, les quatre livres (*L'Étranger*, *Le Mythe de Sisyphe*, *Caligula*, *Le Malentendu*) dont celle-ci se compose dans la note de 1947 citée plus haut sont désormais publiés à la suite l'un de l'autre, ce qui incitera peut-être le lecteur à les considérer d'un autre œil. Il en va de même, dans les volumes suivants, pour les autres « séries ».

On propose, à la suite de chaque ouvrage, des appendices comprenant, selon les cas, un choix d'ébauches tirées des manuscrits ou des dactylogrammes ; des textes que Camus n'a pas fait paraître en tant que tels mais qui ont joué un rôle dans la genèse du livre publié, comme par exemple « L'Hôpital du quartier pauvre » ou « Les Voix du quartier pauvre » pour *L'Envers et l'Endroit* ; des préfaces écrites par Camus à l'occasion d'éditions particulières ; ou encore des documents (lettres, entretiens, déclarations) dans lesquels il parle du livre concerné, pour l'expliquer, le défendre ou le replacer dans son contexte. Il va de soi que peuvent figurer dans ces appendices des textes écrits ou publiés par Camus en dehors de la période couverte par le volume : c'est bien évidemment en appendice à *L'Étranger* (1942), c'est-à-dire au tome I, que l'on trouvera la préface que Camus a rédigée en 1955 et publiée en 1958 en tête d'une édition étrangère de ce roman.

2. *Les textes publiés par Camus, mais jamais recueillis par lui*. — Camus a composé *Actuelles* à partir d'articles parus principalement dans le journal *Combat* ; il a publié lui-même ce livre, qui figure donc, dans la présente édition, parmi les autres ouvrages de librairie. Mais il n'a pas recueilli dans *Actuelles* l'intégralité des articles qu'il avait donnés à *Combat*. De même, quantité de ses contributions à d'autres journaux (articles, chroniques, retranscriptions de conférences, etc.) sont demeurées éparses, et il ne rassembla jamais les préfaces qu'il avait données aux livres d'autres écrivains. L'essentiel[1] de ces textes non recueillis se trouve désormais réuni, volume après volume, dans une section intitulée « Articles, préfaces, conférences ».

Ici comme ailleurs, c'est l'ordre chronologique qui a été privilégié. Les catégories génériques (préfaces, articles politiques, littéraires, etc.) n'ont donc pas été prises en compte, à une exception près : nous n'avons pas mêlé aux autres textes parus dans *Alger républicain* les critiques littéraires que Camus a publiées dans la rubrique « Salon de lecture » de ce quotidien ; il s'agit là d'un ensemble homogène, qui aurait beaucoup perdu à être dispersé et que nous publions donc d'un seul tenant.

Un mot, enfin, sur *Combat*. On trouvera au tome I les textes publiés par Camus dans ce journal au moment où il paraissait clandestinement (mars-juillet 1944). Mais les articles parus dans *Combat* à partir de la libération de Paris (y compris, par conséquent,

---

1. Quelques articles de commande ou de circonstance n'ont pas été retenus.

ceux qui sont antérieurs à janvier 1945) figurent tous au tome II, où le lecteur pourra plus aisément les mettre en rapport avec ceux que Camus a recueillis dans *Actuelles*.

3. *Les écrits posthumes.* — On trouvera dans la section ainsi intitulée les textes restés inédits du vivant de Camus.

Certains de ces ouvrages posthumes, comme *La Mort heureuse* (tome I) ou *Le Premier Homme* (tome IV), sont devenus célèbres ; cette célébrité n'était cependant pas une raison suffisante pour qu'ils soient placés au même rang éditorial que les œuvres que Camus avait lui-même livrées au public. Mais, là encore, le choix d'un découpage chronologique permettra au lecteur de trouver dans un même volume (le tome I) le Mersault de *La Mort heureuse* et le Meursault de *L'Étranger*, alors que cohabiteront au tome IV *La Chute* et *Le Premier Homme* — c'est-à-dire, peut-être, les deux textes que Camus (qui ne les avait pas encore écrits) associait au sein de la « 3ᵉ série » de son œuvre dans la note de 1947 déjà citée.

Les textes posthumes divers (essais narratifs ou poétiques, notes de lecture, projets d'articles, conférences ou déclarations jamais imprimées, etc.) sont réunis au tome I dans une rubrique « Premiers écrits » et, dans les volumes suivants, sous l'intitulé « Textes épars ». Les adaptations théâtrales réalisées par Camus dans le cadre du « Théâtre du Travail » (1936-1937) ou du « Théâtre de l'Équipe » (1937-1939) figurent au tome I sous ces intitulés[1]. Il va de soi, en revanche, que les grandes adaptations ultérieures, publiées par Camus lui-même (celles par exemple de *Requiem pour une nonne* ou des *Possédés*), paraîtront dans les volumes suivants au même rang que ses ouvrages originaux.

Enfin, les *Carnets* de Camus, qui constituent une mine d'informations sur la genèse de son œuvre, seront publiés en deux moitiés : au tome II pour les années 1935-1948 ; au tome IV pour les années 1949-1959.

Les œuvres publiées en librairie, les grands textes posthumes, ainsi que les ensembles d'articles parus dans des journaux dont Camus était l'un des animateurs ou auxquels il a collaboré de manière suivie[2], font l'objet d'une notice de présentation. Une courte notule introduit chacun des textes épars.

La Chronologie qui figure au tome I couvre l'ensemble de la vie de Camus ; on trouvera en tête des volumes suivants la Chronologie des années concernées.

Une Bibliographie générale figurera au tome IV de la présente édition.

---

1. S'agissant des adaptations du *Prométhée enchaîné* d'Eschyle ou du *Retour de l'enfant prodigue* de Gide, on n'a transcrit que partiellement, à titre de documents, les manuscrits de Camus. Voir la Notice du Théâtre du Travail et de l'Équipe, p. 1435, 1440 ; et p. 1443.
2. Aux tomes I et II, c'est le cas pour *Sud*, *Alger-Étudiant*, *Alger républicain*, *Le Soir républicain*, « Le Salon de lecture » d'*Alger républicain*, *Combat* clandestin et *Combat* publié au grand jour.

★

La direction de cette édition avait été confiée à Jacqueline Lévi-Valensi, que sa profonde familiarité avec l'œuvre d'Albert Camus désignait pour cette tâche. La maladie lui aura permis de travailler aux deux premiers volumes, mais non de les voir paraître. Jacqueline Lévi-Valensi est décédée le 12 novembre 2004. Elle avait achevé de rédiger l'Introduction générale de l'édition, que nous publions dans ce volume, en hommage à sa mémoire.

★

Éditions et sigles utilisés.

— Les références aux *Cahiers Albert Camus* (Éditions Gallimard) sont abrégées en *CAC*, suivies de leur numéro :

CAC 1 : *La Mort heureuse*, introduction et notes de Jean Sarocchi (1971).

CAC 2 : *Le Premier Camus, suivi de Écrits de jeunesse d'Albert Camus*, par Paul Viallaneix (1973).

CAC 3* et *3*** : *Fragments d'un combat (1938-1940). « Alger républicain »*, édition établie, présentée et annotée par Jacqueline Lévi-Valensi et André Abbou (1978).

CAC 4 : « *Caligula », version de 1941*, texte établi par James A. Arnold suivi de « La Poétique du premier *Caligula* » par James A. Arnold (1984).

CAC 5 : *Albert Camus : œuvre fermée, œuvre ouverte ? Actes du colloque de Cerisy de juin 1982*, sous la direction de Raymond Gay-Crosier et de Jacqueline Lévi-Valensi (1985).

CAC 6 : *Albert Camus éditorialiste à « L'Express » (mai 1955-février 1956)*, introduction, commentaires et notes par Paul-F. Smets (1987).

CAC 7 : *Le Premier Homme* (1994).

CAC 8 : *Camus à « Combat » (1944-1947)*, édition établie, présentée et annotée par Jacqueline Lévi-Valensi (2002).

— Les renvois à la première édition des œuvres de Camus publiée dans la Bibliothèque de la Pléiade sont abrégés de la manière suivante :

Pléiade Essais, pour le volume intitulé *Essais*
Pléiade TRN, pour le volume intitulé *Théâtre, récits, nouvelles.*

— Les textes à paraître dans les tomes III et IV de la présente édition sont cités d'après leur édition courante (coll. « Folio », « Folio essais », etc.). À défaut, ils le sont d'après la *Pléiade Essais* ou la *Pléiade TRN*.

ESSAI DE CRÉATION COLLECTIVE

RÉVOLTE
DANS LES ASTURIES

Pièce en quatre actes

À ALGER POUR LES AMIS DU THÉÂTRE DU TRAVAIL

À Sanchez, Santiago, Antonio, Ruiz et Léon.

Le théâtre ne s'écrit pas, ou c'est alors un pis-aller.

C'est bien le cas de l'œuvre que nous présentons aujourd'hui au public. Ne pouvant être jouée, elle sera lue du moins.

Mais que le lecteur ne la juge pas. Qu'il s'attache plutôt à traduire en formes, en mouvements et en lumières ce qui n'est ici que suggéré. À ce prix seulement, il remettra à sa vraie place cet essai.

Essai de création collective, disons-nous. C'est vrai. Sa seule valeur vient de là. Et aussi de ce que, à titre de tentative, il introduit l'action dans un cadre qui ne lui convient guère : le théâtre. Il suffit d'ailleurs que cette action conduise à la mort, comme c'est le cas ici, pour qu'elle touche à une certaine forme de grandeur qui est particulière aux hommes : l'absurdité.

Et c'est pourquoi, s'il nous fallait choisir un autre titre, nous prendrions La Neige. On verra plus loin pourquoi. C'est en novembre qu'elle couvre les chaînes des Asturies. Et il y a deux ans, elle s'étendit sur ceux de nos camarades qui furent tués par les balles de la Légion. L'histoire n'a pas gardé leurs noms.

RÉVOLTE DANS LES ASTURIES

Le décor entoure et presse le spectateur, le contraint d'entrer dans
une action que des préjugés classiques lui feraient voir de l'extérieur.
Il n'est pas devant la capitale des Asturies mais dans Oviedo, et tout
tourne autour de lui qui demeure le centre de la tragédie. Le décor est
conçu pour l'empêcher de se défendre. De chaque côté des spectateurs,
deux longues rues d'Oviedo : devant eux une place publique sur laquelle
donne une taverne vue en coupe. Au milieu de la salle, la table du
Conseil des ministres surmontée d'un gigantesque haut-parleur figurant
Radio-Barcelone. Et l'action se déroule sur ces divers plans autour du
spectateur contraint de voir et de participer suivant sa géométrie personnelle. Dans l'idéal, le fauteuil 156 voit les choses autrement que le
fauteuil 157.

ACTE I

SCÈNE I

La nuit commence ; c'est la fin de l'été.
Dans l'ombre — à gauche, derrière les spectateurs —
une chanson de la montagne de Santander :

En el baile nos veremos,
esta tarde, morenuca ;
en el baile nos veremos

> *y al son de la pandereta*
> *unos bailes echaremos.*

UN AUDITEUR, *dans la salle* : Bravo, bravo !

> *Tandis que le thème est repris par un accordéon, la lumière éclate ; au bout d'une rue, un gars, appuyé à une arcade, lance de nouveau sa voix :*

> *Y al son de la pandereta*
> *unos bailes echaremos.*

UN AUTRE HOMME, *parmi le public* : S'il est pas bon, le petit !

> *L'accordéoniste s'éloigne à pas lents, jouant l'accompagnement en sourdine. Dans la salle reprend l'animation traditionnelle de la rue espagnole.*

UNE FEMME, *à une autre* : Vous allez à la procession ?

LE MARCHAND DE BILLETS, *qui parcourt l'allée centrale* : Qui veut de la loterie, qui veut la chance ? Il me reste le gros lot. Dans huit jours on la tire.

UNE FEMME : Oui, depuis cinq mois. Et maintenant le propriétaire veut nous saisir.

LE MARCHAND DE BILLETS : Il se lit pareil dans les deux sens. Qui veut la chance ? Profitez des derniers.

UNE FEMME : À bientôt, allez avec Dieu.

> *Un petit crieur de journaux surgit et court autour du public en criant :*

LE PETIT CRIEUR DE JOURNAUX : Demandez le *Heraldo de Madrid*. Les prévisions pour les élections générales.

UN HOMME : Eh, ils sont de deux jours tes journaux.

LE MARCHAND DE BILLETS : La chance pour tout le monde.

> *Pendant tout ce temps, l'accordéon se dirige toujours vers la place centrale.*

UNE VOIX, *dans les coulisses* : Pour un gros sou et bien fraîche, pour un gros sou.

UNE VOIX, *bredouillante sur la place et dans l'obscurité* : C'est pas de la blague, si je voulais je le ferais. Je n'ai jamais demandé grand-chose, moi.

> *L'accordéon, entamant un paso doble, tourne autour du cabaret et y entre.*

SCÈNE II

> *Dans le noir des battements de mains rythmés sur l'accordéon. Une femme termine quelques pas, puis s'éclipse. Des couples dansent sur le même air. Sur le devant, à côté de la porte, un épicier et un pharmacien fument en bavardant, à une table. Au seuil de la maison d'en face, Père Éternel, un vieil idiot; Pèpe, un jeune coiffeur, traverse la place et se dirige vers le cabaret.*

PÈPE, *au passage* : Alors, Père Éternel ?

LE VIEUX : Alors, voilà.

PÈPE : Alors, ça va ?

LE VIEUX : Alors comme tu vois.

PÈPE, *lui passant la main sur le nez et entrant dans le cabaret* : Aïe, qu'il est vilain !

> *Il se mêle aux conversations des consommateurs et plaisante avec Pilar, la patronne, 35 ans.*

LE VIEUX : J'ai jamais demandé grand-chose, moi. Au revoir et merci, qu'il dit le Père Éternel. C'est pas de la blague. Au revoir et merci qu'il dit le Père Éternel.

L'ÉPICIER, *frappant dans ses mains* : Eh, la mère, des cartes.

PILAR : Voilà, messieurs.

> *Ils commencent à jouer.*

LA RADIO, *voix féminine, distinguée, sans conviction* : ALLÔ, ALLÔ. ICI RADIO-MADRID. DERNIÈRES NOUVELLES DES ÉLECTIONS LÉGISLATIVES. LES DERNIERS RÉSULTATS PARVENUS À NOTRE POSTE SONT LES SUIVANTS : À CUENCA, LE CHEF DU PARTI DE LA RÉNOVATION ESPAGNOLE, M. GOICOECHES, EST ÉLU PAR 4 225 VOIX CONTRE 2 615 À SON ADVERSAIRE, LE CITOYEN LOPEZ, CANDIDAT SOCIALISTE.

LE PHARMACIEN : Aïe, aïe, aïe.

LA RADIO : ALLÔ, ALLÔ, LE JOURNAL « HERALDO DE MADRID » NOUS COMMUNIQUE : À SALAMANQUE, LE LEADER DE LA CONFÉDÉRATION ESPAGNOLE DES DROITES AUTONOMES, DON GIL ROBLES, TRIOMPHE AUX ÉLECTIONS PAR 7 200 VOIX CONTRE 5 610 À SON ADVERSAIRE.

LE PARTI RÉPUBLICAIN CONSERVATEUR TRIOMPHE À ZAMORA, OÙ LA LISTE DE DON MIGUEL MAURA EST ÉLUE EN ENTIER.

ALLÔ, ALLÔ, AVANT DE VOUS DONNER LES RÉSULTATS
DÉFINITIFS DES ÉLECTIONS LÉGISLATIVES, NOUS ALLONS VOUS
TRANSMETTRE LES COURS DE CLÔTURE DE LA BOURSE DE
MADRID.

LE PHARMACIEN : À moi de donner. *(Il donne.)* Annonce !

L'ÉPICIER : Ronda.

LE PHARMACIEN : Ah, là là ; ta femme doit te tromper.

Ils rient avec application.

L'ÉPICIER : Je prends.

LE PHARMACIEN : Pardon. Cao. Quel boucan à côté. Ils
rigoleront moins tout à l'heure.

L'ÉPICIER : Pourquoi ? Tu penses que Lerroux…

LE PHARMACIEN : Missa. Moi, je suis pour les idées. Et on
dira ce qu'on voudra, l'instruction, c'est une belle chose. Et
Lerroux, il a des titres.

L'ÉPICIER, *comparant ses points* : Et 3 font 14. Mon pauvre
père me disait souvent que sans la discipline…

LE PHARMACIEN : Sans compter que tous ces salauds-là, on
leur donne un doigt et ils vous bouffent la tête. À toi de
donner. Je ne dis pas : ça va mal. La pharmacie ne donne
pas. Ils sont de moins en moins malades. J'ai connu un
temps où ils se soignaient même le mal à la tête. Maintenant,
à moins d'une congestion double…

Ils rient et jouent.

UN CONSOMMATEUR, *à l'intérieur* : Moi, j'ai voté pour lui,
parce qu'il est pas fier.

LA RADIO : VOICI MAINTENANT, CHERS AUDITEURS, LE
PROGRAMME DE NOS ÉMISSIONS DE DEMAIN : 8 HEURES : UNE
DEMI-HEURE DE MUSIQUE ENREGISTRÉE. 12 HEURES : CONCERT
VARIÉ. 15 HEURES : ÉMISSION DES HÔPITAUX. 16 HEURES :
RADIO REPORTAGE DU MATCH DE FOOTBALL ATHLETIC BILBAO
CONTRE SPORTING-CLUB MADRID. 18 HEURES : ROMANCES ET
ZARZUELAS. 19 H 15 : INFORMATIONS. 20 HEURES : MUSIQUE
DE DANSE… ALLÔ, ALLÔ. VOICI TRANSMIS À L'INSTANT PAR
LE JOURNAL « AVANGUARDIA » LES RÉSULTATS DÉFINITIFS
DES ÉLECTIONS LÉGISLATIVES. CENTRE : 139 DÉPUTÉS, DONT
104 RADICAUX, 11 CONSERVATEURS, 10 LIBÉRAUX DÉMO-
CRATES ET 14 RÉPUBLICAINS INDÉPENDANTS.

Pèpe impose silence et écoute d'un air tendu.

LA RADIO : LES DROITES OBTIENNENT 207 SIÈGES DONT 113

REVIENNENT À L'ACTION POPULAIRE, 32 AUX AGRARIENS ET LE
RESTE AUX TRADITIONALISTES ET MONARCHISTES.

LES GAUCHES OBTIENNENT 99 SIÈGES DONT 57 VONT AUX
SOCIALISTES. LES COMMUNISTES N'ONT QU'UN REPRÉSENTANT,
BOLIVAR, ÉLU EN ANDALOUSIE.

SCÈNE III

> L'Épicier rit bruyamment. Pèpe sort sur le pas de
> la porte et le fixe.

LE PHARMACIEN : C'est comme ces femmes qu'on fait
voter. Leur place est à la maison à raccommoder les chaus-
settes de leur mari. Ah ! le monde a bien changé.

L'ÉPICIER, *qui perd sans sérénité* : Moi, jusqu'à l'âge de 25 ans,
quand j'allais voter, mon père m'accompagnait et m'indi-
quait le bon candidat *(portant son verre à ses lèvres)*, et comme
ça, au moins, il y avait des traditions qui ne se perdaient pas.

PÈPE, *lui pousse la tête dans son verre* : Et c'est comme ça que
tu es aussi con.

L'ÉPICIER, *suffoquant* : En voilà encore !... qu'est-ce qui
vous prend, vous ?

PÈPE : Tu me dégoûtes.

LE PHARMACIEN : Je vous en prie, c'est une provocation.

PÈPE : Non, c'est parce qu'il est gros. C'est aussi parce
qu'il est bête.

DOÑA PILAR, *sortant* : Tais-toi, petit. Messieurs, c'est un
enfant et tous ces événements lui ont tourné la tête.

> Les gens sortent du café au bruit de la dispute.

LA RADIO : ALLÔ, ALLÔ, NOUS APPRENONS DE SOURCE OFFI-
CIELLE QUE M. ALCALA ZAMORA A CONFIÉ À M. LERROUX LE
SOIN DE CONSTITUER LE NOUVEAU MINISTÈRE.

L'ÉPICIER, *convulsé* : Toute cette racaille sera bientôt balayée.
L'ordre... enfin l'ordre... enfin la discipline.

PÈPE : Ta gueule, fumier.

UN HOMME, *qui arrive au fond d'une rue* : Les mineurs sont
en grève. Et quand ils apprendront que Lerroux est nommé,
y a tout à craindre.

> *Lointaines explosions.*

L'ÉPICIER, *de plus en plus convulsé* : Et il fera chaud quand je remettrai les pieds dans cette boîte.

LE MARCHAND DE BILLETS, *accourant* : Les mineurs ont pris les armes et marchent sur la ville.

PILAR : C'est un enfant, messieurs.

L'ÉPICIER : C'est donc vrai que vous couchez avec ?

PÈPE, *hors de lui et lui crachant à la figure* : C'est vrai, ordure, et ça vaut toujours mieux que de coucher avec ta femme.

> *Il se jette sur lui.*

LE PETIT CRIEUR DE JOURNAUX, *qui arrive* : Les mineurs entrent dans la ville.

> *Le bruit du combat se rapproche, le chant des mineurs s'élève, pendant qu'une bagarre générale s'engage. Une chaise tombe. On essaye de retenir Pèpe qui crie : « Les voilà et tu verras bientôt. »*

PILAR : Petit !

PÈPE : Non !... Il y a trop longtemps que ça dure. Il fallait que ça crève. Laisse-moi les rejoindre.

UN HOMME, *arrive en courant* : Les voilà !

> *Entrent en ligne, les mineurs, torse nu, armés. À quelques pas des bourgeois, ils s'arrêtent en demi-cercle et cessent de chanter brusquement.*
> *Pèpe s'est figé entre les deux groupes.*

LA RADIO : LE JOURNAL « AVANGUARDIA » PUBLIERA DEMAIN MATIN LES COMMENTAIRES SUIVANTS À PROPOS DES ÉLECTIONS : LES ÉLECTIONS LÉGISLATIVES ONT MARQUÉ, COMME TOUS LES ESPAGNOLS SINCÈRES L'ESPÉRAIENT ET LE PRÉVOYAIENT, UNE VICTOIRE DES PARTIS MODÉRÉS SUR LES EXTRÉMISTES DE GAUCHE, UN TRIOMPHE DE LA POLITIQUE PONDÉRÉE, SAGE ET DÉMOCRATIQUE SUR LES VISÉES RÉVOLUTIONNAIRES NÉFASTES DES TENANTS DU MARXISME ET DE L'INTERNATIONALE.

> *La radio se termine dans l'obscurité.*

AU SUJET DE L'ARRIVÉE AU POUVOIR DE M. LERROUX, L'ARTICLE CONTINUE AINSI : DE MÊME QUE LES ÉLECTIONS, L'ARRIVÉE AU POUVOIR DE DON ALEXANDRE LERROUX ET D'UNE NOUVELLE ÉQUIPE MINISTÉRIELLE SATISFAIT L'ESPAGNE ENTIÈRE ET LUI DONNE LA GARANTIE QUE NOTRE GRANDE TRADITION CIVILISATRICE, DÉMOCRATIQUE ET SOCIALE CONTINUERA À FLEURIR. GRÂCE À SON EXPÉRIENCE, SA MODÉRATION ET SA

SAGESSE, LE NOUVEAU PREMIER SAURA TIRER DES ÉLECTIONS
LA LEÇON QU'IL CONVIENT ET S'OPPOSER AVEC ÉNERGIE AUX
MENÉES DES HOMMES OU DES PARTIS QUI AGISSENT À LA SOLDE
DES PAYS ÉTRANGERS DANS LE BUT D'ANNIHILER LES FORCES
VITALES ET SACRÉES DE LA NATION ESPAGNOLE.

  DON ALEXANDRE LERROUX, RECEVEZ AU NOM DE L'ES-
PAGNE RÉELLE ET DE TOUS LES VRAIS ESPAGNOLS, L'HOMMAGE
DE NOTRE CONFIANCE, DE NOTRE RECONNAISSANCE ET DE
NOTRE ADMIRATION.

RIDEAU

ACTE II

Pendant la fin de l'entracte.

  LA RADIO, *ton haché* : LA CATALOGNE EST EN INSURREC-
TION... DES RÉVOLTES ÉCLATENT DANS LES CAMPAGNES D'AN-
DALOUSIE... OVIEDO AUX MAINS DES REBELLES.

SCÈNE I

> *Les mineurs assis un peu partout achèvent de casser
> la croûte. Un d'eux, debout, boit à la régalade. Dans
> un coin Pilar et Pèpe.*

  LE BASQUE : Alors j'y dis : « Tu crois que c'est le paradis
cette putain de vie ? » Non, qu'i me dit...
  ANTONIO, *la bouche pleine* : On a beau être habitué à la
misère, ça faisait quelque chose de voir ça.
  SANCHEZ : Que voulez-vous, la Révolution ça se fait pas
avec un éventail.
  PÉREZ : On est pas encore rentré chez nous !... Santé et
joie ! *(Il boit à son tour.)* Faut pas se frapper, faut pas s'em-
baller non plus !
  PILAR : Oui, mais c'est pas ceux qui s'en vont, les plus
malheureux, c'est ceux qui restent.
  SANTIAGO : Oui, mais je vais te dire une bonne chose :
chez moi, quand les femmes pleurent, elles pleurent seules.
  PILAR, *indignée* : Et l'amour, elles le font seules ?

SANTIAGO, *toujours bonhomme* : Oui, mais c'est qu'on a pas besoin de pleurer pour ça.

SANCHEZ : Assez causé. Tenez, écoutez ce décret : « Tout contre-révolutionnaire pris les armes à la main, tout saboteur sera immédiatement fusillé. Le peuple est chargé de l'exécution du présent décret. » Ça va ? *(Signe d'assentiment.)* Bon, et d'une… Pour les bons de travail à la place de l'argent[1], on est déjà d'accord et ça va fonctionner… Maintenant il y a cette nom de Dieu de caserne. C'est nous que Gomez a chargés d'en venir à bout, et ils résistent toujours.

PÈPE : Il n'y a qu'à donner l'assaut, les étudiants et nous les jeunes.

SANCHEZ : Et vous faire tous massacrer comme des lapins ?… Ceux-là, depuis qu'on leur a donné des fusils !… Écoutez-moi, j'ai bien pensé à une chose. C'est un camion chargé de poudre qui irait sauter contre la muraille. Seulement il faut un type pour le conduire, un autre pour allumer la mèche et ceux-là, dame…

SANTIAGO : Il n'y a qu'à tirer au sort.

> *Les autres approuvent de la tête. Il sort une boîte d'allumettes, la lance à Pèpe. Celui-ci tire une quinzaine d'allumettes, en casse deux et les distribue au mineurs. Il annonce.*

PÈPE : Ruiz. Léon.

> *Les deux sortent du rang, saluent du poing et s'en vont sans phrases. Silence des mineurs.*

SCÈNE II

LE CHEF, *reprend* : Autre chose, c'est l'absence de ravitaillement. Les gros commerçants ne veulent pas lâcher leurs stocks. Dans notre situation, pas de pitié, faut frapper vite.

LA RADIO : ALLÔ, ALLÔ, RADIO-MADRID. — NOUS RECEVONS LA NOTE OFFICIELLE SUIVANTE PUBLIÉE PAR LE MINISTÈRE DE L'INTÉRIEUR : PROFITANT DE L'ATMOSPHÈRE DE TRÊVE ET DE CORDIALITÉ DANS LAQUELLE SE SONT DÉROULÉES LES DERNIÈRES ÉLECTIONS, LES RÉVOLUTIONNAIRES PROFESSIONNELS DU MARXISME ET DE L'ANARCHO-SYNDICALISME ONT CRÉÉ DANS DIVERS CENTRES URBAINS DES PROVINCES UN MOUVE-

MENT INSURRECTIONNEL. À OVIEDO ET DANS LES ASTURIES
ILS ONT RÉUSSI À ENTRAÎNER DERRIÈRE EUX UNE PARTIE DES
MINEURS.

LES MENEURS SONT CONNUS : CE SONT LES CHEFS DU SYN-
DICAT DE MINEURS COMMUNISTES ET LE CITOYEN XAVIER
BUENO Y BUENO, LEADER DU PARTI SOCIALISTE D'OVIEDO ET
DIRECTEUR DU JOURNAL L'« AVANCE ». ILS ONT LANCÉ LE
20 OCTOBRE L'ORDRE DE GRÈVE DONT NOUS EXTRAYONS
CETTE PHRASE : « QUE LA FORCE PUBLIQUE SE RENDE OU SOIT
MISE À MORT ». LE GOUVERNEMENT A PRIS D'ORES ET DÉJÀ
TOUTES LES MESURES SUSCEPTIBLES DE FAIRE ÉCHOUER CE
MOUVEMENT ET DE RAMENER L'ORDRE AUQUEL ASPIRE L'ES-
PAGNE ENTIÈRE.

SANTIAGO : Quelque chose qui me tracasse, je vais vous
dire, c'est les écoles. Il faut des écoles, beaucoup d'écoles.
Moi, vous voyez, je ne sais pas lire. C'est mon gars qui me
disait les nouvelles, mais il a été tué dans un éboulement.
Alors je crois qu'il faudrait en créer des écoles, pour tout le
monde.

ANTONIO : Il y a les gens des vallées et puis ceux des mon-
tagnes. Il faut leur dire qu'on n'est plus esclaves maintenant.
Là-haut, dans les pâturages, on ne sait pas, on ne sait jamais.
Moi, j'ai mes vieux, ils ne savent pas.

SANCHEZ : Oui, on leur enverra du monde avant les premières neiges, on les organisera.

LE BASQUE : Dites donc, camarades, faut veiller à ce qu'on
ne pille pas. Tout à l'heure j'ai vu un type qui se servait dans
un entrepôt. Je lui ai toujours flanqué un coup de fusil…

UN OUVRIER : Il y a du bon et du mauvais partout, bien
sûr.

LE BASQUE : Un type bien mis, aussi.

SANCHEZ : Antonio, tu as une bonne équipe, tu n'auras
qu'à faire des rondes quand on aura fini. Il ne faut pas qu'ils
nous la salissent, notre révolution.

SANTIAGO : Il y a aussi la liaison avec les marins. Ici c'est
comme qui dirait la capitale. Il faudrait qu'on dise aux
copains de la côte de s'aboucher avec les bateaux de guerre,
je me suis laissé dire qu'il y a des mutineries sur les croiseurs.

UN MINEUR, *qui arrive* : Les vaches, ils tirent toujours du
clocher de la cathédrale. Ils viennent de descendre un gosse
qui passait sur la place de la Constitution.

Formidable explosion. Les mineurs se lèvent.

SANTIAGO, *lentement* : Tu vois, c'est bien ce que je pensais ;
voilà Ruiz et Léon qui sont morts, à présent. Eh bien, y faut
pas que ça soit pour rien. Moi j'ai plus grand-chose à perdre
maintenant, je suis trop vieux ; mais vous, les jeunes, toi
petit, pensez à tout ce qui vient, à tout ce qui est nouveau.

ANTONIO : Ruiz était mon copain de toujours.

Long silence.

UN MINEUR : Toutes ces histoires ça me creuse l'estomac.
Eh, la patronne !

Un autre mineur met un disque.

PILAR : Ah ! comment tout cela va finir.

Battements de mains, un mineur danse.
Obscurité. Lumière sur la place publique.

SCÈNE III

ALONSO, *sur sa chaise, bave et raconte* : Et alors ? Alors merci.
Merci bien, m'sieurs dames. Cordonnier que j'étais, à Porcuna. *(D'un air finaud.)* C'est en Andalousie.

LA RADIO, *le coupant* : ALLÔ, ALLÔ, ICI RADIO-BARCELONE.
CHERS AUDITEURS, NOUS VOUS DONNONS LECTURE DES DER-
NIERS TÉLÉGRAMMES RELATANT LES ÉVÉNEMENTS D'OVIEDO.
DES GROUPES IMPORTANTS DE CONTREBANDIERS ET DE
MINEURS SONT ENTRÉS HIER DANS LA VILLE, LE PREMIER PAR
LE FAUBOURG SAINT-LAZARE ET LES RUES DE L'ARCHEVÊCHÉ ET
DE LA MAGDALENA, LE SECOND PAR LE FAUBOURG SAINT-LAU-
RENT.

Un temps.

ALONSO, *ricane* : Et voilà ! C'est pour dire. *(Il crie.)* Oh !
Sanchez. Tu connais Porcuna, tu m'as dit. Alors t'as bien vu
les chaînes de piments autour des fenêtres et les tomates qui
sèchent sur le toit. Ma mère y me disait : Au revoir et merci.
Dans toute l'Espagne, y a rien comme Porcuna. Et…

LA RADIO, *le coupant* : DES TÉMOINS OCULAIRES QUI
ONT ÉCHAPPÉ PAR MIRACLE À LA FURIE DES DESTRUCTEURS
AFFIRMENT QUE LES RÉVOLUTIONNAIRES ONT FAIT SAUTER À
LA DYNAMITE L'UNIVERSITÉ, LA BIBLIOTHÈQUE ET LA BANQUE
DES ASTURIES, AINSI QUE LA PLUPART DES AUTRES BÂTIMENTS

QUI ENTOURENT LA PLACE DU 27-MARS. NOUS APPRENONS DE SOURCE OFFICIELLE QUE LES INSURGÉS ONT ASSIÉGÉ LA CASERNE DE LA GARDE CIVILE, APRÈS AVOIR COUPÉ L'EAU ET L'ÉLECTRICITÉ ILS ONT BOMBARDÉ LA CASERNE À L'AIDE DES MORTIERS DE TRANCHÉES VOLÉS À L'ARSENAL. IL SEMBLE QUE LES OCCUPANTS ONT PU ÉVACUER LE BÂTIMENT.

ALONSO : Et j'allais prendre les lézards, mais ils se sauvaient dans les petits murs de pierres sèches. Je me raclais les doigts pour les reprendre au fond du trou. Alonso, y me disait ma mère, laisse les lézards, c'est le bien du bon Dieu…

LA RADIO : L'AGENCE FABRA NOUS TÉLÉGRAPHIE : LES RÉVOLUTIONNAIRES SE SONT EMPARÉS DE LA BANQUE D'ESPAGNE ET DES 14 MILLIONS DE PESETAS QU'ELLE CONTENAIT.

LE PALAIS ÉPISCOPAL ET LE SANCTUAIRE DE LA CATHÉDRALE D'OVIEDO SONT LA PROIE DES FLAMMES — LE SANCTUAIRE A ÉTÉ ARROSÉ DE PÉTROLE ET D'ESSENCE AVANT D'ÊTRE INCENDIÉ.

ALONSO, *s'expliquant* : Alors j'allais sur les petites montagnes. Pas un arbre, Sanchez, pas un arbre. Avec la chaleur qui écorche la gorge, et l'odeur des absinthes qui vous donne l'envie. Le soir je descendais. Ma mère y me disait : Fais ta prière, Alonso. Mais moi, avant de la faire, je lui disais…

LA RADIO : DE MADRID NOUS PARVIENT LA NOUVELLE SUIVANTE : ON APPREND DE SOURCE OFFICIELLE QUE LES RÉVOLUTIONNAIRES SE SONT EMPARÉS DES MANUFACTURES D'ARMES DE LA VEGA ET DE LA TRUBIA AINSI QUE DE L'ARSENAL MILITAIRE.

LE COUVENT DES PÈRES DU CARMEL A ÉTÉ ASSIÉGÉ. LE SUPÉRIEUR, LE R. PÈRE EUFRASIO DEL NINO JESUS, QUI EN S'ÉCHAPPANT S'ÉTAIT DÉMIS LA HANCHE ET AVAIT ÉTÉ TRANSPORTÉ À L'HÔPITAL PAR DES ÂMES CHARITABLES, A ÉTÉ ARRACHÉ DE SON LIT ET FUSILLÉ PAR LES RÉVOLUTIONNAIRES.

ALONSO : Quand j'avais fini je disais : c'est pour dire. Alors bien sûr : Notre Père qui êtes aux cieux, que votre règne arrive, que votre volonté soit faite sur la terre comme aux cieux.

LA RADIO, *hurlant* : UN CORRESPONDANT DE L'AGENCE UNITED PRESS QUI A ASSISTÉ À LA PREMIÈRE JOURNÉE DE L'INSURRECTION RAPPORTE QUE LES RUES PRINCIPALES D'OVIEDO OFFRENT UN SPECTACLE LAMENTABLE ET SONT DÉJÀ JONCHÉES PAR DES CENTAINES DE CADAVRES. IL SIGNALE EN OUTRE LA CONDUITE HÉROÏQUE DES TROUPES GOUVERNEMENTALES ET DES GARDES CIVILS.

ALONSO, *se dressant, éperdu, bras en croix, la tête tournée vers le ciel* : Et le Père Éternel m'a dit : « Alonso, tu es mon fils,

laisse-les, va : eux, y font la révolution, toi tu es mon fils. »
Alors je sais bien, moi, je peux mourir. Mauvaise tête ne
crève jamais. Et quand je serai mort, tous les anges du bon
Dieu viendront et ils me diront : « Allons, viens, Alonso,
viens, ne fais pas le méchant. » Et moi, je dirai « non ». Mais
c'est pour dire. Parce que j'irai avec eux. Et on montera et
puis on montera encore dans le bleu, avec le gros soleil qui
monte des champs à midi. En bas, tous ceux de Porcuna
seront sous les figuiers à couper leur pain ou à boire et l'al-
carazas leur bouchera le ciel. Et Alonso avec. J'irai devant le
bon Dieu, tout porté par ses anges et il me dira : « Alonso,
tu es mon fils, tu as bien aimé les piments et les tomates et
puis les petites montagnes sans arbres et aussi les murs de
pierre avec les lézards. » Et Alonso il lui dira au Père Éternel.
Il lui dira : « Oui, j'ai jamais demandé grand-chose — je suis
de Porcuna. »

Obscurité.

SCÈNE IV

Lumière sur la taverne.

UN MINEUR, *entrant* : Voilà les gros commerçants.

Entrent les représentants du syndic patronal : le
Pharmacien, l'Épicier, des comparses.
Les mineurs se mettent derrière une table.

SANCHEZ : Mon discours, ça sera pas long. La Révolution
a besoin de vos stocks et de vos marchandises. Elle ne peut
pas vivre sans ça. Si vous ne les donnez pas, la Révolution
est foutue. Et nous avec. Nous, ça n'a pas d'importance.
Elle, vous ne comprendrez pas si j'en parle. Alors, si vous
refusez d'ouvrir vos magasins, c'est la mort. Si vous les
ouvrez, vous pouvez compter sur nous.

L'ÉPICIER : Je…

SANCHEZ : Un mot encore *(il sort son revolver)*, ça se fera
tout de suite. Je compte jusqu'à 3 : 1… 2… 3… *(À l'Épicier :)* À toi.

L'ÉPICIER, *farouchement* : Non.

Sanchez tire, l'Épicier tombe. Affolement des autres
patrons.

SANCHEZ, *au Pharmacien* : À toi.
LE PHARMACIEN : Oui.
SANCHEZ : J'en étais sûr.

SCÈNE V

Le corps est resté au premier plan. On fait entrer des détenus : un officier de gardes civils, des bourgeois.

LE BASQUE : Ça, c'est à juger tout de suite.
SANCHEZ, *au Pharmacien* : Tu seras l'avocat. *(À l'un des siens :)* Accuse.
L'ACCUSATEUR : L'officier des gardes civils a donné l'ordre de tirer avant toute provocation, c'est tout.
SANCHEZ : Avocat, c'est ton tour.
LE PHARMACIEN, *interdit* : Mais…
SANCHEZ, *froidement* : C'est ton tour.
LE PHARMACIEN : Mais cet homme est comme moi. Il ne vous a rien fait à vous. Et puis, c'était son métier, son devoir. Il a peut-être des enfants. De quel droit tuez-vous ? De quel droit enfin…
SANCHEZ : Tu vois que tu fais très bien en avocat. *(Il regarde ses camarades. Un temps.)* Condamné à mort. Au suivant.

On emmène l'officier. On fait avancer le suivant.

L'ACCUSATEUR : C'est un gros transitaire. Caché derrière ses persiennes, il a tiré dans ce qu'il appelle la populace : trois morts.
LE TRANSITAIRE : Je n'ai pas besoin d'avocat. Je sais me défendre. Surtout devant une justice comme ça. Je te méprise. C'est vrai, j'ai tiré dans le tas. Je n'en ai tué que trois. Tuez-moi, tu verras, il y a encore des bourgeois qui savent mourir.
SANCHEZ, *à ses camarades* : Bon, celui-là, au moins, c'est pas un dégonflé. Condamné à mort.

On emmène le Transitaire.

SANCHEZ : Au suivant.

Derrière les coulisses : « Feu ! »

RIDEAU

ACTE III

SCÈNE I

> *Les mineurs écoutent un disque, en cercle autour de l'appareil.*

LA RADIO, *très vite* : ALLÔ, ALLÔ, ICI RADIO-BARCELONE. LES RÉVOLUTIONNAIRES SONT ÉCRASÉS EN CATALOGNE ET DANS TOUTES LES PROVINCES. COMPANYS[1] ET SES MINISTRES SONT ARRÊTÉS. MIERE ET LES SECTEURS QUI ENTOURENT OVIEDO SONT REVENUS AU CALME. SEULE LA VILLE RÉSISTE. LES TROUPES RÉGULIÈRES ONT REÇU L'ORDRE D'ATTENDRE L'ARRIVÉE DES LÉGIONNAIRES ET DES TIRAILLEURS MAROCAINS QUI SE TROUVENT MAINTENANT À UNE HEURE DE LA VILLE SOUS LES ORDRES DU GÉNÉRAL LOPEZ OCHOA.

LE MORAL DES TROUPES EST EXCELLENT ET CORRESPOND ENTIÈREMENT AU PLAN DU MINISTÈRE ET AUX INTENTIONS PERSONNELLES DE DON DIEGO HIDALGO, MINISTRE DE LA GUERRE. IL NE FAUT PAS LAISSER LA CAPITALE SANS DÉFENSE. C'EST POURQUOI IL S'AGIT D'EMPLOYER LES CORPS MERCENAIRES DANS LE TRAVAIL CONTRE-RÉVOLUTIONNAIRE. LES LÉGIONNAIRES ACCEPTENT AVEC ENTHOUSIASME LA MISSION QUI LEUR EST CONFIÉE : REMPLACER LEURS FRÈRES DE L'ARMÉE ESPAGNOLE RÉGULIÈRE DANS UNE BESOGNE OÙ ILS SE SONT MONTRÉS AU MAROC D'ÉMINENTS SPÉCIALISTES.

IL NE SAURAIT ÊTRE QUESTION QUE D'OPÉRATIONS PUREMENT MILITAIRES POUR LESQUELLES LES LÉGIONNAIRES SONT TOUT DÉSIGNÉS PAR LEUR COURAGE, LEUR DISCIPLINE, L'ASCENDANT QU'ONT SUR EUX LEURS CHEFS, ENFIN PAR LEUR HABITUDE DE LA VICTOIRE.

> *Grand silence du côté des mineurs. Puis le chant des mineurs lent et scandé. Nouveau silence, où reparaît le disque qui a continué de tourner.*
> *Dans la coulisse et à l'autre bout de la salle, derrière les spectateurs, des trompettes sonnent* La Bandera. *Sur une scène de côté, quelques légionnaires s'engagent.*

SCÈNE II

> *Tandis que les combattants courent autour du public,*
> *avec des bruits de revolvers et de bombes.*

LA RADIO : ICI RADIO-BARCELONE. L'AGENCE FABRA : UNE
SÉANCE EXTRAORDINAIRE DU CONSEIL DES MINISTRES A EU
LIEU AUJOURD'HUI À 14 HEURES. DU COMMUNIQUÉ OFFICIEL
ET DES INTERVIEWS ACCORDÉES AUX JOURNALISTES, IL RESSORT
QUE MALGRÉ LA GRAVITÉ DES ÉVÉNEMENTS, LE GOUVERNE-
MENT EXAMINE LA SITUATION AVEC TOUT LE CALME ET LA
SÉRÉNITÉ NÉCESSAIRES.

> *Lumière verte sur la petite scène centrale. Une table*
> *rectangulaire recouverte du tapis vert symbolique. Assis*
> *autour, six ministres discutent, Lerroux au centre.*
> *Alternative d'excitation et d'accablement, gestes méca-*
> *niques, un peu ridicules, lents. Un ministre debout*
> *s'efforce de convaincre ses collègues, un autre hausse*
> *les épaules, un troisième fume, un quatrième se lève et*
> *interrompt violemment celui qui parlait. Mouvement*
> *général.*

LA RADIO : IL EST ENTIÈREMENT PERSUADÉ QUE LES RÉVO-
LUTIONNAIRES COURENT À UN ÉCHEC CERTAIN. OUTRE UN
EXPOSÉ TECHNIQUE DU MINISTRE DE L'INTÉRIEUR ET UN RAP-
PORT DU CHEF DE LA SÛRETÉ GÉNÉRALE CONCERNANT LES
MESURES DÉJÀ PRISES OU À PRENDRE, LES MINISTRES ONT
ENTENDU L'EXPOSÉ DE DON DIEGO HIDALGO, MINISTRE DE LA
GUERRE, QUI A RAPPELÉ D'URGENCE EN ESPAGNE UN RÉGI-
MENT DE LA LÉGION ÉTRANGÈRE CANTONNÉ AU MAROC, AFIN
DE RÉTABLIR L'ORDRE ET LA PAIX DANS LES ASTURIES MENA-
CÉES. À L'UNANIMITÉ, LE GOUVERNEMENT A APPROUVÉ CETTE
INITIATIVE. DE NOMBREUX DÉTACHEMENTS DE GARDE CIVILE
ONT ÉTÉ DIRIGÉS SUR LA CATALOGNE ET OVIEDO. LA GARNISON
DE BARCELONE, COMPRENANT UN DIXIÈME DES FORCES MILI-
TAIRES D'ESPAGNE, A ÉTÉ DOUBLÉE. L'ÉTAT DE SIÈGE EST PRO-
CLAMÉ DANS LA GÉNÉRALITÉ. TOUT REBELLE PRIS LES ARMES À
LA MAIN SERA FUSILLÉ SUR-LE-CHAMP.

> *Pendant ce temps, pour montrer que leur discussion*
> *n'avance pas, les ministres ont repris, mais sur un*
> *rythme extrêmement rapide, les gestes du début.*

LA RADIO, *brusque changement de ton* : VOICI LE MESSAGE QUE DON ALEXANDRE LERROUX, PRÉSIDENT DU CONSEIL, VIENT D'ADRESSER À TOUS LES ESPAGNOLS :

LERROUX, *qui jusque-là n'avait fait que quelques gestes découragés, se lève, paye d'audace, et parle, d'abord avec un peu d'hésitation, puis avec une satisfaction de lui-même de plus en plus évidente. Dans un coin, le quatrième ministre ricane* : EN CATALOGNE, LE PRÉSIDENT DE LA GÉNÉRALITÉ, OUBLIEUX DE TOUS LES DEVOIRS QUE LUI IMPOSENT SA CHARGE, SON HONNEUR ET SON AUTORITÉ, S'EST PERMIS DE PROCLAMER L'ÉTAT CATALAN. DEVANT CETTE SITUA- TION, LE GOUVERNEMENT DE LA RÉPUBLIQUE A DÉCIDÉ DE PROCLAMER L'ÉTAT DE GUERRE DANS TOUT LE PAYS. EN TEMPS DE PAIX IL EST POSSIBLE DE TRANSIGER. L'ÉTAT DE GUERRE AYANT ÉTÉ PROCLAMÉ, ON APPLIQUERA LA LOI MARTIALE SANS FAIBLESSE NI CRUAUTÉ, MAIS AVEC ÉNERGIE. SOYEZ SÛRS QUE, DEVANT LA RÉVOLTE DES ASTURIES ET DEVANT LA POSITION ANTIPATRIOTIQUE D'UN GOUVERNEMENT DE CATALOGNE QUI S'EST DÉCLARÉ FACTIEUX, L'ÂME ENTIÈRE DU PAYS SE LÈVERA EN UN ÉLAN DE SOLIDARITÉ NATIONALE, EN CATALOGNE COMME EN CASTILLE, EN ARAGON COMME À VALENCE, EN GALICE COMME EN ESTRAMADURE, AU PAYS BASQUE COMME EN NAVARRE ET EN ANDALOUSIE, ET SE METTRA AU CÔTÉ DU GOUVERNEMENT POUR RÉTABLIR, EN MÊME TEMPS QUE LE POUVOIR DE LA CONSTITU- TION, CELUI DE L'ÉTAT ET DE TOUTES LES LOIS DE LA RÉPU- BLIQUE, L'UNITÉ MORALE ET POLITIQUE QUI FAIT DE TOUS LES ESPAGNOLS UN PEUPLE DE TRADITION ET D'AVENIR GLORIEUX.

TOUS LES ESPAGNOLS SENTIRONT LE ROUGE DE LA HONTE LEUR MONTER AU FRONT DEVANT CETTE FOLIE COMMISE PAR QUELQUES-UNS. LE GOUVERNEMENT LEUR DEMANDE DE NE PAS DONNER ASILE EN LEUR CŒUR À UN SEUL SENTIMENT DE HAINE ENVERS UN SEUL PEUPLE DE NOTRE PATRIE. LE PATRIO- TISME DE CATALOGNE SAURA S'OPPOSER DANS CE PAYS MÊME À LA FOLIE SÉPARATISTE ET SAURA CONSERVER LES LIBERTÉS QUE LUI A RECONNUES LA RÉPUBLIQUE, SOUS UN GOUVERNEMENT QUI SOIT FIDÈLE À LA CONSTITUTION.

À MADRID COMME DANS TOUTES LES PROVINCES, L'EXALTA- TION DES CITOYENS NOUS ACCOMPAGNE. AVEC ELLE, ET SOUS L'AUTORITÉ DE LA LOI, NOUS ALLONS POURSUIVRE LA GLO- RIEUSE HISTOIRE DE L'ESPAGNE.

> *Bombes, trompettes. Le combat, tapi dans l'obscu- rité pendant tout ce temps, reprend avec une violence accrue. Obscurité totale.*

SCÈNE III

> *Trompettes de plus en plus nombreuses, les courses reprennent. Coups de feu.*

UNE VOIX : Les avions.

> *Lumière au centre, la plupart des mineurs regardent en l'air avec affolement. Lumière sur le côté. Nouvelles courses. Légionnaires et mineurs se rencontrent dans un coin de la place, les légionnaires sont repoussés.*
> *Lumière au centre. Construction d'une barricade. Trompettes très rapprochées.*

UN JEUNE MINEUR : Nous sommes foutus. Tirez-vous !

> *Flottement chez les mineurs.*

SANTIAGO, *marchant vers le Jeune Mineur, le regarde en silence* : Reste !

LE JEUNE MINEUR, *les larmes proches* : Non, j'ai peur !

SANTIAGO, *le regarde et le gifle à toute volée* : Fous le camp ! (*Aux autres :*) Plus rien à faire, mais c'est pas une raison…

> *Sur la barricade, échange de coups de feu.*

LA RADIO, *sur un rythme très rapide* : LE PLAN DE JONCTION DES TROUPES ESPAGNOLES RÉGULIÈRES, DES TIRAILLEURS MAROCAINS ET DE LA LÉGION A ÉTÉ RÉALISÉ AINSI :

VOICI QUELQUES DÉTAILS DES OPÉRATIONS : 11 HEURES : LES TROUPES GOUVERNEMENTALES ENTRENT À TARRAGONE DE LA MANCHA ET À VILLAROBLEDA DANS LA PROVINCE D'ALBACETE. 13 HEURES : 9 AVIONS MILITAIRES SURVOLENT LA PROVINCE DE LERIDA. 14 HEURES : DANS SA PREMIÈRE SÉANCE, LE CONSEIL DE GUERRE DE LÉON A CONDAMNÉ À MORT 4 RÉVOLUTIONNAIRES CONVAINCUS DU MEURTRE DE 3 GARDES. CELUI DE SALAMANQUE A CONDAMNÉ À MORT 2 RÉVOLUTIONNAIRES ACCUSÉS D'AVOIR ATTAQUÉ À TORENO DEL CID UN CAMION DE GARDES CIVILS.

LA BATAILLE CONTINUE DANS LES RUES D'OVIEDO. LES RÉVOLUTIONNAIRES N'OCCUPENT QUE QUELQUES QUARTIERS DONT LE SIÈGE EST DÉJÀ FAIT.

15 HEURES : LA CUENCA DE LANGREO A ÉTÉ REPRISE AUX 3 000 ASSAILLANTS QUI AVAIENT FAIT LE SIÈGE DE LA CASERNE DES GARDES CIVILS.

16 HEURES : LA POLICE DE VALENCE DANS CETTE VILLE A PERMIS DE DÉCOUVRIR DANS UNE QUINCAILLERIE 9 BOMBES, 300 CARTOUCHES DE DYNAMITE ET DES CAISSES DE MUNITIONS.

SANCHEZ : Plus de munitions, tirez à coup sûr.

ANTONIO : J'aimerais mieux qu'on se jette dans le tas. Au moins on crèverait bien !

SANTIAGO : Ta gueule, morveux ! T'as bien le temps.

> *Il tire.*
> *Combat.*

ANTONIO, *qui s'est découvert, prend une balle dans le ventre. Plié en deux, mains au ventre, le front plissé comme s'il réfléchissait, il quitte la barricade, fait deux pas en avant et tombe en marmottant :* J'ai bien le temps, j'ai bien le temps…

> *Santiago se retourne et sans un mot tire coup sur coup.*

SANCHEZ : Au suivant !

> *Une balle l'étend. Quatre ou cinq mineurs se préci-pitent vers lui.*

SANTIAGO : Foutez-lui la paix. Au travail !

> *Resté seul avec Pèpe auprès d'Antonio, ils échangent un regard.*

PÈPE : Les vaches, viens, le vieux !

> *Fous de rage, ils escaladent la barricade pour se jeter au combat, mais ils sont cueillis au sommet : chute énorme.*

PILAR, *sortant du cabaret :* Mon petit…

> *Elle se jette à genoux.*
> *Les légionnaires entrent, au pas de gymnastique.*
> *Obscurité. Corps à corps. Cris de douleur.*
> *Les trompettes, inlassables et triomphantes.*

RIDEAU

ACTE IV[1]

*Un capitaine, affalé sur un fauteuil, cigare, monocle,
se fait cirer les bottes.
À côté, un cahier à la main, le Sergent. Plus loin,
un groupe de prisonniers avec deux soldats.
Un soldat arrive, salue.*

UN SOLDAT : Mon capitaine, le fouet a cassé.

LE CAPITAINE : Eh bien, sers-toi du manche, imbécile.

UN SOLDAT : Bien, mon capitaine ; seulement, il s'est
évanoui.

LE CAPITAINE : Et il n'a toujours rien dit ?

UN SOLDAT : Non, mon capitaine.

LE CAPITAINE : Quels mulets que ces gens-là… Je me
demande comment ils sont faits… Ça va, je me charge des
derniers. *(Il fait signe d'amener Pilar devant lui ; elle a l'air égaré.)*
Que diable, je ne vais pas vous manger. *(Très avantageux.)*
Je n'ai jamais fait peur aux dames, moi. Votre amabilité
avec ces bandits a scandalisé les voisins. Mais, moi, je sais
comprendre les choses, il y avait de beaux hommes, n'est-ce
pas… On m'a chargé de faire une enquête, alors je la fais.
Mais à l'amiable, vous comprenez, à l'amiable.

PILAR : Mon petit…

LE CAPITAINE : Quoi ?… Eh bien, tout ce que je désire
savoir — un petit détail — c'est qui a tué Don Fernando. On
me dit que ce doit être un de ces prisonniers.

PILAR : Tué, tué, ils me l'ont tué… presque un enfant.

LE CAPITAINE : Allons, calmez-vous. Qui est-ce qui a tué
Don Fernando ? Cela s'est passé devant chez vous. C'est la
famille qui voudrait savoir.

PILAR : Ses mains fines… Sainte Vierge… Et ses cheveux
collés par le sang. Ils me l'ont enlevé. *(Comme une furie.)*
Assassins, assassins !

LE CAPITAINE : Emmenez cette folle… Allez me chercher
les prisonniers.

LE SERGENT : Mon capitaine, j'ai fait concentrer les car-
casses de ces salauds dans un champ. Mais il y en a beaucoup
trop pour qu'on les enterre.

LE CAPITAINE, *de plus en plus monté* : Arrose-les d'essence et mets-y le feu. Cela dégoûtera les autres, comme pour les rats…

Mes mignons, vous avez de la chance de tomber sur un homme du monde. Certains de mes collègues vous font appliquer un fer rouge sur les côtes afin de vous délier la langue. Moi, je n'en viendrai là qu'à la dernière extrémité. Ainsi toi, le petit. Tu t'appelles ?… Mais après tout, ça m'est égal, tout ce que je veux savoir c'est qui a tué Don Fernando, tu sais le négociant… Qui a tué Don Fernando ?

L'OUVRIER : C'est le peuple.

LE CAPITAINE : Fumier. *(Aux soldats :)* Au mur. *(Au deuxième prisonnier :)* Tu as compris crapule ? Qui a tué Don Fernando ?… Est-ce Nuno, est-ce Lopez, ou bien est-ce un de ceux qui ont été tués ?

DEUXIÈME OUVRIER : C'est le peuple.

LE CAPITAINE, exaspéré : À ton aise, fusillez-moi ça aussi. Au suivant. Et toi, est-ce que tu tiens à ta peau ? Comment est mort Don Fernando ?

TROISIÈME OUVRIER : Justement : c'est le peuple qui l'a tué.

LE CAPITAINE : Bâtard. Ton compte est bon. Approche, le vieux, réponds.

ALONSO : Moi, j'ai jamais demandé grand-chose, au revoir et merci qu'il dit Alonso.

LE CAPITAINE : Par exemple, tu trouves ça drôle, toi ? Je vais t'apprendre à faire l'esprit fort.

ALONSO : Le bon Dieu m'a dit : « Alonso, tu ne mourras pas. » Mauvaise tête ne crève jamais. C'est pour dire.

LE CAPITAINE : Il se moque de moi, ma parole. Emmenez-moi ces deux canailles derrière le marché et fusillez-les. Cela commence à puer ici.

LE PHARMACIEN : Ah ! mon capitaine, comme je suis heureux. Je ne vous dérange pas ?

LE CAPITAINE : Votre serviteur, monsieur le conseiller.

LE PHARMACIEN : Vous étiez en train de rendre la justice ? Voyez-vous, c'est à propos de tous ces enfants et des femmes. Ils crient tellement qu'on en est assourdi. Il paraît qu'ils ont faim. Est-ce que l'armée ne pourrait pas…

> *Ils sortent.*
> *Le Sergent s'assoit à la place du Capitaine. Il siffle* La Bandera.

LA RADIO : ALLÔ, ALLÔ, ICI RADIO-BARCELONE. LE MINISTRE DE L'INTÉRIEUR COMMUNIQUE LA NOTE SUIVANTE :

LA RÉVOLUTION A ÉTÉ ENTIÈREMENT ÉCRASÉE. LA TROUPE S'EST RENDUE MAÎTRESSE DES ASTURIES. GRÂCE AU GOUVERNEMENT ESPAGNOL, HÉROÏQUEMENT ASSISTÉ DE L'ARMÉE ET DE LA FORCE PUBLIQUE, ON VIENT DE SAUVER EN OCCIDENT LES PRINCIPES ESSENTIELS DE LA DÉMOCRATIE ET DE LA CIVILISATION LATINE. MAIS LA RÉPRESSION SE PASSA AU MILIEU DE L'HUMANITÉ ET DE LA GÉNÉROSITÉ QU'IL FAUT FAIRE RESSORTIR POUR QUE LE MONDE SACHE QUE LE GOUVERNEMENT ESPAGNOL, RÉPUBLICAIN ET CONSTITUTIONNEL, DÉMOCRATIQUE ET PARLEMENTAIRE, EN PLEINE LUMIÈRE DE LA CRITIQUE UNIVERSELLE, ACHÈVE DE DONNER, EN RÉPRIMANT UNE RÉVOLUTION ARMÉE PUISSAMMENT, UN EXEMPLE JAMAIS ÉGALÉ DE TOLÉRANCE, D'HUMANITÉ ET DE GÉNÉREUSE APPLICATION DES LOIS. MALGRÉ LE NOMBRE CONSIDÉRABLE DE SOLDATS MORTS, MALGRÉ LA DESTRUCTION DE PLUSIEURS VILLES, MALGRÉ L'ANÉANTISSEMENT DE CHEFS-D'ŒUVRE DU TRAVAIL ET DE L'ART HUMAIN, LE GOUVERNEMENT N'A MAINTENU QUE LE NOMBRE MINIMUM DE CONDAMNATIONS À MORT, COMMUANT LA PLUPART EN PEINES DE PRISON.

Paca sort du café, ôte le verre, essuie la table.

LE SERGENT, *la suit des yeux d'un air égrillard* : Il fait beau, hein ?

PACA : Ah, oui !

LE SERGENT : Dites donc, vous étiez peut-être plus en train quand les mineurs étaient là ?

PACA : Oh ! moi, vous savez, les uns ou les autres !

LE SERGENT : Oui, c'est comme moi, tenez, au moment où ça chauffait le plus, j'étais à la fenêtre du couvent, je te canardais… (*À deux soldats qui passent avec un prisonnier qu'ils emmènent :*) Eh, là, où allez-vous ?

LE SOLDAT : Sergent, le capitaine a dit de le fusiller, alors on va là derrière, rapport qu'il y a pas de magasins.

LE SERGENT : Encore un anarchiste… Eh bien, tu vois ce que ça t'a rapporté, couillon ! Tu pouvais pas rester tranquille. Enfin, maintenant… (*Des curieux s'attroupent graduellement.*) Tu veux une cigarette avant qu'ils t'expédient ou un verre de vin[2] ?

UN PRISONNIER : Merci, rien.

LE SERGENT, *à Paca* : Parce que, vous voyez, dans la Légion, on n'est pas des brutes.

UN PRISONNIER : Si vous voulez me faire une faveur, déliez-moi la main droite une seconde. J'ai une crampe. (*Le*

Sergent fait signe. Le Prisonnier étire le bras, esquisse le salut du Front
rouge et abat le poing sur la gueule d'un soldat.) Tiens, comme
souvenir.

LE SERGENT : Ah ! le salaud !

> *Ils tombent tous trois sur le Prisonnier et l'emmènent*
> *avec des bourrades.*
> *Dans la salle.*

UN GARÇON : Ce matin encore il y a des maisons qui
s'écroulent toutes seules.

UN HOMME : En un sens, ce bombardement ça va faire du
travail.

UNE FEMME : Oui, ma chère, quinze heures dans la cave
sans oser bouger. Ils étaient déchaînés.

UN HOMME : Et ce matin encore, on a arrêté un journaliste
étranger qui se mêlait de Dieu sait quoi[3]… Encore un espion
de cette racaille, pour sûr.

> *Obscurité.*

LA RADIO : LE CONSEIL DES MINISTRES DE CE MATIN A
APPROUVÉ À L'UNANIMITÉ LES NOMINATIONS PROPOSÉES PAR
LE MINISTRE DE LA GUERRE POUR RÉCOMPENSER LES VAILLANTS
DÉFENSEURS DE LA RÉPUBLIQUE.

> *Lumière sur la petite scène.*

LERROUX, *distribuant à poignées des décorations à ses ministres* :
LES GÉNÉRAUX BATET, COMMANDANT LA DIVISION DE CATA-
LOGNE, ET LOPEZ OCHOA, DIRECTEUR DES OPÉRATIONS CONTRE
LES REBELLES DES ASTURIES, SONT PROMUS LIEUTENANTS-
GÉNÉRAUX. LE GÉNÉRAL BATET SERA REMPLACÉ DANS SES
FONCTIONS ACTUELLES PAR LE GÉNÉRAL RODRIGUEZ DEL
BASIO, JUSQU'ICI INSPECTEUR GÉNÉRAL DE L'ARMÉE.

> *Tout est fini.*
> *Mais des voix aux quatre coins de la salle[4].*

PREMIÈRE VOIX : Moi, je suis le vieux Santiago, je n'ai
jamais été très heureux. Mon père était mineur et mon
grand-père et tous ceux d'avant. Et puis, moi je me suis
marié. Une bonne femme bien sûr, mais c'est qu'on est
jamais content. J'ai eu un fils — mineur aussi — et mort dans
un éboulement. J'ai jamais fait de mal à personne et je me
serais bien contenté, mais j'ai pensé aux jeunes. Je crois que
je me suis bien battu. Peut-être parce que j'avais plus grand-

chose à gagner. Aux prochaines neiges, personne ne parlera plus de moi sur la terre.

DEUXIÈME VOIX : Sanchez. Dans les grèves on disait que j'étais le meneur. J'avais dix-sept ans et c'est mon frère qui m'a appris. J'y ai cru à ma révolution, j'y ai cru. J'ai essayé de lire. Parce que comme ils disent, l'instruction… Mais je comprenais mieux avec ma pioche en tapant dans le minerai et quand les étincelles sautaient. Tant de morts, tant de morts. Mais quelque chose viendra. Et moi, je leur dirai : « La Révolution, ça se fait pas avec un éventail. »

TROISIÈME VOIX : Je suis Antonio et je viens des montagnes. Les autres ne connaissent pas la neige. Ça les ferait rire si je disais que c'est pour elle que je me suis battu. Oui, avant, dans la neige, j'avais pas besoin de penser. Elle est si belle, et puis bien simple. Et quand je suis descendu, j'ai vu les figures noires et l'injustice. Alors j'ai pensé à ma neige et à ce cri qu'elle jette quand on l'enfonce sous le pied. Mais j'avais le temps, j'avais bien le temps, a dit Santiago. On ne m'a pas décoré.

QUATRIÈME VOIX : Je suis Pèpe, et Pilar me disait souvent : « Les plus malheureux, c'est pas ceux qui s'en vont, mais c'est ceux qui restent. » Peut-être que j'aurais aimé rester. Parce qu'il y a le soleil et les fleurs du jardin sur la place, et puis aussi Pilar — mais d'elle je ne peux rien dire. J'aimais les bals de quartier et on me disait : Pèpe, tu n'es pas sérieux. Mais aussi il y avait trop longtemps. Santiago, Sanchez, Antonio et le Basque, Ruiz, Léon, ils m'appelaient « Petit » et ils avaient raison.

CINQUIÈME VOIX : On nous a tirés au sort.

SIXIÈME VOIX : C'était pour le camion.

QUATRIÈME VOIX : Bientôt les neiges.

TROISIÈME VOIX : Et qui se souviendra ?

SEPTIÈME VOIX : Et les flûtes de chez nous… C'est pas possible que ça soit pour rien.

HUITIÈME VOIX : Si Dieu veut.

DEUXIÈME VOIX : Bientôt les neiges.

PREMIÈRE VOIX : Et qui se souviendra ?

Lumière.

LA RADIO : LE GOUVERNEMENT PUBLIE LE NOMBRE OFFICIEL DES MORTS, BLESSÉS ET DISPARUS DES TROUPES GOUVERNE-MENTALES.

MORTS : 221 (129 SOLDATS, 11 CARABINIERS, 70 GARDES DE SÉCURITÉ, 11 GARDES CIVILS).

BLESSÉS : 870 (550 SOLDATS, 16 CARABINIERS, 136 GARDES DE SÉCURITÉ, 168 GARDES CIVILS).

DISPARUS : 7 (5 SOLDATS ET 2 GARDES DE SÉCURITÉ).

> *Sur le côté, des volets se ferment.*

UNE FEMME : Les nuits commencent à être fraîches. C'est l'hiver qui approche.

UN HOMME : Oui, bientôt les premières neiges.

> *Obscurité.*
> *Au bout d'une rue, derrière les spectateurs, accompagnée de l'accordéon, une chanson de la montagne de Santander :*

> *En el baile nos veremos,*
> *esta tarde, morenuca ;*
> *en el baile nos veremos,*
> *y al son de la pandereta,*
> *unos bailes echaremos.*

RIDEAU

L'ENVERS
ET L'ENDROIT

À Jean Grenier.

PRÉFACE

Les essais qui sont réunis dans ce volume ont été écrits en 1935 et 1936 (j'avais alors vingt-deux ans) et publiés un an après, en Algérie, à un très petit nombre d'exemplaires. Cette édition est depuis longtemps introuvable et j'ai toujours refusé la réimpression de L'Envers et l'Endroit.

Mon obstination n'a pas de raisons mystérieuses. Je ne renie rien de ce qui est exprimé dans ces écrits, mais leur forme m'a toujours paru maladroite. Les préjugés que je nourris malgré moi sur l'art (je m'en expliquerai plus loin) m'ont empêché longtemps d'envisager leur réédition. Grande vanité, apparemment, et qui laisserait supposer que mes autres écrits satisfont à toutes les exigences. Ai-je besoin de préciser qu'il n'en est rien ? Je suis seulement plus sensible aux maladresses de L'Envers et l'Endroit qu'à d'autres, que je n'ignore pas. Comment l'expliquer sinon en reconnaissant que les premières intéressent, et trahissent un peu, le sujet qui me tient le plus à cœur ? La question de sa valeur littéraire étant réglée, je puis avouer, en effet, que la valeur de témoignage de ce petit livre est, pour moi, considérable. Je dis bien pour moi, car c'est devant moi qu'il témoigne, c'est de moi qu'il exige une fidélité dont je suis seul à connaître la profondeur et les difficultés. Je voudrais essayer de dire pourquoi.

Brice Parain prétend souvent que ce petit livre contient ce que j'ai écrit de meilleur. Parain se trompe. Je ne le dis pas, connaissant sa loyauté, à cause de cette impatience qui vient à tout artiste devant ceux qui ont l'impertinence de préférer ce qu'il a été à ce qu'il est. Non, il se trompe parce qu'à vingt-deux ans, sauf génie, on sait à peine écrire. Mais je comprends ce que Parain, savant ennemi de l'art et philosophe de la compassion, veut dire. Il veut dire, et il a raison, qu'il y a plus de *véritable amour dans ces pages maladroites que dans toutes celles qui ont suivi.*

Chaque artiste garde ainsi, au fond de lui, une source unique qui alimente pendant sa vie ce qu'il est et ce qu'il dit. Quand la source est tarie, on voit peu à peu l'œuvre se racornir, se fendiller. Ce sont les terres ingrates de l'art que le courant invisible n'irrigue plus. Le cheveu devenu rare et sec, l'artiste, couvert de chaumes, est mûr pour le silence, ou les salons, qui reviennent au même. Pour moi, je sais que ma source est dans L'Envers et l'Endroit, dans ce monde de pauvreté et de lumière où j'ai longtemps vécu et dont le souvenir me préserve encore des deux dangers contraires qui menacent tout artiste, le ressentiment et la satisfaction.

La pauvreté, d'abord, n'a jamais été un malheur pour moi : la lumière y répandait ses richesses. Même mes révoltes en ont été éclairées. Elles furent presque toujours, je crois pouvoir le dire sans tricher, des révoltes pour tous, et pour que la vie de tous soit élevée dans la lumière. Il n'est pas sûr que mon cœur fût naturellement disposé à cette sorte d'amour. Mais les circonstances m'ont aidé. Pour corriger une indifférence naturelle, je fus placé à mi-distance de la misère et du soleil. La misère m'empêcha de croire que tout est bien sous le soleil et dans l'histoire ; le soleil m'apprit que l'histoire n'est pas tout. Changer la vie, oui, mais non le monde dont je faisais ma divinité. C'est ainsi, sans doute, que j'abordai cette carrière inconfortable où je suis, m'engageant avec innocence sur un fil d'équilibre où j'avance péniblement, sans être sûr d'atteindre le but. Autrement dit, je devins un artiste, s'il est vrai qu'il n'est pas d'art sans refus ni sans consentement.

Dans tous les cas, la belle chaleur qui régnait sur mon enfance m'a privé de tout ressentiment. Je vivais dans la gêne, mais aussi dans une sorte de jouissance. Je me sentais des forces infinies : il fallait seulement leur trouver un point d'application. Ce n'était pas la pauvreté qui faisait obstacle à ces forces : en Afrique, la mer et le soleil ne coûtent rien. L'obstacle était plutôt dans les préjugés ou la bêtise. J'avais là toutes les occasions de développer une « castillanerie » qui m'a fait bien du tort, que raille avec raison mon ami et mon maître Jean Grenier, et que j'ai essayé en vain de corriger, jusqu'au moment où j'ai compris qu'il y avait aussi une fatalité des natures. Il valait mieux alors accepter son propre orgueil et tâcher de le faire servir plutôt que de se donner, comme dit Chamfort, des principes plus forts que son caractère. Mais, après m'être interrogé, je puis témoigner que, parmi mes nombreuses faiblesses, n'a jamais figuré le défaut le plus répandu parmi nous, je veux dire l'envie, véritable cancer des sociétés et des doctrines.

Le mérite de cette heureuse immunité ne me revient pas. Je la dois aux miens, d'abord, qui manquaient de presque tout et n'enviaient

à peu près rien. Par son seul silence, sa réserve, sa fierté naturelle et
sobre, cette famille, qui ne savait même pas lire, m'a donné alors mes
plus hautes leçons, qui durent toujours. Et puis, j'étais moi-même trop
occupé à sentir pour rêver d'autre chose. Encore maintenant, quand je
vois la vie d'une grande fortune à Paris, il y a de la compassion dans
l'éloignement qu'elle m'inspire souvent. On trouve dans le monde beaucoup d'injustices, mais il en est une dont on ne parle jamais, qui est celle
du climat. De cette injustice-là, j'ai été longtemps, sans le savoir, un des
profiteurs. J'entends d'ici les accusations de nos féroces philanthropes,
s'ils me lisaient. Je veux faire passer les ouvriers pour riches et les
bourgeois pour pauvres, afin de conserver plus longtemps l'heureuse servitude des uns et la puissance des autres. Non, ce n'est pas cela. Au
contraire, lorsque la pauvreté se conjugue avec cette vie sans ciel ni espoir
qu'en arrivant à l'âge d'homme j'ai découverte dans les horribles faubourgs de nos villes, alors l'injustice dernière, et la plus révoltante, est
consommée : il faut tout faire, en effet, pour que ces hommes échappent
à la double humiliation de la misère et de la laideur. Né pauvre, dans
un quartier ouvrier, je ne savais pourtant pas ce qu'était le vrai malheur avant de connaître nos banlieues froides. Même l'extrême misère
arabe ne peut s'y comparer, sous la différence des ciels. Mais une fois
qu'on a connu les faubourgs industriels, on se sent à jamais souillé, je
crois, et responsable de leur existence.

Ce que j'ai dit ne reste pas moins vrai. Je rencontre parfois des gens
qui vivent au milieu de fortunes que je ne peux même pas imaginer.
Il me faut cependant un effort pour comprendre qu'on puisse envier ces
fortunes. Pendant huit jours, il y a longtemps, j'ai vécu comblé des biens
de ce monde : nous dormions sans toit, sur une plage, je me nourrissais
de fruits et je passais la moitié de mes journées dans une eau déserte.
J'ai appris à cette époque une vérité qui m'a toujours poussé à recevoir
les signes du confort, ou de l'installation, avec ironie, impatience, et
quelquefois avec fureur. Bien que je vive maintenant sans le souci du
lendemain, donc en privilégié, je ne sais pas posséder. Ce que j'ai, et qui
m'est toujours offert sans que je l'aie recherché, je ne puis rien en garder.
Moins par prodigalité, il me semble, que par une autre sorte de parci-
monie : je suis avare de cette liberté qui disparaît dès que commence
l'excès des biens. Le plus grand des luxes n'a jamais cessé de coïncider
pour moi avec un certain dénuement. J'aime la maison nue des Arabes
ou des Espagnols. Le lieu où je préfère vivre et travailler (et, chose plus
rare, où il me serait égal de mourir) est la chambre d'hôtel. Je n'ai
jamais pu m'abandonner à ce qu'on appelle la vie d'intérieur (qui est
si souvent le contraire de la vie intérieure) ; le bonheur dit bourgeois
m'ennuie et m'effraie. Cette inaptitude n'a du reste rien de glorieux ;
elle n'a pas peu contribué à alimenter mes mauvais défauts. Je n'envie

rien, ce qui est mon droit, mais je ne pense pas toujours aux envies des autres et cela m'ôte de l'imagination, c'est-à-dire de la bonté. Il est vrai que je me suis fait une maxime pour mon usage personnel : « Il faut mettre ses principes dans les grandes choses, aux petites la miséricorde suffit. » Hélas ! on se fait des maximes pour combler les trous de sa propre nature. Chez moi, la miséricorde dont je parle s'appelle plutôt indifférence. Ses effets, on s'en doute, sont moins miraculeux.

Mais je veux seulement souligner que la pauvreté ne suppose pas forcément l'envie. Même plus tard, quand une grave maladie m'ôta provisoirement la force de vie qui, en moi, transfigurait tout, malgré les infirmités invisibles et les nouvelles faiblesses que j'y trouvais, je pus connaître la peur et le découragement, jamais l'amertume. Cette maladie sans doute ajoutait d'autres entraves, et les plus dures, à celles qui étaient déjà les miennes. Elle favorisait finalement cette liberté du cœur, cette légère distance à l'égard des intérêts humains qui m'a toujours préservé du ressentiment. Ce privilège, depuis que je vis à Paris, je sais qu'il est royal. Mais j'en ai joui sans limites ni remords et, jusqu'à présent du moins, il a éclairé toute ma vie. Artiste, par exemple, j'ai commencé à vivre dans l'admiration, ce qui, dans un sens, est le paradis terrestre. (On sait qu'aujourd'hui l'usage, en France, pour débuter dans les lettres, et même pour y finir, est au contraire de choisir un artiste à railler.) De même, mes passions d'homme n'ont jamais été « contre ». Les êtres que j'ai aimés ont toujours été meilleurs et plus grands que moi. La pauvreté telle que je l'ai vécue ne m'a donc pas enseigné le ressentiment, mais une certaine fidélité, au contraire, et la ténacité muette. S'il m'est arrivé[a] de l'oublier, moi seul ou mes défauts en sommes responsables, et non le monde où je suis né.

C'est aussi le souvenir de ces années qui m'a empêché de me trouver jamais satisfait dans l'exercice de mon métier. Ici, je voudrais parler, avec autant de simplicité que je le puis, de ce que les écrivains taisent généralement. Je n'évoque même pas la satisfaction que l'on trouve, paraît-il, devant le livre ou la page réussis. Je ne sais si beaucoup d'artistes la connaissent. Pour moi, je ne crois pas avoir jamais tiré une joie de la relecture d'une page terminée. J'avouerai même, en acceptant d'être pris au mot, que le succès de quelques-uns de mes livres m'a toujours surpris. Bien entendu, on s'y habitue, et assez vilainement. Aujourd'hui encore, pourtant, je me sens un apprenti auprès d'écrivains vivants à qui je donne la place de leur vrai mérite, et dont l'un des premiers est celui à qui ces essais furent dédiés, il y a déjà vingt ans*. L'écrivain a, naturellement, des joies pour lesquelles il vit et qui suffisent à le combler. Mais, pour moi, je les rencontre au moment de la conception,

---

* Jean Grenier.

à la seconde où le sujet se révèle, où l'articulation de l'œuvre se dessine devant la sensibilité soudain clairvoyante, à ces moments délicieux où l'imagination se confond tout à fait avec l'intelligence. Ces instants passent comme ils sont nés. Reste l'exécution, c'est-à-dire une longue peine.

Sur un autre plan, un artiste a aussi des joies de vanité. Le métier d'écrivain, particulièrement dans la société française, est en grande partie un métier de vanité. Je le dis d'ailleurs sans mépris, à peine avec regret. Je ressemble aux autres sur ce point ; qui peut se dire dénué de cette ridicule infirmité ? Après tout, dans une société vouée à l'envie et à la dérision, un jour vient toujours où, couverts de brocards, nos écrivains payent durement ces pauvres joies. Mais justement, en vingt années de vie littéraire, mon métier m'a apporté bien peu de joies semblables, et de moins en moins à mesure que le temps passait.

N'est-ce pas le souvenir des vérités entrevues dans L'Envers et l'Endroit *qui m'a toujours empêché d'être à l'aise dans l'exercice public de mon métier et qui m'a conduit à tant de refus qui ne m'ont pas toujours fait des amis ? À ignorer le compliment ou l'hommage, en effet, on laisse croire au complimenteur qu'on le dédaigne alors qu'on ne doute que de soi. De même, si j'avais montré ce mélange d'âpreté et de complaisance qui se rencontre dans la carrière littéraire, si même j'avais exagéré ma parade, comme tant d'autres, j'aurais reçu plus de sympathies car, enfin, j'aurais joué le jeu. Mais qu'y faire, ce jeu ne m'amuse pas ! L'ambition de Rubempré ou de Julien Sorel me déconcerte souvent par sa naïveté, et sa modestie. Celle de Nietzsche, de Tolstoï ou de Melville, me bouleverse, et en raison même de leur échec. Dans le secret de mon cœur, je ne me sens d'humilité que devant les vies les plus pauvres ou les grandes aventures de l'esprit. Entre les deux se trouve aujourd'hui une société qui fait rire.*

Parfois, dans ces « premières » de théâtre, qui sont le seul lieu où je rencontre ce qu'on appelle avec insolence le Tout-Paris, j'ai l'impression que la salle va disparaître, que ce monde, tel qu'il semble, n'existe pas. Ce sont les autres qui me paraissent réels, les grandes figures qui crient sur la scène. Pour ne pas fuir alors, il faut se souvenir que chacun de ces spectateurs a aussi un rendez-vous avec lui-même ; qu'il le sait, et que, sans doute, il s'y rendra tout à l'heure. Aussitôt, le voici de nouveau fraternel ; les solitudes réunissent ceux que la société sépare. Sachant cela, comment flatter ce monde, briguer ses privilèges dérisoires, consentir à féliciter tous les auteurs de tous les livres, remercier ostensiblement la critique favorable, pourquoi essayer de séduire l'adversaire, de quelle figure surtout recevoir ces compliments et cette admiration dont la société française (en présence de l'auteur du moins, car, lui parti !…) use autant que du Pernod et de la presse du cœur ? Je n'arrive à rien de tout cela, c'est un fait. Peut-être y a-t-il là beaucoup de ce mauvais orgueil dont je connais en moi l'étendue et les pouvoirs. Mais, s'il y avait cela seulement, si ma vanité était seule à jouer, il me semble qu'au contraire je jouirais du compliment, superficiellement, au lieu d'y trouver un malaise répété. Non, la vanité que j'ai en commun avec les gens de mon état, je la sens réagir surtout à certaines critiques qui comportent une grande part de vérité. Devant le compliment, ce n'est pas la fierté qui me donne cet air cancre et ingrat que je connais bien, mais (en même temps que cette profonde indifférence qui est en moi comme une infirmité de nature) un sentiment singulier qui me vient alors : « Ce n'est pas cela... » Non, ce n'est pas cela et c'est pourquoi la réputation, comme on dit, est parfois si difficile à accepter qu'on trouve une sorte de mauvaise joie à faire ce qu'il faut pour la perdre. Au contraire, relisant L'Envers et l'Endroit après tant d'années, pour cette édition, je sais instinctivement devant certaines pages, et malgré les maladresses, que c'est cela. Cela, c'est-à-dire cette vieille femme, une mère silencieuse, la pauvreté, la lumière sur les oliviers d'Italie, l'amour solitaire et peuplé, tout ce qui témoigne, à mes propres yeux, de la vérité.

Depuis le temps où ces pages ont été écrites, j'ai vieilli et traversé beaucoup de choses. J'ai appris sur moi-même, connaissant mes limites, et presque toutes mes faiblesses. J'ai moins appris sur les êtres parce que ma curiosité va plus à leur destin qu'à leurs réactions et que les destins se répètent beaucoup. J'ai appris du moins qu'ils existaient et que l'égoisme, s'il ne peut se renier, doit essayer d'être clairvoyant. Jouir de soi est impossible ; je le sais, malgré les grands dons qui sont les miens pour cet exercice. Si la solitude[b] existe, ce que j'ignore, on aurait bien le droit, à l'occasion, d'en rêver comme d'un paradis. J'en rêve parfois, comme tout le monde. Mais deux anges tranquilles m'en ont toujours interdit l'entrée ; l'un montre le visage de l'ami, l'autre la face de l'ennemi. Oui, je sais tout cela et j'ai appris encore ou à peu près, ce que coûtait l'amour. Mais sur la vie elle-même, je n'en sais pas plus que ce qui est dit, avec gaucherie, dans L'Envers et l'Endroit.

« Il n'y a pas d'amour de vivre sans désespoir de vivre », ai-je écrit, non sans emphase, dans ces pages. Je ne savais pas à l'époque à quel point je disais vrai ; je n'avais pas encore traversé les temps du vrai désespoir. Ces temps sont venus et ils ont pu tout détruire en moi, sauf justement l'appétit désordonné de vivre. Je souffre encore de cette passion à la fois féconde et destructrice qui éclate jusque dans les pages les plus sombres de L'Envers et l'Endroit. Nous ne vivons vraiment que quelques heures de notre vie, a-t-on dit. Cela est vrai dans un sens, faux dans un autre. Car l'ardeur affamée qu'on sentira dans les essais qui suivent ne m'a jamais quitté et, pour finir, elle est la vie dans ce qu'elle a de pire et de meilleur. J'ai voulu sans doute rectifier ce qu'elle produi-

*sait de pire en moi. Comme tout le monde, j'ai essayé, tant bien que
mal, de corriger ma nature par la morale. C'est, hélas ! ce qui m'a coûté
le plus cher. Avec de l'énergie, et j'en ai, on arrive parfois à se conduire
selon la morale, non à être. Et rêver de morale quand on est un homme
de passion, c'est se vouer à l'injustice, dans le temps même où l'on parle
de justice. L'homme m'apparaît parfois comme une injustice en marche :
je pense à moi. Si j'ai, à ce moment, l'impression de m'être trompé ou
d'avoir menti dans ce que parfois j'écrivais, c'est que je ne sais comment
faire connaître honnêtement mon injustice. Sans doute, je n'ai jamais
dit que j'étais juste. Il m'est seulement arrivé de dire qu'il fallait essayer
de l'être, et aussi que c'était une peine et un malheur. Mais la différence
est-elle si grande ? Et peut-il vraiment prêcher la justice celui qui n'arrive même pas à la faire régner dans sa vie ? Si, du moins, on pouvait
vivre selon l'honneur, cette vertu des injustes ! Mais notre monde tient
ce mot pour obscène ; aristocrate fait partie des injures littéraires et philosophiques. Je ne suis pas aristocrate, ma réponse tient dans ce livre :
voici les miens, mes maîtres, ma lignée ; voici, par eux, ce qui me réunit
à tous. Et cependant, oui, j'ai besoin d'honneur, parce que je ne suis
pas assez grand pour m'en passer !*

*Qu'importe ! Je voulais seulement marquer que, si j'ai beaucoup
marché depuis ce livre, je n'ai pas tellement progressé. Souvent, croyant
avancer, je reculais. Mais, à la fin, mes fautes, mes ignorances et mes
fidélités m'ont toujours ramené sur cet ancien chemin que j'ai commencé
d'ouvrir avec L'Envers et l'Endroit, dont on voit les traces dans tout
ce que j'ai fait ensuite et sur lequel, certains matins d'Alger, par exemple,
je marche toujours avec la même légère ivresse.*

*Pourquoi donc, s'il en est ainsi, avoir longtemps refusé de produire
ce faible témoignage ? D'abord parce qu'il y a en moi, il faut le répéter,
des résistances artistiques, comme il y a, chez d'autres, des résistances
morales ou religieuses. L'interdiction, l'idée que « cela ne se fait pas »,
qui m'est assez étrangère en tant que fils d'une libre nature, m'est présente en tant qu'esclave, et esclave admiratif, d'une tradition artistique
sévère. Peut-être aussi cette méfiance vise-t-elle mon anarchie profonde,
et par là, reste utile. Je connais mon désordre, la violence de certains
instincts, l'abandon sans grâce où je peux me jeter. Pour être édifiée,
l'œuvre d'art doit se servir d'abord de ces forces obscures de l'âme. Mais
non sans les canaliser, les entourer de digues, pour que leur flot monte,
aussi bien. Mes digues, aujourd'hui encore, sont peut-être trop hautes.
De là, cette raideur, parfois… Simplement, le jour où l'équilibre s'éta-
blira entre ce que je suis et ce que je dis, ce jour-là peut-être, et j'ose à
peine l'écrire, je pourrai bâtir l'œuvre dont je rêve. Ce que j'ai voulu
dire ici, c'est qu'elle ressemblera à L'Envers et l'Endroit, d'une
façon ou de l'autre, et qu'elle parlera d'une certaine forme d'amour.*

On comprend alors la deuxième raison que j'ai eue de garder pour moi ces essais de jeunesse. Les secrets qui nous sont les plus chers, nous les livrons trop dans la maladresse et le désordre ; nous les trahissons, aussi bien, sous un déguisement trop apprêté. Mieux vaut attendre d'être expert à leur donner une forme, sans cesser de faire entendre leur voix, de savoir unir à doses à peu près égales le naturel et l'art ; d'être enfin. Car c'est être que de tout pouvoir en même temps. En art, tout vient simultanément ou rien ne vient ; pas de lumières sans flammes. Stendhal s'écriait un jour : « Mais mon âme à moi est un feu qui souffre, s'il ne flambe pas. » Ceux qui lui ressemblent sur ce point ne devraient créer que dans cette flambée. Au sommet de la flamme, le cri sort tout droit et crée ses mots qui le répercutent à leur tour. Je parle ici de ce que nous tous, artistes incertains de l'être, mais sûrs de ne pas être autre chose, attendons, jour après jour, pour consentir enfin à vivre.

Pourquoi donc, puisqu'il s'agit de cette attente, et probablement vaine, accepter aujourd'hui cette publication ? D'abord parce que des lecteurs ont su trouver l'argument qui m'a convaincu*. Et puis un temps vient toujours dans la vie d'un artiste où il doit faire le point, se rapprocher de son propre centre, pour^d tâcher ensuite de s'y maintenir. C'est ainsi aujourd'hui et je n'ai pas besoin d'en dire plus. Si, malgré tant d'efforts pour édifier un langage et faire vivre des mythes, je ne parviens pas un jour à récrire L'Envers et l'Endroit, *je ne serai jamais parvenu à rien, voilà ma conviction obscure. Rien ne m'empêche en tout cas de rêver que j'y réussirai, d'imaginer que je mettrai encore au centre de cette œuvre l'admirable silence d'une mère et l'effort d'un homme pour retrouver une justice ou un amour qui équilibre ce silence. Dans le songe de la vie, voici l'homme qui trouve ses vérités et qui les perd, sur la terre de la mort, pour revenir à travers les guerres, les cris, la folie de justice et d'amour, la douleur enfin, vers cette patrie tranquille où la mort même est un silence heureux. Voici encore… Oui, rien n'empêche de rêver, à l'heure même de l'exil, puisque du moins je sais cela, de science certaine, qu'une œuvre d'homme n'est rien d'autre que ce long cheminement pour retrouver par les détours de l'art les deux ou trois images simples et grandes sur lesquelles le cœur, une première fois, s'est ouvert. Voilà pourquoi, peut-être, après vingt années de travail et de production, je continue de vivre avec l'idée que mon œuvre n'est même pas commencée. Dès l'instant où, à l'occasion de cette réédition, je me suis retourné vers les premières pages que j'ai écrites, c'est cela, d'abord, que j'ai eu envie de consigner ici.*

---

* Il est simple. « Ce livre existe déjà, mais à un petit nombre d'exemplaires, vendus chèrement par des libraires. Pourquoi seuls les lecteurs riches auraient-ils le droit de le lire ? » En effet, pourquoi ?

L'IRONIE

Il y a deux ans, j'ai[1] connu une vieille femme. Elle souffrait d'une maladie dont elle avait bien cru mourir. Tout son côté droit avait été paralysé. Elle n'avait qu'une moitié d'elle en ce monde quand l'autre lui était déjà étrangère. Petite vieille remuante et bavarde, on l'avait réduite au silence et à l'immobilité. Seule de longues journées, illettrée, peu sensible, sa vie entière se ramenait à Dieu. Elle croyait en lui. Et la preuve est qu'elle avait un chapelet, un christ de plomb et, en stuc, un saint Joseph portant l'Enfant. Elle doutait que sa maladie fût incurable, mais l'affirmait pour qu'on s'intéressât à elle, s'en remettant du reste au Dieu qu'elle aimait si mal.

Ce jour-là, quelqu'un s'intéressait à elle. C'était un jeune homme. (Il croyait qu'il y avait une vérité et savait par ailleurs que cette femme allait mourir, sans s'inquiéter de résoudre cette contradiction.) Il avait pris un véritable intérêt à l'ennui de la vieille femme. Cela, elle l'avait bien senti. Et cet intérêt était une aubaine inespérée pour la malade. Elle lui disait ses peines avec animation : elle était au bout de son rouleau, et il faut bien laisser la place aux jeunes. Si elle s'ennuyait ? Cela était sûr. On ne lui parlait pas. Elle était dans son coin, comme un chien. Il valait mieux en finir. Parce qu'elle aimait mieux mourir que d'être à la charge de quelqu'un.

Sa voix était devenue querelleuse. C'était une voix de marché, de marchandage. Pourtant, ce jeune homme comprenait. Il était d'avis cependant qu'il valait mieux être à la charge

des autres que mourir. Mais cela ne prouvait qu'une chose :
que, sans doute, il n'avait jamais été à la charge de personne.
Et précisément il disait à la vieille femme — parce qu'il avait
vu le chapelet : « Il vous reste le Bon Dieu. » C'était vrai.
Mais même à cet égard, on l'ennuyait encore. S'il lui arrivait
de rester un long moment en prière, si son regard se perdait
dans quelque motif de la tapisserie, sa fille disait : « La voilà
encore qui prie ! — Qu'est-ce que ça peut te faire ? disait la
malade. — Ça ne me fait rien, mais ça m'énerve à la fin. » Et
la vieille se taisait, en attachant sur sa fille un long regard
chargé de reproches.

Le jeune homme écoutait tout cela avec une immense
peine inconnue qui le gênait dans la poitrine. Et la vieille
disait encore : « Elle verra bien quand elle sera vieille. Elle
aussi en aura besoin ! »

On sentait cette vieille femme libérée de tout, sauf de
Dieu, livrée tout entière à ce mal dernier, vertueuse par nécessité, persuadée trop aisément que ce qui lui restait était le
seul bien digne d'amour, plongée enfin, et sans retour, dans
la misère de l'homme en Dieu². Mais que l'espoir de vie
renaisse et Dieu n'est pas de force contre les intérêts de
l'homme.

On s'était mis à table. Le jeune homme avait été invité
au dîner. La vieille ne mangeait pas, parce que les aliments
sont lourds le soir. Elle était restée dans son coin, derrière
le dos de celui qui l'avait écoutée. Et de se sentir observé,
celui-ci mangeait mal. Cependant, le dîner avançait. Pour
prolonger cette réunion, on décida d'aller au cinéma. On passait justement un film gai. Le jeune homme avait étourdiment accepté, sans penser à l'être qui continuait d'exister
dans son dos.

Les convives s'étaient levés pour aller se laver les mains,
avant de sortir. Il n'était pas question, évidemment, que la
vieille femme vînt aussi. Quand elle n'aurait pas été impotente, son ignorance l'aurait empêchée de comprendre le
film. Elle disait ne pas aimer le cinéma. Au vrai, elle ne comprenait pas. Elle était dans son coin, d'ailleurs, et prenait un
grand intérêt vide aux grains de son chapelet. Elle mettait
en lui toute sa confiance. Les trois objets qu'elle conservait
marquaient pour elle le point matériel où commençait le
divin. À partir du chapelet, du christ ou du saint Joseph, derrière eux, s'ouvrait un grand noir profond où elle plaçait tout
son espoir.

Tout le monde était prêt. On s'approchait de la vieille femme pour l'embrasser et lui souhaiter un bon soir. Elle avait déjà compris et serrait avec force son chapelet. Mais il paraissait bien que ce geste pouvait être autant de désespoir que de ferveur. On l'avait embrassée. Il ne restait que le jeune homme. Il avait serré la main de la femme avec affection et se retournait déjà. Mais l'autre voyait partir celui qui s'était intéressé à elle. Elle ne voulait pas être seule. Elle sentait déjà l'horreur de sa solitude, l'insomnie prolongée, le tête-à-tête décevant avec Dieu. Elle avait peur, ne se reposait plus qu'en l'homme[3] et, se rattachant au seul être qui lui eût marqué de l'intérêt, ne lâchait pas sa main, la serrait, le remerciant maladroitement pour justifier cette insistance. Le jeune homme était gêné. Déjà, les autres se retournaient pour l'inviter à plus de hâte. Le spectacle commençait à 9 heures et il valait mieux arriver un peu tôt pour ne pas attendre au guichet.

Lui se sentait placé devant le plus affreux malheur qu'il eût encore connu : celui d'une vieille femme infirme qu'on abandonne pour aller au cinéma. Il voulait partir et se dérober, ne voulait pas savoir, essayait de retirer sa main. Une seconde durant, il eut une haine féroce pour cette vieille femme et pensa la gifler à toute volée.

Il put enfin se retirer et partir pendant que la malade, à demi soulevée dans son fauteuil, voyait avec horreur s'évanouir la seule certitude en laquelle elle eût pu reposer. Rien ne la protégeait maintenant. Et livrée tout entière à la pensée de sa mort, elle ne savait pas exactement ce qui l'effrayait, mais sentait qu'elle ne voulait pas être seule. Dieu ne lui servait de rien, qu'à l'ôter aux hommes et à la rendre seule. Elle ne voulait pas quitter les hommes. C'est pour cela qu'elle se mit à pleurer.

Les autres étaient déjà dans la rue. Un tenace remords travaillait le jeune homme. Il leva les yeux vers la fenêtre éclairée, gros œil mort dans la maison silencieuse. L'œil se ferma. La fille de la vieille femme malade dit au jeune homme : « Elle éteint toujours la lumière quand elle est seule. Elle aime rester dans le noir. »

Ce vieillard triomphait, rapprochait les sourcils, secouait un index sentencieux. Il disait : « Moi, mon père me donnait cinq francs sur ma semaine pour m'amuser jusqu'au samedi d'après. Eh bien, je trouvais encore le moyen de mettre des sous de côté. D'abord, pour aller voir ma fiancée, je faisais en pleine campagne quatre kilomètres pour aller et quatre kilomètres pour revenir. Allez, allez, c'est moi qui vous le dis, la jeunesse d'aujourd'hui ne sait plus s'amuser. » Ils étaient autour d'une table ronde, trois jeunes, lui vieux. Il contait ses pauvres aventures : des niaiseries mises très haut, des lassitudes qu'il célébrait comme des victoires. Il ne ménageait pas de silences dans son récit, et, pressé de tout dire avant d'être quitté, il retenait de son passé ce qu'il pensait propre à toucher ses auditeurs. Se faire écouter était son seul vice : il se refusait à voir l'ironie des regards et la brusquerie moqueuse dont on l'accablait. Il était pour eux le vieillard dont on sait que tout allait bien de son temps, quand il croyait être l'aïeul respecté dont l'expérience fait poids. Les jeunes ne savent pas que l'expérience est une défaite et qu'il faut tout perdre pour savoir un peu. Lui avait souffert. Il n'en disait rien. Ça fait mieux de paraître heureux. Et puis, s'il avait tort en cela, il se serait trompé plus lourdement en voulant au contraire toucher par ses malheurs. Qu'importent les souffrances d'un vieil homme quand la vie vous occupe tout entier ? Il parlait, parlait, s'égarait avec délices dans la grisaille de sa voix assourdie. Mais cela ne pouvait durer. Son plaisir commandait une fin et l'attention de ses auditeurs déclinait. Il n'était même plus amusant ; il était vieux. Et les jeunes aiment le billard et les cartes qui ne ressemblent pas au travail imbécile de chaque jour.

Il fut bientôt seul, malgré ses efforts et ses mensonges pour rendre son récit plus attrayant. Sans égards, les jeunes étaient partis. De nouveau seul. N'être plus écouté : c'est cela qui est terrible lorsqu'on est vieux. On le condamnait au silence et à la solitude. On lui signifiait qu'il allait bientôt mourir. Et un vieil homme qui va mourir est inutile, même gênant et insidieux. Qu'il s'en aille. À défaut, qu'il se taise : c'est le moindre des égards. Et lui souffre parce qu'il ne peut se taire sans penser qu'il est vieux. Il se leva pourtant et partit en souriant à tout le monde autour de lui. Mais il ne rencontra que des visages indifférents ou secoués d'une gaieté à laquelle il n'avait pas le droit de participer. Un homme riait : « Elle est vieille, je dis pas, mais des fois, c'est dans les vieilles marmites qu'on fait les meilleures soupes. » Un autre déjà plus grave : « Nous autres, on n'est pas riche, mais on mange bien. Tu vois mon petit-fils, plus que son père il mange. Son père, il lui faut une livre de pain, lui un kilo il lui

faut ! Et vas-y le saucisson, vas-y le camembert. Des fois
qu'il a fini, il dit : "Han ! Han !" et il mange encore. » Le
vieux s'éloigna. Et de son pas lent, un petit pas d'âne au
labeur, il parcourut les longs trottoirs chargés d'hommes. Il
se sentait mal et ne voulait pas rentrer. D'habitude, il aimait
assez retrouver la table et la lampe à pétrole, les assiettes où,
machinalement, ses doigts trouvaient leur place. Il aimait
encore le souper silencieux, la vieille assise devant lui, les
bouchées longuement mâchées, le cerveau vide, les yeux
fixés et morts. Ce soir, il rentrerait plus tard. Le souper servi
et froid, la vieille serait couchée, sans inquiétude puisqu'elle
connaissait ses retards imprévus. Elle disait : « Il a la lune[4] »
et tout était dit.

Il allait maintenant, dans le doux entêtement de son pas.
Il était seul et vieux. À la fin d'une vie, la vieillesse revient
en nausées. Tout aboutit à ne plus être écouté. Il marche,
tourne au coin d'une rue, bute et, presque, tombe. Je l'ai vu.
C'est ridicule, mais qu'y faire. Malgré tout, il aime mieux la
rue, la rue plutôt que ces heures où, chez lui, la fièvre lui
masque la vieille et l'isole dans sa chambre. Alors, quelquefois, la porte s'ouvre lentement et reste à demi béante pendant un instant. Un homme entre. Il est habillé de clair. Il
s'assied en face du vieillard et se tait pendant de longues
minutes. Il est immobile, comme la porte tout à l'heure
béante. De temps en temps, il passe une main sur ses cheveux et soupire doucement. Quand il a longtemps regardé
le vieil homme du même regard lourd de tristesse, il s'en va,
silencieusement. Derrière lui, un bruit sec tombe du loquet
et le vieux reste là, horrifié, avec, dans le ventre, sa peur
acide et douloureuse. Tandis que dans la rue, il n'est pas seul,
si peu de monde qu'on rencontre. Sa fièvre chante. Son petit
pas se presse : demain tout changera, demain. Soudain il
découvre ceci que demain sera semblable, et après-demain,
tous les autres jours. Et cette irrémédiable découverte
l'écrase. Ce sont de pareilles idées qui vous font mourir. Pour
ne pouvoir les supporter, on se tue — ou si l'on est jeune, on
en fait des phrases.

Vieux, fou, ivre, on ne sait. Sa fin sera une digne fin,
sanglotante, admirable. Il mourra en beauté, je veux dire
en souffrant. Ça lui fera une consolation. Et d'ailleurs où
aller : il est vieux pour jamais. Les hommes bâtissent sur la
vieillesse à venir. À cette vieillesse assaillie d'irrémédiables,
ils veulent donner l'oisiveté qui les laisse sans défense. Ils

veulent être contremaître pour se retirer dans une petite villa. Mais une fois enfoncés dans l'âge, ils savent bien que c'est faux. Ils ont besoin des autres hommes pour se protéger. Et pour lui, il fallait qu'on l'écoutât pour qu'il crût à sa vie. Maintenant, les rues étaient plus noires et moins peuplées. Des voix passaient encore. Dans l'étrange apaisement du soir, elles devenaient plus solennelles. Derrière les collines qui encerclaient la ville, il y avait encore des lueurs de jour. Une fumée, imposante, on ne sait d'où venue, apparut derrière les crêtes boisées. Lente, elle s'éleva et s'étagea comme un sapin. Le vieux ferma les yeux. Devant la vie qui emportait les grondements de la ville et le sourire niais indifférent du ciel, il était seul, désemparé, nu, mort déjà.

Est-il nécessaire de décrire le revers de cette médaille ? On se doute que dans une pièce sale et obscure la vieille servait la table — que le dîner prêt, elle s'assit, regarda l'heure, attendit encore, et se mit à manger avec appétit. Elle pensait : « Il a la lune. » Tout était dit.

Ils vivaient à cinq : la grand-mère, son fils cadet, sa fille aînée et les deux enfants de cette dernière. Le fils était presque muet ; la fille, infirme, pensait difficilement, et, des deux enfants, l'un travaillait déjà dans une compagnie d'assurances quand le plus jeune poursuivait ses études. À soixante-dix ans, la grand-mère dominait encore tout ce monde. Au-dessus de son lit, on pouvait voir d'elle un portrait où, plus jeune de cinq ans, toute droite dans une robe noire fermée au cou par un médaillon, sans une ride, avec d'immenses yeux clairs et froids, elle avait ce port de reine qu'elle ne résigna qu'avec l'âge et qu'elle tentait parfois de retrouver dans la rue[5].

C'est à ces yeux clairs que son petit-fils devait un souvenir dont il rougissait encore. La vieille femme attendait qu'il y eût des visites pour lui demander en le fixant sévèrement : « Qui préfères-tu, ta mère ou ta grand-mère ? » Le jeu se corsait quand la fille elle-même était présente. Car, dans tous les cas, l'enfant répondait : « Ma grand-mère », avec, dans son cœur, un grand élan d'amour pour cette mère qui se taisait toujours. Ou alors, lorsque les visiteurs s'étonnaient de cette préférence, la mère disait : « C'est que c'est elle qui l'a élevé. »

C'est aussi que la vieille femme croyait que l'amour est une chose qu'on exige. Elle tirait de sa conscience de bonne mère de famille une sorte de rigidité et d'intolérance. Elle

n'avait jamais trompé son mari et lui avait fait neuf enfants.
Après sa mort, elle avait élevé sa petite famille avec énergie.
Partis de leur ferme de banlieue, ils avaient échoué dans un
vieux quartier pauvre qu'ils habitaient depuis longtemps.

Et certes, cette femme ne manquait pas de qualités. Mais,
pour ses petits-fils qui étaient à l'âge des jugements absolus,
elle n'était qu'une comédienne. Ils tenaient ainsi d'un de leurs
oncles une histoire significative. Ce dernier, venant rendre
visite à sa belle-mère, l'avait aperçue, inactive, à la fenêtre.
Mais elle l'avait reçu un chiffon à la main, et s'était excusée
de continuer son travail à cause du peu de temps que lui laissaient les soins du ménage. Et il faut bien avouer que tout
était ainsi. C'est avec beaucoup de facilité qu'elle s'évanouissait au sortir d'une discussion de famille. Elle souffrait aussi
de vomissements pénibles dus à une affection du foie. Mais
elle n'apportait aucune discrétion dans l'exercice de sa maladie. Loin de s'isoler, elle vomissait avec fracas dans le bidon
d'ordures de la cuisine. Et revenue parmi les siens, pâle, les
yeux pleins de larmes d'effort, si on la suppliait de se coucher, elle rappelait la cuisine qu'elle avait à faire et la place
qu'elle tenait dans la direction de la maison : « C'est moi qui
fais tout ici. » Et encore : « Qu'est-ce que vous deviendriez
si je disparaissais ! »

Les enfants s'habituèrent à ne pas tenir compte de ses
vomissements, de ses « attaques » comme elle disait, ni de
ses plaintes. Elle s'alita un jour et réclama le médecin. On le
fit venir pour lui complaire. Le premier jour, il décela un
simple malaise, le deuxième un cancer du foie, et le troisième, un ictère grave. Mais le plus jeune des deux enfants
s'entêtait à ne voir là qu'une nouvelle comédie, une simulation plus raffinée. Il n'était pas inquiet. Cette femme l'avait
trop opprimé pour que ses premières vues puissent être
pessimistes. Et il y a une sorte de courage désespéré dans la
lucidité et le refus d'aimer. Mais à jouer la maladie, on peut
effectivement la ressentir : la grand-mère poussa la simulation jusqu'à la mort. Le dernier jour, assistée de ses enfants,
elle se délivrait de ses fermentations d'intestin. Avec simplicité, elle s'adressa à son petit-fils : « Tu vois, dit-elle, je pète
comme un petit cochon. » Elle mourut une heure après.

Son petit-fils, il le sentait bien maintenant, n'avait rien
compris à la chose. Il ne pouvait se délivrer de l'idée que
s'était jouée devant lui la dernière et la plus monstrueuse des
simulations de cette femme. Et s'il s'interrogeait sur la peine

qu'il ressentait, il n'en décelait aucune. Le jour de l'enterrement seulement, à cause de l'explosion générale des larmes,
il pleura, mais avec la crainte de ne pas être sincère et de
mentir devant la mort. C'était par une belle journée d'hiver,
traversée de rayons. Dans le bleu du ciel, on devinait le froid
tout pailleté de jaune. Le cimetière dominait la ville et on
pouvait voir le beau soleil transparent tomber sur la baie
tremblante de lumière, comme une lèvre humide[6].

Tout ça ne se concilie pas ? La belle vérité. Une femme
qu'on abandonne pour aller au cinéma, un vieil homme
qu'on n'écoute plus, une mort qui ne rachète rien et puis, de
l'autre côté, toute la lumière du monde. Qu'est-ce que ça
fait, si on accepte tout ? Il s'agit de trois destins semblables
et pourtant différents. La mort pour tous, mais à chacun sa
mort. Après tout, le soleil nous chauffe quand même les os.

ENTRE OUI ET NON

S'il est vrai que les seuls paradis sont ceux qu'on a perdus[1], je sais comment nommer ce quelque chose de tendre et d'inhumain qui m'habite aujourd'hui. Un émigrant revient dans sa patrie. Et moi, je me souviens. Ironie, raidissement, tout se tait et me voici rapatrié. Je ne veux pas remâcher du bonheur. C'est bien plus simple et c'est bien plus facile. Car de ces heures que, du fond de l'oubli, je ramène vers moi, s'est conservé surtout le souvenir intact d'une pure émotion, d'un instant suspendu dans l'éternité. Cela seul est vrai en moi et je le sais toujours trop tard. Nous aimons le fléchissement d'un geste, l'opportunité d'un arbre dans le paysage. Et pour recréer tout cet amour, nous n'avons qu'un détail, mais qui suffit : une odeur de chambre trop longtemps fermée, le son singulier d'un pas sur la route. Ainsi de moi. Et si j'aimais alors en me donnant, enfin j'étais moi-même puisqu'il n'y a que l'amour qui nous rende à nous-mêmes.

Lentes, paisibles et graves, ces heures reviennent, aussi fortes, aussi émouvantes — parce que c'est le soir, que l'heure est triste et qu'il y a une sorte de désir vague dans le ciel sans lumière. Chaque geste retrouvé me révèle à moi-même. On m'a dit un jour : « C'est si difficile de vivre. » Et je me souviens du ton. Une autre fois, quelqu'un a murmuré : « La pire erreur, c'est encore de faire souffrir. » Quand tout est fini, la soif de vie est éteinte. Est-ce là ce qu'on appelle le bonheur ? En longeant ces souvenirs, nous revêtons tout du même vêtement discret et la mort nous apparaît comme une toile de fond aux tons vieillis. Nous revenons sur nous-mêmes.

Nous sentons notre détresse et nous en aimons mieux. Oui, c'est peut-être cela le bonheur, le sentiment apitoyé de notre malheur.

C'est bien ainsi ce soir. Dans ce café maure, tout au bout de la ville arabe *a*, je me souviens non d'un bonheur passé, mais d'un étrange sentiment. C'est déjà la nuit. Sur les murs, des lions jaune canari poursuivent des cheiks vêtus de vert, parmi des palmiers à cinq branches. Dans un angle du café, une lampe à acétylène donne une lumière inconstante. L'éclairage réel est donné par le foyer, au fond d'un petit four garni d'émaux verts et jaunes. La flamme éclaire le centre de la pièce et je sens ses reflets sur mon visage. Je fais face à la porte et à la baie. Accroupi dans un coin, le patron du café semble regarder mon verre resté vide, une feuille de menthe au fond. Personne dans la salle, les bruits de la ville en contrebas, plus loin des lumières sur la baie. J'entends l'Arabe respirer très fort, et ses yeux brillent dans la pénombre. Au loin, est-ce le bruit de la mer ? le monde soupire vers moi dans un rythme long et m'apporte l'indifférence et la tranquillité de ce qui ne meurt pas. De grands reflets rouges font ondoyer les lions sur les murs. L'air devient frais. Une sirène sur la mer. Les phares commencent à tourner : une lumière verte, une rouge, une blanche. Et toujours ce grand soupir du monde. Une sorte de chant secret naît de cette indifférence. Et me voici rapatrié. Je pense à un enfant qui vécut dans un quartier pauvre. Ce quartier, cette maison ! Il n'y avait qu'un étage et les escaliers n'étaient pas éclairés. Maintenant encore, après de longues années, il pourrait y retourner en pleine nuit. Il sait qu'il grimperait l'escalier à toute vitesse sans trébucher une seule fois. Son corps même est imprégné de cette maison. Ses jambes conservent en elles la mesure exacte de la hauteur des marches. Sa main, l'horreur instinctive, jamais vaincue, de la rampe d'escalier. Et c'était à cause des cafards.

Les soirs d'été, les ouvriers se mettent au balcon. Chez lui, il n'y avait qu'une toute petite fenêtre. On descendait alors des chaises sur le devant de la maison et l'on goûtait le soir. Il y avait la rue, les marchands de glaces à côté, les cafés en face, et des bruits d'enfants courant de porte en porte. Mais surtout, entre les grands ficus, il y avait le ciel. Il y a une solitude dans la pauvreté, mais une solitude qui rend son prix à chaque chose. À un certain degré de richesse, le ciel lui-même et la nuit pleine d'étoiles semblent des biens naturels. Mais au bas de l'échelle, le ciel reprend tout son sens : une grâce sans prix. Nuits d'été, mystères où crépitaient des étoiles ! Il y avait derrière l'enfant un couloir puant et sa petite chaise, crevée, s'enfonçait un peu sous lui. Mais les yeux levés, il buvait à même la nuit pure. Parfois passait un tramway, vaste et rapide. Un ivrogne enfin chantonnait au coin d'une rue sans parvenir à troubler le silence.

La mère de l'enfant restait aussi silencieuse. En certaines circonstances, on lui posait une question : « À quoi tu penses ? — À rien », répondait-elle. Et c'est bien vrai. Tout est là, donc rien. Sa vie, ses intérêts, ses enfants se bornent à être là, d'une présence trop naturelle pour être sentie. Elle était infirme, pensait difficilement. Elle avait une mère rude et dominatrice qui sacrifiait tout à un amour-propre de bête susceptible et qui avait longtemps dominé l'esprit faible de sa fille. Émancipée par le mariage, celle-ci est docilement revenue, son mari mort. Il était mort au champ d'honneur, comme on dit. En bonne place, on peut voir dans un cadre doré la croix de guerre et la médaille militaire. L'hôpital a encore envoyé à la veuve un petit éclat d'obus retrouvé dans les chairs. La veuve l'a gardé. Il y a longtemps qu'elle n'a plus de chagrin. Elle a oublié son mari, mais parle encore du père de ses enfants. Pour élever ces derniers, elle travaille et donne son argent à sa mère. Celle-ci fait l'éducation des enfants avec une cravache. Quand elle frappe trop fort, sa fille lui dit : « Ne frappe pas sur la tête. » Parce que ce sont ses enfants, elle les aime bien. Elle les aime d'un égal amour qui ne s'est jamais révélé à eux. Quelquefois, comme en ces soirs dont lui se souvenait, revenue du travail exténuant (elle fait des ménages), elle trouve la maison vide. La vieille est aux commissions, les enfants encore à l'école. Elle se tasse alors sur une chaise et, les yeux vagues, se perd dans la poursuite éperdue d'une rainure du parquet. Autour d'elle, la nuit s'épaissit dans laquelle ce mutisme est d'une irrémédiable désolation. Si l'enfant entre à ce moment, il distingue la maigre silhouette aux épaules osseuses et s'arrête : il a peur. Il commence à sentir beaucoup de choses. À peine s'est-il aperçu de sa propre existence. Mais il a mal à pleurer devant ce silence animal. Il a pitié de sa mère, est-ce l'aimer ? Elle ne l'a jamais caressé puisqu'elle ne saurait pas. Il reste alors de longues minutes à la regarder. À se sentir étranger, il prend conscience de sa peine. Elle ne l'entend pas, car elle est sourde. Tout à l'heure, la vieille rentrera, la vie renaîtra :

la lumière ronde de la lampe à pétrole, la toile cirée, les cris,
les gros mots. Mais maintenant, ce silence marque un temps
d'arrêt, un instant démesuré. Pour sentir cela confusément,
l'enfant croit sentir dans l'élan qui l'habite, de l'amour pour
sa mère. Et il le faut bien parce qu'après tout c'est sa mère.

Elle ne pense à rien. Dehors, la lumière, les bruits ; ici le
silence dans la nuit. L'enfant grandira, apprendra. On l'élève
et on lui demandera de la reconnaissance, comme si on lui
évitait la douleur. Sa mère toujours aura ces silences. Lui
croîtra en douleur. Être un homme, c'est ce qui compte. Sa
grand-mère mourra, puis sa mère, lui.

La mère[b] a sursauté. Elle a eu peur. Il a l'air idiot à la
regarder ainsi. Qu'il aille faire ses devoirs. L'enfant a fait ses
devoirs. Il est aujourd'hui dans un café sordide. Il est maintenant un homme. N'est-ce pas cela qui compte ? Il faut
bien croire que non, puisque faire ses devoirs et accepter
d'être un homme conduit seulement à être vieux.

L'Arabe dans son coin, toujours accroupi, tient ses pieds
entre ses mains. Des terrasses monte une odeur de café grillé
avec des bavardages animés de voix jeunes. Un remorqueur
donne encore sa note grave et tendre. Le monde s'achève ici
comme chaque jour et, de tous ses tourments sans mesure,
rien ne demeure maintenant que cette promesse de paix. L'indifférence de cette mère étrange ! Il n'y a que cette immense
solitude du monde qui m'en donne la mesure. Un soir[c],
on avait appelé son fils — déjà grand — auprès d'elle. Une
frayeur lui avait valu une sérieuse commotion cérébrale. Elle
avait l'habitude de se mettre au balcon à la fin de la journée.
Elle prenait une chaise et plaçait sa bouche sur le fer froid et
salé du balcon. Elle regardait alors passer les gens. Derrière
elle, la nuit s'amassait peu à peu. Devant elle, les magasins
s'illuminaient brusquement. La rue se grossissait de monde
et de lumières. Elle s'y perdait dans une contemplation sans
but. Le soir dont il s'agit, un homme avait surgi derrière elle,
l'avait traînée, brutalisée et s'était enfui en entendant du
bruit. Elle n'avait rien vu, et s'était évanouie. Elle était couchée quand son fils arriva. Il décida sur l'avis du docteur
de passer la nuit auprès d'elle. Il s'allongea sur le lit, à côté
d'elle, à même les couvertures. C'était l'été. La peur du
drame récent traînait dans la chambre surchauffée. Des pas
bruissaient et des portes grinçaient. Dans l'air lourd, flottait
l'odeur du vinaigre dont on avait rafraîchi la malade. Elle, de
son côté, s'agitait, geignait, sursautait brusquement parfois.

Elle le tirait alors de courtes somnolences d'où il surgissait trempé de sueur, déjà alerté — et où il retombait, pesamment, après un regard à la montre où dansait, trois fois répétée, la flamme de la veilleuse. Ce n'est que plus tard qu'il éprouva combien ils avaient été seuls en cette nuit. Seuls contre tous. Les « autres » dormaient, à l'heure où tous deux respiraient la fièvre. Dans cette vieille maison, tout semblait creux alors. Les tramways de minuit drainaient en s'éloignant toute l'espérance qui nous vient des hommes, toutes les certitudes que nous donne le bruit des villes. La maison résonnait encore de leur passage et par degrés tout s'éteignait. Il ne restait plus qu'un grand jardin de silence où croissaient parfois les gémissements apeurés de la malade. Lui [d] ne s'était jamais senti aussi dépaysé. Le monde s'était dissous et avec lui l'illusion que la vie recommence tous les jours. Rien n'existait plus, études ou ambitions, préférences au restaurant ou couleurs favorites. Rien que la maladie et la mort où il se sentait plongé... Et pourtant, à l'heure même où le monde croulait, lui vivait. Et même il avait fini par s'endormir. Non cependant sans emporter l'image désespérante et tendre d'une solitude à deux. Plus tard, bien plus tard, il devait se souvenir de cette odeur mêlée de sueur et de vinaigre, de ce moment où il avait senti les liens qui l'attachaient à sa mère. Comme si elle était l'immense pitié de son cœur, répandue autour de lui, devenue corporelle et jouant avec application, sans souci de l'imposture, le rôle d'une vieille femme pauvre à l'émouvante destinée.

Maintenant le feu se recouvre de cendre dans le foyer. Et toujours le même soupir de la terre. Une derbouka fait entendre son chant perlé. Une voix rieuse de femme s'y plaque. Des lumières avancent sur la baie — les barques de pêche sans doute qui rentrent dans la darse. Le triangle de ciel que je vois de ma place est dépouillé des nuages du jour. Gorgé d'étoiles, il frémit sous un souffle pur et les ailes feutrées de la nuit battent lentement autour de moi. Jusqu'où ira cette nuit où je ne m'appartiens plus ? Il y a une vertu dangereuse dans le mot simplicité. Et cette nuit, je comprends qu'on puisse vouloir mourir parce que, au regard d'une certaine transparence de la vie, plus rien n'a d'importance. Un homme souffre et subit malheurs sur malheurs. Il les supporte, s'installe dans son destin. On l'estime. Et puis, un soir, rien : il rencontre un ami qu'il a beaucoup aimé. Celui-ci lui parle distraitement. En rentrant, l'homme se tue[2]. On

parle ensuite de chagrins intimes et de drame secret. Non.
Et s'il faut absolument une cause, il s'est tué parce qu'un ami
lui a parlé distraitement. Ainsi, chaque fois qu'il m'a semblé
éprouver le sens profond du monde, c'est sa simplicité qui
m'a toujours bouleversé. Ma mère, ce soir, et son étrange
indifférence. Une autre fois, j'habitais dans une villa de banlieue, seul avec un chien, un couple de chats et leurs petits,
tous noirs[3]. La chatte ne pouvait les nourrir. Un à un, tous
les petits mouraient. Ils remplissaient leur pièce d'ordures.
Et chaque soir, en rentrant, j'en trouvais un tout raidi et les
babines retroussées. Un soir, je trouvai le dernier mangé à
moitié par sa mère. Il sentait déjà. L'odeur de mort se mélan-
geait à l'odeur d'urine. Je m'assis alors au milieu de toute
cette misère et, les mains dans l'ordure, respirant cette odeur
de pourriture, je regardai longtemps la flamme démente
qui brillait dans les yeux verts de la chatte, immobile dans
un coin. Oui. C'est bien ainsi ce soir. À un certain degré de
dénuement, plus rien ne conduit à plus rien, ni l'espoir ni
le désespoir ne paraissent fondés, et la vie tout entière se
résume dans une image. Mais pourquoi s'arrêter là ? Simple,
tout est simple, dans les lumières des phares, une verte, une
rouge, une blanche ; dans la fraîcheur de la nuit et les odeurs
de ville et de pouillerie qui montent jusqu'à moi. Si ce soir,
c'est l'image d'une certaine enfance qui revient vers moi,
comment ne pas accueillir la leçon d'amour et de pauvreté
que je puis en tirer ? Puisque cette heure est comme un
intervalle entre oui et non, je laisse pour d'autres heures l'espoir ou le dégoût de vivre. Oui, recueillir seulement la transparence et la simplicité des paradis perdus : dans une image.
Et c'est ainsi qu'il n'y a pas longtemps, dans une maison
d'un vieux quartier, un fils est allé voir sa mère. Ils sont assis
face à face, en silence. Mais leurs regards se rencontrent :

« Alors, maman.

— Alors, voilà.

— Tu t'ennuies ? Je ne parle pas beaucoup ?

— Oh, tu n'as jamais beaucoup parlé. »

Et un beau sourire sans lèvres se fond sur son visage.
C'est vrai, il ne lui a jamais parlé. Mais quel besoin, en
vérité ? À se taire, la situation s'éclaircit. Il est son fils, elle
est sa mère. Elle peut lui dire : « Tu sais. »

Elle est assise au pied du divan, les pieds joints, les mains
jointes sur ses genoux. Lui, sur sa chaise, la regarde à peine
et fume sans arrêt. Un silence.

« Tu ne devrais pas tant fumer.

— C'est vrai. »

Toute l'odeur du quartier remonte par la fenêtre. L'accordéon du café voisin, la circulation qui se presse au soir, l'odeur des brochettes de viande grillée qu'on mange entre des petits pains élastiques, un enfant qui pleure dans la rue. La mère se lève et prend un tricot. Elle a des doigts gourds que l'arthritisme a déformés. Elle ne travaille pas vite, reprenant trois fois la même maille ou défaisant toute une rangée avec un sourd crépitement.

« C'est un petit gilet. Je le mettrai avec un col blanc. Ça et mon manteau noir, je serai habillée pour la saison. »

Elle s'est levée' pour donner de la lumière.

« Il fait nuit de bonne heure maintenant. »

C'était vrai. Ce n'était plus l'été et pas encore l'automne. Dans le ciel doux, des martinets criaient encore.

« Tu reviendras bientôt ?

— Mais je ne suis pas encore parti. Pourquoi parles-tu de ça ?

— Non, c'était pour dire quelque chose. »

Un tramway passe. Une auto.

« C'est vrai que je ressemble à mon père ?

— Oh, ton père tout craché. Bien sûr, tu ne l'as pas connu. Tu avais six mois quand il est mort. Mais si tu avais une petite moustache ! »

C'est sans conviction qu'il a parlé de son père. Aucun souvenir, aucune émotion. Sans doute, un homme comme tant d'autres. D'ailleurs, il était parti très enthousiaste. À la Marne, le crâne ouvert. Aveugle et agonisant pendant une semaine : inscrit sur le monument aux morts de sa commune.

« Au fond, dit-elle, ça vaut mieux. Il serait revenu aveugle ou fou. Alors, le pauvre…

— C'est vrai. »

Et qu'est-ce donc qui le retient dans cette chambre, sinon la certitude que ça vaut toujours mieux, le sentiment que toute l'absurde simplicité du monde s'est réfugiée dans cette pièce.

« Tu reviendras ? dit-elle. Je sais bien que tu as du travail. Seulement, de temps en temps… »

Mais à cette heure, où suis-je ? Et comment séparer ce café désert de cette chambre du passé. Je ne sais plus si je vis ou si je me souviens. Les lumières des phares sont là. Et l'Arabe qui se dresse devant moi me dit qu'il va fermer. Il

faut sortir. Je ne veux plus descendre cette pente si dangereuse. Il est vrai que je regarde une dernière fois la baie et ses
lumières, que ce qui monte alors vers moi n'est pas l'espoir
de jours meilleurs, mais une indifférence sereine et primitive
à tout et à moi-même. Mais il faut briser cette courbe trop
molle et trop facile. Et j'ai besoin de ma lucidité. Oui, tout
est simple. Ce sont les hommes qui compliquent les choses.
Qu'on ne nous raconte pas d'histoires. Qu'on ne nous dise
pas du condamné à mort : « Il va payer sa dette à la société »,
mais : « On va lui couper le cou. » Ça n'a l'air de rien. Mais
ça fait une petite différence. Et puis, il y a des gens qui préfèrent regarder leur destin dans les yeux.

LA MORT DANS L'ÂME[a]

J'arrivai à Prague à 6 heures du soir. Tout de suite, je portai mes bagages à la consigne. J'avais encore deux heures pour chercher un hôtel. Et je me sentais gonflé d'un étrange sentiment de liberté parce que mes deux valises ne pesaient plus à mes bras. Je sortis de la gare, marchai le long de jardins et me trouvai soudain jeté en pleine avenue Wenceslas, bouillonnante de monde à cette heure. Autour de moi, un million d'êtres qui avaient vécu jusque-là et de leur existence rien n'avait transpiré pour moi. Ils vivaient. J'étais à des milliers de kilomètres du pays familier. Je ne comprenais pas leur langage. Tous marchaient vite. Et me dépassant, tous se détachaient de moi. Je perdis pied.

J'avais peu d'argent. De quoi vivre six jours. Mais, au bout de ce temps, on devait me rejoindre. Pourtant, l'inquiétude me vint aussi à ce sujet. Je me mis donc à la recherche d'un hôtel modeste. J'étais dans la ville neuve et tous ceux qui m'apparaissaient éclataient de lumières, de rires et de femmes. J'allai plus vite. Quelque chose dans ma course précipitée ressemblait déjà à une fuite. Vers 8 heures pourtant, fatigué, j'arrivai[b] dans la vieille ville. Là, un hôtel d'apparence modeste, à petite entrée, me séduisit. J'entre. Je fais ma fiche, prends ma clef. J'ai la chambre n° 34, au troisième étage. J'ouvre la porte et me trouve dans une pièce très luxueuse. Je cherche l'indication d'un prix : il est deux fois plus élevé que je ne pensais. La question d'argent devient épineuse. Je ne peux plus vivre que pauvrement dans cette grande ville. L'inquiétude, encore indifférenciée tout à l'heure,

se précise. Je suis mal à l'aise. Je me sens creux et vide. Un
moment de lucidité pourtant : on m'a toujours attribué, à
tort ou à raison, la plus grande indifférence à l'égard des
questions d'argent. Que vient faire ici cette stupide appréhension ? Mais, déjà, l'esprit marche. Il faut manger, marcher à nouveau et chercher le restaurant modeste. Je ne dois
pas dépenser plus de dix couronnes à chacun de mes repas.
De tous les restaurants que je vois, le moins cher est aussi le
moins accueillant. Je passe et repasse. À l'intérieur, on finit
par prendre garde à mon manège : il faut entrer. C'est un
caveau assez sombre, peint de fresques prétentieuses. Le
public est assez mêlé. Quelques filles, dans un coin, fument
et parlent avec gravité. Des hommes mangent, la plupart
sans âge et sans couleur. Le garçon, un colosse au smoking
graisseux, avance vers moi une énorme tête sans expression.
Vite, au hasard, j'indique sur le menu, incompréhensible pour
moi, un plat. Mais il paraît que ça vaut une explication. Et
le garçon m'interroge en tchèque. Je réponds avec le peu
d'allemand que je sais. Il ignore l'allemand. Je m'énerve.
Lui appelle une des filles qui s'avance avec une pose classique, main gauche sur la hanche, cigarette dans la droite et
sourire mouillé. Elle s'assied à ma table et m'interroge dans
un allemand que je juge aussi mauvais que le mien. Tout
s'explique. Le garçon voulait me vanter le plat du jour. Beau
joueur, j'accepte le plat du jour. La fille me parle, mais je ne
comprends plus. Naturellement, je dis oui de mon air le plus
pénétré. Mais je ne suis pas ici. Tout m'exaspère, je vacille,
je n'ai pas faim. Et toujours cette pointe douloureuse en moi
et le ventre serré. J'offre un demi parce que je sais mes usages.
Le plat du jour arrivé, je mange : un mélange de semoule et
de viande, rendu écœurant par une quantité invraisemblable
de cumin. Mais je pense à autre chose, à rien plutôt, fixant
la bouche grasse et rieuse de la femme qui me fait face.
Croit-elle à une invite ? Elle est déjà près de moi, se fait collante. Un geste machinal de moi la retient. (Elle était laide.
J'ai souvent pensé que si cette fille avait été belle, j'eusse
échappé à tout ce qui suivit.) J'avais peur d'être malade, là,
au milieu de ces gens prêts à rire. Plus encore d'être seul
dans ma chambre d'hôtel, sans argent et sans ardeur, réduit à
moi-même et à mes misérables pensées. Je me demande,
encore aujourd'hui, avec gêne, comment l'être hagard et lâche
que j'étais alors a pu sortir de moi. Je partis. Je marchai dans
la vieille ville, mais incapable de rester plus longtemps en

face de moi-même, je courus jusqu'à mon hôtel, me couchai, attendis le sommeil qui vint presque aussitôt.

Tout pays où je ne m'ennuie pas est un pays qui ne m'apprend rien. C'est avec de telles phrases que j'essayais de me remonter. Mais vais-je décrire les jours qui suivirent ? Je retournai à mon restaurant. Matin et soir, je subis l'affreuse nourriture au cumin qui me soulevait le cœur. Par là, je promenai toute la journée une perpétuelle envie de vomir. Mais je n'y cédai pas, sachant qu'il fallait s'alimenter. D'ailleurs, qu'était cela au prix de ce qu'il eût fallu subir à essayer un nouveau restaurant ? Là du moins, j'étais « reconnu ». On me souriait si on ne m'y parlait pas. D'autre part, l'angoisse gagnait du terrain. Je considérais trop cette pointe aiguë dans mon cerveau. Je décidai d'organiser mes journées, d'y répandre des points d'appui. Je restais au lit le plus tard possible et mes journées se trouvaient diminuées d'autant. Je faisais ma toilette et j'explorais méthodiquement la ville. Je me perdais dans les somptueuses églises baroques, essayant d'y retrouver une patrie, mais sortant plus vide et plus désespéré de ce tête-à-tête décevant avec moi-même. J'errais le long de l'Ultava coupée de barrages bouillonnants. Je passais des heures démesurées dans l'immense quartier du Hradschin, désert et silencieux. À l'ombre de sa cathédrale et de ses palais, à l'heure où le soleil déclinait, mon pas solitaire faisait résonner les rues. Et m'en apercevant, la panique me reprenait. Je dînais tôt et me couchais à 8 heures et demie. Le soleil m'arrachait à moi-même. Églises, palais et musées, je tentais d'adoucir mon angoisse dans toutes les œuvres d'art. Truc classique : je voulais résoudre ma révolte en mélancolie. Mais en vain. Aussitôt sorti, j'étais un étranger. Une fois pourtant, dans un cloître baroque, à l'extrémité de la ville, la douceur de l'heure, les cloches qui tintaient lentement, des grappes de pigeons se détachant de la vieille tour, quelque chose aussi comme un parfum d'herbes et de néant, fit naître en moi un silence tout peuplé de larmes qui me mit à deux doigts de la délivrance. Et rentré le soir, j'écrivis d'un trait ce qui suit et que je transcris avec fidélité, parce que je retrouve dans son emphase même la complexité de ce qu'alors je ressentais : « Et quel autre profit vouloir tirer du voyage ? Me voici sans parure. Ville dont je ne sais pas lire les enseignes, caractères étranges où rien de familier ne s'accroche, sans amis à qui parler, sans divertissement enfin. De cette chambre où arrivent les bruits d'une ville étrangère, je sais bien que rien ne peut me tirer pour m'amener vers la lumière plus délicate d'un foyer ou d'un lieu aimé. Vais-je appeler, crier ? Ce sont des visages étrangers qui paraîtront. Églises, or et encens, tout me rejette dans une vie quotidienne où mon angoisse donne son prix à chaque chose. Et voici que le rideau des habitudes, le tissage confortable des gestes et des paroles où le cœur s'assoupit, se relève lentement et dévoile enfin la face blême de l'inquiétude. L'homme est face à face avec lui-même : je le défie d'être heureux… Et c'est pourtant par là que le voyage l'illumine. Un grand désaccord se fait entre lui et les choses. Dans ce cœur moins solide, la musique du monde entre plus aisément. Dans ce^d grand dénuement enfin, le moindre arbre isolé devient la plus tendre et la plus fragile des images. Œuvres d'art et sourires de femmes, races d'hommes plantées dans leur terre et monuments où les siècles se résument, c'est un émouvant et sensible paysage que le voyage compose. Et puis, au bout du jour, cette chambre d'hôtel où quelque chose à nouveau se creuse en moi comme une faim de l'âme. » Mais ai-je besoin d'avouer que tout cela, c'étaient des histoires pour m'endormir. Et je puis bien le dire maintenant, ce qui me reste de Prague, c'est cette odeur de concombres trempés dans le vinaigre, qu'on vend à tous les coins de rues pour manger sur le pouce, et dont le parfum aigre et piquant réveillait mon angoisse et l'étoffait dès que j'avais dépassé le seuil de mon hôtel. Cela et peut-être aussi certain air d'accordéon. Sous mes fenêtres, un aveugle manchot, assis sur son instrument, le maintenait d'une fesse et le maniait de sa main valide. C'était toujours le même air puéril et tendre qui me réveillait le matin pour me placer brusquement dans la réalité sans décor où je me débattais.

Je me souviens encore que sur les bords de l'Ultava, je m'arrêtais soudain et, saisi par cette odeur ou cette mélodie, projeté tout au bout de moi-même, je me disais tout bas : « Qu'est-ce que ça signifie ? Qu'est-ce que ça signifie ? » Mais, sans doute, je n'étais pas encore arrivé aux confins. Le quatrième jour, au matin, vers 10 heures, je me préparais à sortir. Je voulais voir certain cimetière juif que je n'avais pas pu trouver le jour précédent. On frappa à la porte d'une chambre voisine. Après un moment de silence, on frappa de nouveau. Longuement, cette fois, mais en vain apparemment. Un pas lourd descendit les étages. Sans y prêter attention, l'esprit creux, je perdis quelque temps à lire le mode d'emploi d'une pâte à raser dont j'usais d'ailleurs depuis un mois. La journée était lourde. Du ciel couvert, une lumière cuivrée descendait sur les flèches et les dômes de la vieille Prague. Les crieurs de journaux annonçaient comme tous les matins le *Narodni Politika*. Je m'arrachai avec peine à la torpeur qui me gagnait. Mais au moment de sortir, je croisai le garçon d'étage, armé de clefs. Je m'arrêtai. Il frappa de nouveau, longuement. Il tenta d'ouvrir. Rien n'y fit. Le verrou intérieur devait être poussé. Nouveaux coups. La chambre sonnait creux, et de façon si lugubre qu'oppressé, je partis sans vouloir rien demander. Mais dans les rues de Prague, j'étais poursuivi par un douloureux pressentiment. Comment oublierai-je la figure niaise du garçon d'étage, ses souliers vernis recourbés de façon bizarre, et le bouton qui manquait à sa veste ? Je déjeunai enfin, mais avec un dégoût croissant. Vers 2 heures, je retournai à l'hôtel.

Dans le hall, le personnel chuchotait. Je montai rapidement les étages pour me trouver plus vite en face de ce que j'attendais. C'était bien cela. La porte de la chambre était à demi ouverte, de sorte que l'on voyait seulement un grand mur peint en bleu. Mais la lumière sourde dont j'ai parlé plus haut projetait sur cet écran l'ombre d'un mort étendu sur le lit et celle d'un policier montant la garde devant le corps. Les deux ombres se coupaient à angle droit. Cette lumière me bouleversa. Elle était authentique, une vraie lumière de vie, d'après-midi de vie, une lumière qui fait qu'on s'aperçoit qu'on vit. Lui était mort. Seul dans sa chambre. Je savais que ce n'était pas un suicide. Je rentrai précipitamment dans ma chambre et me jetai sur mon lit. Un homme comme beaucoup d'autres, petit et gros si j'en croyais l'ombre. Il y avait longtemps qu'il était mort sans doute. Et la vie avait continué dans l'hôtel, jusqu'à ce que le garçon ait eu l'idée de l'appeler. Il était arrivé là sans se douter de rien et il était mort seul. Moi, pendant ce temps, je lisais la réclame de ma pâte à raser. Je passai l'après-midi entier dans un état que j'aurais peine à décrire. J'étais étendu, la tête vide et le cœur étrangement serré. Je faisais mes ongles. Je comptais les rainures du parquet. « Si je peux compter jusqu'à mille… » À cinquante ou soixante, c'était la débâcle. Je ne pouvais aller plus loin. Je n'entendais rien des bruits du dehors. Une fois cependant, dans le couloir, une voix étouffée, une voix de femme qui disait en allemand : « Il était si bon. » Alors je pensai désespérément à ma ville, au bord de la Méditerranée,

aux soirs d'été que j'aime tant, très doux dans la lumière
verte et pleins de femmes jeunes et belles. Depuis des jours,
je n'avais pas prononcé une seule parole et mon cœur éclatait de cris et de révoltes contenus. J'aurais pleuré comme
un enfant si quelqu'un m'avait ouvert ses bras. Vers la fin de
l'après-midi, brisé de fatigue, je fixais éperdument le loquet
de ma porte, la tête creuse et ressassant un air populaire d'accordéon. À ce moment[r], je ne pouvais aller plus loin. Plus de
pays, plus de ville, plus de chambre et plus de nom, folie
ou conquête, humiliation ou inspiration, allais-je savoir ou
me consumer ? On frappa à la porte et mes amis entrèrent.
J'étais sauvé même si j'étais frustré. Je crois bien que j'ai
dit : « Je suis content de vous revoir. » Mais je suis sûr que
là se sont arrêtés mes aveux et que je suis resté à leurs yeux
l'homme qu'ils avaient quitté.

Je quittai Prague peu après. Et certes, je me suis intéressé
à ce que je vis ensuite. Je pourrais noter telle heure dans le
petit cimetière gothique de Bautzen, le rouge éclatant de ses
géraniums, et le matin bleu. Je pourrais parler des longues
plaines de Silésie, impitoyables et ingrates. Je les ai traversées
au petit jour. Un vol pesant d'oiseaux passait dans le matin
brumeux et gras, au-dessus des terres gluantes. J'aimai aussi
la Moravie tendre et grave, ses lointains purs, ses chemins
bordés de pruniers aux fruits aigres. Mais je gardais au fond
de moi l'étourdissement de ceux qui ont trop regardé dans
une crevasse sans fond. J'arrivai à Vienne, en repartis au
bout d'une semaine, et j'étais toujours prisonnier de moi-
même.

Pourtant, dans le train qui me menait de Vienne à Venise,
j'attendais quelque chose. J'étais comme un convalescent
qu'on a nourri de bouillons et qui pense à ce que sera la première croûte de pain qu'il mangera. Une lumière naissait. Je
le sais maintenant : j'étais prêt pour le bonheur. Je parlerai
seulement des six jours que je vécus sur une colline près de
Vicence. J'y suis encore, ou plutôt, je m'y retrouve parfois,
et souvent tout m'est rendu dans un parfum de romarin.

J'entre en Italie. Terre faite à mon âme, je reconnais un à
un les signes de son approche. Ce sont les premières maisons aux tuiles écailleuses, les premières vignes plaquées contre
un mur que le sulfatage a bleui. Ce sont les premiers linges
tendus dans les cours, le désordre des choses, le débraillé
des hommes. Et le premier cyprès (si grêle et pourtant si

droit), le premier olivier, le figuier poussiéreux. Places pleines
d'ombres des petites villes italiennes, heures de midi où les
pigeons cherchent un abri, lenteur et paresse, l'âme y use
ses révoltes. La passion chemine par degrés vers les larmes.
Et puis, voici Vicence. Ici, les journées tournent sur elles-
mêmes, depuis l'éveil du jour gonflé du cri des poules jusqu'à ce soir sans égal, doucereux et tendre, soyeux derrière
les cyprès et mesuré longuement par le chant des cigales. Ce
silence intérieur qui m'accompagne, il naît de la course lente
qui mène la journée à cette autre journée. Qu'ai-je à souhaiter d'autre que cette chambre ouverte sur la plaine, avec
ses meubles antiques et ses dentelles au crochet. J'ai tout le
ciel sur la face et ce tournoiement des journées, il me semble
que je pourrais le suivre sans cesse, immobile, tournoyant
avec elles. Je respire le seul bonheur dont je sois capable —
une conscience attentive et amicale. Je me promène tout le
jour : de la colline, je descends vers Vicence ou bien je vais
plus avant dans la campagne. Chaque être rencontré, chaque
odeur de cette rue, tout m'est prétexte pour aimer sans
mesure. Des jeunes femmes qui surveillent une colonie de
vacances, la trompette des marchands de glaces (leur voiture, c'est une gondole montée sur roues et munie de bran-
cards), les étalages de fruits, pastèques rouges aux graines
noires, raisins translucides et gluants — autant d'appuis
pour qui ne sait plus être seul*. Mais la flûte aigre et tendre
des cigales, le parfum d'eaux et d'étoiles qu'on rencontre
dans les nuits de septembre, les chemins odorants parmi
les lentisques et les roseaux, autant de signes d'amour pour
qui est forcé d'être seul*. Ainsi, les journées passent. Après
l'éblouissement des heures pleines de soleil, le soir vient,
dans le décor splendide que lui font l'or du couchant et le
noir des cyprès. Je marche alors sur la route, vers les cigales
qui s'entendent de si loin. À mesure que j'avance, une à une,
elles mettent leur chant en veilleuse, puis se taisent. J'avance
d'un pas lent, oppressé par tant d'ardente beauté. Une à une,
derrière moi, les cigales enflent leur voix puis chantent : un
mystère dans ce ciel d'où tombent l'indifférence et la beauté.
Et, dans la dernière lumière, je lis au fronton d'une villa : *In
magnificentia naturae, resurgit spiritus*. C'est là qu'il faut s'arrêter.
La première étoile déjà, puis trois lumières sur la colline d'en
face, la nuit soudain tombée sans rien qui l'ait annoncée, un

* C'est-à-dire tout le monde.

murmure et une brise dans les buissons derrière moi, la journée s'est enfuie, me laissant sa douceur.

Bien sûr, je n'avais pas changé. Je n'étais seulement plus seul. À Prague, j'étouffais entre des murs. Ici, j'étais devant le monde, et projeté autour de moi, je peuplais l'univers de formes semblables à moi. Car je n'ai pas encore parlé du soleil. De même que j'ai mis longtemps à comprendre mon attachement et mon amour pour le monde de pauvreté où s'est passée mon enfance, c'est maintenant seulement que j'entrevois la leçon du soleil et des pays qui m'ont vu naître. Un peu avant midi, je sortais et me dirigeais vers un point que je connaissais et qui dominait l'immense plaine de Vicence. Le soleil était presque au zénith, le ciel d'un bleu intense et aéré. Toute la lumière qui en tombait dévalait la pente des collines, habillait les cyprès et les oliviers, les maisons blanches et les toits rouges, de la plus chaleureuse des robes, puis allait se perdre dans la plaine qui fumait au soleil. Et chaque fois, c'était le même dénuement. En moi, l'ombre horizontale du petit homme gros et court. Et dans ces plaines tourbillonnantes au soleil et dans la poussière, dans ces collines rasées et toutes croûteuses d'herbes brûlées, ce que je touchais du doigt, c'était une forme dépouillée et sans attraits de ce goût du néant que je portais en moi. Ce pays me ramenait au cœur de moi-même et me mettait en face de mon angoisse secrète. Mais c'était l'angoisse de Prague et ce n'était pas elle. Comment l'expliquer ? Certes, devant cette plaine italienne, peuplée d'arbres, de soleil et de sourires, j'ai saisi mieux qu'ailleurs l'odeur de mort et d'inhumanité qui me poursuivait depuis un mois. Oui, cette plénitude sans larmes, cette paix sans joie qui m'emplissait, tout cela n'était fait que d'une conscience très nette de ce qui ne me revenait pas : d'un renoncement et d'un désintérêt. Comme celui qui va mourir et qui le sait ne s'intéresse pas au sort de sa femme, sauf dans les romans. Il réalise la vocation de l'homme qui est d'être égoïste, c'est-à-dire désespéré. Pour moi, aucune promesse d'immortalité dans ce pays. Que me faisait de revivre en mon âme, et sans yeux pour voir Vicence, sans mains pour toucher les raisins de Vicence, sans peau pour sentir la caresse de la nuit sur la route du Monte Berico à la villa Valmarana ?

Oui, tout ceci était vrai. Mais, en même temps, entrait en moi avec le soleil quelque chose que je saurais mal dire. À cette extrême pointe de l'extrême conscience, tout se rejoignait et ma vie m'apparaissait comme un bloc à rejeter ou à recevoir. J'avais besoin d'une grandeur. Je la trouvais dans la confrontation de mon désespoir profond et de l'indifférence secrète d'un des plus beaux paysages du monde. J'y puisais la force d'être courageux et conscient à la fois. C'était assez pour moi d'une chose si difficile et si paradoxale. Mais, peut-être, ai-je déjà forcé quelque chose de ce qu'alors je ressentais si justement. Au reste, je reviens souvent à Prague et aux jours mortels que j'y vécus. J'ai retrouvé ma ville. Parfois, seulement, une odeur aigre de concombre et de vinaigre vient réveiller mon inquiétude. Il faut alors que je pense à Vicence. Mais les deux me sont chères et je sépare mal mon amour de la lumière et de la vie d'avec mon secret attachement pour l'expérience désespérée que j'ai voulu décrire. On l'a compris déjà, et moi, je ne veux pas me résoudre à choisir. Dans la banlieue d'Alger, il y a un petit cimetière aux portes de fer noir. Si l'on va jusqu'au bout, c'est la vallée que l'on découvre avec la baie au fond. On peut longtemps rêver devant cette offrande qui soupire avec la mer. Mais quand on revient sur ses pas, on trouve une plaque « Regrets éternels », dans une tombe abandonnée. Heureusement, il y a les idéalistes pour arranger les choses.

AMOUR DE VIVRE

La nuit à Palma[1], la vie reflue lentement vers le quartier des cafés chantants, derrière le marché : des rues noires et silencieuses jusqu'au moment où l'on arrive devant des portes persiennes où filtrent la lumière et la musique. J'ai passé près d'une nuit dans l'un de ces cafés. C'était une petite salle très basse, rectangulaire, peinte en vert, décorée de guirlandes roses. Le plafond boisé était couvert de minuscules ampoules rouges. Dans ce petit espace s'étaient miraculeusement casés un orchestre, un bar aux bouteilles multicolores et le public, serré à mourir, épaules contre épaules. Des hommes seulement. Au centre, deux mètres carrés d'espace libre. Des verres et des bouteilles en fusaient, envoyés par le garçon aux quatre coins de la salle. Pas un être ici n'était conscient. Tous hurlaient. Une sorte d'officier de marine m'éructait dans la figure des politesses chargées d'alcool. À ma table, un nain sans âge me racontait sa vie. Mais j'étais trop tendu pour l'écouter. L'orchestre jouait sans arrêt des mélodies dont on ne saisissait que le rythme parce que tous les pieds en donnaient la mesure. Parfois la porte s'ouvrait. Au milieu des hurlements, on encastrait un nouvel arrivant entre deux chaises*.

Un coup de cymbale soudain et une femme sauta brusquement dans le cercle exigu, au milieu du cabaret. « Vingt et un ans », me dit l'officier. Je fus stupéfait. Un visage de

---

* Il y a une certaine aisance dans la joie qui définit la vraie civilisation. Et le peuple espagnol est un des rares en Europe qui soit civilisé.

jeune fille, mais sculpté dans une montagne de chair. Cette femme pouvait avoir un mètre quatre-vingts. Énorme, elle devait peser trois cents livres. Les mains sur les hanches, vêtue d'un filet jaune dont les mailles faisaient gonfler un damier de chair blanche, elle souriait ; et chacun des coins de sa bouche renvoyait vers l'oreille une série de petites ondulations de chair. Dans la salle, l'excitation n'avait plus de bornes. On sentait que cette fille était connue, aimée, attendue. Elle souriait toujours. Elle promena son regard autour du public, et toujours silencieuse et souriante, fit onduler son ventre en avant. La salle hurla, puis réclama une chanson qui paraissait connue. C'était un chant andalou, nasillard et rythmé sourdement par la batterie, toutes les trois mesures. Elle chantait et, à chaque coup, mimait l'amour de tout son corps. Dans ce mouvement monotone et passionné, de vraies vagues de chair naissaient sur ses hanches et venaient mourir sur ses épaules. La salle était comme écrasée. Mais, au refrain, la fille, tournant sur elle-même, tenant ses seins à pleines mains, ouvrant sa bouche rouge et mouillée, reprit la mélodie, en chœur avec la salle, jusqu'à ce que tout le monde soit levé dans le tumulte.

Elle, campée *a* au centre, gluante de sueur, dépeignée, dressait sa taille massive, gonflée dans son filet jaune. Comme une déesse immonde sortant de l'eau, le front bête et bas, les yeux creux, elle vivait seulement par un petit tressaillement du genou comme en ont les chevaux après la course. Au milieu de la joie trépignante qui l'entourait, elle était comme l'image ignoble et exaltante de la vie, avec le désespoir de ses yeux vides et la sueur épaisse de son ventre…

Sans les cafés et les journaux, il serait difficile de voyager. Une feuille imprimée dans notre langue, un lieu où le soir nous tentons de coudoyer des hommes, nous permet de mimer dans un geste familier l'homme que nous étions chez nous, et qui, à distance, nous paraît si étranger. Car ce qui fait le prix du voyage, c'est la peur. Il brise en nous une sorte de décor intérieur. Il n'est plus possible de tricher — de se masquer derrière des heures de bureau et de chantier (ces heures contre lesquelles nous protestons si fort et qui nous défendent si sûrement contre la souffrance d'être seul). C'est ainsi que j'ai toujours envie d'écrire des romans où mes héros diraient : « Qu'est-ce que je deviendrais sans mes heures de bureau ? » ou encore : « Ma femme est morte, mais par bonheur, j'ai un gros paquet d'expéditions à rédiger pour

demain. » Le voyage nous ôte ce refuge. Loin des nôtres,
de notre langue, arrachés à tous nos appuis, privés de nos
masques (on ne connaît pas le tarif des tramways et tout est
comme ça), nous sommes tout entiers à la surface de nous-
mêmes. Mais aussi, à nous sentir l'âme malade, nous rendons à chaque être, à chaque objet, sa valeur de miracle. Une
femme qui danse sans penser, une bouteille sur une table,
aperçue derrière un rideau : chaque image devient un symbole. La vie nous semble s'y refléter tout entière, dans la
mesure où notre vie à ce moment s'y résume. Sensible à tous
les dons *b*, comment dire les ivresses contradictoires que
nous pouvons goûter (jusqu'à celle de la lucidité). Et jamais
peut-être un pays, sinon la Méditerranée, ne m'a porté à la
fois si loin et si près de moi-même.

Sans doute c'est de là que venait mon émotion du café
de Palma. Mais à midi, au contraire, dans le quartier désert
de la cathédrale, parmi les vieux palais aux cours fraîches,
dans les rues aux odeurs d'ombre, c'est l'idée d'une certaine
« lenteur » qui me frappait. Personne dans ces rues. Aux
miradors, de vieilles femmes figées. Et marchant le long des
maisons, m'arrêtant dans les cours pleines de plantes vertes
et de piliers ronds et gris, je me fondais dans cette odeur
de silence *c*, je perdais mes limites, n'étais plus que le son de
mes pas, ou ce vol d'oiseaux dont j'apercevais l'ombre sur le
haut des murs encore ensoleillé. Je passais aussi de longues
heures dans le petit cloître gothique de San Francisco. Sa
fine et précieuse colonnade luisait de ce beau jaune doré
qu'ont les vieux monuments en Espagne. Dans la cour, des
lauriers-roses, de faux poivriers, un puits de fer forgé d'où
pendait une longue cuiller de métal rouillé. Les passants y
buvaient. Parfois, je me souviens encore du bruit clair qu'elle
faisait en retombant sur la pierre du puits. Pourtant, ce
n'était pas la douceur de vivre que ce cloître m'enseignait.
Dans les battements secs de ses vols de pigeons, le silence
soudain blotti au milieu du jardin, dans le grincement isolé
de sa chaîne de puits, je retrouvais une saveur nouvelle
et pourtant familière. J'étais lucide et souriant devant ce jeu
unique des apparences. Ce cristal où souriait le visage du
monde, il me semblait qu'un geste l'eût fêlé *d*. Quelque chose
allait se défaire, le vol des pigeons mourir et chacun d'eux
tomber lentement sur ses ailes déployées. Seuls, mon silence
et mon immobilité rendaient plausible ce qui ressemblait si
fort à une illusion. J'entrais dans le jeu. Sans être dupe, je me

prêtais aux apparences. Un beau soleil doré chauffait doucement les pierres jaunes du cloître. Une femme puisait de
l'eau au puits. Dans une heure, une minute, une seconde,
maintenant peut-être, tout pouvait crouler. Et pourtant le
miracle se poursuivait. Le monde durait, pudique, ironique et
discret (comme certaines formes douces et retenues de l'amitié des femmes). Un équilibre se poursuivait, coloré pourtant par toute l'appréhension de sa propre fin.

Là était tout mon amour de vivre : une passion silencieuse
pour ce qui allait peut-être m'échapper, une amertume sous
une flamme. Chaque jour, je quittais ce cloître comme
enlevé à moi-même, inscrit pour un court instant dans la
durée du monde. Et je sais bien pourquoi je pensais alors
aux yeux sans regard des Apollons doriques ou aux personnages brûlants et figés de Giotto*. C'est qu'à ce moment, je
comprenais vraiment ce que pouvaient m'apporter de semblables pays. J'admire qu'on puisse trouver au bord de la
Méditerranée des certitudes et des règles de vie, qu'on y
satisfasse sa raison et qu'on y justifie un optimisme et un
sens social. Car enfin, ce qui me frappait alors ce n'était pas
un monde fait à la mesure de l'homme — mais qui se refermait sur l'homme. Non, si le langage de ces pays s'accordait
à ce qui résonnait profondément en moi, ce n'est pas parce
qu'il répondait à mes questions, mais parce qu'il les rendait
inutiles. Ce n'était pas des actions de grâces qui pouvaient
me monter aux lèvres, mais ce Nada qui n'a pu naître que
devant des paysages écrasés de soleil. Il n'y a pas d'amour de
vivre sans désespoir de vivre.

À Ibiza, j'allais tous les jours m'asseoir dans les cafés qui
jalonnent le port. Vers 5 heures, les jeunes gens du pays se
promènent sur deux rangs tout le long de la jetée. Là se font
les mariages et la vie tout entière. On ne peut s'empêcher de
penser qu'il y a une certaine grandeur à commencer ainsi sa
vie devant le monde. Je m'asseyais, encore tout chancelant
du soleil de la journée, plein d'églises blanches et de murs
crayeux, de campagnes sèches et d'oliviers hirsutes. Je buvais
un orgeat douceâtre. Je regardais la courbe des collines qui
me faisaient face. Elles descendaient doucement vers la mer.
Le soir devenait vert. Sur la plus grande des collines, la der-

---

* C'est avec l'apparition du sourire et du regard que commencent la décadence de la sculpture grecque et la dispersion de l'art italien. Comme si la
beauté cessait où commençait l'esprit.

nière brise faisait tourner les ailes d'un moulin. Et, par un
miracle naturel, tout le monde baissait la voix. De sorte qu'il
n'y avait plus que le ciel et des mots chantants qui montaient vers lui, mais qu'on percevait comme s'ils venaient
de très loin. Dans ce court instant de crépuscule, régnait
quelque chose de fugace et de mélancolique qui n'était
pas sensible à un homme seulement, mais à un peuple tout
entier. Pour moi, j'avais envie d'aimer comme on a envie
de pleurer. Il me semblait que chaque heure de mon sommeil serait désormais volée à la vie… c'est-à-dire au temps
du désir sans objet. Comme dans ces heures vibrantes du
cabaret de Palma[8] et du cloître de San Francisco, j'étais
immobile et tendu, sans forces contre cet immense élan qui
voulait mettre le monde entre mes mains.

   Je sais bien que j'ai tort, qu'il y a des limites à se donner.
À cette condition, l'on crée. Mais il n'y a pas de limites pour
aimer et que m'importe de mal étreindre si je peux tout
embrasser. Il y a des femmes à Gênes dont j'ai aimé le sourire tout un matin. Je ne les reverrai plus et, sans doute, rien
n'est plus simple. Mais les mots ne couvriront pas la flamme
de mon regret. Petit puits du cloître de San Francisco, j'y
regardais passer des vols de pigeons et j'en oubliais ma soif.
Mais un moment venait toujours où ma soif renaissait.

L'ENVERS ET L'ENDROIT

C'était une femme originale et solitaire. Elle entretenait un commerce étroit avec les esprits, épousait leurs querelles et refusait de voir certaines personnes de sa famille mal considérées dans le monde où elle se réfugiait.

Un petit héritage lui échut qui venait de sa sœur. Ces cinq mille francs, arrivés à la fin d'une vie, se révélèrent assez encombrants. Il fallait les placer. Si presque tous les hommes sont capables de se servir d'une grosse fortune, la difficulté commence quand la somme est petite. Cette femme resta fidèle à elle-même. Près de la mort, elle voulut abriter ses vieux os. Une véritable occasion s'offrait à elle. Au cimetière de sa ville, une concession venait d'expirer et, sur ce terrain, les propriétaires avaient érigé un somptueux caveau, sobre de lignes, en marbre noir, un vrai trésor à tout dire, qu'on lui laissait pour la somme de quatre mille francs. Elle acheta ce caveau. C'était là une valeur sûre, à l'abri des fluctuations boursières et des événements politiques. Elle fit aménager la fosse intérieure, la tint prête à recevoir son propre corps. Et, tout achevé, elle fit graver son nom en capitales d'or.

Cette affaire la contenta si profondément qu'elle fut prise d'un véritable amour pour son tombeau. Elle venait voir au début les progrès des travaux. Elle finit par se rendre visite tous les dimanches après-midi. Ce fut son unique sortie et sa seule distraction. Vers 2 heures de l'après-midi, elle faisait le long trajet qui l'amenait aux portes de la ville où se trouvait le cimetière. Elle entrait dans le petit caveau, refermait soigneusement la porte, et s'agenouillait sur le prie-Dieu. C'est ainsi que, mise en présence d'elle-même, confrontant ce qu'elle était et ce qu'elle devait être, retrouvant l'anneau d'une chaîne toujours rompue, elle perça sans effort les desseins secrets de la Providence. Par un singulier symbole, elle comprit même un jour qu'elle était morte aux yeux du monde. À la Toussaint, arrivée plus tard que d'habitude, elle trouva le pas de la porte pieusement jonché de violettes. Par une délicate attention, des inconnus compatissants devant cette tombe laissée sans fleurs, avaient partagé les leurs et honoré la mémoire de ce mort abandonné à lui-même *a*.

Et voici que je reviens sur ces choses. Ce jardin de l'autre côté de la fenêtre, je n'en vois que les murs. Et ces quelques feuillages où coule la lumière. Plus haut, c'est encore les feuillages. Plus haut, c'est le soleil. Mais de toute cette jubilation de l'air que l'on sent au-dehors, de toute cette joie épandue sur le monde, je ne perçois que des ombres de ramures qui jouent sur mes rideaux blancs. Cinq rayons de soleil aussi qui déversent patiemment dans la pièce un parfum d'herbes séchées. Une brise, et les ombres s'animent sur le rideau. Qu'un nuage couvre puis découvre le soleil, et de l'ombre émerge le jaune éclatant de ce vase de mimosas. Il suffit : une seule lueur naissante, me voilà rempli d'une joie confuse et étourdissante. C'est un après-midi de janvier qui me met ainsi en face de l'envers du monde. Mais *b* le froid reste au fond de l'air. Partout une pellicule de soleil qui craquerait sous l'ongle, mais qui revêt toutes choses d'un éternel sourire. Qui suis-je et que puis-je faire, sinon entrer dans le jeu des feuillages et de la lumière ? Être ce rayon où ma cigarette se consume, cette douceur et cette passion discrète qui respire dans l'air. Si j'essaie de m'atteindre, c'est tout au fond de cette lumière. Et si je tente de comprendre et de savourer cette délicate saveur qui livre le secret du monde, c'est moi-même que je trouve au fond de l'univers. Moi-même, c'est-à-dire cette extrême émotion qui me délivre du décor.

Tout à l'heure, d'autres choses, les hommes et les tombes qu'ils achètent. Mais laissez-moi découper cette minute dans l'étoffe du temps. D'autres laissent une fleur entre des pages, y enferment une promenade où l'amour les a effleurés. Moi aussi, je me promène, mais c'est un dieu qui me caresse. La vie est courte et c'est péché de perdre son temps. Je suis actif, dit-on. Mais être actif, c'est encore perdre son temps, dans la mesure où l'on se perd. Aujourd'hui est une halte et mon cœur s'en va à la rencontre de lui-même. Si une angoisse encore m'étreint, c'est de sentir cet impalpable instant glisser entre mes doigts comme les perles du mercure. Laissez donc ceux qui veulent tourner le dos au monde. Je ne me plains pas puisque je me regarde naître[1]. À cette heure, tout mon royaume est de ce monde[2]. Ce soleil et ces ombres, cette chaleur et ce froid qui vient du fond de l'air : vais-je me demander si quelque chose meurt et si les hommes souffrent puisque tout est écrit dans cette fenêtre où le ciel déverse sa plénitude à la rencontre de ma pitié. Je peux dire et je dirai tout à l'heure que ce qui compte c'est d'être humain et simple. Non, ce qui compte, c'est d'être vrai et alors tout s'y inscrit, l'humanité et la simplicité. Et quand donc suis-je plus vrai que lorsque je suis le monde ? Je suis comblé avant d'avoir désiré. L'éternité est là et moi je l'espérais[3]. Ce n'est plus d'être heureux que je souhaite maintenant, mais seulement d'être conscient.

Un homme contemple et l'autre creuse son tombeau : comment les séparer ? Les hommes et leur absurdité ? Mais voici le sourire du ciel. La lumière se gonfle et c'est bientôt l'été ? Mais voici les yeux et la voix de ceux qu'il faut aimer. Je tiens au monde par tous mes gestes, aux hommes par toute ma pitié et ma reconnaissance[4]. Entre cet endroit et cet envers du monde, je ne veux pas choisir, je n'aime pas qu'on choisisse[5]. Les gens ne veulent pas qu'on soit lucide et ironique. Ils disent : « Ça montre que vous n'êtes pas bon. » Je ne vois pas le rapport. Certes, si j'entends dire à l'un qu'il est immoraliste, je traduis qu'il a besoin de se donner une morale ; à l'autre qu'il méprise l'intelligence, je comprends qu'il ne peut pas supporter ses doutes. Mais parce que je n'aime pas qu'on triche. Le grand courage, c'est encore de tenir les yeux ouverts sur la lumière comme sur la mort. Au reste, comment dire le lien qui mène de cet amour dévorant de la vie à ce désespoir secret. Si j'écoute l'ironie*, tapie au fond des choses, elle se découvre lentement. Clignant son œil petit et clair : « Vivez comme si… », dit-elle. Malgré bien des recherches, c'est là toute ma science.

Après tout, je ne suis pas sûr d'avoir raison. Mais ce n'est pas l'important si je pense à cette femme dont on me

---

* Cette *garantie de liberté* dont parle Barrès[6].

racontait l'histoire. Elle allait mourir et sa fille l'habilla pour la tombe pendant qu'elle était vivante. Il paraît en effet que la chose est plus facile quand les membres ne sont pas raides. Mais c'est curieux tout de même comme nous vivons parmi des gens pressés.

Appendices

[PROJET DE PRÉFACE]

Ça ennuie les gens qu'on soit lucide et ironique. On vous dit :
« Ça montre que vous n'êtes pas bon » : je ne vois pas le rapport.
Si j'entends dire à quelqu'un : « Je suis immoraliste », je traduis :
« J'ai besoin de me donner une morale » ; à un autre : « Sus à
l'intelligence », je comprends : « Je ne peux pas supporter mes
doutes. » Parce que ça me gêne qu'on triche. Et le grand courage c'est de s'accepter soi-même — avec ses contradictions.

Ces essais sont nés des circonstances. Je crois qu'on y sentira
la volonté de n'en rien refuser. C'est vrai que les pays méditerranéens sont les seuls où je puisse vivre, que j'aime la vie et la
lumière ; mais c'est aussi vrai que le tragique de l'existence
obsède l'homme et que le plus profond de lui-même y reste
attaché. Entre cet envers et cet endroit du monde et de moi-
même, je me refuse à choisir. Si vous voyez un sourire sur
les lèvres désespérées d'un homme, comment séparer celui-ci
de celles-là ? Ici l'ironie prend une valeur métaphysique sous le
masque de la contradiction. Mais c'est une métaphysique en
acte. Et c'est pour cela que le dernier essai porte pour titre :
Le Courage.

A. C.

L'HÔPITAL DU QUARTIER PAUVRE

Du ciel bleu descendaient des millions de petits sourires
blancs. Ils jouaient sur les feuilles pleines de pluie, dans les

flaques, sur le tuf humide des allées, volaient jusqu'aux tuiles de sang frais, et remontaient à tire-d'aile vers les lacs d'air et de soleil d'où ils déborderaient tout à l'heure. Cela faisait une grande animation, une incessante allée et venue du ciel à la terre ; parmi des pavillons d'hôpital aux toits rouges et aux barrières blanches.

Comme une volée d'enfants hors de l'école, un flot de malades sortit de la salle des tuberculeux. Ils traînaient derrière eux des chaises longues qui embarrassaient leur marche. Ils étaient laids et osseux, et comme ils s'étranglaient de rire et de toux, de leur foule un vacarme montait dans l'air sensible du matin. Ils s'installèrent en rond sur le sable encore mouillé d'une allée. Ce furent à nouveau des rires, des paroles brèves, des toux. Un instant encore, puis un subit silence. Il n'y eut plus que le soleil. Il avait beaucoup plu sur l'hôpital pendant la nuit et ce matin de mai apportait le soleil. On l'avait deviné dans un long gonflement derrière les nuages. Puis il avait surgi et se tournant de tous côtés avait chassé les dernières ombres de l'orage. Maintenant, il était le seigneur du ciel.

Une minute, les malades abandonnèrent leurs corps à la langueur de l'air. Et la conversation reprit. Ils riaient à grands éclats. Ils riaient de l'un d'eux qui n'avait pas toute sa raison. C'était un ancien coiffeur : deux poumons troués de cavernes, l'esprit sombrant dans la mythomanie. À l'entendre il avait coiffé à Paris les plus célèbres têtes de l'Europe. Gustave V de Suède ne s'était pas montré fier. Et le coiffeur tenait pour certain que la France verrait ses affaires prospérer à être gérée par un tel homme. Mais les rires avaient éclaté lors d'une surprenante histoire de suicide. Au début de sa maladie cet homme s'était trouvé empêché de travailler, affaibli, sans ressources et désespéré devant la misère qui s'était installée entre sa femme et ses enfants. Il n'avait pas songé à la mort, mais un jour il s'était jeté dans les roues d'une auto qui passait. « Comme ça. » Seulement l'automobiliste avait freiné à temps et dans sa fureur d'homme bien portant à qui on veut créer des ennuis il l'avait chassé d'un coup de pied bien appliqué. Depuis ce jour le coiffeur n'avait plus osé mourir.

On avait ri. Et puis on avait songé : « Et Jean Perès, qu'est-ce qu'il devient ? — Celui de la Compagnie du Gaz ? Il est mort. Il avait qu'un poumon malade. Mais il a voulu rentrer chez lui. Et là il avait sa femme. Et sa femme, c'est un cheval. Lui la maladie l'avait rendu comme ça. Il était toujours sur sa femme. Elle ne voulait pas, mais il était terrible. Alors deux, trois fois tous les jours, ça finit par tuer un homme malade. » Tout le monde fut d'avis qu'avec des précautions on pouvait s'en sortir.

L'un surtout, petit commerçant : « La tuberculose, c'est la seule maladie qu'on sache guérir. Seulement, il faut du temps. »

Là-haut naviguait un minuscule avion. Son doux ronronnement descendait jusqu'à ces hommes. Dans cet épanouissement de l'air, cette fertilité du ciel, il semblait que la seule tâche des hommes fût de sourire. Il faisait bon. Pour ces corps sans chair, réduits à des lignes osseuses, la main chaude du soleil plus pénétrante, caressait les organes les plus intérieurs. Une âme flottait de leur corps, peut-être la leur, maintenant sortie, comme une jolie jeune fille qui quitte sa maison aux premiers rayons de soleil ?

Et l'un a dit : « Le mal vient vite, mais pour repartir il lui faut du temps. »

Un silence. Tous ont les yeux au ciel. Une voix s'est élevée : « Oui c'est une maladie de riches. » Un autre a bâillé : « Ah ! Un peu plus tôt, un peu plus tard. »

L'avion revenait au-dessus des têtes levées. À le contempler trop longtemps, on se fatiguait. Ils discutaient maintenant et âprement. De toutes leurs forces, ils coloraient d'espoir leur avenir. L'un n'avait que 38° le soir au lieu de 38°,5. L'autre connaissait un tuberculeux au troisième degré qui était mort à soixante-dix ans. Ainsi vivaient ces hommes, à ne craindre que leur mort, à souhaiter au contraire la mort de tout le monde, celle qui est dans un avenir plus éloigné.

Une légère brise s'était levée. Les oliviers du jardin se soulevaient lentement et laissaient apparaître leurs dessous argentés. Les grands eucalyptus aux troncs déguenillés lançaient leurs branches aux quatre coins du ciel. Une longue sonnerie. Dix heures et demie. L'heure du déjeuner. Il n'y eut bientôt plus dans le jardin soudain désert que le souvenir de cette matinée de mai où s'étaient réunis des hommes dont la plupart sont morts et quelques-uns guéris.

LES VOIX DU QUARTIER PAUVRE

À ma femme,
Le 25 décembre 1934.

I

C'est d'abord la voix de la femme qui ne pensait pas.

Ce n'est pas le souvenir qu'il faudrait dire, mais le rappel. En cela nous ne recherchons ni bonheur passé ni vaine consolation.

Mais de ces heures que du fond de l'oubli nous ramenons à nous, s'est conservé surtout le souvenir intact d'une pure émotion, d'un moment d'éternité qui nous faisait participer. Cela seul est vrai en nous. Nous le savons toujours trop tard. Ce sont des heures, des jours où nous avons aimé. Nous avons communié avec le fléchissement d'un geste, l'opportunité d'un arbre dans le paysage. Et pour recréer tout cet amour, nous n'avons qu'un détail, mais qui suffit : une odeur de chambre trop longtemps fermée, le son particulier d'un pas sur la route. Nous aimions en nous donnant, enfin nous étions nous-mêmes, puisqu'il n'y a que l'amour qui nous rende à nous-mêmes. Sans doute, voilà pourquoi ces heures passées nous semblent si attachantes. C'est d'une éternité que nous prenons alors conscience. Et serait-elle illusoire, nous la saluerions encore avec émotion.

Un soir, dans la tristesse de l'heure, dans le désir vague d'un ciel trop gris, trop terne, ces heures reviennent d'elles-mêmes, lentement, aussi fortes, aussi émouvantes, plus capiteuses peut-être de leur lointain voyage. En chaque geste, nous nous retrouvons ; mais il serait vain de croire que cette reconnaissance fasse naître autre chose que la tristesse. Au demeurant ces tristesses sont les plus belles, car à peine se connaissent-elles. C'est lorsqu'on les sent finir qu'on demande le repos et l'indifférence. « Le besoin de paix se fait plus fort à mesure que l'espoir s'envole et finit par l'emporter sur la soif même de la vie*. » Et si nous avions à dire ces heures, ce serait avec une voix songeuse, comme voilée, qui récite, qui se parle plus qu'elle ne parle. Peut-être, après tout, est-ce là ce qu'on appelle le bonheur. En longeant ces souvenirs, nous revêtons tout du même vêtement discret, et la mort même nous apparaît comme une toile de fond aux tons vieillis, moins effrayante, presque apaisante. Lorsque enfin notre route s'arrête brusquement devant un immédiat besoin, une tendresse s'étale, née d'un retour sur nous-mêmes : nous sentons notre malheur et nous en aimons mieux. Oui, c'est peut-être cela le bonheur, le sentiment apitoyé de notre malheur. Et cette tendresse complaisante fait oublier son ridicule lorsqu'elle se penche sur notre passé pour enrichir notre présent.

C'était ainsi ce soir. Lui se souvenait, non d'un bonheur passé, mais d'un étrange sentiment dont il avait souffert. — Il avait eu une mère. En certaines circonstances, on posait une question à celle-ci : « À quoi tu penses ? — À rien », répondait-elle. — Et c'est bien vrai. Tout est là, donc rien. Sa vie, ses intérêts, ses enfants se bornent à être là, d'une présence trop naturelle pour être sentie. Elle était infirme, pensait difficile-

* Conrad.

ment. Elle avait une mère rude et dominatrice, qui aurait tout
sacrifié à un amour-propre de bête susceptible et qui a longtemps dominé l'esprit faible de sa fille. Émancipée par le
mariage, celle-ci est docilement revenue, son mari mort. Il était
mort au champ d'honneur, comme on dit. Et en bonne place,
on peut voir dans un cadre doré la croix de guerre et la médaille
militaire. L'hôpital a encore envoyé à la veuve un petit éclat
d'obus retrouvé dans les chairs. La veuve l'a gardé. Il y a longtemps qu'elle n'a plus de chagrin. Elle a oublié son mari, mais
parle encore du père de ses enfants. Pour élever ces derniers,
elle travaille et donne son argent à sa mère. Celle-ci fait l'éducation des enfants avec une cravache. Et quand elle frappe trop
fort, sa fille lui dit : « Ne frappe pas sur la tête. » Parce que ce
sont ses enfants, elle les aime bien. Elle les aime d'un égal amour
qui ne s'est jamais révélé à eux.

Quelquefois, comme en ces soirs dont lui se souvenait,
revenue du travail exténuant (elle fait des ménages), elle trouve
la maison vide. La vieille est aux commissions, les enfants pas
encore revenus de l'école. Elle se tasse alors sur une chaise
et, les yeux vagues, se perd dans la poursuite éperdue d'une rainure de parquet. Autour d'elle la nuit s'épaissit, dans laquelle ce
mutisme plaintif est d'une irrémédiable désolation : personne
n'est là pour le savoir.

Pourtant, un des enfants souffre de ces attitudes où, sans
doute, sa mère retrouve son seul bonheur. S'il entre à ce
moment, il distingue la maigre silhouette aux épaules osseuses
et s'arrête : il a peur. Il commence à sentir beaucoup de choses.
À peine s'est-il aperçu de sa propre existence. Mais il a mal à
pleurer devant ce silence animal. Il a pitié de sa mère, est-ce
l'aimer ? Elle ne l'a jamais caressé puisqu'elle ne saurait pas. Il
reste alors de longues minutes à la regarder. À se sentir étranger,
il prend conscience de sa peine. Elle ne l'entend pas, car elle
est sourde. Tout à l'heure, la vieille rentrera, la vie renaîtra : la
lumière ronde de la lampe à pétrole, la toile cirée, les cris, les
gros mots. Mais maintenant ce silence marque un temps d'arrêt,
une minute d'éternité. Pour sentir cela confusément, l'enfant
croit sentir, dans l'élan qui l'habite, de l'amour pour sa mère. Et
il le faut bien parce qu'après tout c'est sa mère.

Mais aussi à quoi pense-t-elle, à quoi pense-t-elle donc ? À
rien. Dehors la lumière, les bruits ; ici le silence dans la nuit.
L'enfant grandira, apprendra. On l'élève et on lui demandera de
la reconnaissance, comme si ça lui évitait la douleur. Sa mère
toujours aura ces silences. Et toujours l'enfant interrogera, aussi
bien sa mère que lui-même. Il croîtra en douleur. Être un homme,
c'est ce qui compte. Sa grand-mère mourra, puis sa mère, lui.

La mère a sursauté car elle a eu peur. Elle gronde son fils. Il a l'air idiot, à la regarder ainsi. Qu'il aille faire ses devoirs. L'enfant a fait ses devoirs. Il a aimé, souffert, renoncé. Il est aujourd'hui dans une autre pièce, laide aussi, et noire. Il est maintenant un homme. N'est-ce pas cela qui compte ? Il faut bien croire que non, puisque faire ses devoirs et supporter ses peines, ça conduit à être vieux.

2

Puis c'est la voix de l'homme qui était né pour mourir.

Certes, sa voix triomphait quand, sourcils rapprochés, il secouait un index sentencieux. Il disait : « Moi, mon père me donnait cinq francs sur ma semaine pour m'amuser jusqu'au samedi d'après. Eh bien je trouvais encore le moyen de mettre des sous de côté. — D'abord, pour aller voir ma fiancée je faisais en pleine campagne quatre kilomètres pour aller et quatre kilomètres pour revenir. Allez, allez, c'est moi qui vous le dis, la jeunesse d'aujourd'hui ne sait plus s'amuser. » Ils étaient autour d'une table ronde, trois jeunes, lui vieux. Il contait ses pauvres aventures et ses contes étaient à la mesure de ce qu'il avait été : niaiseries mises très haut, lassitudes qu'il célébrait comme des victoires. Il ne ménageait pas de silences dans son récit et, pressé de tout dire avant d'être quitté, il ramenait de son passé moins ce qui l'avait frappé que ce qu'il pensait devoir toucher ses auditeurs. Se faire écouter était son seul vice, pour lequel il se refusait à voir l'ironie des regards et la brusquerie moqueuse dont on l'accablait. Il était pour eux le vieillard dont on sait que tout allait bien de son temps, quand il croyait être l'aïeul respecté dont l'expérience fait poids. Les jeunes ne savent pas que l'expérience est une défaite et qu'il faut tout perdre pour savoir un peu. Lui avait souffert. Il n'en disait rien, croyant être grandi de paraître heureux. D'ailleurs, s'il errait en cela, encore se serait-il trompé en voulant au contraire toucher par ses malheurs. Qu'importent les souffrances d'un vieil homme quand la vie vous occupe tout entier ? Il parlait, parlait, s'égarait avec délices dans la grisaille de sa voix assourdie. Mais cela ne pouvait durer. Son plaisir commandait une fin et l'attention de ses auditeurs déclinait. Il n'était même plus amusant ; il était vieux. Et les jeunes aiment le billard et les cartes, qui ne ressemblent pas au travail imbécile de chaque jour.

Il fut bientôt seul, malgré ses efforts et ses mensonges pour rendre son récit plus attrayant. Sans égards, les jeunes étaient partis. De nouveau seul. N'être plus écouté : c'est cela qui est

terrible lorsqu'on est vieux. On le condamnait au silence et à la
solitude. On lui signifiait qu'il allait bientôt mourir. Et un vieil
homme qui va mourir est inutile, même gênant et insidieux.
Qu'il s'en aille. À défaut qu'il se taise : c'est le moindre des
égards. Et lui souffre parce qu'il ne peut se taire sans penser qu'il
est vieux. Il se leva pourtant et partit en souriant à tout le monde
autour de lui. Mais il ne rencontra que des visages indifférents
ou secoués d'une gaieté à laquelle il n'avait pas le droit de participer. Et de son pas lent, un petit pas d'âne au labeur, il parcourut les longs trottoirs chargés d'hommes. Il se sentait mal et ne
voulait pas rentrer. D'habitude il aimait assez retrouver la table
et la lampe à pétrole, les assiettes où machinalement ses doigts
trouvaient leur place. Il aimait encore le souper silencieux, la
vieille assise devant lui, les bouchées longuement mâchées, le
cerveau vide, les yeux fixés et morts. Ce soir il rentrerait plus
tard. Le souper servi et froid, la vieille serait couchée, sans
inquiétude puisqu'elle connaissait ces retards imprévus. Elle
disait : « Il a la lune » et tout était dit.

Il allait maintenant, dans le doux entêtement de son pas. Il
était seul et vieux. À la fin d'une vie, la vieillesse revient en nausées. On ne s'amuse pas beaucoup sur ce tapis roulant qu'on ne
peut remonter. Est-ce que ce tapis tourne sur lui-même ou bien
est-ce que tout aboutit à ne plus être écouté ? Pourquoi ne veut-
on pas l'entendre ? Ce serait si facile de le tromper. Il suffirait
d'un sourire, d'une bienveillance. La nuit est là qui descend sans
une faiblesse, inévitablement ; et tout est ainsi pour le pauvre et
vieil homme. Il marche et se tait, tourne au coin d'une rue, bute
et, presque, tombe. Je l'ai vu. C'est ridicule mais qu'y faire.
Malgré tout, il aime mieux la rue, la rue plutôt que ces heures
où, chez lui, la fièvre lui masque la vieille et l'isole dans sa
chambre. Alors, quelquefois, la porte s'ouvre lentement et reste
à demi béante pendant un instant. Entre un homme, grand,
habillé de clair. Il s'assoit en face du vieillard et se tait pendant
de longues minutes. Il est immobile, comme la porte tout à
l'heure béante. De temps en temps il passe une main sur ses
cheveux et soupire doucement. Quand il a longtemps regardé le
vieil homme, du même regard lourd de tristesse, il s'en va silencieusement. Derrière lui, du loquet tombe un bruit sec et le
vieux reste là, horrifié, avec, dans le ventre, sa peur acide et douloureuse. Tandis que dans la rue, il n'est pas seul, si peu de
monde qu'on rencontre. Il n'est pas douteux qu'il est malade.
Peut-être tombera-t-il bientôt. J'en suis sûr. Ce sera la fin. Sa
fièvre chante. Son petit pas se presse : demain tout changera,
demain. Soudain il découvre ceci que demain sera semblable, et
après demain, tous les autres jours. Et cette irrémédiable décou-

verte l'écrase — Ce sont de pareilles idées qui vous font mourir.
Pour ne pouvoir les supporter, on se tue — ou si l'on est jeune,
on en fait des phrases.

Vieux, fou, ivre, on ne sait. Sa fin sera une digne fin, sanglotante, admirable. Il mourra en beauté, je veux dire en souffrant.
Ça lui fera une consolation. Et d'ailleurs, où aller ? Il est vieux
pour jamais. Les hommes bâtissent sur la vieillesse à venir — À
cette vieillesse assaillie d'irrémédiables, ils veulent donner l'oisiveté qui les laisse sans défense. Ils veulent être contremaîtres
pour se retirer dans une petite villa. Mais une fois enfoncés dans
l'âge, ils savent bien que c'est faux. Ils ont besoin d'autres
hommes pour se protéger. Et pour lui, il fallait qu'on l'écoutât
pour qu'il crût à sa vie.

Maintenant les rues étaient plus noires et moins peuplées.
Des voix passaient encore. Dans l'étrange apaisement du soir
elles devenaient plus solennelles. Derrière les collines qui encerclaient la ville, il y avait encore des lueurs de jour. Une fumée,
imposante, on ne sait d'où venue, apparut derrière les crêtes
boisées. Lente, elle s'éleva et s'étagea comme un sapin. Le vieux
ferma les yeux. Tout cela était à lui… et à d'autres. Devant la
vie qui emportait les grondements de la ville et le sourire niais,
indifférent du ciel, il était seul, nu, désemparé, mort déjà.

Est-il nécessaire de décrire le revers de cette belle médaille ?
On se doute que dans une pièce sale et obscure la vieille servait
la table — que, le dîner prêt, elle s'assit, regarda l'heure, attendit encore et se mit à manger avec appétit. Elle pensait : « Il a la
lune. » Tout était dit.

3

Et puis c'est la voix qui était soulevée par de la musique.

Comme, lorsqu'on s'est longtemps penché sur le bruit d'une
rue, la fenêtre une fois refermée et le silence entré, l'agitation
des hommes paraît vidée de son sens et leurs gestes fantastiques, tant ils paraissent près de tomber dans le vide, ainsi la
voix de cette femme perdit tout appui et toute réalité quand la
musique eut cessé qui la soulignait. De même encore qu'avant
de fermer la fenêtre on ne savait de quel bruit était troublée la
rue, et qu'on ne souffre de ce tumulte qu'une fois enseveli dans
le silence de la pièce, ainsi la grandeur de cette femme avait paru
coutumière à ceux qui l'écoutaient pour ensuite leur paraître
illusoire.

Cette femme disait ses malheurs à ses enfants. On faisait de
la musique quand elle était entrée. Un disque tournait. C'était

une romance très connue, mais interprétée d'une façon originale par un siffleur et un orchestre. Elle s'appelait : le *Chant du
Rossignol*. C'était de sa sottise qu'elle tirait son pathétique. Il y
avait en elle un grand élan de jeune homme qui n'a pas encore
connu la vie. Un seul motif, mais qui retombait de l'orchestre
au violon et du violon au siffleur. La phrase partait, languissante
et indéterminée, butait, larmoyait et reprenait enfin son calvaire,
tour à tour gonflée de tout l'orchestre, détaillée par le violon et
suggérée par le siffleur. La femme était entrée avec sa peine dans
cette immense et sotte mélancolie. Et elle avait parlé.

Son malheur ne laissait aucun doute. Elle vivait avec son
frère, qui était sourd, muet, méchant et bête. C'était bien sûr par
pitié qu'elle vivait près de lui. C'était aussi par crainte. Si encore
il l'avait laissée vivre à sa guise ? Mais il l'empêchait de voir
l'homme qu'elle aimait. À leur âge pourtant cela n'avait plus
grande importance. Lui aussi, lui qu'elle aimait, était empêché. Il
était marié. Depuis des années, celle qui portait son nom buvait
et n'arrangeait pas ses affaires. Alors il gardait une tendresse
rugueuse pour ce qui était exceptionnel dans sa vie. Il apportait
à son amie des fleurs qu'il avait cueillies dans les haies de la banlieue, des oranges, et des liqueurs qu'il gagnait à la foire. Certes,
il n'était pas beau. Mais la beauté ne se mange pas en salade et
il était si brave. Pour elle aussi, c'était l'Aventure. Elle tenait à
lui qui tenait à elle. Est-ce autre chose, l'amour ? Elle lui lavait
son linge et tâchait de le tenir propre. Il avait l'habitude de porter
des mouchoirs pliés en triangle et noués autour du cou. Elle lui
faisait des mouchoirs très blancs et c'était une de ses joies.

Mais l'autre, le frère, ne voulait pas qu'elle reçoive son ami. Il
lui fallait le voir en secret. Elle l'avait reçu aujourd'hui. Surpris,
ç'avait été une affreuse rixe. Le mouchoir en triangle était resté
après leur départ dans un coin sale de la pièce et elle était venue
chez son fils pour pleurer.

Que faire, vraiment ? Son malheur était certain. Elle avait
trop peur de son frère pour le quitter. Elle le haïssait trop pour
l'oublier. Il la tuerait un jour, c'était bien sûr.

Elle avait dit tout cela d'une voix morne. Maintenant cette
voix laissait deviner des larmes que cette femme, de plus en plus
pénétrée du sentiment de son abandon, offrait aux blessures
dont Dieu orne ceux qu'il préfère et sa voix devenait pure à
force d'être sourde.

La musique était toujours là. La phrase arrivait en gros
flots mouvants et emportait l'âme de cette femme, à grands
soupirs. C'était vers le ciel que la musique montait, à l'assaut
de cette divinité sans cesse espérée. On sentait que la Femme
grandissait. Elle portait ses larmes et les offrait. Sans le savoir

elle touchait au bonheur. La phrase hésitait, explosait avec tout l'orchestre. Et puis tout se calmait. Un violon reprenait dans un souffle. Et la voix de la Femme baissait. Elle disait : « Qu'est-ce qu'il faut faire ? Je finirai par prendre un poison un jour. Au moins je serai tranquille. »

Et ceux qui l'écoutaient étaient émus, non par les paroles qu'elle disait, mais parce qu'elle les jetait dans la musique. (Pour être près du malheur, ils étaient près de Dieu. Et la musique précisait ce dieu dont ils se sentaient si proches.) La Femme ne pleurait pas ni ne se plaignait. Elle était très loin. Sa décision l'avait calmée. Sans doute, elle ne l'accomplirait jamais. Mais l'avoir arrêtée, s'en croire capable, prendre conscience que son malheur était assez important pour lui donner de telles idées, lui apportait le calme. Puisque, somme toute, il y avait au moins une issue.

La Femme s'est levée. Plus rien de lointain ne demeure sur son visage. Mais il reste les yeux rouges, le cerne profond, la bouche encore tordue, la peau toujours parcheminée. Il reste ce visage affiné de larmes, cette douleur qui déborde la frontière inutile des traits et qui laisse un halo autour de chaque ride et de chaque fléchissement, de la même façon que le soir apporte une gravité et une noblesse inattendues dans les paysages les plus dévastés. Quelques chose d'inconnu, qu'elle porte en elle, déborde son corps pour rejoindre les autres corps, le monde, quelque chose qui ressemble à une musique ou à une voix qui dirait la vérité. C'est comme un visage que l'on contemple dans une glace et qui paraît dégrossi, affiné, plus divin, je veux dire étrange.

Elle va partir. Son chapeau est gauchement enfoncé, comme son sourire de maintenant. Elle reviendra, dit-elle. Elle a connu l'aventure qui lui a apporté le malheur. Corps de Dieu, corps laid, osseux, corps sans grâce, on voudrait pleurer sur lui. Le Dieu qui l'a créée est le Dieu qui l'abandonne et elle ne sait rien. Elle ne pense pas. Quel est donc son secret sur cette terre ? Mais tout est bien, très bien. Qu'elle s'en aille maintenant.

On a remis la même mélodie après son départ. Et que devient-elle, qui s'en va avec sa crainte ? Elle n'existe plus puisqu'elle n'est plus là. Et pourtant elle doit marcher, respirer, prendre des rues dont elle sait le nom, pour aller vers le frère méchant et brutal qui l'attend. Elle va rentrer dans son noir, après en être sortie par le miracle d'une musique sotte. Sa vie nous échappe et sa voix se perd, s'éteint déjà pour nous plonger dans l'ignorance et nous masquer un coin du monde. Et c'est comme une fenêtre qui se ferme sur le bruit d'une rue.

4

Puis c'est la voix de la vieille femme malade qu'on abandonnait pour aller au cinéma.

Elle était éprouvée par une maladie dont elle avait bien cru mourir. Tout son côté droit avait été paralysé. Elle n'avait qu'une moitié d'elle en ce monde quand l'autre lui était déjà étrangère. Petite vieille remuante et bavarde, depuis des années vivant seule, on l'avait réduite au silence et à l'immobilité. On l'avait ensevelie dans un fauteuil, chez sa fille. Elle avait tenu beaucoup à son indépendance et à soixante-dix ans travaillait encore pour la conserver. Elle vivait maintenant aux dépens de sa fille.

Seule de longues journées, illettrée, peu sensible, sa vie larvaire ne donnait que sur une fenêtre : Dieu. Elle croyait en lui. Et la preuve est qu'elle avait un chapelet, un Christ de plomb et, en stuc, un saint Joseph portant l'Enfant. Elle doutait que son mal fût incurable, mais l'affirmait pour qu'on s'intéressât à elle, s'en remettant du reste au Dieu qu'elle aimait si mal.

En ce moment quelqu'un s'intéressait à elle. C'était un grand jeune homme pâle qui avait de la sensibilité. Il croyait qu'il y avait une vérité et savait par ailleurs que cette femme allait mourir, sans qu'il s'inquiétât de résoudre cette contradiction. Il avait pris un véritable intérêt à l'ennui de la vieille femme. Cela, elle l'avait bien senti. Il y a un certain ton de voix qui ne trompe pas quand on a longtemps bavardé au marché. Du « comment allez-vous » de la bouchère à celui de l'épicière, il y avait un monde car seule la bouchère avait de la sympathie pour elle. En tout cas ce grand jeune homme pâle s'occupait d'elle. Et cet intérêt était une aubaine inespérée pour le malade. Elle lui disait ses peines avec animation : elle était au bout de son rouleau. Et il faut bien laisser la place aux jeunes. Si elle s'ennuyait ? Cela, c'était sûr. On ne lui parlait pas. Elle était dans son coin comme un chien. Il valait mieux en finir. Parce qu'elle aimait mieux mourir que d'être à la charge de quelqu'un.

Sa voix était devenue querelleuse. C'était une voix de marché, de marchandage. Et pourtant ce jeune homme comprenait, parce qu'il avait de la sensibilité. Il était d'avis cependant qu'il valait encore mieux être à la charge des autres que mourir. Mais cela ne prouvait qu'une chose : que sans doute il n'avait jamais été à la charge de personne, si ce n'est à celle de Dieu. Et précisément il disait à la vieille femme — parce qu'il avait vu le chapelet : « Il vous reste le Bon Dieu. » C'était vrai. Mais même à cet égard, on l'ennuyait encore. S'il lui arrivait de rester un long moment en prière, si son regard se perdait dans quelque motif de la tapisserie, sa fille disait : « La voilà encore qui prie ! — Qu'est-ce que ça peut te faire, disait la malade. — Ça ne me fait rien, mais ça m'énerve à la fin. » Et la vieille femme se taisait en attachant sur sa fille un long regard chargé de reproches, plus cruels que des injures.

Le jeune homme écoutait tout cela avec une immense peine inconnue qui le gênait dans la poitrine. Et on lui disait encore : « Elle verra bien quand elle sera vieille. Elle aussi, elle en aura besoin. »

C'est un destin obscur et attachant que celui de cette vieille femme, délivrée de tout sauf de Dieu, donnée tout entière à cet ultime mal, vertueuse par nécessité, persuadée trop aisément que ce qui lui restait était le seul bien digne d'amour, plongée enfin et sans retour, dans la misère de l'homme en Dieu. Semblables résolutions ne tiennent guère devant la première gifle de la vie. Et ce qui va suivre montrera que Dieu n'est pas de force contre les intérêts de l'homme.

On s'était mis à table. Le grand jeune homme pâle avait été invité au dîner. Parce que les aliments sont lourds le soir, la vieille ne mangeait pas. Elle était restée dans son coin, derrière le dos de celui qui l'avait écoutée. Et, pour se sentir observé, celui-ci mangeait mal. Cependant le dîner avançait. Pour se trouver bien ensemble, un désir prenait ces gens de prolonger ce moment. On décida d'aller au cinéma. On passait justement un film gai. Le jeune homme avait étourdiment accepté, sans penser à l'être qui continuait d'exister dans son dos, quoi qu'il en eût.

On s'était levé pour aller se laver les mains avant de sortir. Il n'était pas question, évidemment, que la vieille femme vînt aussi. Quand elle n'aurait pas été impotente, son ignorance l'aurait empêchée de comprendre le film. Elle disait n'aimer point le cinéma. Au vrai, elle ne comprenait pas. Elle était dans son coin, d'ailleurs, et prenait un grand intérêt vide aux grains de son chapelet. Dieu était derrière ce chapelet et l'exhortait à la confiance. Les trois objets qu'elle conservait marquaient pour elle le point matériel où commençait le divin. À partir du chapelet, du Christ ou de saint Joseph, derrière eux, s'ouvrait un grand noir profond où se trouvait Dieu.

Tout le monde était prêt. On s'approchait de la vieille femme pour l'embrasser et lui souhaiter un bon soir. Elle avait déjà compris et serrait avec force son chapelet. Mais il paraissait bien que ce geste pouvait être autant de désespoir que de ferveur. On l'avait embrassée. Il ne restait que le grand jeune homme pâle. Il avait serré la main de la femme avec affection et se retournait déjà. Mais l'autre voyait partir celui qui s'était intéressé à elle. Elle ne voulait pas être seule. Elle sentait déjà l'horreur de sa solitude, l'insomnie prolongée, le tête-à-tête décevant avec Dieu. Elle avait peur, ne se reposait plus qu'en l'homme, et se rattachant au seul être qui lui eût marqué de l'intérêt, ne lâchait pas sa main, la serrait, le remerciant maladroitement pour justifier cette insistance. Le jeune homme était gêné. Déjà les autres se retournaient pour l'inviter à plus de hâte. Le spectacle commençait à neuf heures et il valait mieux arriver un peu tôt pour ne pas attendre au guichet.

Lui se sentait placé devant le plus affreux malheur qu'il eût encore connu : celui d'une vieille femme infirme qu'on abandonne pour aller au cinéma. Il voulait partir et se dérober, ne voulait pas savoir, essayait de retirer sa main. Une seconde durant, il eut une haine féroce pour cette vieille femme et pensa la gifler à toute volée.

Il put enfin se retirer et partit pendant que la malade, à demi soulevée dans son fauteuil, voyait avec horreur partir la seule certitude en laquelle elle eût pu se reposer. Rien ne la protégeait maintenant. Et livrée tout entière à la pensée de sa mort, elle ne réalisait pas exactement ce qui l'effrayait, mais savait qu'elle ne voulait pas être seule. Dieu ne lui servait de rien, qu'à l'ôter aux hommes et à la rendre seule. Elle ne voulait pas quitter les hommes. C'est pour cela qu'elle se mit à pleurer.

Les autres étaient déjà dans la rue. Un tenace remords travaillait le jeune homme qui avait le tort d'avoir de la sensibilité. Il leva les yeux vers la fenêtre éclairée, gros œil mort dans la maison silencieuse. L'œil se ferma. La fille de la vieille femme malade dit au jeune homme pâle : « Elle éteint toujours la lumière lorsqu'elle est seule. Elle aime rester dans le noir. »

5

Les hommes bâtissent sur la vieillesse à venir. À cette vieillesse assaillie d'irrémédiables, ils veulent donner l'oisiveté, qui la laisse sans défense. Ils veulent être contremaîtres pour se retirer dans une petite villa. Mais une fois enfoncés dans l'âge ils savent bien que c'est faux. Ils ont besoin des autres hommes pour se protéger.

C'est dans les hommes que l'homme se réfugie. Et celui qui se veut le plus solitaire et anarchiste est encore celui qui brûle le plus de paraître aux yeux du monde. Ce qui compte ce sont les hommes. Les générations se succèdent, s'écoulent l'une dans l'autre, naissent pour mourir et renaître. Un jour une vieille femme a souffert ? Et après ? Son destin n'offre qu'un intérêt restreint. Elle-même ne se repose qu'en l'homme. Dieu ne lui sert de rien qu'à l'ôter aux hommes et à la rendre seule. Elle ne veut pas cela. Elle pleure.

Un homme, une vieille femme, d'autres femmes ont parlé et leurs voix s'effacent lentement, progressivement, s'étouffent dans la clameur universelle des hommes, qui bat à grands coups comme un cœur partout présent.

[LOUIS RAINGEARD.
RECONSTITUTION]

Ce[1] n'est point par hasard que cette femme se trouvait [face à face   *biffé*] avec son enfant, seuls dans une petite chambre blanche et confrontés pour un court moment. Il est très rare qu'on vive absolument seul. Et cette solitude dont nous faisons si grand cas et que nous supportons si mal, nous ne l'obtenons jamais par un progrès continu, mais brusquement et par des malheurs aussi soudains que la grâce.

Et c'est bien le cas de cette femme et de son enfant isolés l'un de l'autre par des expériences parallèles. Ils avaient vécu à cinq[2] : la grand-mère, son fils cadet, sa fille aînée et les deux enfants de cette dernière. Le fils cadet était presque muet : la fille, infirme, pensait difficilement et, des deux enfants, l'un travaillait déjà dans une maison d'assurances, et le plus jeune poursuivait ses études. À soixante-dix ans, la grand-mère dominait encore tout ce monde. *[Lire la suite dans « L'Ironie », p. 44, jusqu'à : « La belle vérité. », p. 46.]*

Il[3] n'était jamais allé sur sa tombe. Mais cette femme par ses brutalités et ses outrances avait tenu une place trop grande dans sa vie pour qu'il pût s'en tenir là.

Personne d'ailleurs ne s'en tint là. Mais d'autres préoccupations assaillaient la mère. Le fils aîné s'était marié peu avant la mort de la grand-mère. Le fils cadet tomba malade.

Des[4] crachements de sang. « Mon fils s'en va de la poitrine » disait la mère, sans grande animation. Il en avait l'âge. Il avait dix-sept ans. Un de ses oncles se chargea de le soigner. On le mit pourtant à l'hôpital. Il ne put y rester plus d'une nuit. Mais il avait eu le temps, dans cette nuit de complète insomnie, dans les toux, les crachements, et les mauvaises odeurs, de sentir jusqu'à quel point il était retranché du monde vivant où « les autres » sont en bonne santé.

Ce matin surtout où sa mère vint le chercher, le désespoir du monde avait surgi pour lui derrière la beauté des formes.

Du[5] ciel bleu de ce jour-là descendaient des millions de petits sourires blancs. Ils jouaient sur les feuilles pleines de pluie, dans les flaques, sur le tuf humide des allées, volaient jusqu'aux tuiles de sang frais et remontaient à tire-d'aile vers les lacs d'air et de soleil d'où ils déborderaient tout à l'heure. Et dans cette incessante allée et venue du ciel à la terre, les tuberculeux, comme une volée d'enfants hors de l'école sortirent de leur salle. [Il *biffé*] Louis Raingard les [suit *biffé*] suivit l'assistance machinalement. Ils s'installèrent en rond sur le sable humide. Ce fut encore des rires, des paroles brèves, des toux. Un instant encore puis un subit silence. Il n'y eut plus que le soleil. Il avait beaucoup plu sur l'hôpital pendant la nuit et ce matin de février apportait le soleil. On l'avait deviné dans un long gonflement derrière les nuages puis il avait surgi et se tournant de tous côtés avait chassé les dernières ombres de l'orage. Maintenant il était le seigneur du ciel.

Et la conversation reprit. Un ancien coiffeur racontait son suicide manqué. Jeté sous une auto, le conducteur l'avait relevé sans ménagement d'un coup de pied. Et depuis il n'avait plus osé mourir. On avait ri. Raingard avait ri, et puis on avait songé : « Et Jean Pérès, qu'est-ce qu'il devient ? Celui de la compagnie du gaz. Il est mort. Il avait qu'un poumon malade. Mais il a voulu rentrer chez lui. Et là, il avait sa femme. Et sa femme c'est un cheval. Lui la maladie l'avait rendu comme ça. Il était toujours sur sa femme. Elle ne voulait pas. Mais il était terrible. Alors deux trois fois tous les jours ça finit par tuer un homme malade. »

« Mais la tuberculose est la seule maladie qu'on puisse guérir. Seulement il faut du temps et des précautions. »

Un doux ronronnement descendait d'un minuscule avion qui naviguait là-haut. Dans cet épanouissement de l'air, cette fertilité du ciel il semblait que la seule tâche des hommes fusse de rire. Pour ces corps sans chair réduits à des lignes osseuses, la main chaude du soleil se faisait plus pénétrante, caressait les organes les plus intérieurs. Comme une jolie jeune fille qui quitte sa maison aux premiers rayons du soleil, l'âme de ces hommes maintenant sortie flottait autour des corps.

Et l'un dit alors : « Le mal vient vite mais pour repartir il lui faut du temps. » Un silence, les yeux au ciel. Une autre voix : « Oui, c'est une maladie de riches. » Un autre qui bâille : « Ah, un peu plus tôt, un peu plus tard. »

L'avion revint au-dessus des têtes levées. À le contempler trop longtemps Louis se fatiguait.

Une légère brise s'était levée. Les oliviers du jardin se soulevaient légèrement et laissaient voir leurs dessous argentés. Et les grands eucalyptus aux troncs déguenillés lançaient leurs branches avec lenteur aux quatre coins du ciel. Une longue sonnerie. 10 h 1/2. C'est[6] à cette heure-là qu'on vint chercher Louis. On le ramena chez l'oncle qui l'avait soigné.

Ce fut là qu'il poursuivit son expérience. Pour sa mère, elle n'était point encore assez seule. Sa mère, on l'a bien vu, de ses 2 fils l'un marié, l'autre malade, il y avait encore son frère. Il était sourd et à demi muet. Il avait trente ans, était petit, assez beau. Depuis son enfance il n'avait pas quitté sa mère. Elle était le seul être qui lui inspirât, plus superstitieuse que fondée, quelque crainte. Il l'avait aimée avec rudesse et élan et la meilleure preuve de son affection était encore dans la façon dont il taquinait la vieille femme en articulant à grands frais les pires grossièretés sur les curés et l'église. S'il était resté si longtemps avec sa mère c'est aussi qu'il n'avait inspiré d'attachement sérieux à aucune femme. De rares aventures ou la maison publique l'autorisaient cependant à se dire un homme.

À la suite des événements précédents, il vécut avec sa sœur. Seuls tous deux, ils peinaient et gravissaient une longue vie sale et noire. C'est avec difficulté qu'ils pouvaient se parler. Aussi passaient-ils des journées entières sans échanger un seul mot. Et leur vie était assez terne et assez monotone pour pouvoir durer indéfiniment. Mais il s'était montré méchant et despote. Mais il intervenait dans la vie privée de sa sœur. Et celle-ci lassée l'avait abandonné après une dernière scène. Elle trouva une petite chambre étroite et sans air dans un autre quartier et elle s'y installa. Quelque chose lui restait encore qui la gardait de la solitude, et c'était l'idée qu'il était quelque part une maison où sa vie s'était écoulée et qui abritait encore quelqu'un qui avait été près d'elle. Cela même lui fut enlevé, son frère était resté seul, aussi désemparé que peut l'être un homme qui doit faire son ménage et sa cuisine pour la première fois. Il avait ramené sa vie dans sa chambre en laissant le reste de l'appartement dans la plus poisseuse des saletés. Quelquefois cependant, au début, le dimanche, il prenait un chiffon et tentait de mettre un peu d'ordre dans les pièces. Mais des naïvetés d'homme, une casserole sur la cheminée naguère fleurie et ornée de bergers et bergères révélaient l'abandon dans lequel tout était tenu. Au demeurant il avait fini par se lasser, ne faisait même plus son lit et couchait avec son chien sur les couvertures sales et puantes.

Sa sœur disait : « Il fait le malin dans les cafés. Mais la propriétaire m'a dit qu'elle l'avait vu en train de pleurer en lavant son linge. » Et c'était un fait que pour endurci qu'il fût, une terreur prenait cet homme à certaines heures et lui faisait mesurer l'étendue de son abandon. Peu à peu la saleté l'encercla, l'assiégea, vint battre son lit puis le submergea et le marqua de manière indélébile. La maison était trop laide. Et pour un homme pauvre qui ne se plaît pas chez lui, il est une maison plus accessible, riche, illuminée et toujours accueillante : le café. Ceux de son quartier étaient particulièrement vivants. Il y régnait cette chaleur de troupeau qui est le dernier et délicieux refuge contre les terreurs de la solitude et ses vagues aspirations. L'homme muet quitta sa maison et y élut domicile. Et c'est ainsi que la mère de Louis se vit arracher la dernière chose à laquelle elle adhérât encore.

Pour son frère, le travail venant à manquer et l'argent, il errait dans le quartier où avait vécu sa mère. Sa sœur n'eut plus de nouvelles. La propriétaire lui dit seulement que sur sa demande elle l'avait accompagné au cimetière sur la tombe de sa mère. Dans le cimetière hideux, seul devant l'inutilité de sa[7] vie, rassemblant ses dernières forces, il prit conscience du passé qui avait été son bonheur. Il faut le croire du moins et qu'à la conjonction de ce passé et de son misérable présent, une étincelle de désir jaillit puisqu'il se mit à pleurer. *[Suivent deux paragraphes biffés et illisibles.]*

Et c'est ainsi que la mère de Louis se vit réduite à elle-même. Le monde des pauvres est un des rares sinon le seul qui soit replié sur lui-même et qui soit une île dans la société. C'est à peu de frais qu'on peut y jouer les Robinson.

Pour qui s'y plonge, il lui faut dire « là-bas » en parlant du médecin qui est à l'étage au-dessus. Et le soir quand la mère de Louis revenue de son travail, se reposait à son balcon, quand dans le ciel doux de l'été où criaillaient déjà les martinets, cette idée l'étreignait qu'il faudrait tout à l'heure se coucher seule après avoir dîné seule. Mais du fond même de cette désespérance, se levait un chant. Ce qui nous sauve de nos pires douleurs c'est ce sentiment d'être abandonné et seul, mais pas assez cependant pour que « les autres » ne nous considèrent pas dans notre malheur. On a mis la complaisance à côté du désespoir, comme le remède à côté du mal. Pour cette femme seule avec la [peine] de son fils malade, sans voix, sans pensée, elle [puisait] à pleurer, mais dans la pauvreté et son attendrissement. *[1 ligne biffée et illisible.]*

Mais de l'autre côté de la ville son fils arrivait au terme d'une expérience parallèle.

Cette[8] expérience datait du jour où Louis avait compris, à deux reprises différentes, ce qu'était un homme vieux. [Il avait   *biffé*] s'était aperçu brusquement que faire son devoir et

supporter ses peines conduit à être vieux. [La vieillesse est un
état bâtard que *[mots illisibles]* *biffé au crayon bleu*]

Pour Louis, l'idée de la vieillesse le paralysait et suffisait à lui
faire prendre conscience de cette solitude qu'il y a dans toute
douleur. Et c'est ainsi qu'il avait suivi, tout un soir, désireux de
[mot illisible] un vieil oncle inconscient dont il avait toujours
gardé une sorte de peur physique.

Ce fut[9] dans un café que Louis rencontra son oncle tout
d'abord. Certes, sa voix triomphait quand, sourcils rapprochés,
il secouait un index sentencieux *[lire la suite dans « L'Ironie »,
p. 41, jusqu'à « … tout était dit. », p. 44[10]].*

À quelque temps de là, une autre épreuve attendait Louis. Il
s'agissait de ses voisins de palier qu'il connaissait bien.

Elle[11] était éprouvée par une maladie dont elle avait bien cru
mourir *[lire la suite dans « L'Ironie », p. 39, jusqu'à « … rester dans le
noir. », p. 41[12]].*

Au[13] fond ce qu'on appelle expérience se réduit à peu de
choses. Et des [personnalités   *biffé*] croissent autour d'un seul
fait. C'est ce qui arriva pour Louis. À quelque temps de là, il
tomba malade et vécut chez un oncle. Il quitta bientôt cet oncle
pour vivre seul comme sa mère vivait seule. Et, à bien voir, tout
pourrait s'arrêter là.

Ce[14] n'est pas le souvenir qu'il faudrait dire, mais le rappel.
*[Lire la suite dans « Les Voix du quartier pauvre », p. 75, jusqu'à
« N'est-ce pas cela qui compte ? », p. 78[15].]*

Certes il avait fait sa vie hors de sa mère. Mais s'il savait une
chose, c'était bien la vanité de ce confort et de ces livres. [Son
intelligence, il était trop orgueilleux pour ne pas la reconnaître,
mais il tenait cela pour rien au prix de ce qu'il sentait si profondément. Quelque chose dormait au fond de son âme, qui était
fait du parfum de cette pauvreté infinie, qui recélait des phrases
entendues il y a très longtemps, des attitudes de sa mère, des
destinées perdues de vue. C'était cela qui valait à ses yeux. Et
de tout cela sa mère était le vivant symbole. C'était là toute sa
sensibilité. Cette sensibilité, presque une facilité, une disposition, toujours elle se réduit à un sentiment unique aux yeux
duquel se jugent toutes choses. C'est le souvenir de la mort d'un
père et jamais l'épreuve qui laisse sans regret. Fruit du passé et
non épreuve de l'avenir, elle est une mesure des souffrances à
venir *[deux mots illisibles]* que le passé s'est fait juge de l'avenir.
Et lui savait bien que tout ce qui faisait sa sensibilité, c'était tel
jour où il avait compris qu'il était né de sa mère, et que celle-ci
ne pensait presque jamais. *biffé*] Il était intelligent, comme
ils disaient. Et ce qui le séparait d'elle, c'était précisément son
intelligence. Chaque livre découvert, chaque émotion de plus en

plus raffinée, chaque découverte et chaque fleur les éloignait à degrés.

Le vivant, le cœur de lui-même était ailleurs, dans cette chambre de bonne où sa mère travaillait. [Il savait bien d'ailleurs, à réfléchir plus avant, que ce n'était pas encore sa mère, qu'elle n'était là que pour l'aider à s'opposer à ce nouveau lui-même si lentement et si gravement construit. Pour l'instant elle n'était qu'un instrument, il se servait d'elle contre lui-même et ce qui l'entourait. La révolte accomplie, il [décèlerait exactement la *biffé*] découvrirait avec lenteur cette fleur merveilleuse qui croissait en lui. Mais déjà il savait que sa mère n'était qu'un symbole. Derrière elle des souvenirs se massaient. Elle était le reflet de cette misère autrefois si dure, maintenant comprise et jugée à sa valeur. *biffé en définitive*]

[Il[16] tenait la vérité *biffé*]. *[mot illisible]* qui pouvait avoir la nostalgie de pays plus riches, lointains *[mot illisible]* en tiraient une sorte de mélancolie presque satisfaite. Mais lui, c'était un pays sombre, aux parfums écœurants de beignets et de vanille, odeurs d'épices, et aux douceurs subites de son *[mot illisible]* qui le rongeait. Et cela lui procurait au sein du demi-confort qui l'entourait une sorte de mauvaise conscience.

Il voyait sa mère de loin en loin. Et c'était chaque fois un coup au cœur, un recul subit. Autour d'elle flottait une indéfinissable tristesse. Sa réserve et sa timidité la creusait encore. Lui reconnaissait le son de sa voix, suivait son agitation, ses longs récits racontés tout d'une traite et ces silences qui duraient longtemps.

C'était là-bas, là-bas qu'il lui fallait retourner, vers le ciel triste et doux qui est le meilleur spectacle et la divine récompense des enfants pauvres dans les vieux quartiers.

Un[17] soir on l'avait appelé auprès de sa mère. Une frayeur lui avait valu une sérieuse commotion cérébrale. *[Lire la suite dans « Entre oui et non », p. 50, jusqu'à « … d'une solitude à deux. », p. 51.]* Plus tard, bien plus tard, il devait se souvenir de cette odeur mêlée de sueur et de vinaigre, de ce moment où[18] il avait senti et les liens qui l'attachaient à sa mère et les obstacles qui les séparaient du monde. C'était comme un homme à qui on eût laissé sa pensée mais à qui on eut arraché l'âme pour la coucher à ses côtés malade, gémissante et terrifiée. Pour lui sa mère l'ancrait encore dans sa solitude. *[Phrase biffée, illisible.]*

Ce n'était pas une femme mais l'immense patrie de son cœur, répandue autour d'elle, devenue corporelle, et jouant avec application, sans souci de l'imposture, le rôle d'une vieille femme pauvre à l'émouvant destin.

Une[19] chose encore que Louis ne s'était jamais expliquée, c'est l'attitude singulière de sa mère lors d'une maladie assez grave

qui avait atteint son fils. Lors des premiers symptômes, des crachements de sang très importants, elle ne s'était guère effrayée,
avait certes marqué une inquiétude — mais celle qu'un être de
sensibilité normale porte au mal de tête qui afflige l'un de ses
proches. Il la savait pourtant d'une émotivité bouleversante,
il savait d'autre part qu'elle avait pour lui un grand sentiment.
Par la suite encore, elle ne s'occupa jamais de cette maladie qui
devait durer très longtemps. Ce fut un de ses oncles qui s'occupa de lui et sa mère, pas à redire. Elle venait le voir chez cet
oncle, s'enquérait de son état, « Tu vas mieux », « Oui ». Elle se
taisait alors et restés face à face tous deux s'épuisaient en efforts
pour trouver quelque chose à dire. On [lui   *biffé*] disait à Louis
qu'on l'avait vue pleurer. Mais jusqu'à ces larmes lui semblaient
de conviction moyenne. Elle n'ignorait pourtant pas la gravité
de son mal. Mais elle promenait ainsi sa surprenante indifférence. Plus étonnant encore à la réflexion était ce fait qu'il
n'avait jamais songé à le lui reprocher. Une entente tacite les
liait. Et lui-même se souvenait de n'avoir éprouvé qu'une
crainte médiocre lors d'une maladie de sa mère.

[Il semblait qu'entre ces deux êtres existât ce sentiment qui
fait toute la profondeur de l'amour. Et non pas l'attirail de tendresse, d'émotion et de [plaisir   *?]* qu'on prend trop souvent
pour l'amour, mais bien ce qui fait le sens profond de ce sentiment : un attachement si puissant qu'aucun silence ne le peut
entamer, une nécessité avilissante, une glu qui se colle à l'esprit,
qui enrobe toutes les idées, quelque chose de profondément laid
enfin, parce que purement moral, et que les poètes s'efforcent
vainement d'embellir   *biffé*].

Il s'était demandé ainsi à certains moments où leurs regards
se croisaient si quelque chose de plus grave encore ne les unissait. Si l'on considère cet homme d'une part, instruit, et actif, et
d'autre part cette femme sourde, incapable de dire plus de trois
phrases, incapable surtout de la moindre pensée, complètement
illettrée d'ailleurs, on hésite à croire que leurs relations puissent
dépasser le monde facile du bonjour et du bonsoir — Pourtant,
une chose le frappait. Il avait toujours eu le sentiment qu'il ne
pouvait mourir. Non qu'il eût ce sentiment *[deux mots illisibles]*
de l'immortalité dont parlent les philosophes. Il s'agissait d'une
mort matérielle. À y bien réfléchir, il jugeait impossible le fait
qu'il mourût. Il n'avait jamais osé conclure. Mais il se bornait
à constater un fait. Au plus grave de sa maladie, le docteur, le
condamnant implicitement, il n'avait pas eu un seul doute. Au
reste, la peur de la mort le hantait beaucoup — mais on dit que
ce ne sont pas des choses à dire, ça peut être contradictoire sans
cesser pour cela d'être vrai. Au contraire, il avait le sentiment

aigu, douloureux même de la mort des autres. Dans le monde de son expérience, cela donnait même un sens à la vie. Une exception cependant et c'était sa mère. Il n'avait jamais craint qu'elle mourût. C'est ainsi qu'il expliquait sa propre indifférence. Et il faut bien dire que dans le regard de sa mère il lisait la même conviction. Elle portait inconsciemment en elle l'idée d'une commune pérennité. Elle doutait que rien les séparât jamais. Elle ne doutait même pas. Elle n'y pensait pas —

Ce lien si singulier l'étonnait profondément. Cette indifférence à toute chose, cette non-pensée qui se nourrissait du sentiment confus d'une indestructible existence, c'était à la vérité ce qu'il avait découvert chez sa mère un soir où tout enfant il l'avait surprise dans le noir fixant anormalement le parquet. Et c'était aussi peut-être ce qui faisait tout le parfum de sa nostalgie. Il revoyait le visage animé dans le feu d'une conversation indifférente, il éprouvait combien les autres la sentaient vivre et il s'étonnait de ce que lui la sentît si peu vivante, presque comédienne. Il revoyait ce fin visage déformé par les rides et cherchait avec angoisse dans les yeux ronds et noirs les mouvements de ce Dieu qui reposait en elle.

[FRAGMENTS RATTACHÉS
À LOUIS RAINGEARD]

Et[20] voici que ce soir sa mère pleurait devant lui. Il faisait de la musique, écoutait une romance populaire naïve et banale comme un grand élan de jeune homme qui n'a pas encore connu la vie. Et sa mère était entrée dans cette immense et sotte mélancolie. Tout de suite elle avait pleuré et puis parlé. Son malheur ne laissait aucun doute. Elle vivait avec son frère qui était sourd, muet, méchant et bête. C'était bien sûr par pitié qu'elle restait avec lui. C'était aussi par crainte. Car si encore il l'avait laissée vivre à sa guise ! Mais il l'empêchait de voir l'homme qu'elle aimait. À leur âge pourtant ça n'avait plus grande importance. Lui aussi, lui qu'elle aimait était empêché. Il était marié. Depuis des années sa femme buvait et n'arrangeait pas ses affaires. Alors il gardait une tendresse rugueuse pour ce qui était exceptionnel dans sa vie. Il apportait à son amie des fleurs qu'il avait cueillies dans les haies de la banlieue, des oranges et des liqueurs qu'il gagnait à la foire. Certes il n'était pas beau. Mais la beauté ne se mange pas en salade et il était si brave. Pour elle aussi c'était l'Aventure. Elle tenait à lui qui tenait à elle. Est-ce autre chose l'amour. Elle lui lavait son linge et tâchait de le tenir propre. Il avait l'habitude de porter des

mouchoirs « pliés » en triangle et noués autour du cou : elle lui
faisait des mouchoirs bien blancs et c'était une de ses joies.

Mais l'autre, le frère, ne voulait pas qu'elle reçoive son ami. Il
lui fallait le voir en secret. Elle l'avait reçu aujourd'hui. Surpris,
ç'avait été une affreuse rixe. Et elle était venue chez son fils pour
pleurer. Que faire vraiment. Son malheur était certain. Elle avait
trop peur de son frère pour le quitter. Elle le haïssait trop pour
l'oublier. Elle le tuerait un jour, c'était bien sûr. Et tout cela
d'une voix morne, maintenant pleine de larmes. Cette femme
se pénétrait du sentiment de son abandon et s'offrait aux blessures dont Dieu orne ceux qu'il préfère. « Qu'est-ce qu'il faut
faire. Je finirai par prendre un poison un jour, au moins je serai
tranquille. »

Son fils maintenant la sentait très loin. Sa décision lui donnait la résignation. Sans doute ne l'accomplirait-elle jamais. Mais
l'avoir arrêtée, s'en croire capable, prendre conscience que son
malheur était assez important pour lui donner de telles idées lui
apportait le calme. Puisque somme toute il y avait une issue.

Son fils n'a encore rien dit. Mais cela n'a plus beaucoup d'importance. Elle va partir. Elle enfonce gauchement son chapeau
et ses lèvres sourient, un pauvre sourire émouvant. Elle reviendra dit-elle. Son fils, étranger, la contemple. Corps déchiré, osseux
et laid, corps sans grâces, il voudrait pleurer sur lui.

Louis a remis la même mélodie après son départ. Maintenant
il la devine respirant sans hâte, s'acheminant régulièrement par
des rues dont elle sait le nom vers le frère méchant et brutal qui
l'attend. Son dîner est à faire, d'autres soucis encore. Elle tourne
au coin d'une rue et c'est comme une fenêtre qui se ferme sur
le bruit d'une ville.

★

[Le début du texte[21] *reprend la conclusion des « Voix du quartier
pauvre », de « Les hommes bâtissent… », p. 85, jusqu'à la fin, p. 86.]*
Les vieux, ils sont un peu couillons, disait cet ouvrier *[mot
illisible].* Ils disent qu'un vrai homme c'est un homme de 50 ans.
Mais c'est parce qu'ils ont 50 ans. Moi j'ai connu un
homme qui était heureux rien qu'avec son fils. Ils sortaient
ensemble. Ils faisaient la bombe. Ils allaient au casino. Et le
vieux disait : « Pourquoi vous voulez que j'aille avec tous ces
vieux. Ils me disent tous les jours qu'ils ont pris une purge, qu'ils
ont mal au foie. Ça vaut mieux que j'aille avec mon fils. Des fois
qu'il s'accroche une petite poule je fais celui qui voit rien et je
monte dans un train. Au revoir et merci. Je suis bien content. »
L'interlocuteur de Louis se promenait en jolie chemise de

[mot illisible], se grattait le ventre des deux mains et découvrait ainsi ses jambes. Face réjouie, yeux demi *[mot illisible]*, moustache, 60 ans. « Bien sûr ajoutait-il c'était pas une autorité mais on l'aimait bien. »

★

[Mère   *biffé* [22]] Tu vas mieux. Je vis. Mais je vis doucement, doucement. Je voudrais que tu comprennes combien tout cela est absurde. Absurde, tu comprends. Je lace mes souliers chaque matin. Je passe avec gravité un cordon dans les œillets, je veille à ne pas entrecroiser les cordons. Tu comprends, pourquoi je vis ?

Mère, tu vois, je suis très calme. Mais quand les journaux rendent compte d'une exécution capitale ils disent quelquefois que le condamné a fait impression par son calme et sa résignation. C'est que le journaliste lui savait qu'il devait coucher dans son lit le soir. Le condamné savait que c'était impossible. Impossible, tu comprends. Il ne triche pas. Il sait bien qu'il ne va pas « payer sa dette à la société » mais qu'on va lui couper le cou. Ça n'a l'air de rien. Mais ça fait une petite différence. Et moi aussi je suis calme.

Je voudrais t'expliquer bien des choses, Mère. Et d'abord que je suis un malheureux. *[La suite est d'une écriture différente à l'encre bleue]* Je sais bien que ça n'a pas beaucoup d'importance. Je sais bien que les tramways marchent quand même dans les rues. Mais c'est un fait qu'il faut bien dire. Et qu'on est toujours seul à souffrir ou à être bête. Mère, j'ai cru que c'était arrivé ; quand j'avais raison contre la vie — et la vie m'a giflé à tour de bras. Il faut bien croire qu'elle a raison. J'ai cru à l'amour et qu'amour et foi ne faisaient qu'un. Je sais maintenant que la vraie vie est la santé et que le corps est un moyen de connaissance. Je ne peux plus maintenant rétablir l'équilibre. Mère, je suis un malheureux. Un grand élan m'habitait et je sais maintenant ce que veut dire absurdité. Me voilà nu et désemparé, éloigné de tout, indifférent à tous et à moi-même et c'est vers toi que je me tourne. Bien plutôt dans ce que tu représentes, cette pauvreté, ce dénuement auxquels je veux revenir. Mère, tu es pure comme un cristal. Tu n'as rien, ni beauté, ni richesse, ni complication de l'esprit. Ton cœur, ton corps, ton esprit tout se confond car tu n'es qu'indifférence du cœur, indifférence de l'âme, indifférence du corps. Je ne suis pas sûr de t'aimer. Je ne suis pas sûr de t'avoir bien aimée. Mais quelle place est la tienne et quel rôle joues-tu sans t'en douter. Quelquefois je te rencontre dans la rue. Tu me demandes ce

que je fais, si je continue mes études. Tu ne sais même pas ce
que je peux faire. Tu ne sais quelle carrière m'attire, où sont mes
ambitions. Et c'est pour cela qu'il me prend des envies folles de
te dire longuement tout ce qui fait ma vie. Le ridicule m'arrête.

L'autre jour, mère, j'étais monté sur les hauteurs de la ville.
Et là aussi devant le monde je suis redevenu bien enfant et bien
démuni comme lorsque je pense à toi. Toi aussi, tu connais bien
ces journées où [le vent étale   ?] le soleil sur toute l'étendue
des choses. Il y avait une admirable et glorieuse lumière dans le
ciel d'un bleu orgueilleux et aéré. Nul bruit et nul chant d'oiseau,
nul coassement de grenouilles, mais ce bourdonnement indistinct
et endormeur de la grande chaleur. Tu le sais, mère, toute ma jeunesse est là, dans ces heures de soleil qui brûlent les [blés   ?],
et où monte vers le ciel une saveur [rousse   ?] de pain trop chaud.
Car tu connais aussi ces beaux étés du Sahel, et sous le soleil,
l'écrasement délicieux, l'arrêt vertigineux et tourmenté, l'étourdissement qui [siffle   ?] et suggère bonté, pitié, générosité.

C'était ainsi ce matin-là. Et toute cette lumière dévalant la
pente des collines, habillait les cyprès et les eucalyptus, les
petites fermes blanches et les toits rouges de la plus chaleureuse
des robes, pour aller se perdre dans la baie qui fumait au soleil.
Et comme devant toi, je me suis senti réduit à mes ultimes ressources, et j'ai pris conscience de ce dénuement comme de ma
plus grande richesse. Je n'ai pas oublié la misère et les hommes
qui souffrent. Mais à cette minute de glorieuse joie, à cette
extrême pointe de l'extrême conscience, tout se rejoint et se
confond, cette pente de mon cœur et ce désir de mon esprit.
Tout à l'heure j'étais riche de mes peines. Mais voici que j'ai
compris : plus rien ne me reste, que le présent. Notre royaume
hélas est de ce monde.

Il y a aussi ceci, mère. C'est que je marchais un peu avant, et
à chaque tournant les brusques jets verticaux des cyprès surgis-
saient dans le ciel. Et ce petit cimetière à la porte de fer quand
on va jusqu'au bout, il vous livre d'un coup tout le secret du
monde. Parce qu'au bout c'est la vallée qui se découvre avec la
baie au loin. Mais si je reviens sur mes pas, je trouve une plaque
« Regrets éternels » dans une tombe abandonnée.

On voit bien que j'avais le droit de rire tout à l'heure.
Heureusement il y a les idéalistes, mère. Et tu [les connais   ?]
bien aussi. Ils disent que si ce monde est transitoire, l'autre est
éternel. Ils disent que la souffrance est bonne parce qu'elle exalte
l'âme. Insensés qui n'avez pas compris que le transitoire est le
transitoire, que la souffrance et le [malheur sont absurdes   ?]
quand tout notre être crie vers la joie et le bonheur.

LETTRE À JEAN DE MAISONSEUL
8 juillet 1937

Mon cher Jean,

Bien que votre retour soit proche, je vous envoie ce mot. En effet le 15 juillet je serai en train de camper en Kabylie et ne serai de retour que le 20.

Je vous remercie pour tout ce que vous me dites de mon livre — surtout pour les critiques. Je suis de votre avis, Jean : il fallait rester dans la coulisse. Mais d'abord je manque de métier et ces résonances qui me sont si sensibles et dans lesquelles il me semble deviner le vrai sens du monde, c'est ma jeunesse et mon amour de vivre qui m'empêchent de les rendre objectivement. Il m'a semblé qu'à condition d'être conscient de cette faiblesse, je pouvais me permettre de tout dire avec toute ma passion — d'aller jusqu'au bout. J'ai beaucoup travaillé ces choses mais toujours avec une manie de *nudité* qui me desséchait moi-même. Je ne sais pas si je me fais comprendre. Plus tard j'écrirai un livre qui sera une œuvre d'art. Je veux dire bien sûr une création, mais ce seront les mêmes choses que je dirai et tout mon progrès, je le crains, sera dans la forme — que je voudrai plus extérieure. Le reste, ce sera une course de moi-même à moi-même.

Voyez-vous, Jean, j'ai eu des critiques dans les journaux ; je n'ai pas à me plaindre ; l'accueil qu'on a fait à ces pages a été inespéré. Mais je lisais chez ces gens les mêmes phrases qui revenaient : amertume, pessimisme, etc. Ils n'ont pas compris — et je me dis parfois que je me suis mal fait comprendre. Si je n'ai pas dit tout le goût que je trouve à la vie, toute l'envie que j'ai de mordre à pleine chair, si je n'ai pas dit que la mort même et la douleur ne faisaient qu'exaspérer en moi cette ambition de vivre, alors je n'ai rien dit. Et c'est une chance au fond puisque tout me reste à dire.

Je n'ai jamais parlé ni écrit de mon livre à personne. Il était naturel que vous fussiez le premier. Dites-moi seulement si j'ai réussi à dire tout cela. Le reste, l'œuvre d'art ne compte pas aujourd'hui pour moi. Même si certaines pages sont bien écrites, c'est mon cœur et ma chair qui ont bien écrit et pas mon intelligence.

J'ai tant de choses à dire, Jean. J'ai toujours eu une grande indifférence pour ma maladie. Je ne comprenais pas ce que vous me disiez souvent : que quelquefois une peur vous prenait d'être écrasé dans la rue sans avoir eu le temps de manifester. Je comprends maintenant, parce que j'ai quelque chose à manifester. Je travaille beaucoup. Je veux vivre pour ça et c'est l'essentiel. N'est-ce pas admirable, Jean, que la vie soit une chose si passionnante et si douloureuse ?

Je suis heureux de vous revoir bientôt. Vous me parlerez de ce que vous avez fait. Vous savez que je reste votre très fidèle ami.

A. CAMUS.

29, avenue de l'Oriental, Alger.

NOCES

NOCES

NOTE DE L'ÉDITEUR

Réimprimés aujourd'hui, ces premiers essais ont été écrits en 1936 et 1937, puis édités à petit nombre d'exemplaires en 1938, à Alger. Cette nouvelle édition les reproduit sans modifications, bien que leur auteur n'ait pas cessé de les considérer comme des essais, au sens exact et limité du terme[1].

ÉPILOGUE

Le bourreau étrangla le cardinal Carrafa avec un cordon de soie qui se rompit : il fallut y revenir deux fois. Le cardinal regarda le bourreau sans daigner prononcer un mot.

STENDHAL, *La Duchesse de Palliano*[1].

NOCES À TIPASA

Au printemps, Tipasa est habitée par les dieux et les dieux parlent dans le soleil et l'odeur des absinthes, la mer cuirassée d'argent, le ciel bleu écru, les ruines couvertes de fleurs et la lumière à gros bouillons dans les amas de pierres. À certaines heures, la campagne est noire de soleil. Les yeux tentent vainement de saisir autre chose que des gouttes de lumière et de couleurs qui tremblent au bord des cils. L'odeur volumineuse des plantes aromatiques racle la gorge et suffoque dans la chaleur énorme. À peine, au fond du paysage, puis-je voir la masse noire du Chenoua qui prend racine dans les collines autour du village, et s'ébranle d'un rythme sûr et pesant pour aller s'accroupir dans la mer.

Nous arrivons par[a] le village qui s'ouvre déjà sur la baie. Nous entrons dans un monde jaune et bleu où nous accueille le soupir odorant et âcre de la terre d'été en Algérie. Partout, des bougainvillées rosat dépassent les murs des villas ; dans les jardins, des hibiscus au rouge encore pâle, une profusion de roses thé épaisses comme de la crème et de délicates bordures de longs iris bleus. Toutes les pierres sont chaudes. À l'heure où nous descendons de l'autobus couleur de bouton-d'or, les bouchers dans leurs voitures rouges font leur tournée matinale et les sonneries de leurs trompettes appellent les habitants.

À gauche du port[b], un escalier de pierres sèches mène aux ruines, parmi les lentisques et les genêts. Le chemin passe devant un petit phare pour plonger ensuite en pleine campagne. Déjà, au pied de ce phare, de grosses plantes grasses

aux fleurs violettes, jaunes et rouges, descendent vers les
premiers rochers que la mer suce avec un bruit de baisers.
Debout dans le vent léger, sous le soleil qui nous chauffe un
seul côté du visage, nous regardons la lumière descendre du
ciel, la mer sans une ride, et le sourire de ses dents éclatantes.
Avant d'entrer dans le royaume des ruines, pour la dernière
fois nous sommes spectateurs.

Au bout de quelques pas, les absinthes nous prennent à
la gorge. Leur laine grise couvre les ruines[c] à perte de vue.
Leur essence fermente sous la chaleur, et de la terre au soleil
monte sur toute l'étendue du monde un alcool généreux qui
fait vaciller le ciel. Nous marchons à la rencontre de l'amour
et du désir. Nous ne cherchons pas de leçons, ni l'amère
philosophie qu'on demande à la grandeur. Hors du soleil,
des baisers et des parfums sauvages, tout nous paraît futile.
Pour moi, je ne cherche pas à y être seul. J'y suis souvent allé
avec ceux que j'aimais et je lisais sur leurs traits le clair sourire qu'y prenait le visage de l'amour. Ici, je laisse à d'autres
l'ordre et la mesure. C'est le grand libertinage de la nature et
de la mer qui m'accapare tout entier. Dans ce[d] mariage des
ruines et du printemps, les ruines sont redevenues pierres,
et perdant le poli imposé par l'homme, sont rentrées dans
la nature. Pour le retour de ces filles prodigues, la nature a
prodigué les fleurs. Entre les dalles du forum, l'héliotrope
pousse sa tête ronde et blanche, et les géraniums rouges
versent leur sang sur ce qui fut maisons, temples et places
publiques. Comme ces hommes que beaucoup de science
ramène à Dieu, beaucoup d'années ont ramené les ruines
à la maison de leur mère. Aujourd'hui enfin leur passé les
quitte, et rien ne les distrait de cette force profonde qui les
ramène au centre des choses qui tombent[e].

Que d'heures passées à écraser les absinthes, à caresser les
ruines, à tenter d'accorder ma respiration aux soupirs tumultueux du monde! Enfoncé parmi les odeurs sauvages et
les concerts d'insectes somnolents, j'ouvre les yeux et mon
cœur à la grandeur insoutenable de ce ciel gorgé de chaleur. Ce n'est pas si facile de devenir ce qu'on est[1], de
retrouver sa mesure profonde[f]. Mais à regarder l'échine
solide du Chenoua, mon cœur se calmait d'une étrange certitude. J'apprenais à respirer, je m'intégrais et je m'accom-
plissais. Je gravissais l'un après l'autre des coteaux dont chacun me réservait une récompense, comme ce temple dont
les colonnes mesurent la course du soleil et d'où l'on voit le

village entier, ses murs blancs et roses et ses vérandas vertes. Comme aussi cette basilique sur la colline Est : elle a gardé ses murs et dans un grand rayon autour d'elle s'alignent des sarcophages exhumés, pour la plupart à peine issus de la terre dont ils participent encore. Ils ont contenu des morts ; pour le moment il y pousse des sauges et des ravenelles. La basilique Sainte-Salsa est chrétienne, mais chaque fois qu'on regarde par une ouverture, c'est la mélodie du monde qui parvient jusqu'à nous : coteaux plantés de pins et de cyprès, ou bien la mer qui roule ses chiens blancs[2] à une vingtaine de mètres. La colline qui supporte Sainte-Salsa est plate à son sommet et le vent souffle plus largement à travers les portiques. Sous le soleil du matin, un grand bonheur se balance dans l'espace.

Bien pauvres sont ceux qui ont besoin de mythes. Ici les dieux servent de lits ou de repères dans la course des journées. Je décris et je dis : « Voici qui est rouge, qui est bleu, qui est vert. Ceci est la mer, la montagne, les fleurs. » Et qu'ai-je besoin de parler de Dionysos pour dire que j'aime écraser les boules de lentisques sous mon nez ? Est-il même à Déméter ce vieil hymne à quoi plus tard je songerai sans contrainte : « Heureux celui des vivants sur la terre qui a vu ces choses[3]. » Voir, et voir sur cette terre, comment oublier la leçon ? Aux mystères d'Éleusis, il suffisait de contempler. Ici même, je sais que jamais je ne m'approcherai assez du monde. Il me faut être nu et puis plonger dans la mer, encore tout parfumé des essences de la terre, laver celles-ci dans celle-là, et nouer sur ma peau l'étreinte pour laquelle soupirent à lèvres à lèvres depuis si longtemps la terre et la mer. Entré dans l'eau, c'est le saisissement, la montée d'une glu froide et opaque, puis le plongeon dans le bourdonnement des oreilles, le nez coulant et la bouche amère — la nage, les bras vernis d'eau sortis de la mer pour se dorer dans le soleil et rabattus dans une torsion de tous les muscles ; la course de l'eau sur mon corps, cette possession tumultueuse de l'onde par mes jambes — et l'absence d'horizon. Sur le rivage, c'est la chute dans le sable, abandonné au monde, rentré dans ma pesanteur de chair et d'os, abruti de soleil, avec, de loin en loin, un regard pour mes bras où les flaques de peau sèche découvrent, avec le glissement de l'eau, le duvet blond et la poussière de sel.

Je comprends ici ce qu'on appelle gloire : le droit d'aimer sans mesure. Il n'y a qu'un seul amour dans ce monde.

Étreindre un corps de femme[4], c'est aussi retenir contre soi
cette joie étrange qui descend du ciel vers la mer. Tout à
l'heure[b], quand je me jetterai dans les absinthes pour me faire
entrer leur parfum dans le corps, j'aurai conscience, contre
tous les préjugés, d'accomplir une vérité qui est celle du
soleil et sera aussi celle de ma mort. Dans un sens, c'est bien
ma vie que je joue ici, une vie à goût de pierre chaude, pleine
des soupirs de la mer et des cigales qui commencent à chanter maintenant. La brise est fraîche et le ciel bleu. J'aime
cette vie avec abandon et veux en parler avec liberté : elle me
donne l'orgueil de ma condition d'homme. Pourtant, on me
l'a souvent dit : il n'y a pas de quoi être fier. Si, il y a de quoi :
ce soleil, cette mer, mon cœur bondissant de jeunesse, mon
corps au goût de sel et l'immense décor où la tendresse et la
gloire se rencontrent dans le jaune et le bleu. C'est à conquérir cela qu'il me faut appliquer ma force et mes ressources.
Tout ici me laisse intact, je n'abandonne rien de moi-même,
je ne revêts aucun masque : il me suffit d'apprendre patiemment la difficile science de vivre qui vaut bien tout leur
savoir vivre[5].

Un peu avant midi, nous revenions par les ruines vers un
petit café au bord du port. La tête retentissante des cymbales
du soleil et des couleurs, quelle fraîche bienvenue que celle
de la salle pleine d'ombre, du grand verre de menthe verte
et glacée ! Au-dehors, c'est la mer et la route ardente de
poussière. Assis devant la table, je tente de saisir entre mes
cils battants l'éblouissement multicolore du ciel blanc de
chaleur. Le visage mouillé de sueur, mais le corps frais dans
la légère toile qui nous habille, nous étalons tous l'heureuse
lassitude d'un jour de noces avec le monde.

On mange mal dans ce café, mais il y a beaucoup de fruits
— surtout des pêches qu'on mange en y mordant, de sorte
que le jus en coule sur le menton[i]. Les dents refermées sur
la pêche, j'écoute les grands coups de mon sang monter jusqu'aux oreilles, je regarde de tous mes yeux. Sur la mer, c'est
le silence énorme de midi. Tout être beau a l'orgueil naturel
de sa beauté et le monde aujourd'hui laisse son orgueil suin-
ter de toutes parts. Devant lui, pourquoi nierais-je la joie de
vivre, si je sais ne pas tout renfermer dans la joie de vivre ?
Il n'y a pas de honte à être heureux[6]. Mais aujourd'hui l'imbécile est roi, et j'appelle imbécile celui qui a peur de jouir.
On nous a tellement[j] parlé de l'orgueil : vous savez, c'est le
péché de Satan. Méfiance, criait-on, vous vous perdrez, et

vos forces vives. Depuis, j'ai appris en effet qu'un certain orgueil… Mais à d'autres moments, je ne peux m'empêcher de revendiquer l'orgueil de vivre que le monde tout entier conspire à me donner. À Tipasa, je vois équivaut à je crois[7], et je ne m'obstine pas à nier ce que ma main peut toucher et mes lèvres caresser. Je n'éprouve pas le besoin d'en faire une œuvre d'art, mais de raconter ce qui est différent. Tipasa m'apparaît comme ces personnages qu'on décrit pour signifier indirectement un point de vue sur le monde. Comme eux, elle témoigne, et virilement. Elle est aujourd'hui mon personnage et il me semble qu'à le caresser et le décrire, mon ivresse n'aura plus de fin. Il y a un temps pour vivre et un temps pour témoigner de vivre. Il y a aussi un temps pour créer, ce qui est moins naturel. Il me[k] suffit de vivre de tout mon corps et de témoigner de tout mon cœur. Vivre Tipasa, témoigner et l'œuvre d'art viendra ensuite[8]. Il y a là une liberté.

★

Jamais je ne restais plus d'une journée à Tipasa. Il vient toujours un moment où l'on a trop vu un paysage[9], de même qu'il faut longtemps avant qu'on l'ait assez vu. Les montagnes, le ciel, la mer sont comme des visages dont on découvre l'aridité ou la splendeur, à force de regarder au lieu de voir. Mais tout visage, pour être éloquent, doit subir un certain renouvellement. Et l'on se plaint d'être trop rapidement lassé quand il faudrait admirer que le monde nous paraisse nouveau pour avoir été seulement oublié.

Vers le soir[l], je regagnais une partie du parc plus ordonnée, arrangée en jardin, au bord de la route nationale. Au sortir du tumulte des parfums et du soleil, dans l'air maintenant rafraîchi par le soir, l'esprit s'y calmait, le corps détendu goûtait le silence intérieur qui naît de l'amour satisfait. Je m'étais assis sur un banc. Je regardais la campagne s'arrondir avec le jour. J'étais repu. Au-dessus de moi, un grenadier laissait pendre les boutons de ses fleurs, clos et côtelés comme de petits poings fermés qui contiendraient tout l'espoir du printemps. Il y avait du romarin derrière moi et j'en percevais seulement le parfum d'alcool. Des collines s'encadraient entre les arbres et, plus loin encore, une ligne de mer au-dessus duquel le ciel, comme une voile en panne, reposait de toute sa tendresse. J'avais au cœur une joie étrange, celle-là

même qui naît d'une conscience tranquille. Il y a un sentiment que connaissent les acteurs lorsqu'ils ont conscience
d'avoir bien rempli leur rôle, c'est-à-dire, au sens le plus précis, d'avoir fait coïncider leurs gestes et ceux du personnage
idéal qu'ils incarnent, d'être entrés en quelque sorte dans
un dessin fait à l'avance et qu'ils ont d'un coup fait vivre
et battre avec leur propre cœur. C'était précisément cela que
je ressentais : j'avais bien joué mon rôle. J'avais fait *m* mon
métier d'homme et d'avoir connu la joie tout un *n* long jour
ne me semblait pas une réussite exceptionnelle, mais l'accomplissement ému d'une condition qui, en certaines circonstances, nous fait un devoir d'être heureux. Nous retrouvons alors une solitude, mais cette fois dans la satisfaction.

★

Maintenant, les arbres s'étaient peuplés d'oiseaux. La
terre soupirait lentement avant d'entrer dans l'ombre. Tout
à l'heure, avec la première étoile, la nuit tombera sur la scène
du monde. Les dieux éclatants du jour retourneront à leur
mort quotidienne. Mais d'autres dieux viendront. Et pour
être plus sombres, leurs faces ravagées seront nées cependant dans le cœur de la terre.

À présent du moins, l'incessante éclosion des vagues sur
le sable me parvenait à travers tout un espace où dansait un
pollen doré. Mer, campagne *o*, silence, parfums de cette terre,
je m'emplissais d'une vie odorante et je mordais dans le fruit
déjà doré du monde, bouleversé de sentir son jus sucré et
fort couler le long de mes lèvres. Non, ce n'était pas moi qui
comptais, ni le monde, mais seulement l'accord et le silence
qui de lui à moi faisait naître l'amour. Amour que je n'avais
pas la faiblesse de revendiquer pour moi seul, conscient et
orgueilleux de le partager avec toute une race, née du soleil
et de la mer, vivante et savoureuse, qui puise sa grandeur
dans sa simplicité et debout sur les plages, adresse son sourire complice *p* au sourire éclatant de ses ciels.

LE VENT À DJÉMILA

Il est des lieux où meurt l'esprit[1] pour que naisse une vérité qui est sa négation même[a]. Lorsque je suis allé à Djémila, il y avait du vent[2] et du soleil, mais c'est une autre histoire. Ce qu'il faut dire d'abord, c'est qu'il y régnait un grand silence lourd et sans fêlure — quelque chose comme l'équilibre d'une balance[b]. Des cris d'oiseaux, le son feutré de la flûte à trois trous, un piétinement de chèvres, des rumeurs venues du ciel, autant de bruits qui faisaient le silence et la désolation de ces lieux. De loin en loin, un claquement sec, un cri aigu, marquaient l'envol d'un oiseau tapi entre des pierres. Chaque chemin suivi, sentiers parmi les restes des maisons, grandes rues dallées sous les colonnes luisantes, forum immense entre l'arc de triomphe et le temple sur une éminence, tout conduit aux ravins qui bornent de toutes parts Djémila, jeu de cartes ouvert sur un ciel sans limites. Et l'on se trouve là, concentré, mis en face des pierres et du silence, à mesure que le jour avance et que les montagnes grandissent en devenant violettes. Mais le vent souffle sur le plateau de Djémila. Dans cette grande confusion du vent et du soleil qui mêle aux ruines la lumière, quelque chose se forge qui donne à l'homme la mesure de son identité avec la solitude et le silence de la ville morte.

Il faut[c] beaucoup de temps pour aller à Djémila. Ce n'est pas une ville où l'on s'arrête et que l'on dépasse. Elle ne mène nulle part et n'ouvre sur aucun pays. C'est un lieu d'où l'on revient. La ville morte est au terme d'une longue route en lacet qui semble la promettre à chacun de ses tournants et paraît d'autant plus longue. Lorsque surgit enfin sur un plateau aux couleurs éteintes, enfoncé entre de hautes montagnes, son squelette jaunâtre comme une forêt d'ossements, Djémila figure alors le symbole de cette leçon d'amour et de patience qui peut seule nous conduire au cœur battant du monde. Là, parmi quelques arbres, de l'herbe sèche, elle se défend de toutes ses montagnes et de toutes ses pierres, contre l'admiration vulgaire, le pittoresque ou les jeux de l'espoir.

Dans cette splendeur aride, nous avions erré toute la journée. Peu à peu, le vent à peine senti au début de l'après-midi, semblait grandir avec les heures et remplir tout le paysage. Il soufflait depuis une trouée entre les montagnes, loin vers l'est, accourait du fond de l'horizon et venait bondir en cascades parmi les pierres et le soleil. Sans arrêt, il sifflait avec force à travers les ruines, tournait dans un cirque de pierres et de terre, baignait les amas de blocs grêlés, entourait chaque colonne de son souffle et venait se répandre en cris incessants sur le forum qui s'ouvrait dans le ciel. Je me sentais claquer au vent comme une mâture. Creusé par le milieu, les yeux brûlés, les lèvres craquantes, ma peau se desséchait jusqu'à ne plus être mienne. Par elle, auparavant, je déchiffrais l'écriture du monde. Il y traçait les signes de sa tendresse ou de sa colère, la réchauffant de son souffle d'été ou la mordant de ses dents de givre. Mais si longuement frotté du vent, secoué depuis plus d'une heure, étourdi de résistance, je perdais conscience du dessin que traçait mon corps. Comme le galet verni par les marées, j'étais poli par le vent, usé jusqu'à l'âme. J'étais un peu de cette force selon laquelle je flottais, puis beaucoup, puis elle enfin, confondant les battements de mon sang et les grands coups sonores de ce cœur partout présent de la nature. Le vent me façonnait à l'image de l'ardente nudité qui m'entourait. Et sa fugitive étreinte me donnait, pierre parmi les pierres, la solitude d'une colonne*d* ou d'un olivier dans le ciel d'été.

Ce bain violent de soleil et de vent épuisait toutes mes forces de vie. À peine en moi ce battement d'ailes qui affleure, cette vie qui se plaint, cette faible révolte de l'esprit. Bientôt, répandu aux quatre coins du monde, oublieux, oublié de moi-même, je suis ce vent et dans le vent, ces colonnes et cet arc, ces dalles qui sentent chaud et ces montagnes pâles autour de la ville déserte. Et jamais je n'ai senti, si avant, à la fois mon détachement de moi-même et ma présence au monde.

Oui, je suis présent. Et ce qui me frappe à ce moment, c'est que je ne peux aller plus loin. Comme un homme emprisonné à perpétuité — et tout lui est présent[3]. Mais aussi comme un homme qui sait que demain sera semblable et tous les autres jours. Car pour un homme, prendre conscience de son présent, ce n'est plus rien attendre. S'il est des paysages qui sont des états d'âme[4], ce sont les plus vulgaires[e]. Et je suivais tout le long de ce pays quelque chose qui n'était pas à moi, mais de lui, comme un goût de la mort qui nous était commun. Entre les colonnes aux ombres maintenant obliques, les inquiétudes fondaient dans l'air comme des oiseaux blessés. Et à leur place, cette lucidité aride. L'inquiétude naît du cœur des vivants. Mais le calme recouvrira ce cœur vivant : voici toute ma clairvoyance. À mesure que[f] la journée avançait, que les bruits et les lumières étouffaient sous les cendres qui descendaient du ciel, abandonné de moi-même, je me sentais sans défense contre les forces lentes qui en moi disaient non.

Peu de gens comprennent qu'il y a un refus qui n'a rien de commun avec le renoncement[5]. Que signifient ici les mots d'avenir, de mieux-être, de situation[6] ? Que signifie le progrès du cœur ? Si je refuse obstinément tous les « plus tard » du monde, c'est qu'il s'agit aussi bien de ne pas renoncer à ma richesse présente. Il ne me plaît pas de croire que la mort ouvre sur une autre vie[7]. Elle est pour moi une porte fermée. Je ne dis pas que c'est un pas qu'il faut franchir : mais que c'est une aventure horrible et sale. Tout ce qu'on me propose s'efforce de décharger l'homme du poids de sa propre vie. Et devant le vol lourd des grands oiseaux dans le ciel de Djémila, c'est justement un certain poids de vie que je réclame et que j'obtiens. Être entier dans cette passion passive[8] et le reste ne m'appartient plus. J'ai trop de jeunesse en moi[g] pour pouvoir parler de la mort. Mais il me semble que si je le devais, c'est ici que je trouverais le mot exact qui dirait, entre l'horreur et le silence, la certitude consciente d'une mort sans espoir.

On vit avec[h] quelques idées familières. Deux ou trois. Au hasard des mondes et des hommes rencontrés, on les polit, on les transforme. Il faut dix ans pour avoir une idée bien à soi — dont on puisse parler. Naturellement, c'est un peu décourageant. Mais l'homme y gagne une certaine familiarité avec le beau visage du monde. Jusque-là, il le voyait face à face. Il lui faut alors faire un pas de côté pour regarder son

profil. Un homme jeune regarde le monde face à face. Il
n'a pas eu le temps de polir l'idée de mort ou de néant dont
pourtant il a mâché l'horreur. Ce doit être cela la jeunesse,
ce dur tête-à-tête avec la mort, cette peur physique de
l'animal qui aime le soleil. Contrairement à ce qui se dit, à cet
égard du moins, la jeunesse n'a pas d'illusions. Elle n'a eu ni
le temps ni la piété de s'en construire. Et je ne sais pourquoi,
devant ce paysage raviné, devant ce cri de pierre lugubre et
solennel, Djémila, inhumaine dans la chute du soleil, devant
cette mort de l'espoir et des couleurs, j'étais sûr qu'arrivés
à la fin d'une vie, les hommes dignes de ce nom doivent
retrouver ce tête-à-tête, renier les quelques idées qui furent
les leurs et recouvrer l'innocence et la vérité qui luit dans
le regard des hommes antiques en face de leur destin. Ils
regagnent leur jeunesse, mais c'est en étreignant la mort.
Rien de plus méprisable à cet égard que la maladie. C'est un
remède contre[i] la mort. Elle y prépare. Elle crée un apprentissage dont le premier stade est l'attendrissement sur soi-
même. Elle appuie l'homme dans son grand effort qui est
de se dérober à la certitude de mourir tout entier. Mais
Djémila… et je sens bien alors que le vrai, le seul progrès
de la civilisation, celui auquel de temps en temps un homme
s'attache, c'est de créer des morts conscientes[9].

Ce qui m'étonne toujours, alors que nous sommes si
prompts à raffiner sur d'autres sujets, c'est la pauvreté de
nos idées sur la mort. C'est bien ou c'est mal. J'en ai peur
ou je l'appelle (qu'ils disent). Mais cela prouve aussi que tout
ce qui est simple nous dépasse. Qu'est-ce que le bleu et
que penser du bleu ? C'est la même difficulté pour la mort.
De la mort et des couleurs, nous ne savons pas discuter.
Et pourtant, c'est bien l'important cet homme devant moi,
lourd comme la terre, qui préfigure mon avenir. Mais puis-
je y penser[j] vraiment ? Je me dis : je dois mourir, mais ceci
ne veut rien dire, puisque je n'arrive pas à le croire et que
je ne puis avoir que l'expérience de la mort des autres[10]. J'ai
vu[k] des gens mourir. Surtout, j'ai vu des chiens mourir. C'est
de les toucher qui me bouleversait. Je pense alors : fleurs,
sourires, désirs de femme, et je comprends que toute mon
horreur[l] de mourir tient dans ma jalousie de vivre. Je suis
jaloux de ceux qui vivront et pour qui fleurs et désirs de
femme auront tout leur sens de chair et de sang. Je suis
envieux, parce que j'aime trop la vie pour ne pas être égoïste.
Que m'importe l'éternité. On peut être là, couché un jour,

s'entendre dire : « Vous êtes fort et je vous dois d'être sincère : je peux vous dire que vous allez mourir » ; être là, avec
toute sa vie entre les mains, toute sa peur aux entrailles et un
regard idiot. Que signifie le reste : des flots de sang viennent
battre à mes tempes et il me semble que j'écraserais tout
autour de moi.

Mais les hommes*ᵐ* meurent malgré eux, malgré leurs
décors. On leur dit : « Quand tu seras guéri… », et ils
meurent. Je ne veux pas de cela. Car s'il y a des jours où la
nature ment, il y a des jours où elle dit vrai. Djémila dit vrai
ce soir, et avec quelle triste et insistante beauté ! Pour moi,
devant ce monde, je ne veux pas mentir ni qu'on me mente[11].
Je veux porter ma lucidité jusqu'au bout et regarder ma fin
avec toute la profusion de ma jalousie et de mon horreur.
C'est dans la mesure où je me sépare du monde[12] que j'ai
peur de la mort, dans la mesure où je m'attache au sort des
hommes qui vivent, au lieu de contempler le ciel qui dure.
Créer des morts conscientes*ⁿ*, c'est diminuer la distance qui
nous sépare du monde, et entrer sans joie dans l'accomplissement, conscient des images exaltantes d'un monde à jamais
perdu. Et le chant triste*ᵒ* des collines de Djémila m'enfonce
plus avant dans l'âme l'amertume de cet enseignement.

★

Vers le soir, nous gravissions les pentes qui mènent
au village et, revenus sur nos pas, nous écoutions des explications : « Ici se trouve la ville païenne ; ce quartier qui
se pousse hors des terres, c'est celui des chrétiens. Plus
tard… » Oui, c'est vrai. Des hommes et des sociétés se sont
succédé là ; des conquérants ont marqué ce pays avec leur
civilisation de sous-officiers. Ils se faisaient une idée basse
et ridicule de la grandeur et mesuraient celle de leur Empire
à la surface qu'il couvrait. Le miracle, c'est que les ruines de
leur civilisation soient la négation même de leur idéal. Car
cette ville squelette, vue de si haut dans le soir finissant et
dans les vols blancs des pigeons autour de l'arc de triomphe,
n'inscrivait pas sur le ciel les signes de la conquête et de
l'ambition. Le monde finit toujours par vaincre l'histoire. Ce
grand cri de pierre que Djémila jette entre les montagnes,
le ciel et le silence, j'en sais bien la poésie : lucidité,
indifférence, les vrais signes*ᵖ* du désespoir ou de la beauté.
Le cœur se serre devant cette grandeur que nous quittons

déjà. Djémila reste⁹ derrière nous avec l'eau triste de son ciel, un chant d'oiseau qui vient de l'autre côté du plateau, de soudains et brefs ruissellements de chèvres sur les flancs des collines et, dans le crépuscule détendu et sonore, le visage vivant d'un dieu à cornes au fronton d'un autel.

L'ÉTÉ À ALGER

À Jacques Heurgon.

Ce sont souvent des amours secrètes, celles qu'on partage avec une ville. Des cités comme Paris, Prague, et même Florence sont refermées sur elles-mêmes et limitent ainsi le monde qui leur est propre. Mais Alger, et avec elle certains milieux privilégiés comme les villes sur la mer, s'ouvre dans le ciel comme une bouche ou une blessure. Ce qu'on peut aimer à Alger, c'est ce dont tout le monde vit : la mer au tournant de chaque rue, un certain poids de soleil, la beauté de la race. Et, comme toujours, dans cette impudeur et cette offrande se retrouve un parfum plus secret. À Paris, on peut avoir la nostalgie d'espace et de battements d'ailes. Ici, du moins, l'homme est comblé, et assuré de ses désirs, il peut alors mesurer ses richesses.

Il faut sans doute vivre longtemps à Alger pour comprendre[a] ce que peut avoir de desséchant un excès de biens naturels. Il n'y a rien ici pour qui voudrait apprendre, s'éduquer ou devenir meilleur. Ce pays est sans leçons. Il ne promet ni ne fait entrevoir. Il se contente de donner, mais à profusion. Il est tout entier livré aux yeux et on le connaît dès l'instant où l'on en jouit. Ses plaisirs n'ont pas de remède[1], et ses joies restent sans espoir. Ce qu'il exige, ce sont des âmes clairvoyantes, c'est-à-dire sans consolation. Il demande qu'on fasse un acte de lucidité comme on fait un acte de foi. Singulier pays qui donne à l'homme qu'il nourrit à la fois sa splendeur et sa misère ! La richesse sensuelle dont un homme sensible de ce pays est pourvu, il n'est pas étonnant qu'elle coïncide avec le dénuement le plus extrême.

Il n'est pas une vérité qui ne porte avec elle son amertume.
Comment s'étonner alors si le visage de ce pays, je ne l'aime
jamais plus qu'au milieu de ses hommes les plus pauvres ?

Les hommes trouvent[b] ici pendant toute leur jeunesse une
vie à la mesure de leur beauté. Et puis après, c'est la descente
et l'oubli. Ils ont misé sur la chair, mais ils savaient qu'ils
devaient perdre. À Alger, pour qui est jeune et vivant, tout
est refuge et prétexte à triomphes : la baie, le soleil, les jeux
en rouge et blanc des terrasses vers la mer, les fleurs et les
stades, les filles aux jambes fraîches. Mais pour qui a perdu
sa jeunesse, rien où s'accrocher et pas un lieu où la mélancolie puisse se sauver d'elle-même. Ailleurs, les terrasses d'Italie,
les cloîtres d'Europe ou le dessin des collines provençales,
autant de places où l'homme peut fuir son humanité et se
délivrer avec douceur de lui-même. Mais tout ici exige la
solitude et le sang des hommes jeunes. Goethe en mourant
appelle la lumière et c'est un mot historique. À Belcourt et à
Bab-el-Oued, les vieillards assis au fond des cafés écoutent
les vantardises de jeunes gens à cheveux plaqués.

Ces commencements et ces fins, c'est l'été qui nous les
livre à Alger. Pendant ces mois, la ville est désertée. Mais les
pauvres restent et le ciel. Avec les premiers, nous descendons ensemble vers le port et les trésors de l'homme : tiédeur[c] de l'eau et les corps bruns des femmes. Le soir, gorgés
de ces richesses, ils retrouvent la toile cirée et la lampe à
pétrole qui font tout le décor de leur vie.

★

À Alger, on ne dit pas « prendre un bain », mais « se taper
un bain ». N'insistons pas. On se baigne dans le port et l'on
va se reposer sur des bouées. Quand on passe près d'une
bouée où se trouve déjà une jolie fille, on crie aux camarades : « Je te dis que c'est une mouette. » Ce sont là des joies
saines. Il faut bien croire qu'elles constituent l'idéal de ces
jeunes gens puisque la plupart continuent cette vie pendant
l'hiver et, tous les jours à midi, se mettent nus au soleil pour
un déjeuner frugal. Non qu'ils aient lu les prêches ennuyeux
des naturistes, ces protestants de la chair (il y a une systématique du corps qui est aussi exaspérante que celle de l'esprit).
Mais c'est qu'ils sont « bien au soleil ». On ne mesurera
jamais assez haut l'importance de cette coutume pour notre
époque. Pour la première fois depuis deux mille ans, le corps

a été mis nu sur des plages. Depuis vingt siècles, les hommes se sont attachés à rendre décentes l'insolence et la naïveté grecques, à diminuer la chair et compliquer l'habit[2]. Aujourd'hui et par-dessus cette histoire, la course des jeunes gens sur les plages de la Méditerranée rejoint les gestes magnifiques des athlètes de Délos. Et à vivre ainsi près des corps et par le corps, on s'aperçoit qu'il a ses nuances, sa vie et, pour hasarder un non-sens, une psychologie, qui lui est propre*. L'évolution du corps comme celle de l'esprit a son histoire, ses retours, ses progrès et son déficit. Cette nuance[d] seulement : la couleur. Quand on va pendant l'été aux bains du port, on prend conscience d'un passage simultané de toutes les peaux du blanc au doré, puis au brun, et pour finir à une couleur tabac qui est à la limite extrême de l'effort de transformation dont le corps est capable. Le port est dominé par le jeu de cubes blancs de la Kasbah. Quand on est au niveau de l'eau, sur le fond blanc cru de la ville arabe, les corps déroulent une frise couleur cuivrée. Et, à mesure qu'on avance dans le mois d'août et que le soleil grandit, le blanc des maisons se fait plus aveuglant et les peaux prennent une chaleur plus sombre. Comment alors ne pas s'identifier à ce dialogue de la pierre et de la chair à la mesure du soleil et des saisons ? Toute la matinée s'est passée en plongeons, en floraisons de rires parmi des gerbes d'eau, en longs coups de pagaie autour des cargos rouges et noirs (ceux qui viennent de Norvège et qui ont tous les parfums du bois[e] ; ceux qui arrivent d'Allemagne pleins de l'odeur des huiles ; ceux qui font la côte et sentent le vin et le vieux tonneau). À l'heure où le soleil déborde de tous les coins du ciel, le canoë orange chargé de corps bruns nous ramène dans une course folle. Et lorsque, le battement cadencé de la double pagaie aux ailes couleur de fruit suspendu brusquement, nous glissons longuement dans l'eau calme de la darse, comment n'être

---

* Puis-je me donner le ridicule de dire que je n'aime pas la façon dont Gide[3] exalte le corps ? Il lui demande de retenir son désir pour le rendre plus aigu. Ainsi se rapproche-t-il de ceux que, dans l'argot des maisons publiques, on appelle les compliqués ou les cérébraux. Le christianisme aussi veut suspendre le désir. Mais, plus naturel, il y voit une mortification. Mon camarade Vincent[4], qui est tonnelier et champion de brasse junior, a une vue des choses encore plus claire. Il boit quand il a soif, s'il désire une femme cherche à coucher avec, et l'épouserait s'il l'aimait (ça n'est pas encore arrivé). Ensuite, il dit toujours : « Ça va mieux » — ce qui résume avec vigueur l'apologie qu'on pourrait faire de la satiété.

pas sûr que je mène à travers les eaux lisses une fauve cargaison de dieux où je reconnais mes frères ?

Mais à l'autre bout de la ville, l'été nous tend déjà en contraste ses autres richesses : je veux dire ses silences et son ennui. Ces silences n'ont pas tous la même qualité, selon qu'ils naissent de l'ombre ou du soleil. Il y a le silence de midi sur la place du Gouvernement. À l'ombre des arbres qui la bordent, des Arabes vendent pour cinq sous des verres de citronnade glacée, parfumée à la fleur d'oranger. Leur appel : « Fraîche, fraîche » traverse la place déserte. Après leur cri, le silence retombe sous le soleil : dans la cruche du marchand, la glace se retourne et j'entends son petit bruit. Il y a le silence de la sieste. Dans les rues de la Marine, devant les boutiques crasseuses des coiffeurs, on peut le mesurer au mélodieux bourdonnement des mouches derrière les rideaux de roseaux creux. Ailleurs, dans les cafés maures de la Kasbah[5], c'est le corps qui est silencieux, qui ne peut s'arracher à ces lieux, quitter le verre de thé et retrouver le temps avec les bruits de son sang. Mais il y a surtout le silence des soirs d'été.

Ces courts instants où la journée bascule dans la nuit, faut-il qu'ils soient peuplés de signes et d'appels secrets pour qu'Alger en moi leur soit à ce point liée ? Quand je suis quelque temps loin de ce pays, j'imagine ses crépuscules comme des promesses de bonheur. Sur les collines qui dominent la ville, il y a des chemins parmi les lentisques et les oliviers. Et c'est vers eux qu'alors mon cœur se retourne. J'y vois monter des gerbes d'oiseaux noirs sur l'horizon vert[6]. Dans le ciel, soudain vidé de son soleil, quelque chose se détend. Tout un petit peuple de nuages rouges s'étire jusqu'à se résorber dans l'air. Presque aussitôt après, la première étoile apparaît qu'on voyait se former et se durcir dans l'épaisseur du ciel. Et puis, d'un coup, dévorante, la nuit. Soirs fugitifs d'Alger, qu'ont-ils donc d'inégalable pour délier tant de choses en moi ? Cette douceur qu'ils me laissent aux lèvres, je n'ai pas le temps de m'en lasser qu'elle disparaît déjà dans la nuit. Est-ce le secret de sa persistance ? La tendresse de ce pays est bouleversante et furtive. Mais dans l'instant où elle est là, le cœur du moins s'y abandonne tout entier. À la plage Padovani, le dancing est ouvert tous les jours. Et dans cette immense boîte rectangulaire ouverte sur la mer dans toute sa longueur, la jeunesse pauvre du quartier danse jusqu'au soir. Souvent, j'attendais là une minute

singulière. Pendant la journée, la salle est protégée par des
auvents de bois inclinés. Quand le soleil a disparu, on les
relève. Alors, la salle s'emplit d'une étrange lumière verte,
née du double coquillage du ciel et de la mer. Quand on
est assis loin des fenêtres, on voit seulement le ciel et, en
ombres chinoises, les visages des danseurs qui passent à tour
de rôle. Quelquefois, c'est une valse qu'on joue et, sur le
fond vert, les profils noirs tournent alors avec obstination,
comme ces silhouettes découpées qu'on fixe sur le plateau
d'un phonographe. La nuit vient vite ensuite et, avec elle,
les lumières. Mais je ne saurais dire ce que je trouve de trans-
portant et de secret à cet instant subtil. Je me souviens du
moins d'une grande fille magnifique qui avait dansé tout
l'après-midi. Elle portait un collier de jasmin sur sa robe
bleue collante, que la sueur mouillait depuis les reins jusqu'aux jambes. Elle riait en dansant et renversait la tête.
Quand elle passait près des tables, elle laissait après elle une
odeur mêlée de fleurs et de chair. Le soir[g] venu, je ne voyais
plus son corps collé contre son danseur, mais sur le ciel
tournaient les taches alternées du jasmin blanc et des cheveux noirs, et quand elle rejetait en arrière sa gorge gonflée,
j'entendais son rire et voyais le profil de son danseur se pencher soudain. L'idée que je me fais de l'innocence, c'est à
des soirs semblables que je la dois. Et ces êtres[h] chargés de
violence, j'apprends à ne plus les séparer du ciel où leurs
désirs tournoient.

★

Dans les cinémas[7] de quartier, à Alger, on vend quelquefois des pastilles de menthe qui portent, gravé en rouge, tout
ce qui est nécessaire à la naissance de l'amour : 1. des questions : « Quand m'épouserez-vous ? » ; « M'aimez-vous ? » ;
2. des réponses : « À la folie » ; « Au printemps ». Après avoir
préparé le terrain, on les passe à sa voisine qui répond de
même ou se borne à faire la bête. À Belcourt, on a vu des
mariages se conclure ainsi et des vies entières s'engager sur
un échange de bonbons à la menthe. Et ceci dépeint bien le
peuple enfant de ce pays.

Le signe de la jeunesse, c'est peut-être une vocation
magnifique pour les bonheurs faciles. Mais surtout, c'est une
précipitation à vivre qui touche au gaspillage. À Belcourt,
comme à Bab-el-Oued, on se marie jeune. On travaille très

tôt et on épuise en dix ans l'expérience d'une vie d'homme. Un ouvrier de trente ans a déjà joué toutes ses cartes. Il attend la fin entre sa femme et ses enfants. Ses bonheurs ont été brusques et sans merci. De même sa vie. Et l'on comprend alors qu'il soit né de ce pays où tout est donné pour être retiré. Dans cette abondance et cette profusion, la vie prend la courbe des grandes passions, soudaines, exigeantes, généreuses. Elle n'est pas à construire, mais à brûler[8]. Il ne s'agit pas alors[i] de réfléchir et de devenir meilleur. La notion d'enfer[9], par exemple, n'est ici qu'une aimable plaisanterie. De pareilles imaginations ne sont permises qu'aux très vertueux. Et je crois bien que la vertu est un mot sans signification dans toute l'Algérie. Non que ces hommes manquent de principes. On a[j] sa morale, et bien particulière. On ne « manque » pas à sa mère. On fait respecter sa femme dans les rues. On a des égards pour la femme enceinte. On ne tombe pas à deux sur un adversaire, parce que « ça fait vilain ». Pour qui n'observe pas ces commandements élémentaires, « il n'est pas un homme[10] », et l'affaire est réglée. Ceci me paraît juste et fort. Nous sommes encore beaucoup à observer inconsciemment ce code de la rue, le seul désintéressé que je connaisse. Mais en même temps la morale du boutiquier y est inconnue. J'ai toujours vu autour de moi les visages s'apitoyer sur le passage d'un homme encadré d'agents. Et, avant de savoir si l'homme avait volé, était parricide ou simplement non conformiste : « Le pauvre », disait-on, ou encore, avec une nuance d'admiration : « Celui-là, c'est un pirate. »

Il y a des peuples nés pour l'orgueil et la vie. Ce sont ceux qui nourrissent la plus singulière vocation pour l'ennui. C'est aussi chez eux que le sentiment de la mort est le plus repoussant. Mise à part la joie des sens, les amusements de ce peuple sont ineptes[k]. Une société de boulomanes et les banquets des « amicales », le cinéma à trois francs et les fêtes communales suffisent depuis des années à la récréation des plus de trente ans. Les dimanches d'Alger sont parmi les plus sinistres. Comment ce peuple[l] sans esprit saurait-il alors habiller de mythes l'horreur profonde de sa vie ? Tout ce qui touche à la mort est ici ridicule ou odieux. Ce peuple sans religion et sans idoles meurt seul après avoir vécu en foule. Je ne connais pas d'endroit plus hideux que le cimetière du boulevard Bru, en face d'un des plus beaux paysages du monde[11]. Un amoncellement de mauvais goût parmi les

entourages noirs laisse monter[m] une tristesse affreuse de
ces lieux où la mort découvre son vrai visage. « Tout passe,
disent les ex-voto en forme de cœur, sauf le souvenir. » Et
tous insistent sur cette éternité dérisoire que nous fournit
à peu de frais le cœur de ceux qui nous aimèrent. Ce sont
les mêmes phrases qui servent à tous les désespoirs. Elles
s'adressent au mort et lui parlent à la deuxième personne :
« Notre souvenir ne t'abandonnera pas », feinte sinistre par
quoi on prête un corps et des désirs à ce qui au mieux est
un liquide noir. Ailleurs, au milieu d'une abrutissante profusion de fleurs et d'oiseaux de marbre, ce vœu téméraire :
« Jamais ta tombe ne restera sans fleurs. » Mais on est vite
rassuré : l'inscription entoure un bouquet de stuc doré, bien
économique pour le temps des vivants (comme ces immortelles qui doivent leur nom pompeux à la gratitude de ceux
qui prennent encore leur tramway en marche). Comme il
faut aller avec son siècle, on remplace quelquefois la fauvette
classique par un ahurissant avion de perles, piloté par un
ange niais que, sans souci de la logique, on a muni d'une
magnifique paire d'ailes.

Comment faire comprendre pourtant que ces images de
la mort ne se séparent jamais de la vie ? Les valeurs ici sont
étroitement liées. La plaisanterie[n] favorite des croque-morts
algérois, lorsqu'ils roulent à vide, c'est de crier : « Tu montes,
chérie ? » aux jolies filles qu'ils rencontrent sur la route.
Rien n'empêche d'y voir un symbole, même s'il est fâcheux.
Il peut paraître blasphématoire aussi de répondre à l'annonce d'un décès en clignant l'œil gauche : « Le pauvre[o], il ne
chantera plus », ou, comme cette Oranaise qui n'avait jamais
aimé son mari : « Dieu me l'a donné, Dieu me l'a repris. »
Mais tout compte fait, je ne vois pas ce que la mort peut
avoir de sacré et je sens bien, au contraire, la distance qu'il
y a entre la peur et le respect. Tout ici respire l'horreur de
mourir dans un pays qui invite à la vie. Et pourtant, c'est
sous les murs mêmes de ce cimetière que les jeunes gens de
Belcourt donnent leurs rendez-vous et que les filles s'offrent
aux baisers et aux caresses.

J'entends bien[p] qu'un tel peuple ne peut être accepté de
tous. Ici, l'intelligence n'a pas de place comme en Italie.
Cette race est indifférente à l'esprit. Elle a le culte[q] et l'admiration du corps. Elle en tire sa force, son cynisme naïf[*],

---

[*] Voir note p. [126-127].

et une vanité puérile qui lui vaut d'être sévèrement jugée. On lui reproche communément sa « mentalité », c'est-à-dire une façon de voir et de vivre. Et il est vrai qu'une certaine intensité de vie ne va pas sans injustice. Voici pourtant un peuple sans passé[r12], sans tradition et cependant non sans poésie — mais d'une poésie dont je sais bien la qualité, dure, charnelle, loin de la tendresse, celle même de leur ciel, la seule à la vérité qui m'émeuve et me rassemble. Le contraire d'un peuple civilisé, c'est un peuple créateur. Ces barbares[13] qui se prélassent sur des plages, j'ai l'espoir insensé qu'à leur insu peut-être, ils sont en train de modeler le visage d'une culture où la grandeur de l'homme trouvera enfin son vrai visage. Ce peuple tout entier jeté dans son présent vit sans mythes, sans consolation. Il a mis tous ses biens sur cette terre et reste dès lors sans défense contre la mort. Les dons[s] de la beauté physique lui ont été prodigués. Et avec eux, la singulière avidité qui accompagne toujours cette richesse sans avenir. Tout ce qu'on fait ici marque le dégoût de la stabilité et l'insouciance de l'avenir. On se dépêche de vivre et si un art devait y naître, il obéirait à cette haine de la durée qui poussa les Doriens[14] à tailler dans le bois leur première colonne. Et pourtant, oui, on peut trouver une mesure en même temps qu'un dépassement dans le visage violent et acharné de ce peuple, dans ce ciel d'été vidé de tendresse, devant quoi toutes les vérités[i] sont bonnes à dire et sur lequel aucune divinité trompeuse n'a tracé les signes de l'espoir ou de la rédemption. Entre ce ciel et ces visages tournés vers lui, rien où accrocher une mythologie, une littérature, une éthique ou une religion, mais des pierres, la chair[15], des étoiles et ces vérités que la main peut toucher.

★

Sentir ses liens avec une terre, son amour pour quelques hommes, savoir[u] qu'il est toujours un lieu où le cœur trouvera son accord, voici déjà beaucoup de certitudes pour une seule vie d'homme. Et sans doute cela ne peut suffire. Mais à cette patrie de l'âme tout aspire à certaines minutes. « Oui, c'est là-bas qu'il nous faut retourner. » Cette union que souhaitait Plotin[16], quoi d'étrange à la retrouver sur la terre ? L'Unité s'exprime ici en termes de soleil et de mer. Elle est sensible au cœur par un certain goût de chair qui fait son amertume et sa grandeur. J'apprends qu'il n'est pas de bon-

heur surhumain, pas d'éternité[17] hors de la courbe des journées. Ces biens dérisoires et essentiels, ces vérités relatives
sont les seules qui m'émeuvent. Les autres, les « idéales », je
n'ai pas assez d'âme pour les comprendre. Non qu'il faille
faire la bête, mais je ne trouve pas de sens[18] au bonheur des
anges. Je sais seulement que ce ciel durera plus que moi.
Et qu'appellerais-je éternité sinon ce qui continuera après
ma mort ? Je n'exprime pas ici une complaisance de la créature dans sa condition. C'est bien autre chose. Il n'est pas
toujours facile d'être un homme, moins encore d'être un
homme pur. Mais être pur, c'est retrouver cette patrie de
l'âme où devient sensible la parenté du monde, où les coups
du sang rejoignent les pulsations violentes du soleil de
2 heures. Il est bien connu que la patrie se reconnaît toujours
au moment de la perdre. Pour ceux qui sont trop tourmen-
tés d'eux-mêmes, le pays natal est celui qui les nie. Je ne voudrais pas être brutal ni paraître exagéré. Mais enfin, ce qui
me nie dans cette vie, c'est d'abord ce qui me tue. Tout ce
qui exalte la vie, accroît en même temps son absurdité. Dans
l'été d'Algérie, j'apprends qu'une seule chose est plus tragique que la souffrance et c'est la vie d'un homme heureux[19].
Mais ce peut être aussi bien le chemin d'une plus grande vie,
puisque cela conduit à ne pas tricher.

Beaucoup, en effet, affectent l'amour de vivre pour éluder
l'amour lui-même. On s'essaye à jouir et à « faire des expériences ». Mais c'est une vue de l'esprit. Il faut une rare vocation pour être un jouisseur. La vie d'un homme s'accomplit
sans le secours de son esprit, avec ses reculs et ses avances,
à la fois sa solitude et ses présences. À voir ces hommes
de Belcourt qui travaillent, défendent leurs femmes et leurs
enfants, et souvent sans un reproche, je crois qu'on peut
sentir une secrète honte. Sans doute, je ne me fais pas d'illusions. Il n'y a pas beaucoup d'amour dans les vies dont je
parle. Je devrais dire qu'il n'y en a plus beaucoup. Mais du
moins, elles n'ont rien éludé. Il y a des mots que je n'ai
jamais bien compris, comme celui de péché. Je crois savoir
pourtant que ces hommes n'ont pas péché contre la vie. Car
s'il y a un péché contre la vie, ce n'est peut-être pas tant d'en
désespérer que d'espérer une autre vie, et se dérober à l'implacable grandeur de celle-ci. Ces hommes n'ont pas triché.
Dieux de l'été, ils le furent à vingt ans par leur ardeur à vivre
et le sont encore, privés de tout espoir[20]. J'en ai vu mourir
deux. Ils étaient pleins d'horreur, mais silencieux. Cela vaut

mieux ainsi. De la boîte de Pandore où grouillaient les maux
de l'humanité, les Grecs firent sortir l'espoir après tous les
autres, comme le plus terrible de tous. Je ne connais pas
de symbole plus émouvant. Car l'espoir, au contraire de ce
qu'on croit, équivaut à la résignation. Et vivre, c'est ne pas
se résigner.

Voici du moins l'âpre leçon des étés d'Algérie. Mais déjà
la saison tremble et l'été bascule. Premières pluies de septembre, après tant de violences et de raidissements, elles sont
comme les premières larmes de la terre délivrée, comme
si pendant quelques jours ce pays se mêlait de tendresse.
À la même époque pourtant, les caroubiers mettent une
odeur d'amour sur toute l'Algérie. Le soir ou après la pluie,
la terre entière, son ventre mouillé d'une semence au parfum
d'amande amère, repose pour s'être donnée tout l'été au
soleil. Et voici qu'à nouveau cette odeur consacre les noces
de l'homme et de la terre, et fait lever en nous le seul amour
vraiment viril en ce monde : périssable et généreux.

NOTE

À titre d'illustration, ce récit de bagarre entendu à Bab-
el-Oued et reproduit mot à mot. (Le narrateur ne parle pas
toujours comme le Cagayous[21] de Musette. Qu'on ne s'en
étonne pas. La langue de Cagayous est souvent une langue
littéraire, je veux dire une reconstruction. Les gens du
« milieu » ne parlent pas toujours argot. Ils emploient des
mots d'argot, ce qui est différent. L'Algérois use d'un vocabulaire typique et d'une syntaxe spéciale. Mais c'est par
leur introduction dans la langue française que ces créations
trouvent leur saveur.)

Alors Coco y s'avance et y lui dit : « Arrête un peu,
arrête. » L'autre y dit : « Qu'est-ce qu'y a ? » Alors Coco y
lui dit : « Je vas te donner des coups. — À moi tu vas donner
des coups ? » Alors y met la main derrière, mais c'était
scousa. Alors Coco y lui dit : « Mets pas la main darrière,
parce qu'après j'te choppe le 6,35 et t'y mangeras des coups
quand même[*]. »

L'autre il a pas mis la main. Et Coco, rien qu'un, y lui a
donné — pas deux, un. L'autre il était par terre. « Oua, oua »,

qu'y faisait. Alors le monde il est venu. La bagarre, elle a commencé. Y en a un qui s'est avancé à Coco, deux, trois. Moi j'y ai dit : « Dis, tu vas toucher à mon frère ? — Qui, ton frère ? — Si c'est pas mon frère, c'est comme mon frère. » Alors j'y ai donné un taquet. Coco y tapait, moi je tapais, Lucien y tapait. Moi j'en avais un dans un coin et avec la tête : « Bom, bom. » Alors les agents y sont venus. Y nous ont mis les chaînes, dis. La honte à la figure, j'avais, de traverser tout Bab-el-Oued. Devant le Gentleman's bar, y avait des copains et des petites, dis. La honte à la figure[x]. Mais après, le père à Lucien y nous a dit : « Vous avez raison. »

LE DÉSERT[1]

À Jean Grenier.

Vivre, bien sûr, c'est un peu le contraire d'exprimer[2]. Si j'en crois les grands maîtres toscans, c'est témoigner trois fois, dans le silence, la flamme et l'immobilité.

Il faut beaucoup de temps pour reconnaître que les personnages de leurs tableaux, on les rencontre tous les jours dans les rues de Florence ou de Pise[3]. Mais, aussi bien, nous ne savons plus voir les vrais visages de ceux qui nous entourent. Nous ne regardons plus nos contemporains, avides seulement de ce qui, en eux, sert notre orientation et règle notre conduite. Nous préférons au visage sa poésie la plus vulgaire. Mais pour Giotto ou Piero della Francesca, ils savent bien que la sensibilité d'un homme n'est rien. Et du cœur, à vrai dire, tout le monde en a. Mais les grands sentiments simples et éternels autour desquels gravite l'amour de vivre, haine, amour, larmes et joies, croissent à la profondeur de l'homme et modèlent le visage de son destin — comme dans la mise au tombeau du Giottino, la douleur aux dents serrées de Marie. Dans les immenses maestas des églises toscanes, je vois bien une foule d'anges aux visages indéfiniment décalqués, mais à chacune de ces faces muettes et passionnées, je reconnais une solitude.

Il s'agit bien vraiment de pittoresque, d'épisode, de nuances ou d'être ému. Il s'agit bien de poésie. Ce qui compte, c'est la vérité. Et j'appelle vérité tout ce qui continue. Il y a un enseignement subtil à penser qu'à cet égard, seuls les peintres peuvent apaiser notre faim. C'est qu'ils ont le privilège de se faire les romanciers du corps. C'est qu'ils tra-

vaillent dans cette matière magnifique et futile qui s'appelle
le présent. Et le présent se figure toujours dans un geste. Ils
ne peignent pas un sourire ou une fugitive pudeur, regret ou
attente, mais un visage dans son relief d'os et sa chaleur de
sang. De ces faces figées dans des lignes éternelles, ils ont à
jamais chassé la malédiction de l'esprit : au prix de l'espoir.
Car le corps ignore l'espoir. Il ne connaît que les coups de
son sang. L'éternité qui lui est propre est faite d'indifférence.
Comme cette *Flagellation* de Piero della Francesca[4], où, dans
une cour fraîchement lavée, le Christ supplicié et le bourreau
aux membres épais laissent surprendre dans leurs attitudes
le même détachement. C'est qu'aussi bien ce supplice n'a
pas de suite. Et sa leçon s'arrête au cadre de la toile. Quelle
raison d'être ému pour qui n'attend pas de lendemain ? Cette
impassibilité et cette grandeur de l'homme sans espoir, cet
éternel présent, c'est cela précisément que des théologiens
avisés ont appelé l'enfer[5]. Et l'enfer, comme personne ne
l'ignore, c'est aussi la chair qui souffre. C'est à cette chair que
les Toscans s'arrêtent et non pas à son destin. Il n'y a pas de
peintures prophétiques. Et ce n'est pas dans les musées qu'il
faut chercher des raisons d'espérer.

L'immortalité de l'âme, il est vrai, préoccupe beaucoup
de bons esprits. Mais c'est qu'ils refusent, avant d'en avoir
épuisé la sève, la seule vérité qui leur soit donnée et qui est
le corps. Car le corps ne leur pose pas de problèmes ou, du
moins, ils connaissent l'unique solution qu'il propose : c'est
une vérité qui doit pourrir et qui revêt par là une amertume
et une noblesse qu'ils n'osent pas regarder en face. Les bons
esprits lui préfèrent la poésie, car elle est affaire d'âme. On
sent bien que je joue sur les mots. Mais on comprend aussi
que par vérité je veux seulement consacrer une poésie plus
haute : la flamme noire que de Cimabué à Francesca les
peintres italiens ont élevée parmi les paysages toscans comme
la protestation lucide de l'homme jeté sur une terre dont la
splendeur et la lumière lui parlent sans relâche d'un Dieu qui
n'existe pas.

À force d'indifférence et d'insensibilité, il arrive qu'un
visage rejoigne la grandeur minérale d'un paysage. Comme
certains paysans d'Espagne arrivent à ressembler aux oliviers de leurs terres, ainsi les visages de Giotto, dépouillés
des ombres dérisoires où l'âme se manifeste, finissent par
rejoindre la Toscane elle-même dans la seule leçon dont elle
est prodigue : un exercice de la passion au détriment de

l'émotion, un mélange d'ascèse et de jouissances, une résonance commune à la terre et à l'homme, par quoi l'homme
comme la terre, se définit à mi-chemin entre la misère et
l'amour. Il n'y a pas tellement de vérités dont le cœur soit
assuré. Et je savais bien l'évidence de celle-ci, certain soir
où l'ombre commençait à noyer les vignes et les oliviers de
la campagne de Florence d'une grande tristesse muette. Mais
la tristesse dans ce pays n'est jamais qu'un commentaire de
la beauté. Et dans le train qui filait à travers le soir, je sentais
quelque chose se dénouer en moi. Puis-je douter aujourd'hui
qu'avec le visage de la tristesse, cela s'appelait cependant du
bonheur ?

Oui, la leçon illustrée par ses hommes, l'Italie la prodigue
aussi par ses paysages. Mais il est facile de manquer le bonheur puisque toujours il est immérité. De même pour l'Italie.
Et sa grâce, si elle est soudaine, n'est pas toujours immédiate. Mieux qu'aucun autre pays, elle invite à l'approfondissement d'une expérience qu'elle paraît cependant livrer tout
entière à la première fois. C'est qu'elle est d'abord prodigue
de poésie pour mieux cacher sa vérité. Ses premiers sorti-
lèges sont des rites d'oubli : les lauriers-roses de Monaco,
Gênes pleine de fleurs et d'odeurs de poisson et les soirs
bleus sur la côte ligurienne[6]. Puis Pise enfin et avec elle une
Italie qui a perdu le charme un peu canaille de la Riviera.
Mais elle est encore facile et pourquoi ne pas se prêter
quelque temps à sa grâce sensuelle ? Pour moi que rien ne
force lorsque je suis ici (et qui suis privé des joies du voyageur traqué[7] puisqu'un billet à prix réduit me force à rester
un certain temps dans la ville « de mon choix »), ma patience
à aimer et à comprendre me semble sans limites ce premier soir où fatigué et affamé, j'entre dans Pise, accueilli sur
l'avenue de la gare par dix haut-parleurs tonitruants qui
déversent un flot de romances sur une foule où presque tout
le monde est jeune. Je sais déjà ce que j'attends. Après ce bondissement de vie, ce sera ce singulier instant, les cafés fermés
et le silence soudain revenu, où j'irai par des rues courtes
et obscures vers le centre de la ville. L'Arno noir et doré,
les monuments jaunes et verts, la ville déserte, comment
décrire ce subterfuge si soudain et si adroit par lequel Pise à
10 heures du soir se change en un décor étrange de silence,
d'eau et de pierres. « C'est par une nuit pareille, Jessica[8] ! »
Sur ce plateau unique, voici que les dieux paraissent avec la
voix des amants de Shakespeare... Il faut savoir se prêter au

rêve lorsque le rêve se prête à nous. Le chant plus intérieur qu'on vient chercher ici, j'en sens déjà les premiers accords au fond de cette nuit italienne. Demain, demain seulement, la campagne s'arrondira dans le matin. Mais ce soir, me voici dieu parmi les dieux et, devant Jessica qui s'enfuit « des pas emportés de l'amour », je mêle ma voix à celle de Lorenzo. Mais Jessica n'est qu'un prétexte, et cet élan d'amour la dépasse. Oui, je le crois, Lorenzo l'aime moins qu'il ne lui est reconnaissant de lui permettre d'aimer. Mais pourquoi songer ce soir aux Amants de Venise et oublier Vérone[9] ? C'est qu'aussi bien rien n'invite ici à chérir des amants malheureux. Rien n'est plus vain que de mourir pour un amour. C'est vivre qu'il faudrait. Et Lorenzo vivant vaut mieux que Roméo dans la terre et malgré son rosier. Comment alors ne pas danser dans ces fêtes de l'amour vivant — dormir l'après-midi sur l'herbe courte de la Piazza del Duomo, au milieu des monuments qu'on a toujours le temps de visiter, boire aux fontaines de la ville où l'eau était un peu tiède mais si fluide, revoir encore ce visage de femme qui riait, le nez long et la bouche fière[10]. Il faut comprendre seulement que cette initiation prépare à des illuminations plus hautes. Ce sont les cortèges étincelants qui mènent les mystes dionysiens à Éleusis. C'est dans la joie que l'homme prépare ses leçons et parvenue à son plus haut degré d'ivresse, la chair devient consciente et consacre sa communion avec un mystère sacré dont le symbole est le sang noir. L'oubli de soi-même puisé dans l'ardeur de cette première Italie, voici qu'il prépare à cette leçon qui nous délie de l'espérance et nous enlève à notre histoire. Double vérité du corps et de l'instant, au spectacle de la beauté, comment ne pas s'y accrocher comme on s'agrippe au seul bonheur attendu, qui doit nous enchanter, mais périr à la fois.

★

Le matérialisme le plus répugnant n'est pas celui qu'on croit, mais bien celui qui veut nous faire passer des idées mortes pour des réalités vivantes et détourner sur des mythes stériles l'attention obstinée et lucide que nous portons à ce qui en nous doit mourir pour toujours. Je me souviens qu'à Florence, dans le cloître des morts[11], à la Santissima Annunziata, je fus transporté par quelque chose que j'ai pu prendre

pour de la détresse et qui n'était que de la colère. Il pleuvait.
Je lisais des inscriptions sur les dalles funéraires et sur les ex-
voto[12]. Celui-ci avait été père tendre et mari fidèle ; cet autre,
en même temps que le meilleur des époux, commerçant
avisé. Une jeune femme, modèle de toutes les vertus, parlait le français, « *si come*[a] *il nativo* ». Là, une jeune fille était
toute l'espérance des siens, « *ma la gioia è pellegrina sulla terra* ».
Mais rien de tout cela ne m'atteignait. Presque tous, selon
les inscriptions, s'étaient résignés à mourir, et sans doute,
puisqu'ils acceptaient leurs autres devoirs. Aujourd'hui, les
enfants avaient envahi le cloître et jouaient à saute-mouton
sur les dalles qui voulaient perpétuer leurs vertus. La nuit tombait alors, je m'étais assis par terre, adossé à une colonne. Un
prêtre, en passant, m'avait souri. Dans l'église, l'orgue jouait
sourdement et la couleur chaude de son dessin reparaissait
parfois derrière le cri des enfants. Seul contre la colonne,
j'étais comme quelqu'un qu'on prend à la gorge et qui crie
sa foi comme une dernière parole. Tout en moi protestait
contre une semblable résignation. « Il faut », disaient les inscriptions. Mais non, et ma révolte avait raison. Cette joie qui
allait, indifférente et absorbée comme un pèlerin sur la terre,
il me fallait la suivre pas à pas. Et, pour[b] le reste, je disais non.
Je disais non de toutes mes forces. Les dalles m'apprenaient
que c'était inutile et que la vie est « *col sol levante col sol cadente*[13] ».
Mais aujourd'hui encore, je ne vois pas ce que l'inutilité ôte
à ma révolte et je sens bien ce qu'elle lui ajoute.

Au demeurant, ce n'est pas cela que je voulais dire. Je
voudrais cerner d'un peu plus près une vérité que j'éprouvais alors dans le cœur même de ma révolte et dont celle-
ci n'était que le prolongement, une vérité qui allait des
petites roses tardives du cloître de Santa Maria Novella aux
femmes de ce dimanche matin à Florence, les seins libres
dans des robes légères et les lèvres humides. Au coin de
chaque église, ce dimanche-là, se dressaient des étalages de
fleurs, grasses et brillantes, perlées d'eau. J'y trouvais alors
une sorte de « naïveté » en même temps qu'une récompense.
Dans ces fleurs comme dans ces femmes, il y avait une opu-
lence généreuse et je ne voyais pas que désirer les unes diffé-
rât beaucoup de convoiter les autres. Le même cœur pur y
suffisait. Ce n'est pas souvent qu'un homme se sent le cœur
pur. Mais du moins à ce moment, son devoir est d'appeler
vérité ce qui l'a si singulièrement purifié, même si cette vérité
peut à d'autres sembler un blasphème, comme c'est le cas

pour ce que je pensais ce jour-là : j'avais passé ma matinée
dans un couvent de franciscains, à Fiesole[14], plein de l'odeur
des lauriers. J'étais resté de longs moments dans une petite
cour gonflée de fleurs rouges, de soleil, d'abeilles jaunes et
noires. Dans un coin, il y avait un arrosoir vert. Avant de
venir, j'avais visité les cellules des moines, et vu leurs petites
tables garnies d'une tête de mort. Maintenant, ce jardin
témoignait de leurs inspirations. J'étais revenu vers Florence, le long de la colline qui dévalait vers la ville offerte
avec tous ses cyprès. Cette splendeur du monde, ces femmes
et ces fleurs, il me semblait qu'elle était comme la justification de ces hommes. Je n'étais pas sûr qu'elle ne fût aussi
celle de tous les hommes qui savent qu'un point extrême
de pauvreté rejoint toujours le luxe et la richesse du monde.
Dans la vie de ces franciscains, enfermés entre des colonnes
et des fleurs et celle des jeunes gens de la plage Padovani à
Alger qui passent toute l'année au soleil, je sentais une résonance commune. S'ils se dépouillent, c'est pour une plus
grande vie (et non pour une autre vie). C'est du moins le
seul emploi valable du mot « dénuement ». Être nu garde
toujours un sens de liberté physique et cet accord de la main
et des fleurs — cette entente amoureuse de la terre et de
l'homme délivré de l'humain — ah ! je m'y convertirais bien
si elle n'était déjà ma religion. Non, ce ne peut être là un
blasphème — et non plus si je dis que le sourire intérieur des
saints François de Giotto justifie ceux qui ont le goût du
bonheur. Car les mythes sont à la religion ce que la poésie
est à la vérité, des masques ridicules posés sur la passion de
vivre.

Irai-je plus loin ? Les mêmes hommes qui, à Fiesole,
vivent devant les fleurs rouges ont dans leur cellule le crâne
qui nourrit leurs méditations. Florence à leurs fenêtres et la
mort sur leur table. Une certaine continuité dans le désespoir peut engendrer la joie. Et à une certaine température de
vie, l'âme et le sang mêlés, vivent à l'aise sur des contradictions, aussi indifférents au devoir qu'à la foi. Je ne m'étonne
plus alors que sur un mur de Pise une main allègre ait
résumé ainsi sa singulière notion de l'honneur : « *Alberto
fa l'amore con la mia sorella*[15]. » Je ne m'étonne plus que l'Italie
soit la terre des incestes, ou du moins, ce qui est plus
significatif, des incestes avoués. Car le chemin qui va de
la beauté à l'immoralité est tortueux, mais certain. Plongée
dans la beauté, l'intelligence fait son repas de néant. Devant

ces paysages dont la grandeur serre la gorge, chacune de ses
pensées est une rature sur l'homme. Et bientôt, nié, couvert,
recouvert et obscurci par tant de convictions accablantes, il
n'est plus rien devant le monde que cette tache informe qui
ne connaît de vérité que passive, ou sa couleur ou son soleil.
Des paysages si purs sont desséchants pour l'âme et leur
beauté insupportable. Dans ces évangiles de pierre, de ciel et
d'eau, il est dit que rien ne ressuscite. Désormais au fond de
ce désert magnifique au cœur, la tentation commence pour
les hommes de ces pays. Quoi d'étonnant si des esprits[d]
élevés devant le spectacle de la noblesse, dans l'air raréfié de
la beauté, restent mal persuadés que la grandeur puisse s'unir
à la bonté ? Une intelligence sans dieu qui l'achève cherche
un dieu dans ce qui la nie. Borgia arrivant au Vatican s'écrie :
« Maintenant que Dieu nous a donné la papauté, il faut se
hâter d'en jouir. » Et il fait comme il dit. Se hâter, cela est
bien dit. Et l'on y sent déjà le désespoir si particulier aux
êtres comblés.

   Je me trompe peut-être. Car enfin je fus heureux à
Florence et tant d'autres avant moi. Mais qu'est-ce que le
bonheur sinon le simple accord entre un être et l'existence
qu'il mène ? Et quel accord plus légitime peut unir l'homme
à la vie sinon la double conscience de son désir de durée et
son destin de mort ? On y apprend du moins à ne compter
sur rien et à considérer le présent comme la seule vérité
qui nous soit donnée par « surcroît ». J'entends bien qu'on
me dit : l'Italie, la Méditerranée, terres antiques où tout est
à la mesure de l'homme. Mais où donc et qu'on me montre
la voie ? Laissez-moi ouvrir les yeux pour chercher ma
mesure et mon contentement ! Ou plutôt si, je vois : Fiesole,
Djémila et les ports dans le soleil. La mesure de l'homme ?
Le silence et les pierres mortes. Tout le reste appartient à
l'histoire.

★

   Mais pourtant, ce n'est pas là qu'il faudrait s'arrêter. Car
il n'a pas été dit que le bonheur soit à toute force inséparable
de l'optimisme. Il est lié à l'amour — ce qui n'est pas la
même chose. Et je sais des heures et des lieux où le bonheur
peut paraître si amer qu'on lui préfère sa promesse. Mais
c'est qu'en ces heures ou en ces lieux, je n'avais pas assez de
cœur à aimer, c'est-à-dire à ne pas renoncer. Ce qu'il faut

dire ici, c'est cette entrée de l'homme dans les fêtes de la terre et de la beauté. Car à cette minute, comme le néophyte ses derniers voiles, il abandonne devant son dieu la petite monnaie de sa personnalité. Oui, il y a un bonheur plus haut où le bonheur paraît futile. À Florence, je montais tout en haut du jardin Boboli, jusqu'à une terrasse d'où l'on découvrait le Monte Oliveto et les hauteurs de la ville jusqu'à l'horizon. Sur chacune de ces collines, les oliviers étaient pâles comme de petites fumées et dans le brouillard léger qu'ils faisaient se détachaient les jets plus durs des cyprès, les plus proches verts et ceux du lointain noirs. Dans le ciel dont on voyait le bleu profond, de gros nuages mettaient des taches. Avec la fin de l'après-midi, tombait une lumière argentée où tout devenait silence. Le sommet des collines était d'abord dans les nuages. Mais une brise s'était levée dont je sentais le souffle sur mon visage. Avec elle, et derrière les collines, les nuages se séparèrent comme un rideau qui s'ouvre. Du même coup, les cyprès du sommet semblèrent grandir d'un seul jet dans le bleu soudain découvert. Avec eux, toute la colline et le paysage d'oliviers et de pierres remontèrent avec lenteur. D'autres nuages vinrent. Le rideau se ferma. Et la colline redescendit avec ses cyprès et ses maisons. Puis à nouveau — et dans le lointain sur d'autres collines de plus en plus effacées — la même brise qui ouvrait ici les plis épais des nuages les refermait là-bas. Dans cette grande respiration du monde, le même souffle s'accomplissait à quelques secondes de distance et reprenait de loin en loin le thème de pierre et d'air d'une fugue à l'échelle du monde. Chaque fois, le thème diminuait d'un ton : à le suivre un peu plus loin, je me calmais un peu plus. Et parvenu au terme de cette perspective sensible au cœur, j'embrassais d'un coup d'œil cette fuite de collines toutes ensemble respirant et avec elle comme le chant de la terre entière.

Des millions d'yeux, je le savais, ont contemplé ce paysage et, pour moi, il était comme le premier sourire du ciel. Il me mettait hors de moi au sens profond du terme. Il m'assurait que sans mon amour et ce beau cri de pierre, tout était inutile. Le monde est beau, et hors de lui, point de salut[16]. La grande vérité que patiemment il m'enseignait, c'est que l'esprit n'est rien, ni le cœur même. Et que la pierre chauffée par le soleil, ou le cyprès que le ciel découvert agrandit, limitent le seul univers où « avoir raison » prend un sens : la nature sans hommes. Et ce monde m'annihile. Il me porte

jusqu'au bout. Il me nie sans colère. Dans ce soir[g] qui tombait sur la campagne florentine, je m'acheminais vers une
sagesse où tout était déjà conquis, si des larmes ne m'étaient
venues aux yeux et si le gros sanglot de poésie qui m'emplissait ne m'avait[b] fait oublier la vérité du monde.

★

C'est sur ce balancement[17] qu'il faudrait s'arrêter : singulier instant où la spiritualité répudie la morale, où le bonheur
naît de l'absence d'espoir, où l'esprit trouve sa raison dans le
corps. S'il est vrai que toute vérité porte en elle son amertume, il est aussi vrai que toute négation contient une floraison de « oui ». Et ce chant d'amour sans espoir qui naît de la
contemplation peut aussi figurer la plus efficace des règles
d'action. Au sortir du tombeau, le Christ ressuscitant de Piero
della Francesca n'a pas un regard d'homme. Rien d'heureux
n'est peint sur son visage — mais seulement une grandeur
farouche et sans âme que je ne puis m'empêcher de prendre
pour une résolution à vivre. Car le sage[i] comme l'idiot
exprime peu. Ce retour me ravit.

Mais cette leçon, la dois-je à l'Italie ou l'ai-je tirée de mon
cœur ? C'est là-bas sans doute qu'elle m'est apparue. Mais
c'est que l'Italie, comme d'autres lieux privilégiés, m'offre le
spectacle d'une beauté où meurent quand même les hommes.
Ici encore la vérité doit pourrir et quoi de plus exaltant ?
Même si je la souhaite, qu'ai-je à faire d'une vérité qui ne
doive pas pourrir ? Elle n'est pas à ma mesure. Et l'aimer
serait un faux-semblant. On comprend rarement que ce n'est
jamais par désespoir qu'un homme abandonne ce qui faisait sa vie. Les coups de tête et les désespoirs mènent vers
d'autres vies et marquent seulement un attachement frémissant aux leçons de la terre. Mais il peut arriver qu'à un certain degré de lucidité, un homme se sente le cœur fermé et,
sans révolte ni revendication, tourne le dos à ce qu'il prenait
jusqu'ici pour sa vie, je veux dire son agitation. Si Rimbaud
finit en Abyssinie[18] sans avoir écrit une seule ligne, ce n'est
pas par goût de l'aventure, ni renoncement d'écrivain. C'est
« parce que c'est comme ça » et qu'à une certaine pointe
de la conscience, on finit par admettre ce que nous nous
efforçons tous de ne pas comprendre, selon notre vocation.
On sent bien qu'il s'agit ici d'entreprendre la géographie
d'un certain désert. Mais ce désert singulier n'est sensible

qu'à ceux capables d'y vivre sans jamais tromper leur soif. C'est alors, et alors seulement, qu'il se peuple des eaux vives du bonheur.

À portée de ma main, au jardin Boboli, pendaient d'énormes kakis dorés dont la chair éclatée laissait passer un sirop épais. De cette colline légère à ces fruits juteux, de la fraternité secrète qui m'accordait au monde à la faim qui me poussait vers la chair orangée au-dessus de ma main, je saisissais le balancement qui mène certains hommes de l'ascèse à la jouissance et du dépouillement à la profusion dans la volupté. J'admirais, j'admire ce lien qui, au monde, unit l'homme, ce double reflet dans lequel mon cœur peut intervenir et dicter son bonheur jusqu'à une limite précise où le monde peut alors l'achever ou le détruire[19]. Florence ! Un des seuls lieux d'Europe où j'ai compris qu'au cœur de ma révolte dormait un consentement. Dans son ciel mêlé de larmes et de soleil, j'apprenais à consentir à la terre et à brûler dans la flamme sombre de ses fêtes. J'éprouvais… mais quel mot ? quelle démesure ? comment consacrer l'accord de l'amour et de la révolte ? La terre ! Dans ce grand temple déserté par les dieux[j], toutes mes idoles ont des pieds d'argile[20].

L'ÉTRANGER

Roman

I

I

Aujourd'hui, maman est morte. Ou peut-être hier, je ne
sais pas. J'ai reçu un télégramme de l'asile : « Mère décédée.
Enterrement demain. Sentiments distingués. » Cela ne veut
rien dire. C'était peut-être hier[1].

L'asile de vieillards est à Marengo, à quatre-vingts kilomètres d'Alger. Je prendrai l'autobus à 2 heures et j'arrive-
rai dans l'après-midi. Ainsi, je pourrai veiller et je rentrerai
demain soir. J'ai demandé deux jours de congé à mon patron
et il ne pouvait pas me les refuser avec une excuse pareille.
Mais il n'avait pas l'air content. Je lui ai même dit : « Ce n'est
pas de ma faute[2]. » Il n'a pas répondu. J'ai pensé alors que
je n'aurais pas dû lui dire cela. En somme, je n'avais pas à
m'excuser. C'était plutôt à lui de me présenter ses condoléances. Mais il le fera sans doute après-demain, quand il me
verra en deuil. Pour le moment, c'est un peu comme si
maman n'était pas morte. Après l'enterrement, au contraire,
ce sera une affaire classée et tout aura revêtu une allure plus
officielle.

J'ai pris l'autobus à 2 heures. Il faisait très chaud. J'ai
mangé au restaurant, chez Céleste, comme d'habitude. Ils
avaient tous beaucoup de peine pour moi et Céleste m'a
dit : « On n'a qu'une mère. » Quand je suis parti, ils m'ont
accompagné à la porte. J'étais un peu étourdi parce qu'il a
fallu que je monte chez Emmanuel pour lui emprunter une
cravate noire et un brassard. Il a perdu son oncle, il y a
quelques mois.

J'ai couru pour ne pas manquer le départ. Cette hâte, cette

course, c'est à cause de tout cela sans doute, ajouté aux cahots, à l'odeur d'essence, à la réverbération de la route et du ciel, que je me suis assoupi. J'ai dormi pendant presque tout le trajet. Et quand je me suis réveillé, j'étais tassé contre un militaire qui m'a souri et qui m'a demandé si je venais de loin. J'ai dit « oui » pour n'avoir plus à parler.

L'asile est à deux kilomètres du village. J'ai fait le chemin à pied. J'ai voulu voir maman tout de suite. Mais le concierge m'a dit qu'il fallait que je rencontre le directeur. Comme il était occupé, j'ai attendu un peu. Pendant tout ce temps, le concierge a parlé et ensuite, j'ai vu le directeur : il m'a reçu dans son bureau. C'était un petit vieux, avec la Légion d'honneur. Il m'a regardé de ses yeux clairs. Puis il m'a serré la main qu'il a gardée si longtemps que je ne savais trop comment la retirer. Il a consulté un dossier et m'a dit : « Mme Meursault³ est entrée ici il y a trois ans. Vous étiez son seul soutien. » J'ai cru qu'il me reprochait quelque chose et j'ai commencé à lui expliquer. Mais il m'a interrompu : « Vous n'avez pas à vous justifier, mon cher enfant. J'ai lu le dossier de votre mère. Vous ne pouviez subvenir à ses besoins. Il lui fallait une garde. Vos salaires sont modestes. Et tout compte fait, elle était plus heureuse ici. » J'ai dit : « Oui, monsieur le directeur. » Il a ajouté : « Vous savez, elle avait des amis, des gens de son âge. Elle pouvait partager avec eux des intérêts qui sont d'un autre temps. Vous êtes jeune et elle devait s'ennuyer avec vous. »

C'était vrai. Quand elle était à la maison, maman passait son temps à me suivre des yeux en silence. Dans les premiers jours où elle était à l'asile, elle pleurait souvent. Mais c'était à cause de l'habitude. Au bout de quelques mois, elle aurait pleuré si on l'avait retirée de l'asile. Toujours à cause de l'habitude. C'est un peu pour cela que dans la dernière année je n'y suis presque plus allé. Et aussi parce que cela me prenait mon dimanche — sans compter l'effort pour aller à l'autobus, prendre des tickets et faire deux heures de route.

Le directeur m'a encore parlé. Mais je ne l'écoutais presque plus. Puis il m'a dit : « Je suppose que vous voulez voir votre mère. » Je me suis levé sans rien dire et il m'a précédé vers la porte. Dans l'escalier, il m'a expliqué : « Nous l'avons transportée dans notre petite morgue. Pour ne pas impressionner les autres. Chaque fois qu'un pensionnaire meurt, les autres sont nerveux pendant deux ou trois jours. Et ça rend le service difficile. » Nous avons traversé une cour où il y avait beaucoup de vieillards, bavardant par petits groupes. Ils se taisaient quand nous passions. Et derrière nous, les conversations reprenaient. On aurait dit d'un jacassement assourdi de perruches. À la porte d'un petit bâtiment, le directeur m'a quitté : « Je vous laisse, monsieur Meursault. Je suis à votre disposition dans mon bureau. En principe, l'enterrement est fixé à 10 heures du matin. Nous avons pensé que vous pourrez ainsi veiller la disparue. Un dernier mot : votre mère a, paraît-il, exprimé souvent à ses compagnons le désir d'être enterrée religieusement. J'ai pris sur moi de faire le nécessaire. Mais je voulais vous en informer. » Je l'ai remercié. Maman, sans être athée, n'avait jamais pensé de son vivant à la religion.

Je suis entré. C'était une salle très claire, blanchie à la chaux et recouverte d'une verrière. Elle était meublée de chaises et de chevalets en forme de X. Deux d'entre eux, au centre, supportaient une bière recouverte de son couvercle. On voyait seulement des vis brillantes, à peine enfoncées, se détacher sur les planches passées au brou de noix. Près de la bière, il y avait une infirmière arabe en sarrau blanc, un foulard de couleur vive sur la tête.

À ce moment, le concierge est entré derrière mon dos. Il avait dû courir. Il a bégayé un peu : « On l'a couverte, mais je dois dévisser la bière pour que vous puissiez la voir. » Il s'approchait de la bière quand je l'ai arrêté. Il m'a dit : « Vous ne voulez pas ? » J'ai répondu : « Non. » Il s'est interrompu et j'étais gêné parce que je sentais que je n'aurais pas dû dire cela. Au bout d'un moment, il m'a regardé et il m'a demandé : « Pourquoi ? » mais sans reproche, comme s'il s'informait. J'ai dit : « Je ne sais pas. » Alors tortillant sa moustache blanche, il a déclaré sans me regarder : « Je comprends. » Il avait de beaux yeux, bleu clair, et un teint un peu rouge. Il m'a donné une chaise et lui-même s'est assis un peu en arrière de moi. La garde s'est levée et s'est dirigée vers la sortie. À ce moment, le concierge m'a dit : « C'est un chancre qu'elle a. » Comme je ne comprenais pas, j'ai regardé l'infirmière et j'ai vu qu'elle portait sous les yeux un bandeau qui faisait le tour de la tête[4]. À la hauteur du nez, le bandeau était plat. On ne voyait que la blancheur du bandeau dans son visage.

Quand elle est partie, le concierge a parlé : « Je vais vous laisser seul. » Je ne sais pas quel geste j'ai fait, mais il est resté, debout derrière moi. Cette présence dans mon dos me gênait. La pièce était pleine d'une belle lumière de fin d'après-midi. Deux frelons bourdonnaient contre la verrière. Et je sentais le sommeil me gagner. J'ai dit au concierge, sans me retourner vers lui : « Il y a longtemps que vous êtes là ? » Immédiatement il a répondu : « Cinq ans » — comme s'il avait attendu depuis toujours ma demande.

Ensuite, il a beaucoup bavardé. On l'aurait bien étonné en lui disant qu'il finirait concierge à l'asile de Marengo. Il avait soixante-quatre ans et il était parisien. À ce moment je l'ai interrompu : « Ah, vous n'êtes pas d'ici ? » Puis je me suis souvenu qu'avant de me conduire chez le directeur, il m'avait parlé de maman. Il m'avait dit qu'il fallait l'enterrer très vite, parce que dans la plaine il faisait chaud, surtout dans ce pays. C'est alors qu'il m'avait appris qu'il avait vécu à Paris et qu'il avait du mal à l'oublier. À Paris, on reste avec le mort trois, quatre jours quelquefois. Ici on n'a pas le temps, on ne s'est pas fait à l'idée que déjà il faut courir derrière le corbillard. Sa femme lui avait dit alors : « Tais-toi, ce ne sont pas des choses à raconter à monsieur. » Le vieux avait rougi et s'était excusé. J'étais intervenu pour dire : « Mais non. Mais non. » Je trouvais ce qu'il racontait juste et intéressant.

Dans la petite morgue, il m'a appris qu'il était entré à l'asile comme indigent. Comme il se sentait valide, il s'était proposé pour cette place de concierge. Je lui ai fait remarquer qu'en somme il était un pensionnaire. Il m'a dit que non. J'avais déjà été frappé par la façon qu'il avait de dire : « ils », « les autres », et plus rarement « les vieux », en parlant des pensionnaires dont certains n'étaient pas plus âgés que lui. Mais naturellement, ce n'était pas la même chose. Lui était concierge, et, dans une certaine mesure, il avait des droits sur eux.

La garde est entrée à ce moment. Le soir était tombé brusquement. Très vite, la nuit s'était épaissie au-dessus de la verrière. Le concierge a tourné le commutateur et j'ai été aveuglé par l'éclaboussement soudain de la lumière. Il m'a invité à me rendre au réfectoire pour dîner. Mais je n'avais pas faim. Il m'a offert alors d'apporter une tasse de café au lait. Comme j'aime beaucoup le café au lait, j'ai accepté et il est revenu un moment après avec un plateau. J'ai bu. J'ai eu alors envie de fumer. Mais j'ai hésité parce que je ne savais pas si je pouvais le faire devant maman. J'ai réfléchi, cela n'avait aucune importance. J'ai offert une cigarette au concierge et nous avons fumé.

À un moment, il m'a dit : « Vous savez, les amis de madame votre mère vont venir la veiller aussi. C'est la coutume. Il faut que j'aille chercher des chaises et du café noir. » Je lui ai demandé si on pouvait éteindre une des lampes. L'éclat de la lumière sur les murs blancs me fatiguait. Il m'a dit que ce n'était pas possible. L'installation était ainsi faite : c'était tout ou rien. Je n'ai plus beaucoup fait attention à lui. Il est sorti, est revenu, a disposé des chaises. Sur l'une d'elles, il a empilé des tasses autour d'une cafetière. Puis il s'est assis en face de moi, de l'autre côté de maman. La garde était aussi au fond, le dos tourné. Je ne voyais pas ce qu'elle faisait. Mais au mouvement de ses bras, je pouvais croire qu'elle tricotait. Il faisait doux, le café m'avait réchauffé et par la porte ouverte entrait une odeur de nuit et de fleurs. Je crois que j'ai somnolé un peu.

C'est un frôlement qui m'a réveillé. D'avoir fermé les yeux, la pièce m'a paru encore plus éclatante de blancheur. Devant moi, il n'y avait pas une ombre et chaque objet, chaque angle, toutes les courbes se dessinaient avec une pureté blessante pour les yeux. C'est à ce moment que les amis de maman sont entrés. Ils étaient en tout une dizaine, et ils glissaient en silence dans cette lumière aveuglante. Ils se sont assis sans qu'aucune chaise grinçât. Je les voyais comme je n'ai jamais vu personne et pas un détail de leurs visages ou de leurs habits ne m'échappait. Pourtant je ne les entendais pas et j'avais peine à croire à leur réalité. Presque toutes les femmes portaient un tablier et le cordon qui les serrait à la taille faisait encore ressortir leur ventre bombé. Je n'avais encore jamais remarqué à quel point les vieilles femmes pouvaient avoir du ventre. Les hommes étaient presque tous très maigres et tenaient des cannes. Ce qui me frappait dans leurs visages, c'est que je ne voyais pas leurs yeux, mais seulement une lueur sans éclat au milieu d'un nid de rides. Lorsqu'ils se sont assis, la plupart m'ont regardé et ont hoché la tête avec gêne, les lèvres toutes mangées par leur bouche sans dents, sans que je puisse savoir s'ils me saluaient ou s'il s'agissait d'un tic. Je crois plutôt qu'ils me saluaient. C'est à ce moment que je me suis aperçu qu'ils étaient tous assis en face de moi à dodeliner de la tête, autour du concierge. J'ai eu un moment l'impression ridicule qu'ils étaient là pour me juger[5].

Peu après, une des femmes s'est mise à pleurer. Elle était au second rang, cachée par une de ses compagnes, et je la voyais mal. Elle pleurait à petits cris, régulièrement : il me semblait qu'elle ne s'arrêterait jamais. Les autres avaient l'air de ne pas l'entendre. Ils étaient affaissés, mornes et silencieux. Ils regardaient la bière ou leur canne, ou n'importe quoi, mais ils ne regardaient que cela. La femme pleurait toujours. J'étais très étonné parce que je ne la connaissais pas. J'aurais voulu ne plus l'entendre. Pourtant je n'osais pas le lui dire. Le concierge s'est penché vers elle, lui a parlé, mais elle a secoué la tête, a bredouillé quelque chose, et a continué de pleurer avec la même régularité. Le concierge est venu alors de mon côté. Il s'est assis près de moi. Après un assez long moment, il m'a renseigné sans me regarder : « Elle était très liée avec madame votre mère. Elle dit que c'était sa seule amie ici et que maintenant elle n'a plus personne. »

Nous sommes restés un long moment ainsi. Les soupirs et les sanglots de la femme se faisaient plus rares. Elle reniflait beaucoup. Elle s'est tue enfin. Je n'avais plus sommeil, mais j'étais fatigué et les reins me faisaient mal. À présent c'était le silence de tous ces gens qui m'était pénible. De temps en temps seulement, j'entendais un bruit singulier et je ne pouvais comprendre ce qu'il était. À la longue, j'ai fini par deviner que quelques-uns d'entre les vieillards suçaient l'intérieur de leurs joues et laissaient échapper ces clappements bizarres. Ils ne s'en apercevaient pas tant ils étaient absorbés dans leurs pensées. J'avais même l'impression que cette morte, couchée au milieu d'eux, ne signifiait rien à leurs yeux. Mais je crois maintenant que c'était une impression fausse.

Nous avons tous pris du café, servi par le concierge. Ensuite, je ne sais plus. La nuit a passé. Je me souviens qu'à un moment j'ai ouvert les yeux et j'ai vu que les vieillards dormaient tassés sur eux-mêmes, à l'exception d'un seul qui, le menton sur le dos de ses mains agrippées à la canne, me regardait fixement comme s'il n'attendait que mon réveil[6]. Puis j'ai encore dormi. Je me suis réveillé parce que j'avais de plus en plus mal aux reins. Le jour glissait sur la verrière. Peu après, l'un des vieillards s'est réveillé et il a beaucoup toussé. Il crachait dans un grand mouchoir à carreaux et chacun de ses crachats était comme un arrachement. Il a réveillé les autres et le concierge a dit qu'ils devraient partir. Ils se sont levés. Cette veille incommode leur avait fait des visages de cendre. En sortant, et à mon grand étonnement, ils m'ont tous serré la main — comme si cette nuit où nous n'avions pas échangé un mot avait accru notre intimité.

J'étais fatigué. Le concierge m'a conduit chez lui et j'ai pu faire un peu de toilette. J'ai encore pris du café au lait qui était très bon. Quand je suis sorti, le jour était complètement levé. Au-dessus des collines qui séparent Marengo de la mer, le ciel était plein de rougeurs. Et le vent qui passait au-dessus d'elles apportait ici une odeur de sel. C'était une belle journée qui se préparait. Il y avait longtemps que j'étais allé à la campagne et je sentais quel plaisir j'aurais pris à me promener s'il n'y avait pas eu maman.

Mais j'ai attendu dans la cour, sous un platane. Je respirais l'odeur de la terre fraîche et je n'avais plus sommeil. J'ai pensé aux collègues du bureau. À cette heure, ils se levaient pour aller au travail : pour moi c'était toujours l'heure la plus difficile. J'ai encore réfléchi un peu à ces choses, mais j'ai été distrait par une cloche qui sonnait à l'intérieur des bâtiments. Il y a eu du remue-ménage derrière les fenêtres, puis tout s'est calmé. Le soleil était monté un peu plus dans le ciel : il commençait à chauffer mes pieds. Le concierge a traversé la cour et m'a dit que le directeur me demandait. Je suis allé dans son bureau. Il m'a fait signer un certain nombre de pièces. J'ai vu qu'il était habillé de noir avec un pantalon rayé. Il a pris le téléphone en main et il m'a interpellé : « Les employés des pompes funèbres sont là depuis un moment. Je vais leur demander de venir fermer la bière. Voulez-vous auparavant voir votre mère une dernière fois ? » J'ai dit non. Il a ordonné dans le téléphone en baissant la voix : « Figeac, dites aux hommes qu'ils peuvent aller. »

Ensuite il m'a dit qu'il assisterait à l'enterrement et je l'ai remercié. Il s'est assis derrière son bureau, il a croisé ses petites jambes. Il m'a averti que moi et lui serions seuls, avec l'infirmière de service. En principe, les pensionnaires ne devaient pas assister aux enterrements. Il les laissait seulement veiller : « C'est une question d'humanité », a-t-il remarqué. Mais en l'espèce, il avait accordé l'autorisation de suivre le convoi à un vieil ami de maman : « Thomas Pérez. » Ici, le directeur a souri. Il m'a dit : « Vous comprenez, c'est un sentiment un peu puéril. Mais lui et votre mère ne se quittaient guère. À l'asile, on les plaisantait, on disait à Pérez : « C'est votre fiancée. » Lui riait. Ça leur faisait plaisir. Et le fait est

que la mort de Mme Meursault l'a beaucoup affecté. Je n'ai
pas cru devoir lui refuser l'autorisation. Mais sur le conseil
du médecin visiteur, je lui ai interdit la veillée d'hier. »

Nous sommes restés silencieux assez longtemps. Le directeur s'est levé et a regardé par la fenêtre de son bureau. À
un moment, il a observé : « Voilà déjà le curé de Marengo. Il
est en avance. » Il m'a prévenu qu'il faudrait au moins trois
quarts d'heure de marche pour aller à l'église qui est au village même. Nous sommes descendus. Devant le bâtiment,
il y avait le curé et deux enfants de chœur. L'un de ceux-ci
tenait un encensoir et le prêtre se baissait vers lui pour régler
la longueur de la chaîne d'argent. Quand nous sommes
arrivés, le prêtre s'est relevé. Il m'a appelé « mon fils » et m'a
dit quelques mots. Il est entré ; je l'ai suivi.

J'ai vu d'un coup que les vis de la bière étaient enfoncées et qu'il y avait quatre hommes noirs dans la pièce. J'ai
entendu en même temps le directeur me dire que la voiture
attendait sur la route et le prêtre commencer ses prières.
À partir de ce moment, tout est allé très vite. Les hommes
se sont avancés vers la bière avec un drap. Le prêtre, ses
suivants, le directeur et moi-même sommes sortis. Devant
la porte, il y avait une dame que je ne connaissais pas :
« M. Meursault », a dit le directeur. Je n'ai pas entendu le
nom de cette dame et j'ai compris seulement qu'elle était
infirmière déléguée. Elle a incliné sans un sourire son visage
osseux et long. Puis nous nous sommes rangés pour laisser
passer le corps. Nous avons suivi les porteurs et nous sommes
sortis de l'asile. Devant la porte, il y avait la voiture. Vernie,
oblongue et brillante, elle faisait penser à un plumier. À côté
d'elle, il y avait l'ordonnateur, petit homme aux habits ridicules, et un vieillard à l'allure empruntée. J'ai compris que
c'était M. Pérez. Il avait un feutre mou à la calotte ronde
et aux ailes larges (il l'a ôté quand la bière a passé la porte),
un costume dont le pantalon tirebouchonnait sur les souliers
et un nœud d'étoffe noire trop petit pour sa chemise à grand
col blanc. Ses lèvres tremblaient au-dessous d'un nez truffé
de points noirs. Ses cheveux blancs assez fins laissaient passer de curieuses oreilles ballantes et mal ourlées dont la couleur rouge sang dans ce visage blafard me frappa. L'ordonnateur nous donna nos places. Le curé marchait en avant,
puis la voiture. Autour d'elle, les quatre hommes. Derrière,
le directeur, moi-même et, fermant la marche, l'infirmière
déléguée et M. Pérez.

Le ciel était déjà plein de soleil. Il commençait à peser sur la terre et la chaleur augmentait rapidement. Je ne sais pas pourquoi nous avons attendu assez longtemps avant de nous mettre en marche. J'avais chaud sous mes vêtements sombres. Le petit vieux, qui s'était recouvert, a de nouveau ôté son chapeau. Je m'étais un peu tourné de son côté, et je le regardais lorsque le directeur m'a parlé de lui. Il m'a dit que souvent ma mère et M. Pérez allaient se promener le soir jusqu'au village, accompagnés d'une infirmière. Je regardais la campagne autour de moi. À travers les lignes de cyprès qui menaient aux collines près du ciel, cette terre rousse et verte, ces maisons rares et bien dessinées, je comprenais maman. Le soir, dans ce pays, devait être comme une trêve mélancolique. Aujourd'hui, le soleil débordant qui faisait tressaillir le paysage le rendait inhumain et déprimant.

Nous nous sommes mis en marche. C'est à ce moment que je me suis aperçu que Pérez claudiquait légèrement. La voiture, peu à peu, prenait de la vitesse et le vieillard perdait du terrain. L'un des hommes qui entouraient la voiture s'était laissé dépasser aussi et marchait maintenant à mon niveau. J'étais surpris de la rapidité avec laquelle le soleil montait dans le ciel. Je me suis aperçu qu'il y avait déjà longtemps que la campagne bourdonnait du chant des insectes et de crépitements d'herbe. La sueur coulait sur mes joues. Comme je n'avais pas de chapeau, je m'éventais avec mon mouchoir. L'employé des pompes funèbres m'a dit alors quelque chose que je n'ai pas entendu. En même temps, il s'essuyait le crâne avec un mouchoir qu'il tenait dans sa main gauche, la main droite soulevant le bord de sa casquette. Je lui ai dit : « Comment ? » Il a répété en montrant le ciel : « Ça tape. » J'ai dit : « Oui. » Un peu après, il m'a demandé : « C'est votre mère qui est là ? » J'ai encore dit : « Oui. — Elle était vieille ? » J'ai répondu : « Comme ça », parce que je ne savais pas le chiffre exact. Ensuite, il s'est tu. Je me suis retourné et j'ai vu le vieux Pérez à une cinquantaine de mètres derrière nous. Il se hâtait en balançant son feutre à bout de bras. J'ai regardé aussi le directeur. Il marchait avec beaucoup de dignité, sans un geste inutile. Quelques gouttes de sueur perlaient sur son front, mais il ne les essuyait pas.

Il me semblait que le convoi marchait un peu plus vite. Autour de moi, c'était toujours la même campagne lumineuse gorgée de soleil. L'éclat du ciel était insoutenable. À un moment donné, nous sommes passés sur une partie de la route qui avait été récemment refaite. Le soleil avait fait éclater le goudron. Les pieds y enfonçaient et laissaient ouverte sa pulpe brillante. Au-dessus de la voiture, le chapeau du cocher, en cuir bouilli[7], semblait avoir été pétri dans cette boue noire. J'étais un peu perdu entre le ciel bleu et blanc et la monotonie de ces couleurs, noir gluant du goudron ouvert, noir terne des habits, noir laqué de la voiture. Tout cela, le soleil, l'odeur de cuir et de crottin de la voiture, celle du vernis et celle de l'encens, la fatigue d'une nuit d'insomnie, me troublait le regard et les idées. Je me suis retourné une fois de plus : Pérez m'a paru très loin, perdu dans une nuée de chaleur, puis je ne l'ai plus aperçu. Je l'ai cherché du regard et j'ai vu qu'il avait quitté la route et pris à travers champs. J'ai constaté aussi que devant moi la route tournait. J'ai compris que Pérez qui connaissait le pays coupait au plus court pour nous rattraper. Au tournant il nous avait rejoints. Puis nous l'avons perdu. Il a repris encore à travers champs et comme cela plusieurs fois. Moi, je sentais le sang qui me battait aux tempes.

Tout s'est passé ensuite avec tant de précipitation, de certitude et de naturel, que je ne me souviens plus de rien. Une chose seulement : à l'entrée du village, l'infirmière déléguée m'a parlé. Elle avait une voix singulière qui n'allait pas avec son visage, une voix mélodieuse et tremblante. Elle m'a dit : « Si on va doucement, on risque une insolation. Mais si on va trop vite, on est en transpiration et dans l'église on attrape un chaud et froid. » Elle avait raison. Il n'y avait pas d'issue. J'ai encore gardé quelques images de cette journée : par exemple, le visage de Pérez quand, pour la dernière fois, il nous a rejoints près du village. De grosses larmes d'énervement et de peine ruisselaient sur ses joues. Mais, à cause des rides, elles ne s'écoulaient pas. Elles s'étalaient, se rejoignaient et formaient un vernis d'eau sur ce visage détruit. Il y a eu encore l'église et les villageois sur les trottoirs, les géraniums rouges sur les tombes du cimetière, l'évanouissement de Pérez (on eût dit un pantin disloqué), la terre couleur de sang qui roulait sur la bière de maman, la chair blanche des racines qui s'y mêlaient, encore du monde, des voix, le village, l'attente devant un café, l'incessant ronflement du moteur, et ma joie quand l'autobus est entré dans le nid de lumières d'Alger et que j'ai pensé que j'allais me coucher et dormir pendant douze heures.

II

En me réveillant, j'ai compris pourquoi mon patron avait l'air mécontent quand je lui ai demandé mes deux jours de congé : c'est aujourd'hui samedi. Je l'avais pour ainsi dire oublié, mais en me levant, cette idée m'est venue. Mon patron, tout naturellement, a pensé que j'aurais ainsi quatre jours de vacances avec mon dimanche et cela ne pouvait pas lui faire plaisir. Mais d'une part, ce n'est pas de ma faute si on a enterré maman hier au lieu d'aujourd'hui et d'autre part, j'aurais eu mon samedi et mon dimanche de toutes façons. Bien entendu, cela ne m'empêche pas de comprendre tout de même mon patron.

J'ai eu de la peine à me lever parce que j'étais fatigué de ma journée d'hier. Pendant que je me rasais, je me suis demandé ce que j'allais faire et j'ai décidé d'aller me baigner. J'ai pris le tram pour aller à l'établissement de bains du port. Là, j'ai plongé dans la passe. Il y avait beaucoup de jeunes gens. J'ai retrouvé dans l'eau Marie Cardona, une ancienne dactylo de mon bureau dont j'avais eu envie à l'époque. Elle aussi, je crois. Mais elle est partie peu après et nous n'avons pas eu le temps. Je l'ai aidée à monter sur une bouée et, dans ce mouvement, j'ai effleuré ses seins. J'étais encore dans l'eau quand elle était déjà à plat ventre sur la bouée. Elle s'est retournée vers moi. Elle avait les cheveux dans les yeux et elle riait. Je me suis hissé à côté d'elle sur la bouée. Il faisait bon et, comme en plaisantant, j'ai laissé aller ma tête en arrière et je l'ai posée sur son ventre. Elle n'a rien dit et je suis resté ainsi. J'avais tout le ciel dans les yeux et il était bleu et doré. Sous ma nuque, je sentais le ventre de Marie battre doucement. Nous sommes restés longtemps sur la bouée, à moitié endormis. Quand le soleil est devenu trop fort, elle a plongé et je l'ai suivie. Je l'ai rattrapée, j'ai passé ma main autour de sa taille et nous avons nagé ensemble. Elle riait toujours. Sur le quai, pendant que nous nous séchions, elle m'a dit : « Je suis plus brune que vous. » Je lui ai demandé si elle voulait venir au cinéma, le soir. Elle a encore ri et m'a dit qu'elle avait envie de voir un film avec Fernandel. Quand nous nous sommes rhabillés, elle a eu l'air très surprise de

me voir avec une cravate noire et elle m'a demandé si j'étais
en deuil. Je lui ai dit que maman était morte. Comme elle
voulait savoir depuis quand, j'ai répondu : « Depuis hier. »
Elle a eu un petit recul, mais n'a fait aucune remarque. J'ai
eu envie de lui dire que ce n'était pas de ma faute, mais je me
suis arrêté parce que j'ai pensé que je l'avais déjà dit à mon
patron. Cela ne signifiait rien. De toute façon, on est toujours un peu fautif.

Le soir, Marie avait tout oublié. Le film était drôle par
moments et puis vraiment trop bête. Elle avait sa jambe
contre la mienne. Je lui caressais les seins. Vers la fin de la
séance, je l'ai embrassée, mais mal. En sortant, elle est venue
chez moi.

Quand je me suis réveillé, Marie était partie. Elle m'avait
expliqué qu'elle devait aller chez sa tante. J'ai pensé que
c'était dimanche et cela m'a ennuyé : je n'aime pas le dimanche.
Alors, je me suis retourné dans mon lit, j'ai cherché dans le
traversin l'odeur de sel que les cheveux de Marie y avaient
laissée et j'ai dormi jusqu'à 10 heures. J'ai fumé ensuite des
cigarettes, toujours couché, jusqu'à midi. Je ne voulais pas
déjeuner chez Céleste comme d'habitude parce que, certainement, ils m'auraient posé des questions et je n'aime pas
cela. Je me suis fait cuire des œufs et je les ai mangés à même
le plat, sans pain parce que je n'en avais plus et que je ne
voulais pas descendre pour en acheter.

Après le déjeuner, je me suis ennuyé un peu et j'ai erré
dans l'appartement. Il était commode quand maman était là.
Maintenant il est trop grand pour moi et j'ai dû transporter
dans ma chambre la table de la salle à manger. Je ne vis plus
que dans cette pièce, entre les chaises de paille un peu creusées, l'armoire dont la glace est jaunie, la table de toilette
et le lit de cuivre. Le reste est à l'abandon. Un peu plus
tard, pour faire quelque chose, j'ai pris un vieux journal et
je l'ai lu. J'y ai découpé une réclame des sels Kruschen[8]
et je l'ai collée dans un vieux cahier où je mets les choses
qui m'amusent dans les journaux. Je me suis aussi lavé les
mains et, pour finir, je me suis mis au balcon.

Ma chambre donne sur la rue principale du faubourg[9].
L'après-midi était beau. Cependant, le pavé était gras, les
gens rares et pressés encore. C'étaient d'abord des familles
allant en promenade, deux petits garçons en costume marin,
la culotte au-dessous du genou, un peu empêtrés dans leurs
vêtements raides, et une petite fille avec un gros nœud rose

et des souliers noirs vernis. Derrière eux, une mère énorme, en robe de soie marron, et le père, un petit homme assez frêle que je connais de vue. Il avait un canotier, un nœud papillon et une canne à la main. En le voyant avec sa femme, j'ai compris pourquoi dans le quartier on disait de lui qu'il était distingué. Un peu plus tard passèrent les jeunes gens du faubourg, cheveux laqués et cravate rouge, le veston très cintré, avec une pochette brodée et des souliers à bouts carrés. J'ai pensé qu'ils allaient aux cinémas du centre. C'était pourquoi ils partaient si tôt et se dépêchaient vers le tram en riant très fort.

Après eux, la rue peu à peu est devenue déserte. Les spectacles étaient partout commencés, je crois. Il n'y avait plus dans la rue que les boutiquiers et les chats. Le ciel était pur mais sans éclat au-dessus des ficus qui bordent la rue. Sur le trottoir d'en face, le marchand de tabac a sorti une chaise, l'a installée devant sa porte et l'a enfourchée en s'appuyant des deux bras sur le dossier. Les trams tout à l'heure bondés étaient presque vides. Dans le petit café Chez Pierrot, à côté du marchand de tabac, le garçon balayait de la sciure dans la salle déserte. C'était vraiment dimanche.

J'ai retourné ma chaise et je l'ai placée comme celle du marchand de tabac parce que j'ai trouvé que c'était plus commode. J'ai fumé deux cigarettes, je suis rentré pour prendre un morceau de chocolat et je suis revenu le manger à la fenêtre. Peu après, le ciel s'est assombri et j'ai cru que nous allions avoir un orage d'été. Il s'est découvert peu à peu cependant. Mais le passage des nuées avait laissé sur la rue comme une promesse de pluie qui l'a rendue plus sombre. Je suis resté longtemps à regarder le ciel.

À 5 heures, des tramways sont arrivés dans le bruit. Ils ramenaient du stade de banlieue des grappes de spectateurs perchés sur les marchepieds et les rambardes. Les tramways suivants ont ramené les joueurs que j'ai reconnus à leurs petites valises. Ils hurlaient et chantaient à pleins poumons que leur club ne périrait pas. Plusieurs m'ont fait des signes. L'un m'a même crié : « On les a eus. » Et j'ai fait : « Oui », en secouant la tête. À partir de ce moment, les autos ont commencé à affluer.

La journée a tourné encore un peu. Au-dessus des toits, le ciel est devenu rougeâtre et, avec le soir naissant, les rues se sont animées. Les promeneurs revenaient peu à peu. J'ai reconnu le monsieur distingué au milieu d'autres. Les enfants

pleuraient ou se laissaient traîner. Presque aussitôt, les cinémas du quartier ont déversé dans la rue un flot de spectateurs.
Parmi eux, les jeunes gens avaient des gestes plus décidés
que d'habitude et j'ai pensé qu'ils avaient vu un film d'aventures. Ceux qui revenaient des cinémas de la ville arrivèrent
un peu plus tard. Ils semblaient plus graves. Ils riaient
encore, mais de temps en temps, ils paraissaient fatigués et
songeurs. Ils sont restés dans la rue, allant et venant sur le
trottoir d'en face. Les jeunes filles du quartier, en cheveux,
se tenaient par le bras. Les jeunes gens s'étaient arrangés
pour les croiser et ils lançaient des plaisanteries dont elles
riaient en détournant la tête. Plusieurs d'entre elles, que je
connaissais, m'ont fait des signes.

Les lampes de la rue se sont alors allumées brusquement
et elles ont fait pâlir les premières étoiles qui montaient dans
la nuit. J'ai senti mes yeux se fatiguer à regarder ainsi les
trottoirs avec leur chargement d'hommes et de lumières. Les
lampes faisaient luire le pavé mouillé, et les tramways, à intervalles réguliers, mettaient leurs reflets sur des cheveux brillants, un sourire ou un bracelet d'argent. Peu après, avec les
tramways plus rares et la nuit déjà noire au-dessus des arbres
et des lampes, le quartier s'est vidé insensiblement, jusqu'à
ce que le premier chat traverse lentement la rue de nouveau
déserte. J'ai pensé alors qu'il fallait dîner. J'avais un peu mal
au cou d'être resté longtemps appuyé sur le dos de ma chaise.
Je suis descendu acheter du pain et des pâtes, j'ai fait ma cuisine et j'ai mangé debout. J'ai voulu fumer une cigarette à la
fenêtre, mais l'air avait fraîchi et j'ai eu un peu froid. J'ai fermé
mes fenêtres et en revenant j'ai vu dans la glace un bout de
table où ma lampe à alcool voisinait avec des morceaux de
pain. J'ai pensé que c'était toujours un dimanche de tiré, que
maman était maintenant enterrée, que j'allais reprendre mon
travail et que, somme toute, il n'y avait rien de changé.

III

Aujourd'hui j'ai beaucoup travaillé au bureau. Le patron
a été aimable. Il m'a demandé si je n'étais pas trop fatigué
et il a voulu savoir aussi l'âge de maman. J'ai dit « une
soixantaine d'années », pour ne pas me tromper et je ne sais

pas pourquoi il a eu l'air d'être soulagé et de considérer que c'était une affaire terminée.

Il y avait un tas de connaissements qui s'amoncelaient sur ma table et il a fallu que je les dépouille tous. Avant de quitter le bureau pour aller déjeuner, je me suis lavé les mains. À midi, j'aime bien ce moment. Le soir, j'y trouve moins de plaisir parce que la serviette roulante qu'on utilise est tout à fait humide : elle a servi toute la journée. J'en ai fait la remarque un jour à mon patron. Il m'a répondu qu'il trouvait cela regrettable, mais que c'était tout de même un détail sans importance. Je suis sorti un peu tard, à midi et demi, avec Emmanuel, qui travaille à l'expédition. Le bureau donne sur la mer et nous avons perdu un moment à regarder les cargos dans le port brûlant de soleil. À ce moment, un camion[10] est arrivé dans un fracas de chaînes et d'explosions. Emmanuel m'a demandé « si on y allait » et je me suis mis à courir. Le camion nous a dépassés et nous nous sommes lancés à sa poursuite. J'étais noyé dans le bruit et la poussière. Je ne voyais plus rien et ne sentais que cet élan désordonné de la course, au milieu des treuils et des machines, des mâts qui dansaient sur l'horizon et des coques que nous longions. J'ai pris appui le premier et j'ai sauté au vol. Puis j'ai aidé Emmanuel à s'asseoir. Nous étions hors de souffle, le camion sautait sur les pavés inégaux du quai, au milieu de la poussière et du soleil. Emmanuel riait à perdre haleine.

Nous sommes arrivés en nage chez Céleste. Il était toujours là, avec son gros ventre, son tablier et ses moustaches blanches. Il m'a demandé si « ça allait quand même ». Je lui ai dit que oui et que j'avais faim. J'ai mangé très vite et j'ai pris du café. Puis je suis rentré chez moi, j'ai dormi un peu parce que j'avais trop bu de vin et, en me réveillant, j'ai eu envie de fumer. Il était tard et j'ai couru pour attraper un tram. J'ai travaillé tout l'après-midi. Il faisait très chaud dans le bureau et le soir, en sortant, j'ai été heureux de revenir en marchant lentement le long des quais. Le ciel était vert, je me sentais content. Tout de même, je suis rentré directement chez moi parce que je voulais me préparer des pommes de terre bouillies.

En montant, dans l'escalier noir, j'ai heurté le vieux Salamano, mon voisin de palier. Il était avec son chien. Il y a huit ans qu'on les voit ensemble. L'épagneul a une maladie de peau, le rouge, je crois, qui lui fait perdre presque tous ses poils et qui le couvre de plaques et de croûtes brunes. À

force de vivre avec lui, seuls tous les deux dans une petite
chambre, le vieux Salamano a fini par lui ressembler. Il a
des croûtes rougeâtres sur le visage et le poil jaune et rare.
Le chien, lui, a pris de son patron une sorte d'allure voûtée,
le museau en avant et le cou tendu. Ils ont l'air de la même
race et pourtant ils se détestent. Deux fois par jour, à
11 heures et à 6 heures, le vieux mène son chien promener.
Depuis huit ans, ils n'ont pas changé leur itinéraire. On peut
les voir le long de la rue de Lyon, le chien tirant l'homme
jusqu'à ce que le vieux Salamano bute. Il bat son chien alors
et il l'insulte. Le chien rampe de frayeur et se laisse traîner.
À ce moment, c'est au vieux de le tirer. Quand le chien a
oublié, il entraîne de nouveau son maître et il est de nouveau
battu et insulté. Alors, ils restent tous les deux sur le trottoir
et ils se regardent, le chien avec terreur, l'homme avec haine.
C'est ainsi tous les jours. Quand le chien veut uriner, le vieux
ne lui en laisse pas le temps et il le tire, l'épagneul semant
derrière lui une traînée de petites gouttes. Si par hasard le
chien fait dans la chambre, alors il est encore battu. Il y a huit
ans que cela dure. Céleste dit toujours que « c'est malheureux », mais au fond, personne ne peut savoir. Quand je
l'ai rencontré dans l'escalier, Salamano était en train d'insulter son chien. Il lui disait : « Salaud ! Charogne ! » et le
chien gémissait. J'ai dit : « Bonsoir », mais le vieux insultait
toujours. Alors je lui ai demandé ce que le chien lui avait fait.
Il ne m'a pas répondu. Il disait seulement : « Salaud ! Charogne ! » Je le devinais, penché sur son chien, en train d'arranger quelque chose sur le collier. J'ai parlé plus fort. Alors
sans se retourner, il m'a répondu avec une sorte de rage rentrée : « Il est toujours là. » Puis il est parti en tirant la bête qui
se laissait traîner sur ses quatre pattes, et gémissait.

Juste à ce moment est entré mon deuxième voisin de
palier. Dans le quartier, on dit qu'il vit des femmes. Quand
on lui demande son métier, pourtant, il est « magasinier ». En
général, il n'est guère aimé. Mais il me parle souvent et quelquefois il passe un moment chez moi parce que je l'écoute.
Je trouve que ce qu'il dit est intéressant. D'ailleurs, je n'ai
aucune raison de ne pas lui parler. Il s'appelle Raymond
Sintès. Il est assez petit, avec de larges épaules et un nez de
boxeur. Il est toujours habillé très correctement. Lui aussi
m'a dit, en parlant de Salamano : « Si c'est pas malheureux ! »
Il m'a demandé si ça ne me dégoûtait pas et j'ai répondu que
non.

Nous sommes montés et j'allais le quitter quand il m'a dit : « J'ai chez moi du boudin et du vin. Si vous voulez manger un morceau avec moi ?... » J'ai pensé que cela m'éviterait de faire ma cuisine et j'ai accepté. Lui aussi n'a qu'une chambre, avec une cuisine sans fenêtre. Au-dessus de son lit, il a un ange en stuc blanc et rose, des photos de champions et deux ou trois clichés de femmes nues. La chambre était sale et le lit défait. Il a d'abord allumé sa lampe à pétrole, puis il a sorti un pansement assez douteux de sa poche et a enveloppé sa main droite. Je lui ai demandé ce qu'il avait. Il m'a dit qu'il avait eu une bagarre avec un type qui lui cherchait des histoires.

« Vous comprenez, monsieur Meursault, m'a-t-il dit, c'est pas que je suis méchant, mais je suis vif. L'autre, il m'a dit : " Descends du tram si tu es un homme. " Je lui ai dit : " Allez, reste tranquille. " Il m'a dit que je n'étais pas un homme. Alors je suis descendu et je lui ai dit : " Assez, ça vaut mieux, ou je vais te mûrir. " Il m'a répondu : " De quoi ? " Alors je lui en ai donné un. Il est tombé. Moi, j'allais le relever. Mais il m'a donné des coups de pied de par terre. Alors je lui ai donné un coup de genou et deux taquets. Il avait la figure en sang. Je lui ai demandé s'il avait son compte. Il m'a dit : " Oui. " » Pendant tout ce temps, Sintès arrangeait son pansement. J'étais assis sur le lit. Il m'a dit : « Vous voyez que je ne l'ai pas cherché. C'est lui qui m'a manqué. » C'était vrai et je l'ai reconnu. Alors il m'a déclaré que, justement, il voulait me demander un conseil au sujet de cette affaire, que moi, j'étais un homme, je connaissais la vie, que je pouvais l'aider et qu'ensuite il serait mon copain. Je n'ai rien dit et il m'a demandé encore si je voulais être son copain. J'ai dit que ça m'était égal : il a eu l'air content. Il a sorti du boudin, il l'a fait cuire à la poêle, et il a installé des verres, des assiettes, des couverts et deux bouteilles de vin. Tout cela en silence. Puis nous nous sommes installés. En mangeant, il a commencé à me raconter son histoire. Il hésitait d'abord un peu. « J'ai connu une dame... c'était pour autant dire ma maîtresse. » L'homme avec qui il s'était battu était le frère de cette femme. Il m'a dit qu'il l'avait entretenue. Je n'ai rien répondu et pourtant il a ajouté tout de suite qu'il savait ce qu'on disait dans le quartier, mais qu'il avait sa conscience pour lui et qu'il était magasinier.

« Pour en venir à mon histoire, m'a-t-il dit, je me suis aperçu qu'il y avait de la tromperie. » Il lui donnait juste de

quoi vivre. Il payait lui-même le loyer de sa chambre et il lui
donnait vingt francs par jour pour la nourriture. « Trois cents
francs de chambre, six cents francs de nourriture, une paire
de bas de temps en temps, ça faisait mille francs. Et madame
ne travaillait pas. Mais elle me disait que c'était juste, qu'elle
n'arrivait pas avec ce que je lui donnais. Pourtant, je lui
disais : " Pourquoi tu travailles pas une demi-journée ? Tu
me soulagerais bien pour toutes ces petites choses. Je t'ai
acheté un ensemble ce mois-ci, je te paye vingt francs par
jour, je te paye le loyer et toi, tu prends le café l'après-midi
avec tes amies. Tu leur donnes le café et le sucre. Moi, je te
donne l'argent. J'ai bien agi avec toi et tu me le rends mal. "
Mais elle ne travaillait pas, elle disait toujours qu'elle n'arrivait pas et c'est comme ça que je me suis aperçu qu'il y avait
de la tromperie. »

   Il m'a alors raconté qu'il avait trouvé un billet de loterie
dans son sac et qu'elle n'avait pas pu lui expliquer comment
elle l'avait acheté. Un peu plus tard, il avait trouvé chez elle
« une indication » du mont-de-piété qui prouvait qu'elle
avait engagé deux bracelets. Jusque-là, il ignorait l'existence
de ces bracelets. « J'ai bien vu qu'il y avait de la tromperie.
Alors, je l'ai quittée. Mais d'abord je l'ai tapée. Et puis, je lui
ai dit ses vérités. Je lui ai dit que tout ce qu'elle voulait, c'était
s'amuser avec sa chose. Comme je lui ai dit, vous comprenez, monsieur Meursault : " Tu ne vois pas que le monde il
est jaloux du bonheur que je te donne. Tu connaîtras plus
tard le bonheur que tu avais. " »

   Il l'avait battue jusqu'au sang. Auparavant, il ne la battait
pas. « Je la tapais, mais tendrement pour ainsi dire. Elle criait
un peu. Je fermais les volets et ça finissait comme toujours.
Mais maintenant, c'est sérieux. Et pour moi, je l'ai pas assez
punie. »

   Il m'a expliqué alors que c'était pour cela qu'il avait
besoin d'un conseil. Il s'est arrêté pour régler la mèche de la
lampe qui charbonnait. Moi, je l'écoutais toujours. J'avais bu
près d'un litre de vin et j'avais très chaud aux tempes. Je
fumais les cigarettes de Raymond parce qu'il ne m'en restait plus. Les derniers trams passaient et emportaient avec
eux les bruits maintenant lointains du faubourg. Raymond
a continué. Ce qui l'ennuyait, « c'est qu'il avait encore un
sentiment pour son coït ». Mais il voulait la punir. Il avait
d'abord pensé à l'emmener dans un hôtel et à appeler les
« mœurs » pour causer un scandale et la faire mettre en carte.

Ensuite, il s'était adressé à des amis qu'il avait dans le milieu. Ils n'avaient rien trouvé. Et comme me le faisait remarquer Raymond, c'était bien la peine d'être du milieu. Il le leur avait dit et ils avaient alors proposé de la « marquer ». Mais ce n'était pas ce qu'il voulait. Il allait réfléchir. Auparavant il voulait me demander quelque chose. D'ailleurs, avant de me le demander, il voulait savoir ce que je pensais de cette histoire. J'ai répondu que je n'en pensais rien mais que c'était intéressant. Il m'a demandé si je pensais qu'il y avait de la tromperie, et moi, il me semblait bien qu'il y avait de la tromperie, si je trouvais qu'on devait la punir et ce que je ferais à sa place, je lui ai dit qu'on ne pouvait jamais savoir, mais je comprenais qu'il veuille la punir. J'ai encore bu un peu de vin. Il a allumé une cigarette et il m'a découvert son idée. Il voulait lui écrire une lettre « avec des coups de pied et en même temps des choses pour la faire regretter ». Après, quand elle reviendrait, il coucherait avec elle et « juste au moment de finir » il lui cracherait à la figure et il la mettrait dehors. J'ai trouvé qu'en effet, de cette façon, elle serait punie. Mais Raymond m'a dit qu'il ne se sentait pas capable de faire la lettre qu'il fallait et qu'il avait pensé à moi pour la rédiger. Comme je ne disais rien, il m'a demandé si cela m'ennuierait de le faire tout de suite et j'ai répondu que non.

Il s'est alors levé après avoir bu un verre de vin. Il a repoussé les assiettes et le peu de boudin froid que nous avions laissé. Il a soigneusement essuyé la toile cirée de la table. Il a pris dans un tiroir de sa table de nuit une feuille de papier quadrillé, une enveloppe jaune, un petit porte-plume de bois rouge et un encrier carré d'encre violette. Quand il m'a dit le nom de la femme, j'ai vu que c'était une Mauresque. J'ai fait la lettre. Je l'ai écrite un peu au hasard, mais je me suis appliqué à contenter Raymond parce que je n'avais pas de raison de ne pas le contenter. Puis j'ai lu la lettre à haute voix. Il m'a écouté en fumant et en hochant la tête, puis il m'a demandé de la relire. Il a été tout à fait content. Il m'a dit : « Je savais bien que tu connaissais la vie. » Je ne me suis pas aperçu d'abord qu'il me tutoyait. C'est seulement quand il m'a déclaré : « Maintenant, tu es un vrai copain », que cela m'a frappé. Il a répété sa phrase et j'ai dit : « Oui. » Cela m'était égal d'être son copain et il avait vraiment l'air d'en avoir envie. Il a cacheté la lettre et nous avons fini le vin. Puis nous sommes restés un moment à fumer sans rien dire. Au-dehors, tout était calme, nous avons entendu le

glissement d'une auto qui passait. J'ai dit : « Il est tard. »
Raymond le pensait aussi. Il a remarqué que le temps passait
vite et, dans un sens, c'était vrai. J'avais sommeil, mais j'avais
de la peine à me lever. J'ai dû avoir l'air fatigué parce que
Raymond m'a dit qu'il ne fallait pas se laisser aller. D'abord,
je n'ai pas compris. Il m'a expliqué alors qu'il avait appris la
mort de maman mais que c'était une chose qui devait arriver
un jour ou l'autre. C'était aussi mon avis.

Je me suis levé, Raymond m'a serré la main très fort et
m'a dit qu'entre hommes on se comprenait toujours. En
sortant de chez lui, j'ai refermé la porte et je suis resté un
moment dans le noir, sur le palier. La maison était calme
et des profondeurs de la cage d'escalier montait un souffle
obscur et humide. Je n'entendais que les coups de mon sang
qui bourdonnait à mes oreilles. Je suis resté immobile. Mais
dans la chambre du vieux Salamano, le chien a gémi sourdement.

IV

J'ai bien travaillé toute la semaine, Raymond est venu et
m'a dit qu'il avait envoyé la lettre. Je suis allé au cinéma deux
fois avec Emmanuel qui ne comprend pas toujours ce qui
se passe sur l'écran. Il faut alors lui donner des explications.
Hier, c'était samedi et Marie est venue, comme nous en étions
convenus. J'ai eu très envie d'elle parce qu'elle avait une
belle robe à raies rouges et blanches et des sandales de cuir.
On devinait ses seins durs et le brun du soleil lui faisait un
visage de fleur. Nous avons pris un autobus et nous sommes
allés à quelques kilomètres d'Alger, sur une plage resserrée
entre des rochers et bordée de roseaux du côté de la terre.
Le soleil de 4 heures n'était pas trop chaud, mais l'eau était
tiède, avec de petites vagues longues et paresseuses. Marie
m'a appris un jeu. Il fallait, en nageant, boire à la crête des
vagues, accumuler dans sa bouche toute l'écume et se mettre
ensuite sur le dos pour la projeter contre le ciel. Cela faisait
alors une dentelle mousseuse qui disparaissait dans l'air ou
me retombait en pluie tiède sur le visage. Mais au bout de
quelque temps, j'avais la bouche brûlée par l'amertume du
sel. Marie m'a rejoint alors et s'est collée à moi dans l'eau.

Elle a mis sa bouche contre la mienne. Sa langue rafraîchissait mes lèvres et nous nous sommes roulés dans les vagues pendant un moment.

Quand nous nous sommes rhabillés sur la plage, Marie me regardait avec des yeux brillants. Je l'ai embrassée. À partir de ce moment, nous n'avons plus parlé. Je l'ai tenue contre moi et nous avons été pressés de trouver un autobus, de rentrer, d'aller chez moi et de nous jeter sur mon lit. J'avais laissé ma fenêtre ouverte et c'était bon de sentir la nuit d'été couler sur nos corps bruns.

Ce matin, Marie est restée et je lui ai dit que nous déjeunerions ensemble. Je suis descendu pour acheter de la viande. En remontant, j'ai entendu une voix de femme dans la chambre de Raymond. Un peu après, le vieux Salamano a grondé son chien, nous avons entendu un bruit de semelles et de griffes sur les marches en bois de l'escalier et puis : « Salaud, charogne » ils sont sortis dans la rue. J'ai raconté à Marie l'histoire du vieux et elle a ri. Elle avait un de mes pyjamas dont elle avait retroussé les manches. Quand elle a ri, j'ai eu encore envie d'elle. Un moment après, elle m'a demandé si je l'aimais. Je lui ai répondu que cela ne voulait rien dire, mais qu'il me semblait que non. Elle a eu l'air triste. Mais en préparant le déjeuner, et à propos de rien, elle a encore ri de telle façon que je l'ai embrassée. C'est à ce moment que les bruits d'une dispute ont éclaté chez Raymond.

On a d'abord entendu une voix aiguë de femme et puis Raymond qui disait : « Tu m'as manqué, tu m'as manqué. Je vais t'apprendre à me manquer. » Quelques bruits sourds et la femme a hurlé, mais de si terrible façon qu'immédiatement le palier s'est empli de monde. Marie et moi nous sommes sortis aussi. La femme criait toujours et Raymond frappait toujours. Marie m'a dit que c'était terrible et je n'ai rien répondu. Elle m'a demandé d'aller chercher un agent, mais je lui ai dit que je n'aimais pas les agents. Pourtant, il en est arrivé un avec le locataire du deuxième qui est plombier. Il a frappé à la porte et on n'a plus rien entendu. Il a frappé plus fort et au bout d'un moment, la femme a pleuré et Raymond a ouvert. Il avait une cigarette à la bouche et l'air doucereux. La fille s'est précipitée à la porte et a déclaré à l'agent que Raymond l'avait frappée. « Ton nom », a dit l'agent. Raymond a répondu. « Enlève ta cigarette de la bouche quand tu me parles », a dit l'agent. Raymond a hésité, m'a regardé et a tiré sur sa cigarette. À ce moment, l'agent l'a giflé à toute volée d'une claque épaisse et lourde, en pleine joue. La cigarette est tombée quelques mètres plus loin. Raymond a changé de visage, mais il n'a rien dit sur le moment et puis il a demandé d'une voix humble s'il pouvait ramasser son mégot. L'agent a déclaré qu'il le pouvait et il a ajouté : « Mais la prochaine fois, tu sauras qu'un agent n'est pas un guignol. » Pendant ce temps, la fille pleurait et elle a répété : « Il m'a tapée. C'est un maquereau. — Monsieur l'agent, a demandé alors Raymond, c'est dans la loi, ça, de dire maquereau à un homme ? » Mais l'agent lui a ordonné « de fermer sa gueule ». Raymond s'est alors retourné vers la fille et il lui a dit : « Attends, petite, on se retrouvera. » L'agent lui a dit de fermer ça, que la fille devait partir et lui rester dans sa chambre en attendant d'être convoqué au commissariat. Il a ajouté que Raymond devrait avoir honte d'être soûl au point de trembler comme il le faisait. À ce moment, Raymond lui a expliqué : « Je ne suis pas soûl, monsieur l'agent. Seulement, je suis là, devant vous, et je tremble, c'est forcé. » Il a fermé sa porte et tout le monde est parti. Marie et moi avons fini de préparer le déjeuner. Mais elle n'avait pas faim, j'ai presque tout mangé. Elle est partie à 1 heure et j'ai dormi un peu.

Vers 3 heures, on a frappé à ma porte et Raymond est entré. Je suis resté couché. Il s'est assis sur le bord de mon lit. Il est resté un moment sans parler et je lui ai demandé comment son affaire s'était passée. Il m'a raconté qu'il avait fait ce qu'il voulait mais qu'elle lui avait donné une gifle et qu'alors il l'avait battue. Pour le reste, je l'avais vu. Je lui ai dit qu'il me semblait que maintenant elle était punie et qu'il devait être content. C'était aussi son avis, et il a observé que l'agent avait beau faire, il ne changerait rien aux coups qu'elle avait reçus. Il a ajouté qu'il connaissait bien les agents et qu'il savait comment il fallait s'y prendre avec eux. Il m'a demandé alors si j'avais attendu qu'il réponde à la gifle de l'agent. J'ai répondu que je n'attendais rien du tout et que d'ailleurs je n'aimais pas les agents. Raymond a eu l'air très content. Il m'a demandé si je voulais sortir avec lui. Je me suis levé et j'ai commencé à me peigner. Il m'a dit qu'il fallait que je lui serve de témoin. Moi cela m'était égal, mais je ne savais pas ce que je devais dire. Selon Raymond, il suffisait de déclarer que la fille lui avait manqué. J'ai accepté de lui servir de témoin.

Nous sommes sortis et Raymond m'a offert une fine. Puis il a voulu faire une partie de billard et j'ai perdu de justesse. Il voulait ensuite aller au bordel, mais j'ai dit non parce que je n'aime pas ça. Alors nous sommes rentrés doucement et il me disait combien il était content d'avoir réussi à punir sa maîtresse. Je le trouvais très gentil avec moi et j'ai pensé que c'était un bon moment.

De loin, j'ai aperçu sur le pas de la porte le vieux Salamano qui avait l'air agité. Quand nous nous sommes rapprochés, j'ai vu qu'il n'avait pas son chien. Il regardait de tous les côtés, tournait sur lui-même, tentait de percer le noir du couloir, marmonnait des mots sans suite et recommençait à fouiller la rue de ses petits yeux rouges. Quand Raymond lui a demandé ce qu'il avait, il n'a pas répondu tout de suite. J'ai vaguement entendu qu'il murmurait : « Salaud, charogne », et il continuait à s'agiter. Je lui ai demandé où était son chien. Il m'a répondu brusquement qu'il était parti. Et puis tout d'un coup, il a parlé avec volubilité : « Je l'ai emmené au Champ de Manœuvres, comme d'habitude. Il y avait du monde, autour des baraques foraines. Je me suis arrêté pour regarder " le Roi de l'Évasion ". Et quand j'ai voulu repartir, il n'était plus là. Bien sûr, il y a longtemps que je voulais lui acheter un collier moins grand. Mais je n'aurais jamais cru que cette charogne pourrait partir comme ça. »

Raymond lui a expliqué alors que le chien avait pu s'égarer et qu'il allait revenir. Il lui a cité des exemples de chiens qui avaient fait des dizaines de kilomètres pour retrouver leur maître. Malgré cela, le vieux a eu l'air plus agité. « Mais ils me le prendront, vous comprenez. Si encore quelqu'un le recueillait. Mais ce n'est pas possible, il dégoûte tout le monde avec ses croûtes. Les agents le prendront, c'est sûr. » Je lui ai dit alors qu'il devait aller à la fourrière et qu'on le lui rendrait moyennant le paiement de quelques droits. Il m'a demandé si ces droits étaient élevés. Je ne savais pas. Alors, il s'est mis en colère : « Donner de l'argent pour cette charogne. Ah ! il peut bien crever ! » Et il s'est mis à l'insulter. Raymond a ri et a pénétré dans la maison. Je l'ai suivi et nous nous sommes quittés sur le palier de l'étage. Un moment après, j'ai entendu le pas du vieux et il a frappé à ma porte. Quand j'ai ouvert, il est resté un moment sur le seuil et m'a dit : « Excusez-moi, excusez-moi. » Je l'ai invité à entrer, mais il n'a pas voulu. Il regardait la pointe de ses souliers et ses mains croûteuses tremblaient. Sans me faire face, il m'a demandé : « Ils ne vont pas me le prendre, dites, monsieur Meursault. Ils vont me le rendre. Ou qu'est-ce que je vais devenir ? » Je lui ai dit que la fourrière gardait les chiens trois jours à la disposition de leurs propriétaires et qu'ensuite elle en faisait ce que bon lui semblait. Il m'a regardé en silence. Puis il m'a dit : « Bonsoir. » Il a fermé sa porte et je l'ai entendu aller et venir. Son lit a craqué. Et au bizarre petit bruit qui a traversé la cloison, j'ai compris qu'il pleurait. Je ne sais pas pourquoi j'ai pensé à maman. Mais il fallait que je me lève tôt le lendemain. Je n'avais pas faim et je me suis couché sans dîner.

V

Raymond m'a téléphoné au bureau. Il m'a dit qu'un de ses amis (il lui avait parlé de moi) m'invitait à passer la journée de dimanche dans son cabanon, près d'Alger. J'ai répondu que je le voulais bien, mais que j'avais promis ma journée à une amie. Raymond m'a tout de suite déclaré qu'il l'invitait aussi. La femme de son ami serait très contente de ne pas être seule au milieu d'un groupe d'hommes.

J'ai voulu raccrocher tout de suite parce que je sais que le patron n'aime pas qu'on nous téléphone de la ville. Mais Raymond m'a demandé d'attendre et il m'a dit qu'il aurait pu me transmettre cette invitation le soir, mais qu'il voulait m'avertir d'autre chose. Il avait été suivi toute la journée par un groupe d'Arabes parmi lesquels se trouvait le frère de son ancienne maîtresse. « Si tu le vois près de la maison ce soir en rentrant, avertis-moi. » J'ai dit que c'était entendu.

Peu après, le patron m'a fait appeler et sur le moment j'ai été ennuyé parce que j'ai pensé qu'il allait me dire de moins téléphoner et de mieux travailler. Ce n'était pas cela du tout. Il m'a déclaré qu'il allait me parler d'un projet encore très vague. Il voulait seulement avoir mon avis sur la question. Il avait l'intention d'installer un bureau à Paris qui traiterait ses affaires sur la place, et directement, avec les grandes compagnies et il voulait savoir si j'étais disposé à y aller. Cela me permettrait de vivre à Paris et aussi de voyager une partie de l'année. « Vous êtes jeune, et il me semble que c'est une vie qui doit vous plaire. » J'ai dit que oui mais que dans le fond cela m'était égal. Il m'a demandé alors si je n'étais pas intéressé par un changement de vie. J'ai répondu qu'on ne changeait jamais de vie, qu'en tout cas toutes se valaient[11] et que la mienne ici ne me déplaisait pas du tout. Il a eu l'air mécontent, m'a dit que je répondais toujours à côté, que je n'avais pas d'ambition[12] et que cela était désastreux dans les affaires. Je suis retourné travailler alors. J'aurais préféré ne pas le mécontenter, mais je ne voyais pas de raison pour changer ma vie. En y réfléchissant bien, je n'étais pas malheureux. Quand j'étais étudiant, j'avais beaucoup d'ambitions de ce genre. Mais quand j'ai dû abandonner mes études[13], j'ai très vite compris que tout cela était sans importance réelle.

Le soir, Marie est venue me chercher et m'a demandé si je voulais me marier avec elle. J'ai dit que cela m'était égal et que nous pourrions le faire si elle le voulait. Elle a voulu savoir alors si je l'aimais. J'ai répondu comme je l'avais déjà fait une fois, que cela ne signifiait rien mais que sans doute je ne l'aimais pas. « Pourquoi m'épouser alors ? » a-t-elle dit. Je lui ai expliqué que cela n'avait aucune importance et que si elle le désirait, nous pouvions nous marier. D'ailleurs, c'était elle qui le demandait et moi je me contentais de dire oui. Elle a observé alors que le mariage était une chose grave. J'ai répondu : « Non. » Elle s'est tue un moment et elle m'a regardé en silence. Puis elle a parlé. Elle voulait simplement savoir si j'aurais accepté la même proposition venant d'une autre femme, à qui je serais attaché de la même façon. J'ai dit : « Naturellement. » Elle s'est demandé alors si elle m'aimait et moi, je ne pouvais rien savoir sur ce point. Après un autre moment de silence, elle a murmuré que j'étais bizarre, qu'elle m'aimait sans doute à cause de cela mais que peut-être un jour je la dégoûterais pour les mêmes raisons. Comme je me taisais, n'ayant rien à ajouter, elle m'a pris le bras en souriant et elle a déclaré qu'elle voulait se marier avec moi. J'ai répondu que nous le ferions dès qu'elle le voudrait. Je lui ai parlé alors de la proposition du patron et Marie m'a dit qu'elle aimerait connaître Paris. Je lui ai appris que j'y avais vécu dans un temps et elle m'a demandé comment c'était. Je lui ai dit : « C'est sale. Il y a des pigeons et des cours noires. Les gens ont la peau blanche. »

Puis nous avons marché et traversé la ville par ses grandes rues. Les femmes étaient belles et j'ai demandé à Marie si elle le remarquait. Elle m'a dit que oui et qu'elle me comprenait.

Pendant un moment, nous n'avons plus parlé. Je voulais cependant qu'elle reste avec moi et je lui ai dit que nous pouvions dîner ensemble chez Céleste. Elle en avait bien envie, mais elle avait à faire. Nous étions près de chez moi et je lui ai dit au revoir. Elle m'a regardé : « Tu ne veux pas savoir ce que j'ai à faire ? » Je voulais bien le savoir, mais je n'y avais pas pensé et c'est ce qu'elle avait l'air de me reprocher. Alors, devant mon air empêtré, elle a encore ri et elle a eu vers moi un mouvement de tout le corps pour me tendre sa bouche.

J'ai dîné chez Céleste. J'avais déjà commencé à manger lorsqu'il est entré une bizarre petite femme qui m'a demandé si elle pouvait s'asseoir à ma table. Naturellement, elle le pouvait. Elle avait des gestes saccadés et des yeux brillants dans une petite figure de pomme. Elle s'est débarrassée de sa jaquette, s'est assise et a consulté fiévreusement la carte. Elle a appelé Céleste et a commandé immédiatement tous ses plats d'une voix à la fois précise et précipitée. En attendant les hors-d'œuvre, elle a ouvert son sac, en a sorti un petit carré de papier et un crayon, a fait d'avance l'addition, puis a tiré d'un gousset, augmentée du pourboire, la somme exacte qu'elle a placée devant elle. À ce moment, on lui a apporté des hors-d'œuvre qu'elle a engloutis à toute vitesse. En attendant le plat suivant, elle a encore sorti de son sac un crayon bleu et un magazine qui donnait les programmes radiophoniques de la semaine. Avec beaucoup de soin, elle a coché une à une presque toutes les émissions. Comme le magazine avait une douzaine de pages, elle a continué ce travail méticuleusement pendant tout le repas. J'avais déjà fini qu'elle cochait encore avec la même application. Puis elle s'est levée, a remis sa jaquette avec les mêmes gestes précis d'automate et elle est partie. Comme je n'avais rien à faire, je suis sorti aussi et je l'ai suivie un moment. Elle s'était placée sur la bordure du trottoir et avec une vitesse et une sûreté incroyables, elle suivait son chemin sans dévier et sans se retourner. J'ai fini par la perdre de vue et par revenir sur mes pas. J'ai pensé qu'elle était bizarre, mais je l'ai oubliée assez vite.

Sur le pas de ma porte, j'ai trouvé le vieux Salamano. Je l'ai fait entrer et il m'a appris que son chien était perdu, car il n'était pas à la fourrière. Les employés lui avaient dit que, peut-être, il avait été écrasé. Il avait demandé s'il n'était pas possible de le savoir dans les commissariats. On lui avait répondu qu'on ne gardait pas trace de ces choses-là, parce qu'elles arrivaient tous les jours. J'ai dit au vieux Salamano qu'il pourrait avoir un autre chien, mais il a eu raison de me faire remarquer qu'il était habitué à celui-là.

J'étais accroupi sur mon lit et Salamano s'était assis sur une chaise devant la table. Il me faisait face et il avait ses deux mains sur les genoux. Il avait gardé son vieux feutre. Il mâchonnait des bouts de phrase sous sa moustache jaunie. Il m'ennuyait un peu, mais je n'avais rien à faire et je n'avais pas sommeil. Pour dire quelque chose, je l'ai interrogé sur son chien. Il m'a dit qu'il l'avait eu après la mort de sa femme. Il s'était marié assez tard. Dans sa jeunesse, il avait eu envie de faire du théâtre : au régiment il jouait dans les vaudevilles militaires. Mais finalement, il était entré dans les chemins de fer et il ne le regrettait pas, parce que maintenant il avait une petite retraite. Il n'avait pas été heureux avec sa femme, mais dans l'ensemble il s'était bien habitué à elle. Quand elle était morte, il s'était senti très seul. Alors, il avait demandé un chien à un camarade d'atelier et il avait eu celui-là très jeune. Il avait fallu le nourrir au biberon. Mais comme un chien vit moins qu'un homme, ils avaient fini par être vieux ensemble. « Il avait mauvais caractère, m'a dit Salamano. De temps en temps, on avait des prises de bec. Mais c'était un bon chien quand même. » J'ai dit qu'il était de belle race et Salamano a eu l'air content. « Et encore, a-t-il ajouté, vous ne l'avez pas connu avant sa maladie. C'était le poil qu'il avait de plus beau. » Tous les soirs et tous les matins, depuis que le chien avait eu cette maladie de peau, Salamano le passait à la pommade. Mais selon lui, sa vraie maladie, c'était la vieillesse, et la vieillesse ne se guérit pas.

À ce moment, j'ai bâillé et le vieux m'a annoncé qu'il allait partir. Je lui ai dit qu'il pouvait rester, et que j'étais ennuyé de ce qui était arrivé à son chien : il m'a remercié. Il m'a dit que maman aimait beaucoup son chien. En parlant d'elle, il l'appelait « votre pauvre mère ». Il a émis la supposition que je devais être bien malheureux depuis que maman était morte et je n'ai rien répondu. Il m'a dit alors, très vite et avec un air gêné, qu'il savait que dans le quartier on m'avait mal jugé parce que j'avais mis ma mère à l'asile, mais il me connaissait et il savait que j'aimais beaucoup maman. J'ai répondu, je ne sais pas encore pourquoi, que j'ignorais jusqu'ici qu'on me jugeât mal à cet égard, mais que l'asile m'avait paru une chose naturelle puisque je n'avais pas assez d'argent pour faire garder maman. « D'ailleurs, ai-je ajouté, il y avait longtemps qu'elle n'avait rien à me dire et qu'elle s'ennuyait toute seule. — Oui, m'a-t-il dit, et à l'asile, du moins, on se fait des camarades. » Puis il s'est excusé. Il voulait dormir. Sa vie avait changé maintenant et il ne savait pas trop ce qu'il allait faire. Pour la première fois depuis que je le connaissais, d'un geste furtif, il m'a tendu la main et j'ai senti les écailles de sa peau. Il a souri un peu et avant de partir, il m'a dit : « J'espère que les chiens n'aboieront pas cette nuit. Je crois toujours que c'est le mien. »

VI

Le dimanche, j'ai eu de la peine à me réveiller et il a fallu que Marie m'appelle et me secoue. Nous n'avons pas mangé parce que nous voulions nous baigner tôt. Je me sentais tout à fait vide et j'avais un peu mal à la tête. Ma cigarette avait un goût amer. Marie s'est moquée de moi parce qu'elle disait que j'avais « une tête d'enterrement ». Elle avait mis une robe de toile blanche et lâché ses cheveux. Je lui ai dit qu'elle était belle, elle a ri de plaisir.

En descendant, nous avons frappé à la porte de Raymond. Il nous a répondu qu'il descendait. Dans la rue, à cause de ma fatigue et aussi parce que nous n'avions pas ouvert les persiennes, le jour, déjà tout plein de soleil, m'a frappé comme une gifle. Marie sautait de joie et n'arrêtait pas de dire qu'il faisait beau. Je me suis senti mieux et je me suis aperçu que j'avais faim. Je l'ai dit à Marie qui m'a montré son sac en toile cirée où elle avait mis nos deux maillots et une serviette. Je n'avais plus qu'à attendre et nous avons entendu Raymond fermer sa porte. Il avait un pantalon bleu et une chemise blanche à manches courtes. Mais il avait mis un canotier, ce qui a fait rire Marie, et ses avant-bras étaient très blancs sous les poils noirs. J'en étais un peu dégoûté. Il sifflait en descendant et il avait l'air très content. Il m'a dit : « Salut, vieux », et il a appelé Marie « Mademoiselle ».

La veille nous étions allés au commissariat et j'avais témoigné que la fille avait « manqué » à Raymond. Il en a été quitte pour un avertissement. On n'a pas contrôlé mon affirmation. Devant la porte, nous en avons parlé avec

Raymond, puis nous avons décidé de prendre l'autobus. La
plage n'était pas très loin, mais nous irions plus vite ainsi.
Raymond pensait que son ami serait content de nous voir
arriver tôt. Nous allions partir quand Raymond, tout d'un
coup, m'a fait signe de regarder en face. J'ai vu un groupe
d'Arabes[14] adossés à la devanture du bureau de tabac. Ils
nous regardaient en silence, mais à leur manière, ni plus ni
moins que si nous étions des pierres ou des arbres morts.
Raymond m'a dit que le deuxième à partir de la gauche était
son type, et il a eu l'air préoccupé. Il a ajouté que, pourtant,
c'était maintenant une histoire finie. Marie ne comprenait
pas très bien et nous a demandé ce qu'il y avait. Je lui ai dit
que c'étaient des Arabes qui en voulaient à Raymond. Elle a
voulu qu'on parte tout de suite. Raymond s'est redressé et
il a ri en disant qu'il fallait se dépêcher.

Nous sommes allés vers l'arrêt d'autobus qui était un
peu plus loin et Raymond m'a annoncé que les Arabes ne
nous suivaient pas. Je me suis retourné. Ils étaient toujours
à la même place et ils regardaient avec la même indifférence
l'endroit que nous venions de quitter. Nous avons pris l'autobus. Raymond, qui paraissait tout à fait soulagé, n'arrêtait
pas de faire des plaisanteries pour Marie. J'ai senti qu'elle lui
plaisait, mais elle ne lui répondait presque pas. De temps en
temps, elle le regardait en riant.

Nous sommes descendus dans la banlieue d'Alger. La plage
n'est pas loin de l'arrêt d'autobus. Mais il a fallu traverser un
petit plateau qui domine la mer et qui dévale ensuite vers la
plage. Il était couvert de pierres jaunâtres et d'asphodèles
tout blancs sur le bleu déjà dur du ciel. Marie s'amusait à en
éparpiller les pétales à grands coups de son sac de toile cirée.
Nous avons marché entre des files de petites villas à barrières vertes ou blanches, quelques-unes enfouies avec leurs
vérandas sous les tamaris, quelques autres nues au milieu des
pierres. Avant d'arriver au bord du plateau, on pouvait voir
déjà la mer immobile et plus loin un cap somnolent et massif
dans l'eau claire. Un léger bruit de moteur est monté dans
l'air calme jusqu'à nous. Et nous avons vu, très loin, un petit
chalutier qui avançait, imperceptiblement, sur la mer éclatante. Marie a cueilli quelques iris de roche. De la pente
qui descendait vers la mer nous avons vu qu'il y avait déjà
quelques baigneurs.

L'ami de Raymond habitait un petit cabanon de bois à
l'extrémité de la plage. La maison était adossée à des rochers

et les pilotis qui la soutenaient sur le devant baignaient déjà
dans l'eau. Raymond nous a présentés. Son ami s'appelait
Masson. C'était un grand type, massif de taille et d'épaules,
avec une petite femme ronde et gentille, à l'accent parisien.
Il nous a dit tout de suite de nous mettre à l'aise et qu'il y
avait une friture de poissons qu'il avait pêchés le matin
même. Je lui ai dit combien je trouvais sa maison jolie. Il m'a
appris qu'il y venait passer le samedi, le dimanche et tous ses
jours de congé. « Avec ma femme, on s'entend bien », a-t-il
ajouté. Justement, sa femme riait avec Marie. Pour la première
fois peut-être, j'ai pensé vraiment que j'allais me marier.

Masson voulait se baigner, mais sa femme et Raymond ne
voulaient pas venir. Nous sommes descendus tous les trois
et Marie s'est immédiatement jetée dans l'eau. Masson et
moi, nous avons attendu un peu. Lui parlait lentement et j'ai
remarqué qu'il avait l'habitude de compléter tout ce qu'il
avançait par un « et je dirai plus », même quand, au fond,
il n'ajoutait rien au sens de sa phrase. À propos de Marie, il
m'a dit : « Elle est épatante, et je dirai plus, charmante. » Puis
je n'ai plus fait attention à ce tic parce que j'étais occupé à
éprouver que le soleil me faisait du bien. Le sable commençait à chauffer sous les pieds. J'ai retardé encore l'envie que
j'avais de l'eau[15], mais j'ai fini par dire à Masson : « On y
va ? » J'ai plongé. Lui est entré dans l'eau doucement et s'est
jeté quand il a perdu pied. Il nageait à la brasse et assez mal,
de sorte que je l'ai laissé pour rejoindre Marie. L'eau était
froide et j'étais content de nager. Avec Marie, nous nous
sommes éloignés et nous nous sentions d'accord dans nos
gestes et dans notre contentement.

Au large, nous avons fait la planche et sur mon visage
tourné vers le ciel le soleil écartait les derniers voiles d'eau
qui me coulaient dans la bouche. Nous avons vu que Masson
regagnait la plage pour s'étendre au soleil. De loin, il paraissait énorme. Marie a voulu que nous nagions ensemble. Je
me suis mis derrière elle pour la prendre par la taille et elle
avançait à la force des bras pendant que je l'aidais en battant
des pieds. Le petit bruit de l'eau battue nous a suivis dans
le matin jusqu'à ce que je me sente fatigué. Alors j'ai laissé
Marie et je suis rentré en nageant régulièrement et en respirant bien. Sur la plage, je me suis étendu à plat ventre près
de Masson et j'ai mis ma figure dans le sable. Je lui ai dit que
« c'était bon » et il était de cet avis. Peu après, Marie est
venue. Je me suis retourné pour la regarder avancer. Elle

était toute visqueuse d'eau salée et elle tenait ses cheveux en arrière. Elle s'est allongée flanc à flanc avec moi et les deux chaleurs de son corps et du soleil m'ont un peu endormi.

Marie m'a secoué et m'a dit que Masson était remonté chez lui, il fallait déjeuner. Je me suis levé tout de suite parce que j'avais faim, mais Marie m'a dit que je ne l'avais pas embrassée depuis ce matin. C'était vrai et pourtant j'en avais envie. « Viens dans l'eau », m'a-t-elle dit. Nous avons couru pour nous étaler dans les premières petites vagues. Nous avons fait quelques brasses et elle s'est collée contre moi. J'ai senti ses jambes autour des miennes et je l'ai désirée.

Quand nous sommes revenus, Masson nous appelait déjà. J'ai dit que j'avais très faim et il a déclaré tout de suite à sa femme que je lui plaisais. Le pain était bon, j'ai dévoré ma part de poisson. Il y avait ensuite de la viande et des pommes de terre frites. Nous mangions tous sans parler. Masson buvait souvent du vin et il me servait sans arrêt. Au café, j'avais la tête un peu lourde et j'ai fumé beaucoup. Masson, Raymond et moi, nous avons envisagé de passer ensemble le mois d'août à la plage, à frais communs. Marie nous a dit tout d'un coup : « Vous savez quelle heure il est ? Il est 11 heures et demie. » Nous étions tous étonnés, mais Masson a dit qu'on avait mangé très tôt, et que c'était naturel parce que l'heure du déjeuner, c'était l'heure où l'on avait faim. Je ne sais pas pourquoi cela a fait rire Marie. Je crois qu'elle avait un peu trop bu. Masson m'a demandé alors si je voulais me promener sur la plage avec lui. « Ma femme fait toujours la sieste après le déjeuner. Moi, je n'aime pas ça. Il faut que je marche. Je lui dis toujours que c'est meilleur pour la santé. Mais après tout, c'est son droit. » Marie a déclaré qu'elle resterait pour aider Mme Masson à faire la vaisselle. La petite Parisienne a dit que pour cela, il fallait mettre les hommes dehors. Nous sommes descendus tous les trois.

Le soleil tombait presque d'aplomb sur le sable et son éclat sur la mer était insoutenable. Il n'y avait plus personne sur la plage. Dans les cabanons qui bordaient le plateau et qui surplombaient la mer, on entendait des bruits d'assiettes et de couverts. On respirait à peine dans la chaleur de pierre qui montait du sol. Pour commencer, Raymond et Masson ont parlé de choses et de gens que je ne connaissais pas. J'ai compris qu'il y avait longtemps qu'ils se connaissaient et qu'ils avaient même vécu ensemble à un moment. Nous nous sommes dirigés vers l'eau et nous avons longé la mer.

Quelquefois, une petite vague plus longue que l'autre venait mouiller nos souliers de toile. Je ne pensais à rien parce que j'étais à moité endormi par ce soleil sur ma tête nue.

À ce moment, Raymond a dit à Masson quelque chose que j'ai mal entendu. Mais j'ai aperçu en même temps, tout au bout de la plage et très loin de nous, deux Arabes en bleu de chauffe qui venaient dans notre direction. J'ai regardé Raymond et il m'a dit : « C'est lui. » Nous avons continué à marcher. Masson a demandé comment ils avaient pu nous suivre jusque-là. J'ai pensé qu'ils avaient dû nous voir prendre l'autobus avec un sac de plage, mais je n'ai rien dit.

Les Arabes avançaient lentement et ils étaient déjà beaucoup plus rapprochés. Nous n'avons pas changé notre allure, mais Raymond a dit : « S'il y a de la bagarre, toi, Masson, tu prendras le deuxième. Moi, je me charge de mon type. Toi, Meursault, s'il en arrive un autre, il est pour toi. » J'ai dit : « Oui » et Masson a mis ses mains dans les poches. Le sable surchauffé me semblait rouge maintenant. Nous avancions d'un pas égal vers les Arabes. La distance entre nous a diminué régulièrement. Quand nous avons été à quelques pas les uns des autres, les Arabes se sont arrêtés. Masson et moi nous avons ralenti notre pas. Raymond est allé tout droit vers son type. J'ai mal entendu ce qu'il lui a dit, mais l'autre a fait mine de lui donner un coup de tête. Raymond a frappé alors une première fois et il a tout de suite appelé Masson. Masson est allé à celui qu'on lui avait désigné et il a frappé deux fois avec tout son poids. L'Arabe s'est aplati dans l'eau, la face contre le fond, et il est resté quelques secondes ainsi, des bulles crevant à la surface, autour de sa tête. Pendant ce temps Raymond aussi a frappé et l'autre avait la figure en sang. Raymond s'est retourné vers moi et a dit : « Tu vas voir ce qu'il va prendre. » Je lui ai crié : « Attention, il a un couteau ! » Mais déjà Raymond avait le bras ouvert et la bouche tailladée.

Masson a fait un bond en avant. Mais l'autre Arabe s'était relevé et il s'est placé derrière celui qui était armé. Nous n'avons pas osé bouger. Ils ont reculé lentement, sans cesser de nous regarder et de nous tenir en respect avec le couteau. Quand ils ont vu qu'ils avaient assez de champ, ils se sont enfuis très vite, pendant que nous restions cloués sous le soleil et que Raymond tenait serré son bras dégouttant de sang.

Masson a dit immédiatement qu'il y avait un docteur qui

passait ses dimanches sur le plateau. Raymond a voulu y aller tout de suite. Mais chaque fois qu'il parlait, le sang de sa blessure faisait des bulles dans sa bouche. Nous l'avons soutenu et nous sommes revenus au cabanon aussi vite que possible. Là, Raymond a dit que ses blessures étaient superficielles et qu'il pouvait aller chez le docteur. Il est parti avec Masson et je suis resté pour expliquer aux femmes ce qui était arrivé. Mme Masson pleurait et Marie était très pâle. Moi, cela m'ennuyait de leur expliquer. J'ai fini par me taire et j'ai fumé en regardant la mer.

Vers 1 heure et demie, Raymond est revenu avec Masson. Il avait le bras bandé et du sparadrap au coin de la bouche. Le docteur lui avait dit que ce n'était rien, mais Raymond avait l'air très sombre. Masson a essayé de le faire rire. Mais il ne parlait toujours pas. Quand il a dit qu'il descendait sur la plage, je lui ai demandé où il allait. Il m'a répondu qu'il voulait prendre l'air. Masson et moi avons dit que nous allions l'accompagner. Alors, il s'est mis en colère et nous a insultés. Masson a déclaré qu'il ne fallait pas le contrarier. Moi, je l'ai suivi quand même.

Nous avons marché longtemps sur la plage. Le soleil était maintenant écrasant. Il se brisait en morceaux sur le sable et sur la mer. J'ai eu l'impression que Raymond savait où il allait, mais c'était sans doute faux. Tout au bout de la plage, nous sommes arrivés enfin à une petite source qui coulait dans le sable, derrière un gros rocher. Là, nous avons trouvé nos deux Arabes. Ils étaient couchés, dans leurs bleus de chauffe graisseux. Ils avaient l'air tout à fait calmes et presque contents. Notre venue n'a rien changé. Celui qui avait frappé Raymond le regardait sans rien dire. L'autre soufflait dans un petit roseau et répétait sans cesse, en nous regardant du coin de l'œil, les trois notes qu'il obtenait de son instrument.

Pendant tout ce temps, il n'y a plus eu que le soleil et ce silence, avec le petit bruit de la source et les trois notes. Puis Raymond a porté la main à sa poche revolver, mais l'autre n'a pas bougé et ils se regardaient toujours. J'ai remarqué que celui qui jouait de la flûte avait les doigts des pieds très écartés. Mais sans quitter des yeux son adversaire, Raymond m'a demandé : « Je le descends ? » J'ai pensé que si je disais non il s'exciterait tout seul et tirerait certainement. Je lui ai seulement dit : « Il ne t'a pas encore parlé. Ça ferait vilain de tirer comme ça. » On a encore entendu le petit bruit d'eau et de flûte au cœur du silence et de la chaleur. Puis Raymond a

dit : « Alors, je vais l'insulter et quand il répondra, je le descendrai. » J'ai répondu : « C'est ça. Mais s'il ne sort pas son
couteau, tu ne peux pas tirer. » Raymond a commencé à
s'exciter un peu. L'autre jouait toujours et tous deux obser-
vaient chaque geste de Raymond. « Non, ai-je dit à Raymond.
Prends-le d'homme à homme et donne-moi ton revolver. Si
l'autre intervient, ou s'il tire son couteau, je le descendrai. »

Quand Raymond m'a donné son revolver, le soleil a glissé
dessus. Pourtant, nous sommes restés encore immobiles
comme si tout s'était refermé autour de nous. Nous nous
regardions sans baisser les yeux et tout s'arrêtait ici entre
la mer, le sable et le soleil, le double silence de la flûte et
de l'eau. J'ai pensé à ce moment qu'on pouvait tirer ou ne
pas tirer. Mais brusquement, les Arabes, à reculons, se sont
coulés derrière le rocher. Raymond et moi sommes alors
revenus sur nos pas. Lui paraissait mieux et il a parlé de l'autobus du retour.

Je l'ai accompagné jusqu'au cabanon et, pendant qu'il
gravissait l'escalier de bois, je suis resté devant la première
marche, la tête retentissante de soleil, découragé devant l'effort qu'il fallait faire pour monter l'étage de bois et aborder encore les femmes. Mais la chaleur était telle qu'il m'était
pénible aussi de rester immobile sous la pluie aveuglante qui
tombait du ciel. Rester ici ou partir, cela revenait au même.
Au bout d'un moment, je suis retourné vers la plage et je me
suis mis à marcher.

C'était le même éclatement rouge[16]. Sur le sable, la mer
haletait de toute la respiration rapide et étouffée de ses
petites vagues. Je marchais lentement vers les rochers et je
sentais mon front se gonfler sous le soleil. Toute cette chaleur s'appuyait sur moi et s'opposait à mon avance. Et chaque
fois que je sentais son grand souffle chaud sur mon visage,
je serrais les dents, je fermais les poings dans les poches de
mon pantalon, je me tendais tout entier pour triompher du
soleil et de cette ivresse opaque qu'il me déversait. À chaque
épée de lumière jaillie du sable, d'un coquillage blanchi ou
d'un débris de verre, mes mâchoires se crispaient. J'ai marché longtemps.

Je voyais de loin la petite masse sombre du rocher entourée d'un halo aveuglant par la lumière et la poussière de mer.
Je pensais à la source fraîche derrière le rocher. J'avais envie
de retrouver le murmure de son eau, envie de fuir le soleil,
l'effort et les pleurs de femme, envie de retrouver l'ombre et

son repos. Mais quand j'ai été plus près, j'ai vu que le type de Raymond était revenu.

Il était seul. Il reposait sur le dos, les mains sous la nuque, le front dans les ombres du rocher, tout le corps au soleil. Son bleu de chauffe fumait dans la chaleur. J'ai été un peu surpris. Pour moi, c'était une histoire finie et j'étais venu là sans y penser.

Dès qu'il m'a vu, il s'est soulevé un peu et a mis la main dans sa poche. Moi, naturellement, j'ai serré le revolver de Raymond dans mon veston. Alors de nouveau, il s'est laissé aller en arrière, mais sans retirer la main de sa poche. J'étais assez loin de lui, à une dizaine de mètres. Je devinais son regard par instants, entre ses paupières mi-closes. Mais le plus souvent, son image dansait devant mes yeux, dans l'air enflammé. Le bruit des vagues était encore plus paresseux, plus étale qu'à midi. C'était le même soleil, la même lumière sur le même sable qui se prolongeait ici. Il y avait déjà deux heures que la journée n'avançait plus, deux heures qu'elle avait jeté l'ancre dans un océan de métal bouillant. À l'horizon, un petit vapeur est passé et j'en ai deviné la tache noire au bord de mon regard, parce que je n'avais pas cessé de regarder l'Arabe.

J'ai pensé que je n'avais qu'un demi-tour à faire et ce serait fini. Mais toute une plage vibrante de soleil se pressait derrière moi. J'ai fait quelques pas vers la source. L'Arabe n'a pas bougé. Malgré tout, il était encore assez loin. Peut-être à cause des ombres sur son visage, il avait l'air de rire. J'ai attendu. La brûlure du soleil gagnait mes joues et j'ai senti des gouttes de sueur s'amasser dans mes sourcils. C'était le même soleil que le jour où j'avais enterré maman et, comme alors, le front surtout me faisait mal et toutes ses veines battaient ensemble sous la peau. À cause de cette brûlure que je ne pouvais plus supporter, j'ai fait un mouvement en avant. Je savais que c'était stupide, que je ne me débarrasserais pas du soleil en me déplaçant d'un pas. Mais j'ai fait un pas, un seul pas en avant[17]. Et cette fois, sans se soulever, l'Arabe a tiré son couteau qu'il m'a présenté dans le soleil. La lumière a giclé sur l'acier et c'était comme une longue lame étincelante qui m'atteignait au front. Au même instant, la sueur amassée dans mes sourcils a coulé d'un coup sur les paupières et les a recouvertes d'un voile tiède et épais. Mes yeux étaient aveuglés derrière ce rideau de larmes et de sel. Je ne sentais plus que les cymbales du soleil sur mon front et,

indistinctement, le glaive éclatant jailli du couteau toujours
en face de moi. Cette épée brûlante rongeait mes cils et
fouillait mes yeux douloureux. C'est alors que tout a vacillé.
La mer a charrié un souffle épais et ardent. Il m'a semblé que
le ciel s'ouvrait sur toute son étendue pour laisser pleuvoir
du feu. Tout mon être s'est tendu et j'ai crispé ma main sur
le revolver. La gâchette a cédé, j'ai touché le ventre poli de
la crosse et c'est là, dans le bruit à la fois sec et assourdissant, que tout a commencé. J'ai secoué la sueur et le soleil.
J'ai compris que j'avais détruit l'équilibre du jour, le silence
exceptionnel d'une plage où j'avais été heureux. Alors, j'ai
tiré encore quatre fois sur un corps inerte où les balles s'enfonçaient sans qu'il y parût. Et c'était comme quatre coups
brefs que je frappais sur la porte du malheur.

I

Tout de suite après mon arrestation, j'ai été interrogé plusieurs fois. Mais il s'agissait d'interrogatoires d'identité qui n'ont pas duré longtemps. La première fois au commissariat, mon affaire semblait n'intéresser personne. Huit jours après, le juge d'instruction, au contraire, m'a regardé avec curiosité. Mais pour commencer, il m'a seulement demandé mon nom et mon adresse, ma profession, la date et le lieu de ma naissance. Puis il a voulu savoir si j'avais choisi un avocat. J'ai reconnu que non et je l'ai questionné pour savoir s'il était absolument nécessaire d'en avoir un. « Pourquoi ? » a-t-il dit. J'ai répondu que je trouvais mon affaire très simple. Il a souri en disant : « C'est un avis. Pourtant, la loi est là. Si vous ne choisissez pas d'avocat, nous en désignerons un d'office. » J'ai trouvé qu'il était très commode que la justice se chargeât de ces détails. Je le lui ai dit. Il m'a approuvé et a conclu que la loi était bien faite.

Au début, je ne l'ai pas pris au sérieux. Il m'a reçu dans une pièce tendue de rideaux, il avait sur son bureau une seule lampe qui éclairait le fauteuil où il m'a fait asseoir pendant que lui-même restait dans l'ombre. J'avais déjà lu une description semblable dans des livres et tout cela m'a paru un jeu. Après notre conversation, au contraire, je l'ai regardé et j'ai vu un homme aux traits fins, aux yeux bleus enfoncés, grand, avec une longue moustache grise et d'abondants cheveux presque blancs. Il m'a paru très raisonnable et, somme toute, sympathique, malgré quelques tics nerveux qui lui tiraient la bouche. En sortant, j'allais même lui tendre la main, mais je me suis souvenu à temps que j'avais tué un homme.

Le lendemain, un avocat est venu me voir à la prison. Il était petit et rond, assez jeune, les cheveux soigneusement collés. Malgré la chaleur (j'étais en manches de chemise), il avait un costume sombre, un col cassé et une cravate bizarre à grosses raies noires et blanches. Il a posé sur mon lit la serviette qu'il portait sous le bras, s'est présenté et m'a dit qu'il avait étudié mon dossier. Mon affaire était délicate, mais il ne doutait pas du succès, si je lui faisais confiance. Je l'ai remercié et il m'a dit : « Entrons dans le vif du sujet[1]. »

Il s'est assis sur le lit et m'a expliqué qu'on avait pris des renseignements sur ma vie privée. On avait su que ma mère était morte récemment à l'asile. On avait alors fait une enquête à Marengo. Les instructeurs avaient appris que « j'avais fait preuve d'insensibilité » le jour de l'enterrement de maman. « Vous comprenez, m'a dit mon avocat, cela me gêne un peu de vous demander cela. Mais c'est très important. Et ce sera un gros argument pour l'accusation, si je ne trouve rien à répondre. » Il voulait que je l'aide. Il m'a demandé si j'avais eu de la peine ce jour-là. Cette question m'a beaucoup étonné et il me semblait que j'aurais été très gêné si j'avais eu à la poser. J'ai répondu cependant que j'avais un peu perdu l'habitude de m'interroger et qu'il m'était difficile de le renseigner. Sans doute, j'aimais bien maman, mais cela ne voulait rien dire. Tous les êtres sains avaient plus ou moins souhaité la mort de ceux qu'ils aimaient. Ici, l'avocat m'a coupé et a paru très agité. Il m'a fait promettre de ne pas dire cela à l'audience, ni chez le magistrat instructeur. Cependant, je lui ai expliqué que j'avais une nature telle que mes besoins physiques dérangeaient souvent mes sentiments. Le jour où j'avais enterré maman, j'étais très fatigué et j'avais sommeil. De sorte que je ne me suis pas rendu compte de ce qui se passait. Ce que je pouvais dire à coup sûr, c'est que j'aurais préféré que maman ne mourût pas. Mais mon avocat n'avait pas l'air content. Il m'a dit : « Ceci n'est pas assez. »

Il a réfléchi. Il m'a demandé s'il pouvait dire que ce jour-là j'avais dominé mes sentiments naturels. Je lui ai dit : « Non, parce que c'est faux. » Il m'a regardé d'une façon bizarre, comme si je lui inspirais un peu de dégoût. Il m'a dit presque méchamment que dans tous les cas le directeur et le personnel de l'asile seraient entendus comme témoins et que « cela pouvait me jouer un très sale tour ». Je lui ai fait remarquer que cette histoire n'avait pas de rapport avec mon affaire, mais il m'a répondu seulement qu'il était visible que je n'avais jamais eu de rapports avec la justice.

Il est parti avec un air fâché. J'aurais voulu le retenir, lui expliquer que je désirais sa sympathie, non pour être mieux défendu, mais, si je puis dire, naturellement. Surtout, je voyais que je le mettais mal à l'aise. Il ne me comprenait pas et il m'en voulait un peu. J'avais le désir de lui affirmer que j'étais comme tout le monde, absolument comme tout le monde. Mais tout cela, au fond, n'avait pas grande utilité et j'y ai renoncé par paresse.

Peu de temps après, j'étais conduit de nouveau devant le juge d'instruction. Il était 2 heures de l'après-midi et cette fois, son bureau était plein d'une lumière à peine tamisée par un rideau de voile. Il faisait très chaud. Il m'a fait asseoir et avec beaucoup de courtoisie m'a déclaré que mon avocat, « par suite d'un contretemps », n'avait pu venir. Mais j'avais le droit de ne pas répondre à ses questions et d'attendre que mon avocat pût m'assister. J'ai dit que je pouvais répondre seul. Il a touché du doigt un bouton sur la table. Un jeune greffier est venu s'installer presque dans mon dos.

Nous nous sommes tous les deux carrés dans nos fauteuils. L'interrogatoire a commencé. Il m'a d'abord dit qu'on me dépeignait comme étant d'un caractère taciturne et renfermé et il a voulu savoir ce que j'en pensais. J'ai répondu : « C'est que je n'ai jamais grand-chose à dire. Alors je me tais. » Il a souri comme la première fois, a reconnu que c'était la meilleure des raisons et a ajouté : « D'ailleurs, cela n'a aucune importance. » Il s'est tu, m'a regardé et s'est redressé assez brusquement pour me dire très vite : « Ce qui m'intéresse, c'est vous. » Je n'ai pas bien compris ce qu'il entendait par là et je n'ai rien répondu. « Il y a des choses, a-t-il ajouté, qui m'échappent dans votre geste. Je suis sûr que vous allez m'aider à les comprendre. » J'ai dit que tout était très simple. Il m'a pressé de lui retracer ma journée. Je lui ai retracé ce que déjà je lui avais raconté : Raymond, la plage, le bain, la querelle, encore la plage, la petite source, le soleil et les cinq coups de revolver. À chaque phrase il disait : « Bien, bien. » Quand je suis arrivé au corps étendu, il a approuvé en disant : « Bon. » Moi, j'étais lassé de répéter ainsi la même histoire et il me semblait que je n'avais jamais autant parlé.

Après un silence, il s'est levé et m'a dit qu'il voulait m'aider, que je l'intéressais et qu'avec l'aide de Dieu, il ferait

quelque chose pour moi. Mais auparavant, il voulait me poser
encore quelques questions. Sans transition, il m'a demandé
si j'aimais maman. J'ai dit : « Oui, comme tout le monde » et
le greffier, qui jusqu'ici tapait régulièrement sur sa machine,
a dû se tromper de touches, car il s'est embarrassé et a été
obligé de revenir en arrière. Toujours sans logique apparente, le juge m'a alors demandé si j'avais tiré les cinq
coups de revolver à la suite. J'ai réfléchi et précisé que j'avais
tiré une seule fois d'abord et, après quelques secondes, les
quatre autres coups. « Pourquoi avez-vous attendu entre le
premier et le second coup ? » dit-il alors. Une fois de plus,
j'ai revu la plage rouge et j'ai senti sur mon front la brûlure
du soleil. Mais cette fois, je n'ai rien répondu. Pendant tout
le silence qui a suivi le juge a eu l'air de s'agiter. Il s'est assis,
a fourragé dans ses cheveux, a mis ses coudes sur son bureau
et s'est penché un peu vers moi avec un air étrange : « Pourquoi, pourquoi avez-vous tiré sur un corps à terre ? » Là
encore, je n'ai pas su répondre. Le juge a passé ses mains sur
son front et a répété sa question d'une voix un peu altérée :
« Pourquoi ? Il faut que vous me le disiez. Pourquoi ? » Je me
taisais toujours.

Brusquement, il s'est levé, a marché à grands pas vers
une extrémité de son bureau et a ouvert un tiroir dans un
classeur. Il en a tiré un crucifix d'argent qu'il a brandi en
revenant vers moi. Et d'une voix toute changée, presque
tremblante, il s'est écrié : « Est-ce que vous le connaissez,
celui-là ? » J'ai dit : « Oui, naturellement. » Alors il m'a dit
très vite et d'une façon passionnée que lui croyait en Dieu,
que sa conviction était qu'aucun homme n'était assez coupable pour que Dieu ne lui pardonnât pas, mais qu'il fallait
pour cela que l'homme par son repentir devînt comme un
enfant dont l'âme est vide et prête à tout accueillir. Il avait
tout son corps penché sur la table. Il agitait son crucifix
presque au-dessus de moi. À vrai dire, je l'avais très mal suivi
dans son raisonnement, d'abord parce que j'avais chaud et
qu'il y avait dans son cabinet de grosses mouches qui se
posaient sur ma figure, et aussi parce qu'il me faisait un peu
peur. Je reconnaissais en même temps que c'était ridicule
parce que, après tout, c'était moi le criminel. Il a continué
pourtant. J'ai à peu près compris qu'à son avis il n'y avait
qu'un point d'obscur dans ma confession, le fait d'avoir
attendu pour tirer mon second coup de revolver. Pour le
reste, c'était très bien, mais cela, il ne le comprenait pas.

J'allais lui dire qu'il avait tort de s'obstiner : ce dernier
point n'avait pas tellement d'importance. Mais il m'a coupé
et m'a exhorté une dernière fois, dressé de toute sa hauteur,
en me demandant si je croyais en Dieu. J'ai répondu que
non. Il s'est assis avec indignation. Il m'a dit que c'était
impossible, que tous les hommes croyaient en Dieu, même
ceux qui se détournaient de son visage. C'était là sa conviction et, s'il devait jamais en douter, sa vie n'aurait plus de
sens. « Voulez-vous, s'est-il exclamé, que ma vie n'ait pas
de sens ? » À mon avis, cela ne me regardait pas et je le lui
ai dit. Mais à travers la table, il avançait déjà le Christ sous
mes yeux et s'écriait d'une façon déraisonnable : « Moi, je
suis chrétien. Je demande pardon de tes fautes à celui-là.
Comment peux-tu ne pas croire qu'il a souffert pour toi ? »
J'ai bien remarqué qu'il me tutoyait, mais j'en avais assez. La
chaleur se faisait de plus en plus grande. Comme toujours,
quand j'ai envie de me débarrasser de quelqu'un que j'écoute
à peine, j'ai eu l'air d'approuver. À ma surprise, il a triomphé : « Tu vois, tu vois, disait-il. N'est-ce pas que tu crois et
que tu vas te confier à lui ? » Évidemment, j'ai dit non une
fois de plus. Il est retombé sur son fauteuil.

Il avait l'air très fatigué. Il est resté un moment silencieux pendant que la machine, qui n'avait pas cessé de suivre
le dialogue, en prolongeait encore les dernières phrases.
Ensuite, il m'a regardé attentivement et avec un peu de
tristesse. Il a murmuré : « Je n'ai jamais vu d'âme aussi
endurcie que la vôtre. Les criminels qui sont venus devant
moi ont toujours pleuré devant cette image de la douleur. »
J'allais répondre que c'était justement parce qu'il s'agissait de
criminels. Mais j'ai pensé que moi aussi j'étais comme eux.
C'était une idée à quoi je ne pouvais pas me faire. Le juge
s'est alors levé, comme s'il me signifiait que l'interrogatoire
était terminé. Il m'a seulement demandé du même air un peu
las si je regrettais mon acte. J'ai réfléchi et j'ai dit que, plutôt
que du regret véritable, j'éprouvais un certain ennui[2]. J'ai eu
l'impression qu'il ne me comprenait pas. Mais ce jour-là les
choses ne sont pas allées plus loin.

Par la suite j'ai souvent revu le juge d'instruction. Seulement, j'étais accompagné de mon avocat à chaque fois. On
se bornait à me faire préciser certains points de mes déclarations précédentes. Ou bien encore le juge discutait les
charges avec mon avocat. Mais en vérité ils ne s'occupaient
jamais de moi à ces moments-là. Peu à peu en tout cas, le

ton des interrogatoires a changé. Il semblait que le juge ne s'intéressât plus à moi et qu'il eût classé mon cas en quelque sorte. Il ne m'a plus parlé de Dieu et je ne l'ai jamais revu dans l'excitation de ce premier jour. Le résultat, c'est que nos entretiens sont devenus plus cordiaux. Quelques questions, un peu de conversation avec mon avocat, les interrogatoires étaient finis. Mon affaire suivait son cours, selon l'expression même du juge. Quelquefois aussi, quand la conversation était d'ordre général, on m'y mêlait. Je commençais à respirer. Personne, en ces heures-là, n'était méchant avec moi. Tout était si naturel, si bien réglé et si sobrement joué que j'avais l'impression ridicule de « faire partie de la famille ». Et au bout des onze mois qu'a duré cette instruction, je peux dire que je m'étonnais presque de m'être jamais réjoui d'autre chose que de ces rares instants où le juge me reconduisait à la porte de son cabinet en me frappant sur l'épaule et en me disant d'un air cordial : « C'est fini pour aujourd'hui, monsieur l'Antéchrist. » On me remettait alors entre les mains des gendarmes.

II

Il y a des choses dont je n'ai jamais aimé parler. Quand je suis entré en prison, j'ai compris au bout de quelques jours que je n'aimerais pas parler de cette partie de ma vie.

Plus tard, je n'ai plus trouvé d'importance à ces répugnances. En réalité, je n'étais pas réellement en prison les premiers jours : j'attendais vaguement quelque événement nouveau. C'est seulement après la première et la seule visite de Marie que tout a commencé. Du jour où j'ai reçu sa lettre (elle me disait qu'on ne lui permettait plus de venir parce qu'elle n'était pas ma femme), de ce jour-là, j'ai senti que j'étais chez moi dans ma cellule et que ma vie s'y arrêtait. Le jour de mon arrestation, on m'a d'abord enfermé dans une chambre où il y avait déjà plusieurs détenus, la plupart des Arabes. Ils ont ri en me voyant. Puis ils m'ont demandé ce que j'avais fait. J'ai dit que j'avais tué un Arabe et ils sont restés silencieux. Mais un moment après, le soir est tombé. Ils m'ont expliqué comment il fallait arranger la natte où je devais coucher. En roulant une des extrémités, on pouvait en faire un traversin. Toute la nuit, des punaises ont couru sur mon visage. Quelques jours après, on m'a isolé dans une cellule où je couchais sur un bat-flanc de bois. J'avais un baquet d'aisances et une cuvette de fer. La prison était tout en haut de la ville et, par une petite fenêtre, je pouvais voir la mer. C'est un jour que j'étais agrippé aux barreaux, mon visage tendu vers la lumière, qu'un gardien est entré et m'a dit que j'avais une visite. J'ai pensé que c'était Marie. C'était bien elle.

J'ai suivi pour aller au parloir un long corridor, puis un escalier et pour finir un autre couloir. Je suis entré dans une très grande salle éclairée par une vaste baie. La salle était séparée en trois parties par deux grandes grilles qui la coupaient dans sa longueur. Entre les deux grilles se trouvait un espace de huit à dix mètres qui séparait les visiteurs des prisonniers. J'ai aperçu Marie en face de moi avec sa robe à raies et son visage bruni. De mon côté, il y avait une dizaine de détenus, des Arabes pour la plupart. Marie était entourée de Mauresques et se trouvait entre deux visiteuses : une petite vieille aux lèvres serrées, habillée de noir, et une grosse femme en cheveux qui parlait très fort avec beaucoup de gestes. À cause de la distance entre les grilles, les visiteurs et les prisonniers étaient obligés de parler très haut. Quand je suis entré, le bruit des voix qui rebondissaient contre les grands murs nus de la salle, la lumière crue qui coulait du ciel sur les vitres et rejaillissait dans la salle, me causèrent une sorte d'étourdissement. Ma cellule était plus calme et plus sombre. Il m'a fallu quelques secondes pour m'adapter. Pourtant, j'ai fini par voir chaque visage avec netteté, détaché dans le plein jour. J'ai observé qu'un gardien se tenait assis à l'extrémité du couloir entre les deux grilles. La plupart des prisonniers arabes ainsi que leurs familles s'étaient accroupis en vis-à-vis. Ceux-là ne criaient pas. Malgré le tumulte, ils parvenaient à s'entendre en parlant très bas. Leur murmure sourd, parti de plus bas, formait comme une basse continue aux conversations qui s'entrecroisaient au-dessus de leurs têtes. Tout cela, je l'ai remarqué très vite en m'avançant vers Marie. Déjà collée contre la grille, elle me souriait de toutes ses forces. Je l'ai trouvée très belle, mais je n'ai pas su le lui dire.

« Alors ? » m'a-t-elle dit très haut. « Alors, voilà. — Tu es bien, tu as tout ce que tu veux ? — Oui, tout. »

Nous nous sommes tus et Marie souriait toujours. La

grosse femme hurlait vers mon voisin, son mari sans doute, un grand type blond au regard franc. C'était la suite d'une conversation déjà commencée.

« Jeanne n'a pas voulu le prendre », criait-elle à tue-tête. « Oui, oui », disait l'homme. « Je lui ai dit que tu le reprendrais en sortant, mais elle n'a pas voulu le prendre. »

Marie a crié de son côté que Raymond me donnait le bonjour et j'ai dit : Merci. » Mais ma voix a été couverte par mon voisin qui a demandé « s'il allait bien ». Sa femme a ri en disant « qu'il ne s'était jamais mieux porté ». Mon voisin de gauche, un petit jeune homme aux mains fines, ne disait rien. J'ai remarqué qu'il était en face de la petite vieille et que tous les deux se regardaient avec intensité. Mais je n'ai pas eu le temps de les observer plus longtemps parce que Marie m'a crié qu'il fallait espérer. J'ai dit : « Oui. » En même temps, je la regardais et j'avais envie de serrer son épaule par-dessus sa robe. J'avais envie de ce tissu fin et je ne savais pas très bien ce qu'il fallait espérer en dehors de lui. Mais c'était bien sans doute ce que Marie voulait dire parce qu'elle souriait toujours. Je ne voyais plus que l'éclat de ses dents et les petits plis de ses yeux. Elle a crié de nouveau : « Tu sortiras et on se mariera ! » J'ai répondu : « Tu crois ? » mais c'était surtout pour dire quelque chose. Elle a dit alors très vite et toujours très haut que oui, que je serais acquitté et qu'on prendrait encore des bains. Mais l'autre femme hurlait de son côté et disait qu'elle avait laissé un panier au greffe. Elle énumérait tout ce qu'elle y avait mis. Il fallait vérifier, car tout cela coûtait cher. Mon autre voisin et sa mère se regardaient toujours. Le murmure des Arabes continuait au-dessous de nous. Dehors la lumière a semblé se gonfler contre la baie.

Je me sentais un peu malade et j'aurais voulu partir. Le bruit me faisait mal. Mais d'un autre côté, je voulais profiter encore de la présence de Marie. Je ne sais pas combien de temps a passé. Marie m'a parlé de son travail et elle souriait sans arrêt. Le murmure, les cris, les conversations se croisaient. Le seul îlot de silence était à côté de moi dans ce petit jeune homme et cette vieille qui se regardaient. Peu à peu, on a emmené les Arabes. Presque tout le monde s'est tu dès que le premier est sorti. La petite vieille s'est rapprochée des barreaux et, au même moment, un gardien a fait signe à son fils. Il a dit : « Au revoir, maman » et elle a passé sa main entre deux barreaux pour lui faire un petit signe lent et prolongé.

Elle est partie pendant qu'un homme entrait, le chapeau à la main, et prenait sa place. On a introduit un prisonnier et ils se sont parlé avec animation, mais à demi-voix, parce que la pièce était redevenue silencieuse. On est venu chercher mon voisin de droite et sa femme lui a dit sans baisser le ton comme si elle n'avait pas remarqué qu'il n'était plus nécessaire de crier : « Soigne-toi bien et fais attention. » Puis est venu mon tour. Marie a fait signe qu'elle m'embrassait. Je me suis retourné avant de disparaître. Elle était immobile, le visage écrasé contre la grille, avec le même sourire écartelé et crispé.

C'est peu après qu'elle m'a écrit. Et c'est à partir de ce moment qu'ont commencé les choses dont je n'ai jamais aimé parler. De toute façon, il ne faut rien exagérer et cela m'a été plus facile qu'à d'autres. Au début de ma détention, pourtant, ce qui a été le plus dur, c'est que j'avais des pensées d'homme libre. Par exemple, l'envie me prenait d'être sur une plage et de descendre vers la mer. À imaginer le bruit des premières vagues sous la plante de mes pieds, l'entrée du corps dans l'eau et la délivrance que j'y trouvais, je sentais tout d'un coup combien les murs de ma prison étaient rapprochés. Mais cela dura quelques mois. Ensuite, je n'avais que des pensées de prisonnier. J'attendais la promenade quotidienne que je faisais dans la cour ou la visite de mon avocat. Je m'arrangeais très bien avec le reste de mon temps. J'ai souvent pensé alors que si l'on m'avait fait vivre dans un tronc d'arbre sec, sans autre occupation que de regarder la fleur du ciel au-dessus de ma tête, je m'y serais peu à peu habitué. J'aurais attendu des passages d'oiseaux ou des rencontres de nuages[3] comme j'attendais ici les curieuses cravates de mon avocat et comme, dans un autre monde, je patientais jusqu'au samedi pour étreindre le corps de Marie. Or, à bien réfléchir, je n'étais pas dans un arbre sec. Il y avait plus malheureux que moi. C'était d'ailleurs une idée de maman et elle le répétait souvent, qu'on finissait par s'habituer à tout.

Du reste, je n'allais pas si loin d'ordinaire. Les premiers mois ont été durs. Mais justement l'effort que j'ai dû faire aidait à les passer. Par exemple, j'étais tourmenté par le désir d'une femme. C'était naturel, j'étais jeune. Je ne pensais jamais à Marie particulièrement. Mais je pensais tellement à une femme, aux femmes, à toutes celles que j'avais connues, à toutes les circonstances où je les avais aimées, que ma cellule s'emplissait de tous les visages et se peuplait de mes désirs. Dans un sens, cela me déséquilibrait. Mais dans un autre, cela tuait le temps. J'avais fini par gagner la sympathie du gardien-chef qui accompagnait à l'heure des repas le garçon de cuisine. C'est lui qui, d'abord, m'a parlé des femmes. Il m'a dit que c'était la première chose dont se plaignaient les autres. Je lui ai dit que j'étais comme eux et que je trouvais ce traitement injuste. « Mais, a-t-il dit, c'est justement pour ça qu'on vous met en prison. — Comment, pour ça ? — Mais oui, la liberté, c'est ça. On vous prive de la liberté. » Je n'avais jamais pensé à cela. Je l'ai approuvé : « C'est vrai, lui ai-je dit, où serait la punition ? — Oui, vous comprenez les choses, vous. Les autres non. Mais ils finissent par se soulager eux-mêmes. » Le gardien est parti ensuite.

Il y a eu aussi les cigarettes. Quand je suis entré en prison, on m'a pris ma ceinture, mes cordons de souliers, ma cravate et tout ce que je portais dans mes poches, mes cigarettes en particulier. Une fois en cellule, j'ai demandé qu'on me les rende. Mais on m'a dit que c'était défendu. Les premiers jours ont été très durs. C'est peut-être cela qui m'a le plus abattu. Je suçais des morceaux de bois que j'arrachais de la planche de mon lit. Je promenais toute la journée une nausée perpétuelle. Je ne comprenais pas pourquoi on me privait de cela qui ne faisait de mal à personne. Plus tard, j'ai compris que cela faisait partie aussi de la punition. Mais à ce moment-là, je m'étais habitué à ne plus fumer et cette punition n'en était plus une pour moi.

À part ces ennuis, je n'étais pas trop malheureux. Toute la question, encore une fois, était de tuer le temps. J'ai fini par ne plus m'ennuyer du tout à partir de l'instant où j'ai appris à me souvenir. Je me mettais quelquefois à penser à ma chambre et, en imagination, je partais d'un coin pour y revenir en dénombrant mentalement tout ce qui se trouvait sur mon chemin. Au début, c'était vite fait. Mais chaque fois que je recommençais, c'était un peu plus long. Car je me souvenais de chaque meuble, et, pour chacun d'entre eux, de chaque objet qui s'y trouvait et, pour chaque objet, de tous les détails et pour les détails eux-mêmes, une incrustation, une fêlure ou un bord ébréché, de leur couleur ou de leur grain. En même temps, j'essayais de ne pas perdre le fil de mon inventaire, de faire une énumération complète. Si bien qu'au bout de quelques semaines, je pouvais passer des heures, rien qu'à dénombrer ce qui se trouvait dans ma chambre.

Ainsi, plus je réfléchissais et plus de choses méconnues et oubliées je sortais de ma mémoire. J'ai compris alors qu'un homme qui n'aurait vécu qu'un seul jour pourrait sans peine vivre cent ans dans une prison. Il aurait assez de souvenirs pour ne pas s'ennuyer. Dans un sens, c'était un avantage.

Il y avait aussi le sommeil. Au début, je dormais mal la nuit et pas du tout le jour. Peu à peu, mes nuits ont été meilleures et j'ai pu dormir aussi le jour. Je peux dire que, dans les derniers mois, je dormais de seize à dix-huit heures par jour. Il me restait alors six heures à tuer avec les repas, les besoins naturels, mes souvenirs et l'histoire du Tchécoslovaque.

Entre ma paillasse et la planche du lit, j'avais trouvé, en effet, un vieux morceau de journal presque collé à l'étoffe, jauni et transparent. Il relatait un fait divers dont le début manquait, mais qui avait dû se passer en Tchécoslovaquie. Un homme était parti d'un village tchèque pour faire fortune. Au bout de vingt-cinq ans, riche, il était revenu avec une femme et un enfant. Sa mère tenait un hôtel avec sa sœur dans son village natal. Pour les surprendre, il avait laissé sa femme et son enfant dans un autre établissement, était allé chez sa mère qui ne l'avait pas reconnu quand il était entré. Par plaisanterie, il avait eu l'idée de prendre une chambre. Il avait montré son argent. Dans la nuit, sa mère et sa sœur l'avaient assassiné à coups de marteau pour le voler et avaient jeté son corps dans la rivière. Le matin, la femme était venue, avait révélé sans le savoir l'identité du voyageur. La mère s'était pendue. La sœur s'était jetée dans un puits. J'ai dû lire cette histoire des milliers de fois. D'un côté, elle était invraisemblable. D'un autre, elle était naturelle. De toute façon, je trouvais que le voyageur l'avait un peu mérité et qu'il ne faut jamais jouer.

Ainsi, avec les heures de sommeil, les souvenirs, la lecture de mon fait divers et l'alternance de la lumière et de l'ombre, le temps a passé. J'avais bien lu qu'on finissait par perdre la notion du temps en prison. Mais cela n'avait pas beaucoup de sens pour moi. Je n'avais pas compris à quel point les jours pouvaient être à la fois longs et courts[4]. Longs à vivre sans doute, mais tellement distendus qu'ils finissaient par déborder les uns sur les autres. Ils y perdaient leur nom. Les mots hier ou demain étaient les seuls qui gardaient un sens pour moi.

Lorsqu'un jour, le gardien m'a dit que j'étais là depuis

cinq mois, je l'ai cru, mais je ne l'ai pas compris. Pour moi, c'était sans cesse le même jour qui déferlait dans ma cellule et la même tâche que je poursuivais. Ce jour-là, après le départ du gardien, je me suis regardé dans ma gamelle de fer. Il m'a semblé que mon image restait sérieuse alors même que j'essayais de lui sourire. Je l'ai agitée devant moi. J'ai souri et elle a gardé le même air sévère et triste. Le jour finissait et c'était l'heure dont je ne veux pas parler, l'heure sans nom, où les bruits du soir montaient de tous les étages de la prison dans un cortège de silence. Je me suis approché de la lucarne et, dans la dernière lumière, j'ai contemplé une fois de plus mon image. Elle était toujours sérieuse, et quoi d'étonnant puisque, à ce moment, je l'étais aussi ? Mais en même temps et pour la première fois depuis des mois, j'ai entendu distinctement le son de ma voix. Je l'ai reconnue pour celle qui résonnait déjà depuis de longs jours à mes oreilles et j'ai compris que pendant tout ce temps j'avais parlé seul. Je me suis souvenu alors de ce que disait l'infirmière à l'enterrement de maman. Non, il n'y avait pas d'issue et personne ne peut imaginer ce que sont les soirs dans les prisons.

III

Je peux dire qu'au fond l'été a très vite remplacé l'été. Je savais qu'avec la montée des premières chaleurs surviendrait quelque chose de nouveau pour moi. Mon affaire était inscrite à la dernière session de la cour d'assises et cette session se terminerait avec le mois de juin. Les débats se sont ouverts avec, au-dehors, tout le plein du soleil. Mon avocat m'avait assuré qu'ils ne dureraient pas plus de deux ou trois jours. « D'ailleurs, avait-il ajouté, la cour sera pressée parce que votre affaire n'est pas la plus importante de la session. Il y a un parricide qui passera tout de suite après. »

À 7 heures et demie du matin, on est venu me chercher et la voiture cellulaire m'a conduit au palais de justice. Les deux gendarmes m'ont fait entrer dans une petite pièce qui sentait l'ombre. Nous avons attendu, assis près d'une porte derrière laquelle on entendait des voix, des appels, des bruits de chaises et tout un remue-ménage qui m'a fait penser à ces fêtes de quartier où, après le concert, on range la salle pour pouvoir danser. Les gendarmes m'ont dit qu'il fallait attendre la cour et l'un d'eux m'a offert une cigarette que j'ai refusée. Il m'a demandé peu après « si j'avais le trac ». J'ai répondu que non. Et même, dans un sens, cela m'intéressait de voir un procès. Je n'en avais jamais eu l'occasion dans ma vie : « Oui, a dit le second gendarme, mais cela finit par fatiguer. »

Après un peu de temps, une petite sonnerie a résonné dans la pièce. Ils m'ont alors ôté les menottes. Ils ont ouvert la porte et m'ont fait entrer dans le box des accusés. La salle était pleine à craquer. Malgré les stores, le soleil s'infiltrait par endroits et l'air était déjà étouffant. On avait laissé les vitres closes. Je me suis assis et les gendarmes m'ont encadré. C'est à ce moment que j'ai aperçu une rangée de visages devant moi. Tous me regardaient : j'ai compris que c'étaient les jurés. Mais je ne peux pas dire ce qui les distinguait les uns des autres. Je n'ai eu qu'une impression : j'étais devant une banquette de tramway et tous ces voyageurs anonymes épiaient le nouvel arrivant pour en apercevoir les ridicules. Je sais bien que c'était une idée niaise puisque ici ce n'était pas le ridicule qu'ils cherchaient, mais le crime. Cependant la différence n'est pas grande et c'est en tout cas l'idée qui m'est venue.

J'étais un peu étourdi aussi par tout ce monde dans cette salle close. J'ai regardé encore le prétoire et je n'ai distingué aucun visage. Je crois bien que d'abord je ne m'étais pas rendu compte que tout ce monde se pressait pour me voir. D'habitude, les gens ne s'occupaient pas de ma personne. Il m'a fallu un effort pour comprendre que j'étais la cause de toute cette agitation. J'ai dit au gendarme : « Que de monde ! » Il m'a répondu que c'était à cause des journaux et il m'a montré un groupe qui se tenait près d'une table sous le banc des jurés. Il m'a dit : « Les voilà. » J'ai demandé : « Qui ? » et il a répété : « Les journaux. » Il connaissait l'un des journalistes qui l'a vu à ce moment et qui s'est dirigé vers nous. C'était un homme déjà âgé, sympathique, avec un visage un peu grimaçant. Il a serré la main du gendarme avec beaucoup de chaleur. J'ai remarqué à ce moment que tout le monde se rencontrait, s'interpellait et conversait, comme dans un club où l'on est heureux de se retrouver entre gens du même monde. Je me suis expliqué aussi la bizarre impression que j'avais d'être de trop[5], un peu comme un intrus. Pourtant, le journaliste s'est adressé à moi en souriant. Il m'a dit qu'il espérait que tout irait bien pour moi. Je l'ai remercié et il a ajouté : « Vous savez, nous avons monté un peu votre affaire. L'été, c'est la saison creuse pour les journaux. Et il n'y avait que votre histoire et celle du parricide qui vaillent quelque chose. » Il m'a montré ensuite, dans le groupe qu'il venait de quitter, un petit bonhomme qui ressemblait à une belette engraissée, avec d'énormes lunettes cerclées de noir[6]. Il m'a dit que c'était l'envoyé spécial d'un journal de Paris : « Il n'est pas venu pour vous, d'ailleurs. Mais comme il est chargé de rendre compte du procès du parricide, on lui a demandé de câbler votre affaire en même temps. » Là encore, j'ai failli le remercier. Mais j'ai pensé que ce serait ridicule. Il m'a fait un petit signe cordial de la main et nous a quittés. Nous avons encore attendu quelques minutes.

Mon avocat est arrivé, en robe, entouré de beaucoup d'autres confrères. Il est allé vers les journalistes, a serré des mains. Ils ont plaisanté, ri et avaient l'air tout à fait à leur aise, jusqu'au moment où la sonnerie a retenti dans le prétoire. Tout le monde a regagné sa place. Mon avocat est venu vers moi, m'a serré la main et m'a conseillé de répondre brièvement aux questions qu'on me poserait, de ne pas prendre d'initiatives et de me reposer sur lui pour le reste.

À ma gauche, j'ai entendu le bruit d'une chaise qu'on reculait et j'ai vu un grand homme mince, vêtu de rouge, portant lorgnon, qui s'asseyait en pliant sa robe avec soin. C'était le procureur. Un huissier a annoncé la cour. Au même moment, deux gros ventilateurs ont commencé de vrombir. Trois juges, deux en noir, le troisième en rouge, sont entrés avec des dossiers et ont marché très vite vers la tribune qui dominait la salle. L'homme en robe rouge s'est assis sur le fauteuil du milieu, a posé sa toque devant lui, essuyé son petit crâne chauve avec un mouchoir et déclaré que l'audience était ouverte.

Les journalistes tenaient déjà leur stylo en main. Ils avaient tous le même air indifférent et un peu narquois. Pourtant, l'un d'entre eux, beaucoup plus jeune, habillé en flanelle grise avec une cravate bleue, avait laissé son stylo devant lui et me regardait. Dans son visage un peu asymétrique, je ne voyais que ses deux yeux, très clairs, qui m'examinaient attentivement, sans rien exprimer qui fût définissable. Et j'ai eu l'impression bizarre d'être regardé par moi-même. C'est peut-être pour cela, et aussi parce que je ne connaissais pas les usages du lieu, que je n'ai pas très bien compris tout ce qui s'est passé ensuite, le tirage au sort des jurés, les questions posées par le président à l'avocat, au procureur et au jury (à chaque fois, toutes les têtes des jurés se retournaient en même temps vers la cour), une lecture rapide de l'acte d'accusation, où je reconnaissais des noms de lieux et de personnes, et de nouvelles questions à mon avocat.

Mais le président a dit qu'il allait faire procéder à l'appel des témoins. L'huissier a lu des noms qui ont attiré mon attention. Du sein de ce public tout à l'heure informe, j'ai vu se lever un à un, pour disparaître ensuite par une porte latérale, le directeur et le concierge de l'asile, le vieux Thomas Pérez, Raymond, Masson, Salamano, Marie. Celle-ci m'a fait un petit signe anxieux. Je m'étonnais encore de ne pas les avoir aperçus plus tôt, lorsque à l'appel de son nom, le dernier, Céleste s'est levé. J'ai reconnu à côté de lui la petite bonne femme du restaurant avec sa jaquette et son air précis et décidé. Elle me regardait avec intensité. Mais je n'ai pas eu le temps de réfléchir parce que le président a pris la parole. Il a dit que les véritables débats allaient commencer et qu'il croyait inutile de recommander au public d'être calme. Selon lui, il était là pour diriger avec impartialité les débats d'une affaire qu'il voulait considérer avec objectivité. La sentence rendue par le jury serait prise dans un esprit de justice et, dans tous les cas, il ferait évacuer la salle au moindre incident.

La chaleur montait et je voyais dans la salle les assistants s'éventer avec des journaux. Cela faisait un petit bruit continu de papier froissé. Le président a fait un signe et l'huissier a apporté trois éventails de paille tressée que les trois juges ont utilisés immédiatement.

Mon interrogatoire a commencé aussitôt. Le président m'a questionné avec calme et même, m'a-t-il semblé, avec une nuance de cordialité. On m'a encore fait décliner mon identité et malgré mon agacement, j'ai pensé qu'au fond c'était assez naturel, parce qu'il serait trop grave de juger un homme pour un autre. Puis le président a recommencé le récit de ce que j'avais fait, en s'adressant à moi toutes les trois phrases pour me demander : « Est-ce bien cela ? » À chaque fois, j'ai répondu : « Oui, monsieur le président », selon les instructions de mon avocat. Cela a été long parce que le président apportait beaucoup de minutie dans son récit. Pendant tout ce temps, les journalistes écrivaient. Je sentais les regards du plus jeune d'entre eux et de la petite

automate. La banquette de tramway était tout entière tournée vers le président. Celui-ci a toussé, feuilleté son dossier
et il s'est tourné vers moi en s'éventant.

Il m'a dit qu'il devait aborder maintenant des questions
apparemment étrangères à mon affaire, mais qui peut-être la
touchaient de fort près. J'ai compris qu'il allait encore parler
de maman et j'ai senti en même temps combien cela m'ennuyait. Il m'a demandé pourquoi j'avais mis maman à l'asile.
J'ai répondu que c'était parce que je manquais d'argent pour
la faire garder et soigner. Il m'a demandé si cela m'avait
coûté personnellement et j'ai répondu que ni maman ni moi
n'attendions plus rien l'un de l'autre, ni d'ailleurs de personne, et que nous nous étions habitués tous les deux à nos
vies nouvelles. Le président a dit alors qu'il ne voulait pas
insister sur ce point et il a demandé au procureur s'il ne
voyait pas d'autre question à me poser.

Celui-ci me tournait à demi le dos et, sans me regarder,
il a déclaré qu'avec l'autorisation du président, il aimerait
savoir si j'étais retourné vers la source tout seul avec l'intention de tuer l'Arabe. « Non », ai-je dit. « Alors, pourquoi
était-il armé et pourquoi revenir vers cet endroit précisément ? » J'ai dit que c'était le hasard. Et le procureur a noté
avec un accent mauvais : « Ce sera tout pour le moment. »
Tout ensuite a été un peu confus, du moins pour moi. Mais
après quelques conciliabules, le président a déclaré que l'audience était levée et renvoyée à l'après-midi pour l'audition
des témoins.

Je n'ai pas eu le temps de réfléchir. On m'a emmené, fait
monter dans la voiture cellulaire et conduit à la prison où j'ai
mangé. Au bout de très peu de temps, juste assez pour me
rendre compte que j'étais fatigué, on est revenu me chercher ; tout a recommencé et je me suis trouvé dans la même
salle, devant les mêmes visages. Seulement la chaleur était
beaucoup plus forte et comme par un miracle chacun des
jurés, le procureur, mon avocat et quelques journalistes
étaient munis aussi d'éventails de paille. Le jeune journaliste
et la petite femme étaient toujours là. Mais ils ne s'éventaient
pas et me regardaient encore sans rien dire.

J'ai essuyé la sueur qui couvrait mon visage et je n'ai repris
un peu conscience du lieu et de moi-même que lorsque j'ai
entendu appeler le directeur de l'asile. On lui a demandé si
maman se plaignait de moi et il a dit que oui mais que c'était
un peu la manie de ses pensionnaires de se plaindre de leurs

proches. Le président lui a fait préciser si elle me reprochait de l'avoir mise à l'asile et le directeur a dit encore oui.
Mais cette fois, il n'a rien ajouté. À une autre question, il a
répondu qu'il avait été surpris de mon calme le jour de l'enterrement. On lui a demandé ce qu'il entendait par calme. Le
directeur a regardé alors le bout de ses souliers et il a dit que
je n'avais pas voulu voir maman, je n'avais pas pleuré une
seule fois et j'étais parti aussitôt après l'enterrement sans
me recueillir sur sa tombe. Une chose encore l'avait surpris :
un employé des pompes funèbres lui avait dit que je ne
savais pas l'âge de maman. Il y a eu un moment de silence et
le président lui a demandé si c'était bien de moi qu'il avait
parlé. Comme le directeur ne comprenait pas la question, il
lui a dit : « C'est la loi. » Puis le président a demandé à l'avocat général s'il n'avait pas de question à poser au témoin et
le procureur s'est écrié : « Oh ! non, cela suffit », avec un tel
éclat et un tel regard triomphant dans ma direction que,
pour la première fois depuis bien des années, j'ai eu une
envie stupide de pleurer parce que j'ai senti combien j'étais
détesté par tous ces gens-là.

Après avoir demandé au jury et à mon avocat s'ils avaient
des questions à poser, le président a entendu le concierge.
Pour lui comme pour tous les autres, le même cérémonial s'est répété. En arrivant, le concierge m'a regardé et il
a détourné les yeux. Il a répondu aux questions qu'on lui
posait. Il a dit que je n'avais pas voulu voir maman, que
j'avais fumé, que j'avais dormi et que j'avais pris du café au
lait. J'ai senti alors quelque chose qui soulevait toute la salle
et, pour la première fois, j'ai compris que j'étais coupable. On
a fait répéter au concierge l'histoire du café au lait et celle
de la cigarette. L'avocat général m'a regardé avec une lueur
ironique dans les yeux. À ce moment, mon avocat a demandé
au concierge s'il n'avait pas fumé avec moi. Mais le procureur
s'est élevé avec violence contre cette question : « Quel est le
criminel ici et quelles sont ces méthodes qui consistent à
salir les témoins de l'accusation pour minimiser des témoignages qui n'en demeurent pas moins écrasants ! » Malgré
tout, le président a demandé au concierge de répondre à la
question. Le vieux a dit d'un air embarrassé : « Je sais bien
que j'ai eu tort. Mais je n'ai pas osé refuser la cigarette que
monsieur m'a offerte. » En dernier lieu, on m'a demandé si
je n'avais rien à ajouter. « Rien, ai-je répondu, seulement que
le témoin a raison. Il est vrai que je lui ai offert une ciga-

rette. » Le concierge m'a regardé alors avec un peu d'étonnement et une sorte de gratitude. Il a hésité, puis il a dit que
c'était lui qui m'avait offert le café au lait. Mon avocat a
triomphé bruyamment et a déclaré que les jurés apprécieraient. Mais le procureur a tonné au-dessus de nos têtes et il
a dit : « Oui, messieurs les jurés apprécieront. Et ils concluront qu'un étranger pouvait proposer du café, mais qu'un
fils devait le refuser devant le corps de celle qui lui avait
donné le jour. » Le concierge a regagné son banc.

Quand est venu le tour de Thomas Pérez, un huissier a
dû le soutenir jusqu'à la barre. Pérez a dit qu'il avait surtout
connu ma mère et qu'il ne m'avait vu qu'une fois, le jour de
l'enterrement. On lui a demandé ce que j'avais fait ce jour-
là et il a répondu : « Vous comprenez, moi-même j'avais trop
de peine. Alors, je n'ai rien vu. C'était la peine qui m'empêchait de voir. Parce que c'était pour moi une très grosse
peine. Et même, je me suis évanoui. Alors, je n'ai pas pu voir
monsieur. » L'avocat général lui a demandé si, du moins, il
m'avait vu pleurer. Pérez a répondu que non. Le procureur
a dit alors à son tour : « Messieurs les jurés apprécieront. »
Mais mon avocat s'est fâché. Il a demandé à Pérez, sur un
ton qui m'a semblé exagéré, « s'il avait vu que je ne pleurais
pas ». Pérez a dit : « Non. » Le public a ri. Et mon avocat, en
retroussant une de ses manches, a dit d'un ton péremptoire :
« Voilà l'image de ce procès. Tout est vrai et rien n'est vrai ! »
Le procureur avait le visage fermé et piquait un crayon dans
les titres de ses dossiers.

Après cinq minutes de suspension pendant lesquelles mon
avocat m'a dit que tout allait pour le mieux, on a
entendu Céleste qui était cité par la défense. La défense,
c'était moi. Céleste jetait de temps en temps des regards
de mon côté et roulait un panama entre ses mains. Il portait
le costume neuf qu'il mettait pour venir avec moi, certains
dimanches, aux courses de chevaux. Mais je crois qu'il
n'avait pas pu mettre son col parce qu'il portait seulement
un bouton de cuivre pour tenir sa chemise fermée. On lui a
demandé si j'étais son client et il a dit : « Oui, mais c'était
aussi un ami » ; ce qu'il pensait de moi et il a répondu que
j'étais un homme ; ce qu'il entendait par là et il a déclaré
que tout le monde savait ce que cela voulait dire ; s'il avait
remarqué que j'étais renfermé et il a reconnu seulement que
je ne parlais pas pour ne rien dire. L'avocat général lui a
demandé si je payais régulièrement ma pension. Céleste a ri

et il a déclaré : « C'étaient des détails entre nous. » On lui a demandé encore ce qu'il pensait de mon crime. Il a mis alors ses mains sur la barre et l'on voyait qu'il avait préparé quelque chose. Il a dit : « Pour moi, c'est un malheur. Un malheur, tout le monde sait ce que c'est. Ça vous laisse sans défense. Eh bien ! pour moi c'est un malheur. » Il allait continuer, mais le président lui a dit que c'était bien et qu'on le remerciait. Alors Céleste est resté un peu interdit. Mais il a déclaré qu'il voulait encore parler. On lui a demandé d'être bref. Il a encore répété que c'était un malheur. Et le président lui a dit : « Oui, c'est entendu. Mais nous sommes là pour juger les malheurs de ce genre. Nous vous remercions. » Comme s'il était arrivé au bout de sa science et de sa bonne volonté, Céleste s'est alors retourné vers moi. Il m'a semblé que ses yeux brillaient et que ses lèvres tremblaient. Il avait l'air de me demander ce qu'il pouvait encore faire. Moi, je n'ai rien dit, je n'ai fait aucun geste, mais c'est la première fois de ma vie que j'ai eu envie d'embrasser un homme. Le président lui a encore enjoint de quitter la barre. Céleste est allé s'asseoir dans le prétoire. Pendant tout le reste de l'audience, il est resté là, un peu penché en avant, les coudes sur les genoux, le panama entre les mains, à écouter tout ce qui se disait. Marie est entrée. Elle avait mis un chapeau et elle était encore belle. Mais je l'aimais mieux avec ses cheveux libres. De l'endroit où j'étais, je devinais le poids léger de ses seins et je reconnaissais sa lèvre inférieure toujours un peu gonflée. Elle semblait très nerveuse. Tout de suite, on lui a demandé depuis quand elle me connaissait. Elle a indiqué l'époque où elle travaillait chez nous. Le président a voulu savoir quels étaient ses rapports avec moi. Elle a dit qu'elle était mon amie. À une autre question, elle a répondu qu'il était vrai qu'elle devait m'épouser. Le procureur qui feuilletait un dossier lui a demandé brusquement de quand datait notre liaison. Elle a indiqué la date. Le procureur a remarqué d'un air indifférent qu'il lui semblait que c'était le lendemain de la mort de maman. Puis il a dit avec quelque ironie qu'il ne voudrait pas insister sur une situation délicate, qu'il comprenait bien les scrupules de Marie, mais (et ici son accent s'est fait plus dur) que son devoir lui commandait de s'élever au-dessus des convenances. Il a donc demandé à Marie de résumer cette journée où je l'avais connue. Marie ne voulait pas parler, mais devant l'insistance du procureur, elle a dit notre bain, notre sortie au cinéma et notre rentrée chez moi. L'avocat général a dit qu'à la suite des déclarations de Marie à l'instruction, il avait consulté les programmes de cette date. Il a ajouté que Marie elle-même dirait quel film on passait alors. D'une voix presque blanche, en effet, elle a indiqué que c'était un film de Fernandel. Le silence était complet dans la salle quand elle a eu fini. Le procureur s'est alors levé, très grave et d'une voix que j'ai trouvée vraiment émue, le doigt tendu vers moi, il a articulé lentement : « Messieurs les jurés, le lendemain de la mort de sa mère, cet homme prenait des bains, commençait une liaison irrégulière, et allait rire devant un film comique. Je n'ai rien de plus à vous dire. » Il s'est assis, toujours dans le silence. Mais, tout d'un coup, Marie a éclaté en sanglots, a dit que ce n'était pas cela, qu'il y avait autre chose, qu'on la forçait à dire le contraire de ce qu'elle pensait, qu'elle me connaissait bien et que je n'avais rien fait de mal. Mais l'huissier, sur un signe du président, l'a emmenée et l'audience s'est poursuivie.

C'est à peine si, ensuite, on a écouté Masson qui a déclaré que j'étais un honnête homme « et qu'il dirait plus, j'étais un brave homme ». C'est à peine encore si on a écouté Salamano quand il a rappelé que j'avais été bon pour son chien et quand il a répondu à une question sur ma mère et sur moi en disant que je n'avais plus rien à dire à maman et que je l'avais mise pour cette raison à l'asile. « Il faut comprendre, disait Salamano, il faut comprendre. » Mais personne ne paraissait comprendre. On l'a emmené.

Puis est venu le tour de Raymond, qui était le dernier témoin. Raymond m'a fait un petit signe et a dit tout de suite que j'étais innocent. Mais le président a déclaré qu'on ne lui demandait pas des appréciations, mais des faits. Il l'a invité à attendre des questions pour répondre. On lui a fait préciser ses relations avec la victime. Raymond en a profité pour dire que c'était lui que cette dernière haïssait depuis qu'il avait giflé sa sœur. Le président lui a demandé cependant si la victime n'avait pas de raison de me haïr. Raymond a dit que ma présence à la plage était le résultat d'un hasard. Le procureur lui a demandé alors comment il se faisait que la lettre qui était à l'origine du drame avait été écrite par moi. Raymond a répondu que c'était un hasard. Le procureur a rétorqué que le hasard avait déjà beaucoup de méfaits sur la conscience dans cette histoire. Il a voulu savoir si c'était par hasard que je n'étais pas intervenu quand Raymond avait giflé sa maîtresse, par hasard que j'avais servi de témoin au commissariat, par hasard encore que mes déclarations lors de ce témoignage s'étaient révélées de pure complaisance. Pour finir, il a demandé à Raymond quels étaient ses moyens d'existence, et comme ce dernier répondait : « Magasinier », l'avocat général a déclaré aux jurés que de notoriété générale le témoin exerçait le métier de souteneur. J'étais son complice et son ami. Il s'agissait d'un drame crapuleux de la plus basse espèce, aggravé du fait qu'on avait affaire à un monstre moral. Raymond a voulu se défendre et mon avocat a protesté, mais on leur a dit qu'il fallait laisser terminer le procureur. Celui-ci a dit : « J'ai peu de chose à ajouter. Était-il votre ami ? » a-t-il demandé à Raymond. « Oui, a dit celui-ci, c'était mon copain. » L'avocat général m'a posé alors la même question et j'ai regardé Raymond qui n'a pas détourné les yeux. J'ai répondu : « Oui. » Le procureur s'est alors retourné vers le jury et a déclaré : « Le même homme qui au lendemain de la mort de sa mère se livrait à la débauche la plus honteuse a tué pour des raisons futiles et pour liquider une affaire de mœurs inqualifiable. »

Il s'est assis alors. Mais mon avocat, à bout de patience, s'est écrié en levant les bras, de sorte que ses manches en retombant ont découvert les plis d'une chemise amidonnée : « Enfin, est-il accusé d'avoir enterré sa mère ou d'avoir tué un homme ? » Le public a ri. Mais le procureur s'est redressé encore, s'est drapé dans sa robe et a déclaré qu'il fallait avoir l'ingénuité de l'honorable défenseur pour ne pas sentir qu'il y avait entre ces deux ordres de faits une relation profonde, pathétique, essentielle. « Oui, s'est-il écrié avec force, j'accuse cet homme d'avoir enterré une mère avec un cœur de criminel. » Cette déclaration a paru faire un effet considérable sur le public. Mon avocat a haussé les épaules et essuyé la sueur qui couvrait son front. Mais lui-même paraissait ébranlé et j'ai compris que les choses n'allaient pas bien pour moi.

L'audience a été levée. En sortant du palais de justice pour monter dans la voiture, j'ai reconnu un court instant l'odeur et la couleur du soir d'été. Dans l'obscurité de ma prison roulante, j'ai retrouvé un à un, comme du fond de ma fatigue, tous les bruits familiers d'une ville que j'aimais et d'une certaine heure où il m'arrivait de me sentir content. Le cri des vendeurs de journaux dans l'air déjà détendu, les derniers oiseaux dans le square, l'appel des marchands de

sandwiches, la plainte des tramways dans les hauts tournants
de la ville et cette rumeur du ciel avant que la nuit bascule
sur le port, tout cela recomposait pour moi un itinéraire
d'aveugle, que je connaissais bien avant d'entrer en prison.
Oui, c'était l'heure où, il y avait bien longtemps, je me sentais content. Ce qui m'attendait alors, c'était toujours un
sommeil léger et sans rêves. Et pourtant quelque chose était
changé puisque, avec l'attente du lendemain, c'est ma cellule
que j'ai retrouvée. Comme si les chemins familiers tracés
dans les ciels d'été pouvaient mener aussi bien aux prisons
qu'aux sommeils innocents.

IV

Même sur un banc d'accusé, il est toujours intéressant
d'entendre parler de soi. Pendant les plaidoiries du procureur
et de mon avocat, je peux dire qu'on a beaucoup parlé de
moi et peut-être plus de moi que de mon crime. Étaient-elles
si différentes, d'ailleurs, ces plaidoiries ? L'avocat levait les
bras et plaidait coupable, mais avec excuses. Le procureur
tendait ses mains et dénonçait la culpabilité, mais sans
excuses. Une chose pourtant me gênait vaguement. Malgré
mes préoccupations, j'étais parfois tenté d'intervenir et mon
avocat me disait alors : « Taisez-vous, cela vaut mieux pour
votre affaire. » En quelque sorte, on avait l'air de traiter cette
affaire en dehors de moi. Tout se déroulait sans mon intervention. Mon sort se réglait sans qu'on prenne mon avis. De
temps en temps, j'avais envie d'interrompre tout le monde
et de dire : « Mais tout de même, qui est l'accusé ? C'est
important d'être l'accusé. Et j'ai quelque chose à dire ! » Mais
réflexion faite, je n'avais rien à dire. D'ailleurs, je dois reconnaître que l'intérêt qu'on trouve à occuper les gens ne dure
pas longtemps. Par exemple, la plaidoirie du procureur m'a
très vite lassé. Ce sont seulement des fragments, des gestes
ou des tirades entières, mais détachés de l'ensemble, qui
m'ont frappé ou ont éveillé mon intérêt.

Le fond de sa pensée, si j'ai bien compris, c'est que j'avais
prémédité mon crime. Du moins, il a essayé de le démontrer. Comme il le disait lui-même : « J'en ferai la preuve, messieurs, et je la ferai doublement. Sous l'aveuglante clarté des

faits d'abord et ensuite dans l'éclairage sombre que me fournira la psychologie de cette âme criminelle. » Il a résumé les
faits à partir de la mort de maman. Il a rappelé mon insensibilité, l'ignorance où j'étais de l'âge de maman, mon bain du
lendemain, avec une femme, le cinéma, Fernandel et enfin la
rentrée avec Marie. J'ai mis du temps à le comprendre, à ce
moment, parce qu'il disait « sa maîtresse » et pour moi, elle
était Marie. Ensuite, il en est venu à l'histoire de Raymond.
J'ai trouvé que sa façon de voir les événements ne manquait pas de clarté. Ce qu'il disait était plausible. J'avais écrit
la lettre d'accord avec Raymond pour attirer sa maîtresse et
la livrer aux mauvais traitements d'un homme « de moralité
douteuse ». J'avais provoqué sur la plage les adversaires de
Raymond. Celui-ci avait été blessé. Je lui avais demandé son
revolver. J'étais revenu seul pour m'en servir. J'avais abattu
l'Arabe comme je le projetais. J'avais attendu. Et « pour être
sûr que la besogne était bien faite », j'avais tiré encore quatre
balles, posément, à coup sûr, d'une façon réfléchie en quelque
sorte.

« Et voilà, messieurs, a dit l'avocat général. J'ai retracé
devant vous le fil d'événements qui a conduit cet homme
à tuer en pleine connaissance de cause. J'insiste là-dessus,
a-t-il dit. Car il ne s'agit pas d'un assassinat ordinaire, d'un
acte irréfléchi que vous pourriez estimer atténué par les
circonstances. Cet homme, messieurs, cet homme est intelligent. Vous l'avez entendu, n'est-ce pas ? Il sait répondre. Il
connaît la valeur des mots. Et l'on ne peut pas dire qu'il a agi
sans se rendre compte de ce qu'il faisait. »

Moi j'écoutais et j'entendais qu'on me jugeait intelligent.
Mais je ne comprenais pas bien comment les qualités d'un
homme ordinaire pouvaient devenir des charges écrasantes
contre un coupable. Du moins, c'était cela qui me frappait
et je n'ai plus écouté le procureur jusqu'au moment où je l'ai
entendu dire : « A-t-il seulement exprimé des regrets ? Jamais,
messieurs. Pas une seule fois au cours de l'instruction cet
homme n'a paru ému de son abominable forfait. » À ce
moment, il s'est tourné vers moi et m'a désigné du doigt en
continuant à m'accabler sans qu'en réalité je comprenne
bien pourquoi. Sans doute, je ne pouvais pas m'empêcher de
reconnaître qu'il avait raison. Je ne regrettais pas beaucoup
mon acte. Mais tant d'acharnement m'étonnait. J'aurais voulu
essayer de lui expliquer cordialement, presque avec affection,
que je n'avais jamais pu regretter vraiment quelque chose.

J'étais toujours pris par ce qui allait arriver, par aujourd'hui ou par demain. Mais naturellement, dans l'état où l'on m'avait mis, je ne pouvais parler à personne sur ce ton. Je n'avais pas le droit de me montrer affectueux, d'avoir de la bonne volonté. Et j'ai essayé d'écouter encore parce que le procureur s'est mis à parler de mon âme.

Il disait qu'il s'était penché sur elle et qu'il n'avait rien trouvé, messieurs les jurés. Il disait qu'à la vérité, je n'en avais point, d'âme, et que rien d'humain, et pas un des principes moraux qui gardent le cœur des hommes ne m'était accessible. « Sans doute, ajoutait-il, nous ne saurions le lui reprocher. Ce qu'il ne saurait acquérir, nous ne pouvons nous plaindre qu'il en manque. Mais quand il s'agit de cette cour, la vertu toute négative de la tolérance doit se muer en celle, moins facile, mais plus élevée, de la justice. Surtout lorsque le vide du cœur tel qu'on le découvre chez cet homme devient un gouffre où la société peut succomber. » C'est alors qu'il a parlé de mon attitude envers maman. Il a répété ce qu'il avait dit pendant les débats. Mais il a été beaucoup plus long que lorsqu'il parlait de mon crime, si long même que, finalement, je n'ai plus senti que la chaleur de cette matinée. Jusqu'au moment, du moins, où l'avocat général s'est arrêté et après un moment de silence, a repris d'une voix très basse et très pénétrée : « Cette même cour, messieurs, va juger demain le plus abominable des forfaits : le meurtre d'un père. » Selon lui, l'imagination reculait devant cet atroce attentat. Il osait espérer que la justice des hommes punirait sans faiblesse. Mais, il ne craignait pas de le dire, l'horreur que lui inspirait ce crime le cédait presque à celle qu'il ressentait devant mon insensibilité. Toujours selon lui, un homme qui tuait moralement sa mère se retranchait de la société des hommes au même titre que celui qui portait une main meurtrière sur l'auteur de ses jours. Dans tous les cas, le premier préparait les actes du second, il les annonçait en quelque sorte et il les légitimait. « J'en suis persuadé, messieurs, a-t-il ajouté en élevant la voix, vous ne trouverez pas ma pensée trop audacieuse, si je dis que l'homme qui est assis sur ce banc est coupable aussi du meurtre que cette cour devra juger demain. Il doit être puni en conséquence. » Ici, le procureur a essuyé son visage brillant de sueur. Il a dit enfin que son devoir était douloureux, mais qu'il l'accomplirait fermement. Il a déclaré que je n'avais rien à faire avec une société dont je méconnaissais

les règles les plus essentielles et que je ne pouvais pas en
appeler à ce cœur humain dont j'ignorais les réactions élémentaires. « Je vous demande la tête de cet homme, a-t-il dit,
et c'est le cœur léger que je vous la demande. Car s'il m'est
arrivé au cours de ma déjà longue carrière de réclamer des
peines capitales, jamais autant qu'aujourd'hui, je n'ai senti ce
pénible devoir compensé, balancé, éclairé par la conscience
d'un commandement impérieux et sacré et par l'horreur
que je ressens devant un visage d'homme où je ne lis rien
que de monstrueux. »

Quand le procureur s'est rassis, il y a eu un moment de
silence assez long. Moi, j'étais étourdi de chaleur et d'étonnement. Le président a toussé un peu et sur un ton très bas,
il m'a demandé si je n'avais rien à ajouter. Je me suis levé
et comme j'avais envie de parler, j'ai dit, un peu au hasard
d'ailleurs, que je n'avais pas eu l'intention de tuer l'Arabe. Le
président a répondu que c'était une affirmation, que jusqu'ici
il saisissait mal mon système de défense et qu'il serait heureux, avant d'entendre mon avocat, de me faire préciser les
motifs qui avaient inspiré mon acte. J'ai dit rapidement, en
mêlant un peu les mots et en me rendant compte de mon
ridicule, que c'était à cause du soleil. Il y a eu des rires dans
la salle. Mon avocat a haussé les épaules et tout de suite
après, on lui a donné la parole. Mais il a déclaré qu'il était
tard, qu'il en avait pour plusieurs heures et qu'il demandait
le renvoi à l'après-midi. La cour y a consenti.

L'après-midi, les grands ventilateurs brassaient toujours
l'air épais de la salle et les petits éventails multicolores des
jurés s'agitaient tous dans le même sens. La plaidoirie de mon
avocat me semblait ne devoir jamais finir. À un moment
donné, cependant, je l'ai écouté parce qu'il disait : « Il est vrai
que j'ai tué. » Puis il a continué sur ce ton, disant « je »
chaque fois qu'il parlait de moi. J'étais très étonné. Je me suis
penché vers un gendarme et je lui ai demandé pourquoi. Il
m'a dit de me taire et, après un moment, il a ajouté : « Tous
les avocats font ça. » Moi, j'ai pensé que c'était m'écarter
encore de l'affaire, me réduire à zéro et, en un certain sens,
se substituer à moi. Mais je crois que j'étais déjà très loin de
cette salle d'audience. D'ailleurs, mon avocat m'a semblé
ridicule. Il a plaidé la provocation très rapidement et puis
lui aussi a parlé de mon âme. Mais il m'a paru qu'il avait
beaucoup moins de talent que le procureur. « Moi aussi,
a-t-il dit, je me suis penché sur cette âme, mais, contraire-

ment à l'éminent représentant du ministère public, j'ai trouvé quelque chose et je puis dire que j'y ai lu à livre ouvert. » Il y avait lu que j'étais un honnête homme, un travailleur régulier, infatigable, fidèle à la maison qui l'employait, aimé de tous et compatissant aux misères d'autrui. Pour lui, j'étais un fils modèle qui avait soutenu sa mère aussi long-temps qu'il l'avait pu. Finalement j'avais espéré qu'une mai-son de retraite donnerait à la vieille femme le confort que mes moyens ne me permettaient pas de lui procurer. « Je m'étonne, messieurs, a-t-il ajouté, qu'on ait mené si grand bruit autour de cet asile. Car enfin, s'il fallait donner une preuve de l'utilité et de la grandeur de ces institutions, il fau-drait bien dire que c'est l'État lui-même qui les subven-tionne. » Seulement, il n'a pas parlé de l'enterrement et j'ai senti que cela manquait dans sa plaidoirie. Mais à cause de toutes ces longues phrases, de toutes ces journées et ces heures interminables pendant lesquelles on avait parlé de mon âme, j'ai eu l'impression que tout devenait comme une eau incolore où je trouvais le vertige.

À la fin, je me souviens seulement que, de la rue et à tra-vers tout l'espace des salles et des prétoires, pendant que mon avocat continuait à parler, la trompette d'un marchand de glace a résonné jusqu'à moi. J'ai été assailli des souvenirs d'une vie qui ne m'appartenait plus, mais où j'avais trouvé les plus pauvres et les plus tenaces de mes joies : des odeurs d'été, le quartier que j'aimais, un certain ciel du soir, le rire et les robes de Marie. Tout ce que je faisais d'inutile en ce lieu m'est alors remonté à la gorge et je n'ai eu qu'une hâte, c'est qu'on en finisse et que je retrouve ma cellule avec le sommeil[7]. C'est à peine si j'ai entendu mon avocat s'écrier, pour finir, que les jurés ne voudraient pas envoyer à la mort un travailleur honnête perdu par une minute d'égarement, et demander les circonstances atténuantes pour un crime dont je traînais déjà, comme le plus sûr de mes châtiments, le remords éternel. La cour a suspendu l'audience et l'avo-cat s'est assis d'un air épuisé. Mais ses collègues sont venus vers lui pour lui serrer la main. J'ai entendu : « Magnifique, mon cher. » L'un d'eux m'a même pris à témoin : « Hein ? » m'a-t-il dit. J'ai acquiescé, mais mon compliment n'était pas sincère, parce que j'étais trop fatigué.

Pourtant, l'heure déclinait au-dehors et la chaleur était moins forte. Aux quelques bruits de rue que j'entendais, je devinais la douceur du soir. Nous étions là, tous, à attendre.

Et ce qu'ensemble nous attendions ne concernait que moi.
J'ai encore regardé la salle. Tout était dans le même état que
le premier jour. J'ai rencontré le regard du journaliste à la
veste grise et de la femme automate. Cela m'a donné à
penser que je n'avais pas cherché Marie du regard pendant
tout le procès. Je ne l'avais pas oubliée, mais j'avais trop
à faire. Je l'ai vue entre Céleste et Raymond. Elle m'a fait un
petit signe comme si elle disait : « Enfin », et j'ai vu son
visage un peu anxieux qui souriait. Mais je sentais mon cœur
fermé et je n'ai même pas pu répondre à son sourire.

La cour est revenue. Très vite, on a lu aux jurés une série
de questions. J'ai entendu « coupable de meurtre »... « préméditation[8] »... « circonstances atténuantes ». Les jurés sont
sortis et l'on m'a emmené dans la petite pièce où j'avais déjà
attendu. Mon avocat est venu me rejoindre : il était très
volubile et m'a parlé avec plus de confiance et de cordialité
qu'il ne l'avait jamais fait. Il pensait que tout irait bien et que
je m'en tirerais avec quelques années de prison ou de bagne.
Je lui ai demandé s'il y avait des chances de cassation en cas
de jugement défavorable. Il m'a dit que non. Sa tactique
avait été de ne pas déposer de conclusions pour ne pas indis-
poser le jury. Il m'a expliqué qu'on ne cassait pas un jugement, comme cela, pour rien. Cela m'a paru évident et je me
suis rendu à ses raisons. À considérer froidement la chose,
c'était tout à fait naturel. Dans le cas contraire, il y aurait
trop de paperasses inutiles. « De toute façon, m'a dit mon
avocat, il y a le pourvoi. Mais je suis persuadé que l'issue sera
favorable. »

Nous avons attendu très longtemps, près de trois quarts
d'heure, je crois. Au bout de ce temps, une sonnerie a
retenti. Mon avocat m'a quitté en disant : « Le président du
jury va lire les réponses. On ne vous fera entrer que pour
l'énoncé du jugement. » Des portes ont claqué. Des gens
couraient dans des escaliers dont je ne savais pas s'ils étaient
proches ou éloignés. Puis j'ai entendu une voix sourde lire
quelque chose dans la salle. Quand la sonnerie a encore
retenti, que la porte du box s'est ouverte, c'est le silence de
la salle qui est monté vers moi, le silence, et cette singulière
sensation que j'ai eue lorsque j'ai constaté que le jeune journaliste avait détourné ses yeux. Je n'ai pas regardé du côté
de Marie. Je n'en ai pas eu le temps parce que le président
m'a dit dans une forme bizarre que j'aurais la tête tranchée
sur une place publique au nom du peuple français. Il m'a

semblé alors reconnaître le sentiment que je lisais sur tous
les visages. Je crois bien que c'était de la considération. Les
gendarmes étaient très doux avec moi. L'avocat a posé sa
main sur mon poignet. Je ne pensais plus à rien. Mais le président m'a demandé si je n'avais rien à ajouter. J'ai réfléchi.
J'ai dit : « Non. » C'est alors qu'on m'a emmené.

V

Pour la troisième fois, j'ai refusé de recevoir l'aumônier.
Je n'ai rien à lui dire, je n'ai pas envie de parler, je le verrai bien assez tôt. Ce qui m'intéresse en ce moment, c'est
d'échapper à la mécanique, de savoir si l'inévitable peut avoir
une issue. On m'a changé de cellule. De celle-ci, lorsque je
suis allongé, je vois le ciel et je ne vois que lui. Toutes
mes journées se passent à regarder sur son visage le déclin des
couleurs qui conduit le jour à la nuit. Couché, je passe les
mains sous ma tête et j'attends. Je ne sais combien de fois je
me suis demandé s'il y avait des exemples de condamnés à
mort qui eussent échappé au mécanisme implacable, disparu
avant l'exécution, rompu les cordons d'agents. Je me repro-
chais alors de n'avoir pas prêté assez d'attention aux récits
d'exécution. On devrait toujours s'intéresser à ces questions.
On ne sait jamais ce qui peut arriver. Comme tout le monde,
j'avais lu des comptes rendus dans les journaux. Mais il y
avait certainement des ouvrages spéciaux que je n'avais
jamais eu la curiosité de consulter. Là, peut-être, j'aurais
trouvé des récits d'évasion. J'aurais appris que dans un cas
au moins la roue s'était arrêtée, que dans cette préméditation
irrésistible, le hasard et la chance, une fois seulement, avaient
changé quelque chose. Une fois ! Dans un sens, je crois que
cela m'aurait suffi. Mon cœur aurait fait le reste. Les journaux
parlaient souvent d'une dette qui était due à la société. Il fallait, selon eux, la payer. Mais cela ne parle pas à l'imagination.
Ce qui comptait, c'était une possibilité d'évasion, un saut
hors du rite implacable, une course à la folie qui offrît toutes
les chances de l'espoir. Naturellement, l'espoir, c'était d'être
abattu au coin d'une rue, en pleine course, et d'une balle à la
volée. Mais, tout bien considéré, rien ne me permettait ce
luxe, tout me l'interdisait, la mécanique me reprenait.

Malgré ma bonne volonté, je ne pouvais pas accepter cette certitude insolente[9]. Car enfin, il y avait une disproportion ridicule entre le jugement qui l'avait fondée et son déroulement imperturbable à partir du moment où ce jugement avait été prononcé. Le fait que la sentence avait été lue à 20 heures plutôt qu'à 17, le fait qu'elle aurait pu être tout autre, qu'elle avait été prise par des hommes qui changent de linge, qu'elle avait été portée au crédit d'une notion aussi imprécise que le peuple français (ou allemand, ou chinois), il me semblait bien que tout cela enlevait beaucoup de sérieux à une telle décision. Pourtant, j'étais obligé de reconnaître que dès la seconde où elle avait été prise, ses effets devenaient aussi certains, aussi sérieux, que la présence de ce mur tout le long duquel j'écrasais mon corps.

Je me suis souvenu dans ces moments d'une histoire que maman me racontait à propos de mon père. Je ne l'avais pas connu. Tout ce que je connaissais de précis sur cet homme, c'était peut-être ce que m'en disait alors maman : il était allé voir exécuter un assassin. Il était malade à l'idée d'y aller. Il l'avait fait cependant et au retour il avait vomi une partie de la matinée. Mon père me dégoûtait un peu alors. Maintenant, je comprenais, c'était si naturel. Comment n'avais-je pas vu que rien n'était plus important qu'une exécution capitale et que, en somme, c'était la seule chose vraiment intéressante pour un homme ! Si jamais je sortais de cette prison, j'irais voir toutes les exécutions capitales. J'avais tort, je crois, de penser à cette possibilité. Car à l'idée de me voir libre par un petit matin derrière un cordon d'agents, de l'autre côté en quelque sorte, à l'idée d'être le spectateur qui vient voir et qui pourra vomir après, un flot de joie empoisonnée me montait au cœur. Mais ce n'était pas raisonnable. J'avais tort de me laisser aller à ces suppositions parce que, l'instant d'après, j'avais si affreusement froid que je me recroquevillais sous ma couverture. Je claquais des dents sans pouvoir me retenir.

Mais, naturellement, on ne peut pas être toujours raisonnable. D'autres fois, par exemple, je faisais des projets de loi. Je réformais les pénalités. J'avais remarqué que l'essentiel était de donner une chance au condamné. Une seule sur mille, cela suffisait pour arranger bien des choses. Ainsi, il me semblait qu'on pouvait trouver une combinaison chimique dont l'absorption tuerait le patient (je pensais : le patient) neuf fois sur dix. Lui le saurait, c'était la condition.

Car en réfléchissant bien, en considérant les choses avec calme, je constatais que ce qui était défectueux avec le couperet, c'est qu'il n'y avait aucune chance, absolument aucune. Une fois pour toutes, en somme, la mort du patient avait été décidée. C'était une affaire classée, une combinaison bien arrêtée, un accord entendu et sur lequel il n'était pas question de revenir. Si le coup ratait, par extraordinaire, on recommençait. Par suite, ce qu'il y avait d'ennuyeux, c'est qu'il fallait que le condamné souhaitât le bon fonctionnement de la machine. Je dis que c'est le côté défectueux. Cela est vrai, dans un sens. Mais, dans un autre sens, j'étais obligé de reconnaître que tout le secret d'une bonne organisation était là. En somme, le condamné était obligé de collaborer moralement. C'était son intérêt que tout marchât sans accroc.

J'étais obligé de constater aussi que jusqu'ici j'avais eu sur ces questions des idées qui n'étaient pas justes. J'ai cru longtemps — et je ne sais pas pourquoi — que pour aller à la guillotine, il fallait monter sur l'échafaud, gravir des marches. Je crois que c'était à cause de la Révolution de 1789, je veux dire à cause de tout ce qu'on m'avait appris ou fait voir sur ces questions. Mais un matin, je me suis souvenu d'une photographie publiée par les journaux à l'occasion d'une exécution retentissante[10]. En réalité, la machine était posée à même le sol, le plus simplement du monde. Elle était beaucoup plus étroite que je ne le pensais. C'était assez drôle que je ne m'en fusse pas avisé plus tôt. Cette machine sur le cliché m'avait frappé par son aspect d'ouvrage de précision, fini et étincelant. On se fait toujours des idées exagérées de ce qu'on ne connaît pas. Je devais constater au contraire que tout était simple : la machine est au même niveau que l'homme qui marche vers elle. Il la rejoint comme on marche à la rencontre d'une personne. Cela aussi était ennuyeux. La montée vers l'échafaud, l'ascension en plein ciel, l'imagination pouvait s'y raccrocher. Tandis que, là encore, la mécanique écrasait tout : on était tué discrètement, avec un peu de honte et beaucoup de précision.

Il y avait aussi deux choses à quoi je réfléchissais tout le temps : l'aube et mon pourvoi. Je me raisonnais cependant et j'essayais de n'y plus penser. Je m'étendais, je regardais le ciel, je m'efforçais de m'y intéresser. Il devenait vert, c'était le soir. Je faisais encore un effort pour détourner le cours de mes pensées. J'écoutais mon cœur. Je ne pouvais imaginer

que ce bruit qui m'accompagnait depuis si longtemps pût
jamais cesser. Je n'ai jamais eu de véritable imagination.
J'essayais pourtant de me représenter une certaine seconde
où le battement de ce cœur ne se prolongerait plus dans ma
tête. Mais en vain. L'aube ou mon pourvoi étaient là. Je finis-
sais par me dire que le plus raisonnable était de ne pas me
contraindre.

C'est à l'aube qu'ils venaient, je le savais. En somme, j'ai
occupé mes nuits à attendre cette aube. Je n'ai jamais aimé
être surpris. Quand il m'arrive quelque chose, je préfère être
là. C'est pourquoi j'ai fini par ne plus dormir qu'un peu dans
mes journées et, tout le long de mes nuits, j'ai attendu
patiemment que la lumière naisse sur la vitre du ciel. Le plus
difficile, c'était l'heure douteuse où je savais qu'ils opéraient
d'habitude. Passé minuit, j'attendais et je guettais. Jamais
mon oreille n'avait perçu tant de bruits, distingué de sons
si ténus. Je peux dire, d'ailleurs, que d'une certaine façon
j'ai eu de la chance pendant toute cette période, puisque
je n'ai jamais entendu de pas. Maman disait souvent qu'on
n'est jamais tout à fait malheureux. Je l'approuvais dans ma
prison, quand le ciel se colorait et qu'un nouveau jour glissait dans ma cellule. Parce qu'aussi bien, j'aurais pu entendre
des pas et mon cœur aurait pu éclater. Même si le moindre
glissement me jetait à la porte, même si, l'oreille collée au
bois, j'attendais éperdument jusqu'à ce que j'entende ma
propre respiration, effrayé de la trouver rauque et si pareille
au râle d'un chien, au bout du compte mon cœur n'éclatait
pas et j'avais encore gagné vingt-quatre heures.

Pendant tout le jour, il y avait mon pourvoi. Je crois que
j'ai tiré le meilleur parti de cette idée. Je calculais mes effets
et j'obtenais de mes réflexions le meilleur rendement. Je prenais toujours la plus mauvaise supposition : mon pourvoi
était rejeté. « Eh bien, je mourrai donc. » Plus tôt que d'autres,
c'était évident. Mais tout le monde sait que la vie ne vaut
pas la peine d'être vécue. Dans le fond, je n'ignorais pas
que mourir à trente ans ou à soixante-dix ans importe peu
puisque, naturellement, dans les deux cas, d'autres hommes
et d'autres femmes vivront, et cela pendant des milliers d'années. Rien n'était plus clair, en somme. C'était toujours moi
qui mourrais, que ce soit maintenant ou dans vingt ans. À ce
moment, ce qui me gênait un peu dans mon raisonnement,
c'était ce bond terrible que je sentais en moi à la pensée de
vingt ans de vie à venir. Mais je n'avais qu'à l'étouffer en ima-

ginant ce que seraient mes pensées dans vingt ans quand il me faudrait quand même en venir là. Du moment qu'on meurt, comment et quand, cela n'importe pas, c'était évident. Donc (et le difficile c'était de ne pas perdre de vue tout ce que ce « donc » représentait de raisonnements), donc, je devais accepter le rejet de mon pourvoi.

À ce moment, à ce moment seulement, j'avais pour ainsi dire le droit, je me donnais en quelque sorte la permission d'aborder la deuxième hypothèse : j'étais gracié. L'ennuyeux, c'est qu'il fallait rendre moins fougueux cet élan du sang et du corps qui me piquait les yeux d'une joie insensée. Il fallait que je m'applique à réduire ce cri, à le raisonner. Il fallait que je sois naturel même dans cette hypothèse, pour rendre plus plausible ma résignation dans la première. Quand j'avais réussi, j'avais gagné une heure de calme. Cela, tout de même, était à considérer.

C'est à un semblable moment que j'ai refusé une fois de plus de recevoir l'aumônier. J'étais étendu et je devinais l'approche du soir d'été à une certaine blondeur du ciel. Je venais de rejeter mon pourvoi et je pouvais sentir les ondes de mon sang circuler régulièrement en moi. Je n'avais pas besoin de voir l'aumônier. Pour la première fois depuis bien longtemps, j'ai pensé à Marie. Il y avait de longs jours qu'elle ne m'écrivait plus. Ce soir-là, j'ai réfléchi et je me suis dit qu'elle s'était peut-être fatiguée d'être la maîtresse d'un condamné à mort. L'idée m'est venue aussi qu'elle était peut-être malade ou morte. C'était dans l'ordre des choses. Comment l'aurais-je su puisqu'en dehors de nos deux corps maintenant séparés, rien ne nous liait et ne nous rappelait l'un à l'autre. À partir de ce moment, d'ailleurs, le souvenir de Marie m'aurait été indifférent. Morte, elle ne m'intéressait plus. Je trouvais cela normal comme je comprenais très bien que les gens m'oublient après ma mort. Ils n'avaient plus rien à faire avec moi. Je ne pouvais même pas dire que cela était dur à penser.

C'est à ce moment précis que l'aumônier est entré. Quand je l'ai vu, j'ai eu un petit tremblement. Il s'en est aperçu et m'a dit de ne pas avoir peur. Je lui ai dit qu'il venait d'habitude à un autre moment. Il m'a répondu que c'était une visite tout amicale qui n'avait rien à voir avec mon pourvoi dont il ne savait rien. Il s'est assis sur ma couchette et m'a invité à me mettre près de lui. J'ai refusé. Je lui trouvais tout de même un air très doux.

Il est resté un moment assis, les avant-bras sur les genoux, la tête baissée, à regarder ses mains. Elles étaient fines et musclées, elles me faisaient penser à deux bêtes agiles. Il les a frottées lentement l'une contre l'autre. Puis il est resté ainsi, la tête toujours baissée, pendant si longtemps que j'ai eu l'impression, un instant, que je l'avais oublié.

Mais il a relevé brusquement la tête et m'a regardé en face : « Pourquoi, m'a-t-il dit, refusez-vous mes visites ? » J'ai répondu que je ne croyais pas en Dieu. Il a voulu savoir si j'en étais bien sûr et j'ai dit que je n'avais pas à me le demander : cela me paraissait une question sans importance. Il s'est alors renversé en arrière et s'est adossé au mur, les mains à plat sur les cuisses. Presque sans avoir l'air de me parler, il a observé qu'on se croyait sûr, quelquefois, et, en réalité, on ne l'était pas. Je ne disais rien. Il m'a regardé et m'a interrogé : « Qu'en pensez-vous ? » J'ai répondu que c'était possible. En tout cas, je n'étais peut-être pas sûr de ce qui m'intéressait réellement, mais j'étais tout à fait sûr de ce qui ne m'intéressait pas. Et justement, ce dont il me parlait ne m'intéressait pas.

Il a détourné les yeux et, toujours sans changer de position, m'a demandé si je ne parlais pas ainsi par excès de désespoir. Je lui ai expliqué que je n'étais pas désespéré. J'avais seulement peur, c'était bien naturel. « Dieu vous aiderait alors, a-t-il remarqué. Tous ceux que j'ai connus dans votre cas se retournaient vers lui. » J'ai reconnu que c'était leur droit. Cela prouvait aussi qu'ils en avaient le temps. Quant à moi, je ne voulais pas qu'on m'aidât et justement le temps me manquait pour m'intéresser à ce qui ne m'intéressait pas.

À ce moment, ses mains ont eu un geste d'agacement, mais il s'est redressé et a arrangé les plis de sa robe. Quand il a eu fini, il s'est adressé à moi en m'appelant « mon ami » : s'il me parlait ainsi ce n'était pas parce que j'étais condamné à mort ; à son avis, nous étions tous condamnés à mort. Mais je l'ai interrompu en lui disant que ce n'était pas la même chose et que, d'ailleurs, ce ne pouvait être, en aucun cas, une consolation. « Certes, a-t-il approuvé. Mais vous mourrez plus tard si vous ne mourez pas aujourd'hui. La même question se posera alors. Comment aborderez-vous cette terrible épreuve ? » J'ai répondu que je l'aborderais exactement comme je l'abordais en ce moment.

Il s'est levé à ce mot et m'a regardé droit dans les yeux.

C'est un jeu que je connaissais bien. Je m'en amusais souvent avec Emmanuel ou Céleste et, en général, ils détournaient leurs yeux. L'aumônier aussi connaissait bien ce jeu,
je l'ai tout de suite compris : son regard ne tremblait pas. Et
sa voix non plus n'a pas tremblé quand il m'a dit : « N'avez-
vous donc aucun espoir et vivez-vous avec la pensée que
vous allez mourir tout entier ? — Oui », ai-je répondu.

Alors, il a baissé la tête et s'est rassis. Il m'a dit qu'il me
plaignait. Il jugeait cela impossible à supporter pour un
homme. Moi, j'ai seulement senti qu'il commençait à m'ennuyer. Je me suis détourné à mon tour et je suis allé sous la
lucarne. Je m'appuyais de l'épaule contre le mur. Sans bien
le suivre, j'ai entendu qu'il recommençait à m'interroger.
Il parlait d'une voix inquiète et pressante. J'ai compris qu'il
était ému et je l'ai mieux écouté.

Il me disait sa certitude que mon pourvoi serait accepté,
mais je portais le poids d'un péché dont il fallait me débarrasser. Selon lui, la justice des hommes n'était rien et la
justice de Dieu tout. J'ai remarqué que c'était la première qui
m'avait condamné. Il m'a répondu qu'elle n'avait pas, pour
autant, lavé mon péché. Je lui ai dit que je ne savais pas ce
qu'était un péché. On m'avait seulement appris que j'étais un
coupable. J'étais coupable, je payais, on ne pouvait rien me
demander de plus. À ce moment, il s'est levé à nouveau et
j'ai pensé que dans cette cellule si étroite, s'il voulait remuer,
il n'avait pas le choix. Il fallait s'asseoir ou se lever.

J'avais les yeux fixés au sol. Il a fait un pas vers moi et
s'est arrêté, comme s'il n'osait avancer. Il regardait le ciel à
travers les barreaux. « Vous vous trompez, mon fils, m'a-t-il
dit, on pourrait vous demander plus. On vous le demandera
peut-être. — Et quoi donc ? — On pourrait vous demander
de voir. — Voir quoi ? »

Le prêtre a regardé tout autour de lui et il a répondu d'une
voix que j'ai trouvée soudain très lasse : « Toutes ces pierres
suent la douleur, je le sais. Je ne les ai jamais regardées sans
angoisse. Mais, du fond du cœur, je sais que les plus misérables d'entre vous ont vu sortir de leur obscurité un visage
divin. C'est ce visage qu'on vous demande de voir. »

Je me suis un peu animé. J'ai dit qu'il y avait des mois que
je regardais ces murailles. Il n'y avait rien ni personne que je
connusse mieux au monde. Peut-être, il y a bien longtemps,
y avais-je cherché un visage. Mais ce visage avait la couleur
du soleil et la flamme du désir : c'était celui de Marie. Je

l'avais cherché en vain. Maintenant, c'était fini. Et dans tous les cas, je n'avais rien vu surgir de cette sueur de pierre.

L'aumônier m'a regardé avec une sorte de tristesse. J'étais maintenant complètement adossé à la muraille et le jour me coulait sur le front. Il a dit quelques mots que je n'ai pas entendus et m'a demandé très vite si je lui permettais de m'embrasser : « Non », ai-je répondu. Il s'est retourné et a marché vers le mur sur lequel il a passé sa main lentement : « Aimez-vous donc cette terre à ce point ? » a-t-il murmuré. Je n'ai rien répondu.

Il est resté assez longtemps détourné. Sa présence me pesait et m'agaçait. J'allais lui dire de partir, de me laisser, quand il s'est écrié tout d'un coup avec une sorte d'éclat, en se retournant vers moi : « Non, je ne peux pas vous croire. Je suis sûr qu'il vous est arrivé de souhaiter une autre vie. » Je lui ai répondu que naturellement, mais cela n'avait pas plus d'importance que de souhaiter d'être riche, de nager très vite ou d'avoir une bouche mieux faite. C'était du même ordre. Mais lui m'a arrêté et il voulait savoir comment je voyais cette autre vie. Alors, je lui ai crié : « Une vie où je pourrais me souvenir de celle-ci », et aussitôt je lui ai dit que j'en avais assez. Il voulait encore me parler de Dieu, mais je me suis avancé vers lui et j'ai tenté de lui expliquer une dernière fois qu'il me restait peu de temps. Je ne voulais pas le perdre avec Dieu. Il a essayé de changer de sujet en me demandant pourquoi je l'appelais « monsieur » et non pas « mon père ». Cela m'a énervé et je lui ai répondu qu'il n'était pas mon père : il était avec les autres.

« Non, mon fils, a-t-il dit en mettant la main sur mon épaule. Je suis avec vous. Mais vous ne pouvez pas le savoir parce que vous avez un cœur aveugle. Je prierai pour vous. »

Alors, je ne sais pas pourquoi, il y a quelque chose qui a crevé en moi. Je me suis mis à crier à plein gosier et je l'ai insulté et je lui ai dit de ne pas prier. Je l'avais pris par le collet de sa soutane[11]. Je déversais sur lui tout le fond de mon cœur avec des bondissements mêlés de joie et de colère. Il avait l'air si certain, n'est-ce pas ? Pourtant, aucune de ses certitudes ne valait un cheveu de femme. Il n'était même pas sûr d'être en vie puisqu'il vivait comme un mort. Moi, j'avais l'air d'avoir les mains vides. Mais j'étais sûr de moi, sûr de tout, plus sûr que lui, sûr de ma vie et de cette mort qui allait venir. Oui, je n'avais que cela. Mais du moins, je tenais cette vérité autant qu'elle me tenait. J'avais eu raison, j'avais encore raison, j'avais toujours raison. J'avais vécu de telle façon et j'aurais pu vivre de telle autre. J'avais fait ceci et je n'avais pas fait cela. Je n'avais pas fait telle chose alors que j'avais fait cette autre. Et après? C'était comme si j'avais attendu pendant tout le temps cette minute et cette petite aube où je serais justifié. Rien, rien n'avait d'importance et je savais bien pourquoi. Lui aussi savait pourquoi. Du fond de mon avenir, pendant toute cette vie absurde que j'avais menée, un souffle obscur remontait vers moi à travers des années qui n'étaient pas encore venues et ce souffle égalisait sur son passage tout ce qu'on me proposait alors dans les années pas plus réelles que je vivais. Que m'importaient la mort des autres, l'amour d'une mère, que m'importaient son Dieu, les vies qu'on choisit, les destins qu'on élit, puisqu'un seul destin devait m'élire moi-même et avec moi des milliards de privilégiés qui, comme lui, se disaient mes frères. Comprenait-il, comprenait-il donc? Tout le monde était privilégié. Il n'y avait que des privilégiés. Les autres aussi, on les condamnerait un jour. Lui aussi, on le condamnerait. Qu'importait si, accusé de meurtre, il était exécuté pour n'avoir pas pleuré à l'enterrement de sa mère? Le chien de Salamano valait autant que sa femme. La petite femme automatique était aussi coupable que la Parisienne que Masson avait épousée ou que Marie qui avait envie que je l'épouse. Qu'importait que Raymond fût mon copain autant que Céleste qui valait mieux que lui? Qu'importait que Marie donnât aujourd'hui sa bouche à un nouveau Meursault? Comprenait-il donc, ce condamné, et que du fond de mon avenir… J'étouffais en criant tout ceci. Mais, déjà, on m'arrachait l'aumônier des mains et les gardiens me menaçaient. Lui, cependant, les a calmés et m'a regardé un moment en silence. Il avait les yeux pleins de larmes. Il s'est détourné et il a disparu[12].

Lui parti, j'ai retrouvé le calme. J'étais épuisé et je me suis jeté sur ma couchette. Je crois que j'ai dormi parce que je me suis réveillé avec des étoiles sur le visage. Des bruits de campagne montaient jusqu'à moi. Des odeurs de nuit, de terre et de sel rafraîchissaient mes tempes. La merveilleuse paix[13] de cet été endormi entrait en moi comme une marée. À ce moment, et à la limite de la nuit, des sirènes ont hurlé. Elles annonçaient des départs pour un monde qui maintenant m'était à jamais indifférent. Pour la première fois depuis bien longtemps, j'ai pensé à maman. Il m'a semblé que je comprenais pourquoi à la fin d'une vie elle avait pris un « fiancé », pourquoi elle avait joué à recommencer. Là-bas, là-bas aussi, autour de cet asile où des vies s'éteignaient, le soir était comme une trêve mélancolique. Si près de la mort, maman devait s'y sentir libérée et prête à tout revivre. Personne, personne n'avait le droit de pleurer sur elle. Et moi aussi, je me suis senti prêt à tout revivre. Comme si cette grande colère m'avait purgé du mal, vidé d'espoir, devant cette nuit chargée de signes et d'étoiles, je m'ouvrais pour la première fois à la tendre indifférence du monde. De l'éprouver si pareil à moi, si fraternel enfin, j'ai senti que j'avais été heureux, et que je l'étais encore[14]. Pour que tout soit consommé, pour que je me sente moins seul, il me restait à souhaiter qu'il y ait beaucoup de spectateurs le jour de mon exécution et qu'ils m'accueillent avec des cris de haine.

Appendice

PRÉFACE À L'ÉDITION
UNIVERSITAIRE AMÉRICAINE

J'ai résumé *L'Étranger*, il y a longtemps, par une phrase dont je reconnais qu'elle est très paradoxale : « Dans notre société tout homme qui ne pleure pas à l'enterrement de sa mère risque d'être condamné à mort. » Je voulais dire seulement que le héros du livre est condamné parce qu'il ne joue pas le jeu. En ce sens, il est étranger à la société où il vit, il erre, en marge, dans les faubourgs de la vie privée, solitaire, sensuelle. Et c'est pourquoi des lecteurs ont été tentés de le considérer comme une épave. On aura cependant une idée plus exacte du personnage, plus conforme en tout cas aux intentions de son auteur, si l'on se demande en quoi Meursault ne joue pas le jeu. La réponse est simple : il refuse de mentir. Mentir ce n'est pas seulement dire ce qui n'est pas. C'est aussi, c'est surtout dire plus que ce qui est et, en ce qui concerne le cœur humain, dire plus qu'on ne sent. C'est ce que nous faisons tous, tous les jours, pour simplifier la vie. Meursault, contrairement aux apparences, ne veut pas simplifier la vie. Il dit ce qu'il est, il refuse de majorer ses sentiments et aussitôt la société se sent menacée. On lui demande par exemple de dire qu'il regrette son crime, selon la formule consacrée. Il répond qu'il éprouve à cet égard plus d'ennui que de regret véritable. Et cette nuance le condamne.

Meursault pour moi n'est donc pas une épave, mais un homme pauvre et nu, amoureux du soleil qui ne laisse pas d'ombres. Loin qu'il soit privé de toute sensibilité, une passion profonde, parce que tacite, l'anime, la passion de l'absolu et de la vérité. Il s'agit d'une vérité encore négative, la vérité d'être et de sentir, mais sans laquelle nulle conquête sur soi et sur le monde ne sera jamais possible.

On ne se tromperait donc pas beaucoup en lisant dans *L'Étranger* l'histoire d'un homme qui, sans aucune attitude héroïque, accepte de mourir pour la vérité. Il m'est arrivé de dire aussi, et toujours paradoxalement, que j'avais essayé de figurer dans mon personnage le seul christ que nous méritions. On comprendra, après mes explications, que je l'aie dit sans aucune intention de blasphème et seulement avec l'affection un peu ironique qu'un artiste a le droit d'éprouver à l'égard des personnages de sa création.

A. C.

LE MYTHE DE SISYPHE

Essai sur l'absurde

À Pascal Pia[1].

Ô mon âme, n'aspire pas à la vie immortelle, mais épuise le champ du possible.

PINDARE[2], *3ᵉ Pythique.*

Les pages qui suivent traitent d'une sensibilité absurde qu'on peut trouver éparse dans le siècle — et non d'une philosophie absurde que notre temps, à proprement parler, n'a pas connue. Il est donc d'une honnêteté élémentaire de marquer, pour commencer, ce qu'elles doivent à certains esprits contemporains. Mon intention est si peu de le cacher qu'on les verra cités et commentés tout au long de l'ouvrage.

Mais il est utile de noter, en même temps, que l'absurde, pris jusqu'ici comme conclusion, est considéré dans cet essai comme un point de départ. En ce sens, on peut dire qu'il y a du provisoire dans mon commentaire : on ne saurait préjuger de la position qu'il engage. On trouvera seulement ici la description, à l'état pur, d'un mal de l'esprit. Aucune métaphysique, aucune croyance n'y sont mêlées pour le moment. Ce sont les limites et le seul parti pris de ce livre[a].

UN RAISONNEMENT ABSURDE

L'ABSURDE ET LE SUICIDE

Il n'y a qu'un problème philosophique vraiment sérieux : c'est le suicide. Juger que la vie vaut ou ne vaut pas la peine d'être vécue, c'est répondre à la question fondamentale de la philosophie. Le reste, si le monde a trois dimensions, si l'esprit a neuf ou douze catégories, vient ensuite. Ce sont des jeux ; il faut d'abord répondre. Et s'il est vrai, comme le veut Nietzsche, qu'un philosophe, pour être estimable, doive prêcher d'exemple[1], on saisit[a] l'importance de cette réponse puisqu'elle va précéder le geste définitif. Ce sont là des évidences sensibles au cœur, mais qu'il faut approfondir pour les rendre claires à l'esprit.

Si je me demande à quoi juger que telle question est plus pressante que telle autre, je réponds que c'est aux actions qu'elle engage. Je n'ai jamais vu personne mourir pour l'argument ontologique. Galilée, qui tenait une vérité scientifique d'importance, l'abjura le plus aisément du monde dès qu'elle mit sa vie en péril. Dans un certain sens, il fit bien[b]. Cette vérité ne valait pas le bûcher. Qui de la terre ou du soleil tourne autour de l'autre, cela est profondément indifférent. Pour tout dire, c'est une question futile. En revanche, je vois que beaucoup de gens meurent parce qu'ils estiment que la vie ne vaut pas la peine d'être vécue. J'en vois d'autres qui se font paradoxalement tuer pour les idées ou les illusions qui leur donnent une raison de vivre (ce qu'on appelle une raison de vivre est en même temps une excellente raison de mourir). Je juge donc que le sens de la vie est la plus pressante des questions. Comment y répondre ? Sur tous les problèmes essentiels, j'entends par là ceux qui risquent de faire mourir ou ceux qui décuplent la passion de vivre, il n'y a probablement que deux méthodes de pensée, celle de La Palisse et celle de Don Quichotte[2]. C'est l'équilibre de l'évidence et du lyrisme qui peut seul nous permettre d'accéder en même temps à l'émotion et à la clarté. Dans un sujet à la fois si humble et si chargé de pathétique, la dialectique savante et classique doit donc céder la place, on le conçoit, à une attitude d'esprit plus modeste qui procède à la fois du bon sens et de la sympathie.

On n'a jamais traité du suicide que comme d'un phénomène social. Au contraire, il est question ici, pour commencer, du rapport entre la pensée individuelle et le suicide. Un geste comme celui-ci se prépare dans le silence du cœur au même titre qu'une grande œuvre. L'homme lui-même l'ignore. Un soir, il tire ou il plonge. D'un gérant d'immeubles qui s'était tué, on me disait un jour qu'il avait perdu sa fille depuis cinq ans, qu'il avait beaucoup changé depuis et que cette histoire l'« avait miné ». On ne peut souhaiter de mot plus exact. Commencer à penser, c'est commencer d'être miné. La société n'a pas grand-chose à voir dans ces débuts. Le ver se trouve au cœur de l'homme. C'est là qu'il faut le chercher. Ce jeu mortel qui mène de la lucidité en face de l'existence à l'évasion hors de la lumière, il faut le suivre et le comprendre.

Il y a beaucoup de causes à un suicide et d'une façon générale les plus apparentes n'ont pas été les plus efficaces. On se suicide rarement (l'hypothèse cependant n'est pas exclue) par réflexion. Ce qui déclenche la crise est presque toujours incontrôlable. Les journaux parlent souvent de « chagrins intimes » ou de « maladie incurable ». Ces explications sont valables. Mais il faudrait savoir si le jour même un ami du désespéré ne lui a pas parlé sur un ton indifférent[3]. Celui-là est le coupable. Car cela peut suffire à précipiter toutes les rancœurs et toutes les lassitudes encore en suspension*.

Mais, s'il est difficile de fixer l'instant précis, la démarche subtile où l'esprit a parié pour la mort, il est[d] plus aisé de tirer du geste lui-même les conséquences qu'il suppose. Se tuer,

---

* Ne manquons pas l'occasion de marquer le caractère relatif de cet essai. Le suicide peut en effet se rattacher à des considérations beaucoup plus honorables. Exemple : les suicides politiques dits de protestation, dans la révolution chinoise[e].

dans un sens, et comme au mélodrame, c'est avouer. C'est avouer qu'on est dépassé par la vie ou qu'on ne la comprend pas. N'allons pas trop loin cependant dans ces analogies et revenons aux mots courants. C'est seulement avouer que cela « ne vaut pas la peine ». Vivre, naturellement, n'est jamais facile. On continue à faire les gestes que l'existence commande, pour beaucoup de raisons dont la première est l'habitude. Mourir volontairement suppose qu'on a reconnu, même instinctivement, le caractère dérisoire de cette habitude, l'absence de toute raison profonde de vivre, le caractère insensé de cette agitation quotidienne et l'inutilité de la souffrance.

Quel est donc cet incalculable sentiment qui prive l'esprit du sommeil nécessaire à sa vie ? Un monde qu'on peut expliquer même avec de mauvaises raisons est un monde familier. Mais au contraire, dans un univers soudain privé d'illusions et de lumières, l'homme se sent un étranger. Cet exil est sans recours puisqu'il est privé des souvenirs d'une patrie perdue ou de l'espoir d'une terre promise[4]. Ce divorce entre l'homme et sa vie, l'acteur et son décor, c'est proprement le sentiment de l'absurdité. Tous les hommes sains ayant songé à leur propre suicide[5], on pourra reconnaître, sans plus d'explications, qu'il y a un lien direct entre ce sentiment et l'aspiration vers le néant.

Le sujet de cet essai est précisément ce rapport entre l'absurde et le suicide, la mesure exacte dans laquelle le suicide est une solution à l'absurde. On peut poser en principe que pour un homme qui ne triche pas, ce qu'il croit vrai doit régler son action. La croyance dans l'absurdité de l'existence doit donc commander sa conduite. C'est une curiosité légitime de se demander, clairement et sans faux pathétique, si une conclusion de cet ordre exige que l'on quitte au plus vite une condition incompréhensible. Je parle ici, bien entendu, des hommes disposés à se mettre d'accord avec eux-mêmes.

Posé en termes clairs, ce problème peut paraître à la fois simple et insoluble. Mais on suppose à tort que des questions simples entraînent des réponses qui ne le sont pas moins et que l'évidence implique l'évidence. *A priori*, et en inversant les termes du problème, de même qu'on se tue ou qu'on ne se tue pas, il semble qu'il n'y ait que deux solutions philosophiques, celle du oui et celle du non. Ce serait trop beau. Mais il faut faire la part de ceux qui, sans conclure, interrogent toujours. Ici, j'ironise à peine : il s'agit de la majorité. Je vois également que ceux qui répondent non agissent comme s'ils pensaient oui. De fait, si j'accepte le critérium nietzschéen, ils pensent oui d'une façon ou de l'autre. Au contraire, ceux qui se suicident, il arrive souvent qu'ils étaient assurés du sens de la vie. Ces contradictions sont constantes. On peut même dire qu'elles n'ont jamais été aussi vives que sur ce point où la logique au contraire paraît si désirable. C'est un lieu commun de comparer les théories philosophiques et la conduite de ceux qui les professent. Mais il faut bien dire que parmi les penseurs qui refusèrent un sens à la vie, aucun, sauf Kirilov qui appartient à la littérature, Peregrinos[6] qui naît de la légende* et Jules Lequier[7] qui relève de l'hypothèse, n'accorda sa logique jusqu'à refuser cette vie. On cite souvent, pour en rire, Schopenhauer qui faisait l'éloge du suicide devant une table bien garnie. Il n'y a point là matière à plaisanterie. Cette façon de ne pas prendre le tragique au sérieux n'est pas si grave, mais elle finit par juger son homme.

Devant ces contradictions et ces obscurités, faut-il donc croire qu'il n'y a aucun rapport entre l'opinion qu'on peut avoir sur la vie et le geste qu'on fait pour la quitter ? N'exagérons rien dans ce sens. Dans l'attachement d'un homme à sa vie, il y a quelque chose de plus fort que toutes les misères du monde. Le jugement du corps vaut bien celui de l'esprit et le corps recule devant l'anéantissement. Nous prenons l'habitude de vivre avant d'acquérir celle de penser. Dans cette course qui nous précipite tous les jours un peu plus vers la mort, le corps garde cette avance irréparable. Enfin, l'essentiel de cette contradiction réside dans ce que j'appellerai l'esquive parce qu'elle est à la fois moins et plus que le divertissement au sens pascalien. L'esquive mortelle[f] qui fait le troisième thème de cet essai, c'est l'espoir. Espoir d'une autre vie qu'il faut « mériter », ou tricherie de ceux qui vivent non pour la vie elle-même, mais pour quelque grande idée qui la dépasse, la sublime, lui donne un sens et la trahit.

Tout contribue ainsi à brouiller les cartes. Ce n'est pas en vain qu'on a jusqu'ici joué[g] sur les mots et feint de croire que refuser un sens à la vie conduit forcément à déclarer qu'elle ne vaut pas la peine d'être vécue. En vérité, il n'y a aucune

---

* J'ai entendu parler d'un émule de Peregrinos, écrivain de l'après-guerre, qui après avoir terminé son premier livre se suicida pour attirer l'attention sur son œuvre. L'attention en effet fut attirée mais le livre jugé mauvais[r].

mesure forcée entre ces deux jugements. Il faut seulement refuser de se laisser égarer par les confusions, les divorces et les inconséquences jusqu'ici signalés. Il faut tout écarter et aller droit au vrai problème. On se tue parce que la vie ne vaut pas la peine d'être vécue, voilà une vérité sans doute — inféconde cependant parce qu'elle est truisme. Mais est-ce que cette insulte à l'existence, ce démenti où on la plonge vient de ce qu'elle n'a point de sens ? Est-ce que son absurdité exige qu'on lui échappe, par l'espoir ou le suicide, voilà ce qu'il faut mettre à jour, poursuivre et illustrer en écartant tout le reste. L'absurde commande-t-il la mort, il faut donner à ce problème le pas sur les autres, en dehors de toutes les méthodes de pensée et des jeux de l'esprit désintéressé. Les nuances, les contradictions, la psychologie qu'un esprit « objectif » sait toujours introduire dans tous les problèmes, n'ont pas leur place dans cette recherche et cette passion. Il y faut seulement une pensée injuste, c'est-à-dire logique. Cela n'est pas facile. Il est toujours aisé d'être logique. Il est presque impossible d'être logique jusqu'au bout. Les hommes qui meurent de leurs propres mains suivent ainsi jusqu'à sa fin la pente de leur sentiment. La réflexion sur le suicide me donne alors l'occasion de poser le seul problème qui m'intéresse : y a-t-il une logique jusqu'à la mort ? Je ne puis le savoir qu'en poursuivant sans passion désordonnée, dans la seule lumière de l'évidence, le raisonnement dont j'indique ici l'origine. C'est ce que j'appelle un raisonnement absurde. Beaucoup l'ont commencé. Je ne sais pas encore s'ils s'y sont tenus.

Lorsque Karl Jaspers, révélant l'impossibilité de constituer le monde en unité, s'écrie : « Cette limitation me conduit à moi-même, là où je ne me retire plus derrière un point de vue objectif que je ne fais que représenter, là où ni moi-même ni l'existence d'autrui ne peut plus devenir objet pour moi », il évoque après bien d'autres ces lieux déserts et sans eau[b] où la pensée arrive à ses confins. Après bien d'autres, oui sans doute, mais combien pressés d'en sortir ! À ce dernier tournant où la pensée vacille, beaucoup d'hommes sont arrivés et parmi les plus humbles. Ceux-là abdiquaient alors ce qu'ils avaient de plus cher qui était leur vie. D'autres, princes parmi l'esprit, ont abdiqué aussi, mais c'est au suicide de leur pensée, dans sa révolte la plus pure, qu'ils ont procédé. Le véritable effort est de s'y tenir au contraire, autant que cela est possible et d'examiner de près la végétation baroque de ces contrées éloignées. La ténacité et la clairvoyance sont des spectateurs privilégiés pour ce jeu inhumain où l'absurde, l'espoir et la mort échangent leurs répliques. Cette danse à la fois élémentaire et subtile, l'esprit peut alors en analyser les figures avant de les illustrer et de les revivre lui-même.

LES MURS ABSURDES [a1]

Comme les grandes œuvres, les sentiments profonds signifient toujours plus qu'ils n'ont conscience de le dire. La constance d'un mouvement ou d'une répulsion dans une âme se retrouve dans des habitudes de faire ou de penser, se poursuit dans des conséquences que l'âme elle-même ignore. Les grands sentiments promènent avec eux leur univers, splendide ou misérable. Ils éclairent de leur passion un monde exclusif où ils retrouvent leur climat. Il y a un univers de la jalousie, de l'ambition, de l'égoïsme ou de la générosité. Un univers, c'est-à-dire une métaphysique et une attitude d'esprit. Ce qui est vrai de sentiments déjà spécialisés le sera plus encore pour des émotions à leur base aussi indéterminées, à la fois aussi confuses et aussi « certaines », aussi lointaines et aussi « présentes » que celles que nous donne le beau ou que suscite l'absurde.

Le sentiment de l'absurdité au détour de n'importe quelle rue peut frapper à la face de n'importe quel homme. Tel quel, dans sa nudité désolante, dans sa lumière sans rayonnement, il est insaisissable. Mais cette difficulté même mérite réflexion. Il est probablement vrai qu'un homme nous demeure à jamais inconnu et qu'il y a toujours en lui quelque chose d'irréductible qui nous échappe. Mais *pratiquement*, je connais les hommes et je les reconnais à leur conduite, à l'ensemble de leurs actes, aux conséquences que leur passage suscite dans la vie. De même tous ces sentiments irrationnels sur lesquels l'analyse ne saurait avoir de prise, je puis *pratiquement* les définir, *pratiquement* les apprécier, à réunir la somme de leurs conséquences dans l'ordre de l'intelligence, à saisir et à noter tous leurs visages, à retracer leur univers. Il est [b] certain qu'apparemment, pour avoir vu cent fois le même acteur, je ne l'en connaîtrai personnellement pas mieux. Pourtant si je fais la somme des héros qu'il a incarnés et si je dis que je le connais un peu plus au centième personnage recensé, on sent qu'il y aura là une part de vérité. Car ce paradoxe apparent est aussi un apologue. Il a une moralité. Elle enseigne qu'un homme se définit aussi bien par ses comédies que par ses élans sincères. Il en est ainsi, un ton plus bas, des sentiments, inaccessibles dans le cœur, mais partiellement trahis par les actes qu'ils animent et les attitudes d'esprit qu'ils supposent. On sent bien qu'ainsi je définis une méthode. Mais on sent aussi que cette méthode est d'analyse et non de connaissance. Car les méthodes impliquent des métaphysiques, elles trahissent à leur insu les conclusions qu'elles prétendent parfois ne pas encore connaître. Ainsi les dernières pages d'un livre sont déjà dans les premières. Ce nœud est inévitable. La méthode définie ici confesse le sentiment que toute vraie connaissance est impossible. Seules les apparences peuvent se dénombrer et le climat se faire sentir.

Cet insaisissable sentiment de l'absurdité, peut-être alors pourrons-nous l'atteindre dans les mondes différents mais fraternels, de l'intelligence, de l'art de vivre ou de l'art tout court. Le climat de l'absurdité est au commencement. La fin, c'est l'univers absurde et cette attitude d'esprit qui éclaire le monde sous un jour qui lui est propre, pour en faire resplendir le visage privilégié et implacable qu'elle sait lui reconnaître.

★

Toutes les grandes actions et toutes les grandes pensées ont un commencement dérisoire. Les grandes œuvres naissent souvent au détour d'une rue ou dans le tambour d'un restaurant. Ainsi de l'absurdité. Le monde absurde plus qu'un autre tire sa noblesse de cette naissance misérable. Dans certaines situations répondre : « rien » à une question sur la nature de ses pensées peut être une feinte chez un homme. Les êtres aimés le savent bien. Mais si cette réponse est sincère, si elle figure ce singulier état d'âme où le vide devient éloquent, où la chaîne des gestes quotidiens est rompue, où le cœur cherche en vain le maillon qui la renoue, elle est alors comme le premier signe de l'absurdité.

Il arrive que les décors s'écroulent. Lever, tramway, quatre heures de bureau ou d'usine, repas, tramway, quatre heures de travail, repas, sommeil et lundi mardi mercredi jeudi vendredi et samedi sur le même rythme, cette route se suit aisément la plupart du temps. Un jour seulement, le « pourquoi » s'élève et tout commence dans cette lassitude teintée d'étonnement. « Commence », ceci est important. La lassitude est à la fin des actes d'une vie machinale, mais elle inaugure en même temps le mouvement de la conscience[2]. Elle l'éveille et elle provoque la suite. La suite, c'est le retour inconscient dans la chaîne, ou c'est l'éveil définitif. Au bout de l'éveil vient, avec le temps, la conséquence : suicide ou rétablissement. En soi, la lassitude a quelque chose d'écœurant. Ici, je dois conclure qu'elle est bonne. Car tout commence par la conscience et rien ne vaut que par elle. Ces remarques n'ont rien d'original. Mais elles sont évidentes : cela suffit pour un temps, à l'occasion d'une reconnaissance sommaire dans les origines de l'absurde. Le simple « souci » est à l'origine de tout.

De même et pour tous les jours d'une vie sans éclat, le temps nous porte. Mais un moment vient toujours où il faut le porter. Nous vivons sur l'avenir : « demain », « plus tard », « quand tu auras une situation », « avec l'âge tu comprendras ». Ces inconséquences sont admirables, car enfin il s'agit de mourir. Un jour vient pourtant et l'homme constate ou dit qu'il a trente ans. Il affirme ainsi sa jeunesse. Mais du même coup, il se situe par rapport au temps. Il y prend sa place. Il reconnaît qu'il est à un certain moment d'une courbe qu'il confesse devoir parcourir. Il appartient au temps et, à cette horreur qui le saisit, il y reconnaît son pire ennemi. Demain, il souhaitait demain, quand tout lui-même aurait dû s'y refuser. Cette révolte de la chair, c'est l'absurde*.

Un degré[c] plus bas et voici l'étrangeté : s'apercevoir que le monde est « épais », entrevoir à quel point une pierre est étrangère, nous est irréductible, avec quelle intensité la nature, un paysage peut nous nier. Au fond de toute beauté gît quelque chose d'inhumain et ces collines, la douceur du ciel, ces dessins d'arbres, voici qu'à la minute même, ils perdent le sens illusoire dont nous les revêtions, désormais plus lointains qu'un paradis perdu[3]. L'hostilité primitive du monde, à travers les millénaires, remonte vers nous. Pour

---

* Mais non pas au sens propre. Il ne s'agit pas d'une définition, il s'agit d'une *énumération* des sentiments qui peuvent comporter de l'absurde. L'énumération achevée, on n'a cependant pas épuisé l'absurde[d].

une seconde, nous ne le comprenons plus puisque pendant des siècles nous n'avons compris en lui que les figures et les dessins que préalablement nous y mettions, puisque désormais les forces nous manquent pour user de cet artifice. Le monde nous échappe puisqu'il redevient lui-même. Ces décors masqués par l'habitude redeviennent ce qu'ils sont. Ils s'éloignent de nous. De même qu'il est des jours où sous le visage familier d'une femme, on retrouve comme une étrangère celle qu'on avait aimée il y a des mois ou des années, peut-être allons-nous désirer même ce qui nous rend soudain si seuls. Mais le temps n'est pas encore venu. Une seule chose : cette épaisseur et cette étrangeté du monde, c'est l'absurde[4].

Les hommes aussi sécrètent de l'inhumain. Dans certaines heures de lucidité, l'aspect mécanique de leurs gestes, leur pantomime privée de sens rend stupide tout ce qui les entoure. Un homme parle au téléphone derrière une cloison vitrée ; on ne l'entend pas, mais on voit sa mimique sans portée[5] : on se demande pourquoi il vit. Ce malaise devant l'inhumanité de l'homme même, cette incalculable chute devant l'image de ce que nous sommes, cette « nausée[6] » comme l'appelle un auteur de nos jours, c'est aussi l'absurde. De même l'étranger qui, à certaines secondes, vient à notre rencontre dans une glace, le frère familier et pourtant inquiétant que nous retrouvons dans nos propres photographies, c'est encore l'absurde.

J'en viens enfin à la mort et au sentiment que nous en avons. Sur ce point tout a été dit et il est décent de se garder du pathétique. On ne s'étonnera cependant jamais assez de ce que tout le monde vive comme si personne « ne savait ». C'est qu'en réalité, il n'y a pas d'expérience de la mort. Au sens propre, n'est expérimenté que ce qui a été vécu et rendu conscient. Ici, c'est tout juste s'il est possible de parler de l'expérience de la mort des autres[7]. C'est un succédané, une vue de l'esprit et nous n'en sommes jamais très convaincus. Cette convention mélancolique ne peut être persuasive. L'horreur vient en réalité du côté mathématique de l'événement. Si le temps nous effraie, c'est qu'il fait la démonstration, la solution vient derrière. Tous les beaux discours sur l'âme[f] vont recevoir ici, au moins pour un temps, une preuve par neuf de leur contraire. De ce corps inerte où une gifle ne marque plus, l'âme a disparu. Ce côté[g] élémentaire et définitif de l'aventure fait le contenu du sentiment absurde. Sous l'éclairage mortel de cette destinée, l'inutilité apparaît. Aucune morale, ni aucun effort ne sont *a priori* justifiables devant les sanglantes mathématiques qui ordonnent notre condition[8].

Encore une fois, tout ceci a été dit et redit. Je me borne à faire ici un classement rapide et à indiquer ces thèmes évidents. Ils courent à travers toutes les littératures et toutes les philosophies. La conversation de tous les jours s'en nourrit. Il n'est pas question de les réinventer. Mais il faut s'assurer de ces évidences pour pouvoir s'interroger ensuite sur la question primordiale. Ce qui m'intéresse, je veux encore le répéter, ce ne sont pas tant les découvertes absurdes. Ce sont leurs conséquences. Si l'on est assuré de ces faits, que faut-il conclure, jusqu'où aller pour ne rien éluder ? Faudra-t-il mourir volontairement, ou espérer malgré tout ? Il est[b] nécessaire auparavant d'opérer le même recensement rapide sur le plan de l'intelligence.

★

La première démarche de l'esprit est de distinguer ce qui est vrai de ce qui est faux. Pourtant dès que la pensée réfléchit sur elle-même, ce qu'elle découvre d'abord, c'est une contradiction. Inutile de s'efforcer ici d'être convaincant. Depuis des siècles personne n'a donné de l'affaire une démonstration plus claire et plus élégante que ne le fit Aristote : « La conséquence souvent ridiculisée de ces opinions est qu'elles se détruisent elles-mêmes. Car en affirmant que tout est vrai, nous affirmons la vérité de l'affirmation opposée et par conséquent la fausseté de notre propre thèse (car l'affirmation opposée n'admet pas qu'elle puisse être vraie). Et si l'on dit que tout est faux, cette affirmation se trouve fausse, elle aussi. Si l'on déclare que seule est fausse l'affirmation opposée à la nôtre ou bien que seule la nôtre n'est pas fausse, on se voit néanmoins obligé d'admettre un nombre infini de jugements vrais ou faux. Car celui qui émet une affirmation vraie prononce en même temps qu'elle est vraie, et ainsi de suite jusqu'à l'infini[9]. »

Ce cercle vicieux n'est que le premier d'une série où l'esprit qui se penche sur lui-même se perd dans un tournoiement vertigineux. La simplicité même de ces paradoxes fait qu'ils sont irréductibles. Quels que soient les jeux de mots et les acrobaties de la logique, comprendre c'est avant tout unifier. Le désir profond de l'esprit même dans ses démarches les plus évoluées rejoint le sentiment inconscient de l'homme devant son univers : il est exigence de familiarité, appétit de clarté. Comprendre le monde pour un homme, c'est le réduire à l'humain, le marquer de son sceau. L'univers du chat n'est pas l'univers du fourmilier. Le truisme « Toute pensée est anthropomorphique » n'a pas d'autre sens. De même l'esprit qui cherche à comprendre la réalité ne peut s'estimer satisfait que s'il la réduit en termes de pensée. Si l'homme reconnaissait que l'univers lui aussi peut aimer et souffrir, il serait réconcilié. Si la pensée découvrait dans les miroirs changeants des phénomènes, des relations éternelles qui les puissent résumer et se résumer elles-mêmes en un principe unique, on pourrait parler d'un bonheur de l'esprit dont le mythe des Bienheureux[10] ne serait qu'une ridicule contrefaçon. Cette nostalgie d'unité, cet appétit d'absolu illustre le mouvement essentiel du drame humain. Mais que cette nostalgie soit un fait n'implique pas qu'elle doive être immédiatement apaisée. Car si, franchissant le gouffre qui sépare le désir de la conquête, nous affirmons avec Parménide la réalité de l'Un (quel qu'il soit), nous tombons dans la ridicule contradiction d'un esprit qui affirme l'unité totale et prouve par son affirmation même sa propre différence et la diversité qu'il prétendait résoudre. Cet autre cercle vicieux suffit à étouffer nos espoirs.

Ce sont là encore des évidences. Je répéterai à nouveau qu'elles ne sont pas intéressantes en elles-mêmes, mais dans les conséquences qu'on peut en tirer. Je connais une autre évidence : elle me dit que l'homme est mortel. On peut compter cependant les esprits qui en ont tiré les conclusions extrêmes. Il faut considérer comme une perpétuelle référence, dans cet essai, le décalage constant entre ce que nous imaginons savoir et ce que nous savons réellement, le consentement pratique et l'ignorance simulée qui fait que nous vivons avec des idées qui, si nous les éprouvions vraiment, devraient bouleverser toute notre vie. Devant cette contradiction inextricable de l'esprit, nous saisirons justement à plein le divorce qui nous sépare de nos propres créations. Tant que l'esprit se tait dans le monde immobile de ses espoirs, tout se reflète et s'ordonne dans l'unité de sa nostalgie. Mais à son premier mouvement, ce monde se fêle et s'écroule : une infinité d'éclats miroitants s'offrent à la connaissance. Il faut désespérer d'en reconstruire jamais la

surface familière et tranquille qui nous donnerait la paix du
cœur. Après tant de siècles de recherches, tant d'abdications
parmi les penseurs, nous savons bien que ceci est vrai pour
toute notre connaissance. Exception faite pour les rationalistes de profession, on désespère aujourd'hui de la vraie
connaissance. S'il fallait écrire la seule histoire significative
de la pensée humaine, il faudrait faire celle de ses repentirs
successifs et de ses impuissances.

De qui et de quoi en effet puis-je dire : « Je connais cela ! »
Ce cœur¹ en moi, je puis l'éprouver et je juge qu'il existe.
Ce monde, je puis le toucher et je juge encore qu'il existe.
Là s'arrête toute ma science, le reste est construction. Car
si j'essaie de saisir ce moi dont je m'assure, si j'essaie de le
définir et de le résumer, il n'est plus qu'une eau qui coule
entre mes doigts. Je puis dessiner un à un tous les visages
qu'il sait prendre, tous ceux aussi qu'on lui a donnés, cette
éducation, cette origine, cette ardeur ou ces silences, cette
grandeur ou cette bassesse. Mais on n'additionne pas des
visages. Ce cœur même qui est le mien me restera à jamais
indéfinissable. Entre la certitude que j'ai de mon existence
et le contenu que j'essaie de donner à cette assurance, le
fossé ne sera jamais comblé. Pour toujours, je serai étranger
à moi-même. En psychologie comme en logique, il y a des
vérités mais point de vérité. Le « connais-toi toi-même » de
Socrate a autant de valeur que le « sois vertueux » de nos
confessionnaux. Ils révèlent une nostalgie en même temps
qu'une ignorance. Ce sont des jeux stériles sur de grands
sujets. Ils ne sont légitimes que dans la mesure exacte où
ils sont approximatifs.

Voici encore des arbres et je connais leur rugueux, de
l'eau et j'éprouve sa saveur. Ces parfums d'herbe et d'étoiles,
la nuit, certains soirs où le cœur se détend, comment nierais-
je ce monde dont j'éprouve la puissance et les forces ? Pourtant toute la science de cette terre ne me donnera rien qui
puisse m'assurer que ce monde est à moi. Vous me le décri-
vez et vous m'apprenez à le classer. Vous énumérez ses lois
et dans ma soif de savoir je consens qu'elles soient vraies.
Vous démontez son mécanisme et mon espoir s'accroît. Au
terme dernier, vous m'apprenez que cet univers prestigieux
et bariolé se réduit à l'atome et que l'atome lui-même se
réduit à l'électron. Tout ceci est bon et j'attends que vous
continuiez. Mais vous me parlez d'un invisible système pla-
nétaire où des électrons gravitent autour d'un noyau. Vous

m'expliquez ce monde avec une image. Je reconnais alors que vous en êtes venus à la poésie : je ne connaîtrai jamais. Ai-je le temps de m'en indigner ? Vous avez déjà changé de théorie. Ainsi cette science qui devait tout m'apprendre finit dans l'hypothèse, cette lucidité sombre dans la métaphore, cette incertitude se résout en œuvre d'art. Qu'avais-je besoin de tant d'efforts ? Les lignes douces de ces collines et la main du soir sur ce cœur agité m'en apprennent bien plus. Je suis revenu à mon commencement. Je comprends que si je puis par la science saisir les phénomènes et les énumérer, je ne puis pour autant appréhender le monde. Quand j'aurais suivi du doigt son relief tout entier, je n'en saurais pas plus. Et vous me donnez à choisir entre une description qui est certaine, mais qui ne m'apprend rien, et des hypothèses qui prétendent m'enseigner, mais qui ne sont point certaines[11]. Étranger à moi-même et à ce monde, armé pour tout secours d'une pensée qui se nie elle-même dès qu'elle affirme, quelle est cette condition où je ne puis avoir la paix qu'en refusant de savoir et de vivre, où l'appétit de conquête se heurte à des murs qui défient ses assauts ? Vouloir, c'est susciter les paradoxes. Tout est ordonné pour que prenne naissance cette paix empoisonnée que donnent l'insouciance, le sommeil du cœur ou les renoncements mortels.

L'intelligence aussi me dit donc à sa manière que ce monde est absurde. Son contraire qui est la raison aveugle a beau prétendre que tout est clair, j'attendais des preuves et je souhaitais qu'elle eût raison. Mais malgré tant de siècles prétentieux et par-dessus tant d'hommes éloquents et persuasifs, je sais que cela est faux. Sur ce plan du moins, il n'y a point de bonheur si je ne puis savoir. Cette raison universelle, pratique ou morale, ce déterminisme, ces catégories qui expliquent tout, ont de quoi faire rire l'homme honnête. Ils n'ont rien à voir avec l'esprit. Ils nient sa vérité profonde qui est d'être enchaîné. Dans cet univers indéchiffrable et limité, le destin de l'homme prend désormais son sens. Un peuple d'irrationnels s'est dressé et l'entoure jusqu'à sa fin dernière. Dans sa clairvoyance revenue et maintenant concertée, le sentiment de l'absurde s'éclaire et se précise. Je disais que le monde est absurde et j'allais trop vite. Ce monde en lui-même n'est pas raisonnable, c'est tout ce qu'on en peut dire. Mais ce qui est absurde, c'est la confrontation de cet irrationnel et de ce désir éperdu de clarté dont l'appel résonne au plus profond de l'homme. L'absurde dépend autant de l'homme que du monde. Il est pour le moment leur seul lien. Il les scelle l'un à l'autre comme la haine seule peut river les êtres. C'est tout ce que je puis discerner clairement dans cet univers sans mesure où mon aventure se poursuit. Arrêtons-nous ici. Si je tiens pour vrai cette absurdité qui règle mes rapports avec la vie, si je me pénètre de ce sentiment qui me saisit devant les spectacles du monde, de cette clairvoyance que m'impose la recherche d'une science, je dois tout sacrifier à ces certitudes et je dois les regarder en face pour pouvoir les maintenir. Surtout je dois leur régler ma conduite et les poursuivre dans toutes leurs conséquences. Je parle ici d'honnêteté. Mais je veux savoir auparavant si la pensée peut vivre dans ces déserts.

★

Je sais déjà que la pensée est entrée du moins dans ces déserts. Elle y a trouvé son pain. Elle a ʲ compris qu'elle se nourrissait jusque-là de fantômes. Elle a donné prétexte à quelques-uns des thèmes les plus pressants de la réflexion humaine.

À partir du moment où elle est reconnue, l'absurdité est une passion, la plus déchirante de toutes. Mais savoir si l'on peut vivre avec ses passions, savoir si l'on peut accepter leur loi profonde qui est de brûler le cœur que dans le même temps elles exaltent, voilà toute la question. Ce n'est pas cependant celle que nous poserons encore. Elle est au centre de cette expérience. Il sera temps d'y revenir. Reconnaissons plutôt ces thèmes et ces élans nés du désert. Il suffira de les énumérer. Ceux-là aussi sont aujourd'hui connus de tous. Il y a toujours eu des hommes pour défendre les droits de l'irrationnel. La tradition de ce qu'on peut appeler la pensée humiliée n'a jamais cessé d'être vivante. La critique du rationalisme a été faite tant de fois qu'il semble qu'elle ne soit plus à faire. Pourtant notre époque voit renaître ces systèmes paradoxaux qui s'ingénient à faire trébucher la raison comme si vraiment elle avait toujours marché de l'avant. Mais cela n'est point tant une preuve de l'efficacité de la raison que de la vivacité de ses espoirs. Sur le plan de l'histoire, cette constance de deux attitudes illustre la passion essentielle de l'homme déchiré entre son appel vers l'unité et la vision claire qu'il peut avoir des murs qui l'enserrent.

Mais jamais peut-être en aucun temps comme le nôtre,

l'attaque contre la raison n'a été plus vive. Depuis le grand
cri de Zarathoustra : « Par hasard, c'est la plus vieille noblesse
du monde. Je l'ai rendue à toutes les choses quand j'ai dit
qu'au-dessus d'elles aucune volonté éternelle ne voulait »,
depuis la maladie mortelle de Kierkegaard « ce mal qui aboutit à la mort sans plus rien après elle[12] », les thèmes significatifs et torturants de la pensée absurde se sont succédé. Ou
du moins, et cette nuance est capitale, ceux de la pensée irrationnelle et religieuse. De Jaspers à Heidegger, de Kierkegaard à Chestov, des phénoménologues à Scheler[13], sur le
plan logique et sur le plan moral, toute une famille d'esprits,
parents par leur nostalgie, opposés par leurs méthodes ou
leurs buts, se sont acharnés à barrer la voie royale de la
raison et à retrouver les droits chemins de la vérité. Je suppose ici ces pensées connues et vécues. Quelles que soient
ou qu'aient été leurs ambitions, tous sont partis de cet univers indicible où règnent la contradiction, l'antinomie, l'angoisse ou l'impuissance. Et ce qui leur est commun, ce sont
justement les thèmes qu'on a jusqu'ici décelés. Pour eux
aussi, il faut bien dire que ce qui importe surtout, ce sont
les conclusions qu'ils ont pu tirer de ces découvertes. Cela
importe tant qu'il faudra les examiner à part. Mais pour le
moment, il s'agit seulement de leurs découvertes et de leurs
expériences initiales. Il s'agit seulement de constater leur
concordance. S'il serait présomptueux de vouloir traiter de
leurs philosophies, il est possible et suffisant en tout cas, de
faire sentir le climat qui leur est commun.

Heidegger considère froidement la condition humaine et
annonce que cette existence est humiliée. La seule réalité,
c'est le « souci » dans toute l'échelle des êtres. Pour l'homme
perdu dans le monde et ses divertissements, ce souci est une
peur brève et fuyante. Mais que cette peur prenne conscience
d'elle-même, et elle devient l'angoisse, climat perpétuel de
l'homme lucide « dans lequel l'existence se retrouve ». Ce
professeur de philosophie écrit sans trembler et dans le langage le plus abstrait du monde que « le caractère fini et limité
de l'existence humaine est plus primordial que l'homme lui-
même ». Il s'intéresse à Kant mais c'est pour reconnaître
le caractère borné de sa « Raison pure ». C'est pour conclure
au terme de ses analyses que « le monde ne peut plus rien
offrir à l'homme angoissé ». Ce souci lui paraît à tel point
dépasser en vérité les catégories du raisonnement, qu'il ne
songe qu'à lui et ne parle que de lui. Il énumère ses visages :

d'ennui lorsque l'homme banal cherche à le niveler en lui-même et à l'étourdir ; de terreur lorsque l'esprit contemple la mort. Lui non plus ne sépare pas la conscience de l'absurde. La conscience de la mort c'est l'appel du souci et « l'existence s'adresse alors un propre appel par l'intermédiaire de la conscience ». Elle est la voix même de l'angoisse et elle adjure l'existence « de revenir elle-même de sa perte dans l'On anonyme ». Pour lui non plus, il ne faut pas dormir et il faut veiller jusqu'à la consommation[14]. Il se tient dans ce monde absurde, il en accuse le caractère périssable. Il cherche sa voie au milieu des décombres.

Jaspers désespère de toute ontologie parce qu'il veut que nous ayons perdu la « naïveté ». Il sait que nous ne pouvons arriver à rien qui transcende le jeu mortel des apparences. Il sait que la fin de l'esprit c'est l'échec. Il s'attarde le long des aventures spirituelles que nous livre l'histoire et décèle impitoyablement la faille de chaque système, l'illusion qui a tout sauvé, la prédication qui n'a rien caché. Dans ce monde dévasté où l'impossibilité de connaître est démontrée, où le néant paraît la seule réalité, le désespoir sans recours, la seule attitude, il tente de retrouver le fil d'Ariane qui mène aux divins secrets.

Chestov de son côté, tout le long d'une œuvre à l'admirable monotonie, tendu sans cesse vers les mêmes vérités, démontre sans trêve que le système le plus serré, le rationalisme le plus universel finit toujours par buter sur l'irrationnel de la pensée humaine. Aucune des évidences ironiques, des contradictions dérisoires qui déprécient la raison ne lui échappe. Une seule chose l'intéresse et c'est l'exception, qu'elle soit de l'histoire du cœur ou de l'esprit. À travers les expériences dostoïevskiennes du condamné à mort, les aventures exaspérées de l'esprit nietzschéen, les imprécations d'Hamlet ou l'amère aristocratie d'un Ibsen, il dépiste, éclaire et magnifie la révolte humaine contre l'irrémédiable. Il refuse ses raisons à la raison et ne commence à diriger ses pas avec quelque décision qu'au milieu de ce désert sans couleurs où toutes les certitudes sont devenues pierres[15].

De tous peut-être le plus attachant, Kierkegaard, pour une partie au moins de son existence, fait mieux que de découvrir l'absurde, il le vit. L'homme qui écrit : « Le plus sûr des mutismes n'est pas de se taire, mais de parler », s'assure pour commencer qu'aucune vérité n'est absolue et ne peut rendre satisfaisante une existence impossible en soi.

Don Juan de la connaissance, il multiplie les pseudonymes et les contradictions, écrit les *Discours édifiants* en même temps que ce manuel du spiritualisme cynique qu'est *Le Journal du séducteur*. Il refuse les consolations, la morale, les principes de tout repos. Cette épine[16] qu'il se sent au cœur, il n'a garde d'en assoupir la douleur. Il la réveille au contraire et, dans la joie désespérée d'un crucifié content de l'être, construit pièce à pièce, lucidité, refus, comédie, une catégorie du démoniaque[17]. Ce visage à la fois tendre et ricanant, ces pirouettes suivies d'un cri parti du fond de l'âme, c'est l'esprit absurde lui-même aux prises avec une réalité qui le dépasse. Et l'aventure spirituelle qui conduit Kierkegaard à ses chers scandales commence elle aussi dans le chaos d'une expérience privée de ses décors et rendue à son incohérence première.

Sur un tout autre plan, celui de la méthode, par leurs outrances mêmes, Husserl et les phénoménologues restituent le monde dans sa diversité et nient le pouvoir transcendant de la raison. L'univers spirituel s'enrichit avec eux de façon incalculable. Le pétale de rose, la borne kilométrique ou la main humaine ont autant d'importance que l'amour, le désir, ou les lois de la gravitation. Penser, ce n'est plus unifier, rendre familière l'apparence sous le visage d'un grand principe. Penser, c'est réapprendre à voir, à être attentif, c'est diriger sa conscience, c'est faire de chaque idée et de chaque image, à la façon de Proust, un lieu privilégié[18]. Paradoxalement, tout est privilégié. Ce qui justifie la pensée, c'est son extrême conscience. Pour être plus positive que chez Kierkegaard ou Chestov, la démarche husserlienne, à l'origine, nie cependant la méthode classique de la raison, déçoit l'espoir, ouvre à l'intuition et au cœur toute une prolifération de phénomènes dont la richesse a quelque chose d'inhumain. Ces chemins mènent à toutes les sciences ou à aucune. C'est dire que le moyen ici a plus d'importance que la fin. Il s'agit seulement « d'une attitude pour connaître » et non d'une consolation. Encore une fois, à l'origine du moins.

Comment ne pas sentir la parenté profonde de ces esprits ! Comment ne pas voir qu'ils se regroupent autour d'un lieu privilégié[19] et amer où l'espérance n'a plus de place ? Je veux que tout me soit expliqué ou rien. Et la raison est impuissante devant ce cri du cœur. L'esprit éveillé par cette exigence cherche et ne trouve que contradictions et déraisonnements. Ce que je ne comprends pas est sans raison. Le monde est peuplé de ces irrationnels. À lui seul dont je ne comprends pas la signification unique, il n'est qu'un immense irrationnel. Pouvoir dire une seule fois : « cela est clair » et tout serait sauvé. Mais ces hommes à l'envi proclament que rien n'est clair, tout est chaos, que l'homme garde seulement sa clairvoyance et la connaissance précise des murs qui l'entourent.

Toutes ces expériences concordent et se recoupent. L'esprit arrivé aux confins doit porter un jugement et choisir ses conclusions. Là se placent le suicide et la réponse. Mais je veux inverser l'ordre de la recherche et partir de l'aventure intelligente pour revenir aux gestes quotidiens. Les expériences ici évoquées sont nées dans le désert qu'il ne faut point quitter. Du moins faut-il savoir jusqu'où elles sont parvenues. À ce point de son effort, l'homme se trouve devant l'irrationnel. Il sent en lui son désir de bonheur et de raison. L'absurde naît de cette confrontation entre l'appel humain et le silence déraisonnable du monde. C'est cela qu'il ne faut pas oublier. C'est à cela qu'il faut se cramponner parce que toute la conséquence d'une vie peut en naître. L'irrationnel, la nostalgie humaine et l'absurde qui surgit de leur tête-à-tête, voilà les trois personnages du drame qui doit nécessairement finir avec toute la logique dont une existence est capable.

LE SUICIDE PHILOSOPHIQUE[a1]

Le sentiment de l'absurde n'est pas pour autant la notion de l'absurde. Il la fonde, un point c'est tout. Il ne s'y résume pas, sinon le court instant où il porte son jugement sur l'univers. Il lui reste ensuite à aller plus loin. Il est vivant, c'est-à-dire qu'il doit mourir ou retentir plus avant. Ainsi des thèmes que nous avons réunis. Mais là encore, ce qui m'intéresse, ce ne sont point des œuvres ou des esprits dont la critique demanderait une autre forme et une autre place, mais la découverte de ce qu'il y a de commun dans leurs conclusions. Jamais esprits n'ont été si différents peut-être. Mais pourtant les paysages spirituels où ils s'ébranlent, nous les reconnaissons pour identiques. De même à travers des sciences si dissemblables, le cri qui termine leur itinéraire retentit de même façon. On sent bien qu'il y a un climat commun aux esprits que l'on vient de rappeler. Dire que ce climat est meurtrier, c'est à peine jouer sur les mots. Vivre sous ce ciel étouffant commande qu'on en sorte ou qu'on y reste. Il s'agit de savoir comment on en sort dans le premier cas et pourquoi on y reste dans le second. Je définis ainsi le problème du suicide et l'intérêt qu'on peut porter aux conclusions de la philosophie existentielle.

Je veux auparavant me détourner un instant du droit chemin. Jusqu'ici, c'est par l'extérieur que nous avons pu circonscrire l'absurde. On peut se demander cependant ce que cette notion contient de clair et tenter de retrouver par l'analyse directe sa signification d'une part et, de l'autre, les conséquences qu'elle entraîne.

Si j'accuse un innocent d'un crime monstrueux, si j'affirme à un homme vertueux qu'il a convoité sa propre sœur, il me répondra que c'est absurde. Cette indignation a son côté comique. Mais elle a aussi sa raison profonde. L'homme vertueux illustre par cette réplique l'antinomie définitive qui existe entre l'acte que je lui prête et les principes de toute sa vie. « C'est absurde » veut dire : « c'est impossible », mais aussi : « c'est contradictoire ». Si je vois un homme attaquer à l'arme blanche un groupe de mitrailleuses, je jugerai que son acte est absurde. Mais il n'est tel qu'en vertu de la disproportion qui existe entre son intention et la réalité qui l'attend, de la contradiction que je puis saisir entre ses forces réelles et le but qu'il se propose. De même nous estimerons qu'un verdict est absurde en l'opposant au verdict qu'en apparence les faits commandaient[2]. De même encore une démonstration par l'absurde s'effectue en comparant les conséquences de ce raisonnement avec la réalité logique que l'on veut instaurer. Dans tous ces cas, du plus simple au plus complexe, l'absurdité sera d'autant plus grande que l'écart croîtra entre les termes de ma comparaison. Il y a des mariages absurdes, des défis, des rancœurs, des silences, des guerres et aussi des paix. Pour chacun d'entre eux, l'absurdité naît d'une comparaison. Je suis donc fondé à dire que le sentiment de l'absurdité ne naît pas du simple examen d'un fait ou d'une impression mais qu'il jaillit de la comparaison entre un état de fait et une certaine réalité, entre une action et le monde qui la dépasse. L'absurde est essentiellement un divorce. Il n'est ni dans l'un ni dans l'autre des éléments comparés. Il naît de leur confrontation.

Sur le plan de l'intelligence, je puis donc dire que l'absurde n'est pas dans l'homme (si une pareille métaphore pouvait avoir un sens), ni dans le monde, mais dans leur présence commune. Il est pour le moment le seul lien qui les unisse. Si j'en veux rester aux évidences, je sais ce que veut l'homme, je sais ce que lui offre le monde et maintenant je puis dire que je sais encore ce qui les unit. Je n'ai pas besoin de creuser plus avant. Une seule certitude suffit à celui qui cherche. Il s'agit seulement d'en tirer toutes les conséquences.

La conséquence immédiate est en même temps une règle de méthode. La singulière trinité qu'on met ainsi à jour n'a rien d'une Amérique soudain découverte. Mais elle a ceci de commun avec les données de l'expérience qu'elle est à la fois infiniment simple et infiniment compliquée. Le premier de ses caractères à cet égard est qu'elle ne peut se diviser. Détruire un de ses termes, c'est la détruire tout entière. Il ne peut y avoir d'absurde hors d'un esprit humain. Ainsi l'absurde finit comme toutes choses avec la mort. Mais il ne peut non plus y avoir d'absurde hors de ce monde. Et c'est à ce critérium élémentaire que je juge que la notion d'absurde est essentielle et qu'elle peut figurer la première de mes vérités. La règle de méthode évoquée plus haut apparaît ici. Si je juge qu'une chose est vraie, je dois la préserver. Si je me mêle d'apporter à un problème sa solution, il ne faut pas du moins que j'escamote par cette solution même un des termes du problème. L'unique donnée est pour moi l'absurde. Le problème est de savoir comment en sortir et si le suicide doit se déduire de cet absurde. La première et, au fond, la seule condition de mes recherches, c'est de préserver cela même qui m'écrase, de respecter en conséquence ce que je juge essentiel en lui. Je viens de le définir comme une confrontation et une lutte sans repos.

Et poussant jusqu'à son terme cette logique absurde, je dois reconnaître que cette lutte suppose l'absence totale d'espoir (qui n'a rien à voir avec le désespoir), le refus continuel (qu'on ne doit pas confondre avec le renoncement) et l'insatisfaction consciente (qu'on ne saurait assimiler à l'inquiétude juvénile). Tout ce qui détruit, escamote ou subtilise ces exigences (et en premier lieu le consentement qui détruit le divorce) ruine l'absurde et dévalorise l'attitude qu'on peut alors proposer. L'absurde n'a de sens que dans la mesure où l'on n'y consent pas.

★

Il existe un fait d'évidence qui semble tout à fait moral, c'est qu'un homme est toujours la proie de ses vérités. Une fois reconnues, il ne saurait s'en détacher. Il faut bien payer un peu. Un homme devenu conscient de l'absurde lui est lié pour jamais. Un homme sans espoir et conscient de l'être n'appartient plus à l'avenir. Cela[b] est dans l'ordre. Mais il est dans l'ordre également qu'il fasse effort pour échapper à l'univers dont il est le créateur. Tout ce qui précède n'a de sens justement qu'en considération de ce paradoxe. Rien ne peut être plus instructif à cet égard que d'examiner maintenant la façon dont les hommes qui ont reconnu, à partir d'une critique du rationalisme, le climat absurde, ont poussé leurs conséquences.

Or, pour m'en tenir aux philosophies existentielles, je vois que toutes sans exception, me proposent l'évasion. Par un raisonnement singulier, partis de l'absurde sur les décombres de la raison, dans un univers fermé et limité à l'humain, ils divinisent ce qui les écrase et trouvent une raison d'espérer dans ce qui les démunit. Cet espoir forcé est chez tous d'essence religieuse. Il mérite qu'on s'y arrête.

J'analyserai seulement ici et à titre d'exemple quelques thèmes particuliers à Chestov et à Kierkegaard. Mais Jaspers va nous fournir, poussé jusqu'à la caricature, un exemple type de cette attitude. Le reste en deviendra plus clair. On le laisse impuissant à réaliser le transcendant, incapable de sonder la profondeur de l'expérience et conscient de cet univers bouleversé par l'échec. Va-t-il progresser ou du moins tirer les conclusions de cet échec ? Il n'apporte rien de nouveau. Il n'a rien trouvé dans l'expérience que l'aveu de son impuissance et aucun prétexte à inférer quelque principe satisfaisant. Pourtant, sans justification, il le dit lui-même, il affirme d'un seul jet à la fois le transcendant, l'être de l'expérience et le sens supra-humain de la vie en écrivant : « L'échec ne montre-t-il pas, au-delà de toute explication et de toute interprétation possible, non le néant mais l'être de la transcendance. » Cet être qui soudain et par un acte aveugle de la confiance humaine, explique tout, il le définit comme « l'unité inconcevable du général et du particulier ». Ainsi l'absurde devient dieu (dans[c] le sens le plus large de ce mot) et cette impuissance à comprendre, l'être qui illumine tout. Rien n'amène en logique ce raisonnement. Je puis l'appeler un saut. Et, paradoxalement, on comprend l'insistance, la patience infinie de Jaspers à rendre irréalisable l'expérience du transcendant. Car plus fuyante est cette approximation, plus vaine s'avère cette définition et plus ce transcendant lui est réel, car la passion qu'il met à l'affirmer est justement proportionnelle à l'écart qui existe entre son pouvoir d'explication et l'irrationalité du monde et de l'expérience. Il apparaît ainsi que Jaspers met d'autant plus d'acharnement à détruire les préjugés de la raison qu'il expliquera de façon plus radicale le monde. Cet apôtre de la pensée humiliée va trouver à l'extrémité même de l'humiliation de quoi régénérer l'être dans toute sa profondeur.

La pensée mystique nous a familiarisés avec ces procédés. Ils sont légitimes au même titre que n'importe quelle attitude d'esprit. Mais, pour le moment, j'agis comme si je prenais au sérieux certain problème. Sans préjuger de la valeur générale de cette attitude, de son pouvoir d'enseignement, je veux seulement considérer si elle répond aux conditions que je me suis posées, si elle est digne du conflit qui m'intéresse. Je reviens ainsi à Chestov. Un commentateur rapporte une de ses paroles qui mérite intérêt : « La seule vraie issue, dit-il, est précisément là où il n'y a pas d'issue au jugement humain. Sinon, qu'aurions-nous besoin de Dieu ? On ne se tourne vers Dieu que pour obtenir l'impossible. Quant au possible, les hommes y suffisent. » S'il y a une philosophie chestovienne, je puis bien dire qu'elle est tout entière ainsi résumée. Car lorsqu'au terme de ses analyses passionnées, Chestov découvre l'absurdité fondamentale de toute existence, il ne dit point : « Voici l'absurde », mais : « Voici Dieu : c'est à lui qu'il convient de s'en remettre, même s'il ne correspond à aucune de nos catégories rationnelles. » Pour que la confusion ne soit pas possible, le philosophe russe insinue même que ce Dieu est peut-être haineux et haïssable, incompréhensible et contradictoire, mais dans la mesure même où son visage est le plus hideux il affirme le plus sa puissance[3]. Sa grandeur, c'est son inconséquence. Sa preuve, c'est son inhumanité. Il faut bondir en lui et par ce saut se délivrer des illusions rationnelles. Ainsi pour Chestov l'acceptation de l'absurde est contemporaine de l'absurde lui-même. Le constater, c'est l'accepter et tout l'effort logique de sa pensée est de le mettre à jour pour faire jaillir du même coup l'espoir immense qu'il entraîne[4]. Encore une fois, cette attitude

est légitime. Mais je m'entête ici à considérer un seul problème et toutes ses conséquences. Je n'ai pas à examiner le
pathétique d'une pensée[d] ou d'un acte de foi. J'ai toute ma
vie pour le faire. Je sais que le rationaliste trouve l'attitude
chestovienne irritante. Mais je sens aussi que Chestov a raison contre le rationaliste et je veux seulement savoir s'il reste
fidèle aux commandements de l'absurde.

Or, si l'on admet que l'absurde est le contraire de l'espoir,
on voit que la pensée existentielle, pour Chestov, présuppose l'absurde, mais ne le démontre que pour le dissiper.
Cette subtilité de pensée est un tour pathétique de jongleur.
Quand Chestov d'autre part oppose son absurde à la morale
courante et à la raison, il l'appelle vérité et rédemption. Il
y a donc à la base et dans cette définition de l'absurde une
approbation que Chestov lui apporte. Si l'on reconnaît que
tout le pouvoir de cette notion réside dans la façon dont
il heurte nos espérances élémentaires, si l'on sent que l'absurde exige pour demeurer qu'on n'y consente point, on voit
bien alors qu'il a perdu son vrai visage, son caractère humain
et relatif pour entrer dans une éternité à la fois incompréhensible et satisfaisante. Si absurde, il y a, c'est dans l'univers
de l'homme. Dès l'instant où sa notion se transforme en
tremplin d'éternité, elle n'est plus liée à la lucidité humaine.
L'absurde n'est plus cette évidence que l'homme constate
sans y consentir. La lutte est éludée. L'homme intègre l'absurde et dans cette communion fait disparaître son caractère
essentiel qui est opposition, déchirement et divorce. Ce saut
est une dérobade. Chestov qui cite si volontiers le mot
d'Hamlet « *The time is out of joint* », l'écrit ainsi avec une sorte
d'espoir farouche qu'il est permis de lui attribuer tout particulièrement. Car ce n'est pas ainsi qu'Hamlet le prononce
ou que Shakespeare l'écrit[5]. La griserie de l'irrationnel et la
vocation de l'extase détournent de l'absurde un esprit clair-
voyant. Pour Chestov, la raison est vaine, mais il y a quelque
chose au-delà de la raison. Pour un esprit absurde, la raison
est vaine et il n'y a rien au-delà de la raison.

Ce saut du moins peut nous éclairer un peu plus sur la
nature véritable de l'absurde. Nous savons qu'il ne vaut que
dans un équilibre, qu'il est avant tout dans la comparaison
et non point dans les termes de cette comparaison. Mais
Chestov justement fait porter tout le poids sur l'un des termes
et détruit l'équilibre. Notre appétit de comprendre, notre
nostalgie d'absolu ne sont explicables que dans la mesure où

justement nous pouvons comprendre et expliquer beaucoup de choses. Il est vain de nier absolument la raison. Elle a son ordre dans lequel elle est efficace. C'est justement celui de l'expérience humaine. C'est pourquoi nous voulons tout rendre clair. Si nous ne le pouvons pas, si l'absurde naît à cette occasion, c'est justement à la rencontre de cette raison efficace mais limitée et de l'irrationnel toujours renaissant. Or, quand Chestov s'irrite contre une proposition hégélienne de ce genre : « Les mouvements du système solaire s'effectuent conformément à des lois immuables et ces lois sont sa raison », lorsqu'il met toute sa passion à disloquer le rationalisme spinozien, il conclut justement à la vanité de toute raison. D'où, par un retour naturel et illégitime, à la prééminence de l'irrationnel*. Mais le passage n'est pas évident. Car ici peuvent intervenir la notion de limite et celle de plan. Les lois de la nature peuvent être valables jusqu'à une certaine limite, passée laquelle elles se retournent contre elles-mêmes pour faire naître l'absurde. Ou encore, elles peuvent se légitimer sur le plan de la description sans pour cela être vraies sur celui de l'explication. Tout est sacrifié ici à l'irrationnel et l'exigence de clarté étant escamotée, l'absurde disparaît avec un des termes de sa comparaison. L'homme absurde au contraire ne procède pas à ce nivellement. Il reconnaît la lutte, ne méprise pas absolument la raison et admet l'irrationnel. Il recouvre ainsi du regard toutes les données de l'expérience et il est peu disposé à sauter avant de savoir. Il sait seulement que dans cette conscience attentive, il n'y a plus de place pour l'espoir.

Ce qui est sensible chez Léon Chestov, le sera plus encore peut-être chez Kierkegaard. Certes, il est difficile de cerner chez un auteur aussi fuyant des propositions claires. Mais, malgré des écrits apparemment opposés, par-dessus les pseudonymes, les jeux et les sourires, on sent tout au long de cette œuvre apparaître comme le pressentiment (en même temps que l'appréhension) d'une vérité qui finit par éclater dans les derniers ouvrages : Kierkegaard lui aussi fait le saut. Le christianisme dont son enfance s'effrayait tant[6], il revient finalement vers son visage le plus dur. Pour lui aussi, l'antinomie et le paradoxe deviennent critères du religieux. Ainsi cela même qui faisait désespérer du sens et de

---

* À propos de la notion d'exception notamment et contre Aristote.

la profondeur de cette vie lui donne maintenant sa vérité
et sa clarté. Le christianisme⁶, c'est le scandale et ce que
Kierkegaard demande tout uniment, c'est le troisième sacrifice exigé par Ignace de Loyola⁷, celui dont Dieu se réjouit
le plus : « le sacrifice de l'Intellect* ». Cet effet du « saut »
est bizarre, mais ne doit plus nous surprendre. Il fait de l'absurde le critère de l'autre monde alors qu'il est seulement un
résidu de l'expérience de ce monde. « Dans son échec, dit
Kierkegaard, le croyant trouve son triomphe. »

Je n'ai pas à me demander à quelle émouvante prédication se rattache cette attitude. J'ai seulement à me demander si le spectacle de l'absurde et son caractère propre la
légitiment. Sur ce point, je sais que cela n'est pas. À considérer de nouveau⁸ le contenu de l'absurde, on comprend
mieux la méthode qui inspire Kierkegaard. Entre l'irrationnel du monde et la nostalgie révoltée de l'absurde, il ne
maintient pas l'équilibre. Il n'en respecte pas le rapport qui
fait à proprement parler le sentiment de l'absurdité. Certain
de ne pouvoir échapper à l'irrationnel, il veut du moins se
sauver de cette nostalgie désespérée qui lui paraît stérile et
sans portée. Mais s'il peut avoir raison sur ce point dans son
jugement, il ne saurait en être de même dans sa négation. S'il
remplace son cri de révolte par une adhésion forcenée, le
voilà conduit à ignorer l'absurde qui l'éclairait jusqu'ici et à
diviniser la seule certitude que désormais il ait, l'irrationnel. L'important, disait l'abbé Galiani à Mme d'Épinay, n'est
pas de guérir, mais de vivre avec ses maux⁹. Kierkegaard
veut guérir. Guérir, c'est son vœu forcené, celui qui court
dans tout son journal. Tout l'effort de son intelligence est
d'échapper à l'antinomie de la condition humaine. Effort
d'autant plus désespéré qu'il en aperçoit par éclairs la vanité,
par exemple quand il parle de lui, comme si ni la crainte
de Dieu, ni la piété, n'étaient capables de lui donner la paix.
C'est ainsi que, par un subterfuge torturé, il donne à l'irrationnel le visage, et à son Dieu les attributs de l'absurde :
injuste, inconséquent et incompréhensible. L'intelligence
seule en lui s'essaie à étouffer la revendication profonde

* On peut penser que je néglige ici le problème essentiel qui est celui de
la foi. Mais je n'examine pas la philosophie de Kierkegaard, ou de Chestov
ou, plus loin, de Husserl (il y faudrait une autre place et une autre attitude
d'esprit), je leur emprunte un thème et j'examine si ses conséquences peuvent
convenir aux règles déjà fixées. Il s'agit seulement d'entêtement.

du cœur humain. Puisque rien n'est prouvé, tout peut être prouvé.

C'est Kierkegaard lui-même qui nous révèle le chemin suivi. Je ne veux rien suggérer ici, mais comment ne pas lire dans ses œuvres les signes d'une mutilation presque volontaire de l'âme en face de la mutilation consentie sur l'absurde ? C'est le leitmotiv du *Journal*. « Ce qui m'a fait défaut, c'est la bête qui, elle aussi, fait partie de l'humaine destinée… Mais donnez-moi donc un corps. » Et plus loin : « Oh ! surtout dans ma première jeunesse, que n'eussé-je donné pour être homme, même six mois… ce qui me manque, au fond, c'est un corps et les conditions physiques de l'existence. » Ailleurs, le même homme pourtant fait sien le grand cri d'espoir qui a traversé tant de siècles et animé tant de cœurs, sauf celui de l'homme absurde. « Mais pour le chrétien, la mort n'est nullement la fin de tout et elle implique infiniment plus d'espoir que n'en comporte pour nous la vie, même débordante de santé et de force[10]. » La réconciliation par le scandale, c'est encore de la réconciliation. Elle permet peut-être, on le voit, de tirer l'espoir de son contraire qui est la mort. Mais même si la sympathie fait pencher vers cette attitude, il faut dire cependant que la démesure ne justifie rien. Cela passe, dit-on, la mesure humaine, il faut donc que cela soit surhumain. Mais ce « donc » est de trop. Il n'y a point ici de certitude logique. Il n'y a point non plus de probabilité expérimentale. Tout ce que je puis dire, c'est qu'en effet cela passe ma mesure. Si je n'en tire pas une négation, du moins je ne veux rien fonder sur l'incompréhensible. Je veux savoir si je puis vivre avec ce que je sais et avec cela seulement. On me dit encore que l'intelligence doit ici sacrifier son orgueil et la raison s'incliner. Mais si je reconnais les limites de la raison, je ne la nie pas pour autant, reconnaissant ses pouvoirs relatifs. Je veux seulement me tenir dans ce chemin moyen où l'intelligence peut rester claire. Si c'est là son orgueil, je ne vois pas de raison suffisante pour y renoncer. Rien de plus profond, par exemple, que la vue de Kierkegaard selon quoi le désespoir n'est pas un fait mais un état : l'état même du péché[11]. Car le péché c'est ce qui éloigne de Dieu. L'absurde, qui est l'état métaphysique de l'homme conscient, ne mène pas à Dieu*.

---

* Je n'ai pas dit « exclut Dieu », ce qui serait encore affirmer.

Peut-être ⸍ cette notion s'éclaircira-t-elle si je hasarde cette énormité : l'absurde c'est le péché sans Dieu.

Cet état de l'absurde, il s'agit d'y vivre. Je sais sur quoi il est fondé, cet esprit et ce monde arc-boutés l'un contre l'autre sans pouvoir s'embrasser. Je demande la règle de vie de cet état et ce qu'on me propose en néglige le fondement, nie l'un des termes de l'opposition douloureuse, me commande une démission. Je demande ce qu'entraîne la condition que je reconnais pour mienne, je sais qu'elle implique l'obscurité et l'ignorance et l'on m'assure que cette ignorance explique tout et que cette nuit est ma lumière. Mais on ne répond pas ici à mon intention et ce lyrisme exaltant ne peut me cacher le paradoxe. Il faut donc se détourner. Kierkegaard peut crier, avertir : « Si l'homme n'avait pas de conscience éternelle, si, au fond de toutes choses, il n'y avait qu'une puissance sauvage et bouillonnante produisant toutes choses, le grand et le futile, dans le tourbillon d'obscures passions, si le vide sans fond que rien ne peut combler se cachait sous les choses, que serait donc la vie, sinon le désespoir ? » Ce cri n'a pas de quoi arrêter l'homme absurde. Chercher ce qui est vrai n'est pas chercher ce qui est souhaitable. Si pour échapper à la question angoissée : « Que serait donc la vie ? » il faut comme l'âne se nourrir des roses de l'illusion[12], plutôt que de se résigner au mensonge, l'esprit absurde préfère adopter sans trembler la réponse de Kierkegaard : « le désespoir ». Tout bien considéré, une âme déterminée s'en arrangera toujours.

★

Je prends la liberté d'appeler ici suicide philosophique l'attitude existentielle. Mais ceci n'implique pas un jugement. C'est une façon commode de désigner le mouvement par quoi une pensée se nie elle-même et tend à se surpasser dans ce qui fait sa négation. Pour les existentiels, la négation c'est leur Dieu. Exactement, ce dieu ne se soutient que par la négation de la raison humaine*. Mais comme les suicides, les dieux changent avec les hommes. Il y a plusieurs façons de sauter, l'essentiel étant de sauter. Ces négations rédemptrices, ces contradictions finales qui nient l'obstacle que l'on

---

* Précisons encore une fois : ce n'est pas l'affirmation de Dieu qui est mise en cause ici, c'est la logique qui y mène.

n'a pas encore sauté, peuvent naître aussi bien (c'est le paradoxe que vise ce raisonnement) d'une certaine inspiration
religieuse que de l'ordre rationnel. Elles prétendent toujours
à l'éternel, c'est en cela seulement qu'elles font le saut.

Il faut encore le dire, le raisonnement que cet essai poursuit laisse entièrement de côté l'attitude spirituelle la plus
répandue dans notre siècle éclairé : celle qui s'appuie sur le
principe que tout est raison et qui vise à donner une explication au monde. Il est naturel d'en donner une vue claire
lorsqu'on admet qu'il doit être clair. Cela est même légitime
mais n'intéresse pas le raisonnement que nous poursuivons
ici. Son but en effet c'est d'éclairer la démarche de l'esprit
lorsque, parti d'une philosophie de la non-signification du
monde, il finit par lui trouver un sens et une profondeur. La
plus pathétique de ces démarches est d'essence religieuse ;
elle s'illustre dans le thème de l'irrationnel. Mais la plus paradoxale et la plus significative est bien celle qui donne ses raisons raisonnantes à un monde qu'elle imaginait tout d'abord
sans principe directeur. On ne saurait en tout cas venir aux
conséquences qui nous intéressent sans avoir donné une
idée de cette nouvelle acquisition de l'esprit de nostalgie.

J'examinerai seulement le thème de « l'Intention », mis
à la mode par Husserl et les phénoménologues. Il y a été
fait allusion. Primitivement, la méthode husserlienne nie la
démarche classique de la raison. Répétons-nous. Penser, ce
n'est pas unifier, rendre familière l'apparence sous le visage
d'un grand principe. Penser, c'est réapprendre à voir, diriger sa conscience, faire de chaque image un lieu privilégié.
Autrement dit, la phénoménologie se refuse à expliquer le
monde, elle veut être seulement une description du vécu. Elle
rejoint la pensée absurde dans son affirmation initiale qu'il
n'est point de vérité, mais seulement des vérités. Depuis
le vent du soir jusqu'à cette main sur mon épaule, chaque
chose a sa vérité. C'est la conscience qui l'éclaire par l'attention qu'elle lui prête. La conscience ne forme pas l'objet de
sa connaissance, elle fixe seulement, elle est l'acte d'attention
et pour reprendre une image bergsonienne[13], elle ressemble
à l'appareil de projection qui se fixe d'un coup sur une image.
La différence, c'est qu'il n'y a pas de scénario, mais une
illustration successive et inconséquente. Dans cette lanterne
magique, toutes les images sont privilégiées. La conscience
met en suspens dans l'expérience les objets de son attention.
Par son miracle, elle les isole. Ils sont dès lors en dehors de

tous les jugements. C'est cette « intention » qui caractérise la
conscience. Mais le mot n'implique aucune idée de finalité ;
il est pris dans son sens de « direction » : il n'a de valeur que
topographique.

À première vue, il semble bien que rien ainsi ne contredit l'esprit absurde. Cette apparente modestie de la pensée
qui se borne à décrire ce qu'elle se refuse à expliquer, cette
discipline volontaire d'où procède paradoxalement l'enri-
chissement profond de l'expérience et la renaissance du
monde dans sa prolixité, ce sont là des démarches absurdes.
Du moins à première vue. Car les méthodes de pensée, en
ce cas comme ailleurs, revêtent toujours deux aspects, l'un
psychologique et l'autre métaphysique*. Par là elles recèlent
deux vérités. Si le thème de l'intentionnalité ne prétend illustrer qu'une attitude psychologique, par laquelle le réel serait
épuisé au lieu d'être expliqué, rien en effet ne le sépare de
l'esprit absurde. Il vise à dénombrer ce qu'il ne peut trans-
cender. Il affirme seulement que dans l'absence de tout principe d'unité, la pensée peut encore trouver sa joie à décrire
et à comprendre chaque visage de l'expérience. La vérité dont
il est question alors pour chacun de ces visages est d'ordre
psychologique. Elle témoigne seulement de l'« intérêt » que
peut présenter la réalité. C'est une façon d'éveiller un monde
somnolent et de le rendre vivant à l'esprit. Mais si l'on veut
étendre et fonder rationnellement cette notion de vérité, si
l'on prétend découvrir ainsi l'« essence » de chaque objet de
la connaissance, on restitue sa profondeur à l'expérience.
Pour un esprit absurde, cela est incompréhensible. Or, c'est
ce balancement de la modestie à l'assurance qui est sensible
dans l'attitude intentionnelle et ce miroitement de la pensée
phénoménologique illustrera mieux que tout autre chose le
raisonnement absurde.

Car Husserl parle aussi « d'essences extra-temporelles »
que l'intention met à jour et l'on croit entendre Platon. On
n'explique pas toutes choses par une seule, mais par toutes.
Je n'y vois pas de différence. Certes ces idées ou ces essences
que la conscience « effectue » au bout de chaque description,
on ne veut pas encore qu'elles soient modèles parfaits. Mais
on affirme qu'elles sont directement présentes dans toute

---

* Même les épistémologies les plus rigoureuses supposent des métaphysiques. Et à ce point que la métaphysique d'une grande partie des penseurs de
l'époque consiste à n'avoir qu'une épistémologie.

donnée de perception[14]. Il n'y a plus une seule idée qui explique tout, mais une infinité d'essences qui donnent un sens à une infinité d'objets. Le monde s'immobilise, mais s'éclaire. Le réalisme platonicien devient intuitif, mais c'est encore du réalisme. Kierkegaard s'abîmait dans son Dieu, Parménide précipitait la pensée[b] dans l'Un. Mais ici la pensée se jette dans un polythéisme abstrait. Il y a mieux : les hallucinations et les fictions font partie elles aussi des « essences extra-temporelles ». Dans le nouveau monde des idées, la catégorie de centaure collabore avec celle, plus modeste, de métropolitain.

Pour l'homme absurde, il y avait une vérité en même temps qu'une amertume dans cette opinion purement psychologique que tous les visages du monde sont privilégiés. Que tout soit privilégié revient à dire que tout est équivalent. Mais l'aspect métaphysique de cette vérité le mène si loin que par une réaction élémentaire, il se sent plus près peut-être de Platon[15]. On lui enseigne en effet que toute image suppose une essence également privilégiée. Dans ce monde idéal sans hiérarchie, l'armée formelle est composée seulement de généraux. Sans doute la transcendance avait été éliminée. Mais un tournant brusque de la pensée réintroduit dans le monde une sorte d'immanence fragmentaire qui restitue sa profondeur à l'univers.

Dois-je craindre d'avoir mené trop loin un thème manié avec plus de prudence par ses créateurs ? Je lis seulement ces affirmations d'Husserl, d'apparence paradoxale, mais dont on sent la logique rigoureuse, si l'on admet ce qui précède : « Ce qui est vrai est vrai absolument, en soi ; la vérité est une ; identique à elle-même, quels que soient les êtres qui la perçoivent, hommes, monstres, anges ou dieux. » La Raison triomphe et claironne par cette voix, je ne puis le nier. Que peut signifier son affirmation dans le monde absurde ? La perception d'un ange ou d'un dieu n'a pas de sens pour moi. Ce lieu géométrique où la raison divine ratifie la mienne m'est pour toujours incompréhensible. Là encore, je décèle un saut, et pour être fait dans l'abstrait, il ne signifie pas moins pour moi l'oubli de ce que, justement, je ne veux pas oublier. Lorsque plus loin Husserl s'écrie : « Si toutes les masses soumises à l'attraction disparaissaient, la loi de l'attraction ne s'en trouverait pas détruite, mais elle resterait simplement sans application possible », je sais que je me trouve en face d'une métaphysique de consolation. Et si je veux découvrir le tournant où la pensée quitte le chemin de l'évidence, je n'ai qu'à relire le raisonnement parallèle qu'Husserl tient à propos de l'esprit : « Si nous pouvons contempler clairement les lois exactes des processus psychiques, elles se montreraient également éternelles et invariables, comme les lois fondamentales des sciences naturelles théoriques. Donc elles seraient valables même s'il n'y avait aucun processus psychique[16]. » Même si l'esprit n'était pas, ses lois seraient ! Je comprends alors que d'une vérité psychologique, Husserl prétend faire une règle rationnelle : après avoir nié le pouvoir intégrant de la raison humaine, il saute par ce biais dans la Raison éternelle.

Le thème husserlien de l'« univers concret » ne peut alors me surprendre. Me dire que toutes les essences ne sont pas formelles, mais qu'il en est de matérielles, que les premières sont l'objet de la logique et les secondes des sciences, ce n'est qu'une question de définition. L'abstrait, m'assure-t-on, ne désigne qu'une partie non consistante par elle-même d'un universel concret. Mais le balancement déjà révélé me permet d'éclairer la confusion de ces termes. Car cela peut vouloir dire que l'objet concret de mon attention, ce ciel, le reflet de cette eau sur le pan de ce manteau gardent à eux seuls ce prestige du réel que mon intérêt isole dans le monde. Et je ne le nierai pas. Mais cela peut vouloir dire aussi que ce manteau lui-même est universel, a son essence particulière et suffisante, appartient au monde des formes. Je comprends alors que l'on a changé seulement l'ordre de la procession. Ce monde n'a plus son reflet dans un univers supérieur, mais le ciel des formes se figure dans le peuple des images de cette terre. Ceci ne change rien pour moi. Ce n'est point le goût du concret, le sens de la condition humaine que je retrouve ici, mais un intellectualisme assez débridé pour généraliser le concret lui-même.

★

On s'étonnerait en vain du paradoxe apparent qui mène la pensée à sa propre négation par les voies opposées de la raison humiliée et de la raison triomphante. Du dieu abstrait d'Husserl au dieu fulgurant de Kierkegaard, la distance n'est pas si grande. La raison et l'irrationnel mènent à la même prédication. C'est qu'en vérité le chemin importe peu, la volonté d'arriver suffit à tout. Le philosophe abstrait et le philosophe religieux partent du même désarroi et se soutiennent dans la même angoisse. Mais l'essentiel est d'expliquer. La nostalgie est plus forte ici que la science. Il est significatif que la pensée de l'époque soit à la fois l'une des plus pénétrées d'une philosophie de la non-signification du monde et l'une des plus déchirées dans ses conclusions. Elle ne cesse d'osciller entre l'extrême rationalisation du réel qui pousse à le fragmenter en raisons-types et son extrême irrationalisation qui pousse à le diviniser. Mais ce divorce n'est qu'apparent. Il s'agit de se réconcilier et, dans les deux cas, le saut y suffit. On croit toujours à tort que la notion de raison est à sens unique. Au vrai, si rigoureux qu'il soit dans son ambition, ce concept n'en est pas moins aussi mobile que d'autres. La raison porte un visage tout humain, mais elle sait aussi se tourner vers le divin. Depuis Plotin[17] qui le premier sut la concilier avec le climat éternel, elle a appris à se détourner du plus cher de ses principes qui est la contradiction pour en intégrer le plus étrange, celui, tout magique, de participation*. Elle est un instrument de pensée et non la pensée elle-même. La pensée d'un homme est avant tout sa nostalgie.

De même que la raison sut apaiser la mélancolie plotinienne, elle donne à l'angoisse moderne les moyens de se calmer dans les décors familiers de l'éternel. L'esprit absurde a moins de chance. Le monde pour lui n'est ni aussi rationnel, ni à ce point irrationnel. Il est déraisonnable et il n'est que cela. La raison chez Husserl finit par n'avoir point de limites. L'absurde fixe au contraire ses limites puisqu'elle est impuissante à calmer son angoisse. Kierkegaard d'un autre côté affirme qu'une seule limite suffit à la nier. Mais l'absurde ne va pas si loin. Cette limite pour lui vise seulement les ambitions de la raison. Le thème de l'irrationnel, tel qu'il est conçu par les existentiels, c'est la raison qui se brouille et se délivre en se niant. L'absurde, c'est la raison lucide qui constate ses limites.

C'est au bout de ce chemin difficile que l'homme absurde

---

* A. — À cette époque, il fallait que la raison s'adaptât ou mourût. Elle s'adapte. Avec Plotin, de logique elle devient esthétique. La métaphore remplace le syllogisme.

B. — D'ailleurs ce n'est pas la seule contribution de Plotin à la phénoménologie. Toute cette attitude est déjà contenue dans l'idée si chère au penseur alexandrin qu'il n'y a pas seulement une idée de l'homme, mais aussi une idée de Socrate.

reconnaît ses vraies raisons. À comparer son exigence profonde et ce qu'on lui propose alors, il sent soudain qu'il va se détourner. Dans l'univers d'Husserl, le monde se clarifie et cet appétit de familiarité qui tient au cœur de l'homme devient inutile. Dans l'apocalypse de Kierkegaard, ce désir de clarté doit se renoncer s'il veut être satisfait. Le péché n'est point tant de savoir (à ce compte, tout le monde est innocent), que de désirer savoir. Justement, c'est le seul péché dont l'homme absurde puisse sentir qu'il fait à la fois sa culpabilité et son innocence. On lui propose un dénouement où toutes les contradictions passées ne sont plus que des jeux polémiques. Mais ce n'est pas ainsi qu'il les a ressenties. Il faut garder leur vérité qui est de ne point être satisfaites. Il ne veut pas de la prédication.

Mon raisonnement veut être fidèle à l'évidence qui l'a éveillé. Cette évidence, c'est l'absurde. C'est ce divorce entre l'esprit qui désire et le monde qui déçoit, ma nostalgie d'unité, cet univers dispersé et la contradiction qui les enchaîne. Kierkegaard supprime ma nostalgie et Husserl rassemble cet univers. Ce n'est pas cela que j'attendais. Il s'agissait de vivre et de penser avec ces déchirements, de savoir s'il fallait accepter ou refuser. Il ne peut être question de masquer l'évidence, de supprimer l'absurde en niant l'un des termes de son équation. Il faut savoir si l'on peut en vivre ou si la logique commande qu'on en meure. Je ne m'intéresse pas au suicide philosophique, mais au suicide tout court. Je veux seulement le purger de son contenu d'émotions et connaître sa logique et son honnêteté. Toute autre position suppose pour l'esprit absurde l'escamotage et le recul de l'esprit devant ce que l'esprit met à jour. Husserl dit obéir au désir d'échapper « à l'habitude invétérée de vivre et de penser dans certaines conditions d'existence déjà bien connues et commodes », mais le saut final nous restitue chez lui l'éternel et son confort. Le saut ne figure pas un extrême danger comme le voudrait Kierkegaard. Le péril au contraire est dans l'instant subtil qui précède le saut. Savoir se maintenir sur cette arête vertigineuse, voilà l'honnêteté, le reste est subterfuge. Je[i] sais aussi que jamais l'impuissance n'a inspiré d'aussi émouvants accords que ceux de Kierkegaard. Mais si l'impuissance a sa place dans les paysages indifférents de l'histoire, elle ne saurait la trouver dans un raisonnement dont on sait maintenant l'exigence.

LA LIBERTÉ ABSURDE

Maintenant le principal est fait. Je tiens quelques évidences dont je ne peux me détacher. Ce que je sais, ce qui est sûr, ce que je ne peux nier, ce que je ne peux rejeter, voilà ce qui compte. Je peux tout nier de cette partie de moi qui vit de nostalgies incertaines, sauf ce désir d'unité, cet appétit de résoudre, cette exigence de clarté et de cohésion. Je peux tout réfuter dans ce monde qui m'entoure, me heurte ou me transporte, sauf ce chaos, ce hasard roi et cette divine équivalence qui naît de l'anarchie. Je ne sais pas si ce monde a un sens qui le[a] dépasse. Mais je sais que je ne connais pas ce sens et qu'il m'est impossible pour le moment de le connaître. Que signifie pour moi une signification hors de ma condition ? Je ne puis comprendre qu'en termes humains. Ce que je touche, ce qui me résiste, voilà ce que je comprends. Et ces deux certitudes, mon appétit d'absolu et d'unité et l'irréductibilité de ce monde à un principe rationnel et raisonnable, je sais encore que je ne puis les concilier. Quelle autre vérité[b] puis-je reconnaître sans mentir, sans faire intervenir un espoir que je n'ai pas et qui ne signifie rien dans les limites de ma condition ?

Si j'étais arbre[c] parmi les arbres, chat parmi les animaux, cette vie aurait un sens ou plutôt ce problème n'en aurait point car je ferais partie de ce monde. Je *serais* ce monde auquel je m'oppose maintenant par toute ma conscience et par toute mon exigence de familiarité. Cette raison si dérisoire, c'est elle qui m'oppose à toute la création. Je ne puis la nier d'un trait de plume. Ce que je crois vrai, je dois donc le maintenir. Ce qui m'apparaît si évident, même contre moi, je dois le soutenir. Et qu'est-ce qui fait le fond de ce conflit, de cette fracture entre le monde et mon esprit, sinon la conscience que j'en ai ? Si donc je veux le maintenir, c'est par une conscience perpétuelle, toujours renouvelée, toujours tendue. Voilà ce que, pour le moment, il me faut retenir. À ce moment, l'absurde, à la fois si évident et si difficile à conquérir, rentre dans la vie d'un homme et retrouve sa patrie. À ce moment encore, l'esprit peut quitter la route aride et desséchée de l'effort lucide. Elle débouche maintenant dans

la vie quotidienne. Elle retrouve le monde de l'« on » anonyme, mais l'homme y rentre désormais avec sa révolte et sa
clairvoyance. Il a désappris d'espérer. Cet enfer du présent,
c'est enfin son royaume. Tous[d] les problèmes reprennent leur
tranchant. L'évidence abstraite se retire devant le lyrisme des
formes et des couleurs. Les conflits spirituels[e] s'incarnent et
retrouvent l'abri misérable et magnifique du cœur de l'homme.
Aucun n'est résolu. Mais tous sont transfigurés. Va-t-on mourir, échapper par le saut, reconstruire une maison d'idées et
de formes à sa mesure ? Va-t-on au contraire soutenir le pari
déchirant et merveilleux de l'absurde ? Faisons à cet égard
un dernier effort et tirons toutes nos conséquences. Le corps,
la tendresse, la création, l'action, la noblesse humaine, repren-
dront alors leur place dans ce monde insensé. L'homme
y retrouvera enfin le vin de l'absurde et le pain de l'indifférence dont il nourrit sa grandeur.

Insistons encore sur la méthode : il s'agit de s'obstiner. À
un[f] certain point de son chemin, l'homme absurde est sollicité. L'histoire ne manque ni de religions, ni de prophètes,
même sans dieux. On lui demande de sauter. Tout ce qu'il
peut répondre, c'est qu'il ne comprend pas bien, que cela n'est
pas évident. Il ne veut faire justement que ce qu'il comprend
bien. On lui assure que c'est péché d'orgueil, mais il n'entend pas la notion de péché ; que peut-être l'enfer est au
bout, mais il n'a pas assez d'imagination pour se représenter cet étrange avenir ; qu'il perd la vie immortelle, mais cela
lui paraît futile. On voudrait lui faire reconnaître sa culpabilité. Lui se sent innocent. À vrai dire, il ne sent que cela, son
innocence irréparable. C'est elle qui lui permet tout[g]. Ainsi
ce qu'il exige de lui-même, c'est de vivre *seulement* avec ce
qu'il sait, de s'arranger de ce qui est et ne rien faire intervenir
qui ne soit certain. On lui répond que rien ne l'est. Mais ceci
du moins est une certitude. C'est avec elle qu'il a affaire : il
veut savoir s'il est possible de vivre sans appel.

★

Je puis aborder maintenant la notion de suicide[1]. On a
senti déjà quelle solution il est possible de lui donner. À ce
point, le problème est inversé. Il s'agissait précédemment
de savoir si la vie devait avoir un sens pour être vécue. Il
apparaît ici au contraire qu'elle sera d'autant mieux vécue
qu'elle n'aura pas de sens. Vivre une expérience, un destin,

c'est l'accepter pleinement. Or on ne vivra pas ce destin, le sachant absurde, si on ne fait pas tout pour maintenir devant soi cet absurde mis à jour par la conscience. Nier l'un des termes de l'opposition dont il vit, c'est lui échapper. Abolir la révolte consciente, c'est éluder le problème. Le thème de la révolution permanente se transporte ainsi dans l'expérience individuelle. Vivre, c'est faire vivre l'absurde. Le faire vivre, c'est avant tout le regarder. Au contraire d'Eurydice[2], l'absurde ne meurt que lorsqu'on s'en détourne. L'une des seules positions philosophiques cohérentes, c'est ainsi la révolte. Elle est un confrontement perpétuel de l'homme et de sa propre obscurité. Elle est exigence d'une impossible transparence. Elle remet le monde en question à chacune de ses secondes. De même que le danger fournit à l'homme l'irremplaçable occasion de la saisir, de même la révolte métaphysique étend la conscience tout le long de l'expérience. Elle est cette présence constante de l'homme à lui-même. Elle n'est pas aspiration, elle est sans espoir. Cette révolte n'est que l'assurance d'un destin écrasant, moins la résignation qui devrait l'accompagner[b].

C'est ici qu'on voit à quel point l'expérience absurde s'éloigne du suicide. On peut croire que le suicide suit la révolte. Mais à tort. Car il ne figure pas son aboutissement logique. Il est exactement son contraire, par le consentement qu'il suppose. Le suicide, comme le saut, est l'acceptation à sa limite. Tout est consommé, l'homme rentre dans son histoire essentielle. Son avenir, son seul et terrible avenir, il le discerne et s'y précipite. À sa manière, le suicide résout l'absurde. Il l'entraîne dans la même mort. Mais je sais que pour se maintenir, l'absurde ne peut se résoudre. Il échappe au suicide, dans la mesure où il est en même temps conscience et refus de la mort. Il est, à l'extrême pointe de la dernière pensée du condamné à mort, ce cordon de soulier qu'en dépit de tout il aperçoit à quelques mètres, au bord même de sa chute vertigineuse. Le contraire du suicidé, précisément, c'est le condamné à mort.

Cette révolte donne son prix à la vie. Étendue sur toute la longueur d'une existence, elle lui restitue sa grandeur. Pour un homme sans œillères, il n'est pas de plus beau spectacle que celui de l'intelligence aux prises avec une réalité qui le dépasse. Le spectacle de l'orgueil humain est inégalable. Toutes les dépréciations n'y feront rien. Cette discipline que l'esprit se dicte à lui-même, cette volonté forgée de toutes pièces, ce face-à-face, ont quelque chose de puissant et de singulier. Appauvrir cette réalité dont l'inhumanité fait la grandeur de l'homme, c'est du même coup l'appauvrir lui-même. Je comprends alors pourquoi les doctrines qui m'expliquent tout m'affaiblissent en même temps. Elles me déchargent du poids de ma propre vie et il faut bien pourtant que je le porte seul. À ce tournant, je ne puis concevoir qu'une métaphysique sceptique aille s'allier à une morale du renoncement.

Conscience et révolte, ces refus sont le contraire du renoncement. Tout ce qu'il y a d'irréductible et de passionné dans un cœur humain les anime au contraire de sa vie. Il s'agit de mourir irréconcilié et non pas de plein gré. Le suicide est une méconnaissance. L'homme absurde ne peut que tout épuiser, et s'épuiser. L'absurde est sa tension la plus extrême, celle qu'il maintient constamment d'un effort solitaire[i], car il sait que dans cette conscience et dans cette révolte au jour le jour, il témoigne de sa seule vérité qui est le défi. Ceci est une première conséquence.

★

Si je me maintiens dans cette position concertée qui consiste à tirer toutes les conséquences (et rien qu'elles) qu'une notion découverte entraîne, je me trouve en face d'un second paradoxe. Pour rester fidèle à cette méthode, je n'ai rien à faire avec le problème de la liberté métaphysique. Savoir si l'homme est libre ne m'intéresse pas. Je ne puis éprouver que ma propre liberté. Sur elle, je ne puis avoir de notions générales, mais quelques aperçus clairs. Le problème de « la liberté en soi » n'a pas de sens. Car il est lié d'une tout autre façon à celui de Dieu. Savoir si l'homme est libre commande qu'on sache s'il peut avoir un maître. L'absurdité particulière à ce problème vient de ce que la notion même qui rend possible le problème de la liberté lui retire en même temps tout son sens. Car devant Dieu, il y a moins un problème de la liberté qu'un problème du mal. On connaît l'alternative : ou nous ne sommes pas libres et Dieu tout-puissant est responsable du mal. Ou nous sommes libres et responsables mais Dieu n'est pas tout-puissant. Toutes les subtilités d'écoles n'ont rien ajouté ni soustrait au tranchant de ce paradoxe[3].

C'est pourquoi je ne puis pas me perdre dans l'exaltation

ou la simple définition d'une notion qui m'échappe et perd son sens à partir du moment où elle déborde le cadre de mon expérience individuelle. Je ne puis comprendre ce que peut être une liberté qui me serait donnée par un être supérieur. J'ai perdu le sens de la hiérarchie. Je ne puis avoir de la liberté que la conception du prisonnier ou de l'individu moderne au sein de l'État. La seule que je connaisse, c'est la liberté d'esprit et d'action. Or si l'absurde annihile toutes mes chances de liberté éternelle, il me rend et exalte au contraire ma liberté d'action. Cette privation d'espoir et d'avenir signifie un accroissement dans la disponibilité de l'homme.

Avant de rencontrer l'absurde, l'homme quotidien vit avec des buts, un souci d'avenir ou de justification[4] (à l'égard de qui ou de quoi, ce n'est pas la question). Il évalue ses chances, il compte sur le plus tard, sur sa retraite ou le travail de ses fils. Il croit encore que quelque chose dans sa vie peut se diriger. Au vrai, il agit comme s'il était libre, même si tous les faits se chargent de contredire cette liberté. Après l'absurde, tout se trouve ébranlé. Cette idée que « je suis[k] », ma façon d'agir comme si tout a un sens (même si, à l'occasion, je disais que rien n'en a), tout cela se trouve démenti d'une façon vertigineuse par l'absurdité d'une mort possible. Penser au lendemain, se fixer un but, avoir des préférences, tout cela suppose la croyance à la liberté, même si l'on s'assure parfois de ne pas la ressentir. Mais à ce moment, cette liberté supérieure, cette liberté d'*être* qui seule peut fonder une vérité, je sais bien alors qu'elle n'est pas. La mort est là comme seule réalité. Après elle, les jeux sont faits. Je suis non plus libre de me perpétuer mais esclave, et surtout esclave sans espoir de révolution éternelle, sans recours au mépris. Et qui sans révolution et sans mépris peut demeurer esclave ? Quelle liberté peut exister au sens plein, sans assurance d'éternité ?

Mais en même temps, l'homme absurde comprend que jusqu'ici, il était lié à ce postulat de liberté sur l'illusion de quoi il vivait. Dans un certain sens, cela l'entravait. Dans la mesure où il imaginait un but à sa vie, il se conformait aux exigences d'un but à atteindre et devenait esclave de sa liberté. Ainsi, je ne saurais plus agir autrement que comme le père de famille (ou l'ingénieur[l] ou le conducteur de peuples, ou le surnuméraire aux P.T.T.) que je me prépare à être. Je crois que je puis choisir d'être cela plutôt qu'autre chose. Je le crois inconsciemment, il est vrai. Mais je soutiens en même temps mon postulat des croyances de ceux qui m'entourent, des préjugés de mon milieu humain (les autres sont si sûrs d'être libres et cette bonne humeur est si contagieuse !). Si loin qu'on puisse se tenir de tout préjugé, moral ou social, on les subit en partie et même, pour les meilleurs d'entre eux (il y a de bons et de mauvais préjugés), on leur conforme sa vie. Ainsi l'homme absurde comprend qu'il n'était réellement pas libre. Pour parler clair, dans la mesure où j'espère, où je m'inquiète d'une vérité qui me soit propre, d'une façon d'être ou de créer, dans la mesure enfin où j'ordonne ma vie et où je prouve par là que j'admets qu'elle ait un sens, je me crée des barrières entre quoi je resserre ma vie. Je fais comme tant de fonctionnaires de l'esprit et du cœur qui ne m'inspirent que du dégoût et qui ne font pas autre chose, je le vois bien maintenant, que de prendre au sérieux la liberté de l'homme.

L'absurde m'éclaire sur ce point : il n'y a pas de lendemain. Voici désormais la raison de ma liberté profonde. Je prendrai ici deux comparaisons. Les mystiques d'abord trouvent une liberté à se donner. À s'abîmer dans leur dieu, à consentir à ses règles, ils deviennent secrètement libres à leur tour. C'est dans l'esclavage spontanément consenti qu'ils retrouvent une indépendance profonde. Mais que signifie cette liberté ? On peut dire surtout qu'ils se *sentent* libres vis-à-vis d'eux-mêmes et moins libres que surtout libérés. De même tout entier tourné vers la mort (prise ici comme l'absurdité la plus évidente) l'homme absurde se sent dégagé de tout ce qui n'est pas cette attention passionnée qui[m] cristallise en lui. Il goûte une liberté à l'égard des règles communes. On voit ici que les thèmes de départ de la philosophie existentielle gardent toute leur valeur. Le retour à la conscience, l'évasion hors du sommeil quotidien figurent les premières démarches de la liberté absurde. Mais c'est la *prédication* existentielle qui est visée et avec elle ce saut spirituel qui dans le fond échappe à la conscience. De la même façon (c'est ma deuxième comparaison) les esclaves de l'Antiquité ne s'appartenaient pas. Mais ils connaissaient cette liberté qui consiste à ne point se sentir responsable*. La mort aussi a des mains patriciennes qui écrasent, mais qui délivrent.

---

* Il s'agit ici d'une comparaison de fait, non d'une apologie de l'humilité. L'homme absurde est le contraire de l'homme réconcilié.

S'abîmer dans cette certitude sans fond, se sentir désormais assez étranger à sa propre vie pour l'accroître et la parcourir sans la myopie de l'amant, il y a là le principe d'une libération. Cette indépendance nouvelle est à terme, comme toute liberté d'action. Elle ne tire pas de chèque sur l'éternité. Mais elle remplace les illusions de la *liberté*, qui s'arrêtaient toutes à la mort. La divine disponibilité du condamné à mort devant qui s'ouvrent les portes de la prison par une certaine petite aube, cet incroyable désintéressement à l'égard de tout, sauf de la flamme pure de la vie, la mort et l'absurde sont ici, on le sent bien, les principes de la seule liberté raisonnable : celle qu'un cœur humain peut éprouver et vivre. Ceci est une deuxième conséquence. L'homme absurde entrevoit ainsi un univers brûlant et glacé, transparent et limité, où rien n'est possible mais tout est donné, passé lequel c'est l'effondrement et le néant. Il peut alors décider d'accepter de vivre dans un tel univers et d'en tirer ses forces, son refus d'espérer et le témoignage obstiné d'une vie sans consolation.

★

Mais que signifie la vie dans un tel univers ? Rien d'autre pour le moment que l'indifférence à l'avenir et la passion d'épuiser tout ce qui est donné. La croyance au sens de la vie suppose toujours une échelle de valeurs, un choix, nos préférences. La croyance à l'absurde, selon nos définitions, enseigne le contraire. Mais cela vaut qu'on s'y arrête.

Savoir si l'on peut vivre sans appel, c'est tout ce qui m'intéresse. Je ne veux point sortir de ce terrain. Ce visage de la vie m'étant donné, puis-je m'en accommoder ? Or, en face de ce souci particulier, la croyance à l'absurde revient à remplacer la qualité des expériences par la quantité. Si je me persuade que cette vie n'a d'autre face que celle de l'absurde, si j'éprouve que tout son équilibre tient à cette perpétuelle opposition entre ma révolte consciente et l'obscurité où elle se débat, si j'admets que ma liberté n'a de sens que par rapport à son destin limité, alors je dois dire que ce qui compte n'est pas de vivre le mieux mais de vivre le plus. Je n'ai pas à me demander si cela est vulgaire ou écœurant, élégant ou regrettable. Une fois pour toutes, les jugements de valeur sont écartés ici au profit des jugements de fait. J'ai seulement à tirer les conclusions de ce que je puis voir et à ne rien hasarder qui soit une hypothèse. À supposer que vivre ainsi ne fût pas honnête, alors la véritable honnêteté me commanderait d'être déshonnête.

Vivre le plus ; au sens large, cette règle de vie ne signifie rien. Il faut la préciser. Il semble d'abord qu'on n'ait pas assez creusé cette notion de quantité. Car elle peut rendre compte d'une large part de l'expérience humaine. La morale d'un homme, son échelle de valeurs n'ont de sens que par la quantité et la variété d'expériences qu'il lui a été donné d'accumuler. Or les conditions de la vie moderne imposent à la majorité des hommes la même quantité d'expériences et partant la même expérience profonde. Certes, il faut bien considérer aussi l'apport spontané de l'individu, ce qui en lui est « donné ». Mais je ne puis juger de cela et encore une fois ma règle ici est de m'arranger de l'évidence immédiate. Je vois alors que le caractère propre d'une morale commune réside moins dans l'importance idéale des principes qui l'animent que dans la norme d'une expérience qu'il est possible de calibrer. En forçant un peu les choses, les Grecs avaient la morale de leurs loisirs comme nous avons celle de nos journées de huit heures[5]. Mais beaucoup d'hommes déjà et parmi les plus tragiques nous font pressentir qu'une plus longue expérience change ce tableau des valeurs. Ils nous font imaginer cet aventurier du quotidien qui par la simple quantité des expériences battrait tous les records (j'emploie à dessein ce terme sportif) et gagnerait ainsi sa propre morale[*]. Éloignons-nous cependant du romantisme et demandons-nous seulement ce que peut signifier cette attitude pour un homme décidé à tenir son pari et à observer strictement ce qu'il croit être la règle du jeu.

Battre tous les records, c'est d'abord et uniquement être en face du monde le plus souvent possible. Comment cela peut-il se faire sans contradictions et sans jeux de mots ? Car d'une part l'absurde enseigne que toutes les expériences sont indifférentes et de l'autre, il pousse vers la plus grande quantité d'expériences. Comment alors ne point faire comme tant de ces hommes dont je parlais plus haut, choisir la

---

[*] La quantité fait quelquefois la qualité. Si j'en crois les dernières mises au point de la théorie scientifique, toute matière est constituée par des centres d'énergie. Leur quantité plus ou moins grande fait sa spécificité plus ou moins singulière. Un milliard d'ions et un ion diffèrent non seulement en quantité, mais encore en qualité. L'analogie est facile à retrouver dans l'expérience humaine.

forme de vie qui nous apporte le plus possible de cette matière humaine, introduire par là une échelle de valeurs que d'un autre côté on prétend rejeter ?

Mais c'est encore l'absurde et sa vie contradictoire qui nous enseigne. Car l'erreur est de penser que cette quantité d'expériences dépend des circonstances de notre vie quand elle ne dépend que de nous. Il faut ici être simpliste. À deux hommes vivant le même nombre d'années, le monde fournit toujours la même somme d'expériences. C'est à nous d'en être conscients. Sentir sa vie, sa révolte, sa liberté, et le plus possible, c'est vivre et le plus possible. Là où la lucidité règne, l'échelle des valeurs devient inutile. Soyons encore plus simplistes. Disons que le seul obstacle, le seul « manque à gagner » est constitué par la mort prématurée[6]. L'univers suggéré ici ne vit que par opposition à cette constante exception qu'est la mort. C'est ainsi qu'aucune profondeur, aucune émotion, aucune passion et aucun sacrifice ne pourraient rendre égales aux yeux de l'homme absurde (même s'il le souhaitait) une vie consciente de quarante ans et une lucidité étendue sur soixante ans*. La folie et la mort, ce sont ses irrémédiables. L'homme ne choisit pas. L'absurde et le surcroît de vie qu'il comporte *ne dépendent donc pas de la volonté de l'homme* mais de son contraire qui est la mort**. En pesant bien les mots, il s'agit uniquement d'une question de chance. Il faut savoir y consentir. Vingt ans de vie et d'expériences ne se remplaceront plus jamais.

Par une étrange inconséquence dans une race si avertie, les Grecs voulaient que les hommes qui mouraient jeunes fussent aimés des dieux[7]. Et cela n'est vrai que si l'on veut admettre qu'entrer dans le monde dérisoire des dieux, c'est perdre à jamais la plus pure des joies qui est de sentir et de sentir sur cette terre[8]. Le présent et la succession des présents devant une âme sans cesse consciente, c'est l'idéal de l'homme absurde. Mais le mot idéal ici garde un son faux. Ce n'est pas même sa vocation, mais seulement la troisième conséquence de son raisonnement. Partie d'une conscience

---

* Même réflexion sur une notion aussi différente que l'idée du néant. Elle n'ajoute ni ne retranche rien au réel. Dans l'expérience psychologique du néant, c'est à la considération de ce qui arrivera dans deux mille ans que notre propre néant prend véritablement son sens. Sous un de ses aspects, le néant est fait exactement de la somme des vies à venir qui ne seront pas les nôtres

** La volonté n'est ici que l'agent : elle tend à maintenir la conscience. Elle fournit une discipline de vie, cela est appréciable.

angoissée de l'inhumain, la méditation sur l'absurde revient à la fin de son itinéraire au sein même des flammes passionnées de la révolte humaine*.

★

Je tire ainsi de l'absurde trois conséquences qui sont ma révolte, ma liberté et ma passion. Par le seul jeu de la conscience, je transforme en règle de vie ce qui était invitation à la mort — et je refuse le suicide. Je connais sans doute la sourde résonance qui court au long de ces journées. Mais je n'ai qu'un mot à dire : c'est qu'elle est nécessaire. Quand Nietzsche écrit : « Il apparaît clairement que la chose principale au ciel et sur la terre est d'*obéir* longtemps et dans une même direction : à la longue il en résulte quelque chose pour quoi il vaille la peine de vivre sur cette terre comme par exemple la vertu, l'art, la musique, la danse, la raison, l'esprit, quelque chose qui transfigure, quelque chose de raffiné, de fou ou de divin[9] », il illustre la règle d'une morale de grande allure. Mais il montre aussi le chemin de l'homme absurde. Obéir à la flamme, c'est à la fois ce qu'il y a de plus facile et de plus difficile. Il est bon cependant que l'homme, en se mesurant à la difficulté, se[a] juge quelquefois. Il est seul à pouvoir le faire.

« La prière, dit Alain, c'est quand la nuit vient sur la pensée. » « Mais il faut que l'esprit rencontre la nuit[10] », répondent les mystiques et les existentiels. Certes, mais non pas cette nuit qui naît sous les yeux fermés et par la seule volonté de l'homme — nuit sombre et close que l'esprit suscite pour s'y perdre. S'il doit rencontrer une nuit, que ce soit plutôt celle du désespoir qui reste lucide, nuit polaire, veille de l'esprit, d'où se lèvera peut-être cette clarté blanche et intacte qui dessine chaque objet dans la lumière de l'intelligence. À ce degré, l'équivalence rencontre la compréhension passionnée. Il n'est même plus question alors de juger

---

* Ce qui importe c'est la cohérence. On part ici d'un consentement au monde. Mais la pensée orientale enseigne qu'on peut se livrer au même effort de logique en choisissant *contre* le monde. Cela est aussi légitime et donne à cet essai sa perspective et ses limites. Mais quand la négation du monde s'exerce avec la même rigueur on parvient souvent (dans certaines écoles vedantas) à des résultats semblables en ce qui concerne par exemple l'indifférence des œuvres. Dans un livre d'une grande importance, *Le Choix*, Jean Grenier fonde de cette façon une véritable « philosophie de l'indifférence »[n].

le saut existentiel. Il reprend son rang au milieu de la fresque séculaire des attitudes humaines. Pour le spectateur, s'il est conscient, ce saut est encore absurde. Dans la mesure où il croit résoudre le paradoxe, il le restitue tout entier. À ce titre, il est émouvant. À ce titre, tout reprend sa place et le monde absurde renaît dans sa splendeur et sa diversité.

Mais il est mauvais de s'arrêter, difficile de se contenter d'une seule manière de voir, de se priver de la contradiction, la plus subtile peut-être de toutes les forces spirituelles. Ce qui précède définit seulement une façon de penser. Maintenant, il s'agit de vivre[*].

L'HOMME ABSURDE[a]

Si Stavroguine croit, il ne croit pas qu'il croie. S'il ne croit pas, il ne croit pas qu'il ne croie pas.

Les Possédés[b1].

« Mon champ, dit Goethe, c'est le temps. » Voilà bien la parole absurde. Qu'est-ce en effet que l'homme absurde ? Celui qui, sans le nier, ne fait[c] rien pour l'éternel. Non que la nostalgie lui soit étrangère. Mais il lui préfère son courage et son raisonnement. Le premier lui apprend à vivre sans appel et se suffire de ce qu'il a, le second l'instruit de ses limites. Assuré de sa liberté à terme, de sa révolte sans avenir et de sa conscience périssable, il poursuit son aventure dans le temps de sa vie[2]. Là est son champ, là son action qu'il soustrait à tout jugement hormis le sien. Une plus grande vie ne peut signifier pour lui une autre vie. Ce serait déshonnête. Je ne parle même pas ici de cette éternité dérisoire qu'on appelle postérité. Mme Roland s'en remettait à elle[3]. Cette imprudence a reçu sa leçon. La postérité cite volontiers ce mot, mais oublie d'en juger. Mme Roland est indifférente à la postérité.

Il ne peut être question de disserter sur la morale. J'ai vu des gens mal agir avec beaucoup de morale et je constate tous les jours que l'honnêteté n'a pas besoin de règles. Il n'est qu'une morale que l'homme absurde puisse admettre, celle qui ne se sépare pas de Dieu : celle qui se dicte. Mais il vit justement hors de ce Dieu. Quant aux autres morales (j'entends aussi l'immoralisme), l'homme absurde n'y voit que des justifications et il n'a rien à justifier. Je pars ici du principe de son innocence.

Cette innocence est redoutable. « Tout est permis », s'écrie Ivan Karamazov[4]. Cela aussi sent son absurde. Mais

à condition de ne pas l'entendre vulgairement. Je ne sais si
on l'a bien remarqué : il ne s'agit pas d'un cri de délivrance
et de joie, mais d'une constatation amère. La certitude d'un
Dieu qui donnerait son sens à la vie surpasse de beaucoup
en attrait le pouvoir impuni de mal faire. Le choix ne serait
pas difficile. Mais il n'y a pas de choix et l'amertume commence alors. L'absurde ne délivre pas, il lie. Il n'autorise pas
tous les actes. Tout est permis ne signifie pas que rien n'est
défendu. L'absurde rend seulement leur équivalence aux
conséquences de ces actes. Il ne recommande pas le crime,
ce serait puéril, mais il restitue au remords son inutilité. De
même, si toutes les expériences sont indifférentes, celle du
devoir est aussi légitime qu'une autre. On peut être vertueux
par caprice.

Toutes les morales sont fondées sur l'idée qu'un acte a
des conséquences qui le légitiment ou l'oblitèrent. Un esprit
pénétré d'absurde juge seulement que ces suites doivent être
considérées avec sérénité. Il est prêt à payer. Autrement dit,
si, pour lui, il peut y avoir des responsables, il n'y a pas de
coupables. Tout au plus, consentira-t-il à utiliser l'expérience
passée pour fonder ses actes futurs. Le temps fera vivre le
temps et la vie servira la vie. Dans ce champ à la fois borné
et gorgé de possibles, tout en lui-même, hors sa lucidité, lui
semble imprévisible. Quelle règle pourrait donc sortir de cet
ordre déraisonnable ? La seule vérité qui puisse lui paraître
instructive n'est point formelle : elle s'anime et se déroule
dans les hommes. Ce ne sont donc point des règles éthiques
que l'esprit absurde peut chercher au bout de son raisonnement, mais des illustrations et le souffle des vies humaines.
Les quelques images qui suivent sont de celles-là. Elles poursuivent le raisonnement absurde en lui donnant son attitude
et leur chaleur.

Ai-je besoin de développer l'idée qu'un exemple n'est pas
forcément un exemple à suivre (moins encore s'il se peut
dans le monde absurde), et que ces illustrations ne sont pas
pour autant des modèles ? Outre qu'il y faut la vocation, on
se rend ridicule, toutes proportions gardées, à tirer de Rousseau qu'il faille marcher à quatre pattes[5] et de Nietzsche qu'il
convienne de brutaliser sa mère. « Il faut être absurde, écrit
un auteur moderne, il ne faut pas être dupe[6]. » Les attitudes
dont il sera question ne peuvent prendre tout leur sens qu'à
la considération de leurs contraires. Un surnuméraire aux
Postes est l'égal d'un conquérant si la conscience leur est

commune. Toutes les expériences sont à cet égard indifférentes. Il en est qui servent ou desservent l'homme. Elles le servent s'il est conscient. Sinon, cela n'a pas d'importance : les défaites d'un homme ne jugent pas les circonstances, mais lui-même.

Je choisis seulement des hommes qui ne visent qu'à s'épuiser ou dont j'ai conscience pour eux qu'ils s'épuisent. Cela ne va pas plus loin. Je ne veux parler pour l'instant que d'un monde où les pensées comme les vies sont privées d'avenir. Tout ce qui fait travailler et s'agiter l'homme utilise l'espoir. La seule pensée qui ne soit pas mensongère est donc une pensée stérile. Dans le monde absurde, la valeur d'une notion ou d'une vie se mesure à son infécondité.

LE DON JUANISME[1]

S'il suffisait d'aimer, les choses seraient trop simples. Plus on aime et plus l'absurde se consolide[2]. Ce n'est point par manque d'amour que Don Juan va de femme en femme. Il est ridicule de le représenter comme un illuminé en quête de l'amour total[3]. Mais c'est bien parce qu'il les aime avec un égal emportement et chaque fois avec tout lui-même, qu'il lui faut répéter ce don et cet approfondissement. De là que chacune espère lui apporter ce que personne ne lui a jamais donné. Chaque fois, elles se trompent profondément et réussissent seulement à lui faire sentir le besoin de cette répétition. « Enfin, s'écrie l'une d'elles, je t'ai donné l'amour. » S'étonnera-t-on que Don Juan en rie : « Enfin ? non, dit-il, mais une fois de plus[4]. » Pourquoi faudrait-il aimer rarement pour aimer beaucoup ?

★

Don Juan[a] est-il triste ? Cela n'est pas vraisemblable. À peine ferai-je appel à la chronique. Ce rire, l'insolence victorieuse, ce bondissement et le goût du théâtre, cela est clair et joyeux. Tout être sain tend à se multiplier. Ainsi de Don Juan. Mais de plus, les tristes ont deux raisons de l'être, ils ignorent ou ils espèrent. Don Juan sait et n'espère pas. Il fait penser à ces artistes qui connaissent leurs limites, ne les excèdent jamais, et dans cet intervalle précaire où leur esprit s'installe, ont toute la merveilleuse aisance des maîtres. Et c'est bien là le génie : l'intelligence qui connaît ses frontières. Jusqu'à la frontière de la mort physique, Don Juan ignore la tristesse. Depuis le moment où il sait, son rire éclate et fait tout pardonner. Il fut triste dans le temps où il espéra. Aujourd'hui, sur la bouche de cette femme, il retrouve le goût amer et réconfortant de la science unique. Amer ? À peine : cette nécessaire imperfection qui rend sensible le bonheur !

C'est une grande duperie que d'essayer de voir en Don Juan un homme nourri de l'Ecclésiaste. Car plus rien pour lui n'est vanité sinon l'espoir d'une autre vie. Il le prouve, puisqu'il la joue contre le ciel lui-même. Le regret du désir perdu dans la jouissance, ce lieu commun de l'impuissance ne lui appartient pas. Cela va bien pour Faust qui crut assez à Dieu pour se vendre au diable. Pour Don Juan, la chose est plus simple. Le « Burlador » de Molina, aux menaces de l'enfer, répond toujours : « Que tu me donnes un long délai ! » Ce qui vient après la mort est futile et quelle longue suite de jours pour qui sait être vivant ! Faust réclamait les biens de ce monde : le malheureux n'avait qu'à tendre la main[5]. C'était déjà vendre son âme que de ne pas savoir la réjouir. La satiété, Don Juan l'ordonne au contraire. S'il quitte une femme, ce n'est pas absolument parce qu'il ne la désire plus. Une femme belle est toujours désirable. Mais c'est qu'il en désire une autre et non, ce n'est pas la même chose.

Cette vie le comble, rien n'est pire que de la perdre. Ce fou est un grand sage. Mais les hommes qui vivent d'espoir s'accommodent mal de cet univers où la bonté cède la place à la générosité, la tendresse au silence viril, la communion au courage solitaire. Et tous de dire : « C'était un faible, un idéaliste ou un saint. » Il faut bien ravaler la grandeur qui insulte.

★

S'indigne-t-on assez (ou ce rire complice qui dégrade ce qu'il admire) des discours de Don Juan et de cette même phrase qui sert pour toutes les femmes. Mais pour qui cherche la quantité des joies, seule l'efficacité compte. Les mots de passe qui ont fait leurs preuves, à quoi bon les compliquer ? Personne, ni la femme, ni l'homme, ne les écoute, mais bien plutôt la voix qui les prononce. Ils sont la règle, la convention et la politesse. On les dit, après quoi le plus important reste à faire. Don Juan s'y prépare déjà. Pourquoi se poserait-il un problème de morale ? Ce n'est pas comme le Mañara de Milosz[6] par désir d'être un saint qu'il se damne. L'enfer pour lui est chose qu'on provoque. À la colère divine, il n'a qu'une réponse et c'est l'honneur[7] humain : « J'ai de l'honneur, dit-il au Commandeur, et je remplis ma promesse parce que je suis chevalier. » Mais l'erreur serait aussi grande d'en faire un immoraliste. Il est à cet égard « comme tout le monde » : il a la morale de sa sympathie ou de son antipathie. On ne comprend bien Don Juan qu'en se référant toujours à ce qu'il symbolise vulgairement : le séducteur ordinaire et l'homme à femmes. Il est un séducteur ordinaire*. À cette différence près qu'il est conscient et c'est par là qu'il est absurde. Un séducteur devenu lucide ne changera pas pour autant. Séduire est son état. Il n'y a que dans les romans qu'on change d'état ou qu'on devient meilleur. Mais on peut dire qu'à la fois rien n'est changé et tout est transformé. Ce que Don Juan met en acte, c'est une éthique de la quantité, au contraire du saint qui tend vers la qualité. Ne pas croire au sens profond des choses, c'est le propre de l'homme absurde. Ces visages chaleureux ou émerveillés, il les parcourt, les engrange et les brûle. Le temps marche avec lui. L'homme absurde est celui qui ne se sépare pas du temps. Don Juan ne pense pas à « collectionner » les femmes. Il en épuise le nombre et avec elles ses chances de vie. Collectionner, c'est être capable de vivre de son passé. Mais lui refuse le regret, cette autre forme de l'espoir. Il ne sait pas regarder les portraits.

★

Est-il pour autant égoïste ? À sa façon sans doute. Mais là encore, il s'agit de s'entendre. Il y a ceux qui sont faits pour vivre et ceux qui sont faits pour aimer. Don Juan du moins le dirait volontiers. Mais ce serait par un raccourci comme il peut en choisir. Car l'amour dont on parle ici est paré des illusions de l'éternel. Tous les spécialistes de la passion nous l'apprennent, il n'y a d'amour éternel que contrarié. Il n'est guère de passion sans lutte. Un pareil amour ne trouve de fin que dans l'ultime contradiction qui est la mort. Il faut être

---

* Au sens plein et avec ses défauts. Une attitude saine comprend *aussi* des défauts.

Werther ou rien[8]. Là encore, il y a plusieurs façons de se suicider dont l'une est le don total et l'oubli de sa propre personne. Don Juan, autant qu'un autre, sait que cela peut être
émouvant. Mais il est un des seuls à savoir que l'important
n'est pas là. Il le sait aussi bien : ceux qu'un grand amour
détourne de toute vie personnelle s'enrichissent peut-être,
mais appauvrissent à coup sûr ceux que leur amour a choisis. Une mère, une femme passionnée, ont nécessairement le
cœur sec, car il est détourné du monde. Un seul sentiment,
un seul être, un seul visage, mais tout est dévoré. C'est un
autre amour qui ébranle Don Juan, et celui-là est libérateur.
Il apporte avec lui tous les visages du monde et son frémissement vient de ce qu'il se connaît périssable. Don Juan a
choisi d'être rien[9].

Il s'agit pour lui de voir clair. Nous n'appelons amour
ce qui nous lie à certains êtres que par référence à une façon
de voir collective et dont les livres et les légendes sont responsables. Mais de l'amour, je ne connais que ce mélange de
désir, de tendresse et d'intelligence qui me lie à tel être. Ce
composé n'est pas le même pour tel autre. Je n'ai pas le droit
de recouvrir toutes ces expériences du même nom. Cela dispense de les mener des mêmes gestes. L'homme absurde
multiplie encore ici ce qu'il ne peut unifier. Ainsi découvre-
t-il une nouvelle façon d'être qui le libère au moins autant
qu'elle libère ceux qui l'approchent. Il n'y a d'amour généreux que celui qui se sait en même temps passager et singulier. Ce sont toutes ces morts et toutes ces renaissances qui
font pour Don Juan la gerbe de sa vie. C'est la façon qu'il a
de donner et de faire vivre. Je laisse à juger si l'on peut parler
d'égoïsme.

★

Je pense ici à tous ceux qui veulent absolument que
Don Juan soit puni. Non seulement dans une autre vie, mais
encore dans celle-ci. Je pense à tous ces contes, ces légendes
et ces rires sur Don Juan vieilli. Mais Don Juan s'y tient
déjà prêt. Pour un homme conscient, la vieillesse et ce
qu'elle présage ne sont pas une surprise. Il n'est justement
conscient que dans la mesure où il ne s'en cache pas l'horreur[10]. Il y avait à Athènes un temple consacré à la vieillesse.
On y conduisait les enfants[11]. Pour Don Juan, plus on rit
de lui et plus sa figure s'accuse. Il refuse par là celle que les

romantiques lui prêtèrent. Ce Don Juan torturé et pitoyable, personne ne veut en rire. On le plaint, le ciel lui-même le rachètera ? Mais ce n'est pas cela. Dans l'univers que Don Juan entrevoit, le ridicule *aussi* est compris. Il trouverait normal d'être châtié. C'est la règle du jeu. Et c'est justement sa générosité que d'avoir accepté toute la règle du jeu. Mais il sait qu'il a raison et qu'il ne peut s'agir de châtiment. Un destin n'est pas une punition[b].

C'est cela son crime et comme l'on comprend que les hommes de l'éternel appellent sur lui le châtiment. Il atteint une science sans illusions qui nie tout ce qu'ils professent. Aimer et posséder, conquérir et épuiser, voilà sa façon de connaître. (Il y a du sens dans ce mot favori de l'Écriture qui appelle « connaître » l'acte d'amour.) Il[c] est leur pire ennemi dans la mesure où il les ignore. Un chroniqueur[12] rapporte que le vrai « Burlador » mourut assassiné par des franciscains qui voulurent « mettre un terme aux excès et aux impiétés de Don Juan à qui sa naissance assurait l'impunité ». Ils proclamèrent ensuite que le ciel l'avait foudroyé. Personne n'a fait la preuve de cette étrange fin. Personne non plus n'a démontré le contraire. Mais sans me demander si cela est vraisemblable, je puis dire que cela est logique. Je veux seulement retenir ici le terme « naissance » et jouer sur les mots : c'est de vivre qui assurait son innocence. C'est de la mort seule qu'il a tiré une culpabilité maintenant légendaire.

Que signifie d'autre ce Commandeur de pierre, cette froide statue mise en branle pour punir le sang et le courage qui ont osé penser ? Tous les pouvoirs de la Raison éternelle, de l'ordre, de la morale universelle, toute la grandeur étrangère d'un Dieu accessible à la colère, se résument en lui. Cette pierre gigantesque et sans âme symbolise seulement les puissances que pour toujours Don Juan a niées. Mais la mission du Commandeur s'arrête là. La foudre et le tonnerre peuvent regagner le ciel factice d'où on les appela. La vraie tragédie se joue en dehors d'eux. Non, ce n'est pas sous une main de pierre que Don Juan est mort. Je crois volontiers à la bravade légendaire, à ce rire insensé de l'homme sain provoquant un dieu qui n'existe pas. Mais je crois surtout que ce soir où Don Juan attendait chez Anna, le Commandeur ne vint pas et que l'impie dut sentir, passé minuit, la terrible amertume de ceux qui ont eu raison[13]. J'accepte plus volontiers encore le récit de sa vie qui le fait s'ensevelir, pour terminer, dans un couvent. Ce n'est pas que le côté édifiant de l'histoire puisse être tenu pour vraisemblable. Quel refuge aller demander à Dieu ? Mais cela figure plutôt le logique aboutissement d'une vie tout entière pénétrée d'absurde, le farouche dénouement d'une existence tournée vers des joies sans lendemain. La jouissance s'achève ici en ascèse. Il faut comprendre qu'elles peuvent être comme les deux visages d'un même dénuement. Quelle image plus effrayante souhaiter : celle d'un homme que son corps trahit et qui, faute d'être mort à temps, consomme la comédie en attendant la fin, face à face avec ce dieu qu'il n'adore pas, le servant comme il a servi la vie, agenouillé devant le vide et les bras tendus vers un ciel sans éloquence qu'il sait aussi sans profondeur.

Je vois Don Juan dans une cellule de ces monastères espagnols perdus sur une colline. Et s'il regarde quelque chose, ce ne sont pas les fantômes des amours enfuies, mais, peut-être, par une meurtrière brûlante, quelque plaine silencieuse d'Espagne, terre magnifique et sans âme où il se reconnaît. Oui, c'est sur cette image mélancolique et rayonnante qu'il faut s'arrêter. La fin dernière, attendue mais jamais souhaitée, la fin dernière est méprisable.

LA COMÉDIE[a]

« Le spectacle, dit Hamlet, voilà le piège où j'attraperai la conscience du roi[1]. » Attraper est bien dit. Car la conscience va vite ou se replie. Il faut la saisir au vol, à ce moment inappréciable où[b] elle jette sur elle-même un regard fugitif. L'homme quotidien n'aime guère à s'attarder. Tout le presse au contraire. Mais en même temps, rien plus que lui-même ne l'intéresse, surtout dans ce qu'il pourrait être. De là son goût pour le théâtre, pour le spectacle, où tant de destins lui sont proposés dont il reçoit la poésie sans en souffrir l'amertume. Là du moins, on reconnaît l'homme inconscient et il continue à se presser vers on ne sait quel espoir. L'homme absurde commence où celui-ci finit, où, cessant d'admirer le jeu, l'esprit veut y entrer. Pénétrer dans toutes ces vies, les éprouver dans leur diversité, c'est proprement les jouer. Je ne dis pas que les acteurs en général obéissent à cet appel, qu'ils sont des hommes absurdes, mais que leur destin est un

destin absurde qui pourrait séduire et attirer un cœur clair-
voyant. Ceci est nécessaire à poser pour entendre sans
contresens ce qui va suivre[2].

L'acteur règne dans le périssable. De toutes les gloires, on
le sait, la sienne est la plus éphémère. Cela se dit du moins
dans la conversation. Mais toutes les gloires sont éphémères.
Du point de vue de Sirius[3], les œuvres de Goethe dans dix
mille ans seront en poussière et son nom oublié. Quelques
archéologues peut-être chercheront des « témoignages » de
notre époque. Cette idée a toujours été enseignante. Bien
méditée, elle réduit nos agitations à la noblesse profonde
qu'on trouve dans l'indifférence. Elle dirige surtout nos préoccupations vers le plus sûr, c'est-à-dire vers l'immédiat. De
toutes les gloires, la moins trompeuse est celle qui se vit[c].

L'acteur a donc choisi la gloire innombrable, celle qui se
consacre et qui s'éprouve. De ce que tout doive un jour
mourir, c'est lui qui tire la meilleure conclusion. Un acteur
réussit ou ne réussit pas. Un écrivain garde un espoir même
s'il est méconnu. Il suppose que ses œuvres témoigneront de
ce qu'il fut. L'acteur nous laissera au mieux une photographie et rien de ce qui était lui, ses gestes et ses silences, son
souffle court ou sa respiration d'amour, ne viendra jusqu'à
nous. Ne pas être connu pour lui c'est ne pas jouer et ne pas
jouer, c'est mourir cent fois avec tous les êtres qu'il aurait
animés ou ressuscités.

★

Quoi d'étonnant à trouver une gloire périssable bâtie sur
les plus éphémères des créations ? L'acteur a trois heures
pour être Iago ou Alceste, Phèdre ou Glocester. Dans ce
court passage, il les fait naître et mourir sur cinquante mètres
carrés de planches. Jamais l'absurde n'a été si bien ni si
longtemps illustré. Ces vies merveilleuses, ces destins uniques
et complets qui croissent et s'achèvent entre des murs et
pour quelques heures, quel raccourci souhaiter qui soit plus
révélateur ? Passé le plateau, Sigismond[4] n'est plus rien. Deux
heures après, on le voit qui dîne en ville. C'est alors peut-être
que la vie est un songe. Mais après Sigismond vient un autre.
Le héros qui souffre d'incertitude remplace l'homme qui
rugit après sa vengeance. À parcourir ainsi les siècles et les
esprits, à mimer l'homme tel qu'il peut être et tel qu'il est,
l'acteur rejoint cet autre personnage absurde qui est le voya-

geur. Comme lui, il épuise quelque chose et parcourt sans arrêt. Il est le voyageur du temps et, pour les meilleurs, le voyageur traqué[5] des âmes. Si jamais la morale de la quantité pouvait trouver un aliment, c'est bien sur cette scène singulière. Dans quelle mesure l'acteur bénéficie de ces personnages, il est difficile de le dire. Mais l'important n'est pas là. Il s'agit de savoir, seulement, à quel point il s'identifie à ces vies irremplaçables. Il arrive en effet qu'il les transporte avec lui, qu'ils débordent légèrement le temps et l'espace où ils sont nés. Ils accompagnent l'acteur qui ne se sépare plus très aisément de ce qu'il a été. Il arrive que pour prendre son verre, il retrouve le geste d'Hamlet soulevant sa coupe. Non, la distance n'est pas si grande qui le sépare des êtres qu'il fait vivre. Il illustre alors abondamment tous les mois ou tous les jours, cette vérité si féconde qu'il n'y a pas de frontière entre ce qu'un homme veut être et ce qu'il est. À quel point le paraître fait l'être[6], c'est ce qu'il démontre, toujours occupé de mieux figurer. Car c'est son art, cela, de feindre absolument, d'entrer le plus avant possible dans des vies qui ne sont pas les siennes. Au terme de son effort, sa vocation s'éclaire : s'appliquer de tout son cœur à n'être rien ou à être plusieurs. Plus étroite est la limite qui lui est donnée pour créer son personnage et plus nécessaire est son talent. Il va mourir dans trois heures sous le visage qui est le sien aujourd'hui. Il faut qu'en trois heures il éprouve et exprime tout un destin exceptionnel. Cela s'appelle se perdre pour se retrouver. Dans ces trois heures, il va jusqu'au bout du chemin sans issue que l'homme du parterre met toute sa vie à parcourir.

★

Mime du périssable, l'acteur ne s'exerce et ne se perfectionne que dans l'apparence. La convention du théâtre, c'est que le cœur ne s'exprime et ne se fait comprendre que par les gestes et dans le corps — ou par la voix qui est autant de l'âme que du corps. La loi de cet art veut que tout soit grossi et se traduise en chair. S'il fallait sur la scène aimer comme l'on aime, user de cette irremplaçable voix du cœur, regarder comme on contemple, notre langage resterait chiffré. Les silences ici doivent se faire entendre. L'amour hausse le ton et l'immobilité même devient spectaculaire. Le corps est roi[7]. N'est pas « théâtral » qui veut et ce mot, déconsidéré à tort, recouvre toute une esthétique et toute une morale. La moitié d'une vie d'homme se passe à sous-entendre, à détourner la tête et à se taire. L'acteur est ici l'intrus. Il lève le sortilège de cette âme enchaînée et les passions se ruent enfin sur leur scène. Elles parlent dans tous les gestes, elles ne vivent que par cris. Ainsi l'acteur compose ses personnages pour la montre. Il les dessine ou les sculpte, il se coule dans leur forme imaginaire et donne à leurs fantômes son sang. Je parle du grand théâtre, cela va sans dire, celui qui donne à l'acteur l'occasion de remplir son destin tout physique. Voyez Shakespeare. Dans ce théâtre du premier mouvement ce sont les fureurs du corps qui mènent la danse[8]. Elles expliquent tout. Sans elles, tout s'écroulerait. Jamais le roi Lear n'irait au rendez-vous que lui donne la folie sans le geste brutal qui exile Cordelia et condamne Edgar. Il est juste que cette tragédie se déroule alors sous le signe de la démence. Les âmes sont livrées aux démons et à leur sarabande. Pas moins de quatre fous, l'un par métier, l'autre par volonté, les deux derniers par tourment : quatre corps désordonnés, quatre visages indicibles d'une même condition.

L'échelle même du corps humain est insuffisante. Le masque et les cothurnes, le maquillage qui réduit et accuse le visage dans ses éléments essentiels, le costume qui exagère et simplifie, cet univers sacrifie tout à l'apparence, et n'est fait que pour l'œil. Par un miracle absurde, c'est le corps qui apporte encore la connaissance. Je ne comprendrais jamais bien Iago que si je le jouais. J'ai beau l'entendre, je ne le saisis qu'au moment où je le vois. Du personnage absurde, l'acteur a par suite la monotonie, cette silhouette unique, entêtante, à la fois étrange et familière qu'il promène à travers tous ses héros. Là encore la grande œuvre théâtrale sert cette unité de ton*. C'est là que l'acteur se contredit : le même et pourtant si divers, tant d'âmes résumées par un seul corps. Mais c'est la contradiction absurde elle-même, cet individu qui veut tout atteindre et tout vivre, cette vaine tentative, cet entêtement sans portée. Ce qui se contredit toujours s'unit pourtant en lui. Il est à cet endroit où le corps et l'esprit se rejoignent et se serrent, où le second lassé de ses échecs

* Je pense ici à l'Alceste de Molière. Tout est si simple, si évident et si grossier. Alceste contre Philinte, Célimène contre Élianthe, tout le sujet dans l'absurde conséquence d'un caractère poussé vers sa fin, et le vers lui-même, le « mauvais vers », à peine scandé comme la monotonie du caractère.

se retourne vers son plus fidèle allié. « Et bénis soient ceux, dit Hamlet, dont le sang et le jugement sont si curieusement mêlés qu'ils ne sont pas flûte où le doigt de la fortune fait chanter le trou qui lui plaît[9]. »

★

Comment l'Église n'eût-elle pas condamné dans l'acteur pareil exercice ? Elle répudiait dans cet art la multiplication hérétique des âmes, la débauche d'émotions, la prétention scandaleuse d'un esprit qui se refuse à ne vivre qu'un destin et se précipite dans toutes les intempérances. Elle proscrivait en eux ce goût du présent et ce triomphe de Protée qui sont la négation de tout ce qu'elle enseigne. L'éternité n'est pas un jeu. Un esprit assez insensé pour lui préférer une comédie a perdu son salut. Entre « partout » et « toujours », il n'y a pas de compromis. De là que ce métier si déprécié puisse donner lieu à un conflit spirituel démesuré. « Ce qui importe, dit Nietzsche, ce n'est pas la vie éternelle, c'est l'éternelle vivacité[10]. » Tout le drame est en effet dans ce choix.

Adrienne Lecouvreur[11], sur son lit de mort, voulut bien se confesser et communier, mais refusa d'abjurer sa profession. Elle perdit par là le bénéfice de la confession. Qu'était-ce donc en effet, sinon prendre contre Dieu le parti de sa passion profonde ? Et cette femme à l'agonie, refusant dans les larmes de renier ce qu'elle appelait son art, témoignait d'une grandeur que, devant la rampe, elle n'atteignit jamais. Ce fut son plus beau rôle et le plus difficile à tenir. Choisir entre le ciel et une dérisoire fidélité, se préférer à l'éternité ou s'abîmer en Dieu, c'est la tragédie séculaire où il faut tenir sa place.

Les comédiens de l'époque se savaient excommuniés[12]. Entrer dans la profession, c'était choisir l'enfer. Et l'Église discernait en eux ses pires ennemis. Quelques littérateurs s'indignent : « Eh quoi, refuser à Molière les derniers secours[13] ! » Mais cela était juste et surtout pour celui-là qui mourut en scène et acheva sous le fard une vie tout entière vouée à la dispersion. On invoque à son propos le génie qui excuse tout. Mais le génie n'excuse rien, justement parce qu'il s'y refuse.

L'acteur savait alors quelle punition lui était promise. Mais quel sens pouvaient avoir de si vagues menaces au prix du châtiment dernier que lui réservait la vie même ? C'était celui-là qu'il éprouvait par avance et acceptait dans son entier. Pour l'acteur comme pour l'homme absurde, une mort prématurée est irréparable. Rien ne peut compenser la somme des visages et des siècles qu'il eût, sans cela, parcourus. Mais de toute façon, il s'agit de mourir. Car l'acteur est sans doute partout, mais le temps l'entraîne aussi et fait avec lui son effet.

Il suffit d'un peu d'imagination pour sentir alors ce que signifie un destin d'acteur. C'est dans le temps qu'il compose et énumère ses personnages. C'est dans le temps aussi qu'il apprend à les dominer. Plus il a vécu de vies différentes et mieux il se sépare d'elles. Le temps vient où il faut mourir à la scène et au monde. Ce qu'il a vécu est en face de lui. Il voit clair. Il sent ce que cette aventure a de déchirant et d'irremplaçable. Il sait et peut maintenant mourir. Il y a des maisons de retraite pour vieux comédiens[14].

LA CONQUÊTE[1]

« Non, dit le conquérant, ne croyez pas que pour aimer l'action, il m'ait fallu désapprendre à penser. Je puis parfaitement au contraire définir ce que je crois. Car je le crois avec force et je le vois d'une vue certaine et claire. Méfiez-vous de ceux qui disent : " Ceci, je le sais trop pour pouvoir l'exprimer. " Car s'ils ne le peuvent, c'est qu'ils ne le savent pas ou que, par paresse, ils se sont arrêtés à l'écorce.

Je n'ai pas beaucoup d'opinions. À la fin d'une vie, l'homme s'aperçoit qu'il a passé des années à s'assurer d'une seule vérité. Mais une seule, si elle est évidente, suffit à la conduite d'une existence. Pour moi, j'ai décidément quelque chose à dire sur l'individu. C'est avec rudesse qu'on doit en parler et, s'il le faut, avec le mépris convenable.

Un homme est plus un homme par les choses qu'il tait que par celles qu'il dit[2]. Il y en a beaucoup que je vais taire. Mais je crois fermement que tous ceux qui ont jugé de l'individu l'ont fait avec beaucoup moins d'expérience que nous pour fonder leur jugement. L'intelligence, l'émouvante intelligence a pressenti peut-être ce qu'il fallait constater. Mais l'époque, ses ruines et son sang nous comblent d'évidences.

Il était possible à des peuples anciens, et même aux plus récents jusqu'à notre ère machinale, de mettre en balance les vertus de la société et de l'individu, de chercher lequel devait servir l'autre. Cela était possible d'abord, en vertu de cette aberration tenace au cœur de l'homme et selon quoi les êtres ont été mis au monde pour servir ou être servis. Cela était encore possible parce que ni la société ni l'individu n'avaient encore montré tout leur savoir-faire.

J'ai vu de bons esprits s'émerveiller des chefs-d'œuvre des peintres hollandais nés au cœur des sanglantes guerres de Flandre, s'émouvoir aux oraisons des mystiques silésiens élevées au sein de l'affreuse guerre de Trente Ans[3]. Les valeurs éternelles surnagent à leurs yeux étonnés au-dessus des tumultes séculiers. Mais le temps depuis a marché. Les peintres d'aujourd'hui sont privés de cette sérénité. Même s'ils ont au fond le cœur qu'il faut au créateur, je veux dire un cœur sec[4], il n'est d'aucun emploi, car tout le monde et le saint lui-même est mobilisé. Voilà peut-être ce que j'ai senti le plus profondément. À chaque forme avortée dans les tranchées, à chaque trait, métaphore ou prière, broyé sous le fer, l'éternel perd une partie. Conscient que je ne puis me séparer de mon temps, j'ai décidé de faire corps avec lui. C'est pourquoi je ne fais tant de cas de l'individu que parce qu'il m'apparaît dérisoire et humilié. Sachant qu'il n'est pas de causes victorieuses, j'ai du goût pour les causes perdues : elles demandent une âme entière, égale à sa défaite comme à ses victoires passagères. Pour qui se sent solidaire du destin de ce monde, le choc des civilisations a quelque chose d'angoissant. J'ai fait mienne cette angoisse en même temps que j'ai voulu y jouer ma partie[5]. Entre l'histoire et l'éternel, j'ai choisi l'histoire parce que j'aime les certitudes. D'elle du moins, je suis certain et comment nier cette force qui m'écrase ?

Il vient toujours un temps où il faut choisir entre la contemplation et l'action. Cela s'appelle devenir un homme. Ces déchirements sont affreux. Mais pour un cœur fier, il ne peut y avoir de milieu. Il y a Dieu ou le temps, cette croix ou cette épée[6]. Ce monde a un sens plus haut qui surpasse ses agitations ou rien n'est vrai que ces agitations. Il faut vivre avec le temps et mourir avec lui ou s'y soustraire pour une plus grande vie. Je sais qu'on peut transiger et qu'on peut vivre dans le siècle et croire à l'éternel. Cela s'appelle accepter. Mais je répugne à ce terme et je veux tout ou rien.

Si je choisis l'action, ne croyez pas que la contemplation me soit comme une terre inconnue. Mais elle ne peut tout me donner, et privé de l'éternel, je veux m'allier au temps. Je ne veux faire tenir dans mon compte ni nostalgie ni amertume et je veux seulement y voir clair. Je vous le dis, demain vous serez mobilisé. Pour vous et pour moi, cela est une libération. L'individu ne peut rien et pourtant il peut tout[7]. Dans cette merveilleuse disponibilité vous comprenez pourquoi je l'exalte et l'écrase à la fois. C'est le monde qui le broie et c'est moi qui le libère. Je le fournis de tous ses droits.

★

Les conquérants[a] savent que l'action est en elle-même inutile. Il n'y a qu'une action utile, celle qui referait l'homme et la terre. Je ne referai jamais les hommes. Mais il faut faire « comme si ». Car le chemin de la lutte me fait rencontrer la chair. Même humiliée, la chair est ma seule certitude. Je ne puis vivre que d'elle. La créature est ma patrie. Voilà pourquoi j'ai choisi cet effort absurde et sans portée. Voilà pourquoi je suis du côté de la lutte[b]. L'époque s'y prête, je l'ai dit. Jusqu'ici la grandeur d'un conquérant était géographique. Elle se mesurait à l'étendue des territoires vaincus. Ce n'est pas pour rien que le mot a changé de sens et ne désigne plus le général vainqueur. La grandeur a changé de camp. Elle est dans la protestation et le sacrifice sans avenir. Là encore, ce n'est point par goût de la défaite. La victoire serait souhaitable. Mais il n'y a qu'une victoire et elle est éternelle. C'est celle que je n'aurai jamais. Voilà où je bute et je m'accroche. Une révolution s'accomplit toujours contre les dieux[8], à commencer par celle de Prométhée, le premier des conquérants modernes[9]. C'est une revendication de l'homme contre son destin : la revendication du pauvre n'est[c] qu'un prétexte. Mais je ne puis saisir cet esprit que dans son acte historique et c'est là que je le rejoins. Ne croyez pas cependant que je m'y complaise : en face de la contradiction essentielle, je soutiens mon humaine contradiction. J'installe ma lucidité au milieu de ce qui la nie. J'exalte l'homme devant ce qui l'écrase et ma liberté, ma révolte et ma passion se rejoignent alors dans cette tension, cette clairvoyance et cette répétition démesurée.

Oui, l'homme est sa propre fin. Et il est sa seule fin. S'il veut être quelque chose, c'est dans cette vie. Maintenant,

je le sais de reste. Les conquérants parlent quelquefois de
vaincre et surmonter. Mais c'est toujours « se surmonter »
qu'ils entendent. Vous savez bien ce que cela veut dire. Tout
homme s'est senti l'égal d'un dieu à certains moments. C'est
ainsi du moins qu'on le dit. Mais cela vient de ce que, dans
un éclair, il a senti l'étonnante grandeur de l'esprit humain.
Les conquérants sont seulement ceux d'entre les hommes
qui sentent assez leur force pour être sûrs de vivre constamment à ces hauteurs et dans la pleine conscience de cette
grandeur. C'est une question d'arithmétique, de plus ou de
moins. Les conquérants peuvent le plus. Mais ils ne peuvent
pas plus que l'homme lui-même, quand il le veut. C'est pourquoi ils ne quittent jamais le creuset humain, plongeant au
plus brûlant dans l'âme des révolutions.

Ils y trouvent la créature mutilée, mais ils y rencontrent
aussi les seules valeurs qu'ils aiment et qu'ils admirent,
l'homme et son silence. C'est à la fois leur dénuement et leur
richesse. Il n'y a qu'un seul luxe pour eux et c'est celui des
relations humaines. Comment ne pas comprendre que dans
cet univers vulnérable, tout ce qui est humain et n'est que
cela prend un sens plus brûlant ? Visages tendus, fraternité
menacée, amitié si forte et si pudique des hommes entre eux,
ce sont les vraies richesses puisqu'elles sont périssables.
C'est au milieu d'elles que l'esprit sent le mieux ses pouvoirs
et ses limites. C'est-à-dire son efficacité. Quelques-uns ont
parlé de génie. Mais le génie, c'est bien vite dit, je préfère
l'intelligence. Il faut dire qu'elle peut être alors magnifique.
Elle éclaire ce désert et le domine. Elle connaît ses servitudes et les illustre. Elle mourra en même temps que ce
corps. Mais le savoir, voilà sa liberté.

★

Nous ne l'ignorons pas, toutes les Églises sont contre
nous. Un cœur si tendu se dérobe à l'éternel et toutes les
Églises, divines ou politiques, prétendent à l'éternel. Le bonheur et le courage, le salaire ou la justice, sont pour elles des
fins secondaires. C'est une doctrine qu'elles apportent et il
faut y souscrire. Mais je n'ai rien à faire des idées ou de l'éternel[d]. Les vérités qui sont à ma mesure, la main peut les toucher. Je ne puis me séparer d'elles. Voilà pourquoi vous
ne pouvez rien fonder sur moi : rien ne dure du conquérant
et pas même ses doctrines.

Au bout de tout cela⁶, malgré tout, est la mort. Nous le savons. Nous savons aussi qu'elle termine tout. Voilà pourquoi ces cimetières qui couvrent l'Europe et qui obsèdent certains d'entre nous, sont hideux. On n'embellit que ce qu'on aime et la mort nous répugne et nous lasse. Elle aussi est à conquérir. Le dernier Carrara, prisonnier dans Padoue vidée par la peste, assiégée par les Vénitiens, parcourait en hurlant les salles de son palais désert : il appelait le diable et lui demandait la mort[10]. C'était une façon de la surmonter. Et c'est encore une marque de courage propre à l'Occident que d'avoir rendu si affreux les lieux où la mort se croit honorée. Dans l'univers du révolté, la mort exalte l'injustice. Elle est le suprême abus.

D'autres, sans transiger non plus, ont choisi l'éternel et dénoncé l'illusion de ce monde. Leurs cimetières sourient au milieu d'un peuple de fleurs et d'oiseaux[11]. Cela convient au conquérant et lui donne l'image claire de ce qu'il a repoussé. Il a choisi au contraire l'entourage de fer noir ou la fosse anonyme. Les meilleurs parmi les hommes de l'éternel se sentent pris quelquefois d'un effroi plein de considération et de pitié devant des esprits qui peuvent vivre avec une pareille image de leur mort. Mais pourtant ces esprits en tirent leur force et leur justification. Notre destin est en face de nous et c'est lui que nous provoquons. Moins par orgueil que par conscience de notre condition sans portée. Nous aussi, nous avons parfois pitié de nous-mêmes. C'est la seule compassion qui nous semble acceptable : un sentiment que peut-être vous ne comprenez guère et qui vous semble peu viril. Pourtant ce sont les plus audacieux d'entre nous qui l'éprouvent. Mais nous appelons virils les lucides et nous ne voulons pas d'une force qui se sépare de la clairvoyance. »

☆

Encore une fois ce ne sont pas des morales que ces images proposent et elles n'engagent pas de jugements : ce sont des dessins. Ils figurent seulement un style de vie. L'amant, le comédien ou l'aventurier jouent l'absurde. Mais aussi bien s'ils le veulent, le chaste, le fonctionnaire ou le président de la République. Il suffit de savoir et de ne rien masquer. Dans les musées italiens, on trouve quelquefois de petits écrans peints que le prêtre tenait devant les visages des condamnés pour leur cacher l'échafaud[12]. Le saut sous toutes ses formes, la précipitation dans le divin ou l'éternel, l'abandon aux illusions du quotidien ou de l'idée, tous ces écrans cachent l'absurde. Mais il y a des fonctionnaires sans écran et ce sont ceux dont je veux parler.

J'ai choisi les plus extrêmes. À ce degré, l'absurde leur donne un pouvoir royal. Il est vrai que ces princes sont sans royaume[13]. Mais ils ont cet avantage sur d'autres qu'ils savent que toutes les royautés sont illusoires. Ils savent, voilà toute leur grandeur, et c'est en vain qu'on veut parler à leur propos de malheur caché ou des cendres de la désillusion. Être privé d'espoir, ce n'est pas désespérer. Les flammes de la terre valent bien les parfums célestes. Ni moi ni personne ne pouvons ici les juger. Ils ne cherchent pas à être meilleurs, ils tentent d'être conséquents. Si le mot sage s'applique à l'homme qui vit de ce qu'il a, sans spéculer sur ce qu'il n'a pas, alors ceux-là sont des sages. L'un d'eux, conquérant, mais parmi l'esprit, Don Juan mais de la connaissance, comédien mais de l'intelligence, le sait mieux que quiconque : « On ne mérite nullement un privilège sur terre et dans le ciel lorsqu'on a mené sa chère petite douceur de mouton jusqu'à la perfection : on n'en continue pas moins à être au meilleur cas un cher petit mouton ridicule avec des cornes et rien de plus — en admettant même que l'on ne crève pas de vanité et que l'on ne provoque pas de scandale par ses attitudes de juge. »

Il fallait en tout cas restituer au raisonnement absurde des visages plus chaleureux. L'imagination peut en ajouter beaucoup d'autres, rivés au temps et à l'exil, qui savent aussi vivre à la mesure d'un univers sans avenir et sans faiblesse. Ce monde absurde et sans dieu se peuple alors d'hommes qui pensent clair et n'espèrent plus. Et je n'ai pas encore parlé du plus absurde des personnages qui est le créateur.

LA CRÉATION ABSURDE[a]

PHILOSOPHIE ET ROMAN

Toutes ces vies maintenues dans l'air avare de l'absurde ne sauraient se soutenir sans quelque pensée profonde et constante qui les anime de sa force. Ici même ce ne peut être qu'un singulier sentiment de fidélité. On a vu des hommes conscients accomplir leur tâche au milieu des plus stupides des guerres sans se croire en contradiction. C'est qu'il s'agissait de ne rien éluder. Il y a ainsi un bonheur[b] métaphysique à soutenir l'absurdité du monde. La[c] conquête ou le jeu, l'amour innombrable, la révolte absurde, ce sont des hommages que l'homme rend à sa dignité dans une campagne où il est d'avance vaincu.

Il s'agit seulement d'être fidèle à la règle du combat. Cette pensée peut suffire à nourrir un esprit : elle a soutenu et soutient des civilisations entières. On ne nie pas la guerre. Il faut en mourir ou en vivre. Ainsi de l'absurde : il s'agit de respirer avec lui ; de reconnaître ses leçons et de retrouver leur chair. À cet égard, la joie absurde par excellence, c'est la création. « L'art et rien que l'art, dit Nietzsche, nous avons l'art pour ne point mourir de la vérité. »

Dans l'expérience que je tente de décrire et de faire sentir sur plusieurs modes, il est certain qu'un tourment surgit là où en meurt un autre. La recherche puérile de l'oubli, l'appel de la satisfaction sont maintenant sans écho. Mais la tension constante qui maintient l'homme en face du monde, le délire ordonné qui le pousse à tout accueillir lui laissent une autre fièvre. Dans cet univers, l'œuvre est alors la chance unique de maintenir sa conscience et d'en fixer les aventures. Créer, c'est vivre deux fois. La recherche tâtonnante et anxieuse d'un Proust[1], sa méticuleuse collection de fleurs, de tapisseries et d'angoisses ne signifient rien d'autre. En même temps, elle n'a pas plus de portée que la création continue et inappréciable à quoi se livrent tous les jours de leur vie, le comédien, le conquérant et tous les hommes absurdes. Tous s'essaient à mimer, à répéter et à recréer la réalité qui est la leur. Nous finissons toujours par avoir le visage de nos vérités. L'existence tout entière, pour un homme détourné de l'éternel, n'est qu'un mime démesuré sous le masque de l'absurde. La création, c'est le grand mime.

Ces hommes savent d'abord, et puis tout leur effort est de parcourir, d'agrandir et d'enrichir l'île sans avenir qu'ils viennent d'aborder. Mais il faut d'abord savoir. Car la découverte absurde coïncide avec un temps d'arrêt où s'élaborent et se légitiment les passions futures. Même les hommes sans évangile ont leur mont des Oliviers. Et sur le leur non plus, il ne faut pas s'endormir[2]. Pour l'homme absurde, il ne s'agit plus d'expliquer et de résoudre, mais d'éprouver et de décrire[3]. Tout commence par l'indifférence clairvoyante.

Décrire, telle est la dernière ambition d'une pensée absurde. La science elle aussi, arrivée au terme de ses paradoxes, cesse de proposer et s'arrête à contempler et dessiner le paysage toujours vierge des phénomènes. Le cœur apprend ainsi que cette émotion qui nous transporte devant les visages du monde ne nous vient pas de sa profondeur mais de leur diversité. L'explication est vaine, mais la sensation reste et, avec elle, les appels incessants d'un univers inépuisable en quantité. On comprend ici la place de l'œuvre d'art.

Elle marque à la fois la mort d'une expérience et sa multiplication. Elle est comme une répétition monotone et passionnée des thèmes déjà orchestrés par le monde : le corps, inépuisable image au fronton des temples, les formes ou les couleurs, le nombre ou la détresse. Il n'est donc pas indifférent pour terminer de retrouver les principaux thèmes de cet essai dans l'univers magnifique et puéril du créateur. On aurait tort d'y voir un symbole et de croire que l'œuvre d'art puisse être considérée enfin comme un refuge à l'absurde. Elle est elle-même un phénomène absurde et il s'agit seulement de sa description. Elle n'offre pas une issue au mal de l'esprit. Elle est au contraire un des signes de ce mal qui le répercute dans toute la pensée d'un homme. Mais

pour la première fois, elle fait sortir l'esprit de lui-même et
le place en face d'autrui, non pour qu'il s'y perde, mais pour
lui montrer d'un doigt précis la voie sans issue où tous sont
engagés. Dans le temps du raisonnement absurde, la création suit l'indifférence et la découverte. Elle marque le point
d'où les passions absurdes s'élancent, et où le raisonnement
s'arrête. Sa place dans cet essai se justifie ainsi.

Il suffira de mettre à jour quelques thèmes communs au
créateur et au penseur pour que nous retrouvions dans
l'œuvre d'art toutes les contradictions de la pensée engagée
dans l'absurde. Ce sont moins en effet les conclusions identiques qui font les intelligences parentes, que les contradictions qui leur sont communes. Ainsi de la pensée et de la
création. À peine ai-je besoin de dire que c'est un même
tourment qui pousse l'homme à ces attitudes. C'est par là
qu'au départ elles coïncident. Mais parmi toutes les pensées
qui partent de l'absurde, j'ai vu que bien peu s'y maintenaient.
Et c'est à leurs écarts ou leurs infidélités que j'ai le mieux
mesuré ce qui n'appartenait qu'à l'absurde. Parallèlement, je
dois me demander : une œuvre absurde est-elle possible ?

★

On ne saurait[4] trop insister sur l'arbitraire de l'ancienne
opposition entre art et philosophie. Si on veut l'entendre
dans un sens trop précis, à coup sûr elle est fausse. Si l'on
veut seulement dire que ces deux disciplines ont chacune
leur climat particulier, cela sans doute est vrai, mais dans le
vague. La seule argumentation acceptable résidait dans la
contradiction soulevée entre le philosophe enfermé *au milieu*
de son système et l'artiste placé *devant* son œuvre. Mais ceci
valait pour une certaine forme d'art et de philosophie que
nous tenons ici pour secondaire. L'idée d'un art détaché de
son créateur n'est pas seulement démodée. Elle est fausse.
Par opposition à l'artiste, on signale qu'aucun philosophe
n'a jamais fait plusieurs systèmes. Mais cela est vrai dans la
mesure même où aucun artiste n'a jamais exprimé plus d'une
seule chose sous des visages différents. La perfection instan-
tanée de l'art, la nécessité de son renouvellement, cela n'est
vrai que par préjugé. Car l'œuvre d'art aussi est une construction et chacun sait combien les grands créateurs peuvent
être monotones[5]. L'artiste au même titre que le penseur
s'engage et se devient dans son œuvre. Cette osmose sou-

lève le plus important des problèmes esthétiques. Au surplus, rien n'est plus vain que ces distinctions selon les
méthodes et les objets pour qui se persuade de l'unité de
but de l'esprit. Il n'y a pas de frontières entre les disciplines
que l'homme se propose pour comprendre et aimer. Elles
s'interpénètrent et la même angoisse les confond.

Cela est nécessaire à dire pour commencer. Pour que soit
possible une œuvre absurde, il faut que la pensée sous sa
forme la plus lucide y soit mêlée. Mais il faut en même temps
qu'elle n'y paraisse point sinon comme l'intelligence qui
ordonne. Ce paradoxe s'explique selon l'absurde. L'œuvre
d'art naît du renoncement de l'intelligence à raisonner le
concret. Elle marque le triomphe du charnel. C'est la pensée
lucide qui la provoque, mais dans cet acte même elle se
renonce. Elle ne cédera pas à la tentation de surajouter au
décrit un sens plus profond qu'elle sait illégitime. L'œuvre d'art
incarne un drame de l'intelligence, mais elle n'en fait la preuve
qu'indirectement. L'œuvre absurde exige un artiste conscient
de ces limites et un art où le concret ne signifie rien de plus
que lui-même. Elle ne peut être la fin*d*, le sens et la consolation d'une vie. Créer ou ne pas créer, cela ne change rien[6]. Le
créateur absurde ne tient pas à son œuvre. Il pourrait y renoncer ; il y renonce quelquefois. Il suffit d'une Abyssinie[7].

On peut voir là en même temps une règle d'esthétique.
La véritable œuvre d'art est toujours à la mesure humaine.
Elle est essentiellement celle qui dit « moins ». Il y a un certain rapport entre l'expérience globale d'un artiste et l'œuvre
qui la reflète, entre *Wilhelm Meister* et la maturité de Goethe.
Ce rapport est mauvais lorsque l'œuvre prétend donner
toute l'expérience dans le papier à dentelles d'une littérature
d'explication. Ce rapport est bon lorsque l'œuvre n'est qu'un
morceau taillé dans l'expérience, une facette du diamant
où l'éclat intérieur se résume sans se limiter. Dans le premier cas, il y a surcharge et prétention à l'éternel. Dans le
second, œuvre féconde à cause de tout un sous-entendu
d'expérience dont on devine la richesse[8]. Le problème pour
l'artiste absurde est d'acquérir ce savoir-vivre qui dépasse
le savoir-faire. Pour finir, le grand artiste sous ce climat est
avant tout un grand vivant, étant compris que vivre ici c'est
aussi bien éprouver que réfléchir. L'œuvre incarne donc un
drame intellectuel. L'œuvre absurde illustre le renoncement
de la pensée à ses prestiges et sa résignation à n'être plus que
l'intelligence qui met en œuvre les apparences et couvre

d'images ce qui n'a pas de raison. Si le monde était clair, l'art ne serait pas.

Je ne parle pas ici des arts de la forme ou de la couleur où seule règne la description dans sa splendide modestie*. L'expression commence où la pensée finit. Ces adolescents aux yeux vides qui peuplent les temples et les musées, on a mis leur philosophie en gestes[9]. Pour un homme absurde, elle est plus enseignante que toutes les bibliothèques. Sous un autre aspect, il en est de même de la musique. Si un art est privé d'enseignement, c'est bien celui-là. Il s'apparente trop aux mathématiques pour ne pas leur avoir emprunté leur gratuité. Ce jeu de l'esprit avec lui-même selon des lois convenues et mesurées se déroule dans l'espace sonore qui est le nôtre et au-delà duquel les vibrations se rencontrent cependant en un univers inhumain[d]. Il n'est point de sensation plus pure. Ces exemples sont trop faciles. L'homme absurde reconnaît pour siennes ces harmonies et ces formes.

Mais je voudrais parler ici d'une œuvre où la tentation d'expliquer demeure la plus grande, où l'illusion se propose d'elle-même, où la conclusion est presque immanquable. Je veux dire la création romanesque. Je me demanderai si l'absurde peut s'y maintenir.

★

Penser, c'est avant tout vouloir créer un monde (ou limiter le sien, ce qui revient au même). C'est partir du désaccord fondamental qui sépare l'homme de son expérience pour trouver un terrain d'entente selon sa nostalgie, un univers corseté de raisons ou éclairé d'analogies qui permette de résoudre le divorce insupportable. Le philosophe, même s'il est Kant, est créateur. Il a ses personnages, ses symboles et son action secrète. Il a ses dénouements. À l'inverse, le pas pris par le roman sur la poésie et l'essai figure seulement, et malgré les apparences, une plus grande intellectualisation de l'art. Entendons-nous, il s'agit surtout des plus grands. La fécondité et la grandeur d'un genre se mesurent souvent au déchet qui s'y trouve. Le nombre de mauvais romans ne doit pas faire oublier la grandeur des meilleurs. Ceux-ci juste-

---

* Il est curieux de voir que la plus intellectuelle des peintures, celle qui cherche à réduire la réalité à ses éléments essentiels, n'est plus à son terme dernier qu'une joie des yeux. Elle n'a gardé du monde que la couleur[e].

ment portent avec eux leur univers. Le roman a sa logique,
ses raisonnements, son intuition et ses postulats. Il a aussi
ses exigences de clarté[*10].

L'opposition classique dont je parlais plus haut se légitime moins encore dans ce cas particulier. Elle valait au
temps où il était facile de séparer la philosophie de son
auteur. Aujourd'hui, où la pensée ne prétend plus à l'universel, où sa meilleure histoire serait celle de ses repentirs,
nous savons que le système, lorsqu'il est valable, ne se sépare
pas de son auteur. *L'Éthique*[11] elle-même sous l'un de ses
aspects, n'est qu'une longue et rigoureuse confidence. La
pensée abstraite rejoint enfin son support de chair. Et de
même, les jeux romanesques du corps et des passions s'ordonnent un peu plus suivant les exigences d'une vision du
monde. On ne raconte plus « d'histoires », on crée son univers. Les grands romanciers sont des romanciers philosophes, c'est-à-dire le contraire d'écrivains à thèse. Ainsi
Balzac, Sade, Melville, Stendhal, Dostoïevsky, Proust, Malraux, Kafka, pour n'en citer que quelques-uns.

Mais justement le choix qu'ils ont fait d'écrire en images
plutôt qu'en raisonnements[12] est révélateur d'une certaine
pensée qui leur est commune, persuadée de l'inutilité de tout
principe d'explication et convaincue du message enseignant
de l'apparence sensible. Ils considèrent l'œuvre à la fois
comme une fin et un commencement. Elle est l'aboutissement d'une philosophie souvent inexprimée, son illustration
et son couronnement. Mais elle n'est complète que par les
sous-entendus de cette philosophie. Elle légitime enfin cette
variante d'un thème ancien qu'un peu de pensée éloigne de
la vie, mais que beaucoup y ramène. Incapable de sublimer
le réel, la pensée s'arrête à le mimer. Le roman dont il est
question est l'instrument de cette connaissance à la fois
relative et inépuisable, si semblable à celle de l'amour. De
l'amour, la création romanesque a l'émerveillement initial et
la rumination féconde.

---

* Qu'on y réfléchisse : cela explique les pires romans. Presque tout le
monde se croit capable de penser et, dans une certaine mesure, bien ou mal,
pense effectivement. Très peu, au contraire, peuvent s'imaginer poète ou for-
geur de phrases. Mais à partir du moment où la pensée a prévalu sur le style,
la foule a envahi le roman.

Cela n'est pas un si grand mal qu'on le dit. Les meilleurs sont conduits à
plus d'exigences envers eux-mêmes. Pour ceux qui succombent, ils ne méri-
taient pas de survivre.

★

C'est du moins les prestiges que je lui reconnais au départ. Mais je les reconnaissais aussi à ces princes de la pensée humiliée dont j'ai pu contempler ensuite les suicides. Ce qui m'intéresse justement, c'est de connaître et de décrire la force qui les ramène vers la voie commune de l'illusion. La même méthode me servira donc ici. De l'avoir déjà employée me permettra de raccourcir mon raisonnement et de le résumer sans tarder sur un exemple précis. Je veux savoir si, acceptant de vivre sans appel, on peut consentir aussi à travailler et créer sans appel et quelle est la route qui mène à ces libertés. Je veux délivrer mon univers de ses fantômes et le peupler seulement des vérités de chair dont je ne peux nier la présence. Je puis faire œuvre absurde, choisir l'attitude créatrice plutôt qu'une autre. Mais une attitude absurde pour demeurer telle doit rester consciente de sa gratuité. Ainsi de l'œuvre. Si les commandements de l'absurde n'y sont pas respectés, si elle n'illustre pas le divorce et la révolte, si elle sacrifie aux illusions et suscite l'espoir, elle n'est plus gratuite. Je ne puis plus me détacher d'elle. Ma vie peut y trouver un sens : cela est dérisoire. Elle n'est plus cet exercice de détachement et de passion qui consomme la splendeur et l'inutilité d'une vie d'homme.

Dans la création où la tentation d'expliquer est la plus forte, peut-on alors surmonter cette tentation ? Dans le monde fictif où la conscience du monde réel est la plus forte, puis-je rester fidèle à l'absurde sans sacrifier au désir de conclure ? Autant de questions à envisager dans un dernier effort. On a compris déjà ce qu'elles signifiaient. Ce sont les derniers scrupules d'une conscience qui craint d'abandonner son premier et difficile enseignement au prix d'une ultime illusion. Ce qui vaut pour la création, considérée comme *l'une* des attitudes possibles pour l'homme conscient de l'absurde, vaut pour tous les styles de vie qui s'offrent à lui. Le conquérant ou l'acteur, le créateur ou Don Juan peuvent oublier que leur exercice de vivre ne saurait aller sans la conscience de son caractère insensé. On s'habitue si vite. On veut gagner de l'argent pour vivre heureux et tout l'effort et le meilleur d'une vie se concentrent pour le gain de cet argent. Le bonheur est oublié, le moyen pris pour la fin. De même tout l'effort de ce conquérant va dériver sur l'ambition qui n'était qu'un chemin vers une plus grande vie. Don Juan de son côté va consentir aussi à son destin, se satisfaire de cette existence dont la grandeur ne vaut que par la révolte. Pour l'un, c'est la conscience, pour l'autre, la révolte, dans les deux cas l'absurde a disparu. Il y a tant d'espoir tenace dans le cœur humain. Les hommes les plus dépouillés finissent quelquefois par consentir à l'illusion. Cette *f* approbation dictée par le besoin de paix est le frère intérieur du consentement existentiel. Il y a ainsi des dieux de lumière et des idoles de boue[13]. Mais c'est le chemin moyen qui mène aux visages de l'homme qu'il s'agit de trouver.

Jusqu'ici ce sont les échecs de l'exigence absurde qui nous ont le mieux renseigné sur ce qu'elle est. De même façon, il nous suffira pour être avertis d'apercevoir que la création romanesque peut offrir la même ambiguïté que certaines philosophies. Je peux donc *g* choisir pour mon illustration une œuvre où tout soit réuni qui marque la conscience de l'absurde, dont le départ soit clair et le climat lucide. Ses conséquences nous instruiront. Si l'absurde n'y est pas respecté, nous saurons par quel biais l'illusion s'introduit. Un exemple précis, un thème, une fidélité de créateur, suffiront alors. Il s'agit de la même analyse qui a déjà été faite plus longuement.

J'examinerai un thème favori de Dostoïevsky. J'aurais pu aussi bien étudier d'autres œuvres*. Mais avec celle-ci, le problème est traité directement, dans le sens de la grandeur et de l'émotion, comme pour les pensées existentielles dont il a été question. Ce parallélisme sert *b* mon objet.

KIRILOV[1]

Tous les héros de Dostoïevsky s'interrogent sur le sens de la vie. C'est en cela qu'ils sont modernes : ils ne craignent pas le ridicule. Ce qui distingue la sensibilité moderne de la sensibilité classique, c'est que celle-ci se nourrit de pro-

---

* Celle de Malraux[14], par exemple. Mais il eût fallu aborder en même temps le problème social qui en effet ne peut être évité par la pensée absurde (encore qu'elle puisse lui proposer plusieurs solutions, et fort différentes). Il faut cependant se limiter.

blèmes moraux et celle-là de problèmes métaphysiques.
Dans les romans de Dostoïevsky, la question est posée avec
une telle intensité qu'elle ne peut engager que des solutions
extrêmes. L'existence est mensongère *ou* elle est éternelle.
Si Dostoïevsky se contentait de cet examen, il serait philosophe. Mais il illustre les conséquences que ces jeux de
l'esprit peuvent avoir dans une vie d'homme et c'est en cela
qu'il est artiste. Parmi ces conséquences, c'est la dernière qui
le retient, celle que lui-même dans le *Journal d'un écrivain*
appelle suicide logique. Dans les livraisons de décembre 1876,
en effet, il imagine le raisonnement du « suicide logique ».
Persuadé que l'existence humaine est une parfaite absurdité
pour qui n'a pas la foi en l'immortalité[2], le désespéré en
arrive aux conclusions suivantes :

« Puisqu'à mes questions au sujet du bonheur, il m'est
déclaré en réponse, par l'intermédiaire de ma conscience,
que je ne puis être heureux autrement que dans cette harmonie avec le grand tout, que je ne conçois et ne serai jamais
en état de concevoir, c'est évident.

« … Puisque enfin, dans cet ordre de choses, j'assume à
la fois le rôle du plaignant et celui du répondant, de l'accusé
et du juge, et puisque je trouve cette comédie de la part de
la nature tout à fait stupide, et que même j'estime humiliant
de ma part d'accepter de la jouer…

« En ma qualité indiscutable de plaignant et de répondant,
de juge et d'accusé, je condamne cette nature qui, avec un
si impudent sans-gêne, m'a fait naître pour souffrir — je la
condamne à être anéantie avec moi. »

Il y a encore un peu d'humour dans cette position. Ce suicidé se tue parce que, sur le plan métaphysique, il est *vexé*.
Dans un certain sens, il se venge. C'est la façon qu'il a de
prouver qu'on ne « l'aura pas ». On sait cependant que le
même thème s'incarne, mais avec la plus admirable ampleur,
chez Kirilov, personnage des *Possédés*, partisan lui aussi du
suicide logique. L'ingénieur Kirilov déclare quelque part
qu'il veut s'ôter la vie parce que « c'est son idée ». On entend
bien qu'il faut prendre le mot au sens propre. C'est pour une
idée, une pensée qu'il se prépare à la mort[3]. C'est le suicide
supérieur. Progressivement, tout le long de scènes où le
masque de Kirilov s'éclaire peu à peu, la pensée mortelle
qui l'anime nous est livrée. L'ingénieur, en effet, reprend
les raisonnements du *Journal*. Il sent que Dieu est nécessaire
et qu'il faut bien qu'il existe. Mais il sait qu'il n'existe pas et

qu'il ne peut pas exister. « Comment ne comprends-tu pas, s'écrie-t-il, que c'est là une raison suffisante pour se tuer ? » Cette attitude entraîne également chez lui quelques-unes des conséquences absurdes. Il accepte par indifférence de laisser utiliser son suicide au profit d'une cause qu'il méprise[4]. « J'ai décidé cette nuit que cela m'était égal. » Il prépare enfin son geste dans un sentiment mêlé de révolte et de liberté. « Je me tuerai pour affirmer mon insubordination, ma nouvelle et terrible liberté. » Il ne s'agit plus de vengeance, mais de révolte. Kirilov est donc un personnage absurde — avec cette réserve essentielle cependant qu'il se tue. Mais lui-même explique cette contradiction, et de telle sorte qu'il révèle en même temps le secret absurde dans toute sa pureté. Il ajoute en effet à sa logique mortelle une ambition extraordinaire qui donne au personnage toute sa perspective : il veut se tuer pour devenir dieu.

Le raisonnement est d'une clarté classique. Si Dieu n'existe pas, Kirilov est dieu. Si Dieu n'existe pas, Kirilov doit se tuer. Kirilov doit donc se tuer pour être dieu. Cette logique est absurde, mais c'est ce qu'il faut. L'intéressant cependant est de donner un sens à cette divinité ramenée sur terre. Cela revient à éclairer la prémisse : « Si Dieu n'existe pas, je suis dieu », qui reste encore assez obscure. Il est important de remarquer d'abord que l'homme qui affiche cette prétention insensée est bien de ce monde. Il fait sa gymnastique tous les matins pour entretenir sa santé. Il s'émeut de la joie de Chatov retrouvant sa femme. Sur un papier qu'on trouvera après sa mort, il veut dessiner une figure qui « leur » tire la langue. Il est puéril et colère, passionné, méthodique et sensible. Du surhomme il n'a que la logique et l'idée fixe, de l'homme tout le registre. C'est lui cependant qui parle tranquillement de sa divinité. Il n'est pas fou ou alors Dostoïevsky l'est. Ce n'est donc pas une illusion de mégalomane qui l'agite. Et prendre les mots dans leur sens propre serait, cette fois, ridicule.

Kirilov lui-même nous aide à mieux comprendre. Sur une question de Stavroguine[5], il précise qu'il ne parle pas d'un dieu-homme. On pourrait penser que c'est par souci de se distinguer du Christ. Mais il s'agit en réalité d'annexer celui-ci. Kirilov en effet imagine un moment que Jésus mourant *ne s'est pas retrouvé en paradis*. Il a connu alors que sa torture avait été inutile. « Les lois de la nature, dit l'ingénieur, ont fait vivre le Christ au milieu du mensonge et mourir pour un mensonge[6]. » En ce sens seulement, Jésus incarne bien tout le drame humain. Il est l'homme-parfait, étant celui qui a réalisé la condition la plus absurde. Il n'est pas le Dieu-homme, mais l'homme-dieu. Et comme lui, chacun de nous peut être crucifié et dupé — l'est dans une certaine mesure.

La divinité dont il s'agit est donc toute terrestre. « J'ai cherché pendant trois ans, dit Kirilov, l'attribut de ma divinité, et je l'ai trouvé. L'attribut de ma divinité, c'est l'indépendance. » On aperçoit désormais le sens de la prémisse kirilovienne : « Si Dieu n'existe pas, je suis dieu. » Devenir dieu, c'est seulement être libre sur cette terre, ne pas servir un être immortel. C'est surtout, bien entendu, tirer toutes les conséquences de cette douloureuse indépendance. Si Dieu existe, tout dépend de lui et nous ne pouvons rien contre sa volonté. S'il n'existe pas, tout dépend de nous. Pour Kirilov comme pour Nietzsche, tuer Dieu, c'est devenir dieu soi-même — c'est réaliser dès cette terre la vie éternelle dont parle l'Évangile[*].

Mais si ce crime métaphysique suffit à l'accomplissement de l'homme, pourquoi y ajouter le suicide ? Pourquoi se tuer, quitter ce monde après avoir conquis la liberté ? Cela est contradictoire. Kirilov le sait bien, qui ajoute : « Si tu sens cela, tu es un tzar et loin de te tuer, tu vivras au comble de la gloire. » Mais les hommes ne le savent pas. Ils ne sentent pas « cela ». Comme au temps de Prométhée, ils nourrissent en eux les aveugles espoirs[**][8]. Ils ont besoin qu'on leur montre le chemin et ne peuvent se passer de la prédication. Kirilov doit donc se tuer par amour de l'humanité. Il doit montrer à ses frères une voie royale et difficile sur laquelle il sera le premier. C'est un suicide pédagogique. Kirilov se sacrifie donc. Mais s'il est crucifié, il ne sera pas dupé. Il reste homme-dieu, persuadé d'une mort sans avenir, pénétré de la mélancolie évangélique. « Moi, dit-il, je suis malheureux parce que je suis *obligé* d'affirmer ma liberté[9]. » Mais lui mort, les hommes enfin éclairés, cette terre se peuplera de tzars et s'illuminera de la gloire humaine. Le coup de pistolet de Kirilov sera le signal de l'ultime révolution. Ainsi ce n'est pas le désespoir qui le pousse à la mort, mais l'amour du

---

[*] « Stavroguine. — Vous croyez à la vie éternelle dans l'autre monde ? — Kirilov : Non, mais à la vie éternelle dans celui-ci[7]. »

[**] « L'homme n'a fait qu'inventer Dieu pour ne pas se tuer. Voilà le résumé de l'histoire universelle jusqu'à ce moment. »

prochain pour lui-même. Avant de terminer dans le sang une indicible aventure spirituelle, Kirilov a un mot aussi vieux que la souffrance des hommes : « Tout est bien[10]. »

Ce thème du suicide chez Dostoïevsky est donc bien un thème absurde. Notons seulement avant d'aller plus loin que Kirilov rebondit dans d'autres personnages qui engagent eux-mêmes de nouveaux thèmes absurdes. Stavroguine et Ivan Karamazov[11] font dans la vie pratique l'exercice des vérités absurdes. Ce sont eux que la mort de Kirilov libère. Ils s'essaient à être tzars. Stavroguine mène une vie « ironique », on sait assez laquelle. Il fait lever la haine autour de lui. Et pourtant, le mot-clé de ce personnage se trouve dans sa lettre d'adieu : « Je n'ai rien pu détester. » Il est tzar dans l'indifférence. Ivan l'est aussi en refusant d'abdiquer les pouvoirs royaux de l'esprit. À ceux qui, comme son frère, prouvent par leur vie qu'il faut s'humilier pour croire, il pourrait répondre que la condition est indigne. Son mot-clé, c'est le « Tout est permis[12] », avec la nuance de tristesse qui convient. Bien entendu, comme Nietzsche, le plus célèbre des assassins de Dieu, il finit dans la folie. Mais c'est un risque à courir et devant ces fins tragiques, le mouvement essentiel de l'esprit absurde est de demander : « Qu'est-ce que cela prouve ? »

★

Ainsi les romans, comme le *Journal*, posent la question absurde. Ils instaurent la logique jusqu'à la mort, l'exaltation, la liberté « terrible[13] », la gloire des tzars devenue humaine. Tout est bien, tout est permis et rien n'est détestable : ce sont des jugements absurdes. Mais quelle prodigieuse création que celle où ces êtres de feu et de glace nous semblent si familiers ! Le monde passionné de l'indifférence qui gronde en leur cœur ne nous semble en rien monstrueux. Nous y retrouvons nos angoisses quotidiennes. Et personne sans doute comme Dostoïevsky n'a su donner au monde absurde des prestiges si proches et si torturants.

Pourtant quelle est sa conclusion ? Deux citations montreront le renversement métaphysique complet qui mène l'écrivain à d'autres révélations. Le raisonnement du suicidé logique ayant provoqué quelques protestations des critiques, Dostoïevsky dans les livraisons suivantes du *Journal* développe sa position et conclut ainsi : « Si la foi en l'immortalité est si nécessaire à l'être humain (que sans elle il en vienne à se tuer) c'est donc qu'elle est l'état normal de l'humanité. Puisqu'il en est ainsi, l'immortalité de l'âme humaine existe sans aucun doute[14]. » D'autre part dans les dernières pages de son dernier roman, au terme de ce gigantesque combat avec Dieu, des enfants demandent à Aliocha : « Karamazov, est-ce vrai ce que dit la religion, que nous ressusciterons d'entre les morts, que nous nous reverrons les uns et les autres ? » Et Aliocha répond : « Certes, nous nous reverrons, nous nous raconterons joyeusement tout ce qui s'est passé. »

Ainsi Kirilov, Stavroguine et Ivan sont vaincus. Les *Karamazov* répondent aux *Possédés*. Et il s'agit bien d'une conclusion. Le cas d'Aliocha n'est pas ambigu comme celui du prince Muichkine[15]. Malade, ce dernier vit dans un perpétuel présent, nuancé de sourires et d'indifférence et cet état bienheureux pourrait être la vie éternelle dont parle le prince. Au contraire, Aliocha le dit bien : « Nous nous retrouverons. » Il n'est plus question de suicide et de folie. À quoi bon, pour qui est sûr de l'immortalité et de ses joies ? L'homme fait l'échange de sa divinité contre le bonheur. « Nous nous raconterons joyeusement tout ce qui s'est passé. » Ainsi encore, le pistolet de Kirilov a claqué quelque part en Russie, mais le monde a continué de rouler ses aveugles espoirs. Les hommes n'ont pas compris « cela ».

Ce n'est donc pas un romancier absurde qui nous parle, mais un romancier existentiel. Ici encore le saut est émouvant, donne sa grandeur à l'art qui l'inspire. C'est une adhésion touchante, pétrie de doutes, incertaine et ardente. Parlant des *Karamazov*, Dostoïevsky écrivait : « La question principale qui sera poursuivie dans toutes les parties de ce livre est celle même dont j'ai souffert consciemment ou inconsciemment toute ma vie : l'existence de Dieu[16]. » Il est difficile de croire qu'un roman ait suffi à transformer en certitude joyeuse la souffrance de toute une vie. Un commentateur* le remarque à juste titre : Dostoïevsky a partie liée avec Ivan — et les chapitres affirmatifs des *Karamazov* lui ont demandé trois mois d'efforts, tandis que ce qu'il appelait « les blasphèmes » ont été composés en trois semaines, dans l'exaltation. Il n'est pas un de ses personnages qui ne porte

---

* Boris de Schloezer.

cette écharde dans la chair, qui ne l'irrite ou qui n'y cherche un remède dans la sensation ou l'immoralité*. Restons en tout cas sur ce doute. Voici une œuvre où, dans un clair-obscur plus saisissant que la lumière du jour, nous pouvons saisir la lutte de l'homme contre ses espérances. Arrivé au terme, le créateur choisit contre ses personnages. Cette contradiction nous permet ainsi d'introduire une nuance. Ce n'est pas d'une œuvre absurde qu'il s'agit ici, mais d'une œuvre qui pose le problème absurde.

La réponse de Dostoïevsky est l'humiliation, la « honte » selon Stavroguine. Une œuvre absurde au contraire ne fournit pas de réponse, voilà toute la différence. Notons-le bien pour terminer : ce qui contredit l'absurde dans cette œuvre, ce n'est pas son caractère chrétien, c'est l'annonce qu'elle fait de la vie future. On peut être chrétien et absurde. Il y a des exemples de chrétiens qui ne croient pas à la vie future[18]. À propos de l'œuvre d'art, il serait donc possible de préciser une des directions de l'analyse absurde qu'on a pu pressentir dans les pages précédentes. Elle conduit à poser « l'absurdité de l'Évangile ». Elle éclaire cette idée, féconde en rebondissements, que les convictions n'empêchent pas l'incrédulité. On voit bien au contraire que l'auteur des *Possédés*, familier de ces chemins, a pris pour finir une voie toute différente. La surprenante réponse du créateur à ses personnages, de Dostoïevsky à Kirilov, peut en effet se résumer ainsi : l'existence est mensongère *et* elle est éternelle.

LA CRÉATION SANS LENDEMAIN[a]

J'aperçois donc ici que l'espoir ne peut être éludé pour toujours et qu'il peut assaillir ceux-là mêmes qui s'en voulaient délivrés. C'est l'intérêt que je trouve aux œuvres dont il a été question jusqu'ici. Je pourrais, au moins dans l'ordre de la création, dénombrer quelques œuvres vraiment absurdes**. Mais il faut un commencement à tout. L'objet de cette recherche, c'est une certaine fidélité. L'Église n'a été

---

* Remarque curieuse et pénétrante de Gide : Presque tous les héros de Dostoïevsky sont polygames[17].
** Le *Moby Dick* de Melville par exemple[b].

si dure pour les hérétiques que parce qu'elle estimait qu'il n'est pas de pire ennemi qu'un enfant égaré. Mais l'histoire des audaces gnostiques et la persistance des courants manichéens a plus fait, pour la construction du dogme orthodoxe, que toutes les prières[1]. Toutes proportions gardées, il en est de même pour l'absurde. On reconnaît sa voie en découvrant les chemins qui s'en éloignent. Au terme même du raisonnement absurde, dans l'une des attitudes dictées par sa logique, il n'est pas indifférent de retrouver l'espoir introduit encore sous l'un de ses visages les plus pathétiques. Cela montre la difficulté de l'ascèse absurde. Cela montre surtout la nécessité d'une conscience maintenue sans cesse et rejoint le cadre général de cet essai.

Mais s'il n'est pas encore question de dénombrer les œuvres absurdes, on peut conclure au moins sur l'attitude créatrice, l'une de celles qui peuvent compléter l'existence absurde. L'art ne peut être si bien servi que par une pensée négative. Ses démarches obscures et humiliées sont aussi nécessaires à l'intelligence d'une grande œuvre que le noir l'est au blanc. Travailler et créer « pour rien », sculpter dans l'argile, savoir que sa création n'a pas d'avenir, voir son œuvre détruite en un jour en étant conscient que, profondément, cela n'a pas plus d'importance que de bâtir pour des siècles, c'est la sagesse difficile que la pensée absurde autorise. Mener de front ces deux tâches, nier d'un côté et exalter de l'autre, c'est la voie qui s'ouvre au créateur absurde. Il doit donner au vide ses couleurs.

Ceci mène à une conception particulière de l'œuvre d'art. On considère trop souvent l'œuvre d'un créateur comme une suite de témoignages isolés. On confond alors artiste et littérateur. Une pensée profonde est en continuel devenir, épouse l'expérience d'une vie et s'y façonne. De même, la création unique d'un homme se fortifie dans ses visages successifs et multiples que sont les œuvres. Les unes complètent les autres, les corrigent ou les rattrapent, les contredisent aussi. Si quelque chose termine la création, ce n'est pas le cri victorieux et illusoire de l'artiste aveuglé : « J'ai tout dit », mais la mort du créateur qui ferme son expérience et le livre de son génie.

Cet effort, cette conscience surhumaine n'apparaissent pas forcément au lecteur. Il n'y a pas de mystère dans la création humaine. La volonté fait ce miracle. Mais du moins, il n'est pas de vraie création sans secret. Sans doute une suite d'œuvres peut n'être qu'une série d'approximations de la même pensée. Mais on peut concevoir une autre espèce de créateurs qui procéderaient par juxtaposition. Leurs œuvres peuvent sembler sans rapports entre elles. Dans une certaine mesure, elles sont contradictoires. Mais replacées dans leur ensemble, elles recouvrent leur ordonnance. C'est de la mort ainsi qu'elles reçoivent leur sens définitif. Elles acceptent le plus clair de leur lumière de la vie même de leur auteur. À ce moment, la suite de ses œuvres n'est qu'une collection d'échecs. Mais si ces échecs gardent tous la même résonance, le créateur a su répéter l'image de sa propre condition, faire retentir le secret stérile dont il est détenteur.

L'effort de domination est ici considérable. Mais l'intelligence humaine peut suffire à bien plus. Elle démontrera seulement l'aspect volontaire de la création. J'ai fait ressortir ailleurs que la volonté humaine n'avait d'autre fin que de maintenir la conscience. Mais cela ne saurait aller sans discipline. De toutes les écoles de la patience et de la lucidité, la création est la plus efficace. Elle est aussi le bouleversant témoignage de la seule dignité de l'homme : la révolte tenace contre sa condition, la persévérance dans un effort tenu pour stérile[2]. Elle demande un effort quotidien, la maîtrise de soi, l'appréciation exacte des limites du vrai, la mesure et la force. Elle constitue une ascèse. Tout cela « pour rien », pour répéter et piétiner. Mais peut-être la grande œuvre d'art a moins d'importance en elle-même que dans l'épreuve qu'elle exige d'un homme et l'occasion qu'elle lui fournit de surmonter ses fantômes et d'approcher d'un peu plus près sa réalité nue.

★

Qu'on ne se trompe pas d'esthétique. Ce n'est pas l'information patiente, l'incessante et stérile illustration d'une thèse que j'invoque ici. Au contraire, si je me suis expliqué clairement. Le roman à thèse, l'œuvre qui prouve, la plus haïssable de toutes, est celle qui le plus souvent s'inspire d'une pensée *satisfaite*[3]. La vérité qu'on croit détenir, on la démontre. Mais ce sont là des idées qu'on met en marche, et les idées sont le contraire de la pensée. Ces créateurs sont des philosophes honteux. Ceux dont je parle ou que j'imagine sont au contraire des penseurs lucides. À un certain point où la pensée revient sur elle-même, ils dressent les images de leurs œuvres comme les symboles évidents d'une pensée limitée, mortelle et révoltée.

Elles prouvent peut-être quelque chose. Mais ces preuves, les romanciers se les donnent plus qu'ils ne les fournissent. L'essentiel est qu'ils triomphent dans le concret et que ce soit leur grandeur. Ce triomphe tout charnel leur a été préparé par une pensée où les pouvoirs abstraits ont été humiliés. Quand ils le sont tout à fait, la chair du même coup fait resplendir la création de tout son éclat absurde. Ce sont les philosophies ironiques qui font les œuvres passionnées.

Toute pensée qui renonce à l'unité exalte la diversité. Et la diversité est le lieu de l'art. La seule pensée qui libère l'esprit est celle qui le laisse seul, certain de ses limites et de sa fin prochaine. Aucune doctrine ne le sollicite. Il attend le mûrissement de l'œuvre et de la vie. Détachée de lui, la première fera entendre une fois de plus la voix à peine assourdie d'une âme pour toujours délivrée de l'espoir. Ou elle ne fera rien entendre, si le créateur lassé de son jeu, prétend se détourner. Cela est équivalent.

★

Ainsi je demande à la création absurde ce que j'exigeais de la pensée, la révolte, la liberté et la diversité. Elle manifestera ensuite sa profonde inutilité. Dans cet effort quotidien où l'intelligence et la passion se mêlent et se transportent, l'homme absurde découvre une discipline qui fera l'essentiel de ses forces. L'application qu'il y faut, l'entêtement et la clairvoyance rejoignent ainsi l'attitude conquérante. Créer, c'est ainsi donner une forme à son destin[4]. Pour tous ces personnages, leur œuvre les définit au moins autant qu'elle en est définie. Le comédien nous l'a appris : il n'y a pas de frontière entre le paraître et l'être.

Répétons-le. Rien de tout cela n'a de sens réel. Sur le chemin de cette liberté, il est encore un progrès à faire. Le dernier effort pour ces esprits parents, créateur ou conquérant, est de savoir se libérer aussi de leurs entreprises : arriver à admettre que l'œuvre même, qu'elle soit conquête, amour ou création, peut ne pas être ; consommer ainsi l'inutilité profonde de toute vie individuelle. Cela même leur donne plus d'aisance dans la réalisation de cette œuvre, comme d'apercevoir l'absurdité de la vie les autorisait à s'y plonger avec tous les excès.

Ce qui reste, c'est un destin dont seule l'issue est fatale. En dehors de cette unique fatalité de la mort, tout, joie ou bonheur*, est liberté. Un monde demeure dont l'homme est le seul maître. Ce qui le liait, c'était l'illusion d'un autre monde. Le sort de sa pensée n'est plus de se renoncer mais de rebondir en images. Elle se joue — dans des mythes sans doute — mais des mythes sans autre profondeur que celle de la douleur humaine et comme elle inépuisables. Non pas la fable divine qui amuse et aveugle, mais le visage, le geste et le drame terrestres où se résument une difficile sagesse et une passion sans lendemain.

LE MYTHE DE SISYPHE

Les dieux avaient condamné Sisyphe à rouler sans cesse un rocher jusqu'au sommet d'une montagne d'où la pierre retombait par son propre poids. Ils avaient pensé avec quelque raison qu'il n'est pas de punition plus terrible que le travail inutile et sans espoir.

Si l'on en croit Homère, Sisyphe était le plus sage et le plus prudent des mortels[1]. Selon une autre tradition cependant, il inclinait au métier de brigand. Je n'y vois pas de contradiction. Les opinions diffèrent sur les motifs qui lui valurent d'être le travailleur inutile des Enfers. On lui reproche d'abord quelque légèreté avec les dieux. Il livra leurs secrets. Égine[2], fille d'Asope, fut enlevée par Jupiter. Le père s'étonna de cette disparition et s'en plaignit à Sisyphe. Lui, qui avait connaissance de l'enlèvement, offrit à Asope de l'en instruire, à la condition qu'il donnerait de l'eau à la citadelle de Corinthe[3]. Aux foudres célestes, il préféra la bénédiction de l'eau. Il en fut puni dans les Enfers. Homère nous raconte aussi que Sisyphe avait enchaîné la Mort. Pluton ne put supporter le spectacle de son empire désert et silencieux. Il dépêcha le dieu de la guerre qui délivra la Mort des mains de son vainqueur.

On dit encore que Sisyphe étant près de mourir voulut imprudemment éprouver l'amour de sa femme. Il lui ordonna de jeter son corps sans sépulture au milieu de la place publique. Sisyphe se retrouva dans les Enfers. Et là, irrité d'une obéissance si contraire à l'amour humain, il obtint de Pluton la permission de retourner sur la terre pour châtier sa femme[4]. Mais quand il eut de nouveau revu le visage de ce monde, goûté l'eau et le soleil, les pierres chaudes et la mer, il ne voulut plus retourner dans l'ombre infernale. Les rappels, les colères et les avertissements n'y firent rien. Bien des années encore, il vécut devant la courbe du golfe, la mer éclatante et les sourires de la terre. Il fallut un arrêt des dieux. Mercure vint saisir l'audacieux au collet et l'ôtant à ses joies, le ramena de force aux Enfers où son rocher était tout prêt.

On a compris déjà que Sisyphe est le héros absurde. Il l'est autant par ses passions que par son tourment. Son mépris des dieux, sa haine de la mort et sa passion pour la vie, lui ont valu ce supplice indicible où tout l'être s'emploie à ne rien achever. C'est le prix qu'il faut payer pour les passions de cette terre. On ne nous dit rien sur Sisyphe aux Enfers. Les mythes sont faits pour que l'imagination les anime. Pour celui-ci on voit seulement tout l'effort d'un corps tendu pour soulever l'énorme pierre, la rouler et l'aider à gravir une pente cent fois recommencée ; on voit le visage crispé, la joue collée contre la pierre, le secours d'une épaule qui reçoit la masse couverte de glaise, d'un pied qui la cale, la reprise à bout de bras, la sûreté tout humaine de deux mains pleines de terre. Tout au bout de ce long effort mesuré par l'espace sans ciel et le temps sans profondeur, le but est atteint. Sisyphe regarde alors la pierre dévaler en quelques instants vers ce monde inférieur d'où il faudra la remonter vers les sommets. Il redescend dans la plaine.

C'est pendant ce retour, cette pause, que Sisyphe m'intéresse. Un visage qui peine si près des pierres est déjà pierre lui-même[5] ! Je vois cet homme redescendre d'un pas lourd mais égal vers le tourment dont il ne connaîtra pas la fin. Cette heure qui est comme une respiration et qui revient aussi sûrement que son malheur, cette heure est celle de la conscience. À chacun de ces instants, où il quitte les sommets et s'enfonce peu à peu vers les tanières des dieux, il est supérieur à son destin. Il est plus fort que son rocher.

Si ce mythe est tragique, c'est que son héros est conscient. Où serait en effet sa peine, si à chaque pas l'espoir de réussir le soutenait ? L'ouvrier d'aujourd'hui travaille, tous les jours de sa vie, aux mêmes tâches et ce destin n'est pas moins absurde. Mais il n'est tragique qu'aux rares moments où il devient conscient. Sisyphe, prolétaire des dieux, impuissant et révolté, connaît toute l'étendue de sa misérable condi-

tion : c'est à elle qu'il pense pendant sa descente. La clairvoyance qui devait faire son tourment consomme du même
coup sa victoire. Il n'est pas de destin qui ne se surmonte par
le mépris.

★

Si la descente ainsi se fait certains jours dans la douleur,
elle peut se faire aussi dans la joie. Ce mot n'est pas de trop.
J'imagine encore Sisyphe revenant vers son rocher, et la
douleur était au début. Quand les images de la terre tiennent
trop fort au souvenir, quand l'appel du bonheur se fait
trop pressant, il arrive que la tristesse se lève au cœur de
l'homme : c'est la victoire du rocher, c'est le rocher lui-même.
L'immense détresse est trop lourde à porter. Ce sont nos
nuits de Gethsémani. Mais les vérités écrasantes périssent
d'être reconnues. Ainsi, Œdipe obéit d'abord au destin sans
le savoir. À partir du moment où il sait, sa tragédie commence. Mais dans le même instant, aveugle et désespéré, il
reconnaît que le seul lien qui le rattache au monde, c'est la
main fraîche d'une jeune fille. Une parole démesurée retentit alors : « Malgré tant d'épreuves, mon âge avancé et la
grandeur de mon âme me font juger que tout est bien[6]. »
L'Œdipe de Sophocle, comme le Kirilov de Dostoïevsky,
donne ainsi la formule de la victoire absurde. La sagesse
antique rejoint l'héroïsme moderne.

On ne découvre pas l'absurde sans être tenté d'écrire
quelque manuel du bonheur. « Eh ! quoi, par des voies si
étroites… ? » Mais il n'y a qu'un monde. Le bonheur et l'absurde sont deux fils de la même terre. Ils sont inséparables.
L'erreur serait de dire que le bonheur naît forcément de la
découverte absurde. Il arrive aussi bien que le sentiment
de l'absurde naisse du bonheur. « Je juge que tout est bien »,
dit Œdipe, et cette parole est sacrée. Elle retentit dans l'univers farouche et limité de l'homme. Elle enseigne que tout
n'est pas, n'a pas été épuisé. Elle chasse de ce monde un dieu
qui y était entré avec l'insatisfaction et le goût des douleurs
inutiles. Elle fait du destin une affaire d'homme, qui doit être
réglée entre les hommes.

Toute la joie[a] silencieuse de Sisyphe est là. Son destin lui
appartient. Son rocher est sa chose. De même, l'homme
absurde, quand il contemple son tourment, fait taire toutes
les idoles. Dans l'univers soudain rendu à son silence, les

mille petites voix émerveillées de la terre s'élèvent. Appels inconscients et secrets, invitations de tous les visages, ils sont l'envers nécessaire et le prix de la victoire. Il n'y a pas de soleil sans ombre, et il faut connaître la nuit. L'homme absurde dit oui et son effort n'aura plus de cesse. S'il y a un destin personnel, il n'y a point de destinée supérieure ou du moins il n'en est qu'une dont il juge qu'elle est fatale et méprisable. Pour le reste, il se sait le maître de ses jours. À cet instant subtil où l'homme se retourne sur sa vie, Sisyphe, revenant vers son rocher, contemple[b] cette suite d'actions sans lien qui devient son destin, créé par lui, uni sous le regard de sa mémoire et bientôt scellé par sa mort. Ainsi, persuadé de l'origine tout humaine de tout ce qui est humain, aveugle qui désire voir et qui sait que la nuit n'a pas de fin, il est toujours en marche. Le rocher roule encore.

Je laisse Sisyphe au bas de la montagne ! On retrouve toujours son fardeau. Mais Sisyphe enseigne la fidélité supérieure qui nie les dieux et soulève les rochers. Lui aussi juge que tout est bien. Cet univers désormais sans maître ne lui paraît ni stérile ni futile. Chacun des grains de cette pierre, chaque éclat minéral de cette montagne pleine de nuit, à lui seul, forme un monde. La lutte elle-même vers les sommets suffit à remplir un cœur d'homme. Il faut imaginer Sisyphe heureux[c].

APPENDICE

L'ESPOIR ET L'ABSURDE
DANS L'ŒUVRE DE FRANZ KAFKA[1]

L'étude sur Franz Kafka que nous publions en appendice a été remplacée dans la première édition du *Mythe de Sisyphe* par le chapitre sur Dostoïevsky et le suicide. Elle a été publiée cependant par la revue *L'Arbalète* en 1943.

On y retrouvera, sous une autre perspective, la critique de la création absurde que les pages sur Dostoïevsky avaient déjà engagée. *(Note de l'éditeur.)*

Tout l'art de Kafka est d'obliger le lecteur à relire. Ses dénouements, ou ses absences de dénouement, suggèrent des explications, mais qui ne sont pas révélées en clair et qui exigent, pour apparaître fondées, que l'histoire soit relue sous un nouvel angle. Quelquefois, il y a une double possibilité d'interprétation, d'où apparaît la nécessité de deux lectures. C'est ce que cherchait l'auteur. Mais on aurait tort de vouloir tout interpréter dans le détail chez Kafka. Un symbole est toujours dans le général et, si précise que soit sa traduction, un artiste ne peut y restituer que le mouvement : il n'y a pas de mot à mot. Au reste, rien[a] n'est plus difficile à entendre qu'une œuvre symbolique. Un symbole dépasse toujours celui qui en use et lui fait dire en réalité plus qu'il n'a conscience d'exprimer. À cet égard[b], le plus sûr moyen de s'en saisir, c'est de ne pas le provoquer, d'entamer l'œuvre avec un esprit non concerté et de ne pas chercher ses courants secrets. Pour Kafka, en particulier, il est honnête de consentir à son jeu, d'aborder le drame par l'apparence et le roman par la forme.

À première vue, et pour un lecteur détaché, ce sont des aventures inquiétantes qui enlèvent des personnages tremblants et entêtés à la poursuite de problèmes qu'ils ne formulent jamais. Dans *Le Procès*, Joseph K... est accusé. Mais il ne sait pas de quoi. Il tient sans doute à se défendre, mais il ignore pourquoi. Les avocats trouvent sa cause difficile. Entre-temps, il ne néglige pas d'aimer, de se nourrir ou de lire son journal. Puis il est jugé. Mais la salle du tribunal est très sombre. Il ne comprend pas grand-chose. Il suppose seulement qu'il est condamné, mais à quoi, il se le demande à peine. Il en doute quelquefois aussi bien et il continue à vivre. Longtemps après, deux messieurs bien habillés et polis viennent le trouver et l'invitent à les suivre. Avec la plus grande courtoisie, ils le mènent dans une banlieue désespérée, lui mettent la tête sur une pierre et l'égorgent. Avant de mourir, le condamné dit seulement : « comme un chien ».

On voit qu'il est difficile de parler de symbole, dans un récit où la qualité la plus sensible se trouve être justement le naturel. Mais le naturel est une catégorie difficile à comprendre. Il y a des œuvres où l'événement semble naturel au lecteur. Mais il en est d'autres (plus rares, il est vrai) où c'est le personnage qui trouve naturel ce qui lui arrive. Par un paradoxe singulier mais évident, plus les aventures du personnage seront extraordinaires, et plus le naturel du récit se fera sensible : il est proportionnel à l'écart qu'on peut sentir entre l'étrangeté d'une vie d'homme et la simplicité avec quoi cet homme l'accepte. Il semble que ce naturel soit celui de Kafka. Et justement[c], on sent bien ce que *Le Procès* veut dire. On a parlé d'une image de la condition humaine. Sans doute. Mais c'est à la fois plus simple et plus compliqué. Je veux dire que le sens du roman est plus particulier et plus personnel à Kafka. Dans une certaine mesure, c'est lui qui parle, si c'est nous qu'il confesse. Il vit et il est condamné. Il l'apprend aux premières pages du roman qu'il poursuit en ce monde et s'il essaie d'y remédier, c'est toutefois sans surprise. Il ne s'étonnera jamais assez de ce manque d'étonnement. C'est à ces contradictions qu'on reconnaît les premiers signes de l'œuvre absurde. L'esprit projette dans le concret sa tragédie spirituelle. Et il ne peut le faire qu'au moyen d'un paradoxe perpétuel qui donne aux couleurs le pouvoir d'exprimer le vide et aux gestes quotidiens la force de traduire les ambitions éternelles.

De même, *Le Château* est peut-être une théologie en acte, mais c'est avant tout l'aventure individuelle d'une âme en quête de sa grâce, d'un homme qui demande aux objets de ce monde leur royal secret et aux femmes les signes du dieu qui dort en elles. *La Métamorphose*, à son tour, figure certainement l'horrible imagerie d'une éthique de la lucidité. Mais c'est aussi le produit de cet incalculable étonnement qu'éprouve l'homme à sentir la bête qu'il devient sans effort. C'est dans cette ambiguïté fondamentale que réside le secret de Kafka. Ces perpétuels balancements entre le naturel et l'extraordinaire, l'individu et l'universel, le tragique et le quotidien, l'absurde et le logique, se retrouvent à travers toute son œuvre et lui donnent à la fois sa résonance et sa signification. Ce sont ces paradoxes qu'il faut énumérer, ces contradictions qu'il faut renforcer, pour comprendre l'œuvre absurde.

Un symbole, en effet, suppose deux plans, deux mondes d'idées et de sensations, et un dictionnaire de correspondance entre l'un et l'autre. C'est ce lexique qui est le plus difficile à établir. Mais prendre conscience des deux mondes mis en présence, c'est se mettre sur le chemin de leurs relations secrètes. Chez Kafka ces deux mondes sont ceux de la vie quotidienne d'une part et de l'inquiétude surnaturelle de l'autre*. Il semble qu'on assiste ici à une interminable exploitation du mot de Nietzsche : « Les grands problèmes sont dans la rue[2]. »

Il y a dans la condition humaine, c'est le lieu commun de toutes les littératures, une absurdité fondamentale en même temps qu'une implacable grandeur. Les deux coïncident, comme il est naturel[d]. Toutes deux se figurent, répétons-le, dans le divorce ridicule qui sépare nos intempérances d'âme et les joies périssables du corps. L'absurde, c'est que ce soit l'âme de ce corps qui le dépasse si démesurément. Pour qui voudra figurer cette absurdité, c'est dans un jeu de

---

* À noter qu'on peut de façon aussi légitime interpréter les œuvres de Kafka dans le sens d'une critique sociale (par exemple dans *Le Procès*). Il est probable d'ailleurs qu'il n'y a pas à choisir. Les deux interprétations sont bonnes. En termes absurdes, nous l'avons vu, la révolte contre les hommes s'adresse *aussi* à Dieu : les grandes révolutions sont toujours métaphysiques.

contrastes parallèles qu'il faudra lui donner vie. C'est ainsi que Kafka exprime la tragédie par le quotidien et l'absurde par le logique.

Un acteur prête d'autant plus de force à un personnage tragique qu'il se garde de l'exagérer. S'il est mesuré, l'horreur qu'il suscite sera démesurée. La tragédie grecque*e* à cet égard est riche d'enseignements. Dans une œuvre tragique, le destin se fait toujours mieux sentir sous les visages de la logique et du naturel. Le destin d'Œdipe est annoncé d'avance. Il est décidé surnaturellement qu'il commettra le meurtre et l'inceste. Tout l'effort du drame est de montrer le système logique qui, de déduction en déduction, va consommer le malheur du héros. Nous*f* annoncer seulement ce destin inusité n'est guère horrible, parce que c'est invraisemblable. Mais si la nécessité nous en est démontrée dans le cadre de la vie quotidienne, société, état, émotion familière, alors l'horreur se consacre. Dans cette révolte qui secoue l'homme et lui fait dire : « Cela n'est pas possible », il y a déjà la certitude désespérée que « cela » se peut.

C'est tout le secret de la tragédie grecque ou du moins d'un de ses aspects. Car il en est un autre qui, par une méthode inverse, nous permettrait de mieux comprendre Kafka. Le cœur humain a une fâcheuse tendance à appeler destin seulement ce qui l'écrase. Mais le bonheur aussi, à sa manière, est sans raison*g*, puisqu'il est inévitable. L'homme moderne pourtant s'en attribue le mérite, quand il ne le méconnaît pas. Il y aurait beaucoup à dire, au contraire, sur les destins privilégiés de la tragédie grecque et les favoris de la légende qui, comme Ulysse, au sein des pires aventures, se trouvent sauvés d'eux-mêmes[3].

Ce qu'il faut retenir*b* en tout cas, c'est cette complicité secrète qui, au tragique, unit le logique et le quotidien. Voilà pourquoi Samsa, le héros de *La Métamorphose*, est un voyageur de commerce. Voilà pourquoi la seule chose qui l'ennuie dans la singulière aventure qui fait de lui une vermine, c'est que son patron sera mécontent de son absence. Des pattes et des antennes lui poussent, son échine s'arque, des points blancs parsèment son ventre et — je ne dirai pas que cela ne l'étonne pas, l'effet serait manqué — mais cela lui cause un « léger ennui ». Tout l'art de Kafka est dans cette nuance. Dans son œuvre centrale, *Le Château*, ce sont les détails de la vie quotidienne qui reprennent le dessus et pourtant dans cet étrange roman où rien n'aboutit et tout se recommence, c'est l'aventure essentielle d'une âme en quête de sa grâce qui est figurée. Cette traduction du problème dans l'acte, cette coïncidence du général et du particulier, on les reconnaît aussi dans les petits artifices propres à tout grand créateur. Dans *Le Procès*, le héros aurait pu s'appeler Schmidt ou Franz Kafka. Mais il s'appelle Joseph K... Ce n'est pas Kafka et c'est pourtant lui. C'est un Européen moyen. Il est comme tout le monde. Mais c'est aussi l'entité K..., qui pose l'x de cette équation de chair.

De même si Kafka veut exprimer l'absurde, c'est de la cohérence qu'il se servira. On connaît l'histoire du fou qui pêchait dans une baignoire ; un médecin qui avait ses idées sur les traitements psychiatriques lui demandait : « si ça mordait » et se vit répondre avec rigueur : « Mais non, imbécile, puisque c'est une baignoire. » Cette histoire est du genre baroque. Mais on y saisit de façon sensible combien l'effet absurde est lié à un excès de logique. Le monde de Kafka est à la vérité un univers indicible où l'homme se donne le luxe torturant de pêcher dans une baignoire, sachant qu'il n'en sortira rien.

Je reconnais[i] donc ici une œuvre absurde dans ses principes. Pour *Le Procès*, par exemple, je puis bien dire que la réussite est totale. La chair triomphe. Rien n'y manque, ni la révolte inexprimée (mais c'est elle qui écrit), ni le désespoir lucide et muet (mais c'est lui qui crée), ni cette étonnante liberté d'allure que les personnages du roman respirent jusqu'à la mort finale.

★

Pourtant[j] ce monde n'est pas aussi clos qu'il le paraît. Dans cet univers sans progrès, Kafka va introduire l'espoir sous une forme singulière. À cet égard, *Le Procès* et *Le Château* ne vont pas dans le même sens. Ils se complètent. L'insensible progression qu'on peut déceler de l'un à l'autre figure une conquête démesurée dans l'ordre de l'évasion. *Le Procès* pose un problème que *Le Château*, dans une certaine mesure, résout. Le premier décrit, selon une méthode quasi scientifique, et sans conclure. Le second, dans une certaine mesure, explique. *Le Procès* diagnostique et *Le Château* imagine un traitement. Mais le remède proposé ici ne guérit pas. Il fait seulement rentrer la maladie dans la vie normale. Il aide à l'accepter. Dans un certain sens (pensons à Kierkegaard), il la fait chérir. L'arpenteur K… ne peut imaginer un autre souci que celui qui le ronge. Ceux mêmes qui l'entourent s'éprennent de ce vide et de cette douleur qui n'a pas de nom, comme si la souffrance revêtait ici un visage privilégié. « Que j'ai besoin de toi, dit Frieda à K… Comme je me sens abandonnée, depuis que je te connais, quand tu n'es pas près de moi. » Ce remède subtil qui nous fait aimer ce qui nous écrase et fait naître l'espoir dans un monde sans issue, ce « saut » brusque par quoi tout se trouve changé, c'est le secret de la révolution existentielle et du*ᵏ Château* lui-même.

Peu d'œuvres sont plus rigoureuses, dans leur démarche, que *Le Château*. K… est nommé arpenteur du château et il arrive dans le village. Mais du village au château, il est impossible de communiquer. Pendant des centaines de pages, K… s'entêtera à trouver son chemin, fera toutes les démarches, rusera, biaisera, ne se fâchera jamais, et avec une foi déconcertante, voudra rentrer dans la fonction qu'on lui a confiée. Chaque chapitre est un échec. Et aussi un recommencement. Ce n'est pas de la logique, mais de l'esprit de suite. L'ampleur de cet entêtement fait le tragique de l'œuvre. Lorsque K… téléphone au château, ce sont des voix confuses et mêlées, des rires vagues, des appels lointains qu'il perçoit. Cela suffit à nourrir son espoir, comme ces quelques signes qui paraissent dans les ciels d'été, ou ces promesses du soir qui font notre raison de vivre. On trouve ici le secret de la mélancolie particulière à Kafka. La même, à la vérité, qu'on respire dans l'œuvre de Proust ou dans le paysage plotinien : la nostalgie des paradis perdus[4]. « Je deviens toute mélancolique, dit Olga, quand Barnabé me dit le matin qu'il va au Château : ce trajet probablement inutile, ce jour probablement perdu, cet espoir probablement vain. » « Probablement », sur cette nuance encore, Kafka joue son œuvre tout entière. Mais rien*ˡ* n'y fait, la recherche de l'éternel est ici méticuleuse. Et ces automates inspirés que sont les personnages de Kafka, nous donnent l'image même de ce que nous serions, privés de nos divertissements* et livrés tout entiers aux humiliations du divin.

---

* Dans *Le Château*, il semble bien que les « divertissements », au sens pascalien, soient figurés par les Aides, qui « détournent » K… de son souci. Si Frieda finit par devenir la maîtresse d'un des aides, c'est qu'elle préfère le décor à la vérité, la vie de tous les jours à l'angoisse partagée.

Dans *Le Château*, cette soumission au quotidien devient une éthique. Le grand espoir de K… c'est d'obtenir que le Château l'adopte. N'y pouvant parvenir seul, tout son effort est de mériter cette grâce en devenant un habitant du village, en perdant cette qualité d'étranger que tout le monde lui fait sentir. Ce qu'il veut, c'est un métier, un foyer, une vie d'homme normal et sain. Il n'en peut plus de sa folie. Il veut être raisonnable. La malédiction particulière qui le rend étranger au village, il veut s'en débarrasser. L'épisode de Frieda à cet égard est significatif. Cette femme qui a connu l'un des fonctionnaires du Château, s'il en fait sa maîtresse, c'est à cause de son passé. Il puise en elle quelque chose qui le dépasse — en même temps qu'il a conscience de ce qui la rend à tout jamais indigne du Château. On songe ici à l'amour singulier de Kierkegaard pour Régine Olsen. Chez certains hommes, le feu d'éternité qui les dévore est assez grand pour qu'ils y brûlent le cœur même de ceux qui les entourent. La funeste erreur qui consiste à donner à Dieu ce qui n'est pas à Dieu, c'est aussi bien le sujet de cet épisode du *Château*. Mais pour Kafka, il semble bien que ce ne soit pas une erreur. C'est une doctrine et un « saut[m] ». Il n'est rien qui ne soit à Dieu.

Plus significatif encore est le fait que l'arpenteur se détache de Frieda pour aller vers les sœurs Barnabé. Car la famille Barnabé est la seule du village qui soit complètement abandonnée du Château et du village lui-même. Amalia, la sœur aînée, a refusé les propositions honteuses que lui faisait l'un des fonctionnaires du Château. La malédiction immorale qui a suivi, l'a pour toujours rejetée de l'amour de Dieu. Être incapable de perdre son honneur pour Dieu, c'est se rendre indigne de sa grâce. On reconnaît un thème familier à la philosophie existentielle : la vérité contraire à la morale. Ici les choses vont loin. Car le chemin que le héros de Kafka accomplit, celui qui va de Frieda aux sœurs Barnabé, est celui-là même qui va de l'amour confiant à la déification[n] de l'absurde. Ici encore, la pensée de Kafka rejoint Kierkegaard. Il n'est pas surprenant que le « récit Barnabé » se situe à la fin du livre. L'ultime tentative de l'arpenteur, c'est de retrouver Dieu à travers ce qui le nie, de le reconnaître, non selon nos catégories de bonté et de beauté, mais derrière les visages vides et hideux de son indifférence, de son injustice et de sa haine. Cet étranger qui demande au Château de l'adopter, il est à la fin de son voyage un peu plus exilé puisque, cette fois, c'est à lui-même qu'il est infidèle et qu'il abandonne morale, logique et vérités de l'esprit pour essayer d'entrer, riche seulement de son espoir insensé, dans le désert de la grâce divine*.

★

Le mot d'espoir ici n'est pas ridicule. Plus tragique au contraire est la condition rapportée par Kafka, plus rigide et provocant devient cet espoir. Plus *Le Procès* est véritablement absurde, plus le « saut » exalté du *Château* apparaît comme émouvant et illégitime. Mais nous retrouvons ici à l'état pur le paradoxe de la pensée existentielle tel que l'exprime par exemple Kierkegaard : « On doit frapper à mort l'espérance terrestre, c'est alors seulement qu'on se sauve par l'espérance véritable** » et qu'on peut traduire : « Il faut avoir écrit *Le Procès* pour entreprendre *Le Château*. »

La plupart de ceux⁰ qui ont parlé de Kafka ont défini en effet son œuvre comme un cri désespérant où aucun recours n'est laissé à l'homme. Mais cela demande révision. Il y a espoir et espoir. L'œuvre optimiste de M. Henry Bordeaux me paraît singulièrement décourageante. C'est que rien n'y est permis aux cœurs un peu difficiles. La pensée de Malraux au contraire reste toujours tonifiante. Mais dans les deux cas, il ne s'agit pas du même espoir ni du même désespoir. Je vois seulement que l'œuvre absurde elle-même peut conduire à l'infidélité que je veux éviter. L'œuvre qui n'était qu'une répétition sans portée d'une condition stérile, une exaltation clairvoyante du périssable, devient ici un berceau d'illusions. Elle explique, elle donne une forme à l'espoir. Le créateur ne peut plus s'en séparer. Elle n'est pas le jeu tragique qu'elle devait être. Elle donne un sens à la vie de l'auteur.

Il est singulier⁰ en tout cas, que des œuvres d'inspiration parente comme celles de Kafka, Kierkegaard ou Chestov, celles, pour parler bref, des romanciers et philosophes existentiels, tout⁰ entières tournées vers l'absurde et ses conséquences, aboutissent en fin de compte à cet immense cri d'espoir.

---

* Ceci ne vaut évidemment que pour la version inachevée du *Château* que nous a laissée Kafka. Mais il est douteux que l'écrivain eût rompu dans les derniers chapitres l'unité de ton du roman.

** *La Pureté du cœur.*

Ils embrassent le Dieu qui les dévore. C'est par l'humilité que l'espoir s'introduit. Car l'absurde de cette existence les assure un peu plus de la réalité surnaturelle. Si le chemin de cette vie aboutit à Dieu, il y a donc une issue. Et la persévérance, l'entêtement avec lesquels Kierkegaard, Chestov et les héros de Kafka répètent leurs itinéraires sont un garant singulier du pouvoir exaltant de cette certitude*.

Kafka refuse à son dieu la grandeur morale, l'évidence, la bonté, la cohérence, mais c'est pour mieux se jeter dans ses bras. L'absurde est reconnu, accepté, l'homme s'y résigne et dès cet instant, nous savons qu'il n'est plus l'absurde. Dans les limites de la condition humaine, quel plus grand espoir que celui qui permet d'échapper à cette condition ? Je le vois une fois de plus, la pensée existentielle, contre l'opinion courante, est pétrie d'une espérance démesurée, celle-là même qui, avec le christianisme primitif et l'annonce de la bonne nouvelle, a soulevé le monde ancien. Mais dans ce saut qui caractérise toute pensée existentielle, dans cet entêtement, dans cet arpentage d'une divinité sans surface, comment ne pas voir la marque d'une lucidité qui se renonce ? On veut seulement que ce soit un orgueil qui abdique pour se sauver. Ce renoncement serait fécond. Mais ceci ne change pas cela. On ne diminue pas à mes yeux la valeur morale de la lucidité en la disant stérile comme tout orgueil. Car une vérité aussi, par sa définition même, est stérile. Toutes les évidences le sont. Dans un monde où tout est donné et rien n'est expliqué, la fécondité d'une valeur ou d'une métaphysique est une notion vide de sens.

On voit ici en tout cas dans quelle tradition de pensée s'inscrit l'œuvre de Kafka. Il serait inintelligent en effet de considérer comme rigoureuse la démarche qui mène du *Procès* au *Château*. Joseph K... et l'arpenteur K... sont seulement les deux pôles qui attirent Kafka**. Je parlerai comme lui et je dirai que son œuvre n'est probablement pas absurde. Mais que cela ne nous prive pas de voir sa grandeur et son universalité. Elles viennent de ce qu'il a su figurer avec tant

---

* Le seul personnage sans espoir du *Château* est Amalia. C'est à elle que l'arpenteur s'oppose avec le plus de violence.

** Sur les deux aspects de la pensée de Kafka, comparer *Au bagne* : « La culpabilité (entendez de l'homme) n'est jamais douteuse » et un fragment du *Château* (rapport de Momus) : « La culpabilité de l'arpenteur K... est difficile à établir. »

d'ampleur ce passage quotidien de l'espoir à la détresse et de la sagesse désespérée à l'aveuglement volontaire. Son œuvre est universelle (une œuvre vraiment absurde n'est pas universelle), dans la mesure où s'y figure le visage émouvant de l'homme fuyant l'humanité, puisant dans ses contradictions des raisons de croire, des raisons d'espérer dans ses désespoirs féconds et appelant vie son terrifiant apprentissage de la mort. Elle est universelle parce que d'inspiration religieuse. Comme dans toutes les religions, l'homme y est délivré du poids de sa propre vie. Mais si je sais cela, si je peux aussi l'admirer, je sais aussi que je ne cherche pas ce qui est universel, mais ce qui est vrai. Les deux peuvent ne pas coïncider.

On entendra mieux cette façon de voir si je dis que la pensée vraiment désespérante se définit précisément par les critères opposés et que l'œuvre tragique pourrait être celle, tout espoir futur étant exilé, qui décrit la vie d'un homme heureux. Plus la vie est exaltante et plus absurde est l'idée de la perdre. C'est peut-être ici le secret de cette aridité superbe qu'on respire dans l'œuvre de Nietzsche. Dans cet ordre d'idées, Nietzsche paraît être le seul artiste à avoir tiré les conséquences extrêmes d'une esthétique de l'Absurde, puisque son ultime message réside dans une lucidité stérile et conquérante et une négation obstinée de toute consolation surnaturelle[1].

Ce qui précède aura suffi cependant à déceler l'importance capitale de l'œuvre de Kafka dans le cadre de cet essai. C'est aux confins de la pensée humaine que nous sommes ici transportés. En donnant au mot son sens plein, on peut dire que tout dans cette œuvre est essentiel. Elle pose en tout cas le problème absurde dans son entier. Si l'on veut alors rapprocher ces conclusions de nos remarques initiales, le fond de la forme, le sens secret du *Château* de l'art naturel dans lequel il s'écoule, la quête passionnée et orgueilleuse de K… du décor quotidien où elle chemine, on comprendra ce que peut être sa grandeur. Car si la nostalgie est la marque de l'humain, personne peut-être n'a donné tant de chair et de relief à ces fantômes du regret. Mais on saisira en même temps quelle est la singulière grandeur que l'œuvre absurde exige et qui peut-être ne se trouve pas ici. Si le propre de l'art est d'attacher le général au particulier, l'éternité périssable d'une goutte d'eau aux jeux de ses lumières, il est plus vrai encore d'estimer la grandeur de l'écrivain absurde à l'écart qu'il sait introduire entre ces deux mondes. Son secret est de savoir trouver le point exact où ils se rejoignent, dans leur plus grande disproportion.

Et pour dire vrai, ce lieu géométrique de l'homme et de l'inhumain, les cœurs purs savent le voir partout. Si Faust et Don Quichotte sont des créations éminentes de l'art, c'est à cause des grandeurs sans mesure qu'ils nous montrent de leurs mains terrestres[u]. Un moment cependant vient toujours où l'esprit nie les vérités que ces mains peuvent toucher. Un moment vient où la création n'est plus prise au tragique : elle est prise seulement au sérieux. L'homme alors s'occupe d'espoir. Mais ce n'est pas son affaire. Son affaire est de se détourner du subterfuge. Or, c'est lui que je retrouve au terme du véhément procès que Kafka intente à l'univers tout entier. Son verdict incroyable acquitte, pour finir, ce monde hideux[v] et bouleversant où les taupes elles-mêmes se mêlent d'espérer[*5].

* Ce qui est proposé ci-dessus, c'est évidemment une interprétation de l'œuvre de Kafka. Mais il est juste d'ajouter que rien n'empêche de la considérer, en dehors de toute interprétation, sous l'angle purement esthétique. Par exemple, B. Groethuysen dans sa remarquable préface au *Procès* se borne, avec plus de sagesse que nous, à y suivre seulement les imaginations douloureuses de ce qu'il appelle, de façon frappante, un dormeur éveillé. C'est le destin, et peut-être la grandeur, de cette œuvre que de tout offrir et de ne rien confirmer.

Appendices

[SUR HUSSERL ET KIERKEGAARD]

[Du dieu abstrait de Husserl au dieu fulgurant de Kierkegaard la distance n'est pas si grande. Dans les deux cas le monde
est expliqué. Dans les [deux] cas l'individu est réconcilié. Pouvoir de la raison et pouvoir de l'irrationnel, il faudrait manquer
de sensibilité pour s'étonner qu'ils puissent mener à la même
prédication. *biffé*] Dans l'univers d'Husserl le monde se change
et l'exigence de clarté qui tient au cœur de l'homme devient
inutile. Dans l'Apocalypse de Kierkegaard, cette exigence de
clarté doit se renoncer s'il veut être satisfait. Le péché [n'] est
point tant de savoir (à ce compte tout le monde est innocent)
que de désirer savoir. Dans les deux mondes le vautour est
nourri.

La philosophie existentielle est la reconnaissance et l'acceptation de l'absurde. Or l'absurde pour rester tel demande à
être reconnu et à ne pas être accepté. Il sollicite des yeux
fixes. La pensée existentielle dès l'instant où elle se jette en Dieu
cesse d'être absurde pour devenir satisfaisante. Toutes les
contradictions passées ne sont plus que des jeux polémiques.
L'essentiel de l'Absurde, au contraire, est de ne pas être satisfaisant. Dans ce sens aucun philosophe n'a consenti à rester
seul en face de la dernière contradiction. Le temps de la prédication est toujours venu. Ici gît le nœud de la grande confusion. [*mots illisibles*] l'absurde quand il s'agit d'irrationnel. L'irrationnel est la raison qui se brouille et se délivre en se niant.
Elle s'escamote. L'absurde est la raison lucide qui constate ses
limites. *biffé*]

Toute autre position suppose l'escamotage et le recul de
l'esprit devant ce que l'esprit met à jour, le retranchement derrière les thèmes à tout faire d'une philosophie divertissante.
Husserl dit obéir au désir d'échapper « à l'habitude moderne
de vivre et de penser dans certaines conditions d'existence déjà
bien connues et commodes ». Ce qui est sans doute la vue la
plus profonde de l'absurde sur ce qui se contredit par le *saut*
final de toute philosophie existentielle ou phénoménologique.
Le saut ne figure pas un extrême danger comme le voudrait
Kierkegaard mais tout simplement une politique d'autruche. Le
côté humain du problème est ici côtoyé. Le danger est dans
l'instant subtil qui précède le saut. Choisir [de] se maintenir
sur cette arête vertigineuse voilà tout le problème. Car le vivre
dangereusement n'est pas seulement dans l'étroite interprétation qu'en donnent les aventuriers de salon mais dans le courage
plus rare de vivre lucidement et de « tenir » sans en échapper
par un *saut* dans une attitude d'esprit où la folie peut se glisser
à tout moment. Ce passage, ce repli, cet effondrement est sensible dans toutes les philosophies dont il a été question. Parlant
de Jaspers son dernier commentateur écrit : « Dans une telle
attitude, vivre paraît impossible » (p. 178 JH). Résumant une
vue de Jaspers elle[1] note un peu plus loin : « Lorsqu'on est aussi
sincère dans un monde dévasté par tous les échecs, il ne reste
qu'à vivre dans un désespoir radical qui ne laisse subsister que
le néant. » Mais elle note tout de suite après Jaspers qui dit :
« L'échec ne montre-t-il pas, au-delà de toute explication et de
toute interprétation possible, non le néant mais l'être de la transcendance. » Ce singulier raisonnement éclaire tout. Et s'il est
émouvant c'est dans la mesure exacte où il [est] illégitime, c'est-
à-dire qu'il implique une volonté de croire et une philosophie
des yeux fermés.

(ici — citation de Kierkegaard sur son corps et son inaptitude
à vivre[2].)

On peut comprendre ainsi l'empressement de l'époque pour
la philosophie existentielle. Peu de siècles ont été à la fois aussi
malheureux et aussi intelligents que le nôtre. Il était à même de
comprendre toute forme de pensée qui s'appuie sur les contradictions et les absurdités du réel. Mais peu d'époques aussi ont
été plus lâches. L'analyse nietzschéenne de la décadence garde
encore toute sa valeur à cet égard. Cet effondrement dans l'humiliation, cette joie de ne plus être, cette négation de soi-même
au profit du moi dit supérieur, notre temps était préparé à les
connaître et à les exalter.

Certes, jamais l'impuissance n'a inspiré d'aussi beaux et d'aussi émouvants accents qu'à Kierkegaard. Mais c'était tout de même de l'impuissance. Et si l'impuissance a sa place dans le paysage indifférent de Chestov, elle ne saurait tout légitimer. [Rien n'est ici sans doute à blâmer. Nous constatons : L'époque qui ne sait pas tenir les yeux ouverts sur le vautour qui le ronge accueille la grande philosophie qui après avoir découvert le vautour l'étreint sur son cœur. Elle se jette en Dieu comme dans le pari sans joie avec un soupir de délivrance.   *biffé*]

AVERTISSEMENT
(Version de 1939-1940)

Il y a du provisoire dans les pages qui suivent. Elles traitent non d'une philosophie absurde que notre siècle, à proprement parler, n'a pas connue, mais d'une sensibilité absurde qu'on peut trouver éparse dans les gestes et les actes de notre temps. Il est donc d'une honnêteté élémentaire de marquer ce qu'elles doivent à certains esprits contemporains. Mon intention est si peu de le cacher qu'on les verra cités et commentés tout au long de cet ouvrage [qui n'est qu'une mise au net des thèmes particuliers à l'époque   *biffé*]. Simplement, l'absurde qui, jusqu'ici, a constitué un point d'arrivée est défini dans cet essai comme une ligne de départ. Certaines solutions de ce mal de l'esprit sont cependant écartées d'avance. Il est décrit à l'état pur. Aujourd'hui où tant de forces risquent de nous détourner de nos problèmes, il a paru bon de suivre au contraire le chemin d'une certaine fidélité. C'est dans la situation de son mal que le malade trouve le remède et non dans l'ignorance ou l'évasion. Voilà les limites et le seul parti pris de cet essai. Quelques expériences personnelles me poussent à le préciser.

LETTRE À GASTON GALLIMARD
22 septembre 1942

22 sept. [1942]

Cher monsieur, je vous fais parvenir le prière d'insérer qu'on me demande pour le M. de Si.

« L'intelligence moderne souffre de nihilisme. Pour guérir, on lui propose d'oublier son mal et de revenir en arrière. Ce sont les " retours ", au Moyen Âge, à la mentalité primitive, à la vie dite " naturelle ", à la religion, à l'arsenal des vieilles solutions. Mais, pour accorder à ces baumes une vertu d'efficacité il faudrait nier l'apport de plusieurs siècles, simuler l'ignorance de ce que précisément nous savons, feindre de n'avoir rien appris, effacer ce qui est ineffaçable. Cela est impossible. Cet essai tient compte au contraire des lumières que nous avons acquises dans notre exil. Il propose à l'esprit de vivre avec ses négations et d'en faire les principes d'un progrès. Vis-à-vis de l'intelligence moderne, il fait acte de fidélité et de confiance. Dans ce sens, on ne peut le considérer que comme une mise au point, la définition préalable d'un " bon nihilisme " et pour tout dire une préface. »

On me demande aussi un projet de bande. On peut imaginer celle-ci : « Sisyphe ou le bonheur aux Enfers. » Mais ces deux textes sont plutôt des suggestions. Si vous avez mieux, n'en tenez pas compte. Je viens de recevoir cinq exemplaires de *L'Étranger* et je vous en remercie. Vous croyant à Cannes, je vous avais écrit pour vous demander des renseignements sur les laissez-passer en z.o.[1] Je suppose que vous serez tenu au courant et que vous voudrez bien me répondre à ce sujet. D'ici là, croyez-moi votre fidèle,

ALBERT CAMUS.

LETTRE À PIERRE BONNEL

18 mars 1943

Le Panelier par Mazet-Saint-Voy
Haute-Loire
18 mars [1943].

Monsieur,

J'ai reçu votre lettre avec gratitude et je vous en remercie. Il y a beaucoup de vrai dans les objections que vous me proposez et bien des équivoques planent en effet sur le raisonnement absurde. Notez seulement que mon essai ne prétend rien résumer. En fait il n'est qu'une préface, la description, si vous voulez, du point zéro. Cela exigeait des sacrifices et je crois pouvoir dire que deux ou trois des équivoques, rendues inévitables par le raccourci du raisonnement, pourraient être dissipées par la suite. Mais je crois impossible de les réduire toutes.

C'est qu'il y a dans l'attitude absurde une contradiction fondamentale. Elle donne un minimum de cohérence à l'incohérence. Elle introduit de la conséquence dans ce qui n'a pas de suite. C'est qu'il n'y a pas d'expression sans un minimum de logique. À partir du moment où l'on essaie de donner une forme à ce qu'on a éprouvé, on introduit le *système* dans l'expérience. Le problème absurde pourrait se réduire ainsi à un problème d'expression et l'absurdité parfaite serait le silence. Et pourquoi pas ? Mais à ce compte on retire du monde ce qui en vaut la peine et nous sommes bien d'accord, n'est-ce pas, pour penser qu'il y a des choses qui en valent la peine, que ce soit l'art ou l'amitié. En réalité, il y a une contradiction plus essentielle encore. L'effort de la pensée absurde (et gratuite), c'est l'expulsion de tous les jugements de valeur au profit des jugements de fait. Or, nous savons, vous et moi, qu'il y a des jugements de valeur inévitables. Même par-delà le bien et le mal, il y a des actes qui paraissent bons ou mauvais et surtout il y a des spectacles qui nous paraissent beaux ou laids. On ne préfère pas Stendhal à Georges Ohnet seulement en vertu de quelques recettes artistiques, mais aussi parce que le problème de la beauté en général se pose à leur propos. L'absurde, apparemment, pousse à vivre sans jugements de valeur et vivre, c'est toujours, de façon plus ou moins élémentaire, juger.

Voilà en fait ce qu'il faut résoudre. Je ne me flatte pas de le faire ici ni même ailleurs pour le moment. Ce sont des problèmes qu'il faut d'abord vivre. En tout cas, si cela ne résout pas vos objections, cela explique qu'elles soient. Et vous voyez que malgré le caractère obstiné de mon essai (celui qui vous plaît justement), les arrière-pensées ne me manquaient pas. Même au risque de vous décevoir, il ne m'est pas possible de vous laisser tout à fait sur cette bonne impression de moi.

Sur un point cependant, je crois possible de discuter vos objections. « Au contraire de vous, écrivez-vous, il me semble que rien n'est donné et que tout est à conquérir, l'être et la valeur. » Ce qui me paraît « donné », en effet, ce n'est pas la valeur, ni même l'être, c'est le monde, le cadre, le décor, si vous voulez. Mais mon essai n'aborde pas en réalité le problème de « ce qu'on peut faire » à l'intérieur du cadre. Je me réservais d'y revenir. Et la pensée profonde de ce livre, c'est que le pessimisme métaphysique n'entraîne nullement qu'il faille désespérer de l'homme — au contraire. Pour prendre un exemple précis, je crois parfaitement possible de lier à une philosophie absurde une pensée politique soucieuse de perfectionnement humain et plaçant son optimisme dans le relatif. C'est que l'absurde a plus de rapports qu'on ne croit avec le bon sens. Il reste cependant que vous avez raison lorsque vous décelez dans ce livre le goût des paradis perdus. Mais il faut bien suivre son chemin. Simplement, cela ne me paraît pas incompatible avec une pensée lucide et d'ailleurs, selon mon point de vue, l'absurde n'aurait pas de sens hors de la nostalgie. Mais je me refuse seulement à croire que dans l'ordre métaphysique le besoin d'un principe nécessite l'existence de ce principe.

Voilà, Monsieur, un peu au hasard, les réflexions que votre exposé a suscitées en moi. Je suppose que vous ne laisserez pas sans développements vos idées sur la gratuité. Cela m'intéressera toujours personnellement si vous jugez bon de me les communiquer ; vous avez d'illustres compagnons de route : Héraclite et Nietzsche, tous les deux persuadés que la vie est un jeu. Mais qu'il est difficile d'en connaître la règle !

Merci encore pour votre lettre dont l'intention m'a touché et croyez-moi bien attentivement à vous.

                                        ALBERT CAMUS.

Excusez mon enveloppe et mon papier — mais on ne trouve plus rien ici.

CALIGULA

Pièce en quatre actes

Caligula a été représenté pour la première fois en 1945 sur la scène du théâtre Hébertot (direction Jacques Hébertot), dans la mise en scène de Paul Œttly ; le décor étant de Louis Miquel et les costumes de Marie Viton.

DISTRIBUTION

CALIGULA	*Gérard Philipe.*
CÆSONIA	*Margo Lion.*
HÉLICON	*Georges Vitaly.*
SCIPION	*Michel Bouquet,* puis *Georges Carmier.*
CHEREA	*Jean Barrère.*
SENECTUS, le vieux patricien	*Georges Saillard.*
METELLUS ⎫	*François Darbon,* puis *René Desormes.*
LEPIDUS ⎬ patriciens	*Henry Duval.*
OCTAVIUS ⎭	*Norbert Pierlot.*
PATRICIUS, l'intendant	*Fernand Liesse.*
MEREIA	*Guy Favières.*
MUCIUS	*Jacques Leduc.*
PREMIER GARDE	*Jean Œttly.*
DEUXIÈME GARDE	*Jean Fonteneau.*
PREMIER SERVITEUR	*Georges Carmier,* puis *Daniel Crouet.*
DEUXIÈME SERVITEUR	*Jean-Claude Orlay.*
TROISIÈME SERVITEUR	*Roger Saltel.*
FEMME DE MUCIUS	*Jacqueline Hébel.*
PREMIER POÈTE	*Georges Carmier,* puis *Daniel Crouet.*
DEUXIÈME POÈTE	*Jean-Claude Orlay.*
TROISIÈME POÈTE	*Jacques Leduc.*

QUATRIÈME POÈTE   *François Darbon,* puis *René Desormes.*
CINQUIÈME POÈTE   *Fernand Liesse.*
SIXIÈME POÈTE   *Roger Saltel.*

La scène se passe dans le palais de Caligula.
Il y a un intervalle de trois années entre le premier acte et les actes suivants.

ACTE PREMIER[1]

SCÈNE PREMIÈRE

Des patriciens[2], dont un très âgé, sont groupés dans une salle du palais et donnent des signes de nervosité.

PREMIER PATRICIEN : Toujours rien.

LE VIEUX PATRICIEN : Rien le matin, rien le soir.

DEUXIÈME PATRICIEN : Rien depuis trois jours.

LE VIEUX PATRICIEN : Les courriers partent, les courriers reviennent. Ils secouent la tête et disent : « Rien. »

DEUXIÈME PATRICIEN : Toute la campagne est battue, il n'y a rien à faire.

PREMIER PATRICIEN : Pourquoi s'inquiéter à l'avance ? Attendons. Il reviendra peut-être comme il est parti.

LE VIEUX PATRICIEN : Je l'ai vu sortir du palais. Il avait un regard étrange.

PREMIER PATRICIEN : J'étais là aussi et je lui ai demandé ce qu'il avait.

DEUXIÈME PATRICIEN : A-t-il répondu ?

PREMIER PATRICIEN : Un seul mot : « Rien. »

Un temps. Entre Hélicon, mangeant des oignons.

DEUXIÈME PATRICIEN, *toujours nerveux* : C'est inquiétant.

PREMIER PATRICIEN : Allons, tous les jeunes gens sont ainsi.

LE VIEUX PATRICIEN : Bien entendu, l'âge efface tout.

DEUXIÈME PATRICIEN : Vous croyez ?

PREMIER PATRICIEN : Souhaitons qu'il oublie.

LE VIEUX PATRICIEN : Bien sûr ! Une de perdue, dix de retrouvées.

HÉLICON : Où prenez-vous qu'il s'agisse d'amour ?

PREMIER PATRICIEN : Et de quoi d'autre ?

HÉLICON[a] : Le foie peut-être. Ou le simple dégoût de vous voir tous les jours. On supporterait tellement mieux nos contemporains s'ils pouvaient de temps en temps changer de museau. Mais non, le menu ne change pas. Toujours la même fricassée.

LE VIEUX PATRICIEN : Je préfère penser qu'il s'agit d'amour. C'est plus attendrissant.

HÉLICON : Et rassurant, surtout, tellement plus rassurant. C'est le genre de maladies qui n'épargnent ni les intelligents ni les imbéciles.

PREMIER PATRICIEN : De toutes façons, heureusement, les chagrins ne sont pas éternels. Êtes-vous capable de souffrir plus d'un an ?

DEUXIÈME PATRICIEN : Moi, non.

PREMIER PATRICIEN : Personne n'a ce pouvoir.

LE VIEUX PATRICIEN : La vie serait impossible.

PREMIER PATRICIEN : Vous voyez bien. Tenez, j'ai perdu ma femme, l'an passé. J'ai beaucoup pleuré et puis j'ai oublié. De temps en temps, j'ai de la peine. Mais, en somme, ce n'est rien.

LE VIEUX PATRICIEN : La nature fait bien les choses.

HÉLICON : Quand je vous regarde, pourtant, j'ai l'impression qu'il lui arrive de manquer son coup.

Entre Cherea.

PREMIER PATRICIEN : Eh bien[b] ?

CHEREA : Toujours rien.

HÉLICON : Du calme, messieurs, du calme. Sauvons les apparences. L'Empire romain, c'est nous. Si nous perdons la figure, l'Empire perd la tête. Ce n'est pas le moment, oh non ! Et pour commencer, allons déjeuner, l'Empire se portera mieux.

LE VIEUX PATRICIEN : C'est juste[c], il ne faut pas lâcher la proie pour l'ombre.

CHEREA : Je n'aime pas cela. Mais tout allait trop bien. Cet empereur était parfait.

DEUXIÈME PATRICIEN : Oui, il était comme il faut : scrupuleux et sans expérience.

PREMIER PATRICIEN : Mais, enfin, qu'avez-vous et pourquoi ces lamentations ? Rien ne l'empêche de continuer. Il aimait Drusilla, c'est entendu. Mais elle était sa sœur, en somme. Coucher avec elle, c'était déjà beaucoup. Mais bouleverser Rome parce qu'elle est morte, cela dépasse les bornes.

CHEREA : Il n'empêche. Je n'aime pas cela, et cette fuite ne me dit rien.

LE VIEUX PATRICIEN : Oui, il n'y a pas de fumée sans feu.

PREMIER PATRICIEN : En tout cas, la raison d'État ne peut admettre un inceste qui prend l'allure des tragédies. L'inceste, soit, mais discret.

HÉLICON : Vous savez, l'inceste, forcément, ça fait toujours un peu de bruit. Le lit craque, si j'ose m'exprimer ainsi. Qui vous dit, d'ailleurs, qu'il s'agisse de Drusilla ?

DEUXIÈME PATRICIEN : Et de quoi donc alors ?

HÉLICON : Devinez. Notez bien, le malheur c'est comme le mariage. On croit qu'on choisit et puis on est choisi. C'est comme ça, on n'y peut rien. Notre Caligula est malheureux, mais il ne sait peut-être même pas pourquoi ! Il a dû se sentir coincé, alors il a fui. Nous en aurions tous fait autant. Tenez, moi qui vous parle, si j'avais pu choisir mon père, je ne serais pas né.

Entre Scipion.

SCÈNE II

CHEREA : Alors ?

SCIPION : Encore rien. Des paysans ont cru le voir, dans la nuit d'hier, près d'ici, courant à travers l'orage.

Cherea revient vers les sénateurs. Scipion le suit.

CHEREA : Cela fait bien trois jours, Scipion ?

SCIPION : Oui. J'étais présent, le suivant comme de coutume. Il s'est avancé vers le corps de Drusilla. Il l'a touché avec deux doigts. Puis il a semblé réfléchir, tournant sur lui-même, et il est sorti d'un pas égal. Depuis, on court après lui.

CHEREA, *secouant la tête* : Ce garçon aimait trop la littérature.

DEUXIÈME PATRICIEN : C'est de son âge.

CHEREA : Mais ce n'est pas de son rang. Un empereur artiste, cela n'est pas concevable. Nous en avons eu un ou deux, bien entendu. Il y a des brebis galeuses partout. Mais les autres ont eu le bon goût de rester des fonctionnaires.

PREMIER PATRICIEN : C'était plus reposant.

LE VIEUX PATRICIEN : À chacun son métier.

SCIPION : Que peut-on faire, Cherea ?

CHEREA : Rien.

DEUXIÈME PATRICIEN : Attendons. S'il ne revient pas, il faudra le remplacer. Entre nous, les empereurs ne manquent pas.

PREMIER PATRICIEN : Non, nous manquons seulement de caractères.

CHEREA : Et s'il revient mal disposé ?

PREMIER PATRICIEN : Ma foi, c'est encore un enfant, nous lui ferons entendre raison.

CHEREA : Et s'il est sourd au raisonnement ?

PREMIER PATRICIEN, *il rit* : Eh bien ! n'ai-je pas écrit, dans le temps, un traité du coup d'État ?

CHEREA : Bien sûr, s'il le fallait ! Mais j'aimerais mieux qu'on me laisse à mes livres.

SCIPION : Je vous demande pardon.

Il sort.

CHEREA : Il est offusqué.

LE VIEUX PATRICIEN : C'est un enfant. Les jeunes gens sont solidaires.

HÉLICON : Solidaires ou non, il vieilliront de toutes façons.

Un garde apparaît : « On a vu Caligula dans le jardin du palais. » *Tous sortent.*

SCÈNE III

La scène reste vide quelques secondes. Caligula entre furtivement par la gauche. Il a l'air égaré, il est sale, il a les cheveux pleins d'eau et les jambes souillées. Il porte plusieurs fois la main à sa bouche. Il avance vers le miroir[3] et s'arrête dès qu'il aperçoit sa propre image. Il grommelle[4] des paroles indistinctes, puis va s'asseoir, à droite, les bras pendants entre les genoux écartés. Hélicon entre à gauche. Apercevant Caligula, il s'arrête à l'extrémité de la scène et l'observe en silence. Caligula se retourne et le voit. Un temps.

SCÈNE IV

HÉLICON, *d'un bout de la scène à l'autre* : Bonjour, Caïus.
CALIGULA, *avec naturel* : Bonjour, Hélicon.

Silence.

HÉLICON : Tu sembles fatigué ?
CALIGULA : J'ai beaucoup marché.
HÉLICON : Oui, ton absence a duré longtemps.

Silence.

CALIGULA : C'était difficile à trouver.
HÉLICON : Quoi donc ?
CALIGULA : Ce que je voulais.
HÉLICON : Et que voulais-tu ?
CALIGULA, *toujours naturel* : La lune.
HÉLICON : Quoi ?
CALIGULA : Oui, je voulais la lune.
HÉLICON : Ah ! *(Silence. Hélicon se rapproche.)* Pour quoi faire ?
CALIGULA : Eh bien !… C'est une des choses que je n'ai pas.
HÉLICON : Bien sûr. Et maintenant, tout est arrangé ?
CALIGULA : Non, je n'ai pas pu l'avoir.
HÉLICON : C'est ennuyeux.
CALIGULA : Oui, c'est pour cela que je suis fatigué. *(Un temps.)* Hélicon !
HÉLICON : Oui, Caïus.
CALIGULA : Tu penses que je suis fou.
HÉLICON : Tu sais bien que je ne pense jamais. Je suis bien trop intelligent pour ça[d].
CALIGULA : Oui. Enfin ! Mais je ne suis pas fou et même je n'ai jamais été aussi raisonnable. Simplement, je me suis senti tout d'un coup un besoin d'impossible. *(Un temps.)* Les choses, telles qu'elles sont, ne me semblent pas satisfaisantes.
HÉLICON : C'est une opinion assez répandue.
CALIGULA : Il est vrai. Mais je ne le savais pas auparavant. Maintenant, je sais. *(Toujours naturel.)* Ce monde, tel qu'il est fait, n'est pas supportable. J'ai donc besoin de la lune, ou du bonheur, ou de l'immortalité, de quelque chose qui soit dément peut-être, mais qui ne soit pas de ce monde.
HÉLICON : C'est un raisonnement qui se tient. Mais, en général, on ne peut pas le tenir jusqu'au bout.

CALIGULA, *se levant, mais avec la même simplicité* : Tu n'en sais rien. C'est parce qu'on ne le tient jamais jusqu'au bout que rien n'est obtenu. Mais il suffit peut-être de rester logique jusqu'à la fin. *(Il regarde Hélicon.)* Je sais aussi ce que tu penses. Que d'histoires pour la mort d'une femme ! Non, ce n'est pas cela. Je crois me souvenir, il est vrai, qu'il y a quelques jours, une femme que j'aimais est morte. Mais qu'est-ce que l'amour ? Peu de chose. Cette mort n'est rien, je te le jure ; elle est seulement le signe d'une vérité qui me rend la lune nécessaire. C'est une vérité toute simple et toute claire, un peu bête, mais difficile à découvrir et lourde à porter.

HÉLICON : Et qu'est-ce donc que cette vérité, Caïus ?

CALIGULA, *détourné, sur un ton neutre* : Les hommes meurent et ils ne sont pas heureux.

HÉLICON, *après un temps* : Allons, Caïus, c'est une vérité dont on s'arrange très bien. Regarde autour de toi. Ce n'est pas cela qui les empêche de déjeuner.

CALIGULA, *avec un éclat soudain* : Alors, c'est que tout, autour de moi, est mensonge, et moi, je veux qu'on vive dans la vérité ! Et justement, j'ai les moyens de les faire vivre dans la vérité. Car je sais ce qui leur manque, Hélicon. Ils sont privés de la connaissance et il leur manque un professeur qui sache ce dont il parle.

HÉLICON : Ne t'offense pas, Caïus, de ce que je vais te dire. Mais tu devrais d'abord te reposer.

CALIGULA, *s'asseyant et avec douceur* : Cela n'est pas possible, Hélicon, cela ne sera plus jamais possible.

HÉLICON : Et pourquoi donc ?

CALIGULA : Si je dors, qui me donnera la lune ?

HÉLICON, *après un silence* : Cela est vrai.

> *Caligula se lève avec un effort visible.*

CALIGULA : Écoute, Hélicon. J'entends des pas et des bruits de voix. Garde le silence et oublie que tu viens de me voir.

HÉLICON : J'ai compris.

> *Caligula se dirige vers la sortie. Il se retourne.*

CALIGULA : Et, s'il te plaît, aide-moi désormais.

HÉLICON : Je n'ai pas de raisons de ne pas le faire, Caïus. Mais je sais beaucoup de choses et peu de choses m'intéressent. À quoi donc puis-je t'aider ?

CALIGULA : À l'impossible.

HÉLICON : Je ferai pour le mieux.

Caligula sort. Entrent rapidement Scipion et Caesonia.

SCÈNE V

SCIPION : Il n'y a personne. Ne l'as-tu pas vu, Hélicon ?

HÉLICON : Non.

CÆSONIA : Hélicon, ne t'a-t-il vraiment rien dit avant de s'échapper ?

HÉLICON : Je ne suis pas son confident, je suis son spectateur. C'est plus sage.

CÆSONIA : Je t'en prie.

HÉLICON : Chère Cæsonia, Caïus est un idéaliste, tout le monde le sait. Autant dire qu'il n'a pas encore compris. Moi oui, c'est pourquoi je ne m'occupe de rien. Mais si Caïus se met à comprendre, il est capable au contraire, avec son bon petit cœur, de s'occuper de tout. Et Dieu sait ce que ça nous coûtera. Mais, vous permettez, le déjeuner !

Il sort.

SCÈNE VI

Caesonia s'assied avec lassitude.

CÆSONIA : Un garde l'a vu passer. Mais Rome tout entière voit Caligula partout. Et Caligula, en effet, ne voit que son idée.

SCIPION : Quelle idée ?

CÆSONIA : Comment le saurais-je, Scipion ?

SCIPION : Drusilla ?

CÆSONIA : Qui peut le dire ? Mais il est vrai qu'il l'aimait. Il est vrai que cela est dur de voir mourir aujourd'hui ce que, hier, on serrait dans ses bras.

SCIPION, *timidement* : Et toi ?

CÆSONIA : Oh ! moi, je suis la vieille maîtresse.

SCIPION : Cæsonia, il faut le sauver.

CÆSONIA : Tu l'aimes donc ?

SCIPION : Je l'aime. Il était bon pour moi. Il m'encourageait et je sais par cœur certaines de ses paroles. Il me disait que la vie n'est pas facile, mais qu'il y avait la religion, l'art, l'amour qu'on nous porte. Il répétait souvent que faire souffrir était la seule façon de se tromper. Il voulait être un homme juste.

CÆSONIA, *se levant* : C'était un enfant. *(Elle va vers le miroir et s'y contemple.)* Je n'ai jamais eu d'autre dieu que mon corps, et c'est ce dieu que je voudrais prier aujourd'hui pour que Caïus me soit rendu.

> *Entre Caligula. Apercevant Caesonia et Scipion, il hésite et recule. Au même instant entrent à l'opposé les Patriciens et l'Intendant du palais. Ils s'arrêtent, interdits, Caesonia se retourne. Elle et Scipion courent vers Caligula. Il les arrête d'un geste.*

SCÈNE VII

L'INTENDANT, *d'une voix mal assurée* : Nous… nous te cherchions, César.

CALIGULA, *d'une voix brève et changée* : Je vois.

L'INTENDANT : Nous… c'est-à-dire…

CALIGULA, *brutalement* : Qu'est-ce que vous voulez ?

L'INTENDANT : Nous étions inquiets, César.

CALIGULA, *s'avançant vers lui* : De quel droit ?

L'INTENDANT : Eh ! heu… *(Soudain inspiré et très vite.)* Enfin, de toutes façons, tu sais que tu as à régler quelques questions concernant le Trésor public.

CALIGULA, *pris d'un rire inextinguible* : Le Trésor ? Mais c'est vrai, voyons, le Trésor, c'est capital.

L'INTENDANT : Certes, César.

CALIGULA, *toujours riant, à Caesonia* : N'est-ce pas, ma chère, c'est très important, le Trésor ?

CÆSONIA : Non, Caligula, c'est une question secondaire.

CALIGULA : Mais c'est que tu n'y connais rien. Le Trésor est d'un intérêt puissant. Tout est important : les finances, la moralité publique, la politique extérieure, l'approvisionnement de l'armée et les lois agraires ! Tout est capital, te dis-je. Tout est sur le même pied : la grandeur de Rome et tes crises d'arthritisme. Ah ! je vais m'occuper de tout cela. Écoute-moi un peu, intendant.

L'INTENDANT : Nous t'écoutons.

> *Les Patriciens s'avancent.*

CALIGULA : Tu m'es fidèle, n'est-ce pas ?

L'INTENDANT, *d'un ton de reproche* : César !

CALIGULA : Eh bien, j'ai un plan à te soumettre. Nous allons bouleverser l'économie politique en deux temps. Je te l'expliquerai, intendant… quand les patriciens seront sortis.

Les Patriciens sortent.

SCÈNE VIII

Caligula s'assied près de Caesonia.

CALIGULA : Écouteᶠ bien. Premier temps : tous les patriciens, toutes les personnes de l'Empire qui disposent de quelque fortune — petite ou grande, c'est exactement la même chose — doivent obligatoirement déshériter leurs enfants et tester sur l'heure en faveur de l'État.

L'INTENDANT : Mais, César…

CALIGULA : Je ne t'ai pas encore donné la parole. À raison de nos besoins, nous ferons mourir ces personnages dans l'ordre d'une liste établie arbitrairement. À l'occasion, nous pourrons modifier cet ordre, toujours arbitrairement. Et nous hériterons.

CÆSONIA, *se dégageant*[5] : Qu'est-ce qui te prend ?

CALIGULA, *imperturbable* : L'ordre des exécutions n'a, en effet, aucune importance. Ou plutôt ces exécutions ont une importance égale, ce qui entraîne qu'elles n'en ont point. D'ailleurs, ils sont aussi coupables les uns que les autres. Notez d'ailleurs qu'il n'est pas plus immoral de voler directement les citoyens que de glisser des taxes indirectes dans le prix de denrées dont ils ne peuvent se passer. Gouverner, c'est voler, tout le monde sait ça[g]. Mais il y a la manière. Pour moi, je volerai franchement. Ça vous changera des gagne-petit[h]. *(Rudement, à l'Intendant :)* Tu exécuteras ces ordres sans délai. Les testaments seront signés dans la soirée par tous les habitants de Rome, dans un mois au plus tard par tous les provinciaux. Envoie des courriers.

L'INTENDANT : César, tu ne te rends pas compte…

CALIGULA : Écoute-moi bien, imbécile. Si le Trésor a de l'importance, alors la vie humaine n'en a pas. Cela est clair. Tous ceux qui pensent comme toi doivent admettre ce raisonnement et compter leur vie pour rien puisqu'ils tiennent l'argent pour tout. Au demeurant, moi, j'ai décidé d'être logique et puisque j'ai le pouvoir, vous allez voir ce que la logique va vous coûter. J'exterminerai les contradicteurs et les contradictions. S'il le faut, je commencerai par toi.

L'INTENDANT : César, ma bonne volonté n'est pas en question, je te le jure.

CALIGULA : Ni la mienne, tu peux m'en croire. La preuve, c'est que je consens à épouser ton point de vue et à tenir le Trésor public pour un objet de méditations. En somme, remercie-moi, puisque je rentre dans ton jeu et que je joue avec tes cartes. *(Un temps et avec calme.)* D'ailleurs, mon plan, par sa simplicité, est génial, ce qui clôt le débat. Tu as trois secondes pour disparaître. Je compte : un...

L'Intendant disparaît.

SCÈNE IX

CÆSONIA : Je te reconnais mal ! C'est une plaisanterie, n'est-ce pas ?

CALIGULA : Pas exactement, Cæsonia. C'est de la pédagogie.

SCIPION : Ce n'est pas possible, Caïus !

CALIGULA : Justement !

SCIPION : Je ne te comprends pas.

CALIGULA : Justement ! il s'agit de ce qui n'est pas possible, ou plutôt il s'agit de rendre possible ce qui ne l'est pas.

SCIPION : Mais c'est un jeu qui n'a pas de limites. C'est la récréation d'un fou.

CALIGULA : Non, Scipion, c'est la vertu d'un empereur. *(Il se renverse avec une expression de fatigue.)* Je viens de comprendre enfin l'utilité du pouvoir. Il donne ses chances à l'impossible. Aujourd'hui, et pour tout le temps qui va venir, ma liberté n'a plus de frontières.

CÆSONIA, *tristement* : Je ne sais pas s'il faut s'en réjouir, Caïus.

CALIGULA : Je ne le sais pas non plus. Mais je suppose qu'il faut en vivre.

Entre Cherea.

SCÈNE X

CHEREA : J'ai appris ton retour. Je fais des vœux pour ta santé.

CALIGULA : Ma santé te remercie. *(Un temps et soudain.)* Va-t'en, Cherea, je ne veux pas te voir.

CHEREA : Je suis surpris, Caïus.

CALIGULA : Ne sois pas surpris. Je n'aime pas les littérateurs et je ne peux supporter leurs mensonges. Ils parlent pour ne pas s'écouter. S'ils s'écoutaient, ils sauraient qu'ils ne sont rien et ne pourraient plus parler. Allez, rompez, j'ai horreur des faux témoins.

CHEREA : Si nous mentons, c'est souvent sans le savoir. Je plaide non coupable.

CALIGULA : Le mensonge n'est jamais innocent. Et le vôtre donne de l'importance aux êtres et aux choses. Voilà ce que je ne puis vous pardonner.

CHEREA : Et pourtant, il faut bien plaider pour ce monde, si nous voulons y vivre.

CALIGULA : Ne plaide pas, la cause est entendue. Ce monde est sans importance et qui le reconnaît conquiert sa liberté. *(Il s'est levé.)* Et justement, je vous hais parce que vous n'êtes pas libres. Dans tout l'Empire romain, me voici seul libre. Réjouissez-vous, il vous est enfin venu un empereur pour vous enseigner la liberté. Va-t'en, Cherea, et toi aussi, Scipion, l'amitié me fait rire. Allez annoncer à Rome que sa liberté lui est enfin rendue et qu'avec elle commence une grande épreuve.

Ils sortent. Caligula s'est détourné.

SCÈNE XI

CÆSONIA : Tu pleures ?

CALIGULA : Oui, Cæsonia.

CÆSONIA : Mais enfin, qu'y a-t-il de changé ? S'il est vrai que tu aimais Drusilla, tu l'aimais en même temps que moi et que beaucoup d'autres. Cela ne suffisait pas pour que sa mort te chasse trois jours et trois nuits dans la campagne et te ramène avec ce visage ennemi.

CALIGULA, *il s'est retourné* : Qui te parle de Drusilla, folle ? Et ne peux-tu imaginer qu'un homme pleure pour autre chose que l'amour ?

CÆSONIA : Pardon, Caïus. Mais je cherche à comprendre.

CALIGULA : Les hommes pleurent parce que les choses ne sont pas ce qu'elles devraient être. *(Elle va vers lui.)* Laisse, Cæsonia. *(Elle recule.)* Mais reste près de moi.

CÆSONIA : Je ferai ce que tu voudras. *(Elle s'assied.)* À mon âge, on sait que la vie n'est pas bonne. Mais si le mal est sur la terre, pourquoi vouloir y ajouter ?

CALIGULA : Tu ne peux pas comprendre. Qu'importe ? Je sortirai peut-être de là. Mais je sens monter en moi des êtres sans nom. Que ferais-je contre eux ? *(Il se retourne vers elle.)* Oh ! Cæsonia, je savais qu'on pouvait être désespéré, mais j'ignorais ce que ce mot voulait dire. Je croyais comme tout le monde que c'était une maladie de l'âme. Mais non, c'est le corps qui souffre. Ma peau me fait mal, ma poitrine, mes membres. J'ai la tête creuse et le cœur soulevé. Et le plus affreux, c'est ce goût dans la bouche. Ni sang, ni mort, ni fièvre, mais tout cela à la fois. Il suffit que je remue la langue pour que tout redevienne noir et que les êtres me répugnent. Qu'il est dur, qu'il est amer de devenir un homme !

CÆSONIA : Il faut dormir, dormir longtemps, se laisser aller et ne plus réfléchir. Je veillerai sur ton sommeil. À ton réveil, le monde pour toi recouvrera son goût. Fais servir alors ton pouvoir à mieux aimer ce qui peut l'être encore. Ce qui est possible mérite aussi d'avoir sa chance.

CALIGULA : Mais il y faut le sommeil, il y faut l'abandon. Cela n'est pas possible.

CÆSONIA : C'est ce qu'on croit au bout de la fatigue. Un temps vient où l'on retrouve une main ferme.

CALIGULA : Mais il faut savoir où la poser. Et que me fait une main ferme, de quoi me sert ce pouvoir si étonnant si je ne puis changer l'ordre des choses, si je ne puis faire que le soleil se couche à l'est, que la souffrance décroisse et que les êtres ne meurent plus ? Non, Cæsonia, il est indifférent de dormir ou de rester éveillé, si je n'ai pas d'action sur l'ordre de ce monde.

CÆSONIA : Mais c'est vouloir s'égaler aux dieux. Je ne connais pas de pire folie.

CALIGULA : Toi aussi, tu me crois fou. Et pourtant, qu'est-ce qu'un dieu pour que je désire m'égaler à lui ? Ce que je désire de toutes mes forces, aujourd'hui, est au-dessus des dieux. Je prends en charge un royaume où l'impossible est roi.

CÆSONIA : Tu ne pourrais pas faire que le ciel ne soit pas le ciel, qu'un beau visage devienne laid, un cœur d'homme insensible.

CALIGULA, *avec une exaltation croissante* : Je veux mêler le ciel à la mer, confondre laideur et beauté, faire jaillir le rire de la souffrance.

CÆSONIA, *dressée devant lui et suppliante* : Il y a le bon et le mauvais, ce qui est grand et ce qui est bas, le juste et l'injuste. Je te jure que tout cela ne changera pas.

CALIGULA, *de même* : Ma volonté est de le changer. Je ferai à ce siècle le don de l'égalité. Et lorsque tout sera aplani, l'impossible enfin sur terre, la lune dans mes mains, alors, peut-être, moi-même je serai transformé et le monde avec moi, alors enfin les hommes ne mourront pas et ils seront heureux.

CÆSONIA, *dans un cri* : Tu ne pourras pas nier l'amour.

CALIGULA, *éclatant et avec une voix pleine de rage* : L'amour, Cæsonia ! (*Il l'a prise aux épaules et la secoue.*) J'ai appris que ce n'était rien. C'est l'autre qui a raison : le Trésor public ! Tu l'as bien entendu, n'est-ce pas ? Tout commence avec cela. Ah, c'est maintenant que je vais vivre enfin ! Vivre, Cæsonia, vivre, c'est le contraire d'aimer. C'est moi qui te le dis et c'est moi qui t'invite à une fête sans mesure, à un procès général, au plus beau des spectacles. Et il me faut du monde, des spectateurs, des victimes et des coupables. (*Il saute sur le gong et commence à frapper, sans arrêt, à coups redoublés. Toujours frappant.*) Faites entrer les coupables. Il me faut des coupables. Et ils le sont tous. (*Frappant toujours.*) Je veux qu'on fasse entrer les condamnés à mort. Du public, je veux avoir mon public ! Juges, témoins, accusés, tous condamnés d'avance ! Ah ! Cæsonia, je leur montrerai ce qu'ils n'ont jamais vu, le seul homme libre de cet empire !

> *Au son du gong, le palais peu à peu s'est rempli de rumeurs qui grossissent et approchent. Des voix, des bruits d'armes, des pas et des piétinements. Caligula rit et frappe toujours. Des gardes entrent, puis sortent.*

CALIGULA, *frappant* : Et toi, Cæsonia, tu m'obéiras. Tu m'aideras toujours. Ce sera merveilleux. Jure de m'aider, Cæsonia.

CÆSONIA, *égarée, entre deux coups de gong* : Je n'ai pas besoin de jurer, puisque je t'aime.

CALIGULA, *même jeu* : Tu feras tout ce que je te dirai.

CÆSONIA, *même jeu* : Tout, Caligula, mais arrête.

CALIGULA, *toujours frappant* : Tu seras cruelle.

CÆSONIA, *pleurant* : Cruelle.

CALIGULA, *même jeu* : Froide et implacable.

CÆSONIA : Implacable.

CALIGULA, *même jeu* : Tu souffriras aussi.

CÆSONIA : Oui, Caligula, mais je deviens folle.

> *Des patriciens sont entrés, ahuris, et avec eux les gens du palais. Caligula frappe un dernier coup, lève son maillet, se retourne vers eux et les appelle.*

CALIGULA, *insensé* : Venez tous. Approchez. Je vous ordonne d'approcher. *(Il trépigne.)* C'est un empereur qui exige que vous approchiez.

> *Tous avancent, pleins d'effroi.*

Venez vite. Et maintenant, approche, Cæsonia. *(Il la prend par la main, la mène près du miroir et, du maillet, efface frénétiquement une image sur la surface polie. Il rit.)* Plus rien, tu vois. Plus de souvenirs, tous les visages enfuis ! Rien, plus rien. Et sais-tu ce qui reste ? Approche encore. Regarde. Approchez. Regardez.

> *Il se campe devant la glace dans une attitude démente.*

CÆSONIA, *regardant le miroir, avec effroi* : Caligula !

> *Caligula change de ton, pose son doigt sur la glace et, le regard soudain fixe, dit d'une voix triomphante :*

CALIGULA : Caligula.

RIDEAU

ACTE II[1]

SCÈNE PREMIÈRE

> *Des patriciens sont réunis chez Cherea.*

PREMIER PATRICIEN : Il insulte notre dignité.

MUCIUS : Depuis trois ans !

LE VIEUX PATRICIEN : Il m'appelle petite femme ! Il me ridiculise ! À mort !

MUCIUS : Depuis trois ans !

PREMIER PATRICIEN : Il nous fait courir tous les soirs autour de sa litière quand il va se promener dans la campagne !

DEUXIÈME PATRICIEN : Et il nous dit que la course est bonne pour la santé.

MUCIUS : Depuis trois ans !

LE VIEUX PATRICIEN : Il n'y a pas d'excuse à cela.

TROISIÈME PATRICIEN : Non, on ne peut pardonner cela.

PREMIER PATRICIEN : Patricius, il a confisqué tes biens ; Scipion, il a tué ton père ; Octavius, il a enlevé ta femme et la fait travailler maintenant dans sa maison publique ; Lepidus, il a tué ton fils. Allez-vous supporter cela ? Pour moi, mon choix est fait. Entre le risque à courir et cette vie insupportable dans la peur et l'impuissance, je ne peux pas hésiter.

SCIPION : En tuant mon père, il a choisi pour moi.

PREMIER PATRICIEN : Hésiterez-vous encore ?

TROISIÈME PATRICIEN : Nous sommes avec toi. Il a donné au peuple nos places de cirque et nous a poussés à nous battre avec la plèbe pour mieux nous punir ensuite.

LE VIEUX PATRICIEN : C'est un lâche.

DEUXIÈME PATRICIEN : Un cynique.

TROISIÈME PATRICIEN : Un comédien.

LE VIEUX PATRICIEN : C'est un impuissant.

QUATRIÈME PATRICIEN : Depuis trois ans[a] !

> *Tumulte désordonné. Des armes sont brandies. Un flambeau tombe. Une table est renversée. Tout le monde se précipite vers la sortie. Mais entre Cherea, impassible, qui arrête cet élan.*

SCÈNE II

CHEREA : Où courez-vous ainsi ?

TROISIÈME PATRICIEN : Au palais.

CHEREA : J'ai bien compris. Mais croyez-vous qu'on vous laissera entrer ?

PREMIER PATRICIEN : Il ne s'agit pas de demander la permission.

CHEREA : Vous voilà bien vigoureux tout d'un coup ! Puis-je au moins avoir l'autorisation de m'asseoir chez moi ?

On ferme la porte[b]. Cherea marche vers la table ren-
versée et s'assied sur un des coins, tandis que tous se
retournent vers lui.

Ce n'est pas aussi facile que vous le croyez, mes amis. La
peur que vous éprouvez ne peut pas vous tenir lieu de courage et de sang-froid. Tout cela est prématuré.

TROISIÈME PATRICIEN : Si tu n'es pas avec nous, va-t'en,
mais tiens ta langue.

CHEREA : Je crois pourtant que je suis avec vous. Mais ce
n'est pas pour les mêmes raisons.

TROISIÈME PATRICIEN : Assez de bavardages !

CHEREA, *se redressant* : Oui, assez de bavardages. Je veux
que les choses soient claires. Car si je suis avec vous, je ne
suis pas pour vous. C'est pourquoi votre méthode ne me
paraît pas bonne. Vous n'avez pas reconnu votre véritable
ennemi, vous lui prêtez de petits motifs. Il n'en a que de
grands et vous courez à votre perte. Sachez d'abord le voir
comme il est, vous pourrez mieux le combattre.

TROISIÈME PATRICIEN : Nous le voyons comme il est, le
plus insensé des tyrans !

CHEREA : Ce n'est pas sûr. Les empereurs fous, nous
connaissons cela. Mais celui-ci n'est pas assez fou. Et ce que
je déteste en lui, c'est qu'il sait ce qu'il veut.

PREMIER PATRICIEN : Il veut notre mort à tous.

CHEREA : Non, car cela est secondaire. Mais il met son
pouvoir au service d'une passion plus haute et plus mortelle, il nous menace dans ce que nous avons de plus profond. Sans doute, ce n'est pas la première fois que, chez
nous, un homme dispose d'un pouvoir sans limites, mais
c'est la première fois qu'il s'en sert sans limites, jusqu'à nier
l'homme et le monde. Voilà ce qui m'effraye en lui et que
je veux combattre. Perdre la vie est peu de chose et j'aurai
ce courage quand il le faudra. Mais voir se dissiper le sens de
cette vie, disparaître notre raison d'exister, voilà ce qui est
insupportable. On ne peut vivre sans raison.

PREMIER PATRICIEN : La vengeance est une raison.

CHEREA : Oui, et je vais la partager avec vous. Mais
comprenez que ce n'est pas pour prendre le parti de vos
petites humiliations. C'est pour lutter contre une grande idée
dont la victoire signifierait la fin du monde. Je puis admettre
que vous soyez tournés en dérision, je ne puis accepter que
Caligula fasse ce qu'il rêve de faire et tout ce qu'il rêve de

faire. Il transforme sa philosophie en cadavres et, pour notre malheur, c'est une philosophie sans objections. Il faut bien frapper quand on ne peut réfuter.

TROISIÈME PATRICIEN : Alors, il faut agir.

CHEREA : Il faut agir. Mais vous ne détruirez pas cette puissance injuste en l'abordant de front, alors qu'elle est en pleine vigueur. On peut combattre la tyrannie, il faut ruser avec la méchanceté désintéressée. Il faut la pousser dans son sens, attendre que cette logique soit devenue démence. Mais encore une fois, et je n'ai parlé ici que par honnêteté, comprenez que je ne suis avec vous que pour un temps. Je ne servirai ensuite aucun de vos intérêts, désireux seulement de retrouver la paix dans un monde à nouveau cohérent. Ce n'est pas l'ambition qui me fait agir, mais une peur raisonnable, la peur de ce lyrisme inhumain auprès de quoi ma vie n'est rien.

PREMIER PATRICIEN, *s'avançant* : Je crois que j'ai compris, ou à peu près. Mais l'essentiel est que tu juges comme nous que les bases de notre société sont ébranlées. Pour nous, n'est-ce pas, vous autres, la question est avant tout morale. La famille tremble, le respect du travail se perd, la patrie tout entière est livrée au blasphème[2]. La vertu nous appelle à son secours, allons-nous refuser de l'entendre ? Conjurés, accepterez-vous enfin que les patriciens soient contraints chaque soir de courir autour de la litière de César ?

LE VIEUX PATRICIEN : Permettrez-vous qu'on les appelle « ma chérie » ?

TROISIÈME PATRICIEN : Qu'on leur enlève leur femme ?

DEUXIÈME PATRICIEN : Et leurs enfants ?

MUCIUS : Et leur argent ?

CINQUIÈME PATRICIEN : Non !

PREMIER PATRICIEN : Cherea, tu as bien parlé. Tu as bien fait aussi de nous calmer. Il est trop tôt pour agir : le peuple, aujourd'hui encore, serait contre nous. Veux-tu guetter avec nous le moment de conclure ?

CHEREA : Oui, laissons continuer Caligula. Poussons-le dans cette voie, au contraire. Organisons sa folie. Un jour viendra où il sera seul devant un empire plein de morts et de parents de morts.

> *Clameur générale. Trompettes au-dehors. Silence.*
> *Puis, de bouche en bouche un nom :* « Caligula. »

SCÈNE III

> *Entrent Caligula et Caesonia, suivis d'Hélicon et*
> *de soldats. Scène muette. Caligula s'arrête et regarde*
> *les conjurés. Il va de l'un à l'autre en silence, arrange*
> *une boucle à l'un, recule pour contempler un second, les*
> *regarde encore, passe la main sur ses yeux et sort, sans*
> *dire un mot.*

SCÈNE IV

CÆSONIA, *ironique, montrant le désordre* : Vous vous battiez ?

CHEREA : Nous nous battions.

CÆSONIA, *même jeu* : Et pourquoi vous battiez-vous ?

CHEREA : Nous nous battions pour rien.

CÆSONIA : Alors, ce n'est pas vrai.

CHEREA : Qu'est-ce qui n'est pas vrai ?

CÆSONIA : Vous ne vous battiez pas.

CHEREA : Alors, nous ne nous battions pas.

CÆSONIA, *souriante* : Peut-être vaudrait-il mieux mettre la pièce en ordre. Caligula a horreur du désordre.

HÉLICON, *au Vieux Patricien* : Vous finirez par le faire sortir de son caractère, cet homme !

LE VIEUX PATRICIEN : Mais enfin, que lui avons-nous fait ?

HÉLICON : Rien, justement. C'est inouï d'être insignifiant à ce point. Cela finit par devenir insupportable. Mettez-vous à la place de Caligula. *(Un temps.)* Naturellement, vous complotiez bien un peu, n'est-ce pas ?

LE VIEUX PATRICIEN : Mais c'est faux, voyons. Que croit-il donc ?

HÉLICON : Il ne croit pas, il le sait. Mais je suppose qu'au fond, il le désire un peu. Allons, aidons à réparer le désordre.

> *On s'affaire. Caligula entre et observe.*

SCÈNE V

CALIGULA, *au Vieux Patricien :* Bonjour, ma chérie. *(Aux autres :)* Cherea, j'ai décidé de me restaurer chez toi. Mucius, je me suis permis d'inviter ta femme.

> *L'Intendant frappe dans ses mains. Un esclave entre, mais Caligula l'arrête.*

Un instant ! Messieurs, vous savez que les finances de l'État ne tenaient debout que parce qu'elles en avaient pris l'habitude. Depuis hier, l'habitude elle-même n'y suffit plus. Je suis donc dans la désolante nécessité de procéder à des compressions de personnel. Dans un esprit de sacrifice que vous apprécierez, j'en suis sûr, j'ai décidé de réduire mon train de maison, de libérer quelques esclaves, et de vous affecter à mon service. Vous voudrez bien préparer la table et la servir.

> *Les sénateurs se regardent et hésitent.*

HÉLICON : Allons, messieurs, un peu de bonne volonté. Vous verrez, d'ailleurs, qu'il est plus facile de descendre l'échelle sociale que de la remonter.

> *Les sénateurs se déplacent avec hésitation.*

CALIGULA, *à Caesonia :* Quel est le châtiment réservé aux esclaves paresseux ?
CÆSONIA : Le fouet, je crois.

> *Les sénateurs se précipitent et commencent d'installer la table maladroitement.*

CALIGULA : Allons, un peu d'application ! De la méthode, surtout, de la méthode ! *(À Hélicon :)* Ils ont perdu la main, il me semble ?
HÉLICON : À vrai dire, ils ne l'ont jamais eue, sinon pour frapper ou commander. Il faudra patienter, voilà tout. Il faut un jour pour faire un sénateur et dix ans pour faire un travailleur.
CALIGULA : Mais j'ai bien peur qu'il en faille vingt pour faire un travailleur d'un sénateur.
HÉLICON : Tout de même, ils y arrivent. À mon avis, ils

ont la vocation ! La servitude leur conviendra. *(Un sénateur s'éponge.)* Regarde, ils commencent même à transpirer. C'est une étape.

CALIGULA : Bon. N'en demandons pas trop. Ce n'est pas si mal. Et puis, un instant de justice, c'est toujours bon à prendre. À propos de justice, il faut nous dépêcher : une exécution m'attend. Ah ! Rufius a de la chance que je sois si prompt à avoir faim. *(Confidentiel.)* Rufius, c'est le chevalier qui doit mourir. *(Un temps.)* Vous ne me demandez pas pourquoi il doit mourir ?

> *Silence général. Pendant ce temps, des esclaves ont apporté des vivres.*

CALIGULA, *de bonne humeur* : Allons, je vois que vous devenez intelligents. *(Il grignote une olive.)* Vous avez fini par comprendre qu'il n'est pas nécessaire d'avoir fait quelque chose pour mourir. Soldats, je suis content de vous. N'est-ce pas, Hélicon ?

> *Il s'arrête de grignoter et regarde les convives d'un air farceur.*

HÉLICON : Sûr ! Quelle armée ! Mais si tu veux mon avis, ils sont maintenant trop intelligents, et ils ne voudront plus se battre. S'ils progressent encore, l'Empire s'écroule !

CALIGULA : Parfait. Nous nous reposerons. Voyons, plaçons-nous au hasard. Pas de protocole. Tout de même, ce Rufius a de la chance. Et je suis sûr qu'il n'apprécie pas ce petit répit. Pourtant, quelques heures gagnées sur la mort, c'est inestimable.

> *Il mange, les autres aussi. Il devient évident que Caligula se tient mal à table. Rien ne le force à jeter ses noyaux d'olives dans l'assiette de ses voisins immédiats, à cracher ses déchets de viande sur le plat, comme à se curer les dents avec les ongles et à se gratter la tête frénétiquement. C'est pourtant autant d'exploits que, pendant le repas, il exécutera avec simplicité. Mais il s'arrête brusquement de manger et fixe l'un des convives, Lepidus, avec insistance.*

CALIGULA, *brutalement* : Tu as l'air de mauvaise humeur. Serait-ce parce que j'ai fait mourir ton fils ?

LEPIDUS, *la gorge serrée* : Mais non, Caïus, au contraire.

CALIGULA, *épanoui* : Au contraire ! Ah ! que j'aime que le visage démente les soucis du cœur. Ton visage est triste. Mais ton cœur ? Au contraire, n'est-ce pas, Lepidus ?

LEPIDUS, *résolument* : Au contraire, César.

CALIGULA, *de plus en plus heureux* : Ah ! Lepidus, personne ne m'est plus cher que toi. Rions ensemble, veux-tu ? Et dis-moi quelque bonne histoire.

LEPIDUS, *qui a présumé de ses forces* : Caïus !

CALIGULA : Bon, bon. Je raconterai, alors. Mais tu riras, n'est-ce pas, Lepidus ? *(L'œil mauvais.)* Ne serait-ce que pour ton second fils. *(De nouveau rieur.)* D'ailleurs, tu n'es pas de mauvaise humeur. *(Il boit, puis dictant.)* Au..., au... Allons, Lepidus.

LEPIDUS, *avec lassitude* : Au contraire, Caïus.

CALIGULA : À la bonne heure. *(Il boit.)* Écoute, maintenant. *(Rêveur.)* Il était une fois un pauvre empereur que personne n'aimait. Lui, qui aimait Lepidus, fit tuer son plus jeune fils pour s'enlever cet amour du cœur. *(Changeant de ton.)* Naturellement, ce n'est pas vrai. Drôle, n'est-ce pas ? Tu ne ris pas. Personne ne rit ? Écoutez alors. *(Avec une violente colère.)* Je veux que tout le monde rie. Toi, Lepidus, et tous les autres. Levez-vous, riez. *(Il frappe sur la table.)* Je veux, vous entendez, je veux vous voir rire.

> *Tout le monde se lève. Pendant toute cette scène, les acteurs, sauf Caligula et Caesonia, pourront jouer comme des marionnettes.*

CALIGULA, *se renversant sur son lit, épanoui, pris d'un rire irrésistible* : Non, mais regarde-les, Cæsonia. Rien ne va plus. Honnêteté, respectabilité, qu'en-dira-t-on, sagesse des nations, rien ne veut plus rien dire. Tout disparaît devant la peur. La peur, hein, Cæsonia, ce beau sentiment, sans alliage, pur et désintéressé, un des rares qui tire sa noblesse du ventre. *(Il passe la main sur son front et boit. Sur un ton amical.)* Parlons d'autre chose, maintenant. Voyons, Cherea, tu es bien silencieux.

CHEREA : Je suis prêt à parler, Caïus. Dès que tu le permettras.

CALIGULA : Parfait. Alors, tais-toi. J'aimerais bien entendre notre ami Mucius.

MUCIUS, *à contrecœur* : À tes ordres, Caïus.

CALIGULA : Eh bien, parle-nous de ta femme. Et commence par l'envoyer à ma gauche.

> *La femme de Mucius vient près de Caligula.*

Eh bien ! Mucius, nous t'attendons.

MUCIUS, *un peu perdu* : Ma femme, mais je l'aime.

> *Rire général.*

CALIGULA : Bien sûr, mon ami, bien sûr. Mais comme c'est commun ! *(Il a* déjà *la femme près de lui et lèche diſtraitement son épaule gauche. De plus en plus à l'aise.)* Au fait, quand je suis entré, vous complotiez, n'eſt-ce pas ? On y allait de sa petite conspiration, hein ?

LE VIEUX PATRICIEN : Caïus, comment peux-tu ?...

CALIGULA : Aucune importance, ma jolie. Il faut bien que vieillesse se passe. Aucune importance, vraiment. Vous êtes incapables d'un aĉte courageux. Il me vient seulement à l'es-prit que j'ai quelques queſtions d'État à régler. Mais aupara-vant, sachons faire leur part aux désirs impérieux que nous crée la nature.

> *Il se lève et entraîne la femme de Mucius dans une pièce voisine.*

SCÈNE VI

> *Mucius fait mine de se lever.*

CÆSONIA, *aimablement* : Oh ! Mucius, je reprendrais bien de cet excellent vin.

> *Mucius, dompté, la sert en silence. Moment de gêne. Les sièges craquent. Le dialogue qui suit eſt un peu compassé.*

CÆSONIA : Eh bien ! Cherea. Si tu me disais maintenant pourquoi vous vous battiez tout à l'heure ?

CHEREA, *froidement* : Tout eſt venu, chère Cæsonia, de ce que nous diſcutions sur le point de savoir si la poésie doit être meurtrière ou non.

CÆSONIA : C'eſt fort intéressant. Cependant, cela dépasse mon entendement de femme. Mais j'admire que votre pas-sion pour l'art vous conduise à échanger des coups.

CHEREA, *même jeu* : Certes. Mais Caligula me disait qu'il n'eſt pas de passion profonde sans quelque cruauté.

HÉLICON : Ni d'amour sans un brin de viol[1].

CÆSONIA, *mangeant* : Il y a du vrai dans cette opinion. N'est-ce pas, vous autres ?

LE VIEUX PATRICIEN : Caligula est un vigoureux psychologue.

PREMIER PATRICIEN : Il nous a parlé avec éloquence du courage.

DEUXIÈME PATRICIEN : Il devrait résumer toutes ses idées. Cela serait inestimable.

CHEREA : Sans compter que cela l'occuperait. Car il est visible qu'il a besoin de distractions.

CÆSONIA, *toujours mangeant* : Vous serez ravis de savoir qu'il y a pensé et qu'il écrit en ce moment un grand traité.

SCÈNE VII

Entrent Caligula et la femme de Mucius.

CALIGULA : Mucius, je te rends ta femme. Elle te rejoindra. Mais, pardonnez-moi, quelques instructions à donner.

Il sort rapidement. Mucius, pâle, s'est levé.

SCÈNE VIII

CÆSONIA, *à Mucius, resté debout* : Ce grand traité égalera les plus célèbres, Mucius, nous n'en doutons pas.

MUCIUS, *regardant toujours la porte par laquelle Caligula a disparu* : Et de quoi parle-t-il, Cæsonia ?

CÆSONIA, *indifférente* : Oh ! cela me dépasse.

CHEREA : Il faut donc comprendre que cela traite du pouvoir meurtrier de la poésie.

CÆSONIA : Tout juste, je crois.

LE VIEUX PATRICIEN, *avec enjouement* : Eh bien ! cela l'occupera, comme disait Cherea.

CÆSONIA : Oui, ma jolie. Mais ce qui vous gênera, sans doute, c'est le titre de cet ouvrage.

CHEREA : Quel est-il ?

CÆSONIA : *Le Glaive*[3].

SCÈNE IX

Entre rapidement Caligula.

CALIGULA : Pardonnez-moi, mais les affaires de l'État, elles aussi, sont pressantes. Intendant, tu feras fermer les greniers publics. Je viens de signer le décret. Tu le trouveras dans la chambre.

L'INTENDANT : Mais…

CALIGULA : Demain, il y aura famine.

L'INTENDANT : Mais le peuple va gronder.

CALIGULA, *avec force et précision* : Je dis qu'il y aura famine demain. Tout le monde connaît la famine, c'est un fléau. Demain, il y aura fléau… et j'arrêterai le fléau quand il me plaira. *(Il explique aux autres :)* Après tout, je n'ai pas tellement de façons de prouver que je suis libre. On est toujours libre aux dépens de quelqu'un. C'est ennuyeux*f*, mais c'est normal. *(Avec un coup d'œil vers Mucius.)* Appliquez cette pensée à la jalousie et vous verrez. *(Songeur.)* Tout de même, comme c'est laid d'être jaloux ! Souffrir par vanité et par imagination ! Voir sa femme…

Mucius serre les poings et ouvre la bouche.

CALIGULA, *très vite* : Mangeons, messieurs. Savez-vous que nous travaillons ferme avec Hélicon ? Nous mettons au point un petit traité de l'exécution dont vous nous donnerez des nouvelles.

HÉLICON : À supposer qu'on vous demande votre avis.

CALIGULA : Soyons généreux, Hélicon ! Découvrons-leur nos petits secrets. Allez, section trois, paragraphe premier.

HÉLICON, *se lève et récite mécaniquement* : « L'exécution soulage et délivre. Elle est universelle, fortifiante et juste dans ses applications comme dans ses intentions. On meurt parce qu'on est coupable. On est coupable parce qu'on est sujet de Caligula. Or, tout le monde est sujet de Caligula. Donc, tout le monde est coupable. D'où il ressort que tout le monde meurt. C'est une question de temps et de patience. »

CALIGULA, *riant* : Qu'en pensez-vous ? La patience, hein, voilà une trouvaille ! Voulez-vous que je vous dise : c'est ce que j'admire le plus en vous.

Maintenant, messieurs, vous pouvez disposer. Cherea n'a

plus besoin de vous. Cependant, que Cæsonia reste ! Et Lepidus et Octavius ! Mereia aussi. Je voudrais discuter avec vous de l'organisation de ma maison publique. Elle me donne de gros soucis.

> *Les autres sortent lentement. Caligula suit Mucius des yeux.*

SCÈNE X

CHEREA : À tes ordres, Caïus. Qu'est-ce qui ne va pas ? Le personnel est-il mauvais ?

CALIGULA : Non, mais les recettes ne sont pas bonnes.

MEREIA : Il faut augmenter les tarifs.

CALIGULA : Mereia, tu viens de perdre une occasion de te taire. Étant donné ton âge, ces questions ne t'intéressent pas et je ne te demande pas ton avis.

MEREIA : Alors, pourquoi m'as-tu fait rester ?

CALIGULA : Parce que, tout à l'heure, j'aurai besoin d'un avis sans passion.

> *Mereia s'écarte.*

CHEREA : Si je puis, Caïus, en parler avec passion, je dirai qu'il ne faut pas toucher aux tarifs.

CALIGULA : Naturellement, voyons. Mais il faut nous rattraper sur le chiffre d'affaires. Et j'ai déjà expliqué mon plan à Cæsonia qui va vous l'exposer. Moi, j'ai trop bu de vin et je commence à avoir sommeil.

> *Il s'étend et ferme les yeux.*

CÆSONIA : C'est fort simple. Caligula crée une nouvelle décoration.

CHEREA : Je ne vois pas le rapport.

CÆSONIA : Il y est, pourtant. Cette distinction constituera l'ordre du Héros civique. Elle récompensera ceux des citoyens qui auront le plus fréquenté la maison publique de Caligula.

CHEREA : C'est lumineux.

CÆSONIA : Je le crois. J'oubliais de dire que la récompense est décernée chaque mois, après vérification des bons d'entrée ; le citoyen qui n'a pas obtenu de décoration au bout de douze mois est exilé ou exécuté.

TROISIÈME PATRICIEN : Pourquoi « ou exécuté » ?

CÆSONIA : Parce que Caligula dit que cela n'a aucune importance. L'essentiel est qu'il puisse choisir.

CHEREA : Bravo. Le Trésor public est aujourd'hui renfloué.

HÉLICON : Et toujours de façon très morale, remarquez-le bien. Il vaut mieux, après tout, taxer le vice que rançonner la vertu comme on le fait dans les sociétés républicaines.

> *Caligula ouvre les yeux à demi et regarde le vieux Mereia qui, à l'écart, sort un petit flacon et en boit une gorgée.*

CALIGULA, *toujours couché* : Que bois-tu, Mereia ?

MEREIA : C'est pour mon asthme, Caïus.

CALIGULA, *allant vers lui en écartant les autres et lui flairant la bouche* : Non, c'est un contrepoison.

MEREIA : Mais non, Caïus. Tu veux rire. J'étouffe dans la nuit et je me soigne depuis fort longtemps déjà.

CALIGULA : Ainsi, tu as peur d'être empoisonné ?

MEREIA : Mon asthme…

CALIGULA : Non. Appelons les choses par leur nom : tu crains que je ne t'empoisonne. Tu me soupçonnes. Tu m'épies.

MEREIA : Mais non, par tous les dieux !

CALIGULA : Tu me suspectes. En quelque sorte, tu te défies de moi.

MEREIA : Caïus !

CALIGULA, *rudement* : Réponds-moi. *(Mathématique.)* Si tu prends un contrepoison, tu me prêtes par conséquent l'intention de t'empoisonner.

MEREIA : Oui…, je veux dire… non.

CALIGULA : Et dès l'instant où tu crois que j'ai pris la décision de t'empoisonner, tu fais ce qu'il faut pour t'opposer à cette volonté.

> *Silence. Dès le début de la scène, Caesonia et Cherea ont gagné le fond. Seul, Lepidus suit le dialogue d'un air angoissé.*

CALIGULA, *de plus en plus précis* : Cela fait deux crimes, et une alternative dont tu ne sortiras pas : ou bien je ne voulais pas te faire mourir et tu me suspectes injustement, moi, ton empereur. Ou bien je le voulais, et toi, insecte, tu t'opposes à mes projets. *(Un temps. Caligula contemple le vieillard avec satisfaction.)* Hein, Mereia, que dis-tu de cette logique ?

MEREIA : Elle est…, elle est rigoureuse, Caïus. Mais elle ne s'applique pas au cas.

CALIGULA : Et, troisième crime, tu me prends pour un imbécile. Écoute-moi bien. De ces trois crimes, un seul est honorable pour toi, le second — parce que dès l'instant où tu me prêtes une décision et la contrecarres, cela implique une révolte chez toi. Tu es un meneur d'hommes, un révolutionnaire. Cela est bien. *(Tristement.)* Je t'aime beaucoup, Mereia. C'est pourquoi tu seras condamné pour ton second crime et non pour les autres. Tu vas mourir virilement, pour t'être révolté.

> *Pendant tout ce discours, Mereia se rapetisse peu à peu sur son siège.*

Ne me remercie pas. C'est tout naturel. Tiens. *(Il lui tend une fiole et aimablement.)* Bois ce poison.

> *Mereia, secoué de sanglots, refuse de la tête.*

CALIGULA, *s'impatientant* : Allons, allons.

> *Mereia tente alors de s'enfuir. Mais Caligula, d'un bond sauvage, l'atteint au milieu de la scène, le jette sur un siège bas et, après une lutte de quelques instants, lui enfonce la fiole entre les dents et la brise à coups de poing. Après quelques soubresauts, le visage plein d'eau et de sang, Mereia meurt.*
> *Caligula se relève et s'essuie machinalement les mains.*
> *À Caesonia, lui donnant un fragment de la fiole de Mereia :*

Qu'est-ce que c'est ? Un contrepoison ?

CÆSONIA, *avec calme* : Non, Caligula. C'est un remède contre l'asthme.

CALIGULA, *regardant Mereia, après un silence* : Cela ne fait rien. Cela revient au même. Un peu plus tôt, un peu plus tard…

> *Il sort brusquement, d'un air affairé, en s'essuyant toujours les mains.*

SCÈNE XI

LEPIDUS, *atterré* : Que faut-il faire ?

CÆSONIA, *avec simplicité* : D'abord, retirer le corps, je crois. Il est trop laid !

> *Cherea et Lepidus prennent le corps et le tirent en coulisse.*

LEPIDUS, *à Cherea* : Il faudra faire vite.

CHEREA : Il faut être deux cents.

> *Entre le Jeune Scipion. Apercevant Caesonia, il a un geste pour repartir.*

SCÈNE XII

CÆSONIA : Viens ici.

LE JEUNE SCIPION : Que veux-tu ?

CÆSONIA : Approche. *(Elle lui relève le menton et le regarde dans les yeux. Un temps. Froidement.)* Il a tué ton père ?

LE JEUNE SCIPION : Oui.

CÆSONIA : Tu le hais ?

LE JEUNE SCIPION : Oui.

CÆSONIA : Tu veux le tuer ?

LE JEUNE SCIPION : Oui.

CÆSONIA, *le lâchant* : Alors, pourquoi me le dis-tu ?

LE JEUNE SCIPION : Parce que je ne crains personne. Le tuer ou être tué, c'est deux façons d'en finir. D'ailleurs, tu ne me trahiras pas.

CÆSONIA : Tu as raison, je ne te trahirai pas. Mais je veux te dire quelque chose — ou plutôt, je voudrais parler à ce qu'il y a de meilleur en toi.

LE JEUNE SCIPION : Ce que j'ai de meilleur en moi, c'est ma haine.

CÆSONIA : Écoute-moi seulement. C'est une parole à la fois difficile et évidente que je veux te dire. Mais c'est une parole qui, si elle était vraiment écoutée, accomplirait la seule révolution définitive de ce monde.

LE JEUNE SCIPION : Alors, dis-la.

CÆSONIA : Pas encore. Pense d'abord au visage révulsé de ton père à qui on arrachait la langue. Pense à cette bouche pleine de sang et à ce cri de bête torturée.

LE JEUNE SCIPION : Oui.

CÆSONIA : Pense maintenant à Caligula.

LE JEUNE SCIPION, *avec tout l'accent de la haine* : Oui.

CÆSONIA : Écoute maintenant : essaie de le comprendre.

> *Elle sort, laissant le Jeune Scipion désemparé. Entre Hélicon.*

SCÈNE XIII

HÉLICON : Caligula revient : si vous alliez manger, poète ?

LE JEUNE SCIPION : Hélicon ! Aide-moi.

HÉLICON : C'est dangereux, ma colombe. Et je n'entends rien à la poésie.

LE JEUNE SCIPION : Tu pourrais m'aider. Tu sais beaucoup de choses.

HÉLICON : Je sais que les jours passent et qu'il faut se hâter de manger. Je sais aussi que tu pourrais tuer Caligula… et qu'il ne le verrait pas d'un mauvais œil.

> *Entre Caligula. Sort Hélicon.*

SCÈNE XIV

CALIGULA : Ah ! c'est toi. *(Il s'arrête, un peu comme s'il cherchait une contenance.)* Il y a longtemps que je ne t'ai vu. *(Avançant lentement vers lui.)* Qu'est-ce que tu fais ? Tu écris toujours ? Est-ce que tu peux me montrer tes dernières pièces ?

LE JEUNE SCIPION, *mal à l'aise, lui aussi, partagé entre sa haine et il ne sait pas quoi* : J'ai écrit des poèmes, César.

CALIGULA : Sur quoi ?

LE JEUNE SCIPION : Je ne sais pas, César. Sur la nature, je crois.

CALIGULA, *plus à l'aise* : Beau sujet. Et vaste. Qu'est-ce qu'elle t'a fait, la nature ?

LE JEUNE SCIPION, *se reprenant, d'un air ironique et mauvais* : Elle me console de n'être pas César.

CALIGULA : Ah ! et crois-tu qu'elle pourrait me consoler de l'être ?

LE JEUNE SCIPION, *même jeu* : Ma foi, elle a guéri des blessures plus graves.

CALIGULA, *étrangement simple* : Blessure ? Tu dis cela avec méchanceté. Est-ce parce que j'ai tué ton père ? Si tu savais pourtant comme le mot est juste. Blessure ! *(Changeant de ton.)* Il n'y a que la haine pour rendre les gens intelligents.

LE JEUNE SCIPION, *raidi* : J'ai répondu à ta question sur la nature.

> *Caligula s'assied, regarde Scipion, puis lui prend brusquement les mains et l'attire de force à ses pieds. Il lui prend le visage dans ses mains.*

CALIGULA : Récite-moi ton poème.

LE JEUNE SCIPION : Je t'en prie, César, non.

CALIGULA : Pourquoi ?

LE JEUNE SCIPION : Je ne l'ai pas sur moi.

CALIGULA : Ne t'en souviens-tu pas ?

LE JEUNE SCIPION : Non.

CALIGULA : Dis-moi du moins ce qu'il contient.

LE JEUNE SCIPION, *toujours raidi et comme à regret* : J'y parlais…

CALIGULA : Eh bien ?

LE JEUNE SCIPION : Non, je ne sais pas…

CALIGULA : Essaye…

LE JEUNE SCIPION : J'y parlais d'un certain accord de la terre…

CALIGULA, *l'interrompant, d'un ton absorbé* : … de la terre et du pied.

LE JEUNE SCIPION, *surpris, hésite et continue* : Oui, c'est à peu près cela…

CALIGULA : Continue.

LE JEUNE SCIPION : … et aussi de la ligne des collines romaines et de cet apaisement fugitif et bouleversant qu'y ramène le soir…

CALIGULA : … Du cri des martinets dans le ciel vert.

LE JEUNE SCIPION, *s'abandonnant un peu plus* : Oui, encore.

CALIGULA : Eh bien ?

LE JEUNE SCIPION : Et de cette minute subtile où le ciel encore plein d'or brusquement bascule et nous montre en un instant son autre face, gorgée d'étoiles luisantes.

CALIGULA : De cette odeur de fumée, d'arbres et d'eaux qui monte alors de la terre vers la nuit.

LE JEUNE SCIPION, *tout entier* : … Le cri des cigales et la retombée des chaleurs, les chiens, les roulements des derniers chars, les voix des fermiers…

CALIGULA : … Et les chemins noyés d'ombre dans les lentisques et les oliviers…

LE JEUNE SCIPION : Oui, oui. C'est tout cela ! Mais comment l'as-tu appris ?

CALIGULA, *pressant le Jeune Scipion contre lui* : Je ne sais pas. Peut-être parce que nous aimons les mêmes vérités.

LE JEUNE SCIPION, *frémissant, cache sa tête contre la poitrine de Caligula* : Oh ! qu'importe, puisque tout prend en moi le visage de l'amour !

CALIGULA, *toujours caressant* : C'est la vertu des grands cœurs, Scipion. Si, du moins, je pouvais connaître ta transparence ! Mais je sais trop la force de ma passion pour la vie, elle ne se satisfera pas de la nature. Tu ne peux pas comprendre cela. Tu es d'un autre monde. Tu es pur dans le bien, comme je suis pur dans le mal.

LE JEUNE SCIPION : Je peux comprendre.

CALIGULA : Non. Ce quelque chose en moi, ce lac de silence, ces herbes pourries. *(Changeant brusquement de ton.)* Ton poème doit être beau. Mais si tu veux mon avis…

LE JEUNE SCIPION, *même jeu* : Oui.

CALIGULA : Tout cela manque de sang.

> *Scipion se rejette[b] brusquement en arrière et regarde Caligula avec horreur. Toujours reculant, il parle d'une voix sourde, devant Caligula qu'il regarde avec intensité.*

LE JEUNE SCIPION : Oh ! le monstre, l'infect monstre. Tu as encore joué. Tu viens de jouer, hein ? Et tu es content de toi ?

CALIGULA, *avec un peu de tristesse* : Il y a du vrai dans ce que tu dis. J'ai joué.

LE JEUNE SCIPION, *même jeu* : Quel cœur ignoble et ensanglanté tu dois avoir. Oh ! comme tant de mal et de haine doivent te torturer !

CALIGULA, *doucement* : Tais-toi, maintenant.

LE JEUNE SCIPION : Comme je te plains et comme je te hais !

CALIGULA, *avec colère* : Tais-toi.

LE JEUNE SCIPION : Et quelle immonde solitude doit être la tienne !

CALIGULA, *éclatant, se jette sur lui et le prend au collet ; il le secoue* : La solitude ! Tu la connais, toi, la solitude ? Celle des poètes et des impuissants. La solitude ? Mais laquelle ? Ah ! tu ne sais pas que seul, on ne l'est jamais ! Et que partout le même poids d'avenir et de passé nous accompagne ! Les êtres qu'on a tués sont avec nous. Et pour ceux-là, ce serait encore facile. Mais ceux qu'on a aimés, ceux qu'on n'a pas aimés et qui vous ont aimé, les regrets, le désir, l'amertume et la douceur, les putains et la clique des dieux. *(Il le lâche et recule vers sa place.)* Seul ! ah ! si du moins, au lieu de cette solitude empoisonnée de présences qui est la mienne, je pouvais goûter la vraie, le silence et le tremblement d'un arbre ! *(Assis, avec une soudaine lassitude.)* La solitude ! Mais non, Scipion. Elle est peuplée de grincements de dents et tout entière retentissante de bruits et de clameurs perdues. Et près des femmes que je caresse, quand la nuit se referme sur nous et que je crois, éloigné de ma chair enfin contentée, saisir un peu de moi entre la vie et la mort, ma solitude entière s'emplit de l'aigre odeur du plaisir aux aisselles de la femme qui sombre encore à mes côtés.

> *Il a l'air exténué. Long silence.*
> *Le Jeune Scipion passe derrière Caligula et s'approche, hésitant. Il tend une main vers Caligula et la pose sur son épaule. Caligula, sans se retourner, la couvre d'une des siennes.*

LE JEUNE SCIPION : Tous les hommes ont une douceur dans la vie. Cela les aide à continuer. C'est vers elle qu'ils se retournent quand ils se sentent trop usés.

CALIGULA : C'est vrai, Scipion.

LE JEUNE SCIPION : N'y a-t-il donc rien dans la tienne qui soit semblable, l'approche des larmes, un refuge silencieux ?

CALIGULA : Si, pourtant.

LE JEUNE SCIPION : Et quoi donc ?

CALIGULA, *lentement*[4] : Le mépris.

RIDEAU

ACTE III

SCÈNE PREMIÈRE

> *Avant le lever du rideau, bruit de cymbales et de caisse. Le rideau s'ouvre sur une sorte de parade foraine. Au centre, une tenture devant laquelle, sur une petite estrade, se trouvent Hélicon et Caesonia. Les cymbalistes de chaque côté. Assis sur des sièges, tournant le dos aux spectateurs, quelques patriciens et le Jeune Scipion.*

HÉLICON, *récitant sur le ton de la parade* : Approchez ! Approchez ! *(Cymbales.)* Une fois de plus, les dieux sont descendus sur terre. Caïus, César et dieu, surnommé Caligula, leur a prêté sa forme tout humaine. Approchez, grossiers mortels, le miracle sacré s'opère devant vos yeux. Par une faveur particulière au règne béni de Caligula, les secrets divins sont offerts à tous les yeux.

> *Cymbales.*

CÆSONIA : Approchez, messieurs ! Adorez et donnez votre obole. Le mystère céleste est mis aujourd'hui à la portée de toutes les bourses.

> *Cymbales.*

HÉLICON : L'Olympe et ses coulisses, ses intrigues, ses pantoufles et ses larmes. Approchez ! Approchez ! Toute la vérité sur vos dieux !

> *Cymbales.*

CÆSONIA : Adorez et donnez votre obole. Approchez, messieurs. La représentation va commencer.

> *Cymbales. Mouvements d'esclaves qui apportent divers objets sur l'estrade.*

HÉLICON : Une reconstitution impressionnante de vérité, une réalisation sans précédent. Les décors majestueux de la puissance divine ramenés sur terre, une attraction sensationnelle et démesurée, la foudre *(les esclaves allument des feux grégeois)*, le tonnerre *(on roule un tonneau plein de cailloux)*, le destin lui-même dans sa marche triomphale. Approchez et contemplez !

> *Il tire la tenture et Caligula costumé en Vénus grotesque apparaît sur un piédestal.*

CALIGULA, *aimable* : Aujourd'hui, je suis Vénus.

CÆSONIA : L'adoration commence. Prosternez-vous *(tous, sauf Scipion, se prosternent)* et répétez après moi la prière sacrée à Caligula-Vénus :

« Déesse des douleurs et de la danse… »

LES PATRICIENS : « Déesse des douleurs et de la danse… »

CÆSONIA : « Née des vagues, toute visqueuse et amère dans le sel et l'écume… »

LES PATRICIENS : « Née des vagues, toute visqueuse et amère dans le sel et l'écume… »

CÆSONIA : « Toi qui es comme un rire et un regret… »

LES PATRICIENS : « Toi qui es comme un rire et un regret… »

CÆSONIA : « … une rancœur et un élan… »

LES PATRICIENS : « … une rancœur et un élan… »

CÆSONIA : « Enseigne-nous l'indifférence qui fait renaître les amours… »

LES PATRICIENS : « Enseigne-nous l'indifférence qui fait renaître les amours… »

CÆSONIA : « Instruis-nous de la vérité de ce monde qui est de n'en point avoir… »

LES PATRICIENS : « Instruis-nous de la vérité de ce monde qui est de n'en point avoir… »

CÆSONIA : « Et accorde-nous la force de vivre à la hauteur de cette vérité sans égale… »

LES PATRICIENS : « Et accorde-nous la force de vivre à la hauteur de cette vérité sans égale… »

CÆSONIA : Pause !

LES PATRICIENS : Pause !

CÆSONIA, *reprenant* : « Comble-nous de tes dons, répands sur nos visages ton impartiale cruauté, ta haine tout objective ; ouvre au-dessus de nos yeux tes mains pleines de fleurs et de meurtres. »

LES PATRICIENS : « … tes mains pleines de fleurs et de meurtres. »

CÆSONIA : « Accueille tes enfants égarés. Reçois-les dans l'asile dénudé de ton amour indifférent et douloureux. Donne-nous tes passions sans objet, tes douleurs privées de raison et tes joies sans avenir... »

LES PATRICIENS : « ... et tes joies sans avenir... »

CÆSONIA, *très haut* : « Toi, si vide et si brûlante, inhumaine, mais si terrestre, enivre-nous du vin de ton équivalence et rassasie-nous pour toujours dans ton cœur noir et salé. »

LES PATRICIENS : « Enivre-nous du vin de ton équivalence et rassasie-nous pour toujours dans ton cœur noir et salé. »

> *Quand la dernière phrase a été prononcée par les Patriciens, Caligula, jusque-là immobile, s'ébroue et d'une voix de stentor.*

CALIGULA : Accordé, mes enfants, vos vœux seront exaucés.

> *Il s'assied en tailleur sur le piédestal. Un à un, les Patriciens se prosternent, versent leur obole et se rangent à droite avant de disparaître. Le dernier, troublé, oublie son obole et se retire. Mais Caligula, d'un bond, se remet debout.*

Hep ! Hep ! Viens ici, mon garçon. Adorer, c'est bien, mais enrichir, c'est mieux. Merci. Cela va bien. Si les dieux n'avaient pas d'autres richesses que l'amour des mortels, ils seraient aussi pauvres que le pauvre Caligula. Et maintenant, messieurs, vous allez pouvoir partir et répandre dans la ville l'étonnant miracle auquel il vous a été donné d'assister : vous avez vu Vénus, ce qui s'appelle voir, avec vos yeux de chair, et Vénus vous a parlé. Allez, messieurs. *(Mouvement des Patriciens.)* Une seconde ! En sortant, prenez le couloir de gauche. Dans celui de droite, j'ai posté des gardes pour vous assassiner.

> *Les Patriciens sortent avec beaucoup d'empressement et un peu de désordre. Les esclaves et les musiciens disparaissent.*

SCÈNE II

> *Hélicon menace Scipion du doigt.*

HÉLICON : Scipion, on a encore fait l'anarchiste !

SCIPION, *à Caligula* : Tu as blasphémé, Caïus.

HÉLICON : Qu'est-ce que cela peut bien vouloir dire ?

SCIPION : Tu souilles le ciel après avoir ensanglanté la terre.

HÉLICON : Ce jeune homme adore les grands mots.

Il va se coucher sur un divan.

CÆSONIA, *très calme* : Comme tu y vas, mon garçon ; il y a en ce moment, dans Rome, des gens qui meurent pour des discours beaucoup moins éloquents.

SCIPION : J'ai décidé de dire la vérité à Caïus.

CÆSONIA : Eh bien, Caligula, cela manquait à ton règne, une belle figure morale !

CALIGULA, *intéressé* : Tu crois donc aux dieux, Scipion ?

SCIPION : Non.

CALIGULA : Alors, je ne comprends pas : pourquoi es-tu si prompt à dépister les blasphèmes ?

SCIPION : Je puis nier une chose sans me croire obligé de la salir ou de retirer aux autres le droit d'y croire.

CALIGULA : Mais c'est de la modestie, cela, de la vraie modestie ! Oh ! cher Scipion, que je suis content pour toi. Et envieux, tu sais. Car c'est le seul sentiment que je n'éprouverai peut-être jamais.

SCIPION : Ce n'est pas moi que tu jalouses, ce sont les dieux eux-mêmes.

CALIGULA : Si tu le veux bien, cela restera comme le grand secret de mon règne. Tout ce qu'on peut me reprocher aujourd'hui, c'est d'avoir fait encore un petit progrès sur la voie de la puissance et de la liberté. Pour un homme qui aime le pouvoir, la rivalité des dieux a quelque chose d'agaçant. J'ai supprimé cela. J'ai prouvé à ces dieux illusoires qu'un homme, s'il en a la volonté, peut exercer, sans apprentissage, leur métier ridicule.

SCIPION : C'est cela le blasphème, Caïus.

CALIGULA : Non, Scipion, c'est de la clairvoyance. J'ai simplement compris qu'il n'y a qu'une façon de s'égaler aux dieux : il suffit d'être aussi cruel qu'eux.

SCIPION : Il suffit de se faire tyran.

CALIGULA : Qu'est-ce qu'un tyran ?

SCIPION : Une âme aveugle[a].

CALIGULA : Cela n'est pas sûr, Scipion. Mais un tyran est un homme qui sacrifie des peuples à ses idées ou à son ambition. Moi, je n'ai pas d'idées et je n'ai plus rien à briguer en fait d'honneurs et de pouvoir. Si j'exerce ce pouvoir, c'est par compensation.

SCIPION : À quoi ?

CALIGULA : À la bêtise et à la haine des dieux.

SCIPION : La haine ne compense pas la haine. Le pouvoir

n'est pas une solution. Et je ne connais qu'une façon de balancer l'hostilité du monde.

CALIGULA : Quelle est-elle ?

SCIPION : La pauvreté.

CALIGULA, *soignant ses pieds* : Il faudra que j'essaie de celle-là aussi.

SCIPION : En attendant, beaucoup d'hommes meurent autour de toi.

CALIGULA : Si peu[b], Scipion, vraiment. Sais-tu combien de guerres j'ai refusées ?

SCIPION : Non.

CALIGULA : Trois. Et sais-tu pourquoi je les ai refusées ?

SCIPION : Parce que tu fais fi de la grandeur de Rome.

CALIGULA : Non, parce que je respecte la vie humaine.

SCIPION : Tu te moques de moi, Caïus.

CALIGULA : Ou, du moins, je la respecte plus que je ne respecte un idéal de conquête. Mais il est vrai que je ne la respecte pas plus que je ne respecte ma propre vie. Et s'il m'est facile de tuer, c'est qu'il ne m'est pas difficile de mourir. Non, plus j'y réfléchis et plus je me persuade que je ne suis pas un tyran.

SCIPION : Qu'importe si cela nous coûte aussi cher que si tu l'étais.

CALIGULA, *avec un peu d'impatience* : Si tu savais compter, tu saurais que la moindre guerre entreprise par un tyran raisonnable vous coûterait mille fois plus cher que les caprices de ma fantaisie.

SCIPION : Mais, du moins, ce serait raisonnable et l'essentiel est de comprendre.

CALIGULA : On ne comprend pas le destin et c'est pourquoi je me suis fait destin. J'ai pris le visage bête et incompréhensible des dieux. C'est cela que tes compagnons de tout à l'heure ont appris à adorer.

SCIPION : Et c'est cela le blasphème, Caïus.

CALIGULA : Non, Scipion, c'est de l'art dramatique ! L'erreur de tous ces hommes, c'est de ne pas croire assez au théâtre. Ils sauraient sans cela qu'il est permis à tout homme de jouer les tragédies célestes et de devenir dieu. Il suffit de se durcir le cœur.

SCIPION : Peut-être, en effet, Caïus. Mais si cela est vrai, je crois qu'alors tu as fait le nécessaire pour qu'un jour, autour de toi, des légions de dieux humains se lèvent, implacables à leur tour, et noient dans le sang ta divinité d'un moment.

CÆSONIA : Scipion !

CALIGULA, *d'une voix précise et dure* : Laisse, Cæsonia. Tu ne crois pas si bien dire, Scipion : j'ai fait le nécessaire. J'imagine difficilement le jour dont tu parles. Mais j'en rêve quelquefois. Et sur tous les visages qui s'avancent alors du fond de la nuit amère, dans leurs traits tordus par la haine et l'angoisse, je reconnais, en effet, avec ravissement, le seul dieu que j'aie adoré en ce monde : misérable et lâche comme le cœur humain. *(Irrité.)* Et maintenant, va-t'en. Tu en as beaucoup trop dit. *(Changeant de ton.)* J'ai encore les doigts de mes pieds à rougir. Cela presse.

> *Tous sortent, sauf Hélicon, qui tourne en rond autour de Caligula, absorbé par les soins de ses pieds.*

SCÈNE III

CALIGULA : Hélicon !

HÉLICON : Qu'y a-t-il ?

CALIGULA : Ton travail avance ?

HÉLICON : Quel travail ?

CALIGULA : Eh bien !… la lune !

HÉLICON : Ça progresse. C'est une question de patience. Mais je voudrais te parler.

CALIGULA : J'aurais peut-être de la patience, mais je n'ai pas beaucoup de temps. Il faut faire vite, Hélicon.

HÉLICON : Je te l'ai dit, je ferai pour le mieux. Mais auparavant, j'ai des choses graves à t'apprendre.

CALIGULA, *comme s'il n'avait pas entendu* : Remarque que je l'ai déjà eue.

HÉLICON : Qui ?

CALIGULA : La lune.

HÉLICON : Oui, naturellement. Mais sais-tu que l'on complote contre ta vie ?

CALIGULA : Je l'ai eue tout à fait même. Deux ou trois fois seulement, il est vrai. Mais tout de même, je l'ai eue.

HÉLICON : Voilà bien longtemps que j'essaie de te parler.

CALIGULA : C'était l'été dernier. Depuis le temps que je la regardais et que je la caressais sur les colonnes du jardin, elle avait fini par comprendre.

HÉLICON : Cessons ce jeu, Caïus. Si tu ne veux pas m'écouter, mon rôle est de parler quand même. Tant pis si tu n'entends pas.

CALIGULA, *toujours occupé à rougir ses ongles du pied* : Ce vernis ne vaut rien. Mais pour en revenir à la lune, c'était pendant une belle nuit d'août.

> *Hélicon se détourne avec dépit et se tait, immobile.*

Elle a fait quelques façons. J'étais déjà couché. Elle était d'abord toute sanglante, au-dessus de l'horizon. Puis elle a commencé à monter, de plus en plus légère, avec une rapidité croissante. Plus elle montait, plus elle devenait claire. Elle est devenue comme un lac d'eau laiteuse au milieu de cette nuit pleine de froissements d'étoiles. Elle est arrivée alors dans la chaleur, douce, légère et nue. Elle a franchi le seuil de la chambre et, avec sa lenteur sûre, est arrivée jusqu'à mon lit, s'y est coulée et m'a inondé de ses sourires et de son éclat. — Décidément, ce vernis ne vaut rien. Mais tu vois, Hélicon, je puis dire sans me vanter que je l'ai eue.

HÉLICON : Veux-tu m'écouter et connaître ce qui te menace ?

CALIGULA, *s'arrête et le regarde fixement* : Je veux seulement la lune, Hélicon. Je sais d'avance ce qui me tuera. Je n'ai pas encore épuisé tout ce qui peut me faire vivre. C'est pourquoi je veux la lune. Et tu ne reparaîtras pas ici avant de me l'avoir procurée.

HÉLICON : Alors, je ferai mon devoir et je dirai ce que j'ai à dire. Un complot s'est formé contre toi. Cherea en est le chef. J'ai surpris cette tablette qui peut t'apprendre l'essentiel. Je la dépose ici.

> *Hélicon dépose la tablette sur un des sièges et se retire.*

CALIGULA : Où vas-tu, Hélicon ?

HÉLICON, *sur le seuil* : Te chercher la lune.

SCÈNE IV[1]

> *On gratte à la porte opposée. Caligula se retourne brusquement et aperçoit le Vieux Patricien.*

LE VIEUX PATRICIEN, *hésitant* : Tu permets, Caïus ?

CALIGULA, *impatient* : Eh bien ! entre. *(Le regardant.)* Alors, ma jolie, on vient revoir Vénus !

LE VIEUX PATRICIEN : Non, ce n'est pas cela. Chut ! Oh ! pardon, Caïus... je veux dire... Tu sais que je t'aime beaucoup... et puis je ne demande qu'à finir mes vieux jours dans la tranquillité...

CALIGULA : Pressons ! Pressons !

LE VIEUX PATRICIEN : Oui, bon. Enfin... *(Très vite.)* C'est très grave, voilà tout.

CALIGULA : Non, ce n'est pas grave.

LE VIEUX PATRICIEN : Mais quoi donc, Caïus ?

CALIGULA : Mais de quoi parlons-nous, mon amour ?

LE VIEUX PATRICIEN, *il regarde autour de lui* : C'est-à-dire... *(Il se tortille et finit par exploser.)* Un complot contre toi...

CALIGULA : Tu vois bien, c'est ce que je disais, ce n'est pas grave du tout.

LE VIEUX PATRICIEN : Caïus, ils veulent te tuer.

CALIGULA, *va vers lui et le prend aux épaules* : Sais-tu pourquoi je ne puis pas te croire ?

LE VIEUX PATRICIEN, *faisant le geste de jurer* : Par tous les dieux, Caïus...

CALIGULA, *doucement et le poussant peu à peu vers la porte* : Ne jure pas, surtout, ne jure pas. Écoute plutôt. Si ce que tu dis était vrai, il me faudrait supposer que tu trahis tes amis, n'est-ce pas ?

LE VIEUX PATRICIEN, *un peu perdu* : C'est-à-dire, Caïus, que mon amour pour toi...

CALIGULA, *du même ton* : Et je ne puis pas supposer cela. J'ai tant détesté la lâcheté que je ne pourrais jamais me retenir de faire mourir un traître. Je sais bien ce que tu vaux, moi. Et, assurément, tu ne voudras ni trahir ni mourir.

LE VIEUX PATRICIEN : Assurément, Caïus, assurément !

CALIGULA : Tu vois donc que j'avais raison de ne pas te croire. Tu n'es pas un lâche, n'est-ce pas ?

LE VIEUX PATRICIEN : Oh ! non...

CALIGULA : Ni un traître ?

LE VIEUX PATRICIEN : Cela va sans dire, Caïus.

CALIGULA : Et par conséquent, il n'y a pas de complot, dis-moi, ce n'était qu'une plaisanterie ?

LE VIEUX PATRICIEN, *décomposé* : Une plaisanterie, une simple plaisanterie...

CALIGULA : Personne ne veut me tuer, cela est évident ?

LE VIEUX PATRICIEN : Personne, bien sûr, personne.

CALIGULA, *respirant fortement, puis lentement* : Alors, disparais, ma jolie. Un homme d'honneur est un animal si rare en ce monde que je ne pourrais pas en supporter la vue trop longtemps. Il faut que je reste seul pour savourer ce grand moment.

SCÈNE V

    Caligula contemple un moment la tablette de sa place. Il la saisit et la lit. Il respire fortement et appelle un garde[d].

CALIGULA : Amène Cherea.

Le garde sort.

Un moment.

Le garde s'arrête.

Avec des égards.

    Le garde sort.
    Caligula marche un peu de long en large. Puis il se dirige vers le miroir.

Tu avais décidé d'être logique, idiot. Il s'agit seulement de savoir jusqu'où cela ira. *(Ironique.)* Si l'on t'apportait la lune, tout serait changé, n'est-ce pas ? Ce qui est impossible deviendrait possible et du même coup, en une fois, tout serait transfiguré. Pourquoi pas, Caligula ? Qui peut le savoir ? *(Il regarde autour de lui.)* Il y a de moins en moins de monde autour de moi, c'est curieux. *(Au miroir, d'une voix sourde :)* Trop de morts, trop de morts, cela dégarnit. Même si l'on m'apportait la lune, je ne pourrais pas revenir en arrière. Même si les morts frémissaient à nouveau sous la caresse du soleil, les meurtres ne rentreraient pas sous terre pour autant. *(Avec un accent furieux.)* La logique, Caligula, il faut poursuivre la logique. Le pouvoir jusqu'au bout, l'abandon jusqu'au bout. Non, on ne revient pas en arrière et il faut aller jusqu'à la consommation !

Entre Cherea.

SCÈNE VI

> *Caligula, renversé un peu dans son siège, est engoncé*
> *dans son manteau. Il a l'air exténué.*

CHEREA : Tu m'as demandé, Caïus ?

CALIGULA, *d'une voix faible* : Oui, Cherea. Gardes ! Des flambeaux[e] !

> *Silence.*

CHEREA : Tu as quelque chose de particulier à me dire ?

CALIGULA : Non, Cherea.

> *Silence.*

CHEREA, *un peu agacé* : Tu es sûr que ma présence est nécessaire ?

CALIGULA : Absolument sûr, Cherea. *(Encore un temps de silence. Soudain empressé.)* Mais, excuse-moi. Je suis distrait et te reçois bien mal. Prends ce siège et devisons en amis. J'ai besoin de parler un peu à quelqu'un d'intelligent.

> *Cherea s'assied.*
> *Naturel, il semble, pour la première fois depuis le*
> *début de la pièce.*

Cherea, crois-tu que deux hommes dont l'âme et la fierté sont égales peuvent, au moins une fois dans leur vie, se parler de tout leur cœur — comme s'ils étaient nus l'un devant l'autre, dépouillés des préjugés, des intérêts particuliers et des mensonges dont ils vivent ?

CHEREA : Je pense que cela est possible, Caïus. Mais je crois que tu en es incapable.

CALIGULA : Tu as raison. Je voulais seulement savoir si tu pensais comme moi. Couvrons-nous donc de masques. Utilisons nos mensonges. Parlons comme on se bat, couverts jusqu'à la garde. Cherea, pourquoi ne m'aimes-tu pas ?

CHEREA : Parce qu'il n'y a rien d'aimable en toi, Caïus. Parce que ces choses ne se commandent pas. Et aussi, parce que je te comprends trop bien et qu'on ne peut aimer celui de ses visages qu'on essaie de masquer en soi.

CALIGULA : Pourquoi me haïr ?

CHEREA : Ici, tu te trompes, Caïus. Je ne te hais pas. Je te juge nuisible et cruel, égoïste et vaniteux. Mais je ne puis pas te haïr puisque je ne te crois pas heureux. Et je ne puis pas te mépriser puisque je sais que tu n'es pas lâche.

CALIGULA : Alors, pourquoi veux-tu me tuer ?

CHEREA : Je te l'ai dit : je te juge nuisible. J'ai le goût et le besoin de la sécurité. La plupart des hommes sont comme moi. Ils sont incapables de vivre dans un univers où la pensée la plus bizarre peut en une seconde entrer dans la réalité — où, la plupart du temps, elle y entre, comme un couteau dans un cœur. Moi non plus, je ne veux pas vivre dans un tel univers. Je préfère me tenir bien en main.

CALIGULA : La sécurité et la logique ne vont pas ensemble.

CHEREA : Il est vrai. Cela n'est pas logique, mais cela est sain.

CALIGULA : Continue.

CHEREA : Je n'ai rien de plus à dire. Je ne veux pas entrer dans ta logique. J'ai une autre idée de mes devoirs d'homme. Je sais que la plupart de tes sujets pensent comme moi. Tu es gênant pour tous. Il est naturel que tu disparaisses.

CALIGULA : Tout cela est très clair et très légitime. Pour la plupart des hommes, ce serait même évident. Pas pour toi, cependant. Tu es intelligent et l'intelligence se paye cher ou se nie. Moi, je paye. Mais toi, pourquoi ne pas la nier et ne pas vouloir payer ?

CHEREA : Parce que j'ai envie de vivre et d'être heureux. Je crois qu'on ne peut être ni l'un ni l'autre en poussant l'absurde dans toutes ses conséquences. Je suis comme tout le monde. Pour m'en sentir libéré, je souhaite parfois la mort de ceux que j'aime, je convoite des femmes que les lois de la famille ou de l'amitié m'interdisent de convoiter. Pour être logique, je devrais alors tuer ou posséder. Mais je juge que ces idées vagues n'ont pas d'importance. Si tout le monde se mêlait de les réaliser, nous ne pourrions ni vivre ni être heureux. Encore une fois, c'est cela qui m'importe.

CALIGULA : Il faut donc que tu croies à quelque idée supérieure.

CHEREA : Je crois qu'il y a des actions qui sont plus belles que d'autres.

CALIGULA : Je crois que toutes sont équivalentes.

CHEREA : Je le sais, Caïus, et c'est pourquoi je ne te hais pas. Mais tu es gênant et il faut que tu disparaisses.

CALIGULA : C'est très juste. Mais pourquoi me l'annoncer et risquer ta vie ?

CHEREA : Parce que d'autres me remplaceront et parce que je n'aime pas mentir.

Silence.

CALIGULA : Cherea !

CHEREA : Oui, Caïus.

CALIGULA : Crois-tu que deux hommes dont l'âme et la fierté sont égales peuvent, au moins une fois dans leur vie, se parler de tout leur cœur ?

CHEREA : Je crois que c'est ce que nous venons de faire.

CALIGULA : Oui, Cherea. Tu m'en croyais incapable, pourtant.

CHEREA : J'avais tort, Caïus, je le reconnais et je te remercie. J'attends maintenant ta sentence.

CALIGULA, *distrait* : Ma sentence ? Ah ! tu veux dire… *(Tirant la tablette de son manteau.)* Connais-tu cela, Cherea ?

CHEREA : Je savais qu'elle était en ta possession.

CALIGULA, *de façon passionnée* : Oui, Cherea, et ta franchise elle-même était simulée. Les deux hommes ne se sont pas parlé de tout leur cœur. Cela ne fait rien pourtant. Maintenant, nous allons cesser le jeu de la sincérité et recommencer à vivre comme par le passé. Il faut encore que tu essaies de comprendre ce que je vais te dire, que tu subisses mes offenses et mon humeur. Écoute, Cherea. Cette tablette est la preuve.

CHEREA : Je m'en vais, Caïus. Je suis lassé de tout ce jeu grimaçant. Je le connais trop et ne veux plus le voir.

CALIGULA, *de la même voix passionnée et attentive* : Reste encore. C'est la seule preuve, n'est-ce pas ?

CHEREA : Je ne crois pas que tu aies besoin de preuves pour faire mourir un homme.

CALIGULA : Il est vrai. Mais pour une fois, je veux me contredire. Cela ne gêne personne. Et c'est si bon de se contredire de temps en temps. Cela repose. J'ai besoin de repos, Cherea.

CHEREA : Je ne comprends pas et je n'ai pas de goût pour ces complications.

CALIGULA : Bien sûr, Cherea. Tu es un homme sain, toi. Tu ne désires rien d'extraordinaire ! *(Éclatant de rire.)* Tu veux vivre et être heureux. Seulement cela !

CHEREA : Je crois qu'il vaut mieux que nous en restions là.

CALIGULA : Pas encore. Un peu de patience, veux-tu ? J'ai là cette preuve, regarde. Je veux considérer que je ne peux vous faire mourir sans elle. C'est mon idée et c'est mon repos. Eh bien ! vois ce que deviennent les preuves dans la main d'un empereur.

Il approche la tablette d'un flambeau. Cherea le rejoint. Le flambeau les sépare. La tablette fond.

Tu vois, conspirateur ! Elle fond, et à mesure que cette preuve disparaît, c'est un matin d'innocence qui se lève sur ton visage. L'admirable front pur que tu as, Cherea. Que c'est beau, un innocent, que c'est beau ! Admire ma puissance. Les dieux eux-mêmes ne peuvent pas rendre l'innocence sans auparavant punir. Et ton empereur n'a besoin que d'une flamme pour t'absoudre et t'encourager. Continue, Cherea, poursuis jusqu'au bout le magnifique raisonnement que tu m'as tenu. Ton empereur attend son repos. C'est sa manière à lui de vivre et d'être heureux.

Cherea regarde Caligula avec stupeur. Il a un geste à peine esquissé, semble comprendre, ouvre la bouche et part brusquement. Caligula continue de tenir la tablette dans la flamme et, souriant, suit Cherea du regard.

RIDEAU

ACTE IV

SCÈNE PREMIÈRE[1]

La scène est dans une demi-obscurité. Entrent Cherea et Scipion. Cherea va à droite, puis à gauche et revient vers Scipion.

SCIPION, *l'air fermé* : Que me veux-tu ?

CHEREA : Le temps presse. Nous devons être fermes sur ce que nous allons faire.

SCIPION : Qui te dit que je ne suis pas ferme ?

CHEREA : Tu n'es pas venu à notre réunion d'hier.

SCIPION, *se détournant* : C'est vrai, Cherea.

CHEREA : Scipion, je suis plus âgé que toi et je n'ai pas coutume de demander du secours. Mais il est vrai que j'ai besoin de toi. Ce meurtre demande des répondants qui soient respectables. Au milieu de ces vanités blessées et de ces ignobles peurs, il n'y a que toi et moi dont les raisons soient pures. Je sais que si tu nous abandonnes, tu ne trahiras rien. Mais cela est indifférent. Ce que je désire, c'est que tu restes avec nous.

SCIPION : Je te comprends. Mais je te jure que je ne le puis pas.

CHEREA : Es-tu donc avec lui ?

SCIPION : Non. Mais je ne puis être contre lui. *(Un temps, puis sourdement.)* Si je le tuais, mon cœur du moins serait avec lui.

CHEREA : Il a pourtant tué ton père !

SCIPION : Oui, c'est là que tout commence. Mais c'est là aussi que tout finit.

CHEREA : Il nie ce que tu avoues. Il bafoue ce que tu vénères.

SCIPION : C'est vrai, Cherea. Mais quelque chose en moi lui ressemble pourtant. La même flamme nous brûle le cœur.

CHEREA : Il est des heures où il faut choisir. Moi, j'ai fait taire en moi ce qui pouvait lui ressembler.

SCIPION : Je ne puis pas choisir puisqu'en plus de ce que je souffre, je souffre aussi de ce qu'il souffre. Mon malheur est de tout comprendre.

CHEREA : Alors tu choisis de lui donner raison.

SCIPION, *dans un cri* : Oh ! je t'en prie, Cherea, personne, plus personne pour moi n'aura jamais raison !

Un temps, ils se regardent.

CHEREA, *avec émotion, s'avançant vers Scipion* : Sais-tu que je le hais plus encore pour ce qu'il a fait de toi ?

SCIPION : Oui, il m'a appris à tout exiger.

CHEREA : Non, Scipion, il t'a désespéré. Et désespérer une jeune âme est un crime qui passe tous ceux qu'il a commis jusqu'ici. Je te jure que cela suffirait pour que je le tue avec emportement.

Il se dirige vers la sortie. Entre Hélicon.

SCÈNE II

HÉLICON : Je te cherchais, Cherea. Caligula organise ici une petite réunion amicale. Il faut que tu l'attendes. *(Il se*

tourne vers Scipion.) Mais on n'a pas besoin de toi, mon pigeon.
Tu peux partir.

SCIPION, *au moment de sortir, se tourne vers Cherea* : Cherea !

CHEREA, *très doucement* : Oui, Scipion.

SCIPION : Essaie de comprendre.

CHEREA, *très doucement* : Non, Scipion.

Scipion et Hélicon sortent.

SCÈNE III

> *Bruits d'armes en coulisse. Deux gardes paraissent,
> à droite, conduisant le Vieux Patricien et le Premier
> Patricien, qui donnent toutes les marques de la frayeur.*

PREMIER PATRICIEN, *au Garde, d'une voix qu'il essaie de rendre
ferme* : Mais enfin, que nous veut-on à cette heure de la nuit ?

LE GARDE : Assieds-toi là.

Il désigne les sièges à droite.

PREMIER PATRICIEN : S'il s'agit de nous faire mourir,
comme les autres, il n'y a pas besoin de tant d'histoires.

LE GARDE : Assieds-toi là, vieux mulet.

LE VIEUX PATRICIEN : Asseyons-nous. Cet homme ne sait
rien. C'est visible.

LE GARDE : Oui, ma jolie, c'est visible.

Il sort.

PREMIER PATRICIEN : Il fallait agir vite, je le savais. Maintenant, c'est la torture qui nous attend.

SCÈNE IV

CHEREA, *calme et s'asseyant* : De quoi s'agit-il ?

PREMIER PATRICIEN *et* LE VIEUX PATRICIEN, *ensemble* : La
conjuration est découverte.

CHEREA : Ensuite ?

LE VIEUX PATRICIEN, *tremblant* : C'est la torture.

CHEREA, *impassible* : Je me souviens que Caligula a donné
quatre-vingt-un mille sesterces à un esclave voleur que la
torture n'avait pas fait avouer.

PREMIER PATRICIEN : Nous voilà bien avancés.

CHEREA : Non, mais c'est une preuve qu'il aime le courage. Et vous devriez en tenir compte. *(Au Vieux Patricien :)* Cela ne te ferait rien de ne pas claquer des dents ainsi ? J'ai ce bruit en horreur.

LE VIEUX PATRICIEN : C'est que…

PREMIER PATRICIEN : Assez d'histoires. C'est notre vie que nous jouons.

CHEREA, *sans broncher* : Connaissez-vous le mot favori de Caligula ?

LE VIEUX PATRICIEN, *prêt aux larmes* : Oui. Il le dit au bourreau : « Tue-le lentement pour qu'il se sente mourir. »

CHEREA : Non, c'est mieux. Après une exécution, il bâille et dit avec sérieux : « Ce que j'admire le plus, c'est mon insensibilité. »

PREMIER PATRICIEN : Vous entendez ?

Bruits d'armes.

CHEREA : Ce mot-là révèle un faible.

LE VIEUX PATRICIEN : Cela ne te ferait rien de ne pas faire de philosophie ? Je l'ai en horreur.

> *Entre, dans le fond, un esclave qui apporte des armes et les range sur un siège.*

CHEREA, *qui ne l'a pas vu* : Reconnaissons au moins que cet homme exerce une indéniable influence. Il force à penser. Il force tout le monde à penser. L'insécurité, voilà ce qui fait penser. Et c'est pourquoi tant de haines le poursuivent.

LE VIEUX PATRICIEN, *tremblant* : Regarde.

CHEREA, *apercevant les armes ; sa voix change un peu* : Tu avais peut-être raison.

PREMIER PATRICIEN : Il fallait faire vite. Nous avons trop attendu.

CHEREA : Oui. C'est une leçon qui vient un peu tard.

LE VIEUX PATRICIEN : Mais c'est insensé. Je ne veux pas mourir.

> *Il se lève et veut s'échapper. Deux gardes surgissent et le maintiennent de force après l'avoir giflé. Le Premier Patricien s'écrase sur son siège. Cherea dit quelques mots qu'on n'entend pas. Soudain, une étrange musique aigre, sautillante, de sistres et de cymbales, éclate au fond. Les Patriciens font silence et regardent. Caligula, en robe courte de danseuse, des*

fleurs sur la tête, paraît en ombre chinoise, derrière le rideau du fond, mime quelques gestes ridicules de danse et s'éclipse. Aussitôt après, un garde dit, d'une voix solennelle : « Le spectacle est terminé. » *Pendant ce temps, Caesonia est entrée silencieusement derrière les spectateurs. Elle parle d'une voix neutre qui les fait cependant sursauter.*

SCÈNE V

CÆSONIA : Caligula m'a chargée de vous dire qu'il vous faisait appeler jusqu'ici pour les affaires de l'État, mais qu'aujourd'hui, il vous avait invités à communier avec lui dans une émotion artistique. *(Un temps ; puis de la même voix.)* Il a ajouté d'ailleurs que celui qui n'aurait pas communié aurait la tête tranchée. *(Ils se taisent.)* Je m'excuse d'insister. Mais je dois vous demander si vous avez trouvé que cette danse était belle.

PREMIER PATRICIEN, *après une hésitation* : Elle était belle, Cæsonia.

LE VIEUX PATRICIEN, *débordant de gratitude* : Oh ! oui, Cæsonia.

CÆSONIA : Et toi, Cherea ?

CHEREA, *froidement* : C'était du grand art.

CÆSONIA : Parfait, je vais donc pouvoir en informer Caligula.

SCÈNE VI[2]

Entre Hélicon.

HÉLICON : Dis-moi, Cherea, était-ce vraiment du grand art ?

CHEREA : Dans un sens, oui.

HÉLICON : Je comprends. Tu es très fort, Cherea. Faux comme un honnête homme. Mais fort, vraiment. Moi, je ne suis pas fort. Et pourtant, je ne vous laisserai pas toucher à Caïus, même si c'est là ce que lui-même désire.

CHEREA : Je n'entends rien à ce discours. Mais je te félicite pour ton dévouement. J'aime les bons domestiques.

HÉLICON : Te voilà bien fier, hein ? Oui, je sers un fou. Mais toi, qui sers-tu ? La vertu ? Je vais te dire ce que j'en pense. Je suis né esclave. Alors, l'air de la vertu, honnête homme, je l'ai d'abord dansé sous le fouet. Caïus, lui, ne m'a pas fait de discours. Il m'a affranchi et pris dans son palais. C'est ainsi que j'ai pu vous regarder, vous les vertueux. Et j'ai vu que vous aviez sale mine et pauvre odeur, l'odeur fade de ceux qui n'ont jamais rien souffert ni risqué. J'ai vu les drapés nobles, mais l'usure au cœur, le visage avare, la main fuyante. Vous, des juges ? Vous qui tenez boutique de vertu, qui rêvez de sécurité comme la jeune fille rêve d'amour, qui allez pourtant mourir dans l'effroi sans même savoir que vous avez menti toute votre vie, vous vous mêleriez de juger celui qui a souffert sans compter, et qui saigne tous les jours de mille nouvelles blessures ? Vous me frapperez avant, sois-en sûr ! Méprise l'esclave, Cherea ! Il est au-dessus de ta vertu puisqu'il peut encore aimer ce maître misérable qu'il défendra contre vos nobles mensonges, vos bouches parjures…

CHEREA : Cher Hélicon, tu te laisses aller à l'éloquence. Franchement, tu avais le goût meilleur, autrefois.

HÉLICON : Désolé, vraiment. Voilà ce que c'est que de trop vous fréquenter. Les vieux époux ont le même nombre de poils dans les oreilles tant ils finissent par se ressembler. Mais je me reprends, ne crains rien, je me reprends. Simplement ceci… Regarde, tu vois ce visage ? Bon. Regarde-le bien. Parfait. Maintenant, tu as vu ton ennemi.

Il sort.

SCÈNE VII

CHEREA : Et maintenant[a], il faut faire vite. Restez là tous les deux. Nous serons ce soir une centaine.

Il sort.

LE VIEUX PATRICIEN : Restez là, restez là ! Je voudrais bien partir, moi. *(Il renifle.)* Ça sent le mort, ici.

PREMIER PATRICIEN : Ou le mensonge. *(Tristement.)* J'ai dit que cette danse était belle.

LE VIEUX PATRICIEN, *conciliant* : Elle l'était dans un sens. Elle l'était.

Entrent en coup de vent plusieurs patriciens et chevaliers.

SCÈNE VIII

DEUXIÈME PATRICIEN : Qu'y a-t-il ? Le savez-vous ? L'empereur nous fait appeler.

LE VIEUX PATRICIEN, *distrait* : C'est peut-être pour la danse.

DEUXIÈME PATRICIEN : Quelle danse ?

LE VIEUX PATRICIEN : Oui, enfin, l'émotion artistique.

TROISIÈME PATRICIEN : On m'a dit que Caligula était très malade.

PREMIER PATRICIEN : Il l'est.

TROISIÈME PATRICIEN : Qu'a-t-il donc ? *(Avec ravissement.)* Par tous les dieux, va-t-il mourir ?

PREMIER PATRICIEN : Je ne crois pas. Sa maladie n'est mortelle que pour les autres.

LE VIEUX PATRICIEN : Si nous osons dire.

DEUXIÈME PATRICIEN : Je te comprends. Mais n'a-t-il pas quelque maladie moins grave et plus avantageuse pour nous ?

PREMIER PATRICIEN : Non, cette maladie-là ne souffre pas la concurrence. Vous permettez, je dois voir Cherea.

Il sort. Entre Caesonia, petit silence.

SCÈNE IX

CÆSONIA, *d'un air indifférent* : Caligula souffre de l'estomac. Il a vomi du sang.

Les Patriciens accourent autour d'elle.

DEUXIÈME PATRICIEN : Oh ! dieux tout-puissants, je fais vœu, s'il se rétablit, de verser deux cent mille sesterces au trésor de l'État.

TROISIÈME PATRICIEN, *exagéré* : Jupiter, prends ma vie en échange de la sienne.

Caligula est entré depuis un moment. Il écoute.

CALIGULA, *s'avançant vers le Deuxième Patricien* : J'accepte ton offrande, Lucius. Je te remercie. Mon trésorier se présentera demain chez toi. *(Il va vers le Troisième Patricien et l'embrasse.)* Tu ne peux savoir comme je suis ému. *(Un silence et tendrement.)* Tu m'aimes donc ?

TROISIÈME PATRICIEN, *pénétré* : Ah ! César, il n'est rien que, pour toi, je ne donnerais sur l'heure.

CALIGULA, *l'embrassant encore* : Ah ! ceci est trop, Cassius, et je n'ai pas mérité tant d'amour. *(Cassius fait un geste de protestation.)* Non, non, te dis-je. J'en suis indigne. *(Il appelle deux gardes.)* Emmenez-le. *(À Cassius, doucement :)* Va, ami. Et souviens-toi que Caligula t'a donné son cœur.

TROISIÈME PATRICIEN, *vaguement inquiet* : Mais où m'emmènent-ils ?

CALIGULA : À la mort, voyons. Tu as donné ta vie pour la mienne. Moi, je me sens mieux maintenant. Je n'ai même plus cet affreux goût de sang dans la bouche. Tu m'as guéri. Es-tu heureux, Cassius, de pouvoir donner ta vie pour un autre, quand cet autre s'appelle Caligula ? Me voilà prêt de nouveau pour toutes les fêtes.

> On entraîne le Troisième Patricien qui résiste et hurle.

TROISIÈME PATRICIEN : Je ne veux pas. Mais c'est une plaisanterie.

CALIGULA, *rêveur, entre les hurlements* : Bientôt, les routes sur la mer seront couvertes de mimosas. Les femmes auront des robes d'étoffe légère. Un grand ciel frais et battant, Cassius ! Les sourires de la vie !

> Cassius est prêt à sortir. Caesonia le pousse doucement.

CALIGULA, *se retournant, soudain sérieux* : La vie, mon ami, si tu l'avais assez aimée, tu ne l'aurais pas jouée avec tant d'imprudence.

> On entraîne Cassius.

CALIGULA, *revenant vers la table* : Et quand on a perdu, il faut toujours payer. *(Un temps.)* Viens, Cæsonia. *(Il se tourne vers les autres.)* À propos, il m'est venu une belle pensée que je veux partager avec vous. Mon règne jusqu'ici a été trop heureux. Ni peste universelle, ni religion cruelle, pas même un coup d'État, bref, rien qui puisse vous faire passer à la postérité. C'est un peu pour cela, voyez-vous, que j'essaie de compenser la prudence du destin. Je veux dire… je ne sais pas si vous m'avez compris *(avec un petit rire)*, enfin, c'est moi qui remplace la peste. *(Changeant de ton.)* Mais, taisez-vous. Voici Cherea. C'est à toi, Cæsonia.

> *Il sort. Entrent Cherea et le Premier Patricien.*

SCÈNE X

> *Caesonia va vivement au-devant de Cherea.*

CÆSONIA : Caligula est mort.

> *Elle se détourne, comme si elle pleurait, et fixe les autres qui se taisent. Tout le monde a l'air consterné, mais pour des raisons différentes.*

PREMIER PATRICIEN : Tu... tu es sûre de ce malheur ? Ce n'est pas possible, il a dansé tout à l'heure.

CÆSONIA : Justement. Cet effort l'a achevé.

> *Cherea va rapidement de l'un à l'autre, et se retourne vers Caesonia. Tout le monde garde le silence.*

CÆSONIA, *lentement* : Tu ne dis rien, Cherea.

CHEREA, *aussi lentement* : C'est un grand malheur, Cæsonia.

> *Caligula entre brutalement et va vers Cherea.*

CALIGULA : Bien joué, Cherea. *(Il fait un tour sur lui-même et regarde les autres. Avec humeur.)* Eh bien ! c'est raté. *(À Caesonia :)* N'oublie pas ce que je t'ai dit.

> *Il sort.*

SCÈNE XI

> *Caesonia le regarde partir en silence.*

LE VIEUX PATRICIEN, *soutenu par un espoir infatigable* : Serait-il malade, Cæsonia ?

CÆSONIA, *le regardant avec haine* : Non, ma jolie, mais ce que tu ignores, c'est que cet homme dort deux heures toutes les nuits et le reste du temps, incapable de reposer, erre dans les galeries de son palais. Ce que tu ignores, ce que tu ne t'es jamais demandé, c'est à quoi pense cet être pendant les heures mortelles qui vont du milieu de la nuit au retour du soleil. Malade ? Non, il ne l'est pas. À moins que tu n'inventes un nom et des médicaments pour les ulcères dont son âme est couverte.

CHEREA, *qu'on dirait touché* : Tu as raison, Cæsonia. Nous n'ignorons pas que Caïus...

CÆSONIA, *plus vite* : Non, vous ne l'ignorez pas. Mais comme tous ceux qui n'ont point d'âme, vous ne pouvez supporter ceux qui en ont trop. Trop d'âme[b] ! Voilà qui est gênant, n'est-ce pas ? Alors, on appelle cela maladie : les cuistres sont justifiés et contents. *(D'un autre ton.)* Est-ce que tu as jamais su aimer, Cherea ?

CHEREA, *de nouveau lui-même* : Nous sommes maintenant trop vieux pour apprendre à le faire, Cæsonia. Et d'ailleurs, il n'est pas sûr que Caligula nous en laissera le temps.

CÆSONIA, *qui s'est reprise* : Il est vrai. *(Elle s'assied.)* Et j'allais oublier les recommandations de Caligula. Vous savez qu'aujourd'hui est un jour consacré à l'art.

LE VIEUX PATRICIEN : D'après le calendrier ?

CÆSONIA : Non, d'après Caligula. Il a convoqué quelques poètes. Il leur proposera une composition improvisée sur un sujet donné. Il désire que ceux d'entre vous qui sont poètes y concourent expressément. Il a désigné en particulier le jeune Scipion et Metellus.

METELLUS : Mais nous ne sommes pas prêts.

CÆSONIA, *comme si elle n'avait pas entendu, d'une voix neutre* : Naturellement, il y aura des récompenses. Il y a aussi des punitions. *(Petit recul des autres.)* Je puis vous dire, en confidence, qu'elles ne sont pas très graves.

Entre Caligula. Il est plus sombre que jamais.

SCÈNE XII

CALIGULA : Tout est prêt ?

CÆSONIA : Tout. *(À un garde :)* Faites entrer les poètes.

Entrent, deux par deux, une douzaine de poètes qui descendent à droite au pas cadencé.

CALIGULA : Et les autres ?

CÆSONIA : Scipion et Metellus !

> *Tous deux se joignent aux poètes. Caligula s'assied dans le fond, à gauche, avec Caesonia et le reste des Patriciens. Petit silence.*

CALIGULA : Sujet : la mort. Délai : une minute.

> *Les Poètes écrivent précipitamment sur leurs tablettes.*

LE VIEUX PATRICIEN : Qui sera le jury ?

CALIGULA : Moi, cela n'est pas suffisant ?

LE VIEUX PATRICIEN : Oh ! oui. Tout à fait suffisant.

CHEREA : Est-ce que tu participeras au concours, Caïus ?

CALIGULA : C'est inutile. Il y a longtemps que j'ai fait ma composition sur ce sujet.

LE VIEUX PATRICIEN, *empressé* : Où peut-on se la procurer ?

CALIGULA : À ma façon, je la récite tous les jours.

> *Caesonia le regarde, angoissée.*

CALIGULA, *brutalement* : Ma figure te déplaît ?

CÆSONIA, *doucement* : Je te demande pardon.

CALIGULA : Ah ! je t'en prie, pas d'humilité. Surtout pas d'humilité. Toi, tu es déjà difficile à supporter, mais ton humilité !

> *Caesonia remonte lentement...*

CALIGULA, *à Cherea* : Je continue. C'est l'unique composition que j'aie faite. Mais aussi, elle donne la preuve que je suis le seul artiste que Rome ait connu, le seul, tu entends, Cherea, qui mette en accord sa pensée et ses actes.

CHEREA : C'est seulement une question de pouvoir.

CALIGULA : En effet. Les autres créent par défaut de pouvoir. Moi, je n'ai pas besoin d'une œuvre : je vis. *(Brutalement.)* Alors, vous autres, vous y êtes ?

METELLUS : Nous y sommes, je crois.

TOUS : Oui.

CALIGULA : Bon, écoutez-moi bien. Vous allez quitter vos rangs. Je sifflerai. Le premier commencera sa lecture. À mon coup de sifflet, il doit s'arrêter et le second commencer. Et ainsi de suite. Le vainqueur, naturellement, sera celui dont la composition n'aura pas été interrompue par le sifflet. Préparez-vous. *(Il se tourne vers Cherea et, confidentiel.)* Il faut de l'organisation en tout, même en art.

> *Coup de sifflet.*

PREMIER POÈTE : Mort, quand par-delà les rives noires…

> *Sifflet. Le Poète descend à gauche. Les autres feront de même. Scène mécanique.*

DEUXIÈME POÈTE : Les Trois Parques en leur antre…

> *Sifflet.*

TROISIÈME POÈTE : Je t'appelle, ô mort…

> *Sifflet rageur.*
> *Le Quatrième Poète s'avance et prend une pose déclamatoire. Le sifflet retentit avant qu'il ait parlé.*

CINQUIÈME POÈTE : Lorsque j'étais petit enfant…

CALIGULA, *hurlant* : Non ! mais quel rapport l'enfance d'un imbécile peut-elle avoir avec le sujet ? Veux-tu me dire où est le rapport ?

CINQUIÈME POÈTE : Mais, Caïus, je n'ai pas fini…

> *Sifflet strident.*

SIXIÈME POÈTE, *il avance, s'éclaircissant la voix* : Inexorable, elle chemine…

> *Sifflet.*

SEPTIÈME POÈTE, *mystérieux* : Absconse et diffuse oraison…

> *Sifflet entrecoupé.*
> *Scipion s'avance sans tablettes.*

CALIGULA : À toi, Scipion. Tu n'as pas de tablettes ?

SCIPION : Je n'en ai pas besoin.

CALIGULA : Voyons.

> *Il mâchonne son sifflet.*

> SCIPION, *très près de Caligula,*
> *sans le regarder et avec une sorte de lassitude.*

Chasse au bonheur qui fait les êtres purs,
Ciel où le soleil ruisselle,
Fêtes uniques et sauvages, mon délire sans espoir !…

CALIGULA, *doucement* : Arrête, veux-tu ? *(À Scipion :)* Tu es bien jeune pour connaître les vraies leçons de la mort.

SCIPION, *fixant Caligula* : J'étais bien jeune pour perdre mon père.

CALIGULA, *se détournant brusquement* : Allons, vous autres,

formez vos rangs. Un faux poète est une punition trop dure
pour mon goût. Je méditais jusqu'ici de vous garder comme
alliés et j'imaginais parfois que vous formeriez le dernier
carré de mes défenseurs. Mais cela est vain, et je vais vous
rejeter parmi mes ennemis. Les poètes sont contre moi, je
puis dire que c'est la fin. Sortez en bon ordre ! Vous allez
défiler devant moi en léchant vos tablettes pour y effacer les
traces de vos infamies. Attention ! En avant !

> *Coups de sifflet rythmés. Les Poètes, marchant au
> pas, sortent, par la droite, en léchant leurs immortelles
> tablettes.*

CALIGULA, *très bas* : Et sortez tous.

> *À la porte, Cherea retient le Premier Patricien par
> l'épaule.*

CHEREA : Le moment est venu.

> *Le Jeune Scipion, qui a entendu, hésite sur le pas de
> la porte et va vers Caligula.*

CALIGULA, *méchamment* : Ne peux-tu me laisser en paix,
comme le fait maintenant ton père[d] ?

SCÈNE XIII

SCIPION : Allons[e], Caïus, tout cela est inutile. Je sais déjà
que tu as choisi.

CALIGULA : Laisse-moi.

SCIPION : Je vais te laisser, en effet, car je crois que je t'ai
compris. Ni pour toi, ni pour moi, qui te ressemble tant, il
n'y a plus d'issue. Je vais partir très loin chercher les raisons
de tout cela. *(Un temps, il regarde Caligula. Avec un grand accent.)*
Adieu, cher Caïus. Quand tout sera fini, n'oublie pas que je
t'ai aimé.

> *Il sort. Caligula le regarde. Il a un geste. Mais il se
> secoue brutalement et revient sur Caesonia.*

CÆSONIA : Qu'a-t-il dit ?

CALIGULA : Cela dépasse ton entendement.

CÆSONIA : À quoi penses-tu ?

CALIGULA : À celui-ci. Et puis à toi aussi. Mais c'est la
même chose.

CÆSONIA : Qu'y a-t-il ?

CALIGULA, *la regardant* : Scipion est parti. J'en ai fini avec l'amitié. Mais toi, je me demande pourquoi tu es encore là…

CÆSONIA : Parce que je te plais.

CALIGULA : Non. Si je te faisais tuer, je crois que je comprendrais.

CÆSONIA : Ce serait une solution. Fais-le donc. Mais ne peux-tu, au moins pour une minute, te laisser aller à vivre librement ?

CALIGULA : Cela fait déjà quelques années que je m'exerce à vivre librement.

CÆSONIA : Ce n'est pas ainsi que je l'entends. Comprends-moi bien. Cela peut être si bon de vivre et d'aimer dans la pureté de son cœur.

CALIGULA : Chacun gagne sa pureté comme il peut. Moi, c'est en poursuivant l'essentiel. Tout cela n'empêche pas d'ailleurs que je pourrais te faire tuer. *(Il rit.)* Ce serait le couronnement de ma carrière. *(Caligula se lève et fait tourner le miroir sur lui-même. Il marche en rond, en laissant pendre ses bras, presque sans gestes, comme une bête.)* C'est drôle. Quand je ne tue pas, je me sens seul. Les vivants ne suffisent pas à peupler l'univers et à chasser l'ennui. Quand vous êtes tous là, vous me faites sentir un vide sans mesure où je ne peux regarder. Je ne suis bien que parmi mes morts. *(Il se campe face au public, un peu penché en avant, il a oublié Caesonia.)* Eux sont vrais. Ils sont comme moi. Ils m'attendent et me pressent. *(Il hoche la tête.)* J'ai de longs dialogues avec tel ou tel qui cria vers moi pour être gracié et à qui je fis couper la langue.

CÆSONIA : Viens. Étends-toi près de moi. Mets ta tête sur mes genoux. *(Caligula obéit.)* Tu es bien. Tout se tait.

CALIGULA : Tout se tait ! Tu exagères. N'entends-tu pas ces cliquetis de fers ? *(On les entend.)* Ne perçois-tu pas ces mille petites rumeurs qui révèlent la haine aux aguets ?

Rumeurs.

CÆSONIA : Personne n'oserait…

CALIGULA : Si, la bêtise.

CÆSONIA : Elle ne tue pas. Elle rend sage.

CALIGULA : Elle est meurtrière, Cæsonia. Elle est meurtrière lorsqu'elle se juge offensée. Oh ! ce ne sont pas ceux dont j'ai tué les fils ou le père qui m'assassineront. Ceux-là ont compris. Ils sont avec moi, ils ont le même goût dans la bouche. Mais les autres, ceux que j'ai moqués et ridiculisés, je suis sans défense contre leur vanité.

CÆSONIA, *avec véhémence* : Nous te défendrons, nous sommes encore nombreux à t'aimer.

CALIGULA : Vous êtes de moins en moins nombreux. J'ai fait ce qu'il fallait pour cela. Et puis, soyons justes, je n'ai pas seulement la bêtise contre moi, j'ai aussi la loyauté et le courage de ceux qui veulent être heureux.

CÆSONIA, *même jeu* : Non, ils ne te tueront pas. Ou alors quelque chose, venu du ciel, les consumerait avant qu'ils t'aient touché.

CALIGULA : Du ciel ! Il n'y a pas de ciel, pauvre femme. *(Il s'assied.)* Mais pourquoi tant d'amour, tout d'un coup, ce n'est pas dans nos conventions ?

CÆSONIA, *qui s'est levée et marche* : Ce n'est donc pas assez de te voir tuer les autres qu'il faille encore savoir que tu seras tué ? Ce n'est pas assez de te recevoir cruel et déchiré, de sentir ton odeur de meurtre quand tu te places sur mon ventre ! Tous les jours, je vois mourir un peu plus en toi ce qui a figure d'homme. *(Elle se tourne vers lui.)* Je suis vieille et près d'être laide, je le sais. Mais le souci que j'ai de toi m'a fait maintenant une telle âme qu'il n'importe plus que tu ne m'aimes pas. Je voudrais seulement te voir guérir, toi qui es encore un enfant. Toute une vie devant toi ! Et que demandes-tu donc qui soit plus grand que toute une vie ?

CALIGULA, *se lève et il la regarde* : Voici déjà bien longtemps que tu es là.

CÆSONIA : C'est vrai. Mais tu vas me garder, n'est-ce pas ?

CALIGULA : Je ne sais pas. Je sais seulement pourquoi tu es là : pour toutes ces nuits où le plaisir était aigu et sans joie, et pour tout ce que tu connais de moi. *(Il la prend dans ses bras et, de la main, lui renverse un peu la tête.)* J'ai vingt-neuf ans. C'est peu. Mais à cette heure où ma vie m'apparaît cependant si longue, si chargée de dépouilles, si accomplie enfin, tu restes le dernier témoin. Et je ne peux me défendre d'une sorte de tendresse honteuse pour la vieille femme que tu vas être.

CÆSONIA : Dis-moi que tu veux me garder !

CALIGULA : Je ne sais pas. J'ai conscience seulement, et c'est le plus terrible, que cette tendresse honteuse est le seul sentiment pur que ma vie m'ait jusqu'ici donné.

Caesonia se retire de ses bras, Caligula la suit. Elle colle son dos contre lui, il l'enlace.

Ne vaudrait-il pas mieux que le dernier témoin disparaisse ?

CÆSONIA : Cela n'a pas d'importance. Je suis heureuse de ce que tu m'as dit. Mais pourquoi ne puis-je pas partager ce bonheur avec toi ?

CALIGULA : Qui te dit que je ne suis pas heureux ?

CÆSONIA : Le bonheur est généreux. Il ne vit pas de destructions.

CALIGULA : Alors, c'est qu'il est deux sortes de bonheur et j'ai choisi celui des meurtriers. Car je suis heureux. Il y a eu un temps où je croyais avoir atteint l'extrémité de la douleur. Eh bien ! non, on peut encore aller plus loin. Au bout de cette contrée, c'est un bonheur stérile et magnifique. Regarde-moi. *(Elle se tourne vers lui.)* Je ris, Cæsonia, quand je pense que, pendant des années, Rome tout entière a évité de prononcer le nom de Drusilla. Car Rome s'est trompée pendant des années. L'amour ne m'est pas suffisant, c'est cela que j'ai compris alors. C'est cela que je comprends aujourd'hui encore, en te regardant. Aimer un être, c'est accepter de vieillir avec lui. Je ne suis pas capable de cet amour. Drusilla vieille, c'était bien pis que Drusilla morte. On croit qu'un homme souffre parce que l'être qu'il aime meurt en un jour. Mais sa vraie souffrance est moins futile : c'est de s'apercevoir que le chagrin non plus ne dure pas. Même la douleur est privée de sens.

Tu vois, je n'avais pas d'excuses, pas même l'ombre d'un amour, ni l'amertume de la mélancolie. Je suis sans alibi. Mais aujourd'hui, me voilà encore plus libre qu'il y a des années, libéré que je suis du souvenir et de l'illusion. *(Il rit d'une façon passionnée.)* Je sais que rien ne dure ! Savoir cela ! Nous sommes deux ou trois dans l'histoire à en avoir fait vraiment l'expérience, accompli ce bonheur dément. Cæsonia, tu as suivi jusqu'au bout une bien curieuse tragédie. Il est temps que pour toi le rideau se baisse.

> *Il passe à nouveau derrière elle et passe son avant-bras autour du cou de Caesonia.*

CÆSONIA, *avec effroi* : Est-ce donc du bonheur, cette liberté épouvantable ?

CALIGULA, *écrasant peu à peu de son bras la gorge de Caesonia* : Sois-en sûre, Cæsonia. Sans elle, j'eusse été un homme satisfait. Grâce à elle, j'ai conquis la divine clairvoyance du solitaire. *(Il s'exalte de plus en plus, étranglant peu à peu Caesonia qui se laisse aller sans résistance, les mains un peu offertes en avant. Il lui parle, penché sur son oreille.*) Je vis, je tue, j'exerce le pouvoir délirant du destructeur, auprès de quoi celui du créateur paraît une singerie. C'est cela, être heureux. C'est cela le bonheur, cette insupportable délivrance, cet universel mépris, le sang, la haine autour de moi, cet isolement nonpareil de l'homme qui tient toute sa vie sous son regard, la joie démesurée de l'assassin impuni, cette logique implacable qui broie des vies humaines *(il rit)*, qui te broie, Cæsonia, pour parfaire enfin la solitude éternelle que je désire.

CÆSONIA, *se débattant faiblement* : Caïus !

CALIGULA, *de plus en plus exalté* : Non, pas de tendresse. Il faut en finir, car le temps presse. Le temps presse, chère Cæsonia !

> *Caesonia râle. Caligula la traîne sur le lit où il la laisse tomber.*
> *La regardant d'un air égaré ; d'une voix rauque.*

Et toi aussi, tu étais coupable. Mais tuer n'est pas la solution[3].

SCÈNE XIV

Il tourne sur lui-même, hagard, va vers le miroir.

CALIGULA : Caligula ! Toi aussi, toi aussi, tu es coupable. Alors, n'est-ce pas, un peu plus, un peu moins ! Mais qui oserait me condamner dans ce monde sans juge, où personne n'est innocent ! *(Avec tout l'accent de la détresse, se pressant contre le miroir.)* Tu le vois bien, Hélicon n'est pas venu. Je n'aurai pas la lune. Mais qu'il est amer d'avoir raison et de devoir aller jusqu'à la consommation. Car j'ai peur de la consommation[4]. Des bruits d'armes ! C'est l'innocence qui prépare son triomphe. Que ne suis-je à leur place ! J'ai peur. Quel dégoût, après avoir méprisé les autres, de se sentir la même lâcheté dans l'âme. Mais cela ne fait rien. La peur non plus ne dure pas. Je vais retrouver ce grand vide où le cœur s'apaise. *(Il recule un peu, revient vers le miroir. Il semble plus calme. Il recommence à parler, mais d'une voix plus basse et plus concentrée.)* Tout a l'air si compliqué. Tout est si simple pourtant. Si j'avais eu la lune, si l'amour suffisait, tout serait changé. Mais où étancher cette soif ? Quel cœur, quel dieu auraient pour moi la profondeur d'un lac ? *(S'agenouillant et pleurant.)* Rien dans ce monde, ni dans l'autre, qui soit à ma mesure. Je sais pourtant, et tu le sais aussi *(il tend les mains vers le miroir en pleurant)*, qu'il suffirait que l'impossible soit. L'impossible ! Je l'ai cherché aux limites du monde, aux confins de moi-même. J'ai tendu mes mains *(criant)*, je tends mes mains et c'est toi que je rencontre, toujours toi en face de moi, et je suis pour toi plein de haine. Je n'ai pas pris la voie qu'il fallait, je n'aboutis à rien. Ma liberté n'est pas la bonne. Hélicon ! Hélicon ! Rien ! rien encore. Oh, cette nuit est lourde ! Hélicon ne viendra pas : nous serons coupables à jamais ! Cette nuit est lourde comme la douleur humaine.

> *Des bruits d'armes et des chuchotements s'entendent en coulisse.*

HÉLICON, *surgissant au fond* : Garde-toi, Caïus ! Garde-toi !

> *Une main invisible poignarde Hélicon.*
> *Caligula se relève*[15], *prend un siège bas dans la main et approche du miroir en soufflant. Il s'observe, simule un bond en avant et devant le mouvement symétrique de son double dans la glace, lance son siège à toute volée en hurlant.*

CALIGULA : À l'histoire, Caligula, à l'histoire.

> *Le miroir se brise et, dans le même moment, par toutes les issues, entrent les conjurés en armes. Caligula leur fait face, avec un rire fou. Le Vieux Patricien le frappe dans le dos, Cherea en pleine figure. Le rire de Caligula se transforme en hoquets. Tous frappent. Dans un dernier hoquet, Caligula, riant et râlant, hurle :*

Je suis encore vivant !

RIDEAU

Appendices

CALIGULA[1]

Il faut être économe ou César.

CALIGULA[2]

PERSONNAGES

CALIGULA de 25 à 29 ans.
CÆSONIA 35 ans, maîtresse de Caligula.
HÉLICON 30 ans, familier de Caligula[3].
LE JEUNE SCIPION 17 ans.
CHEREA 30 ans.
LE VIEUX SÉNATEUR 71 ans.
PRÆTEXTUS 40 ans.
MEREIA 60 ans.
MUCIUS 33 ans.
L'INTENDANT 50 ans.
PREMIER SÉNATEUR
DEUXIÈME SÉNATEUR ⎱ de 40 à 60 ans
TROISIÈME SÉNATEUR ⎰
SÉNATEURS, CHEVALIERS, GARDES, SERVITEURS.

DÉCOR

Il n'a pas d'importance. Tout est permis, sauf le genre « romain »[4].

Le premier, le troisième et le quatrième actes se passent dans une salle du palais impérial. Il est nécessaire qu'il y ait un miroir (grandeur d'homme), un gong et un lit-siège.

Le second acte dans une salle à manger de Cherea.

NOTE I

Caligula est un homme très jeune. Il est moins laid qu'on ne le
pense généralement.

Grand, mince, son corps est un peu voûté, sa figure enfantine.

NOTE II

En dehors des « fantaisies » de Caligula, rien ici n'est historique.
Ses mots sont authentiques, leur exploitation ne l'est pas[5].

ACTE I

DÉSESPOIR DE CALIGULA[6]

SCÈNE I

*Tout ce début, jusqu'à l'entrée de Caligula, est joué
très vite.*

PREMIER SÉNATEUR : Il n'est pas encore revenu ?

DEUXIÈME SÉNATEUR : Non.

TROISIÈME SÉNATEUR : On l'a recherché dans toute la campagne. Des courriers sont partis.

DEUXIÈME SÉNATEUR : Voilà déjà trois jours qu'il s'est enfui.

PREMIER SÉNATEUR : Oui, je l'ai vu passer. Il avait le regard
d'une bête blessée.

DEUXIÈME SÉNATEUR : C'est inquiétant.

PREMIER SÉNATEUR : Non, tous les jeunes gens se ressemblent.

TROISIÈME SÉNATEUR : Bien entendu. L'âge efface tout.

DEUXIÈME SÉNATEUR : Vous croyez ?

TROISIÈME SÉNATEUR : Mais oui. Les peines d'amour ne
durent pas.

PREMIER SÉNATEUR : Il oubliera.

DEUXIÈME SÉNATEUR : C'est vrai. Une de perdue, dix de
retrouvées.

TROISIÈME SÉNATEUR : Êtes-vous capable de souffrir plus d'un an ?

PREMIER SÉNATEUR : Moi, non.

TROISIÈME SÉNATEUR : Personne n'a ce pouvoir.

DEUXIÈME SÉNATEUR : Heureusement, la vie serait impossible.

TROISIÈME SÉNATEUR : Vous voyez bien. Tenez, moi, j'ai perdu ma femme l'an passé. J'ai beaucoup pleuré. Et puis j'ai oublié. De temps en temps, j'ai de la peine. Mais surtout quand je pense qu'elle m'a laissé seul.

PREMIER SÉNATEUR : C'est naturel.

Entrent Cherea et Hélicon.

SCÈNE II

PREMIER SÉNATEUR : Alors ?

CHEREA : Toujours rien.

TROISIÈME SÉNATEUR : Il reviendra bien.

CHEREA : Mais est-ce bien lui qui reviendra ?

TROISIÈME SÉNATEUR : Qu'est-ce que tu veux dire ?

CHEREA : Rien[7].

HÉLICON : De toute façon, ne nous affolons pas.

DEUXIÈME SÉNATEUR : Mais oui.

HÉLICON : Ne nous affolons pas. C'est l'heure du déjeuner[8].

CHEREA : Nous n'avions pas besoin de cela. Caligula était l'empereur idéal. Après Tibère, la nécessité s'en faisait sentir.

PREMIER SÉNATEUR : Oui. Personne comme Caïus n'a montré tant de grandeur et de noblesse dans les sentiments.

TROISIÈME SÉNATEUR : Mais enfin, qu'avez-vous ? Cela ne l'empêchera pas de continuer. Il aimait Drusilla, d'accord. Mais tout de même ! C'était sa sœur après tout. Coucher avec sa sœur, c'est déjà exagéré. Mais faire une maladie parce qu'elle est morte, c'est nettement abusif.

DEUXIÈME SÉNATEUR[9] : Oui. Et si la Raison d'État peut admettre l'inceste, elle doit être sans pitié s'il se retourne contre l'État lui-même.

CHEREA : Bon, bon. Nous ne sommes pas au Sénat. Chacun sait, Patricius, que si ta sœur n'était pas si laide, tu n'aurais pas tant de vues ingénieuses sur la Raison d'État.

Entre le Jeune Scipion. Cherea va vers lui.

SCÈNE III

CHEREA : Alors ?

SCIPION : Encore rien. Des paysans ont cru le voir dans la nuit d'hier, près d'ici, courant à travers l'orage.

Cherea se détourne.

TROISIÈME SÉNATEUR : Il y a bien trois jours qu'il s'est enfui ?

SCIPION : Oui. Tout de suite après avoir vu le corps de Drusilla. J'étais là. J'ai toujours été son ami. Il s'est avancé et il a touché le cadavre. Il a poussé une sorte de petit cri et il s'est enfui sans tourner la tête. Depuis, on court après lui.

CHEREA : Ce garçon aimait trop la littérature.

TROISIÈME SÉNATEUR : C'est de son âge.

CHEREA : Oui, mais ce n'est pas de son rang. Un empereur artiste. Nous en avons eu un ou deux, bien sûr. Des brebis galeuses. Les autres, du moins, ont eu le bon goût de rester des adjudants.

PREMIER SÉNATEUR : En tout cas, c'était plus reposant.

SCIPION, *à Cherea* : Dites, il faut faire quelque chose.

CHEREA : Oui, il faut attendre.

TROISIÈME SÉNATEUR : S'il ne revient pas, nous le remplacerons. Ce ne sont pas les empereurs qui nous manquent.

DEUXIÈME SÉNATEUR : Nous, nous manquons seulement de caractères[10].

CHEREA : Et s'il revient mal disposé ?

TROISIÈME SÉNATEUR : Eh bien, c'est encore un enfant, nous le mettrons à la raison.

CHEREA : Et s'il n'entend pas raison ?

TROISIÈME SÉNATEUR : Ma foi, j'ai écrit dans le temps un traité du coup d'État.

CHEREA : Voilà la première chose intelligente que tu aies dite depuis ce matin. Oui, j'ai besoin d'un empereur paisible. D'abord, j'ai un roman à finir.

SCIPION : Je vous demande pardon.

Il sort.

CHEREA : Il est offusqué.

PREMIER SÉNATEUR : C'est un enfant. Et les jeunes gens sont solidaires.

Ils sortent.

SCÈNE IV

La scène reste vide quelques secondes. Caligula entre furtivement par la gauche. Il est égaré, sale, il a les cheveux pleins d'eau et les jambes souillées. Sa bouche pend. Il porte plusieurs fois sa main aux lèvres. Il avance vers le miroir et dès qu'il se voit s'arrête avec un petit rire. Puis il se parle gentiment.

CALIGULA : Monstre, Caligula. Monstre pour avoir trop aimé. *(Changeant de ton, avec sérieux.)* J'ai couru, tu sais. C'est bien long, trois jours. Je n'en avais aucune idée, avant. Mais c'est ma faute. *(Avec une voix tout à coup douloureuse.)* C'est ridicule de croire que l'amour répond à l'amour. Les êtres meurent dans vos mains, voilà la vérité. *(Il halète et se comprime les côtes.)* Et quand ils sont morts, ça n'est plus eux. *(Il s'assoit et explique à son image.)* Ce n'était plus elle. J'ai couru, tu sais. Je reviens de loin ! Je la portais sur mon dos. Elle, vivante, loin de son cadavre au visage d'étrangère. Elle était lourde. Elle était lourde et tiède. C'était son corps, sa vérité chaude et souple. Elle était encore à moi et elle m'aimait sur cette terre. *(Il se lève, soudain affairé.)* Mais j'ai beaucoup à faire. Il faut encore que je l'emmène loin, dans cette campagne qu'elle aimait — où elle marchait si justement que le balancement de ses épaules suivait pour moi la ligne des collines à l'horizon[11].

Il s'arrête, de plus en plus égaré. Il tourne le dos au miroir et s'appuie contre lui. Il ferme un moment les yeux. On entend sa respiration rauque. Il grommelle des paroles indistinctes.

CALIGULA, *d'une voix à peine éveillée* : Monstre, Caligula, monstre. Il faut partir maintenant. Qui peut vivre les mains vides qui tenait avec elles tout l'espoir du monde ? Comment sortir de là ? *(Il rit d'un rire faux.)* Faire un contrat avec sa solitude, hein ? S'arranger avec sa vie. Se donner des raisons, se faire une petite vie et une consolation. Très peu pour Caligula. *(Il frappe du plat de la main sur le miroir.)* Très peu pour toi, n'est-ce pas ?

On entend des voix. Caligula se redresse et regarde de tous côtés. Il prononce le nom de Drusilla, regarde le miroir et fuit le visage qui ricane devant lui. — Entre en courant le Jeune Scipion suivi de Caesonia et d'Hélicon.

SCÈNE V

SCIPION : Il n'y a personne.

CÆSONIA : Hélicon, ne t'a-t-il rien dit hier soir ?

HÉLICON : Je ne suis pas son confident. Je suis son spectateur.

CÆSONIA : Je t'en prie, Hélicon.

HÉLICON : Chère Cæsonia, Caïus est un sentimental. Tout le monde le sait. Et le sentiment, cela n'enrichit pas, cela se paie. Mais vous permettez, le déjeuner.

Il sort[12].

CÆSONIA, *essoufflée* : Un garde l'a vu passer. Mais Rome tout entière voit Caligula partout. Et Caligula ne voit que l'ombre de Drusilla.

Elle s'assoit, douloureuse. Silence.

SCIPION : Dites, Cæsonia, l'aimait-il à ce point ?

CÆSONIA : C'est pire, mon petit. Il la désirait aussi.

SCIPION : Comme tu dis cela.

CÆSONIA : C'est que, vois-tu, s'il l'avait seulement aimée, sa mort n'aurait rien changé. Les maladies de l'âme ne sont pas graves. On s'en sauve par la mélancolie[13]. Mais aujourd'hui sa chair aussi est mordue. Il brûle tout entier.

SCIPION, *imprudent* : Mais il te désirait aussi.

CÆSONIA : Toi, tu t'occupes de ce qui ne te regarde pas. *(Un temps.)* Il me désire, c'est vrai. Mais il faudrait qu'il m'aime.

SCIPION, *timidement* : Je ne comprends pas bien.

CÆSONIA, *lasse* : Moi, si. Cela veut dire qu'il me demande seulement du plaisir. Est-ce le vrai désir ? Tu sauras plus tard qu'on peut aimer souvent, mais qu'on ne désire jamais qu'une fois.

SCIPION : Cæsonia, il faut le sauver.

CÆSONIA : Tu l'aimes donc ?

SCIPION, *avec élan* : Tu ne peux savoir comme il a été bon pour moi. Comme il m'a aidé. Comme il a aidé ma famille. Il me parlait de mon œuvre. Il m'encourageait. Il me disait que la vie n'est pas facile mais qu'il y avait l'art, la religion et l'amour qu'on nous porte. Il me disait qu'il ne fallait jamais faire souffrir. Que c'était la seule façon de se tromper. Et qu'il fallait essayer d'être un homme juste pour soi et pour les autres, chanter le bonheur et s'accorder au monde.

CÆSONIA, *se levant* : C'était un enfant.

Elle va vers le miroir et se regarde.

CÆSONIA : Je n'ai jamais eu d'autre dieu que mon corps. Et c'est ce dieu que je voudrais prier aujourd'hui pour que Caïus me soit rendu.

Entre Caligula. Apercevant Caesonia et Scipion, il hésite et recule. Au même instant entrent à l'opposé les Sénateurs et l'Intendant du palais. Ils s'arrêtent à l'extrémité de la scène, interdits. Silence.

SCÈNE VI

L'INTENDANT, *d'une voix mal assurée* : Nous... nous te cherchions, César.

CALIGULA, *d'une voix brève et changée* : Je vois.

L'INTENDANT : Nous... c'est-à-dire...

CALIGULA, *brutalement* : Qu'est-ce que vous voulez ?

L'INTENDANT : Nous étions inquiets, César.

CALIGULA, *furieux, s'avançant vers lui* : De quel droit ?

L'INTENDANT : Eh heu... *(Inspiré soudain et très vite.)* Enfin, de toute façon, tu sais que tu as à régler quelques questions concernant le Trésor public.

CALIGULA, *pris d'un rire inextinguible* : Le Trésor ? Mais c'est vrai, voyons, le Trésor, c'est capital, ça.

L'INTENDANT, *tout heureux* : Mais oui, César, mais oui.

CALIGULA, *toujours riant, à Caesonia* : N'est-ce pas, ma chère, c'est très important le Trésor ?

CÆSONIA, *doucement* : Non Caligula, pas encore.

CALIGULA : Mais c'est que tu n'y connais rien ! Le Trésor est d'un intérêt puissant. Tout est important : les finances, la moralité publique, la politique extérieure, l'approvisionnement de l'armée et les lois agraires ! Tout est capital, te dis-je. Tout est sur le même pied, la grandeur de Rome et tes crises d'arthritisme. Ah ! je vais m'occuper de tout cela. Écoutez-moi un peu.

L'INTENDANT : Nous t'écoutons.

Les Sénateurs s'avancent.

CALIGULA : Tu m'es fidèle, n'est-ce pas ?

L'INTENDANT, *d'un ton de reproche* : César !

CALIGULA : Eh bien j'ai un plan. Nous allons bouleverser l'économie politique en deux temps. Je vais te l'expliquer, intendant... quand les sénateurs seront sortis.

Les Sénateurs sortent.

SCÈNE VII

> *Caligula s'assied près de Caesonia, et entoure sa taille.*

CALIGULA : Écoute bien. Premier temps : tous les sénateurs, toutes les personnes de l'Empire qui disposent de quelque fortune — petite ou grande, c'est exactement la même chose — doivent obligatoirement déshériter leurs enfants et tester sur l'heure en faveur de l'État.

L'INTENDANT : Mais César…

CALIGULA : Je ne t'ai pas encore donné la parole. À raison de nos besoins, nous ferons mourir ces personnages dans l'ordre d'une liste établie arbitrairement. À l'occasion, nous pourrons modifier cet ordre — toujours arbitrairement. Et nous hériterons.

CÆSONIA, *se dégageant* : Qu'est-ce qui te prend ?

CALIGULA, *imperturbable* : L'ordre des exécutions n'a en effet aucune importance. Ou plutôt ces exécutions ont une importance égale, ce qui entraîne qu'elles n'en ont point. D'ailleurs, ils sont aussi coupables les uns que les autres. *(Rudement à l'Intendant :)* Tu exécuteras ces ordres sans délai. Les testaments seront signés dans la soirée par tous les habitants de Rome, dans un mois au plus tard par tous les provinciaux. Envoie des courriers.

L'INTENDANT, *de plus en plus abruti* : César, tu ne te rends pas compte.

CALIGULA : Non, c'est toi. *(Avec violence.)* Écoute-moi bien. Si le Trésor a de l'importance, alors la vie humaine n'en a pas. J'ai décidé d'être logique. Vous allez voir ce que la logique va vous coûter. J'ai le pouvoir. J'exterminerai les contradicteurs et les contradictions. S'il le faut, je commencerai par toi. Ton premier mot pour saluer mon retour a été le Trésor. Je te le répète, on ne peut pas mettre le Trésor et la vie humaine sur le même plan. Augmenter l'un, c'est démonétiser l'autre. Toi, tu as choisi. Moi, j'entre dans ton jeu. Je joue avec tes cartes. *(Un temps — avec calme.)* D'ailleurs mon plan par sa simplicité est génial. Tu as trois secondes pour disparaître. Je compte : un…

> *L'Intendant disparaît.*

SCÈNE VIII

Caligula se tourne vers le Jeune Scipion, l'appelle du geste et l'entoure de son bras libre.

CALIGULA, *singulièrement* : Ah ! mes enfants. Je viens de comprendre la vertu du pouvoir. Il va de pair avec la liberté d'esprit. Aujourd'hui et pour tout le temps qui va venir, ma liberté n'a pas de limites. *(Avec une soudaine émotion.)* Pas de limites, Cæsonia, tu comprends ?

CÆSONIA : Oui.

SCIPION, *tristement* : Il faut que je parte, César.

CALIGULA : Bien sûr, mon petit.

Il a les larmes aux yeux.
En sortant, Scipion croise Cherea.

SCÈNE IX

CALIGULA : Tiens, voilà notre littérateur. C'est curieux, ce besoin que j'ai, tout d'un coup, de parler avec un littérateur.

CHEREA : Nous faisons des vœux pour ta santé, Caïus.

CALIGULA : Ma santé te remercie, Cherea, elle te remercie. Mais, dis-moi, que penses-tu du pouvoir ?

CHEREA : Tu me demandes mon opinion sur la liberté, Caïus ?

CALIGULA : C'est ce que je veux dire, en effet.

CHEREA : Je pense qu'elle est seulement ce que tu lui permets d'être.

CALIGULA : Belle réponse de sophiste. Et toi, Cæsonia, qu'en penses-tu ?

CÆSONIA : Je pense que tu devrais aller te reposer.

CALIGULA : Belle réponse d'idiote. C'est tout, Cherea.

CHEREA : C'est tout, Caïus.

CALIGULA, *se lève, commence normalement, changeant de ton, de plus en plus haut, finit avec une expression convulsée* : Eh ! bien ! je vais compléter ta documentation et t'apprendre qu'il n'y a qu'une liberté, celle du condamné à mort. Parce que celui-là, tout lui est indifférent, en dehors du coup qui fera gicler son sang. Voilà pourquoi vous n'êtes pas libres. Voilà pourquoi dans tout l'Empire romain, Caligula seul est libre, parmi toute une nation d'esclaves. À ce peuple orgueilleux de ses libertés dérisoires, il est enfin venu un empereur qui va lui donner sa liberté profonde. *(Il s'arrête, haletant. D'une voix étrange.)* C'est comme si, à partir de cette heure, vous viviez tous en condamnés à mort, comme les plus chers et les plus délivrés de mes enfants. *(Un temps. D'une voix neutre.)* Va-t'en maintenant. Reste, Cæsonia.

SCÈNE X

Caligula s'est détourné.

CÆSONIA : Tu pleures, Caligula.

CALIGULA, *toujours détourné* : Oui, Cæsonia.

CÆSONIA : Tu l'aimais tant que cela ?

CALIGULA : Je ne sais pas, Cæsonia.

Caesonia va vers lui et le prend aux épaules. Caligula sursaute.

CALIGULA : Ne me touche pas. Je ne veux pas qu'on me touche. *(Plus doucement.)* Reste ce que tu étais. Tu es la seule femme qui ne m'ait jamais caressé les cheveux. Nous nous comprenons sur beaucoup de points, n'est-ce pas ?

CÆSONIA : Je crois que oui.

CALIGULA : Alors reste près de moi sans parler. Je sortirai peut-être de là. Mais je sens monter en moi des êtres sans nom — comme les visages horribles d'une liberté inhumaine. Je ne puis plus rien contre eux, tu comprends. Je savais qu'on pouvait être désespéré. Mais je ne savais pas ce que ce mot voulait dire. Je croyais comme tout le monde que c'était une maladie de l'âme. Mais non, et c'est mon corps qui souffre. *(D'une voix malade.)* J'ai mal au cœur, Cæsonia. Non, n'approche pas. Laisse-moi. J'ai comme une envie de vomir dans tout le corps. Mes membres me font mal. Ma peau me fait mal. J'ai la tête creuse. Mais le plus affreux, c'est ce goût dans la bouche. Ce n'est pas du sang, ce n'est pas la mort, ni la fièvre. C'est tout ça en même temps. Il suffit que je remue la langue pour que tout redevienne noir et que les êtres me répugnent.

CÆSONIA : Cela va passer, mon petit. Étends-toi. Dors. Dors plusieurs jours. Laisse-toi aller et ne réfléchis plus. Cela ne peut pas durer toujours. Ce serait inhumain. Après, tu te réveilleras. Il y aura encore la campagne que tu aimes et la douceur du soir. Tu as le pouvoir et tous les êtres sont à toi, toutes les bouches où tu veux mordre. Tu garderas Cæsonia qui se taira près de toi. Et peu à peu, tu renaîtras et tu redeviendras bientôt celui que tout Rome a aimé.

CALIGULA : Ne me parle pas de celui-là. Il me dégoûte. *(Il s'assoit près du miroir, il met la tête dans ses mains.)* Je voudrais guérir et je ne le puis pas. Quand je ne savais pas qu'on pouvait mourir, tout me paraissait croyable. Même leurs dieux, même leurs espoirs et leurs discours. Plus maintenant. Maintenant, je n'ai rien que ce pouvoir dérisoire dont tu parles. Plus il est démesuré et plus il est ridicule. Parce qu'il ne compte pour rien auprès de certains soirs où Drusilla se retournait vers moi. *(Un temps.)* Ce n'était pas elle, c'était le monde qui riait par ses dents.

CÆSONIA : Ne pense pas à toutes ces choses, tu...

CALIGULA, *violemment* : Si, il faut y penser. Il faut y penser au contraire. *(Il s'agite et redevient nerveux.)* J'ai compris un soir auprès d'elle que toute ma richesse était sur cette terre. Et c'est de ce soir-là que je ne peux me détacher. *(Sourdement.)* Avec elle, c'est la terre tout entière que je viens de perdre.

CÆSONIA : Caligula !

CALIGULA, *comme poursuivant un rêve intérieur, véhément* : Je ne suis pas un idéaliste, moi. Je ne suis pas un poète. Je ne peux pas me contenter de souvenirs. Je ne saurai pas. C'est un vice que je ne connais pas. Je ne me suis jamais masturbé, c'est la même chose. À douze ans, j'ai connu l'amour. Je n'ai pas eu le temps de me faire des imaginations. Ce qu'il me faut, c'est un corps, une femme avec des bras et des odeurs d'amour. Le reste c'est pour les fonctionnaires, les comédiens et les impuissants. Et pourtant, voici le plus douloureux : de ce soir-là, c'est tout ce qui me reste — le souvenir et sa pourriture. Faut-il donc être fonctionnaire ?

> *Il se lève et va vers le miroir. Caesonia tend les bras vers lui, mais il ne la voit pas.*

CALIGULA : Elle avait une voix douce et elle parlait sans heurts. Mais aujourd'hui son corps pour moi n'est pas plus réel que l'image de ce miroir. Ce dialogue de ce miroir à moi, et de son ombre à moi, si tu savais, Cæsonia, l'affreuse envie que j'ai de le jouer.

CÆSONIA, *dans un cri* : Non, je t'en prie, tais-toi.

CALIGULA : C'est elle qui parlait d'abord.

CÆSONIA, *se jette sur lui et s'agrippe à ses bras* : Tu vas te taire. Tu ne vas pas faire ça.

> *Caligula se débarrasse doucement de ses mains et marche vers le miroir avec un sourire indicible.*

CALIGULA : Ce qu'elle disait n'avait pas d'importance tout de suite. C'était pour donner le ton. C'était le « la » d'un langage de musique et de sang — musique du cœur, sang du désir.

> *Il tend les mains vers le miroir. Caesonia s'assoit mais cache sa tête dans ses mains.*
>
> *La scène qui suit, grotesque dans les faits, ne doit jamais l'être dans le ton.*

SCÈNE XI

CALIGULA, *toujours la même attitude bouleversée* : C'est moi qui ai commencé. *(Il récite un peu.)* Si tu venais près de moi, Drusilla. *(Confidentiel.)* C'est ce que je lui disais. Plus près, et encore plus près, pour qu'il y ait… Non, n'aie pas peur. Je ne te désire pas — pas encore ou plus du tout, je ne sais pas. Quand je mets ma main sur le corps d'une autre femme, c'est tout le regret de ta chair qui me monte aux lèvres. Et quand d'autres que toi s'appuient sur mon épaule, je les tuerais sans sourire à les voir faire les gestes d'une tendresse qui n'appartient qu'à toi.

> *Il s'arrête et tourne un peu sur lui-même. Il reprend les phrases de Drusilla de la même voix, mais plus lente et plus douloureuse.*

CALIGULA : Tais-toi, Caïus. *(Confidentiel.)* Elle me priait souvent de me taire. Ne réveille pas mes regrets. C'est si terrible d'aimer dans la honte. Oh ! mon frère ! Lorsque je vois mes compagnes se taire et devenir songeuses, lorsque je lis dans leurs yeux l'image secrète et tendre qu'elles caressent farouchement, ah ! je leur envie cet amour qu'elles taisent quand elles pourraient l'avouer ! Mais elles referment leur bonheur pour le mieux préserver. Et moi je me tais à cause du malheur où mon amour me plonge. *(La voix de Caligula faiblit.)* Et pourtant, des soirs comme ce soir, devant ce ciel plein de l'huile brillante et douce des étoiles, comment ne pas défaillir devant ce que mon amour a de pur et de dévorant ?

> *Caesonia pleure. Elle fait un geste et d'une voix étouffée.*

CÆSONIA : Assez.

CALIGULA : Pur, Drusilla, pur comme les étoiles pures. Je t'aimais, Drusilla. Comme on aime la mer ou la nuit, avec un enfoncement qui a la lenteur et le désespoir des naufrages. Et chaque fois que je sombrais dans cet amour, je me fermais aux bruits du monde et à l'infernal tourment de la haine. Ne me quitte pas, Drusilla. J'ai peur. J'ai peur de l'immense solitude des monstres. Ne te retire pas de moi. Oh ! cette douceur et ce dépassement.

> *Il s'arrête brusquement avec des hoquets de larmes. Il fait volte-face, se tourne vers Caesonia et la prend aux épaules. Il parle avec véhémence et d'une voix pleine d'éclats.*

CALIGULA : Voilà ce qui me poursuit. Ce dépassement… vois-tu, et l'ordure puante que cela est devenu en quelques heures. Tu as entendu l'autre : le Trésor public[14] ! Ah ! c'est maintenant que je vais vivre enfin. Vivre, Caesonia, vivre, c'est le contraire d'aimer. C'est moi qui te le dis. Le beau spectacle, Caesonia. Et il me faut du monde, des spectateurs, des victimes et des coupables.

> *Il saute sur le gong et frappe sans arrêt, à coups redoublés.*

CALIGULA, *toujours frappant* : Faites entrer les coupables. Je veux les voir. Il me faut des coupables. Et ils le sont tous. *(Frappant toujours.)* Je veux qu'on fasse entrer les condamnés à mort. Du public, du public, Caesonia. Je leur montrerai ce qu'ils n'ont jamais vu, ma colombe. *(Il rit à perdre haleine, toujours frappant.)* Je leur montrerai un homme libre — le seul de tout cet empire.

> *Au son du gong, le palais peu à peu s'est rempli de rumeurs qui grossissent et approchent. Des voix, des bruits d'armes, des pas et des piétinements. Caligula rit et frappe toujours. Des gardes entrent puis sortent.*

CALIGULA, *frappant* : Et toi, Caesonia, tu m'obéiras. Tu m'aideras toujours. Ce sera merveilleux. Jure de m'aider, Caesonia.

CÆSONIA, *hagarde, entre deux coups de gong* : Je n'ai pas besoin de jurer puisque je t'aime.

CALIGULA, *même jeu* : Tu feras tout ce que je te dirai.

CÆSONIA, *même jeu* : Tout, Caligula, mais arrête.

CALIGULA, *toujours frappant* : Tu seras cruelle.

CÆSONIA, *pleurant* : Cruelle.

CALIGULA, *même jeu* : Froide et implacable.

CÆSONIA, *tendant les bras vers lui* : Implacable.

CALIGULA, *même jeu* : Tu souriras aussi.

CÆSONIA, *s'effondrant* : Oui, Caligula, mais je deviens folle.

> *Des sénateurs sont entrés, ahuris, et avec eux les gens du palais et les précédents. Caligula frappe un dernier coup, lève son maillet, se retourne vers eux et les appelle.*

CALIGULA, *insensé* : Venez tous. Approchez. Je vous ordonne d'approcher. *(Il trépigne.)* C'est un empereur qui exige que vous approchiez. Vous savez ce que c'est, un empereur. Cela donne de la copie aux historiens et du prestige à des institutions qui en ont bien besoin. *(Tous avancent, pleins d'effroi.)* Venez vite. Et maintenant, approche, Cæsonia.

> *Il la prend par la main, la mène près du miroir et, du maillet, efface frénétiquement une image sur la surface polie. Il rit.*

CALIGULA : Plus de Drusilla, tu vois. Plus de Drusilla. Et sais-tu ce qui reste ? Approche encore. Regarde. Approchez. Regardez.

> *Il se campe devant la glace dans une attitude absurde et démente. Caesonia regarde avec horreur l'image de l'empereur fou.*

CÆSONIA, *avec effroi* : Caligula !

> *Caligula change de ton, pose son doigt sur la glace et le regard soudain fixe, dit d'une voix triomphante :*

CALIGULA : CALIGULA.

RIDEAU

ACTE II

JEU DE CALIGULA

SCÈNE I

> *Réunion de sénateurs chez Cherea.*

LE VIEUX SÉNATEUR : Il remue dans ma main son doigt du milieu. Il m'appelle petite femme. Il me caresse les fesses. À mort.

PREMIER SÉNATEUR : Il nous fait courir tous les soirs autour de sa litière quand il va se promener dans la campagne.

DEUXIÈME SÉNATEUR : Et il nous dit que c'est bon pour la santé.

TROISIÈME SÉNATEUR : Rien ne peut excuser cela.

LE VIEUX SÉNATEUR : Il n'y a pas d'excuses à cela.

TROISIÈME SÉNATEUR : Non, on ne peut pardonner cela.

DEUXIÈME SÉNATEUR : Patricius, il a confisqué tes biens. Scipion, il a tué ton père. Octavius, il a enlevé ta femme et la fait travailler maintenant dans sa maison publique. Lepidus, il a tué ton fils. Allez-vous supporter cela ? Pour moi, mon choix est fait. Entre le risque à courir et cette insupportable vie qui m'est faite dans la peur et l'impuissance, je ne peux pas hésiter.

LE JEUNE SCIPION, *à voix basse* : Il a tué mon père.

DEUXIÈME SÉNATEUR : Hésiterez-vous encore ?

UN CHEVALIER : Nous sommes avec toi. Il a donné au peuple nos places de cirque et nous a poussés à nous battre avec la plèbe, pour mieux nous punir ensuite.

LE VIEUX SÉNATEUR : C'est un lâche.

DEUXIÈME SÉNATEUR : Un cynique.

TROISIÈME SÉNATEUR : Un comédien.

OCTAVIUS : C'est un impuissant, ma femme me l'a dit.

> *Tumulte désordonné. Des armes sont brandies. Un flambeau tombe. Une table est renversée. Tout le monde se précipite vers la sortie. Mais entre Cherea, impassible, qui arrête cet élan.*

SCÈNE II

CHEREA : Comme vous êtes pressés. Où courez-vous ?

DEUXIÈME SÉNATEUR, *indigné* : Au palais !

CHEREA : J'ai bien compris. Mais vous croyez qu'on vous laissera entrer ?

DEUXIÈME SÉNATEUR : Il ne s'agit pas de demander la permission.

CHEREA, *toujours marchant, va s'asseoir sur un coin de la table renversée* : Et vous croyez que c'est aussi facile que ça ? Qu'un homme va mourir parce que vous avez peur ?

DEUXIÈME SÉNATEUR : Que fais-tu là, sinon ? Il a couché avec ta femme, je crois.

CHEREA : Il n'y a pas grand mal. Elle m'a dit qu'elle y avait pris du plaisir. *(Un temps.)* Lui aussi, selon toute probabilité.

LE CHEVALIER : Si tu n'es pas avec nous, va-t'en. Mais tiens ta langue.

CHEREA : Mais je suis avec vous. Moi aussi, je veux que Caligula soit tué.

UNE VOIX : Assez de bavardages.

CHEREA, *se redressant, soudain sérieux* : Oui, assez de bavardages. Je veux que les choses soient claires. Si j'avais la puissance de Caligula, j'agirais comme lui puisque j'ai sa passion. Mais sur un point, je ne suis pas d'accord avec vous. Si Caligula est dangereux, s'il vous fait la vie insupportable, ce n'est point par ses gestes obscènes, ses cruautés et ses assassinats. *(Ambigu.)* Mais c'est par une passion plus haute et plus mortelle.

UNE VOIX : Qu'est-ce que c'est que cette histoire ?

CHEREA : Cette histoire, bel anonyme, la voici. Par Caligula et pour la première fois dans l'histoire, la poésie agit et le rêve rejoint l'action. Il fait ce qu'il rêve de faire. Il transforme sa philosophie en cadavres. Vous appelez ça un anarchiste. Et lui croit être un artiste. Mais dans le fond c'est la même chose.

Moi (il faut bien que je parle de moi), je suis avec vous — avec la société. Non par goût. Mais parce que je n'ai pas le pouvoir et que vos hypocrisies et vos lâchetés me protègent plus sûrement que les lois les plus équitables. Tuer Caligula, c'est établir ma sécurité. Caligula vivant, je suis tout entier livré à l'arbitraire et à l'absurde, c'est-à-dire à la poésie. *(Il les regarde — et d'un ton pénétré.)* Je vois sur vos visages déplaisants la sueur de la peur. Moi aussi, j'ai peur. Mais j'ai peur de ce lyrisme inhumain auprès de quoi ma vie n'est rien. Ce monstre nous dévore, je vous le dis. Qu'un seul être soit pur, dans le mal ou dans le bien, et notre monde est en danger. *(Un temps.)* Voilà pourquoi Caligula doit mourir.

DEUXIÈME SÉNATEUR, *saute sur un banc* : Je ne te comprends pas très bien. Mais je suis avec toi quand tu dis que les bases de notre société sont ébranlées. Pour nous, n'est-ce pas, vous autres, la question est avant tout morale. La famille tremble. Le respect se perd. Rome tout entière est livrée au blasphème. Conjurés, la vertu nous appelle au secours. Nous sommes le parti de l'honneur et de la propreté. Et ce sont les principes sacrés de l'ordre et de la famille que nous avons à défendre. Conjurés, accepterez-vous enfin que les sénateurs soient contraints chaque soir de courir autour de la litière de César ?

LE VIEUX SÉNATEUR : Permettrez-vous qu'on les appelle « petite femme » et qu'avec le doigt…

UNE VOIX : Qu'on leur enlève leur femme ?

UN AUTRE : Et leur argent ?

Clameur générale : « Non. »

DEUXIÈME SÉNATEUR : Cherea, tu as bien parlé. Tu as bien fait aussi de nous calmer[15]. Il est trop tôt pour agir. Le peuple aujourd'hui encore serait contre nous. Il n'est pas nécessaire de faire périr un bourreau s'il faut payer ensuite cette exécution de sa propre vie. Veux-tu guetter avec nous le moment de conclure ?

CHEREA : Oui. Laissons continuer Caligula. Poussons-le dans cette voie. Organisons sa folie. Un jour viendra où il sera seul devant un empire plein de morts ou de parents de morts.

Clameur générale. — Trompettes au-dehors. — Silence puis, de bouche en bouche, un nom : « Caligula. »

SCÈNE III

> *Entre Caligula avec Caesonia, suivi d'Hélicon et de soldats. Il s'arrête et regarde les conjurés[16]. Il va de l'un à l'autre en silence, arrange une boucle à l'un, se recule pour contempler un second, les regarde encore, passe la main sur ses yeux et sort sans dire un mot.*

SCÈNE IV

CÆSONIA, *ironique, montrant le désordre* : Vous vous battiez ?

CHEREA : Nous nous battions.

CÆSONIA, *même jeu* : Et pourquoi vous battiez-vous ?

CHEREA, *même jeu* : Nous nous battions pour rien.

CÆSONIA : Alors ce n'est pas vrai.

CHEREA : Qu'est-ce qui n'est pas vrai ?

CÆSONIA : Vous ne vous battiez pas.

CHEREA : Alors, nous ne nous battions pas.

CÆSONIA, *souriante* : Peut-être vaudrait-il mieux mettre la pièce en ordre. Caligula a horreur du désordre.

HÉLICON, *au Vieux Sénateur* : Vous finirez par le faire sortir de son caractère, cet homme !

LE VIEUX SÉNATEUR : Mais enfin, que lui avons-nous fait ?

HÉLICON : Rien, justement. C'est inouï d'être insignifiant à ce point. Cela finit par devenir insupportable. Mettez-vous à la place de Caligula. *(Un temps.)* Naturellement, vous complotiez bien un peu, n'est-ce pas ?

LE VIEUX SÉNATEUR : Mais, c'est faux, voyons. Que croit-il donc ?

HÉLICON : Il ne le croit pas, il le sait. Mais je crois qu'au fond, il le désire un peu. Allons, aidons à réparer le désordre[17].

> *On s'affaire. Caligula entre et observe. Il caresse au passage la croupe du Vieux Sénateur qui ramasse un coussin.*

SCÈNE V

CALIGULA, *au Vieux Sénateur* : Bonjour, ma chérie. *(Aux autres :)* Messieurs, une exécution m'attend. Mais j'ai décidé de

me reſtaurer auparavant chez toi, Cherea. Je viens de donner
des ordres pour qu'on nous apporte des vivres. Faites aussi
chercher vos femmes. *(Un temps.)* Rufius a de la chance que je
sois si prompt à avoir faim. *(Confidentiel.)* Rufius, c'eſt le chevalier qui doit mourir. *(Un temps.)* Vous ne me demandez pas
pourquoi il doit mourir ?

> *Silence général. Pendant ce temps, des esclaves ont servi
> la table et apporté des vivres.*

CALIGULA, *de bonne humeur* : Allons, je vois que vous devenez
intelligents. *(Il grignote une olive.)* Vous avez fini par comprendre
qu'il n'eſt pas nécessaire d'avoir fait quelque chose pour mourir.
(Il s'arrête de grignoter et regarde les convives d'un air farceur.) Soldats,
je suis content de vous.

> *Entrent des femmes, trois ou quatre.*

CALIGULA : Allons, plaçons-nous. Au hasard. Pas de protocole. Je suis un homme simple, moi. C'eſt d'ailleurs pour cela
que je suis un incompris.

> *Tout le monde s'eſt assis.*

CALIGULA, *toujours insupportable* : Tout de même ce Rufius,
quel veinard. Et je suis sûr qu'il n'apprécie pas ce petit répit.
Pourtant quelques heures gagnées sur la mort, c'eſt inestimable.
(Un temps.) Il eſt vrai que Rufius a toujours été un crétin.

> *Il mange. Les autres aussi. Il devient évident que
> Caligula se tient mal à table. Rien ne le force à jeter ses
> noyaux d'olives dans l'assiette de ses voisins immédiats,
> à cracher ses déchets de viande sur le plat commun, à
> curer les dents avec les ongles et à se gratter la tête fréné-
> tiquement. C'eſt pourtant autant d'exploits que, pendant
> le repas, il exécutera avec simplicité. — Mais il s'arrête
> brusquement de manger et fixe l'un des convives, Lepidus,
> avec insiſtance.*

CALIGULA, *brutalement* : Tu as l'air de mauvaise humeur. Serait-
ce parce que j'ai fait mourir ton fils ?

LEPIDUS, *la gorge serrée* : Mais non, Caïus, au contraire.

CALIGULA, *épanoui* : Au contraire ? Ah ! que j'aime que le
visage démente les soucis du cœur. Ton visage eſt triſte. Mais
ton cœur ? Au contraire, n'eſt-ce pas, Lepidus ?

LEPIDUS, *résolument* : Au contraire, César.

CALIGULA, *de plus en plus heureux* : Ah ! Lepidus ! Personne ne
m'eſt plus cher que toi. Rions ensemble, veux-tu ? Et dis-moi
quelque bonne hiſtoire.

LEPIDUS, *qui a présumé de ses forces* : Caïus !

CALIGULA : Bon, bon. Je raconterai, alors. Mais tu riras, n'est-ce pas, Lepidus ? *(L'œil mauvais.)* Ne serait-ce que pour ton second fils. *(De nouveau rieur.)* D'ailleurs tu n'es pas de mauvaise humeur. *(Dictant[18].)* Au… au… Allons, Lepidus.

LEPIDUS, *avec une immense lassitude* : Au contraire, Caïus.

CALIGULA : À la bonne heure ! *(Il boit.)* Écoute maintenant. *(Rêveur.)* Il était une fois un pauvre empereur que personne n'aimait. Lui qui aimait Lepidus fit tuer son plus jeune fils pour s'enlever cet amour du cœur. *(Changeant de ton.)* Naturellement, ce n'est pas vrai. Drôle, n'est-ce pas ? Tu ne ris pas. Personne ne rit ? Écoutez alors. *(Avec une violente colère.)* Je veux que tout le monde rie. Toi, Lepidus. Et tous les autres. Levez-vous, riez. *(Il frappe sur la table.)* Je veux, vous entendez, je veux vous voir rire.

> *Tout le monde se lève. Quelques rires forcés. Pendant toute cette scène, les acteurs, sauf Caligula et Caesonia, pourront jouer comme des marionnettes.*

CALIGULA, *se renversant sur son lit. Épanoui, pris d'un rire irrésistible* : Non, mais regarde-les, Cæsonia. Regarde-les devant la peur. Rien ne va plus. Honnêteté, respectabilité, qu'en-dira-t-on, sagesse des nations, rien ne veut plus rien dire. Tout disparaît devant la peur. La peur, hein Cæsonia, ce beau sentiment, sans alliage, pur et désintéressé, un des rares qui tire sa noblesse du ventre. *(Il passe la main sur son front et boit. Sur un ton amical.)* Parlons d'autre chose, maintenant. Voyons, Cherea, tu es bien silencieux.

CHEREA : Je suis prêt à parler, Caïus. Dès que tu le permettras.

CALIGULA : Parfait. Alors, tais-toi. J'aimerais bien entendre notre ami Mucius.

MUCIUS, *à contrecœur* : À tes ordres, Caïus.

CALIGULA : Eh bien, parle-nous de ta femme. Et commence par l'envoyer à ma droite.

> *La femme de Mucius vient près de Caligula avec un geste pour arranger ses cheveux.*

CALIGULA : Eh ! Mucius, nous t'attendons.

MUCIUS, *un peu perdu* : Ma femme, mais je l'aime.

> *Rire général.*

CALIGULA : Bien sûr, mon ami, bien sûr. Mais comme c'est bourgeois.

> *Il a déjà le sein droit de la femme dans sa main et lèche distraitement son épaule gauche.*

CALIGULA, *de plus en plus à l'aise* : Au fait, quand je suis entré, vous complotiez, n'est-ce pas ? On y allait de sa petite conspiration, hein ?

LE VIEUX SÉNATEUR : Caïus, comment peux-tu ?

CALIGULA : Aucune importance, ma jolie. Il faut bien que vieillesse se passe. Aucune importance, vraiment. Vous êtes incapables d'un acte courageux. Il me vient seulement à l'esprit que j'ai quelques questions d'État à régler. Mais auparavant, j'ai un petit besoin à satisfaire.

> *Il se lève et entraîne la femme de Mucius dans une pièce voisine.*

SCÈNE VI

> *Mucius fait mine de se lever.*

CÆSONIA, *aimablement* : Oh ! Mucius, je reprendrais bien de cet excellent vin.

> *Mucius, dompté, la sert en silence. Moment de gêne. Les sièges craquent. Le dialogue qui suit est un peu compassé. Il est visible que la véritable action ne se passe pas sur la scène.*

CÆSONIA : Eh ! bien, Cherea. Si tu me disais maintenant pourquoi vous vous battiez tout à l'heure.

CHEREA, *froidement, imitant un peu Caligula* : Tout est venu, chère Cæsonia, de ce que nous discutions sur le point de savoir si la poésie doit être meurtrière ou non.

CÆSONIA : C'est fort intéressant. Cependant, cela dépasse mon entendement de femme. Mais j'admire que votre passion pour l'art vous conduise à échanger des coups.

CHEREA, *même jeu* : Certes. Mais Caligula me disait l'autre jour qu'il n'est pas de passion profonde sans quelque cruauté.

CÆSONIA, *mangeant* : Il y a du vrai dans cette opinion. N'est-ce pas, vous autres ?

LE VIEUX SÉNATEUR : Caligula est un fin psychologue.

PREMIER SÉNATEUR : Il nous a parlé avec éloquence du courage l'autre jour.

DEUXIÈME SÉNATEUR : Il devrait résumer toutes ses idées. Cela serait inestimable.

CHEREA : Sans compter que cela l'occuperait. Car il est visible qu'il a besoin de distractions.

CÆSONIA, *toujours mangeant* : Vous serez ravis de savoir qu'il y a pensé et qu'il écrit en ce moment un grand traité.

SCÈNE VII

Entrent Caligula et la femme de Mucius qui arrange encore ses cheveux.

CALIGULA, *plus léger* : Mucius, je te rends ta femme. Avec mes félicitations. Un point sombre cependant : les reins sont faibles, oui, les reins. Ils ne répondent pas, en quelque sorte.

Rires. Mucius, pâle, s'est levé.

CALIGULA : Ah ! tu ne crois pas ? Au fait, tu as peut-être raison. J'en ai jugé un peu rapidement. Je vais voir.

Signe. La femme le suit.

SCÈNE VIII

CÆSONIA, *à Mucius resté debout* : Ce grand traité égalera les plus célèbres, Mucius, nous n'en doutons pas.

MUCIUS, *regardant toujours la porte par laquelle Caligula a disparu* : Et de quoi parle-t-il, Cæsonia ?

CÆSONIA, *indifférente* : Oh ! cela me dépasse.

CHEREA : Il faut donc conclure que cela traite du pouvoir meurtrier de la poésie.

CÆSONIA : Tout juste, je crois.

LE VIEUX SÉNATEUR, *avec enjouement* : Eh ! bien, cela l'occupera, comme disait Cherea.

CÆSONIA : Oui, ma jolie. Mais ce qui vous gênera sans doute un peu c'est le titre de cet ouvrage.

CHEREA : Quel est-il ?

CÆSONIA : *Le Glaive.*

SCÈNE IX

Entre rapidement Caligula avec la femme qu'il rend à Mucius.

CALIGULA : Voilà, j'ai été bref, pardonne-moi. Mais les affaires de l'État sont pressantes. *(À l'Intendant :)* Intendant ! *(À Mucius :)* Et à propos, je maintiens mes dires : les reins sont faibles. *(À l'Intendant :)* Tu feras fermer les greniers publics.

L'INTENDANT : Mais…

CALIGULA : Demain, il y aura famine.

L'INTENDANT : Mais le peuple va gronder.

CALIGULA, *avec force et précision* : Je dis qu'il y aura famine demain. Tout le monde connaît la famine, c'est un fléau. Demain, il y aura fléau… et j'arrêterai le fléau quand il me plaira. *(Il explique aimablement aux autres.)* Après tout, je n'ai pas tellement de façons de prouver que je suis libre. On est toujours libre aux dépens de quelqu'un. C'est absurde, mais c'est normal. *(Avec un coup d'œil vers Mucius.)* Appliquez cette pensée à la jalousie et vous verrez. *(Songeur.)* Tout de même, comme c'est laid d'être jaloux ! Souffrir par vanité et par imagination ! Voir sa femme qui ouvre les genoux, qui reçoit dans son ventre le ventre d'un autre. Faire tourner l'existence d'un amour autour de ces affaires de muqueuses !

> Mucius serre les poings et ouvre la bouche.

CALIGULA, *très vite* : Mangeons, messieurs. Savez-vous que nous travaillons ferme avec Hélicon ? Nous mettons au point un petit traité de l'exécution dont vous donnerez des nouvelles.

HÉLICON : À supposer qu'on vous demande votre avis.

CALIGULA : Soyons généreux ! Découvrons-leur nos petits secrets. Allez, section III, paragraphe 1.

HÉLICON *se lève et récite mécaniquement* : « L'exécution soulage et délivre. Elle est fortifiante et juste dans ses applications comme dans ses intentions. On meurt parce qu'on est coupable. On est coupable parce qu'on est sujet de Caligula. Or tout le monde est sujet de Caligula. Donc tout le monde est coupable. D'où il ressort que tout le monde meurt. C'est une question de temps et de patience. »

CALIGULA, *riant* : Qu'en pensez-vous ? La patience, hein, voilà une trouvaille. Voulez-vous que je vous dise : c'est ce que j'admire le plus en vous[19]. Maintenant, messieurs, vous pouvez disposer. Cherea n'a plus besoin de vous. Cependant, que Cæsonia reste. Et Lepidus. Mereia aussi. Je voudrais discuter avec vous de l'organisation de ma maison publique. Elle me donne de gros soucis.

> Les autres sortent lentement. Caligula suit Mucius des yeux.

SCÈNE X

CHEREA : À tes ordres, Caïus. Qu'est-ce qui ne va pas ? Le cheptel est-il mauvais ?

CALIGULA : Non. Mais les recettes ne sont pas bonnes.

MEREIA : Il faut augmenter les tarifs.

CALIGULA : Mereia, tu viens de perdre une occasion de te taire. Puisque ton impuissance est connue de tout le monde, je ne te demande pas ton avis.

MEREIA : Alors, pourquoi m'as-tu fait rester ?

CALIGULA : Parce que tout à l'heure j'aurai besoin d'un avis sans passion.

Mereia s'écarte.

CHEREA : Si je puis, Caïus, en parler avec passion, je dirai qu'il ne faut pas toucher aux tarifs.

CALIGULA : Naturellement, voyons. Mais il faut nous rattraper sur le chiffre d'affaires. Et j'ai déjà expliqué mon plan à Cæsonia qui va vous l'exposer. Moi, j'ai trop bu de vin et je commence à avoir sommeil.

Il s'étend et ferme les yeux.

CÆSONIA : C'est fort simple. Caligula crée une nouvelle décoration.

LEPIDUS : Je ne vois pas le rapport.

CÆSONIA : Il y est, pourtant. Cette distinction constituera l'ordre du Héros civique. Elle récompensera ceux des citoyens qui auront le plus fréquenté la maison publique de Caligula.

CHEREA : C'est lumineux.

CÆSONIA : Je le crois. J'oubliais de dire que la récompense est décernée chaque mois, après vérification des bons d'entrée : le citoyen qui n'a pas obtenu de décoration au bout de douze mois est exilé ou exécuté.

LEPIDUS : Pourquoi « ou exécuté » ?

CÆSONIA : Parce que Caligula dit que cela n'a aucune importance. L'essentiel est qu'il puisse choisir.

CHEREA : Bravo. Le Trésor public est aujourd'hui renfloué.

Caligula ouvre les yeux à demi et regarde le vieux Mereia qui, à l'écart, sort un petit flacon et en boit une gorgée.

CALIGULA, *toujours couché* : Que bois-tu, Mereia ?

MEREIA : C'est pour mon asthme, Caïus.

CALIGULA, *allant vers lui en écartant les autres et lui flairant la bouche* : Non, c'est un contrepoison.

MEREIA : Mais non, Caïus. Tu veux rire. J'étouffe dans la nuit et je me soigne depuis fort longtemps déjà.

CALIGULA : Ainsi, tu as peur d'être empoisonné ?

MEREIA : Mon asthme...

CALIGULA : Non. Appelons les choses par leur nom : tu crains que je t'empoisonne. Tu me soupçonnes. Tu m'épies.

MEREIA : Mais non, par tous les dieux !

CALIGULA : Tu me suspectes. En quelque sorte, tu te défies de moi.

MEREIA : Caïus !

CALIGULA, *rudement* : Réponds-moi ! *(Mathématique.)* Si tu prends un contrepoison, tu me prêtes par conséquent l'intention de t'empoisonner.

MEREIA, *un peu perdu* : Oui, je veux dire, non.

CALIGULA : Et dès l'instant où tu crois que j'ai pris la décision de t'empoisonner, tu fais ce qu'il faut pour t'opposer à cette volonté.

> *Silence. Dès le début de la scène, Caesonia et Cherea se sont mis à jouer aux dés. Seul Lepidus suit le dialogue d'un air angoissé.*

CALIGULA, *de plus en plus précis* : Cela fait deux crimes — et une alternative dont tu ne sortiras pas : ou bien je ne voulais pas te faire mourir et tu me suspectes injustement, moi, ton empereur. Ou bien, je le voulais et toi, insecte, tu t'opposes à mes projets. *(Un temps. Caligula contemple le vieillard avec satisfaction.)* Hein, Mereia, que dis-tu de cette logique ?

MEREIA : Elle est… elle est rigoureuse, Caïus. Mais elle ne s'applique pas au cas.

CALIGULA : Et troisième crime, tu me prends pour un imbécile. Assieds-toi et écoute-moi bien. *(À Lepidus :)* Asseyez-vous tous. *(À Mereia :)* De ces trois crimes, un seul est honorable pour toi, le second — parce que dès l'instant où tu me prêtes une décision et la contrecarres, cela implique une révolte chez toi. Tu es un meneur d'hommes, un révolutionnaire. Cela est bien. *(Tristement.)* Je t'aime beaucoup, Mereia. C'est pourquoi tu seras condamné pour ton second crime et non pour les autres. Tu vas mourir virilement, pour t'être révolté.

> *Pendant tout ce discours, le meneur d'hommes se rapetisse peu à peu sur son siège.*

CALIGULA, *le regarde, songeur* : Ne me remercie pas, va. C'est tout naturel. Tiens. *(Il lui tend une fiole et aimablement.)* Bois ce poison.

> *Mereia, secoué de sanglots secs, refuse de la tête.*

CALIGULA, *s'impatientant* : Allons, allons.

> *La partie de dés s'arrête. Mereia tente alors de s'enfuir. Mais Caligula, d'un bond sauvage, l'atteint au milieu de la scène, le jette sur un siège bas et, après une lutte de*

> *quelques inſtants, lui enfonce la fiole dans les dents et la
> brise à coups de poing. Après quelques soubresauts, le
> visage plein d'eau et de sang, Mereia meurt. Caligula se
> relève et s'essuie machinalement les mains*[20].

CALIGULA, *à Caesonia. Lui donnant la fiole de Mereia* : Qu'est-ce
que c'eſt ? Un contrepoison ?

CÆSONIA, *avec calme* : Non, Caligula. C'eſt un remède contre
l'aſthme.

CALIGULA, *regardant Mereia. Après un silence* : Cela ne fait rien.
Cela revient au même. Un peu plus tôt, un peu plus tard.

> *Il sort brusquement d'un air affairé en s'essuyant tou-
> jours les mains.*

SCÈNE XI

LEPIDUS, *atterré* : Que faut-il faire ?

CÆSONIA, *avec simplicité* : D'abord retirer le corps, je crois. Il eſt
trop laid.

> *Cherea et Lepidus prennent le corps et le tirent en
> coulisse.*

LEPIDUS, *à Cherea* : Il faudra faire vite.

CHEREA : Il faut être deux cents.

> *Entre le Jeune Scipion. Apercevant Caesonia, il a un
> geſte pour repartir.*

SCÈNE XII

CÆSONIA : Viens ici.

LE JEUNE SCIPION : Que veux-tu ?

CÆSONIA : Approche.

> *Elle lui relève le menton et le regarde dans les yeux.
> Un temps.*

CÆSONIA, *froidement* : Il a tué ton père ?

LE JEUNE SCIPION : Oui.

CÆSONIA : Tu le hais ?

LE JEUNE SCIPION : Oui.

CÆSONIA : Tu veux le tuer ?

LE JEUNE SCIPION : Oui.

CÆSONIA, *le lâchant* : Alors pourquoi me le dis-tu ?

LE JEUNE SCIPION : Parce que je ne crains personne. Le tuer ou être tué, c'est deux façons d'en finir. D'ailleurs tu ne me trahiras pas.

CÆSONIA : Tu as raison, je ne te trahirai pas. Mais je veux te dire quelque chose — ou plutôt, je voudrais parler à ce qu'il y a de meilleur dans ton cœur.

LE JEUNE SCIPION, *un peu emphatique* : J'avais un cœur.

CÆSONIA : Il faut avoir ton âge pour croire qu'on peut changer de cœur ou le perdre[21]. Écoute-moi seulement. C'est une parole à la fois difficile et évidente que je veux te dire. Mais c'est une parole qui, si elle était vraiment écoutée, accomplirait la seule révolution définitive de ce monde.

LE JEUNE SCIPION : Alors, dis-la.

CÆSONIA, *différente et hautaine* : Non, pense d'abord au visage révulsé de ton père à qui on arrachait la langue. Pense à cette bouche pleine de sang et à ce cri de bête torturée.

LE JEUNE SCIPION : Oui.

CÆSONIA : Pense maintenant à Caligula.

LE JEUNE SCIPION, *avec tout l'accent de la haine* : Oui.

CÆSONIA : Écoute maintenant : essaie de le comprendre.

> *Elle sort laissant le Jeune Scipion désemparé. Entre Hélicon.*

SCÈNE XIII

HÉLICON : Caligula me suit : si vous alliez manger, poète ?

LE JEUNE SCIPION : Hélicon ! Aide-moi.

HÉLICON : C'est dangereux, ma colombe. Et je n'entends rien à la poésie.

LE JEUNE SCIPION : Tu pourrais m'aider. Tu sais beaucoup de choses.

HÉLICON : Je sais que les jours passent et qu'il faut se hâter de manger. Je sais aussi que tu pourrais tuer Caligula… et qu'il ne le verrait pas d'un mauvais œil.

> *Entre Caligula — sort Hélicon[22].*

SCÈNE XIV

CALIGULA : Ah ! c'est toi.

Il s'arrête — un peu comme s'il cherchait une contenance.

CALIGULA : Il y a longtemps que je ne t'ai vu. *(Avançant lentement vers lui.)* Qu'est-ce que tu fais ? Tu écris toujours ? Est-ce que tu peux me montrer tes dernières choses ?

LE JEUNE SCIPION, *mal à l'aise lui aussi — partagé entre sa haine et il ne sait pas quoi* : J'ai écrit des poèmes, César.

CALIGULA : Sur quoi ?

LE JEUNE SCIPION : Je ne sais pas, César, sur la nature, je crois.

CALIGULA, *plus à l'aise* : Beau sujet. Et vaste. Qu'est-ce qu'elle t'a fait la nature ?

LE JEUNE SCIPION, *se reprenant, d'un air ironique et mauvais* : Elle me console de n'être pas César.

CALIGULA : Ah ! et crois-tu qu'elle pourrait me consoler de l'être ?

LE JEUNE SCIPION, *même jeu* : Ma foi, elle a guéri des blessures plus graves.

CALIGULA, *étrangement simple* : Blessure ? Tu dis cela avec méchanceté. Est-ce parce que j'ai tué ton père ? Si tu savais pourtant comme le mot est juste. Blessure ! *(Changeant de ton.)* Il n'y a que la haine pour rendre les gens intelligents.

LE JEUNE SCIPION, *raidi* : J'ai répondu à ta question sur la nature.

Caligula s'assoit, regarde Scipion, puis lui prend brusquement les mains et l'attire de force à ses pieds. Il lui prend le visage dans ses mains.

CALIGULA : Récite-moi ton poème.

LE JEUNE SCIPION : Je t'en prie, César, non.

CALIGULA : Pourquoi ?

LE JEUNE SCIPION : Je ne l'ai pas sur moi.

CALIGULA : Ne t'en souviens-tu pas ?

LE JEUNE SCIPION : Je ne me souviens jamais de ce que j'ai trop aimé.

CALIGULA : Voilà ta première phrase spontanée. Dis-moi du moins ce qu'il contient.

LE JEUNE SCIPION, *toujours raidi et comme à regret* : J'y parlais d'un certain accord...

CALIGULA, *l'interrompant, d'un ton absorbé* : ... de la terre et du pied.

LE JEUNE SCIPION, *surpris, hésite et continue* : Oui, c'est à peu près cela. Et aussi de la ligne des collines romaines et de cet apaisement fugitif et bouleversant qu'y ramène le soir...

CALIGULA : ... Du cri des martinets dans le ciel vert.

LE JEUNE SCIPION, *s'abandonnant un peu plus* : Oui encore. Et de cette minute subtile où le ciel encore plein d'or brusquement bascule et nous montre en un instant son autre face, gorgée d'étoiles luisantes…

CALIGULA : De cette odeur de fumée, d'arbres et d'eaux qui monte alors de la terre vers la nuit…

LE JEUNE SCIPION, *tout entier* : … Le cri des cigales et la retombée des chaleurs, les chiens, les roulements des derniers chars, les cris des fermiers…

CALIGULA : … Et les chemins noyés d'ombre dans les lentisques et les oliviers…

LE JEUNE SCIPION : Oui, oui. C'est tout cela ! Mais comment le sais-tu ?

CALIGULA, *pressant le Jeune Scipion contre lui* : Je ne sais pas. Peut-être parce que nous aimons les mêmes vérités. Peut-être aussi parce qu'on peut toujours s'entendre sur des sentiments imprécis.

LE JEUNE SCIPION, *frémissant, cache sa tête contre la poitrine de Caligula* : Oh ! n'importe, puisque tout prend en moi le visage de l'amour.

CALIGULA, *toujours caressant* : Précieuse vertu de ce cœur, mon petit. Si je pouvais connaître ta transparence ! Mais je sais trop la force de ma passion pour la vie. Elle ne se satisfera pas de la nature. Tu ne peux pas comprendre cela. Tu es d'un autre monde. Tu es pur dans le bien, comme je suis pur dans le mal.

LE JEUNE SCIPION : Je peux comprendre.

CALIGULA : Non. Ce quelque chose en moi — ce lac de silence — ces herbes pourries. (*Changeant brusquement de ton.*) Ton poème doit être beau. Mais si tu veux mon avis…

LE JEUNE SCIPION, *même jeu* : Oui.

CALIGULA : Tout cela manque de sang.

> *Le Jeune Scipion comme piqué par une vipère, se rejette en arrière et regarde Caligula avec horreur. Puis il recule passant la main dans ses cheveux et l'y laissant. Toujours reculant, il parle lentement, d'une voix sourde, devant Caligula qu'il regarde avec intensité.*

LE JEUNE SCIPION : Oh ! le monstre — l'infect monstre. Tu as encore joué. Tu viens de jouer, hein ? Et tu es content de toi ?

CALIGULA, *avec un peu de tristesse* : Il y a du vrai dans ce que tu dis. J'ai joué.

LE JEUNE SCIPION, *même jeu* : Quel cœur puant et ensanglanté tu dois avoir. Oh ! comme tant de mal et de haine doivent te torturer.

CALIGULA, *doucement* : Tais-toi, maintenant.

LE JEUNE SCIPION : Oh ! comme je te plains et comme je te hais.

CALIGULA : Tais-toi.

LE JEUNE SCIPION : Et quelle immonde solitude doit être la tienne !

CALIGULA, *éclatant, se jette sur lui et le prend au collet, il le secoue* : La solitude, hein, la solitude ! Tu la connais, toi, la solitude ? Celle des poètes et celle des impuissants. La solitude ? Mais laquelle ? Ah ! tu ne sais pas que seul, on ne l'est jamais. Et que partout le même poids d'avenir et de passé nous accompagne. Les êtres qu'on a tués sont avec nous. Et pour ceux-là, ce serait encore facile. Mais ceux qu'on a aimés, ceux qu'on n'a pas aimés et qui vous ont aimé, les regrets, le désir, l'amertume et la douceur, les putains et la clique des dieux. *(Il le lâche et recule vers sa place.)* Seul ! ah ! si seulement, oui, au lieu de cette solitude empoisonnée de présences qui est la mienne, je pouvais goûter la vraie, le silence et le tremblement d'un arbre, sentir la course entêtée de mon sang et consacrer le temps au rythme de mon cœur. *(Assis, avec une soudaine lassitude.)* La solitude ! Mais non, Scipion. Elle est peuplée de grincements de dents et tout entière retentissante de bruits et de clameurs perdues. Et près des femmes que je caresse, quand la nuit se referme sur nous et que je crois, éloigné de ma chair enfin contentée, saisir un peu de moi entre la vie et la mort, ma solitude entière s'emplit de l'aigre odeur du plaisir aux aisselles de la femme qui sombre encore à mes côtés.

> *Il a l'air exténué. Long silence. Le Jeune Scipion passe derrière Caligula et s'approche, hésitant. Il tend une main vers Caligula et la pose sur son épaule. Caligula sans se retourner la couvre d'une des siennes.*

LE JEUNE SCIPION : Tous les hommes ont une douceur dans leur vie. Cela les aide à continuer. C'est vers elle qu'ils se retournent quand ils se sentent trop usés.

CALIGULA : C'est vrai, mon petit.

LE JEUNE SCIPION : N'y a-t-il donc rien dans la tienne qui soit semblable, un tremblement de larmes, un refuge silencieux ?

CALIGULA : Si pourtant.

LE JEUNE SCIPION : Et quoi donc ?

CALIGULA, *lentement* : Le mépris.

RIDEAU

ACTE III

DIVINITÉ DE CALIGULA[23]

SCÈNE I

> *Avant le lever du rideau, bruit de cymbales et de caisse. Le rideau s'ouvre sur une sorte de parade foraine. Au centre, une tenture devant laquelle, sur une petite estrade, se trouvent Hélicon et Caesonia. Les cymbalistes de chaque côté. Assis sur des sièges, tournant le dos aux spectateurs, quelques sénateurs et le Jeune Scipion. Cymbales.*

HÉLICON, *récitant sur le ton de la parade* : Approchez ! Approchez ! Une fois de plus, les dieux sont descendus sur terre. Caïus, César et dieu, surnommé encore Caligula, leur a prêté sa forme toute humaine. Approchez, grossiers mortels, le miracle sacré s'opère devant vos yeux. Par une faveur toute spéciale au règne béni de Caligula, les secrets divins sont offerts à tous les yeux.

> *Cymbales.*

CÆSONIA : Approchez, messieurs ! Adorez et donnez votre obole. Le mystère céleste est mis aujourd'hui à la portée de toutes les bourses.

> *Cymbales.*

HÉLICON : L'Olympe et ses coulisses, ses intrigues, ses pantoufles et ses larmes. Approchez. Approchez. Toute la vérité sur vos dieux !

> *Cymbales.*

CÆSONIA : Adorez et donnez votre obole. Approchez, messieurs. La représentation va commencer.

> *Cymbales. Mouvement d'esclaves qui apportent divers objets sur l'estrade.*

HÉLICON : Une reconstitution impressionnante de vérité, une réalisation sans précédent. Les décors majestueux de la puissance divine ramenés sur terre, une attraction sensationnelle et démesurée, la foudre *(les esclaves allument des feux grégeois)*, le tonnerre *(on roule un tonneau plein de cailloux)*, le destin lui-même dans sa marche triomphale. Approchez et contemplez.

*Il tire la tenture et Caligula coſtumé en Vénus gro-
tesque apparaît sur un piédeſtal.*

CALIGULA, *aimable* : Aujourd'hui, je suis Vénus.

CÆSONIA : L'adoration commence. Proſternez-vous. *(Tous,
sauf Scipion, se proſternent.)* Et répétez après moi la prière sacrée à
Caligula-Vénus : « Déesse des douleurs et de la danse… »

LES SÉNATEURS : « Déesse des douleurs et de la danse… »

CÆSONIA : « Née des vagues, toute visqueuse et amère dans
le sel et l'écume… »

LES SÉNATEURS : « Née des vagues, toute visqueuse et amère
dans le sel et l'écume… »

CÆSONIA : « Toi qui es comme un rire et un regret… »

LES SÉNATEURS : « Toi qui es comme un rire et un regret… »

CÆSONIA : « … une rancœur et un élan… »

LES SÉNATEURS : « … une rancœur et un élan… »

CÆSONIA : « Enseigne-nous l'indifférence qui fait renaître les
amours… »

LES SÉNATEURS : « Enseigne-nous l'indifférence qui fait renaître
les amours… »

CÆSONIA : « Inſtruis-nous de la vérité de ce monde qui eſt de
n'en point avoir… »

LES SÉNATEURS : « Inſtruis-nous de la vérité de ce monde qui
eſt de n'en point avoir… »

CÆSONIA : « Et accorde-nous la force de vivre à la hauteur de
cette vérité sans égale… »

LES SÉNATEURS : « Et accorde-nous la force de vivre à la hauteur de cette vérité sans égale… »

CÆSONIA : Pause !

LES SÉNATEURS : Pause !

CÆSONIA, *reprenant* : « Comble-nous de tes dons, répands sur
nos visages ton impartiale cruauté, ta haine tout objeƈtive ; ouvre
au-dessus de nos yeux tes mains pleines de fleurs et de meurtres. »

LES SÉNATEURS : « … Tes mains pleines de fleurs et de
meurtres. »

CÆSONIA : « Accueille tes enfants égarés. Reçois-les dans
l'asile dénudé de ton amour indifférent et douloureux. Donne-
nous tes passions sans objet, tes douleurs privées de raison et
tes joies sans avenir… »

LES SÉNATEURS : « … Et tes joies sans avenir… »

CÆSONIA, *très haut* : « Toi si vide et si brûlante, inhumaine mais
si terreſtre, enivre-nous du vin de ton équivalence et rassasie-
nous pour toujours dans ton cœur noir et salé. »

LES SÉNATEURS : « … Enivre-nous du vin de ton équivalence
et rassasie-nous pour toujours dans ton cœur noir et salé. »

> *Quand la dernière phrase a été prononcée par les Séna-*
> *teurs, Caligula jusque-là immobile s'ébroue et d'une voix*
> *de stentor.*

CALIGULA : Accordé, mes enfants, vos vœux seront exaucés.

> *Il s'assied en tailleur sur le piédestal. Un à un, les*
> *Sénateurs se prosternent, versent leur obole et se rangent à*
> *droite avant de disparaître. Le dernier, troublé, oublie son*
> *obole et se retire. Mais Caligula, d'un bond, se remet debout.*

CALIGULA : Hep ! Hep ! Viens ici, mon garçon. Adorer, c'est
bien, mais enrichir, c'est mieux. Merci. Cela va bien. Si les dieux
n'avaient pas d'autres richesses que l'amour des mortels, ils
seraient aussi pauvres que le pauvre Caligula. Et maintenant,
messieurs, vous allez pouvoir partir et répandre dans la ville
l'étonnant miracle auquel il vous a été donné d'assister : vous
avez vu Vénus, ce qui s'appelle voir, avec vos yeux de chair, et
Vénus vous a parlé. Allez, messieurs.

> *Mouvement des Sénateurs.*

CALIGULA : Une seconde ! En sortant, prenez le couloir de
gauche. Dans celui de droite, j'ai posté des gardes pour vous
assassiner.

> *Les Sénateurs sortent avec beaucoup d'empressement et*
> *un peu de désordre.*

SCÈNE II

> *Hélicon menace Scipion du doigt.*

HÉLICON, *charmant* : Petit Scipion, on a encore fait l'anarchiste !

SCIPION, *à Caligula* : Tu as blasphémé, Caïus.

CALIGULA : Qu'est-ce que cela peut bien vouloir dire ?

SCIPION : Tu as souillé le ciel après avoir ensanglanté la terre.

HÉLICON : Ce jeune homme adore les grands mots.

CÆSONIA, *très calme* : Comme tu y vas, mon garçon. Il y a en
ce moment dans Rome des gens qui meurent pour des discours
beaucoup moins éloquents.

SCIPION : J'ai décidé de dire la vérité à Caïus.

CÆSONIA : Hé bien, Caligula, cela manquait à ton règne, une
belle figure morale !

CALIGULA, *intéressé* : Tu crois donc aux dieux, Scipion ?

SCIPION : Non.

CALIGULA : Alors je ne comprends pas : pourquoi es-tu si prompt à dépister les blasphèmes ?

SCIPION : Je puis nier une chose sans me croire obligé de la salir ou de retirer aux autres le droit d'y croire.

CALIGULA, *très emballé* : Mais c'est de la modestie, cela, de la vraie modestie ! Oh ! Cher Scipion, que je suis content pour toi. Et anxieux, tu sais. Car c'est le seul sentiment que je n'éprouverai peut-être jamais.

SCIPION : Et toi-même, ne crois-tu donc pas aux dieux ?

CALIGULA, *ironique* : Si tu le veux bien, cela restera comme le grand secret de mon règne. Tout ce qu'on peut me reprocher aujourd'hui, c'est d'avoir fait encore un petit progrès sur la voie de la puissance et de la liberté. Pour un homme qui aime le pouvoir, la rivalité des dieux a quelque chose d'agaçant. J'ai supprimé cela. J'ai prouvé à ces dieux illusoires qu'un homme, s'il en a la volonté, peut exercer sans apprentissage, leur métier ridicule.

SCIPION : C'est cela le blasphème, Caïus.

CALIGULA : Non, Scipion, c'est de la clairvoyance. J'ai simplement compris qu'il n'y a qu'une façon de s'égaler aux dieux : il suffit d'être aussi cruel qu'eux. *(Furieux.)* Dans mes nuits sans sommeil, vois-tu, j'ai rencontré le destin. Tu ne peux pas savoir comme il a l'air bête. Et monotone : il n'a qu'un visage. Du genre implacable, tu sais. Rien n'est plus facile à imiter.

Moi aussi, cher Scipion, je mets mon masque. Je le mets *(il pose ses mains sur son visage)* et voici qu'à mon tour je deviens dieu, mort et destin, et qu'un souffle obscur parti de moi traverse les vies de ces milliers d'hommes qui ont eu la faiblesse de s'en remettre aux dieux.

SCIPION : C'est cela le blasphème, Caïus.

CALIGULA : Non, Scipion, c'est de l'art dramatique ! L'erreur de tous ces hommes, c'est de ne pas croire assez au théâtre. Ils sauraient sans cela qu'il est permis à tout homme de jouer les tragédies célestes et de devenir dieu. Il suffit de se durcir le cœur.

SCIPION : Peut-être en effet, Caïus. Mais si cela est vrai, je crois qu'alors tu as fait le nécessaire pour qu'un jour autour de toi, des légions de dieux humains se lèvent implacables à leur tour, et noient dans le sang ta divinité d'un moment.

CÆSONIA : Scipion !

CALIGULA : Laisse, Cæsonia. Tu ne crois pas si bien dire, Scipion ; j'ai fait le nécessaire. J'imagine difficilement le jour dont tu parles. Mais j'en rêve quelquefois. Et sur tous les visages qui s'avancent alors du fond de la nuit amère, dans leurs traits tordus par la haine et l'angoisse, je reconnais en effet avec ravissement le seul dieu que j'ai adoré en ce monde : misérable et lâche comme le cœur humain. *(Irrité.)* Et maintenant, va-t'en. Tu en as beaucoup trop dit. *(Changeant de ton.)* J'ai encore les doigts de mes pieds à rougir. Cela presse.

> *Tous sortent sauf Hélicon qui tourne autour de Caligula absorbé par les soins de ses pieds.*

SCÈNE III

CALIGULA : Hélicon !

HÉLICON : Qu'y a-t-il ?

CALIGULA, *d'une voix sérieuse et lassée* : Je veux la lune.

HÉLICON : La lune ? Pourquoi faire ?

CALIGULA : C'est une des choses que je n'ai pas.

HÉLICON : Bon. Je vais tâcher d'arranger cela.

CALIGULA, *très petit garçon* : Oh ! tu sais, je ne demande pas l'impossible.

HÉLICON : Bien sûr. Je ferai pour le mieux. Mais auparavant j'ai des choses graves à t'apprendre.

CALIGULA, *comme s'il n'avait pas entendu* : Remarque que je l'ai déjà eue.

HÉLICON : Qui ?

CALIGULA : La lune.

HÉLICON : Oui, naturellement. Mais sais-tu qu'on complote contre ta vie ?

CALIGULA : Je l'ai eue tout à fait même. Deux ou trois fois seulement, il est vrai. Mais tout de même, je l'ai eue.

HÉLICON : Voilà bien longtemps que j'essaie de te parler.

CALIGULA : C'était l'été dernier. Depuis le temps que je la regardais et que je la caressais sur les colonnes du jardin, elle avait fini par comprendre.

HÉLICON : Cessons ce jeu, Caïus. Si tu ne veux pas m'écouter, mon rôle est de parler quand même. Tant pis si tu n'entends pas.

CALIGULA, *toujours occupé à rougir ses ongles du pied* : Ce vernis ne vaut rien. Mais pour en revenir à la lune, c'était pendant une belle nuit d'août. *(Hélicon se détourne avec dépit et se tait, immobile.)* Elle a fait quelques façons. J'étais déjà couché. Elle était d'abord toute sanglante au-dessus de l'horizon. Puis elle a commencé à monter, de plus en plus légère, avec une rapidité croissante. Plus elle montait, plus elle devenait claire. Elle est devenue comme un lac d'eau laiteuse au milieu de cette nuit pleine de froissements d'étoiles. Elle est venue alors dans la chaleur, douce, légère et nue. Elle a franchi le seuil de la chambre et avec sa lenteur sûre, elle est arrivée jusqu'à mon lit, s'y est coulée et m'a inondé de ses sourires et de son éclat. Décidément ce vernis ne vaut rien. Mais tu vois, Hélicon, je puis dire sans me vanter que je l'ai eue.

HÉLICON : Caïus, veux-tu m'écouter et connaître ce qui te menace ?

CALIGULA, *s'arrête et le regarde doucement* : Je veux seulement la lune, Hélicon. Je sais d'avance ce qui me tuera. Je n'ai pas encore épuisé tout ce qui peut me faire vivre. C'est pourquoi je veux la lune. Et tu ne reparaîtras pas ici avant de me l'avoir procurée.

HÉLICON : Alors, je ferai mon devoir et je dirai ce que j'ai à dire. Un complot s'est formé contre toi. Cherea en est le chef. J'ai surpris cette tablette qui peut t'apprendre l'essentiel. Je la dépose ici.

Hélicon dépose la tablette sur un des sièges et se retire.

CALIGULA : Où vas-tu, Hélicon ?

HÉLICON, *sur le seuil* : Te chercher la lune.

SCÈNE IV

> *Caligula contemple un moment la tablette de sa place.*
> *Il se lève, jette un manteau sur ses épaules nues et tourne*
> *autour de la tablette. Il la saisit brusquement et la lit. Il*
> *respire fortement et appelle un garde.*

CALIGULA : Amène Cherea.

Le garde sort.

CALIGULA : Un moment.

Le garde s'arrête.

CALIGULA : Avec des égards.

> *Le garde sort.*
> *Caligula marche un peu de long en large. Puis il se*
> *dirige vers le miroir.*

CALIGULA : Tu avais décidé d'être logique, idiot. Il s'agit seulement de savoir jusqu'où cela ira. (*Ironique.*) Si l'on t'apportait la lune, tout serait changé, n'est-ce pas ? Ce qui est impossible deviendrait possible et du même coup, en une fois, tout serait transfiguré. Pourquoi d'ailleurs Hélicon ne t'apporterait-il pas la lune ? Peut-être est-il possible de la pêcher au fond d'un puits et de la ramener dans un filet miroitant, toute gluante d'algues et d'eau, comme un poisson pâle et gonflé, sorti des profondeurs. Pourquoi pas, Caligula ? Qui peut le savoir ? *(Il regarde autour de lui.)* Il y a de moins en moins de monde autour de moi, c'est curieux. *(Au miroir, d'une voix sourde :)* Trop de morts, trop de morts, cela dégarnit. Même si l'on m'apportait la lune, je ne pourrais pas revenir en arrière. Même si les morts frémissaient sous la caresse du soleil, les meurtres ne rentreraient pas sous terre pour autant. *(Avec un accent furieux.)* La logique, Caligula, il faut poursuivre la logique. Le pouvoir jusqu'au bout, l'abandon jusqu'au bout. Oh ! je suis le seul à savoir cela, qu'il n'y a pas de puissance sans soumission désordonnée à son destin profond. La lune n'est pas pour moi, mais j'ai toujours cet univers des coupables où j'ai ma place toute marquée.

Entre Cherea.

SCÈNE V

> *Caligula s'est renversé un peu en arrière dans son siège,*
> *un peu enfoncé dans son manteau. Il a l'air exténué.*

CHEREA : Tu m'as demandé, Caïus.
CALIGULA, *d'une voix faible* : Oui, Cherea.

Silence.

CHEREA : Tu as quelque chose de particulier à me dire ?
CALIGULA : Non, Cherea.

Silence.

CHEREA, *un peu agacé* : Tu es sûr que ma présence est nécessaire ?
CALIGULA : Absolument sûr, Cherea.

Encore un temps de silence.

CALIGULA, *soudain empressé* : Mais excuse-moi. Je suis distrait et te reçois bien mal. Prends ce siège et devisons en amis. J'ai besoin de parler un peu à quelqu'un d'intelligent.

Cherea s'assoit.

CALIGULA, *naturel, il semble, pour la première fois depuis le début de la pièce* : Cherea, crois-tu que deux hommes dont l'âme et la fierté sont égales peuvent, au moins une fois dans leur vie, se parler de tout leur cœur — comme s'ils étaient nus l'un devant l'autre, dépouillés des préjugés, des intérêts particuliers et des mensonges dont ils vivent ?

CHEREA : Je pense que cela est possible, Caïus. Mais je crois que tu en es incapable.

CALIGULA : Tu as raison. Je voulais seulement savoir si tu pensais comme moi. Couvrons-nous donc de masques. Utilisons nos mensonges. Parlons comme on se bat, couverts jusqu'à la garde. Cherea, pourquoi ne m'aimes-tu pas ?

Tout ce passage sur un ton très net et très clair.

CHEREA : Parce qu'il n'y a rien d'aimable en toi, Caïus. Parce que ces choses ne se commandent pas. Et aussi parce que je te comprends trop bien et qu'on ne peut aimer celui de ses visages qu'on essaie de masquer en soi.

CALIGULA : Pourquoi me haïr ?

CHEREA : Ici, tu te trompes, Caïus. Je ne te hais pas. Je te juge nuisible et cruel, égoïste et vaniteux. Mais je ne puis pas te haïr puisque je ne te crois pas heureux. Et je ne puis pas te mépriser puisque je sais que tu n'es pas lâche.

CALIGULA : Alors pourquoi veux-tu me tuer ?

CHEREA, *insensiblement, a pris le même ton* : Je te l'ai dit : je te juge nuisible. J'ai le goût et le besoin de la sécurité. La plupart des hommes sont comme moi. Ils sont incapables de vivre dans un univers où la pensée la plus bizarre peut en une seconde entrer dans la réalité — où, la plupart du temps, elle y entre comme un couteau dans un cœur. Moi non plus je ne veux pas vivre dans un tel univers. Je préfère me tenir bien en mains.

CALIGULA : C'est contradictoire.

CHEREA : Il est vrai. Cela n'est pas logique, mais cela est sain.

CALIGULA : Continue.

CHEREA, *toujours simple* : Je n'ai rien de plus à dire. Je ne veux pas entrer dans ta logique. J'ai une autre idée de mes devoirs d'homme. Je sais que la plupart de tes sujets pensent comme moi. Tu es gênant pour tous. Il est naturel que tu disparaisses.

CALIGULA : Tout cela est très clair et très légitime. Pour la plupart des hommes, ce serait même logique. Pas pour toi cependant. Tu es intelligent et l'intelligence se paye cher ou se nie. Pourquoi la nier ?

CHEREA : Parce que j'ai envie de vivre et d'être heureux. Je crois qu'on ne peut être ni l'un ni l'autre en poussant l'absurde dans toutes ses conséquences. Je suis comme tout le monde : pour m'en sentir libéré, je souhaite parfois la mort de ceux que j'aime, je convoite des femmes que les lois de la famille ou de l'amitié m'interdisent de convoiter. Pour être logique, je devrais alors tuer ou posséder. Mais je juge que ces idées vagues n'ont pas d'importance. Si tout le monde se mêlait de les réaliser, nous ne pourrions ni vivre ni être heureux. Encore une fois, c'est cela qui m'importe.

CALIGULA : Il faut donc que tu croies à quelque idée supérieure.

CHEREA : Je crois qu'il y a des actions qui sont plus belles que d'autres.

CALIGULA : Je crois que toutes sont équivalentes.

CHEREA : Je le sais, Caïus, et c'est pourquoi je ne te hais pas. Je te comprends et je t'approuve. Mais tu es gênant et il faut que tu disparaisses.

CALIGULA : C'est très juste. Mais pourquoi me l'annoncer et risquer ta vie ?

CHEREA : Parce que d'autres me remplaceront et parce que je n'aime pas mentir.

Silence.

CALIGULA : Cherea.

CHEREA : Oui, Caïus.

CALIGULA : Crois-tu que deux hommes dont l'âme et la fierté sont égales peuvent, au moins une fois dans leur vie, se parler de tout leur cœur ?

CHEREA : Je crois que c'est ce que nous venons de faire.

CALIGULA : Oui, Cherea. Tu m'en croyais incapable pourtant.

CHEREA : J'avais tort, Caïus. Je le reconnais et je te remercie. J'attends maintenant ta sentence.

CALIGULA, _distrait_ : Ma sentence ? Ah ! tu veux dire… _(Tirant la tablette de son manteau.)_ Connais-tu cela, Cherea ?

CHEREA : Je savais qu'elle était en ta possession.

CALIGULA, _de façon passionnée_ : Oui, Cherea. Et ta franchise elle-même était simulée. Cela ne fait rien pourtant. Maintenant, nous allons cesser le jeu de la sincérité et recommencer à vivre comme par le passé. Il faut encore que tu essaies de comprendre ce que je vais te dire, que tu subisses mes offenses et mon humeur. Écoute, Cherea. Cette tablette est la seule preuve.

CHEREA : Je m'en vais, Caïus. Je suis lassé de tout ce jeu grimaçant. Je le connais trop et ne veux plus le voir.

CALIGULA, _de la même voix passionnée et attentive_ : Reste encore. C'est la seule preuve, n'est-ce pas Cherea ?

CHEREA : Je ne vois pas que tu aies besoin de preuves pour faire mourir un homme.

CALIGULA : Il est vrai, il est vrai. Mais pour une fois, je veux me contredire. Cela ne gêne personne. Et c'est si bon de se contredire de temps en temps. Cela repose. J'ai tellement besoin de repos, Cherea.

CHEREA : Je ne comprends pas et je n'ai pas de goût pour ces complications.

CALIGULA : Bien sûr, Cherea. Tu es un homme sain, toi. Tu ne désires rien d'extraordinaire ! *(Éclatant de rire.)* Tu veux vivre et être heureux. Seulement cela !

CHEREA : Je crois qu'il vaut mieux briser là.

CALIGULA : Pas encore. Un peu de patience, veux-tu ? J'ai là cette preuve, regarde. Je veux considérer que je ne peux vous faire mourir sans elle. C'est mon idée et c'est mon repos. Eh ! bien, vois ce que deviennent les preuves dans la main d'un empereur.

> *Il approche la tablette d'un flambeau. Cherea le rejoint.*
> *Le flambeau les sépare. La tablette fond.*

Tu vois, conspirateur. Elle fond — et à mesure que cette preuve disparaît, c'est un matin d'innocence qui se lève sur ton visage. L'admirable front pur que tu as, Cherea. Que c'est beau, un innocent, que c'est beau ! Admire ma puissance révolutionnaire. Les dieux eux-mêmes ne peuvent pas rendre l'innocence sans auparavant punir. Et ton empereur n'a besoin que d'une flamme pour t'absoudre et t'encourager. Continue, Cherea, poursuis jusqu'au bout le magnifique raisonnement que tu m'as tenu. Ton empereur attend son repos. C'est sa manière à lui de vivre et d'être heureux.

> *Cherea regarde Caligula avec stupeur. Il a un geste à*
> *peine esquissé, semble comprendre, ouvre la bouche et part*
> *brusquement. Caligula continue de tenir la tablette dans la*
> *flamme et suit Cherea du regard. Il sourit doucement. Il est*
> *presque beau.*

RIDEAU

ACTE IV

MORT DE CALIGULA

SCÈNE I

> *La scène est dans une demi-obscurité. Deux serviteurs*
> *traversent le plateau en courant de droite à gauche. Un*
> *autre serviteur entre par le fond et allume un flambeau qui*
> *éclaire un rideau dans le fond à gauche. Un autre apporte,*

toujours en silence et courant, des sièges qu'il place sur le devant, à droite, tournés vers l'estrade du fond. Tous les deux disparaissent sans bruit. Un garde passe en courant de gauche à droite. Bruits d'armes en coulisse. Deux gardes paraissent à droite conduisant le Vieux Sénateur et Praetextus. Ils donnent toutes les marques de la frayeur.

PRÆTEXTUS, *au garde, d'une voix qu'il essaie de rendre ferme* : Mais, enfin, que nous veut-on à cette heure de la nuit ?

LE GARDE : Assieds-toi là.

Il désigne les sièges à droite.

PRÆTEXTUS : S'il s'agit de nous faire mourir, comme tant d'autres, il n'y a pas besoin de tant d'histoires.

LE GARDE : Assieds-toi là, vieux mulet.

LE VIEUX SÉNATEUR : Asseyons-nous. Cet homme ne sait rien. C'est visible.

LE GARDE : Oui, ma jolie, c'est visible.

Il sort.

PRÆTEXTUS : Il fallait agir vite, je le savais. Maintenant, c'est la torture qui nous attend.

SCÈNE II

Le Garde revient avec Cherea, puis sort.

CHEREA, *calme et s'asseyant* : De quoi s'agit-il ?

PRÆTEXTUS *et* LE VIEUX SÉNATEUR, *ensemble* : La conjuration est découverte.

CHEREA : Ensuite ?

LE VIEUX SÉNATEUR, *tremblant* : C'est la torture.

CHEREA, *impassible* : Je me souviens que Caligula a donné 81 000 sesterces à un esclave voleur que la torture n'avait pas fait avouer.

PRÆTEXTUS : Cela me fait une belle jambe.

CHEREA : Non, c'est une preuve qu'il aime le courage. D'ailleurs on lui a demandé : « Pourquoi 81 000 sesterces ? » et il a répondu : « Et pourquoi 80 000 ou 79 000 ? » *(Au Vieux :)* Cela ne te ferait rien de ne pas claquer des dents ainsi ? J'ai ce bruit en horreur.

LE VIEUX SÉNATEUR : C'est que…

PRÆTEXTUS, *toujours énervé* : Assez d'histoires. C'est notre vie que nous jouons.

CHEREA, *sans broncher* : Connaissez-vous le mot favori de Caligula ?

LE VIEUX SÉNATEUR, *prêt aux larmes* : Oui. Il le dit au bourreau : « Tue-le lentement pour qu'il se sente mourir. »

CHEREA : Non, c'est mieux. Après une exécution, il bâille et dit avec sérieux : « Ce que j'admire le plus, c'est mon insensibilité. »

PRÆTEXTUS : Vous entendez ?

Bruit d'armes.

CHEREA : Ce mot-là révèle un faible.

LE VIEUX SÉNATEUR : Cela ne te ferait rien de ne pas faire de philosophie ? Je l'ai en horreur.

Entre dans le fond un esclave qui apporte des armes et les range sur un siège.

CHEREA, *qui ne l'a pas vu* : Non, ce n'est pas de la philosophie. Mais je dois reconnaître que cet homme a exercé sur moi une indéniable influence. Il me force à penser. Il force tout le monde à penser. L'insécurité, voilà ce qui fait penser. Et c'est pourquoi tant de haines le poursuivent.

LE VIEUX SÉNATEUR, *tremblant* : Regarde.

CHEREA, *apercevant les armes. Sa voix change un peu* : Tu avais peut-être raison.

PRÆTEXTUS : Il fallait faire vite. Nous avons trop attendu.

CHEREA : Oui. C'est une leçon qui vient un peu tard.

LE VIEUX SÉNATEUR : Mais c'est insensé. Je ne veux pas mourir. Je suis encore jeune.

Il se lève et veut s'échapper. Deux gardes surgissent et le rassoient de force après l'avoir giflé deux fois. Praetextus s'écrase sur son siège. Cherea dit quelques mots qu'on n'entend pas. Soudain une étrange musique aigre, sautillante, de sistres et de cymbales, éclate au fond. Les Sénateurs font silence et regardent. Caligula en robe courte de danseuse, des fleurs sur la tête paraît en ombre chinoise derrière le rideau de fond, mime quelques gestes ridicules de danse et s'éclipse. Aussitôt après un garde dit d'une voix solennelle : « Le spectacle est terminé. » Pendant ce temps, Caesonia est entrée silencieusement derrière les Sénateurs. Elle parle d'une voix neutre qui les fait cependant sursauter.

SCÈNE III

CÆSONIA : Caligula m'a chargée de vous dire qu'il vous faisait
appeler jusqu'ici pour les affaires de l'État, mais qu'aujourd'hui,
il vous avait invités à communier avec lui dans une émotion
artistique. *(Un temps — puis de la même voix.)* Il a ajouté d'ailleurs
que celui qui n'aurait pas communié aurait la tête tranchée.

Les Sénateurs se taisent.

CÆSONIA : Je m'excuse d'insister. Mais je dois vous demander
si vous avez trouvé que cette danse était belle.

PRÆTEXTUS, *après une hésitation* : Elle était belle, Cæsonia.

LE VIEUX SÉNATEUR, *débordant de gratitude* : Oh ! oui, Cæsonia.

CÆSONIA : Et toi, Chéréa ?

CHÉRÉA, *froidement* : C'était du grand art.

CÆSONIA : Parfait, je vais donc pouvoir en informer Caligula.

Elle sort.

SCÈNE IV

CHÉRÉA : Et maintenant, il faut faire vite. Restez là tous les
deux. Nous serons ce soir une centaine.

Il sort.

LE VIEUX SÉNATEUR : Restez là, restez là ! Je voudrais bien
partir, moi. *(Il renifle.)* Ça sent le mort, ici.

PRÆTEXTUS : Ou le mensonge. *(Tristement.)* J'ai dit que cette
danse était belle.

LE VIEUX SÉNATEUR, *conciliant* : Elle l'était, dans un sens. Elle
l'était.

Entrent en coup de vent plusieurs sénateurs et chevaliers.

SCÈNE V

PREMIER SÉNATEUR : Qu'y a-t-il ? Le savez-vous ? L'empereur
nous fait appeler.

LE VIEUX SÉNATEUR, *distrait* : C'est peut-être pour la danse.

PREMIER SÉNATEUR : Quelle danse ?

LE VIEUX SÉNATEUR : Oui, enfin, l'émotion artistique.

DEUXIÈME SÉNATEUR : Tu es fou.

LE VIEUX SÉNATEUR : Mais non, il faut communier.

TROISIÈME SÉNATEUR : On m'a dit que Caligula était très malade.

PRÆTEXTUS : Il l'est.

TROISIÈME SÉNATEUR : Qu'a-t-il donc ? *(Avec ravissement.)* Par tous les dieux, va-t-il mourir ?

PRÆTEXTUS : Je ne crois pas. Sa maladie, c'est de ne pas pouvoir mourir.

LE VIEUX SÉNATEUR : Si nous osons dire.

PREMIER SÉNATEUR : Je te comprends. Mais n'a-t-il pas quelque maladie moins grave et plus expéditive ?

PRÆTEXTUS : Non. Cette maladie-là ne souffre pas la concurrence. Vous permettez, je dois voir Cherea.

> *Il sort.*
> *Entre Caesonia. Petit silence.*

SCÈNE VI

CÆSONIA, *d'un air indifférent* : Caligula souffre de l'estomac ; il a vomi du sang.

> *Les Sénateurs accourent autour d'elle.*

DEUXIÈME SÉNATEUR, *navré* : Oh ! dieux tout-puissants, je fais vœu, s'il se rétablit, de verser deux cent mille sesterces au trésor de l'État.

PREMIER SÉNATEUR, *exagéré* : Jupiter, prends ma vie en échange de la sienne.

> *Caligula est entré depuis un moment. Il écoute.*

CALIGULA, *s'avançant vers le Deuxième Sénateur* : J'accepte ton offrande, Lucius. Je te remercie. Mon trésorier se présentera demain chez toi. *(Il va vers Cassius et l'embrasse.)* Tu ne peux savoir comme je suis ému. *(Un silence et tendrement.)* Tu m'aimais donc ?

PREMIER SÉNATEUR, *pénétré* : Ah ! César, il n'est rien que pour toi, je ne donnerais sur l'heure.

CALIGULA, *l'embrassant encore* : Ah ! ceci est trop. Et je n'ai pas mérité tant d'amour. *(Cassius fait un geste de protestation.)* Non, non, te dis-je. J'en suis indigne. *(Il appelle deux gardes.)* Emmenez-le. *(À Cassius doucement :)* Va, ami. Et souviens-toi que Caligula t'a donné son cœur.

PREMIER SÉNATEUR, *vaguement inquiet* : Mais où m'emmènent-
ils ?

CALIGULA : À la mort, voyons. *(Étonné.)* Tu as donné ta vie
pour la mienne. Moi, je me sens mieux maintenant. Je n'ai
même plus cet affreux goût de vomi dans la bouche. Tu m'as
guéri. Es-tu heureux, Cassius, de pouvoir donner ta vie pour un
autre quand cet autre s'appelle Caligula ? Me voilà prêt de nouveau pour toutes les fêtes.

   On entraîne le Premier Sénateur qui résiste et hurle.

PREMIER SÉNATEUR : Je ne veux pas. Mais c'est une plaisanterie.

   Il hurle.

CALIGULA, *rêveur — entre les hurlements* : Bientôt, les routes sur
la mer seront couvertes de mimosas. Les femmes auront des
robes d'étoffe légère et on verra leurs seins. Un grand ciel frais
et battant, Cassius. Les sourires de la vie !

   Cassius est prêt à sortir. Caesonia le pousse doucement.

CALIGULA, *se retournant, soudain sérieux* : La vie, Cassius. Si tu
l'avais assez aimée, tu ne l'aurais pas jouée avec tant d'imprudence.

   On entraîne Cassius.

CALIGULA, *revenant vers la table, comme accablé* : Et quand on a
perdu il faut toujours payer. *(Un temps.)* Viens, Cæsonia. *(Il se
tourne vers les autres.)* Il m'est venu une belle pensée que je veux
partager avec vous. Mon règne jusqu'ici a été trop heureux. Ni
peste universelle, ni religion cruelle, pas même un coup d'État,
bref, rien qui puisse vous faire passer à la postérité. C'est un peu
pour cela, voyez-vous, que j'essaie de compenser la prudence du
destin. Je veux dire… je ne sais pas si vous m'avez compris *(avec
un petit rire)*, enfin, c'est moi qui remplace la peste. *(Changeant de ton.)* Mais taisez-vous. Voici Prætextus et Cherea. C'est
à toi, Cæsonia.

   Il sort.

      SCÈNE VII

    Caesonia va vivement au-devant de Cherea.

CÆSONIA : Caligula est mort.

> *Elle se détourne comme si elle pleurait et fixe les autres qui se taisent. Tout le monde a l'air consterné, mais pour des raisons différentes.*

PRÆTEXTUS : Tu… tu es sûre de ce malheur ? Ce n'est pas possible. Il a dansé tout à l'heure.

CÆSONIA : Justement. Cet effort l'a achevé.

> *Cherea va rapidement de l'un à l'autre, et se retourne vers Caesonia. Tout le monde garde le silence.*

CÆSONIA, *lentement* : Tu ne dis rien, Cherea.

CHEREA, *aussi lentement* : C'est un grand malheur, Cæsonia.

> *Caligula entre brutalement et va vers Cherea.*

CALIGULA : Bien joué, Cherea. *(Il fait un tour sur lui-même et regarde les autres. Avec humeur.)* Eh ! bien, c'est raté. *(À Caesonia :)* N'oublie pas ce que je t'ai dit.

> *Il sort.*

SCÈNE VIII

CÆSONIA : Il est très nerveux.

LE VIEUX SÉNATEUR, *soutenu par un espoir infatigable* : Serait-il malade, Cæsonia ?

CÆSONIA, *le regardant avec haine* : Non, ma jolie. Mais ce que tu ignores, c'est que cet homme dort deux heures toutes les nuits et le reste du temps, incapable de reposer, erre dans les galeries de son palais. Ce que tu ignores, ce que tu ne t'es jamais demandé, c'est à quoi pense cet être pendant les heures mortelles qui vont du milieu de la nuit au retour du soleil. Malade ? Non, ma jolie, il ne l'est pas. À moins que tu n'inventes un nom et des médicaments pour ces ulcères sanguinolents dont son âme est couverte.

CHEREA, *qu'on dirait touché* : Tu as raison, Cæsonia. Nous n'ignorons pas que Caïus…

CÆSONIA, *plus vite* : Non, vous ne l'ignorez pas. Mais comme tous ceux qui n'ont point d'âme, vous ne pouvez supporter ceux qui en ont trop. Les bien-portants détestent les malades. Les heureux ne peuvent voir les malheureux. Trop d'âme ! Voilà qui est gênant, n'est-ce pas ? Alors on appelle cela maladie : les cuistres sont justifiés et contents. *(D'un autre ton.)* Est-ce que tu as jamais su aimer, Cherea ?

CHEREA, *de nouveau lui-même* : Nous sommes trop vieux pour

apprendre maintenant, Cæsonia. Et d'ailleurs, il n'est pas sûr que Caligula nous en laissera le temps.

CÆSONIA, *qui s'est reprise* : Il est vrai. *(Elle s'assoit.)* Et j'allais oublier les recommandations de Caligula. Vous savez qu'aujourd'hui est un jour consacré à l'art.

LE VIEUX SÉNATEUR : D'après le calendrier ?

CÆSONIA : Non, d'après Caligula. Il a convoqué quelques poètes. Il leur proposera une composition improvisée sur un sujet donné. Il désire que ceux d'entre vous qui sont poètes y concourent expressément. Il a désigné en particulier le jeune Scipion et Metellus.

METELLUS : Mais nous ne sommes pas prêts.

CÆSONIA, *comme si elle ne l'avait pas entendu — d'une voix neutre* : Naturellement, il y aura des récompenses. Il y a aussi des punitions. *(Petit recul des autres.)* Je puis vous dire en confidence qu'elles ne sont pas très graves.

> *Entre Caligula. Il est plus sombre que jamais.*

SCÈNE IX

CALIGULA : Tout est prêt ?

CÆSONIA : Tout. *(À un garde :)* Faites entrer les poètes.

> *Entrent deux par deux une douzaine de poètes qui descendent à droite au pas cadencé.*

CALIGULA : Et les autres ?

CÆSONIA : Metellus et Scipion !

> *Tous deux se joignent aux Poètes. Caligula s'assoit dans le fond à gauche avec Caesonia et le reste des Sénateurs. Petit silence.*

CALIGULA : Sujet : la mort. Délai : une minute.

> *Les Poètes écrivent précipitamment sur leurs tablettes.*

LE VIEUX SÉNATEUR : Qui fera le jury ?

CALIGULA : Moi. Cela n'est pas suffisant ?

LE VIEUX SÉNATEUR : Oh ! oui, Caïus. Tout à fait suffisant.

CHEREA : Est-ce que tu participeras au concours, Caïus ?

CALIGULA : C'est inutile. Il y a longtemps que j'ai fait ma composition sur ce sujet.

LE VIEUX SÉNATEUR, *empressé* : Où peut-on se la procurer, Caïus ?

CALIGULA : À ma façon, je la récite tous les jours.

Caesonia le regarde, angoissée.

CALIGULA, *brutalement* : Qu'est-ce que j'ai dans la figure qui te déplaît ?

CÆSONIA, *doucement* : Je te demande pardon.

CALIGULA : Ah ! je t'en prie, hein, pas d'humilité. Surtout pas d'humilité ! Toi, tu es déjà difficile à supporter, mais ton humilité !

Caesonia remonte lentement.

CALIGULA, *amer, à Cherea* : Je continue. C'est l'unique composition que j'aie faite. Mais aussi, elle donne la preuve que je suis le seul artiste que Rome ait connu, le seul, tu entends, qui mette en accord sa pensée et ses actes.

CHEREA, *ambigu* : Tu en as le pouvoir.

CALIGULA : Justement. Les autres créent par défaut de pouvoir. Moi je n'ai pas besoin d'une œuvre. Je vis. *(Brutalement.)* Allons, vous autres, vous y êtes ?

METELLUS : Nous y sommes, je crois.

TOUS : Oui.

CALIGULA : Alors, écoutez-moi bien. Vous allez quitter vos rangs. Je sifflerai. Le premier commencera sa lecture. À mon coup de sifflet, il doit s'arrêter et le second commencer. Et ainsi de suite. Le vainqueur, naturellement, sera celui dont la composition n'aura pas été interrompue par le sifflet. Préparez-vous. *(Il se tourne vers Cherea et, confidentiel.)* Il faut de l'organisation en tout, même en art.

Coup de sifflet.

PREMIER POÈTE : Mort, quand par-delà les rives noires…

Sifflet. Le Poète descend à gauche. Les autres feront de même. Scène mécanique.

DEUXIÈME POÈTE : Les Trois Parques en leur antre…

Sifflet.

TROISIÈME POÈTE : Je t'appelle, ô mort !

Sifflet rageur.
Le Quatrième Poète s'avance et prend une pose décla-matoire. Le sifflet retentit avant qu'il ait parlé.

CINQUIÈME POÈTE : Lorsque j'étais petit enfant…

CALIGULA, *hurlant* : Non ! mais quel rapport l'enfance d'un abruti a-t-elle avec le sujet, hein, dis, quel rapport ? Tu veux me dire quel rapport ?

CINQUIÈME POÈTE : Mais, Caïus, je n'ai pas fini…

Sifflet strident.

SIXIÈME POÈTE, *il s'avance, éclaircissant sa voix* : Inexorable, elle s'avance.

Sifflet.

SEPTIÈME POÈTE, *mystérieux* : Absconse et diffuse oraison…

Sifflet entrecoupé.
Scipion s'avance sans tablettes.

CALIGULA : Tu n'as pas de tablettes ?

SCIPION : Je n'en ai pas besoin.

CALIGULA : Alors voyons. *(Il mâchonne son sifflet.)*

SCIPION, *lentement — très près de Caligula,*
sans le regarder et avec une sorte de lassitude.

Seins libres des femmes et douceur de la terre,
Chasse au bonheur qui fait les êtres purs,
Ciel où le soleil ruisselle,
Fêtes uniques et sauvages, mon délire sans espoir !

CALIGULA, *doucement* : Arrête, veux-tu ? Les autres n'ont pas besoin de concourir. *(À Scipion :)* Tu es bien jeune pour connaître les vraies leçons de la mort.

SCIPION, *fixant Caligula* : J'étais bien jeune pour perdre mon père.

CALIGULA, *se détournant brusquement* : Allons, vous autres, formez vos rangs. Écoutez-moi bien, déchets. Vous salissez l'art. Vous êtes des porcs. Ce n'est encore rien. Mais des porcs savants en mythologie et cela c'est insupportable. Remerciez-moi de ne pas vous saigner comme cet animal inesthétique. Mais vous allez défiler devant moi au sifflet et lécher vos tablettes pour y effacer toutes les traces de vos déjections. Les autres aussi, ceux qui n'ont pas concouru. Eux aussi sont des porcs. Attention ! En avant !

Coups de sifflet rythmés. Les Poètes marchant au pas
sortent par la droite en léchant leurs immortelles tablettes.

CALIGULA, *plus bas* : Et sortez tous.

À la porte Cherea retient Praetextus par l'épaule.

CHEREA : Le moment est venu.

Le Jeune Scipion qui a entendu, hésite sur le pas de la
porte et va vers Caligula.

CALIGULA, *méchamment* : Qu'est-ce que tu veux ?

SCIPION : Écoute !

CALIGULA : Tu veux parler à l'assassin de ton père ?

SCIPION : Tu as choisi, Caligula.

Il sort.

SCÈNE X

CÆSONIA : Que dit-il ?

CALIGULA : Cela dépasse ton entendement. Mais viens près de moi.

Silence.

CÆSONIA, *contre lui* : À quoi songes-tu ?

CALIGULA : Je me demande pourquoi tu es là depuis si longtemps.

CÆSONIA, *plaisantant* : Parce que je te plais.

CALIGULA : Non. Si je te faisais tuer, je crois que je comprendrais.

CÆSONIA : Ce serait une solution. Fais-le donc. Mais il n'y a pas de quoi être sombre.

CALIGULA : Sombre ! Tu vois. Tu dis comme les autres.

CÆSONIA : Pourquoi ne pas vivre librement.

CALIGULA : Mais je suis libre.

CÆSONIA : Ce n'est pas ainsi que je l'entends. Comprends-moi bien. Cela peut être si bon de vivre et d'aimer dans la pureté de son cœur.

CALIGULA : Chacun gagne sa pureté comme il peut. Moi, c'est en poursuivant l'essentiel. Tout cela n'empêche pas d'ailleurs que je pourrais te faire tuer. *(Il rit.)* Ce serait le couronnement de ma carrière.

> *Tout ce qui précède a été dit un peu sur le ton de la conversation mondaine. Maintenant la scène change. Caligula s'est levé et a fait tourner le miroir sur lui-même. Lui marche en rond, en laissant pendre ses bras, presque sans gestes, comme une bête.*

CALIGULA : C'est drôle. Quand je ne tue pas, je me sens seul. Les vivants ne suffisent pas à peupler l'univers et à chasser l'ennui. Quand vous êtes tous là, vous me faites sentir un vide sans mesure où je ne peux regarder. Je ne suis bien que parmi mes morts.

*Il se campe face au public, un peu penché en avant, il a
oublié Caesonia.*

Eux sont vrais. Ils sont comme moi. Ils m'attendent et me
pressent. *(Il hoche la tête.)* J'ai de longs dialogues avec tel ou tel
qui cria vers moi pour être gracié et à qui je fis couper la langue.

CÆSONIA : Viens. Étends-toi près de moi. Mets ta tête sur mes
genoux. *(Caligula obéit.)* Tu es bien. Tout se tait.

CALIGULA, *d'une voix lointaine* : Tout se tait ? Tu exagères. Tu
n'entends pas ces cliquetis de fer ? *(On les entend.)* Tu ne sens
pas ces mille petites rumeurs qui révèlent la haine aux aguets ?
(Rumeurs.)

CÆSONIA : Tu sais bien que tu es César et que personne
n'oserait...

CALIGULA : Si, la bêtise.

CÆSONIA : Elle ne tue pas. Elle rend sage.

CALIGULA, *à demi redressé* : Elle est meurtrière, Cæsonia. Elle
est meurtrière lorsqu'elle se juge offensée. Oh, ce ne sont pas
ceux dont j'ai tué les fils ou les pères qui m'assassineront. Ceux-
là ont compris. Ils sont avec moi, ils ont le même goût dans la
bouche. Mais les autres, ceux que j'ai moqués et ridiculisés, je
suis sans défense contre leur vanité.

*Il retombe contre Caesonia qui le serre contre elle dans
un élan sauvage.*

CÆSONIA : Mais non, ils ne te tueront pas, mon petit. Ou
alors, quelque chose venu de plus haut les consumerait avant
qu'ils t'aient touché. Mon petit enfant, le plus saint de tous, le
plus tendre de tous. Ah ! qui pourrait vouloir arracher à ta maîtresse son enfant ?

CALIGULA : Venu de plus haut[24] ? Il n'y a pas de plus haut,
Cæsonia. Mais pourquoi tant d'amour, tout d'un coup ? Ce n'est
pas dans nos conventions.

CÆSONIA : Ce n'est donc pas assez de te voir tuer les autres,
qu'il faille encore savoir que tu seras tué. Ce n'est pas assez de
te recevoir cruel et déchiré, de sentir ton odeur de meurtre
quand tu te places sur mon ventre ! Tous les jours, je vois mourir en toi ce qui a figure d'homme. *(Avec un accent profond.)* Je
suis vieille et près d'être laide, je le sais. Mais ta détresse m'a fait
une âme au point qu'il n'importe plus que tu ne m'aimes pas.
(Elle embrasse les mains de Caligula et parle d'une voix entrecoupée.) Ne
peux-tu donc guérir ? Tu es si jeune. Toute une vie devant toi !
Et que demandes-tu donc qui soit plus grand que toute une vie ?

CALIGULA *se lève, il regarde Caesonia — lentement* : Voici déjà bien
longtemps que tu es là, Cæsonia.

CÆSONIA : C'est vrai. Mais tu vas me garder, n'est-ce pas ?

CALIGULA : Je ne sais pas. Je sais seulement pourquoi tu es là : pour toutes ces nuits où le plaisir était aigu et sans joie — et pour tout ce que tu connais de moi.

> *Il la prend dans ses bras et de la main lui renverse un peu la tête.*

J'ai vingt-neuf ans, Cæsonia. C'est peu. Mais à cette heure où ma vie m'apparaît cependant si longue, si chargée de dépouilles, si accomplie enfin, tu restes le dernier témoin. Et je ne peux me défendre d'une sorte de tendresse honteuse pour la vieille femme que tu es.

CÆSONIA : Dis-moi que tu vas me garder.

CALIGULA : Je ne sais pas, Cæsonia. J'ai conscience seulement, et c'est le plus terrible, que cette tendresse honteuse est le seul sentiment pur que ma vie m'ait jusqu'ici donné.

> *Caesonia se retire de ses bras. Caligula la suit. Elle colle son dos contre lui, il l'enlace.*

CALIGULA, *avec une sorte de tendresse bizarre* : Ne vaudrait-il pas mieux, Cæsonia, que le dernier témoin disparaisse ?

CÆSONIA : Cela n'a pas d'importance. Je suis heureuse de ce que tu m'as dit. Mais pourquoi ne puis-je pas partager ce bonheur avec toi ?

CALIGULA : Tu te trompes, comme tu t'es toujours trompée. Je ne suis pas malheureux. Tu penses, n'est-ce pas, à Drusilla ?

CÆSONIA, *vivement* : Tais-toi.

CALIGULA : Non. Je peux désormais en parler. Voilà des années que je n'ai pas prononcé son nom. Il fut un moment où je croyais avoir atteint l'extrémité du désespoir. Eh ! bien non ! on peut encore aller plus loin. Au bout de cette contrée, c'est un bonheur stérile et magnifique. Regarde-moi.

> *Caesonia se tourne contre lui. Caligula parle en lui passant la main sur le visage.*

À te voir, je comprends ce qu'eût été ma vie avec Drusilla. Aimer un être, c'est accepter de vieillir avec lui. Je ne suis pas capable de cet amour. Drusilla vieille, c'était pire que Drusilla morte. On croit connaître le chagrin parce que l'être qu'on aime meurt en un jour. Mais il y a une souffrance plus terrible encore : c'est de s'apercevoir que les chagrins eux-mêmes ne durent pas. Même la douleur est privée de sens. Tu vois, je n'ai plus rien maintenant, pas même l'ombre d'un amour, pas même la douceur de cette mélancolie. Elle n'était qu'un alibi[25]. Je suis aujourd'hui encore plus libre qu'il y a des années, libéré que je suis du souvenir et de l'illusion. *(Il rit d'une façon passionnée.)* Je sais que rien ne dure ! Savoir cela ! Nous sommes deux ou trois dans l'histoire à en avoir fait vraiment l'expérience, accompli ce bonheur dément. Cæsonia, Cæsonia, tu as suivi jusqu'au bout une bien belle tragédie. Il est temps que pour toi le rideau se baisse.

> *Il passe à nouveau derrière elle et passe son avant-bras autour du cou de Caesonia.*

CÆSONIA, *avec effroi* : Est-ce donc du bonheur, cette liberté épouvantable ?

CALIGULA, *écrasant peu à peu de son bras la gorge de Caesonia* : Sois-en sûre, Cæsonia. Sans elle, j'eusse été un homme satisfait. Grâce à elle, j'ai conquis la divine clairvoyance du solitaire. *(Il s'exalte de plus en plus, étranglant peu à peu Caesonia qui se laisse aller sans résistance, les mains un peu offertes en avant. Il lui parle, penché sur son oreille[26].)* Je vis, je tue, j'exerce le pouvoir délirant du destructeur, auprès de quoi celui du créateur paraît une singerie. C'est cela être heureux, Cæsonia. C'est cela le bonheur, cette insupportable délivrance, cet universel mépris, le sang, la haine autour de moi, cet isolement non pareil de l'homme qui tient toute sa vie sous son regard, la joie démesurée de l'assassin impuni, cette logique implacable qui broie des vies humaines *(il serre en riant)*, qui te broie, Cæsonia, pour parfaire enfin la solitude éternelle que je désire.

CÆSONIA, *se débattant faiblement* : Mon petit !

CALIGULA, *de plus en plus exalté* : Non, pas de tendresse. Surtout pas de tendresse. Qu'on en finisse. Nous nous sommes déjà trop laissés aller. Pas de tendresse, chère Cæsonia.

> *Caesonia râle sans discontinuer. Caligula la traîne sur le lit où il la laisse tomber.*

CALIGULA, *la regardant d'un air égaré — d'une voix rauque* : Et toi aussi, tu étais coupable.

SCÈNE XI

> *Il tourne sur lui-même, hagard, va vers le miroir, le tourne vers lui.*

CALIGULA : Caligula ! Toi aussi, toi aussi, tu es coupable. Alors n'est-ce pas, un peu plus, un peu moins. *(Un temps.)* Comprendront-ils jamais ? Ils me jugent et tu me juges. Comme je t'admire de pouvoir juger. *(Avec tout l'accent de la détresse, se collant, se pressant contre le miroir.)* Tu vois ! Hélicon n'est pas venu ! Je n'aurai pas la lune ! Et voilà que j'ai peur. Ah ! si tu savais cette abjection du cœur, ce dégoût et cette vomissure quand après avoir méprisé les autres, on se sent dans l'âme la même lâcheté et la même impuissance. La lâcheté ! Mais cela ne fait rien. La peur ne dure pas non plus. Je vais retrouver ce grand vide où l'âme s'apaise[27]. Tu es empereur, comme c'est beaucoup. Je ne suis rien et c'est bien peu. Rien, Caligula, rien. Je suis vide et creux comme un arbre sec. Ils disent, tu dis aussi, que j'ai le cœur dur. Mais non et tu sais bien qu'il ne peut pas être dur puisque à l'endroit où il devrait exister, je n'ai rien — qu'un grand trou vide où s'agitent les ombres de mes passions.

> *Il recule un peu et passe ses mains sur son visage. Il revient vers le miroir, se contemple et s'agenouille devant lui. Il semble plus calme. Il recommence à parler, mais d'une voix plus basse et plus concentrée.*

Tout a l'air si compliqué. Tout est si simple pourtant. Si j'avais eu la lune, ou Drusilla, ou le monde, ou le bonheur, tout serait changé[28]. Tu le sais, Caligula, que je pourrais être tendre. La tendresse ! Mais où en trouver qui suffise à ma soif ? Quel cœur aurait pour moi la profondeur d'un lac ? *(Il commence à pleurer lentement.)* Rien dans ce monde ni dans l'autre qui soit à ma mesure. Je sais pourtant et tu le sais aussi *(il tend ses mains vers le miroir en pleurant)*, qu'il a suffi d'un être, qu'il suffirait que l'impossible soit. L'impossible ! Je l'ai cherché aux limites du monde, aux confins de moi-même. J'ai tendu mes mains. *(Criant.)* Je tends mes mains et c'est toi que je rencontre, toujours toi comme un crachat en face de moi. Toi, devant l'huile brillante et douce des étoiles — toi, dans un soir comme ce soir — et je suis pour toi plein de haine — et tu m'es comme une blessure que je voudrais déchirer de mes ongles pour que le sang et le pus mêlés à ma vie en sortent à gros bouillons. Cette nuit est lourde ! Hélicon n'est pas venu. Coupable en face d'une image de coupable ! Cette nuit est lourde comme la douleur humaine[29] !

> *Des bruits d'armes et des chuchotements s'entendent en coulisse. Il se relève, prend un siège et approche en soufflant du miroir. Il s'observe, simule un bond en avant et devant le retrait de son double dans la glace, lance son siège à toute volée en hurlant.*

CALIGULA : À l'histoire, Caligula, à l'histoire !

> *Le miroir se brise et dans le même moment, par toutes les issues, entrent les conjurés en armes. Caligula leur fait*

*face et éclate d'un rire sauvage. Le premier, d'un bond,
Cherea est sur lui et le frappe de son poignard, trois fois en
pleine figure. Le rire de Caligula se transforme en hoquets.
Tous frappent hâtivement et en désordre. Dans un dernier
hoquet, Caligula, riant et râlant, hurle :*

CALIGULA : Je suis encore vivant !

RIDEAU

Février 1941.

TEXTES AUTOUR DE « CALIGULA »

PRIÈRE D'INSÉRER
DE L'ÉDITION DE 1944

Avec *Le Malentendu* et *Caligula*, Albert Camus fait appel à
la technique du théâtre pour préciser une pensée dont
L'Étranger et *Le Mythe de Sisyphe* — sous les aspects du roman
et de l'essai — avaient marqué les points de départ.

Est-ce à dire que l'on doive considérer le théâtre d'Albert
Camus comme un « théâtre philosophique » ? Non — si l'on
veut continuer à désigner ainsi cette forme périmée de l'art dramatique où l'action s'alanguissait sous le poids des théories.
Rien n'est moins « pièce à thèse » que *Le Malentendu*, qui, se plaçant seulement sur le plan tragique, répugne à toute théorie.
Rien n'est plus « dramatique » que *Caligula*, qui semble n'emprunter ses prestiges qu'à l'histoire.

Mais la pensée est en même temps action et, à cet égard, ces
pièces forment un théâtre de l'impossible. Grâce à une situation
(*Le Malentendu*) ou un personnage (*Caligula*) impossible, elles
tentent de donner vie aux conflits apparemment insolubles que
toute pensée active doit d'abord traverser avant de parvenir aux
seules solutions valables. Ce théâtre laisse entendre par exemple
que chacun porte en lui une part d'illusions et de malentendu
qui est destinée à être tuée. Simplement, ce sacrifice libère peut-
être une autre part de l'individu, la meilleure, qui est celle de la
révolte et de la liberté. Mais de quelle liberté s'agit-il ? Caligula,
obsédé d'impossible, tente d'exercer une certaine liberté dont il

est dit simplement pour finir « qu'elle n'est pas la bonne ». C'est pourquoi l'univers se dépeuple autour de lui et la scène se vide jusqu'à ce qu'il meure lui-même. On ne peut pas être libre contre les autres hommes. Mais comment peut-on être libre ? Cela n'est pas encore dit.

ALBERT CAMUS NOUS PARLE
DE « CALIGULA »
INTERVIEW DONNÉE AU « FIGARO »
25 septembre 1945

Au théâtre Hébertot, à la fin de la répétition, nous demandons à M. Albert Camus :

— *Votre « Caligula » ? L'avez-vous inventé ? Ou est-ce celui de l'Histoire ?*

— Je n'ai rien inventé, je n'ai rien romancé. Je l'ai pris tel que Suétone nous l'a transmis ; et Suétone est un journaliste qui savait voir.

— *Selon vous, quel est son cas ?*

— Celui d'un homme que la passion de vivre conduit à la rage de destruction, d'un homme qui par fidélité à lui-même est infidèle à l'homme. Il récuse toutes les valeurs. Mais si sa vérité est de nier les dieux, son erreur est de nier les hommes. Il n'a pas compris qu'on ne peut tout détruire sans se détruire soi-même. Son histoire est celle d'un suicide supérieur. C'est l'histoire de la plus humaine et de la plus tragique des erreurs.

— *Et votre conclusion ?*

— Caligula consent à mourir pour avoir compris qu'aucun être ne peut se sauver tout seul et qu'il ne peut être libre contre les autres hommes. Mais il aura du moins tiré, pendant quelques années, la vie de quelques-uns de ses amis et la sienne du sommeil sans rêve, et sans médiocrité.

— *Votre dialogue est-il direct ?*

— Oui, mais le texte est écrit. Je me suis efforcé de ne pas faire d'anachronisme dans la langue que parlent mes personnages. Je crois que le théâtre doit être écrit, mais en évitant, naturellement, la littérature.

— *Il est curieux qu'un personnage aussi puissamment singulier ait si rarement tenté les auteurs. Le père Dumas, seul, je crois, a fait jouer un « Caligula ».*

— On me l'a signalé mais je n'ai jamais trouvé ce texte.

[Paul Œttly qui met la pièce en scène assistait à cet entretien.]

— *L'action [nous dit-il] se déroulera sous une pleine lumière, dans un décor unique de Louis Miquel, un décor construit représentant un palais aux murs nus d'une couleur de chaux brûlée par le soleil.*

— *Et les costumes ?*

— *Marie Viton s'est inspirée des fresques de Tavant[1] reproduites récemment dans un album. Ils se tiennent dans une gamme d'ocre, de rouge, de brun. Rien des « Romains » de l'École des beaux-arts. Quant à l'interprétation, elle se compose d'une vingtaine de jeunes comédiens avec en tête Gérard Philipe qui sera Caligula.*

A. W.

DOUZE AUTEURS
EN QUÊTE DE PERSONNAGES
ÉMISSION DE RENÉE SAUREL

— *Avez-vous de très bonne heure songé au théâtre ?*

— Oui. J'ai réuni une troupe, monté des pièces où je jouais moi-même. La nécessité m'y poussant, j'ai aussi fait partie d'une tournée de professionnels et joué nos classiques à travers toute l'A.F.N. Il y a vingt ans que le théâtre sous toutes ses formes me passionne et m'instruit.

— *« Caligula » fut écrit quand, et pour qui ?*

— *Caligula* a été écrit en 1938. J'avais 25 ans. Notre troupe, qui s'appelait l'Équipe, avait déjà plusieurs années d'âge. Elle s'était proposé jusque-là des entreprises considérables : Eschyle ; les élisabéthains, Dostoïevski, Malraux, Gide. *Caligula n'était qu'un essai*, et par certains côtés *une pièce de metteur en scène*. Je devais jouer le rôle de Caligula. Et puis les circonstances furent contraires. La guerre est venue et avec elle une certaine vie, qui était belle, a pris fin.

— *Pensez-vous que l'expérience des planches, comme acteur et comme metteur en scène, vous ait servi plus tard dans l'écriture dramatique ?*

— Bien sûr. Elle m'a appris d'abord qu'il y avait, comme on dit, des lois au théâtre, et ensuite que ces lois sont faites pour être violées. Je lis souvent que telle ou telle pièce ne respecte pas les lois du théâtre. Je mets au défi ceux qui parlent toujours de ces lois de les définir. S'ils arrivent à définir les évidences que nous connaissons tous, nous nous apercevrons que ni les tragiques grecs, ni Shakespeare, ni Molière n'en ont tenu compte, le cas échéant. Mais j'ai appris sur les planches que le théâtre s'embarrasse de peu de choses : de la toile pour le décor, et, pour la pièce, des caractères et un langage.

— *Certains critiques se sont obstinés à voir dans « Caligula » l'illustra-tion (qu'ils reconnaissent d'ailleurs magnifique) de théories philosophiques. J'y vois plutôt l'étude d'un caractère, et la peinture de ce déchirement atroce qu'est le passage de l'adolescence à l'âge d'homme. J'aimerais que vous me disiez si, à mon tour, je suis dans l'erreur ?*

— *Caligula* n'est en effet que la peinture d'un caractère tel qu'il convient au théâtre : simplifié et poussé à bout, d'un « mouvement insensible ». Pour le reste, je ne sais pas ce qu'est une pièce philosophique. Pour peu que vous éleviez un peu au-dessus du lit aujourd'hui on crie à la métaphysique. Mais je vous proposerais trois sujets de méditation :

1) Il n'y a pas plus d'idées générales, plutôt moins, dans le théâtre contemporain que dans Eschyle ou Shakespeare.

2) Si l'on est à même d'entendre parfois des cours de philo-sophie au théâtre c'est sur les scènes de nos boulevards.

3) On confond le théâtre écrit et le théâtre d'idées. Si vous n'écrivez pas le langage d'argot et d'onomatopées qui fait le fond des conversations paresseuses, si vous vous efforcez seulement d'écrire correctement, alors vous êtes un penseur. Qu'importe. Il reste qu'il n'y a pas de théâtre sans grand langage. C'est dans ce but… *[illisible]* Copeau l'avait compris avant tout autre. C'est grâce à lui que le théâtre a été tiré d'un demi-siècle de vulgarité et rendu à ce qu'il est réellement : la forme supé-rieure de l'art littéraire.

LETTRE
À MONSIEUR LE DIRECTEUR DE « LA NEF »
Janvier 1946

Cher Monsieur,

J'ai lu l'article que Henri Troyat a bien voulu consacrer à *Caligula* dans le dernier numéro de *La Nef*. Merci de me l'avoir envoyé. J'ai été sensible aux intentions de Troyat et à la cour-toisie de son ton.

Mais je commence à être légèrement (très légèrement) impa-tienté par la confusion continuelle qui me mêle à l'existentia-lisme. Tant que le malentendu courait les journaux, la chose n'était pas trop grave. Mais qu'il gagne aujourd'hui les revues prouve assez le manque d'information où se trouve le critique.

Puisque Troyat écrit : « Toute la pièce de M. Camus n'est qu'une illustration des principes existentialistes de M. Sartre », je me sens donc obligé de préciser trois points :

1. *Caligula* a été écrit en 1938. À cette époque, l'existentialisme français n'existait pas sous sa version actuelle, c'est-à-dire athée. À cette époque encore, Sartre n'avait pas publié les ouvrages où il devait donner une forme à cette philosophie.

2. Le seul livre d'idées que j'aie jamais écrit, *Le Mythe de Sisyphe*, était dirigé justement contre des philosophies existentialistes. Une partie de cette critique s'applique encore, dans mon esprit, à la philosophie de Sartre.

3. On n'accepte pas la philosophie existentialiste parce qu'on dit que le monde est absurde. À ce compte, 80 % des passagers du métro, si j'en crois les conversations que j'y entends, sont existentialistes. Vraiment, je ne puis le croire. L'existentialisme est une philosophie complète, une vision du monde, qui suppose une métaphysique et une morale. Bien que j'aperçoive l'importance historique de ce mouvement, je n'ai pas assez de confiance dans la raison pour entrer dans un système. C'est si vrai que le manifeste de Sartre, dans le premier numéro des *Temps modernes*, me paraît inacceptable.

La tâche d'une revue n'est pas de confondre (on fait très bien cela dans les journaux) mais de nuancer. Je pense donc que ni Troyat, ni vous, ne m'en voudrez de ces précisions. Notez que je ne me fais pas trop d'illusions sur ce que vaut *Caligula*. Mais enfin il vaut mieux être critiqué sur ce qu'on est réellement.

À vous, bien cordialement.

ALBERT CAMUS.

PRÉFACE À L'ÉDITION AMÉRICAINE DE « CALIGULA AND THREE OTHER PLAYS »

Les pièces qui composent ce recueil ont été écrites entre 1938 et 1950. La première, *Caligula*, a été composée en 1938, après une lecture des *Douze Césars*, de Suétone. Je destinais cette pièce au petit théâtre que j'avais créé à Alger et mon intention, en toute simplicité, était de créer le rôle de Caligula. Les acteurs débutants ont de ces ingénuités. Et puis j'avais 25 ans, âge où l'on doute de tout, sauf de soi. La guerre m'a forcé à la modestie et *Caligula* a été créé en 1946, au Théâtre Hébertot, à Paris.

Caligula est donc une pièce d'acteur et de metteur en scène. Mais, bien entendu, elle s'inspire des préoccupations qui étaient les miennes à cette époque. La critique française, qui a pourtant très bien accueilli la pièce, a souvent parlé, à mon grand étonnement, de pièce philosophique. Qu'en est-il exactement ?

Caligula, prince relativement aimable jusque-là, s'aperçoit à la mort de Drusilla, sa sœur et sa maîtresse, que le monde tel qu'il va n'est pas satisfaisant. Dès lors, obsédé d'impossible, empoisonné de mépris et d'horreur, il tente d'exercer, par le meurtre et la perversion systématique de toutes les valeurs, une liberté dont il découvrira pour finir qu'elle n'est pas la bonne. Il récuse l'amitié et l'amour, la simple solidarité humaine, le bien et le mal. Il prend au mot ceux qui l'entourent, il les force à la logique, il nivelle tout autour de lui par la force de son refus et par la rage de destruction où l'entraîne sa passion de vivre.

Mais, si sa vérité est de se révolter contre le destin, son erreur est de nier les hommes. On ne peut tout détruire sans se détruire soi-même. C'est pourquoi Caligula dépeuple le monde autour de lui et, fidèle à sa logique, fait ce qu'il faut pour armer contre lui ceux qui finiront par le tuer. *Caligula* est l'histoire d'un suicide supérieur. C'est l'histoire de la plus humaine et de la plus tragique des erreurs. Infidèle à l'homme, par fidélité à lui-même, Caligula consent à mourir pour avoir compris qu'aucun être ne peut se sauver tout seul et qu'on ne peut être libre contre les autres hommes.

Il s'agit donc d'une tragédie de l'intelligence. D'où l'on a conclu tout naturellement que ce drame était intellectuel. Personnellement, je crois bien connaître les défauts de cette œuvre. Mais je cherche en vain la philosophie dans ces quatre actes. Ou, si elle existe, elle se trouve au niveau de cette affirmation du héros : « Les hommes meurent et ils ne sont pas heureux. » Bien modeste idéologie, on le voit, et que j'ai l'impression de partager avec M. de La Palice et l'humanité entière. Non, mon ambition était autre. La passion de l'impossible est, pour le dramaturge, un objet d'études aussi valable que la cupidité ou l'adultère. La montrer dans sa fureur, en illustrer les ravages, en faire éclater l'échec, voilà quel était mon projet. Et c'est sur lui qu'il faut juger cette œuvre.

Un mot encore. Certains ont trouvé ma pièce provocante qui trouvent pourtant naturel qu'Œdipe tue son père et épouse sa mère et qui admettent le ménage à trois, dans les limites, il est vrai, des beaux quartiers. J'ai peu d'estime, cependant, pour un certain art qui choisit de choquer, faute de savoir convaincre. Et si je me trouvais être, par malheur, scandaleux, ce serait seulement à cause de ce goût démesuré de la vérité qu'un artiste ne saurait répudier sans renoncer à son art lui-même.

Le Malentendu a été écrit en 1941, en France occupée. Je vivais alors, à mon corps défendant, au milieu des montagnes du centre de la France. Cette situation historique et géographique suffirait à expliquer la sorte de claustrophobie dont je souffrais alors et qui se reflète dans cette pièce. On y respire mal, c'est un fait. Mais nous avions tous la respiration courte, en ce temps-là. Il n'empêche que la noirceur de la pièce me gêne autant qu'elle a gêné le public. Pour l'encourager à aborder la pièce, je proposerai au lecteur : 1°) d'admettre que la moralité de la pièce n'est pas entièrement négative ; 2°) de considérer *Le Malentendu* comme une tentative pour créer une tragédie moderne.

Un fils qui veut se faire reconnaître sans avoir à dire son nom et qui est tué par sa mère et sa sœur, à la suite d'un malentendu, tel est le sujet de cette pièce. Sans doute, c'est une vue très pessimiste de la condition humaine. Mais cela peut se concilier avec un optimisme relatif en ce qui concerne l'homme. Car enfin, cela revient à dire que tout aurait été autrement si le fils avait dit : « C'est moi, voici mon nom. » Cela revient à dire que dans un monde injuste ou indifférent, l'homme peut se sauver lui-même, et sauver les autres, par l'usage de la sincérité la plus simple et du mot le plus juste.

Le langage aussi a choqué. Je le savais. Mais si j'avais habillé de peplums mes personnages, tout le monde peut-être aurait applaudi. Faire parler le langage de la tragédie à des personnages contemporains, c'était au contraire mon propos. Rien de plus difficile à vrai dire puisqu'il faut trouver un langage assez naturel pour être parlé par des contemporains, et assez insolite pour rejoindre le ton tragique. Pour approcher de cet idéal, j'ai essayé d'introduire de l'éloignement dans les caractères et de l'ambiguïté dans les dialogues. Le spectateur devait ainsi éprouver un sentiment de familiarité en même temps que de dépaysement. Le spectateur, et le lecteur. Mais je ne suis pas sûr d'avoir réussi le bon dosage.

Quant au personnage du vieux domestique, il ne symbolise pas obligatoirement le destin. Lorsque la survivante du drame en appelle à Dieu, c'est lui qui répond. Mais c'est, peut-être, un malentendu de plus. S'il répond « non » à celle qui lui demande de l'aider, c'est qu'il n'a pas en effet l'intention de l'aider et qu'à un certain point de souffrance ou d'injustice personne ne peut plus rien pour personne et la douleur est solitaire.

Je n'ai pas l'impression d'ailleurs que ces explications soient bien utiles. Je juge toujours que *Le Malentendu* est une œuvre d'accès facile à condition qu'on en accepte le langage et qu'on veuille bien admettre que l'auteur s'y est engagé profondément. Le théâtre n'est pas un jeu, c'est là ma conviction.

L'État de siège, lors de sa création à Paris, a obtenu sans effort l'unanimité de la critique. Certainement, il y a peu de pièces qui aient bénéficié d'un éreintement aussi complet. Ce résultat est d'autant plus regrettable que je n'ai jamais cessé de considérer que *L'État de siège*, avec tous ses défauts, est peut-être celui de mes écrits qui me ressemble le plus. Le lecteur serait tout à fait libre de décider aussi que cette image, quoique fidèle, ne lui est pas sympathique. Mais pour donner plus de force et de liberté à ce jugement, je dois d'abord récuser quelques préjugés. Il est donc préférable de savoir :

1°) que *L'État de siège* n'est, d'aucune manière, une adaptation de mon roman *La Peste*. J'ai sans doute donné à un de mes personnages ce nom symbolique. Mais puisqu'il s'agit d'un dictateur, cette dénomination est correcte.

2°) que *L'État de siège* n'est pas une pièce de conception classique. On pourrait la rapprocher, au contraire, de ce qu'on appelait, dans notre Moyen Âge, les « moralités » et, en Espagne, les « autos sacramentales », sorte de spectacles allégoriques qui mettaient en scène des sujets connus à l'avance de tous les spectateurs. J'ai centré mon spectacle autour de ce qui me paraît être la seule religion vivante, au siècle des tyrans et des esclaves, je veux dire la liberté. Il est donc tout à fait inutile d'accuser mes personnages d'être symboliques. Je plaide coupable. Mon but avoué était d'arracher le théâtre aux spéculations psychologiques et de faire retentir sur nos scènes murmurantes les grands cris qui courbent ou libèrent aujourd'hui des foules d'hommes. De ce seul point de vue, je reste persuadé que ma tentative mérite qu'on s'y intéresse. Il est intéressant de noter que cette pièce sur la liberté est aussi mal reçue par les dictatures de droite que par les dictatures de gauche. Jouée sans interruption, depuis des années, en Allemagne, elle n'a été jouée ni en Espagne ni derrière le rideau de fer. Il y aurait encore beaucoup à dire sur les intentions cachées ou explicites de cette pièce. Mais je veux seulement éclairer le jugement de mes lecteurs, non l'incliner.

Les Justes ont eu plus de chance. Ils ont été bien accueillis. Cependant il arrive que la louange, comme le blâme, naisse d'un malentendu. Je voudrais donc préciser encore :

1°) que les événements retracés dans *Les Justes* sont historiques, même la surprenante entrevue de la grande-duchesse avec le meurtrier de son mari. Il faut donc juger seulement de la manière dont j'ai réussi à rendre vraisemblable ce qui était vrai.

2°) que la forme de cette pièce ne doit pas tromper le lecteur.

J'ai essayé d'y obtenir une tension dramatique par les moyens classiques, c'est-à-dire l'affrontement de personnages égaux en force et en raison. Mais il serait faux d'en conclure que tout s'équilibre et qu'à l'égard du problème qui est posé ici, je recommande l'inaction. Mon admiration pour mes héros, Kaliayev et Dora, est entière. J'ai seulement voulu montrer que l'action elle-même avait des limites. Il n'est de bonne et de juste action que celle qui reconnaît ces limites et qui, s'il lui faut les franchir, accepte au moins la mort. Notre monde nous montre aujourd'hui une face répugnante, justement parce qu'il est fabriqué par des hommes qui s'accordent le droit de franchir ces limites, et d'abord de tuer les autres, sans mourir eux-mêmes. C'est ainsi que la justice aujourd'hui sert d'alibi, partout dans le monde, aux assassins de toute justice.

Un mot encore pour faire connaître au lecteur ce qu'il ne trouvera pas dans ce livre. Bien que j'aie du théâtre le goût le plus passionné, j'ai le malheur de n'aimer qu'une seule sorte de pièces, qu'elles soient comiques ou tragiques. Après une assez longue expérience de metteur en scène, d'acteur et d'auteur dramatique, il me semble qu'il n'est pas de vrai théâtre sans langage et sans style, ni d'œuvre dramatique qui, à l'exemple de notre théâtre classique et des tragiques grecs, ne mette en jeu le destin humain tout entier dans ce qu'il a de simple et de grand. Sans prétendre les égaler, ce sont là, du moins, les modèles qu'il faut se proposer. La psychologie, les anecdotes ingénieuses et les situations piquantes, si elles peuvent m'amuser en tant que spectateur, me laissent indifférent en tant qu'auteur. Je reconnais volontiers que cette attitude est discutable. Mais il me paraît préférable de me présenter, sur ce point, tel que je suis. Le lecteur prévenu pourra, s'il le veut, se priver d'aller plus loin. Quant à ceux que ce parti pris ne découragerait pas, je serai plus sûr d'obtenir d'eux cette étrange amitié qui lie, par-dessus les frontières, lecteur et auteur, et qui demeure, lorsqu'elle est sans malentendu, la royale récompense de l'écrivain.

Décembre 1957.

LE PROGRAMME
POUR LE NOUVEAU THÉÂTRE
1958

Caligula a été composé en 1938 après une lecture des *Douze Césars* de Suétone. À travers Suétone, Caligula m'était apparu comme un tyran d'une espèce relativement rare, je veux dire un tyran *intelligent*, dont les mobiles semblaient à la fois singuliers et profonds. En particulier, il est le seul, à ma connaissance, à avoir *tourné en dérision le pouvoir lui-même*. En lisant l'histoire de ce grand et tragique comédien, je le voyais déjà sur une scène. J'écrivis donc cette pièce pour le petit théâtre que j'avais créé à Alger. La guerre a contrarié mes projets et *Caligula* eut la chance plus certaine d'être accueilli à Paris pour la première fois en 1945, par Jacques Hébertot. Aujourd'hui cette pièce est reprise au Nouveau Théâtre de Mme Elvire Popesco et de M. Hubert de Malet, avec de jeunes comédiens, sur une scène d'essai, assez semblable à la scène pour laquelle elle avait été écrite.

Bien entendu, *Caligula* s'inspire aussi des préoccupations qui étaient les miennes à l'époque où j'ai rencontré les *Douze Césars*. C'est pourquoi *il ne s'agit à aucun moment d'une pièce historique*. De quoi s'agit-il ?

[Ici, Camus reprenait le texte de la Préface pour l'édition américaine : « *Caligula, prince relativement aimable... juger cette œuvre.* », p. 447.*]*

Si l'on tient cependant à y ajouter des considérations plus générales, je proposerais aujourd'hui celles-ci : on peut lire dans *Caligula* que *la tyrannie ne se justifie pas*, même par de hautes raisons. L'histoire, et particulièrement notre histoire, nous a gratifiés depuis de tyrans plus traditionnels : de lourds, épais et médiocres despotes auprès desquels Caligula apparaît comme un innocent vêtu de lin candide. Eux aussi se croyaient libres puisqu'ils régnaient absolument. Et ils ne l'étaient pas plus que ne l'est dans ma pièce l'empereur romain. Simplement celui-ci *le sait et consent à en mourir*, ce qui lui confère une sorte de grandeur que la plupart des autres tyrans n'ont jamais connue.

LE MALENTENDU

Pièce en trois actes

À mes amis du Théâtre de l'Équipe[a].

Le Malentendu a été représenté pour la première fois en juin 1944[1], au théâtre des Mathurins, dans une mise en scène de Marcel Herrand, et avec la distribution suivante :

MARTHA[a]	*Maria Casarès.*
MARIA	*Hélène Vercors.*
LA MÈRE	*Marie Kalff.*
JAN	*Marcel Herrand.*
LE VIEUX DOMESTIQUE	*Paul Œttly.*

ACTE PREMIER

Midi. La salle commune de l'auberge. Elle est propre et claire. Tout y est net[a].

SCÈNE PREMIÈRE

LA MÈRE : Il reviendra.

MARTHA : Il te l'a dit ?

LA MÈRE : Oui. Quand tu es sortie.

MARTHA : Il reviendra seul ?

LA MÈRE : Je ne sais pas.

MARTHA : Est-il riche[b] ?

LA MÈRE : Il ne s'est pas inquiété du prix.

MARTHA : S'il est riche, tant mieux. Mais il faut aussi qu'il soit seul.

LA MÈRE, *avec lassitude* : Seul et riche, oui. Et alors nous devrons recommencer.

MARTHA : Nous recommencerons, en effet. Mais nous serons payées de notre peine. *(Un silence. Martha regarde sa mère.)* Mère, vous êtes singulière[c]. Je vous reconnais mal depuis quelque temps.

LA MÈRE : Je suis fatiguée, ma fille, rien de plus. Je voudrais me reposer.

MARTHA : Je puis prendre sur moi ce qui vous reste encore à faire dans la maison. Vous aurez ainsi toutes vos journées.

LA MÈRE : Ce n'est pas exactement de ce repos que je parle. Non, c'est un rêve de vieille femme. J'aspire seule-

ment à la paix, à un peu d'abandon. *(Elle rit faiblement.)* Cela
est stupide à dire, Martha, mais il y a des soirs où je me sen-
tirais presque des goûts de religion.

MARTHA : Vous n'êtes pas si vieille, ma mère, qu'il faille en
venir là. Vous avez mieux à faire.

LA MÈRE : Tu sais bien que je plaisante. Mais quoi ! À la fin
d'une vie, on peut bien se laisser aller. On ne peut pas toujours se raidir et se durcir comme tu le fais, Martha. Ce n'est
pas de ton âge non plus. Et je connais bien des filles, nées la
même année que toi, qui ne songent qu'à des folies.

MARTHA : Leurs folies ne sont rien auprès des nôtres, vous
le savez.

LA MÈRE : Laissons cela.

MARTHA, *lentement* : On dirait qu'il est maintenant des
mots qui vous brûlent la bouche.

LA MÈRE : Qu'est-ce que cela peut te faire, si je ne recule
pas devant les actes ? Mais qu'importe ! Je voulais seulement
dire que j'aimerais quelquefois te voir sourire.

MARTHA : Cela m'arrive, je vous*ᵈ* le jure.

LA MÈRE : Je ne t'ai jamais vue ainsi.

MARTHA : C'est que je souris dans ma chambre, aux heures
où je suis seule.

LA MÈRE, *la regardant attentivement* : Quel dur visage est le
tien, Martha !

MARTHA, *s'approchant et avec calme* : Ne l'aimez-vous donc
pas ?

LA MÈRE, *la regardant toujours, après un silence* : Je crois que
oui, pourtant.

MARTHA, *avec agitation* : Ah ! mère ! Quand nous aurons
amassé beaucoup d'argent et que nous pourrons quitter ces
terres sans horizon, quand nous laisserons derrière nous
cette auberge et cette ville pluvieuse, et que nous oublierons
ce pays d'ombre, le jour où nous serons enfin devant la
mer dont j'ai tant rêvé, ce jour-là*ᵉ*, vous me verrez sourire.
Mais il faut beaucoup d'argent pour vivre libre devant la
mer. C'est pour cela qu'il ne faut pas avoir peur des mots*ᶠ*.
C'est pour cela qu'il faut s'occuper de celui qui doit venir.
S'il est suffisamment riche, ma liberté commencera peut-être
avec lui. Vous a-t-il*ᵍ* parlé longuement, mère ?

LA MÈRE : Non. Deux phrases en tout.

MARTHA : De quel air vous a-t-il demandé sa chambre ?

LA MÈRE : Je ne sais pas. Je vois mal et je l'ai mal regardé.
Je sais, par expérience, qu'il vaut mieux ne pas les regarder.

Il est plus facile de tuer ce qu'on ne connaît pas. *(Un temps.)* Réjouis-toi, je n'ai pas peur[b] des mots maintenant.

MARTHA : C'est mieux ainsi. Je n'aime pas les allusions. Le crime est le crime, il faut savoir ce que l'on veut. Et il me semble que vous le saviez, tout à l'heure, puisque vous y avez pensé, en répondant au voyageur.

LA MÈRE : Je n'y ai pas pensé. J'ai répondu par habitude[i].

MARTHA : L'habitude ? Vous le savez, pourtant, les occasions ont été rares !

LA MÈRE : Sans doute. Mais l'habitude commence au second crime. Au premier, rien ne commence, c'est quelque chose qui finit. Et puis, si les occasions ont été rares, elles se sont étendues sur beaucoup d'années, et l'habitude s'est fortifiée du souvenir. Oui, c'est bien l'habitude qui m'a poussée à répondre, qui m'a avertie de ne pas regarder cet homme, et assurée qu'il avait le visage d'une victime[j].

MARTHA : Mère, il faudra le tuer.

LA MÈRE, *plus bas* : Sans doute, il faudra le tuer.

MARTHA : Vous dites cela d'une singulière façon.

LA MÈRE : Je suis lasse, en effet, et j'aimerais qu'au moins celui-là soit le dernier. Tuer est terriblement fatigant. Je me soucie peu de mourir devant la mer ou au centre de nos plaines, mais je voudrais bien qu'ensuite nous partions ensemble.

MARTHA : Nous partirons et ce sera une grande heure ! Redressez-vous, mère, il y a peu à faire. Vous savez bien qu'il ne s'agit même pas de tuer. Il boira son thé, il dormira, et tout vivant encore, nous le porterons à la rivière. On le retrouvera dans longtemps, collé contre un barrage, avec d'autres qui n'auront pas eu sa chance et qui se seront jetés dans l'eau, les yeux ouverts. Le jour où nous avons assisté au nettoyage du barrage, vous me le disiez, mère, ce sont les nôtres qui souffrent le moins, la vie est plus cruelle que nous. Redressez-vous, vous trouverez votre repos[k] et nous fuirons enfin d'ici.

LA MÈRE : Oui, je vais me redresser. Quelquefois, en effet, je suis contente à l'idée que les nôtres n'ont jamais souffert. C'est à peine un crime, tout juste une intervention, un léger coup de pouce donné à des vies inconnues. Et il est vrai qu'apparemment la vie est plus cruelle que nous. C'est peut-être pour cela que j'ai du mal à me sentir coupable[l].

> *Entre le Vieux Domestique. Il va s'asseoir derrière le comptoir, sans un mot. Il ne bougera pas jusqu'à la fin de la scène.*

MARTHA : Dans quelle chambre le mettrons-nous ?

LA MÈRE : N'importe laquelle, pourvu que ce soit au premier.

MARTHA : Oui, nous avons trop peiné, la dernière fois, dans les deux étages. *(Elle s'assied pour la première fois.)* Mère, est-il vrai que, là-bas, le sable des plages fasse des brûlures aux pieds ?

LA MÈRE : Je n'y suis pas allée, tu le sais. Mais on m'a dit que le soleil dévorait tout.

MARTHA : J'ai lu dans un livre qu'il mangeait jusqu'aux âmes et qu'il faisait des corps resplendissants, mais vidés par l'intérieur.

LA MÈRE : Est-ce cela, Martha, qui te fait rêver ?

MARTHA : Oui, j'en ai assez de porter toujours mon âme, j'ai hâte de trouver ce pays où le soleil tue les questions. Ma demeure n'est pas ici.

LA MÈRE : Auparavant, hélas *ᵐ* ! nous avons beaucoup à faire. Si tout va bien, j'irai, bien sûr, avec toi. Mais moi, je n'aurai pas le sentiment d'aller vers ma demeure. À un certain âge, il n'est pas de demeure où le repos soit possible, et c'est déjà beaucoup si l'on a pu faire soi-même cette dérisoire maison de briques, meublée de souvenirs, où il arrive parfois que l'on s'endorme. Mais *ⁿ* naturellement, ce serait quelque chose aussi, si je trouvais à la fois le sommeil et l'oubli. *(Elle se lève et se dirige vers la porte.)* Prépare tout, Martha. *(Un temps.)* Si vraiment cela en vaut la peine.

> *Martha la regarde sortir. Elle-même sort par une autre porte.*

SCÈNE II

> *Le Vieux Domestique va à la fenêtre, aperçoit Jan et Maria, puis se dissimule. Le Vieux reste en scène, seul, pendant quelques secondes. Entre Jan. Il s'arrête, regarde dans la salle, aperçoit le Vieux, derrière la fenêtre.*

JAN : Il n'y a personne ?

> *Le Vieux le regarde, traverse la scène et s'en va.*

SCÈNE III°

> *Entre Maria. Jan se retourne brusquement vers elle.*

JAN : Tu m'as suivi.

MARIA : Pardonne-moi, je ne pouvais pas. Je partirai peut-être tout à l'heure. Mais laisse-moi voir l'endroit où je te laisse.

JAN : On peut venir et ce que je veux faire ne sera plus possible.

MARIA : Donnons-nous au moins cette chance que quelqu'un vienne et que je te fasse reconnaître malgré toi.

> *Il se détourne. Un temps.*
> *Maria regardant autour d'elle :*

C'est ici ?

JAN : Oui, c'est ici. J'ai pris cette porte, il y a vingt ans[b]. Ma sœur était une petite fille. Elle jouait dans ce coin. Ma mère n'est pas venue m'embrasser. Je croyais alors que cela m'était égal.

MARIA : Jan, je ne puis croire qu'elles ne t'aient pas reconnu tout à l'heure. Une mère reconnaît toujours son fils.

JAN : Il y a vingt ans qu'elle ne m'a vu. J'étais un adolescent, presque un jeune garçon. Ma mère a vieilli, sa vue a baissé. C'est à peine si moi-même je l'ai reconnue.

MARIA, *avec impatience* : Je sais, tu es entré, tu as dit : « Bonjour », tu t'es assis. Tu ne reconnaissais rien.

JAN : Ma mémoire n'était pas juste. Elles m'ont accueilli sans un mot. Elles m'ont servi la bière que je demandais. Elles me regardaient, elles ne me voyaient pas. Tout était plus difficile que je ne l'avais cru.

MARIA : Tu sais bien que ce n'était pas difficile et qu'il suffisait de parler. Dans ces cas-là, on dit : « C'est moi », et tout rentre dans l'ordre.

JAN : Oui, mais j'étais plein d'imaginations. Et moi qui attendais un peu le repas du prodigue[1], on m'a donné de la bière contre mon argent. J'étais ému, je n'ai pas pu parler.

MARIA : Il aurait suffi d'un mot.

JAN : Je ne l'ai pas trouvé. Mais quoi, je ne suis pas si pressé. Je suis venu[g] ici apporter ma fortune et, si je le puis, du bonheur. Quand j'ai appris la mort de mon père, j'ai compris que j'avais des responsabilités envers elles deux et, l'ayant compris, je fais ce qu'il faut. Mais je suppose que ce n'est pas si facile qu'on le dit de rentrer chez soi et qu'il faut un peu de temps pour faire un fils d'un étranger.

MARIA : Mais pourquoi n'avoir pas annoncé ton arrivée ? Il y a des cas où l'on est bien obligé de faire comme tout le monde. Quand on veut être reconnu, on se nomme, c'est l'évidence même. On finit par tout brouiller en prenant l'air de ce qu'on n'est pasⸯ. Comment ne serais-tu pas traité en étranger dans une maison où tu te présentes comme un étranger ? Non, non, tout cela n'est pas sain.

JAN : Allons, Maria, ce n'est pas si grave. Et puis quoi, cela sert mes projets. Je vais profiter de l'occasion, les voir un peu de l'extérieur. J'apercevrai mieux ce qui les rendra heureuses. Ensuite, j'inventerai les moyens de me faire reconnaître. Il suffit en somme de trouver ses mots.

MARIA : Il n'y a qu'un moyen. C'est de faire ce que ferait le premier venu, de dire : « Me voilà », c'est de laisser parler son cœur.

JAN : Le cœur n'est pas si simple.

MARIA : Mais il n'use que de mots simples. Et ce n'était pas bien difficile de dire : « Je suis votre fils, voici ma femme. J'ai vécu avec elle dans un pays que nous aimions, devant la mer et le soleil. Mais je n'étais pas assez heureux et aujourd'hui j'ai besoin de vous. »

JAN : Ne sois pas injuste, Maria. Je n'ai pas besoin d'elles, mais j'ai compris qu'elles devaient avoir besoin de moi et qu'un homme n'était jamais seul.

Un temps. Maria se détourne.

MARIA : Peut-être as-tu raison, je te demande pardon. Mais je me méfie de tout depuis que je suis entrée dans ce pays où je cherche en vain un visage heureux. Cette Europe est si triste. Depuis que nous sommes arrivés, je ne t'ai plus entendu rire, et moi, je deviens soupçonneuse. Oh ! pourquoi m'avoir fait quitter mon pays ? Partons, Jan, nous ne trouverons pas le bonheur ici.

JAN : Ce n'est pas le bonheur que nous sommes venus chercher. Le bonheur, nous l'avons.

MARIA, *avec véhémence* : Pourquoi ne pas s'en contenter ?

JAN : Le bonheur n'est pas tout et les hommes ont leur devoir. Le mien est de retrouver ma mère, une patrie…

> *Maria a un geste. Jan l'arrête : on entend des pas.*
> *Le Vieux passe devant la fenêtre.*

On vient. Va-t'en, Maria, je t'en prie.

MARIA : Pas comme cela, ce n'est pas possible.

JAN, *pendant que les pas se rapprochent* : Mets-toi là.

> *Il la pousse derrière la porte du fond.*

SCÈNE IV

> *La porte du fond s'ouvre. Le Vieux traverse la*
> *pièce sans voir Maria et sort par la porte du dehors.*

JAN : Et maintenant[1], pars vite. Tu vois, la chance est avec moi.

MARIA : Je veux rester. Je me tairai et j'attendrai près de toi que tu sois reconnu.

JAN : Non, tu me trahirais.

> *Elle se détourne, puis revient vers lui et le regarde*
> *en face.*

MARIA : Jan, il y a cinq ans que nous sommes mariés.

JAN : Il y aura bientôt cinq ans.

MARIA, *baissant la tête* : Cette nuit est la première où nous serons séparés. *(Il se tait, elle le regarde de nouveau.)* J'ai toujours tout aimé en toi, même ce que je ne comprenais pas et je vois bien qu'au fond, je ne te voudrais pas différent. Je ne suis pas une épouse bien contrariante. Mais ici, j'ai peur de ce lit désert où tu me renvoies et j'ai peur aussi que tu m'abandonnes.

JAN : Tu ne dois pas douter de mon amour.

MARIA : Oh ! je n'en doute pas. Mais il y a ton amour et il y a tes rêves, ou tes devoirs, c'est la même chose. Tu m'échappes si souvent. C'est alors comme si tu te reposais de moi. Mais moi, je ne peux pas me reposer de toi et c'est ce soir *(elle se jette contre lui en pleurant)*, c'est ce soir que je ne pourrai pas supporter.

JAN, *la serrant contre lui* : Cela est puéril.

MARIA : Bien sûr, cela est puéril. Mais nous étions si heureux là-bas et ce n'est pas de ma faute si les soirs de ce pays me font peur. Je ne veux pas que tu m'y laisses seule.

JAN : Je ne te laisserai pas longtemps. Comprends donc, Maria, que j'ai une parole à tenir.

MARIA : Quelle parole ?

JAN : Celle que je me suis donnée le jour où j'ai compris que ma mère avait besoin de moi.

MARIA : Tu as une autre parole à tenir.

JAN : Laquelle ?

MARIA : Celle que tu m'as donnée le jour où tu as promis de vivre avec moi.

JAN : Je crois bien que je pourrai tout concilier. Ce que je te demande est peu de chose. Ce n'est pas un caprice. Une soirée et une nuit où je vais essayer de m'orienter, de mieux connaître celles que j'aime et d'apprendre à les rendre heureuses.

MARIA, *secouant¹ la tête* : La séparation est toujours quelque chose pour ceux qui s'aiment comme il faut.

JAN : Sauvage, tu sais bien que je t'aime comme il faut.

MARIA : Non, les hommes ne savent jamais comment il faut aimer. Rien ne les contente. Tout ce qu'ils savent, c'est rêver, imaginer de nouveaux devoirs, chercher de nouveaux pays et de nouvelles demeures. Tandis que nous, nous savons qu'il faut se dépêcher d'aimer, partager le même lit, se donner la main, craindre l'absence. Quand on aime, on ne rêve à rien.

JAN : Que vas-tu chercher là ? Il s'agit seulement de retrouver ma mère, de l'aider et la rendre heureuse. Quant à mes rêves ou mes devoirs, il faut les prendre comme ils sont. Je ne serais rien en dehors d'eux et tu m'aimerais moins si je ne les avais pas.

MARIA, *lui tournant brusquement le dos* : Je sais que tes raisons sont toujours bonnes et que tu peux me convaincre. Mais je ne t'écoute plus, je me bouche les oreilles quand tu prends la voix que je connais bien. C'est la voix de ta solitude, ce n'est pas celle de l'amour.

JAN, *se plaçant derrière elle* : Laissons cela, Maria. Je désire que tu me laisses seul ici afin d'y voir plus clair. Cela n'est pas si terrible et ce n'est pas une grande affaire que de coucher sous le même toit que sa mère. Dieu fera le reste. Mais Dieu sait aussi que je ne t'oublie pas dans tout cela. Seulement, on ne peut pas être heureux dans l'exil ou dans l'oubli. On ne peut pas toujours rester un étranger. Je veux retrouver mon pays, rendre heureux tous ceux que j'aime. Je ne vois pas² plus loin.

MARIA : Tu pourrais faire tout cela en prenant un langage simple. Mais ta méthode n'est pas la bonne.

JAN : Elle est la bonne puisque, par elle, je saurai si, oui ou non, j'ai raison d'avoir ces rêves.

MARIA : Je souhaite que ce soit oui et que tu aies raison. Mais moi, je n'ai pas d'autre rêve que ce pays où nous étions heureux, pas d'autre devoir que toi.

JAN, *la prenant contre lui* : Laisse-moi aller. Je finirai par trouver les mots qui arrangeront tout.

MARIA, *s'abandonnant* : Oh ! continue de rêver. Qu'importe, si je garde ton amour ! D'habitude, je ne peux pas *·* être malheureuse quand je suis contre toi. Je patiente, j'attends que tu te lasses de tes nuées : alors commence mon temps. Si je suis malheureuse aujourd'hui, c'est que je suis bien sûre de ton amour et certaine pourtant que tu vas me renvoyer. C'est pour cela que l'amour des hommes est un déchirement. Ils ne peuvent se retenir de quitter ce qu'ils préfèrent.

JAN, *la prend au visage et sourit* : Cela est vrai, Maria. Mais quoi, regarde-moi, je ne suis pas si menacé. Je fais ce que je veux et j'ai le cœur en paix. Tu me confies pour une nuit à ma mère et à ma sœur, ce n'est pas si redoutable *·*.

MARIA, *se détachant de lui* : Alors, adieu, et que mon amour te protège. *(Elle marche vers la porte où elle s'arrête et, lui montrant ses mains vides.)* Mais vois comme je suis démunie. Tu pars à la découverte et tu me laisses dans l'attente.

Elle hésite. Elle s'en va.

SCÈNE V

> *Jan s'assied. Entre le Vieux Domestique qui tient la porte ouverte pour laisser passer Martha, et sort ensuite ·.*

JAN : Bonjour ·. Je viens pour la chambre.

MARTHA : Je sais. On la prépare. Il faut que je vous inscrive sur notre livre.

Elle va chercher son livre et revient.

JAN : Vous avez un domestique bizarre.

MARTHA : C'est la première fois qu'on nous reproche quelque chose à son sujet. Il fait toujours très exactement ce qu'il doit faire.

JAN : Oh ! ce n'est pas un reproche. Il ne ressemble pas à tout le monde, voilà tout. Est-il muet ?

MARTHA : Ce n'est pas cela.

JAN : Il parle donc ?

MARTHA : Le moins possible et seulement pour l'essentiel.

JAN : En tout cas, il n'a pas l'air d'entendre ce qu'on lui dit.

MARTHA : On ne peut pas dire qu'il n'entende pas. C'est seulement qu'il entend mal. Mais je dois vous demander votre nom et vos prénoms.

JAN : Hasek, Karl.

MARTHA : Karl, c'est tout ?

JAN : C'est tout.

MARTHA : Date et lieu de naissance ?

JAN : J'ai trente-huit ans⸱

MARTHA : Où êtes-vous né ?

JAN, *il hésite* : En Bohême*ᵃᵃ*.

MARTHA : Profession ?

JAN : Sans profession.

MARTHA : Il faut être très riche ou très pauvre pour vivre sans un métier.

JAN, *il sourit* : Je ne suis pas très pauvre et, pour bien des raisons, j'en suis content.

MARTHA, *sur un autre ton* : Vous êtes tchèque, naturellement ?

JAN : Naturellement.

MARTHA : Domicile habituel ?

JAN : La Bohême*ᵃᵇ*.

MARTHA : Vous en venez ?

JAN : Non, je viens d'Afrique*ᵃᶜ*.

Elle a l'air de ne pas comprendre.

De l'autre côté de la mer.

MARTHA : Je sais. *(Un temps.)* Vous y allez souvent ?

JAN : Assez souvent.

MARTHA, *elle rêve un moment, mais reprend* : Quelle est votre destination ?

JAN : Je ne sais pas. Cela dépendra de beaucoup de choses.

MARTHA : Vous voulez vous fixer ici ?

JAN : Je ne sais pas. C'est selon ce que j'y trouverai.

MARTHA : Cela ne fait rien. Mais personne ne vous attend ?

JAN : Non, personne, en principe.

MARTHA : Je suppose que vous avez une pièce d'identité ?

JAN : Oui, je puis vous la montrer.

MARTHA : Ce n'est pas la peine. Il suffit que j'indique si c'est un passeport ou une carte d'identité.

JAN, *hésitant* : Un passeport. Le voilà. Voulez-vous le voir ?

> *Elle l'a pris dans ses mains, et va le lire, mais le Vieux Domestique paraît dans l'encadrement de la porte.*

MARTHA : Non, je ne t'ai pas appelé.

> *Il sort. Martha rend à Jan le passeport, sans le lire, avec une sorte de distraction.*

Quand vous allez là-bas ^{ad}, vous habitez près de la mer ?

JAN : Oui.

> *Elle se lève, fait mine de ranger son cahier, puis se ravise et le tient ouvert devant elle.*

MARTHA, *avec une dureté soudaine* : Ah, j'oubliais ! Vous avez de la famille ?

JAN : J'en avais. Mais il y a longtemps que je l'ai quittée.

MARTHA : Non, je veux dire : Êtes-vous marié ?

JAN : Pourquoi me demandez-vous cela ? On ne m'a posé cette question dans aucun autre hôtel.

MARTHA : Elle figure dans le questionnaire que nous donne l'administration du canton ^{ae}.

JAN : C'est bizarre. Oui, je suis marié. D'ailleurs, vous avez dû voir mon alliance.

MARTHA : Je ne l'ai pas vue. Pouvez-vous ^{af} me donner l'adresse de votre femme ?

JAN : Elle est restée dans son pays.

MARTHA : Ah ! parfait. *(Elle ferme son livre.)* Dois-je vous servir à boire, en attendant que votre chambre soit prête ?

JAN : Non, j'attendrai ici. J'espère que je ne vous gênerai pas.

MARTHA : Pourquoi me gêneriez-vous ? Cette salle est faite pour recevoir des clients.

JAN : Oui, mais un client tout seul est quelquefois plus gênant qu'une grande affluence.

MARTHA, *qui range la pièce* : Pourquoi ? Je suppose que vous n'aurez pas l'idée de me faire des contes. Je ne puis rien donner à ceux qui viennent ici chercher des plaisanteries. Il y a longtemps qu'on l'a compris dans le pays. Et vous verrez bientôt que vous avez choisi une auberge tranquille. Il n'y vient presque personne.

JAN : Cela ne doit pas arranger vos affaires.

MARTHA : Nous y avons perdu quelques recettes, mais

gagné notre tranquillité. Et la tranquillité ne se paye jamais assez cher. Au reste, un bon client vaut mieux qu'une pratique bruyante. Ce que nous recherchons, c'est justement le bon client.

JAN : Mais… *(il hésite)*, quelquefois, la vie ne doit pas être gaie pour vous ? Ne vous sentez-vous pas très seules ?

MARTHA, *lui faisant face brusquement* : Écoutez, je vois qu'il me faut vous donner un avertissement. Le voici. En entrant ici, vous n'avez que les droits d'un client. En revanche, vous les recevez tous. Vous serez bien servi et je ne pense pas que vous aurez un jour à vous plaindre de notre accueil. Mais vous n'avez pas à vous soucier de notre solitude, comme vous ne devez pas vous inquiéter de nous gêner, d'être importun ou de ne l'être pas. Prenez toute la place d'un client, elle est à vous de droit. Mais n'en prenez pas plus.

JAN : Je vous demande pardon. Je voulais vous marquer ma sympathie, et mon intention n'était pas de vous fâcher. Il m'a semblé simplement que nous n'étions pas si étrangers que cela l'un à l'autre.

MARTHA : Je vois qu'il me faut vous répéter qu'il ne peut être question de me fâcher ou de ne pas me fâcher. Il me semble que vous vous obstinez à prendre un ton qui ne devrait pas être le vôtre, et j'essaie de vous le montrer. Je vous assure bien que je le fais sans me fâcher. N'est-ce pas notre avantage, à tous les deux, de garder nos distances ? Si vous continuiez à ne pas tenir le langage d'un client, cela est fort simple, nous refuserions de vous recevoir. Mais si, comme je le pense, vous voulez bien comprendre que deux femmes qui vous louent une chambre ne sont pas forcées de vous admettre, par surcroît, dans leur intimité, alors, tout ira bien.

JAN : Cela est évident. Je suis impardonnable de vous avoir laissé croire que je pouvais m'y tromper.

MARTHA : Il n'y a aucun mal à cela. Vous n'êtes pas le premier qui ait essayé de prendre ce ton. Mais j'ai toujours parlé assez clairement pour que la confusion devînt impossible.

JAN : Vous parlez clairement, en effet, et je reconnais que je n'ai plus rien à dire… pour le moment.

MARTHA : Pourquoi ? Rien ne vous empêche de prendre le langage des clients.

JAN : Quel est ce langage ?

MARTHA : La plupart nous parlaient de tout, de leurs

voyages ou de politique, sauf de nous-mêmes. C'est ce que nous demandons. Il est même arrivé que certains nous aient parlé de leur propre vie et de ce qu'ils étaient. Cela était dans l'ordre. Après tout, parmi les devoirs pour lesquels nous sommes payées, entre celui d'écouter. Mais, bien entendu, le prix de pension ne peut pas comprendre l'obligation pour l'hôtelier de répondre aux questions. Ma mère le fait quelquefois par indifférence, moi, je m'y refuse par principe. Si vous avez bien compris cela, non seulement nous serons d'accord, mais vous vous apercevrez que vous avez encore beaucoup de choses à nous dire et vous découvrirez qu'il y a du plaisir, quelquefois, à être écouté quand on parle de soi-même.

JAN : Malheureusement, je ne saurai pas très bien parler de moi-même. Mais, après tout, cela n'est pas utile. Si je ne fais qu'un court séjour, vous n'aurez pas à me connaître. Et si je reste longtemps, vous aurez tout le loisir, sans que je parle, de savoir qui je suis.

MARTHA : J'espère seulement que vous ne me garderez pas une rancune inutile de ce que je viens de dire. J'ai toujours trouvé de l'avantage à montrer les choses telles qu'elles sont, et je ne pouvais vous laisser continuer sur un ton qui, pour finir, aurait gâté nos rapports. Ce que je dis est raisonnable. Puisque, avant ce jour, il n'y avait rien de commun entre nous, il n'y a vraiment aucune raison pour que, tout d'un coup, nous nous trouvions une intimité.

JAN : Je vous ai déjà pardonné[2]. Je sais, en effet, que l'intimité ne s'improvise pas. Il faut[ab] y mettre du temps. Si, maintenant, tout vous semble clair entre nous, il faut bien que je m'en réjouisse.

Entre la Mère.

SCÈNE VI[ai]

LA MÈRE : Bonjour, monsieur. Votre chambre est prête.
JAN : Je vous remercie beaucoup, madame.

La Mère s'assied.

LA MÈRE, *à Martha* : Tu as rempli la fiche ?
MARTHA : Oui.
LA MÈRE : Est-ce que je puis voir ? Vous m'excuserez, monsieur, mais la police est stricte. Ainsi, tenez, ma fille a

omis de noter si vous êtes venu ici pour des raisons de santé, pour votre travail ou en voyage touristique.

JAN : Je suppose qu'il s'agit de tourisme.

LA MÈRE : À cause du cloître sans doute ? On dit beaucoup de bien de notre cloître.

JAN : On m'en a parlé, en effet. J'ai voulu aussi revoir cette région que j'ai connue autrefois, et dont j'avais gardé le meilleur souvenir.

MARTHA : Vous y avez habité ?

JAN : Non, mais il y a très longtemps, j'ai eu l'occasion de passer par ici. Je ne l'ai pas oublié.

LA MÈRE : C'est pourtant un bien petit village que le nôtre.

JAN : C'est vrai. Mais je m'y plais beaucoup. Et, depuis que j'y suis, je me sens un peu chez moi.

LA MÈRE : Vous allez y rester longtemps ?

JAN : Je ne sais pas. Cela vous paraît bizarre, sans doute. Mais, vraiment, je ne sais pas. Pour rester dans un endroit, il faut avoir ses raisons — des amitiés, l'affection de quelques êtres. Sinon, il n'y a pas de motif de rester là plutôt qu'ailleurs. Et, comme il est difficile de savoir si l'on sera bien reçu, il est naturel que j'ignore encore ce que je ferai.

MARTHA : Cela ne veut pas dire grand-chose.

JAN : Oui, mais je ne sais pas mieux m'exprimer.

LA MÈRE : Allons, vous serez vite fatigué.

JAN : Non, j'ai un cœur fidèle, et je me fais vite des souvenirs, quand on m'en donne l'occasion.

MARTHA, *avec impatience* : Le cœur n'a rien à faire ici.

JAN, *sans paraître avoir entendu, à la Mère* : Vous paraissez bien désabusée *ai*. Il y a donc si longtemps que vous habitez cet hôtel ?

LA MÈRE : Il y a des années et des années de cela. Tellement d'années que je n'en sais plus le commencement et que j'ai oublié ce que j'étais alors. Celle-ci est ma fille.

MARTHA : Mère *ak*, vous n'avez pas de raison de raconter ces choses.

LA MÈRE : C'est vrai, Martha.

JAN, *très vite* : Laissez donc. Je comprends si bien votre sentiment, madame. C'est celui qu'on trouve au bout d'une vie de travail. Mais peut-être tout serait-il changé si vous aviez été aidée comme doit l'être toute femme et si vous aviez reçu l'appui d'un bras d'homme.

LA MÈRE : Oh ! je l'ai reçu dans le temps, mais il y avait trop à faire. Mon mari et moi y suffisions à peine. Nous

n'avions même pas le temps de penser l'un à l'autre et, avant
même qu'il fût mort, je crois que je l'avais oublié.

JAN : Oui, je comprends cela. Mais… *(avec un temps d'hésitation)* un fils qui vous aurait prêté son bras, vous ne l'auriez
peut-être pas oublié ?

MARTHA : Mère, vous savez que nous avons beaucoup à
faire.

LA MÈRE : Un fils ! Oh, je suis une trop vieille femme ! Les
vieilles femmes désapprennent même d'aimer leur fils. Le
cœur s'use, monsieur.

JAN : Il est vrai. Mais je sais qu'il n'oublie jamais [a].

MARTHA, *se plaçant entre eux et avec décision* : Un fils qui entre-
rait ici [am] trouverait ce que n'importe quel client est assuré d'y
trouver : une indifférence bienveillante. Tous les hommes
que nous avons reçus s'en sont accommodés. Ils ont payé
leur chambre et reçu une clé. Ils n'ont pas parlé de leur cœur.
(Un temps.) Cela simplifiait notre travail.

LA MÈRE : Laisse cela.

JAN, *réfléchissant* : Et sont-ils restés longtemps ainsi ?

MARTHA : Quelques-uns très longtemps. Nous avons
fait ce qu'il fallait pour qu'ils restent. D'autres, qui étaient
moins riches, sont partis le lendemain. Nous n'avons rien
fait pour eux.

JAN : J'ai beaucoup d'argent et je désire rester un peu dans
cet hôtel, si vous m'y acceptez. J'ai oublié de vous dire que
je pouvais payer d'avance.

LA MÈRE : Oh, ce n'est pas cela que nous demandons !

MARTHA : Si vous êtes riche, cela est bien. Mais ne parlez
plus de votre cœur. Nous ne pouvons rien pour lui. J'ai failli
vous demander de partir, tant votre ton me lassait. Prenez
votre clé, assurez-vous de votre chambre. Mais sachez que
vous êtes dans une maison sans ressources pour le cœur.
Trop d'années grises ont passé sur ce petit village et sur nous.
Elles ont peu à peu refroidi cette maison. Elles nous ont
enlevé le goût de la sympathie. Je vous le dis encore, vous
n'aurez rien ici qui ressemble à de l'intimité. Vous aurez [an]
ce que nous réservons toujours à nos rares voyageurs, et ce que
nous leur réservons n'a rien à voir avec les passions du cœur.
Prenez votre clé *(elle la lui tend)*, et n'oubliez pas ceci : nous
vous accueillons, par intérêt, tranquillement, et, si nous vous
conservons, ce sera par intérêt, tranquillement.

Il prend la clé ; elle sort, il la regarde sortir.

LA MÈRE : N'y faites pas trop attention, monsieur. Mais il
est vrai qu'il y a des sujets qu'elle n'a jamais pu supporter.
(Elle se lève et il veut l'aider.) Laissez, mon fils, je ne suis pas
infirme. Voyez ces mains qui sont encore fortes. Elles pourraient maintenir les jambes d'un homme [ao].

> *Un temps. Il regarde sa clé.*

Ce sont mes paroles qui vous donnent à réfléchir ?

JAN : Non, pardonnez-moi, je vous ai à peine entendue.
Mais pourquoi m'avez-vous appelé « mon fils » ?

LA MÈRE : Oh, je suis confuse ! Ce n'était pas par familiarité, croyez-le. C'était une manière de parler.

JAN : Je comprends. *(Un temps.)* Puis-je monter dans ma
chambre ?

LA MÈRE : Allez, monsieur. Le vieux domestique vous
attend dans le couloir [ap]. *(Il la regarde. Il veut parler.)* Avez-vous
besoin de quelque chose ?

JAN, *hésitant* : Non, madame. Mais… je vous remercie de
votre accueil.

SCÈNE VII

> *La Mère est seule. Elle se rassied, pose ses mains
> sur la table, et les contemple.*

LA MÈRE : Pourquoi lui avoir parlé de mes mains ? Si,
pourtant, il les avait regardées, peut-être aurait-il compris ce
que lui disait Martha.

Il aurait compris, il serait parti. Mais il ne comprend pas.
Mais il veut mourir. Et moi je voudrais seulement qu'il s'en
aille [aq] pour que je puisse, encore ce soir, me coucher et dormir.
Trop vieille ! Je suis trop vieille pour refermer à nouveau mes
mains autour de ses chevilles et contenir le balancement de
son corps, tout le long du chemin qui mène à la rivière. Je
suis trop vieille pour ce dernier effort qui le jettera dans l'eau
et qui me laissera les bras ballants, la respiration coupée et
les muscles noués, sans force pour essuyer sur ma figure l'eau
qui aura rejailli sous le poids du dormeur. Je suis trop vieille !
Allons, allons ! la victime est parfaite [ar]. Je dois lui donner le
sommeil que je souhaitais pour ma propre nuit. Et c'est…

> *Entre brusquement Martha.*

SCÈNE VIII

MARTHA : À quoi rêvez-vous encore ? Vous savez pourtant que nous avons beaucoup à faire.

LA MÈRE : Je pensais à cet homme. Ou plutôt, je pensais à moi.

MARTHA : Il vaut mieux penser à demain. Soyez positive[a].

LA MÈRE : C'est le mot de ton père, Martha, je le reconnais. Mais je voudrais être sûre que c'est la dernière fois que nous serons obligées d'être positives. Bizarre ! Lui disait cela pour chasser la peur du gendarme et toi, tu en uses seulement pour dissiper la petite envie d'honnêteté qui vient de me venir.

MARTHA : Ce que vous appelez une envie d'honnêteté, c'est seulement une envie de dormir. Suspendez votre fatigue jusqu'à demain et, ensuite, vous pourrez vous laisser aller.

LA MÈRE : Je sais que tu as raison. Mais avoue que ce voyageur ne ressemble pas aux autres.

MARTHA : Oui, il est trop distrait, il exagère l'allure de l'innocence. Que deviendrait le monde si les condamnés se mettaient à confier au bourreau leurs peines de cœur ? C'est un principe qui n'est pas bon. Et puis son indiscrétion m'irrite. Je veux en finir[a].

LA MÈRE : C'est cela qui n'est pas bon. Auparavant, nous n'apportions ni colère ni compassion à notre travail ; nous avions l'indifférence qu'il fallait. Aujourd'hui, moi, je suis fatiguée, et te voilà irritée. Faut-il donc s'entêter quand les choses se présentent mal et passer par-dessus tout pour un peu plus d'argent ?

MARTHA : Non, pas pour l'argent, mais pour l'oubli de ce pays et pour une maison devant la mer. Si vous êtes fatiguée de votre vie, moi, je suis lasse à mourir de cet horizon fermé, et je sens que je ne pourrai pas y vivre un mois de plus. Nous sommes toutes deux excédées de cette auberge, et vous, qui êtes vieille, voulez seulement fermer les yeux et oublier. Mais moi, qui me sens encore dans le cœur un peu des désirs de mes vingt ans, je veux faire en sorte de les quitter pour toujours, même si, pour cela, il faut entrer un peu plus avant dans la vie que nous voulons déserter. Et il faut bien que vous m'y aidiez, vous qui m'avez mise au monde dans un pays de nuages et non sur une terre de soleil !

LA MÈRE : Je ne sais pas, Martha, si, dans un sens, il ne vaudrait pas mieux, pour moi, être oubliée comme je l'ai été par
ton frère, plutôt que de m'entendre parler sur ce ton[au].

MARTHA : Vous savez bien que je ne voulais pas vous
peiner. *(Un temps, et farouche.)* Que ferais-je sans vous à mes
côtés, que deviendrais-je loin de vous ? Moi, du moins, je ne
saurais pas vous oublier et, si le poids de cette vie me fait
quelquefois manquer au respect que je vous dois, je vous en
demande pardon.

LA MÈRE : Tu es une bonne fille et j'imagine aussi qu'une
vieille femme est parfois difficile à comprendre. Mais je veux
profiter de ce moment pour te dire cela que, depuis tout à
l'heure, j'essaie de te dire : pas ce soir…

MARTHA : Eh quoi ! nous attendrons demain ? Vous savez
bien que nous n'avons jamais procédé ainsi, qu'il ne faut
pas lui laisser le temps de voir du monde et qu'il faut agir
pendant que nous l'avons sous la main.

LA MÈRE : Je ne sais pas. Mais pas ce soir. Laissons-lui
cette nuit. Donnons-nous ce sursis. C'est par lui peut-être
que nous nous sauverons.

MARTHA : Nous n'avons que faire d'être sauvées, ce langage
est ridicule. Tout ce que vous pouvez espérer, c'est d'obtenir, en travaillant ce soir, le droit de vous endormir ensuite.

LA MÈRE : C'était cela que j'appelais être sauvée : dormir.

MARTHA : Alors, je vous le jure, ce salut est entre nos
mains. Mère, nous devons nous décider. Ce sera ce soir ou
ce ne sera pas[av].

RIDEAU

ACTE II

SCÈNE PREMIÈRE[a]

*La chambre[b]. Le soir commence à entrer dans la
pièce. Jan regarde par la fenêtre.*

JAN : Maria a raison, cette heure est difficile. *(Un temps.)*
Que fait-elle, que pense-t-elle dans sa chambre d'hôtel, le
cœur fermé, les yeux secs, toute nouée au creux d'une
chaise ? Les soirs de là-bas sont des promesses de bonheur.

Mais ici, au contraire… *(Il regarde la chambre.)* Allons, cette inquiétude est sans raisons. Il faut savoir ce que l'on veut. C'est dans cette chambre que tout sera réglé[1].

On frappe brusquement. Entre Martha.

MARTHA : J'espère, monsieur, que je ne vous dérange pas. Je voudrais changer vos serviettes et votre eau.

JAN : Je croyais que cela était fait.

MARTHA : Non, le vieux domestique a quelquefois des distractions.

JAN : Cela n'a pas d'importance. Mais j'ose à peine vous dire que vous ne me dérangez pas.

MARTHA : Pourquoi ?

JAN : Je ne suis pas sûr que cela soit dans nos conventions.

MARTHA : Vous voyez bien que vous ne pouvez pas répondre comme tout le monde.

JAN, *il sourit* : Il faut bien que je m'y habitue. Laissez-moi un peu de temps.

MARTHA, *qui travaille* : Vous partez bientôt. Vous n'aurez le temps de rien. *(Il se détourne et regarde par la fenêtre. Elle l'examine. Il a toujours le dos tourné. Elle parle en travaillant.)* Je regrette, monsieur, que cette chambre ne soit pas aussi confortable que vous pourriez le désirer.

JAN : Elle est particulièrement propre, c'est le plus important. Vous l'avez d'ailleurs récemment transformée, n'est-ce pas ?

MARTHA : Oui. Comment le voyez-vous ?

JAN : À des détails.

MARTHA : En tout cas, bien des clients regrettent l'absence d'eau courante et l'on ne peut pas vraiment leur donner tort. Il y a longtemps aussi que nous voulions faire placer une ampoule électrique au-dessus du lit. Il est désagréable, pour ceux qui lisent au lit, d'être obligés de se lever pour tourner le commutateur.

JAN, *il se retourne* : En effet, je ne l'avais pas remarqué. Mais ce n'est pas un gros ennui.

MARTHA : Vous êtes très indulgent. Je me félicite que les nombreuses imperfections de notre auberge vous soient indifférentes. J'en connais d'autres qu'elles auraient suffi à chasser.

JAN : Malgré nos conventions, laissez-moi vous dire que vous êtes singulière. Il me semble, en effet, que ce n'est pas le rôle de l'hôtelier de mettre en valeur les défectuosités de son installation. On dirait, vraiment, que vous cherchez à me persuader de partir.

MARTHA : Ce n'est pas tout à fait ma pensée. *(Prenant une décision.)* Mais il est vrai que ma mère et moi hésitions beaucoup à vous recevoir.

JAN : J'ai pu remarquer au moins que vous ne faisiez pas beaucoup pour me retenir. Mais je ne comprends pas pourquoi. Vous ne devez pas douter que je suis solvable et je ne donne pas l'impression, j'imagine, d'un homme qui a quelque méfait à se reprocher.

MARTHA : Non, ce n'est pas cela. Vous n'avez rien du malfaiteur. Notre raison est ailleurs. Nous devons quitter cet hôtel, et depuis quelque temps, nous projetions chaque jour de fermer l'établissement pour commencer nos préparatifs. Cela nous était facile, il nous vient rarement des clients. Mais c'est avec vous que nous comprenons à quel point nous avions abandonné l'idée de reprendre notre ancien métier.

JAN : Avez-vous donc envie de me voir partir ?

MARTHA : Je vous l'ai dit, nous hésitons et, surtout, j'hésite. En fait, tout dépend de moi et je ne sais encore à quoi me décider.

JAN : Je ne veux pas vous être à charge, ne l'oubliez pas, et je ferai ce que vous voudrez. Je dois dire cependant que cela m'arrangerait de rester encore un ou deux jours. J'ai des affaires à mettre en ordre, avant de reprendre mes voyages, et j'espérais trouver ici la tranquillité et la paix qu'il me fallait.

MARTHA : Je comprends votre désir, croyez-le bien, et, si vous le voulez, j'y penserai encore. *(Un temps. Elle fait un pas indécis vers la porte.)* Allez-vous donc retourner au pays d'où vous venez ?

JAN : Peut-être.

MARTHA : C'est un beau pays, n'est-ce pas ?

JAN, *il regarde par la fenêtre* : Oui, c'est un beau pays.

MARTHA : On dit que, dans ces régions, il y a des plages tout à fait désertes ?

JAN : C'est vrai. Rien n'y rappelle l'homme. Au petit matin, on trouve sur le sable les traces laissées par les pattes des oiseaux de mer. Ce sont les seuls signes de vie. Quant aux soirs…

Il s'arrête.

MARTHA, *doucement* : Quant aux soirs, monsieur ?

JAN : Ils sont bouleversants. Oui, c'est un beau pays.

MARTHA, *avec un nouvel accent* : J'y ai souvent pensé. Des voyageurs m'en ont parlé, j'ai lu ce que j'ai pu. Souvent, comme aujourd'hui, au milieu de l'aigre printemps de ce pays, je pense à la mer et aux fleurs de là-bas. *(Un temps, puis, sourdement.)* Et ce que j'imagine me rend aveugle à tout ce qui m'entoure.

> *Il la regarde avec attention, s'assied doucement devant elle.*

JAN : Je comprends cela. Le printemps de là-bas vous prend à la gorge, les fleurs éclosent par milliers au-dessus des murs blancs. Si vous vous promeniez une heure[e] sur les collines qui entourent ma ville, vous rapporteriez dans vos vêtements l'odeur de miel des roses jaunes.

> *Elle s'assied aussi.*

MARTHA : Cela est merveilleux. Ce que nous appelons le printemps, ici, c'est une rose et deux bourgeons qui viennent de pousser dans le jardin du cloître. *(Avec mépris.)* Cela suffit à remuer les hommes de mon pays. Mais leur cœur ressemble à cette rose avare. Un souffle plus puissant les fanerait, ils ont le printemps qu'ils méritent.

JAN : Vous n'êtes pas tout à fait juste. Car vous avez aussi l'automne.

MARTHA : Qu'est-ce que l'automne ?

JAN : Un deuxième printemps, où toutes les feuilles sont comme des fleurs. *(Il la regarde avec insistance.)* Peut-être en est-il ainsi des êtres que vous verriez fleurir, si seulement vous les aidiez de votre patience.

MARTHA : Je n'ai plus de patience[d] en réserve pour cette Europe où l'automne a le visage de printemps et le printemps odeur de misère. Mais j'imagine avec délices cet autre pays où l'été écrase tout, où les pluies d'hiver noient les villes et où, enfin, les choses sont ce qu'elles sont.

> *Un silence. Il la regarde avec de plus en plus de curiosité. Elle s'en aperçoit et se lève brusquement.*

Pourquoi me regardez-vous ainsi ?

JAN : Pardonnez-moi, mais puisque, en somme, nous venons de laisser nos conventions, je puis bien vous le dire : il me semble que, pour la première fois, vous venez de me tenir un langage humain.

MARTHA, *avec violence* : Vous vous trompez sans doute. Si

même cela était, vous n'auriez pas de raison de vous en réjouir. Ce que j'ai d'humain n'eſt pas ce que j'ai de meilleur. Ce que j'ai d'humain, c'eſt ce que je désire, et pour obtenir ce que je désire, je crois que j'écraserais tout sur mon passage.

JAN, *il sourit* : Ce sont des violences que je peux comprendre. Je n'ai pas besoin de m'en effrayer puisque je ne suis pas un obſtacle sur votre chemin. Rien ne me pousse à m'opposer à vos désirs.

MARTHA : Vous n'avez pas de raisons de vous y opposer, cela eſt sûr. Mais vous n'en avez pas non plus de vous y prêter et, dans certains cas, cela peut tout précipiter.

JAN : Qui vous dit que je n'ai pas de raisons de m'y prêter ?

MARTHA : Le bon sens, et le désir où je suis de vous tenir en dehors de mes projets.

JAN : Si je comprends bien, nous voilà revenus à nos conventions.

MARTHA : Oui, et nous avons eu tort de nous en écarter, vous le voyez bien. Je vous remercie seulement de m'avoir parlé des pays que vous connaissez et je m'excuse de vous avoir peut-être fait perdre votre temps. *(Elle eſt déjà près de la porte.)* Je dois dire cependant que, pour ma part, ce temps n'a pas été tout à fait perdu. Il a réveillé en moi des désirs qui, peut-être, s'endormaient. S'il eſt vrai que vous teniez à reſter ici, vous avez, sans le savoir, gagné votre cause. J'étais venue presque décidée à vous demander de partir, mais, vous le voyez, vous en avez appelé à ce que j'ai d'humain, et je souhaite maintenant que vous reſtiez. Mon goût pour la mer et les pays du soleil finira par y gagner.

Il la regarde un moment en silence.

JAN, *lentement* : Votre langage eſt bien étrange. Mais je reſterai, si je le puis, et si votre mère non plus n'y voit pas d'inconvénient.

MARTHA : Ma mère a des désirs moins forts que les miens, cela eſt naturel. Elle n'a donc pas les mêmes raisons que moi de souhaiter votre présence. Elle ne pense pas assez à la mer et aux plages sauvages pour admettre qu'il faille que vous reſtiez. C'eſt une raison qui ne vaut que pour moi. Mais, en même temps, elle n'a pas de motifs assez forts à m'opposer, et cela suffit à régler la queſtion.

JAN : Si je comprends bien, l'une de vous m'admettra par intérêt et l'autre par indifférence ?

MARTHA : Que peut demander de plus un voyageur ?

Elle ouvre la porte.

JAN : Il faut donc m'en réjouir. Mais sans doute comprendrez-vous que tout ici me paraisse singulier, le langage et les êtres. Cette maison est vraiment étrange.

MARTHA : Peut-être est-ce seulement que vous vous y conduisez de façon étrange.

Elle sort.

SCÈNE IIe

JAN, *regardant vers la porte* : Peut-être, en effet... *(Il va vers le lit et s'y assied.)* Mais cette fille me donne seulement le désir de partir, de retrouver Maria et d'être encore heureux. Tout cela est stupide. Qu'est-ce que je fais ici ? Mais non, j'ai la charge de ma mère et de ma sœur. Je les ai oubliées trop longtemps. *(Il se lève[f].)* Oui, c'est dans cette chambre que tout sera réglé.

Qu'elle est froide, cependant ! Je n'en reconnais rien, tout a été mis à neuf. Elle ressemble maintenant à toutes les chambres d'hôtel de ces villes étrangères où des hommes seuls arrivent chaque nuit. J'ai connu cela aussi. Il me semblait alors qu'il y avait une réponse à trouver. Peut-être la recevrai-je ici. *(Il regarde au-dehors.)* Le ciel se couvre. Et voici[g] maintenant ma vieille angoisse, là, au creux de mon corps, comme une mauvaise blessure que chaque mouvement irrite. Je connais son nom. Elle est peur de la solitude éternelle, crainte qu'il n'y ait pas de réponse. Et qui répondrait dans une chambre d'hôtel ? *(Il s'est avancé vers la sonnette. Il hésite, puis il sonne. On n'entend rien. Un moment de silence, des pas, on frappe un coup. La porte s'ouvre. Dans l'encadrement, se tient le Vieux Domestique. Il reste immobile et silencieux.)* Ce n'est rien. Excusez-moi. Je voulais savoir seulement si quelqu'un répondait, si la sonnerie fonctionnait.

Le Vieux le regarde, puis ferme la porte. Les pas s'éloignent.

SCÈNE III

JAN : La sonnerie fonctionne, mais lui ne parle pas. Ce n'est pas une réponse. *(Il regarde le ciel*[b].*)* Que faire ?

> *On frappe deux coups. La Sœur entre avec un plateau.*

SCÈNE IV

JAN : Qu'est-ce que c'est ?

MARTHA : Le thé que vous avez demandé.

JAN : Je n'ai rien demandé.

MARTHA : Ah ? Le vieux aura mal entendu. Il comprend souvent à moitié. *(Elle met le plateau sur la table. Jan fait un geste.)* Dois-je le remporter ?

JAN : Non, non, je vous remercie au contraire.

> *Elle le regarde. Elle sort*[i].

SCÈNE V

JAN, *il prend la tasse, la regarde, la pose à nouveau* : Un verre de bière, mais contre mon argent ; une tasse de thé, et par mégarde. *(Il prend la tasse et la tient un moment en silence. Puis sourdement.)* Ô mon Dieu ! donnez-moi de trouver mes mots ou faites que j'abandonne cette vaine entreprise pour retrouver l'amour de Maria. Donnez-moi alors la force de choisir ce que je préfère et de m'y tenir[j]. *(Il rit.)* Allons, faisons honneur au festin du prodigue !

> *Il boit. On frappe fortement à la porte.*

Eh bien ?

> *La porte s'ouvre. Entre la Mère.*

SCÈNE VI

LA MÈRE : Pardonnez-moi, monsieur, ma fille me dit qu'elle vous a donné du thé.

JAN : Vous voyez.

LA MÈRE : Vous l'avez bu ?

JAN : Oui, pourquoi ?

LA MÈRE : Excusez-moi, je vais enlever le plateau.

JAN, *il sourit* : Je regrette de vous avoir dérangée.

LA MÈRE : Ce n'est rien. En réalité, ce thé ne vous était pas destiné.

JAN : Ah ! c'est donc cela. Votre fille me l'a apporté sans que je l'aie commandé.

LA MÈRE, *avec une sorte de lassitude* : Oui, c'est cela. Il eût mieux valu…

JAN, *surpris* : Je le regrette, croyez-le, mais votre fille a voulu me le laisser quand même et je n'ai pas cru…

LA MÈRE : Je le regrette aussi. Mais ne vous excusez pas. Il s'agit seulement d'une erreur*.*

Elle range le plateau et va sortir.

JAN : Madame !

LA MÈRE : Oui.

JAN : Je viens de prendre une décision : je crois que je partirai ce soir, après le dîner. Naturellement, je vous paierai la chambre.

Elle le regarde en silence.

Je comprends que vous paraissiez surprise. Mais ne croyez pas surtout que vous soyez responsable de quelque chose. Je ne me sens pour vous que des sentiments de sympathie, et même de grande sympathie. Mais pour être sincère, je ne suis pas à mon aise ici, je préfère ne pas prolonger mon séjour.

LA MÈRE, *lentement* : Cela ne fait rien, monsieur. En principe, vous êtes tout à fait libre. Mais, d'ici le dîner, vous changerez peut-être d'avis. Quelquefois, on obéit à l'impression du moment et puis les choses s'arrangent et l'on finit par s'habituer.

JAN : Je ne crois pas, madame. Je ne voudrais cependant pas que vous vous imaginiez que je pars mécontent. Au contraire, je vous suis très reconnaissant de m'avoir accueilli comme vous l'avez fait. *(Il hésite.)* Il m'a semblé sentir chez vous une sorte de bienveillance à mon égard.

LA MÈRE : C'était tout à fait naturel, monsieur. Je n'avais pas de raisons personnelles de vous marquer de l'hostilité.

JAN, *avec une émotion contenue* : Peut-être, en effet. Mais si je vous dis cela, c'est que je désire vous quitter en bons termes. Plus tard, peut-être, je reviendrai. J'en suis même sûr. Mais pour l'instant[1], j'ai le sentiment de m'être trompé et de n'avoir rien à faire ici. Pour tout vous dire, j'ai l'impression pénible que cette maison n'est pas la mienne.

> *Elle le regarde toujours.*

LA MÈRE : Oui, bien sûr. Mais d'ordinaire, ce sont des choses qu'on sent tout de suite.

JAN : Vous avez raison. Voyez-vous, je suis un peu distrait. Et puis ce n'est jamais facile de revenir dans un pays que l'on a quitté depuis longtemps. Vous devez comprendre cela.

LA MÈRE : Je vous comprends, monsieur, et j'aurais voulu que les choses s'arrangent pour vous. Mais je crois que, pour notre part, nous ne pouvons rien faire.

JAN : Oh ! cela[m] est sûr et je ne vous reproche rien[2]. Vous êtes seulement les premières personnes que je rencontre depuis mon retour et il est naturel que je sente d'abord avec vous les difficultés qui m'attendent. Bien entendu, tout vient de moi, je suis encore dépaysé.

LA MÈRE : Quand les choses s'arrangent mal, on ne peut rien y faire. Dans un certain sens, cela m'ennuie aussi que vous ayez décidé de partir. Mais je me dis qu'après tout, je n'ai pas de raisons d'y attacher de l'importance.

JAN : C'est beaucoup déjà que vous partagiez mon ennui et que vous fassiez l'effort de me comprendre. Je ne sais pas si je saurais bien vous exprimer à quel point ce que vous venez de dire me touche et me fait plaisir. *(Il a un geste vers elle.)* Voyez-vous...

LA MÈRE : C'est notre métier de nous rendre agréables à tous nos clients.

JAN, *découragé* : Vous avez raison. *(Un temps.)* En somme, je vous dois seulement des excuses et, si vous le jugez bon, un dédommagement. *(Il passe sa main sur son front. Il semble plus fatigué. Il parle moins facilement.)* Vous avez pu faire des préparatifs, engager des frais, et il est tout à fait naturel...

LA MÈRE : Nous n'avons certes pas de dédommagement à vous demander. Ce n'est pas pour nous que je regrettais votre incertitude, c'est pour vous.

JAN, *il s'appuie à la table* : Oh ! cela ne fait rien. L'essentiel est que nous soyons d'accord et que vous ne gardiez pas de moi un trop mauvais souvenir. Je n'oublierai pas votre maison, croyez-le bien, et j'espère que, le jour où j'y reviendrai, je serai dans de meilleures dispositions.

> *Elle marche sans un mot vers la porte.*

Madame !

> *Elle se retourne. Il parle avec difficulté, mais finit plus aisément qu'il n'a commencé.*

Je voudrais… *(Il s'arrête.)* Pardonnez-moi, mais mon voyage m'a fatigué. *(Il s'assied sur le lit.)* Je ⁿ voudrais, du moins, vous remercier… Je tiens aussi à ce que vous le sachiez, ce n'est pas comme un hôte indifférent que je quitterai cette maison.

LA MÈRE : Je vous en prie, monsieur.

> *Elle sort.*

SCÈNE VII

> *Il la regarde sortir. Il fait un geste, mais donne, en même temps, des signes de fatigue. Il semble céder à la lassitude et s'accoude à l'oreiller.*

JAN : Je reviendrai demain avec Maria, et je dirai : « C'est moi. » Je les rendrai heureuses. Tout cela est évident. Maria avait raison. *(Il soupire, s'étend à moitié.)* Oh ! je n'aime pas ce soir où tout est si lointain. *(Il est tout à fait couché, il dit des mots qu'on n'entend pas, d'une voix à peine perceptible.)* Oui ou non ?

> *Il remue. Il dort. La scène est presque dans la nuit. Long silence. La porte s'ouvre. Entrent les deux femmes avec une lumière°. Le Vieux Domestique les suit.*

SCÈNE VIII

MARTHA, *après avoir éclairé le corps, d'une voix étouffée* : Il dort.
LA MÈRE, *de la même voix, mais qu'elle élève peu à peu* : Non,

Martha ! Je n'aime pas cette façon de me forcer la main.
Tu me traînes à cet acte. Tu commences, pour m'obliger à
finir. Je n'aime pas cette façon de passer par-dessus mon
hésitation.

MARTHA : C'est une façon de tout simplifier. Dans le
trouble où vous étiez, c'était à moi de vous aider en agissant.

LA MÈRE : Je sais bien qu'il fallait que cela finisse. Il n'empêche. Je n'aime pas cela.

MARTHA : Allons, pensez plutôt à demain et faisons vite.

> *Elle fouille le veston et en tire un portefeuille dont
> elle compte les billets. Elle vide toutes les poches du
> dormeur. Pendant cette opération, le passeport tombe
> et glisse derrière le lit[p]. Le Vieux Domestique va le
> ramasser sans que les femmes le voient et se retire.*

Voilà. Tout est prêt. Dans un instant, les eaux de la rivière
seront pleines. Descendons. Nous viendrons le chercher
quand nous entendrons l'eau couler par-dessus le barrage.
Venez !

LA MÈRE, *avec calme* : Non, nous sommes bien ici.

> *Elle s'assied.*

MARTHA : Mais… *(Elle regarde sa mère puis, avec défi.)* Ne
croyez pas que cela m'effraie. Attendons ici.

LA MÈRE : Mais oui, attendons. Attendre est bon, attendre
est reposant. Tout à l'heure, il faudra le porter tout le long
du chemin, jusqu'à la rivière. Et d'avance j'en suis fatiguée,
d'une fatigue tellement vieille que mon sang ne peut plus la
digérer. *(Elle oscille sur elle-même comme si elle dormait à moitié.)*
Pendant ce temps, lui ne se doute de rien. Il dort. Il en a terminé avec ce monde. Tout lui sera facile, désormais. Il passera seulement d'un sommeil peuplé d'images à un sommeil
sans rêves. Et ce qui, pour tout le monde, est un affreux arrachement ne sera pour lui qu'un long dormir.

MARTHA, *avec défi* : Réjouissons-nous donc ! Je n'avais pas
de raisons de le haïr, et je suis heureuse que la souffrance au
moins lui soit épargnée. Mais… il me semble que les eaux
montent. *(Elle écoute, puis sourit.)* Mère, mère, tout sera fini,
bientôt.

LA MÈRE, *même jeu* : Oui, tout sera fini. Les eaux montent.
Pendant ce temps, lui ne se doute de rien. Il dort. Il ne
connaît plus la fatigue du travail à décider, du travail à terminer. Il dort, il n'a plus à se raidir, à se forcer, à exiger de

lui-même ce qu'il ne peut pas faire. Il ne porte plus la croix de cette vie intérieure qui proscrit le repos, la distraction, la faiblesse… Il dort et ne pense plus, il n'a plus de devoirs ni de tâches, non, non, et moi, vieille et fatiguée, oh, je l'envie de dormir maintenant et de devoir mourir bientôt. *(Silence.)* Tu ne dis rien, Martha ?

MARTHA : Non. J'écoute. J'attends le bruit des eaux.

LA MÈRE : Dans un moment. Dans un moment seulement. Oui, encore un moment. Pendant ce temps, au moins, le bonheur est encore possible.

MARTHA : Le bonheur sera possible ensuite. Pas avant.

LA MÈRE : Savais-tu, Martha, qu'il voulait partir ce soir ?

MARTHA : Non, je ne le savais pas. Mais, le sachant, j'aurais agi de même. Je l'avais décidé.

LA MÈRE : Il me l'a dit tout à l'heure, et je ne savais que lui répondre.

MARTHA : Vous l'avez donc vu ?

LA MÈRE : Je suis montée ici, pour l'empêcher de boire. Mais il était trop tard.

MARTHA : Oui, il était trop tard ! Et puisqu'il faut vous le dire, c'est lui qui m'y a décidée. J'hésitais. Mais il m'a parlé des pays que j'attends et, pour avoir su me toucher, il m'a donné des armes contre lui. C'est ainsi que l'innocence est récompensée.

LA MÈRE : Pourtant, Martha, il avait fini par comprendre. Il m'a dit qu'il sentait que cette maison n'était pas la sienne.

MARTHA, *avec force et impatience* : Et cette maison, en effet, n'est pas la sienne, mais c'est qu'elle n'est celle de personne. Et personne n'y trouvera jamais l'abandon ni la chaleur. S'il avait compris cela plus vite, il se serait épargné et nous aurait évité d'avoir à lui apprendre que cette chambre est faite pour qu'on y dorme et ce monde pour qu'on y meure. Assez maintenant, nous… *(On entend au loin le bruit des eaux.)* Écoutez, l'eau coule par-dessus le barrage. Venez, mère, et pour l'amour de ce Dieu que vous invoquez quelquefois, finissons-en.

La Mère fait un pas vers le lit.

LA MÈRE : Allons ! Mais il me semble que cette aube n'arrivera jamais.

RIDEAU

ACTE III

SCÈNE PREMIÈRE

*La Mère, Martha et le Domestique sont en scène.
Le Vieux balaie et range. La Sœur est derrière le
comptoir, tirant ses cheveux en arrière. La Mère traverse le plateau, se dirigeant vers la porte.*

MARTHA : Vous voyez bien que cette aube est arrivée.

LA MÈRE : Oui. Demain, je trouverai que c'est une bonne
chose que d'en avoir fini. Maintenant, je ne sens que ma
fatigue.

MARTHA : Ce matin est, depuis des années, le premier où
je respire. Il me semble que j'entends déjà la mer. Il y a*a* en
moi une joie qui va me faire crier.

LA MÈRE : Tant mieux, Martha, tant mieux. Mais je me
sens maintenant si vieille que je ne peux rien partager avec
toi. Demain, tout ira mieux.

MARTHA : Oui, tout ira mieux, je l'espère. Mais ne vous
plaignez pas encore et laissez-moi être heureuse à loisir. Je
redeviens la jeune fille que j'étais. De nouveau, mon corps
brûle, j'ai envie de courir. Oh ! dites-moi seulement…

Elle s'arrête.

LA MÈRE : Qu'y a-t-il, Martha ? Je ne te reconnais plus.

MARTHA : Mère… *(Elle hésite, puis avec feu.)* Suis-je encore
belle ?

LA MÈRE : Tu l'es, ce matin. Le crime est beau*b*.

MARTHA : Qu'importe maintenant le crime ! Je nais pour
la seconde fois, je vais rejoindre la terre où je serai heureuse.

LA MÈRE : Bien. Je vais aller me reposer. Mais je suis
contente de savoir que la vie va enfin commencer pour toi.

*Le Vieux Domestique apparaît en haut de l'esca-
lier, descend vers Martha, lui tend le passeport, puis
sort sans rien dire. Martha ouvre le passeport et le lit,
sans réaction.*

Qu'est-ce que c'est ?

MARTHA, *d'une voix calme* : Son passeport. Lisez.

LA MÈRE : Tu sais bien[c] que mes yeux sont fatigués.

MARTHA : Lisez ! Vous saurez son nom.

> *La Mère prend le passeport, vient s'asseoir devant*
> *une table, étale le carnet et lit. Elle regarde longtemps*
> *les pages devant elle.*

LA MÈRE, *d'une voix neutre* : Allons, je savais bien qu'un jour cela tournerait de cette façon et qu'alors il faudrait en finir.

MARTHA, *elle vient se placer devant le comptoir* : Mère !

LA MÈRE, *de même* : Laisse, Martha, j'ai bien assez vécu. J'ai vécu beaucoup plus longtemps que mon fils. Je ne l'ai pas reconnu et je l'ai tué. Je peux[d] maintenant aller le rejoindre au fond de cette rivière où les herbes couvrent déjà son visage[e].

MARTHA : Mère ! vous n'allez pas me laisser seule ?

LA MÈRE : Tu m'as bien aidée, Martha, et je regrette de te quitter. Si cela peut encore avoir du sens, je dois témoigner qu'à ta manière tu as été une bonne fille. Tu m'as toujours rendu le respect que tu me devais. Mais maintenant, je suis lasse et mon vieux cœur, qui se croyait détourné de tout, vient de réapprendre la douleur. Je ne suis plus assez jeune pour m'en arranger. Et de toute façon, quand une mère n'est plus capable de reconnaître son fils, c'est que son rôle sur la terre est fini.

MARTHA : Non, si le bonheur de sa fille est encore à construire. Je ne comprends pas ce que vous me dites. Je ne reconnais pas vos mots. Ne m'avez-vous pas appris à ne rien respecter ?

LA MÈRE, *de la même voix indifférente* : Oui, mais, moi, je viens d'apprendre que j'avais tort et que sur cette terre où rien n'est assuré, nous avons nos certitudes. (*Avec amertume.*) L'amour d'une mère pour son fils est aujourd'hui ma certitude.

MARTHA : N'êtes-vous donc pas certaine qu'une mère puisse aimer sa fille ?

LA MÈRE : Je ne voudrais pas te blesser maintenant, Martha, mais il est vrai que ce n'est pas la même chose. C'est moins fort. Comment pourrais-je me passer de l'amour de mon fils[f] ?

MARTHA, *avec éclat* : Bel amour qui vous oublia vingt ans !

LA MÈRE : Oui, bel amour qui survit à vingt ans de silence. Mais qu'importe[g] ! cet amour est assez beau pour moi, puisque je ne peux vivre en dehors de lui.

Elle se lève.

MARTHA : Il n'est pas possible que vous disiez cela sans l'ombre d'une révolte et sans une pensée pour votre fille.

LA MÈRE : Non, je n'ai de pensée pour rien et moins encore de révolte. C'est la punition, Martha, et je suppose qu'il est une heure où tous les meurtriers sont comme moi, vidés par l'intérieur, stériles, sans avenir possible. C'est pour cela qu'on les supprime, ils ne sont bons à rien.

MARTHA : Vous tenez un langage que je méprise et je ne puis vous entendre parler de crime et de punition.

LA MÈRE : Je dis ce qui me vient à la bouche, rien de plus. Ah ! j'ai perdu ma liberté, c'est l'enfer qui a commencé !

MARTHA, *elle vient vers elle, et avec violence* : Vous ne disiez pas cela auparavant. Et pendant toutes ces années, vous avez continué à vous tenir près de moi et à prendre d'une main ferme les jambes de ceux qui devaient mourir. Vous ne pensiez pas alors à la liberté et à l'enfer. Vous avez continué. Que peut changer[b] votre fils à cela ?

LA MÈRE : J'ai continué, il est vrai. Mais par habitude, comme une morte. Il suffisait de la douleur pour tout transformer. C'est cela que mon fils est venu changer.

Martha fait un geste pour parler.

Je sais, Martha, cela n'est pas raisonnable. Que signifie la douleur pour une criminelle ? Mais aussi[i], tu le vois, ce n'est pas une vraie douleur de mère : je n'ai pas encore crié. Ce n'est rien d'autre que la souffrance de renaître à l'amour, et cependant elle me dépasse. Je sais aussi que cette souffrance non plus n'a pas de raison. *(Avec un accent nouveau.)* Mais ce monde lui-même n'est pas raisonnable et je puis bien le dire, moi qui en ai tout goûté, depuis la création jusqu'à la destruction.

Elle se dirige avec décision vers la porte, mais Martha la devance et se place devant l'entrée.

MARTHA : Non, mère, vous ne me quitterez pas. N'oubliez pas que je suis celle qui est restée et que lui était parti, que vous m'avez eue près de vous toute une vie et que lui vous a laissée dans le silence. Cela doit se payer. Cela doit entrer dans le compte. Et c'est vers moi que vous devez revenir.

LA MÈRE, *doucement* : Il est vrai, Martha, mais lui, je l'ai tué !

> *Martha s'est détournée un peu, la tête en arrière, semblant regarder la porte.*

MARTHA, *après un silence, avec une passion croissante* : Tout ce que la vie peut donner à un homme lui a été donné. Il a quitté ce pays. Il a connu d'autres espaces, la mer, des êtres libres. Moi, je suis restée ici. Je suis restée, petite et sombre, dans l'ennui, enfoncée au cœur du continent et j'ai grandi dans l'épaisseur des terres. Personne n'a embrassé ma bouche et même vous, n'avez vu mon corps sans vêtements. Mère, je vous le jure, cela doit se payer. Et sous le vain prétexte qu'un homme est mort, vous ne pouvez vous dérober au moment où j'allais recevoir ce qui m'est dû. Comprenez donc que, pour un homme qui a vécu, la mort est une petite affaire. Nous pouvons oublier mon frère et votre fils. Ce qui lui est arrivé est sans importance : il n'avait plus rien à connaître. Mais moi, vous me frustrez de tout et vous m'ôtez ce dont il a joui. Faut-il donc qu'il m'enlève encore l'amour de ma mère et qu'il vous emmène pour toujours dans sa rivière glacée ?

> *Elles se regardent en silence. La Sœur baisse les yeux. Très bas.*

Je me contenterais de si peu. Mère, il y a des mots que je n'ai jamais su prononcer, mais il me semble qu'il y aurait de la douceur à recommencer notre vie de tous les jours.

> *La Mère s'est avancée vers elle.*

LA MÈRE : Tu l'avais reconnu ?

MARTHA, *relevant brusquement la tête* : Non ! je ne l'avais pas reconnu. Je n'avais gardé de lui aucune image, cela est arrivé comme ce devait arriver. Vous l'avez dit vous-même, ce monde n'est pas raisonnable. Mais vous n'avez pas tout à fait tort de me poser cette question. Car si je l'avais reconnu, je sais maintenant que cela n'aurait rien changé[1].

LA MÈRE : Je veux croire que cela n'est pas vrai. Les pires meurtriers connaissent les heures où l'on désarme.

MARTHA : Je les connais aussi. Mais ce n'est pas devant un frère inconnu et indifférent que j'aurais baissé le front.

LA MÈRE : Devant qui donc alors ?

> *Martha baisse le front.*

MARTHA : Devant vous.

Silence.

LA MÈRE, *lentement* : Trop tard, Martha. Je ne peux plus rien pour toi. *(Elle se retourne vers sa fille.)* Est-ce que tu pleures, Martha ? Non, tu ne saurais pas. Te souviens-tu du temps où je t'embrassais ?

MARTHA : Non, mère.

LA MÈRE[k] : Tu as raison. Il y a longtemps de cela et j'ai très vite oublié de te tendre les bras. Mais je n'ai pas cessé de t'aimer. *(Elle écarte doucement Martha qui lui cède peu à peu le passage.)* Je le sais maintenant puisque[l] mon cœur parle ; je vis à nouveau, au moment où je ne puis plus supporter de vivre.

Le passage est libre.

MARTHA, *mettant son visage dans ses mains* : Mais qu'est-ce donc qui peut être plus fort que la détresse de votre fille ?

LA MÈRE : La fatigue peut-être, et la soif du repos.

Elle sort sans que sa fille s'y oppose.

SCÈNE II

Martha court vers la porte, la ferme brutalement, se colle contre elle. Elle éclate en cris sauvages.

MARTHA : Non ! je n'avais pas à veiller sur mon frère, et pourtant me voilà exilée dans mon propre pays ; ma mère[m] elle-même m'a rejetée. Mais je n'avais pas à veiller sur mon frère, ceci est l'injustice qu'on fait à l'innocence. Le voilà qui a obtenu maintenant ce qu'il voulait, tandis que je reste solitaire, loin de la mer dont j'avais soif. Oh ! je le hais ! Toute ma vie s'est passée dans l'attente de cette vague qui m'emporterait et je sais qu'elle ne viendra plus ! Il me faut demeurer avec, à ma droite et à ma gauche, devant et derrière moi, une foule de peuples et de nations, de plaines et de montagnes, qui arrêtent le vent de la mer et dont les jacassements et les murmures étouffent son appel répété. *(Plus bas.)* D'autres ont plus de chance ! Il est des lieux pourtant éloignés de la mer où le vent du soir, parfois, apporte une odeur d'algue. Il y parle de plages humides, toutes sonores du cri des mouettes, ou de grèves dorées dans des soirs sans limites. Mais le vent s'épuise bien avant d'arriver ici ; plus jamais je n'aurai ce qui m'est dû. Quand même je collerais mon oreille contre terre, je n'entendrai pas le choc des vagues glacées ou la respiration mesurée de la mer heureuse. Je suis trop loin de ce que j'aime et ma distance est sans remède. Je le hais, je le hais pour avoir obtenu ce qu'il voulait ! Moi, j'ai pour patrie ce lieu clos et épais où le ciel est sans horizon, pour*ⁿ* ma faim l'aigre prunier de ce pays*ᵒ* et rien pour ma soif, sinon le sang que j'ai répandu. Voilà le prix qu'il faut payer pour la tendresse d'une mère !

Qu'elle meure donc, puisque je ne suis pas aimée ! Que les portes se referment autour de moi ! Qu'elle me laisse à ma juste colère ! Car, avant de mourir, je ne lèverai pas les yeux pour implorer le ciel. Là-bas, où l'on peut fuir, se délivrer, presser son corps contre un autre, rouler dans la vague, dans ce pays défendu par la mer, les dieux n'abordent pas. Mais ici, où le regard s'arrête de tous côtés, toute la terre est dessinée pour que le visage se lève et que le regard supplie. Oh ! je hais ce monde où nous en sommes réduits à Dieu. Mais moi, qui souffre d'injustice, on ne m'a pas fait droit, je ne m'agenouillerai pas. Et privée de ma place sur cette terre, rejetée*ᵖ* par ma mère, seule au milieu de mes crimes, je quitterai ce monde sans être réconciliée.

On frappe à la porte.

SCÈNE III

MARTHA : Qui est là ?

MARIA : Une voyageuse.

MARTHA : On ne reçoit plus de clients.

MARIA : Je viens rejoindre mon mari.

Elle entre.

MARTHA, *la regardant* : Qui est votre mari ?

MARIA : Il est arrivé ici hier et devait me rejoindre ce matin. Je suis étonnée qu'il ne l'ait pas fait.

MARTHA : Il avait dit que sa femme était à l'étranger.

MARIA : Il a ses raisons pour cela. Mais nous devions nous retrouver maintenant.

MARTHA, *qui n'a pas cessé de la regarder* : Cela vous sera difficile. Votre mari n'est plus ici.

MARIA : Que dites-vous là ? N'a-t-il pas pris une chambre chez vous ?

MARTHA : Il avait pris une chambre, mais il l'a quittée dans la nuit.

MARIA : Je ne puis le croire, je sais toutes les raisons qu'il a de rester dans cette maison. Mais votre ton m'inquiète. Dites-moi ce que vous avez à me dire.

MARTHA : Je n'ai rien à vous dire, sinon que votre mari n'est plus là.

MARIA : Il n'a pu partir sans moi, je ne vous comprends pas. Vous a-t-il quittées définitivement ou a-t-il dit qu'il reviendrait ?

MARTHA : Il nous a quittées définitivement.

MARIA : Écoutez. Depuis hier, je supporte, dans ce pays étranger, une attente qui a épuisé toute ma patience. Je suis venue, poussée par l'inquiétude, et je ne suis pas décidée à repartir sans avoir vu mon mari ou sans savoir où le retrouver.

MARTHA : Ce n'est pas mon affaire.

MARIA : Vous vous trompez. C'est aussi votre affaire. Je ne sais pas si mon mari approuvera ce que je vais vous dire, mais je suis lasse de ces complications. L'homme qui est arrivé chez vous, hier matin, est le frère dont vous n'entendiez plus parler depuis des années.

MARTHA : Vous ne m'apprenez rien.

MARIA, *avec éclat* : Mais alors, qu'est-il donc arrivé ? Pourquoi votre frère n'est-il pas dans cette maison ? Ne l'avez-vous pas reconnu et, votre mère et vous, n'avez-vous pas été heureuses de ce retour ?

MARTHA : Votre mari n'est plus là parce qu'il est mort[q].

> *Maria a un sursaut et reste un moment silencieuse, regardant fixement Martha. Puis elle fait mine de s'approcher d'elle et sourit.*

MARIA : Vous plaisantez, n'est-ce pas ? Jan m'a souvent dit que petite fille, déjà, vous vous plaisiez à déconcerter. Nous sommes presque sœurs et…

MARTHA : Ne me touchez pas. Restez à votre place. Il n'y a rien de commun entre nous[r]. *(Un temps.)* Votre mari est mort cette nuit, je vous assure que cela n'est pas une plaisanterie. Vous n'avez plus rien à faire ici.

MARIA : Mais vous êtes folle, folle à lier ! C'est trop soudain et je ne peux pas vous croire. Où est-il ? Faites que je le voie mort et alors seulement je croirai ce que je ne puis même pas imaginer.

MARTHA : C'est impossible. Là où il est, personne ne peut le voir.

Maria a un geste vers elle.

Ne me touchez pas et restez où vous êtes… Il est au fond de la rivière où ma mère et moi l'avons porté, cette nuit, après l'avoir endormi. Il n'a pas souffert, mais il n'empêche qu'il est mort, et c'est nous, sa mère et moi, qui l'avons tué.

MARIA, *elle recule* : Non, non… c'est moi qui suis folle et qui entends des mots qui n'ont encore jamais retenti sur cette terre. Je savais que rien de bon ne m'attendait ici, mais je ne suis pas prête à entrer dans cette démence. Je ne comprends pas, je ne vous comprends pas…

MARTHA : Mon rôle¹ n'est pas de vous persuader, mais seulement de vous informer. Vous viendrez de vous-même à l'évidence.

MARIA, *avec une sorte de distraction* : Pourquoi, pourquoi avez-vous fait cela ?

MARTHA : Au nom de quoi me questionnez-vous ?

MARIA, *dans un cri* : Au nom de mon amour !

MARTHA : Qu'est-ce que ce mot veut dire ?

MARIA : Il veut dire tout ce qui, à présent, me déchire et me mord, ce délire qui ouvre mes mains pour le meurtre. N'était cette incroyance entêtée qui me reste dans le cœur, vous apprendriez, folle, ce que ce mot veut dire, en sentant votre visage se déchirer sous mes ongles.

MARTHA : Vous parlez décidément un langage que je ne comprends pas. J'entends mal les mots d'amour, de joie ou de douleur.

MARIA, *avec un grand effort* : Écoutez, cessons¹ ce jeu, si c'en est un. Ne nous égarons pas en paroles vaines. Dites-moi, bien clairement, ce que je veux savoir bien clairement, avant de m'abandonner.

MARTHA : Il est difficile d'être plus claire que je l'ai été. Nous avons tué votre mari cette nuit, pour lui prendre son argent, comme nous l'avions fait déjà pour quelques voyageurs avant lui.

MARIA : Sa mère et sa sœur étaient donc des criminelles ?

MARTHA : Oui.

MARIA, *toujours avec le même effort* : Aviez-vous appris déjà qu'il était votre frère ?

MARTHA : Si vous voulez le savoir, il y a eu malentendu. Et pour peu que vous connaissiez le monde, vous ne vous en étonnerez pas.

MARIA, *retournant vers la table, les poings contre la poitrine, d'une voix sourde* : Oh ! mon Dieu, je savais" que cette comédie ne pouvait être que sanglante, et que lui et moi serions punis de nous y prêter. Le malheur était dans le ciel. *(Elle s'arrête devant la table et parle sans regarder Martha.)* Il voulait se faire reconnaître de vous, retrouver sa maison, vous apporter le bonheur, mais il ne savait pas trouver la parole qu'il fallait. Et pendant qu'il cherchait ses mots, on le tuait. *(Elle se met à pleurer.)* Et vous, comme deux insensées, aveugles devant le fils merveilleux qui vous revenait... car il était merveilleux, et vous ne savez pas quel cœur fier, quelle âme exigeante vous venez de tuer ! Il pouvait être votre orgueil, comme il a été le mien. Mais, hélas ! vous étiez son ennemie, vous êtes son ennemie, vous qui pouvez parler froidement de ce qui devrait vous jeter dans la rue et vous tirer des cris de bête !

MARTHA : Ne jugez de rien, car vous ne savez pas tout. À l'heure qu'il est, ma mère a rejoint son fils. Le flot commence à les ronger. On les découvrira bientôt et ils se retrouveront dans la même terre. Mais je ne vois pas qu'il y ait encore là de quoi me tirer des cris. Je me fais une autre idée du cœur humain et, pour tout dire, vos larmes me répugnent.

MARIA, *se retournant contre elle avec haine* : Ce sont les larmes des joies perdues à jamais. Cela vaut mieux pour vous que cette douleur sèche qui va bientôt me venir et qui pourrait vous tuer sans un tremblement.

MARTHA : Il n'y a pas là de quoi m'émouvoir. Vraiment, ce serait peu de chose. Moi aussi, j'en ai assez vu et entendu, j'ai décidé de mourir à mon tour. Mais je ne veux pas me mêler à eux. Qu'ai-je à faire dans leur compagnie ? Je les laisse à leur tendresse retrouvée, à leurs caresses obscures. Ni vous ni moi n'y avons plus de part, ils nous sont infidèles à jamais. Heureusement, il me reste ma chambre, il sera bon d'y mourir seule".

MARIA : Ah ! vous pouvez mourir, le monde peut crouler, j'ai perdu celui que j'aime. Il me faut maintenant vivre dans cette terrible solitude où la mémoire est un supplice.

Martha vient derrière elle et parle par-dessus sa tête.

MARTHA : N'exagérons rien. Vous avez perdu votre mari et j'ai perdu ma mère. Après tout, nous sommes quittes. Mais vous ne l'avez perdu qu'une fois, après en avoir joui pendant des années et sans qu'il vous ait rejetée. Moi, ma mère m'a rejetée. Maintenant elle est morte et je l'ai perdue deux fois.

MARIA : Il voulait vous apporter sa fortune, vous rendre heureuses toutes les deux. Et c'est à cela qu'il pensait, seul, dans sa chambre, au moment où vous prépariez sa mort.

MARTHA, *avec un accent soudain désespéré* : Je suis quitte aussi avec votre mari, car j'ai connu sa détresse. Je croyais comme lui avoir ma maison. J'imaginais que le crime était notre foyer et qu'il nous avait unies, ma mère et moi, pour toujours. Vers qui donc, dans le monde, aurais-je pu me tourner, sinon vers celle qui avait tué en même temps que moi ? Mais je me trompais. Le crime aussi est une solitude, même si on se met à mille pour l'accomplir. Et il est juste que je meure seule, après avoir vécu et tué seule.

> *Maria se tourne vers elle dans les larmes.*

MARTHA, *reculant et reprenant sa voix dure* : Ne me touchez pas, je vous l'ai déjà dit. À la pensée qu'une main humaine puisse m'imposer sa chaleur avant de mourir, à la pensée que n'importe quoi qui ressemble à la hideuse tendresse des hommes puisse me poursuivre encore, je sens toutes les fureurs du sang remonter à mes tempes.

> *Elles se font face, très près l'une de l'autre.*

MARIA : Ne craignez rien. Je vous laisserai mourir comme vous le désirez. Je suis aveugle, je ne vous vois plus ! Et ni votre mère, ni vous, ne serez jamais que des visages fugitifs, rencontrés et perdus au cours d'une tragédie qui n'en finira pas. Je ne sens pour vous ni haine ni compassion. Je ne peux plus aimer ni détester personne. *(Elle cache soudain son visage dans ses mains.)* En vérité, j'ai à peine eu le temps de souffrir ou de me révolter. Le malheur était plus grand que moi.

> *Martha, qui s'est détournée et a fait quelques pas vers la porte, revient vers Maria.*

MARTHA : Mais pas encore assez grand puisqu'il vous a laissé des larmes. Et avant de vous quitter pour toujours, je vois qu'il me reste quelque chose à faire. Il me reste à vous désespérer.

MARIA, *la regardant avec effroi* : Oh ! laissez-moi, allez-vous-en et laissez-moi !

MARTHA : Je vais vous laisser, en effet, et pour moi aussi ce sera un soulagement, je supporte mal votre amour et vos pleurs. Mais je ne puis mourir en vous laissant l'idée que vous avez raison, que l'amour n'est pas vain, et que ceci est un accident. Car c'est maintenant que nous sommes dans l'ordre. Il faut vous en persuader.

MARIA : Quel ordre ?

MARTHA : Celui où personne n'est jamais reconnu.

MARIA, *égarée* : Que m'importe, je vous entends à peine. Mon cœur est déchiré. Il n'a de curiosité que pour celui que vous avez tué.

MARTHA, *avec violence* : Taisez-vous ! Je ne veux plus entendre parler de lui, je le déteste. Il ne vous est plus rien. Il est entré[u] dans la maison amère où l'on est exilé pour toujours. L'imbécile ! il a ce qu'il voulait, il a retrouvé celle qu'il cherchait. Nous voilà tous dans l'ordre. Comprenez que ni pour lui ni pour nous, ni dans la vie ni dans la mort, il n'est de patrie ni de paix. *(Avec un rire méprisant.)* Car on ne peut appeler patrie, n'est-ce pas, cette terre épaisse, privée de lumière, où l'on s'en va nourrir des animaux aveugles.

MARIA, *dans les larmes* : Oh ! mon Dieu, je ne peux pas, je ne peux pas supporter ce langage. Lui non plus ne l'aurait pas supporté. C'est pour une autre patrie qu'il s'était mis en marche.

MARTHA, *qui a atteint la porte, se retournant brusquement* : Cette folie a reçu son salaire. Vous recevrez bientôt le vôtre. *(Avec le même rire.)* Nous sommes volés, je vous le dis. À quoi bon ce grand appel de l'être, cette alerte des âmes ? Pourquoi crier vers la mer ou vers l'amour ? Cela est dérisoire. Votre mari connaît maintenant la réponse, cette maison épouvantable où nous serons enfin serrés les uns contre les autres. *(Avec haine.)* Vous la connaîtrez aussi, et si vous le pouviez[x] alors, vous vous souviendriez avec délices de ce jour où pourtant vous vous croyiez entrée dans le plus déchirant des exils. Comprenez que votre douleur ne s'égalera jamais à l'injustice qu'on fait à l'homme et pour finir, écoutez mon conseil. Je vous dois bien un conseil, n'est-ce pas, puisque je vous ai tué votre mari !

Priez[y] votre Dieu qu'il vous fasse semblable à la pierre. C'est le bonheur qu'il prend pour lui, c'est le seul vrai bonheur. Faites comme lui, rendez-vous sourde à tous les cris, rejoignez la pierre pendant qu'il en est temps. Mais si vous vous sentez trop lâche pour entrer dans cette paix muette, alors venez nous rejoindre dans notre maison commune ₹. Adieu, ma sœur ! Tout est facile, vous le voyez. Vous avez à choisir entre le bonheur stupide des cailloux et le lit gluant où nous vous attendons.

> *Elle sort et Maria, qui a écouté avec égarement, oscille sur elle-même, les mains en avant.*

MARIA, *dans un cri* : Oh ! mon Dieu ! je ne puis vivre dans ce désert ! C'est à vous que je parlerai et je saurai trouver mes mots. *(Elle tombe à genoux.)* Oui, c'est à vous que je m'en remets. Ayez pitié de moi, tournez-vous vers moi ! Entendez-moi, donnez-moi votre main ! Ayez pitié, Seigneur, de ceux qui s'aiment et qui sont séparés !

> *La porte s'ouvre et le Vieux Domestique paraît.*

SCÈNE IV

LE VIEUX, *d'une voix nette et ferme* : Vous m'avez appelé ?
MARIA, *se tournant vers lui* : Oh ! je ne sais pas ! Mais aidez-moi, car j'ai besoin qu'on m'aide. Ayez pitié et consentez à m'aider !
LE VIEUX, *de la même voix* : Non !

RIDEAU

1943.

PROLOGUE DACTYLOGRAPHIÉ
DU MANUSCRIT DIT « BRUCKBERGER »

PROLOGUE
Dans le petit cloître de Budejovice

Maria est sur un banc. Entre Jan. Tous les deux sont en costume de voyage. Dans le fond du cloître, un moine, immobile.

MARIA, *de loin* : Oui ?

JAN, *de même* : Non. *(Il avance rapidement vers elle.)*

MARIA : Tu ne les as pas trouvées ?

JAN : Je les ai vues.

MARIA : Elles ont été surprises, heureuses ?

JAN : Non. *(Il hésite.)* Elles ne m'ont pas reconnu.

MARIA : Mais ce n'est pas possible ! une mère reconnaît toujours un fils. C'est le moins qu'elle puisse faire.

JAN : Oui. Mais je suppose que vingt ans de séparation et de silence changent un peu les choses. Quand je suis parti pour l'Afrique, j'étais un adolescent et ma sœur une petite fille. Mais la vie a continué. Maintenant, je suis un homme, ma mère a vieilli et sa vue a baissé. C'est à peine si moi-même je l'ai reconnue.

MARIA : Mais, enfin, j'imagine que tu leur as parlé.

JAN : À peine. Je me souvenais mal de l'auberge. Je suis entré en hésitant. Elles étaient dans la salle commune, et à la façon dont elles m'ont regardé, j'ai compris qu'elles ne me reconnaissaient pas. J'ai dit « Bonjour », j'ai fait quelques pas, je me suis assis. Cette salle était très différente dans mon souvenir. Ma mémoire n'était pas juste. Mais je continuais à attendre, d'un instant à l'autre, le cri de [leur] surprise. J'ai demandé à boire, ma sœur est sortie sans un mot, [tandis qu']un vieil homme à l'air distrait est venu me servir. Pendant tout ce temps, ma mère me fixait, mais j'aurais juré qu'elle ne me voyait pas. Pour finir, personne n'a crié. *(Un temps.)* J'ai bu ma bière.

MARIA, *secouant la tête* : Oh ! Jan, comment savoir avec toi ? Tu fais tout à moitié, habillé à demi *(elle renoue machinalement la ceinture de son manteau qui s'est dénoué)*, à peine peigné *(elle arrange ses cheveux tombés en mèches sur le front)*, n'ayant qu'un pied dans ce monde. Est-ce la peine de savoir construire tant de barrages et de n'avoir jamais appris à s'expliquer ? Que faisais-tu donc pendant ce temps-là ?

JAN : Je ne sais pas. Je crois que je pensais à l'adolescent que j'étais. En somme, tout était plus difficile que je ne l'avais cru.

MARIA : Attends. Essayons de parler clairement. Elles ne t'ont pas reconnu, cela est bien. Mais dans ces cas-là, on parle, on dit « C'est moi », et tout rentre dans l'ordre.

JAN : Oui, c'est ce qui se fait dans ces cas-là. Mais après tout, Maria, ce qui m'arrive est assez simple. Je n'avais rien préparé. Dans mon idée, le retour d'un fils allait de soi. Cela ne soulevait pas de questions et tout me semblait réglé d'avance. J'allais dire « C'est moi », on m'embrasserait en pleurant. Je me réjouissais seulement de la surprise que je leur préparais et j'étais plein d'imaginations. Mais ce n'était pas cela. Moi qui attendais un peu le repas du prodigue, on m'a donné de la bière contre mon argent. Sur le moment cela m'a ôté les mots de la bouche. *(Un temps.)* Je me suis dit alors qu'on ne pouvait pas toujours réussir du premier coup et qu'il fallait continuer.

MARIA : Oh ! Jan, tout cela n'est pas sain. Il n'y avait rien à continuer. C'était encore une de tes idées quand je suis sûre qu'il aurait suffi d'un mot.

JAN : Ce n'était pas une idée, Maria, c'était la force des choses. Quand on a commencé, il faut bien continuer. Oui, un mot sans doute aurait suffi. Mais quoi ! je ne suis pas comme toi qui trouves toujours sans effort le geste qu'il faut. Tout était si étrange ! J'ai voulu seulement faire encore quelques pas dans cette direction, aller plus loin… j'ai demandé à ma mère si je pouvais avoir une chambre. Elle m'a regardé et j'ai cru qu'elle me reconnaissait. Mais elle a seulement dit « Oui » d'une voix neutre. Quand on y réfléchit, qu'y a-t-il là de si étonnant ? J'ai pensé seulement que ce n'était pas si facile qu'on le dit de rentrer chez soi et qu'il fallait un peu de temps pour faire un fils d'un étranger.

MARIA, *avec agitation* : Non, tout cela n'est pas sain et ton histoire n'a pas de sens. Pourquoi n'avoir pas annoncé ton arrivée ? Il y a des cas où l'on est bien obligé de faire comme tout le monde. Quand on veut être reconnu, on se nomme, c'est l'évidence même. On finit par tout brouiller en prenant l'air de ce qu'on n'est pas. Comment ne seras-tu pas traité en étranger dans la maison où tu te présentes comme un étranger ! *(S'accrochant à lui.)* Jan, essaie donc de me comprendre. Tu étais encore un enfant quand tu es parti et tu reviens après vingt ans. On peut admettre à la rigueur que ta mère ne reconnaisse pas son enfant dans l'homme que tu es devenu. Mais on ne peut pas admettre que toi, tu attendes patiemment d'être reconnu. Personne n'a jamais eu l'idée d'aller aussi loin.

JAN : Allons, Maria, ce n'est pas si grave. C'est seulement un contretemps et j'inventerai les moyens de me faire reconnaître. Il suffit, en somme, de trouver ses mots.

MARIA : Il n'y a qu'un moyen, c'est de faire ce que ferait le premier venu, de dire « Me voilà », c'est de laisser parler son cœur.

JAN : Le cœur n'est pas si simple, Maria

MARIA : Mais il n'use que des mots simples. Et ce n'était pas bien difficile de dire : Je suis votre fils, voici ma femme. J'ai vécu avec elle dans un pays que nous aimions. Mais je n'étais pas assez heureux, et, aujourd'hui, j'ai besoin de vous.

JAN, *après un silence* : Ne sois pas injuste, Maria. Un jour ou l'autre, il m'aurait fallu revenir. Mon père était le seul obstacle et quand j'ai appris sa mort, j'ai cru que tout serait facile. Je le crois encore. Simplement, les choses ont mal commencé. Dans mon enfance déjà, ma mère me déconcertait, avec son indifférence et ses distances. Mais tout s'arrangera avec du temps. *(Il défait la ceinture de son manteau, en regardant ailleurs.)* Je sais bien que j'ai manqué de présence d'esprit. Mais jusqu'ici tu essayais de comprendre mes maladresses et tu n'avais pas l'idée d'en être malheureuse.

MARIA, *elle s'est détournée vers le jardin du cloître* : Peut-être as-tu raison et je te demande pardon. Mais je me méfie de tout depuis que je suis entrée dans ce pays où je cherche en vain un visage heureux. Tout est si triste dans cette Europe. Depuis que nous y sommes arrivés je ne t'ai plus entendu rire et moi, je deviens soupçonneuse. Tout à l'heure, j'attendais dans la chapelle. Même ces anges baroques n'ont pas l'air contents de ce qu'ils sont. Partons, Jan. Je ne suis pas de leur race, nous ne trouverons pas le bonheur ici.

JAN : Ce n'est pas le bonheur que nous sommes venus chercher. Le bonheur, nous l'avons.

MARIA, *avec véhémence* : Pourquoi ne pas s'en contenter ?

JAN : J'ai mes raisons, Maria. Mais enfin ce serait déjà beaucoup que de réunir tous ceux que j'aime, ma mère, ma sœur et toi. Il me semble qu'enfin je n'aurais plus rien à désirer. Même au milieu de notre bonheur, je n'étais pas tranquille avec cette pensée de ma mère. C'est pour cela que je dois retourner maintenant chez moi. Demain, sans doute, je pourrai t'y mener.

MARIA, *dans un cri* : Tu veux donc me laisser seule ?

JAN : Oui, jusqu'à demain. Il me faut bien arranger tout seul cette affaire. D'ici demain, ma mère m'aura reconnu et tout sera en règle. *(Il la regarde.)* Qu'y a-t-il de si terrible à cela ? Une nuit est vite passée et l'expérience vaut d'être tentée. Demain, nous rirons ensemble de tes craintes.

> *Elle s'est détournée, mais revient vers lui, et le regarde en face.*

MARIA : Jan, il y a cinq ans que nous sommes mariés ?

JAN : Il y aura bientôt cinq ans.

MARIA, *baissant la tête* : Et c'est la première nuit où nous serons séparés.

> *Il se tait. Elle le regarde à nouveau.*

MARIA : J'ai toujours tout aimé en toi, même ce que je ne comprenais pas et je crois bien qu'au fond je ne te voudrais pas différent. Je ne suis pas une épouse bien contrariante. Mais c'est ici le dernier endroit où j'aurais voulu entrer dans un lit désert. Et pour moi, ton départ est comme un abandon.

JAN, *avec élan* : Maria, tu ne dois pas douter de mon amour.

MARIA : Oh ! je n'en doute pas. Mais il y a ton amour et il y a tes rêves. Tu m'échappes si souvent ! C'est alors comme si tu te reposais de moi. Mais moi, je ne peux pas me reposer de toi et c'est ce soir *(elle se jette contre lui en pleurant)*, c'est ce soir que je ne pourrai pas supporter.

JAN, *la caressant* : Cela est puéril.

MARIA : Bien sûr, cela est puéril. Mais nous étions si heureux là-bas et ce n'est pas de ma faute si les soirs de ce pays me font peur. Je ne veux pas que tu m'y laisses seule.

JAN : Mais cela n'a pas de sens.

> *Elle recule.*

MARIA : La séparation a toujours du sens pour ceux qui s'aiment comme il faut.

JAN, *doucement* : Sauvage, tu sais bien que je t'aime comme il faut.

MARIA, *hochant la tête* : Non, les hommes ne savent jamais comment il faut aimer. Rien ne les contente. Tout ce qu'ils savent, c'est rêver, imaginer de nouveaux barrages, chercher de nouveaux pays et de nouvelles demeures. Tandis que nous, nous savons qu'il faut se dépêcher d'aimer, partager le même lit, se donner la main, craindre l'absence. Quand on aime, on ne rêve à rien.

JAN : Maintenant, c'est toi qui ne vois pas les choses sainement. Il s'agit seulement de retrouver ma mère, d'en finir avec tous ces souvenirs que j'ai traînés pendant vingt ans. Quant à mes rêves, il faut les prendre comme ils sont. Je ne serais rien en dehors d'eux et tu m'aimerais moins si je ne les avais pas.

MARIA, *elle lui a tourné brusquement le dos* : Je sais que tes raisons sont toujours bonnes et que tu peux me convaincre. Mais je ne t'écoute plus, je me bouche les oreilles, quand tu prends la voix que je connais bien. C'est la voix de ta solitude, ce n'est pas celle de l'amour.

JAN, *se plaçant derrière elle* : Laissons cela maintenant, Maria, et parlons sérieusement. Je dois retourner là-bas. J'ai souri jusqu'à présent de tes alarmes car ce que je vais faire n'est pas si terrible et ce n'est pas une grande affaire que de coucher sous le même toit que sa mère. Dieu fera le reste. Mais Dieu sait aussi que je ne t'oublie pas dans tout cela. Je voudrais que tu comprennes qu'un homme doit revenir, pour finir, dans le pays de sa jeunesse. Malgré notre bonheur, j'ai vécu jusqu'ici dans l'exil. Et l'on ne peut pas toute sa vie rester un étranger, vivre loin de sa patrie. Un homme a besoin de bonheur, il est vrai, mais il a besoin aussi de trouver sa définition. J'imagine que ma mère et mon pays m'y aideront. Je ne vois pas plus loin. Tu ne dis rien, Maria ?

MARIA : Je t'écoute.

JAN : C'est tout ce que j'avais à dire. Ne juge pas trop sévèrement mes hésitations et mes inquiétudes. Tout cela a du sens. Il y a peut-être de l'orgueil à vouloir être reconnu et à ne pas vouloir se faire reconnaître. Mais, pour moi, cela veut dire beaucoup. Et de toutes façons, ce serait déjà quelque chose de savoir, si oui ou non, j'ai raison d'avoir ces rêves.

MARIA, *toujours détournée* : Je souhaite que ce soit « Oui » et que tu aies raison. Mais moi, je n'ai pas d'autre rêve que ce pays où nous étions heureux.

JAN, *plus tristement* : C'est qu'il ne suffit pas de s'aimer pour parler le même langage. Et peut-être est-ce pour cela que je suis ici. Mais laisse-moi aller. À force de bonne volonté, je finirai par trouver les mots qui arrangeront tout.

MARIA, *se retournant brusquement* : Ne me quitte pas ! Je ne connais pas d'autre mot que l'amour.

JAN, *la prenant contre lui* : Il doit y en avoir d'autres, le souvenir, la connaissance. Mais, pour l'instant, il s'agit seulement de retrouver une maison, mes parents, le langage de mon enfance. Tout ira bien ensuite.

MARIA, *s'abandonnant* : Oh ! continue de rêver, qu'importe, si je garde ton amour et si je peux toujours sentir ton épaule sous ma main. D'habitude, je ne peux pas être vraiment malheureuse quand tu me prends contre toi. Je patiente, j'attends que tu te lasses de tes nuées : alors commence mon temps. Ce qui me rend malheureuse aujourd'hui, c'est que je suis bien sûre de ton amour, et certaine pourtant que tu vas me laisser. C'est pour cela que l'amour des hommes est un déchirement. Ils ne peuvent se retenir de quitter ce qu'ils préfèrent.

JAN, *il la prend au visage et sourit* : Cela est vrai, Maria. Mais quoi ! regarde-moi, je ne suis pas si menacé. Je vis d'espoir, au contraire, et je suis bien près d'être heureux. Dors en paix ce soir. Tu me confies pour une nuit à ma mère et à ma sœur. Pour le reste, fais quand même confiance aux anges baroques.

Elle se détache un peu de lui.

MARIA : Alors, va, et que mon amour te protège.

Il fait quelques pas.

MARIA, *lui montrant ses mains* : Mais vois comme je suis démunie. (*Il s'arrête pour la regarder ; elle sourit avec tristesse.*) Tu pars à la découverte et tu me laisses dans l'attente.

Il hésite. Il s'en va.

RIDEAU

TEXTE DU PROGRAMME
DES REPRÉSENTATIONS DE JUIN 1944

Après vingt ans d'absence et de silence, un homme revient dans un petit village de Bohême où sa mère et sa sœur tiennent une auberge. Il espère ainsi retrouver sa patrie. Mais il ne veut pas se faire reconnaître. Il veut qu'on le reconnaisse sans qu'il ait à dire « C'est moi ! ». La seule question est de savoir si cela est possible, s'il existe une patrie pour le cœur des hommes, et enfin, comme il le dit lui-même, « si oui ou non, il a raison d'avoir ces rêves ». La réponse lui sera justement donnée sous la forme du oui ou du non.

Cette pièce, qui se place seulement sur le plan tragique, répugne à toute théorie. Cependant, s'il fallait absolument que l'auteur ait une pensée, elle serait celle-ci : l'homme porte en lui une part d'illusions et de malentendu, c'est celle qui doit être tuée. Mais c'est un sacrifice qui libère une autre part de lui-même, la meilleure, qui est celle de la révolte et de la liberté.

On voit seulement que ce pourrait être le sujet d'une autre pièce.

PRÉSENTATION DU « MALENTENDU »

PREMIÈRE VERSION DU FONDS CAMUS

Le Malentendu a été écrit en 1943 en France occupée. Je vivais alors, à mon corps défendant, au milieu des montagnes du centre de la France. Cette situation historique et géographique suffirait à expliquer la sorte de claustrophobie dont je souffrais alors et qui se reflète dans cette pièce. On y respire mal, c'est un fait, mais nous avions tous la respiration courte alors. Il n'empêche que la noirceur de la pièce me gêne autant qu'elle a gêné le public. Je proposerai au lecteur pour l'encourager à aborder la pièce d'une part, de considérer *Le Malentendu* comme une des tentatives de tragédie moderne et d'autre part d'admettre que la moralité de la pièce n'est pas entièrement négative.

VERSION DU « FIGARO LITTÉRAIRE »
15-16 octobre 1944

Le fait qu'on me demande aujourd'hui d'expliquer les intentions profondes du *Malentendu* prouve assez que l'accueil fait à cette pièce n'a pas été des plus flatteurs. Je ne le dis pas pour m'en plaindre, je le dis pour la vérité des choses. Et la vérité des choses, est que *Le Malentendu*, quoique suivi par un assez nombreux public, a été désavoué par la majorité de ce public. En langage clair, cela s'appelle un échec.

Naturellement, je me suis interrogé sur les raisons de cet échec. Dans un sens, peut-être, la pièce est manquée. Des maladresses de détail, des longueurs plus graves, une certaine incertitude dans le personnage du fils, tout cela peut gêner à bon droit le spectateur. Mais dans un autre sens, pourquoi ne l'avouerai-je pas, j'ai le sentiment que quelque chose dans mon langage n'a pas été compris et que cela est dû au public seulement.

Quelle est l'histoire ? Un fils qui veut se faire reconnaître sans avoir à dire son nom et qui est tué par sa mère et sa sœur, à la suite d'un malentendu.

Sans doute, c'est une image très sombre de la condition humaine. Mais cela peut se concilier avec un optimisme relatif en ce qui concerne l'homme. Car enfin, cela revient à dire que tout aurait été autrement si le fils avait dit : « C'est moi, voici mon nom ». Cela revient à dire que dans un monde injuste ou indifférent, l'homme peut se sauver lui-même et les autres par l'usage de la sincérité la plus simple et du mot le plus juste.

Le langage aussi a choqué. Je le savais. Mais si j'avais habillé de péplums mes personnages, tout le monde peut-être aurait applaudi. Faire parler le langage de la tragédie à des personnages contemporains, c'était au contraire mon propos, et mon idée est que le public doit s'y habituer. Si je suis capable de beaucoup de concessions en ce qui concerne cette pièce, c'est là du moins une intention que je ne désavouerai jamais.

Quant au personnage du vieux domestique, il ne symbolise pas obligatoirement le destin. Lorsque la survivante de ce drame en appelle à Dieu c'est lui qui répond. Mais c'est un malentendu de plus. Et s'il répond « Non » à celle qui lui demande de l'aider, c'est qu'il n'a pas en effet l'intention de l'aider et qu'à un certain point de souffrance et d'injustice personne ne peut plus rien pour personne et la douleur est solitaire.

Je n'ai pas l'impression d'ailleurs que ces explications soient bien utiles. Je juge toujours que *Le Malentendu* est une œuvre d'accès facile à condition qu'on en accepte le langage (si choquant soit-il), et qu'on veuille bien admettre que l'auteur s'y est engagé profondément. Le théâtre n'est pas un jeu, c'est là ma conviction.

Pour finir, il faut bien dire que je n'avais pas envie qu'on reprenne cette pièce. Marcel Herrand le fait cependant et il a trop le goût désintéressé du théâtre pour que je ne suppose pas qu'il ait raison. Personnellement, j'ai reçu à l'occasion de cette pièce la joie la plus grande qu'un auteur puisse recevoir : celle d'entendre porter son propre langage, par la voix et l'âme d'une merveilleuse actrice, à la résonance exacte que lui avait rêvée. Cette joie, que je dois à Maria Casarès, me suffisait tout à fait.

Mais on me dit qu'il faut continuer et que cette pièce trouvera son public. Après ce que je viens de dire, on ne s'étonnera pas si je dis seulement que c'est faire preuve de beaucoup d'indulgence et de beaucoup d'optimisme.

DEUXIÈME VERSION DU FONDS CAMUS

Le Malentendu est certainement une pièce sombre. Elle a été écrite en 1943, au milieu d'un pays occupé et encerclé, loin de tout ce que j'aimais. Elle porte les couleurs de l'exil. Mais je ne crois pas qu'elle soit une pièce désespérante. Le malheur n'a qu'un moyen de se surmonter lui-même qui est de se transfigurer par le tragique. « Le tragique, dit L[awrence], devrait être comme un grand coup de pied donné au malheur. » *Le Malen-tendu* tente de reprendre dans une affabulation contemporaine les thèmes anciens de la fatalité. C'est au public à dire si cette transposition est réussie. Mais la tragédie terminée, il serait faux de croire que cette pièce plaide pour la soumission à la fatalité. Pièce de révolte au contraire, elle pourrait même comporter une morale de la sincérité. Si l'homme veut être reconnu, il lui faut dire simplement qui il est. S'il se tait ou s'il ment, il meurt seul, et tout autour de lui est voué au malheur. S'il dit vrai au contraire, il mourra sans doute, mais après avoir aidé les autres, et lui-même, à vivre.

PRIÈRE D'INSÉRER
DE L'ÉDITION DE 1944

[Voir les Appendices de « Caligula », p. 442.]

PRÉFACE À L'ÉDITION AMÉRICAINE DE
« CALIGULA AND THREE OTHER PLAYS »

[Voir les Appendices de « Caligula », p. 446.]

Articles, préfaces,
conférences

(1931-1944)

POÈME

L'horizon fuit,
Et c'est la nuit.
L'oiseau qui pleure
Annonce l'heure
Où le serein
Partout éteint
La vie si brève,
La vie de rêve
Où nous souffrons,
Où nous pleurons.

Une tristesse
Laisse mon cœur
Sans joie ni liesse.
Où est ma sœur ?...
Ma sœur d'amour !
Ma douce amie !
Tendre secours
Des jours d'ennui...
Où sont ses bras,
Sources de joie ?

Sur l'eau qui rêve,
Cette heure est brève
Et le jour meurt
Malgré mes pleurs.
L'arbre frissonne

Au vent d'automne.
Malgré mes cris,
La lune luit,
L'horizon fuit,
Et c'est la nuit.

P. CAMUS

LE DERNIER JOUR D'UN MORT-NÉ

J'ai trouvé ce manuscrit dans un tiroir de la chambre d'hôtel où j'ai passé mes vacances. Sans valeur littéraire, il m'a paru curieux. J'ai voulu connaître le nom, et le sort, de cet étonnant jeune homme, qui sentit le passage du dieu et ne sut le retenir ; mais l'hôtel venait de changer de propriétaire et de personnel.

Et moi-même, écrivant ce conte après une nuit de sleeping, je ne compris nullement, d'abord, de quoi il s'agissait.

P. C.

Alger, 28-29 septembre 1931.

C'est pour moi seul que j'écris ces lignes, et peut-être n'irai-je pas jusqu'au bout, car à quoi bon ? C'est seulement pour occuper ce jour trop long, et trop court, ce jour essentiel où s'accomplit mon existence.

J'ai dix-huit ans. Je me souviens mal de mon enfance, douce, sage et maladive. À douze ans, j'entrai en pension au collège de X... où je fus aussitôt un des meilleurs élèves : travail assidu, conduite irréprochable. Je refusais toutes les sorties, sauf parfois un déjeuner chez des amis ; vieux ménage sans enfants. Je passais tout mon temps à l'étude que j'aimais sans savoir pourquoi ; pour elle-même plutôt que pour ce que j'apprenais. Je voulais être le meilleur élève, sans avoir jamais examiné si c'était vraiment nécessaire.

J'avais des principes bien établis : Dieu, l'âme immortelle, vivre pour les autres, les plaisirs matériels très méprisables, etc. Bref, le jeune homme le plus rangé, le plus sérieux qui fût ; et catholique pratiquant.

Mais j'en viens à aujourd'hui.

En vacances à R… Ce matin, excursion. C'est en descendant de la montagne que je rencontrai la jeune femme. J'ignorais qu'elle fût belle — je fus stupéfait de m'en apercevoir. C'est l'amour, me disais-je. Je me remémorais mes classiques, des bribes de romans… rien qui fût pareil à ce que je sentais. Mes notions sur l'amour : élévation morale à deux, création d'un foyer ? Je ne voulais rien de tel. Je la voulais.

Je la savais facile ; nous liâmes conversation. Et mon désir surpassait infiniment l'amour, et ma joie était pure et totale quand je sentis ses seins, sur ma poitrine, s'écraser ; sous mes lèvres, ses yeux, son cou, ses lèvres…

Bien serrés, tous les deux nous nous cajolions ; d'une voix claire et douce elle me débitait des gentillesses et d'ironiques reproches. Je n'avais jamais connu cela : n'avoir aucune pensée, vivre uniquement par les sens ; en somme, l'impression que doit avoir un nouveau-né, pendant sa première toilette. Brusquement, ma mémoire fonctionna, me dit un mot : adultère ; une phrase : « l'œuvre de chair ne désireras… ». À ces idées vénérées, je sentis quelque chose monter en moi, jusqu'à ma gorge, j'étouffais, j'étouffais… et j'éclatai de rire, brutalement, d'un rire fou, inextinguible. Elle, effrayée, recula, et je repartis vers la montagne, courant, riant toujours.

Épuisé par ma course et mon rire, je tombe sur un rocher découvert. Je ne sais plus rien, ne perçois plus rien. De vagues images : je me représente naissant : une chambre, ma mère dans un lit, un docteur, un berceau blanc et moi, je ne sais où, avec ma taille et mon costume d'aujourd'hui. Le docteur parle. Je n'entends pas ses mots, mais je sais qu'il dit que je ne vivrai pas. Et je pleure, je crie « je veux vivre ! ».

Puis des idées : je n'ai plus rien, je ne crois plus à rien. Impossible de vivre ainsi. J'ai tué en moi la Morale. Je n'ai plus de but, de raison d'exister, je vais mourir.

En rouvrant les yeux, je vis sous moi la forêt immense, la rivière au fond et en face encore la forêt et les énormes rochers gris, là-haut, comme derrière moi. Je me levai pour mieux voir, comme si je n'avais jamais vu ce pays si confondu-vant. Alors, le temps d'un souffle, je me sentis confondu avec lui, j'en étais une partie ; et une joie inouïe me dilatait, me fondait. Je voulais chanter, hurler de joie. Mais, aussitôt, je retrouvai mes tristes pensées, mon vide, mon impuissance.

Je suis maintenant dans ma chambre. J'écris ces lignes. Calmé un peu, plus froid, mon état est pourtant le même. Ma raison refuse cette vie de joie que réclame… quoi ? mon corps ? On dirait que c'est ma conscience. Suis-je fou ? Ce soir, si je ne vais pas me jeter dans le torrent, c'est que ce moi nouveau, effrayant, sera mort pour laisser vivre l'ancien. De toute façon, il n'aura vécu qu'un jour : un mort-né, en somme.

(Sans date.)

UN NOUVEAU VERLAINE

Il est une opinion très accréditée auprès des admirateurs et des contempteurs de Verlaine, c'est qu'il est resté un enfant, toujours, durant toute sa vie. Selon eux, Verlaine n'a pas rencontré sur le chemin de la vie l'âpre et dure expérience, qui vous conduit, sans rires ni enthousiasmes vers le but suprême. Et ils envient Verlaine d'être resté si jeune, d'avoir poursuivi le papillon du rêve, sans craindre de le voir se fondre en poudre sous ses doigts, d'avoir cueilli la rose de désir sans crainte de s'y déchirer. C'est pourquoi, disent-ils, Verlaine n'a pas eu conscience du bien ou du mal. Il a péché sans le savoir. Il a prié en ignorant.

Voilà ce qu'on pense en général de Verlaine. Pourtant, une étude plus approfondie montrerait qu'il faut distinguer deux choses bien différentes en Verlaine : son âme et son cœur.

En étudiant, dans ses vers, l'expression de l'âme de Verlaine, nous sommes obligés de reconnaître que l'opinion générale est juste. Certes, elle a gardé, cette âme tendre, une fraîcheur d'enfant, une délicieuse naïveté, une spontanéité si touchante qu'elle émeut le cœur et enfin un instinctif besoin de caresses que l'on sent sous les gaucheries gracieuses et sous les maladresses pleines de charme.

Mais étudions sa raison et nous verrons que Verlaine n'a rien d'un enfant, d'un fou gracieux jeté dans la vie. Il a souffert dans son corps malade, dans son cœur douloureux. Il a aimé, il a souffert. C'est pourquoi son cerveau a été étreint par la froide griffe de l'expérience. Il a eu conscience du mal, et en ayant conscience, il s'y est complu. Comme Baudelaire (et c'est là une de ses nombreuses ressemblances avec cet autre poëte des tendres) il a eu la perversion un peu cynique du péché. Il s'est délecté à la pensée des flammes de l'enfer. Il a péché pour attirer le regard de la divinité, car, orgueilleux, il ne pouvait concevoir être un rien dans l'immense univers : il était naïvement croyant et, s'il péchait avec sa raison, il croyait avec son âme.

Ce que j'avance là peut être facilement prouvé. Pour cela faisons un peu d'histoire littéraire.

Lorsque parut le premier recueil de vers, les *Poëmes saturniens*, on vit bien que le jeune poëte, à peu près inconnu, ne s'était pas écarté de la doctrine des maîtres d'alors : les Parnassiens. On retrouvait dans ces vers façonnés à la lime, la sécheresse orgueilleuse d'un Leconte de Lisle, l'insensibilité de dandy d'un Heredia. Pourtant, épars dans le recueil, certains vers laissaient prévoir quelque chose de nouveau, en particulier le poëme intitulé : « Le Rossignol », qui se termine par ces vers émouvants :

> ... *Une*
> *Nuit mélancolique et lourde d'été*
> *Pleine de silence et d'obscurité*
> *Berce sur l'azur qu'un vent doux effleure*
> *L'arbre qui frissonne et l'oiseau qui pleure.*

Puis parurent les *Fêtes galantes* ; tout le peuple de la comédie italienne s'évoquait, riait, chantait, faisait l'amour sous de blancs clairs de lune. L'accent était nouveau. L'archet de ce bizarre ménétrier rendait des sons étranges et énervants qui vous prenaient le cœur. Le succès fut grand.

Pendant ce temps, Verlaine menait une vie agitée, orageuse, qui devait aboutir à l'un des plus grands scandales de l'histoire littéraire.

Alors parut *La Bonne Chanson* ; Verlaine, renonçant à sa vie agitée, était fiancé, le plus tendre, le plus idyllique des fiancés :

> *C'en est fait à présent des funestes pensées*
> *C'en est fait des mauvais rêves, ah ! c'en est fait.*

À la suite d'on ne sait quels événements (car la vie de ce poëte reste brumeuse malgré qu'il soit si près de nous et peut-être à cause de cela) Verlaine rompt, se livre à la débauche, aux « breuvages exécrés » et aux amours malsaines.

Puis c'est le repentir et alors éclatent les strophes admirables de *Sagesse*, qui ont la splendeur grave en même temps que touchante des versets de l'*Imitation*. Je voudrais citer toute cette pièce si mouillée de pleurs, si troublante de regrets, si touchante d'humiliation, cette pièce sans rime mais dont l'harmonie vous étreint le cœur de je ne sais quelle inexprimable mélancolie.

> *Ô mon Dieu, vous m'avez blessé d'amour*
> *Et la blessure est encore vivante.*
> *Ô mon Dieu, vous m'avez blessé d'amour.*
>
> . . . .
>
> *Voici mes yeux, luminaire d'erreur*
> *Pour être éteints aux pleurs de la prière*
> *Voici mes yeux, luminaire d'erreur.*

Et alors alternent les vers de repentir et les vers de volupté. Verlaine pèche, puis se repent sincèrement. Nous touchons là au point vivant : Verlaine a conscience de sa faiblesse. Et avec un peu de cynisme il fait aller de pair dans son âme la foi et le goût du péché. Et cela il le fait sciemment puisque alors paraît le recueil intitulé *Parallèlement*, dont le titre est significatif. C'est l'œuvre capitale de Verlaine, non pas au point de vue de la valeur littéraire, mais au point de vue de la représentation des sentiments de Verlaine. Et c'est ce qui prouve que le poëte, plus que tout autre, a eu conscience qu'il faisait mal. C'est ce qui prouve qu'il n'a pas eu cette belle inconscience de l'enfant, mais qu'il a eu plutôt cette perversion dans le péché qui n'est possible que dans des cerveaux très avancés.

J'ai essayé d'expliquer un des aspects que j'aime en Verlaine. Si je l'aime ce n'est pas tant parce qu'il a créé une poésie nouvelle, d'une inspiration naïve et subtile, fugitive, toute de nuances et de délicatesse. Ce n'est pas parce que ses vers sont déjà de la musique, c'est surtout parce qu'il y a mis toute son âme trouble et ingénue. Je ne peux m'empêcher de l'aimer dans ses défauts, dans cette faiblesse si humaine que du poëte délicat et meurtri, elle fait un homme comme nous, avec ses lâchetés et ses révoltes : l'homme qui a prié Dieu avec son âme et qui a péché avec son cerveau.

Le poète de la misère
JEHAN RICTUS

Faire enfin dire quelque chose à quelqu'un qui serait le Pauvre, ce bon Pauvre dont tout le monde parle et qui se tait toujours.
Voilà ce que j'ai tenté.

J. R.

Le Pauvre se promène, ressassant sa misère, remâchant sa détresse. Il laisse gronder en lui d'obscurs désirs, de ténébreuses révoltes. Ce qu'il pense, le secret de ce cœur qui bat sous les haillons sordides, nul ne le sait. Et pourtant que de regrets, que d'aspirations éveillés par la vue du bonheur d'autrui ! Pauvre dont tout le monde parle, Pauvre que tout le monde plaint, Pauvre répugnant dont les âmes « charitables » s'écartent, il n'a encore rien dit.

Ou plutôt, il a parlé par la voix de Victor Hugo, de Zola, de Richepin. Du moins, l'ont-ils dit. Et ces impostures honteuses ont nourri leurs auteurs. Ironie cruelle, le Pauvre que la faim tenaille nourrit ceux qui le plaignent. Ne cherchez pas ce qu'il pense, ne cherchez pas ce qu'il pleure chez ces spéculateurs de la misère.

Non, un des leurs s'est levé. Christ des misérables, Messie des meurt-de-faim, il s'en est allé pour semer la bonne parole. Et quelle parole ! Il a parlé la langue du Pauvre, non pas le bavardage académique de certains auteurs modernes mais celle qui sert aux misérables à se dire un peu de l'éternelle souffrance humaine, une langue d'une vulgarité aristocratique où la douleur fait surgir d'étonnantes trouvailles.

Je voudrais faire connaître un peu mieux cet étonnant poète, « long comme une larme », disait Jules Lemaître. Si cette modeste étude pouvait le faire lire, le faire aimer, j'en serais heureux. Je sais que la misère gêne quelquefois le bonheur des autres. Mais cette gêne provoque quelquefois des actes d'humanité, et par là elle est souhaitable, en attendant mieux. Je vais donc essayer d'analyser ces douloureux *Soliloques du pauvre*.

Le but de Jehan Rictus est exprimé dans sa préface en vers. J'en citerai deux strophes :

> *Oh ! ça n's'ra pas comm' les vidés*
> *Qui, bien nourris, parl'nt de nos loques.*
> *Ah ! faut qu'j'écriv' mes « Soliloques » :*
> *Moi aussi j'en ai des Idées.*

. . . .

> *Et qu'on m'tue ou qu'j'aille en prison*
> *J'm'en fous, j'n'connais pas de contraintes,*
> *J'suis l'homme modern' qui pouss' sa plainte,*
> *Et vous savez ben que j'ai raison.*

Ce but, Jehan Rictus l'a atteint. Il a dit avec ferveur ce besoin maladif d'amour, cette soif de tendresse qui saisit l'homme au milieu de son malheur. Il a dit toutes les vagues aspirations des malheureux vers un havre d'amour reposant. Les sans-gîte, les meurt-de-faim, les vagabonds ont aussi un cœur et une âme — âme d'autant plus belle qu'elle est plus gonflée de désir.

Dans ce long cri de douleur, il y a en réalité une sorte de thèse, et je vais essayer de la dégager : les *Soliloques du pauvre* sont l'expression des états d'âme du misérable. Or, ce misérable qui ne trouve qu'humiliation et souffrance dans sa vie terrestre cherche à sortir de son état lamentable par le rêve. Cet homme, plus que les autres, n'est heureux que lorsqu'il oublie qu'il est homme. Mais, hélas ! trop souvent, la dure réalité vient disperser ces rêves, et c'est alors, devant l'injustice du sort, d'âpres révoltes, hélas ! trop justifiées. Il y a donc deux parties dans les *Soliloques du pauvre*. Il y aura le récit des rêves du pauvre diable, rêves de bonheur tranquille et universel et aussi le récit de ses Révoltes.

Quoique ces deux parties ne soient pas distinctes dans le livre lui-même, je crois que l'on peut les distinguer sans arbitraire.

J'étudierai donc, d'abord les rêves exprimés dans ce livre tremblant de douleur, puis les révoltes et les malédictions de ce prêcheur de révolte.

Et tout d'abord ses Rêves. Vous croyez peut-être que ce meurt-de-faim rêve de ripailles, que ce pauvre entre les pauvres rêve d'argent. Non. Il rêve d'amour. Mais il rêve d'un amour qui soit plus maternel que sensuel, un amour chaud et enveloppant, un abri tiède pour venir y reposer ses membres las et endoloris de Juif errant de la misère. Et il rêve d'une femme qui soit blanche et qui soit belle. Rêve poignant à force de pureté naïve :

> *Qui c'est ? J'sais pas mais elle est belle,*
> *A' s'lève en moi en lun' d'été,*
> *Alle est postée en sentinelle*
> *Comme un flambeau, comme un' clarté.*
>
> . . . .
>
> *Qui c'est ? J'sais pas alle est si loin,*
> *Alle est si pâl' dans l'soir qui tombe*
> *Qu'on jur'rait qu'a sort de la tombe*
> *Ousqu'on s'marierait sans témoins.*

Et le voilà lancé dans son rêve blond, rêve pur où l'homme retrouve avec joie sa précieuse âme d'enfant. Il espère la rencontrer quelque part. Il vit son rêve. Il oublie son sort, son état, sa faim. « J'me cognerais p'têt' dans son baiser », pense-t-il. Si alors il revient à la réalité, à la misère, ce cri touchant d'illuminé entêté s'échappe spontanément :

> *Ben, ma foi, si gn'a pas moyen,*
> *C'est pas ça qu'empêch'ra que j'l'aime.*
> *Allons, r'marchons, suivons not' flemme,*
> *Rêvons toujours, ça coûte rien.*

Quel sanglot touchant d'enfant qui ne veut pas croire au joujou brisé ! Ah ! rencontrer ce rêve. La Femme l'accueillera et, caressante, le couchera. Et il dormira, d'un sommeil tendre et naïf, le sommeil d'un enfant sans tache :

> *Voui, dormir, n'pus jamais rouvrir*
> *Mes falots sanglants sur la vie*
> *Et dès lorss ne pus rien savoir*
> *Des espoirs ou des désespoirs.*
> *Qu'ça soye le soir ou ben l'matin,*
> *Qu'y fass' moins noir dans mon destin,*
> *Dormir longtemps… dormir… dormir.*

Et tous ces rêves endormis se réveillent surtout au Printemps. Le Pauvre souffre du bonheur des autres. Et dans les sentiers noyés de crépuscule, le long de haies fleuries, la vue des ombres tendrement enlacées lui met au cœur une tristesse sans nom. Lui aussi voudrait aimer, lui aussi saurait parler de fleurs et d'étoiles. Non, ce n'est pas un amour compliqué qu'il lui faut, mais l'amour qui se contente des bouquets de violettes à quarante sous.

Ce grand rêve triste d'amour naïf est accompagné chez lui d'un autre rêve. Sa misère, sa détresse lui fait espérer une époque meilleure. Et ses croyances d'enfant surgissent : si Jésus revenait, lui qui fut pauvre, qui naquit sur de la paille, lui qui souffrit pour racheter ses frères ? Si le Rouquin « au cœur pus grand qu'la vie » revenait, lui qui a dit : « Malheur aux riches ! » Et de nouveau le rêve blond emporte le misérable. Et il vit son rêve. Il voit le Tendre aux yeux de rêve. Et là se place une idée de génie. Le Pauvre rencontre Jésus ou croit le rencontrer. Et la scène est unique. Le Pauvre demande des comptes à Jésus, lui fait voir son échec. Ah ! oui, c'est un échec. On met Jésus au théâtre, en vers, en musique. « T'es d'venu un objet de Guignol. » Le Pauvre plaint Jésus qui lui paraît maigre et pâle. Et quelle apostrophe sincère ! Il s'adresse à l'Église, aux faux dévots, et leur demande un bout de pain : « Gn'a Jésus-Christ qui meurt de faim. »

Et c'est une longue confession. Le Pauvre s'épanche, déverse toute sa détresse dans le sein du Tendre. Il lui rappelle ses croyances naïves d'enfant. Il n'y a donc plus rien dans le Ciel ?

> *Sûr gn'a pus rien ! Même que peut-être*
> *Y gn'a jamais, jamais rien eu.*

Et une colère secoue le Pauvre. Il injurie Jésus impuissant à secourir les misères de ce monde :

> *Ah ! Je m'gondole ! Ah ! je m'dandine !*
> *Rien ne s'écroule, y'aura pas d'débâcle.*
> *Eh ! l'homme à la puissance divine,*
> *Eh ! Fils de Dieu, fais un miracle.*

Le jour vient et le Pauvre s'aperçoit que l'homme qu'il insultait n'est que lui-même collé à la glace d'un marchand de vins. Et la conclusion philosophique, d'une résignation douloureuse, arrive : « On perd son temps à s'engueuler. »

Quoi de plus beau que ce rêve ! Ah ! pleure Jésus, ta « banque d'amour a fait faillite » :

> *Ton paradis ? la belle histoire*
> *Sans être vach' de réalité.*

Et triste, sordide, loqueteux et superbe, le Pauvre s'en va méprisant le Dieu impuissant.

Le misérable se nourrit de ces rêves, s'abreuve à la source de ses illusions. Mais la dure expérience vient quelquefois le rejeter dans la réalité. Et des révoltes le secouent. Mais, hélas ! ces révoltes sont inutiles. Bien qu'il dise « Y m'dé-goûtent mes contemporains », bien qu'il parle parfois de « buter » le premier passant, son âme de poëte-enfant reprend le dessus. Et désemparé, hésitant, malheureux, le Pauvre s'adresse à Dieu.

Le chant intitulé « Prière » n'est qu'un long appel au suprême espoir. Le Pauvre raconte à Dieu sa vie lamentable, confession douloureuse : c'est le printemps. Le Pauvre, souf-frant de faim, souffrant de soif, pleure aussi d'amour. Et il demande à Dieu pourquoi sa part sur cette terre est la plus mauvaise. C'est la plainte éternelle de l'homme :

> *Quoi y faut dir' ? Quoi y faut faire ?*
> *J'ai mêm' pus la force de pleurer.*
> *J'sais pas porquoi j'suis sur la terre*
> *Et j'sais pas porquoi j'm'en irai !*

Il se refuse à souffrir. Il est las, las des économistes et des législateurs, las des rois et des maîtres, las des parle-ments, des papes et des prêtres. Il veut être heureux. Il le veut de toutes ses forces. Il veut vivre, serait-ce comme une bête.

> *Car au printemps, saison qu'vous faites*
> *Alorss que la vie est en fête,*
> *Y s'rait p'têt' bon d'être une bête*
> *Ou riche et surtout bien aimé.*

Ainsi se succèdent sans fin espoirs et déceptions. Éternel conflit du Rêve et de la Réalité. Endormi sous une porte cochère, le Pauvre rêve, encore, toujours. Il se marie, son rêve d'amour naïf se réalise, mais un passant brutal le réveille sous la menace de la prison. Et c'est de nouveau les promenades incertaines, les pieds endoloris, la tête vide, le corps raidi par le froid et la faim. C'est la course errante du Pauvre, perdu dans ses illusions, dans ses rêves. Cri effrayant de révolte jeté à la face du monde.

. . . .

Voilà, je crois, ce que l'on peut voir dans l'œuvre de Rictus. Mais la meilleure et la plus pénétrante des analyses ne saurait rendre l'émotion et la tristesse qui se dégage de ce livre. D'ailleurs, analyser un pareil chef-d'œuvre est peut-être un défi à l'Art. On ne devrait pas analyser les œuvres vraies et sincères. Cette sorte de dissection littéraire tue l'émotion. Mais j'ai tenté là une critique sincère d'un livre sincère.

Ce qui séduit surtout dans le livre c'est le contraste entre la vie boueuse et sale du Pauvre et l'azur naïf de son âme. C'est que ce Pauvre a gardé son âme candide d'enfant. C'est que, malgré ses souffrances, il croit encore à l'amour pur, il a gardé ses croyances d'enfant. Simple et grand, ses illusions sont encore intactes. Ne le détrompons pas.

Ces illusions-là sont de celles que l'on admire et que l'on envie.

SUR LA MUSIQUE

Montrer que la musique, parce qu'elle est le plus complet des arts, doit être sentie plutôt que comprise, c'est là le but du présent essai.

Il importe auparavant de définir nettement notre manière

de concevoir l'Art. Deux grandes théories sont en présence : le Réalisme et l'Idéalisme. Selon la première, l'Art devrait se proposer exclusivement l'imitation de la Nature et l'exacte reproduction de la Réalité. C'est là une définition qui, non seulement avilit l'Art, mais encore le détruit. L'abaisser à une imitation servile de la Nature, c'est le condamner à ne produire que de l'imparfait. En effet, la plus grande part de l'émotion esthétique est apportée par notre personnalité. Le Beau n'est pas dans la Nature, c'est nous qui l'y mettons. Le sentiment de Beau que nous avons devant un paysage ne vient pas de la perfection esthétique de ce paysage. Il vient de ce que cet aspect des choses est en parfaite concordance avec nos instincts, nos tendances, avec tout ce qui fait notre personnalité inconsciente. Et cela est si vrai qu'un même paysage trop longtemps vu, trop souvent contemplé finit par lasser. Cela arriverait-il s'il portait en lui sa perfection ? La plus grande part de l'émotion esthétique est donc fabriquée par notre moi, et le mot d'Amiel restera toujours juste : « Un paysage est un état d'âme. » D'ailleurs, en supposant les Arts réduits à l'imitation de la Nature, si nous admettons que certains d'entre eux, comme la sculpture ou la peinture, puissent arriver à un résultat, il n'en reste pas moins que d'autres, comme l'architecture et surtout la musique, seraient dans l'impossibilité de faire de même. Que la Nature exprime des harmonies propres à l'inspiration musicale, c'est certain. Mais disons-nous que Beethoven ou Wagner se sont bornés à les imiter ? Quel avantage retirerions-nous d'ailleurs de ces reproductions forcément infidèles de la Nature. Elle-même nous procurerait bien plus sûrement une émotion esthétique plus nette et plus pure.

Nous considérons donc cette thèse réaliste comme indéfendable. Et, d'ailleurs, quelles pauvres œuvres a-t-elle mises au jour ! Pour un Flaubert, combien de Zola ?

Quelle sera donc notre conception de l'Art ? Ce n'est pas absolument celle de l'école idéaliste qui, tout en opposant avec raison, Art et Nature, fait consister le mérite du premier dans ce qu'il ajoute à la seconde.

Cette théorie idéaliste se transforme trop souvent en théorie morale, productrice d'œuvres plates, fausses et ennuyeuses à force de vouloir donner des exemples sains, respectables et destinés à être imités.

Pour nous, l'Art ne sera ni l'expression du Réel, ni l'expression d'un Réel embelli jusqu'à être falsifié. Ce sera simplement l'expression de l'idéal. Ce sera la création d'un monde de Rêve, assez séduisant pour nous cacher le monde où nous vivons et toutes ses horreurs. Et l'émotion esthétique résidera uniquement dans la contemplation de ce monde idéal. L'Art sera l'expression, l'objectivation des choses telles qu'elles devraient être pour nous. Il sera essentiellement personnel et original puisque l'idéal de chacun de nous varie. Il sera la clef ouvrant les portes d'un monde, inaccessible par d'autres moyens, où tout serait beau et parfait, la beauté et la perfection étant définies par rapport à chacun de nous. Et nous insistons sur la part réservée à la personnalité dans l'Art. Mieux vaut une laideur qui soit personnelle qu'une beauté plastique qui soit pure imitation. « Ce que le public te reproche, garde-le précieusement, c'est toi », disait Jean Cocteau.

C'est de cette conception que nous partirons. Nous nous appuierons sur deux théories, ou plutôt sur deux pensées : celle de Schopenhauer et celle de Nietzsche. Celle-ci est d'ailleurs directement dérivée de la première malgré quelques divergences dont nous nous apercevrons. Rappelons qu'en esthétique, les idées de Schopenhauer sont inspirées de celles de Platon.

Nous exposerons tout d'abord la théorie de Schopenhauer. Ce qui nous permettra de mieux voir son influence sur celle de Nietzsche. Nous accorderons d'ailleurs une plus grande place à ce dernier, tout d'abord parce qu'il a donné à l'Art une grande partie de son œuvre et ensuite parce que la personnalité étrange de ce poëte-philosophe est trop attirante pour ne pas la mettre au premier plan.

De l'exposé de ces deux théories, nous tâcherons de tirer des conclusions touchant la valeur et le rôle de la musique.

SCHOPENHAUER ET LA MUSIQUE

Avant de parler de la théorie de Schopenhauer sur la musique, il conviendrait peut-être de donner un rapide aperçu de sa philosophie générale. Cela nous aiderait à comprendre certaines tendances de son esthétique en nous montrant les rapports étroits qui existent entre celle-ci et la théorie de la Volonté.

De même que Leibniz voulait que tout l'Univers fût Pensée, Schopenhauer, s'inspirant du bouddhisme, déclare que tout l'Univers est Volonté.

La Pensée ? « Un accident de la volonté » propre aux animaux supérieurs. La Volonté est au fond de tout. L'Univers n'est qu'un composé de volontés agissant comme des forces. Tout est Volonté et la Volonté crée tout : les organes de défense et d'attaque des animaux comme leurs organes de nutrition. La racine ne s'allonge dans la terre et la tige ne se dresse vers les cieux que par la Volonté. Les minéraux eux-mêmes sont pleins de tendances et de forces obscures. Ces forces, nous les définissons pesanteur, fluidité ou électricité, mais ce sont en réalité des manifestations de la Volonté.

Pour Schopenhauer c'est quelque chose d'extra-intellectuel qu'on ne peut définir avec clarté et logique. On peut la considérer, en somme, comme le principe irrationnel de toute vie.

Toutes ces volontés en puissance se contrarient l'une l'autre faisant du monde un perpétuel champ de bataille. Schopenhauer peut donc déclarer avec franchise, d'accord en cela, mais en cela seulement, avec l'Évangile, que la vie ne vaut pas la peine d'être vécue. Le plaisir n'existe pas, ou plutôt il est négatif. En effet, il résulte de la satisfaction de la volonté, et la volonté étant éternelle, aussitôt éprouvé le plaisir disparaît pour laisser la place à un autre besoin. Tous nos efforts tendent vers un but, et, à peine atteint, celui-ci s'efface et nous retrouvons un nouveau vide, un nouveau besoin.

Tous nos efforts sont stériles, nous ne pouvons créer. Le seul but auquel nous puissions arriver, c'est de « réaliser la volonté ». À ce but doit tendre toute existence humaine. Et pour l'atteindre, un seul moyen : l'Art. C'est ce que Schopenhauer exprime en disant que l'Art n'est que « l'objectivation de la volonté ».

Cette philosophie générale nous permettra de comprendre la théorie esthétique de Schopenhauer :

Il étudie l'Art sous un aspect métaphysique par rapport au « Monde des Idées » platonicien. Pour lui, la connaissance spéciale qui révèle ce « Monde des Idées » c'est l'Art. L'origine de l'Art c'est la Connaissance des Idées, son but la communication de cette connaissance. C'est un des moyens offerts à l'âme pour se soustraire à l'emprise de la Volonté, de la Vie.

Pour l'Art, le Temps et l'Espace n'existent plus. Il détache l'objet de sa contemplation du fleuve rapide des phénomènes. Et cet objet, qui dans le fleuve terne et uniforme n'était qu'une molécule invisible, devient pour lui le grand Tout, la pluralité infinie qui remplit le Temps et l'Espace. Il arrête la roue du Temps, car, seule, l'Idée dépouillée de toute attache terrestre constitue son objet.

Selon Schopenhauer, nous appelons beaux les objets qui ne sont pas soumis aux principes ordinaires de la Raison. L'Art est la contemplation des choses indépendantes de la Raison. Le Beau n'a pas de cause rationnelle. C'est par là que l'Art s'oppose à nos autres connaissances qui s'appuient sur l'expérience pour aboutir à la Science. Les impressions artistiques se groupent et s'agglomèrent de façon à former une sorte d'écran entre la Réalité et notre conscience. Alors seulement le « Monde des Représentations » se sépare du Monde de Volonté, c'est-à-dire que le Monde des Idées se sépare de la Vie. Former ce prisme bienheureux est le seul but de l'Art. Et lorsqu'il est atteint, nous avons le sentiment confus d'une délivrance.

Et de cette théorie générale, Schopenhauer va tirer une série de conséquences particulières :

Le génie n'est pas autre chose que l'objectivité la plus parfaite, et le rôle principal du Génie c'est de « fixer en des formules éternelles ce qui flotte dans le vague des apparences ». Et pour cela il devra abdiquer toute personnalité sociale et perdre complètement de vue ses intérêts, sa volonté, sa vie enfin.

De cela Schopenhauer tire aussi sa trop fameuse comparaison entre le génie et la folie qui, dit-il, ont un côté par lequel ils se touchent et se pénètrent. En effet, la folie n'est jamais qu'une désorganisation de la mémoire. Le fou, tout en ayant des vues très justes sur son présent, apporte une fantaisie inconcevable dans son passé. Et il est à croire que, dans le cas des folies causées par de grandes douleurs, la Nature a voulu chasser un passé décevant, exactement comme [nous] chassons d'un geste machinal de la main une idée désagréable. De même, dira Schopenhauer, le sentiment du sublime réside dans l'opposition entre l'idée que notre Volonté nous donne de notre petitesse et le sentiment de notre élévation au-dessus du concret, sentiment que nous donne la connaissance pure.

D'autre part, en architecture, la beauté jaillira de la

contemplation d'une opposition entre la résistance et la force, d'une part, et la matière, de l'autre. En sculpture, pour atteindre le Beau, le sculpteur ne devra pas copier la Nature, mais en dégager l'idée.

Le pessimisme de Schopenhauer le pousse à voir dans la tragédie la forme suprême de la Poésie. Et la tragédie sera d'autant plus parfaite qu'elle nous représentera mieux le malheur comme un événement quotidien et naturel.

Comme on le voit, la doctrine de Schopenhauer en matière d'art s'oppose d'une façon générale au Naturalisme et au Réalisme. Et pour l'interpréter d'une façon simple, nous dirons que l'Art est opposé à la Réalité pour nous la faire oublier. Et cela se retrouvera dans la musique de Wagner, incarnation de l'action purificatrice de l'Art. En fait, l'important pour l'artiste, selon Schopenhauer, c'est de créer une illusion si parfaite et si attachante que le spectateur ou l'auditeur, non seulement ne puisse invoquer sa Raison, mais encore ne le veuille pas.

Mais la conséquence la plus radicale que Schopenhauer tire de son système est en faveur de la Musique :

Un seul art remplit pleinement sa fonction : c'est la Musique. La Musique est complètement en dehors de la hiérarchie des autres arts. Elle ne leur est même pas supérieure, elle forme un monde à part. Elle n'exprime pas les Idées. Elle est exprimée par la Volonté, parallèlement à ces mêmes idées. Elle exprime l'essence de la Volonté. Fugitivement, elle montre celle-ci avant qu'elle ne se soit complètement individualisée. Et la Volonté étant la cause première de la Vie, la Musique est le rythme même de la Vie. Elle n'en exprime toutefois ni la laideur, ni la souffrance. En effet, la musique sérieuse ne peut pas nous faire souffrir. Jamais un musicien ne pourra toucher la réalité même de la Vie. La Musique, par le seul fait qu'elle « est », écarte tout ce qu'il y a de trouble et de blessant. Elle peut, certes, nous jeter dans une douce mélancolie, mais alors que nous recherchons cette mélancolie comme un bien, pouvons-nous dire qu'elle exprime de la laideur et de la souffrance ?

Mais la Musique n'en est pas moins le rythme même de la Vie, rythme délicat qui écarte toute souffrance. Nous pouvons, en effet, facilement faire un parallèle entre la Musique et le Monde :

La note fondamentale, quelle qu'elle soit, étant considérée comme l'individualité la plus simple de la Musique, correspondra à la matière brute. La gamme et ses gradations successives correspondront à l'échelle des espèces, croissante en perfection. Et enfin la Mélodie, qui est à la Musique ce que la ligne est au dessin correspondra à la volonté consciente, élément fondamental de la vie. On ne peut nier, en effet, que la Mélodie soit caractérisée par une série infiniment rapide d'impressions qui, en se liant et en se coordonnant entre elles dans notre esprit, nous permet d'atteindre un Monde idéal au-dessus de la Réalité.

Ainsi donc, selon Schopenhauer, la Musique est un Monde à part. Sa conception est nettement opposée au Naturalisme et au Réalisme, qui voudraient, en somme, réduire la Musique au culte des harmonies imitatives.

Nous avons gardé pour la fin une remarque capitale : pour Schopenhauer, la Musique ne peut pas naître d'idées non musicales, alors qu'au contraire, il est dans son essence absolue d'éveiller dans l'auditeur l'activité de l'imagination visuelle. Cette remarque a son importance, car c'est surtout sur ce point que Nietzsche se séparera de Schopenhauer.

Nous pouvons déterminer enfin les trois points essentiels de la théorie de ce dernier : la Musique exprime le fond absolu des choses et de la vie. Les idées musicales ne naissent pas d'idées non musicales. Il est dans l'essence de l'émotion musicale d'éveiller chez l'auditeur des images sentimentales, et c'est là un de ses éléments de séduction.

Nous avons là l'essentiel de la théorie esthétique du philosophe de la Volonté. Nous n'en ferons pas l'examen, car la meilleure critique que l'on puisse en faire réside dans l'exposition des idées de Nietzsche à ce sujet. Celui-ci, en effet, élève très respectueux, fut aussi un disciple très indépendant et très indocile. Dans le même moment, en effet, Nietzsche outranciait les idées de Schopenhauer dans un de ses ouvrages et en rejetait une partie dans un autre de ses ouvrages.

NIETZSCHE ET LA MUSIQUE

Nous croyons inutile d'exposer ici la philosophie générale de Nietzsche. Elle est trop connue. Nous dirions même qu'elle a été trop incomprise et trop mal interprétée. Alors qu'elle ne consistait qu'en un unique élan de généreuse vitalité, on s'est empressé de la taxer d'égoïsme. Il est juste d'ajouter qu'elle paraît à l'heure actuelle appréciée à sa juste valeur.

Nous rappellerons toutefois que, si Nietzsche s'est fortement inspiré de Schopenhauer, il n'en a pas moins opéré un complet renversement des valeurs, tout en partant du même point. Prenant tous deux pour base la souffrance, alors que Schopenhauer arrivait à une morale démocratique, Nietzsche arrivait à une morale aristocratique[1], celle du Surhomme ; alors que Schopenhauer arrivait à un pessimisme stérile, Nietzsche arrivait à un optimisme basé sur l'ivresse de la souffrance.

Nous nous arrêtons sur ce point. Pour beaucoup, Nietzsche est en effet un optimiste. Mais pour exprimer une opinion personnelle, nous dirions qu'à la lecture de ses livres, on peut se demander si sous ces appels si beaux, si poétiques à la douleur rédemptrice, il ne se cachait pas une âme foncièrement pessimiste mais qui se refusait à l'être. Il y a en effet quelque chose de forcené dans son optimisme entêté. C'est une sorte de perpétuelle lutte contre le découragement, et c'est ce que nous avons trouvé de plus attirant dans cette figure déjà si étrange.

Et ce qui pourrait nous fortifier dans cette opinion, c'est l'orgueil immense de Nietzsche, orgueil pareil à une carapace défendant sa nature sensible de poëte et d'artiste, orgueil respectable puisqu'il l'a payé de sa solitude.

Nous avons dit précédemment qu'il existait deux aspects de l'esthétique de Nietzsche, l'un qui procède des idées de Schopenhauer, l'autre réfutant, au contraire, une partie de ces idées. Exposons le premier et le plus important, qui se trouve surtout dans *La Naissance de la tragédie* :

Nietzsche part des tendances naturelles de l'homme (des Grecs dans son ouvrage) pour aboutir à sa conclusion. En effet, il est indéniable que nous nous complaisions dans le rêve, que nous aimions vivre une vie imaginaire cent fois plus belle que la réalité. C'est que nous sentons le besoin d'oublier notre individualité et de nous identifier à l'humanité tout entière. C'est ce que Nietzsche appelle : l'Apollinisme, c'est-à-dire le besoin de métamorphoser la Réalité par le Rêve. C'est une sorte d'extase symbolisée par l'extatique Apollon. Nous sommes poussés en même temps par un autre instinct, symbolisé par Dionysos, le dieu du déchirement. Cet instinct dionysiaque nous plonge dans une véritable ivresse et a pour effet de nous faire oublier notre individualité propre. Ces deux instincts réunis concourent pour nous faire oublier ce qu'il y a de douloureux dans notre existence. Plus qu'aucun autre, le peuple grec a senti ces besoins, et on peut, selon Nietzsche, distinguer deux tendances de son génie : tout d'abord, il tend à se plonger dans le dionysisme et ensuite il en appelle à l'apollinisme pour dompter ce premier mouvement. En effet, après avoir longtemps organisé des cérémonies orgiaques, où la foule, prise de délire sacré, pareille aux êtres élémentaires comme les satyres ou les nymphes, tombait dans des voluptés effrénées, les Grecs durent faire un gros effort pour dominer ce besoin dionysiaque d'ivresse et d'ensorcellement et arriver à quelque chose de plus pur et de plus idéal. La raison de cet effort n'est pas, comme on l'a cru trop longtemps, dans un besoin d'idéalité parfaite. Cette force créatrice de beau serein, de beau apollinien est due surtout au sentiment de la douleur beaucoup plus enraciné chez les Grecs que chez les autres peuples.

« La conception de la beauté pour les Grecs est sortie de la douleur. » C'est sur cela que Nietzsche va bâtir sa théorie.

En effet, l'apollinisme et le dionysisme résultent du besoin de fuir une vie trop douloureuse. Les Grecs ont été déchirés par les luttes politiques, par l'ambition, par la jalousie, par toutes sortes de violences. Mais, direz-vous, il en est de même pour d'autres peuples ? En effet, mais par leur sensibilité et par leur émotivité, les Grecs ont été les plus aptes à la souffrance. Ils ont plus cruellement senti l'horreur de leur vie et ont été ainsi fatalement destinés au dionysisme barbare. De là, le besoin de remédier à ces horreurs sauvages, en créant des formes ou plutôt des rêves, plus beaux que chez aucun autre peuple.

Et pour cela ils se sont servis de la danse et de la musique. Ils ont discipliné l'ivresse mystique par la cadence[2]. Aussi ont-ils créé un art qui satisfait également le sentiment et l'imagination. Aussi ont-ils créé la tragédie.

En effet, ainsi que nous l'avons vu, le fond de la pensée grecque est un pessimisme amer. (Quoi de plus pessimiste que cette maxime grecque : « Le bonheur est de ne pas être » ?) Par leurs dispositions à la rêverie, les Grecs ont pu toutefois oublier la vie. Ils n'ont pas cherché à rendre la vie plus agréable, ils l'ont annihilée par le Rêve. À l'existence, ils ont substitué la beauté et l'ivresse. Ce fut la sérénité grecque.

Et ce que Schiller appelle aussi la « naïveté grecque » n'était pas du tout de la naïveté. C'est avant tout la faculté de faire disparaître la vie et de rêver : la seule existence est l'existence apollinienne et la vie n'est qu'une illusion. Aussi les Grecs ont-ils toujours recommandé d'ignorer la vie. Ils punissaient cruellement ceux qui voulaient savoir : Socrate dut boire la ciguë.

Ainsi, grâce au rêve, les Grecs ont échappé au découragement. Car tout leur effort a consisté à tirer de la souffrance une « volonté de triomphe ». À cet effort, à cette angoisse de vivre, seule la Musique permet de donner une expression.

En effet, la Musique nous donne des sentiments primitifs à l'état pur. Elle nous redonne les sentiments de ces faunes qui dansaient éperdument autour de Dionysos (la danse, elle, objective ces sentiments). Lorsque les chœurs grecs dansaient, la Musique et la Danse leur faisaient oublier toute personnalité. L'acteur vivait intensément le personnage qu'il incarnait. Les spectateurs, pris par cette sorte de folie collective, acceptaient l'illusion sans plus faire appel à leur Raison[3]. Ce nouvel état était créé par l'hypnose de la Musique. On ne voyait plus alors Dionysos dans sa souffrance, mais dans sa gloire et son rayonnement : Dionysos devenait Apollon. C'est là toute la tragédie de Sophocle et d'Eschyle : au lieu de Dionysos, une action qui fut un simple dialogue au début. Les héros de la pièce n'ont rien des hommes réels, et la preuve c'est qu'ils se recouvrent d'un masque et se chaussent de cothurnes. Démesurément grands, ayant un visage fictif, ils n'ont plus rien de commun avec les autres hommes. Ce sont, dit Nietzsche, des manifestations du vouloir-vivre.

Cette longue analyse de *La Naissance de la tragédie* était nécessaire pour bien voir comment Nietzsche a été amené à sa conception première de la musique moderne, conception toute schopenhauérienne, qui le conduira à l'apologie de l'art de Wagner.

En effet, il est indéniable que la tragédie grecque a décliné par la suite. C'est parce qu'à l'enthousiasme les Grecs ont voulu substituer le raisonnement. Socrate avec son « Connais-toi toi-même » a détruit le Beau. Il a tué un beau rêve avec son besoin maladif d'argumentation. Socrate devait être condamné. La science et la philosophie ont remplacé l'élan vers l'idéal. Et par le même coup, Nietzsche attaque le rationalisme de son temps.

Que sera donc la Musique ? La Musique et le Mythe sont deux formes jumelles de la rédemption philosophique. Expliquons-nous :

Nietzsche établit une comparaison entre la Grèce antique et son époque. Ce qui s'est passé en Grèce peut fort bien se reproduire au XIXᵉ siècle. Le moyen de sortir du rationalisme desséchant d'alors c'est de refaire en nous une âme tragique. Selon Nietzsche, il faut que la tragédie renaisse. Il faut créer un nouvel état d'âme collectif qui acceptera une nouvelle illusion par le Mythe. Il faut recréer cet aveuglement voulu et cet élan vers le Beau. La Tragédie renaîtra avec la Renaissance de la Musique. Le Mythe substituera à la plainte douloureuse de l'âme rationaliste une extase devant le sourire apollinien. La Musique, unie étroitement au Mythe, devra être métaphysique. La philosophie, comme la science moderne, a maladroitement déchiré le voile d'une illusion bienfaisante. Le drame musical tissera ce voile à nouveau et créera la Renaissance.

Nous voyons ainsi que Nietzsche, dans cette partie de ces idées, souscrit entièrement à la théorie de Schopenhauer sur la musique métaphysique. Schopenhauer, en effet, faisait de l'indéterminé le beau idéal, ce qui est avant tout une idée métaphysique. Nous allons exposer rapidement le deuxième aspect des idées de Nietzsche. Nous verrons alors comment la première partie de ses idées, celle que nous venons d'exposer, devait le conduire à voir dans l'art wagnérien l'apothéose de la Musique, tandis que la deuxième partie devait, au contraire, le pousser à combattre Wagner.

En effet, dans le même moment, Nietzsche développait des idées opposées dans un petit ouvrage : *Sur la musique et la parole*. Alors qu'il avait admis ailleurs que le grand rôle de la Musique est de créer un Monde de Rêve qui nous fasse oublier le Monde présent, il rejette, dans cet opuscule, la thèse de Schopenhauer d'après laquelle l'émotion musicale doit nécessairement suggérer des sentiments et des images. Nous disons « suggérer » et non « partir » de sentiments ou d'idées. Il affirmait que, goûter la Musique en laissant s'évoquer des sentiments en nous, des images visuelles dans notre esprit, c'était s'exposer à ne pas la comprendre. Pour goûter purement la Musique, il fallait la goûter dans son essence même, il fallait avant tout pénétrer dans l'analyse de l'harmonie elle-même. Nous sommes bien loin alors de l'extase, de l'ivresse et de l'enchantement. Ce fait d'analyser la

Musique ne tuera-t-il pas son charme ? La Raison ne détruit donc plus le Rêve ? Que la technique ait la primauté, c'est certain, mais seulement dans la production de l'harmonie. Mais dire qu'on ne peut goûter la Musique que techniquement, c'est dire, pour parler comme un de nos contemporains, qu'on ne peut goûter la beauté d'un arbre sans savoir qu'il est composé de fibres et de cellules.

On ne comprendrait pas ces contradictions si nettes et si aveuglantes dans l'œuvre de Nietzsche si l'on ne se rappelait pas qu'il est poëte autant que philosophe et susceptible, par conséquent, de donner dans de nombreuses contradictions.

En réalité, ce sont ces dernières idées qui resteront dans son esprit, et c'est en partie à cause d'elles qu'il rompra délibérément avec Wagner. La musique de ce dernier, en effet, toute métaphysique, ne pouvait s'accommoder de cette intrusion de la Raison. « Épris de Wagner, Nietzsche s'était heurté derrière lui au wagnérisme. » La première conception musicale de Nietzsche devait pourtant le conduire à l'apologie de l'Art wagnérien. Dans ses drames, en effet, Wagner a uni Apollon et Dionysos, la Poésie et la Musique. Nietzsche voyait alors dans cet art une possibilité de régénération pour l'Allemagne. La floraison de cet art intense entre tous l'enthousiasma.

L'histoire des rapports de ce dernier avec Wagner est trop connue pour que nous la rappelions. Pourtant la rupture toucha tellement Nietzsche qu'il est impossible de ne pas insister sur la cause de cette rupture. Le philosophe du vouloir-vivre, en effet, était aussi débordant dans ses amitiés que prompt à détruire ce qu'il avait adoré. Mais chacune de ses déceptions aigrit un peu plus son caractère déjà chancelant. La rupture avec Wagner lui porta un coup très rude. On ne saurait trop insister sur le malentendu qui formait la base de cette amitié. Fondée sur une erreur, elle ne pouvait durer.

Nietzsche, enthousiasmé par le *Tristan et Isolde*, ne voyait en Wagner que le génial auteur de ce frémissant drame d'amour. Il ne voyait en lui que le moyen exceptionnel de parvenir à son but, la regénération de l'Allemagne par le drame musical. Il avait oublié l'homme pour déifier le musicien.

Dans sa *Naissance de la tragédie*, il avait donné à Wagner le rôle monstrueux et superbe de rédempteur de l'Allemagne. Hypnotisé par ce rôle, il oubliait que celui qui le remplissait était un homme, accessible à toutes les faiblesses et à toutes les vanités. La déception fut rude. Il vit clairement la vanité et les faiblesses de son idole. Le dernier coup lui fut porté par la conversion de Wagner au christianisme. Son dieu s'était donné un maître. Dès lors, il voit toutes les tares de l'art wagnérien. Mais injuste, parce qu'il s'aperçoit que Wagner penseur est ennuyeux, il méprise le musicien. Certes, comme Nietzsche, nous pensons que Wagner ternit son art avec ses symboles, ses thèses, son livret enfin. Mais Wagner restera éternellement à cause de sa musique pure. Cela, Nietzsche ne voulut pas le reconnaître. Il brisa son idole et la mit en pièces. Le malentendu était dissipé. S'inspirant de la seconde partie de ces idées, Nietzsche attaquera violemment Wagner dans ses pamphlets. Il se détache alors de Schopenhauer en même temps que de Wagner.

Voilà l'essentiel des idées de Nietzsche sur la Musique et de leurs conséquences. Sur sa philosophie et sur celle de Schopenhauer, nous allons essayer d'étayer des conclusions personnelles touchant la définition et la valeur de la Musique.

ESSAI DE DÉFINITION

La Musique peut, en somme, être considérée comme l'expression d'un monde inconnaissable, monde d'essence spirituelle qui s'exprimerait d'une façon idéale. En effet, rien de plus idéal que la Musique : aucune forme, ou plutôt aucune forme tangible comme dans la peinture ou la sculpture. Et pourtant, chaque morceau de musique possède une individualité propre. Une sonate, comme une symphonie, est un monument au même titre qu'un tableau ou une statue. Les quatuors de Beethoven possèdent une architecture propre facilement saisissable et qui est un modèle de perfection. C'est là précisément un des éléments de séduction de la musique : elle exprime le parfait d'une manière assez fluide et assez légère pour qu'aucun effort ne soit nécessaire.

La Musique est l'expression parfaite d'un Monde Idéal qui se communiquerait à nous au moyen de l'harmonie. Ce Monde se déroulerait, non pas au-dessous ni au-dessus du Monde Réel, mais parallèlement à lui. Monde des Idées ? Peut-être, ou alors Monde des Nombres, puisqu'il se communique à nous par l'harmonie.

Pourquoi se communique-t-il aux hommes ? Plotin peut nous donner une réponse dans son admirable thème : le Beau, Idée parmi les Idées, ne peut être atteint que par celui qui contient ce Beau en lui-même. Celui-là ne l'atteindra pas qui aura les yeux obstrués « par les chassies du vice ».

Et la preuve que la Musique vient d'un monde inconnaissable c'est que, si une phrase musicale peut éveiller en nous des sentiments et des images tout à fait personnelles, un sentiment ne peut éveiller en nous une image musicale.

Expliquons-nous : c'est une des manières de goûter la Musique que de laisser s'évoquer en soi, à l'occasion d'une phrase que nous aimons plus que d'autres, tout un monde d'images. Souvenirs littéraires et mythologiques et surtout souvenirs personnels, tout cela s'entremêle pour former un monde composite et spécial dans lequel nous nous complaisons. C'est une sorte de dépouillement de notre esprit. De là, l'interprétation des symphonies et des sonates célèbres. Interprétations toutes arbitraires d'ailleurs, puisqu'on peut et qu'on doit en forger soi-même de plus conformes à nos tendances. Ainsi chaque interprétation marquera l'originalité propre de son auteur.

La Musique peut donc évoquer en nous des sentiments de tout ordre. Mais, au contraire, les images visuelles, la poésie, la littérature sont incapables d'éveiller en nous des images musicales ; nous voulons dire des images précises. Il arrive, en effet, qu'un poëte, Verlaine par exemple, nous donne l'impression confuse d'une musicalité[4]. Mais les sentiments ordinaires ne peuvent éveiller en nous des phrases musicales précises. Ce qui prouverait bien ce que nous avançons. Cela montrerait, en effet, une irréductibilité entre ce monde et le monde d'origine de la Musique. Cette irréductibilité ne serait que celle qui existe entre connu et inconnu. Tandis que nous pouvons imaginer facilement, en présence d'une phrase musicale, un rayon de soleil perçant les nuages, le spectacle même des nuages laissant percer ce rayon ne pourra éveiller en nous la plus petite sensation musicale.

L'on pourrait multiplier les exemples à l'infini.

Cela vient surtout de ce fait évident que, s'il est possible de construire du nouveau avec du connu, il est au contraire impossible de traduire de l'inconnu par du connu. C'est pourquoi la Musique n'est pas un langage. La considérer ainsi serait l'abaisser. Ou, si l'on veut, c'est une langue qui ne souffre que la version et non le thème.

Un grand reproche qu'on adresse aussi à la Musique qui éveille ainsi des sentiments en nous est d'être purement évocatrice et rabaissée à une sorte de moyen de se rappeler des sentiments agréables.

Cette objection a été surtout posée par Pierre Lasserre qui voit là un moyen de détruire la théorie de Schopenhauer. Nous ne croyons pas que ce reproche soit fondé. Nous reconnaissons que si la Musique se bornait à réveiller en nous certaines images agréables, son rôle serait singulièrement rapetissé. Mais la Musique ne se borne pas à cela. Certes, elle fait lever en nous toutes sortes de sentiments, littéraires ou purement personnels. Mais elle nous permet, de plus, de créer un monde entièrement original que nous bâtissons en nous servant des images et des sentiments évoqués comme de matériaux. Nous créons ainsi du nouveau avec du connu. C'est la seule création dont l'homme soit capable. Il a inventé des animaux et des êtres fabuleux, certes, mais en combinant des matériaux terrestres. Un centaure est un composé d'homme et de cheval. Un ange a des ailes. Un dragon est toujours un composé d'animaux différents. Le paradis ne peut se concevoir sans une porte.

L'inconnu ne peut donc être créé qu'avec du connu. Ainsi fait la Musique. Le reproche qu'on lui fait n'est donc pas fondé : la Musique est créatrice autant qu'évocatrice.

Nous pouvons donc affirmer, en résumé, que la Musique est l'expression d'une réalité inconnaissable. Cette réalité se contente d'une seule traduction, la plus belle et la plus noble de toutes. Cette traduction, la Musique, nous permet de constituer avec les faibles éléments dont nous disposons et par le chemin de notre esprit imparfait un monde idéal qui est particulier à chacun de nous, qui diffère avec les individus. Il y a quelque chose de cela dans la théorie hindoue qui veut que le monde soit le produit de nos désirs.

Quelle sera maintenant la valeur de cette musique ?

Ce sera avant tout un moyen d'obtenir une extase nous permettant d'oublier le monde dans lequel nous vivons. La Musique nous permettra une évasion vertigineuse, une ivresse temporaire peut-être mais réelle. Ayant la possibilité de vivre dans un monde plus pur, exempt de petitesse, fait pour lui, créé par lui, l'homme oubliera ses désirs grossiers et ses appétits ignobles. Il vivra intensément cette vie de l'esprit qui doit être le but de toute existence. Autour de Dionysos écartelé par les Titans, les faunes dansaient jusqu'à être possédés par une ivresse extatique, dansaient jusqu'à oublier leur personnalité et n'être plus que des êtres élémentaires, dansaient jusqu'à voir Dionysos, non plus dans sa souffrance, mais dans sa gloire et dans son rayonnement.

Pareils à ces fauves, pareils à tous ceux qui par une ivresse quelconque oublient leur vie pour se rejeter dans une autre plus séduisante, nous nous servirons de la Musique comme d'un philtre pour acquérir l'ivresse sacrée qui nous jettera dans le Monde du Rêve, nous faisant oublier le Monde de Souffrance. Tout le monde s'accorde sur cet effet magique. Rappelons le passage de *La Divine Comédie* où Dante, descendu aux Enfers, rencontre un chanteur qui avait été très célèbre de son temps. Il lui demande de chanter. À ce chant, les ombres s'arrêtent subjuguées, oubliant le lieu où elles se trouvent, oubliant que là il faut « *lasciate ogni speranza* ». Et elles restent là jusqu'à ce que leurs impitoyables gardiens viennent les chercher.

Musset fut très vrai et très profond quand il disait par manière de plaisanterie : « C'est la Musique qui m'a fait croire à Dieu. »

Et en ce temps plus que jamais il serait bon de parler avec Nietzsche de musique de rédemption. Aux esprits rationalistes et systématiques de notre époque, aux sentiments fanés par le cruel arrivisme, la Musique redonne une nouvelle fraîcheur. Rédemption spirituelle, oui.

Le peuple comme l'intellectuel sent le besoin d'une musique appropriée. C'est une manifestation du besoin métaphysique que nous portons en nous ; besoin qui nous donne soif d'un Monde Idéal, soif d'oublier ce monde trop matériel. La Musique nous aidera à oublier tout ce qu'il y a de trouble et d'ignoble dans notre existence. Elle nous permettra d'arriver à la belle « naïveté antique » faite, comme nous l'avons vu, de la faculté de se plonger dans le rêve pour oublier le présent. Et nous ne pouvons rien trouver de mieux pour exprimer cela qu'une comparaison avec ce que Jean Cocteau dans ses *Enfants terribles* appelle « jouer le jeu ». C'est-à-dire, la demi-conscience où les enfants se plongent, dominant l'Espace et le Temps et amorçant des rêves. C'est une extase semblable que nous donne la Musique. Extase qui semble faite pour des êtres supérieurs à nous puisque l'homme s'y fatigue. Combien de fois, en effet, ne sommes-nous sortis d'un concert brisés de fatigue. Tant d'émotions avaient usé notre système nerveux imparfait.

Par conséquent, pareils en cela aux Grecs, qui, sentant plus que tout autre peuple la douleur de leur vie, se rejetaient dans le rêve et abolissaient toute sensation du présent, nous devrons, pour oublier la cruauté de ce monde, cruauté que nous sentons avec acuité grâce à nos sensibilités de civilisés, nous plonger dans le rêve et pour cela faire appel au seul art qui nous permette un pareil oubli : la Musique.

Pour terminer cet essai de définition de la Musique, nous pourrions examiner quels sont ses rapports avec les autres arts : peinture, sculpture, architecture. En principe, nous pourrions établir une échelle des valeurs dont la Musique occuperait le sommet. La Musique est l'art le plus parfait. On a pu dire qu'elle forme un monde à part, car elle a, seule, atteint le souverain Beau. Et malgré tous les efforts des autres arts, ceux-ci ne paraissent pas être arrivés au Beau Complet. Aussi un grand fossé sépare le domaine de la Musique de celui des autres arts.

De plus, en examinant plus profondément le but de chaque art, il paraît que ce qu'ont surtout recherché la Peinture et la Sculpture, comme la Musique, c'est l'harmonie.

La peinture cherche évidemment l'harmonie des couleurs. Ce n'est pas son seul but mais il est important. Et c'est ce qui a fait le succès un peu tardif, mais certain, de l'école impressionniste qui, par la division du ton, obtient des effets éblouissants de mélange et d'harmonie.

La sculpture cherche l'harmonie des formes. Et dans la statuaire antique, qu'est-ce donc que les canons de Praxitèle, sinon des mesures permettant de définir d'exactes proportions entre les différentes parties du corps de l'homme ? L'architecture elle-même cherche la simplicité et l'harmonie des lignes. Et c'est pourquoi les temples et les monuments grecs sont parmi les plus beaux, car ils ont uni cette simplicité des formes à cette harmonie des lignes.

Malgré tout, ces efforts vers l'harmonie ne sont pas arrivés à la perfection. C'est que ces arts rencontraient un obstacle presque infranchissable : la matière.

La Musique, n'ayant pas à vaincre de matière[5] et surtout ayant une base toute spirituelle, un substrat mathématique, est arrivée à la perfection et a fait de l'harmonie son essence même.

C'est ce qui explique l'irréductibilité de la Musique aux autres arts. C'est ce qui explique qu'on en fasse un monde particulier.

En réalité, nous croyons que s'il y a de grandes différences de degré et de moyen entre la Musique et les autres arts, il n'y a pas de différences de nature.

En tout cas, une chose les unira toujours, c'est le but.

Tous les arts s'identifient comme tenant d'une même aspiration de l'esprit humain vers un monde meilleur d'oubli et de rêve.

CONCLUSION

On a pu s'apercevoir que, dans ce qui précédait, nous nous rangions entièrement à l'avis de Schopenhauer tandis que nous écartions résolument toute la partie de l'esthétique de Nietzsche qui contredisait celle du philosophe de la Volonté. À la vérité, cette partie des idées de Nietzsche est douteuse. Elle contredit, en effet, absolument la thèse qu'il avait exposée dans son ouvrage le plus caractéristique comme le plus important : *La Naissance de la tragédie*. On objectera que c'est pourtant sur ces idées douteuses qu'il s'est appuyé pour attaquer Wagner après *Parsifal*. Mais nous avons déjà vu qu'avant d'attaquer Wagner, un dissentiment s'était élevé entre eux. Et il est à croire que Nietzsche, à la suite de ce malentendu, s'est accroché au premier argument qui lui permettait de combattre Wagner.

N'adoptant que la théorie exposée dans *La Naissance de la tragédie*, il est hors de doute que nous ne partagerons pas les sentiments du *Cas Wagner* et de *Nietzsche contre Wagner*. Si Nietzsche avait pu continuer à ignorer le caractère de l'homme pour ne considérer que le génie de l'auteur, il aurait compris que son esthétique se trouvait réalisée dans l'œuvre de Wagner. Par ses sujets d'abord, Wagner nous ramène dans le Mythe. Nous savons bien que toute la mythologie wagnérienne sent l'apprêté et le faux. Mais il n'en est pas moins vrai que cette mythologie peut nous faire rêver. Si fausse et si artificielle soit-elle, il reste quand même qu'elle peut nous donner l'oubli. Nietzsche aurait aussi compris que dans Wagner plus que dans tout autre musicien l'union du Mythe et de la Musique était réalisée en une musique métaphysique. Il n'aurait pas alors traité cette musique de décadente. Et surtout il n'aurait pas opposé Bizet à Wagner. Il faut méditerraniser la Musique, disait-il. C'est-à-dire qu'il fallait aussi à la musique tout ce que l'âme grecque contenait de propice au rêve.

Pourquoi, dans ce cas, aller chercher le froid Bizet dont certains airs de bravoure ont tant vieilli pour l'opposer à un Wagner débordant de lyrisme et de tendresse qui est resté et restera éternellement jeune ?

Le seul fait d'opposer *Carmen* à *Tristan et Isolde* prouve déjà en faveur de notre affirmation, à savoir que Nietzsche, déçu par le caractère de l'homme, a cherché inconsciemment des prétextes pour combattre l'auteur.

Pour qui conçoit la Musique ainsi que nous, c'est-à-dire comme une dispensatrice d'oubli, Wagner sera un des rares musiciens réalisant pleinement cet idéal. Avant tout, la Raison doit être bannie de la Musique comme de tout art. Assez d'acrobaties musicales, *Jeux d'eaux* ou de *Jardins sous la pluie* qui demandent de l'analyse pour démêler l'intention de l'auteur. Une exception doit être faite toutefois pour Strawinsky. Mais remarquons que si les imitations champêtres, les bruits de ferme de bétail, etc., abondent chez ce musicien, elles concourent toutes à un même but, la communication de l'âme d'un pays. Par là, l'œuvre de Strawinsky appartient au folklore et ainsi à la mythologie, ce qui le ramène à notre théorie.

En général et pour finir, la Musique vraiment féconde, la seule qui nous touchera et que nous goûterons vraiment, sera une Musique de Rêve qui bannira toute raison et toute analyse.

Il ne faut pas vouloir comprendre d'abord et sentir ensuite.

L'Art ne souffre pas la Raison.

SUR LA MUSIQUE

[Extrait de la version manuscrite]

Montrer que la musique est le plus complet et le plus parfait des arts, c'est là le but du présent travail. Toutefois il importe auparavant de définir nettement notre manière de concevoir l'art : Selon l'école réaliste, qui s'oppose en cela à l'école idéaliste, l'art devrait se proposer seulement et même exclusivement l'imitation de la nature et l'exacte reproduction de la réalité. Cette définition ne fait pas qu'avilir l'art, elle le détruit. L'abaisser à une imitation servile de la nature c'est le condamner à ne reproduire que de l'imparfait. Il ne faut pas oublier que la plus grande part de l'émotion esthétique est apportée par notre personnalité. La part de beau qui existe dans la nature est si faible qu'on ne peut la considérer comme appréciable. Le sentiment du beau que nous avons devant un paysage, ne vient pas de la perfection esthétique de ce paysage. Il vient de ce que cet aspect des choses est en parfaite concordance avec des instincts, des tendances, des sentiments confus de notre conscience. Et cela est si vrai qu'un même paysage trop longtemps vu, trop souvent contemplé finit par lasser. Cela n'arriverait pas s'il portait en lui sa perfection. Quoi qu'on fasse, la plus grande part de l'émotion esthétique est fabriquée par notre moi et le mot d'Amiel restera toujours juste : *Un paysage est un état d'âme.*

D'ailleurs si les arts étaient réduits à l'imitation de la nature, en admettant que certains d'entre eux comme la peinture ou la sculpture arrivent à un résultat, il est matériellement impossible pour d'autres, comme l'architecture et surtout comme la musique, de faire de même. Certes la nature possède des harmonies propres mais je ne crois pas qu'on puisse seulement songer à dire que Beethoven et Wagner les ont simplement imitées. Nous n'aurions d'ailleurs aucun avantage à tenter des reproductions forcément infidèles de la nature, pour créer l'émotion esthétique. La nature elle-même nous procurerait bien plus sûrement, une émotion plus nette et plus pure.

Nous considérons donc cette thèse « réaliste » comme indéfendable. D'ailleurs les résultats de cette tentative pourraient nous conduire à la même conclusion. À côté de succès indéniables comme *Madame Bovary* combien de Zola tombés dans l'ordure et l'obscénité la plus vulgaire. Je ne crois vraiment pas qu'on puisse parler d'émotion esthétique en présence des *Rougon-Macquart.*

Quelle sera donc notre conception de l'art ? Ce n'est pas absolument celle de l'école « idéaliste » qui, au lieu de soumettre l'art à la nature, les oppose avec raison, mais qui fait consister le principal mérite de l'art dans ce que l'esprit ajoute à la nature. Cette théorie idéaliste n'est en réalité qu'une théorie morale, productrice d'œuvres plates, fausses et ennuyeuses à force de vouloir montrer des exemples sains, respectables et destinés à être imités.

Pour nous, l'art ne sera ni l'expression du Réel, ni l'expression d'un Réel embelli jusqu'à être falsifié. Ce sera simplement l'expression de l'idéal. Ce sera la création d'un monde de Rêve assez séduisant pour nous faire oublier le monde où nous vivons avec toutes ses horreurs. Et l'émotion esthétique résidera uniquement dans la contemplation de ce monde idéal. Ce sera l'expression des choses telles qu'elles devraient être pour nous. Et comme l'idéal de chacun varie, l'art sera essentiellement personnel et original. L'art serait la clef ouvrant les portes d'un monde méconnaissable ordinairement, où tout serait beau, parfait, la beauté et la perfection étant définies par rapport à chacun de nous. D'ailleurs qui nous dit que cet univers n'est pas le seul vrai ?

Et c'est en nous appuyant sur cette conception de l'art que nous essaierons de prouver que la musique, remplissant absolument toutes les conditions de cette théorie, est l'art le plus parfait comme le plus complet. Pour cela nous nous aiderons de la pensée de Schopenhauer et de celle de Nietzsche, qui est directement dérivée de la première, malgré certaines divergences que nous étudierons. Le philosophe de la Volonté étant en cette matière un disciple de Platon, c'est en somme sur Platon que nous nous appuierons. La théorie de ce dernier est d'ailleurs assez belle, assez « artistique » pour qu'elle puisse être considérée comme la seule bonne.

Nous exposerons d'abord la théorie de Schopenhauer afin de mieux comprendre son influence sur les idées de Nietzsche et nous accorderons une plus grande place à ce dernier, place correspondant d'ailleurs à celle réservée à l'art par ce philosophe dans son œuvre. Poète autant que philosophe, Nietzsche possède une personnalité trop attirante pour la négliger.

De l'exposé de ces deux théories, je tâcherai de tirer des conclusions touchant la définition et la valeur de la musique en essayant de montrer la suprématie de la musique sur tous les autres arts. […]

LA PHILOSOPHIE DU SIÈCLE

J'attendais avec impatience le livre qui devait être le couronnement de l'œuvre de Bergson. La philosophie bergsonienne était une question, un problème soulevé. Il lui manquait une réponse. Le livre né, la réponse est venue. Elle m'a déçu.

Le bergsonisme était, en effet, beaucoup plus un traité de méthode qu'un traité de science. C'était l'apologie de la connaissance directe, de l'intuition. C'était un plaidoyer en faveur des « données immédiates » de notre conscience. C'était aussi une mise en garde contre les dangers de l'analyse, c'est-à-dire contre l'intelligence et la raison. C'était enfin un traité de philosophie instinctive. Rien de plus séduisant que cette idée : écarter l'intelligence comme dangereuse, baser tout un système sur la connaissance immédiate et les sensations à l'état brut ; c'était, en fait, dégager toute la philosophie de notre siècle. Cette philosophie antirationnelle repose, en effet, à l'état latent chez beaucoup de grands esprits contemporains. L'idée était donc belle. Mais Bergson ne faisait que la proposer. Il montrait tous les avantages de l'intuition. Il prouvait que l'on pouvait faire confiance à l'instinct. Il faisait ressortir les dangers de l'intelligence. En un mot, il bâtissait la méthode et tous les éléments d'une philosophie basée sur l'instinct. D'un autre côté, les esprits étaient préparés. Ce siècle en mal d'action adoptait la méthode instinctive, était imbu du bergsonisme. Cette philosophie ne rencontrait d'opposition que chez les philosophes eux-mêmes. Mais la grande masse littéraire et cultivée l'avait accueillie.

Nous étions alors en droit d'attendre l'application effective de cette méthode. Que restait-il à faire ? Tout et rien. Rien, puisque la méthode étant bien définie, l'application devait en être automatique. Tout, en considération du rôle immense qu'aurait joué cette philosophie appliquée.

Elle était attendue, en effet, et aurait pu jouer le rôle de

religion du siècle. On attendait une sorte de morale ou de
religion tout instinctive qui fût comme une vérité révélée.
On attendait une sorte d'évangile forgé par l'intuition et
qui aurait été compris intuitivement. Tous ceux qui avaient
adopté la prédominance bergsonienne de l'instinct sur l'intelligence auraient adopté cet évangile. Quelle plus grande
destinée Bergson aurait-il pu rêver pour sa philosophie ?
Religion du siècle, car elle aurait dégagé et traduit la religion
qui existe à l'état latent dans les esprits contemporains.
Religion que Bergson aurait offerte à son époque, sûr qu'il
était d'être suivi dans un bel élan instinctif, un de ces élans
d'enthousiasme qui prouvent parfois la secrète domination
de l'instinct sur l'intelligence.

C'est, du moins, ce que j'avais rêvé. Sa philosophie me
paraissait la plus belle de toutes, car elle était une des rares
avec celle de Nietzsche qui refusa tout à la Raison. Et j'attendais aussi cette conclusion sublime de toute une suite de
lumineux et longs efforts.

Les Deux Sources de la morale et de la religion m'ont déçu. Non
pas que Bergson ne soit encore dans ce livre, l'écrivain
délicat et le philosophe aigu que nous connaissons. Mais il
n'a pas rempli le beau rôle que j'espérais pour lui. À ce sujet,
tout lui reste encore à faire. Certes, c'est encore l'apologie
de l'intuition et le procès de l'intelligence qu'il fait, en nous
montrant que la religion est une réaction défensive de la
nature contre le pouvoir de l'intelligence, dissolvant pour la
société et déprimant pour l'individu. C'est encore de la philosophie de l'intuition lorsqu'il nous montre que les vrais
religieux sont les mystiques parce que leur croyance est instinctive et irraisonnée. Mais nous savions déjà que l'instinct
pouvait donner toute la vérité. Nous savions tous les avantages de la méthode intuitive. Nous en attendions simplement les résultats.

Pourquoi Bergson ne nous a-t-il pas simplement communiqué ces résultats ? Pourquoi n'a-t-il pas fait œuvre de maître
enseignant la vérité ? Quelle magnifique conclusion pour sa
philosophie !

Au lieu de cela : de l'analyse pour prouver les dangers de
l'analyse, de l'intelligence pour enseigner à se défier de l'intelligence, de la fabulation pour créer cette idée de la fabulation, et partout de pareilles oppositions. En vérité, Bergson
trouve en lui-même une perpétuelle contradiction. Comment
un être aussi intelligent peut-il se dresser en ennemi de l'in-

telligence ? Qu'il se serve de l'intelligence pour prouver le danger de cette intelligence, nous admettons encore cette méthode en quelque sorte homéopathique. Mais qu'il s'en serve et qu'il en abuse pour exposer les applications de cette philosophie, il y a là quelque chose de nature à nous décevoir, disons plus, à nous irriter.

À ce point de vue donc, Bergson n'a pas achevé son œuvre. Tout lui reste à faire. Le grand âge de celui qui reste malgré tout un admirable philosophe ne nous donne pas grand espoir de le voir achever ce que nous désirons tant. Mais peut-être qu'un autre viendra, plus jeune, plus hardi. Il se déclarera l'héritier de Bergson. Il fera de tout le bergsonisme quelque chose d'acquis et passera alors à la réalisation immédiate. Alors, nous aurons peut-être cette philosophie-religion, cet évangile du siècle dans l'attente duquel le génie contemporain erre douloureusement. En vérité, est-ce trop demander ?

LES CONCERTS

Le Quintette instrumental de Paris parcourait, mardi, dans son concert, trois siècles de musique, de Rameau à Debussy.

Des pièces en trio de Rameau évoquèrent d'abord la curieuse personnalité de ce musicien. Elles nous montrèrent ce que nous savions déjà : que Rameau eut plus de goût que de génie et que son penchant pour le difficile nous oblige à de grands efforts pour comprendre les réelles beautés de son art.

Le trio en sol majeur op. 9 nº 1 de Beethoven nous fit brusquement passer d'une mathématique sèche à la musique la plus vibrante et la plus assoiffée d'idéal qui soit. Rien ne pourrait rendre la détresse du 2ᵉ mouvement, l'*Adagio e cantabile*, détresse très pure qui ne nous émeut qu'à force de nudité.

Mais l'intérêt du concert résidait surtout dans ce fait qu'étaient donnés en première audition à Alger un quatuor avec flûte, de Mozart, une sonate pour flûte, alto et harpe de Debussy et un concerto à cinq du grand musicien belge contemporain, Joseph Jongen.

Une note dans le programme nous apprend que le quatuor de Mozart fut exécuté sur commande.

Cependant ce quatuor offre une facilité et un bonheur dans l'invention qui étonnent. Le son plein et rond de la flûte ajoute encore au calme et à la sérénité de l'ensemble. Et là encore les exécutants se plient avec aisance à cette nouvelle formule.

Pour la sonate de Debussy il me serait difficile de dire les complexes sentiments qu'elle a éveillés en moi. Cette sonate est une des dernières œuvres du maître. Elle débute par une pastorale et se continue par un interlude avant d'arriver au « finale ». La pastorale est une calme et douce rêverie interrompue par les capricieuses arabesques de la flûte, dues, semble-t-il, à un parti pris d'inconséquence. Mais l'interlude est beaucoup plus émouvant.

Lancinant, le même thème revient plusieurs fois, recherché dans le sentiment et discret dans sa mélancolie. Quant au « finale » son étrangeté voulue laisse l'auditeur sans jugement devant la foule et la confusion des sentiments remués en lui.

Et pour finir, ce fut le concerto de Jongen. Je n'avais jamais entendu l'œuvre du maître belge. Et cette première audition m'a un peu déçu. Il y a dans ce concerto, par ailleurs très émouvant, des facilités qui manquent de noblesse, et un classicisme un peu sec que l'on peut admirer mais que je regrette. Néanmoins il nous faut signaler le premier mouvement du concerto pour tout ce qu'il recèle d'énergique lucidité.

Il m'apparaît maintenant que j'ai peu parlé du Quintette lui-même. Mais le fait de nous avoir si passionnément intéressés à leurs interprétations ne suffit-il pas à affirmer le sens musical et l'aimante compréhension de ces artistes ?

LA MUSIQUE
À PROPOS DU RÉCITAL
RAOUL DESCHAMPS

M. Deschamps est un pianiste. C'est aussi un musicien et un musicien qui ne se borne pas à comprendre la musique mais qui ose la sentir. Est-ce pour cela que M. Barrucand a cru nécessaire de montrer qu'il y a incompatibilité entre l'état de musicien de brasserie et celui de virtuose de concert ?

La mauvaise humeur de M. Barrucand m'a surpris. D'autant que ses critiques semblent à l'ordinaire fort judicieuses.

J'ai un penchant pour le jeu fougueux et coloré de M. Deschamps. Assuré d'autre part de sa compréhension musicale et de son originalité, il me déplaît de croire que le jugement porté sur lui est définitif. J'en reviens donc aux critiques de M. Barrucand. Et tout d'abord celui-ci se plaint de l'interprétation du *Prélude et fugue en la mineur* de Bach, dont les notes mêlées et roulées, dit-il, empêchaient de distinguer le dessin des parties. Or, il ne faudrait pas oublier que cette fugue fut écrite pour l'orgue, instrument où les sons s'étirent et se lient dans un « fondu » qui en est le charme principal. M. Raoul Deschamps a voulu restituer ce caractère primitif dans sa transposition. Et j'affirme que Bach y gagnait à la fois en discrète émotion, en souriante résignation et en vérité.

Pour le *Carnaval* de Schumann, il paraît que M. Deschamps en fut l'interprète fidèle et appliqué, montrant beaucoup plus de fougue que de « don cultivé ». Pour moi, ce *Carnaval* fut une nouveauté. Grâce justement à cette fougue, M. Deschamps sut en faire, non pas une pantomime sentimentale, mais un carnaval plein de bruit coloré, une foule bruyante et gaie qui s'écroule en grondant.

Quant au Chopin qui nous fut restitué, ce fut un Chopin gardant toute sa poésie et son émotion, mais débarrassé des fadeurs alanguies qu'on lui a souvent prêtées.

Il est évident que M. Deschamps dirige un orchestre de brasserie. Il est moins évident que cet état soit incompatible avec la sensibilité musicale. Aussi bien cet état fut-il un temps celui de Jacques Thibaud.

Je n'ai pas l'honneur de connaître M. Deschamps, mais je serais heureux si ces lignes impatientes pouvaient lui montrer que tout le monde ne tient pas dans le même mépris les pianistes de brasserie.

Ce serait mon remerciement pour les émotions musicales dont il fut le généreux dispensateur.

LA POÉSIE
CLAUDE DE FRÉMINVILLE :
« ADOLESCENCE »

Cinq sonates pour saluer la vie

Ces poèmes se purifient de l'inquiétude par le soleil. Immense, béant, le rayonnant symbole digère en communion le malaise métaphysique de l'adolescence, la sentimentalité mal comprise, les complaisances alanguies, les rêveuses insignifiances dont le jeune homme se fait une vie, peut-être fausse, mais à la cruauté trop réelle.

Précisément, ces poésies marquent un pas en avant, un effort pour se dégager de la mélancolie, un élan hors de soi vers le soleil, avant d'entrer dans la vie. Un homme parmi la foule : c'est ce que sera demain Claude de Fréminville. Du moins, le dit-il. Mais pour la lui souhaiter avec ferveur, je doute de cette évasion dans l'anonymat. On n'abandonne pas si facilement la chaîne de sa personnalité. Je crois qu'à se fuir on œuvre dans l'art et non dans la vie. La preuve : ces 5 sonates pour saluer la vie. Les deux premières sortent de l'âme placée devant elle-même, et les dernières de l'âme devant la vie.

Je sens parfaitement que la première partie de ce recueil (inquiétude, souvenir amoureux) forme l'être profond du poète tandis que la dernière (l'appel vers le soleil) marque ce qu'il voudrait être. Et il sait beaucoup mieux ce qu'il voudrait être que ce qu'il est. D'où, sur le plan de l'art, la grande supériorité des derniers poèmes sur les premiers. Autre raison à cette supériorité : c'est, il me semble, que le poète a suscité cette faim de soleil pour se cacher à lui-même une vérité plus simple et plus profonde. De sorte que cette contrainte sur soi-même, et cette lutte de chaque instant, produisent un art plus certain et plus épuré parce que moins réel.

Ceci pour l'attitude du poète devant la vie. À cause de l'intérêt que présente tout drame d'adolescence, je m'y suis attardé (et j'emploie le mot drame à dessein sans croire à son exagération).

Mais il me faut parler du poète après avoir parlé de l'homme.

Comme je l'ai déjà dit, je préfère les derniers poèmes à partir de la troisième sonate : « Quotidiennement ». À vrai dire, je trouve dans les premières sonates, trop d'agaçants maniérismes, trop de mauvais Coppée ; dirai-je de mauvais Samain ? Il faut pourtant aimer dans cette partie un court poème : « Mon Dieu, Mon Dieu, l'enfant bercé » émouvant parce que vrai et ému.

Mais les dernières sonates nous révèlent un poète — et un poète que j'aime —. La musique des mots a été comprise et orchestrée. Un rejet comme celui-ci :

> *Les cris d'hirondelles se sont fermés,*
> *Et les lumières*

désigne un vrai poète. Ce rejet clôt à la fois la musique et le sens de la phrase. En lui s'unissent le sentiment et l'intelligence et communient dans une manière de plénitude artistique. Voyez aussi les poèmes « Rythmes », « Chant du train » — car de Fréminville chante les trains comme A. O. Barnabooth. J'aime surtout la dernière sonate : « Avant que la vie ne vienne » : Hymne au Soleil, Ouverture de l'âme, Élargissement dans l'inertie, Volonté d'engourdissement généreux.

Et le livre se ferme par un don orgueilleux de l'âme :

> *Je te salue immensément*
> *Soleil*

Je crois ces vers réconfortants pour l'avenir du jeune poète. J'ai souvent dit à de Fréminville d'éviter l'écueil de la facilité. Mon amitié me permet de répéter cette mise en garde. Les natures aussi généreusement douées que la sienne croient volontiers au vieux préjugé de l'inspiration omnipotente. Je voudrais que de Fréminville n'oubliât pas que c'est la forme qui cristallise le fond et non le contraire. Je sais qu'il me répondra que je suis peu qualifié pour lui dire cela. Mais pour ne pas remplir une formule on peut la connaître cependant. Et j'exprime ce souhait d'autant plus volontiers que j'ai été heureux de le voir réalisé dans toute une partie du recueil qui nous occupe.

Je crois que de Fréminville ne pourra jamais être : « un homme dans la foule ». Je crois donc qu'il souffrira. J'en suis heureux, car son art s'en ressentira heureusement. Et j'apprécie trop l'homme pour ne pas vouloir la grandeur de l'artiste.

À PROPOS DU SALON
DES ORIENTALISTES

Le soir — une longue pièce humide, un feu véhément, deux fauteuils auprès. Une gouttière s'écoule monotone. Au mur, des Despiau, Dompon, Maillol, où le reflet des flammes suscite une vie sardonique. Dans un coin, une tête se dessine à peine sous les pansements humides qui la font douloureuse. Nous sommes dans l'atelier de Louis Bénisti. Personne ne parle : à quoi bon ?

De cet asile un peu chagrin, solitaire, sont parties des œuvres nourries dans le silence, jetées maintenant en pleine foule, dans un salon trop éclairé. C'est qu'un sculpteur n'expose pas aussi facilement qu'un peintre. On attend un Salon. On ne donne alors qu'un peu de soi au public pour qu'il ne le voie point. Ces portraits de Bénisti, on les rencontre au détour de la foule. On sort de l'assistance, « élégante et choisie » comme il se doit, et on arrive sur des visages humbles, un peu perdus, gênés par leur pureté. Ils sont très mal placés, pour certains très mal éclairés, et cela leur va très bien.

Trois envois seulement. C'est que Louis Bénisti est un des rares artistes jeunes qui aient compris qu'une œuvre doit être longtemps portée en soi. Son art est à ses débuts, ses conceptions sont presque mûres. Il a compris qu'on ne crée pas avec des interrogations et des inquiétudes, mais qu'une œuvre est une réponse. S'il aime à dire que son métier est celui de tout le monde, c'est qu'il échappe au facile préjugé de l'inspiration et sait qu'en art, rien de grand ne s'acquiert sans peine.

Et pour avoir appris de Maillol l'importance des volumes

et des rapports architecturaux en sculpture, pour avoir subi avec émotion l'incisive sensibilité de Despiau, c'est cependant en lui qu'il a trouvé cette grande vérité qu'une œuvre se construit comme une poterie se façonne.

On peut voir, à ce Salon des orientalistes, le portrait, reçu au Salon d'automne, du peintre Clot. Le métier et la conscience scrupuleuse de Bénisti ont fait surgir de la glaise une figure un peu douloureuse, émouvante, mais qui nous séduit sans raffinement. Quelque chose manque à cet envoi, qu'on peut trouver dans les deux autres portraits, qui lui sont postérieurs. Ici, l'art est plus épuré, et c'est heureusement que se concilient inspiration et expression. Le premier, un portrait d'enfant, s'étonne au milieu du Salon. L'ironie des lèvres se dissimule, le menton s'amollit et l'impertinente correction du nez mène aux yeux, lointains, dont le regard ne voit point. Et tout cela se joint pour susciter la pureté de l'inexpérience, la seule véritable peut-être chez l'enfant. Mais c'est au troisième portrait qu'il faut s'arrêter. La matière, par endroits, semble se liquéfier, transparente, tandis qu'ailleurs la lumière dort en rond sur des surfaces plus denses. Un visage apparaît comme un pays avec ses plaines et ses monts, et sa nostalgie très particulière.

Ici, le pays est très doux, à peine mélancolique, et si discrètement. Sans doute est-ce là du classicisme s'il est vrai que ce dernier se définit un faisceau de vertus morales dont la première est la modestie.

D'une façon générale, cet art plaît par sa soucieuse retenue et son sérieux. Pour débuter, il n'en satisfait pas moins. Il n'est fatal, ni résigné. Et lorsqu'il sourit, c'est avec des lèvres de chair. Il est médité dans le silence et se donne pour ce qu'il est : l'œuvre d'un homme. Ici la main achève ce que l'esprit commence. Ce sont là de suffisantes raisons pour que cet art puisse espérer compter. Une réserve cependant : quand l'atmosphère de la peinture me semble faite de silences ou d'éclats de rire, une sculpture me paraît souvent une impérieuse affirmation. Et certains qui préfèrent la peinture, ont besoin de la sculpture. Jusqu'ici, et pour être émouvantes cependant, les affirmations de Louis Bénisti restent timides. Manque une œuvre forte qu'il peut et doit créer. Peut-être faut-il encore à son art ce tranchant catégorique qui fait les grandes œuvres. Pour rendre une création définitive, il faut y apporter, et en dernier lieu, un peu de volontaire inintelligence. Au demeurant, la modestie peut être en certains cas un coupable renoncement. Elle n'est encore ici que la sympathique attente d'un homme qui aime son métier, pense son œuvre et dont l'art humble, patient et si souvent classique méritait d'être mieux connu.

L'abondance des matières nous oblige à renvoyer à notre prochain numéro une étude plus générale sur le Salon des orientalistes.

SALON DES ORIENTALISTES

Rien n'est terne, triste et flasque comme un Salon ; rien qui ne ramène d'aussi persuasive manière à de conscientes humiliations : rien encore, au demeurant, qui ne soit non-sens plus achevé.

Une peinture se découvre, et à grands frais. À vivre avec un tableau ou une reproduction, nous en comprenons la vie secrète, drame ou comédie. Après avoir loué le *David* de Donatello, Gide note : « Y retourner, comme à l'étude. » C'est là comprendre qu'il faut reconstruire l'œuvre déjà construite. À ce prix, nous rejoignons l'artiste et nous l'en aimons mieux.

Je crois encore qu'un tableau dont la valeur est douteuse ne résiste pas à quelques jours de vie en commun. Ce qu'une peinture demande, c'est une longue et muette entente, presque une liaison amoureuse. Ce qui fait qu'au vrai, à peine connaissons-nous quelques tableaux, ceux avec lesquels nous avons vécu.

Voilà de quoi m'excuser d'une critique qui ne sera pas la traditionnelle revue des artistes. Pour tout citer, il faudrait se livrer au petit jeu de l'éreintement, qui me semble genre un peu facile. Je ne parlerai donc que des œuvres devant lesquelles je me suis arrêté longuement. Il se peut aussi bien que, parmi le reste, étalage indécent de chairs déliquescentes et de couleurs potagères, quelques œuvres de valeur aient passé inaperçues. Je m'en félicite. On pourra réunir, dans le même doute indulgent, ces inconnus et les tableaux *(sic)* qui nous sont donnés à digérer.

Un dernier mot : rompant avec la tradition, je ne parlerai

pas de tous Aubry, Rochegrosse, Segond-Weber, etc., dont les talents sont justement consacrés et d'assez définitive façon pour que notre assentiment ne puisse rien ajouter à cette consécration.

Pour regretter l'absence des Assus, Fernez, Étienne Chevallier, etc., il convient cependant de s'arrêter devant quelques peintres déjà connus.

Malgré la convention et l'artificiel dont ils s'inspirent souvent, il serait injuste de ne pas citer les envois de M. Antoni. Ils sont d'un homme qui connaît son métier. Ses paysages sont presque tous bons. Sa composition, *L'Aveugle de Jéricho*, est tirée de la banalité par les deux figures centrales, d'inspiration très pathétique, et par quelques beaux tons sur une porte basse.

Pourquoi ne pas parler de M. Bouvielle. Ses deux marchés de Ghardaïa (l'un surtout, plus vrai dans sa vie chaleureuse), s'ils ne nous apprennent rien de nouveau, nous le montrent persévérant dans une voie qui est la bonne, puisqu'elle est la sienne.

De Cauvy, quelques exemples de ce réel talent, si particulier — touches on dirait frissonnantes, sens profond de la lumière — auquel manquait fort peu de chose pour être très grand.

Il faut enfin citer, parmi les peintres connus, M. Lino. Ses marines, si l'on y sent l'influence de Marquet, n'en sont pas moins de véritables réussites, sensibles, fraîches et d'une seule venue. Mais pourquoi a-t-on placé sa charmante *Poupée au chien* tout au fond de la salle si loin qu'on ne parvient pas toujours jusqu'à elle ?

Parmi les peintres inconnus de moi, le nom de M. Lemoyne me semble à retenir. C'est sans réserves que j'admire sa route du Frais-Vallon, fuyante, longée des cubes blancs des fermes et très aérée. Une Amirauté, houleuse et à goût de sel, me semble aussi de bon aloi. J'aime moins, cependant, son paysage, très inégal, de matière trop rude.

Autre découverte pour moi : une aquarelle de M. Taphoureau, où se révèle une virtuosité étonnante mise au service d'une sensibilité très originale. Pour craindre la facilité, je souhaite avec sympathie que M. Taphoureau se choisisse quelque bonne discipline, aussi mortifiante que possible. Ce faisant, je ne doute pas qu'il tire le meilleur parti de ses remarquables dons.

Pour être mêlées à beaucoup de maladresses, les qualités

certaines de M. Maurette, de Mlle Marie-Christiane, de
M. Deschamp même, doivent être notées.

Enfin, c'est en tout dernier lieu que je parlerai des envois
de René-Jean Clot. Je crois sincèrement que ce sont les
plus remarquables du Salon. Les peintres que j'ai cités
étaient les moins mauvais. C'est du meilleur qu'il me faut
maintenant parler. J'aime sans réserves cet art de demi-
teintes, très pur dans ses lignes, à peine pessimiste dans sa
sensibilité. Avec des moyens très simples, sa place du Gouvernement exprime beaucoup. Si je n'aime guère le dessin
traité à la sanguine, qui me semble trop influencé, c'est avec
émotion que je regarde le dessin qui lui fait pendant, des nus
dans un paysage. Ici, René-Jean Clot unit la leçon des grands
maîtres à la sensibilité qui lui est particulière, la pureté d'un
lavis à sa vision un peu songeuse, comme voilée. Dans un
paysage d'une douceur italienne, des personnages s'immobi-
lisent dans des gestes étudiés : le silence de l'action parfaite.
Mais j'aime surtout sa Bouzaréah. La fléchissante courbe de
la colline prépare à l'émotion raffinée que dispense une admirable gamme de verts. Des bouquets d'arbres, une ferme
enfouie dans la fraîcheur de l'ombre, rien en somme. Mais il
me plaît d'y reconnaître la poésie, de si délicate sonorité, de
la Bouzaréah, sa douceur virgilienne et la mollesse de l'air,
frais comme un linge écru. Que dire de plus ? Je crois à l'art
de Clot. Et si l'on se rappelle ce que je disais au début de cet
article, qu'il me suffise de dire que je pourrais vivre avec sa
peinture.

On ne trouvera rien ici sur la sculpture. Louis Bénisti,
seul, me semble à retenir. Et j'en ai longuement parlé.
Encore un mot : dans l'art si difficile de la miniature,
M. Racim travaille parfois avec bonheur.

★

Voici présenté un choix qu'on aurait tort de prendre pour
un palmarès. Je ne prétends guère donner ces jugements
pour péremptoires. Mais je les tiens pour sincères. Que si
peu de bon grain soit mêlé à tant d'ivraie, c'est ce à quoi je
ne puis rien, que m'attrister. Même, et au seuil de cette chronique, il me vient une crainte : celle de n'avoir pas assez dit
la monotonie étriquée et la tristesse sans grâce de ce Salon.
Tout au fond, de grandes verrières s'ouvraient sur le port par
un matin mal éveillé, plein de mâts indistincts, de brumes où

les sirènes entraient comme des couteaux : un matin triste de
ville du Nord. C'était là le plus beau tableau. Sa tristesse
enchantait. C'est que la laideur de l'âme est plus navrante
que le malheur. Voilà pourquoi la banalité trop accentuée
d'un Salon écœure quand le malheur épandu sur un port
ravit. Et peut-être, ceci compense cela.

PEINTURE
L'EXPOSITION ASSUS

Des visages qu'on rencontre à l'aventure et qui vous pois-
sent l'âme de tristesse insistante, des maisons grises aux gros
yeux morts qui s'ouvrent dans le soir, le mystère irritant d'une
femme à la fenêtre dans un faubourg, des rues qui ont pour
seul espoir un coin de ciel derrière un clocher — ces atmo-
sphères enfin, un peu sourdes, presque rauques, qui se suffisent d'un geste, bras levé pesamment ou yeux ouverts sans
désir, qui se nourrissent de l'opportunité d'un mur lépreux
dans une promenade — M. Assus les a senties et les exprime.

Il y a, dans les banlieues, telles heures du crépuscule qui
atteignent une grandeur inquiétante, pour être riches seulement de longs glissements d'autos, de tramways brinque-
ballants, de voix qui passent et meurent. C'est à pareille
grandeur, il me semble, que touche la peinture de M. Assus.
Bien souvent, cette peinture m'atteint comme le ferait une
voix — mais une voix qui dirait, sans pose aucune, que l'humilité et la pauvreté restent les vrais refuges.

La poésie du banal et du quotidien, le pathétique si particulier de la romance populaire, il y a de cela dans l'art de
M. Assus. Il aime les vieux hôtels de Montrouge, les vieilles
rues de Paris. Il peint des fenêtres où attendent des femmes
imprécises, des balcons où, seules, des fleurs permettent
l'évasion, des bouchons qui s'appellent Au rendez-vous des
bons pêcheurs. Mais il est difficile de ne point trahir cet art.
Car après cela, on aurait tort de croire à une sensibilité unilatérale. M. Assus veut rester ouvert à toutes les impressions.
Dans ses rues de la Casbah, le sentiment n'exclut pas la cou-

leur, mais l'une soutient l'autre en même temps qu'elle l'inspire. Son paysage à el-Kantara (le vert de la fenêtre justifierait à lui seul une admiration) est très composé sous un apparent laisser-aller. C'est qu'il est un certain degré de métier où
le métier n'apparaît pas.

Que M. Assus soit attiré par la nature morte, c'est ce que
l'on comprendra. La voix familière des objets qui nous
entourent garde une intonation presque humaine. Leur
vie, au demeurant, reste un sûr garant de la nôtre. Et les
aimer, c'est encore nous affirmer. Quelle émotion contenue
M. Assus a-t-il su mettre dans sa *Nature morte d'automne*,
d'une « présence » si persuasive !

Quelques dessins aussi, où le genre permet au peintre de
montrer son art plus amenuisé, avec plus de ténuité dans la
sensibilité.

Le métier de M. Assus sait se faire oublier et sert admirablement l'émotion qu'il exprime. Sa touche est menue, comme
appliquée, ses transitions presque toujours dégradées, créant
ainsi cette continuité du son qui n'appartient qu'aux voix
très sincères. Aucun éclat, rien de fauve, mais une assurance
réfléchie qu'on sent née d'une certitude devant le monde.

Je voudrais dire beaucoup plus sur cette exposition. De
mieux qualifiés auraient dû le faire, puisque aussi bien il ne
nous est pas donné, tous les jours, de rencontrer art aussi
humain. Pour moi, ce qui m'émeut si fort, il me semble
l'avoir très mal dit. J'ai regret de n'avoir point parlé de tel ou
tel tableau en particulier. Mais pour qui se sent près de cet
art et de cette humanité, je pense que ce n'est pas la « rue des
Chantres » ou la « rue des Bagneux », qu'il doit le plus aimer,
mais bien M. Assus lui-même.

LA PEINTURE

PIERRE BOUCHERLE

On peut goûter sur nos bords des heures qui semblent de
cristal, où la nature se plaît à tout unir dans une harmonie
fluide — on dirait liquide. Le soleil qui naît, une humidité qui

s'attarde, des montagnes au loin, qui surgissent lentement des brumes matinales, toute une transparente poésie enfin, se balance dans l'air sonore et cristallin. De ces moments sourd une espèce d'éternité faite à notre mesure. Derrière la vitre qu'est la nature, apparaît lentement, l'espace d'une seconde, un fantôme d'absolu. De ce fantôme, nous nous satisfaisons. Il devrait nous désespérer.

Ces minutes à double fond, M. Boucherle n'en est satisfait, ni désespéré. Il les aime. Il les accepte et quand, sottement, je prétends dire ce que devrait être leur effet, lui dit ce qu'elles sont. Il le dit et de façon si assurée, si familière qu'il semble qu'en ces minutes réside sa seule vie. À ces moments le monde paraît laisser échapper comme par mégarde, un peu de son secret. Et ce sont ces « actes manqués » de la nature que l'artiste est chargé d'interpréter.

M. Boucherle s'attarde sur des ponts de la Seine, où la brume ne livre des remorqueurs qu'une forme hululante. Il peint de vieux canaux de la Goulette où les murs humides, la profondeur glauque des eaux, les coques goudronnées, l'odeur de marée qu'on y devine, concourent pour créer un désolant silence d'abandon. Mais où éclate son sens de l'atmosphère liquide et fluide, c'est dans ses toiles de Saint-Tropez. Dans l'air cristallin s'ordonnent le gonflement sur les murs d'un soleil que les nuages découvrent progressivement, le bleu qui s'étend d'un ciel d'après-pluie, les couleurs chaudes d'une petite flottille. Là tout respire la joie de voir, sinon le bonheur de vivre. Là éclate une certitude : celle de l'homme devant l'émotion qui lui est particulière, bien à lui, presque à lui seul*. De même ses paysages de la Provence où flotte une buée rousse, qui fait penser aux splendides étés de la Kabylie.

Je crains cependant qu'on croie après cela à un goût exclusif de la lumière. Il me semble pourtant impossible que ce goût puisse se séparer de celui de la forme. L'une accuse l'autre et ne s'en sépare pas. Et d'ailleurs, M. Boucherle dresse dans sa lumière en fusion, des maisons, des lignes aussi pures et aussi satisfaisantes qu'un dôme roman dans un ciel latin.

On comprendra encore comment ce peintre peut être aussi peintre de fleurs. M. Boucherle a compris les fleurs. Il

---

* Presque, en songeant à Céria, Devain[1] peut-être. Pure rencontre, en tous cas.

a senti que ce qui fait leur charme c'est une individualité, leur « personnalité » et qu'une rose ne ressemble jamais à une autre rose.

Voyez ainsi les *Tulipes*, les *Roses dans un verre*. On y sent toute la chair de la fleur, translucide et sensuelle. On peut y retrouver un grain de peau, une chaleur du teint, vraiment humains.

Si l'on ajoute encore un très beau portrait de femme, où passe une fugitive expression d'attente, quelques nus, dont un, somptueux de lignes et de chaleur malgré une certaine sécheresse dans la tête, des natures mortes bien venues, d'une solide matière, on aura une idée de ce talent vraiment complet.

Tout cela est peint très largement par grandes touches ; il semble que ce soit un bouquet de sensations, presque hâtivement construit et offert tel quel, avec sa rosée, sa fraîcheur, sa spontanéité. Mais je crains qu'il semble seulement, et quelques recherches de technique montrent un peintre soigneux de son outil et soucieux de l'améliorer.

Il faut dire encore que ces tableaux prennent une nouvelle valeur au recul. Du milieu de la salle on les voit s'animer d'une vie nouvelle. Et à les embrasser d'un regard circulaire, on emporte le souvenir d'un monde original, fait de minutes précieuses rapportées avec patience et passion. Ici un port, des murs humides, puis une plaine rousse dans l'automne, un remorqueur qui fuit vers on ne sait quelle embouchure, une femme qui attend, des fleurs dans un vase vieillot, tous ces moments de « temps retrouvé » se soudent, faisant disparaître les minutes de misérable vide qui les séparaient et ne laissant subsister qu'un spectacle raffiné qui se joue derrière une vitre.

LES ABD-EL-TIF

M. Richard Maguet expose une cinquantaine de toiles. On y trouve des natures mortes, paysages, intérieurs, portraits aussi et scènes locales. Et tant d'aspects de son talent s'offrent aux yeux que l'esprit reste un peu dispersé et réclame du temps pour se ressaisir. Mais il faut s'approcher d'une des toiles et à la regarder longuement on saisit par l'intérieur l'unité de l'envoi. On reſte confondu devant tant de continuité dans la sensibilité s'aidant de tant de diversité dans l'expression. On se saisit d'un talent très mûr, aisé, aussi beau dans sa force qu'un poignet de jeune homme.

M. Maguet semble couvrir sa toile avec aisance, d'un bout à l'autre. Aucune pâte, mais un frottis continu et léger qui, par sa continuité même, se prête aux mille expressions d'un talent toujours curieux. Car c'eſt dans les toiles de M. Maguet que j'ai retrouvé l'exquise lumière de la colline du Jardin d'Essai — cette lumière aérée, d'un bleu profond, qui coule entre les pins ; que j'ai mieux compris la campagne de Tipasa dans l'éclaboussement du soleil d'été ; que je me suis plongé à nouveau dans la plénitude qui monte de la baie chaleureuse vers les terrasses ensoleillées qui la dominent. Il y a tel *Jardin d'Essai vu de la terrasse* où, entre les tons brique de la terrasse et le bleu du ciel, une lumière tumultueuse déborde, se gonfle, accourt et vous submerge. Mais je ne sais si les toiles chaudes et glauques ne sont pas celles que je préfère. M. Maguet a compris l'inquiétude lancinante de nos ciels d'orage, l'heure énervante qui prélude par un silence aux rafales de la pluie. Voyez son *Tipasa par gros temps*, sa *Fenêtre* qui s'ouvre sur un ciel violet et brun en suspens au-dessus des collines. Au demeurant cette poésie d'attraits et de danger suspendu, M. Maguet la transporte dans ses natures mortes comme dans ses intérieurs humides où plane l'effroi secret des portes qui s'ouvrent lentement.

Et après cela, je sens bien que je n'ai pas réussi à cerner toutes les possibilités de ce peintre. Non qu'il soit fluide, ou déroutant, ou capricieux. Mais au contraire, parce que son unité eſt profonde, bien à lui, incommunicable enfin. Sa gamme des bleus, aussi bien, qui lui eſt si particulière, semble précisément symboliser ce complexe. Car elle va du bleu le plus aéré et le plus enfantin au ton le plus menaçant. Ainsi sans doute de cette personnalité, diverse parce que foncièrement simple, incommunicable parce que trop expressive, aimable enfin pour elle seule puisque assimilable à personne.

Il n'en eſt pas ainsi de M. Émile Bonneau. Je porte à son art trop d'intime sympathie pour ne pas comprendre ce qu'il dit et ce qu'il voudrait dire. Il faut aimer les dessins de M. Bonneau bien plus que sa peinture. Mais il faut croire à cette peinture que je voudrais revoir bientôt.

Certains de ses dessins sont d'une pureté de lignes, d'une simplicité d'expression qui font penser à un Clouet. C'est dans cette simplicité, cette retenue, cette crainte délicate d'expansion qu'on se plaît à reconnaître le classicisme. Les dessins de M. Bonneau disent le plus avec le moins. Il y a en eux une musique de la ligne à laquelle on ne peut rester insensible. Et dans cette grâce précise, dans la gravité de ces visages, il est impossible de ne pas reconnaître une âme très jeune et très sensible.

Il est curieux de voir la transposition de toutes ces qualités dans le domaine de la peinture. Il est clair que M. Bonneau n'est pas arrivé à ce qu'il voulait. Les valeurs manquent encore et une certaine assurance dont on ne saurait faire fi. Par ailleurs, l'esprit de cette peinture reste trop jeune pour ne pas être éloigné d'une simplicité qui serait désirable. Mais il y a dans les toiles de M. Bonneau un sentiment presque musical de la composition. Voyez ainsi la recherche des correspondances bleues dans ses *Enfants d'Alger*. Si l'on ajoute une légèreté de pastels dans les tons dont il use, la transposition ne fera aucun doute.

Il reste cependant que cette peinture n'est point. Mais les dessins sont là pour dire ce qu'elle peut être. Et l'on sent tant de précision dans la sensibilité de M. Bonneau, tant de certitude dans sa poésie qu'on ne peut pas ne point aimer l'œuvre d'une personnalité très nuancée, émotive jusqu'à la timidité et discrète dans l'expression autant que désordonnée dans la vie intérieure. Et sans doute cette jeunesse est un peu douloureuse et les recherches tourmentées, mais aussi ce talent est certain.

La sculpture est représentée par M. Damboise. Ce dernier ne doit rien au pathétique, ni au théâtre. Son œuvre, que je place parmi ceux qui me touchent le plus, reste aussi fort, aussi affirmatif qu'un coup de poing sur une table. Il y a dans son art ce que j'aime à trouver dans la sculpture : un « *Noli me tangere* » un peu fier, énigmatique aussi. Les portraits de M. Damboise sont placés avec l'assurance que donne la force. Ils ne regardent point au loin, ni ne méditent stérilement, mais vivent vraiment, au soleil sans doute, ou dans la puissante caresse de la mer. Cet art a de belles épaules de chair, protectrices et masculines. On s'y repose et se calme, sans s'abandonner. C'est ce qu'on aime à trouver dans la sculpture qui reste probablement l'art d'affirmer.

Au demeurant ces qualités n'excluent ni la psychologie

ni la sensibilité. Le portrait de Mme V… offre un coin de bouche, où la lèvre supérieure reflue sur l'autre, et qui demeure un sujet de méditations pessimistes sur l'homme. D'un autre côté la sensibilité la plus intelligente se reconnaît dans le *Chat*. M. Damboise sympathise avec ce qu'il y a d'aigu et de fluide dans cet animal. Et à comprendre ainsi, on marque un raffinement et une élégance d'esprit qu'on est heureux de trouver dans l'art si plein de soleil de M. Damboise. En vérité, cet art est beau comme un sou bien neuf, car, pour moi, cette assurance me ravit, et cette humanité. Et je crois qu'il n'est pas de si misérable trou dont ne puisse vous sortir aussi chaleureuse affirmation.

N. B. — On s'étonnera peut-être de ne pas voir le nom de M. André Hambourg. Je prie qu'il et qu'on veuille m'en excuser. Car à cet égard mon opinion ne me paraît pas assez solide. J'aimerais n'avoir à dire que des choses dont je sois à peu près sûr. Ce n'est pas le cas ici. Et se taire vaut mieux que se tromper.

LA CULTURE INDIGÈNE
LA NOUVELLE CULTURE
MÉDITERRANÉENNE

Cadres de la conférence inaugurale faite à la Maison de la culture le 8 février 1937.

I

La Maison de la culture, qui se présente aujourd'hui devant vous, prétend servir la culture méditerranéenne. Fidèle aux prescriptions générales concernant les Maisons du même type, elle veut contribuer à l'édification, dans le cadre régional, d'une culture dont l'existence et la grandeur ne sont plus à démontrer. À cet égard, il y a peut-être quelque chose d'étonnant dans le fait que des intellectuels de gauche puissent se mettre au service d'une culture qui semble n'intéresser en rien la cause qui est la leur, et même, en certains cas, a pu être accaparée (comme c'est le cas pour Maurras) par des doctrinaires de droite.

Servir la cause d'un régionalisme méditerranéen peut sembler, en effet, restaurer un traditionalisme vain et sans avenir, ou encore exalter la supériorité d'une culture par rapport à une autre et, par exemple, reprenant le fascisme à rebours, dresser les peuples latins contre les peuples nordiques. Il y a là un malentendu perpétuel. Le but de cette conférence est d'essayer de l'éclaircir. Toute l'erreur vient de ce qu'on confond Méditerranée et Latinité et qu'on place à

Rome ce qui commença dans Athènes. Pour nous la chose est évidente, il ne peut s'agir d'une sorte de nationalisme du soleil. Nous ne saurions nous asservir à des traditions et lier notre avenir vivant à des exploits déjà morts. Une tradition est un passé qui contrefait le présent. La Méditerranée qui nous entoure est au contraire un pays vivant, plein de jeux et de sourires. D'autre part, le nationalisme s'est jugé par ses actes. Les nationalismes apparaissent toujours dans l'histoire comme des signes de décadence. Quand le vaste édifice de l'Empire romain s'écroule, quand son unité spirituelle, dont tant de régions différentes tiraient leur raison de vivre, se disloque, alors seulement, à l'heure de la décadence, apparaissent les nationalités. Depuis, l'Occident n'a plus retrouvé son unité. À l'heure actuelle l'internationalisme essaie de lui redonner son vrai sens et sa vocation. Seulement le principe n'est plus chrétien, ce n'est plus la Rome papale du Saint Empire. Le principe, c'est l'homme. L'unité n'est plus dans la croyance mais dans l'espérance. Une civilisation n'est durable que dans la mesure où, toutes nations supprimées, son unité et sa grandeur lui viennent d'un principe spirituel. L'Inde, presque aussi grande que l'Europe, sans nations, sans souverain, a gardé sa physionomie propre, même après deux siècles de domination anglaise.

Voilà pourquoi, avant toute considération, nous rejetterons le principe d'un nationalisme méditerranéen. Par ailleurs, il ne saurait être question d'une supériorité de la culture méditerranéenne. L'homme s'exprime en accord avec son pays. Et la supériorité, dans le domaine de la culture, réside seulement dans cet accord. Il n'y a pas de culture plus ou moins grande. Il y a des cultures plus ou moins vraies. Nous voulons seulement aider un pays à s'exprimer lui-même. Localement. Sans plus. La vraie question : une nouvelle culture méditerranéenne est-elle réalisable ?

II. ÉVIDENCES

a) Il y a une mer Méditerranée, un bassin qui relie une dizaine de pays. Les hommes qui hurlent dans les cafés chantants d'Espagne, ceux qui errent sur le port de Gênes, sur les quais de Marseille, la race curieuse et forte qui vit sur nos côtes, sont sortis de la même famille. Lorsqu'on voyage en Europe, si on redescend vers l'Italie ou la Provence, c'est avec un soupir de soulagement qu'on retrouve des hommes débraillés, cette vie forte et colorée que nous connaissons tous. J'ai passé deux mois en Europe centrale, de l'Autriche à l'Allemagne, à me demander d'où venait cette gêne singulière qui pesait sur mes épaules, cette inquiétude sourde qui m'habitait. J'ai compris depuis peu. Ces gens étaient toujours boutonnés jusqu'au cou. Ils ne connaissaient pas de laisser-aller. Ils ne savaient pas ce qu'est la joie, si différente du rire. C'est pourtant avec des détails comme celui-ci que l'on peut donner un sens valable au mot de Patrie. La Patrie, ce n'est pas l'abstraction qui précipite les hommes au massacre, mais c'est un certain goût de la vie qui est commun à certains êtres, par quoi on peut se sentir plus près d'un Génois ou d'un Majorquin que d'un Normand ou d'un Alsacien. La Méditerranée, c'est cela, cette odeur ou ce parfum qu'il est inutile d'exprimer : nous le sentons tous avec notre peau.

b) Il y a d'autres évidences, historiques celles-là. Chaque fois qu'une doctrine a rencontré le bassin méditerranéen, dans le choc d'idées qui en est résulté, c'est toujours la Méditerranée qui est restée intacte, le pays qui a vaincu la doctrine. Le christianisme était à l'origine une doctrine émouvante, mais fermée, judaïque avant tout, ignorant les concessions, dure, exclusive et admirable. De sa rencontre avec la Méditerranée, est sortie une doctrine nouvelle : le catholicisme. À l'ensemble d'aspirations sentimentales du début s'est ajoutée une doctrine philosophique. Le monument s'est parachevé, enjolivé — s'est adapté à l'homme. Grâce à la Méditerranée, le christianisme a pu entrer dans le monde pour y commencer la carrière miraculeuse qu'on lui connaît.

C'est encore un Méditerranéen, François d'Assise, qui fait du christianisme, tout intérieur et tourmenté, un hymne à la nature et à la joie naïve. Et la seule tentative qui ait été faite pour séparer le christianisme du monde, c'est à un Nordique, c'est à Luther qu'on le doit. Le protestantisme est à proprement parler le catholicisme arraché à la Méditerranée et à son influence à la fois néfaste et exaltante.

Regardons encore plus près. Pour ceux qui ont vécu à la fois en Allemagne et en Italie, c'est un fait évident que le fascisme n'a pas le même visage dans les deux pays. On le sent partout en Allemagne, sur les visages, dans les rues des villes. Dresde, ville militaire, étouffe sous un ennemi invisible. Ce qu'on sent d'abord en Italie, c'est le pays. Ce qu'on voit dans un Allemand au premier abord, c'est l'hitlérien qui vous dit bonjour en disant : « *Heil Hitler !* » Dans un Italien, c'est l'homme affable et gai. Ici encore la doctrine semble avoir reculé devant le pays — et c'est un miracle de la Méditerranée de permettre à des hommes qui pensent humainement de vivre sans oppression dans un pays à la loi inhumaine.

III

Mais cette réalité vivante qu'est la Méditerranée n'est pas chose nouvelle pour nous. Et il semble que cette culture soit l'image de cette antiquité latine que la Renaissance essaya de retrouver à travers le Moyen Âge. C'est cette latinité que Maurras et les siens essayent d'annexer. C'est au nom de cet ordre latin que, dans l'affaire d'Éthiopie, vingt-quatre intellectuels d'Occident signèrent un manifeste dégradant qui exaltait l'œuvre civilisatrice de l'Italie dans l'Éthiopie barbare.

Mais non. Ce n'est pas cette Méditerranée que notre Maison de la culture revendique. Car ce n'est pas la vraie. Celle-là, c'est la Méditerranée abstraite et conventionnelle que figurent Rome et les Romains. Ce peuple d'imitateurs sans imagination imagina pourtant de remplacer le génie artistique et le sens de la vie qui leur manquaient par le génie guerrier. Et cet ordre qu'on nous vante tant fut celui qu'impose la force et non celui qui respire dans l'intelligence. Lors même qu'ils copièrent, ils affadirent. Et ce n'est même pas le génie essentiel de la Grèce qu'ils imitèrent, mais les fruits de sa décadence et de ses erreurs. Non pas la Grèce forte et dure des grands tragiques ou des grands comiques, mais la joliesse et la mignardise des derniers siècles. Ce n'est pas la vie que Rome a prise à la Grèce, mais l'abstraction puérile et raisonnante. La Méditerranée est ailleurs. Elle est la négation même de Rome et du génie latin. Vivante, elle n'a que faire de l'abstraction. Et on peut accorder volontiers à M. Mussolini qu'il est le digne continuateur des César et des Auguste antiques, si on entend par là qu'il sacrifie, comme eux, la vérité et la grandeur à la violence sans âme.

Ce n'est pas le goût du raisonnement et de l'abstraction que nous revendiquons dans la Méditerranée, mais c'est sa vie — les cours, les cyprès, les chapelets de piments — Eschyle et non Euripide — les Apollons doriques et non les copies du Vatican. C'est l'Espagne, sa force et son pessimisme, et non les rodomontades de Rome — les paysages écrasés de soleil et non les décors de théâtre où un dictateur se grise de sa propre voix et subjugue les foules. Ce que nous voulons, ce n'est pas le mensonge qui triompha en Éthiopie, mais la vérité qu'on assassine en Espagne.

IV

Bassin international traversé par tous les courants, la Méditerranée est de tous les pays le seul peut-être qui rejoigne les grandes pensées orientales. Car elle n'est pas classique et ordonnée, elle est diffuse et turbulente, comme ces quartiers arabes ou ces ports de Gênes et de Tunisie. Ce goût triomphant de la vie, ce sens de l'écrasement et de l'ennui, les places désertes à midi en Espagne, la sieste, voilà la vraie Méditerranée et c'est de l'Orient qu'elle se rapproche. Non de l'Occident latin. L'Afrique du Nord est un des seuls pays où l'Orient et l'Occident cohabitent. Et à ce confluent il n'y a pas de différence entre la façon dont vit un Espagnol ou un Italien des quais d'Alger, et les Arabes qui les entourent. Ce qu'il y a de plus essentiel dans le génie méditerranéen jaillit peut-être de cette rencontre unique dans l'histoire et la géographie née entre l'Orient et l'Occident. (À cet égard on ne peut que renvoyer à Audisio.)

Cette culture, cette vérité méditerranéenne existe et elle se manifeste sur tous les points : 1° unité linguistique — facilité d'apprendre une langue latine lorsqu'on en sait une autre — ; 2° unité d'origine — collectivisme prodigieux du Moyen Âge — ordre des chevaliers, ordre des religieux, féodalités, etc. La Méditerranée, sur tous ces points, nous donne ici l'image d'une civilisation vivante et bariolée, concrète, transformant

les doctrines à son image — et recevant les idées sans changer sa propre nature.

Mais alors, dira-t-on, pourquoi aller plus loin ?

V

C'est que le même pays qui transforma tant de doctrines
doit transformer les doctrines actuelles. Un collectivisme
méditerranéen sera différent d'un collectivisme russe proprement dit. La partie du collectivisme ne se joue pas en
Russie : elle se joue dans le bassin méditerranéen et en
Espagne à l'heure qu'il est. Certes, la partie de l'homme se
joue depuis longtemps, mais c'est peut-être ici qu'elle a
atteint le plus de tragique et que tant d'atouts sont concen-
trés dans nos mains. Il y a devant nos yeux des réalités qui
sont plus fortes que nous. Nos idées s'y plieront et s'y adap-
teront. C'est pourquoi nos adversaires se trompent dans
toutes leurs objections. On n'a pas le droit de préjuger le
sort d'une doctrine, et de juger de notre avenir au nom du
passé, même si c'est celui de la Russie.

Notre tâche ici même est de réhabiliter la Méditerranée, de
la reprendre à ceux qui la revendiquent injustement, et de
la rendre prête à recevoir les formes économiques qui l'attendent. C'est de découvrir ce qu'il y a de concret et de vivant
en elle, et c'est, en toute occasion, de favoriser les aspects
divers de cette culture. Nous sommes d'autant plus préparés à cette tâche que nous sommes au contact immédiat de
cet Orient qui peut tant nous apprendre à cet égard. Nous
sommes ici avec la Méditerranée contre Rome. Et le rôle essentiel que puissent jouer des villes comme Alger et Barcelone,
c'est de servir pour leur faible part cet aspect de la culture
méditerranéenne qui favorise l'homme au lieu de l'écraser.

VI

Le rôle de l'intellectuel est difficile à notre époque. Ce
n'est pas à lui qu'il appartient de modifier l'histoire. Quoi

qu'on en dise, les révolutions se font d'abord et les idées viennent ensuite. Par là, il faut un grand courage aujourd'hui pour se déclarer fidèle aux choses de l'esprit. Mais du moins ce courage n'est pas inutile. S'il s'attache tant de mépris et tant de réprobation au nom de l'intellectuel, c'est dans la mesure où s'y implique l'idée du monsieur discuteur et abstrait, incapable de s'attacher à la vie, et préférant sa personnalité à tout le reste du monde. Mais pour ceux qui ne veulent pas éluder leurs responsabilités, la tâche essentielle est de réhabiliter l'intelligence en régénérant la matière qu'elle travaille, de redonner à l'esprit tout son vrai sens en rendant à la culture son vrai visage de santé et de soleil. Et je disais que ce courage n'était pas inutile. Car, en effet, s'il n'appartient pas à l'intelligence de modifier l'histoire, sa tâche propre sera alors d'agir sur l'homme qui lui-même fait l'histoire. À cette tâche, nous avons une contribution à donner. Nous voulons rattacher la culture à la vie. La Méditerranée, qui nous entoure de sourires, de soleil et de mer, nous en donne la leçon. Xénophon raconte, dans sa « Retraite des dix mille », que les soldats grecs aventurés en Asie, revenant dans leur pays, mourant de faim et de soif, désespérés par tant d'échecs et d'humiliations, arrivèrent au sommet d'une montagne d'où ils aperçurent la mer. Alors ils se mirent à danser, oubliant leurs fatigues et leur dégoût devant le spectacle de toute leur vie. Nous non plus, nous ne voulons pas nous séparer du monde. Il n'y a qu'une culture. Non pas celle qui se nourrit d'abstractions et de majuscules. Non pas celle qui condamne. Non pas celle qui justifie les abus et les morts d'Éthiopie et qui légitime le goût de la conquête brutale. Celle-ci, nous la connaissons bien et nous n'en voulons pas. Mais celle qui vit dans l'arbre, la colline et les hommes.

Voilà pourquoi des hommes de gauche se présentent aujourd'hui devant vous, pour servir une cause qui à première vue n'avait rien à voir avec leurs opinions. Je voudrais que, comme nous, vous soyez persuadés maintenant du contraire. Tout ce qui est vivant est nôtre. La politique est faite pour les hommes et non les hommes pour la politique. À des hommes méditerranéens, il faut une politique méditerranéenne. Nous ne voulons pas vivre de fables. Dans le monde de violence et de mort qui nous entoure, il n'y a pas de place pour l'espoir. Mais il y a peut-être place pour la civilisation, la vraie, celle qui fait passer la vérité avant la fable, la vie avant le rêve. Et cette civilisation n'a que faire de l'espoir. L'homme y vit de ses vérités*.

C'est à cet effort d'ensemble que doivent s'attacher les hommes d'Occident. Dans le cadre de l'internationalisme, la chose est réalisable. Si chacun dans sa sphère, son pays, sa province consent à un modeste travail, le succès n'est pas loin. Pour nous, nous connaissons notre but, nos limites et nos possibilités. Nous n'avons qu'à ouvrir les yeux pour avoir conscience de notre tâche : faire entendre que la culture ne se comprend que mise au service de la vie, que l'esprit peut ne pas être l'ennemi de l'homme. De même que le soleil méditerranéen est le même pour tous les hommes, l'effort de l'intelligence humaine doit être un patrimoine commun et non une source de conflits et de meurtres.

Une nouvelle culture méditerranéenne conciliable avec notre idéal social est-elle réalisable ? — Oui. Mais c'est à nous et à vous d'aider à cette réalisation.

MANIFESTE
DES INTELLECTUELS D'ALGÉRIE
EN FAVEUR DU PROJET VIOLLETTE

Sur l'initiative de la Maison de la culture d'Alger, les intellectuels d'Algérie dont les noms suivent :

Devant les attaques répétées dont est l'objet le projet Viollette, devant la campagne systématique menée par ceux-là mêmes dont on pouvait attendre compréhension et humanité ; devant les équivoques suscitées par calcul et laissant croire que tout ce que l'Algérie compte d'intelligence consciente et désintéressée s'oppose à ce même projet ;

Considérant que le seul rôle de l'intellectuel est de défendre la culture et résolus à se tenir sur ce seul plan ;

---

* J'ai parlé d'une nouvelle civilisation et non pas d'un progrès dans la civilisation. Il serait trop dangereux de manier ce jouet malfaisant qui s'appelle le Progrès.

Considérant que la culture ne saurait vivre là où meurt la dignité et qu'une civilisation ne saurait prospérer sous des lois qui l'écrasent ; qu'on ne saurait par exemple parler de culture dans un pays où 900 000 habitants sont privés d'écoles, et de civilisation, quand il s'agit d'un peuple diminué par une misère sans précédent et brimé par des lois d'exception et des codes inhumains ;

Considérant, d'autre part, que le seul moyen de restituer aux masses musulmanes leur dignité est de leur permettre de s'exprimer ; qu'à cet égard le projet Viollette marque une étape dans l'obtention pour ces masses d'un droit à la vie qui est de tous les droits le plus élémentaire ;

Considérant enfin que loin de nuire aux intérêts de la France ce projet les sert de la façon la plus actuelle, dans la mesure où il fera paraître aux yeux du peuple arabe le visage d'humanité qui doit être celui de la France ; que lorsque les capitalistes de ce pays attaquent le projet Viollette ils font œuvre de mauvais Français ; que lorsque, sous prétexte de libéralisme et de respect pour un idéal français mal compris, les républicains repoussent ce même projet, c'est ce même idéal qu'ils desservent ; considérant en dernier lieu que les objections tendancieuses tirées du statut personnel et des considérations d'élite ont fait leur temps dans le nouvel état d'esprit issu du gouvernement Front populaire ;

Pour toutes ces raisons, pour le bien de la culture et des masses populaires auquel le sort de la culture musulmane est étroitement lié, persuadés que sur ce terrain toutes les opinions et toutes les confessions sincères se trouvent en accord,

Ont décidé d'adresser un appel aux intellectuels de ce pays pour appuyer de leur signature le projet Viollette considéré comme une étape dans l'émancipation parlementaire intégrale des musulmans, et se déclarer de toutes leurs forces et de toute leur conscience pour un projet qu'ils regardent comme un minimum dans l'œuvre de civilisation et d'humanité qui doit être celle de la nouvelle France.

Suivent 50 signatures qui seront communiquées par voie de presse.

*Articles publiés dans « Alger républicain »
et dans « Le Soir républicain »*
(1938-1940)

Alger républicain

12 octobre 1938

CHEZ LES TRAVAILLEURS
LA SPÉCULATION
CONTRE LES LOIS SOCIALES

Adversaires et partisans du Front populaire s'extasient également sur la hausse de salaires enregistrée depuis mai 1936. Sans vouloir nier cet accroissement du salaire, on peut cependant se demander s'il correspond à une augmentation réelle du bien-être de l'ouvrier moyen.

À cet égard, rien n'est plus suggestif qu'une comparaison entre les indices du coût de la vie et les pourcentages d'augmentation du salaire.

En mai 1932, dans les entreprises algéroises de travaux publics, un ouvrier européen était payé 6 F de l'heure et un manœuvre indigène (non marocain), 1,40 F de l'heure*.

D'après une convention collective de mai 1937, modifiée par arbitrage du mois de décembre de la même année, le salaire de l'ouvrier est porté à 7,20 F, celui du manœuvre à 2,30 F. L'augmentation dans le premier cas atteint donc 20 % et dans le second près de 60 %.

Si nous considérons maintenant les indices de vie chère, nous enregistrons en février 1936 (avant le vote des lois sociales) un indice général de 497,953, par rapport à celui de 1914 ramené à 100 ; et en mai 1938 un indice de 714,882 par rapport à la même année**.

L'augmentation proportionnelle est donc à peu près de 50 %. En ce qui concerne les denrées de première néces-

---

* Échelle de salaires des Ponts et Chaussées, arrêtée au mois de mai 1932.
** Chiffres de la Région économique (préfecture) et de la Commission départementale de vie chère.

sité l'indice du pain, de la viande, des œufs et du lait augmente dans des proportions équivalentes (de 45 à 55 %), l'augmentation de la viande étant de beaucoup la plus considérable.

La hausse des salaires a donc un peu amélioré la situation du manœuvre indigène. Mais lorsqu'il s'agit d'un homme qui gagnait 11,20 F par jour, on sent bien qu'une amélioration de cet ordre n'est encore qu'un pis-aller.

Par contre, et en ce qui concerne l'ouvrier européen, les variations inégales des salaires et du coût de la vie ont réduit à néant le mieux-être qui semblait si chèrement acquis en mai 1936.

Ceci déjà se passe de commentaires. Mais il faut prévoir ici deux réactions : l'une, en faveur de la baisse des salaires (on devine d'où elle viendrait), l'autre, plus légitime, réclamant un ajustement perpétuel des salaires à la vie, par le jeu de l'échelle mobile.

Or, si la disproportion signalée plus haut figurait tout entière un phénomène économique, l'échelle mobile suffirait sans doute à la réduire. Mais il est aisé de voir qu'il s'agit moins d'une évolution mathématique que d'une politique délibérée de sabotage.

Il n'est pas sûr alors que ceux qui feraient les frais de l'échelle mobile soient justement ceux-là mêmes qui créent systématiquement la vie chère.

On peut répugner à penser que plus hardie se ferait une classe de spéculateurs, plus les prix monteraient, et plus lourdes se feraient les charges imposées par l'échelle mobile. Il paraît plus simple en pareil cas, *en même temps qu'on ajuste les salaires*, de réprimer énergiquement la spéculation par un jeu de taxes et de barèmes étudiés objectivement, et par l'assouplissement d'une législation encore indécise.

Il est clair, en effet, d'après la comparaison qui précède, que chaque conquête de la classe ouvrière doit s'accompagner, pour être durable, d'une implacable répression de la spéculation et de la politique de vie chère. Faute de quoi, les lois sociales les plus heureusement inspirées risquent, par un paradoxe singulier, de se retourner contre la classe que d'abord elles prétendaient avantager.

24 octobre 1938
LE POINT DE VUE DE CEUX
QUI N'ONT PAS VOTÉ

Mis à part les distributions de prix et les discours de M. Rozis, rien n'est plus ennuyeux qu'une élection sénatoriale. Celle-ci n'a pas manqué à la règle. Et pourtant, les deux principaux concurrents ont fait des efforts méritoires pour être réjouissants. Mais s'ils y sont arrivés c'est toujours à leur insu.

Sur le chemin de la préfecture, on pouvait voir déjà, mise en vente dans les librairies, une brochure éditée par les amis de M. Mallarmé et présentée ainsi : *Les Responsabilités de M. Jacques Duroux, jugées d'après ses actes politiques*, prix 5 F.

Sans cette dernière indication, on aurait peut-être été tenté d'acheter le fascicule. Mais, tout bien pesé, les actes politiques de M. Duroux nous ont déjà coûté assez cher, pour qu'on réfléchisse avant d'engager des dépenses supplémentaires.

À l'entrée de la préfecture, un « Où allez-vous, monsieur ? » m'apprend que je n'ai pas la tête d'un délégué sénatorial. Si modeste qu'on soit, il y a des constatations qui font plaisir. Coupe-file, escaliers, odeurs de préfecture et me voici jeté en pleine jungle. Certes, les 450 inscrits ne sont pas encore là. Mais la majorité d'entre eux stationne sur les galeries intérieures de la préfecture. Et parmi eux, je ne compte pas dix visages jeunes.

Il est entendu que le Sénat est grave, et qu'un sénateur ne se conçoit point sans barbe. Il est avéré qu'en cas d'égalité au troisième tour, c'est le candidat le plus âgé (privilège ahurissant) qui est élu. C'est, enfin, une coutume constante que le candidat sénateur ait plus de quarante ans, afin de présenter selon les termes de la loi « toute la gravité désirable ». Mais on a pu voir hier des électeurs soutenus par deux huissiers, portés jusqu'à la salle de vote, incapables de mettre un bulletin dans son enveloppe et cherchant l'urne dans l'isoloir jusqu'à ce qu'on vienne à leur secours et qu'on les mène à la table du scrutin.

On a pu aussi entendre un délégué défendre cette coutume et déclarer (comme s'il y avait un rapport) : « Je respecte les cheveux blancs. »

Sans doute, mais le privilège le plus respectable de la vieillesse devrait être de rester à l'écart de ces combinaisons, dont le moins qu'on puisse dire est qu'elles soulèvent le cœur de quiconque veut rester propre.

LE CANDIDAT

Étrange spectacle encore que de voir M. Mallarmé se prodiguer à travers la salle de vote. Jamais, l'ancien ministre n'a dépensé tant de dévouement et d'aimable bienveillance.

Il est partout. Il scrute d'un œil critique le passage des bulletins dans l'urne. Il surveille les isoloirs. Il note, serre des mains, se fâche, sourit et, revenu au milieu de la salle, promène un regard perçant sur les visages, les consciences et les mains.

L'heure avançant, il devient plus nerveux. Et M. Mallarmé, futur sénateur, a très exactement les tics d'un candidat au bachot, qui attend ses résultats. Au fait, c'est bien dans une salle d'examen que je me suis égaré. J'en reconnais la fièvre et l'aigreur ; et cela confère une sorte de sénile jeunesse à cette assemblée où rien de neuf et de généreux ne se fait jour.

M. Mallarmé, cependant, ne reste pas inactif. Il connaît l'électeur, chaque électeur, le conduit, l'escorte, le flatte de la main et le dope. Pour tout dire, il le couve. Tout à l'heure, il sortira de cette fécondation les voix discordantes de sa défaite ou les chants éclatants de son triomphe.

LA FOIRE

Tout à coup, des éclats de voix. M. Rencurel, conseiller général d'Oued-Fodda, a conduit à l'isoloir un délégué impotent d'Orléansville. M. Ricci l'a surveillé. M. Mallarmé l'a dénoncé :

« N'accompagnez pas aux isoloirs, hurle M. Mallarmé.

— Je n'accompagne pas, dit M. Rencurel.

— On vous a vu, dit M. Ricci.
— C'est inexact.
— C'est exact.
— C'est inexact.
— Vous en êtes un autre. »

Les voix montent. Est-ce un marchandage ? Va-t-on vendre un bœuf ou acheter du foin ? Non, c'est M. Mallarmé qui réclame le droit de représenter quelques milliers de Français. On attend la bagarre. Mais nous sommes entre gens du monde. Le calme revient.

CALOMNIES

À 10 heures, murmures, M. Rozis arrive. À 10 h 13, M. Rozis s'isole. À 10 h 15 M. Rozis a voté. Le murmure s'apaise. Des têtes dodelinent. Les conversations sont calmes. Au fait, pourquoi non ? Les tours sont joués et les positions sont prises. C'est une immense duperie qui suit son cours. Chacun, ici, essaie de se tromper et de tromper.

On feint de croire que M. Duroux représente le Front populaire et que M. Mallarmé ne représente pas les puissances d'argent. On s'amuse à s'inquiéter. Des nouvelles alarmantes circulent sous le manteau : M. Rozis aurait voté pour Mallarmé et Régis pour Zévaco. Mais tout le monde est d'accord pour considérer qu'il s'agit là de bruits sans fondement.

L'ABSENT

Mais dans tout cela, et M. Duroux ? Au fait, M. Duroux n'est pas là. Et pourtant, il est là. Car voici une nuée de coulissiers dont on reconnaît la manière, la paume affectueuse, le sourire « Comment allez-vous mon cher », le rond de bras « la petite-cousine-a-t-elle-passé-son-brevet-élémentaire ».

Mais oui, M. Duroux est là.

« Dites-moi, dit l'un des coulissiers, je ne vois ni Durand ni Dupont.
— Ils vont arriver.
— Ah ! bon, mais il est déjà 10 heures et demie. »

VERS LA FIN

L'heure avance. Il n'y a plus d'électeurs devant les urnes. Ils attendent sur la galerie. On s'ennuie. Pourtant, voici M. Rencurel qui accompagne un autre délégué impotent. Mais cette fois, il se fait suivre de M. Ricci. Tout est en règle. Pourtant M. Ricci déclare à ses amis après le vote : « C'est drôle, je viens de voir le délégué impotent dévaler l'escalier comme un lapin » *(sic)*. C'est le mot de la fin.

On attend. M. Mallarmé et les amis de M. Duroux ont de plus en plus l'air de candidats au bachot. Le temps passe. 11 h 30 ! Le dépouillement va commencer. Les scrutateurs se regardent en chiens de faïence. Quelques contestations éclatent. Mallarmé, Duroux, Duroux, Mallarmé. De loin en loin, Zévaco. C'est fini.

On va proclamer les résultats. On les proclame. M. Mallarmé est élu sénateur à deux voix de majorité. Les 201 voix s'unissent pour acclamer l'ancien ministre et lui chanter *La Marseillaise*. Le rideau tombe sur la comédie.

201 délégués sénatoriaux ont conféré à M. Mallarmé le droit de brimer, par sa présence au Sénat, les espoirs et les volontés de tout un département. Ces mêmes voix ont signifié à M. Duroux que les plus belles politiques de marchandage, les louvoiements les plus subtils, les carrières de caméléon les plus réussies avaient un terme.

Ceci est bien ; mais qu'on ne s'en réjouisse pas trop. Ce vote qui clôt une des carrières politiques les plus ruineuses pour l'Algérie et l'honnêteté, en ouvre une autre dont notre pays n'aura sans doute pas à se louer.

Et ici peut-être faut-il cesser de rire et parler net. Car il n'est pas un homme de cœur qui n'éprouve un immense dégoût au milieu de semblables foires. L'aisance avec laquelle ces hommes politiques se meuvent dans une atmosphère de laisser-aller, de sous-entendus et de compromissions en dit long sur leur endurcissement. Certes, personne n'est assez naïf pour croire que l'ambition puisse être servie par la probité. Mais il est dur de penser que ces élus vont représenter, conduire ou juger un peuple dont ni M. Duroux, ni M. Mallarmé (on peut en être sûr) n'ont jamais connu le cœur. Et c'est une consolation peut-être platonique de penser que pas un homme parmi nous n'accepterait de serrer ces mains entre lesquelles tant de pouvoirs sont rassemblés.

Dans tous les cas, les jeux sont faits. Aujourd'hui disparaît de la scène politique un homme dont on n'a pas encore mesuré la néfaste influence sur les destinées de notre pays. Cela est juste et bien, et ce n'est pas sans un immense soulagement que nous en recevons la nouvelle. Il ne s'agira plus, désormais, des actes politiques de M. Duroux, mais d'un long entracte qui commence pour lui.

N'accablons pas trop le vaincu. Mais tenons-nous sur nos gardes. C'est toujours à l'entracte que, dans les cinémas, les marchands de pochettes-surprises font le mieux leurs affaires.

11 novembre 1938

COURRIER D'ORANIE

ÉCHOS DU MEETING P.S.F. DE MOSTAGANEM

La presse réactionnaire a consacré 40 lignes au meeting P.S.F. de Mostaganem. Au temps de l'Oued-Smar, le colonel valait deux pages : l'intellectuel est de plus en plus seul, à notre époque.

Mais pour nous qui nous sommes faits les serviteurs désintéressés et ardents du génie littéraire du colonel, nous faillirions à notre tâche si nous n'apportions pas notre modeste et nouvelle contribution à l'étude du langage et du style de notre penseur national.

Le colonel a parlé du rôle des bourgeois dans la vie contemporaine. Grand sujet ! Et dans une belle envolée, il s'est écrié modestement : « Celui qui a reçu quelque chose de plus que les autres en est comptable vis-à-vis des autres. »

Ces paroles inattendues tombèrent comme une bombe dans l'auditoire. Des naïfs croyant que le colonel faisait allusion à un partage éventuel des fonds secrets de M. Tardieu,

se précipitèrent vers l'estrade dans un furieux élan. Coût :
2 blessés et un mort.

D'autres, moins naïfs, comprirent que le colonel voulait parler de ses dons littéraires et, dans leur affolement,
créèrent une véritable panique à l'entrée. Coût : un blessé et
2 morts.

Depuis le début du meeting, un bruit courait de bouche
en bouche : le colonel allait faire un mot d'esprit. Comme
disait une gentille dame de Mostaganem : « Le colonel, ma
chère, quel homme ! Et si fin causeur… »

Le colonel entreprit de parler de M. Léon Blum. L'espérance traversa la salle. Mais M. de La Rocque rendit hommage à l'intelligence du leader socialiste. C'était peut-être ça
le mot d'esprit. Mais la salle répondit par des huées fréné-
tiques.

C'est alors que le colonel, l'œil rieur et la bouche maligne,
insinua finement : « Si vos hou ! hou ! étaient transformés
en énergie électrique, il y aurait de quoi alimenter un village. » *(Sic.)*

Devant cette manifestation d'esprit bien français, la salle,
enfin, se retrouva. On se frappait l'épaule : « Nous vous
l'avions bien dit, qu'il ferait un mot d'esprit. » On pleurait de
rire. On s'étreignait. Quelques-uns notaient précipitamment
le mot sur leurs carnets intimes.

Puis, une rumeur monta dans la salle, s'enfla comme une
tempête : « Répétez », criait-on. Mais le colonel, modeste, le
geste désinvolte, refusa et déclara aux acclamations de la
salle : « J'en ferai un autre dans un mois. »

Voilà ce que la presse bien pensante n'a pas dit. Nos
lecteurs seront d'accord avec nous pour penser qu'il fallait
rendre hommage à ce nouveau message du colonel. Ainsi,
peut-être, sera guidé le jugement de la postérité. Et dans
les manuels littéraires, M. de La Rocque trouvera la place
qui lui revient dans une famille d'esprits modestes sans
doute, mais originaux, je veux dire le colonel Ronchonot,
Joseph Prudhomme et l'anonyme et immortel auteur de la
Théorie militaire.

19 novembre 1938

AU PAYS DU MUFLE

Malgré notre désir d'éviter les polémiques inutiles, il nous est impossible de passer sous silence l'article de *La Dépêche algérienne*, auquel a donné lieu l'arrivée de nos camarades des brigades internationales.

Dans cet article, signé modestement M. B., le collaborateur de *La Dépêche* donne la preuve de l'élégance de sentiment et de la noblesse de cœur où peuvent conduire l'esprit et la haine de parti.

La Dépêche algérienne doit savoir que ces volontaires ont été rapatriés, non pas en vertu des accords de non-intervention, comme elle l'affirme, mais sur l'initiative du gouvernement espagnol, qui a proposé spontanément l'évacuation de tous les volontaires étrangers comme preuve de sa bonne foi.

La Dépêche algérienne ne peut ignorer que ce n'est pas le gouvernement français qui assure les frais de rapatriement de nos camarades, mais le gouvernement républicain espagnol jusqu'à Cerbère, et, à partir de Cerbère, les Comités d'aide à l'Espagne constitués par la solidarité ouvrière. Mais *La Dépêche algérienne* fait la bête.

Elle sait, pourtant, que le seul geste du gouvernement français dans l'affaire, a été de refouler à la frontière les trois quarts des rapatriés.

La Dépêche algérienne ajoute un troisième mensonge, en félicitant le service d'ordre d'avoir étouffé toute velléité de manifestation. Parce qu'il n'y a pas eu de velléité de manifestation. Le service d'ordre a prouvé seulement son tact et son sens aigu des nuances, en interdisant aux familles, avant l'arrivée des volontaires, de lever le poing. À vrai dire, elles n'y songeaient même pas, préoccupées seulement de leurs larmes et de leur joie.

Généreuse, *La Dépêche algérienne* ne regarde pas à un quatrième mensonge, quand elle fait dire à son collaborateur, dans le style prudhommesque qui lui paraît propre, « qu'on remarquait fort l'absence des dirigeants des partis d'extrême gauche ». Car les deux partis d'extrême gauche, la C.G.T. et toutes les organisations de masse, étaient représentés par leurs secrétaires et dirigeants. Joseph Prudhomme, comme il est naturel, a la morale de son style : prétentieuse et mensongère.

Ceci ne serait rien. On peut penser ce que l'on veut sur la guerre d'Espagne. Dans une certaine mesure, nous reconnaissons même à *La Dépêche algérienne* le droit de défendre par des mensonges une opinion qu'elle ne peut fonder sur des vérités.

Mais quand des hommes, pour une cause bonne ou mauvaise, légitime ou non, ont donné deux ans de leur vie pour la défense d'une idée qui leur était chère, ils peuvent demander qu'on fasse le silence autour d'eux. Quand Monsieur M. B., en parlant d'eux, écrit « qu'ils n'avaient pas l'air de héros, avec leurs pauvres vêtements civils et leur modeste bagage », il écrit une chose méprisable. Ceux qui revenaient du front en 1918 ne portaient pas de hauts-de-forme. Ils les avaient laissés à ceux qui prouvaient leur vaillance à Bordeaux.

Mais quand *La Dépêche algérienne*, sous la signature de son modeste collaborateur, affirme que ces hommes « étaient partis avec le secret désir de l'aventure qui enrichit » elle fait preuve d'une bassesse qu'aucun mot ne saurait qualifier.

L'article de *La Dépêche algérienne* a 48 lignes. En 48 lignes, il compte quatre mensonges, une muflerie et une bassesse. Cela représente sans doute un record. Un record dont on pourrait rire si l'affaire était autre.

Mais ces hommes, dont l'article affirme dans un style repris des belles périodes de la Grande Guerre « qu'ils gardent l'âpre souvenir de deux ans de souffrances », ont le droit d'exiger que Monsieur M. B. lui-même se taise et n'ajoute pas à ces souffrances des insultes qu'ils n'ont pas provoquées.

Il est terriblement fatigant de mépriser. Si *La Dépêche algérienne* juge que ces hommes ont souffert, qu'elle leur évite cette lassitude nouvelle.

1ᵉʳ décembre 1938

CES HOMMES QU'ON RAIE
DE L'HUMANITÉ

57 RELÉGUÉS ONT QUITTÉ AVANT-HIER
ALGER POUR LE BAGNE

Le Martinière, communément appelé le « bateau blanc », est un bateau gris. Long et spacieux, puisqu'il jauge 3 871 tonneaux, il paraît d'autant plus vide que l'unique et singulière marchandise transportée par ses cales tient peu de place. À vrai dire, elle tient seulement la place qu'on lui a donnée, et qui n'est pas grande.

Il est arrivé mardi à 10 heures, après avoir essuyé une tempête sur l'Atlantique et c'est parmi la pluie et le vent qu'il a fait son entrée dans le port d'Alger. Sur ses ponts, 55 hommes d'équipage et 41 passagers (des surveillants qui regagnent la colonie pénitentiaire). Dans ses cales, 609 relégués venant de Saint-Martin-de-Ré.

Amarré au feu rouge, *Le Martinière* danse encore un peu sur les remous de la passe, face à la ville qu'on aperçoit à peine sous le voile d'eau qui la recouvre. Les surveillants circulent, un peu penchés contre le vent, les mains engagées dans leur ceinture de cuir où pend un gros revolver d'ordonnance. Et, cependant, le pont paraît désert. Peut-être à cause de cette odeur de solitude et de désespoir qu'on rencontre dans les coursives où pas un homme ne vit ni ne plaisante. Mais peut-être surtout à cause de cette vie sinistre et sans avenir qu'on devine sous les planches que le pied martèle.

Rien n'y fait, et la propreté du navire, la netteté des officiers et l'accueil des surveillants luttent en vain contre le sentiment d'abandon que fait naître ce navire presque désert, balayé par la pluie et qu'aucune flottille de barques hurlantes n'est venue accueillir comme les autres bateaux.

LE BAGNE FLOTTANT

Je me dirige vers l'escalier de la cale avant où un factionnaire armé monte la garde. J'échange quelques mots avec lui, mais j'écoute en même temps le bruit sourd et rauque qui monte par intermittences des profondeurs de la cale, comme une respiration inhumaine. Les relégués sont là.

Si je regarde dans la cale, c'est le noir que je rencontre, et, sorties de lui, les premières marches de l'escalier sur lequel je m'engage. Au bas de l'escalier, il faut s'arrêter pour laisser les yeux s'habituer à l'obscurité. Je discerne peu à peu l'éclat des bassines et les gamelles rangées au milieu de la cale, le luisant d'un fusil qui avance vers moi avec un nouveau factionnaire, et de chaque côté, dans la longueur de la cale, des barreaux blancs sur lesquels bientôt des mains se détachent.

Le bruit que j'entendais de là-haut s'est tu. Et maintenant je vois : la cale est rectangulaire et les barreaux délimitent, sur chacun de ses côtés, une cage d'une longueur de dix mètres et d'une largeur de cinq.

J'apprends du factionnaire que chacune des cages contient 90 à 100 relégués. Sur les flancs du navire, quatre hublots de chaque côté. Mais ils sont placés très haut et la lumière qu'ils donnent vient éclairer le centre de la cale, de sorte que les relégués sont dans l'ombre et que je vois mal leurs visages.

Dans le plafond de chaque cage est percée une bouche circulaire fermée aujourd'hui par un clapet. J'apprends que cette bouche est toute prête à vomir, en cas d'émeute, de la vapeur d'eau sur les détenus. Dans le fond de la cale, entre les deux cages, deux portes minuscules et épaisses. Ce sont deux cellules, d'un mètre carré à peine de surface, où sont maintenus les hommes punis.

À présent, le navire roule un peu et, au centre de la cale, la lumière va d'une cage à l'autre. Un roulis plus accentué et je vois enfin les relégués. Mais la lumière les abandonne, puis les reprend pour les laisser à nouveau dans l'ombre. Et il me faut du temps pour voir et discerner des hommes dans cette masse sans visages qui respire et chuchote.

Voici la lumière et j'essaie de trouver sur leurs traits les signes de leur ressemblance avec le monde qui m'entoure tous les jours. Mais la nuit de la cale les recouvre. Et ils ne sont plus pour moi qu'une ombre inquiète et anonyme.

Je remonte l'escalier. Je ne me retourne pas. Je traverse le pont tout entier. Et bientôt, je m'engage dans la cale arrière. Elle est mieux éclairée. Les cages sont plus petites. L'une d'entre elles est vide. Elle attend les relégués qui embarqueront cet après-midi.

Dans l'autre, les hommes sont assis, ou accrochés aux barreaux. Quelques-uns m'observent. Certains rient et se poussent du coude, d'autres me fixent sans que leur visage exprime rien, d'autres encore se taisent et regardent leurs mains. À ce moment, je vois, suspendus à un hublot, trois Arabes qui regardent Alger. Pour leurs camarades, c'est une terre étrangère dans un monde désormais étranger, mais pour ceux-là c'est encore un peu d'eux-mêmes qu'ils cherchent à travers la pluie. Je ne suis pas très fier d'être là.

Mon imperméable mouillé, je sais bien ce qu'il peut apporter à ces hommes — l'odeur d'un monde où les hommes courent et peuvent sentir le vent — et c'était la dernière chose à apporter ici. Je sors. Je sais qu'il y a d'autres cales, d'autres mains sur les barreaux, d'autres regards sans expression. Mais cela est assez. En sortant, l'un des hommes me demande en arabe une cigarette. Je sais que le règlement s'y oppose. Mais quelle dérisoire réponse pour qui demande seulement une marque de complicité et un geste d'homme. Je n'ai pas répondu.

L'EMBARQUEMENT

Ce n'est pas seulement cela que je suis venu chercher ici. Mais à présent, comment attendre sans répugnance l'embarquement des nouveaux relégués ? Dès midi, je vois de loin les troupes s'aligner sur le môle Amiral-Mouchez. Il pleut puis le ciel se découvre pour à nouveau se couvrir. Le vent souffle, la pluie, de nouveau.

À 14 h 55, sur la route moutonnière débouchent les cars des détenus et des gardes mobiles. Et sans doute, c'est par une inconsciente ironie qu'on a fait monter les hommes dans trois autobus des C.F.R.A. Beaucoup d'entre eux les prenaient peut-être dans un autre temps. Mais alors, il y avait des arrêts. Et à ces arrêts, on descendait. Aujourd'hui, ils descendent à l'extrémité de cette terre qui est la leur, à quelques pas de l'eau.

Des ordres brefs. Et, sans perdre une minute, les gardes

mobiles font monter les hommes sur un chaland. À ce moment, la pluie qui tombait sans arrêt, se fait plus rare, se vaporise et un gigantesque arc-en-ciel s'arrondit au-dessus de nos têtes. Des cinquante-sept relégués accroupis au milieu du chaland pas un seul n'a relevé la tête. Ils sont assis dans leur costume de bure, arrangent leur couverture autour d'eux, et fixent leur musette. Les gardes mobiles les entourent et le chaland, tiré par un remorqueur, s'ébranle et quitte le quai. La pluie tombe à nouveau.

Pendant tout le trajet, les hommes gardent la tête baissée. Pas un seul ne regarde vers *Le Martinière*. Le chaland fait route lentement vers le navire, sous la pluie. À 15 h 10, il aborde par l'arrière. Et les hommes surveillés par les gardes, le fusil au poing, gravissent l'échelle qui les conduit au pont. Ils sont menés à la cale arrière et immédiatement enfermés. À 15 h 30, tout est fini. Le navire, entre la mer glauque et le ciel gorgé de pluie, se prépare à appareiller. À 18 heures, dans la nuit, *Le Martinière* lève l'ancre et disparaît avec, dans ses cales maintenant éclairées, sa honteuse et pitoyable cargaison. Je ne sais pourquoi, mais c'est à l'homme qui m'a demandé une cigarette que je pense.

Qu'on ne se méprenne pas sur le sens de ces remarques. J'entends bien ce qu'on me dit. Il s'agit du « rebut de la société » et la chose est vraie (encore qu'on voudrait bien que ce ne fussent pas les mêmes gens qui définissent l'élite de la société par les chiens savants de salons, qui se donnent le droit de juger ce rebut).

Il ne s'agit pas ici de pitié, mais de tout autre chose. Il n'y a pas de spectacle plus abject que de voir des hommes ramenés au-dessous de la condition de l'homme. C'est de ce sentiment qu'il s'agit seulement ici.

Et, par exemple, on aurait aimé ne pas voir sur le quai d'embarquement, les dames élégantes que la curiosité avait amenées là. Car la curiosité ne devait pas supprimer chez ces dames un sentiment qu'on est gêné d'avoir à leur rappeler et qui s'appelle la pudeur.

Ces hommes, nous n'avons pas à les juger, d'autres l'ont fait. Ni à les plaindre, ce serait puéril. Mais il s'agissait seulement ici de décrire ce destin singulier et définitif par lequel des hommes sont rayés de l'humanité. Et peut-être est-ce le fait que ce destin soit sans appel qui crée toute son horreur…

3 décembre 1938

DIALOGUE ENTRE
UN PRÉSIDENT DU CONSEIL
ET UN EMPLOYÉ
À 1 200 FRANCS PAR MOIS

LE PRÉSIDENT : Mon cher ami, je vous remercie d'avoir compris vos véritables intérêts et que la grandeur de la France devait se consacrer dans l'ordre et la légalité. Mon cher ami, votre esprit de sacrifice me fait présager que vous accepterez les sacrifices que je vous demande. Et c'est une minute émouvante que celle où je vous dis : « Mon cher ami, touchez là. »

L'EMPLOYÉ : Je vous demande pardon, monsieur le président du Conseil, mais je vous entends mal.

LE PRÉSIDENT : Voyons, mon ami, allez-vous vous laisser gagner par le dépit de vos dirigeants ? Ne sentez-vous pas que la France tout entière vient d'approuver ma politique dans un grand élan d'abnégation ?

L'EMPLOYÉ : La France tout entière, monsieur le président du Conseil, vient de reconnaître que votre politique ne peut se passer de ces instruments démocratiques qui s'appellent la troupe, la garde mobile et les conseils de guerre. La France tout entière vient soudain de comprendre ce qu'elle pressentait seulement jusqu'ici. N'y voyez pas de dépit, monsieur le président du Conseil. Le Dépit est fils de l'Ambition déçue. Et si quelqu'un doit un jour connaître ce sentiment, j'ai peur que ce soit vous. Non, il ne s'agit pas de dépit dans le cœur de l'ouvrier français, mais seulement d'amertume. Et de cette amertume si particulière que fait naître le spectacle de l'ingratitude.

LE PRÉSIDENT : Je ne vous comprends pas, mon ami.

L'EMPLOYÉ : J'allais le dire, monsieur le président. M. Caillaux non plus ne me comprendrait pas. Ni la presse de droite dont les félicitations ne vous ont pas encore fait rougir. Mais à la vérité, je n'y vois rien d'étonnant. Ni M. Caillaux, ni vos amis de droite, ni vous-même n'avez jamais compris le destin d'un ouvrier. Et il est naturel qu'ayant à choisir entre le dépit, qui est un sentiment bas, et l'amertume, qui risque d'être noble, vous choisissiez le plus étroit, puisque vous n'en connaissez point d'autre.

LE PRÉSIDENT, *ironique* : Pouvez-vous donc m'expliquer ce qu'est un ouvrier ?

L'EMPLOYÉ : Je crois en effet que je le pourrais, monsieur le président du Conseil. Mais on ne parle pas de musique à un sourd. Je me bornerai donc à vous dire ceci : c'est que les hommes politiques n'imaginent pas à quel point il est difficile d'être un homme tout court. De vivre, sans être injuste, une vie toute pétrie d'iniquités, avec 1 200 francs par mois, une femme, un enfant, et la certitude de mourir sans être inscrit au manuel d'histoire. Les hommes politiques ne comprendront jamais que la protestation unanime des ouvriers de France est née de ce désir de vivre sans injustice. Les hommes politiques ne comprennent pas, parce qu'ils sont réalistes, comme vous l'avez si bien dit, monsieur le président du Conseil.

LE PRÉSIDENT : J'ai fait tout mon devoir.

L'EMPLOYÉ : Vous commencez donc à comprendre, monsieur le président du Conseil.

LE PRÉSIDENT : Je ferai encore tout mon devoir.

L'EMPLOYÉ : Vous comprenez de mieux en mieux, monsieur le président du Conseil. Et moi aussi. Votre devoir, c'est d'abord la distribution des grenades aux troupes. Votre devoir, c'est ensuite le licenciement, la fermeture des usines, la suppression de mes 1 200 francs et…

LE PRÉSIDENT : Je n'ai pas touché à vos conquêtes sociales.

L'EMPLOYÉ : Je le sais, monsieur le président du Conseil, vous les avez assouplies. Comme vous avez assoupli l'histoire en confondant les dates de la déclaration franco-allemande et de l'ordre de grève générale, comme vous avez assoupli la législation en étendant à tous les services publics le décret Blum de 1936, comme vous assouplissez la France en assouplissant, du même coup, la justice, la vérité et la fidélité.

LE PRÉSIDENT : Encore ce mot ! Vous savez bien que j'étais avec vous en mai 1936.

L'EMPLOYÉ : Il est vrai que vous défiliez le poing levé. Ce n'était pas sans un certain étonnement de notre part. Mais à cette époque, il y avait une telle soif de générosité chez l'ouvrier français, qu'il vous a fait confiance, qu'il était heureux de vous voir là, et, si je ne me trompe, qu'il vous acclamait.

LE PRÉSIDENT : Je suis toujours avec vous, et vous le savez bien.

L'EMPLOYÉ : Je le sais, monsieur le président du Conseil, je le sais. C'est pourquoi la classe ouvrière continuera d'être généreuse avec vous. Ce que vous lui apportez sous forme de haine, elle vous le rendra seulement en mépris… Un moment ! Monsieur le président, ne faites pas appeler la garde mobile, il me reste peu de choses à dire.

Ce n'est pas l'invective que vous trouverez dans nos cœurs. La tristesse que nous y sentons ne peut laisser de place qu'à la lucidité. Nous aussi, nous voyons clairement notre chemin. Dans cette immense vague de médiocrité et de haine qui déferle sur l'Europe, à l'heure où la liberté de penser, de vivre et d'être un homme disparaît sur les trois quarts du continent, vous avez rêvé de trouver votre place. Et dans un sens, vous aviez raison. Le goût des petites vengeances, la déformation des faits, la susceptibilité, les vanités agressives, la mauvaise foi, tout cela est en effet l'apanage de la médiocrité. Mais c'est justement pour cela que je ne trouverai pas d'invectives. J'ai parlé de mépris, et c'est un sentiment délicat à entendre. Car les natures étroites préfèrent être insultées plutôt que méprisées. J'en juge, du moins, par cette rage qui vous agitait à Marseille, par ce triomphe de mauvais goût que vous étaliez au soir du 30 novembre, et par cette irritation qu'aujourd'hui je lis sur vos traits. Allons, monsieur le président du Conseil, soyez vous-même. Ne me tendez pas la main et faites entrer les gardes mobiles.

7 décembre 1938

Poursuivant de sa haine les employés syndiqués

M. ROZIS SUSPEND ET VEUT RÉVOQUER SEPT « MUNICIPAUX »

Le Gouvernement général et la préfecture laisseront-ils faire ce personnage qui, de grotesque, devient odieux ?

M. Rozis vient de communiquer à la presse, accompagné d'un commentaire singulier, un arrêté non moins singulier, par lequel il suspend et défère devant le conseil de discipline, aux fins de licenciements, sept employés, membres du bureau du Syndicat des municipaux, coupables, non d'avoir fait grève le 30 novembre, mais d'en avoir eu l'intention le 29.

Les considérants de cet arrêté précisent que, par l'ordre de grève, le syndicat des municipaux prenait la place du Parlement et de M. Rozis lui-même, qu'il ne s'agissait alors de rien moins que de renverser la République, que si la grève n'a pas été effective elle aurait pu l'être, que cette intention et cette fidélité au droit légal de grève constituent une illégalité, que seuls les dirigeants sont coupables de cette illégalité, que les membres du syndicat en sont innocents du fait que leur « esprit simpliste » *(sic)* les empêchait de voir où on les menait et qu'en conséquence les sept dirigeants du syndicat sont suspendus de leurs fonctions en attendant d'être révoqués.

De son côté, le commentaire, qui expose les idées politiques de M. Rozis, justifie ces mesures en affirmant que la grève générale était le prélude de l'invasion de la France par l'étranger. Et M. Rozis ajoute cette précision historique : « C'est ce qui a eu lieu en Espagne lorsque le " Frente Popular " sous couleur d'amélioration sociale a déclenché une révolution sanglante. »

Cet arrêté, fidèlement rapporté, appelle à son tour quelques commentaires. J'aurai résumé faiblement ma pensée en disant qu'il est grotesque, illégal et odieux. Grotesque parce que ce zèle soudain pour la République surprend venant d'un homme qui, il y a trois jours, félicitait en termes de discours de prix M. Maurras et ses amis qui, eux du moins, n'ont jamais caché leur intention de renverser ladite République.

Grotesque encore parce que M. Rozis justifie un arrêté de cette importance par les considérants d'une philosophie historique, qui ne lui est pas propre puisqu'on la retrouve, émaillée de fautes d'orthographe, dans les méditations écrites par M. de La Rocque, et selon laquelle la grève générale inspirée par Moscou était voulue par Berlin.

Grotesque enfin, mais cette fois d'une façon plus éhontée, quand M. Rozis attribue au Front populaire les responsabilités de la tragédie espagnole alors que, au moins historiquement, ce sont ses amis qui les premiers ont levé contre leur pays des armes fabriquées en Allemagne.

Cet arrêté, par surcroît, est illégal. Car, mis à part la philosophie particulière de M. Rozis, il ne peut tenir compte que d'un fait : c'est que la grève n'a pas eu lieu dans ses services. L'arrêté de M. Rozis punit l'intention qui n'a jamais constitué un chef d'accusation légal. Et des considérations partisanes que le maire invoque, le moins qu'on puisse dire c'est qu'elles sont relatives et insuffisantes à fonder son arrêté.

Jusqu'ici M. Rozis se croyait le maître des personnes de ses contribuables. Il se veut maintenant, comme on le voit, le maître des esprits. Il sait pourtant que beaucoup de gens ont fini à l'asile parce qu'ils se croyaient Dieu le père. Mais rien n'y fait.

Et des travailleurs sont frappés pour avoir eu l'intention de faire grève et celle de se substituer au Parlement que M. Daladier, comme on sait, brûlait de convoquer. Cela seul suffirait à condamner une décision d'inspiration aussi basse. Et M. Rozis le sent bien, qui l'accompagne de trois pages de commentaires, alors qu'il ne prend pas tant de peine en d'autres occasions.

Mais il y a plus. Car cet arrêté est odieux. Personne ici n'entend se livrer à une polémique injustifiée. Mais M. Rozis qui, lui, n'a pas l'esprit simpliste, pourra cependant comprendre ce raisonnement élémentaire qui veut que sept employés révoqués fassent sept familles affamées et un peu plus de misère dans un monde où les amis de M. Rozis en ont déjà tant répandu.

Et il comprendra qu'il nous paraisse urgent de défendre cette cause contre les petites vengeances qu'il prétend exercer. Car ce qu'il convient de relever ici, c'est l'esprit qui inspire de semblables mesures. L'exemple vient de haut. M. Daladier en ce moment se venge à longueur de journées et dirige tous ses coups contre les syndicats.

M. Rozis, qui n'a pas l'esprit simpliste, mais le goût du mimétisme, dévoile ici de façon délibérée sa haine du syndicat. Pour frapper les syndiqués, il invente les délits qui lui manquent. Et je suppose que c'est de gaieté de cœur qu'il paye la satisfaction de ses haines de partisan par la misère de sept foyers ouvriers.

En tout cas, M. Rozis exagère. La médiocrité a sans doute des droits. Elle ne les a pas tous. Pour parler clair, elle a le droit d'être ridicule, mais pas celui d'être odieuse. Personne ne prendra au sérieux les raisons grotesques invoquées par le maire. Et ce qu'on retiendra de son arrêté c'est la volonté concertée de détruire un syndicat — qui l'a gêné à partir du moment où il a cru voir en lui le dénonciateur de certaines combinaisons — et l'intention avouée de punir par la misère et le dénuement des ouvriers coupables de ne pas avoir sur leur dignité la même conception que M. Rozis. Puisqu'il nous en donne l'exemple, c'est sur ses intentions que M. Rozis sera jugé. Et le jugement sera bref.

Il était jusqu'ici, et incontestablement, l'inintelligence d'élite de notre ville. Il en est maintenant l'adversaire haineux et sans grandeur dont on ne doit plus sourire, mais qu'il faut combattre sans égards.

12 décembre 1938

LA GAZETTE DE RENAUDOT

NOS ÉTUDES LITTÉRAIRES

Extrait du discours de M. Ybarnegaray au congrès P.S.F. : « Ah ! morts de la Patrie, dressez-vous dans vos tombeaux, et vous, les fils des morts, dressez-vous dans la vie, chassez les malfaiteurs qui ont souillé la Patrie. »

COMMENTAIRE DU MAÎTRE D'ÉCOLE

Ce texte, mes chers enfants, vous donne un exemple frappant de ce qu'on appelle une prosopopée, c'est-à-dire une figure de style par laquelle on fait parler une personne absente ou morte, en lui prêtant des sentiments qu'elle n'a peut-être jamais eus, et des pensées qu'elle n'est pas forcée d'avoir connues. Par surcroît, mais ceci est secondaire, ce texte nous donne un autre exemple : il vous apprend comment il ne faut pas écrire.

C'est une maladie du siècle, mes chers enfants, que de faire parler ceux qui se sont tus pour toujours. Et plus particulièrement, d'enrôler dans des partis ceux qui n'appartiennent plus qu'à la boue des cimetières.

Dans le cas qui nous occupe, il se pourrait que les morts, soudain ressuscités par M. Ybarnegaray, se prêtassent à ses intentions. Mais il se pourrait que non. Et il ne faut pas souhaiter à M. Ybarnegaray que son vœu se réalise. Il serait peut-être bien attrapé.

Et ceci, mes chers enfants, en matière de littérature, s'appelle une imprudence. Car enfin, ces morts que M. Ybarnegaray veut à toutes forces faire parler, ce sont les amis de M. Ybarnegaray qui les ont fait taire pour toujours. Et si ce n'est pas une ironie, alors c'est une infâme duperie, ce qui s'appelle plus élégamment, en littérature, une périphrase.

Si donc, mes chers enfants, ce texte vous apprend comment il ne faut pas écrire, il vous montre aussi comment il ne faut pas agir, si l'on veut rester honnête homme. Et qu'un texte puisse en même temps donner prétexte à une leçon de syntaxe, à une leçon de style et à un enseignement moral, voilà qui prouve son universalité.

Je vous ai toujours appris en effet que seules étaient universelles la bêtise, l'inconscience et la vanité.

15 décembre 1938

UN REPORTAGE INÉDIT

QUAND M. ROZIS
JOUE LES CONSPIRATEURS

Mardi, à 18 heures, M. Rozis, désireux de donner les preuves de son ardeur civique, avait convoqué le conseil municipal, exception faite des conseillers indigènes, dans une brasserie de notre ville.

Voici, au reste, le texte de la convocation, dont le style s'inspire du regretté Ponson du Terrail :

PERSONNELLE

Alger, le 10 décembre 1938.

Mon cher collègue,

Je serais heureux que vous vouliez bien accepter de vous réunir, avec tous nos collègues français, en une conférence officieuse à la brasserie du fort Bab-Azoun, le mardi 13 courant, à 18 heures. Entrée par le boulevard Carnot, salle du 1er étage.

Soucieux de remplir son rôle d'informateur, *Alger républicain* s'est rendu à la convocation, bien que, par distraction, M. Rozis ait oublié de nous convoquer. À l'entrée, notre reporter fut interrogé :

« Êtes-vous conseiller municipal ?

— Vive Maurras, répondit-il.

— Passez, mon cher ami, passez. »

C'est ainsi que nous pouvons aujourd'hui renseigner nos lecteurs sur l'ordre du jour et les péripéties d'un conseil municipal assez important pour que les représentants de la population musulmane en fussent exclus.

Il s'agissait seulement du budget municipal, lequel présente un déficit de 8 millions. 8 millions valent bien une illégalité, c'est ce que M. Rozis mit en lumière, ajoutant naïvement qu'il était bien regrettable que ces réunions n'eussent pas lieu plus souvent.

Dans tous les cas, M. Rozis s'expliqua sur l'insulte gratuite aux conseillers indigènes que constituait la convocation de ce conseil restreint : « Je ne suis pas sûr d'eux, dit-il, en substance. Et même les deux nouveaux, je m'en méfie *(sic).* »

Avant de passer à l'examen des moyens propres à résorber le déficit budgétaire, M. Rozis, excité sans doute par la présence de notre rédacteur, tint à se justifier de l'accusation de maurrassisme qu'on lui avait adressée.

« J'ai embrassé Maurras, dit-il, c'est vrai. Mais j'embrasse tous les nationaux. Je veux les réconcilier sous mes baisers. »

Un conseiller municipal sceptique ayant fait remarquer que M. Maurras n'était peut-être pas aussi national que ça, M. Rozis eut cette réplique foudroyante et digne de l'antique : « Si, il est national, puisqu'il le dit. »

C'est alors que M. Rozis entreprit de parler de la nation et la définition qu'il en donna fut si flatteuse qu'un violent incident éclata et que huit conseillers municipaux (nous le certifions) quittèrent la séance avec éclat.

Il est probable que ce départ favorisait les désirs de M. Rozis, car, dès cet instant, le budget fut discuté entre amis. Avec une promptitude surprenante, le maire et ses amis donnèrent une solution au délicat problème qui les avait amenés là.

Les 8 millions de déficit seraient couverts par des taxes nouvelles sur les contribuables. Comme disait justement M. Rozis en enfilant son pardessus : « Il faut prendre l'argent où il est. » Et le projet fut voté à l'unanimité, moins la voix du rédacteur d'*Alger républicain.*

Les conclusions morales de cette immorale histoire seront brèves. Il faut tenir compte d'une chose, c'est que le ridicule tue de moins en moins, puisque M. Rozis est vivant. Bornons-nous donc à constater sans trop nous indigner que M. Rozis pousse le mépris des conseillers indigènes jusqu'à organiser sans eux les conseils municipaux où sa gestion pourrait être critiquée ; que cette gestion lui paraît suffisamment douteuse pour qu'il tienne à la soustraire à la clairvoyance des conseillers honnêtes ; que son goût de l'intrigue et ses haines de partisan lui font oublier la prudence puisqu'il avoue ainsi et publiquement ses incertitudes de conscience ; et qu'enfin M. Rozis, maire hostile aux conseillers municipaux, républicain qui étouffe la République sous ses baisers, accumule les contradictions, les illégalités, l'indigence de pensée et l'absence de scrupules.

Le personnage ne se satisfait plus d'être jugé. Il se juge lui-même et de façon si cinglante qu'il ne nous reste plus qu'à applaudir.

18 décembre 1938

LA GAZETTE DE RENAUDOT

PETIT PORTRAIT
DANS LE GOÛT DU TEMPS

Le fils de boulanger est brutal, énergique, volontaire et réaliste. Il connaît son chemin. Il l'a choisi une fois pour toutes. Cela veut dire aussi qu'il sait être opportuniste. Et par exemple il milite pour l'impartialité de la radio, mais pour l'empêcher de faire entendre des voix partisanes, il la bâillonne jusqu'à l'étouffer.

Le fils de boulanger rappelle volontiers ses origines, au moment même où on l'accuse de les trahir. Il s'en fait une auréole, une couronne, un bouclier. Lui dit-on que la vie augmente ? Il répond qu'il est fils de boulanger. Enfin il fait de la boulangerie une carrière, une vocation et un destin.

La boulangerie lui paraît si singulière, si fermée, si noble et si hautaine qu'il en fait un monde à part et impitoyablement l'oppose aux autres univers, par exemple, à la lampisterie. Et par un jeu naturel et constant, lorsque la boulangerie s'élève, c'est la lampisterie qui paie.

Le fils de boulanger est patient, ordonné et obstiné. Il aime l'ordre, c'est sa vertu et son calvaire. Et à ce point qu'il le maintient contre les boulangers eux-mêmes. On juge ici de la hauteur de son sacrifice.

Mais le fils de boulanger a un autre amour, et c'est la démocratie. Seulement, cet amour qui se nourrit des ardeurs d'un tempérament à ce point brutal, le porte souvent aux pires excès. Je veux dire qu'il aime la démocratie jusqu'à l'étrangler. Mais le fils de boulanger affirme volontiers que c'est quand même de l'amour.

En douter, selon lui, c'est ne pas être dans l'ordre et le spectacle du désordre réveille chez le fils de boulanger sa première passion. Du coup, c'est le jeu mêlé de ses deux amours qui le porte au désespoir, je veux dire aux conseils de guerre, aux gaz inoffensifs et à la garde mobile. On le voit, le fils de boulanger est beau comme un fait divers. Meurtrier par amour, qui ne l'acquitterait ?

Lâché en liberté, le fils de boulanger parle volontiers. Il laisse des temps entre ses phrases, il dit « je » et voulant dire « nous » il prononce « moi ». Il aime à prendre ses responsabilités et toutes ses responsabilités. Et quand il en est chargé à tomber, il affirme qu'il est fils de boulanger, par quoi il est soudainement lavé de tout et rendu à l'innocence du Christ enfant.

On saura tout enfin du fils de boulanger lorsque j'aurai parlé de sa vertu fondamentale, qui est la fidélité. Mais chez lui, on a déjà compris, les vertus perdent les visages dérisoires qu'elles affectent chez le peuple. Et par le miracle de son tempérament, la fidélité elle-même se trouve transfigurée.

C'est ainsi que le fils de boulanger tient pour méprisables les fidélités périmées qu'on prétend lui réclamer : fidélité à une classe, à un parti, une opinion, un cœur, ou à lui-même — car ce sont là vertus de médiocre. Le fils de boulanger a voué sa vie à une fidélité plus haute et plus profonde à la fois — celle qu'il épouse comme son destin secret et qui l'attache justement à sa vocation impitoyable de fils de boulanger. Quand même ce serait contre les boulangers et la nation elle-même.

24 décembre 1938

UN CONSEIL MUNICIPAL
PITTORESQUE

Le budget d'Alger est voté dans la confusion par 22 voix contre 13.
La séance finit dans le tumulte.
Dépenses sous-estimées, recettes surestimées, c'est ce que MM. Rozis et Leclerc appellent un équilibre.
La féerie municipale.

Contrairement aux prévisions, c'est dans la bonne humeur que s'est déroulé le conseil municipal d'hier soir. Et non seulement dans la bonne humeur, mais encore avec les ressources les plus déliées de la grâce et de l'improvisation juvénile. Sans doute, M. Rozis faillit tout gâter au début, en répondant d'un air excédé aux conseillers indigènes. Mais ce léger nuage se dissipa rapidement et c'est avec le sourire qu'on entama les affaires sérieuses.

Une vingtaine de vœux et de dispositions sont votés au pas de course (exception faite d'un vœu tendant à attribuer 400 000 francs pour l'exécution de fresques au théâtre municipal). Et dès l'instant où le budget est abordé, c'est un vent de jeunesse qui souffle sur l'assemblée.

À première vue la situation n'est pourtant pas drôle : M. l'intendant Leclerc lit son rapport sur le budget. Mais comme le rapport se compose d'un nombre respectable de pages, les conseillers, aussitôt, organisent la résistance.

Pendant que M. Leclerc entame son préambule, M. Dumord dessine avec application, M. Salles signe à tour de bras dans un grand registre dont il fait tourner les pages à une allure vertigineuse, M. Bernard pétrit et sculpte des morceaux de papier et M. Rozis fait de la télégraphie avec quelqu'un au fond de la salle.

Beaucoup papotent, plusieurs bâillent, un autre essaie de comprendre. Puis, M. Rozis ne télégraphie plus : il écrit. Il appelle un employé. Et il envoie son papier à l'un des conseillers municipaux. Maintenant, c'est M. Peisson. Tout à l'heure, ce sera M. Goëau-Brissonnière. Et les petits papiers blancs volettent à travers la salle. M. Peisson répond, M. Rozis lit et sourit. M. Brissonnière, à son tour, répond. M. Rozis lit et ne sourit pas.

M. Leclerc, pendant ce temps, continue son rapport dans les conversations montantes. M. Salles fait de plus en plus de bruit avec les feuilles de son énorme registre. M. Rozis le rappelle à l'ordre. Et M. Salles, vexé, ne signe plus. M. Leclerc s'interrompt pour prendre une pastille. M. Dumord dessine toujours, et avec tant d'ardeur qu'il finit par contaminer son voisin, M. Peisson qui se met à croquer avec conscience une originale tête d'autruche. M. Salles ne signant plus, il se met à souligner. Puis lassé, il fait rouler son crayon sous ses doigts et, à nouveau fatigué, se met à dessiner.

Détail instructif, M. Salles et M. Dumord ne dessinent pas de la même façon. Celui-ci est tout entier penché sur son papier et travaille à petits traits appliqués et tenaces jusqu'à ce que le croquis soit terminé. M. Salles, au contraire, dessine à grands traits et, de temps à autre, prend du recul pour juger de l'effet, redresse une rosace, estompe un pétale de marguerite, et si naturellement que, s'il n'était M. Salles, je croirais volontiers qu'il est M. Rembrandt.

Pendant ce temps, les conversations montent, ondulent, s'arrêtent et reprennent, formant un fond de basses à la voix monocorde de M. Leclerc. À entendre celui-ci on le croirait indifférent. Mais qu'on ne s'y trompe pas. L'un des conseillers laisse échapper un crayon qui tombe avec bruit. M. Leclerc lui lance le coup d'œil bref et impatient du répétiteur dérangé. Et à tel point, que le conseiller ne ramasse pas son crayon.

À ce moment, M. Leclerc annonce sa conclusion. Le silence revient. On l'écoute. Mais c'est pour l'entendre annoncer que l'équilibre budgétaire aurait été réalisé s'il n'y avait pas eu le Front populaire. Quelques protestations. Puis un rire général. M. Rozis lui-même rit de bon cœur. Ce sont alors les interpellations. Seuls les conseillers indigènes et M. Grandin demandent la parole. On trouvera plus loin le résumé de ces interventions. M. Rozis les reçoit avec une égale bonne humeur. De même ses conseillers. Et même, M. Thiébaud, pour mieux marquer ses heureuses dispositions, a fait un petit moulin de papier qu'il fait tourner le plus joliment du monde autour d'un crayon.

Dans le même temps, M. Rozis distribue à nouveau ses petits papiers qui parcourent la salle comme autant de papillons blancs. Une petite ombre cependant à la bonne humeur générale. M. Salles importuné par les interventions des conseillers indigènes pousse un inélégant soupir d'énervement. On vote les chapitres des budgets. Sourires. Votes. Votes et sourires. On interpelle. M. Rozis, le vote acquis, et dans un dernier sourire, donne le signal du départ pendant qu'un conseiller indigène parle. Tumultes. Le sourire demeure.

On le voit, dessins, papillons blancs, petits moulins au gré des vents, sourires et télégraphie sans fil, c'est un monde cocasse et féerique qui s'agitait hier à l'hôtel de ville. Et, somme toute, le conseil municipal est plus sympathique qu'on ne pensait. Il est capable de poésie et c'est dans la poésie qu'il a voté le budget. Les contribuables auraient mauvaise grâce à ne pas mettre, à l'accepter, la même élégance qu'on mit à le voter.

On voit par contre combien M. Leclerc avait tort lorsqu'il parlait hier d'une certaine campagne d'opinion où ne manquaient ni l'amertume ni l'exagération. Car nous serions les premiers à nous réjouir de savoir nos craintes exagérées. Et quant à l'amertume, elle nous fournira la conclusion de cette histoire de fées.

Les conseillers municipaux doivent nous concéder le droit d'être sérieux puisque nous leur connaissons celui de ne pas l'être. Et c'est dans le sérieux que nous constatons que le budget qui vient d'être voté est meurtrier pour l'économie de notre ville. Seulement, lorsque nous critiquons cette gestion, ce n'est pas à la personne de M. Rozis que nous en avons. Elle ne représente qu'elle-même et ce n'est pas beaucoup.

Ce n'est pas davantage une politique que nous attaquons — mais une certaine attitude d'esprit faite de veulerie, d'insouciance et précisément de fantaisie déplacée. Il ne s'agit pas alors d'amertume, mais seulement de lucidité.

Il est un droit bien plus dangereux pour la municipalité que le droit de vengeance — et c'est le droit de juger. Se plaindre de ce droit, c'est d'avance se donner tort. Nous jugeons ici et avec nous la population musulmane et ouvrière tout entière. Il faut donc qu'on en prenne son parti. Le spectacle gracieux qu'offrait hier le conseil municipal n'est qu'une faible compensation aux charges fiscales qui vont nous accabler. Du moins, et en attendant de nouveaux jugements, l'on admettra que nous savons reconnaître la poésie où elle se trouve — même quand elle doit nous coûter cher.

10 janvier 1939
LETTRE OUVERTE
À M. LE GOUVERNEUR GÉNÉRAL

Nous savons, monsieur le gouverneur général, qu'on ne fait appel aux grands de ce siècle, que lorsque l'affaire dont on veut les entretenir est assez capitale et assez urgente pour ne souffrir ni les retards ni les intermédiaires. L'affaire qui nous tient aujourd'hui au cœur est de celles-là.

Elle est capitale, parce que, tout entière, elle est une injustice. Elle est urgente, parce qu'elle n'a pas cessé d'être une injustice.

L'injustice, monsieur le gouverneur, ne souffre pas de retard. Elle crie dès l'instant où elle apparaît. Quant à ceux qui l'ont une fois entendue, ils ne peuvent plus s'en séparer et l'injustice est ainsi faite que ceux mêmes qui n'y sont pour rien, se sentent désormais responsables. Et si, aujourd'hui, nous vous écrivons directement, monsieur le gouverneur, c'est aussi bien pour nous mettre en règle avec nous-mêmes. Car il est difficile de vivre avec cette idée que depuis quatre mois un homme attend dans une prison que la justice lui montre son vrai visage, difficile encore d'imaginer que chacun de ces jours, qui coulent si aisément pour nous, figure vingt-quatre interminables heures pour l'homme que l'injustice garde dans la cellule d'un petit village.

Cet homme, monsieur le gouverneur, nous a écrit. Mais auparavant il avait écrit partout. Il s'était adressé à tous les grands et à vous-même, monsieur le gouverneur. Mais en vain. Et un jour, pour quelques lignes rencontrées dans un journal, il espère qu'il sera compris. Il écrit à un étranger, sans raison, sans grand espoir peut-être, par besoin de crier.

Je doute, monsieur le gouverneur, qu'un homme puisse rester insensible devant l'accent et le désespoir de ces lettres.

Mais ne croyez pas pour autant qu'elles aient suffi à motiver notre geste. Nous vous écrivons appuyés sur un dossier, fort de nombreuses certitudes. Pour aujourd'hui, cependant, il nous suffira de vous faire sentir les singulières contradictions de l'enquête qui nous occupe.

M. Hodent est agent technique de la Société indigène de prévoyance de Trézel. Par là il est chargé d'acheter aux fellahs leurs récoltes de blé pour la section coopérative de cette société. Des plaintes sont déposées contre lui, qui l'accusent d'avoir frustré les fellahs de certaines quantités de blé apportées par eux à la coopérative.

Immédiatement, et avant toute vérification, M. Hodent est incarcéré. À ce moment, seulement, la vérification commence. Un inventaire complet des stocks est effectué. Et non seulement il ne relève aucun manque dans les stocks, mais encore, il constate officiellement un léger boni. L'accusation tombe.

Mais le juge de Trézel qui, en même temps que M. Hodent, avait incarcéré un magasinier père de quatre enfants, refuse de délivrer les prévenus et les inculpe d'un nouveau délit. En effet, sept indigènes ayant des bordereaux à leur nom ont déclaré n'avoir jamais apporté de blé à la coopérative. Immédiatement, le juge accuse M. Hodent d'avoir payé ces bordereaux à d'autres indigènes et d'en avoir partagé le produit avec eux.

Ceci, monsieur le gouverneur, serait déjà expéditif. Mais il est à noter (nous citerons des rapports officiels quand il sera nécessaire) que dans le fonctionnement des sociétés de prévoyance, les vérifications d'identité sont très difficiles et qu'il arrive fréquemment que des indigènes se présentent pour d'autres sans qu'il soit possible de les repérer. C'est pour remédier à cet inconvénient que vous-même, monsieur le gouverneur, avez pris un arrêté en date du 27 mai 1937, suivant lequel une commission doit être instituée pour vérifier l'identité des déposants.

Cela seul justifierait notre affirmation que cette confusion d'identité est fréquente. Mais il y a plus. Car, dans la commune de Trézel, cet arrêté n'a pas été appliqué. Les déclarations ont été recueillies par les caïds, ou même les gardes champêtres, sans aucun contrôle. Il en résulte qu'il est matériellement impossible de dire si ces déclarations sont fictives et la faute en incombe non à l'agent technique, mais à l'administrateur chargé de l'application de cet arrêté.

Ceci n'est encore rien, monsieur le gouverneur. Mais l'accusation portée contre M. Hodent n'est pas seulement inconsistante. Elle est contradictoire. Car, à supposer que l'agent technique ait établi des bordereaux fictifs, il était dans l'impossibilité de les payer, les paiements étant effectués par l'agent comptable sur le vu des quantités de blé et des bordereaux. Accuser l'agent technique, c'était du même coup accuser l'agent comptable. Or, celui-ci n'a jamais été inquiété.

Voilà les faits, monsieur le gouverneur, dans leur brutalité. Il en est d'autres. Nous les dirons, s'il le faut. Ceux-ci, que nous avons exposés sans passion suffisent. Car il faut convenir que tous les signes de l'injustice, contradiction, insuffisance, empressement à punir, sont réunis dans cette affaire.

Deux hommes sont jetés en prison pour un délit qu'ils n'ont pas commis. Ils y sont maintenus pour un manquement dont ils ne sont pas responsables. Quatre demandes de liberté provisoire ont été rejetées. Nous n'accusons cependant personne. Mais nous vous demandons, monsieur le gouverneur, si un juge a le droit de dire, parlant d'une instruction en cours, qu'il la considère comme une affaire personnelle et qu'il traînera le prévenu en prison ; si l'on a le droit encore de laisser entendre que la liberté provisoire est refusée à M. Hodent pour l'empêcher de trouver des témoins.

L'homme qui attend aujourd'hui votre décision jouit d'une véritable popularité parmi les fellahs de la région. Faudra-t-il dire que cela suffit pour que la plus hideuse conspiration se dresse contre lui ? Nous ne le pensons pas encore.

Sans doute notre conviction est faite. Mais notre rôle, pour le moment, n'est pas d'instruire. Notre conviction ne peut et ne doit pas être encore la vôtre. Mais vous avez le pouvoir de faire que les mains de cet homme soient déliées. Vous avez le pouvoir de l'autoriser à se défendre. Nous vous demandons de toutes nos forces la liberté provisoire pour M. Hodent. Et notre foi est que l'innocence sera alors démontrée par l'innocent lui-même.

Nous aurons alors la satisfaction d'avoir donné une voix à la vérité et d'avoir fait entendre un cri authentique et profond. Ce cri, monsieur le gouverneur, nous vous faisons juge de sa vérité : « Je suis abandonné dans une geôle depuis des mois. Dites-moi, je vous en prie, ce que je dois faire… Je suis perdu, écrasé. Je ne comprends plus rien. Mais je ne puis croire, monsieur, que vous laisserez en prison un être qui n'a rien fait. » Et encore : « Je vous en prie, monsieur, ne me décevez pas, car ce serait trop. J'attends et rien ne pourra réparer ce qui a été, de gaieté de cœur, démoli en moi. »

Mme Hodent, seule, sans ressources, attendant un enfant, nous a écrit aussi. Mais à quoi bon la faire parler ? Il ne s'agit pas ici de pitié, mais de justice. Et nous vous demandons seulement d'être juge.

Je n'ai plus beaucoup à dire, monsieur le gouverneur. Cette lettre, j'ignore si vous la lirez. Il le faudrait pourtant. Nous vous connaissons mal, il est vrai. Nous vous apercevons à travers des cortèges, des arrêtés ou des discours officiels. Où trouver l'homme à travers cela ? Mais nous savons que derrière les grands de ce monde, il arrive que l'homme surgisse. Et qu'à certains moments, entre deux réceptions et trois communiqués, cet homme regarde un coin de ciel au-dessus des arbres trop émondés d'un parc trop entretenu et souhaite alors que la haine taise ses clameurs et que tout rejoigne le silence intérieur qu'il sent monter en lui.

C'est cet homme que nous voudrions toucher, monsieur le gouverneur. Et lui dire qu'il n'y a pas de petites injustices ni de petites réparations. Il y a l'injustice et ses mille visages. Et son pouvoir est tel que l'homme juste soumis à un traitement injuste devient injuste lui-même. C'est cela qu'il faut craindre, monsieur le gouverneur.

Si vous vous penchez sur cette particulière injustice qu'aujourd'hui nous vous montrons, vous aurez sauvé un homme de la haine qu'il sent monter en lui. Et dans un monde dont la misère et l'absurdité font perdre à tant d'êtres la qualité d'homme, en sauver un seul équivaut à se sauver soi-même et avec soi un peu de l'avenir humain que nous espérons tous.

Car, nous non plus, nous ne pouvons croire que l'injustice se consomme si aisément. Et à cette dernière minute, nous ne voulons songer qu'à l'inexplicable espoir que nous plaçons en vous — à cet espoir singulier et tenace qu'un langage humain suffit à provoquer des décisions humaines. Là où tant de démarches administratives, de protestations officielles et de rapports ont échoué, peut-être cette lettre suffira. Et par-dessus tant d'intermédiaires et d'intérêts mêlés, nous sommes sûrs que vous voudrez bien nous rejoindre pour apporter, en rendant sa dignité à un seul homme, un peu plus de vérité dans un monde où le mensonge et la haine ne sauraient toujours triompher.

14 janvier 1939

LE COUSCOUS DU NOUVEL AN
a été offert par Mme Chapouton
AUX MESKINES D'ALGER

À l'occasion de la nouvelle année et selon une coutume qui s'est établie depuis quatre ans, Mme Chapouton, fille de M. le gouverneur Le Beau, a offert hier matin un couscous aux meskines[1] de Belcourt et de la Casbah.

À Mme Chapouton s'étaient joints M. Milliot, directeur des Affaires indigènes, Mmes Rivière, Colnot et Suire, Mme et Mlle Grégoire, MM. Courtin et Constantin, administrateurs détachés au Gouvernement général, et Colnot, sous-directeur des Affaires indigènes.

Mme Chapouton fut reçue d'abord à la mosquée Sidi-Abderrahmane, rue Marengo, par l'imam de la mosquée, M. Lamine Kaddour, MM. Hamoud Hamdane, grand muphti malékite, Ben Zakour Abderrahmane, grand muphti hanéfite.

À l'intérieur de la petite mosquée, des versets du Coran furent d'abord récités puis des prières dites pour le gouverneur général et tous les siens. M. Milliot prit alors la parole et, après avoir fait l'éloge de Mme Chapouton, s'adressa en arabe aux dignitaires religieux présents pour exalter le rapprochement franco-musulman.

L'imam reçut ensuite les personnalités européennes dans son appartement particulier et après les avoir fait bénéficier des nuances et du raffinement de l'hospitalité musulmane, se fit l'interprète des meskines pour assurer Mme Chapouton de leur gratitude et lui donner la certitude que son geste avait une répercussion au-delà de l'enceinte de la mosquée, dans la population musulmane elle-même. Il fit enfin des vœux pour la santé de M. le gouverneur et pour son long séjour en Algérie. À cette allocution, traduite par M. Arzour, M. Milliot répondit par des remerciements. Des fleurs et des cierges porte-bonheur furent offerts à toutes les dames présentes.

Pendant ce temps, le couscous était apporté aux miséreux. Et dans le cimetière lui-même, parmi les tombes blanches en forme de berceaux, sous les figuiers pleins de soleil, c'était un singulier et amer spectacle que de voir plusieurs centaines d'êtres humains en loques manger avec avidité par groupes de cinq et six. 300 kg de couscous, 10 moutons, 300 kg de figues et 40 kg de beurre auront servi à calmer la faim de centaines de miséreux, pour un jour seulement.

La même cérémonie se déroula à Belcourt à la mosquée Sidi-M'Hamed. Ici cependant, l'imam Cherif Zahar recevait entouré de MM. Mustapha el-Kassimi, chef de la Zaouïa d'el-Hamel, el-Ouennoughi, muphti d'Orléansville et le caïd Cherif Touhami, de Rovigo.

Là encore, le ciel était beau sur le cimetière fleuri, mais la foule de miséreux était dense et beaucoup, beaucoup trop d'enfants s'y voyaient. J'ai vu des petites mauresques cacher sous leurs voiles les morceaux de viande qui leur revenaient. Cela en dit long sur la prospérité de leur foyer.

S'il m'est permis ici d'exprimer une opinion, je dirai qu'il faut savoir remercier Mme Chapouton d'apporter tant de simplicité réelle à l'exercice de ce devoir difficile. Elle est dans son rôle de femme, à exercer ainsi, une charité si nécessaire et si utile. Mais il faut reconnaître aussi que le rôle des hommes et le nôtre à tous devrait être de rendre cette charité inutile.

Je sais bien que ce n'est pas facile et je ne pense pas qu'on supprime la pauvreté en un jour. Mais je dois dire aussi que je n'ai jamais vu une population européenne aussi misérable que cette population arabe — et cela doit bien tenir à quelque chose. C'est à supprimer cette disproportion et cet excès de pauvreté qu'il faut s'attacher. On ne peut croire du moins que cela soit utopique.

22 janvier 1939

CONTRE UNE INTERPRÉTATION
ABUSIVE DU DÉCRET RÉGNIER

Il ne faut pas prendre Le Pirée pour un homme ni l'administration pour la France elle-même.

Nous avons relaté mardi les condamnations prononcées par le tribunal correctionnel contre nos amis Priaud et Bouhali poursuivis, on le sait, pour provocation à des manifestations ou désordres contre la souveraineté française.

Nous n'avons pas manqué de souligner, comme il convenait, que le tribunal, tout en estimant devoir condamner, s'était refusé à suivre le ministère public, qui l'avait engagé à une répression féroce.

Il nous appartient maintenant de dire toute notre pensée sur une affaire dont les conséquences peuvent être graves pour la liberté dans ce pays.

Priaud et Bouhali, nous le proclamons, auraient dû être acquittés, car ils n'avaient commis aucune infraction à la loi.

Nous rappelons que le fait qui servit de base aux poursuites était l'émission d'un timbre représentant un indigène attaché à la queue d'un cheval monté par un cavalier, timbre portant, en outre, ces mots en arabe :

« Contre l'arbitraire et l'injustice dans les Territoires du Sud. »

Le texte invoqué par le procureur de la République était le trop fameux décret Régnier, décret scélérat s'il en fut, mais qui ne permet pas cependant de condamner n'importe qui pour n'importe quoi.

C'est pourtant ce que l'on a voulu et ce que l'on a fait.

Provoquer des « désordres ou manifestations contre la souveraineté française », c'est faire quelque chose de précis. C'est se livrer à une propagande qui met en cause la souveraineté de la France en Algérie.

Et les mots « souveraineté de la France », tant qu'un dictateur, disciple de Hitler et de Mussolini, n'aura pas décidé la suppression du dictionnaire, ne pourront pas signifier n'importe quoi, au gré des besoins de vengeance des uns ou des autres. La souveraineté de la France en Algérie, c'est le droit de propriété de l'État français sur le territoire de l'Algérie, droit analogue à celui que le même État exerce sur un département quelconque de la France.

Des désordres ou des manifestations contre la souveraineté française en Algérie, ce ne peut être autre chose que des désordres ou des manifestations contre le droit de la France à gouverner l'Algérie.

Est-ce que le timbre dont nous avons parlé constitue une telle propagande ? Allons donc ! Il a fallu, pour poursuivre et condamner, soutenir que la souveraineté française se confondait avec l'administration et que s'attaquer à cette dernière c'était s'attaquer à la France et à ses droits territoriaux !

Eh bien ! nous disons : non, ce n'est pas vrai, l'administration n'est pas la France, ce n'est pas la souveraineté française, l'administration des Territoires du Sud surtout, et principalement un khelifat et son cavalier qui, seuls d'ailleurs, étaient dénoncés.

Nous n'admettons pas que l'on juge que l'administration et la souveraineté de la France ne font qu'un. Si les citoyens toléraient pareille monstruosité juridique c'en serait fini du droit de critique, qui est un droit républicain. C'en serait fini du droit d'exprimer sa pensée, droit qui prend toute sa valeur lorsqu'il tend à réformer une pratique néfaste, une institution périmée ou à redresser une injustice.

Si une telle jurisprudence s'instituait, il faudrait dorénavant n'ouvrir la bouche, ne prendre la plume que pour dire : « M. le gendarme, vous avez raison ; monsieur le commissaire de police, le passage à tabac se fait avec des cigarettes turques ou même anglaises. » Il importerait de convenir avec M. Rozis que sa gestion est la plus intelligente et la plus généreuse, tandis qu'on ne manquerait pas d'assurer M. le directeur des Territoires du Sud que le Sahara est la dernière tranchée de la liberté.

Voici ce dont rêve… une certaine administration. Mais nous pouvons l'assurer que ce rêve est pour la France algérienne un cauchemar, le cauchemar d'un peuple victime des ennemis du régime et qui pour se sauver appelle de tous ses vœux la totale souveraineté de la France sur ce pays, parce qu'il sait que la souveraineté de la France républicaine et démocratique a pour attribut essentiel : LA LIBERTÉ.

4 février 1939

L'AFFAIRE HODENT

OU

LES CAPRICES DE LA JUSTICE

Il y a une vingtaine de jours, nous avons attiré l'attention de M. le gouverneur général sur le traitement infligé à M. Hodent, agent technique de la Société indigène de prévoyance à Trézel. Il s'agissait seulement, à cette époque, de dénoncer l'injustice, et de réclamer pour un innocent le droit de se défendre. Aujourd'hui, M. Hodent a été mis en liberté provisoire et peut exercer ce droit. Et notre tâche, maintenant, sera d'aider à cette défense. Car la liberté n'est qu'une partie de la justice et réclamer la justice, c'est la réclamer tout entière.

Dans notre lettre publique, nous nous étions bornés à faire ressortir les contradictions de l'instruction ouverte contre M. Hodent. Aujourd'hui, nous passerons aux faits, et ce sont les faits eux-mêmes, exposés sans passion, qui éclaireront le public sur ce singulier procès.

LA JUSTICE JUGE

M. Hodent est agent technique des sociétés de prévoyance, organismes créés par le gouverneur général. Comme tel, il est chargé d'acheter leurs récoltes de blé aux fellahs de Trézel. Il examine les grains, les accepte ou les rejette sur leur qualité et, dans le premier cas, délivre un bon d'agréage. Sur le vu de ce bon, l'agent comptable de la société remet leur dû aux vendeurs. Dans l'exercice de ces fonctions, M. Hodent avait acquis, par ses sentiments de bienveillance et de compréhension, une popularité réelle parmi les fellahs.

Pourtant, le 23 août 1938, M. Hodent est arrêté et incarcéré à la prison civile de Trézel. Des plaintes ont été portées contre lui, qui l'accusent d'avoir frustré les fellahs de certaines quantités du blé apporté par eux à la coopérative. L'accusation est soutenue par un certain nombre d'administrés du caïd Adda. M. Hodent est écroué sans aucune vérification. On l'incarcère d'abord. On vérifie ensuite.

Il faut noter ici qu'à supposer que les prélèvements reprochés à M. Hodent eussent été réels, ils n'en étaient pas répréhensibles pour autant. Car il existe dans les sociétés indigènes de prévoyance une coutume, dite des « réfactions », qui consiste à défalquer des quantités de blé présentées par les fellahs le poids des impuretés dont il est souvent souillé. Et, pour donner une idée de l'importance de cette coutume, je citerai seulement un rapport officiel qui dit : « Des réfactions importantes sont pratiquées dans presque toutes les coopératives *et il conviendrait, dans ce cas, de mettre en prison au moins la moitié des agents techniques de l'Algérie.* »

Le juge de paix de Trézel maintient, cependant, M. Hodent en prison et fait commencer les vérifications. Dans le même temps, on trouve 700 témoins à charge. Ces 700 témoins appartiennent tous au douar du caïd Adda. Chacun déclare avoir été frustré d'une vingtaine de kilos. Il s'agirait donc d'une différence d'au moins 140 quintaux à faire constater à l'inventaire. Celui-ci est clos le 10 octobre 1938 : l'accusation tombe. Le même rapport officiel précise, en effet : « Un inventaire complet a été effectué par l'autorité judiciaire qui, non seulement n'a relevé aucun manque dans les stocks, *mais a même constaté un léger boni.* » M. Hodent est toujours en prison.

LA JUSTICE SE DÉJUGE

Il y sera maintenu encore longtemps. Plusieurs demandes de liberté provisoire lui sont refusées ainsi qu'au magasinier écroué en même temps que lui et sur le cas duquel nous reviendrons. Mme Hodent attend un enfant, le traitement de son mari est suspendu, et son dénuement est complet.

M. Hodent insiste. Le juge de paix de Trézel, M. Garaud, déclare « qu'il en fait une affaire personnelle » et se montre intransigeant. La première accusation étant réduite à néant, il en porte une seconde. Sept fellahs, en effet, qui avaient des bordereaux à leur nom, déclarent cependant n'avoir jamais rien apporté à la coopérative. Ce fait pouvait recevoir beaucoup d'interprétations. L'instruction n'en retient qu'une : M. Hodent a établi des bordereaux fictifs, a fait payer ces bordereaux à des fellahs complices et en a partagé avec eux le montant.

Or, on lit toujours, dans le même rapport officiel : « Il est très facile à un membre de la famille du fellah de se présenter en son nom, de livrer du blé, d'en toucher le montant et ensuite de disparaître. *Toutes les pièces seront régulières, l'argent aura été régulièrement versé, et le véritable intéressé n'aura apporté aucune quantité de blé.* » C'est pour prévenir de semblables abus, courants dans toute l'Algérie, que le Gouvernement général a pris un arrêté en date du 27 mai 1937, qui précise qu'une commission de vérification doit être instituée à cet effet. Cette commission, malgré les réclamations de M. Hodent, n'a jamais été instituée à Trézel et les déclarations ont été reçues soit par les caïds, soit par les gardes champêtres. Il en résulte qu'aucune vérification n'est possible et que l'accusation portée contre M. Hodent est pour le moins paradoxale.

Mais, d'un autre côté, elle est contradictoire. Car ces bordereaux fictifs ne pouvaient être payés sans la complicité de l'agent payeur qui n'a jamais été inquiété, on continue cependant à refuser la liberté provisoire à M. Hodent. On fait mieux : un ami de l'inculpé, agent technique d'une commune voisine, ayant manifesté son intention de témoigner en faveur de M. Hodent, le juge de paix Garaud l'en dissuade en lui affirmant, contrairement à la vérité, que ce dernier était accusé de « faux en écritures publiques ». L'agent technique dont il s'agit, comprenant qu'il avait été joué, a dénoncé cette manœuvre au garde des Sceaux et au procureur de la République, à Alger.

LA JUSTICE SE JUGE

Le 22 décembre, M. Hodent est enfin mis en liberté provisoire. Le juge de paix Garaud constate que, « malgré ses efforts », l'agent technique est arrivé à « en sortir ». L'inconsistante accusation est cependant maintenue. À sa sortie de prison, M. Hodent se trouve sans ressources, son fils venant de naître. Quatre mois de souffrances morales

n'ont pas encore assez payé le crime subtil d'être trop innocent pour le bien prouver. Et les persécutions continuent.
Ce sont ces persécutions et les abus de pouvoir prodigués au
cours de l'instruction que nous révélerons dans un prochain
article.

Résumons-nous pour aujourd'hui. Un homme est jeté en
prison pour un crime qui n'en serait pas un s'il l'avait commis,
ce que, par surcroît, il n'a pas fait. Il y est gardé sur des témoignages qu'un simple inventaire démolit. Il y est maintenu
sur une équivoque dont il n'est pas responsable, grâce à une
accusation qu'aucune preuve humaine, sinon l'injustice et la
haine, ne peut fonder, pendant que les sympathies qu'il
éveille sont dispersées à coups de mensonges gratuits.

S'étonnera-t-on, dès lors, que nous défendions sans
réserves un homme que nous ne connaissions pas avant
cette affaire, mais qui, désormais, représente pour tous les
esprits désintéressés de ce pays une de ces victimes dont le
malheur juge ceux qui en sont cause et, avec eux, l'esprit de
haine et de médiocrité qu'ils représentent ?

14 février 1939

M. ROZIS AYANT PORTÉ LE « MOTIF »

et l'ex-capitaine d'habillement Leclerc
ayant sévi, M. Rozis en rajoute…

M. Rozis vient encore de marquer sa volonté de contribuer pour une part, qui n'est pas mince, à l'histoire des
mœurs du temps.

Le 29 décembre dernier, un conseil de discipline municipal, présidé avec l'objectivité que l'on sait par M. Leclerc,
assisté lui-même par les adjoints Mikoleff et Salles, statuait
sur le cas de deux auxiliaires municipaux, MM. Capue et
Pastor, coupables d'être arrivés en retard le 30 novembre.

En toute impartialité, les amis de M. Rozis infligeaient
deux mois de suspension sans solde à M. Pastor, pour un
retard de deux heures, M. Capue, n'ayant eu un retard que
de vingt minutes, bénéficiait d'une indulgence toute spéciale :

il était révoqué purement et simplement. Les deux employés, menuisiers auxiliaires au service des pompes funèbres, comptaient cinq ans de présence.

En conséquence de ce jugement cohérent, pris en dehors de considérations partisanes, M. Rozis vient de publier un arrêté par lequel il révoque en effet M. Capue, mais aux termes duquel il inflige *six mois* de suspension sans solde à M. Pastor.

Résumons l'opération : M. Rozis envoie devant les amis de M. Rozis deux employés syndiqués. Les amis de M. Rozis les condamnent suivant les désirs de M. Rozis, qui renchérit sur le jugement des amis de M. Rozis. Ainsi et tout à la fois, la justice, l'humanité et la grandeur d'âme sont sauvegardées. Ainsi encore, M. Rozis peut se dire à bon droit le petit représentant sur une petite portion du globe de cette justice divine que l'Ancien Testament nous dit être fondée sur la haine et l'esprit de vengeance.

22 février 1939

UN MAGISTRAT CONTRE LA JUSTICE

L'AFFAIRE HODENT

OU

LA MULTIPLICATION
DES ABUS DE POUVOIR

Dans notre dernier article sur l'affaire Hodent, nous avions promis à nos lecteurs un certain nombre de précisions sur les abus de pouvoir prodigués au cours de l'instruction. Avant de les donner, aussi condensés que possible, il faut dire qu'à la suite de l'émotion soulevée par cette affaire, ce n'est plus le juge de paix Garaud, mais le juge suppléant Cassius qui en est chargé. L'instruction, cependant, est loin d'être terminée. Et le serait-elle à l'avantage de M. Hodent que l'injustice qui lui a été faite ne serait pas réparée pour autant. Car rien ne paye quatre mois de prison et aucune justice humaine ne peut compenser l'humiliation infligée à un innocent.

Voici d'abord le cas du magasinier incarcéré en même temps que M. Hodent. M. Mas, âgé de trente-trois ans, est père de quatre enfants en bas âge. Il est le collaborateur quotidien de l'agent technique et le garant le plus authentique de son honnêteté.

Lors de la première accusation portée contre M. Hodent, concernant le vol de blé au préjudice des fellahs, M. Mas fut appelé par le juge Garaud. Il fut prié de dire ce qu'il savait sur les détournements de l'agent technique. M. Mas affirma seulement, et avec beaucoup de modération, que ces contacts fréquents avec M. Hodent lui permettaient d'affirmer que ce dernier n'avait jamais fait tort d'un grain de blé aux fellahs déposants et qu'il se portait garant de l'honnêteté de l'accusé.

Le juge Garaud lui demanda s'il persistait à nier, M. Mas répondit qu'il persistait à nier les détournements de M. Hodent et précisa qu'aucune puissance humaine ne le forcerait à charger un homme qu'il considérait comme innocent. C'est alors que le juge Garaud déclara que ne pas charger M. Hodent, c'était en être solidaire. Et que l'entêtement de M. Mas supposait sa complicité.

C'est à la suite de cet ahurissant raisonnement que le magasinier fut incarcéré et maintenu en prison pendant quatre mois. Pendant ce temps, son traitement était suspendu et Mme Mas et ses quatre petits enfants vivaient de la solidarité des habitants de Trézel, avec deux kilos de pain par jour et 100 francs par mois. Ceci est un premier abus de pouvoir.

L'information se poursuivit alors. On sait que le juge Garaud réunit les plaintes de 700 fellahs, tous membres du douar du caïd Adda. M. Hodent avait cité, lui, trois témoins à décharge dont les déclarations précises et documentées auraient réduit à néant l'accusation. Ces témoins à décharge *n'ont jamais été convoqués*. Ceci est un deuxième abus de pouvoir.

On sait encore que, dans la suite, l'inventaire entrepris sur ordre du juge d'instruction Carel fit tomber à la fois l'accusation de détournement et les singuliers témoignages réunis par la justice de paix. Mais ce qu'on ne saura jamais assez, c'est le commentaire du juge Garaud. À M. Hodent, qui protestait avec véhémence contre son maintien en prison, après cette éclatante démonstration de son innocence, M. Garaud répondit textuellement : « Puisque les comptes sont justes, c'est la plus grosse charge qu'il y ait contre vous. Cela prouve que vous avez dissimulé la fraude. » Cet humour si particulier, M. Hodent devait le payer encore par deux mois de prison. Troisième abus de pouvoir.

Ce nouvel abus, le juge de paix le justifia par une nouvelle accusation concernant les bordereaux fictifs et sur laquelle nous avons donné à nos lecteurs toutes les précisions désirables. On sait donc la vanité de cette accusation. Mais eût-elle été fondée, que ses conséquences étaient favorables d'un autre côté au magasinier incarcéré. Car, si même celui-ci pouvait être complice de M. Hodent dans les détournements de blé, il lui était impossible de l'être en ce qui concerne des écritures fictives. Il devait donc être libéré sur-le-champ : M. Mas a été maintenu en prison pendant deux nouveaux mois. Quatrième abus de pouvoir.

Voici, enfin, une singulière histoire qui donnera au public une idée de l'incroyable arbitraire qui règne dans certaines régions de l'Algérie. M. Hodent avait placé de modestes économies dans un petit troupeau de 44 moutons, qu'il exploitait de moitié avec un père de famille d'el-Ousseukh, M. Noguerra. Ce troupeau constituait donc, pour une moitié, la seule ressource de Mme Hodent. Or, l'arrestation de l'agent technique eut lieu le 23 août 1938. Et le 24, le troupeau, sur délégation générale du juge d'instruction, était saisi et enlevé à M. Noguerra, copropriétaire de ces moutons.

Cette saisie, opérée dans le vide, pour garantir un détournement dont la preuve n'était pas faite, inspirée de l'arbitraire le plus gratuit, a duré pendant toute l'incarcération de M. Hodent et a privé ainsi la femme de ce dernier des faibles ressources dont elle pouvait encore disposer. À la sortie de M. Hodent, 39 moutons sur 44 lui furent seulement rendus, une mortalité vraiment singulière s'étant abattue sur le troupeau. On nous permettra de porter à cinq, pour le moment, les abus de pouvoir de cette curieuse instruction. Il en est d'autres et nous y reviendrons.

Pour conclure aujourd'hui, qu'on ne croie pas que nous relevons toutes ces illégalités pour le plaisir de marquer des points. Il faut que les responsables de cette affaire soient bien persuadés que nous n'avons aucun point à marquer. Mais une injustice profonde se trahit toujours dans les détails. On la voit ici aussi maladroite à se cacher qu'acharnée à nuire. Et l'on pourra encore juger de l'état d'esprit d'un homme innocent, accusé injustement, soumis à l'arbitraire, souillé dans tous ses sentiments humains et sans défense contre l'autorité démesurée dont sont investis des hommes inférieurs à leurs fonctions. C'est cet homme qui marque ici des points.

Mais c'est une compensation dérisoire pour tant de souffrances morales et de révoltes impuissantes.

5 mars 1939

MICHEL HODENT COMPARAÎTRA

le 20 mars devant le tribunal correctionnel de Tiaret

Laissera-t-on le scandale se consommer ?

L'affaire Hodent sera jugée le 20 mars au tribunal correctionnel de Tiaret. Les contradictions de l'enquête se révèlent dans l'invraisemblable et nébuleuse inculpation dont on charge, aujourd'hui, non seulement M. Hodent et le magasinier Mas, mais encore six malheureux manœuvres arabes, accusés de complicité, mais dont on sent bien qu'ils sont là pour faire nombre et justifier ainsi une accusation que, par ailleurs, rien ne justifie.

On le sent, tout cela est fait pour sauver les apparences. L'instruction s'est démentie plusieurs fois. Elle a rejeté tous les faits qui lui avaient donné naissance. Et au terme d'une longue et cruelle information, ce sont des chefs d'accusation entièrement nouveaux qu'elle invoque. Elle peut trouver ainsi l'occasion de ne prononcer qu'une condamnation de principe qui ne désavouera pas les magistrats chargés de l'instruction et qui n'étendra pas un scandale déjà bien gênant pour tout le monde.

Eh bien ! cela ne se peut pas. Nous disons qu'il ne s'agit pas de sauver les apparences, qu'il ne s'agit pas d'une condamnation de principe. Si la justice s'est trompée, elle doit le reconnaître. On ne paie pas un martyre de quatre mois, une misère de près d'une année, par des principes ou des formules. Ce n'est pas l'apparence de la justice qu'il faut sauver, mais la justice elle-même. Et si paradoxal que cela puisse paraître, il peut être bon pour la justice que les juges parfois soient confondus.

Il faut que le juge de paix Garaud, que le juge d'instruction Carrel aient le courage de reconnaître leur erreur. Un honnête homme qui se trompe répare sa faute. Et tout de suite. Sans marchandage. Sans principes et sans apparences. Nous attendons de la justice une conduite semblable. Tout ou rien, c'est la seule formule qui satisfasse l'innocence.

Voilà pourquoi M. Hodent et ses avocats soulèveront l'incompétence du tribunal correctionnel. Voilà pourquoi ils demanderont le renvoi de l'affaire devant la cour d'assises. Une affaire de détournements dans l'exercice d'une fonction relève de cette juridiction exceptionnelle. Elle mérite une condamnation exemplaire ou un acquittement éclatant. C'est la partie que jouera M. Hodent. Et nous verrons alors si le scandale sera consommé ou s'il se trouve des hommes dans ce pays pour rendre leur sens aux mots de justice et d'humanité.

Voilà pourquoi encore nous dirons avant le 20 mars tout ce qui nous reste à révéler sur cette affaire. À l'heure où le Gouvernement général s'apprête à exalter à la foire d'Alger l'œuvre prodigieuse des sociétés indigènes de prévoyance, il serait étonnant que les artisans de cette réussite, les agents techniques, exilés dans les Hauts Plateaux et dans les steppes algériennes pour un travail exténuant et solitaire, restent sans défense contre les gros colons, les caïds et les fonctionnaires que gêne cette nouvelle organisation, favorable aux misérables fellahs.

On ne défend pas une institution dans ses principes, mais aussi et surtout dans ses hommes. Nous adressons ici un appel véhément au Gouvernement général, nous nous adressons à l'opinion publique et à tous les honnêtes gens pour que leur protestation indignée empêche la consommation d'un pareil scandale.

Nous ne demandons que la justice, mais nous demandons toute la justice pour Michel Hodent, coupable d'avoir aimé son métier, coupable d'avoir protégé les paysans arabes et mécontenté leurs maîtres de toujours, et coupable enfin de n'avoir pas compté avec la lâcheté et la bêtise des hommes.

16 mars 1939
LES « COMPLICES » DE MICHEL HODENT
et les fantaisies de l'instruction

On sait que l'accusation lancée contre M. Hodent et le magasinier Mas vise aussi un certain nombre de manœuvres arabes, un peu étonnés d'ailleurs de se voir élevés au rang d'escrocs et de partager cet honneur avec un certain nombre de parlementaires et de grands fonctionnaires.

Leur cas, cependant, est trop typique d'une certaine façon de considérer la justice et ses devoirs pour que nous n'insistions pas sur les procédés dont ils sont les victimes. Nous ne nous occuperons ici que de l'un d'entre eux, M. Djilali Ben Beirhera, d'el-Ousseukh.

Comme le magasinier Mas, M. Ben Beirhera a fait dix jours de prison parce qu'il refusait de témoigner contre Michel Hodent. Comme au magasinier Mas, il lui fut démontré que ne pas charger l'agent technique, c'était s'en déclarer solidaire.

Le juge Garaud accusa M. Ben Beirhera d'avoir semé du blé de moitié avec Michel Hodent. Par surcroît, on lui demandait d'avouer avoir vendu des grains à l'agent technique, grâce à des documents de complaisance. Pendant tout le temps que dura l'instruction, M. Djilali Ben Beirhera refusa énergiquement de reconnaître les faits et affirma sa résolution de faire des années de prison plutôt que de charger un innocent.

Il offrait, par contre, d'apporter un témoignage précis, en disant comment il avait vu de ses yeux le caïd Moktar Ben Sassi charger des voitures entières de témoins racolés et les conduire à Trézel pour les faire témoigner contre l'Office du blé. Le mot d'ordre était qu'il fallait se plaindre et que l'Office du blé volait.

M. Djilali Ben Beirhera offre, par surcroît, de témoigner sur ce qu'il a entendu dans le cabinet du juge pendant l'audition des témoins. Parlant le français et l'arabe, il affirme en particulier que l'interprète Rabah, de la justice de Trézel, a été amené par le juge de paix à déformer les dépositions des témoins et à les rendre plus corrosives pour l'Office du blé.

M. Ben Beirhera a fait connaître ces faits au procureur de la République de Tiaret. Nous demandons qu'on en tienne compte et qu'on exige des éclaircissements sur ces manœuvres devant la cour compétente.

Lundi prochain, cette révoltante affaire viendra, comme on le sait, devant les juges de Tiaret. Et, dans ce coin reculé du département, c'est une séance capitale qui se déroulera. Car elle décidera du sort d'un innocent, d'une grande institution et de la justice elle-même.

Nous en avons assez dit, au surplus, pour qu'on sente que c'est aussi les méthodes d'une certaine administration qui seront jugées. Cependant, nous n'arrêterons pas là nos efforts pour la vérité.

Nous dirons sous peu quel est l'état actuel de l'instruction. Et nous donnerons avant l'audience du 20 mars un résumé objectif de l'affaire et de ses illégalités pour que l'opinion publique soit aussi éclairée que les hommes qui auront à juger Michel Hodent.

18 mars 1939

L'AFFAIRE HODENT

POUR S'EFFONDRER DANS LE RIDICULE
l'instruction n'en est que plus odieuse

Au cours de notre campagne en faveur de Michel Hodent, nous avons successivement mis en lumière l'injustice de l'instruction, ses contradictions, ses illégalités et les abus de pouvoir qu'on y trouvait. Nous avons ensuite produit les témoignages de M. Miette, agent technique à Zemmora et de M. Djilali Ben Berheira, faussement accusé de complicité.

Tant d'acharnement à punir, tant d'hésitations sur l'accusation à choisir, tant de manœuvres et d'illégalités d'une part, et de l'autre une spontanéité si émouvante dans les témoignages soulevés par cette affaire ont suffi à établir notre conviction. Il nous semble impossible que celle des hommes de bonne foi de ce pays ne soit pas du même coup entraînée. Il nous reste cependant à dire où en est cette affaire à la veille de l'audience.

M. Hodent a d'abord été accusé d'avoir prélevé du blé sur les quantités de grains apportées par les fellahs à l'Office du blé. Il a été incarcéré de ce chef. L'inventaire achevé par la justice au bout de deux mois a fait tomber cette accusation. M. Hodent n'a pas été libéré.

La justice de paix a trouvé une deuxième accusation selon laquelle M. Hodent aurait établi des bordereaux fictifs au nom de fellahs imaginaires avec lesquels, cependant, il aurait partagé le bénéfice de ces bordereaux. Au bout de deux nouveaux mois, cette accusation s'effondrait sous les contradictions, du fait qu'elle entraînait la culpabilité de l'agent comptable, jamais inquiété et du fait qu'elle pouvait viser aussi bien les cinq mille agents techniques de l'Algérie.

Elle était cependant maintenue en désespoir de cause pendant que M. Hodent après quatre mois de détention était enfin libéré.

Aussitôt libéré, M. Hodent, en deux semaines, aidait le juge suppléant Cassius, saisi de l'affaire en remplacement de M. Garaud, à retrouver un certain nombre de fellahs que celui-ci avait supposés imaginaires. Pour être précis, nous donnerons les noms des principaux témoins retrouvés qui ont confirmé l'innocence de Michel Hodent. Il s'agit de MM. Séribah Ahmed Ben Mohammed, Sini Abdelkader ould Ben Abdellah, Dahan cheikh Ben Abdenabouane, Rezoug Naïmi Ben Aïssa, tous du douar Mequizbah. Ces témoins *n'avaient jamais été interrogés par le juge Garaud*, bien que celui-ci prétendît avoir interrogé tous les fellahs de la région.

Le juge suppléant Cassius a par ailleurs retrouvé onze nouveaux témoins estimés fictifs jusque-là. Cette armée de fantômes, subitement incarnés, a dû suffire à détruire la nouvelle accusation laborieusement édifiée en quatre mois, puisqu'à l'heure actuelle M. Michel Hodent est cité devant le tribunal correctionnel de Tiaret *sous une nouvelle et imprévisible accusation.*

L'agent technique est en effet accusé d'avoir frustré certains colons et fellahs de certaines quantités de blé au cours de certaines opérations de tararage assez mal définies. Ces colons et fellahs seraient venus prier M. Michel Hodent de tararer leur blé moyennant redevance. Au cours de ces opérations purement mécaniques l'accusé aurait subtilisé des quantités de blé.

Or, lesdites opérations se font face à face et se terminent par un accord oral où le client donne son approbation à l'évaluation de l'agent technique. Les faits reprochés subitement à Michel Hodent ont donc été approuvés par les témoins eux-mêmes et on ne peut y trouver aucun fondement légal pour une inculpation d'abus de confiance.

Je dirais bien ici que l'instruction se termine dans la plaisanterie si je pouvais m'empêcher de penser que cette plaisanterie a coûté quatre mois de prison et le déshonneur à un homme généreux, des souffrances sans nombre à une femme qui attendait son enfant et l'humiliation à une dizaine de pauvres diables qui ont senti soudain que leur liberté n'était qu'un nom et que leur dignité n'avait pas d'autre sens que celui qu'une justice dérisoire voulait bien lui donner. Voilà pourquoi cette plaisanterie est inexcusable. Parce qu'elle a touché à la vérité humaine et aux illusions de justice de quelques hommes, nous ne pouvons la pardonner.

Il faut le dire bien haut à la veille du jugement. Et il faut le dire aussi pour que le juge Garaud le sache, qui a tenté par une démarche secrète auprès de notre correspondant à Trézel, d'arrêter par des supplications ce qu'il appelle une campagne de presse et qui n'est seulement qu'une révolte véhémente contre le sens qu'il a plu à ce juge de donner au mot « justice ».

19 mars 1939

L'AFFAIRE HODENT

C'EST DEMAIN MATIN AU TRIBUNAL CORRECTIONNEL DE TIARET
que l'innocence des inculpés sera reconnue

Demain lundi 20 mars, à 8 heures du matin, Michel Hodent, son magasinier M. Mas, et six manœuvres arabes seront jugés par le tribunal correctionnel de Tiaret.

Accusé d'avoir volé le blé qu'on lui confiait, d'avoir commis des faux en écritures publiques pour justifier ces vols, lavé ensuite de ces accusations, de nouveau inculpé d'abus de confiance, Michel Hodent, après quatre mois de prison et deux mois de misère matérielle, attend de ses juges qu'ils consomment l'injustice qui l'écrase ou qu'ils rendent à son innocence l'hommage éclatant que nous exigeons tous.

Nous avons dit l'essentiel sur cette affaire. Nous avons rendu évidentes les contradictions de l'instruction, ses abus de pouvoir et son inhumanité. Nous avons défendu, plaidé et servi la cause de Michel Hodent avec toute la force de notre conviction. Nous ne plaiderons pas aujourd'hui. Nous nous adressons seulement à la conscience des juges de Tiaret. Nous nous adressons à l'opinion publique. Et nous souhaitons que devant ces deux tribunaux la voix de l'innocence soit enfin entendue.

Trop longtemps et trop souvent l'injustice a triomphé et triomphe dans ce pays. Mais ses triomphes sont dus à la passivité des hommes justes. Il est temps que ceux-ci élèvent la voix et mettent à servir leur idéal le même acharnement que d'autres apportent à l'accomplissement de leurs haines.

Demain les juges de Tiaret n'auront pas à juger d'une affaire, mais à choisir entre deux causes. Ils trouveront d'un côté un parti sans décorations et sans titres, sans fortune et sans ambition, et de l'autre une certaine classe qui n'a d'élite que le nom et dont les titres ne doivent abuser personne sur sa valeur.

D'un côté, des hommes qui ont voulu et veulent accomplir le devoir qu'ils se sont tracé ou qu'ils ont accepté, et de l'autre une élite de colons, de caïds et d'administrateurs qui ont décidé de les en empêcher à partir du moment où l'accomplissement de ce devoir supposait la diminution de leurs bénéfices.

Les juges de Tiaret choisiront. Ils diront s'il est légitime d'emprisonner un homme au cours d'une instruction aussi dérisoire que celle-ci le fut, s'il est admis qu'on peut faire fi de la liberté individuelle, s'il est normal que la haine puisse se servir de l'appareil judiciaire. Ils considéreront le cas de ces hommes qu'on a déshonorés à la faveur du silence général, qu'on a poursuivis de sarcasmes jusqu'à ce qu'enfin des voix indignées s'élèvent. C'est une semblable méthode qu'ils auront à juger. Ils choisiront et rendront leur sentence.

Nous saurons alors choisir à notre tour. Nous saurons si

pour les hommes de ce pays il faut choisir entre la justice et la vérité. Si Michel est condamné, nous saurons que notre cause aussi est condamnée, ou du moins sa méthode. Et nous en changerons. Puisque du même coup nous aurons appris que l'innocence n'est respectée que sous les manteaux à couleurs différentes de l'administrateur, du colon et du caïd et que l'esprit de justice n'est reconnu pour tel que lorsqu'il s'appelle appétit de lucre ou volonté de nuire.

22 mars 1939

LE JUGEMENT DE L'AFFAIRE HODENT
SERA RENDU CE MATIN

Les défenseurs ont souligné hier l'inanité d'accusations que le ministère public a eu le tort de ne pas abandonner.

De notre envoyé spécial Albert Camus

Tiaret, 21 mars.

Ce matin, la neige recouvre encore toute la région de Tiaret, mais le ciel se découvre et tout le long de la route qui mène de Trézel à Tiaret, on peut voir d'interminables étendues de terre à blé, sans un arbre, sans une maison et sans un homme.

On comprend alors que sur cette terre sans âme, l'intérêt seul peut attacher les hommes à cette lutte qui se livre autour de l'unique culture de la région. Cette bataille du blé, l'affaire Hodent en est un épisode. Comment la haine et l'âpreté ne s'en seraient-elles pas emparées ?

Il semble, à cet égard, que les débats se soient toujours écartés sur des questions de détail. Il n'est pas question de savoir si le traitement d'un agent technique permet un voyage de noces, mais de décider si des témoignages fondés sur une question d'intérêt constituent des preuves juridiques. L'audience du matin en décidera.

LE MINISTÈRE PUBLIC

La séance s'ouvre à 8 h 30, sur le réquisitoire du ministère public. M. Bourdon, substitut, remercie les témoins de la défense pour leur précision et leurs renseignements techniques. Il se propose d'éclairer l'aspect juridique de l'affaire. Il résume l'accusation et considère tour à tour les détournements par prélèvement de pelletées d'échantillonnage, les détournements de criblures et par pesées frauduleuses. Il affirme qu'il ne saurait être question d'une cabale ou d'une affaire montée. Il rappelle le nombre des témoins. Il cite, à nouveau, le rapport de M. Miette.

Il estime que le cas Hodent n'a rien à voir avec celui des agents techniques. Il prie ces derniers de ne pas se solidariser avec un mandataire indigne. Il précise qu'il ne saurait s'agir de vol qualifié, mais d'abus de confiance et il en fait une assez longue démonstration juridique.

Il rappelle que Hodent n'est pas un repris de justice et il précise que l'escroquerie n'est pas considérable, mais il se refuse à toute considération de bienveillance, en raison de l'attitude publique de Hodent. La presse et les amis de Hodent ont, selon l'accusation, été trompés. Les victimes, ce sont les petits cultivateurs. L'État a subi un préjudice moral qui doit être sanctionné sévèrement.

Il demande une peine sévère pour Hodent, mais il demande qu'on tienne compte des quatre mois de détention. Il affirme cependant que cette détention a été causée par les tentatives de Hodent de suborner des témoins. Il demande pour le magasinier Mas la punition de sa mauvaise foi, en tenant compte des circonstances atténuantes.

Pour les indigènes, il n'insiste pas, la complicité étant trop mal établie. Il rend hommage, pour finir, à l'Office du blé.

LES PLAIDOIRIES

Maître Teissonnière prend la parole pour la défense de Hodent. Il précise qu'il ne s'agit pas de faire le procès de M. Miette et des agents techniques, comme la partie civile l'a, hier, affirmé. Il montre judicieusement qu'un témoignage ne constitue pas une preuve juridique. Il montre les exagérations des témoins. Il rappelle que le rapport de l'expert technique, versé au dossier, précise que les criblures des docks de Trézel étaient normales. Il démontre une à une les contradictions de l'instruction et du dossier. Il révèle les mensonges des témoins à charge. Il démontre que les pelletées d'échantillons doivent être gardées pour établir, suivant la coutume de l'Office, le poids spécifique moyen du blé de la région.

Quant aux témoignages sur les pesées frauduleuses, maître Teissonnière démontre la vanité des dépositions, la mauvaise foi du témoignage du colon Deshayes. Il ne veut pas discuter l'accusation des indigènes qui parlent de volume où la loi parle de poids. Il s'élève avec beaucoup de lucidité contre une accusation aussi dérisoire. Il démontre le caractère influençable des fellahs indigènes, leur facilité à grossir des faits insignifiants.

Connaissant parfaitement le dossier, maître Teissonnière évoque les contradictions des témoignages au cours de l'enquête. Il rappelle l'inventaire décisif fait au cours de l'instruction. Il demande comme Hodent a pu faire disparaître quatre cents quintaux de blé. Il se refuse à discuter les bordereaux fictifs et il renvoie aux témoignages des agents techniques Miette et Daussand, sur les fausses identités.

Quand maître Teissonnière arrive à la question des ressources de l'agent technique, au banc des accusés, Hodent laisse paraître, pour la première fois au cours de ce procès, une immense lassitude.

Le défenseur, après avoir rappelé le travail prodigieux accompli par Hodent à Trézel, passe à la question juridique et précise qu'il ne s'agit pas d'un abus de confiance. Il rappelle les six mois de souffrances de Hodent, la solidarité de ses collègues, l'estime de ses chefs, sa popularité parmi les habitants de Trézel et il fait confiance aux juges pour rendre une sentence en dehors des passions soulevées par cette affaire et pour prononcer la relaxe pure et simple.

La séance est levée.

À la reprise, maître Bigorre, défenseur de Mas, prend la parole. Il remercie le président pour son impartialité. Il affirme que Mas ne comprend rien à cette affaire. Mas, père de famille, peu lettré, ne peut connaître des responsabilités.

Maître Bigorre, avec beaucoup de chaleur, évoque la stupéfaction de Mas devant l'accusation portée contre lui. Il démontre que l'ordonnance de renvoi concernant Mas est inadmissible juridiquement. Il passe ensuite à l'examen des faits.

Mas a effectué des pesées seulement à Trézel. Or, les pesées incriminées ont été faites dans plusieurs centres. Les témoignages sont faux. Maître Bigorre affirme que personne ne peut rien comprendre au traitement spécial infligé à Mas.

Il s'indigne que le peseur de 1937 n'ait pas été accusé aussi, puisque les plaintes concernent aussi cette année. Les plaintes sont identiques pour cette année comme pour les années suivantes. À la rigueur, Mas doit être accusé d'avoir accompli les ordres de ses chefs.

Maître Bigorre rappelle la situation désespérée de Mas et il demande son acquittement.

Maître Hamadou plaide ensuite pour les six portefaix arabes. Il estime qu'il n'y a pas de complicité là où il y a obéissance à un supérieur. Les portefaix ont reçu en gratification un sac de blé avec plaisir et ils le recevraient encore. Il déplore que les inculpés soient restés en détention pendant quatre mois, sans savoir pourquoi. Maître Hamadou affirme qu'il n'a rien à défendre et il demande l'acquittement.

Le président annonce alors que le jugement est mis en délibéré, vu l'importance de l'affaire et que la sentence sera rendue mercredi matin.

23 mars 1939

L'INNOCENCE DE HODENT
et du magasinier Mas a fini par triompher

Le tribunal correctionnel de Tiaret a acquitté tous les prévenus et mis à la charge des parties civiles les dépens du procès.

Nous avons donné à nos lecteurs un compte rendu objectif des séances du tribunal correctionnel de Tiaret consacrées à l'affaire Hodent. Nous nous étions privés de tout commentaire sur le fond du débat, pour ne pas préjuger d'une sentence que nous espérions juste, malgré tout.

À la vérité, nous ne l'attendions pas si éclatante. Michel

Hodent est acquitté, et, avec lui, tous les inculpés de cette affaire. Avant de donner les attendus de ce jugement, et de clore cette campagne, remercions les juges de Tiaret d'avoir su rendre une justice entière dans une affaire à la fois si évidente et si délicate.

Il faut mettre autant de force à exalter l'impartialité qu'à dénoncer le parti pris. Nous n'y mettrons ici d'autant plus de joie que ce n'est jamais de gaieté de cœur qu'on lutte pour des causes qui ne devraient jamais être en danger.

Voici d'abord les principaux attendus de la sentence d'acquittement :

« Attendu que l'ordonnance du juge d'instruction de Tiaret du 7 février 1939 renvoyant ces prévenus du chef d'abus de confiance et de complicité devant le tribunal correctionnel de ce siège, vise un contrat de salarié ou de non-salarié qui serait intervenu entre MM. Hodent et Mas et les cultivateurs européens et indigènes de la région de Trézel ;

« Attendu que des éléments de la cause, de l'information et notamment des débats, il résulte que les cultivateurs de cette région n'ont eu d'autres buts, en apportant leur grain aux préposés de la section coopérative de la S.I.P. de Trézel que de vendre ces grains à cette section et non de faire, à cette occasion et avant cette livraison, une vente-contrat à mandat salarié ou non, qui aurait eu pour but de tararer, de cribler et de peser ce grain pour, ensuite, le restituer afin que les cultivateurs puissent le livrer à cette coopérative ;

« Attendu que des déclarations formelles recueillies à l'audience, il est, au contraire, nettement établi que ces cultivateurs n'ont fait qu'une seule et même opération : une livraison-vente de leur grain, comme leur en faisait obligation la loi régissant l'Office du blé ;

« Attendu, par ailleurs, que si l'on voulait, aux seules instances, considérer qu'un contrat mandat a existé, il faudrait nécessairement reconnaître, dès l'instant où MM. Hodent et Mas étaient préposés à la section coopérative de la S.I.P. de Trézel que ce contrat de mandat n'est pas intervenu entre les prévenus et les cultivateurs ; qu'il s'ensuit que cette section coopérative pourrait seule se plaindre des agissements des prévenus, car si le délit d'abus de confiance a été commis et consommé par les prévenus, il l'a été par les préposés de cette coopérative, seule responsable vis-à-vis des assujettis cultivateurs, avec qui elle a traité ;

« Attendu que celle-ci n'est pas plaignante et qu'elle n'est nullement mise en cause, que non seulement elle n'est pas visée dans l'ordonnance de renvoi, mais encore qu'elle s'est bien gardée d'intervenir tant à l'information qu'aux débats ;

« Attendu, dès lors, que la preuve d'un contrat mandat en conformité avec l'ordonnance susvisée n'étant pas rapportée, il ne saurait y avoir abus de confiance dans les termes des articles du Code pénal visés par cette ordonnance de renvoi ;

« Pour conclusions,

« Le tribunal dit que le délit d'abus de confiance reproché à MM. Hodent et Mas et le délit de complicité d'abus de confiance reproché aux nommés Benali Abdelkader, Benali Abdelkader Halaouia, Abdelkader Bentghoul, Aïssa, Glamallah Benabdellah, Hamadi, n'est pas suffisamment caractérisé, le contrat de mandat, salarié ou non, qui aurait existé entre MM. Hodent et Mas et les cultivateurs de la région de Trézel n'étant pas établi ;

« En conséquence, relaxe tous les prévenus, les renvoie, sans peine ni dépens, des fins de poursuite, se déclare incompétent pour statuer sur les demandes de dommages-intérêts formulées par les parties civiles ; laisse les dépens à la charge desdites parties civiles. »

On aura sans doute remarqué que les attendus de ce jugement ne touchent pas au fond de l'affaire. C'est qu'à la vérité, cette affaire n'a pas de fond. Elle ignorait les faits. Elle reposait sur des affirmations.

On a pu entendre Hodent résumer, au cours de l'audience, l'impression générale en déclarant : « Si l'on me dit, sans le prouver, que je suis un voleur, comment puis-je prouver que je ne le suis pas ? » Avec beaucoup de lucidité, le tribunal de Tiaret a su porter le différend sur la forme et rendre à l'innocence, par ce moyen, la justice qui lui était due.

En même temps, le corps tout entier des agents techniques reçoit sa justification. L'émouvante et courageuse solidarité de ces hommes jeunes reçoit sa récompense. Ce n'est pas en vain qu'ils sont venus affirmer devant le tribunal leur confiance lucide dans la probité de leur camarade.

Ce qu'on ne sait pas encore, c'est que certains d'entre eux avaient décidé de se constituer prisonniers si Michel Hodent était condamné. Ils s'estimaient aussi coupables que lui. Il est normal que la victoire d'un innocent soit aujourd'hui la leur.

Quant à Michel Hodent, je ne sais pas si cet acquittement est une compensation suffisante à tant de souffrances absurdes et de cruautés inutiles. Mais je sais que cet homme, malgré son énergie, ne peut se passer plus longtemps de paix et de silence.

Ce n'est pas en vain qu'on retire à un homme ses illusions et qu'on détruit en un jour ce qu'il a mis des années à édifier. Il faut beaucoup de temps pour réparer tant de mal. Souhaitons seulement que la sentence du tribunal y aide.

Et au terme de cette longue campagne, devant une justice que nous reconnaissons enfin pour telle, ce ne sont pas des félicitations que nous adresserons à Michel Hodent. Il n'en a que faire.

Il recouvre aujourd'hui, aux yeux du monde, une dignité qu'il n'avait jamais perdue. Cela n'est rien au regard de ce qu'on lui a ôté. Mais il vient toujours un temps où l'injustice s'oublie.

Ce temps viendra pour Michel Hodent et pour les siens. Nous faisons, en tout cas, des vœux pour qu'ils retrouvent alors cette paix du cœur qu'ils ont payée de leurs souffrances.

4 avril 1939

Comment les assurances sociales défavorisent

LES OUVRIERS NORD-AFRICAINS DE PARIS

UNE INTERVIEW DU DOCTEUR SASPORTAS
MÉDECIN DE LA CAISSE D'ASSURANCES
SOCIALES DE LA RÉGION PARISIENNE

Les assurances sociales ont soulevé, en leur temps, quelques polémiques et beaucoup de mauvaise volonté. Elles sont entrées aujourd'hui, à la fois dans la législation et dans les mœurs. Mais les modalités de leur application sont loin d'être parfaites. Et bien des perfectionnements devraient leur être apportés pour qu'une réforme si utile et si humaine en elle-même produise tous les bienfaits qu'on est en droit d'attendre d'elle.

Et particulièrement en ce qui concerne l'Algérie, certaines irrégularités affectent les assurés nord-africains qui résident nombreux à Paris. Nous n'aurions probablement rien su d'une situation paradoxale si M. le docteur Sasportas, médecin à Paris de la Caisse interdépartementale des assurances sociales, n'avait bien voulu nous faire profiter de ses observations et de son expérience.

Tout d'abord, le docteur Sasportas nous signale la situation lamentable au point de vue sanitaire des ouvriers nord-africains de Paris. Un cinquième environ des malades qu'il a pu examiner étaient tuberculeux, et souvent sans le savoir. La plupart des cas nécessitaient un séjour en sanatorium. Mais le législateur a prévu que la Caisse des assurances doit payer 93 % des frais exigés par ce séjour, le malade fournissant les 7 % complémentaires. Beaucoup de Nord-Africains sont dans l'impossibilité de faire face à cette dépense. Et c'est ainsi qu'ils continuent à promener leurs lésions à travers les usines de Paris, et dans un climat hostile, pour les ramener, en fin de compte, au village natal où ils deviennent des foyers de contamination. Pour remédier à tant de drames quotidiens, M. Sasportas a obtenu de l'Office algérien de médecine préventive et d'hygiène une subvention de 10 000 francs qui lui a permis d'expédier en une année plus de 70 malades en sanatorium. Cette subvention, pour être indispensable, n'en est pas moins exceptionnelle. Et M. Sasportas n'est pas sûr qu'elle lui sera de nouveau consentie.

Nous demandons à M. Sasportas si cette subvention, à supposer qu'elle devînt régulière, pèserait beaucoup sur le budget de la colonie.

« Elle trouverait immédiatement sa compensation, réplique le docteur. Car ces ouvriers arabes ou kabyles, abandonnés à eux-mêmes, vont revenir dans leur région et, devenus incurables, grèveront lourdement le budget des municipalités. Et l'on dépensera sans compter, pour n'avoir pas su dépenser à temps. »

Nous notons d'autre part que 70 vies humaines valent bien un chapitre de budget, et M. Sasportas nous expose alors la situation irrégulière des assurés sociaux nord-africains.

On sait que la loi contraint l'ouvrier (comme d'ailleurs le patron) à payer ses cotisations. Les ouvriers nord-africains n'ont pas fait exception à la règle. Mais leur cas présente ceci de paradoxal que si, à l'occasion d'un congé de convalescence ou d'un congé tout court, ils regagnent pour quelque temps leur pays, ils ne bénéficient plus de l'assurance. C'est ainsi que des ouvriers nord-africains ont perdu des années de cotisations. C'est ainsi encore que les familles de ces ouvriers, contrairement à ce qui se passe en France, ne bénéficient pas de l'assurance, sous le simple prétexte qu'elles sont séparées de leur chef par un certain nombre de milliers de kilomètres. Or, des cas semblables ont été déjà prévus par le législateur : celui des Corses et celui des frontaliers ou étrangers travaillant en France et résidant sur la terre de leur patrie. Ceux-ci, comme il est juste, bénéficient toujours de leurs assurances, tandis que l'ouvrier kabyle s'aperçoit une fois de plus qu'un sujet français n'est pas forcément traité comme un citoyen français.

« Quelle solution voyez-vous à ce problème ? demandons-nous au docteur Sasportas.

— Il suffirait que le ministre du Travail assurât la continuité des primes d'assurance et qu'on organisât en Algérie un service de contrôle.

— Cela constituerait-il une grosse charge ?

— En ce qui concerne les primes, cela supprimerait seulement une sorte d'escroquerie. Quant au service de contrôle, les charges sont nulles. N'importe quel médecin assermenté pourrait délivrer les certificats de maladie ou d'incapacité.

— Avez-vous demandé l'avis des médecins d'Alger ?

— *A priori*, le syndicat des médecins n'est pas favorable à cette mesure.

— Pourquoi ?

— J'ai l'impression, nous dit le docteur Sasportas, que personne ne le sait. Et qu'en particulier, les médecins continuent à parler des assurances sociales sans connaître la question. »

Nous demandons au docteur Sasportas si ce n'est pas le mot « sociales » qui effraie les médecins. Il nous répond alors avec beaucoup de vivacité et une sorte de ferveur que la chose serait assez incompréhensible à propos d'hommes dont la fonction, précisément, est avant tout sociale.

12 avril 1939

NOTRE OPINION

VARIATIONS SUR QUELQUES SLOGANS

Notre actuel ministre des Finances est devenu impayable, ou, plus exactement, il se paie avec une désinvolture outrageante la tête du brave peuple français.

Il a développé sa dernière trouvaille devant les journalistes de province rassemblés au déjeuner du Syndicat des quotidiens régionaux.

Et avec quel succès !

Tartarin chassait les casquettes en Avignon. M. Paul Reynaud déclare la guerre aux faux slogans et préconise l'élevage rationnel du slogan domestique, obligatoire et gratuit. Il a dressé à l'usage du consommateur jamais rassasié un petit formulaire de bonheur permanent, à l'instar d'une collection de libraire assez célèbre : *« Ne dites pas… mais dites… »*

Vous avez tort de sourire. La chose est extrêmement simple, mais il suffisait d'y penser. Voyez ce que ça donne :

— Ne dites pas : *« L'impôt se dévore lui-même »*, car cela déplaît fort à notre ministre des Finances qui s'y connaît, mais répétez selon son désir : *« Plus je paie d'impôts et plus je suis un veinard car j'échappe à l'inflation. »* Vous ne comprenez pas ? Décidément vous avez un esprit bien obtus !

— Ne dites pas : *« La côtelette et le foie de veau sont hors de prix »*, vous pourriez attirer sur vous les foudres du Comité de surveillance des prix ; mais dites plutôt : *« Grâce à M. Paul Reynaud je ne paie pas ma côtelette 600 francs »*, ce qui, avouez-le, est tout de même une chance.

— Ne dites pas : *« Il faut combattre le chômage par un programme de grands travaux »* car vous faites preuve de la sorte d'une mentalité de révolutionnaire perverti. Mais dites : *« Pour combattre le chômage de la planche à billets, je suis contre les grands travaux. »* Cela est d'une vérité si aveuglante que toute justification est superflue.

— Ne dites pas : *« Priver les trusts de leurs profits immoraux c'est rendre au travail sa juste rétribution. »* Ce slogan d'un très mauvais goût, évidemment inspiré par une propagande subversive, sent le fagot. Heureusement M. Paul Reynaud, orthodoxe et libéral et tout et tout, vous propose au contraire un bon slogan qui suffit à remettre la France au travail et du dividende dans les actions : *« Priver le patron du profit, c'est priver d'emploi l'ouvrier. »*

Vous croyez à la vertu des congés payés, aux bienfaits de cette cure annuelle de repos, de délassement salutaire. Quelle erreur ! M. Paul Slogan repousse cette formule de paresse et préconise l'équation dépurative suivante : *« Le loisir obligatoire c'est l'appauvrissement obligatoire. »* Avouez que c'est charmant et que cela promet quelques petites surprises aux environs du mois d'août, si Mussolini ou Hitler nous permettent d'y arriver sans encombres.

Pour sa première sortie, M. Paul Reynaud s'en est tenu à un nombre restreint de vérités officielles. Mais, connaissant le procédé, rien ne vous empêche de compléter à votre gré ce manuel du citoyen conscient et organisé :

Voici quelques exemples qui sont bien dans le « ton » :

— Ne dites pas : *« À bas les deux cents familles »*, mais dites : *« Vive la collaboration des classes. »*

— Ne dites pas : *« Le boche paiera »*, vous sombreriez dans la plus noire folie, mais dites : *« Heil Hitler ! »*, cela fera plaisir au gauleiter Flandin.

— Ne dites pas : *« L'épi sauvera le franc »*, c'est un peu vieux jeu, mais dites : *« À bas l'Office du blé ! »*, cela flattera ce bon M. Dorgères et c'est Monnet qui sera embêté !

— Ne dites pas : *« Ils ont des droits sur nous »*, car personne ne comprendra de qui vous parlez, vingt ans après la dernière, à la veille de la vraie der des der. Malheureux ! Vous n'y gagneriez que la réputation gênante de radoteur impénitent.

— Ne dites pas : *« Les peuples n'ont rien à gagner à la guerre »*, mais dites : *« Notre frontière est sur le Colorado ou sur la terre François-Joseph »*, c'est beaucoup plus réaliste.

Enfin dites ou ne dites pas :

« Tu gagneras ton pain à la sueur de ton front. » Cela n'a aucune importance, car vous n'avez pas le moyen de choisir !

DEMOS.

20 AVRIL 1939

NOTRE ENQUÊTE

SUR LES ASSURANCES SOCIALES

LA SITUATION DES NORD-AFRICAINS
TRAVAILLANT EN FRANCE

Voici les premiers résultats de l'enquête que nous avons annoncée. Avant de passer la parole aux personnalités interviewées, il ne nous paraît pas inutile de préciser l'esprit dans lequel notre étude a été entreprise.

Alger républicain, cela va sans dire, est favorable à la réforme qu'il propose dans son questionnaire, mais les réponses à ce questionnaire ont été publiées sans changement, même et surtout lorsqu'elles étaient défavorables. Leurs auteurs cependant en portent la responsabilité.

Nous avons voulu jouer le rôle d'écho en permettant à chacune des voix compétentes en la matière de se faire entendre. Et cette façon de voir donne peut-être l'idée d'une méthode qu'il serait souhaitable de voir appliquer aux problèmes sociaux qu'on dégagerait ainsi, pour le bien commun, de l'esprit de parti et des idées préconçues.

Rappelons brièvement le questionnaire proposé :

1. Estimez-vous que la situation actuelle des assurés sociaux qui résident dans la métropole constitue une injustice qu'il est légitime de réparer ?

2. Êtes-vous favorable à l'extension aux familles de ces assurés des droits qu'ils ont acquis par leurs cotisations ?

3. Quel est, selon vous, le procédé le plus rapide et le plus économique pour parvenir à cette réforme et concilier les intérêts également légitimes des parties en présence ?

LE SYNDICAT DES MÉDECINS
N'EST PAS FAVORABLE À LA RÉFORME
PROPOSÉE

Il nous a paru important de consulter en premier lieu les représentants du corps médical. Et il faut bien avouer que, de ce côté, l'ensemble de nos consultations n'autorise pas un optimisme débordant en ce qui concerne l'avenir de la réforme proposée.

L'ANCIEN PRÉSIDENT
DU SYNDICAT DES MÉDECINS

Nous avons tout d'abord demandé à un ancien président du Syndicat des médecins d'Alger de nous faire profiter de sa longue expérience. Avant de répondre au questionnaire que nous lui soumettons notre interlocuteur s'étonne de l'opinion exprimée dans notre interview du 4 mars par le docteur Sasportas et selon laquelle les médecins se méfieraient des questions sociales.

« Ce sont, en effet, les médecins, dit-il, qui sont les artisans de la médecine sociale et de la lutte contre les fléaux sociaux. »

À titre documentaire, l'ancien président nous cite l'œuvre accomplie par l'Association algérienne contre la tuberculose créée par le corps médical. Il a précisé que le projet des assurances sociales a fait naître chez ses confrères un sentiment d'espérance.

« Mais il faut qu'une telle réforme, pour donner des résultats pratiques, puisse d'abord être vraiment appliquée. »

Notre interlocuteur insiste en tout cas sur le fait que les médecins sont parfaitement au courant de la question. Mais le problème est trop grave pour l'Algérie pour être résolu en quelques formules.

« Dès 1928, nous dit l'ancien président, une commission s'est réunie pour envisager l'application éventuelle des assurances sociales à l'Algérie. Cette commission a conclu à la nécessité d'être très prudent en raison des problèmes particuliers à la colonie.

« Au point de vue de l'assistance médicale, du moins, il est vain de considérer l'Algérie comme un département français. La grosse difficulté de l'application de l'assurance maladie résulte de l'existence des assurés indigents, alors qu'en France, la proportion d'indigents est de 1 habitant sur 30, elle est en Algérie de 25 sur 30.

« Cette écrasante disproportion jette un jour très vif sur la question. Dans une commune française de 30 000 habitants, les frais d'hospitalisation à la charge de cette commune ne montent pas à moins de 300 000 francs. Il est aisé de voir que pour une commune algérienne de la même importance, ces frais pourraient atteindre plusieurs millions. Et plus qu'une loi sociale qui exigerait des dépenses supplémentaires considérables, c'est une organisation de la médecine communale qu'il faudrait prévoir, car pour appliquer utilement les assurances sociales en Algérie il faudrait beaucoup de médecins et beaucoup d'argent. La clientèle qu'un médecin puisse normalement satisfaire peut être évaluée à 1 500 malades. Or, il se trouve que dans certaines régions d'Algérie, il n'existe qu'un médecin pour 100 000 habitants presque tous indigents.

« De tels chiffres, nous dit notre interlocuteur, situent la question. »

Et il évoque, à ce propos, certaines consultations de dispensaires de grandes villes où le médecin traitant était obligé de voir un malade à la minute, ce qui exclut la possibilité d'un examen sérieux. C'est à une situation de ce genre qu'en l'état actuel des choses aboutirait l'application des assurances sociales à l'Algérie.

Sur le questionnaire que nous lui proposons, notre interlocuteur est précis. Il répond oui à la première question, mais ajoute que « nous, Algériens, ne sommes pas responsables de cette injustice, mais bien plutôt les gouvernants et les parlementaires qui ont fait cotiser les ouvriers nord-africains de la métropole sans savoir s'ils pourraient jouir ensuite de leurs droits ».

« Seriez-vous d'avis de supprimer les cotisations de ces ouvriers ?

— Oui, puisque nous ne sommes pas actuellement en état de leur donner satisfaction. »

À propos de la deuxième question, notre interlocuteur questionne à son tour. Comment organiser le contrôle des médecins auxquels s'adresseront les assurés ? Par les médecins de ville ? Et qui paiera les frais de déplacement dans ce cas ? Enfin, qui garantira au médecin le paiement de ses visites ?

Il existe actuellement en France environ 80 000 assurés sociaux nord-africains. On peut estimer qu'ils représentent au moins 50 000 familles algériennes disséminées sur tout le territoire de la colonie. La collectivité est-elle en mesure d'assumer la charge financière qui résulterait de l'octroi, à cette importante population, du bénéfice de la loi ?

C'est ainsi que semble devoir être posée la troisième question.

Pour conclure, l'ancien président du Syndicat des médecins nous assure que ses confrères seraient favorables au principe de la réforme proposée, si elle ne présentait pas, en Algérie, actuellement tout au moins, des difficultés d'application presque insurmontables.

« Nous n'avons jamais, ajoute-t-il, refusé notre collaboration à une œuvre sociale utile et pratique, mais nous ne pouvons encourager ici la généralisation d'une institution qui n'aboutirait qu'à une caricature d'assistance et de soins médicaux. »

LE PRÉSIDENT DU SYNDICAT DES MÉDECINS

Le président du Syndicat des médecins que nous sommes allés consulter est encore plus net. Dans l'état de choses actuel, le syndicat est opposé à l'extension des assurances sociales à l'Algérie.

Le syndicat considère, d'autre part, que la situation faite aux ouvriers nord-africains est une conséquence naturelle de la loi sur les assurances sociales. Mais, selon le président, cet état de choses trouverait sa compensation dans le fait que, *pratiquement*, les travailleurs intéressés, en congé dans notre pays, peuvent s'adresser à n'importe quel médecin algérois, et recevoir des soins payés par la Caisse des assurances sociales.

En ce qui concerne les familles de ces travailleurs, le syndicat est opposé à cette mesure qui serait en réalité un commencement d'extension à l'Algérie de la loi sur les assurances sociales.

Nous publierons ensuite la réponse des syndicats ouvriers et le point de vue de la haute administration. D'ici là toutes les communications sur cette question seront reçues avec gratitude.

25 avril 1939

CONTRE L'IMPÉRIALISME
Une conférence de M. R.-E. Charlier

M. R.-E. Charlier a donné, vendredi soir, dans la salle de l'Entraide féminine laïque, et sous les auspices de l'Union fédérale des étudiants, une conférence dont on peut dire, malgré les nombreux auditeurs présents, qu'elle réclamait une audience plus large. Par l'abondance et la précision des vues apportées, par l'importance et le caractère immédiat des problèmes que l'orateur ne craignit pas d'engager, cet exposé aurait mérité d'être entendu par tous ceux que la situation actuelle empêche de choisir entre un fatalisme sans réactions et un chauvinisme de mauvais aloi. Entre le « nous sommes impuissants » et le « qu'on en finisse une fois pour toutes », M. Charlier a montré qu'il y avait encore place pour l'énergie et la générosité conjuguées.

Je crois qu'il faut aujourd'hui un certain courage pour oser dire qu'il y a *aussi* un impérialisme des démocraties. Beaucoup parmi nous le savaient. Presque tous l'ont oublié. Et pourtant, les destins des peuples sont inséparables et on peut tenir pour certain que l'appétit de pouvoir entraîne l'appétit de pouvoir, que la haine suscite la haine, que l'impérialisme fait naître l'impérialisme et que le traité de Versailles est le père spirituel des accords de Munich.

Je ne résumerai pas la conférence de M. Charlier. Elle fut longue et difficile. Mais il ne s'agissait pas d'un passe-temps mondain. Je voudrais seulement insister sur deux ou trois idées, essentielles à l'heure qu'il est. C'est d'abord l'idée de « la paix dans la guerre ». Beaucoup d'entre nous répugnent également à la guerre et à la servitude. M. Charlier réfuta, à cet égard, la théorie de la non-violence. Il est d'avis qu'il faut s'opposer par la force à l'agression et à l'injustice. Mais du moins, il faut circonscrire l'emploi de cette force. Car elle est un moyen et non une fin. Elle doit mettre un terme à la guerre et non la prolonger. Et dans le temps où la résistance à l'agression s'accroît, elle doit s'accompagner, chaque jour et à chaque heure, d'une proposition de paix. Il ne faut pas, selon M. Charlier, qu'on traite de défaitiste ou de traître l'homme qui réclame la paix au sein même de la guerre. Le « jusqu'auboutisme » est une absurdité si l'on veut bien croire que ni la guerre ni la victoire ne sont en elles-mêmes des solutions.

M. Charlier, qui définit de façon très sûre la politique extérieure des États totalitaires comme un ensemble de revendications fondées et de prétentions absurdes, veut qu'on fasse leur part aux besoins naturels des nations pauvres et qu'on leur refuse énergiquement le reste. Seule, une conférence internationale, qui décongestionnera l'économie bouchée de ces nations, permettra ce résultat. Et si l'on juge que toute proposition est vouée à l'échec, ce n'est pas une raison pour ne point la faire, car, jusqu'à la dernière minute, dit M. Charlier, « notre sort est entre nos mains ».

Une seconde idée qu'il nous paraît utile de signaler ici, c'est la définition que M. Charlier donna de la question coloniale. Sous un de ses aspects, elle lui paraît comme un conflit entre les impérialismes satisfaits et les impérialismes affamés. Et cependant, la question ne se pose pas de savoir si on doit céder ou non tel ou tel territoire. Un peuple et son pays ne constituent pas une monnaie d'échange, mais une personne morale qu'il s'agit de consulter.

M. Charlier se rallie en bref à une sorte de demi-autonomie accordée aux peuples colonisés et complétée par un condominium de pays européens qui internationaliserait le marché colonial économique. Ceci mériterait plus de place, mais il sera temps d'y revenir.

Ce qui est essentiel, c'est la critique que M. Charlier fit de la notion d'empire. Il montra fort justement que la France ne peut refuser des colonies au nom d'un idéal démocratique tant qu'elle y maintiendra des formes de domination anti-démocratiques. Si je puis user de formules qui ne sont pas celles de M. Charlier, on ne fait pas l'empire contre les sujets de l'empire. Et surtout on ne fait pas l'empire avec le décret Régnier, le Code de l'indigénat et les lois d'exception.

Je paraphrase ici la pensée de l'orateur. Mais pour être précis, il suffira de résumer sa position en face des problèmes actuels.

Ne rien céder d'injuste et céder tout ce qui est juste, ne pas étouffer d'autres peuples, mais ne pas permettre qu'ils écrasent des nations moins armées, savoir collaborer sans haine mais avec lucidité et adapter notre monde aux exigences d'une économie devenue seule internationale parmi les nations de plus en plus fermées sur elles-mêmes, voilà ce que préconisait, vendredi, M. Charlier.

Mais il est d'avis, et nous en sommes d'accord, qu'une telle politique ne peut être remise entre les mains des politiciens qui nous gouvernent. C'est une politique que seule la volonté généreuse d'un peuple peut vivifier, qui ne peut s'accomplir à coups de décrets-lois, mais suivant le libre consentement d'une nation rendue à ses libertés.

On conviendra du moins que tout cela méritait d'être connu et commenté. Certes, on ne refait pas l'Europe en deux heures. Mais M. Charlier a démontré que deux heures suffisent à un esprit lucide et courageux pour apporter de la lumière dans les problèmes les plus complexes et les plus angoissants.

30 avril 1939

NOTRE ENQUÊTE

SUR LES ASSURANCES SOCIALES

LA SITUATION DES NORD-AFRICAINS TRAVAILLANT EN FRANCE

LE POINT DE VUE DE L'ADMINISTRATION

CONCLUSIONS

Des « solutions pratiques » sont en cours

Au terme de cette enquête, il nous a paru indispensable de connaître et de faire connaître l'opinion du gouvernement de la colonie sur la situation des travailleurs nord-africains de la métropole. À cet effet, nous avons prospecté parallèlement plusieurs services intéressés du Gouvernement général, le service de la Santé publique, celui du

Travail, et, pour finir, grâce à l'inépuisable obligeance de M. Gardel, le bureau de presse. De cette enquête, il ressort que le Gouvernement général ne pouvait se désintéresser de la situation particulière faite à des travailleurs en majorité arabes.

Pour faire cesser ce paradoxe, le Gouvernement général s'est attaché depuis quelque temps à trouver des solutions pratiques qui permettent de réparer l'injustice faite à la fois aux assurés sociaux et à leurs familles. Sur le caractère de ces solutions, il est prématuré d'apporter des précisions. Mais on peut dire du moins que leur étude est très avancée.

Que peut-on maintenant conclure de cette enquête ? Les points de vue que nous avons confrontés ont tous leur importance. Mais parmi ceux qui sont vraiment opposés à la réforme proposée, nous n'avons trouvé que le Syndicat des médecins. Ses arguments sont loin d'être négligeables. En gros, ils sont de deux sortes. D'une part, la réforme visée entraînerait l'application de la loi des assurances sociales tout entière à l'Algérie. D'autre part, l'actuelle organisation médicale de la colonie ne permettrait ni cette application globale, ni l'extension partielle que nous envisagions. À la vérité, seul le second des arguments est valable puisque, aussi bien, il conditionne le premier. Précisons cependant qu'il faut beaucoup d'optimisme pour considérer que les assurances sociales s'étendraient automatiquement à l'Algérie du fait que des travailleurs arabes contraints de cotiser à Paris bénéficieraient des droits que ces cotisations obligatoires leur confèrent. Il y a là une disproportion frappante qui illustre peu le problème et qui fait justice de craintes assez surprenantes.

Mais le second argument conserve toute sa force. C'est lui que nous devons souligner et faire connaître aux partisans de la réforme proposée. Cette réforme, en effet, entrera dans la réalité, non pas au moment où elle sera l'objet d'un décret-loi (il n'y a que les décrets-lois sur les nouveaux impôts qui ne manquent pas leur but), mais dès l'instant où l'organisme chargé de l'appliquer sera créé. Faute de quoi, la loi restera excellente dans son apparence et nulle dans ses effets, ce qui définit assez exactement la loi démagogique. L'intérêt bien compris des travailleurs commande donc qu'ils considèrent l'état actuel de l'organisation médicale en Algérie. Mais nous nous séparons du Syndicat des médecins quant aux conséquences à tirer de cet argument.

Si, en effet, cette organisation fait défaut, le constater n'arrange rien. Il convient seulement de la créer. On aurait tort de sourire de cette vérité première. On dira que cela demande beaucoup de temps, la formation de nouveaux médecins, des crédits et de la bonne volonté. Mais si cela demande du temps, c'est une raison pour commencer sans tarder. Le fond du problème, c'est qu'une injustice existe. Elle ne sera plus une injustice à partir du moment où l'on aura fait quelque chose pour qu'elle disparaisse. Elle reste ce qu'elle est, au contraire, pendant tout le temps où l'on se borne à la regretter.

Dans tous les cas, nous nous réjouissons que le Gouvernement général ait su discerner ce point faible de notre législation sociale. S'il met au point des solutions pratiques, cela suffit pour que nous lui fassions confiance. Si cet essai de réforme aboutit, ce n'est pas en vain que nous aurons mis en présence des points de vue opposés et confronté des arguments qui nous ont instruit à la fois de l'intérêt et des difficultés de l'entreprise. Notre enquête nous aura privé de juger trop vite et permis de juger sainement. Peut-être permettra-t-elle aussi de rendre plus efficace la justice qui sera rendue aux travailleurs arabes dont nous sommes solidaires.

5 mai 1939

COUR D'APPEL :
PRIAUD ET BOUHALI,
secrétaires du Secours populaire d'Algérie,
poursuivis pour un délit inexistant

On se souvient que le 29 décembre dernier, nos camarades Maurice Priaud et Bouhali Larbi, secrétaires du Secours populaire d'Algérie, comparaissaient, en vertu du décret Régnier, devant le tribunal correctionnel. Le jugement prononcé le 16 janvier les condamnait à 1 mois de prison avec sursis et 100 francs d'amende, pour atteinte à la souveraineté française.

Rappelons brièvement les faits, qui motivèrent la citation et la condamnation correctionnelles. M. Chebbah Mekki avait été condamné, sans jugement, par le commandant du territoire militaire de Touggourt, à 30 jours de prison pour ouverture illégale d'un café maure que M. Chebbah Mekki tenait cependant depuis quatre ans. En réponse à sa protestation auprès du khelifat de Biskra, sur le territoire duquel il avait été arrêté, M. Chebbah Mekki dut faire les quelque soixante-dix kilomètres qui séparent Biskra de Ouled Djellal, à pied, attaché au cheval de son gardien, un cavalier.

Un médecin dut assister M. Chebbah à son arrivée et lui prescrivit deux jours de repos qui contredisent les dénégations du gardien, lequel refusa d'ailleurs de prêter serment, comme le demandait l'accusé, lorsque celui-ci, libéré, assigna le khelifat et le gardien en dommages-intérêts. Le juge de paix de Biskra débouta néanmoins le demandeur.

Le Secours populaire de France édita, pour couvrir les frais d'appel de cette affaire, un timbre qui représentait un indigène attaché à la queue d'un cheval monté par un gardien. En caractères arabes le timbre portait en légende : « Contre l'injustice et l'arbitraire dans les Territoires du Sud. » Des listes de souscription destinées, comme les timbres, aux 7 000 adhérents du Secours populaire, furent aussi mises en circulation, portant en français une protestation identique.

C'est cette édition de timbres et de listes qui valut à nos amis Priaud et Bouhali, d'être traduits et condamnés par le tribunal correctionnel, pour « provocation des indigènes d'Algérie à des désordres et des manifestations contre la souveraineté française ».

Appel fut interjeté, et hier la sixième chambre de la cour d'appel était appelée à statuer, sous la présidence de M. Catherineau. Après une déclaration de Bouhali, seul présent — Priaud était en France — qui renouvela sa déclaration de loyalisme envers les institutions républicaines, la parole fut donnée au ministère public occupé par M. Longobardi.

Selon le ministère public, les tendancieuses et séditieuses éditions du timbre et des listes de souscription atteignent la justice et la souveraineté françaises.

Maître Msellatti et maître Testa, défenseurs, plaident ensuite ; en quelques mots, maître Msellatti s'attache à montrer le rôle humanitaire du Secours populaire.

Maître Testa, après un bref rappel des faits, qui lui permet de relever ce que M. l'avocat général a appelé imprudem-

ment un mensonge, fait un exposé juridique remarquable.
« Y a-t-il dans le code un texte qui permette de condamner Bouhali et Priaud ? » Non. On les poursuit en vertu du
« fameux » décret Régnier, qui ne saurait trouver d'application dans cette affaire. Ni l'édition du timbre ni les listes de
souscription ne peuvent être jugées attentatoires à la souveraineté française et n'ont d'ailleurs provoqué ni désordres ni
manifestations contre cette souveraineté.

Aucune loi ne prévoit le prétendu délit reproché aux
inculpés. Il n'y a donc pas délit. Il s'agit seulement de critique et les hommes libres d'une démocratie ont bien le droit
de critiquer.

M. le président Catherineau met l'affaire en délibéré.
Jugement le 17 mai.

10 mai 1939
IL FAUT LIBÉRER LES DÉTENUS
POLITIQUES INDIGÈNES

La preuve en est faite ! Des récents événements qui
ont bouleversé l'Europe et le monde, une constatation se
dégage, réconfortante et salutaire : c'est la cohésion, la force
et l'intangibilité de l'empire français.

Aux premiers signes certains du péril, que ce fût en septembre ou lors du dépècement de la Tchécoslovaquie ou,
plus récemment encore, à l'occasion de l'agression italienne
en Albanie, les musulmans algériens ont, d'un geste unanime
et spontané, signifié au fascisme insolent qu'ils entendaient
lui interdire de porter la main sur le patrimoine inaliénable
fondé par les régimes de tolérance et de liberté.

Et pourtant de ce patrimoine, dont ils s'instituent les
défenseurs bénévoles, ils ne sont, pour une grande part, que
les bénéficiaires verbaux et plus qu'incertains.

C'est que les démocraties portent en elles-mêmes cette
affligeante contradiction de n'établir qu'un rapport lointain
entre les faits et les principes qui les constituent.

Elles croient que le simple énoncé d'une doctrine les dispense de la traduire en actes. C'est presque sur ce mode de gouvernement que porte le douloureux différend qui sépare les détenteurs du pouvoir de nos frères musulmans.

Mais ceux-ci se refusent à exploiter pareil conflit en cette heure de danger commun. Par la voix de leurs dirigeants ils viennent de proclamer à la face du monde que « s'il y avait des questions pendantes entre la France et eux, c'était là pure affaire de famille où l'étranger n'a à s'immiscer en quoi que ce soit ».

Ces nobles sentiments dictés par une grande sagesse imposent à la France un impérieux devoir, non moins sage et non moins grand. Il y va autant de son intérêt que de la sécurité et de l'avenir de son empire.

Il faut, au plus vite — en réalisant les réformes attendues et sollicitées du gouvernement par nos amis Régis et Dubois ainsi que par M. Lagrosillière —, éliminer dans nos rapports avec nos concitoyens musulmans tout point de friction, et tout ce qui peut offrir une ressemblance avec les régimes totalitaires. La démocratie doit leur apparaître sous des traits autres que ceux des États fascistes.

Il y a actuellement dans nos prisons plusieurs détenus politiques. Leur crime ? C'est d'avoir exprimé leur opinion librement.

Nous, républicains, nous ne saurions admettre de poursuites pour le non-conformisme, quel qu'il soit.

« En politique, il n'y a pas de crime, il n'y a que des erreurs. »

C'est là le seul délit commis par cheikh Abdelaziz, el-Hachimi et el-Hadj Messali, et tant d'autres militants, quelles que soient leurs nuances politiques. Aucun d'entre eux, d'ailleurs, ne s'est déclaré ennemi de notre régime démocratique et républicain.

Tous demandaient que la démocratie ne fût pas autre chose qu'elle-même. Tous demandaient avec le chef du gouvernement « de demeurer fidèles à l'idéal de la Révolution française qui a proclamé que tous les hommes étaient libres et qu'ils n'étaient des hommes qu'à partir du moment où ils s'affranchissaient » (*cf.* M. Daladier, à Sermaize-les-Bains).

Tous désiraient, enfin, que la France, patrie juste, ne fondât pas les exigences de sa sécurité sur la misère de ses enfants. Car dans notre pays on n'appelle pas la liberté la servitude, et l'adhésion volontaire la soumission (*cf.* M. Daladier, dernier discours radiodiffusé[1]).

Tout récemment, dans un manifeste publié ici même, ces détenus et leurs camarades offraient leur collaboration à tous les partis de la démocratie.

S'il y eut des écarts de la part de quelques militants, les tribunaux les ont déjà sanctionnés. Ces militants sauront, désormais, que la loi en France fixe, dans un but d'ordre public, une limite à la liberté.

Et ils ne la franchiront pas.

Déjà le résident général à Tunis a fait connaître qu'un décret beylical, signé le 19 avril 1939, accorde le bénéfice de l'amnistie à la plupart des émeutiers d'avril 1938.

L'Algérie se doit d'imiter pareil geste, surtout si l'on considère que nos détenus politiques ne sont pas des émeutiers, mais de simples militants.

Après la récente consultation électorale, dont le résultat revêt le caractère d'une pétition massive et non celui d'une mise en demeure, la libération de Messali, de cheikh Abdelaziz et des autres détenus politiques de toutes nuances s'impose comme une mesure d'apaisement.

C'est pourquoi nous la sollicitons ouvertement des pouvoirs publics, étant assurés que, dans les circonstances actuelles, ils ne la refuseront pas.

16 mai 1939

LA JUSTICE ET L'EMPIRE

L'ÉPILOGUE INATTENDU
DE DEUX CRIMES COMMIS À BISKRA

Le 6 février 1938, au cercle Ichchabab, à Biskra, les électeurs indigènes de la région s'étaient réunis pour entendre les orateurs de la Fédération des élus dont le candidat, le docteur Benkhelil, était combattu par la municipalité de Biskra.

En matière électorale, le combat se traduit par des fraudes et des violations de scrutin. La tradition à Biskra avait été respectée. Mais ce jour-là, on alla jusqu'au crime.

Au milieu de la réunion, en effet, un inspecteur et un agent de police vinrent et ordonnèrent l'évacuation. Puis dans l'effroi général et, sans aucune provocation, revolver au poing, ils tirèrent dans la foule jusqu'à épuisement des chargeurs. Deux anciens combattants étaient tués, quatre autres blessés.

Les assassins par la suite étaient laissés en liberté provisoire puis bénéficiaient d'un non-lieu. Encouragé par cette mesure de justice, l'un des inculpés attaquait dernièrement en diffamation notre confrère *L'Entente*, qui avait traduit en termes émouvants l'indignation du monde arabe. *L'Entente* vient d'être condamnée à 1 000 francs de dommages-intérêts. L'histoire s'arrête là.

Il nous semble cependant que les Français de ce pays peuvent ajouter quelques commentaires à cet exposé des faits. On peut en effet estimer insuffisante la récompense accordée au crime. Et l'on pourrait, par exemple, infliger une amende exceptionnelle aux familles des victimes qui ont eu la légèreté de se faire tuer.

Le fait que ces victimes aient fait la guerre de 1914-1918 ne saurait en effet être considéré comme une atténuation à la faute impardonnable qu'ils commirent en se réunissant pour écouter la profession de foi d'un candidat indépendant.

Et de cette façon, en tout cas, la sollicitude que nous portons au peuple arabe de ce pays recevrait une fois de plus une convaincante illustration.

17 mai 1939

LA GAZETTE DE RENAUDOT
LA BIBLE ARYENNE

Un nouvel institut vient d'être fondé en Allemagne. Il a pour tâche de créer une Bible allemande dont serait écartée toute trace d'influence juive. C'est ainsi que cet institut s'emploiera à détruire la parenté qui unit Jésus à Abraham.

D'ores et déjà nous pouvons indiquer à nos lecteurs les

grandes lignes de cet ouvrage surprenant. Le décor de la prédication de Jésus ne sera plus le lac de Tibériade, mais la mer Baltique. Jésus lui-même portera le nom plus aryen d'Adolf. La partie des évangiles la plus épurée sera le Sermon sur la montagne.

À la doctrine juive de la non-violence, sera substituée une théorie plus énergique. C'est ainsi que le divin Führer dira : « Si l'on vous frappe sur une joue, doublez les crédits de la Défense nationale. »

La naissance de Jésus ne sera plus due à l'opération du SAINT-ESPRIT, mais à la virile intervention de Siegfried, le héros légendaire allemand. L'histoire de la multiplication des pains sera censurée, car elle pourrait donner de l'appétit au peuple allemand.

Signalons enfin que l'institut se propose d'illustrer la phrase évangélique : « Laissez venir à moi les petits enfants » par des exemples empruntés à l'histoire des bombardements de Barcelone.

18 mai 1939

PRIAUD ET BOUHALI

secrétaires du Secours populaire
voient leur peine confirmée en appel

Le jugement du tribunal correctionnel condamnait, le 16 janvier dernier, Priaud et Bouhali, secrétaires du Secours populaire d'Algérie, à une peine de un mois de prison avec sursis et 100 F d'amende, pour atteinte à la souveraineté française, à l'occasion de l'émission d'un timbre de solidarité.

La sixième chambre de la cour, présidée par M. Catherineau, a hier confirmé la peine.

24 mai 1939
« PAS DE GUERRE »
Une conférence de M. R.-E. Charlier

À un mois d'intervalle, M. R.-E. Charlier, sous les auspices de la Ligue des mères et des éducatrices pour la paix, a donné, samedi, à 18 h 15, une seconde conférence sur les problèmes de l'heure. Et l'on peut dire de cette conférence ce que nous écrivions déjà de la précédente, à savoir qu'elle méritait une audience encore plus large.

Quoique M. Charlier ait pris soin de préciser dans son préambule qu'en matière d'idées politiques il n'y a pas de droits d'auteur, il faut bien reconnaître cependant que le bon sens et la raison prennent aujourd'hui figure de vertus originales. Et c'est de cette originalité que M. Charlier fit la preuve. Là encore, nous ne résumerons pas cet exposé. Mais nous insisterons sur quelques idées essentielles. C'est de la guerre, possible ou impossible, que M. Charlier se proposait de parler. Il affirma d'abord qu'elle dépendait beaucoup moins qu'on ne pense de circonstances stratégiques et économiques. Ces forces, dans la balance du monde, ne représentent pas tout. Ce sont les cartes d'un jeu absurde et cruel. Mais dans tous les jeux, au-dessus des cartes, il y a la manière de s'en servir. De là l'importance capitale de l'élément moral et psychologique de toute guerre.

L'Europe actuelle prépare la guerre pour sauver la paix. Elle accumule les cartes économiques et les cartes stratégiques. Mais cela ne peut sauver la paix que si cette volonté de salut s'exprime aussi par des actes dont le premier serait une conférence internationale où les gouvernements viendraient après avoir renoncé à leurs égoïsmes nationaux.

Cela sans doute continue à paraître utopique à ceux des Français qui dorment sur le raisonnement « on ne cause pas avec ces gens-là ». Mais M. Charlier fit justice de cette erreur avec autant de clarté que d'émotion. Chez les êtres les plus farouches il y a encore quelque chose qu'on peut fléchir par le raisonnement et la loyauté. Le seul moyen, en tout cas, d'échouer dans cette tâche, c'est de la nier. On revalorise au contraire l'humanité d'un peuple en lui tenant un langage humain.

Le rôle de la France, à cet égard, est nettement défini. Si elle a le sentiment que les revendications qu'on lui présente contiennent des choses justes, qu'elle les accorde immédiatement. Non par la voie de la diplomatie secrète, mais à la face du monde. Et si la justice à cet égard ne suffit pas, alors qu'on use de générosité. Mais pour ce qui est injuste, il faudra le repousser avec la même netteté.

En second lieu, M. Charlier unit le sort de la paix à une reconstruction du droit international. Après avoir retracé l'histoire de ce droit, l'orateur conclut en démontrant qu'il pouvait fonder le « milieu juridique » où la paix retrouverait son vrai climat. Une nouvelle S.D.N., si elle abandonnait la forme contractuelle et l'égoïsme des nations, pourrait prendre naissance. Car si la première est morte, ce n'est point par la fragilité de ses principes, mais par la lâcheté des hommes et des puissances qui la trahirent. Conférence internationale pour régler les problèmes économiques immédiats, puis reconstruction internationale pour consolider la paix, ce sont les solutions de M. Charlier. Mais ce qui nous paraît important, c'est qu'il n'envisage pas d'organisme international sans un organisme parallèle qui assouplirait les règles de droit existantes et qui en ferait un vêtement vivant à la mesure du corps mouvant de l'histoire.

Enfin, on pourrait insister sur une troisième idée qu'à la vérité M. Charlier exposa au début de sa conférence, mais qui nous paraît propre à une conclusion. Il démontra, ce que nous apprenons tous les jours, que la préparation à la guerre engendre le fascisme international. Et surtout il désarticule ce paradoxe singulier qui veut que nous perdions nos libertés sous prétexte de les défendre et que la démocratie, pour avoir voulu vivre, est en train de mourir sous nos yeux. M. Charlier pense, au contraire, et nous estimons qu'il faudrait aujourd'hui le crier aux quatre coins de la France, que la démocratie est forte autant par ses canons que par ses libertés. Et que le droit de penser et d'agir peut seul lui donner sa raison d'être et de se défendre. C'est pourquoi l'orateur, pour terminer, préconise une méthode singulièrement lucide où toutes les concessions seraient recommandées dans le domaine de l'action et aucune dans celui de la pensée. La démocratie, il faut la réaliser d'abord à l'intérieur de nous-mêmes et de nos partis. Elle s'imposera ensuite à ceux qui aujourd'hui l'étranglent pour la mieux défendre.

5 juin 1939

LA GRÈCE EN HAILLONS

« Vivement la guerre.
On nous donnera de quoi manger… »

Quand on aborde les premières pentes de la Kabylie, à voir ces petits villages groupés autour de points naturels, ces hommes drapés de laine blanche, ces chemins bordés d'oliviers, de figuiers et de cactus, cette simplicité enfin de la vie et du paysage comme cet accord entre l'homme et sa terre, on ne peut s'empêcher de penser à la Grèce.

Et si l'on songe à ce que l'on sait du peuple kabyle, sa fierté, la vie de ces villages farouchement indépendants, la constitution qu'ils se sont donnée (une des plus démocratiques qui soit), leur juridiction enfin qui n'a jamais prévu de peine de prison tant l'amour de ce peuple pour la liberté est grand, alors la ressemblance se fait plus forte et l'on comprend la sympathie instinctive qu'on peut vouer à ces hommes.

UNE DÉTRESSE INDICIBLE

Mais je dois dire tout de suite que l'analogie s'arrête là. Car la Grèce évoque irrésistiblement une certaine gloire du corps et de ses prestiges. Et dans aucun pays que je connais, le corps ne m'a paru plus humilié que dans la Kabylie. Il faut l'écrire sans tarder : la misère de ce pays est effroyable.

Dans une des régions les plus attirantes du monde, un peuple entier souffre de la faim et les trois quarts de ses hommes vivent des charités administratives. Ces hommes, qui ont vécu dans les lois d'une démocratie plus totale que la nôtre, se survivent dans un dénuement matériel que les esclaves ne connaissaient pas.

Dans ce qui va suivre, je sais bien qu'il faudrait être mesuré pour donner plus de force à l'indignation que nous voulons faire sentir. Mais je ne suis pas sûr d'être capable de cette mesure. Je ne peux pas oublier la réception que me firent, à Maillot, treize enfants kabyles, qui nous demandaient à manger, leurs mains décharnées tendues à travers des haillons. Je ne peux pas oublier cet habitant de la cité indigène de Bordj-Ménaïel qui me montrait le visage émouvant de sa petite fille, étique et loqueteuse, et qui me disait : « Vous croyez que cette petite fille, si je l'habillais, si je pouvais la tenir propre et la nourrir, ne serait pas aussi belle que n'importe quelle Française ? »

Et comment l'oublierai-je puisque je me sentais une mauvaise conscience que je n'aurais pas dû être le seul à avoir. Mais il fallait pour cela avoir vu dans les villages les plus reculés de la montagne ces nuées d'enfants pataugeant dans la boue des égouts, ces écoliers dont les instituteurs me disaient qu'ils s'évanouissaient de faim pendant les classes, ces vieilles femmes exténuées faisant des kilomètres pour aller chercher quelques litres de blé donnés par charité dans des centres éloignés, et ces mendiants enfin montrant leurs côtes défoncées à travers les trous de leurs vêtements. Ces spectacles ne s'oublient que lorsqu'on veut les oublier.

DES SECOURS IMMÉDIATS

Que du moins l'on sache que nous ne sommes inspirés par aucun ressentiment. Le peuple kabyle lui-même n'a pas de ressentiment. Tous m'ont parlé de souffrance. Aucun ne m'a parlé de haine. Mais aussi bien la haine a besoin de force. Et un certain degré de misère physiologique enlève même la force de haïr.

Je n'attaque ici personne. Je suis allé en Kabylie avec l'intention délibérée de parler de ce qui était bien. Mais je n'ai rien vu. Cette misère, tout de suite, m'a bouché les yeux. Je l'ai vue partout. Elle m'a suivi partout. C'est elle qu'il importe de mettre en avant, de souligner à gros traits, pour qu'elle saute aux yeux de tous et qu'elle triomphe de la paresse et de l'indifférence.

Si je pense à la Kabylie, ce n'est pas ses gorges éclatantes de fleurs ni son printemps qui déborde de toutes parts que j'évoque, mais ce cortège d'aveugles et d'infirmes, de joues creuses et de loques qui, pendant tous ces jours, m'a suivi en silence.

Il n'est pas de spectacle plus désespérant que cette misère au milieu d'un des plus beaux pays du monde. Qu'avons-nous fait pour elle ? Qu'avons-nous fait pour que ce pays reprenne son vrai visage ? Qu'avons-nous fait, nous tous qui écrivons, qui parlons ou qui légiférons et qui, rentrés chez nous, oublions la misère des autres ? Dire qu'on aime ce peuple ne suffit pas. L'amour n'a que faire ici, ni la charité ni les discours. C'est du pain, du blé, du secours, une main fraternelle qu'il faut tendre. Le reste est littérature.

Si l'on croit que j'exagère, je demande qu'on se rende sur place, c'est-à-dire dans les villages, et sans passer par la commune mixte. À deux ou trois exceptions près, je n'ai vu que des Kabyles, parlé et vécu qu'avec des Kabyles. Et tous, sans exception, n'ont su parler que d'une chose et c'est de la misère. Aucun d'entre eux ne pensait à autre chose. Et c'est l'un d'eux qui m'a dit : « Vous nous faites du bien sans le savoir, car c'est déjà un pauvre soulagement que de pouvoir dire notre angoisse. »

Je sentais bien alors qu'il n'y avait rien pour ces hommes, ni univers, ni guerre mondiale, ni aucun des soucis de l'heure, en face de l'affreuse misère qui met des plaques sur tant de visages kabyles.

LE SEUL PROBLÈME DE LA KABYLIE
D'AUJOURD'HUI

C'est de cette misère que je parlerai. Tout en vient et tout y revient. Elle constitue le seul problème de la Kabylie d'au-jourd'hui. Mais ce problème donne naissance à une infinité d'autres questions criantes. C'est cela qu'il faut comprendre et cesser alors les gargarismes officiels et le recours à la charité.

Mais rien ne vaut les chiffres, les faits et l'évidence des cris. Nous les mettrons sur cette misère. Il faudra bien alors qu'on la sente vivante. La surpopulation, les salaires insul-tants, l'habitat misérable, le manque d'eau et de communi-cations, l'état sanitaire et l'assistance insuffisante, l'enseigne-ment au compte-gouttes, tout cela contribue à la détresse du paysan kabyle et c'est tout cela que nous illustrerons.

Il ne faudrait pas croire enfin que cette situation soit sans issue. Les Kabyles peuvent le croire, eux. Certains d'entre eux pouvaient me dire cette phrase insupportable : « Vivement la guerre, parce que du moins on nous donnera à manger. » Ils peuvent croire qu'on guérit l'absurdité par l'absurdité. Mais nous savons bien, nous, que c'est faux. Et qu'un tel abandon de tout et de tous ne trouve pas seulement sa raison dans une crise économique. Il y a des erreurs à réparer et des expériences à entreprendre.

Nous dirons notre sentiment à cet égard et nous le dirons sans réserves. Car, si l'on en croit Bernanos, le scandale, ce n'est pas de cacher la vérité, mais de ne pas la dire tout entière.

MISÈRE ET GRANDEUR DE LA KABYLIE

Je ne sais pas si je dois m'excuser pour finir de ne rien rapporter sur le tourisme et sur la grandeur de ce pays inégalable. J'ai vu, comme tout le monde, la Kabylie ruisselante d'un printemps tardif, les petits matins sur les pentes où des nuages de coquelicots mettent des traînées de sang. Le soleil, ces jours-là, éclairait obliquement des vols de cigognes bientôt remplacés, à mesure qu'on montait, par des passages bruyants de corbeaux et des cercles pesants de charognards au-dessus des oueds. Jamais la Kabylie ne m'avait paru plus belle qu'au milieu de ce printemps hâtif et désordonné. Mais je n'ai pas de cœur à l'évoquer ici. Je laisse à l'imagination de chacun le soin de le faire et de placer le décor de ces montagnes couvertes de fleurs, de ce ciel sans une ride et de ces soirs magnifiques derrière le visage rongé d'ulcères et les yeux pleins de pus d'un misérable mendiant kabyle.

9 juin 1939
L'HABITAT
« Des enfants dans la boue noire des égouts… »

Il est difficile de se faire une idée des conditions dans lesquelles vivent les Kabyles si l'on n'a pas visité leurs villages. Je ne referai pas, après tant d'autres, la description d'un gourbi kabyle. Mais il me faut cependant rappeler qu'il se compose d'une pièce unique séparée en deux parties inégales par un petit mur de 40 centimètres environ. Dans la plus petite de ces parties vivent les bêtes et dans l'autre les humains. Au-dessus de l'endroit réservé aux bêtes, des claies de branchages forment une sorte de grenier dans lequel l'habitant place ses provisions, quand il en a. Ainsi, le Kabyle peut, d'un seul coup d'œil, parcourir toutes ses richesses.

Cette pièce où vivent en moyenne 5 personnes et 2 ou 3 bêtes n'a pas de fenêtre. Sa fenêtre et son air lui viennent de la porte. On aura une idée des proportions de celle-ci quand j'aurai dit qu'il m'a fallu me plier en deux pour pénétrer à l'intérieur. C'était à Adni. J'avais pu pénétrer dans l'un des gourbis les plus misérables. Dans une pièce obscure et enfumée, deux femmes, dont une très âgée et l'autre enceinte, m'avaient reçu. Trois enfants me regardaient avec étonnement. Dans la terre battue du sol, à hauteur de la porte, une rigole était creusée, par laquelle s'écoulaient l'urine des bêtes et les eaux grasses de la maison. Je n'apercevais pas un seul meuble. Seules, quand mes yeux se furent habitués à l'obscurité, trois grandes jattes d'argile blanche et deux écuelles de terre attestaient que des êtres humains vivaient là. Et dans cette lumière rare, ces odeurs animales et cette fumée qui prenait à la gorge, jamais le visage de la misère ne m'avait paru plus désespérant. Je dois dire que je n'étais pas fier. Je n'avais pas envie de poser de questions. Mais j'ai pourtant demandé à la plus jeune des femmes qui soutenait son ventre énorme de ses deux mains : « Où couchez-vous ? » Elle m'a répondu « là » en désignant à mes pieds le sol nu, près de la rigole d'urine.

LE VILLAGE AUX ÉGOUTS

On suppose bien qu'une réunion de taudis ne peut pas faire une ville radieuse. Mais ce qu'il faut savoir, c'est qu'à la misère des maisons s'ajoute la carence des services collectifs. J'ai visité entre autres le douar Beloua, près de Tizi-Ouzou. Et j'y ai vu ce que j'ai rencontré ensuite partout. Tous les égouts sont à ciel ouvert. Les rigoles de chaque maison se déversent dans un ruisseau unique qui longe la rue ou, au contraire, la parcourt dans son milieu. Ce qui fait que toutes les rues sont des égouts. Elles charrient une boue noirâtre et violacée où marinent des poules mortes et des crapauds au ventre énorme. Le jour où je suis allé aux Beloua, trois ou quatre enfants dans une rue du village faisaient tourner du doigt un de ces crapauds au milieu d'une pourriture sans nom. Sur l'une des pentes de ce village, un oued servait d'égout collecteur et des nuées de moustiques tournaient en rond au-dessus de son lit. Le terrain qui surplombait cet oued avait glissé à la suite des dernières pluies et une dizaine de maisons menaçaient de rejoindre, avec leurs habitants, les poules et les crapauds crevés. Ceci est vrai pour tous les villages kabyles. Les égouts n'existent pas. Je n'ai pas besoin de dire que les w.-c. non plus. Ce sont les chemins des douars qui jouent ce rôle.

Dans le village d'el-Flay, la chose est plus frappante, s'il est possible. Les rues sont des cloaques. La rue principale est l'égout collecteur. Elle réunit les liquides noirs et les boues puantes de toutes les autres rues en un seul ruisseau pestilentiel de deux mètres de large. Autour de cette puanteur, la vie du village kabyle s'anime. Et je ne peux pas dire à quel point cette vie pourrait être humaine et généreuse. Je le sentais du moins en visitant Taourirt-Amokrane, à deux kilomètres de Fort-National, sur un piton escarpé, tout le long d'une sorte d'échine rocheuse. Nous passions par de petites rues pavées entre des maisons de torchis, de pierres ou de tôles. Le ciel brûlant de chaleur reposait de tout son poids sur les rues, et des dalles surchauffées montaient des odeurs d'égout et d'excréments. À chaque porte de maison, une puissante odeur de fumée et d'animal nous accueillait. Et dans ces rues chauffées à blanc, le long des égouts à ciel ouvert, une nuée d'enfants en loques et aux yeux magnifiques se répandait. Au coin des maisons des femmes jacassantes, porteuses de cruches. De temps en temps, un escalier de fer importé Dieu sait d'où s'élançait de la rue, prenait appui sur le mur de la maison et se découpait en plein ciel, dans le vide.

Il me semblait alors qu'on devait pouvoir vivre dans ces villages, comme on vit dans les bourgs de Provence ou de Grèce. Mais il fallait manger. Il fallait de l'eau. Il fallait des routes.

LA ROUTE ET L'EAU

J'aborde ainsi la question la plus angoissante de l'habitat kabyle. Il n'est pas exagéré de dire que la Kabylie, avec ses neiges et ses torrents, est le pays de la soif. Les trois quarts des villages kabyles vont chercher l'eau à plus d'un kilomètre. Même la cité indigène de Bordj-Ménaïel n'a que trois fontaines pour 100 maisons. « En été, m'a dit un de ses habitants, on est comme les oiseaux du Sahara. » Et pourtant ceux-là sont privilégiés. Aucun des douars de Bordj-Ménaïel ne possède de l'eau. Dans certains douars de Tizi-Ouzou on boit encore dans des mares polluées par les bestiaux. À Adni, les femmes du village font un kilomètre pour aller chercher de l'eau. À Michelet, les habitants du village de Tahechat, douar Agoudal, *font deux heures et demie de marche* pour aller à la source. Les villages de Tamigout, Tililit, Aourir et Oued-Slil n'ont pas d'eau à moins d'une demi-heure de marche. Les Kabyles du village de Koukou font sept kilomètres pour leurs provisions d'eau. Dans la région de Maillot, le paludisme sévit particulièrement au douar Beni-Mansour dont les habitants consoment surtout de l'eau de rivière et de marais. Au village de Tachachit, dans la même contrée, les habitants creusent des trous pour recevoir l'eau de pluie. Il en est de même dans la commune de Sidi-Aïch. Au douar Timzrit en particulier, les habitants font une demi-heure de marche pour aller puiser l'eau dans des trous pollués. À el-Flay, les femmes qui se rendent à la source y passent quelquefois la nuit pour être les premières à prendre l'eau le matin.

La question des routes offre le même caractère d'urgence. Tous les centres de commune sont desservis. Mais presque tous les douars manquent de routes carrossables. Aucun des douars de la région de Bordj-Ménaïel, sauf celui de l'Oued-Smir, n'a de routes. Autour de Tizi-Ouzou, dans un rayon d'un kilomètre, les villages sont isolés. Aux Ouadhias, un seul village sur neuf est desservi par la route. Dans la commune de Sidi-Aïch, sur 56 villages, une dizaine seulement sont desservis. Cette proportion est rigoureusement observée dans les régions de Maillot, de Mekla et de Dellys. À cet égard, je finirai sur une seule remarque : il existe dans la région de Sidi-Aïch des femmes, qui, n'étant jamais venues à la commune, n'ont, de leur vie, vu une automobile. Et je rappelle pour mémoire que nous sommes en 1939.

Privés d'eau et de communications, enfermés dans leurs taudis, les Kabyles réclament tout ce qui leur manque. Car si jamais un peuple a eu le goût du logis sain et aéré, c'est bien celui-là. Pour s'en convaincre, il suffit de visiter les villages, sur la route nationale de Tamazirt et d'Azouza. Beaucoup d'instituteurs et de fonctionnaires kabyles y habitent. Et on peut y constater que chaque fois qu'un Kabyle a la possibilité de le faire, il améliore sa maison et cherche à vivre sainement.

On doit pouvoir aider le peuple kabyle dans son exigence de bien-être. On a fait, à Bordj-Ménaïel, une cité indigène que j'ai visitée et qui est satisfaisante. Elle donne à l'habitant kabyle un appartement de deux pièces pour 40 francs par mois. Le malheur est que beaucoup ne peuvent pas payer ce loyer qui nous paraît dérisoire. Tant il est vrai que le problème de l'habitat en Kabylie est avant tout un problème de salaires.

On nous dit que la mise en valeur, par la route et l'eau, de la Kabylie demanderait d'énormes crédits. À cet égard, je ne veux pas anticiper sur mes conclusions. J'indiquerai seulement qu'une politique qui offre les multiples avantages de résorber le chômage, de hausser les salaires, d'améliorer l'habitat et de mettre en valeur un pays qu'après tout nous avons fait nôtre, mérite qu'on ne la repousse pas *a priori*. Mais, pour rester dans mon sujet, je rappellerai qu'il existe, dans la région de Michelet, une source qui pourrait desservir quatre douars et que ce fait n'est pas unique, que les Kabyles des Beni-Yenni, grâce à l'appui de la colonie, ont pu amener l'eau dans leurs villages et que l'administrateur de Port-Gueydon a fait construire en un temps relativement court dix-sept fontaines dans sa montagne. Il y a une œuvre à faire et des expériences à poursuivre. J'indiquerai, à la fin de cette enquête, quelles solutions spéciales paraissent souhaitables pour résoudre le problème de l'habitat et pour rendre à ces villages kabyles une vie où la boue des égouts ne sera plus qu'un souvenir.

10 juin 1939

L'ASSISTANCE

« Un médecin pour 60 000 habitants »

Je crois que je n'ai pas besoin de dire, pour commencer, qu'un peuple sous-alimenté, privé d'eau et des commodités de l'hygiène, vivant enfin dans des conditions de salubrité déplorables, ne peut pas être un peuple sain. Et si cette évidence est pénible à constater, elle l'est plus encore si on songe que ce peuple poursuit sa misérable existence dans l'un des pays les plus salubres du monde. Je n'ai pas besoin de dire non plus que le manque de communications n'est pas fait pour faciliter la tâche du médecin et de ses auxiliaires. Mais en notant ces deux faits et en y ajoutant l'insuffisance du nombre des médecins par rapport à celui de la population, j'aurai donné les éléments essentiels du problème de l'assistance. Et puisque le principe de cette enquête est de ne rien avancer qu'on ne puisse étayer sur des chiffres et des faits, voici des précisions.

UN VILLAGE QUI N'A PAS VU DE MÉDECIN
DEPUIS QUINZE ANS

Pour avoir une idée générale de la situation, il faut savoir que la Kabylie dispose en moyenne d'un médecin pour 60 000 habitants. Ce chiffre est ridicule. Il paraîtra encore plus dérisoire quand on saura que la moitié au moins de ces habitants vivent à plusieurs heures de mulet du centre où le médecin réside. Les meilleurs médecins de colonisation ne peuvent faire leur métier dans ces conditions. Et en période d'épidémie, il n'y a qu'une politique réalisable : celle du laisser-faire.

Si on entre dans le détail, le problème devient plus tragique encore. La région de Bordj-Ménaïel n'a pas de médecin communal. Elle dispose de deux médecins à consultations payantes et d'une infirmière-visiteuse pour 25 000 habitants. Celle-ci se déplace presque toujours à dos de mulet et il lui arrive de faire jusqu'à 38 kilomètres pour aller visiter un malade.

Tizi-Ouzou a un médecin communal pour 45 000 habitants. Mais elle n'a pas d'infirmière-visiteuse. Le résultat, c'est que le budget communal se trouve grevé de frais d'hospitalisation qui atteignent 50 000 francs par an. Ces insuffisances, d'autre part, se font cruellement sentir au douar Beloua, où on enregistre une dizaine d'accouchements par semaine. Il faut alors faire appel à une sage-femme et un docteur à consultations payantes. Mais ceci n'est possible qu'à une minorité. Et l'un de ces malheureux m'a déclaré devoir depuis un an et demi 600 francs au médecin, sans arriver à en payer le premier sou.

Il a fallu que l'initiative privée, une fois de plus, s'en mêle. C'est ainsi que le pasteur Rolland, aidé du docteur Saussol qui consacre à cette œuvre une demi-journée par semaine, a organisé chez lui, pendant la saison chaude où les maux d'yeux sont les plus fréquents, une consultation gratuite. Ce jour-là, le soir venu, on peut voir encore à la porte du pasteur une centaine de consultants qu'on est obligé de renvoyer sans les avoir visités. Pour être complet, je dois dire que la commune de Tizi-Ouzou a contribué à cette œuvre en la dotant généreusement d'une concession d'eau de 125 francs.

La commune de Fort-National n'a qu'une infirmière-visiteuse et un auxiliaire médical. Les pères blancs et l'initiative privée essaient, comme ils peuvent, de remédier à cette carence. Mais le douar Beni-Khelili, par exemple, à 40 kilomètres de Fort-National, *n'a pas reçu la visite d'un médecin depuis quinze ans*. L'an dernier, ses représentants ont demandé à être rattachés à la circonscription médicale de Mekla, pour être enfin soignés. Les écoles indigènes, d'autre part, ne sont pas visitées et j'ai pu entendre de la bouche d'un coiffeur la lamentable histoire d'une de ses cousines accouchant, sans que le docteur du centre consente à se déranger, et périssant avec son enfant dans des souffrances sans nom.

Le village d'Adni n'a pas vu d'infirmière-visiteuse depuis trois ans et demi. Chaque visite du médecin du centre coûte 80 francs. On ne le fait pas venir. Et pourtant, pendant les chaleurs et chaque année, ce village est décimé par des épidémies d'entérite infantile qui tue 9 enfants sur 10 parmi les petits de un an à 5 ans.

À Michelet, pour 90 000 habitants, on trouve un médecin de colonisation, une infirmière-visiteuse et un auxiliaire médical. La situation est telle que le médecin réclame vainement trois auxiliaires et trois infirmières. L'actuelle infirmière-visiteuse s'est transformée en dame de charité et distribue, à ses frais, des secours aux malheureux. Et pourtant la commune de Michelet dépense chaque année plus de 400 000 francs pour l'assistance. Mais la majeure partie de cette somme est absorbée par les frais d'hospitalisation. Avec cette même somme, on pourrait, chaque année, édifier un poste-secours dans un douar et donner à la commune, en dix années, un équipement sanitaire. Les Ouadhias, où le paludisme sévit de façon chronique, dépendent de la circonscription médicale de Boghni qui fournit pour 60 000 habitants un médecin de colonisation, une infirmière-visiteuse et un auxiliaire médical. Les Ouadhias avaient un poste d'infirmière-visiteuse qui, pour des raisons encore inconnues, a été supprimé.

La commune de Maillot, pour 30 000 habitants, a un médecin, une infirmière-visiteuse et un auxiliaire médical. Malgré son hôpital auxiliaire, ce personnel est débordé. Et dans les années 1936, 1937 et 1938, trois épidémies de typhus ont causé chacune de 80 à 100 décès.

Les 125 000 habitants de la commune de Sidi-Aïch ont seulement un médecin, une infirmière et un auxiliaire. Quand les habitants du malheureux village d'el-Flay veulent se faire soigner, la visite médicale à domicile leur coûte 100 francs. La situation est la même dans les autres communes de Kabylie, en particulier à Dellys et Tigzirt. À l'heure où j'écris ces lignes, le village de Tikobaïne, près de Tigzirt est dévasté par une épidémie de typhus qui a fait déjà 40 morts. C'est seulement au quarantième décès que le garde champêtre a prévenu le centre. L'épidémie continue.

POUR 100 KABYLES QUI NAISSENT, 50 MEURENT

On pourrait, si l'on voulait, illustrer les résultats de cette organisation sanitaire par des chiffres. Mais on fait tout dire aux statistiques générales et je prendrai un exemple précis en considérant la commune mixte de la Soummam. Elle compte, je l'ai déjà dit, 125 000 habitants. En moyenne, chaque année, elle offre le chiffre considérable de 4 562 naissances. Or, toujours en moyenne, il meurt *chaque année* 613 bébés de 1 jour à 1 an, 756 enfants de 1 an à 10 ans, 99 adolescents de 10 à 20 ans et 882 adultes au-dessus de 20 ans. Je ferai remarquer ici qu'en ce qui concerne les décès survenus peu de jours après la naissance, il arrive *fréquemment* qu'ils ne soient pas déclarés à l'état civil. Mais, sans tenir compte de ce cas d'espèce, une simple addition nous fait obtenir 2 350 décès par an. La proportion des décès par rapport aux naissances est de 50 %.

UN SEUL PROBLÈME

Je ne vois pas ce que je pourrais ajouter à ce tableau sanitaire de la Kabylie. Il serait intéressant de considérer les améliorations souhaitables. Je ne me dissimule pas les difficultés que rencontrent les médecins et l'énormité de l'effort qu'il faudrait entreprendre pour doter la Kabylie d'un système sanitaire complet. Mais on aura besoin de moins de médecins le jour où il y aura des routes où ils pourront circuler. On fera moins appel à eux lorsque l'eau, l'hygiène et l'alimentation normale auront donné à ces corps débiles la force qu'ils doivent avoir dans ce climat exceptionnel. Et surtout on appellera le médecin *à temps* lorsqu'on pourra le payer. Si paradoxal que cela puisse paraître, c'est dire que le problème sanitaire est étroitement lié à celui des routes et de l'eau, à celui du chômage et à celui du salaire. C'est dire aussi qu'en Kabylie, il n'y a pas de problèmes isolés et qu'ils se résument tous dans le relèvement du niveau de vie de ce pays par sa mise en valeur. La misère aura vécu, ce jour-là, et il nous sera épargné de rencontrer sur les routes pleines de fleurs de la Kabylie ces ulcères, ces yeux morts et ces visages flétris.

12 juin 1939

DEUX ASPECTS
DE LA VIE ÉCONOMIQUE KABYLE :
L'ARTISANAT ET L'USURE
DES TAUX D'USURE À 110 POUR CENT

Pour finir notre étude de l'état matériel où se trouve la Kabylie, et avant de passer à l'examen des réformes réclamées à la fois par la population kabyle et la misère de son pays, il faudrait envisager une foule de problèmes différents, de questions interférentes qui compliquent la réalité où se débat la Kabylie d'aujourd'hui.

Je ne peux songer, dans le cadre de cette enquête, à considérer minutieusement des problèmes comme l'émigration, la femme kabyle et son évolution, ou l'inégalité des pourcentages sur les revenus communaux entre les populations européennes et indigènes. Je voudrais pourtant, avant d'envisager l'avenir politique, économique et social de la Kabylie, donner les éléments de deux problèmes pressants : l'artisanat et le crédit. Ils seront indispensables pour esquisser ensuite le schéma d'une économie rénovée, telle que du moins la rêve aujourd'hui l'unanimité des Kabyles.

LA CRISE DE L'ARTISANAT

S'il est vrai que la Kabylie n'est pas un pays d'industrie, il est non moins vrai qu'elle pourrait chercher à dissiper le divorce qui existe entre sa production et sa consommation par le travail de ses artisans. J'ai à peine besoin de rappeler les meubles sculptés de ce pays, les vanneries et la simple harmonie des poteries à dessins noirs sur fond rouge. Les potiers de Taourirt-Amokrane, les sculpteurs sur bois de Djemaa-Saridj et les bijoutiers de Taourirt-Mimoun sont à cet égard justement renommés.

Mais ces artisans souffrent aujourd'hui d'une crise qui ne concerne pas seulement les artisans kabyles, sans doute, mais dont ceux-ci souffrent particulièrement. L'artisanat considéré comme un art, nourri de patience et de goût, a cédé la place un peu partout à un artisanat qui se développe suivant les procédés de la petite industrie. Ceux d'entre les artisans, qui, comme les Kabyles, ont gardé l'amour de leur métier, se trouvent désavantagés en vitesse et en production. Comme, d'autre part, ils continuent à être exploités par les revendeurs d'Alger qui achètent pour 30 francs, par exemple, un coffret qu'ils revendent 80 francs, les artisans kabyles, pour gagner à peine leur vie, sont obligés de forcer leur production et de renoncer au souci artistique. Et ce qu'on peut estimer émouvant, c'est d'entendre ces artisans se plaindre, non pas de la vie difficile qui leur est faite, mais de cette disqualification de leur art qui leur est un crève-cœur.

Un sculpteur sur bois de Djemaa-Saridj me disait en particulier la difficulté que ses camarades rencontraient à concurrencer le travail à la scie qui se pratique ailleurs. « Pour vivre, disait-il, je suis obligé de gâcher mon travail. Il faut deux à trois jours de réflexion pour trouver un motif nouveau. Et quand on l'a trouvé, tout le monde s'en empare et nous gagne de vitesse. »

Il est certain en tout cas qu'un des arts populaires les plus heureux et les plus spontanés est en train de se perdre. Il est non moins certain que les créateurs de cet art arrivent à peine à vivre et qu'un facteur de prospérité disparaît de la Kabylie. Les artisans que j'ai interrogés sont unanimes à réclamer une organisation gouvernementale des débouchés qui les mette à l'abri des revendeurs et qui permette un classement des objets manufacturés suivant leurs qualités. Le jour où un produit travaillé avec amour se vendra mieux qu'une pacotille faite à la machine, les artisans de la Kabylie reviendront à leur art et retrouveront cette patience à créer qui fait leur grandeur. L'O.F.A.L.A.C. a défini les qualités de la figue, par exemple. Je ne pense pas qu'il serait excessif de demander que l'art aussi soit protégé et que des mesures soient prises grâce auxquelles des hommes retrouveront le sens de leur vie.

L'USURE

À un autre pôle de la vie économique kabyle, je dois signaler sans trop y insister puisque la chose est devenue proverbiale, les méfaits de l'usure. On l'a dit et redit : elle est la plaie de la Kabylie. Le paysan kabyle, par sa détresse matérielle, est une proie d'exception pour les usuriers. Ceux-ci se recrutent non seulement chez les commerçants, mais aussi *chez des fonctionnaires* des centres communaux. C'est qu'aussi bien la tentation est forte et la victime qui se présente est toujours aux abois. On a vu dans la région de Tizi-Ouzou des paysans vendre leur récolte d'olives à terme pour pouvoir acheter du grain. Cette récolte ils la vendaient 30 francs le quintal alors que l'an passé, le quintal d'olives s'est vendu 120 francs. Dans certains douars de Michelet, les Aït Yahia par exemple, on cite des prêts à 50, 75 et 110 % ! Des terrains de 10 000 francs ont été perdus en un an pour un prêt de 1 000 francs. À el-Flay, les débiteurs paient 15 % de *taux mensuel*. Dans la commune d'Akbou, un malheureux paysan kabyle vit aujourd'hui de mendicité. Un prêt de 3 000 francs qui lui avait été consenti s'est élevé en trois ans à 10 000 francs et tous ses biens ont été vendus.

Ces quelques faits, pris au hasard, donnent une idée de l'impitoyable climat créé par l'usure en Kabylie. C'est pourtant contre ce fléau que les Caisses de prêts et les fonds communs des sociétés de prévoyance ont été créés. Mais ici, il faut bien dire que si le principe de ces organismes est excellent, leur utilisation est souvent regrettable. Je n'insisterai pas sur la longueur des formalités qu'elle oppose à des demandes de prêts qui, par nature, sont urgentes. Mais je dois dire que les intérêts privés interviennent parfois dans ces organismes de façon malheureuse. Et, par exemple, je ne vois pas en fonction de quelle nécessité le fonds commun constitué à Tizi-Ouzou a servi à consolider deux grosses banques de la région. Près d'un million a été mis dans cette affaire. En principe sans doute, il s'agissait de consolider les dettes des fellahs débiteurs de ces banques et de les transformer en débiteurs du fonds commun. Le principe est excellent. Mais qui ne voit pas qu'en l'espèce les bénéficiaires de cette opération sont les deux banques qui reçoivent près d'un million de bon argent à la place de créances douteuses dont l'intérêt est plus fort que celui du fonds commun. Car ce qui a été consolidé, en l'espèce, ce sont les mauvaises créances et les banques ont gardé les bonnes.

Je ne veux pas insister sur ces opérations. J'y reviendrai s'il le faut. Mais je voudrais faire remarquer qu'on nous met en présence d'un cercle vicieux. Les fellahs, par leurs cotisations, constituent un fonds commun qui doit les garantir de l'usure. Ce fonds commun, par les prêts et les consolidations absurdes qu'il peut faire, rend impossible les petits prêts garantis qui sont les seuls utiles. Le petit fellah s'adresse alors à l'usure ou à la banque à taux majoré. Ensuite, le fonds commun consolide la banque et le cercle recommence.

Et pendant toutes ces années, l'usure ronge la Kabylie et accroît sa misère.

J'en ai terminé aujourd'hui avec la description d'une misère matérielle qu'il fallait bien découvrir. Il me reste maintenant à exprimer ici la volonté de réformes qui soutient le peuple kabyle. Comme tout ce qui précède, je le ferai sans égards et sans ressentiment. Dans ce qui va suivre, je voudrais donner la preuve que je n'ai pas apporté un goût exclusif dans la description d'une misère qui m'a paru désespérante. Mais d'un autre côté, avant de clore cette histoire douloureuse d'une situation sans précédent, je voudrais que pour avoir envisagé un grand nombre d'aspects de cette misère, la pitié qu'elle peut éveiller ne soit pas dispersée. Il faut s'en souvenir, l'avoir à l'esprit, éclairer tout le reste de sa lumière douteuse. Ce qui est important, c'est que des hommes meurent de faim et que des enfants soient sous-alimentés. Ce qui est important, ce sont les égouts, le salaire à bas prix, les paupières malades et les femmes sans soins. Au-dessus des chiffres et des faits, c'est la réalité navrante qui s'impose. Et c'est de cette détresse qu'il faut se pénétrer pour se tourner vers l'avenir.

21 juin 1939

L'ASSASSINAT DU MUPHTI

Akacha est formel :

« SI J'AI ACCUSÉ FAUSSEMENT LE CHEIKH EL-OKBI C'EST PARCE QUE LA SÛRETÉ M'Y A CONTRAINT »

LE FILM DES DÉBATS

L'AUDIENCE DU MATIN

Un triple cordon de gardes mobiles et de zouaves entoure le palais de justice en prévention d'incidents improbables. L'audience est ouverte à 8 h 30 sous la présidence de M. Veillon, assisté du conseiller Livi et du juge Barrault. Akacha est défendu par maîtres Sansonetti, Haddou et Berlandier. Mohara et Boukheir par maître Goutermanoff. Le cheikh el-Okbi est défendu par maîtres Déroulède, L'Admiral et Francis ; Abbas Turqui par maître Serna. La partie civile est représentée par maître Colonna d'Ornano.

Parmi les inculpés, seuls el-Okbi et Abbas Turqui ont les mains libres. Par suite d'un filtrage sévère, le public est très clairsemé.

INCIDENTS ET VICES DE FORME

L'interrogatoire d'identité est conduit par M. Hadj Hamou Ramdane, interprète à la cour. Avant le tirage au sort des jurés, maître Sansonetti dépose des conclusions selon lesquelles la composition de la cour est illégale, par suite d'un remplacement *in extremis* du président de la cour.

Le ministère public s'élève contre ces conclusions aux-quelles les défenseurs du cheikh el-Okbi se déclarent étran-gers. Les inculpés déclarent s'en rapporter à leurs avocats, sauf el-Okbi et Abbas Turqui qui déclarent « s'en rapporter à la justice ».

L'audience est suspendue pour permettre à la cour de délibérer sur ces conclusions. À ce propos on sait que la cour criminelle devait être présidée par M. Cordier. Par suite de l'indisponibilité de ce dernier, M. Veillon avait été chargé de son remplacement. Mais la défense fait état des articles 16 de la loi du 21 avril 1910 et 263 du Code d'instruction criminelle, selon lesquels le président doit être remplacé par le conseiller assesseur.

La séance est reprise à 9 h 25. Le président annonce que les textes cités par la défense ne jouent que dans le cas où le ministère (ou le premier président) n'a pas prévu le remplacement du président défaillant, et conclut en rejetant les conclusions des défenseurs.

Pour l'édification du public il faut savoir qu'en cas de cassation le jugement concernant MM. el-Okbi et Abbas Turqui demeurerait acquis si leurs défenseurs ne jugeaient pas à propos d'utiliser ce vice de forme.

On procède alors à l'élection des jurés, mais le ministère public demande la récusation d'un des jurés qui déposa comme témoin dans l'affaire. Sur ce nouvel incident, la séance est à nouveau levée à 9 h 30 pour permettre à la cour de délibérer. Elle est reprise à 9 h 45 et le président lit les conclusions de la cour rejetant le nom du juré-témoin des listes d'élection de l'affaire en cours.

On procède enfin au tirage au sort du juré remplaçant. MM. Bendamardji Mostefa, Chekiken Mohammed, Abbas Mohammed, Ali Mazighil Mohammed, Cherif Zahar, Bensemane Hamidou sont désignés par le sort. L'audience est suspendue pour permettre à l'huissier de ramener l'un des jurés désignés.

LE MUPHTI RASPOUTINE

L'audience est reprise à 10 h 50. M. Bendamardji est choisi pour être porté sur la liste. On procède à l'élection des jurés assesseurs : MM. Montet, Bonardi, Aït Abdelkader, Bentamardji sont choisis. Les jurés prêtent serment. Le greffier donne alors l'acte d'accusation que nos lecteurs connaissent maintenant.

Mais la thèse de l'accusation vise à minimiser la rétractation d'Akacha et à mettre en lumière l'hostilité entre Oulémas et marabouts. On rappelle à ce sujet que des journaux favorables aux Oulémas ont traité Kahoul de Raspoutine.

L'acte d'accusation présente également la délégation du Congrès musulman à Paris comme une démarche de « el-Okbi et ses partisans » et désigne le muphti Bendali comme « un précieux collaborateur de l'autorité préfectorale ».

On notifie aux accusés l'inculpation dont ils sont l'objet et seul Akacha a un mouvement de dénégation.

NOUVEAUX INCIDENTS

On procède ensuite à l'appel des témoins. La partie civile demande acte de sa constitution et un franc de dommages-intérêts. Un incident est soulevé à propos d'un témoin de l'accusation, utilisé pendant trois mois et devenu subitement introuvable.

Après un petit duel oratoire entre la défense et l'accusation, les avocats se solidarisent, sauf les défenseurs d'el-Okbi et Abbas Turqui, qui déclarent être en dehors de l'affaire. À nouveau l'audience est suspendue à 11 h 40. La décision de la cour est remise après dépôt de conclusions. La défense dépose ses conclusions que la cour, après délibéré, rejette.

À 12 h 10, cette audience fastidieuse, mais fertile en incidents de procédure, est levée. Elle reprendra à 15 h.

L'AUDIENCE DE L'APRÈS-MIDI

TYPHUS ET LES QUATRE PISTES

L'audience est reprise à 15 h 20. Le président résume aussitôt les faits. Il rappelle quelques témoignages suivant lesquels les premiers spectateurs ont trouvé seulement le muphti à terre et n'ont assisté à rien.

D'autre part les perquisitions effectuées chez les inculpés n'ont donné aucun résultat de même que celles effectuées dans divers lieux, et en particulier chez « Typhus », fille soumise chez qui Akacha aurait passé la nuit.

Le président donne ensuite lecture des rapports du médecin légiste. Il indique aussi que quatre pistes auraient été sui-

vies. Le gardien de la paix Bourgeon a indiqué d'abord
que 10 minutes avant le crime, on lui avait signalé un interdit de séjour qu'il n'a pu arrêter par suite d'une chute. Les
recherches entreprises n'ont pas permis de retrouver ce
mystérieux interdit.

Une lettre anonyme d'autre part demandait des perquisitions chez un habitant de Mostaganem, Belkacem. Ces
perquisitions n'auraient pas donné de résultats précis.

En troisième lieu, un gendre a dénoncé son beau-père
qui appartenait à un « parti révolutionnaire ». Cette piste n'a
mené à rien.

Enfin, on a tenté d'impliquer dans l'affaire le vénéré
cheikh Ben Badis en invoquant des relations suspectes qu'il
aurait eues avec l'inculpé Mohara.

L'INTERROGATOIRE D'AKACHA

Akacha, interrogé, répond à l'interprète d'une voix sourde
et brève, avec un débit rapide et sûr. Il se défend d'abord
contre les accusations portées contre lui de souteneur et
d'ivrogne, affirmant qu'il a quitté Alger depuis seize ans. Il
dit aussi : « J'ai toujours travaillé. »

Sur une question du président, il reconnaît avoir pour
maîtresse Oudnih Fatmah Zorah.

Cette dame Oudnih affirme qu'au cours d'une discussion
Akacha entra dans une telle colère que, brisant un verre, il se
taillada lui-même le poignet droit. Akacha le nie. Il nie aussi
avoir conduit sa maîtresse dans une maison de tolérance.
Mais il reconnaît ses précédentes condamnations.

Sur les faits mêmes, Akacha conteste le premier procès-
verbal du commissaire Désidéri. Aux accusations d'Oussaouidène, l'inculpé décédé en prévention, Akacha se borne
à répondre : « Il a dit ce qu'il voulait. »

Akacha ajoute : « Je ne peux tuer un muphti. »

(Ici une contradiction est à noter. Selon les déclarations
d'Oussaouidène, Akacha aurait dit à ce dernier : « Voilà le
muphti ! » Or, d'après les données mêmes de l'accusation,
Akacha ne connaissait pas le muphti et attendait le baiser de
Mohara pour le reconnaître.)

Akacha rétracte ensuite les accusations qu'il a portées contre el-Okbi et les attribue à la contrainte et aux
violences exercées sur lui par ceux qui l'interrogeaient. Il

affirme, d'autre part, que les mêmes accusations, portées cette fois devant le juge d'instruction, ont été inspirées par les menaces des agents de la Sûreté.

L'inspecteur Chennouf lui aurait même soufflé l'histoire des 30 000 francs. La Sûreté, selon Akacha, lui aurait d'abord demandé s'il connaissait el-Okbi.

« J'ai répondu non », dit Akacha.

Le président insiste. Akacha répète sans trêve que ses déclarations lui ont été dictées par la Sûreté et qu'il les a faites à la suite de mauvais traitements. Akacha devant le juge d'instruction a répété plusieurs fois ses accusations contre el-Okbi. Il a même dit :

« Dieu a ainsi décidé. Et el-Okbi, comme le chacal, s'est fait prendre par les quatre pattes. »

Mais à ce sujet, Akacha répond au président que s'il avait été l'homme dévoué au cheikh el-Okbi qu'on se plaît à dire, il ne l'aurait pas dénoncé.

Enfin Akacha indique que le juge d'instruction lui a demandé d'innocenter el-Okbi et d'accuser Abbas Turqui.

Le président indique ensuite que l'inculpé a fait des aveux au docteur Gand, malheureusement décédé. Akacha prétend n'avoir pas compris la question du docteur qui a provoqué ces aveux.

Maître Sansonetti, défenseur, intervient à ce moment pour préciser que trois mois ont séparé l'examen du docteur de sa déposition. Un incident est soulevé. Le ministère public et la partie civile répondent. Mais la singularité signalée par le défenseur reste entière.

Le président passe aux accusations d'Oussaouidène. Akacha les attribue aussi aux mauvais traitements. Le président rappelle que Oussaouidène, à la prison, se plaignait de menaces proférées par Akacha sous forme de chants.

Mais Akacha a cette réponse : « À la prison nous ne chantons pas. Nous pleurons. »

On passe alors aux circonstances qui ont entouré la mort mystérieuse d'Oussaouidène. Près de la mort Oussaouidène s'est rétracté. Après son décès, une autopsie ayant été ordonnée, le médecin légiste a conclu à une tuberculose « insidieuse ».

À cet égard Akacha dit : « Oussaouidène a fini par dire la vérité parce que la vérité finit toujours par triompher. »

Le président signale à Akacha que deux filles soumises affirment l'avoir vu poignarder le muphti. L'inculpé attribue ces déclarations à un désir de vengeance. Il signale aussi les contradictions de ces témoignages.

D'autre part, il précise que l'une de ces femmes était la maîtresse du frère d'un des inspecteurs de la Sûreté.

Après avoir passé en revue diverses charges secondaires, le président arrive alors à la dramatique confrontation avec el-Okbi et interroge Akacha sur ses rétractations.

Akacha répond que de la première fois où, mis en présence d'el-Okbi et de ses avocats, il n'a plus craint les agents de la Sûreté, il a dit la vérité et rendu justice à un homme innocent.

L'énumération des charges terminée et après avoir lié ce fragile faisceau d'obscurités et de contradictions, on demande à Akacha les raisons que pouvait avoir la Sûreté de lui en vouloir. Mais il est évident que cette question dépasse la compréhension de l'accusé.

L'interrogatoire est terminé. L'audience est levée à 18 h 15.

22 juin 1939

À peine commencé,

L'INTERROGATOIRE
DU CHEIKH EL-OKBI EST INTERROMPU

à cause d'une indisposition du président

Hier matin les deux accusés s'étaient défendu d'avoir participé au crime, expliquant leurs premiers aveux par les tortures qu'on leur avait fait subir à la Sûreté.

LE FILM DES DÉBATS

On attendait surtout de cette deuxième journée d'audience l'audition du cheikh el-Okbi. Il faut croire, en effet, que le spectacle de l'innocence poursuivie garde un prestige particulier. Mais jusqu'ici celui qu'on avait un certain malaise à voir dans un box d'accusés, encadré de gendarmes, s'était tenu dans une réserve silencieuse. Hier, du moins, en fin d'audience il a pu parler. Et bien qu'il n'ait encore prononcé que quelques phrases, on peut dire aujourd'hui que l'atmosphère des débats a changé. Ils ont été mis enfin sur leur véritable plan. Et l'impression de supériorité spirituelle que donnait hier le cheikh, l'économie de ses discours et la hauteur de ses vues rendaient vivant aux yeux du spectateur désintéressé le paradoxe singulier d'une accusation qui charge du plus bas des crimes une des intelligences les plus nobles et les plus vénérées du monde islamique.

L'AUDIENCE DU MATIN

L'audience du matin, ouverte à 8 h 30, a débuté par l'interrogatoire des complices d'Akacha.

L'INTERROGATOIRE DE MOHARA

Et d'abord Mohara. Celui-ci répond à l'interprète avec une sourde véhémence, le visage baissé, le regard détourné. Souteneur et pédéraste, Mohara fit la connaissance d'Akacha dans les cases de la Casbah où la pègre algéroise se donne rendez-vous. Mais contre cette thèse de l'accusation, Mohara proteste.

À propos de ses aveux rétractés, Mohara déclare qu'il n'était pas de taille à lutter avec les agents de la Sûreté.

Pendant quatre jours et quatre nuits, il aurait été battu et soumis aux pires traitements par les policiers. Ses aveux lui auraient été dictés par l'inspecteur Chennouf à la suite de sévices.

« Si, à ce moment, la Sûreté m'avait demandé d'accuser mon père et ma mère, je l'aurais fait », dit Mohara.

Et devant le juge d'instruction Mohara a maintenu ses aveux. C'est que l'inspecteur Chennouf le menaça de recommencer s'il se rétractait.

« Pendant quatre jours et quatre nuits, répète Mohara, on m'a laissé sans manger, tout nu sur le sol, et on me battait régulièrement. »

Le président, comme pour Akacha, insiste. Et comme

Akacha, Mohara répète avec force que toutes ses déclarations lui ont été dictées par la Sûreté. D'autre part, des
taches de sang ont été relevées sur Mohara, au moment de
son arrestation. Mais l'expertise affirme que ces taches ne
sont pas de sang humain, sauf quelques petits points à la
manche qui peuvent être dus à des égratignures.

L'accusé attribue ces taches à une sorte de gale dont il
souffrait et qu'il grattait souvent. Un rapport médical précise
que du sang provenant de ces démangeaisons aurait pu traverser des vêtements légers mais non pas un bleu de chauffe.

Mais Mohara, d'autre part, fait remarquer que, tenant la
tête du muphti à deux mains, ce ne sont pas ses bras, mais
la poitrine que le sang aurait maculée.

Sur les accusations de Oussaouidène, Mohara dit : « Je
maintiens que ces accusations ne sont pas de Oussaouidène,
mais de l'inspecteur Chennouf. »

« JE SUIS INNOCENT »

Et Mohara maintient sa position en ce qui concerne les
déclarations de ses coïnculpés et des filles soumises dont il
a déjà été question hier. C'est la peur qui a provoqué toutes
ces déclarations. Une longue discussion s'instaure ensuite
sur l'emploi du temps de Mohara dans la journée du crime.

Le ministère public s'étonne ensuite assez innocemment
que les sévices policiers n'aient pas laissé de traces sur l'accusé. Mohara explique la technique que tout le monde
connaît. À ce sujet, un incident s'élève entre le ministère
public et la défense. Et Mohara s'écrie :

« Je suis innocent, je n'ai pas tué le muphti. Je suis injustement accusé. »

Maître Haddou, défenseur, fait alors préciser que les
rétractations de Mohara datent du jour où il fut conduit
devant le juge par les gendarmes et non par les agents de la
Sûreté. Et Mohara s'assoit.

L'INTERROGATOIRE DE BOUKHEIR

Boukheir proteste vivement contre la réputation qui
lui est faite. Il nie vivre du produit de la prostitution de ses
maîtresses et repousse le portrait qu'on fait de lui, le repré-

sentant une mandoline à la main, au seuil de sa gargote, surveillant le racolage de sa maîtresse. On s'attarde sur la mandoline. Mais Boukheir réclame le droit de se distraire et surtout de retenir les clients de ses gargotes par de la musique.

IRIS PERDUE ET RETROUVÉE

L'audience est troublée un moment par l'arrivée de Talbi Zohor, fille soumise, témoin perdu et retrouvé, réclamé à la fois par la défense et l'accusation.

La défense demande qu'on ne mette pas la fille dans la chambre des témoins où se trouve déjà l'inspecteur Chennouf. On évacue celui-ci qui, pour gagner une autre chambre, traverse le tribunal en affichant une crânerie assez déplaisante. Et d'autant plus déplaisante qu'il est infiniment probable que le témoin en question n'a pas été retrouvé jusqu'ici parce que mariée légitimement depuis, et désormais défendue, elle a menacé l'inspecteur Chennouf de révéler comment son témoignage lui avait été arraché.

Il semblerait aussi que c'est sur les instances des familles des accusés, que le témoin se soit décidé à venir faire ses révélations. Et c'est ainsi qu'un témoin d'accusation, qui ne craint plus la Sûreté, peut devenir un témoin de la défense et jouer un rôle déterminant dans cette affaire obscure et passionnante.

Paradoxe moins singulier qu'il y paraît et qui, aussi bien, donne, peut-être en son raccourci, tout le sens de cette affaire.

LES TORTURES INFLIGÉES PAR LA SÛRETÉ

Et l'interrogatoire reprend sur le fond.

Boukheir aussi attribue ses aveux à la Sûreté. Il a dit aux agents : « Écrivez ce que vous voudrez. Je dirai au juge ce qui s'est passé. »

Dans un mélange assez bizarre de français et d'arabe, Boukheir explique dans quelles conditions il a avoué. Pieds et poings attachés, il a été frappé et cravaché de 10 h 15 à 1 h du matin.

Et Boukheir crie ici son innocence avec une éloquence maladroite mais passionnée, qui ne manque pas d'émotion.

Il n'a pas quitté Alger. Il s'est constitué prisonnier quand il a su qu'on le recherchait. Il ne connaissait ni Akacha ni Mohara. Il est accusé injustement et victime des agissements de la Sûreté.

Maître Goutermanoff, défenseur, fait remarquer que les aveux de Boukheir n'ont pas été signés et que la Sûreté l'a déclaré illettré alors qu'il ne l'est pas. Boukheir a refusé de signer et ne l'a fait que devant le juge d'instruction. Ce qu'il a signé alors ce sont des rétractations. Et le défenseur estime que la Sûreté a jugé bon de déclarer illettré un prévenu qui se refusait à signer des déclarations mensongères.

« Je ne serais pas, dit-il, un véritable Kabyle si, ayant commis ce crime, je ne l'avouais pas. »

Mais il ne l'a pas commis. Il le répète, on l'a battu pendant des heures. On a passé entre ses jambes liées un bâton qu'on tordait ensuite. Et c'est le commissaire Désidéri qui commandait : « Allez-y », à ses agents.

Ma conscience, dit Boukheir, est tranquille. Devant Dieu, je n'ai pas participé au crime.

« ATTENTION, IL Y A LA RÉVOLUTION »

On vérifie alors l'alibi de Boukheir très minutieusement. On note qu'il a été interpellé par un mystérieux mandoliniste qui lui a jeté en courant : « Boukheir, attention, il y a la révolution. » Il s'agissait seulement du meurtre du muphti.

On fait préciser à l'accusé plusieurs points de détail concernant cet alibi. Le président passe alors à la correspondance qui aurait eu lieu entre Boukheir et Akacha à la prison de Barberousse.

Akacha nie que les lettres reçues par Boukheir soient de son écriture. Une expertise établit cependant le contraire. Comme on se perd dans les détails, maître Haddou, défenseur, demande la lecture de ces lettres. Elles sont des protestations d'innocence et voici par exemple une lettre d'Akacha à Boukheir que nous avons pu sténographier :

UNE CORRESPONDANCE MYSTIQUE

« Cher ami. Ne pleure pas pour rien. Sois un homme. On m'a frappé plus que toi. Et on m'accuse plus que toi pour rien. Mais il y a Dieu qui existe. Il y a une justice qu'elle juge la raison. Mais voyons qu'as-tu donc de pleurer pour rien. C'est la destinée de Dieu. Il pleure celui qui fait " Non, non ". C'est la sœur de ma maîtresse et de la Sûreté. C'est pour ça que je te dis qu'il y a un Dieu. »

Et dans une autre lettre :

« Nous les hommes, nous sommes rien sur la terre. Nous mourirons tous. Il n'y a qu'un Dieu. »

Le dossier des charges étant épuisé, l'audience est levée à 11 h 30.

L'AUDIENCE DE L'APRÈS-MIDI

POLITIQUE ET RELIGION

L'audience est ouverte à 15 h 10. Le président, avant d'interroger le cheikh el-Okbi, indique rapidement les circonstances politiques qui ont entouré l'affaire. Il évoque la personnalité du muphti, âgé de 65 ans, poète à ses heures, qui jouissait de la « considération générale ». Il rappelle aussi le discours de M. Milliot, sur le corps du muphti, que nos lecteurs connaissent.

À ce sujet, le président insiste sur l'action civilisatrice du muphti défunt et ses opinions en matière de dogmes où Bendali Amor professait une orthodoxie stricte et des opinions conservatrices.

Le président précise aussi que l'unanimité des marabouts et des chefs des Zaouïas a désavoué publiquement ce crime. Indiquons de notre côté que parmi ces marabouts se trouvait un chef d'Aïssaouas.

Le président note cependant que Kahoul avait ses détracteurs et cite un article du journal *La Justice* intitulé : « Les lessivages nécessaires. »

Le président rappelle ensuite les modalités et les transformations de l'organisation des cultes. Et il évoque la création consécutive de l'association des Oulémas, dont le but est de « travailler dans l'intérêt des musulmans avec l'aide de l'administration française ».

Ce qui séparait, selon le président, les Oulémas des représentants du culte, c'est le fait que ces derniers prétendaient garder pour eux seuls le droit de prêcher dans les mosquées.

Et ils obtinrent de la préfecture le fameux arrêté interdisant pratiquement aux Oulémas le prêche dans les mosquées.

Puis c'est l'évocation de la délégation des Oulémas à Paris, leur rencontre supposée avec les dirigeants de l'Étoile nord-africaine (que le président appelle Étoile du Nord) et l'envoi du télégramme de désaveu par Bendali Amor.

LE CHEIKH INTERVIENT

Ici, cheikh el-Okbi demande la parole et en quelques mots précis il déclare que jamais les Oulémas, par la plume, ni la parole, n'ont dit que Kahoul était l'instigateur de l'arrêté préfectoral, attendu que les Oulémas savaient parfaitement que cet instigateur était le délégué financier Ben Allel.

Le président rappelle encore que l'un des signataires du télégramme l'a désavoué par la suite, assurant qu'il ignorait la partie politique de ce télégramme. De plus, l'imam de la mosquée malékite a déclaré qu'il n'aurait jamais signé ce télégramme qui pourtant disait s'appuyer sur l'unanimité des « musulmans des mosquées ».

NOUS NE VOULONS TUER PERSONNE

Le président arrive ensuite à la réunion du stade municipal, où la délégation devait rendre compte de son mandat. Il résume les interventions de MM. Bendjelloul, Bachir, Ben Badis, Boukerdenna et Messali. Il rappelle qu'à ce meeting le cheikh el-Okbi avait annoncé que l'arrêté préfectoral serait emporté par le vent.

« Nous ne voulons tuer personne, avait dit notamment el-Okbi, et si l'on nous refuse ici ce que nous demandons, nous irons tous en France, pays de liberté. »

D'un autre côté, le président rappelle la fameuse réunion des délégués financiers au Café de la Paix et la lettre anonyme reçue par le gérant de cet établissement, le menaçant de détruire son matériel si la réunion avait lieu. Et M. Veillon présente tous ces faits comme autant de points de repère dans la situation politique et religieuse au moment de l'assassinat.

L'INTERROGATOIRE DU CHEIKH EL-OKBI

Le cheikh répond aux questions d'identité avec précision et douceur, et il déclare au président qu'il lui rappelle qu'il n'est pas repris de justice :

« Je n'ai jamais assisté à une audience de tribunal, ni en Occident ni en Orient. »

Le président lit alors un rapport d'un chef de Zaouïa sur le cheikh. Le rapport de cet ennemi politique ne peut évidemment être trop favorable au cheikh. Et le fait que le président ait choisi de lire ce document plutôt que le rapport de la Sûreté qu'il a utilisé pour les autres inculpés provoquera tout à l'heure un incident.

Mais auparavant, le rapport révèle que le cheikh, jusqu'à son arrivée au Hedjaz, « avait mené une vie paisible et que c'est seulement de cette arrivée que date sa vie politique ».

Ici le cheikh répond seulement et avec une douceur accrue qu'il lui paraît difficile de parler à ce sujet de vie paisible ou de vie politique, puisqu'il avait cinq ans lorsqu'il arriva au Hedjaz. Et l'accusation a du mal à se remettre de ce premier coup droit.

Le cheikh précise ensuite que l'activité politique qu'on lui attribue à La Mecque ne saurait lui être reprochée, puisqu'il s'est opposé à la propagande turque, qui visait à faire des Arabes résidant au Hedjaz de futurs mobilisables contre la France.

C'est ici que se place l'incident annoncé plus haut. Le président, après la discussion du rapport précédent, pose au cheikh une question sur le fond. Immédiatement le bâtonnier L'Admiral intervient et demande pourquoi le rapport de la Sûreté favorable au cheikh n'est pas lu et pourquoi il a été remplacé par un rapport défavorable.

Le président répond qu'il consent volontiers à le faire et donne aussi lecture des télégrammes de protestation suscités par l'arrestation du cheikh. À propos d'un de ces télégrammes signés Juglaret, la partie civile veut indiquer que M. Juglaret a été condamné pour atteinte à la souveraineté française. Mais maître Déroulède réplique immédiatement :

« Nous savons ce que valent ces condamnations et ce que vaut le décret Régnier. »

La partie civile insistant, maître Déroulède précise alors

que M. Juglaret s'est pourvu en cassation et qu'on n'a pas le droit de faire état de cette condamnation. L'incident étant clos, le bâtonnier L'Admiral finit la lecture du rapport de la Sûreté où la doctrine religieuse du cheikh est résumée en ces termes : « Il n'y a pas d'intermédiaires entre l'homme et Dieu, et lorsque l'homme a péché, ce ne sont pas quelques bougies brûlées par les marabouts qui pourront l'absoudre. »

Les meilleurs renseignements enfin sont donnés dans ce rapport sur la moralité du cheikh.

À ce moment, il est 16 h 25, et le président Veillon, subitement indisposé, lève l'audience. Au bout de quelques minutes, la cour revient et le président propose de renvoyer l'audience au lendemain.

La défense et l'accusation se solidarisent pour accepter et pour manifester leur sympathie et leurs vœux de rétablissement au président Veillon. L'audience est levée à 16 h 35.

23 juin 1939

L'ASSASSINAT DU MUPHTI

Victime d'une odieuse accusation

LE CHEIKH EL-OKBI DÉSIGNE À SON TOUR CEUX QUI ONT PU CHERCHER SA PERTE :

MM. Michel et Mirante

LE FILM DES DÉBATS

L'AUDIENCE DU MATIN

LA CALOMNIE DÉMENTIE

L'audience est ouverte à 8 h 30. Le président se propose d'interroger le cheikh el-Okbi sur le fond. Il évoque une accusation d'un nommé Rafaï Lakhdar qui déposa contre el-Okbi. Il l'accusait d'avoir « utilisé » Akacha et annonçait que des attentats allaient être perpétrés contre MM. Michel et Milliot. Ces accusations étaient basées par le témoin sur les rapports de tiers. Maître Déroulède note seulement que ce rapport a été démenti par la suite.

Ce même témoin chargeait aussi Abbas Turqui, que cette accusation fait sourire. Les amis d'el-Okbi auraient aussi déposé 240 000 francs pour constituer des défenseurs, 20 000 francs auraient été donnés à maître Berlandier (ce qui a le don de mettre en joie le sympathique défenseur).

Ici maître Déroulède a ce mot : « Le plus beau des honoraires, c'est encore l'honneur de défendre le cheikh el-Okbi. »

Le président donne alors lecture d'une série de démentis faits à ce rapport par les tiers sur lesquels il disait s'appuyer. Rafaï Lakhdar, dans une seconde déposition, se démentait aussi. L'un des tiers disait d'ailleurs : « Rafaï Lakhdar est un homme vicieux qui voudrait bien jouer un rôle politique. » Sur confrontation, Rafaï Lakhdar est cependant resté sur ses positions.

RETOUR EN ARRIÈRE

À ce sujet, el-Okbi voudrait répondre sur les questions posées hier avant la suspension d'audience et sur lesquelles il n'a pas eu le temps de s'expliquer. Il répondra ensuite aux calomnies de Lakhdar. On lui rappelle donc les rapports que le président lisait hier. Pendant cette relecture, el-Okbi paraît plus nerveux et pétrit son mouchoir entre ses mains. Il répond seulement que dans aucune de ses publications il n'a émis une opinion qui aille contre les intérêts de la France.

Il reconnaît avoir créé la société des Oulémas et il précise que cette société se proposait d'unir les musulmans et de leur rendre le sens de la dignité. Ces buts concrets, l'humanité devait s'en enorgueillir. Mais ils allaient contre des intérêts particuliers qu'on a essayé de confondre avec les intérêts de la France. Les Oulémas ne se proposaient même pas de combattre les marabouts, mais de faire cesser les haines de religion et de race. L'intrusion de la politique, dans cette association, n'a pas été le fait d'el-Okbi et de ses amis, mais de certains délégués financiers qui essayaient de faire des Oulémas un tremplin personnel. Devant la réaction d'el-Okbi, les dissidents ont constitué une « société de savants traditionalistes ».

Ce nom étant destiné à créer des équivoques, les Oulémas ont créé un journal qui s'appelait *La Tradition*. Les dissidents se retournèrent donc vers l'administration, qui suspendit la publication de ce journal. Et el-Okbi évoque la création successive des journaux qu'il dirigeait et les brimades correspondantes de l'administration.

« Nous avons été bâillonnés et nous n'avons pu répondre à ceux qui nous accusaient d'être des anti-Français. »

Le président interrompt el-Okbi pour le ramener vers le fond et résume l'accusation qui est portée contre lui. Il refuse de laisser s'égarer le débat.

« Je m'excuse, dit el-Okbi. Je n'ignore pas que là est le sujet. Mais on a parlé hier de ces points et je devais m'en expliquer. »

Sur intervention du bâtonnier L'Admiral, on permet au cheikh de continuer ses explications. Au sujet du Congrès musulman, el-Okbi précise que ce congrès n'a été que l'interprète des revendications des musulmans.

Le président demande au cheikh d'être bref. Le cheikh continue cependant sur la délégation du congrès et insiste sur le fait qu'elle représentait tous les partis et tous les intérêts des musulmans. Le jour du crime, el-Okbi se trouvait sur les lieux avant 7 heures. Il a pris la parole à 11 heures. Le soir même, les Oulémas devaient se rendre à Tlemcen. Le crime les en empêcha.

« Je jure devant Dieu et sur mon honneur d'homme que je ne connaissais pas Akacha. »

On revient alors au fond et à la déposition de Rafaï Lakhdar. Selon celle-ci, Akacha aurait été employé chez le cheikh comme commissionnaire. Mais les voisins le démentent. À cette annonce, el-Okbi déclare : « J'en suis heureux et j'en rends grâces à Dieu. »

El-Okbi ajoute :

« Je ne connais pas Akacha : je ne savais même pas qu'il existait. »

Le président lit la déposition accusatrice d'Akacha, faite à la Sûreté. El-Okbi répond :

« Je ne connaissais pas Akacha. Je jure devant Dieu et sur mon honneur d'homme que je ne l'ai jamais vu avant notre entrevue chez le juge d'instruction. »

Le cheikh fait alors connaître son emploi du temps du 31 juillet, jour où il aurait donné à Akacha ses instructions. Or, el-Okbi n'est pas allé au Cercle ce jour-là avant le soir.

« Je ne suis pas assez fou enfin, dit le cheikh, pour remettre à un assassin à gages *dans un endroit public*, 30 000 francs et un poignard. Si je devais tuer quelqu'un, *et si mes convictions me le permettaient*, je suis homme à prendre mes responsabilités, étant bon musulman. »

Sur une interprétation du président, maître Déroulède proteste et assure qu'une traduction suffit amplement.

UN REGARD QU'ON NE SOUTIENT PAS

El-Okbi déclare ensuite : « Je tiens à dire et à répéter que je ne connais pas Akacha et que si j'avais voulu tuer le muphti, j'aurais choisi un de mes partisans qui se comptent par milliers. Et jamais ce partisan ne m'aurait dénoncé. Mes partisans sont des croyants et des pratiquants. Akacha lui ne prie pas. »

Akacha avait déclaré au juge d'instruction qu'il soutiendrait le regard d'el-Okbi. Il ne l'a pas fait.

« Louanges à Dieu », dit el-Okbi.

Le président retrace la scène de la remise du poignard, toujours selon Akacha. Malgré l'inutilité de cette exposition, rétractée par Akacha, el-Okbi répond. Avant qu'on traduise cette réponse, le bâtonnier L'Admiral demande le transfert de la cour sur les lieux. En attendant le dépôt des conclusions écrites, on traduit la réponse :

« Si j'avais voulu faire tuer, je n'aurais pas vu Akacha dans la salle publique, mais l'aurais mené dans mon bureau privé. El-Okbi est un homme sensé. »

On demande à el-Okbi, qui a la clef de la salle où se trouve la bibliothèque qui renfermait, selon Akacha, le poignard. El-Okbi répond que la porte était ordinairement fermée. Le président demande ensuite s'il existait entre el-Okbi et le muphti une animosité personnelle.

« Je n'ai pas, dit el-Okbi, un seul ennemi personnel dans toute l'Algérie. »

UNE SENSATIONNELLE
INTERVENTION D'AKACHA

Ici, Akacha demande la parole, ce qui provoque une sensation considérable. Voici ce qu'il déclare :

« Le jour où j'ai été interrogé par le juge d'instruction et où j'ai rétracté une partie de mes aveux, le juge m'a isolé et m'a dit : " Tu as une mère, maintiens tes aveux. " »

Ici, l'avocat général s'élève contre cette accusation. Maître

Sansonetti proteste avec la dernière énergie. On continue la traduction.

« J'ai été conduit ensuite au Cercle avec les agents de la Sûreté. On m'a laissé dans l'escalier. Chennouf est venu me voir et m'a conduit vers la salle où se trouvait la bibliothèque et m'a dit : " C'est là. " J'ai dit : " C'est là. " Mais si le juge m'avait demandé d'aller seul au Cercle du Progrès je ne l'aurais même pas trouvé. »

Et maître Sansonetti rappelle que, la veille de ce jour, Akacha avait déjà nié ce qu'on lui faisait avouer alors si singulièrement.

« L'IMAM DÉTESTÉ »

L'audience suspendue à 9 h 55 est reprise à 10 h 7.

Le président annonce qu'en vertu de son pouvoir discrétionnaire, il décide la convocation du juge Vaillant. Sur interpellation, el-Okbi confirme qu'il n'avait aucun intérêt à tuer Kahoul.

Le président lit une brochure où Kahoul est représenté comme un marabout malfaisant, et el-Okbi comme un grand chef.

« De qui émane cet écrit ? dit el-Okbi.

— Du parti communiste.

— Je ne suis pas responsable des déclarations d'un parti quelconque. »

Une relation de M. Zouaï est lue par le président, où le narrateur rapporte un propos, démenti ensuite, qu'aurait tenu el-Okbi à un repas chez M. Zerrouk Mahieddine. El-Okbi aurait déclaré qu'il *faisait le repas funéraire de Kahoul*. Tous les témoins ont, par la suite, démenti ce propos.

« Je nie, répond el-Okbi, ce propos. Mais il est exact que Zouaï ait essayé d'établir d'excellentes relations entre Kahoul et moi. Et j'ai dit à Kahoul que nous ne pouvions pas être d'accord sur les idées, mais qu'en tant qu'hommes, nous pouvions nous entendre. »

Le président fait alors allusion à une correspondance entre el-Okbi et cheikh Saïd Aboulaya, imam de la mosquée Sidi-Abdallah. Celui-ci considérait qu'el-Okbi pouvait barrer la route à Kahoul. On lit dans ces lettres que « Kahoul s'attribuait la qualité de muphti, poste qui lui aurait été promis ». El-Okbi reconnaît ces points de détail.

Dans une autre lettre, cheikh Saïd parle de l'« imam détesté ». El-Okbi le reconnaît. Mais cheikh Saïd a réclamé le droit d'employer ces termes en tant que représentant du culte religieux. Cheikh Saïd a eu à souffrir d'ailleurs des rigueurs de l'administration et des menaces particulières de M. Milliot en raison de ses amitiés avec les Oulémas.

Imam détesté constitue d'ailleurs une expression coranique qui vise les hommes religieux qui trahissent leurs devoirs. Le cheikh el-Okbi proposant une consultation à cet égard, le président déclare qu'il n'a pas de conseils à recevoir du cheikh.

Sur question, el-Okbi déclare qu'il n'a jamais voulu prêcher dans la mosquée du muphti. Et après cet interrogatoire qui n'a rien apporté contre le cheikh, le président donne la parole au ministère public pour d'éventuelles questions.

CHEIKH EL-OKBI NOMME SES ADVERSAIRES

Le ministère public demande à el-Okbi comment il explique les accusations d'Akacha.

El-Okbi répond nettement que ses adversaires ont monté cette comédie pour nuire au mouvement indigène. À *[une ligne sautée]* : premier scandale.

L'avocat général demande quelles raisons avait la Sûreté de procéder ainsi :

« Dois-je tout dire ? demande el-Okbi.

— Oui, dit l'avocat général.

— En Algérie je ne connais que deux personnes susceptibles de ne pas m'aimer : MM. Mirante et Michel. Et il n'est pas impossible que ces deux personnalités aient demandé à la Sûreté de m'impliquer dans cette affaire. »

L'avocat général insiste. El-Okbi maintient son hypothèse.

« Je connaissais les sentiments de M. Mirante, qui me les a manifestés. Le 7 août, j'ai publié dans mon journal *El Bassaïr* un article contre un protégé de M. Michel. Deux jours après, j'étais arrêté. »

Et là, cheikh el-Okbi attaque à son tour et fait un très long exposé de ses soupçons.

« Après mon arrivée à Alger, on m'a demandé de faire des conférences. M. Mirante était en France. À son retour, il me convoqua. Je fus renvoyé six fois, puis enfin reçu. La réception a été flatteuse. *M. Mirante m'a offert un emploi officiel que j'ai refusé pour garder mon indépendance.* Il a demandé alors au président de la Cultuelle musulmane de lui faire un rapport établissant que j'étais un agitateur. Il lui a dressé même un projet de rapport que le président refusa de signer. Peu après, l'arrêté interdisant le prêche était publié. »

Le président fait remarquer que l'article d'*El Bassaïr* était postérieur aux aveux d'Akacha. Mais el-Okbi précise que cet article était le dernier d'une longue série.

L'avocat général pose alors une question insidieuse et demande au cheikh s'il ne pense pas que ses conférences ont pu exalter Akacha. El-Okbi affirme qu'Akacha ne pouvait pas être un auditeur de ses conférences.

Akacha a, de son côté, déclaré qu'il n'a fait ses déclarations qu'à la suite des mauvais traitements infligés à la Sûreté. Et l'interrogatoire est terminé.

L'INTERROGATOIRE D'ABBAS TURQUI

On interroge l'accusé sur le fond. Abbas Turqui s'exprime posément et sans trouble :

« Je ne connais pas Akacha. Nous n'appartenons pas au même milieu. Je ne suis ni un ivrogne, ni un débauché. J'ai des responsabilités devant les miens. Et j'ai reçu une éducation qui m'empêche de faire le mal. J'avais de l'admiration pour el-Okbi parce qu'il avait moralisé mes concitoyens, et qu'il prêchait la non-violence et la préservation du mal. »

Sur questions, il dit ne pas comprendre les accusations d'Akacha et se demande pourquoi, alors que tant de membres du Cercle du Progrès lui sont supérieurs par l'intelligence, c'est lui qu'on a choisi pour porter les responsabilités de ce complot. On demande à Abbas Turqui son emploi du temps. Il dit avoir passé la journée dans son magasin. Au sujet de Kahoul, Abbas Turqui rappelle qu'il était l'ami intime de son fils, que tous deux étaient inséparables et se recevaient mutuellement.

Sur questions, il répond : *« El-Okbi est un savant. Ce n'est pas à lui de me suivre, mais à moi de l'écouter et de le suivre. »* L'interrogatoire est terminé.

Le bâtonnier L'Admiral dépose les conclusions demandant le transfert de la cour au Cercle du Progrès. La partie civile et le ministère public s'y opposent. Un incident s'élève. Et la défense insiste.

L'examen des lieux ferait la démonstration que tout ce qui a été rapporté est invraisemblable.

L'audience est levée à 11 h 30.

L'AUDIENCE DE L'APRÈS-MIDI

UN GRAVE INCIDENT

L'audience est reprise à 15 h 20. Le président annonce que les conclusions de la défense concernant le transfert de la cour au Cercle du Progrès sont rejetées. Le bâtonnier L'Admiral demande alors une suspension d'audience pour que les avocats de la défense puissent se concerter et décider s'ils peuvent encore assumer la défense dans les conditions qui leur sont faites par la cour.

L'audience est suspendue à 15 h 25. Elle est reprise à 15 h 30. Le bâtonnier L'Admiral déclare que la défense a compris que le sentiment du devoir devait l'emporter sur toute autre considération et qu'elle reprend sa place à la barre.

On procède donc à l'appel des témoins et le premier appelé est le commissaire Laurens Berge.

LES TÉMOINS

Le commissaire Laurens Berge est un des premiers arrivés sur les lieux du crime. Il raconte les circonstances où il a découvert le meurtre et les constatations qu'il a faites. À ce sujet, on exhibe comme pièce à conviction le poignard du crime. Le commissaire le reconnaît. Sur question de la défense, le commissaire précise *qu'il n'y a eu aucun témoin de la première heure.*

M. DÉSIDÉRI COMMISSAIRE DE SÛRETÉ
PARLE D'AVEUX SPONTANÉS

On appelle alors M. Désidéri, commissaire de Sûreté. Il est arrivé très tard sur les lieux. Il n'a pu trouver qu'un témoin, la fille soumise Talbi Zohor, puis un second, la fille Allouache Muni. Il rappelle les aveux supposés d'Oussaoui-dène. Il assure qu'Akacha, lors de ses aveux, est venu « spontanément faire sa confession, s'est assis à sa gauche et a vérifié sur le procès-verbal qu'on avait bien noté qu'il s'agissait d'un crime politique ».

Le président demande à M. Désidéri d'où provenaient les traces de coups constatées par le docteur Gand sur Boukheir. M. Désidéri pense que « Boukheir a pu se battre » *(sic)*. Il prétend que jamais les agents de la Sûreté n'ont battu les inculpés. Il signale d'ailleurs « qu'on le saurait puisqu'il a surpris des personnalités musulmanes » écoutant aux fenêtres. Pressé de donner des noms, M. Désidéri cite M. Chekiken.

À ce moment, Mohara demande la parole et indique que les filles soumises ont d'abord déclaré ne pas les reconnaître. Le commissaire Désidéri ne l'a ni maltraité, ni interrogé, mais seuls des inspecteurs de la Sûreté ont procédé à cet interrogatoire et pratiqué cette « question » à la mode ancienne.

Akacha, à son tour, proteste contre la déposition du commissaire Désidéri. Il lui semble que le commissaire-chef Bringard ait assisté à ces interrogatoires.

Le commissaire Désidéri, le 2 août, a fait arrêter tous les clients qui se trouvaient dans le café Boualem. Accusé par Talbi Zohor, Akacha a nié. On lui a dit : « On va voir ce que tu vas déguster » *(sic)*.

On l'a déshabillé et battu sur la plante des pieds. On le faisait marcher ensuite pour que la circulation puisse se rétablir et effacer les traces des coups. La seconde fille soumise l'a désigné quelques jours après, sur un regard du commissaire Désidéri. Celui-ci a donné à Akacha une gifle et un coup de pied. Akacha cite aussi de très nombreux détails vécus (par exemple à l'une des confrontations, il dit que Talbi Zohor fumait et avait un paquet de cigarettes devant elle) qui donnent une certaine authenticité à ses dires.

« VOUS ALLEZ DEMANDER SA TÊTE... »

M. Désidéri maintient sur certains points sa déposition. Mais la défense lui rappelle que la fille soumise lui donne un démenti dans sa déposition. Ici, Akacha, parlant en français, s'écrie en dirigeant son doigt vers le commissaire : « Ce sont des choses que je ne peux pas oublier parce qu'elles sont gravées dans mon cœur. »

Le ministère public demande à l'accusé d'être déférent. La défense proteste et maître Sansonetti s'écrie avec véhémence :

« Vous allez demander sa tête, laissez-le au moins se défendre. »

Maître Berlandier remarque que les aveux d'Akacha ont eu lieu quatre jours après son arrestation. Maître Goutermanoff demande au commissaire si, la nuit des aveux de Boukheir, celui-ci s'est exprimé en français.

« Oui », dit le commissaire.

Et maître Goutermanoff demande alors pourquoi le procès-verbal *attribue à l'inspecteur Chennouf la fonction d'interprète.* Le commissaire ne peut répondre.

Maître Goutermanoff fit remarquer alors que Boukheir, par surcroît, a été arrêté avant d'avouer, si du moins on en croit les déclarations actuelles du témoin. Le commissaire Désidéri ne peut encore répondre.

Maître Haddou demande si l'emploi du temps du témoin a été vérifié. Le commissaire Désidéri déclare « qu'on a commencé à vérifier ». Sur intervention du ministère public, maître Haddou rappelle que la moralité d'un témoin compte et que le commissaire Désidéri a été déplacé après être passé devant un conseil de discipline.

UNE DÉPOSITION SYMPATHIQUE

On entend ensuite M. Bringard, commissaire-chef de la Sûreté. M. Bringard évoque la confrontation des accusés avec la fille Allouache Muni et confirme les déclarations du commissaire Désidéri. Durant tout le temps de cette déposition, Akacha dévore du regard le commissaire Bringard. Celui-ci retrace ensuite les aveux des trois accusés.

Le président demande qui a servi d'interprète.

« Personne », dit le commissaire.

Maître Haddou demande (puisque Akacha aurait avoué avoir commis un crime politique), si M. Désidéri a effectué une enquête pour connaître les antécédents politiques de l'accusé. M. Désidéri, malheureusement, ne s'en souvient plus. La défense, pour finir, rend justice à l'humanité de M. Bringard, ennemi des méthodes de tortures qu'on peut déplorer dans cette affaire.

« J'AI VU TUER TELLEMENT D'HOMMES
QUE ÇA NE M'INTÉRESSE PLUS »

On entend ensuite le commissaire Lefèvre. Il ne sait rien de l'assassinat, mais une demi-heure avant l'attentat, il a rencontré trois indigènes en bleu de chauffe, dont l'un a fait un mouvement pour se détourner. Il a supposé, après coup, que ce pouvait être Akacha. Il a entendu des yaouleds crier peu après : « On vient de tuer un homme. »

Le président demande au témoin s'il n'a pas eu la curiosité d'aller sur les lieux :

« J'ai vu tuer tellement d'hommes, dit le témoin, que ça ne m'intéresse plus. »

Le commissaire déclare qu'en 1928 il a connu Akacha à Alger et qu'il jouissait alors d'une mauvaise réputation. Mais Akacha précise que cette année-là il était sous les drapeaux.

L'audience est suspendue à 17 h 10.

UN SINGULIER TÉMOIGNAGE

Elle est reprise à 17 h 25. On appelle Talbi Zohor, fille soumise, témoin cité par l'accusation. La fille ressemble curieusement à une momie. Elle dit avoir vu Akacha et ses complices frapper le muphti. Akacha était au milieu, à sa droite était Mohara. On lui demande de préciser les positions des accusés. Elle dit seulement « qu'ils étaient debout ».

Le président lui demande de façon assez émouvante si elle se rend bien compte de la gravité de cette accusation.

« Je dis ce que mes yeux ont vu », dit la fille.

Akacha réaffirme que cette fille est l'amie de sa maîtresse. Le témoin a dit qu'elle ne connaissait Akacha que de vue. Mais Akacha affirme qu'il pourrait conduire la cour à la chambre de cette fille. Maître Haddou rappelle que ce témoin s'est déclaré incapable de reconnaître les autres agresseurs. Le témoin se rétracte devant la cour.

Sur question de la défense, la fille révèle qu'elle est restée *cinq jours dans les locaux de la Sûreté.*

Le président Veillon, avec beaucoup de compréhension et d'impartialité, note les contradictions de ce témoignage.

La fille ajoute encore quelques mensonges soulignés par la défense.

« MOHARA A BAISÉ LA MAIN DU MUPHTI »

C'est ensuite Allouache Muni. Elle semble tout d'abord confirmer les déclarations de la première fille, mais elle prétend que Mohara a baisé la *main* du muphti.

Elle déclare seulement qu'elle sait qu'elle risque sa vie en faisant sa déclaration, mais elle va chercher un mari qui la défendra. La défense lui fait préciser qu'elle est restée sept jours dans les locaux de la Sûreté et s'en tient à ce point.

À 17 h 45 l'audience est levée.

24 juin 1939

L'ASSASSINAT DU MUPHTI
MM. MICHEL ET MIRANTE
ONT ÉTÉ ENTENDUS HIER

LE FILM DES DÉBATS

L'AUDIENCE DU MATIN

M. MICHEL DÉPOSE ET PROTESTE

La séance est ouverte à 8 h 15. On entend d'abord M. Michel, qui dit aussitôt qu'il ne sait pas grand-chose de l'affaire, mais qui tient à élever une protestation contre les déclarations du cheikh el-Okbi. Il veut apporter à cette protestation toute l'énergie et toute la véhémence possibles.

Son rôle a été simple. Membre du comité consultatif du culte musulman, il ne s'est occupé que de questions administratives :

« Ce n'est pas moi qui ai rédigé l'arrêté préfectoral incriminé, dit-il. C'est le préfet de l'époque, d'accord avec le Conseil supérieur, qui a pris cet arrêté. La " circulaire Michel " n'a été ni rédigée ni inspirée par moi. Je l'ai signée par ordre. Mais je dois dire que je m'associe pleinement aux vues de l'autorité supérieure, et que, agissant seul, je l'aurais signée. »

Le témoin affirme qu'il a vécu en Algérie, connaît la langue arabe et qu'il est l'ami des indigènes. Il présente comme sa plus belle récompense l'amour qu'il a rencontré parmi eux, dont il cite un exemple en rappelant une expression arabe qui le désigne comme « un homme droit ».

À propos de la circulaire, il rappelle qu'elle a été prise en raison d'incidents qui se seraient produits en 1933. Elle n'interdisait d'ailleurs pas le prêche aux Oulémas, mais leur faisait obligation d'une autorisation préalable.

M. Michel affirme n'avoir jamais connu les Oulémas. Il n'a pas connaissance du fait qu'el-Okbi ait désiré prêcher dans la mosquée du muphti. Le cheikh Kahoul s'est plaint souvent de l'animosité des Oulémas, qui l'accusaient de fournir des textes religieux à l'administration pour entraver leur action.

Maître Francis demande alors si les marabouts n'ont pas demandé à l'administration d'interdire l'accès des mosquées aux Oulémas. Le témoin affirme ne pouvoir répondre que d'une façon évasive.

Maître Francis demande si les représentants du culte et les Oulémas n'entretenaient pas de bonnes relations, puisqu'ils faisaient ensemble des conférences. M. Michel dit n'être intervenu que lorsque les conférences d'el-Okbi ont causé des « troubles très graves ». Le président demande à M. Michel s'il s'est mis en rapport avec le président de la Cultuelle. Le témoin répond que non. Le président lui rappelle alors une lettre dont el-Okbi a déjà parlé hier. M. Michel assure que la circulaire était nécessaire pour « maintenir l'ordre et la sécurité ».

Avant de traduire ces déclarations aux accusés le président demande au témoin si ses protestations initiales ont été provoquées par la lecture des journaux.

« Oui, des trois journaux », dit M. Michel.

LE CHEIKH EL-OKBI PRÉCISE SES DÉCLARATIONS

El-Okbi demande si le témoin peut répéter les déclarations qu'il lui reproche. M. Michel répète les déclarations que l'on sait. El-Okbi rappelle alors qu'il a fait une supposition, sur demande de l'avocat général.

« Mon désir le plus ardent, c'est que tous les indigènes aiment les Européens et les Européens les indigènes.

— Tout le monde est d'accord, dit le président.

— Tout le monde, dit el-Okbi, sait qu'un fonctionnaire est responsable devant ses chefs. Mais si nous parlions de la " circulaire Michel ", c'est qu'elle était signée Michel. »

El-Okbi rappelle qu'il a protesté contre un article de M. Si Salah, disant que M. Michel, en tant qu'infidèle, ne pouvait comprendre les besoins des indigènes. Cette protestation a fait le fond d'un article du journal *El Bassaïr*.

Le bâtonnier Colonna s'adresse à el-Okbi « comme à un homme qui est intelligent, qui connaît la valeur des mots et le poids des pensées » et lui demande s'il croit qu'un fonctionnaire français peut, par simple dépit, commettre un tel crime moral : « Ou alors, dit le bâtonnier, il y a autre chose, et, s'il y a autre chose, je vous adjure de le dire. »

INCIDENT

El-Okbi déclare ne pas ignorer que les hauts fonctionnaires sont au-dessus de ces faits. C'est pour cela qu'il n'a apporté qu'une hypothèse. Mais si M. Michel n'était pas fonctionnaire, ce serait une affirmation. Le président proteste. Maître Déroulède, à son tour, défend son client.

M. Michel dit qu'il a trente-huit ans de services et qu'il n'admet pas qu'un individu puisse jeter son nom en pâture au public. M. le président déclare alors que le nom de M. Michel reste intact et que l'incident est clos.

Maître Francis demande quels sont les incidents « très graves » qui ont suivi les conférences d'el-Okbi. On donne lecture ici d'un rapport de la Sûreté.

El-Okbi déclare que jamais ses conférences n'ont causé d'incidents. Il respecte trop les mosquées pour en faire un lieu de discussions politiques.

Maître Haddou demande si le témoin, averti des affaires indigènes, n'a pas envisagé l'hypothèse d'une machination fomentée par l'étranger. M. Michel n'y a pas pensé. C'est à la justice de résoudre ce problème.

Avant de partir, M. Michel rend un hommage public au cheikh Kahoul, dont il était l'ami. C'était un homme pondéré et calme, à l'esprit droit. El-Okbi loue alors M. Michel pour sa fidélité à la mémoire d'un ami. Toute la défense s'associe à cet hommage. Même Akacha présente le muphti comme la « lumière de notre Islam ».

On entend ensuite un journalier de la rue Randon, Hadj Belkacem, qui a rencontré le cheikh Kahoul rue de la Lyre. Après l'avoir quitté, il a entendu un cri : « Ah ! » et il a vu le muphti la main sur un poignard enfoncé dans sa poitrine. Le muphti a dit : « C'est un couteau. Il n'y a de force et de puissance qu'en Dieu » et s'est affaissé. Deux individus en même temps s'enfuyaient. Le témoin n'a pas pu les voir.

Il ne peut donner de renseignements sur la couleur des vêtements des fuyards. Maître Haddou rappelle pourtant qu'à l'instruction le témoin a précisé que ces vêtements étaient noirs.

HISTOIRE DE SOULIERS

On entend ensuite Salem Mohammed, le cordonnier invité par Akacha le matin du crime. Il dit que son client est venu entre 9 heures et 10 heures une première fois, puis à 11 h 30.

Akacha rappelle au témoin qu'il était allé vers 9 heures chez le cordonnier qui ne s'y trouvait pas encore et lui demande si on ne l'a pas gardé toute une nuit dans les locaux de la Sûreté.

« Oui », dit le témoin.

Mais il nie avoir été absent de son magasin. Il a appris le crime par un bijoutier juif.

Maître Sansonetti demande si c'est bien entre 9 h 15 et 9 h 30 qu'Akacha s'est rendu chez le cordonnier. Celui-ci répond : « Entre 9 et 10 heures. » Et on sent l'importance de ce point. Le défenseur lui demande si Akacha n'est pas resté un moment dans la cordonnerie.

« Non », dit le témoin.

Or, le témoin a dit le contraire dans sa déposition, où il précise même qu'Akacha s'est assis sans paraître gêné dans ses mouvements, comme il l'aurait été s'il avait eu un boussaâdi dans ses vêtements.

Maître Sansonetti lui demande quelle était la contenance d'Akacha après le crime.

Le témoin « n'a pas fait attention ».

LE GARÇON DU CORDONNIER
CONTREDIT LE CORDONNIER

On appelle alors le garçon du cordonnier, Taïeb Mohammed Belhadj. Celui-ci confirme les déclarations d'Akacha concernant l'absence du patron. Il précise que l'accusé est resté de cinq à dix minutes dans la cordonnerie.

Maître Haddou tente de faire préciser ce témoignage assez vague.

UN TÉMOIN PHYSIONOMISTE

On entend ensuite Saïd Ben Belkacem, garçon de café. Il a signalé que deux individus, vêtus d'un bleu de chauffe, ont passé devant l'établissement où il travaille. Il les reconnaît dans le box : c'est Akacha et Mohara.

Akacha fait remarquer qu'à l'information il a « reconnu » aussi les fameux passants, mais c'est Oussaouidène qu'il a désigné. Saïd reconnaît alors qu'il n'a reconnu personne.

Puis il se rétracte et sa déposition devient nettement confuse. Le président donne alors lecture de la déposition du patron du témoin, malheureusement décédé, et rend compte de ses confrontations avec les inculpés.

Le ministère public fait remarquer que le témoin, à l'instruction, s'est plaint d'être poursuivi de menaces. Le témoin le nie.

« Ici, dit-il, je n'ai pas d'amis et d'adversaires. »

Il a déclaré au cours de l'instruction qu'il a fait sa déposition à l'inspecteur Chennouf « parce qu'il est du même pays que lui ».

L'audience est suspendue.

LE FILS DE LA VICTIME ACCUSE

À la reprise, on entend le fils de la victime, Bendali Amor Abderrhamane, professeur à la Médersa. Il déclare qu'il y a déjà sept ou huit ans que sa famille souffre par le fait d'el-Okbi. Depuis trois ans cette souffrance s'est transformée en douleur, et cette douleur est encore vivante. Le témoin a accusé dès les premiers jours le cheikh el-Okbi et le cheikh Ben Badis. « C'est Taïeb el-Okbi, dit-il, qui a inspiré les campagnes contre l'imam. » Le témoin représente son père comme le symbole de l'Islam français.

« En assassinant le muphti, on a visé la France. Je jure par Dieu que c'est Taïeb el-Okbi qui a armé la main de l'assassin. »

Le témoin évoque le télégramme du muphti qu'il appelle « son arrêt de mort ». Le muphti, selon son fils, voulait écarter des mosquées l'agitation antifrançaise. Taïeb el-Okbi, au contraire, voulait l'y introduire. Et le témoin retrace l'histoire de ce télégramme.

« Je suis persuadé que la justice fera son devoir. Je déclare qu'assassiner un homme en plein jour, c'est lancer un défi à la justice française. Ma famille et moi avons attendu trois ans et nous faisons confiance à la cour pour châtier les criminels comme ils le méritent. »

Akacha déclare alors :

« Nous aimions le muphti au même titre que son fils.

— Je ne connaissais pas le muphti, dit Mohara.

— On t'a poussé, dit le témoin.

— Personne ne m'a poussé », s'exclame Mohara.

Boukheir n'a rien à déclarer. Mais el-Okbi demande la parole.

« Je proteste contre les paroles blessantes prononcées par le témoin. Ces paroles sont contredites par les faits. Il n'appartient pas au témoin de me juger. J'ai des juges. Il ne lui appartient pas d'apporter ici sa certitude. Le télégramme n'a pas de rapport avec moi, qui étais l'un des délégués parmi les dix-huit.

« Je jure à mon tour par Dieu que je n'ai pas tué, pas fait tuer, pas fait armer une main d'assassin. Je ne suis pas non plus un agitateur. J'ai donné des conférences gratuites, n'attendant ma récompense que de Dieu. Si même on devait m'accuser d'être un anti-Français, il n'appartiendrait pas au témoin de le faire, mais à la justice. »

UNE MINUTE ÉMOUVANTE

À son tour, Abbas Turqui demande si le témoin le connaît et s'il était son ami. Le témoin dit qu'il connaissait le père d'Abbas Turqui, et que celui-ci se plaignait de son fils qui le laissait mourir de faim et le battait. Abbas Turqui proteste et dit qu'il comprend la douleur du témoin, mais non pas cet acharnement et que lui-même, sur ce plan, aurait beaucoup de choses à dire.

« Qu'il les dise, dit le témoin.

— Je ne veux pas oublier cinq ans d'amitié et je ne dirai rien. Mais tout le monde peut témoigner de cette amitié.

— Depuis qu'il y a el-Okbi, dit le témoin, Abbas Turqui me regarde de travers dans les rues.

— Non, dit Abbas Turqui, rien ne nous séparait et si nos relations ont pris fin, c'est pour une cause futile.

— Ce n'est pas pour cette cause futile que je l'accuse, mais parce qu'il a été fasciné par el-Okbi. »

Maître Serna fait remarquer que le témoin n'a jamais accusé Abbas Turqui.

« Ma conviction a été faite après l'arrestation, dit le témoin.

— C'est superbe », dit maître Serna.

UNE SINGULIÈRE HISTOIRE DE MACHINE

Maître Haddou demande si le témoin a toujours la machine qui servit à taper le télégramme. Le « oui » du témoin est évasif. Maître Haddou insiste.

Le témoin croit l'avoir à Constantine ou à Alger. Maître Haddou insiste encore et demande si le témoin pourrait l'apporter devant la cour. Le témoin hésite. La défense demande au président de faire apporter cette machine. Des conclusions seront déposées.

« Quelle est la marque de cette machine ? » demande maître Haddou, subitement.

Le témoin hésite et répond : « Vous la verrez quand elle sera là. »

Et ceci crée une grosse émotion dans le prétoire.

On dépose aussi des conclusions demandant qu'il soit

donné acte que le témoin, partie civile, a été mêlé aux témoins de l'accusation. L'audience est suspendue à 11 h 05.

L'AUDIENCE DE L'APRÈS-MIDI

LE TIERS MYSTÉRIEUX

L'audience est reprise à 15 h 15. Mais la cour se retire aussitôt pour délibérer sur les conclusions déposées en fin d'audience, le matin. Quelques minutes après, elle revient et annonce qu'elle refuse de donner acte à la défense de ce qu'elle demande, attendu qu'elle pouvait s'y opposer avant la parution du témoin.

Maître Haddou dépose alors des conclusions tendant à demander le transport devant la cour de la machine de Bendali Amor, étant donné l'attitude évasive du témoin, qui affirme savoir dactylographier et posséder une machine. La partie civile proteste et repousse ce supplément d'information qui tend à présenter un plaignant comme un accusé. Le ministère public s'oppose également à ce transfert. Maître Haddou défend sa position et dit sa conviction que ce télégramme a été dicté par un tiers. On demande à maître Déroulède son avis :

« Rien à dire, répond-il, j'aurais trop à dire. »

UN TÉMOIN À DÉCHARGE

On entend M. Digiacomo Louis, professeur à l'E.P.S. Il a suivi pendant deux ans les conférences du cheikh el-Okbi. Il n'a pas d'autres relations avec le cheikh. Il dit que le cheikh est éloquent et peut avoir une action sur ses auditeurs.

« Il en a eu une pour moi. Il a ma sympathie et mon admiration. C'est un homme foncièrement religieux. Il connaît le Coran. Il connaît le verset du Coran qui défend de tuer. Il l'a médité. Je le crois incapable d'avoir inspiré ce crime. »

Le cheikh el-Okbi n'a jamais traité que des questions d'exégèse religieuse. Il ne faisait jamais de personnalité. Les conférences d'abord ouvertes à tout le monde ont été ensuite moins ouvertes par suite de l'affluence considérable des auditeurs.

Le témoin est toujours entré librement dans la salle des bibliothèques. Lors de l'arrestation du cheikh, M. Digiacomo lui a écrit spontanément pour lui dire sa foi dans son innocence.

M. VAILLANT JUGE D'INSTRUCTION

On appelle ensuite M. Vaillant, juge d'instruction. Il rappelle que les inculpés ont confirmé devant lui les aveux de la Sûreté. Il affirme que dès le début tous ses efforts ont tendu à faire comprendre à Akacha la gravité de l'accusation qu'il portait contre el-Okbi. Il a essayé aussi de savoir si c'était la Sûreté qui avait inspiré ces aveux. À cet égard M. Vaillant dit qu'il « a tendu des perches à l'accusé ».

M. Vaillant reconnaît que les accusés étaient conduits par des agents de la Sûreté et que parmi eux se trouvait l'inspecteur Chennouf. Il reconnaît aussi que, dès le début, Boukheir s'est plaint des sévices de la Sûreté. Akacha ni Mohara n'ont rien dit à cet égard.

Lors de la reconstitution au Cercle du Progrès, M. Vaillant a craint que la foule fasse un mauvais parti à Akacha, pour avoir accusé el-Okbi, dont M. Vaillant dit « qu'il était porté aux nues » par la majorité de la population arabe. Le témoin insiste sur l'importance de cette reconstitution et reconstitue lui-même la scène devant le tribunal.

M. Vaillant s'élève contre les accusations d'Akacha.

« Si on pouvait me reprocher quelque chose, c'est d'avoir trop poussé Akacha à innocenter el-Okbi. Mais le contraire, non. »

Les rétractations d'Akacha, précise enfin le juge, ont eu lieu lors de la confrontation avec el-Okbi.

LE CHRIST DEVANT LES JUGES

Akacha prend la parole, précise qu'il a été accompagné au Cercle du Progrès par les agents de la Sûreté et réaffirme que l'inspecteur Chennouf lui a dicté sa conduite. M. Vaillant lui donne un démenti formel.

M. Vaillant s'explique sur le Christ qu'il montre à l'inculpé. Il a dit à Akacha : « Si tu es religieux, nous pouvons nous comprendre, je suis un chrétien. Et je crois aussi en

Dieu. J'ai là une image qui m'aide lorsque je me tourne vers elle. »

Et en la lui montrant il dit à Akacha : « Lorsque tu crois en Dieu, comment peux-tu avoir tué un homme religieux et vouloir envoyer au bagne un autre homme religieux ? »

Akacha prend la parole et déclare :

« Non, j'ai dit, je ne crois pas en Dieu. Il est trop vieux. Il faut le changer » *(sic)*.

On demande à Mohara, devant M. Vaillant, s'il persiste à dire qu'il a déclaré au magistrat instructeur qu'on l'avait battu.

Maître Sansonetti demande au témoin ce qu'il a pensé des procédés de la Sûreté. M. Vaillant demande qu'il respecte ses opinions intimes.

NOUVEL INCIDENT

Maître Berlandier intervient et tente de rappeler au témoin une scène de confrontation dans le cabinet du juge Rambert, et à laquelle assistaient des agents de la Sûreté. L'avocat général demande qu'on fasse préciser ce point au juge Rambert. Maître Berlandier demande si on suspecte sa parole. Un incident s'élève.

À évoquer la scène de la rétractation, M. Vaillant parle de son émotion et des souffrances que cette affaire lui apporta. À ce moment M. Vaillant ne peut maîtriser son émotion et pleure. À ce sujet un incident assez pénible se produit entre maître Berlandier et la partie civile.

Maître Haddou demande comment il se fait que, dans une affaire aussi grave, aucun avocat n'ait été désigné d'office. M. Vaillant répond que « dans une affaire aussi grave » il a pensé que les inculpés avaient le droit et le devoir de choisir leurs défenseurs.

Maître Sansonetti fait préciser au témoin qu'il n'a été avisé de l'arrestation des inculpés que le 7 août, alors qu'ils étaient détenus depuis le 2. L'audience est suspendue.

M. MAKACI

On entend alors M. Makaci, instituteur. Il déclare qu'il est l'habitué du Cercle du Progrès et qu'il en est un peu « le chef » du protocole. Il a analysé la pensée du cheikh. Il déclare être un instituteur, chargé de répandre la pensée française en Algérie, et qu'à ce titre il ne saurait s'associer à une œuvre antifrançaise.

Depuis plusieurs années que le témoin connaît el-Okbi, il a pu se convaincre que le cheikh n'a jamais fait œuvre d'agitateur. Il a profité de toutes les circonstances pour affirmer que l'intérêt des indigènes était de faire confiance à la France.

Sur l'initiative d'el-Okbi, le Cercle a organisé des conférences entre israélites, musulmans et catholiques, pour consolider la fraternité des races. Au meeting du 2 août, le cheikh a dit : « Il s'agit pour nous d'éclairer la France sur nos véritables aspirations. »

Sur question de la défense, M. Makaci précise que jamais le cheikh n'a parlé du muphti. Le témoin décrit aussi la topographie du Cercle du Progrès. Il a connu toutes les salles avant même d'y adhérer, ce qui prouve qu'elles sont ouvertes à tout le monde.

En ce qui concerne Abbas Turqui, M. Makaci déclare qu'il l'aime comme un frère et qu'il ne conçoit pas qu'il soit là sur un banc d'infamie. Et il se contente, pour résumer l'éloge qu'il en pourrait faire, de l'assurer publiquement de sa vive sympathie. Ceci crée une grosse émotion dans le prétoire où Mme Abbas Turqui pleure silencieusement.

Sur questions de la partie civile, M. Makaci fait une différence entre les élus indigènes et les représentants qualifiés de l'opinion musulmane.

M. MIRANTE

On appelle ensuite M. Mirante, directeur honoraire des Affaires indigènes.

Le témoin fait l'éloge du muphti défunt et salue sa mémoire. Il le présente comme « le serviteur loyal et dévoué de l'administration. Homme sûr et loyal, on pouvait compter sur lui ». Le témoin considère que l'administration avait contracté à son égard une véritable dette de gratitude.

Le bâtonnier, rappelant le jugement porté sur le témoin par el-Okbi, M. Mirante précise qu'il a pris sa retraite deux ans avant le crime et qu'il n'était pas l'ennemi du cheikh el-Okbi. Il rappelle, à cet égard, que dans une circonstance il a empêché le renvoi du cheikh devant le Conseil supérieur du

gouvernement. Il justifie d'ailleurs ce renvoi, par le désir de
« ne pas faire de martyrs ».

Le témoin rappelle qu'il a reçu le cheikh el-Okbi et qu'il
lui a proposé un emploi. Il reconnaît que le cheikh a refusé
cet emploi pour garder son indépendance.

Il nie que le cheikh ait été obligé de revenir six fois.
« Car, dit élégamment l'ex-directeur des Affaires indigènes, le
moindre des pouilleux était toujours reçu dans mon cabinet. »

El-Okbi répond immédiatement et décrit ses rapports
avec M. Mirante.

Il lui a écrit, le croyant un ami des musulmans, à propos
de l'interdiction de son journal. M. Mirante n'a pas répondu.

M. Mirante, par la suite, a offert son aide à el-Okbi. Le
cheikh l'a refusée. Mais il lui a demandé une aide morale
pour que son journal puisse être réimprimé. El-Okbi insiste
pour déclarer qu'il a été obligé de revenir six fois pour une
seconde convocation. Ce jour-là, M. Mirante lui a demandé
de ménager les marabouts. El-Okbi a refusé, en disant qu'il
ne transigeait pas avec ses convictions.

Quant à son accusation, el-Okbi rappelle qu'elle n'est
qu'une hypothèse.

M. Mirante dit qu'il a déclaré à el-Okbi que l'administration ne voulait pas d'un mouvement qui puisse troubler
la paix religieuse. Il affirme que la circulaire Michel est
conforme à la tradition islamique.

La partie civile demande à el-Okbi s'il maintient devant
M. Mirante son hypothèse. El-Okbi dit qu'il maintient
n'avoir que deux ennemis européens à Alger.

La séance est levée à 18 h 10.

27 juin 1939

L'AVOCAT GÉNÉRAL RENONCE
à soutenir l'invraisemblable accusation
portée contre cheikh el-Okbi et Abbas Turqui

*« Il me manque, dit-il, la certitude sans laquelle ma conscience me
fait défense d'affirmer la culpabilité de ces deux prévenus. »*

En revanche, il réclame la peine de mort pour Akacha et Mohara et les travaux forcés à perpétuité pour Boukheir.

Auparavant, l'avocat de la partie civile avait accusé pendant six heures...

LE FILM DES DÉBATS

L'AUDIENCE DU MATIN

L'audience est reprise à 8 h 10. Le bâtonnier Colonna d'Ornano plaide pour la partie civile. Il retrace d'abord les circonstances du crime en s'attardant sur l'emploi du temps du muphti avant l'assassinat. « Cet homme de bien s'avançait, dit-il, paisiblement vers la mort inexorable qui le guettait. Il pensait revenir chez lui. Il y revint, mais c'est un cadavre que l'on ramena dans sa maison. »

Le bâtonnier évoque le retentissement considérable de l'affaire et fait l'éloge de la victime. Il rappelle les témoignages de MM. Michel et Mirante et en tire la preuve que le muphti était le meilleur serviteur de la France, et que cet amour de la France a dicté son arrêt de mort. Parlant de l'attachement d'el-Okbi à la France, tel qu'il a été évoqué par les témoins, le bâtonnier dit : « Quand on aime la France, on le prouve. » Il passe alors à la déposition de M. Milliot et au discours de l'actuel directeur des Affaires indigènes sur le corps du muphti. Ce discours, le bâtonnier le relit. Mais auparavant, il s'élève contre « certaine presse ou certaine opinion » qui essaient de faire une discrimination entre la France et l'administration française. Le discours de M. Milliot est lu : « Je représente ici les malheureux que le muphti a laissés pleurant. Ils sont nombreux dans cette maison déjà vide : une veuve, des enfants, des nièces, des neveux... »

Le bâtonnier lit un journal rédigé par le muphti et qui paraissait pendant la guerre : « Inclinons-nous devant une mémoire qui doit être chère à tout Français digne de ce nom. » Et la partie civile cite une liste de condoléances adressées à la famille Bendali par une suite de personnalités françaises et musulmanes.

LA MAIN QUI A FRAPPÉ
ET LE CERVEAU QUI A PENSÉ

Mais le bâtonnier veut en venir au fait : il parlera de la main qui a frappé mais il remontera ensuite « au cerveau qui a pensé ». Akacha, « l'araignée », est un exécuteur et pas autre chose. Le bâtonnier commente le casier judiciaire d'Akacha : deux fois acquitté pour avoir agi sans discernement, puis condamné à cinq ans de prison et cinq ans d'interdiction de séjour, condamné deux fois encore pour violences et voies de fait à agent.

« Cet homme, dit la partie civile, est non seulement un voleur mais encore un violent. Il est né malhonnête et violent comme d'autres enfants naissent boiteux et bossus. C'est celui qu'on pouvait s'attendre à voir le plus volontiers dans une affaire comme celle-ci. »

UNE ALLUSION INUTILE

Le bâtonnier rappelle qu'Akacha, malgré les sévices dont il se plaint, n'a pas avoué tout de suite. L'alibi de l'accusé est ensuite démonté. Parlant du système de défense des accusés, le bâtonnier se plaint des attaques dont la Sûreté est l'objet et affirme, un peu gratuitement, « qu'on pourrait se croire dans les cellules électrisées de Barcelone ».

L'avocat arrive aux premières accusations d'Akacha contre Taïeb el-Okbi où, dit-il, toutes les précisions sont données. Il affirme que le complot s'est tramé dans le café Boualem et décrit le déroulement des faits. Il stigmatise l'expression qu'on prête à Akacha, montrant l'arme à ses complices, et disant : « C'est avec ça qu'on travaille. »

IL Y A RÉTRACTATIONS ET RÉTRACTATIONS

« Croyez-vous, dit le bâtonnier, que la Sûreté ait tant d'imagination ? Et qu'il y ait dans tout agent un romancier ? »

L'avocat décrit ensuite « l'élégance vestimentaire » des accusés et déclare qu'« avant de terroriser les femmes, il faut leur plaire ». Et il passe au meurtre lui-même, le baiser de

Judas, le coup porté que l'avocat décrit minutieusement. L'horreur de ce crime, la crainte d'y être mêlé a dû, selon le bâtonnier, fermer bien des bouches.

Akacha a maintenu ses aveux devant le juge d'instruction. Et l'avocat répond au reproche présenté par la défense au juge Vaillant de n'avoir pas nommé d'avocat d'office. Il rappelle que ce magistrat a entassé les objections contre les aveux d'Akacha. Mais, dit le bâtonnier, « c'est le leitmotiv de cette affaire, que tous ceux qui exercent une autorité sont des forbans ».

L'avocat rappelle ensuite les circonstances où Akacha dénonça le cheikh el-Okbi et Abbas Turqui et l'interrogatoire du 13 août, où le juge Vaillant a essayé de convaincre Akacha de l'invraisemblance de ses accusations. Ce n'est que le 14 août, jour de sa confrontation avec el-Okbi, qu'Akacha se rétracte.

À ce propos, maître Colonna déclare que lorsqu'un accusé fait des rétractations qui innocentent un tiers tout en laissant entière la culpabilité de l'inculpé, elles sont acceptables, mais que lorsque des rétractations visent à innocenter à la fois l'accusé et un tiers elles sont douteuses.

DE L'IMAGINATION

Insistant sur les mauvais traitements reçus par Akacha, l'avocat signale que l'accusé est de taille à se défendre, qu'il est d'ailleurs invraisemblable que la Sûreté ait battu Akacha de façon à ne pas laisser de traces et frappé Boukheir assez maladroitement pour le couvrir d'ecchymoses.

« Nous sommes en pleine imagination, nous ne savons plus où nous allons. »

Pour revenir aux faits, le bâtonnier rappelle que des témoignages ont démenti l'alibi fourni par Akacha, tandis qu'au contraire des témoignages ont été formels sur la culpabilité de l'accusé.

« Il est des choses que la Sûreté peut inventer… Akacha a frappé avec la paume de la main à coups redoublés sur le manche de l'arme. Est-ce Chennouf qui a inventé cela ? Est-ce le commissaire Désidéri ? Tout cela est la vérité. C'est cet homme qui a frappé. »

Maître Colonna arrive alors à la correspondance entre Akacha et Boukheir. Il attribue cette correspondance à la

volonté d'Akacha de faire revenir Oussaouidène sur ses
aveux par l'intermédiaire de Boukheir. Le défenseur lit une
lettre où Akacha conseille à Boukheir de dire à Oussaouidène « d'être un homme » et de ne pas accuser Akacha
devant le juge. Il doit attribuer ses aveux aux conseils de
l'avocat d'office. Akacha, dans cette lettre, dit : « Je mets ma
mort entre tes mains » et termine en disant : « Brûle la
lettre. » La partie civile considère cette mention comme un
aveu tacite.

Et maître Colonna passe alors au cas de Mohara et
Boukheir. Mohara a fait les aveux les plus circonstanciés
jusqu'au 22 août. Il a attribué ses rétractations au fait qu'il
n'était plus accompagné de la Sûreté. Les gendarmes l'ont
démenti. L'alibi de Mohara est inexistant. Celui de Boukheir
est « un alibi obèse » tant les témoins en sont nombreux.
Un seul confirme cet alibi, mais le café de ce témoin se
trouve à cinq minutes du lieu du crime. Quant aux traces de
coups relevées sur l'accusé, le bâtonnier les explique par une
bagarre qu'il retrace devant la cour.

L'avocat termine alors sa première partie avec Oussaouidène qui a « fini ses jours au laboratoire de dissection de la
Faculté ».

Et il lit comme conclusion une lettre de Boukheir à
Akacha où le premier rappelle au second la somme de
30 000 francs promise à Akacha et où il lui conseille de
« prendre l'argent et de ne pas tuer, mais de se faire payer
un café par la victime ».

« Voilà les trois accusés mis à nu. On est entre camarades,
le masque est arraché… Messieurs, je vous les livre dans leur
horreur et dans leur turpitude. »

UNE CHARGE IMMOTIVÉE CONTRE EL-OKBI

L'audience est suspendue à 10 h 10. Elle est reprise à
10 h 20. Et le bâtonnier se propose de « remonter à l'instigation ».

« Nul n'a jamais douté qu'il pouvait s'agir d'autre chose
que d'un crime politique. Ces hommes qui appartiennent à
un milieu spécial, que pouvaient-ils avoir affaire avec le vieux
muphti Kahoul ?… »

« L'hypothèse d'un vol, rien ne la justifie. Il y avait donc
un mot d'ordre qui avait été donné. Dès le début de l'infor-

mation un nom était jeté dans le débat, celui d'el-Okbi. Et alors une formidable poussée d'un parti disparate mais uni quand même. »

DES PLAISANTERIES INUTILES

Et l'avocat s'attache à définir la personnalité d'el-Okbi. Parlant de l'attachement marqué par el-Okbi à la France, au Hedjaz, il dit : « Ça ne m'intéresse pas. » Mais il veut définir par quels « procédés » le cheikh a tenté de « s'imposer à l'admiration des musulmans ».

Maître Colonna parle du Cercle du Progrès où « trône » el-Okbi. Parlant des témoignages d'affection apportés à el-Okbi samedi matin, le bâtonnier raille les conférences tripartites où le Talmud, la Bible et le Coran « faisaient un excellent ménage, comme le sont toujours les ménages à trois ». Ces témoins sans doute sont des esprits supérieurs mais ils peuvent se tromper, même en fondant « un syndicat du monothéisme ».

L'avocat raille aussi les témoins et prétend que Mme Scellès a parlé d'une atmosphère familiale aseptique chez le cheikh el-Okbi. (Nous affirmons que le témoin a dit exactement « ascétique ».)

L'avocat continue à railler en supposant que le cheikh devait penser devant tous ces intellectuels, « Allah est grand et Machiavel est son prophète ». En tout cas, l'avocat considère que ces conférences tripartites « peuvent énerver les esprits faibles » *(sic)*.

Il s'étonne qu'on n'ait pas entendu le président de ce cercle.

C'est pourquoi il cite la déposition de ce témoin qui dit qu'el-Okbi donne du Coran une interprétation stricte et montre qu'il est en contradiction avec le muphti Kahoul, « sans le citer, quoique tout le monde le comprenne ».

« Ceci est la vérité, dit l'avocat. Ce n'est plus l'amitié qui dépose, mais le témoin. »

Le témoin aurait reproché à el-Okbi d'être trop brutal, de vouloir aller trop vite.

EL-OKBI OU L'ARRIVISTE

El-Okbi accueille tout le monde, ne recule devant aucune alliance, religieux, raillant, paraît-il, l'évolution de la femme musulmane. Et l'avocat le présente comme un homme intéressé. El-Okbi s'allie cependant avec des athées : les communistes, et des hérétiques : les Mozabites. Il n'y a qu'une chose de vraie au Cercle du Progrès : « El-Okbi en est la clef de voûte. » Ces alliances hétéroclites ne peuvent être guidées que par l'ambition et le désir d'accéder au pouvoir à tout prix.

L'avocat rappelle alors les aveux d'Akacha et présente Abbas Turqui comme un « secrétaire d'el-Okbi » *(sic)*. Il évoque les circonstances du supposé complot du Cercle du Progrès. Il affirme que la salle où Akacha a été armé n'était pas ouverte au public. Il affirme qu'il en était de même de la salle aux armoires. « On sent, dit le défenseur, dans les déclarations d'Akacha, des restes de mentalité religieuse musulmane. Et vous comprenez, messieurs, le combat qui se livre dans cette âme… »

DES INJURES GRATUITES

L'avocat rappelle les réponses d'el-Okbi et ses dix mille sectateurs *(sic)*. Et il s'effraye de cette influence inconcevable qu'il nie et présente comme une vantardise. Il présente les témoins favorables à el-Okbi comme *« un ensemble d'idéologues et d'oisons »* qui ont favorisé la griserie d'el-Okbi.

« Non, el-Okbi, vous n'avez pas derrière vous des milliers de personnes. Nous ne sommes plus aux temps lointains où les chevaux de vos ancêtres allaient boire aux rives du Tage… La civilisation niveleuse a passé par-dessus tout ça. »

El-Okbi n'est revenu en Algérie que pour servir son ambition. Il est avant tout un publiciste à la plume infatigable, qui a réédité sans cesse des journaux.

LES OULÉMAS OU LES TERRORISTES

Le bâtonnier parle alors des Oulémas et de « leur douloureux enfantement ».

« L'administration sait ce qu'elle fait quand elle suspend tous les journaux de cette société d'agitateurs. »

Le calme était revenu en Algérie. Le bâtonnier rappelle l'histoire des revendications algériennes et insiste sur le cas de l'émir Khaled. Le calme aurait duré si les Oulémas n'étaient venus. Le bâtonnier estime que « les Oulémas sont des nationalistes » qui veulent créer, par la religion, le sentiment national. Et il rappelle que le rite « wahhabite » est hérétique et que son fondateur se montra très violent. Comme el-Okbi, il voulait ramener les musulmans à la pureté originelle de la religion. Ce but, il le recherchait par des moyens violents, jusqu'à renverser « la fameuse Pierre noire ». Ce sont aussi les buts des Oulémas qui (selon des articles lus par le bâtonnier) repoussent la nationalité française.

L'avocat cite encore un passage d'une petite brochure (d'ailleurs antimusulmane) où le cheikh el-Okbi est montré comme un adversaire de la naturalisation, et lit des articles d'*El Bassaïr* où el-Okbi s'exprimait en anti-Français. Le bâtonnier lit ensuite des brochures communistes favorables à el-Okbi.

Il évoque alors l'opposition du muphti à l'œuvre des Oulémas qui se présentent devant la France en disant : « Tout ou rien. » Le bâtonnier fait le procès moral du cheikh Ben Badis et du cheikh Brahimi. Les trois cheikhs ont fait leurs études à l'étranger. Aucun ne les a faites en Algérie.

L'avocat retrace alors l'histoire des prêches en mosquée. Même s'il n'y a pas eu d'incidents, le bâtonnier estime qu'el-Okbi était déjà suivi par les services de sécurité, ce qui suffirait à légitimer les mesures prises. On lit alors des rapports de Sûreté où el-Okbi est considéré un peu comme Abd-el-Krim. C'est pour toutes ces raisons que la circulaire Michel a été signée. Manifestations, délégations, contre-délégations, tout cela est évoqué par la plaidoirie. Et dans une violente apostrophe, l'avocat demande à el-Okbi pourquoi il s'occupe du peuple algérien.

Puis maître Colonna montre l'opposition marquée par le muphti à el-Okbi, les démarches faites par lui pour empêcher l'action des Oulémas. Le seul adversaire qu'el-Okbi a toujours trouvé devant lui c'est le muphti Bendali.

LA CORRUPTION EST NATURELLE

Évoquant l'emploi offert par M. Mirante à el-Okbi, le bâtonnier présente le fait comme naturel et dit : « Ça se voit tous les jours. » Et si el-Okbi a refusé, il ne faut pas croire que c'est par désintéressement, mais au contraire par cupidité.

D'autre part, le témoignage de Rafaï Lakhdar est abandonné par la partie civile à la défense. Il est sans valeur. Mais il y en a d'autres. Et par exemple, le marabout Tidjani a reconnu qu'il n'était pas impossible que les Oulémas aient cherché à se débarrasser d'un ennemi puissant. Le bâtonnier fait état aussi d'une lettre anonyme menaçant de mort M. Mirante. Il reproche cependant au journal *La Justice* d'avoir utilisé une lettre anonyme concernant les mœurs du muphti défunt.

À midi, la plaidoirie n'étant pas encore terminée après quatre heures d'audience, la séance est levée et renvoyée à l'après-midi.

L'AUDIENCE DE L'APRÈS-MIDI

UN DISCOURS POLITIQUE

À la reprise, à 15 h 30, le bâtonnier Colonna d'Ornano se propose de définir l'état d'esprit des instigateurs. À cet effet, il veut montrer la situation en Algérie en 1936 : « Grèves, manifestations politiques, occupations d'usines, bagarres sanglantes, tout cela composait un climat intenable. Les chambres elles-mêmes s'en inquiétaient. »

Le bâtonnier est d'avis en tout cas, avec M. Chaumier, qu'il s'agissait de rien moins que du massacre des colons. L'ordre et la sécurité étaient menacés. Ce qui fait dire au bâtonnier que les indigènes n'ont pas eu à se féliciter du Front populaire. Tout ceci est appuyé sur les interventions, témoignages et discours de MM. Cuttoli, Duroux et Roux-Freissineng : « C'est cette situation que les Oulémas voulaient exploiter. »

Et ici nous revenons au sujet. Car l'avocat retrace les travaux du Congrès musulman et expose la charte revendicative de ce congrès où on lit en effet : « Rattachement complet à la France et, par voie de conséquence, suppression des délégations financières, de l'administration des communes mixtes et du Gouvernement général. » Sur ce programme, et quoique l'affaire ne l'exige point, le bâtonnier donne son opinion : il figure le renversement de toutes les institutions de ce pays. Le journal *Le Temps*, du moins, en est d'accord. Et le bâtonnier affirme même que le Cercle du Progrès n'est pas loin d'être un responsable des événements de Constantine.

Une autre preuve de cet état de choses est trouvée par le bâtonnier dans une allocution prononcée à Radio-Barcelone par un « orateur se disant indigène nord-africain ». Cette allocution, le bâtonnier dit qu'elle est le résultat des conférences tripartites du Cercle du Progrès.

On évoque aussi l'affaire Barthel. Et le bâtonnier dit que, quoique ne songeant à faire aucune politique *(sic)* son opinion est que la légalité a été mise en vacance. « Dans un pareil état de choses, un Ben Badis, un el-Okbi, un agitateur peuvent se croire tout permis. »

Maître Colonna passe alors au télégramme. Celui qui l'a communiqué à la presse, qu'il soit « très humble ou très grand, a collaboré au crime du muphti ».

ON N'EST PAS TOUJOURS FIER
D'ÊTRE UN HOMME

Selon le bâtonnier, ce télégramme est à la fois un avertissement et une protestation. C'est pourquoi il attire des menaces terribles sur la tête du muphti. Et l'avocat énumère ces menaces. Donnons exemple d'une de ces « menaces » : « Cette ignoble trahison ne leur portera pas bonheur. »

De même les articles de *La Justice* sont mis au pilori et en particulier celui du samedi 1er août, que l'avocat considère comme un appel au meurtre. Pour conclure, maître Colonna affirme « qu'on n'est pas toujours fier d'être un homme ».

Il serait faux, selon le bâtonnier, de dire que les Oulémas, ayant obtenu satisfaction sur leurs revendications, n'avaient pas intérêt à verser le sang. Et l'avocat cite un article d'*El Bassaïr* qui montre el-Okbi plein de tristesse et improvisant des vers sur le bateau qui le menait à Paris.

RÉCONCILIATION DES RACES

L'avocat prend alors prétexte de ce fait pour railler l'amitié d'un Juif et d'un Arabe, du docteur Loufrani et d'el-Okbi, sur un ton qu'on peut estimer inopportun. Il démontre ensuite « de quelle agréable façon M. Blum s'est moqué de la délégation ». Tout ceci vise à prouver que les Oulémas avaient tout lieu de craindre pour l'avenir.

Le bâtonnier considère, en tout cas, el-Okbi comme plus oblique et plus dangereux que Messali. Il prend ses exemples dans le meeting du stade municipal dont il résume les interventions. L'avocat cite comme un intermède comique l'arrivée de la délégation israélite qu'il attribue noblement à la crainte de voir les événements de Constantine se répéter. Et le discours d'el-Okbi à ce meeting est interprété comme le discours d'un meurtrier.

ABOULAYA INSTIGATEUR ?

L'avocat juge impossible d'attribuer ce crime à d'autres ennemis. Le pire de ces ennemis, M. Aboulaya s'adresse à el-Okbi. Et c'est toujours el-Okbi qui porte les charges de ce forfait. Cela se peut vérifier encore par les témoignages et les opinions du docteur Bendjelloul qui aurait déclaré au neveu de la victime : « Ce n'est pas moi, ce sont les Oulémas » et qui a démissionné du comité exécutif du Congrès musulman. L'avocat attribue cette démission à l'indignation et à l'horreur suscitées chez M. Bendjelloul par l'assassinat du muphti. Il en trouve la preuve dans l'interview accordée par le président de la Fédération des élus à *La Dépêche algérienne*, où il disait : « Assez de bobards communo-nationalistes. »

TOUS COUPABLES

L'avocat annonce qu'il « arrive enfin au terme de sa tâche ». C'est-à-dire qu'il arrive aux accusations contre l'administration : « Il faut choisir, dit-il, entre M. Michel et Taïeb el-Okbi. »

On a voulu dire que le meurtre du muphti était le seul qui puisse faire le vide autour du Congrès et désorganiser son état-major. L'avocat cite une lettre d'el-Okbi au député Régis, où le cheikh disait : « Les vrais coupables sont toujours libres, bien que leurs noms soient sur toutes les bouches. » Et l'avocat précise que, devant le juge, le cheikh a déclaré que sa pensée avait été trahie.

« M. Michel ne s'appelle pas Borgia. Et les mœurs qu'on lui attribue sont celles de la Renaissance. À ce sang, auquel on mélange l'infamie, il faut opposer une digue. Personne n'a fait la leçon à la Sûreté. »

S'adressant à el-Okbi et à Akacha, l'avocat déclare : « Vous avez été unis dans les aveux, vous êtes unis dans la dénégation. » Et le bâtonnier dit le soulagement des Oulémas après le meurtre du muphti.

« Vous voyez réunis sur ces bancs des hommes appartenant aux classes les plus diverses. Un seul lien entre eux : le mépris de la vie humaine. Fermez vos oreilles, messieurs, à toutes les considérations politiques… N'écoutez pas ceux qui disent : ne faites pas de martyrs. Est-ce parce que six pieds de terre recouvrent le corps torturé de Kahoul qu'il faut l'oublier ? La France, dit-on, est généreuse. Mais la générosité n'est pas la lâcheté.

« Ce que je vous demande, messieurs, c'est de proportionner le châtiment à l'horreur du crime ; c'est de nous rendre cette justice sans quoi la vie ne vaudrait pas d'être vécue. »

Après cette plaidoirie qui n'a duré que six heures, et qui n'aurait rien perdu en force si l'avocat s'était dispensé de considérations que rien n'exigeait, la séance est suspendue à 17 h 15.

LE RÉQUISITOIRE DE L'AVOCAT GÉNÉRAL

L'audience est reprise à 17 h 20. L'avocat général Susini prend la parole pour son réquisitoire. Il débute par l'éloge de la victime qui « a été un excellent musulman au cœur bien français » et qui « fut l'un des meilleurs propagandistes de la cause française en Algérie ».

« Crime odieux que celui qui vous est déféré. On a pu se demander pourquoi trois années ont séparé ce crime de l'aurore de la justice. »

Il se propose d'examiner les faits « d'une façon réaliste et objective et de maintenir le litige dans le droit et dans la clarté ».

À cet effet, il retrace une fois de plus les circonstances du crime. Il essaie de définir les auteurs de cet attentat et les mobiles qui les poussèrent. Si les assassins ont été découverts, c'est grâce à l'activité et au dévouement des services de police et au courage de deux femmes, prostituées il est vrai, mais auxquelles l'avocat général veut rendre hommage.

« Pourquoi, dit M. Susini, des témoignages de prostituées ? Parce que le crime a été commis dans un quartier réservé aux filles. L'une d'elles a accusé Akacha avant d'être interrogée par la Sûreté. »

L'avocat général évoque alors ceux des témoignages entendus au cours des audiences, qui constituent des charges pour Akacha. Et il essaie de réunir les indications contradictoires données par ces témoins. Il retrace les péripéties de l'information, les aveux, les rétractations, les obscurités ; il rappelle qu'Akacha a maintenu ses aveux pendant douze jours ; Mohara, de même, ne s'est rétracté que le 22 août. C'est Mohara d'ailleurs qui, par la force de ses aveux, a obligé Boukheir à avouer lui-même. Le ministère public essaie de mettre un peu de clarté dans cette information confuse.

Il examine les accusations portées contre le commissaire Désidéri et l'inspecteur Chennouf : « Peut-on admettre, dit-il, que des auxiliaires de la justice soient tombés aussi bas ? » Il tente d'expliquer les traces de coups relevées sur le corps de Boukheir : « Cela ne prouve rien. »

L'avocat général ne veut pas s'attarder sur les rétractations : « Ce n'est pas la première fois, messieurs, que l'ombre des prisons vient glacer les premières effusions de la vérité. Les versions données par les accusés ne sont que de misérables produits d'une imagination en défaut. »

LES ALIBIS

L'avocat général passe donc immédiatement à la vérification des alibis. En ce qui concerne Akacha, les deux visites qu'il a faites au cordonnier se placent l'une avant, l'autre après le crime. L'alibi de Mohara paraît à M. Susini aussi fantaisiste, puisqu'il est contredit par les témoins. Celui de Boukheir ne peut être vérifié.

Le ministère public passe ensuite à la correspondance de Boukheir et d'Akacha, qu'il considère aussi comme une preuve de culpabilité. Il conclut sur ce point en affirmant que la culpabilité des trois accusés n'est pas douteuse.

« Vous devez avoir, dit-il, la conviction absolue qu'ils sont bien les assassins du malheureux muphti. Ce nouvel exploit d'ailleurs est digne de leur passé. » Et l'avocat général rappelle les antécédents judiciaires des accusés qui faisaient partie de la plus basse pègre.

LE CHEIKH EST-IL COUPABLE ?

Après une courte suspension d'audience, le ministère public en arrive au cas du cheikh el-Okbi et d'Abbas Turqui. La culpabilité de ces accusés ne peut être envisagée qu'à travers l'inimitié qui existait entre eux et la victime, et à travers les aveux d'Akacha.

Il est incontestable qu'il faut rechercher les causes de cette inimitié dans l'opposition que faisait la victime au courant d'idées dirigé par el-Okbi. L'avocat général reconnaît que la personnalité d'el-Okbi est exceptionnelle. Entre parenthèses, il fait remarquer que le rapport élogieux de la Sûreté fait la preuve que celle-ci peut être de bonne foi.

Un fait est certain : c'est que le cheikh est la clef de voûte du Cercle du Progrès avec deux autres cheikhs. L'avocat général voit à ce propos, dans le fait que le cheikh Ben Badis a reçu son éducation à Tunis, une raison pour affirmer qu'il a subi l'influence destourienne. Il rappelle que c'est la conquête des mosquées qui a entraîné le conflit entre les représentants des cultes et les Oulémas. Dès 1928, l'administration s'était préoccupée de cet état de choses.

Le ministère public retrace lui aussi l'histoire de ces luttes et de ces réformes, l'hostilité du muphti au mouvement des Oulémas, et l'inimitié entre celui-ci et el-Okbi, sensible déjà dès 1932.

C'est alors la guerre déclarée contre le muphti Kahoul. Interdictions, délégations, télégramme, toute l'affaire pour la dixième fois est retracée. Les mêmes textes sont relus. Mais le ministère public reconnaît volontiers qu'el-Okbi, au stade municipal, a déclaré : « Nous ne voulons tuer personne. »

Cependant il maintient que tous les documents établissent nettement l'hostilité entre les Oulémas et les représentants du culte.

L'ACCUSATION CONTRE EL-OKBI
ET ABBAS TURQUI NE TIENT PAS

Il lui reste donc à examiner les accusations portées par Akacha contre el-Okbi. Là encore, ces aveux sont à nouveau examinés dans leurs détails. Et M. Susini évoque aussi les rétractations d'Akacha et les accusations qu'il porte contre la Sûreté.

Il reconnaît cependant « qu'à l'égard de ces deux accusés, il manque beaucoup de choses à l'accusation : pas de témoins oculaires, pas de constatations matérielles, mais seulement une dénonciation ».

L'accusation est toutefois rendue vraisemblable par l'inimitié certaine qui existait entre la victime et el-Okbi. « Est-ce suffisant pour être certain de la culpabilité de ces deux hommes ? » El-Okbi proteste énergiquement, il faut le reconnaître. Mais aussi il accuse en formulant deux hypothèses que l'avocat général repousse avec indignation et sur lesquelles « il ne veut pas s'arrêter une seconde ».

LE MINISTÈRE PUBLIC ABANDONNE EN FAIT
L'ACCUSATION CONTRE
EL-OKBI ET ABBAS TURQUI

À l'égard d'Abbas Turqui, le ministère reconnaît qu'il n'existe contre lui que l'accusation rétractée d'Akacha : « Avons-nous, dit l'avocat général, la preuve absolue de leur culpabilité ? » Akacha, il est certain, n'a été qu'un instrument. Mais l'avocat général, après avoir étudié à fond le dossier, déclare « qu'il lui manque cette certitude sans laquelle sa conscience lui fait défense d'affirmer la culpabilité du cheikh el-Okbi et d'Abbas Turqui ». Il abandonne la solution à la réflexion des magistrats. S'ils ont la conscience de la culpabilité des deux accusés, ils sauront leur infliger le châtiment qu'ils méritent.

LA MORT POUR MOHARA ET AKACHA

Quant aux trois autres, la culpabilité est créée par toutes les pièces du dossier : témoignages, aveux, rétractations tardives, explications absurdes.

« Il n'est pas possible que vous ne les déclariez pas tous les trois coupables de l'assassinat du muphti. Les antécédents permettent d'affirmer qu'ils ont tué pour de l'argent. Ce sont tous trois des assassins à gages… Ce n'est pas dans l'exécution du crime qu'on pourrait leur trouver des excuses. Dans le châtiment, que vous hésitiez à confondre Boukheir avec ses complices, soit. »

Et l'avocat général demande pour cet accusé les travaux forcés à perpétuité. Mais il réclame la tête de Mohara et celle d'Akacha.

« Toute autre solution m'apparaîtrait comme un défi à la justice. Alors seulement, tous les membres de cette famille en larmes vous diront merci. »

Et l'audience est levée à 19 h 45 au milieu d'une émotion considérable.

29 juin 1939

La cour criminelle reconnaissant

L'INNOCENCE DE CHEIKH EL-OKBI
ET D'ABBAS TURQUI

les a acquittés

Elle a déclaré les trois autres accusés coupables mais leur a accordé les circonstances atténuantes.

En conséquence, Akacha et Mohara sont condamnés aux travaux forcés à perpétuité et Boukheir à vingt ans de travaux forcés.

LE FILM DES DÉBATS

L'AUDIENCE DU MATIN

LA PLAIDOIRIE DE MAÎTRE L'ADMIRAL

L'audience est ouverte à 8 h 15.

Le président donne immédiatement la parole à l'avocat du cheikh Taïeb el-Okbi, maître L'Admiral :

« Voilà trois ans que l'homme qui est devant vous est sous le coup d'une monstrueuse accusation, déclare l'avocat du cheikh. L'information ouverte par le juge doyen Vaillant a été close après 24 mois par une ordonnance de non-lieu. Sur opposition du fils de la victime, la chambre des mises en accusation infirma la décision du juge instructeur et nous renvoya devant vous. »

Le défenseur d'el-Okbi rend hommage à la loyauté de l'avocat général qui déclara, en son âme et conscience, ne pas pouvoir soutenir l'accusation contre son client.

« Et comme je le comprends ! Car pour condamner il faut des preuves et j'affirme qu'il n'y en a pas.

« Tout ce qu'on a essayé de faire, c'est de présenter el-Okbi comme un agitateur et un anti-Français. On lui reprocha son séjour au Hedjaz, alors que là-bas, il fut déclaré suspect parce qu'on lui supposait des sentiments francophiles.

« Son retour en Algérie a été motivé par la nécessité où il se trouvait alors d'engager un procès contre un mouderrès qui s'était emparé de ses biens.

« À son départ de Djedda le commandant Catroux, aujourd'hui général, le recommanda à la bienveillance des consuls français d'Égypte. »

Maître L'Admiral lit le document que nous avons déjà donné ici.

LE PATRIOTISME D'EL-OKBI

Le défenseur rappelle comment le Cercle du Progrès a fait appel au cheikh et lui avait demandé de refaire les conférences remarquables qu'il avait données dans les mosquées.

Quand le cheikh va à Goléa, il rencontre l'hostilité du délégué Ben Allel qui se sent visé lorsque el-Okbi parle de la
question maraboutique.

L'avocat décrit ensuite les œuvres de bienfaisance d'el-
Okbi, son action loyale et comment il a essayé de propager
ses principes de haute moralité.

Maître L'Admiral lit des extraits de *La Dépêche algérienne*
où dans des comptes rendus de manifestations, ce journal
fait des éloges dithyrambiques du cheikh. L'avocat retrace la
lutte d'el-Okbi contre l'alcoolisme.

« Et c'est cet homme qui est injurié, qu'on traite d'anti-
Français et dont on critique les mœurs. »

LES OULÉMAS

Alors se fonde la société des Oulémas qui n'est pas la
seule à avoir son siège au Cercle du Progrès. Il y en a cinq
ou six qui, toutes, ont leurs armoires et leurs archives au
Cercle. L'avocat lit le compte rendu, selon un rapport de la
Sûreté, d'une séance de la société des Oulémas. On n'y lit
rien qui puisse être reproché aux amis d'el-Okbi.

« On s'est moqué de ces conférences tripartites. Mais on
s'est moqué alors d'une œuvre menée par des gens de cœur
pour une plus grande fraternité. L'administration le savait
bien, puisque M. Gervais, directeur du service de la Sûreté,
a assisté à une de ces réunions. »

L'avocat lit les titres de ces conférences. Parmi eux, on
trouve celui-ci : « La paix des races ».

Mais cette société des Oulémas gênait beaucoup de
monde. M. Mirante a fait venir dans son cabinet le père
du cheikh Ben Badis pour lui *intimer l'ordre* de faire quitter à
son fils la société. M. Ben Allel déposa un jour un vœu aux
délégations financières tendant à réserver aux représentants
du culte l'accès des mosquées. C'est lui qui porte la responsabilité des incidents qui ont suivi et en premier lieu de la circulaire Michel.

LA CIRCULAIRE MICHEL

L'avocat lit cette circulaire en mettant en relief le passage
où les intérêts des marabouts sont défendus. « C'est parce

que les marabouts se sont sentis atteints dans leurs intérêts matériels, les seuls qu'ils recherchent, que la circulaire s'est fait l'écho de leurs plaintes. »

M. Michel ne porte pas cette seule responsabilité : mais il a encore dissous la société cultuelle pour la remplacer par un comité consultatif à la tête duquel il s'est mis, lui, catholique.

« Ces mesures sont maladroites. On aurait dû penser à respecter la parole de la France quand elle est entrée dans ce pays : respecter la religion musulmane… On ne bâtit rien sur la haine. »

L'avocat démontre que la tradition ne permettait pas cette mesure : les délégations que M. Atger, préfet de l'époque, a refusé de recevoir, les affiches, manifestations, démissions d'élus, etc. À cet égard, le bâtonnier lit des articles de presse.

À propos de la délégation consécutive, l'avocat lit aussi un rapport de Sûreté odieusement mensonger, où cette délégation est présentée comme devant être conduite par maître L'Admiral lui-même. Et l'avocat proteste vigoureusement contre ces mensonges policiers :

« Oh ! mœurs abominables et délation détestable qui tente de salir un homme qui depuis cinquante-deux ans a plaidé à cette barre ! Mais je ne m'indigne pas. Je constate et je méprise. »

LES HUMILIÉS

Mais la délégation n'est pas reçue. M. Mirante et le gouverneur général ont fait ce qu'il fallait pour ça. El-Okbi ressent ces injures, subit ces humiliations. Il n'a jamais protesté ! Et s'il avait l'âme qu'on lui prête, c'est à ce moment-là qu'il se serait porté aux extrémités de la violence. Et au contraire de ce qu'on pourrait croire, c'est *La Dépêche algérienne* qui prend son parti : « Le mouvement indigène existe, dit ce journal, mais il n'est pas antifrançais. »

Pendant le voyage de M. Régnier, el-Okbi demande à être reçu. Il explique les désirs des intellectuels musulmans. Il repart avec la promesse que la situation serait étudiée dans une volonté de conciliation. À Paris, M. Régnier avait oublié cette promesse.

LE CONGRÈS

L'avocat en arrive à la période de 1936, à la délégation du Congrès musulman. Les Oulémas y sont mêlés car la question religieuse va être discutée.

La première démarche de cette délégation à Paris a été une visite au Soldat inconnu : « Oui, peut-être, dit l'avocat, c'est un soldat indigène. »

En 1936, ils sont reçus. On leur fait des promesses. Mais le muphti proteste dans une lettre au préfet. L'avocat lit alors la déposition du vieux muphti hanéfite, accablante pour Bendali Amor. La plupart de ceux qui ont signé le fameux télégramme ont été abusés. La délégation qui va rentrer a cependant reçu le meilleur accueil.

LA SÛRETÉ TOUJOURS ACCUSÉE

L'avocat aborde alors le fond de l'affaire. Akacha nie tout. Mais il est détenu sept jours, au bout desquels il accuse el-Okbi. Le défenseur précise les contradictions entre les aveux successifs d'Akacha. Quant à la Sûreté, les hommes qui ont déposé et fait avouer Akacha, sont les mêmes qui ont passé devant un conseil de discipline et ont été l'objet de sanctions dégradantes.

Ici, l'inspecteur Chennouf veut prendre la parole, mais le président Veillon, judicieusement, le prie de se taire.

« Tout cela est triste, messieurs, dit le défenseur. Tout cela indique que les garanties nous manquent… Les agents de la Sûreté doivent s'en tenir à leur devoir et non pas jeter dans les filets de l'instruction des innocents. »

Reprenant une des lettres d'Akacha à Boukheir, l'avocat y voit la preuve que les inculpés ont vraiment été frappés. Maître L'Admiral démontre que la reconstitution faite au Cercle du Progrès ne prouve rien, que l'accès des salles secondaires du Cercle était ouvert à tout le monde. Il rappelle qu'un des principes fondamentaux du droit criminel est de ne jamais s'arrêter sur la dénonciation d'un coïnculpé.

EL-OKBI DÉFENDU PAR L'OPINION PUBLIQUE

Et il voit une des preuves de l'innocence d'el-Okbi dans l'émotion soulevée par son arrestation. Et il cite un nombre considérable d'articles, protestations, affiches, réunions et pétitions. Il lit la lettre de M. Gaston Riou, de différents prêtres, et de professeurs agrégés.

Jamais el-Okbi n'a menacé, jamais il n'a poursuivi quelqu'un d'une haine personnelle. Il ne peut pas être responsable des journaux qu'il ne connaît pas, où il n'écrit pas. Un seul journal est le sien, c'est *El Bassaïr*. Et on ne peut trouver dans ce journal un seul mot d'attaque contre le muphti Kahoul.

LES VRAIS ENNEMIS

Le muphti avait des ennemis plus sérieux qu'el-Okbi ; des ennemis qui se sont déclarés, qui ont déclaré ouvertement leurs sentiments. L'avocat les cite et les fait parler. Et on cite en particulier Aboulaya.

Arrivant aux déclarations supposées du docteur Bendjelloul, le défenseur précise que celui-ci a démenti formellement les déclarations accusatrices qu'on lui prêtait. Il rappelle aussi la déposition de M. Milliot qui a déclaré que jamais el-Okbi n'avait rien sollicité et qui a dit l'estime où il tenait le cheikh.

LA PREMIÈRE ERREUR JUDICIAIRE

Le défenseur a terminé. Il rappelle l'angoisse de M. Vaillant quand el-Okbi fut accusé et l'image du Christ qu'il montra :

« C'est que le Christ a été la première victime de l'erreur des hommes. Cet homme aussi, qui prêchait la fraternité, a été pris pour un agitateur. Et il se montre sur la croix en disant : " Mon Dieu, pardonnez-leur, car ils ne savent pas ce qu'ils font… " Vous le retiendrez, messieurs. Cette erreur judiciaire compte et nous commande de réfléchir avant de condamner… L'homme qui est là est mon ami. Vous ne l'acquitterez pas par hasard, mais avec réflexion. »

L'AUDIENCE DE L'APRÈS-MIDI

LA PLAIDOIRIE DE MAÎTRE DÉROULÈDE
RÉPONSE À LA PARTIE CIVILE

L'audience est reprise à 15 h 10. Maître Déroulède, second défenseur d'el-Okbi, prend la parole. Il déclare que tout ayant été dit, sa plaidoirie sera très brève. Mais il veut jeter un coup d'œil sur la politique indigène pour répondre au réquisitoire de la partie civile.

« Qui donc la fait dans ce pays ? Ce n'est pas le gouverneur qui n'a pu apprendre ce problème sur les bords de la Dordogne, ce sont les bureaux. Et que font les bureaux ? La partie civile l'a dit : ils soupèsent les hommes. Ils ont soupesé el-Okbi. »

Le défenseur rappelle que le cas de l'émir Khaled est le même. C'était une force à mettre au service de la France. On a préféré le traiter d'anti-Français. Pourquoi ? Parce qu'il a demandé le rattachement de l'Algérie à la France.

Le président déclarant que ceci est hors du débat, maître Déroulède réplique en disant qu'il se borne à répondre à maître Colonna, qu'on a laissé parler sans contrainte. S'il défend les Oulémas, c'est que la partie civile les a attaqués.

MAÎTRE LEYNAUD EST-IL CAPABLE DE TUER ?

Passant au fond, maître Déroulède déclare qu'il n'a pas l'honneur de connaître l'archevêque d'Alger et qu'il n'est même pas chrétien pratiquant, mais qu'il refuserait de croire à la culpabilité de cet homme si on l'impliquait dans un crime de cette nature.

Ce que veut préciser maître Déroulède c'est d'où vient l'accusation contre el-Okbi. Elle vient du fils de la victime. Elle s'est répandue par lui dans les rues. Même Akacha a pu l'entendre. L'idée du crime politique a été lancée par M. Milliot.

LE FAUX TÉMOIN

Cheikh el-Okbi a un ennemi. C'est le fameux Rafaï Lakhdar, faux témoin. Maître Déroulède, qui connaît ce dernier, révèle à la cour que déjà, en 1933, un homme a été poursuivi pour homicide volontaire sur dénonciation calomnieuse de Rafaï Lakhdar qui (un rapport de police l'établit) avait participé à ce crime.

« Ce Rafaï Lakhdar est capable d'avoir participé au crime qui nous occupe aujourd'hui. Pourquoi n'avoir pas cherché dans cette direction ? »

Le défenseur s'élève contre les procédés de la Sûreté : « Nous les trouvons naturels. Et c'est ce qu'il y a de terrible. Si j'avais l'honneur de porter votre robe, monsieur l'avocat général, j'aurais déjà pris des sanctions implacables. »

« NE TACHEZ PAS LE BLASON DE LA FRANCE »

Maître Déroulède cite l'exemple d'erreurs judiciaires invraisemblables. Il rappelle aussi les ennemis que pouvait avoir Kahoul. Et il précise qu'à la même époque l'Allemagne fomentait des troubles en Algérie pour détourner la France du Maroc espagnol.

« Je n'ai pas à plaider plus longuement cette affaire. Comment réparer la faute commise à l'égard de cheikh el-Okbi ? Demandez-vous, messieurs, ce que cet homme a pu souffrir… Rendez à la foule cet homme innocent. Je m'incline, messieurs, devant la douleur de M. Bendali fils, mais je m'élève avec violence contre la haine dont il a fait preuve. Il a juré sur Dieu qu'el-Okbi était coupable. La haine, messieurs, est mauvaise conseillère… Ne mettez pas une tache au blason de la France. »

LA PLAIDOIRIE DE MAÎTRE SERNA

Maître Serna, défenseur d'Abbas Turqui, prend alors la parole. Et dans une plaidoirie brève, mais magnifique de force et de conviction, le défenseur innocente complètement son client.

Il évoque d'abord les longues audiences consacrées à cette affaire. Ces audiences ont été dures « mais la justice est une vertu. Et le chemin de la vertu est rarement agréable ».

Il y a trois ans que le malheureux Abbas Turqui attend de pouvoir se purifier. La plus monstrueuse des accusations a été lancée contre lui : « Ce crime a plongé une famille dans la douleur, il est vrai. Mais il a fait entrer l'affliction dans une autre famille. »

« Pourquoi, dit ensuite maître Serna, ne pas penser à l'étranger. Quotidiennement, les postes étrangers décrivent les débats qui se déroulent ici même. Qu'importent les émissions de Radio-Barcelone si on les rapproche des postes de Radio-Bari ou des grandes stations allemandes ?

« La partie civile a représenté el-Okbi devant les intellectuels du Cercle du Progrès se caressant la barbe et disant : " Allah est grand et Machiavel est son prophète. " Mais si l'on songe à la nationalité de Machiavel, il est plus probable que le cheikh devait se dire tristement : " Allah est grand et peut-être que Machiavel s'est fait son prophète. " »

Cependant tout ce qu'on prépare n'a servi de rien et l'accusation est tombée.

LA HAINE JUGE

Il n'y a qu'un accusateur : le fils Bendali. Sa douleur est respectable. Mais sa haine ne l'est pas. Le défenseur n'admet pas qu'il accuse. Bendali n'a pas prononcé le nom d'Abbas Turqui dans sa première déposition, il l'a soupçonné, il l'a dit lui-même, *après son arrestation.*

« Cette exagération est d'autant moins pardonnable que cinq ans d'amitié vous liaient.

« Et vous avez crucifié cette amitié. Vous avez poignardé ces sentiments. »

UNE EFFICACE RÉPLIQUE À LA PARTIE CIVILE

La partie civile a dit que « cet homme se faisait petit ». « Pourquoi " se fait-il " ? Un tout petit : c'est un modeste, un humble et un cœur droit. Il sait que la charité exige qu'il ne faut jamais se mettre en avant.

« Ménage à trois, a dit la partie civile, en parlant des

conférences du Cercle du Progrès. Mais non, et il n'y a pas eu plus de ménage à trois que lorsque l'envoyé du pape a été reçu sur la terre d'Afrique par des notabilités musulmanes et israélites. »

Abbas Turqui, secrétaire dévoué d'el-Okbi ? Mais il ne sait ni lire ni écrire. « On n'a trouvé pour appuyer cette thèse qu'un faux témoin, l'ignoble Rafaï Lakhdar. »

Abbas Turqui fait partie d'une société avec el-Okbi, mais c'est une société de bienfaisance et cet homme, fils de ses œuvres, né dans l'humilité, se penche sur les humbles.

LES « AVEUX » D'AKACHA

On a recours alors aux déclarations d'Akacha. Comment le fils Bendali a-t-il pu croire aux accusations d'Akacha ? Une amitié honore les deux parties. « Et si vous avez pu croire Abbas Turqui capable de ce geste, comment vous jugez-vous ? »

On a interrogé Abbas Turqui trois mois après le crime. Qu'aurait-il pu préciser dans son emploi du temps après ce délai ? Et pourquoi n'a-t-on pas vérifié si Abbas Turqui se trouvait au Cercle le 31 juillet ?

Akacha a rétracté et précisé qu'il avait désigné Abbas Turqui au hasard. Abbas Turqui a été emprisonné et libéré *sans jamais avoir été entendu.* L'avocat trouve alors des mots cinglants pour les pratiques en usage à la Sûreté.

Après le non-lieu du juge d'instruction, la partie civile s'est acharnée et a porté l'affaire devant la chambre des mises en accusation.

« Je me tourne vers mon accusateur et je lui dis : " Où donc avez-vous vu qu'Akacha ait accusé Abbas Turqui ? " »

Le défenseur montre alors que le procès-verbal de la Sûreté est en contradiction avec les déclarations du commissaire Bringard. Quand Akacha donne le signalement du complice d'el-Okbi, ce signalement pourrait s'appliquer à des centaines d'indigènes algériens.

Spontanément, des inconnus ont écrit au défenseur pour exalter Abbas Turqui. Spontanément, des hommes ont écrit leur confiance à l'accusé.

« L'heure est venue de juger. Dans ce prétoire toutes les décisions intervenues ont été justes… On nous a dit : n'écoutez pas la politique. Mais qui a fait de la politique ?

Nous réclamons une justice faite du sentiment de la liberté des autres. Je vous demande d'acquitter Abbas Turqui, que neuf enfants et deux femmes attendent à la maison. »

LE DÉBAT EST FINI

Le président demande aux accusés s'ils n'ont rien à ajouter. Akacha se lève, déclare qu'il proteste de son innocence et jure sur Dieu qu'il n'a jamais agi à l'instigation d'el-Okbi et qu'il n'a jamais vu le muphti. Mohara et Boukheir affirment leur innocence. Le premier réclame sa liberté. Abbas Turqui et el-Okbi n'ont rien à dire.

Le président donne alors lecture des quatorze questions auxquelles la cour devra répondre. La première concerne la culpabilité d'Akacha, la seconde et la troisième la préméditation et le guet-apens, la quatrième et la cinquième la culpabilité de Mohara et de Boukheir, la sixième et la septième la culpabilité d'el-Okbi, la huitième et la neuvième celle d'Abbas Turqui. Les cinq dernières questions concernent les circonstances atténuantes.

La cour se retire à 17 h 20 pour délibérer.

LE VERDICT

La délibération dure une heure et quart et pendant ce temps une atmosphère très lourde pèse sur le tribunal. À 18 h 30, la cour revient et le président annonce qu'elle a répondu oui à la majorité aux cinq premières questions, non à la majorité aux quatre suivantes et (à la surprise générale) qu'elle a accordé les circonstances atténuantes.

On introduit alors Abbas Turqui et cheikh el-Okbi et le président prononce une sentence d'acquittement.

Le cheikh s'écrie alors : « Vive la justice française. »

On introduit les autres accusés. Et l'avocat général demande « qu'à cette minute suprême la cour n'oublie pas les conditions odieuses dans lesquelles le crime a été commis et qu'elle se souvienne de la veuve et des enfants qui attendent depuis trois ans que le criminel soit châtié ».

Il demande donc le maximum de la peine. La défense s'en remet à la cour. Akacha, Mohara et Boukheir, l'un après l'autre disent « Je suis innocent ».

Akacha et Mohara sont condamnés aux travaux forcés à perpétuité, Boukheir à 20 ans de travaux forcés sans interdiction de séjour. La partie civile obtient un franc de dommages-intérêts.

Akacha s'écrie alors ironiquement : « Vive la justice française. » Et il ajoute : « Je n'ai rien sur la conscience. »

Par une coïncidence curieuse, au moment où la sentence qui frappe Akacha est lue, les cloches d'une église voisine se mettent à sonner et des grappes de pigeons se détachent d'un mur qu'on aperçoit par la fenêtre du prétoire.

Akacha est alors emmené, et, avec lui, un secret qui reste entier.

25 juillet 1939

L'AFFAIRE DES « INCENDIAIRES »

D'AURIBEAU EN CASSATION

L'HISTOIRE D'UN CRIME,

ou comment on imagine un crime
pour les besoins d'une accusation

Voici le texte d'un télégramme qui vient d'être envoyé à MM. le président de la République, le président du Conseil, le ministre de l'Intérieur, le ministre de la Justice, le gouverneur général de l'Algérie et le premier président de la Cour de cassation, par le Comité de défense des condamnés de Jemmapes-Auribeau :

ORGANISATIONS SOUSSIGNÉES PROTESTENT CONTRE VERDICT RENDU PAR COUR CRIMINELLE PHILIPPEVILLE 27 FÉVRIER DERNIER, À L'ENCONTRE OUVRIERS AGRICOLES AURIBEAU FAUSSEMENT ACCUSÉS INCENDIE GOURBIS INHABITÉS. STOP. DEVANT ABSENCE PREUVES FORMELLES EN RAISON TÉMOIGNAGES DOUTEUX ET BRUTALITÉS POLICIÈRES RECONNUES. STOP. COUR CASSATION SAISIE POURVOI STATUERA INCESSAMMENT. STOP. DEMANDENT RÉVISION BREF DÉLAI PROCÈS INIQUE.

UNION DÉPARTEMENTALE DES SYNDICATS, LIGUE DROITS
DE L'HOMME, PARTI SOCIALISTE, ASSOCIATION OULÉMAS, LIGUE
INTERNATIONALE CONTRE RACISME ET ANTISÉMITISME, FÉDÉ-
RATION NATIONALE COMBATTANTS RÉPUBLICAINS, BOURSE
TRAVAIL CONSTANTINE, PARTI COMMUNISTE, SECOURS POPU-
LAIRE, ASSOCIATION RÉPUBLICAINE ANCIENS COMBATTANTS,
COMITÉ MONDIAL DES FEMMES CONTRE LA GUERRE, FÉDÉRA-
TION DES ÉLUS MUSULMANS, RASSEMBLEMENT FRANCO-ARABE
D'ALGÉRIE.

Nous donnons aujourd'hui à titre d'information le texte
de ce télégramme, non sans l'appuyer de toutes les forces
dont nous disposons et de toute notre conviction. Il ne suffit
pas cependant de protester. Il faut encore faire protester
et éclairer l'opinion publique sur une affaire inadmissible et
profondément révoltante.

Dix malheureux ont été condamnés le 28 février 1939
à des peines allant de cinq à sept ans de travaux forcés. Ils
étaient accusés d'avoir incendié des « édifices » lors d'une
grève de journaliers agricoles en septembre 1937. Tous sans
exception laissent des familles de cinq à huit enfants dans la
misère la plus effroyable.

Et ceci les punit, à la vérité, d'avoir gagné 4 francs par
jour pendant des années et d'avoir un jour osé dire que ce
salaire ne convenait pas à la dignité d'un homme.

Mais pour notre part, nous voulons dire ce que nous
savons sur un procès engagé sans aucune preuve que des
aveux obtenus, une fois de plus, par des tortures policières
et rétractés par la suite. Nous voulons dire ce que nous pensons d'une accusation d'ordre politique, où des innocents
sont devenus des incendiaires, où des gourbis de paille ont
été transformés en « édifices » et où, par un singulier artifice
juridique, un délit justiciable de la prison s'est mué en un
crime puni des travaux forcés.

Ce n'est pas la première fois en tout cas qu'une semblable
volonté de « frapper fort » se révèle comme le signe le plus
certain de l'injustice et du mensonge.

Nous dirons dans de prochains articles l'essentiel de cette
affaire en nous bornant à l'exposé des faits et des circonstances. Une fois de plus, nous en ferons juges les hommes
de bonne foi de ce pays.

Bien des problèmes de l'heure qu'on nous présente
comme essentiels ne valent pas qu'on s'y arrête et ne méritent

que le dédain. Mais soixante ans de travaux forcés et la misère de dix familles, cela exige qu'on interroge et qu'on s'interroge.

À l'heure où tant de voix importantes ou supposées telles s'époumonent pour nous vanter on ne sait quels idéaux de basse qualité, il est plus urgent de mettre tout en œuvre pour freiner l'injustice chaque fois que c'est possible.

Si la démocratie doit avoir un sens, c'est ici qu'elle le prendra et non dans les discours officiels du dimanche. Et il est permis de supposer que l'innocence reconnue des condamnés d'Auribeau lui fera rattraper le temps et le prestige que la mobilisation morale à sens unique lui a déjà fait perdre en ce pays.

26 juillet 1939

Comme au Moyen Âge :

LA TORTURE
AU SERVICE DES ACCUSATEURS

Si on en croit l'acte d'accusation soutenu par le ministère public devant la cour criminelle de Philippeville, les douze ouvriers agricoles qui se trouvaient dans le box étaient poursuivis pour avoir, lors des grèves agricoles de septembre 1937, incendié six gourbis à la ferme Spitéri. Leur cas se trouvait aggravé du fait que l'un de ces gourbis était habité.

Cette accusation, placée par le procureur dans le cadre de cette époque troublée de 1936-1937 où, comme chacun sait, « La révolution menaçait les fondements essentiels de la société », provoqua un verdict d'une cruauté sans précédent. Les accusés, Mohammed Alimi, Amar Bettiche, Khemis Sadouni, Salah Sellaoui, Ahmed Ouhaïchi, Ahmed Boualeg, secrétaire du syndicat local et Aïssa Kroud étaient condamnés à six ans de travaux forcés. Le dernier devait mourir en prison un mois après le verdict.

De leur côté, les accusés Madani Benkhaïr et Réguig Belkacem, délégué de la C.G.T., étaient punis de cinq ans et

Mohammed Fisli, de sept ans de travaux forcés. Deux autres accusés, sur le rôle desquels nous reviendrons, étaient acquittés. Il s'agit des nommés Bouchemal et Ahmed Mabrouk.

COMMENT ON UTILISE UNE GRÈVE

À première vue, on peut s'étonner de la disproportion entre le délit et la peine. L'incendie de quelques gourbis de paille puni de travaux forcés, il y a là de quoi intriguer l'esprit le moins prévenu. Mais à entrer dans le détail, on s'étonnera un peu plus en constatant que ces peines implacables n'ont pas réprimé seulement un délit relativement mince, mais encore un délit que rien n'a jamais fondé.

Mais appliquons-nous seulement à relever les contradictions de cette affaire. En septembre 1937, les ouvriers de la région de Jemmapes étaient en grève. On voit ce que l'accusation a pu tirer de ce fait. L'incendie a été allumé par des hommes qui voulaient se venger de leurs ennemis de classe, les colons. Sur ce point, nous donnerons une précision et un démenti.

La précision d'abord : les ouvriers agricoles de Jemmapes ne s'étaient pas mis en grève. Jusqu'ici, les malheureux dont il s'agit étaient payés de 4 à 6 francs par jour. Décidés à obtenir le relèvement des salaires (et à menacer par là l'État dans sa sécurité, si on en croit le procureur), ils refusèrent les propositions d'emploi qu'on leur faisait à l'ouverture de la saison.

Il ne s'agissait point d'une cessation de travail, mais d'un désaccord sur le contrat de travail.

Passons au démenti.

Sur intervention des autorités locales et du sous-préfet, un accord intervint le 3 septembre, aux termes duquel les salaires étaient portés à 10 et 12 francs par jour. L'entente était donc complète. La grève, si on veut l'appeler par ce nom, était terminée. Les ouvriers étaient satisfaits.

Or, c'est dans la nuit du 3 au 4, après l'accord, par conséquent, que les gourbis furent incendiés. Nous tirerons en temps voulu les conclusions de ce fait. Mais on nous accordera pour le moment que le lien établi par l'accusation entre la grève et l'incendie était pour le moins sans fondement. Or, le mobile ainsi prêté aux supposés incendiaires constitue la base de l'accusation, puisque les inculpés Boualeg et

Réguig étaient accusés, non d'avoir mis le feu aux gourbis, mais d'avoir poussé les incendiaires à ce geste, usant de leur qualité de dirigeants syndicaux.

LA TORTURE

Examinons le second argument de l'accusation : les aveux des inculpés au cours de l'instruction. Ces aveux ont été rétractés et attribués aux sévices de la police. Une récente et sensationnelle affaire nous a déjà permis de connaître les scandaleuses méthodes dont fait parfois usage la Sûreté.

Le procureur général Pasquini, à l'audience de Philippeville, a lui-même « regretté » les brutalités policières. Pour nous, qui ne sommes pas contraints aux mêmes subtilités de langage, il nous faut donner ici quelques détails.

L'accusé Amar Bettiche, qui fut arrêté le premier, a été conduit, non pas dans les locaux policiers, mais dans une écurie voisine appartenant à un propriétaire de la région. Là, il fut battu sans arrêt jusqu'à évanouissement. On le somma d'avouer. Il avoua. On lui demanda de désigner ses complices. Il désigna ses voisins. Ceux-ci furent arrêtés, battus et torturés.

On pourrait avoir la légitime curiosité de connaître le détail de ces tortures qu'on a bien voulu juger regrettables. Tout d'abord, les prévenus ont été battus à coups de cravache sur tout le corps. On les plongea ensuite jusqu'à mi-corps, la tête la première et jusqu'à étouffement, dans un bassin d'eau. On leur fit passer un courant électrique dans les pieds. On les pendit par les jambes et ils furent battus sans arrêt sur la plante des pieds.

Pour avoir une idée de la situation, il faut savoir que cinq jeunes indigènes ont également été arrêtés, conduits dans l'écurie et battus pendant une demi-heure. Le garde champêtre, qui assistait à « l'opération », les sommait de dire qu'ils avaient été invités par les inculpés à mettre le feu aux gourbis. Ces aveux extorqués, ils furent conduits devant le juge de paix de Jemmapes. Malheureusement, le « travail » dans leur cas avait été mal fait et le juge les relaxa devant leurs dénégations et les traces de violences qu'ils portaient.

Pour ceux des inculpés qui n'eurent pas cette chance, ils refusèrent cependant de signer leur déclaration. Et *c'est par la force* qu'on leur fit poser le pouce enduit d'encre au bas des procès-verbaux. À l'audience, du moins, assurés de leur protection, tous ont nié avec indignation.

Il est inutile ici de hausser le ton. Mais il me sera peut-être permis de demander pour qui ces aveux spontanés constituent la plus dégradante des accusations ?

Aucun homme libre n'est assuré de sa dignité devant de semblables procédés. Et lorsque les méthodes abjectes parviennent à conduire au bagne des malheureux dont la vie n'était déjà qu'une suite de misères, alors elles constituent pour chacun de nous une sorte d'injure personnelle qu'il est impossible de souffrir.

Notons seulement ici, avant d'aller plus loin, que si les deux principaux arguments de l'accusation ont cette valeur matérielle et ce prestige moral, il faut convenir qu'elle justifie difficilement le monstrueux verdict qu'elle a provoqué. Mais nous verrons demain qu'il ne lui a pas suffi d'utiliser des charges illusoires et qu'elle a mis en œuvre tous les artifices nécessaires pour que le droit rende plus inexorable une sentence que les faits ne justifiaient pas. *(À suivre.)*

28 juillet 1939

UN ODIEUX DÉNI DE JUSTICE

N'y a-t-il rien d'autre, dans l'acte d'accusation, que ces aveux rétractés et cette présomption illégitime de vengeance politique ? On peut lire et relire la pièce dont il s'agit. On ne trouvera rien de plus. Toute l'affaire porte donc sur les fameux aveux et il n'est pas mauvais que nous discutions sur ce point l'acte d'accusation.

RAPPORTS MÉDICAUX

Le premier point d'interrogation concerne évidemment les certificats médicaux. L'accusé Bouchemal a été examiné immédiatement après les faits (4 jours exactement) par le docteur Blanc, de Jemmapes, sur réquisition du juge de paix.

Le médecin légiste constate des ecchymoses à la plante des pieds et des écorchures « pouvant avoir été faites par un bâton fin ou une cravache ». Il accorde de ce fait cinq jours d'incapacité à l'accusé.

Mais le lendemain, un autre médecin, le docteur Travail, est commis par le juge d'instruction qui marquait sans doute par là sa confiance au docteur Blanc. Le docteur Travail, lui, examinant le même accusé, n'accorde aucune incapacité et minimise l'importance des traces relevées par le docteur Blanc. Ceci est déjà singulier.

Comme il est impossible aujourd'hui d'essayer de discuter clairement une affaire sans que les partisans de tout poil vous accusent sans sourire d'être un partisan, nous sommes bien obligés de dire que le docteur Blanc n'a jamais fait de politique et que le docteur Travail est membre d'Action française. Dans tous les cas, il faut croire que cette contestation médicale a paru fort claire au tribunal puisqu'il a acquitté l'inculpé Bouchemal.

Les autres accusés n'ont pas été examinés par le docteur Blanc. Ils l'ont été par le docteur Travail qui n'a relevé que « des traces légères », ce qui a suffi sans doute au tribunal pour estimer qu'il n'y avait pas de traces du tout.

TRAVAUX FORCÉS
FONDÉS SUR L'INCOHÉRENCE

On peut lire d'autre part, dans l'acte d'accusation, cette argumentation féconde : « Leurs protestations et leurs rétractations ne sauraient prévaloir contre tous les éléments de l'information, et notamment les précisions qu'ils ont fournies sur les lieux, lors de la reconstitution des faits. »

À en juger par ce petit chef-d'œuvre de logique, les aveux des accusés ne sauraient prévaloir contre leurs aveux eux-mêmes. Et si l'accusé s'écrie : « Je n'ai pas dit cela de plein gré », on lui répond : « La preuve que vous l'avez dit, c'est que vous l'avez dit. »

Sur cette preuve écrasante, on distribue soixante ans de travaux forcés.

Qu'on remarque bien l'adverbe : « notamment ». Il indique que l'accusation considère cet argument comme fondamental. Que faut-il donc penser des autres, noyés sous l'expression générale : « Tous les éléments de l'information » ?

Ces hommes dans les aveux qu'ils rétractent ont donné des précisions. Mais dois-je rappeler qu'Akacha a donné toutes les précisions qu'on lui demandait sur la culpabilité du cheikh el-Okbi, innocenté pourtant par la cour. L'eau, l'électricité et la cravache n'obtiennent pas des demi-aveux, mais des aveux complets. Voilà pourtant l'argument que l'accusation considère comme sa clé de voûte, quand il donne, au contraire, la mesure de sa légèreté et de son incohérence.

Mais lorsqu'un délit n'est pas prouvé, il y a une solution qui consiste à l'aggraver systématiquement pour qu'on soit moins tenté de le pardonner. C'est du moins ce que l'on constate dans cette affaire.

Alors, en effet, que pendant toute l'enquête et pendant toute l'instruction, les gourbis brûlés avaient été considérés comme inhabités, on apprendra, lors du jugement, que *depuis la veille*, un berger de la ferme Spitéri avait été logé dans l'un d'eux. Il s'agissait donc d'un crime (sans victimes) qui relevait d'une pénalité exceptionnelle. Sur ce jeu de mots révoltant, encore une fois, soixante ans de travaux forcés ont été distribués généreusement.

Que dire de plus alors sur le fond de l'affaire ? Qu'importe que les témoins à charge soient revenus au cours de l'audience sur leurs dépositions et les aient attribuées aux menaces de la Sûreté ? Qu'importe que les alibis des accusés aient été démentis par la cour sous prétexte qu'ils étaient confirmés par leurs femmes ? Ces hommes avaient passé leur nuit chez eux, comme cela est invraisemblable, n'est-ce pas ? Mais qu'importe ici la vraisemblance, la vérité ou la justice ? Il s'agissait de punir. Et ce devoir a été accompli avec toute l'inconscience voulue.

Voilà donc une affaire où entrent pêle-mêle une grève qui n'en est pas une, des aveux dictés, des témoignages rétractés, des certificats médicaux contradictoires, des arguments puérils et des offenses au bon sens.

Et en face de ce déni de justice, nous voyons des misérables qui ont travaillé toute une vie pour des salaires insultants et qu'on envoie au bagne sans un scrupule. Si jamais une injustice a été criante, et un jugement révoltant, ce sont bien ceux-là.

Si cet arrêt n'était pas cassé, si ces hommes n'étaient pas ensuite acquittés, à tant de raisons de désespérer que nous offre cette époque une nouvelle s'ajouterait. Mais il faut que

le dernier mot reste à l'humanité et nous dirons demain ce
que sont ces hommes qui ne comprennent plus leur destin
et quelle est l'effroyable misère qu'ils laissent derrière eux.

31 juillet 1939

L'AFFAIRE

DES « INCENDIAIRES » D'AURIBEAU

DES INNOCENTS
CONDAMNÉS AUX TRAVAUX FORCÉS

et les leurs condamnés à la misère
« au nom du peuple français »…

On a pu voir par tout ce que nous avons dit sur cette affaire
que le jugement qui a cruellement frappé dix malheureux
innocents était particulièrement odieux. On sera sans doute
plus sévère encore pour les méthodes qui se sont révélées à
cette occasion, lorsqu'on saura qu'avec les accusés d'Auribeau, une trentaine de personnes ont été aussi condamnées.

Avant l'affaire, les familles de ces hommes connaissaient
la misère, elles connaissent maintenant la faim. Et nous
ne pouvons donner de conclusion plus significative à notre
protestation qu'en faisant le tableau des familles que les
accusés ont laissées derrière eux. Il donne en effet le commentaire le plus éloquent d'une injustice qui doit sans délai
trouver enfin son terme. Et il nous dispensera de plus
longues digressions.

LA FAIM

L'accusé Boualeg laisse derrière lui une mère de 60 ans,
un frère infirme de 45 ans et une sœur de 15 ans.

La famille de Bouhali se compose de la femme du
condamné et de deux enfants, un garçon de 10 ans et une
fillette de 9 ans. La femme travaille à l'heure actuelle pour
nourrir ses enfants et gagne trois francs par jour.

La famille d'Alimi se compose de huit personnes : la mère du condamné, vieille femme sans âge, sa femme, sa sœur âgée de 40 ans, et cinq enfants entre 2 et 10 ans environ (deux filles et trois garçons dont l'un est infirme). Le plus âgé des enfants travaille dans une ferme près d'Auribeau et gagne trois francs par jour, qui servent à faire vivre la famille. Le mari était le seul soutien.

La famille Fisli Mohammed se compose de six personnes : la femme du condamné et cinq enfants de 3 à 10 ans, deux garçons et trois filles. Ils vivent de mendicité. Le mari était le seul soutien.

La famille Amar Bettiche se compose de sept personnes : la mère du condamné, le frère du condamné, âgé de 14 ans environ, sa femme et quatre enfants de 2 à 6 ans environ. La mère et le frère subviennent aux besoins de la famille par divers travaux chez des colons ou en ramassant du bois ou des herbes. Le gain est de six francs par jour pour les deux. Le mari était le seul soutien.

La famille Sellaoui Salah se compose de quatre personnes : la mère du condamné, sa femme et deux enfants (8 à 10 ans). La fille et la mère travaillent chez des colons et gagnent à elles deux huit francs par jour. Le mari était le seul soutien.

Sadouni a pour toute famille un frère qui travaille et une vieille tante de 55 ans environ qui était à sa charge.

Je ne sais pas, si on se rendra bien compte, quelle extrémité dans la misère tout cela représente. Mais il est urgent qu'une situation où sont engagées la détresse de trente personnes et la liberté de dix autres soit réglée dans le sens d'une justice plus effective.

Ce n'est rien de dire que nous demandons la cassation de ce jugement, le renvoi des accusés devant une nouvelle cour et leur acquittement éclatant. Il restera encore à réparer deux années de souffrances et d'humiliations.

Il restera aussi à juger et à réprimer comme il convient les tortionnaires de la police. Et puisqu'on a parlé de grève et de troubles sociaux, peut-être restera-t-il aussi à stigmatiser une législation sociale où des familles doivent vivre avec quatre francs par jour.

C'est tout cela que nous demandons. Et pour le reste, nous n'ajouterons qu'une seule chose. Les attendus de la cour d'appel qui renvoient les accusés devant la cour criminelle commencent par cette formule : « Au nom du peuple français ».

J'espère qu'on me comprendra si je dis, en pesant bien mes mots, que ceci est un mensonge.

2 août 1939

À LA MANIÈRE DE KING HALL

c'est trop des cinq doigts de la main
pour compter maintenant les Droits de l'homme

Un de nos lecteurs, M. Vincent Capable, primeuriste, villa Rosette, Frais-Vallon, a pensé qu'il ne serait peut-être pas inutile de donner sous forme de lettres circulaires, à la manière de King Hall, l'avis d'un homme de bon sens sur les inepties auxquelles on accorde depuis peu le titre de décrets-lois.

Comme on va voir, notre nouveau King Hall, qui a adressé le texte suivant à 10 000 Français mobilisables ne manque ni de sagesse ni d'expérience, ni même d'une honnête culture classique. Il n'est donc pas étonnant qu'il ne soit à peu près d'accord sur rien avec les élites radiophoniques qui ont l'avantage de nous gouverner.

Devant la tournure que prennent les événements intérieurs et quoique décidé depuis longtemps à rester à l'écart de cette mauvaise plaisanterie qui s'appelle la politique, j'ai décidé de faire connaître la mesure du possible mon opinion. Non que je la croie si essentielle. Mais il m'a semblé que si chaque individu voulait bien aujourd'hui faire connaître la mesure de son dégoût, c'est une vague de mépris qui finirait par faire rouler les marionnettes sans grâce qui se sont instituées nos gouvernants. Je ferai donc savoir mon avis par lettres dans l'espoir, non qu'on m'en saura gré, mais qu'on jugera utile de m'imiter.

Pour aujourd'hui je voudrais seulement dire mon sentiment sur la crise de morale qui s'est abattue sur nous. Je vois que la famille est restaurée par le moyen de brigades de délation qui dénonceront les avortements clandestins. Je vois que les publications immorales sont interdites, même lorsqu'elles ne sont pas illustrées. Or c'est un thème constant dans l'histoire que les entreprises de dictature s'accompagnent toujours de discours moraux. La médiocrité, cela va de soi, se défend comme elle peut. Et elle ne le peut qu'en nivelant les bourses et les morales. L'ordre moral a toujours couvert le désordre des consciences et je sais trop à quel point un pas fait dans cette voie entraîne un autre pas. Demain les livres de Lawrence, les peintures de Rouault, le nu en sculpture seront interdits. Demain nous reverrons le procès Baudelaire et le procès Flaubert.

Attention cependant. Croire qu'on peut restaurer la famille en distribuant des années de prison à de jeunes êtres qui ont essayé de vivre, cela semble proprement ridicule. Mais cela n'est plus ridicule quand cela sert à dériver l'attention des foules.

Il semble inutile aussi de mettre tout en œuvre contre les dictatures extérieures si on doit prendre à ces mêmes régimes leurs procédés de violence et de délation, et leurs slogans de race. Mais cela n'est plus inutile quand il s'agit précisément de préparer la dictature.

Les conspirateurs ont changé d'habitudes. Ils se couvrent maintenant du manteau blanc de la morale. Jusqu'ici notre gouvernement écœurait les gens de bien par les injustices qu'il semait à pleines mains. Aujourd'hui il répugne aux âmes un peu délicates par l'hypocrisie bourgeoise, la morale médiocre et les préjugés mesquins dont il se fait le défenseur.

Le malheureux Baudelaire, qui serait poursuivi aujourd'hui par M. Daladier, disait que la déclaration des Droits de l'homme avait omis deux droits essentiels qui étaient celui de se contredire et celui de s'en aller. Je suppose qu'il serait consolé aujourd'hui en constatant que si les Droits de l'homme n'ont plus cours, les deux qu'il rappelait sont les seuls qui nous restent. Le premier, M. Daladier l'exerce avec l'éclat que l'on sait. Le second reste notre dernier refuge.

VINCENT CAPABLE, primeuriste.

5 août 1939

DEUXIÈME LETTRE DE
VINCENT CAPABLE, PRIMEURISTE

LA PROROGATION DES CHAMBRES
L'ARGUMENTATION DE M. DALADIER
LE MÛRISSEMENT DES TOMATES

Devant le succès éclatant rencontré par mes lettres, j'ai décidé de continuer mon effort pour la libre expression de la pensée. On entend bien qu'en parlant de succès, je pense aussi bien aux manifestations de sympathie qu'aux déclarations d'antipathie. J'ai, en effet, reçu beaucoup de réponses (j'ai dû faire changer ma boîte aux lettres). J'ai même reçu une lettre de M. Paul Reynaud. Mais je penche à croire que c'est un faux, car les chiffres qu'elle me fournit sont exacts.

J'ai reçu également des lettres d'insultes. Mais elles sont signées par des académiciens et des généraux, autant dire rien. Toutefois, la plus grande partie des réponses émanent de mobilisables qui me disent : « Monsieur Capable, continuez. » Je vais donc continuer.

On parle beaucoup de la prorogation des Chambres. On n'en parle pas assez. M. Daladier, puisqu'il faut l'appeler par son nom, avait dit : « Si les événements s'aggravent, nous prorogerons. » Le moins qu'on puisse dire, c'est que les événements ne se sont pas aggravés.

L'explication nous est alors donnée par M. Lebrun qui nous dit : « La prorogation empêchera les luttes politiques. » Autrement dit, elle conservera l'ordre. Hier, c'était l'ordre moral, aujourd'hui c'est l'ordre tout court. Hier comme aujourd'hui le même ordre va profiter aux mêmes personnes.

Si vous vous donnez la peine de considérer les mesures successives prises par le gouvernement Daladier au nom de la défense nationale, vous vous apercevrez qu'il n'est pas une de ces mesures qui ne profite à M. Daladier lui-même. Toutes concourent à la consolidation du gouvernement. On dira ce qu'on voudra, mais pour moi qui suis un homme simple, cette coïncidence perpétuelle entre les besoins de la défense nationale et les intérêts d'un homme paraît surprenante. Mais encore une fois, je suis un homme simple.

Pourtant des hommes qui ne sont pas simples m'ont dit qu'il y a quelques années, M. Daladier avait juré de défendre les libertés démocratiques avec les partis de gauche. Aujourd'hui il s'appuie sur une majorité de droite qu'il entend conserver encore deux ans, contre la Constitution elle-même. Nous autres, primeuristes, nous appelons ça du reniement. Mais M. Daladier, qui a de la culture, appelle ça de l'opportunisme.

Pour moi qui essaie de comprendre avant de juger (c'est en cela que je suis simple), le cas de M. Daladier me paraît assez clair. Je regrette de puiser des comparaisons dans mon expérience personnelle, mais mon excuse est que je n'en ai pas d'autre. Dans notre métier, lorsque nous constatons qu'une tomate sur plant est parfaitement rouge d'un côté, nous tournons son côté encore vert du côté du soleil. C'est alors qu'elle devient tout à fait rouge. Eh bien ! mon opinion c'est qu'on n'a pas tourné M. Daladier au bon moment. Et le vert, je veux dire le naturel, a reparu.

Notre position en tout cas est assez simple. Puisqu'il s'agit de préserver l'ordre et de calmer l'agitation, il ne reste plus qu'à prendre au mot M. Lebrun. Si la prorogation provoque des protestations perpétuelles, l'agitation des consciences et l'indignation des Français, l'ordre exigera qu'elle soit abrogée. Mais mon bon sens de primeuriste me dit que ce jour-là M. Daladier estimera que la défense nationale a besoin du désordre.

8 août 1939

UNE INJUSTICE CONSOMMÉE :
le pourvoi en cassation
des condamnés d'Auribeau est rejeté

Une mauvaise nouvelle nous parvient : la Cour de cassation a rejeté le pourvoi des condamnés d'Auribeau dont nous avons défendu ici l'innocence. Les attendus de ce jugement portent, il va sans dire, sur des questions de forme et laissent le fond intact. Les soixante ans de travaux forcés et la misère de dix familles restent donc des faits acquis.

Dans quelques mois, des innocents prendront le chemin du bagne et n'en reviendront plus. Cette idée, sans doute, est désespérante. Aussi désespérante est l'idée qu'il ne s'est pas trouvé un juge pour réhabiliter la justice en cette affaire.

Mais il ne servirait de rien de faire le procès de la bêtise humaine et de défendre une cause perdue. Il est plus urgent de songer à réviser des libertés menacées et des vies vouées au dénuement. Cette affaire ne saurait s'arrêter là. Et après tant de protestations restées vaines, il reste encore un procès à gagner : celui de la révision.

C'est celui du moins que nous entamerons, avec tous les défenseurs des malheureux condamnés et avec l'opinion publique de ce pays.

10 août 1939

TROISIÈME LETTRE
DE VINCENT CAPABLE, PRIMEURISTE,
SUR LA LIBERTÉ DE LA PRESSE

Je ne suis pas journaliste. Il y a des jours où je le regrette un peu, sachant ce que le métier peut rapporter aux amis de M. Abetz. Mais il y a des jours où je m'en réjouis, quand je vois ce qu'il en coûte d'être indépendant.

J'ai pourtant un mot à dire sur un certain petit décret-loi qui est passé inaperçu parce que, comme dit l'autre, ils étaient trop.

Ce petit dernier précise que seront poursuivis comme délit de presse tous les articles tendant à « troubler l'ordre » ou « contrariant la défense nationale ».

Je ne puis m'empêcher d'admirer l'imprécision de ces formules. Elles permettent tout. Elles autorisent tout. Elles menacent tout le monde. Quand on sait la susceptibilité chatouilleuse de la défense nationale, quand on sait qu'elle permet au préfet du département, par ailleurs fort aimable, de réquisitionner de façon indécente tout un port, quand on sait qu'elle interdit aux baigneurs du port d'Alger de monter sur les chalands sous peine de contravention à la loi sur l'espionnage, quand on sait enfin qu'elle justifie toutes les humeurs de M. Daladier, toutes les fautes de calcul de M. Reynaud et tous les banquets donnés par M. Bonnet, on ne peut s'empêcher de frissonner devant tant de malheurs conjugués.

À ce régime, un journaliste devra méditer avant de donner son point de vue sur les quintuplées du Canada. Il est vrai que c'est l'imprécision même du décret qui permet de condamner arbitrairement. Ce qui fait qu'à tout prendre, certains journalistes seront toujours poursuivis et qu'en conséquence ils peuvent tout dire. Et s'ils sont obligés de se taire, alors les primeuristes parleront. Et il faudra un nouveau décret pour museler les primeuristes.

Quoi qu'il en soit, M. Daladier continue. Moi qui suis dans les affaires, je suis forcé d'avoir de la mémoire. Par chance, M. Daladier n'est pas dans ce cas. Mais je me souviens que, revenu de son glorieux voyage à Munich, M. Daladier a déclaré devant la Chambre que, pour la première fois, le problème de la paix avait été discuté à la face du monde. Après quoi, on s'est aperçu, pour ne pas changer, que tout s'était tramé en coulisse et dans la salle à manger de M. Bonnet.

Il en est de même pour la presse. Tous les jours où il n'est pas sur la Côte d'Azur, M. Daladier déclare que la France doit défendre ses libertés. Et puis, secrètement, d'un petit air détourné, il nous les assassine. Je parlerai à peine des opinions de M. Daladier-1935 sur la radio, des serments de M. Daladier-14 Juillet, et des discours de M. Daladier sur la terre d'Afrique. Cela fait partie d'une métaphysique du caméléon qui fait mentir ceux qui prétendent que la France manque de cerveaux.

Il manquait à l'atmosphère de démocratie indéfectible où nous vivons, les gaz asphyxiants qui doivent étouffer la presse. Nous les avons. Nous sommes enfin libres. Et non pas de cette liberté dérisoire qui touche à l'anarchie, mais d'une solide liberté, cadenassée, verrouillée, souple comme une armure du xvᵉ siècle et qui fait, de chaque Français, une personnalité d'élite et une âme vigoureuse assez semblable à ces poupées qui marchent et disent « papa, maman ». Mais il faut, pour cela, leur presser sur le ventre. Et en prorogeant la Chambre, M. Daladier a marqué sa volonté de ne plus presser sur le ventre de la France.

Je dis donc : « Bravo. » C'est du très bon travail. Mais je ne voudrais pas que M. Daladier crût un instant que les primeuristes sont avec lui. Parce que nous, quand nous vendons nos fruits, nous les donnons pour ce qu'ils sont. Nous appelons une tomate une tomate et M. Daladier un apprenti dictateur.

Je ne dirai cependant pas à M. Daladier : « Allez-vousen. » Il me répondrait ce qu'il a déjà répondu à la Chambre avec un mélange de bouderie et de vanité qui sent son parvenu d'une lieue : « Essayez si vous pouvez. » À quoi un primeuriste bien né ne peut rien répondre. D'abord parce qu'il est bien né. Ensuite parce qu'un certain usage des tomates, demandé pourtant par la circonstance, n'a cours en ce moment que dans les théâtres*.

17 août 1939
LA « POLITIQUE D'APAISEMENT »
DE M. ROZIS

Le maire d'Alger refuse au personnel auxiliaire de la ville le statut qu'il attend depuis des années.

Notre maire « national » dit également leur fait aux organismes de la République coupables de ne pas entériner ses décisions.

La séance du conseil municipal s'ouvre à 18 heures. M. Rozis donne lecture d'une liste de souscription pour les familles des sinistrés de l'Agha et adresse ses remerciements aux donateurs.

GESTES D'APAISEMENT

M. Rozis propose de donner la parole à M. Sifi pour son interpellation, mais M. Antona demande la parole

* Cette lettre a été distribuée à 15 000 exemplaires.

que des conseillers musulmans veulent lui refuser. Comme M. Antona déclare qu'il s'agit de félicitations, la parole lui est donnée.

M. Antona félicite, en effet, M. Amara de sa délégation à l'état civil, mais M. Antona ne peut oublier que M. Amara « a été l'introducteur de M. Régis » et le « chef de file des communistes » et il espère avec « tous les nationaux » que M. Amara pensera à satisfaire les besoins de la population indigène. Entre-temps, M. Antona rappelle que le principal souci de M. Amara est de « faire flotter le drapeau rouge sur la mairie d'Alger ». Nos lecteurs trouveront plus loin le texte de cette intervention ironique.

M. Rozis, dans sa réponse à M. Antona, veut justifier la nomination de M. Amara qu'il appelle « une faveur ». Cette faveur, selon M. Rozis, a été donnée à M. Amara malgré « quelques gestes qui ont déplu au conseil », par souci d'apaisement.

M. Amara déclare à M. Antona qu'il n'a pas besoin de ses félicitations. M. Boukhroufa répond alors par des paroles d'union. M. Antona rappelle cependant que M. Boukhroufa a écrit des lettres à *Alger républicain*. M. Rozis affirme, une fois de plus, qu'il ne lit pas *Alger républicain*. M. Ouzegane précise qu'il ne s'agit pas de faire d'opposition systématique.

M. Antona ne veut pas qu'on parle du communisme. On lui dit que la question n'est pas là, mais il ne veut toujours pas qu'on parle du communisme. M. Rozis ayant déclaré qu'il n'avait rien demandé à M. Amara en retour de sa délégation, M. Labsi fait remarquer que les conseillers indigènes n'ont rien demandé non plus à M. Rozis.

M. Abbas demande à M. Rozis d'avoir « le cœur encore plus généreux » et rendre au docteur Goëau-Brissonnière sa délégation.

« Mais, dit l'intendant Leclerc, c'est de l'exploitation. » Passons à l'ordre du jour.

LE STATUT DU PERSONNEL AUXILIAIRE
EST RENVOYÉ « SINE DIE »

Avant de lire son interpellation, M. Sifi proteste contre le fait que le projet du statut du personnel auxiliaire ne lui a pas été communiqué, malgré ses réclamations.

Pendant la lecture de son interpellation, et sans doute

par souci d'apaisement, plusieurs conseillers européens se retirent et conversent. M. Sifi réclame cependant l'application intégrale et immédiate du statut auxiliaire.

M. Sifi demande que des emplois soient réservés à des postulants indigènes, et M. Hamouda que le contrôle médical soit plus souple et moins malheureux. Il cite, en effet, un athlète, capitaine d'équipe de football, qui a été déclaré inapte aux fonctions de collecteur peseur.

MEURT-ON DE FAIM À LA MAIRIE ?

Dans sa réponse à l'interpellation, M. Rozis déclare que le statut du personnel auxiliaire tel qu'il existe (à l'état de projet) n'a pas son assentiment. M. Rozis nie alors avoir promis ce statut pendant la période électorale.

Il affirme que les doléances du personnel auxiliaire sont nombreuses et exagérées. Le personnel d'ailleurs aurait montré à l'occasion de concours intérieur une instruction insuffisante.

Le maire rappelle une lettre de M. Gadal, qui lui disait « qu'on mourait de faim à la mairie ». Il nie ce fait et en donne cette preuve éclatante que les auxiliaires de la mairie n'ont jamais quitté leur emploi pour rentrer dans l'industrie privée.

RÉPUBLIQUE ET RÉPUBLIQUE

À cet égard, et M. Sifi ayant demandé au maire d'avoir du respect pour les organismes républicains, M. Rozis rappelle que le conseil de discipline départemental qui « est un organisme républicain » ne lui paraît pas respectable.

« Je le dis publiquement, ajoute le maire, je ne m'incline pas devant ses décisions. »

Dans tous les cas, M. Rozis a pris position contre le statut auxiliaire et le déclare. Il pourrait citer « des balayeurs qui gagnent 70 à 80 francs par jour » *(sic)*. Cela suffit à fonder son jugement.

M. Sifi rappelle au maire une séance de 1938, où M. Rozis avait promis le statut du personnel auxiliaire. Il déclare que les concours intérieurs sont faits en dépit du bon sens. Les conseillers nationaux protestent :

« C'est monstrueux…

— Je vous dénie le droit…

— Comment pouvez-vous… »

Sonnette. Et on continue.

M. Bernard dit que les appointements payés par la mairie dépassent 60 millions. M. Hamouda estime alors que les services rendus par le personnel doivent dépasser 70 millions.

UN INFIRMIER N'EST PAS UN BALAYEUR

M. Rozis refuse de porter le statut à l'ordre du jour de la prochaine séance. M. Ouzegane rappelle au maire que le Gouvernement général lui-même a donné satisfaction à son personnel auxiliaire. Il demande au moins la communication du projet et sa mise à l'étude pour octobre.

M. Rozis répond que les auxiliaires du Gouvernement général n'ont rien à voir avec ceux de la ville et « qu'un infirmier n'est pas un balayeur » *(sic)*.

M. Sifi insiste pour que le projet soit mis à l'ordre du jour. M. Rozis déclare qu'il sera « mis à l'étude » en octobre. Le projet est remis *sine die* et les conseillers musulmans reçoivent ainsi la récompense de leurs efforts d'apaisement et de leurs votes de conciliation.

M. ROZIS ET LA RÉPUBLIQUE

La comédie terminée, on passe à l'ordre du jour qui déroule d'interminables articles sur les ventilateurs, sous la chaleur croissante.

On apprend par hasard qu'un employé de la mairie, M. Gardon, a été traduit devant le conseil de discipline départemental qui l'a puni d'une façon que M. Rozis a jugée insuffisante. M. Rozis l'a donc révoqué de son propre chef.

« Ceci, dit M. Rozis, pour prouver à mon collègue Sifi que je respecte la loi républicaine. »

M. Gardon s'est pourvu en conseil de préfecture.

Le service des Eaux donne l'occasion d'un incident entre M. Sifi et M. Leclerc. Une demande d'une société cinématographique pour augmenter son stock de films rencontre la résistance du conseil.

Divers règlements d'honoraires sont votés à la course.

Des règlements d'indemnités donnent à M. Hamouda l'occasion de protester, une fois de plus, contre la Régie foncière. Le rapport visé est cependant voté à l'unanimité, moins les voix de M. Hamouda et de M. Boumendjel.

L'IMMEUBLE DE LA RUE BAB-EL-OUED

L'immeuble en ruine de la rue Bab-el-Oued vient, si j'ose dire, sur le tapis. Les conseillers musulmans trouvent excessive l'indemnité proposée au propriétaire (325 000 francs).

M. Labsi demande qu'on pense à indemniser les locataires de magasin. Un débat s'institue autour de la révision de l'expertise d'estimation. M. Rozis demande qu'on ne repousse pas le projet.

« Je ne puis pas, dit-il, payer moi-même ces 325 000 francs. »

À partir de ce moment, le conseil municipal devient une foire, ce qui est peu, mais une foire fatigante et inutile, ce qui est beaucoup.

On apprend ensuite qu'une décoration de 35 000 francs a été confiée au théâtre municipal à M. Harzic, artiste peintre. Divers articles sont encore votés rapidement. Indemnités, dédommagements et petits achats sont expédiés.

M. Boukhroufa dépose un vœu tendant à faciliter les formalités de voyage des fonctionnaires musulmans. Tout cela n'offre aucune difficulté.

À 20 h 25 la séance est levée. L'important pour le conseil est en effet d'avoir rejeté le projet de statut pour le personnel auxiliaire. La politique d'apaisement vient de recevoir sa récompense.

18 août 1939

DE MALENCONTREUSES POURSUITES

À la suite de la manifestation du 14 juillet et du matraquage républicain de quelques militants du P.P.A., on apprend que trois des manifestants arrêtés au cours de cette journée sont poursuivis pour « reconstitution de ligue dissoute », ainsi que quatre des dirigeants de ce parti. Ce sont MM. Dekar Mohammed, Tarbi Ahmed, Benadja Abdelkader, Douar Mohammed, Bournache Mokrane, Khider Mohammed et Mme Messali. Les trois premiers inculpés sont en prison, les quatre derniers en liberté provisoire.

Nous n'avons pas à juger ici des buts et de l'action du P.P.A. Mais nous avons notre avis à donner sur le sens du mot démocrate et sur les résultats d'une certaine politique.

Des trois inculpés arrêtés le 14 juillet, un seul appartient au P.P.A. Les deux autres doivent se demander encore ce qui leur est arrivé.

En ce qui concerne le militant du P.P.A., on eût compris qu'on l'inculpât de participation à une manifestation interdite, ce que l'on a d'ailleurs fait. Mais on ne comprend plus du tout qu'il soit poursuivi pour reconstitution de ligue dissoute. Car ils étaient trois mille le 14 juillet à reconstituer cette ligue. Et à moins que les inculpés n'aient été choisis à pile ou face, on ne comprend guère l'excès d'honneur qui leur est fait.

Cette accusation serait donc ridicule si elle n'était malfaisante. Car c'est là qu'il faut en venir. On a voulu punir. On veut frapper, décapiter le P.P.A. La défense nationale l'ordonne comme elle a permis les reniements de M. Daladier. Mais la réponse dans les deux cas est la même. Car défendre la démocratie c'est d'abord la fortifier. Si les propositions du P.P.A. gênent tant l'administration, l'administration ne doit pas y donner prétexte. C'est la seule solution conforme à la justice et à la liberté.

Il est surprenant de voir l'aveuglement de ceux qui poursuivent ces hommes car, chaque fois que le P.P.A. a été frappé, son prestige a grandi un peu plus. La montée du nationalisme algérien s'accomplit sur les persécutions dont on le poursuit. Et je puis dire sans paradoxe que l'immense et profond crédit que ce parti rencontre aujourd'hui auprès des masses est tout entier l'œuvre des hauts fonctionnaires de ce pays.

On voudrait bien croire qu'il s'agit d'une politique inintelligente et incroyablement bornée, qui méconnaît la redoutable influence des martyrs. Mais des gestes comme celui que nous supportons aujourd'hui sont aussi néfastes pour le prestige de la France que pour son avenir. Et s'il y a jamais eu une politique antifrançaise, c'est ici qu'elle se reconnaît.

Qu'on libère donc ces malheureux qui veulent mieux vivre. Et qu'on songe moins à punir qu'à mieux aimer. On n'effacera pas les revendications indigènes en les passant sous silence, mais en les examinant dans un esprit de générosité et de justice. Et la seule façon d'enrayer le nationalisme algérien, c'est de supprimer l'injustice dont il est né.

28 août 1939

QUATRIÈME LETTRE
DE VINCENT CAPABLE, PRIMEURISTE,
SUR LA PAIX ET LA DÉMOCRATIE

Parmi les réponses qu'on fait à mes lettres, une question revient souvent : « Croyez-vous que la défense de la démocratie vaille qu'on prépare et qu'on fasse la guerre ? » Je suis un pauvre homme, naturellement, et je ne suis pas à la mesure d'un problème si complexe. J'ai seulement sur le sujet quelques opinions de détail que je veux communiquer à mes correspondants.

S'ils en sont déçus, qu'ils se consolent en pensant que M. Reynaud n'en sait pas plus long sur le chapitre des finances et qu'on lui a pourtant confié les destinées économiques de la nation. J'ai de plus cet avantage sur M. Reynaud, qu'en raison de mon bon sens, je ne me suis jamais cru le nombril du monde.

J'entends donc poser souvent le problème sous cette forme : « Faut-il converser avec Hitler ou non ? » C'est exactement comme cela qu'il ne faut pas le poser. Remarquez que je serais plutôt pour les conversations, à condition qu'elles ne s'arrêtent jamais. Pendant que ces messieurs parlent, nous avons la paix dans tous les sens du mot. Mais je prétends qu'il est contradictoire de converser en armant comme si les conversations étaient impossibles, et qu'il est absurde d'armer pour ensuite se livrer à des conversations à quatre où l'on cède tout autant que si l'on n'était pas armé.

En somme, et comme toujours, c'est mon bon sens qui est choqué. Et je n'appelle pas conversations pacifiques des conférences de vingt-quatre heures d'où sortent de nouveaux prétextes de guerre et où meurent les paroles données.

Quand je réfléchis (c'est généralement après les repas) je vois qu'on arme pour défendre la démocratie. Et que, l'occasion venue, on fait bon marché de ladite démocratie. Au « un pour cent » correspond Munich. Je trouve ce paradoxe un peu déprimant. Car, à l'intérieur, le surarmement légitime la restriction de nos libertés dans le même temps où il est rendu inutile, à l'extérieur, par des concessions démesurées. Les forces antidémocratiques grandissent à l'intérieur, mais ne sont pas jugulées à l'extérieur.

Le travailleur que je suis ne peut s'empêcher de trouver cette technique rudimentaire. Et je ne peux m'empêcher de penser également qu'à cet égard le péril extérieur et le péril intérieur me paraissent équivalents. Si même je croyais en Dieu, je lui adresserais ici la prière célèbre : « Mon Dieu, préservez-moi de mes amis. De mes ennemis, je m'en charge. » Mais je ne crois pas plus en Dieu que M. Bonnet n'a l'air de croire à la justice immanente.

Qu'on me comprenne bien : ces contradictions m'étonnent et je ne vois pas plus loin. Je suis un homme calme. Je vis seul entre mes tomates, mes chiens et la mer toute proche. Je n'ai pas d'ambition.

Je demande peu au monde et moins encore à mes semblables, mais je leur demande la paix et le silence. Et justement, si après m'être tu toute ma vie, j'ai pris, à cinquante ans, l'initiative de parler le plus haut possible, c'est qu'on m'enlève la paix et qu'on me prive de mon silence par toutes ces contradictions qui m'irritent maintenant et tueront mes semblables dans quelques mois.

Car je sais que la paix est une chose raisonnable et qu'elle ne peut s'élever que sur la raison. Elle ne peut vivre dans ces contradictions, ces mensonges et ces faiblesses. Elle est timide et frêle, elle a besoin de confiance et les politiciens lui font peur. Mettez-vous à sa place.

J'ai donc le désir simple et fort de voir changer notre politique. J'ai la faiblesse de croire que la démocratie, pour être défendue, a besoin d'être fortifiée dans son destin de démocratie, et qu'on ne peut pas vouloir la paix avec les moyens d'une dictature guerrière. La démocratie et la paix sont comme deux sœurs inquiètes. Il ne faut pas séparer leurs destins. Et précisément ce qui me dégoûte un peu chez les maîtres de l'heure (quel grand mot pour des esprits si courts), c'est qu'ils ont honte de cette démocratie qu'ils prétendent défendre. Je demande, moi, au contraire, qu'on l'étale.

Tout ça ne m'empêche pas d'ailleurs d'être pessimiste et légèrement écœuré. Je veux la paix, naturellement. Il y a des millions de Français qui la veulent. Mais ils ne savent pas comment la vouloir. Et M. Daladier est venu qui leur a dit : « C'est comme ça que nous l'aurons et la preuve, c'est que je suis un jacobin. » Alors, la France a marché.

Elle marche encore. Et elle marchera jusqu'au bout, M. Daladier à sa tête, jusqu'à ce qu'elle meure d'épuisement.

30 août 1939

CINQUIÈME LETTRE
DE VINCENT CAPABLE, PRIMEURISTE,
SUR LE DESTIN DES HOMMES SIMPLES

Censuré.

Le Soir républicain

17 septembre 1939
LA GUERRE

Jamais peut-être les militants de gauche n'ont connu tant de raisons de désespérer. Bien des espoirs et bien des croyances se sont effondrés en même temps que cette guerre. Et parmi toutes les contradictions où le monde s'agite, contraints à la lucidité, nous sommes alors conduits à tout nier.

Nous comprenons. Nous comprenons tout. Et nous comprenons même très bien. Beaucoup d'entre nous n'avaient pas bien compris les hommes de 1914. Nous sommes plus près d'eux maintenant, car nous savons qu'on peut faire une guerre sans y consentir. Nous savons qu'à une certaine extrémité du désespoir, l'indifférence surgit et avec elle le sens et le goût de la fatalité.

Les hommes de 1914 n'avaient même pas autant de raisons que nous de céder à la fatalité. Ils pouvaient croire qu'ils faisaient cette guerre pour qu'elle soit la dernière. Jamais plus, cet espoir ne sera le nôtre. Les hommes de 1914 pouvaient espérer dans une réaction des peuples.

Tant d'efforts pour la paix, tant d'espoirs mis sur l'homme, tant d'années de luttes ont abouti à cet effondrement et à ce nouveau carnage !

Et dans cette heure mortelle, si nous nous retournons vers quelque chose, ce n'est pas vers l'avenir [...][1] mais vers les images fragiles et précieuses d'un passé où la vie gardait son sens : joie des corps dans les jeux du soleil et de l'eau, printemps tardif dans des éclatements de fleurs, fraternité des hommes dans un espoir insensé. Cela seul était valable. Cela seul est encore valable mais n'est plus possible.

Et pourtant là était la vérité qui aurait dû garder, instruire et préserver les dirigeants des peuples [...].

Et c'est bien là peut-être l'extrémité de la révolte que de perdre sa foi dans l'humanité des hommes. Peut-être après cette guerre les arbres refleuriront encore, puisque le monde finit toujours par vaincre l'histoire. Mais ce jour-là, je ne sais pas combien d'hommes seront là pour les voir. Et de toute façon ils auront la certitude qu'un autre jour viendra où ils devront mettre [...] de la vie.

30 octobre 1939

À NOS LECTEURS

Nos lecteurs trouvent aujourd'hui une nouvelle présentation de notre deuxième page. Ces modifications procèdent d'un plan préconçu dont il faut que nous nous expliquions. À notre sens, les « Éclairages de guerre », dont nous assurons depuis deux mois la publication, figurent le plus pur et le plus désintéressé de nos efforts. Nous y avons défendu et défendons tour à tour le droit de libre critique, d'indépendance d'esprit, la lucidité politique et la vraie démocratie.

C'est assez dire qu'il nous faut alors rechercher nous-mêmes nos sources, nos textes et nos informations. Le résultat de ce travail ne saurait manquer de différer assez sensiblement de l'information qui est dispensée aujourd'hui à tous les journaux. Les sources de cette dernière, dans l'état actuel des choses, ne peuvent être contrôlées. Nous en ferons donc état dans le corps de notre journal de la façon la plus objective, en indiquant chaque fois qu'il nous sera possible le degré d'authenticité ou l'origine immédiate de la nouvelle que nous publions.

Pour que nos lecteurs ne s'y trompent point, précisons. Présenter un texte comme « une note officieuse » signifie que cette note est d'inspiration gouvernementale et qu'elle représente donc et seulement le point de vue officiel. Écrire sous un titre ou une information « selon un journal anglais, ou suisse », etc., donne à cette information sa valeur exacte,

c'est-à-dire le plus souvent celle d'une appréciation purement personnelle du rédacteur qui a signé l'article. Faire précéder un texte de la mention « sous toutes réserves » donne
à entendre que la nouvelle publiée est absolument incontrôlable, etc., etc. Précisons enfin que toutes nos dépêches nous
sont transmises par l'agence Radio qui, comme toutes les
autres agences, est soumise à la censure officielle.

Mais, d'autre part, nous voulons séparer complètement
notre rubrique indépendante de nos informations si difficilement contrôlables. De là, notre présentation. Ce que nos
lecteurs vont trouver maintenant dans *Le Soir républicain*,
c'est un journal dans un journal. Ou encore, ils trouveront
deux journaux, côte à côte, l'un d'information rendue objective, l'autre de critique objective.

Il va sans dire que nos efforts porteront sur les
« Éclairages de guerre ». Études historiques, publication
de textes, documents, prises de positions, revues de presse,
toutes les formes de la pensée libre et non asservie s'y succéderont.

Ainsi servirons-nous ce que nous croyons durable et vrai :
la liberté et l'indépendance des esprits.

30 octobre 1939

« SOUS LES ÉCLAIRAGES DE GUERRE »

Nos lecteurs apprécieront la générosité avec laquelle
nous ouvrons l'hospitalité de nos colonnes à l'exposé d'opinions diamétralement contraires aux nôtres, en publiant le
Manifeste ci-dessous. Ils comprendront que ce n'est pas seulement par une ironie sacrilège et trop facile, mais pour les
aider à réfléchir fructueusement sur les diverses façons de
voir en présence. Pour notre part nous restons fidèles à
notre effort de pensée libre avec nos pauvres et faibles
moyens et en dépit des difficultés.

ZAKS[1].

OUI ! OUI !

Nous autres, conformistes résolus et conscients, nous sommes décidés à approuver pleinement tout ce que dit et fait le gouvernement. Nous obéissons, sans hésitation ni murmure, aux dispositions de la loi, aux consignes de nos supérieurs, aux mots d'ordre des personnalités haut placées et des milieux dirigeants. Nous considérons comme vrai ce que les voix du pouvoir nous affirment, comme faux ce qu'elles nient. Nous jugeons salutaire de pratiquer la politique que nos chefs pratiquent ; par ailleurs, nous jugeons bonne à proclamer celle qu'ils proclament. Bref, nous nous conformons à l'opinion qu'ils nous enseignent, et à la ligne de conduite qu'ils nous tracent.

L'attitude que nous adoptons ainsi, consciemment et résolument, est celle que beaucoup de gens adoptent instinctivement, par une pente naturelle : la loi du moindre effort, crainte des sanctions, loi de l'imitation, bien des causes expliquent le conformisme spontané et irréfléchi de beaucoup de gens. Mais nous, nous avons nos raisons, mûrement pesées. Ce n'est pas simplement par simple moutonnerie que nous emboîtons le pas.

Ce n'est pas non plus seulement par peur des amendes, de la prison, du poteau d'exécution, bref des diverses peines dont le gouvernement use légalement, judiciairement, administrativement contre ceux qui entravent son action. Ce n'est pas seulement par crainte de la réprobation méprisante, dure et railleuse de notre entourage et de nos concitoyens. Car ces sanctions, juridiques ou psychologiques, nous les jugeons elles-mêmes légitimes. Elles servent et renforcent un principe que nous approuvons. Au-dessus de tous les désagréments et tourments qu'elles pourraient nous causer — et au-dessus également de toutes les facilités, satisfactions et rémunérations variées, morales, matérielles, honorifiques, pécuniaires et autres, que peut parfois rapporter, à certains d'entre nous, l'attitude à laquelle nous nous rangeons —, au-dessus de tout, nous plaçons notre conscience.

Tant mieux si notre choix nous procure — tout au moins parfois, et pour quelques-uns — quelques avantages ou nous épargne quelques peines ! N'oublions pas que c'est ce même choix qui conduit les meilleurs d'entre nous à tomber les premiers sous les balles ennemies dans les missions dangereuses du front pour lesquelles ils se sont portés volontaires ou pour lesquelles leurs qualités, leur entrain, leur bonne volonté, les ont fait désigner. Et donc, s'il y a des profiteurs du conformisme, s'il peut y avoir aussi des « profiteurs manqués », victimes involontaires du conformisme, qui souffrent à cause de lui alors qu'ils espéraient en recueillir quelque bénéfice, il y a également, et en masse, de véritables héros et martyrs du conformisme, qui, résignés ou enthousiastes, ont sciemment accepté ou recherché les sacrifices les plus douloureux pour traduire en actes leur foi dans les dirigeants de leur patrie. Et on nous accordera que, chez les martyrs et les héros, le choix fait par eux entre la croyance et le doute, entre l'obéissance et l'indépendance, choix qui les a conduits au sacrifice suprême, est aussi respectable par son désintéressement et sa sincérité chèrement payée, que celui des non-conformistes en butte aux répressions variées, auxquelles ils se sont délibérément exposés. D'ailleurs le non-conformisme a parfois, lui aussi, ses profiteurs, ses ambitieux, ses aigris, ses origines douteuses, et ses buts mesquins.

Disons donc bien haut que les critiques indignées et sarcastiques adressées à ceux dont un opportun conformisme sert l'ambition, les intérêts, la gloriole, ou la célébrité, la sécurité ou les affections, n'atteignent pas le principe même du conformisme, auquel nous souscrivons. Cela ne veut pas dire que nous approuvons ces critiques, que nous les jugeons inoffensives et permises, que nous nous y associons. Le principe du conformisme serait en danger, s'il était loisible à chacun de discuter les mobiles et la valeur morale de telle ou telle adhésion aux affirmations officielles, de telle ou telle contribution (littéraire, militaire, financière, etc.) à l'œuvre de nos dirigeants, telle ou telle docilité aux ordres du pouvoir. Si certains zélateurs du conformisme simulent leur conviction, et affectent leur ardeur, en vue d'avantages divers ou sous l'empire de frayeurs ou par simple abandon aux courants dominants et par apathie réelle et profonde, cela est affaire entre eux et leur conscience. Ce n'est pas à nous de les juger. Qui pourrait se flatter de faire exactement la part du calcul et la part de la sincérité dans la formation de certaines pensées, de certaines positions ouvertement prises ?

En admettant même que ce soit chose faisable, ce serait

peut-être là chose dangereuse. Les rechercher, les dénoncer, serait un commencement de doute méthodique, de libre examen, de négation, de non-conformisme, de rébellion. Ce serait perdre dans des critiques, au demeurant stériles, un peu ou beaucoup du temps et des ressources et de l'énergie que nous devons consacrer entièrement à absorber et à répandre les vérités dont nous instruisent nos dirigeants et à accomplir les devoirs dont ils nous chargent. Puisque nous nous interdisons de discuter les affirmations et les actes de nos dirigeants, comment nous permettrions-nous de juger et condamner les propos et comportements de ceux qui les suivent, les imitent, les soutiennent, et même parfois les précèdent et les guident ?

Notre rôle à nous est d'écouter, d'exécuter, non pas d'apprécier ni de décider.

Répétons-le donc : nous nous en remettons à leurs consciences du soin de les juger et de les condamner ou absoudre, si leurs motifs ne sont pas ceux que nous voudrions. Nous, notre conscience nous dicte de penser, tout au moins de parler et d'agir, *conformément* aux vœux et impératifs du gouvernement de notre pays.

Ainsi, prêtons l'oreille, pour nous imprégner de leur doctrine, aux voix autorisées, recueillons, pour les exécuter point par point, les prescriptions venues de haut. Faisons taire nos petites personnalités, notre perpétuelle tendance à suspecter, à vouloir vérifier et contrôler, à discuter. Acclamons en toute ferveur, sans restriction aucune, notre gouvernement et nos notables. À leurs appels, à leurs déclarations, répondons pieusement et fièrement : « Présents !… D'accord !… »

Pourquoi cet unisson et cette discipline ? Voici les raisons précises, claires, nombreuses, concordantes et péremptoires pour lesquelles ce conformisme absolu et entier nous paraît la seule attitude admissible.

Notre principe initial est le suivant :

La vie des sociétés civilisées ne nous paraît possible que si leurs membres s'en remettent aveuglément à la direction de certains d'entre eux, choisis par des procédés tendant à hisser aux postes de commande les meilleurs.

Cette sélection d'une élite digne d'être crue et de commander est précisément réalisée avec succès dans notre pays. Cela suffit à fixer notre devoir de suivre notre gouvernement et ses auxiliaires et conseillers et guides.

Nous espérons que nul ne songera à s'étonner du parti pris exclusivement *national* que nous affichons ainsi. Nous ne nous préoccupons pas de savoir ce qui est pratiqué ailleurs. Il faut savoir choisir et se limiter. Nous ne nous occupons, nous, que de l'État auquel nous appartenons et par lequel nous sommes gouvernés, et de la collectivité nationale au sein de laquelle nous nous trouvons placés. Si le point de vue et l'intérêt de cet État, ou le point de vue et l'intérêt de cette collectivité, tels qu'ils sont déterminés par cet État, venaient à entrer en contradiction ou en conflit avec d'autres points de vue et d'autres intérêts, il nous faudrait bien prendre parti, et nous considérerions comme des lâches ou des traîtres ceux de nos compatriotes qui ne se rangeraient pas, comme nous, au point de vue et à l'intérêt de leur État, ceux qui affecteraient de rester neutres, de planer au-dessus de la mêlée ou, à plus forte raison, ceux qui considéreraient comme soutenables le point de vue et l'intérêt de l'ennemi.

Est-ce que dans la bataille il est permis de se désolidariser de ses camarades, de ses parents ? Non. Ce serait écœurante ingratitude, inélégance, violation d'une promesse tacite — et sottise en définitive — car nous serions englobés dans leur défaite que nous aurions préparée ou facilitée, nous serions atteints par le discrédit de la famille, de la bande ou de la nation. Restons donc avant tout et toujours Français.

Nous pouvons le faire d'autant plus facilement que nous pensons que les destinées du monde, de l'humanité tout entière, sont liées à celles de notre État, qui a de tout temps joué et doit jouer encore et plus que jamais un rôle si considérable dans la création et la diffusion des valeurs les plus hautes de la civilisation.

Est-il nécessaire que nous nous expliquions plus longuement ? Faut-il donc tant de mots pour exprimer — et encore lourdement et confusément — ce que nous sentons si fortement en nous : que nous sommes solidaires avant tout de notre patrie, que c'est d'elle que nous avons le plus reçu, d'elle aussi que nous avons encore le plus à attendre, elle dont nous percevons le plus distinctement les impératifs, elle pour qui nous pouvons le plus nous rendre utiles, et que, par conséquent, notre devoir, notre intérêt bien compris, le souci de ne pas nous tromper et d'assurer à nos efforts le maximum de rendement, tout donc nous commande de nous dévouer à elle entièrement et exclusivement. Ne nous a-t-on pas appris qu'elle était l'épée et le cerveau du monde moderne, son flambeau illuminateur, sa conscience vivante, parlante et agissante ? Ne nous a-t-on pas toujours représenté le monde comme guidé dans la bonne voie par les bras et les têtes de la France ? Et ceux d'entre nous qui confessent une religion n'ont-ils pas appris de leurs prêtres que Dieu est avec la France, que les actes de celle-ci sont l'accomplissement même de la volonté de Dieu, que l'esprit de notre pays est dépositaire d'une mission et d'une révélation divines et qu'ainsi, c'est Dieu même qui inspire les chefs dans lesquels notre esprit national s'incarne tour à tour aux heures successives de notre histoire ?

Nous pensons donc qu'en définitive il n'y a qu'une vérité, qu'une justice, qu'une manière de sauver l'humanité, qu'une grandeur, qu'une noblesse, qu'une intelligence : celles de la France. Mais si par hasard il y avait plusieurs vérités, plusieurs justices, plusieurs gloires, plusieurs humanités et plusieurs saintetés, si donc il nous fallait choisir entre des points de vue et des échelles de valeur, entre des relativités et des subjectivités, notre choix est tout fait. Ce sont les vérités françaises qui nous passionnent, les intérêts français que nous servons, les couleurs françaises que nous agitons, l'hymne français que nous chantons, la justice et la paix et la liberté françaises que nous préférons à toutes autres.

Tant pis pour qui ne nous comprendra et ne nous suivra pas ! Tant pis pour celui qui restera seul, hésitant, vacant, quand nous nous sentons joyeusement sûrs de nous-mêmes, quand nous nous fortifions mutuellement par notre rencontre et notre accord, quand nous savons pourquoi nous vivons, luttons, souffrons, et mourons ! Tant pis pour celui qui cherche sa route, quand nous avons déjà trouvé la nôtre et la parcourons au pas, derrière nos drapeaux ! Nous avons chaud au cœur, nous nous connaissons et nous nous reconnaissons entre nous, nous nous soutenons les uns les autres, nous sommes utiles, nous servons, et notre conscience est tranquille. Nous sommes heureux d'échapper à la petitesse de notre sphère individuelle, de notre savoir borné, de nos soucis immédiats, de notre intelligence et de notre sensibilité limitées à notre être personnel, de nos intérêts minimes. Nous sommes heureux de nous agrandir, de nous épancher en nous consacrant à une existence collective. Et sans aller plus loin, la collectivité nationale, telle qu'elle est rassemblée et régie par l'autorité de notre État, nous suffit comme existence collective.

Elle est à notre portée, à notre mesure. C'est elle que nous vénérons traditionnellement, c'est à celle-là que l'on nous invite à collaborer. Ne cherchons pas au-delà !

Ainsi, c'est clair : c'est avant tout d'un conformisme *français* qu'il s'agit pour nous, et les questions internationales, ou étrangères, ou universelles, ou humaines, ou individuelles, ou scientifiques, ou artistiques, ou techniques, ou quelconques, ne se présentent à nous que sous l'angle de l'attitude à adopter en tant que Français, c'est-à-dire, en tant que ressortissants de l'État français. Et, pour nous, la ligne de conduite à observer se réduit à ceci : soyons fidèlement loyaux au régime établi dans notre pays et à ses représentants qualifiés.

Quel que soit le régime établi, nous ou celui qui progressivement ou rapidement vient remplacer le précédent et s'établir à son tour, nous pensons qu'il vaut mieux le maintenir que travailler à le changer. Nous estimons que le régime établi est toujours le meilleur, par cela même qu'il est établi, et par conséquent fonctionne dans l'ordre. On n'est jamais sûr que celui qui le remplacerait fonctionnerait aussi bien et ferait régner autant d'ordre. À plus forte raison, n'est-on pas sûr qu'il ferait mieux que le régime actuellement établi. On est sûr, par contre, que le changement lui-même est une rupture de l'ordre établi, une fatigue ou une aventure, une perte de temps et de ressources et d'énergie, un risque et un effort. Respectons donc par principe le régime établi.

Pour les mêmes raisons, respectons par principe le personnel qui dirige ce régime ou que ce régime a porté au pouvoir.

Mais si ces principes valent, partout et toujours, quel que soit le régime et quels que soient les chefs, à plus forte raison valent-ils s'agissant du gouvernement actuel de notre pays.

Nous aurions une confiance absolue dans tout gouvernement de notre pays, à tout moment. Mais à l'heure présente cette confiance doit être plus totale et plus indéfectible que jamais. En effet, le système politique que la France présente encore aujourd'hui, aux yeux de l'observateur constitutionnel qui consulte les textes, assure et justifie automatiquement cette confiance sans réserves que nous plaçons dans nos chefs.

Le premier de ces chefs, celui en qui toute l'autorité s'incarne, c'est le président du Conseil — actuellement M. Daladier ; il est notre conducteur ; « maître à bord après Dieu », comme un capitaine de navire, il doit être obéi sans discussion, et même sans contrôle, si ce contrôle tend à conditionner ou limiter l'obéissance ; sans quoi le bateau sombrera dans la tempête. La vie même de notre pays, c'est-à-dire la sécurité de ses habitants, la conservation de ses richesses matérielles et intellectuelles, exigent donc que le président du Conseil soit suivi quand il parle, compris et approuvé quand il se tait, quand il agit, quand il attend, quand il commande au nom de la France.

Mais aux termes de nos lois, c'est le vœu même du pays tout entier qui a porté et maintient M. Daladier à la fonction prééminente qu'il occupe. C'est l'accord du président de la République qui l'a chargé de constituer le cabinet ministériel et des Chambres qui lui ont accordé leur approbation et les « pleins pouvoirs », et ont voté les lois réclamées par lui, qui l'ont investi de sa redoutable et magnifique tâche et de l'autorité quasi illimitée dont il dispose dans notre pays. Et le président de la République lui-même, M. A. Lebrun, élu en 1932, et réélu en 1939 (M. Daladier étant déjà président du Conseil) — est l'élu des Chambres. Les Chambres elles-mêmes émanent de la volonté populaire : la Chambre des députés actuelle est celle qui a été élue par le corps électoral que nos lois appellent « suffrage universel », en 1936, au milieu d'un enthousiasme populaire dont on se souvient encore. Au Sénat actuel, conformément à la loi, un tiers a été élu fin 1932, un tiers fin 1935, un tiers fin 1938, par les collèges électoraux que l'on appelle parfois le « suffrage restreint », ou « suffrage indirect », et qui émanent eux-mêmes du suffrage universel. Nous pouvons donc nous dire que la direction de la France est celle que nous avons voulue, librement et consciemment et résolument. Notre confiance en elle est donc toute naturelle.

Et d'ailleurs, les résultats confirment l'excellence du système et renforcent la sécurité morale qu'il nous inspire. Qui oserait, en effet, douter que l'actuel président du Conseil a toutes les qualités morales et intellectuelles qui justifient cette foi que nous avons en lui ? Érudition, intransigeante fermeté, expérience, goût des solutions neuves, maturité, liberté d'esprit, zèle, intelligence, sens pratique, endurance et ténacité, audaces juvéniles, entêtement, résistance à la lassitude et au dégoût et aux assauts des circonstances contraires et des critiques hostiles, traditionalisme, douceur et entregent, patriotisme éclairé, malléabilité, habileté manœuvrière, mobilité d'esprit, probité, désintéressement, faculté d'assimilation des données et des thèses les plus diverses, sobriété de paroles et de gestes, spontanéité, compréhension parfaite des besoins de tous, savoir-faire gouvernemental, sollicitude pour les peuples, respect des valeurs établies, faculté d'invention, prudence, perspicacité, souplesse —, c'est tout cela qui fait d'Édouard Daladier le chef par excellence de notre pays. Et tous ces traits se retrouvent heureusement associés dans sa politique.

Mais si cette politique qu'il imprime à notre pays est si opportunément réaliste et généreusement idéaliste tout à la fois, si elle correspond si bien aux possibilités, aux besoins et aux tâches de l'heure et de notre pays, tout en reflétant si caractéristiquement les traits dominants de cette personnalité fortement accusée, c'est que — comme toujours, mais surtout aux heures les plus graves — l'esprit même du pays s'incarne dans la personne de ses chefs.

Il est permis de le dire : Daladier, c'est la France. Et c'est parce qu'il est la France qu'il faut le croire et le suivre. Mais pourquoi et comment est-il la France ?

Nous venons de rappeler le mécanisme par lequel est recruté le président du Conseil, et l'ensemble gouvernemental et parlementaire qui l'entoure et l'assiste. Mais élevons-nous au-dessus de ces subtilités juridiques et politiciennes et recherchons les raisons profondes et, disons-le, spirituelles, de notre adhésion totale à la politique du gouvernement Daladier : qu'il nous soit alors permis de dire que c'est le génie permanent et l'esprit historique de notre France éternelle qui nous animent.

L'histoire ne prouve-t-elle pas, comme on nous l'a redit éloquemment bien des fois ces temps-ci, que c'est aux heures du péril que la France se retrouve elle-même et suit la voie du salut, la voie où l'appelle sa vocation glorieuse de créatrice et de gardienne de la civilisation, de la liberté, du droit et de la culture ? Il suffit donc que la France soit à la veille d'une guerre ou engagée dans cette guerre pour que nous soyons sûrs que c'est le génie même de la Patrie qui inspire nos chefs, nos déterminations collectives, nos élans invincibles, nos temporisations et nos sangs-froids nécessaires. Nos chefs traduisent sans défaillance les suggestions de l'instinct national, tout comme celui-ci à son tour sert et exprime infailliblement, avec une sûreté merveilleuse, les exigences de la vérité, de la justice, de l'opportunité, de l'humanité, telles que nous pouvons les comprendre et les servir. Heureux pays que le nôtre, qui est toujours égal à sa mission, certain de ne pas se tromper en suivant aux jours du danger les chefs qu'il s'est donnés ! À côté et au-dessus de toutes les ressources économiques et de toutes les positions stratégiques, n'est-ce pas dans cette chance constante que notre pays trouve la certitude de sa victoire et la conscience raisonnée de son bon droit et de la sainteté de sa cause ?

Dès lors, la marche à suivre est claire. Ne rien faire ou dire, et ne rien laisser faire ou dire, qui puisse troubler ou influencer la direction gouvernementale. Pas d'activités autonomes des partis, pas d'activités autonomes d'organisations séparées (syndicales, culturelles, ouvrières, patronales, ethniques, confessionnelles) qui puissent fomenter des opinions, des agitations ou même simplement des objections, des réserves, ni même des questions. Pas non plus d'activités intellectuelles prétendant s'exercer de façon indépendante. Pas de réunions, pas de journaux, pas de livres, pas d'émissions de radio, pas de spectacles, pas de travaux scientifiques ou photographiques qui puissent contenir ou préparer une discussion, une critique, une division. Ni mouvement autonome, ni pensée autonome. Faisons bloc autour des slogans gouvernementaux, pénétrons-nous des faits et interprétations et postulats que notre gouvernement nous présente, et pour en assumer plus efficacement l'expansion, interdisons sévèrement toute autre investigation des faits ou toute autre présentation d'explications ou toute autre recherche de principes. Grâce à quoi, rien ne viendra gêner l'action gouvernementale ! Et grâce à quoi en même temps nous nous éviterons et éviterons autour de nous l'éclosion ou la diffusion de ces prétendus renseignements (historiques, géographiques, biologiques, psychologiques, sociologiques, etc.) en réalité faux puisqu'ils ne nous seraient pas donnés par nos chefs, l'éclosion ou la diffusion de soi-disant thèses, en réalité malsaines, corruptrices, dégradantes, débilitantes, puisqu'elles n'émaneraient pas de notre direction gouvernementale.

Tout ceci ne peut être compris que si l'on se rappelle bien la base de notre doctrine. Il y a des élites, par définition supérieures en lucidité, mieux documentées, plus expertes à réaliser le bien commun nécessaire au peuple. Il serait donc stupide de vouloir les informer, les solliciter, les contraindre, les surveiller, les critiquer, il n'y a qu'à s'en remettre totalement à elles ; elles feront pour le mieux et aucune dissidence des esprits ou des actions ne doit venir entraver ou altérer leur action souveraine. Et ce sont précisément — nous avons vu comment et pourquoi — ces élites qui nous gouvernent et nous dirigent.

Et, par ces *élites dirigeantes*, nous n'entendons pas seulement l'équipe ministérielle avec son chef, mais aussi tous leurs collaborateurs, militaires, économiques, financiers, moraux ou autres.

Les chefs des grandes entreprises industrielles ou commerciales, les chefs des grandes organisations ouvrières, des grands partis politiques, les dirigeants de nos grands instituts de crédit (nous voulons dire les grands banquiers), les autorités universitaires, administratives, les représentants des cultes, les écrivains dépositaires de la tradition nationale, les journalistes de la grande presse, tous ceux qui font confiance à notre gouvernement et ont sa confiance, ont droit à la nôtre.

Puissances d'argent, puissances spirituelles, puissances de l'armement et de l'organisation disciplinée, nous révérons toutes les puissances établies. Ce sont elles qui ont fait et maintiennent et qui constituent et mènent la France telle qu'elle est et ses pouvoirs publics tels qu'ils sont.

C'est visiblement la même doctrine, c'est visiblement la même résolution, qui anime tous les particuliers et officiels, capitaines d'industrie ou détenteurs de capitaux, hauts fonctionnaires et modestes artisans du labeur national — travailleurs de la plume, du portefeuille, de la toque, ou du képi, du feutre, de la calotte, de la casquette, du haut-de-forme ou du bicorne —, tous ceux dont les avis sont un précieux stimulant et un guide écouté par le gouvernement et dont le concours lui est indispensable et d'ailleurs tout acquis.

C'est eux tous qui sont et font la France et son gouvernement. Et donc c'est eux tous qui peuvent compter sur nous : nous les croirons, nous leur obéirons, et sous leurs ordres et pour les objectifs qu'ils nous auront assignés et contre les ennemis qu'ils nous auront désignés nous combattrons jusqu'à la mort.

LES CONFORMISTES CONSCIENTS ET RÉSOLUS.

6 novembre 1939
NOTRE POSITION

Les innombrables « blancs » que nous avons offerts à la curiosité de nos lecteurs, depuis notre parution, nous font craindre que, l'imagination aidant, notre position soit faussement interprétée. Et nous avons l'intention de préciser de façon claire et brève, chaque fois qu'il nous sera possible, notre position en face des événements actuels. C'est à la définition générale de cette position que nous nous attacherons aujourd'hui.

On ne saurait trop réfuter ce sophisme que le maintien du moral d'une nation nécessite la disparition de ses libertés. On ne saurait trop insister sur l'exemple que nous donne à cet égard l'Angleterre. On ne saurait trop répéter, en particulier, qu'à de récentes élections anglaises un candidat « pacifiste » a pu se présenter et qu'en toutes occasions, l'objection de conscience, par exemple, est admise par la législation anglaise. Ceci donne la mesure du climat de la liberté britannique. Et c'est l'honneur et la force d'une démocratie que de pouvoir équilibrer des libertés si essentielles.

Pourtant, l'Angleterre est en guerre. Pourtant, M. Chamberlain a la même conscience de ses responsabilités que notre gouvernement. Nous tirons de ce fait la justification de notre premier principe : l'opinion et l'expression libres, toutes les opinions libres et toutes les expressions libres (la censure sur les renseignements militaires étant admise). En fonction de quoi nous voulons exprimer et défendre notre point de vue sur la paix à venir.

Tous les hommes politiques de France et d'Angleterre ont rappelé que la paix « durable et forte » était le premier but de cette guerre. Les peuples n'ont encore rien dit. Mais leur besoin de paix est une des évidences de la politique internationale. C'est donc à cette paix lointaine que nous nous attachons, de crainte que l'entraînement, la lassitude et la haine des combats ne la fassent oublier. Sur cette paix nous avons notre opinion. C'est elle que nous défendons tous les jours dans ce journal. Une fois pour toutes, précisons.

Nous pensons qu'il y a des fautes à ne pas renouveler. Une grande partie de l'opinion publique française a, pendant des années, protesté contre les erreurs de Versailles. Nous étions de ceux-là. Il n'y a rien dans les événements actuels qui puissent nous faire changer d'avis. Nous disions : « Ces fautes amèneront une nouvelle guerre. » La nouvelle guerre est là. Nous ne parlerons pas de nos sentiments en face de la catastrophe. Nous voulons seulement exposer nos convictions. Et nous demandons sans fièvre, en pleine conscience de nos responsabilités, qu'au sein même de la guerre, la paix soit envisagée et plus précisément les moyens de conclure une paix durable. Et nous demandons que cette paix définie, plébiscitée par le peuple français, soit proposée sans trêve, au milieu même des combats, tous les jours s'il le faut. L'obstination dans l'injustice ne peut être vaincue que par l'obstination dans la justice. Et nous voulons que cette guerre, puisqu'elle est là, soit pensée et conduite lucidement.

Sur les bases immédiates de cette paix, nous reviendrons quand il faudra. Disons seulement ceci : on a beaucoup critiqué la S.D.N. et, par contrecoup, le principe de l'entente internationale. Nous pensons que la S.D.N. n'avait rien à voir avec ce principe et que ce dernier garde toute sa force. Nous l'écrivions récemment en publiant le pacte de la S.D.N. : « Société des nations victorieuses (l'Allemagne en était exclue au début), née de l'intérêt, elle a tout sacrifié à l'intérêt. La S.D.N. est à refaire. »

Nous pensons, d'autre part, que des discussions sur l'honneur, telles qu'elles s'instaurent aujourd'hui, ne peuvent rien fonder. L'honneur est une notion individuelle et valable seulement pour l'individu. Si l'on veut baser des négociations sur le degré de loyauté de Hitler, ces négociations n'auront jamais lieu. Un désarmement total nous assurera les vingt-cinq ans de paix que la parole de Hitler ne peut nous garantir. Ceci doit nous faire réfléchir.

Nous pensons encore : 1) qu'il y avait dans les revendications hitlériennes un mélange assez curieux de revendications légitimes et de prétentions injustifiées ; 2) que la politique internationale de ces dernières années a consisté, par un paradoxe non moins curieux, à refuser les premières et à accorder les secondes, et pour le reste à donner sous la menace ce qu'on n'avait pas su céder à temps ; 3) que dans tous les cas, on ne peut vivre éternellement sur un traité ou sur un état de fait et que les notions de vainqueur et vaincu sont sujettes à de tragiques transformations.

Et ici nous avons à intervenir. Nous le rappellerons sans modestie : nous n'avons pas attendu M. Béraud ou M. Flandin pour dénoncer l'hitlérisme. Nous avons été les premiers à répudier un régime où la dignité humaine était comptée pour rien et où la liberté devenait une dérision. Mais, en même temps, nous ne cessions de dire que cet excès dans la bestialité trouvait sa source dans le désespoir de tout un peuple. Les nations ici sont comme les individus. C'est dans leur plus grande misère qu'elles forgent leur volonté de puissance.

Ne pas humilier, s'efforcer de comprendre, ôter à Hitler les raisons profondes de son prestige, accorder tout ce qui est juste en refusant ce qui est injuste, réviser Versailles en réclamant la Tchécoslovaquie et la Pologne, voir clair, refuser l'entraînement de la haine, fonder la solidarité humaine et européenne, rajuster la politique des nations à une économie devenue internationale : ce sont là nos positions.

Tout cela, nous le croyons possible et vrai. Nous ne croyons en effet qu'à une fatalité dans l'histoire, celle que nous y mettons ; nous croyons que ce conflit pouvait être évité et peut encore être arrêté à la satisfaction de tous. Nous croyons que s'il n'existait à cela qu'une seule chance, il serait encore défendu de désespérer avant de l'avoir tentée. On ne l'a pas tentée. On ne l'a jamais tentée. Et cela est possible à toutes les minutes et à l'instant même où nous écrivons.

C'est pourquoi nous réclamons le droit d'ouvrir les manuels d'histoire, de citer et de préciser. Nous réclamons le droit de défendre la vérité humaine, celle qui recule devant la souffrance et aspire à la joie. Tout se tient et se rejoint dans le monde fermé et machinal que nous avons construit. Les hommes de bonne volonté dont nous sommes veulent du moins ne pas désespérer et maintenir les valeurs qui empêcheront un suicide collectif.

6 novembre 1939

« SOUS LES ÉCLAIRAGES DE GUERRE »
CONSIDÉRATIONS INACTUELLES

Qu'est-ce que l'indépendance ?

C'est une vertu propre à l'individu. C'est aussi une vertu rare. L'indépendant se manifeste d'abord à l'égard de soi-même. Cela lui donne des droits ensuite pour s'affirmer à l'égard des contraintes extérieures. Un homme indépendant se libère d'abord de ses propres préjugés. D'où suit qu'il se refuse ensuite à supporter les préjugés des autres, en particulier ceux qui conduisent tout droit à la mort. L'homme indépendant n'a pas la faiblesse, toute ministérielle, de se croire le nombril du monde. Mais il a conscience que son indépendance est sa seule richesse. De là qu'il la défende contre toute tentative de domestication ou d'asservissement.

L'indépendance est d'ailleurs une vertu difficile à maintenir. Il y a contre elle, l'intérêt, l'ambition, le mensonge et la paresse. Cette coalition est redoutable. On peut la voir à l'œuvre aujourd'hui sur l'Europe entière. Mais l'indépendance a peu à faire pour vaincre. Elle n'a pas besoin d'attaquer. Il lui suffit de s'affirmer. Et que tant d'hommes soient incapables de cette seule affirmation, voilà de quoi désespérer l'homme indépendant, s'il avait besoin de l'exemple d'autrui pour maintenir ce qu'il croit vrai.

Les forces d'asservissement ont tellement conscience du pouvoir infini de l'indépendance que l'affirmation raisonnée de celle-ci agit sur elles comme un chiffon rouge déployé devant un taureau. Elles foncent. Elles menacent ou elles frappent. Mais c'est en vain, l'esprit d'indépendance ne peut être touché, ni par la prison ni par les sanctions honteuses. Une seule chose le tue, et ce sont les balles ou le couperet. Les forces d'asservissement en arrivent quelquefois là. Cela suffit à démontrer le rôle incalculable de l'indépendance. Cela suffit à l'homme, digne de ce nom (il y en a encore)

pour qu'il la défende et l'oppose aux maîtres et aux esclaves
de l'heure.

NÉRON.

7 novembre 1939
MISE AU POINT

La censure, comme on le sait, interdit les polémiques.
Pour des raisons encore obscures, elle a cru bon cependant
de laisser passer dans la feuille officieuse d'Alger une attaque
contre notre journal et plus particulièrement contre la prise
de position que nous avons publiée hier à cette même place.
La censure permettra donc que nous y répondions, d'ailleurs
sans hargne, le style dudit journal n'ayant jamais eu le privilège de nous fâcher.

Cet entrefilet parle des bons Français et regrette que
notre article ait pu être publié en temps de guerre. Nous
savions déjà que ce journal a toujours eu du goût pour la
liberté de pensée, lorsqu'elle est unilatérale, et cela n'a pas
grande importance. C'est, ici, le fond qui nous intéresse.

Le fond de l'article, précisément, est de prouver que nous
avons contre nous les gouvernements français et britannique. Parler d'une paix juste et imaginer que nous puissions
reconnaître nos torts, c'est contredire MM. Chamberlain et
Daladier. La malice est un peu grosse. Et nous ne défendrons
pas une fois de plus une position que nous préservons sans
relâche dans tous nos numéros. Nous nous bornerons ici à
répondre au journal officieux d'Alger avec ses propres arguments. Car le malheur pour ceux qui inspirèrent cet article,
c'est qu'ils n'ont pas de lecture. Si *La Dépêche algérienne* (puisqu'il faut l'appeler par son nom) lisait autre chose que le
Journal officiel, elle comprendrait qu'une grande partie de l'opinion française ne partage pas son avis. Elle verrait aussi que
les gouvernements font souvent moins de zèle qu'elle-même.
Nous citerons à peine le grand écrivain Norman Angell, *La
Dépêche algérienne* étant indifférente aux prestiges de l'esprit.

Le *Times* du 13 septembre 1939 (repris par beaucoup de journaux français et en particulier par les *Nouveaux cahiers* du 1ᵉʳ novembre 1939) reproduit pourtant cette affirmation de l'écrivain anglais :

« Mais nous convaincrons mieux le monde, y compris le peuple allemand, que notre cause est la sienne si, avec une opportune humilité, nous reconnaissons nos fautes politiques passées, et si nous assurons, comme M. Eden l'a si bien exprimé l'autre soir, que nous ne commettrons plus une seconde erreur, que nous forgerons un monde qui sera quelque chose de meilleur qu'une simple réplique de l'ancien. »

Mais nous citerons plus volontiers l'archevêque de York avec la conviction que *La Dépêche algérienne* reconnaîtra doublement cette autorité, d'abord parce qu'il s'agit de l'archevêque de York et ensuite parce que le texte dont il s'agit a été lu aux Communes par M. Butler, membre du gouvernement britannique et approuvé par M. Chamberlain. Ce texte fait partie de l'allocution radiodiffusée prononcée par le prélat anglais et publiée en son temps par *La Dépêche algérienne*. Nous devons à la vérité de dire que ce passage a été curieusement omis par *La Dépêche* dans sa reproduction.

« Nous devons reconnaître, a dit l'archevêque d'York, que les alliés (et la S.D.N. qui était en fait leur instrument) n'ont jamais utilisé les procédures du Pacte pour résoudre d'une manière pacifique les conflits qui ont surgi.

« L'article 19 du Pacte ne fut jamais utilisé.

« En outre, la conférence du désarmement échoua, provoquant le ressentiment de l'Allemagne qui entreprit ensuite son programme de réarmement intensif.

« Notre première démarche dans le sens d'un juste règlement doit donc être la reconnaissance loyale de nos torts et de nos échecs passés ainsi que de certains faits que nous avons voulu ignorer » (*Times* du 3 octobre 1939).

Nous n'ajouterons que peu de choses à ces éloquentes citations. *La Dépêche algérienne* a contre elle, avec beaucoup d'autres, M. Angell, M. Eden, l'archevêque d'York et le gouvernement britannique tout entier. Cela nous permet de la mieux comprendre lorsqu'elle affirme que son raisonnement « serait compris par des enfants de quatre ans ». Elle a toujours pris ses lecteurs, en effet, pour des enfants de quatre ans.

Novembre 1939
PROFESSION DE FOI

Les polémiques, comme on le sait, sont interdites en France. Il arrive cependant qu'elles se fassent jour. Mais on doit convenir qu'elles utilisent généralement une forme modérée. Nous ne saurions donc trop marquer notre surprise à la lecture de deux articles de *L'Émancipation nationale* (17 et 21 novembre*) qui se livrent à une attaque sinon bien écrite, du moins injurieuse contre notre journal. On nous permettra donc de répondre, en termes d'ailleurs plus mesurés, à des insultes qu'on a bien voulu autoriser.

Dans le principe nous ne voyons aucune utilité à répondre à des attaques aussi mal pensées que mal compensées et qui nous viennent d'un parti où l'intelligence et l'honnêteté d'esprit n'ont jamais connu qu'une faveur médiocre. Cependant si la vulgarité de sentiment peut avoir ses droits, elle ne saurait dépasser certaines limites. *L'Émancipation nationale* et son correspondant algérois les ont largement dépassées.

En bref, *Le Soir républicain* serait « hitléro-stalinien » *(sic)*, essaierait de réhabiliter l'U.R.S.S. dans ses titres (re-*sic*), serait l'ennemi de l'Islam (mais oui !) et, pour le reste, serait payé par l'Allemagne, bien entendu. Nous n'insisterons pas sur la ficelle un peu grosse qui consiste à faire passer pour « communistes » tous les hommes libres dont on veut se débarrasser. Nous avons écrit ici même que nous aimions trop la liberté d'esprit et que nous respections trop les droits de l'individu pour marquer le moindre intérêt aux régimes totalitaires. Nos lecteurs, au demeurant, n'ont pas besoin que nous le précisions. Mais, dans un temps où la peur des responsabilités avilit tous les hommes, il n'est pas mauvais que nous ajoutions ceci : si nous pensions que la politique

---

* Nous n'avons eu connaissance de ces articles que par l'« Argus de la presse ». Le temps et le goût nous manquent généralement pour lire *L'Émancipation nationale*.

de l'U.R.S.S. était valable, nous l'écririons en toutes lettres et nous la défendrions par chacun de nos actes. On fera aux signataires de ces lignes l'honneur de les croire sur parole.

Si nous luttons ici contre quelque chose, c'est contre l'utilisation systématique de la haine et de l'oppression. Ce n'est pas M. Doriot, si indulgent en 1938 à la politique allemande, qui peut nous donner des leçons sur ce point. Les vrais ennemis du peuple sont ceux qui le veulent enchaîné. On sait assez que nous refusons toutes les dictatures, en commençant par celle de MM. Doriot et annexes.

Mais nous n'aurons pas la puérilité de nous étonner de ces attaques. La vraie raison, le correspondant algérois de *L'Émancipation nationale* la donne assez ingénument en citant l'article où nous avons résumé notre position le 6 novembre et où nous définissions l'Europe qu'il nous paraît souhaitable de construire. *La Dépêche algérienne* du 6 novembre l'avait déjà relevé. Le 8 novembre nous répondions au quotidien officieux d'Alger en citant l'archevêque d'York et M. Chamberlain. Le 9 novembre, *La Dépêche algérienne* se taisait. Elle devait être relayée par *L'Émancipation nationale* dont le correspondant écrit dans son style particulier : « Est-ce défendre notre peuple, notre pays, la paix, que de parler de créer après la victoire une Europe nouvelle basée sur l'idée utopique de République universelle et d'internationalisme ? »

Nous disons que ceci est caractéristique. Comme il apparaît, ici c'est la forme d'action qui est visée et jugée insupportable. Sur ce point encore nous prenons nos responsabilités. Car si désirer cette Europe nouvelle est faire œuvre mauvaise, 90 % des Français travaillent contre leur patrie et, avec eux, M. Giraudoux en tête. Toute la nation britannique est aussi à nos côtés.

Nous ne craignons pas de le dire : nous pensons que cette Europe peut être acquise à moins de frais qu'elle ne l'est en ce moment. Nous nous refusons à suivre les entraînements de la haine ou à aider, par notre silence, à pousser l'Europe et ses nations dans l'abîme. Sur ce point *L'Émancipation nationale* perd son temps à hurler. Nous l'écrivons tous les jours dans nos colonnes.

Les amis de M. Doriot ont raison de demander la suppression de notre journal. Il ne saurait en effet appuyer les professionnels du nationalisme et le lyrisme tiré du sang des autres. Nous sommes profondément pacifistes. Nous n'approuvons pas les poursuites et les mesures dictatoriales prises par le gouvernement, même contre les communistes. Léon Blum l'a en son temps excellemment exprimé. Mais nous parlons ici en individus attachés à la liberté et non en hommes de partis. Notre espoir est que ce monde peut être sauvé de lui-même et que chacun alors retrouvera ce qui fait le prix de la vie, le bonheur précaire de chaque jour, le destin solitaire que chaque homme poursuit en silence. De cela, encore une fois, nous prenons la responsabilité et nous sommes prêts à en répondre.

Mais ce qu'il y a de plus grave, et c'est ici que nous voulons conclure, c'est que le correspondant de *L'Émancipation nationale* dit se faire « l'interprète des autorités civiles et militaires » pour demander notre suppression. Ceci n'a pas été censuré. Il faut donc, ou bien que le correspondant ait menti et la parole reste auxdites autorités, ou bien qu'il ait dit vrai et nous demandons par quel miracle des autorités qui disposent de pouvoirs illimités prennent comme truchement un parti qui s'est discrédité auprès de tout ce qui est libre et courageux dans ce pays. Les journalistes du *Soir républicain* ont déjà donné des preuves de leur résolution. Ils n'ont pas besoin d'être insultés pour se déclarer prêts à répondre de leurs actes et de leurs écrits.

Quoi qu'il en soit, et ceci s'adresse à nos lecteurs, nous continuerons à défendre et à maintenir ce que nous croyons vrai. Aujourd'hui, où tous les partis ont trahi, où la politique a tout dégradé, il ne reste à l'homme que la conscience de sa solitude et sa foi dans les valeurs humaines et individuelles. On ne peut demander à personne d'être juste au milieu de l'universelle démence. Ceux-là mêmes qui étaient les plus près de nous, ceux-là mêmes que nous aimions, n'ont pas su rester lucides. Mais du moins on ne peut forcer personne à être injuste. Conscients de ce que nous faisons, nous refuserons l'injustice aussi longtemps que nous le pourrons et nous servirons l'individu contre les partisans de la haine anonyme.

PASCAL PIA, ALBERT CAMUS.

29 novembre 1939

« SOUS LES ÉCLAIRAGES DE GUERRE »

INDIVIDUS DANGEREUX

LES FONDEMENTS JURIDIQUES DE LA LIBERTÉ

Un récent décret vient de donner au gouvernement des armes exceptionnelles contre les « ennemis de l'intérieur ». Ce décret a soulevé dans la presse française [mots censurés] protestations dont nous donnons un peu plus loin les échos. Il confie en effet aux préfets une sorte de pouvoir discrétionnaire pour décréter qu'un individu est « dangereux » et pour lui assigner, dès cet instant, une résidence forcée, où il peut être astreint à des travaux d'ordre public. Ceci revient en fait à donner à la suspicion, même intéressée, la consistance d'un chef d'inculpation. On assure qu'il concerne les communistes. Mais d'une part la loi (si nous osons dire) concerne tout le monde. Et, d'autre part, le gouvernement dispose contre les communistes d'un tel arsenal de décrets, que la nécessité de ce dernier apparaît assez problématique.

En ce qui concerne le jugement qu'on peut porter sur une telle initiative, nous laisserons la parole à nos confrères métropolitains qui, plus favorisés que nous, peuvent quelquefois employer le langage du bon sens ou de la justice, sans être accusés d'être le cerveau de la main de l'Allemagne. Mais nous voudrions utiliser cette conjoncture (comme dirait M. de La Rocque) pour introduire quelques réflexions sur les fondements juridiques de la liberté.

La loi est la loi, tout le monde et M. de La Palisse vous le diront. Mais il peut arriver que la loi ne soit pas légale. On sait qu'en France le pouvoir législatif appartient aux représentants du peuple. On sait aussi que la procédure constitutionnelle normale a été peu à peu remplacée par une procédure que la Constitution admet à titre exceptionnel : le décret-loi.

L'extension de plus en plus grande qu'a prise le décret-loi

dans nos mœurs parlementaires figure en fait la capitulation momentanée du pouvoir législatif devant l'exécutif. Dans le fait, en effet, le décret-loi permet à celui qui est chargé d'exécuter la loi de la former lui-même. De là à adapter la loi future aux « exécutions » que l'on souhaite, il n'y a qu'un pas. Cet usage si peu démocratique est cependant entré si avant dans nos mœurs qu'aucun gouvernement de ces dernières années n'a su ni voulu s'en passer. Ceci déjà pourrait paraître regrettable. Mais on assiste encore depuis quelque temps à une évolution plus caractéristique, s'il se peut, et où cette fois la balance établie par la Constitution entre l'exécutif et le législatif est irrémédiablement faussée au profit du premier. Jusqu'ici, et toujours si nous osons dire, même dans le décret-loi il y avait loi. C'est-à-dire que le contenu même de ce décret par sa plus ou moins grande précision permettait de définir les chefs d'inculpation. Une loi, jusqu'à preuve du contraire, pose des limites aux droits et aux devoirs. « Jusqu'ici c'est permis. Jusque-là, c'est défendu. » Le décret-loi « première manière » se conformait à cette exigence. Mais depuis peu, nous assistons à l'éclosion de décrets-lois qui ne définissent rien, ne limitent rien et figurent seulement une volonté, une intention ou une menace. Les plus célèbres ne peuvent être cités ici puisqu'ils intéressent ce pays et que la censure ne nous permettra pas de les préciser. Mais ceux qui furent promulgués au début de septembre et celui dont nous nous occupons aujourd'hui, en donnent d'excellents exemples. Ici, le délit n'est pas défini, la loi repose sur une base plus psychologique qu'effective. Le décret n'est qu'un cadre où l'initiative de l'exécutif peut s'exercer en toute sécurité. Loin d'être la loi souveraine qui commande le juge comme le jugé, il est soumis à la volonté de l'exécutif, il le sert et le protège.

C'est ainsi que par une évolution singulière, la sage Constitution qui avait prévu l'équilibre du législatif et de l'exécutif se trouve démentie. Les législateurs avaient pensé que celui qui applique la loi ne devait point la faire, de crainte qu'au lieu de lui obéir, il s'en fasse obéir. Or l'évolution de notre régime a fait en sorte que celui qui applique la loi non seulement la fait, mais encore ne la fait pas dans les règles, puisqu'il l'utilise comme un paravent ou un levier d'action.

C'est ainsi que les fondements juridiques de la liberté, restés si solides en Angleterre, sont réduits à rien chez nous.

Nous n'en tirerons aucune conclusion. Mais remarquons seulement que cet état de choses, s'il opprime l'individu, le rend en même temps à lui-même. En face d'une liberté juridique tous les jours menacée, la liberté de l'individu se dresse un peu plus tous les jours. C'est elle qu'à tout prix il faut maintenir et avec elle la vérité de l'homme.

13 décembre 1939

« SOUS LES ÉCLAIRAGES DE GUERRE »
PAS DE « CROISADE »

On ne saurait trop recommander aux Français qui pensent par eux-mêmes de suivre attentivement les développements du conflit finno-russe. Tout porte à croire que des retournements singuliers se feront jour à propos de cette guerre. Ce qu'il y a d'un peu incompréhensible et d'un peu angoissant dans les origines de la catastrophe de septembre risque de s'éclairer dans les jours qui vont suivre, et peut-être plus tôt encore qu'on ne le pense.

Suivre le développement de la situation ne veut pas dire croire aveuglément les informations d'agence. Les innombrables dépêches de Stockholm et Copenhague dont nous sommes accablés (certaines citent comme source « un officier finlandais du nord de la Carélie » *[sic]*) sont des plus suspectes. Il y a la plus grande probabilité qu'elles soient fabriquées par des agences allemandes et ceci donne, déjà, à réfléchir.

Dans quelle voie veut-on nous entraîner ? Il faut y réfléchir. Le signataire de ces lignes n'a de goût pour aucune forme de dictature. C'est assez dire que le stalinisme ne lui paraît pas l'idéal politique à rechercher. Mais nos gouvernants ont bien voulu déclarer au début de septembre qu'aucune guerre idéologique n'était légitime. Et rien ne me paraît plus sage.

Par ailleurs, aucune agression ne me paraît justifiable. Mais je dis bien aucune et s'il fallait en réparer une, il faudrait les réparer toutes. À l'heure actuelle, tout porte à croire que l'Union soviétique a pris rang parmi les nations impérialistes. Les causes de cette évolution sont peut-être plus psychologiques qu'économiques — et je dirai un autre jour mon opinion sur ce point. Mais je ne puis croire que l'impérialisme se combatte par l'impérialisme. Et l'idée d'une « croisade », à laquelle les informations et les commentaires de presse semblent vouloir nous entraîner, me semble être la plus meurtrière et la plus criminelle des utopies. Ces quelques indications suffiront peut-être pour que les lecteurs de bonne foi ne s'engagent qu'avec la plus grande prudence dans les informations qui leur sont proposées.

Si le conflit actuel devait se généraliser, il démontrerait clair comme le jour que l'idée de nation et les antagonismes égoïstes sont condamnés en même temps. Et ceci vaudrait pour l'U.R.S.S. comme pour l'Allemagne, l'Angleterre et les nations latines. De toute façon, il ne peut échapper à personne que la solution n'est pas dans cette direction et qu'on ne saurait faire l'histoire avec les rancœurs du passé quand elle doit être au contraire édifiée sur les espoirs de l'avenir.

JEAN MERSAULT.

15 décembre 1939

« SOUS LES ÉCLAIRAGES DE GUERRE »
Notre revue de presse indépendante
LA SOCIÉTÉ DES PEUPLES

L'attention internationale est en ce moment portée vers la S.D.N. Les uns la critiquent aigrement, les autres gardent encore on ne sait quel espoir confus de voir ressusciter les principes d'où naquit la première Société des Nations. Pour les premiers (du moins pour la plus grande partie d'entre eux) nous faisons nôtre l'opinion de Georges Bidault que nos lecteurs trouveront plus loin. Pour les seconds, il faut bien dire que ce genre d'espoir nous paraît stérile.

Nous avons souvent déclaré dans nos colonnes que les

principes qui apparemment inspiraient la S.D.N. ont été démentis par leur application même, [5 lignes censurées]. Mais le fait qu'un principe ait été trahi n'a jamais rien prouvé contre ce principe. J'oserai même dire que, si cela doit prouver en faveur de quelque chose, c'est la grandeur de ce principe qui est alors démontrée. J'irai même encore plus loin et je n'hésiterai pas à dire que, si la S.D.N. était vraiment ce qu'elle se proposait d'être, elle pourrait arrêter le conflit européen, demain samedi 16 décembre. Elle pourrait en tout cas essayer de l'arrêter tous les jours en proposant tous les jours des procédures de conciliations et des plans de paix. Mais la S.D.N. n'est pas, n'a jamais été, ce qu'elle se proposait d'être. [1 ligne censurée] Elle n'arrêtera pas la guerre. Cela suffit à la juger et à la répudier dans sa forme actuelle.

Il n'est pas question dans un article de quelques lignes d'indiquer quelle pourrait être la forme idéale d'un organisme international propre à ramener la paix. Cela pourrait se faire quelque jour et ici même. Mais en attendant, j'avancerai seulement une idée qui sans doute paraîtra évidente mais qui, comme toutes les évidences, n'a jamais été appliquée.

Je comprends très bien la réflexion d'un homme de bien qui, à l'aurore de la S.D.N., prétendit que «cela ne faisait qu'un gouvernement de plus» et, partant, un désastre de plus. Car en vérité la S.D.N. a réuni uniquement des représentants des gouvernements dont, par définition, il s'agissait d'endiguer les tendances belliqueuses. [2 lignes censurées]

En réalité, il faut considérer (je ne pense pas qu'il soit hérétique d'avancer cette constatation) que les premières victimes de la guerre sont les peuples. Il semblerait donc que ce fût à eux de prendre les précautions nécessaires pour que cette catastrophe ne survînt pas tous les 20 ans. Ce n'est pas une Société des Nations qu'il eût fallu, mais une Société des peuples.

On me dira que les gouvernements représentent les peuples. Mais nous lisons tous les jours dans les journaux que ce n'est pas vrai pour certains pays. Et pour les autres on me permettra de sourire d'une façon discrète.

Toute la question est de savoir comment les peuples pourraient être représentés. Mais ce n'est point encore mon propos. J'indique seulement que le nœud de la question réside d'abord dans le mode d'élection des représentants et

ensuite dans l'abandon par chacun des États d'une partie
de leur souveraineté. Mais il me suffit d'avoir noté une évidence. [3 lignes censurées]

JEAN MERSAULT.

23 décembre 1939

« SOUS LES ÉCLAIRAGES DE GUERRE »
LETTRE À UN JEUNE ANGLAIS
sur l'état d'esprit de la nation française

Vous m'écrivez que tout va bien à Londres et que si vos
compatriotes ne sont pas heureux d'avoir la guerre, ils sont
du moins décidés à la gagner. Je me réjouis avec vous de
cette résolution. Elle montre du moins que vous avez un
but, quoique je ne sache pas bien s'il faut vous en plaindre
ou vous envier.

Les nouvelles que vous me donnez sont fort intéressantes. Mais je n'ai pas appris sans surprise que le directeur
de vos services d'information a voulu démissionner parce
qu'il n'admettait pas les contraintes de toutes sortes qu'on
voulait lui imposer. Cette attitude serait ici fort sévèrement
jugée. Eh ! quoi, cet homme, qui veut aussi gagner la guerre,
je suppose, imagine donc une autre façon de la gagner que
celle qui met en œuvre la contrainte et la méthode d'autorité ? Votre homme est un naïf ou un sot, mon ami. Et je
m'étonne qu'il ne soit pas encore en prison, ce qui lui eût
donné une preuve par neuf que ses opinions étaient fausses.
Au reste, je ne veux pas plus longtemps me désolidariser de
mes compatriotes en affectant de m'intéresser à un geste que
tout le monde ici ignore résolument. Et j'ai hâte d'arriver à
l'objet de votre lettre.

Vous voulez, me dites-vous, être renseigné sur l'état d'esprit en France. Vous vous plaignez de ne pas en être instruit
par les journaux français et vous voulez avoir l'avis d'un
individu que vous savez sans préjugés. À cela, je répondrai
d'abord que vous êtes bien un Anglais. L'idée que l'avis d'un

individu peut avoir le pas sur celui d'une presse mise à l'unisson paraîtrait futile ici et je ne sais pas encore si quelque récent décret n'a pas envisagé le cas.

Mais je veux cependant essayer de vous convertir à notre doctrine française. On dit qu'elle a sa grandeur. Je suis sûr qu'elle aura son bonheur qui est celui du royaume des cieux où sera accueillie la presque totalité de notre génération.

Sur cet état d'esprit, il faut que vous sachiez ceci : de l'esprit, à la vérité, nous n'en avons guère. Mais nous sommes favorisés de son contraire, qui est l'État. Et je puis vous affirmer sur l'honneur que tout le monde en est fort satisfait. La grande question qui s'est posée à l'occasion de cette guerre est celle de la liberté intérieure, dont vous savez que nous avons en France une conception un peu différente de la vôtre. Elle a été résolue au contentement de tous par ceux qui ont pris en charge nos destinées. Le problème était pourtant délicat puisqu'il s'agissait de concilier une théorie selon laquelle nous défendons notre liberté dans cette guerre et des réalités qui exigent une adaptation de cette liberté aux nécessités d'une guerre. C'est pourquoi j'admire l'aisance avec laquelle nos maîtres ont su se tirer de ce pas. Vous savez que pour un homme sans œillères il n'est pas de spectacle plus beau que celui de l'intelligence humaine aux prises avec une réalité qui la dépasse. Et je me délecte encore de ce que j'ai pu voir depuis trois mois. Car notre liberté, sachez-le bien, reste entière. Il a suffi pour cela que nous consentions spontanément à quelques obligations inévitables.

[50 lignes censurées]

Voilà, mon ami, l'essentiel de ce que je ne crains pas d'appeler notre pensée. Je prévois quelques-unes de vos objections. Mais je vous arrêterai court en vous disant tout droit que le principe même de l'objection n'est plus admissible. Au reste, pourquoi vous en étonneriez-vous ? Chaque peuple a sa façon de conduire ses propres guerres. Je dirai même que c'est par là qu'il se juge. Si cela peut vous être une consolation, je puis bien vous dire que rien ne nous empêche, au demeurant, de vous comprendre. Lorsque je sors d'une entrevue avec ceux qui défendent ou qui représentent le point de vue que je vous ai exposé, il m'arrive de penser à vous, à notre jeunesse et à votre amitié, à la façon dont vous savez et aimez être Anglais. Cela doit être bon, n'est-ce pas, de pouvoir aimer son pays sans réserves ? Pour moi, j'admire votre peuple de savoir concilier les défauts d'une race conquérante avec ses qualités. Et je vous aime de rester lucides au milieu d'une catastrophe si démesurée.

Mais, je vous en prie, ne lisez dans ces lignes aucune amertume. Au milieu de tant de révolutions, il nous reste cependant une qualité qui est toujours française et qui est la pudeur. Le croirez-vous ? Quelques-uns d'entre nous ont la faiblesse d'y tenir.

JEAN MERSAULT.

1er janvier 1940

1940

Tous les ans les journaux sacrifient à l'usage courtois et un peu puéril qui veut qu'on souhaite à des lecteurs inconnus un avenir fertile en réussites de toutes sortes. Le fait même qu'on soit obligé chaque année de renouveler ces vœux prouve assez qu'ils sont parfaitement vains.

Et pour tout dire, nous n'aurons pas ici le cœur de prévoir et de souhaiter un destin heureux et humain à une Europe déchirée et sanglante.

Qu'importent, n'est-ce pas, les désirs des individus, l'appel du bonheur, ou l'avenir périssable et secret de l'homme de tous les jours. Cet avenir se joue en effet, mais hors de lui, sans lui, dans une lutte dont il est à la fois l'enjeu et la machine. À aucun moment il n'en est le maître.

Il est vrai, nous dit-on. Mais il faut oublier pour un moment et revenir à ce que nous aimons. Le malheur, c'est qu'on nous a brisé ce que nous aimions. Nous pensons donc qu'il ne faut pas oublier. S'il est vrai qu'oublier est un peu consentir, alors ne nous endormons pas. Veillons à tous les moments, ne détournons pas nos yeux de cette amère réalité qui nous dépasse et nous écrase. C'est en cela que nous accomplirons notre devoir d'hommes et que nous sauverons peut-être ce qui est si terriblement menacé. Il fut une nuit dans l'humanité où un homme chargé de tout son destin regarda ses compagnons dans le sommeil et seul dans un monde silencieux déclara qu'il ne fallait pas s'endormir et veiller jusqu'à la fin des temps. Ces temps sont encore les nôtres. Ils n'ont jamais été plus amers et plus durs à l'individu isolé. Mais la seule grandeur de l'homme est de lutter contre ce qui le dépasse. Ce n'est pas le bonheur qu'il faut souhaiter aujourd'hui, mais bien plutôt cette sorte de grandeur désespérée.

Nous avons des vœux à formuler, précis, jeunes, ardents. Nous désirons et nous appelons de toutes nos forces un monde nouveau, une vie où l'homme garde ses chances de dignité. Nos lecteurs savent bien ce que nous voulons et attendons. Alors qu'ils pensent avec nous qu'il est vain de souhaiter cette année bienheureuse, mais qu'il est essentiel de travailler pour la construire. Ne souhaitez rien, mais accomplissez. N'attendez pas d'un destin que d'autres fabriquent de toutes pièces, ce qui est encore entre nos mains. *Le Soir républicain* ne vous souhaite pas d'être heureux, puisqu'il sait que vous êtes meurtris dans vos chairs et dans vos esprits. Mais, du fond du cœur, il vous souhaite de garder la force et la lucidité nécessaires pour forger vous-mêmes votre bonheur et votre dignité.

« *Le Salon de lecture* »
d'« *Alger républicain* »
(1938-1939)

9 octobre 1938
LE SALON DE LECTURE

Comme la plupart des rubriques de ce journal, cette chronique a l'ambition de n'être ni régulière, ni systématique. Plutôt que de figurer la position immuable d'un seul esprit devant des œuvres forcément multiples, elle s'efforcera, en faisant appel à toutes les collaborations, de grouper le plus grand nombre de témoignages sur le plus grand nombre d'œuvres. Le souci de faire vivant, qui est le sien, entraîne l'obligation de respecter tous les aspects et toutes les manifestations de la vie. Et à cet égard, seules la confrontation et le brassage des opinions individuelles permettent d'atteindre une approximation.

Bien des œuvres ne sont appelées grandes qu'à partir du moment où elles perdent leur vie profonde, c'est-à-dire un certain tranchant de la pensée qui les empêchait d'entrer dans les cadres consacrés. Et de même, bien des critiques ne reconnaissent comme valables que les œuvres qui flattent leurs préjugés. À ce compte, une chronique littéraire devient un catalogue, ce qui ne serait rien, mais aussi un catalogue ennuyeux, ce qui est grave. La régularité d'une chronique suppose enfin une certaine continuité dans la production des œuvres de qualité, et le moins qu'on puisse dire à cet égard, c'est que le talent se fait rare.

Voilà pourquoi cette chronique ne craindra pas de mêler des points de contradictions et des esprits sans parenté. Elle marquera ainsi sa volonté de rester fidèle à l'œuvre vivante, détachée des préoccupations de doctrine. Et du même coup, son respect pour cette dignité si particulière à l'homme, qui est la création artistique. Cet effort aussi peut échouer. Mais il devait être tenté.

Un journal qui se veut au service de la vérité la sert dans tous les domaines et ne saurait la négliger dans les œuvres de l'esprit. De tous les buts qu'une chronique littéraire peut se proposer, celui-ci est à la fois le plus modeste et le plus ambitieux.

9 octobre 1938

« MARINA DI VEZZA »,
le nouveau roman d'Aldous Huxley

Le nouveau roman d'Aldous Huxley surprendra peut-être les lecteurs du grand écrivain anglais. Huxley appartient en effet à cette génération de romanciers britanniques qui, avec Virginia Woolf et Stephen Hudson, se sont proposé de briser les cadres traditionnels du roman et d'assouplir encore une forme littéraire déjà si malléable.

Ce qui distingue un roman d'une nouvelle, c'est l'enchevêtrement des thèmes et des personnages, la complexité profonde de l'intrigue, et d'une façon générale, une volonté d'imiter la vie dans son foisonnement et son mouvement apparent. Huxley, et avec lui les écrivains de sa génération, ont poussé cette technique à l'extrême. Et dans son œuvre traduite, ses deux grands romans, *Contrepoint* et *La Paix des profondeurs*, l'un par le nombre de ses personnages, le recoupement patient de leurs actes et actions, l'autre par le mélange des années et des époques d'une même vie, marquent cette volonté de reconstruire le monde vivant avec le mélange d'absurdité et de cohérence qui lui est propre.

Mais tandis que l'un, *Contrepoint*, tente d'épouser dans l'espace la matière vivante de l'expérience (un peu à la manière du *Diable boiteux*), *La Paix des profondeurs* considère l'existence dans le temps et essaie de restituer ce qu'il y a de contradictoire et de constant à la fois dans son déroulement. Pour approcher plus encore cet idéal, Huxley ne craint pas de faire appel au monologue intérieur et au journal intime. Par là, les points de vue et les plans du roman se multiplient. Le décor où l'homme se débat retrouve ses perspectives et ses impasses.

Concilier ces exigences avec le besoin de cohérence d'une œuvre qui doit être communicable, est le propre du grand artiste. Et avec toutes les réserves que l'art d'Huxley doit entraîner, on ne peut rester insensible cependant à ce pathétique effort pour restituer les visages innombrables et fermés de la vie.

Servie par toutes les ressources d'une ironie subtile, d'une culture nourrie de biologie et de lettres antiques, d'une sensibilité ouverte aux laideurs humaines, comme à l'éclat des paysages italiens, une des œuvres les plus considérables de la littérature européenne est née avec Huxley. Une grande œuvre se reconnaît souvent au fait qu'elle survit à ses défauts. Et le parti pris d'intellectualisme auquel se plaît Huxley, l'air de jeu gratuit qui court dans son œuvre, ne trompent pas cependant sur l'authenticité de l'accent humain que cette œuvre consacre.

À cet égard, *Marina di Vezza* marque une évolution dans l'œuvre d'Huxley. Un décor unique (la vieille maison princière que Mrs Aldwinkle achète à Vezza), deux amours parallèles, un personnage singulier de parasite érudit, Mrs Aldwinkle elle-même, snob, toquée et grimaçante (« Ah ! l'art, l'art », dit-elle…), quelques échanges, une coucherie, un baiser, beaucoup de conversations, et tout s'arrête là. Un seul épisode est proprement romanesque (mais dans tous les sens du mot) : celui de l'idiote Jane Elver, que son père voulait tuer, le parasite Cardan épouser, et qui mourut d'une indigestion.

Cette simplicité de l'allure et du ton est trop frappante pour qu'on ne la croie pas concertée. Ici, le contrepoint d'émotions, d'actes et de pensées est simplifié et, réduit à quelques thèmes essentiels, il n'est plus qu'une méditation soutenue sur les deux ou trois grands thèmes de la condition humaine.

À ce titre, *Marina di Vezza* prend figure d'œuvre de maturité. Huxley ne cherche pas à reproduire la multiple splendeur du monde et des êtres. Il ne cherche plus à être partout à la fois dans l'espace et dans le temps. Il juge seulement du sens de la vie à propos de quelques mouvements de cœur. Par là, ce roman est moins engagé que les précédents, moins frémissant aussi et plus serein. Il garde par endroits le ton de ces entretiens sur des lieux élevés, qui étaient chers à Monsieur Bergeret.

Toute la différence est peut-être qu'au froid décor de *Sur la pierre blanche* s'est substituée une émouvante Italie, qu'on sent chère à Huxley et dont il parle en vieil amant. Mais ce rapprochement avec la France est suggestif. Il montre qu'ici se limite une pensée et une œuvre d'écrivain. Ce qu'il y avait d'intellectuel et de fragile dans l'œuvre d'Huxley se précise et il est difficile de juger s'il s'agit alors du détachement d'un art arrivé à la maîtrise et trop sûr de lui-même, ou de la simplification inhérente au chef-d'œuvre accompli.

Certes, il est difficile d'en juger. Mais ce qui reste sensible, c'est un certain refus de juger, une sorte d'amertume secrète et tendre qui donne son ton au livre. Alors que dans ses autres romans il est possible de reconnaître Huxley parmi les personnages, ici il se refuse à tous. Seul apparaît un subtil souci de se maintenir à égale distance des vérités et des âmes, d'opposer à l'amour qui limite (Calamy et Mary) celui qui transfigure (Irène et lord Hovenden), à l'Italie clinquante de Mrs Aldwinkle la campagne éclatante de Florence, au ridicule des êtres, enfin leur gaucherie émouvante. De loin en loin cependant quelque chose se détend, le ton s'abandonne et ce sont les pages secrètes et tendres sur la nuit de Pérouse où l'amour soudain prête un langage surhumain aux cœurs médiocres d'Irène et d'Hovenden.

À sentir ce frémissement plus secret, on prend conscience que l'apparent détachement de l'œuvre figure seulement cette volonté de « dire moins » qui définit une pensée classique. On comprend alors que *Marina di Vezza* s'inscrit encore dans la série des romans d'Huxley — et qu'il ne les contredit point. Car la leçon d'orgueilleux détachement qui fait le prix de l'enseignement d'Huxley, on la retrouve ici et cette fois dans la conception de l'œuvre elle-même. Ce silence qu'à la fin du livre, Calamy, lassé de l'amour et avide de vérité, va chercher dans la solitude d'une montagne, il est le frère intérieur de cette paix du cœur qu'Huxley, à travers tant d'ouvrages, a fini par trouver à la profondeur de l'homme.

10 octobre 1938
« LES CAMARADES »,
par Erich Maria Remarque

Une grande expérience vécue peut souvent inspirer une œuvre forte. Elle ne crée pas pour cela un écrivain. Et par exemple, la guerre a fait naître une foule de livres qui empruntaient à ses horreurs le secret de leur émotion et de leur réussite. Mais ces succès ont été sans lendemain. On pouvait craindre qu'il n'en fût de même pour Erich Maria Remarque. *À l'ouest rien de nouveau* a connu un des plus gros succès de librairie de notre époque. Mais son deuxième roman, *Après*, pouvait faire craindre que le talent de Remarque ne disparût avec la douloureuse expérience qui l'avait fait naître. Voici pourtant *Les Camarades** et cette fois le doute n'est plus permis : il s'agit d'un roman de grande classe.

Cette œuvre ne doit rien à la guerre. Sans doute, elle est encore là, mais comme un arrière-plan dans le souvenir des personnages. Elle ne fait pas le décor du livre. Elle légitime seulement l'amertume secrète de Robby Lokhman, le héros de Remarque, lorsque le soir il regagne sa chambre meublée après une vie sans joie (où les hommes boivent presque autant que dans un roman d'Hemingway). Non, ce n'est pas la guerre qui donne son accent à ce livre, mais d'autres qualités. Cette âpreté mêlée de tendresse, ce rythme de film américain, cette vivacité du dialogue et la vérité incisive des personnages, ce sont bien les dons permanents d'un écrivain, et non l'inspiration passagère d'un homme qu'une destinée tragique a soudain élevé au-dessus de lui-même.

Les Camarades décrivent sans doute une certaine Allemagne d'après-guerre — et plus précisément la République allemande dans les années qui précédèrent l'arrivée du national-socialisme. Mais les personnages du roman ont éloigné tout souci politique. Et ce qui préoccupe Remarque,

* NRF.

c'est de trouver dans ces cœurs torturés par la triple et cruelle expérience de la guerre, de la révolution et de la misère, les raisons qu'ils peuvent avoir de croire encore dans leurs vies sans grandeur.

Apparemment ce qui reste intact dans ces âmes, devant la trahison du monde et des idées, c'est leur confiance dans l'homme. Si elles croient encore à quelque chose en effet, c'est à l'amitié et à l'amour. L'amitié qui lie les trois camarades Robby, Lenz et Koster, a fourni les pages les plus émouvantes et les plus cocasses de l'œuvre. Quant au quatrième camarade, c'est « Karl », la voiture commune. Et ici encore la subtile affection qui unit l'homme à certains objets privilégiés a trouvé une de ses expressions les plus convaincantes.

L'amitié est un thème assez neuf en littérature. Du moins n'est-il pas souvent exploité. C'est qu'elle exige une certaine aristocratie du cœur, qui n'est pas si commune. L'amitié virile en particulier est toujours faite de pudeur. C'est-à-dire qu'elle s'habille volontiers d'ironie. Chez Remarque en tout cas la chose est vraie, et le grand sérieux de cette communauté de trois hommes également courageux n'apparaît qu'à la fin, avec la mort de Lenz, tué stupidement dans une bagarre de rues.

Au demeurant, on l'avait déjà compris en lisant ce que Remarque fait dire à l'un des camarades et qui pourrait servir d'épigraphe au volume : « L'attitude héroïque convient aux temps difficiles. Mais nous vivons en des temps désespérés. L'humour est la seule attitude convenable. »

Ce passage naturel de l'ironie à la tragédie, c'est à la fois le sens, l'inspiration et la composition profonde de ce roman. C'est aussi la découverte de Robby Lokhman. Cet homme encore jeune qui s'est fait une âme dure à force de vivre dans un monde dur, ne reçoit pas sans défiance les signes de son amour pour Pat Hollman. Et tout son roman à vrai dire, c'est l'histoire de son abandon à l'amour.

Ces êtres qui jouent à « être copains » jusque dans la sensualité, reconnaissent enfin leur vérité. Mais elle leur apparaît au moment où Pat, touchée par la tuberculose, meurt dans un sanatorium. Et cette vie miraculeuse qu'ils touchaient au fond même de la misère du monde, voici déjà qu'elle n'est plus rien.

Pour ceux qui ont mis leur dernier espoir dans le cœur humain, il est affreux de comprendre que l'homme est quelque chose qui doit mourir. Et s'il est vrai que tout ce qui est grand est sorti de ce sentiment, cela ne peut être une consolation. Car une grande mort n'a jamais valu un bonheur vivant. Voici du moins la leçon de cette œuvre.

11 octobre 1938

LA POÉSIE

« LA SÈVE DES JOURS »,
par Blanche Balain

Les poèmes de Blanche Balain ne sont pas séparés du monde : ils mêlent l'intelligence à la terre. Car la poésie ne touche pas sans un certain goût de chair, qui fait son amertume et sa grandeur. Tous les soirs, des hommes lèvent la tête vers la nuit. Mais que l'émotion poursuive cet élan du corps, s'installe une seconde au milieu des étoiles et la poésie est née. Elle commente, prolonge et achève les gestes qui nous lient au monde. Elle est tout entière dans ce mystérieux et sensible accord qui, de lui à nous, va faire naître l'amour.

Ceci est vrai du moins pour *La Sève des jours**. Mais ici, la sensation est installée dans une forme lucide et contenue, née de ce jaillissement intérieur où l'ordre est contemporain de l'inspiration — et non surajouté après coup. Dans le corps même de l'ouvrage, la démarche qui, des premiers vers, nés en Indochine, mène à l'exaltation des derniers, écrits en Algérie, est celle-là même qui va des promesses à la réalisation. Le bel été qui s'achève en ces vers est riche d'une sève aveugle et magnifique. L'accord secret qu'on y sent entre la femme et la nature, le balancement qui va du monde qui propose à l'âme qui consent, du désespoir à l'espérance, de l'amour de la vie à la réflexion sur son sens, font toute l'émotion et la force de ces quelques vers qui pourraient être un achèvement et qui sans doute sont une préface. Nés dans la triple résonance du sang, de la terre et de la jeunesse, ils autorisent du moins cet espoir.

* Éditions Edmond Charlot.

20 octobre 1938
« LA NAUSÉE »,
par Jean-Paul Sartre

Un roman n'est jamais qu'une philosophie mise en images. Et dans un bon roman, toute la philosophie est passée dans les images. Mais il suffit qu'elle déborde les personnages et les actions, qu'elle apparaisse comme une étiquette sur l'œuvre, pour que l'intrigue perde son authenticité et le roman sa vie.

Pourtant une œuvre durable ne peut se passer de pensée profonde. Et cette fusion secrète de l'expérience et de la pensée, de la vie et de la réflexion sur son sens, c'est elle qui fait le grand romancier (tel qu'il se manifeste dans un livre comme *La Condition humaine*, par exemple.)

Il s'agit aujourd'hui d'un roman où cet équilibre est rompu, où la théorie fait du tort à la vie. La chose est assez commune depuis quelque temps. Mais ce qu'il y a de frappant dans *La Nausée* (Éditions de la NRF) c'est que des dons émouvants de romancier et les jeux de l'esprit le plus lucide et le plus cruel y sont à la fois prodigués et gaspillés.

Pris à part en effet, chacun des chapitres de cette extravagante méditation atteint une sorte de perfection dans l'amertume et la vérité. Le roman qui s'y dessine : petit port du nord de la France, bourgeoisie d'armateurs conciliant la messe et la bonne chère, restaurant où l'exercice de manger reprend aux yeux du narrateur son aspect répugnant, tout ce qui touche enfin au côté mécanique de l'existence est tracé d'une main sûre où la lucidité ne laisse pas de place à l'espoir.

D'un autre côté, les réflexions sur le temps figuré dans le piétinement sans avenir d'une vieille femme le long d'une rue étroite, sont, séparées du reste, une des plus pressantes illustrations de la philosophie de l'angoisse, telle qu'elle se résume dans la pensée des Kierkegaard, Chestov, Jaspers ou Heidegger. Et ainsi les deux visages de ce roman sont également convaincants. Mais réunis, ils ne sont pas une œuvre

d'art, et le passage de l'un à l'autre est trop rapide, trop gratuit pour que le lecteur retrouve cette conviction profonde
qui fait l'art du roman.

En lui-même, à vrai dire, le livre n'a pas figure de roman,
mais plutôt de monologue. Un homme juge sa vie et par là
se juge. Je veux dire qu'il analyse sa présence au monde, le
fait qu'il remue ses doigts et mange à heure fixe — et ce qu'il
trouve au fond de l'acte le plus élémentaire, c'est son absurdité fondamentale.

Dans les vies les mieux préparées, il arrive toujours un
moment où les décors s'écroulent. Pourquoi ceci et cela,
cette femme, ce métier et cet appétit d'avenir ? Et pour tout
dire, pourquoi cette agitation à vivre dans ces jambes qui
vont pourrir ?

Ce sentiment nous est commun. Et d'ailleurs pour la
plupart des hommes, l'approche du dîner, une lettre reçue,
ou un sourire de passante, suffisent à leur faire passer le
cap. Mais pour qui a le goût de creuser ses idées, regarder
cette idée en face rend la vie impossible. Et vivre en jugeant
que cela est vain, voilà qui crée l'angoisse. À force de vivre
à contre-courant, un dégoût, une révolte transporte tout
l'être, et la révolte du corps, cela s'appelle la nausée.

Étrange sujet sans doute, le plus banal de tous cependant. M. Sartre le mène de bout en bout avec une vigueur et
une sûreté qui marquent ce que peut avoir de quotidien un
dégoût d'apparence si subtile. C'est dans cet effort que se
retrouve la parenté de M. Sartre avec un auteur qu'on n'a pas
(sauf erreur) cité à propos de *La Nausée*, je veux dire Franz
Kafka.

Mais la différence est que devant le roman de M. Sartre,
je ne sais quelle gêne empêche l'adhésion du lecteur et l'arrête au seuil du consentement. Je l'attribue sans doute à ce
déséquilibre si sensible entre la pensée de l'œuvre et les
images où elle se joue. Mais peut-être peut-on penser autre
chose. Car l'erreur d'une certaine littérature, c'est de croire
que la vie est tragique parce qu'elle est misérable.

Elle peut être bouleversante et magnifique, voilà toute
sa tragédie. Sans la beauté, l'amour ou le danger, il serait
presque facile de vivre. Et le héros de M. Sartre n'a peut-être
pas fourni le vrai sens de son angoisse lorsqu'il insiste sur ce
qui le répugne dans l'homme, au lieu de fonder sur certaines
de ses grandeurs des raisons de désespérer.

Constater l'absurdité de la vie ne peut être une fin, mais

seulement un commencement. C'est une vérité dont sont partis presque tous les grands esprits. Ce n'est pas cette découverte qui intéresse, mais les conséquences et les règles d'action qu'on en tire. À la fin de ce voyage aux frontières de l'inquiétude, M. Sartre semble autoriser un espoir : celui du créateur qui se délivre en écrivant.

Du doute primitif, un « J'écris, donc je suis » sortira peut-être. Et l'on ne peut s'empêcher de trouver une disproportion assez dérisoire entre cet espoir et la révolte qui l'a fait naître. Car enfin presque tous les écrivains savent combien leur œuvre n'est rien au regard de certaines minutes. Le propos de M. Sartre était de décrire ces minutes. Pourquoi ne pas être allé jusqu'au bout ?

Au reste, c'est ici le premier roman d'un écrivain dont on peut tout attendre. Une souplesse si naturelle à se maintenir aux extrémités de la pensée consciente, une lucidité si douloureuse, révèlent des dons sans limites. Cela suffit pour qu'on aime *La Nausée* comme le premier appel d'un esprit singulier et vigoureux dont nous attendons avec impatience les œuvres et les leçons à venir.

23 octobre 1938
« ANDRÉ GIDE »,
par Jean Hytier

Voici quelques conférences sur André Gide, faites (la chose est à noter) à l'université d'Alger, et réunies en volume par le jeune éditeur algérois Edmond Charlot. C'est pour Gide une singulière aventure que d'être étudié en faculté. Mais l'auteur de *Paludes* est un classique qui ne s'ignore pas : il s'y attendait un peu. Et le fait est qu'il a trouvé en M. Jean Hytier un de ses meilleurs et de ses plus fidèles interprètes.

Depuis deux ans, beaucoup qui parlent d'André Gide ne l'ont pas toujours lu. À tort sans doute, puisque son œuvre peut justifier les points de vue les plus contradictoires, et qu'amis et ennemis pourraient y trouver de quoi alimenter leurs plaidoyers passionnés.

Le malheur en tout cas, c'est que la pensée d'un de nos plus grands écrivains ne cesse d'être défigurée, alors même qu'il a pris tant de soin à en définir les nuances. Il y a beaucoup à dire sur l'évolution sociale d'André Gide, mais ce problème ne saurait faire oublier une existence tout entière consacrée à l'art. Et l'anxiété que Gide partage avec ses contemporains devant l'urgence d'un règlement social compte pour peu au regard d'une vocation qu'il a été seul à assumer : celle, dans le plus beau sens du mot, d'un grand artiste de notre temps.

Je dirai plus : c'est par une erreur d'optique qu'on a fait tant de bruit autour du Gide partisan. Car, sur le plan social, son opinion n'a PAS PLUS d'importance que celle de n'importe quel Français cultivé, généreux, et raisonnablement idéaliste.

Voilà pourquoi on doit savoir gré à M. Hytier de n'avoir pas sacrifié aux préjugés du temps et d'avoir mis en épigraphe à ses leçons cette déclaration décisive de Gide lui-même : « Le point de vue esthétique est le seul où il faille se placer pour parler de mon œuvre *sainement* ! »

Ce sont les thèmes, les quêtes et la passion de la création artistique que M. Hytier évoque à propos de Gide. Et l'attrait singulier de ces vivantes conférences, c'est sans doute l'image qu'elles nous donnent d'un écrivain tout entier à la recherche de son expression et de sa vérité. De là, au demeurant, la démarche de ces études. Il faut être artiste soi-même pour entrer si avant dans les nuances, les repentirs et les audaces de la création.

M. Hytier n'a pas cédé à la prétention ridicule d'expliquer l'œuvre par le « milieu » ou par les circonstances économiques. Il explique Gide par Gide. Et pour parler bref, il essaie de le suivre à la trace. Que l'œuvre soit roman, théâtre ou essai, il tente d'y atteindre le droit fil, et le long de ce thème privilégié, de retrouver l'accord de la forme et du fond qui est l'œuvre de l'artiste.

Cette critique par sympathie était la seule, à vrai dire, capable d'entrer dans le secret d'un esprit aussi complexe et aussi contradictoire que celui de Gide. Il serait ridicule d'en louer M. Hytier. Un travail de cette portée se passe aisément de commentaires flatteurs. Disons cependant qu'il s'agit d'une méthode difficile à pratiquer. On retrouve dans ces études toutes les ressources d'un esprit souple et vivant, cultivé enfin dans le sens profond du mot.

J'en trouve l'exemple le plus convaincant dans l'étude consacrée aux œuvres ironiques de Gide. La critique ici devient elle-même œuvre d'art et je ne connais guère d'étude consacrée à Gide qui nous fasse sentir avec cette acuité le sérieux et la résonance de l'ironie gidienne. Ce commentaire souple et libéré, cette aisance à retrouver le symbole sous le trait, cette sûreté dans le choix des textes, ce sont les marques d'une critique de grande allure. Et je crois bien que Gide lui-même, grand esprit critique, a dû être sensible à cette réussite.

La place manque ici pour considérer dans le détail ce volume si riche de faits et d'aperçus. Il faut noter cependant les suggestives réflexions de M. Hytier sur le roman, à propos des *Faux-Monnayeurs*.

Ce n'est pas que l'auteur, à cet égard comme à d'autres, adhère entièrement à la pensée de Gide. Et par exemple, le Lafcadio des *Caves du Vatican* parvient à l'agacer. Mais à tout prendre, Gide l'a créé pour qu'il agace. Seulement, et ceci est plus sérieux, le critique est sensible au défaut capital des *Faux-Monnayeurs*, un certain manque de force et un excès dans le jeu intellectuel. À ce compte d'ailleurs, je suis surpris qu'en même temps M. Hytier admire le théâtre de Gide. Car la scène, comme une loupe grossissante, agrandit les défauts et les qualités d'un auteur. En particulier l'art dramatique est fatal aux subtilités de l'intelligence. Et pour séduisants que soient *Le Roi Candaule*, et même *Saül*, ces drames ne sont jamais scéniques, par défaut d'ampleur et d'une certaine violence.

Si l'art de Gide devait vieillir un jour, c'est son théâtre qui nous montre par quels côtés. Gide est avant tout un moraliste de tradition française et un critique passionné. Ce sont d'autres qualités qu'exige et que consacre la scène. Mais tout compte fait, on peut penser autrement et il s'agit là d'un point de vue particulier.

Dans tous les cas, il faut faire à ce livre une place à part dans la littérature suscitée par l'œuvre de Gide. Il aide à mieux comprendre un des esprits les plus attachants du siècle. Il éclaire une pensée contradictoire, difficile à situer entre ce qu'elle est ou ce qu'elle voudrait être.

M. Jean Hytier n'a jamais songé à nous livrer Gide tout entier. Mais en s'attachant à son visage essentiel, il légitime, pour qui veut y réfléchir, bien des réactions du grand écrivain. La littérature est le seul domaine où il arrive que l'honnêteté soit parfois récompensée. En art, il n'est pas de grandeur sans probité profonde. C'est sur cette qualité qu'il faudrait insister en terminant.

L'étude de M. Hytier aborde sans préjugés un écrivain que les polémiques des temps défigurent, et c'est sans préjugés qu'il nous le restitue. L'élégance et la fermeté du style, la clarté du ton, la netteté des jugements et le goût sont les qualités qui ont fondé cette réussite.

La passion pour l'art dont M. Hytier suit les aventures à travers l'œuvre de Gide, il faut sans doute qu'il la partage pour l'avoir figurée dans cette étude avec tant de sympathie et d'intelligence mêlées.

2 novembre 1938
« LES SALOPARDS »,
par René Janon

Voici un roman âpre et sain. Un décor de pierres et de montagnes, la haine, quelques hommes courageux et tristes, pas une femme, c'est peut-être la qualité et la tension de cette œuvre. Il circule entre ces pages un air qui a emprunté aux pierres du décor sa sécheresse et sa saveur de fer. Il faut admirer, sans réserves, la netteté du ton, le refus d'abandon, le dédain de tout sentiment facile qu'on peut sentir dans *Les Salopards*. On pourrait compter ici les adjectifs. Le lyrisme, dans son acceptation courante, est proscrit de ce roman. Mais au bénéfice d'un lyrisme plus secret qui court entre les lignes, celui qui naît de l'action et d'une vie tous les jours risquée.

C'était pourtant là un thème difficile. La pénétration française au Maroc n'est pas sujet dont nous puissions toujours tirer gloire. Mais aussi bien ce n'est pas l'intention de Janon. Je trouve significatif, au contraire, que le livre commence et se termine sur la même image : celle du fournisseur aux armées, qui se réjouit quand la guerre continue.

Entre les Chleuhs, guerriers magnifiques et irréductibles, et les officiers français du poste avancé de Talaât-N'Zizo, René Janon ne choisit pas.

Et qu'il les peigne avec la même sympathie, qu'il mette surtout l'éloge des Chleuhs dans la bouche de son principal personnage, le capitaine Aymard, voilà qui console et fait oublier bien des bassesses et des platitudes répandues sur le même sujet.

Ce n'est pas un problème politique qui se pose ici, mais une passion de l'aventure, des gestes d'homme et surtout la présence constante de la mort. Devant le danger, tous les hommes sont égaux quand leurs courages se valent.

Dans tous les cas, l'intérêt se porte non sur les idées, mais sur l'homme, et par exemple sur la figure mystérieuse du capitaine Aymard. La poursuite du clan de Belgacem, et la mort d'Aymard sont parmi les meilleures pages de l'œuvre. Elles apportent au roman l'émotion dont on pouvait craindre qu'il manquât. Et c'est ainsi qu'elles légitiment le parti pris de sécheresse où s'arrête Janon. S'il se refuse au pittoresque et aux détails sensibles, c'est pour une poésie plus haute.

Malraux a dit quelque part que le reportage lui semblait une seconde forme de roman. Voici qui le justifie une fois de plus. Ce sont les procédés du reportage qui font retentir ce livre de tant d'éclats rauques et prenants. Il est permis, maintenant, d'espérer de Janon une œuvre où, se détournant de la forme du reportage pour n'en garder que les leçons, il donnera libre cours à son imagination, qu'il a jeune et forte, et aux dons de romancier que nous sommes heureux de saluer en lui, dans un pays qui compte tant de faux artistes et si peu d'écrivains authentiques.

11 novembre 1938
« LA CONSPIRATION »,
par Paul Nizan

Il est difficile de juger un roman comme *La Conspiration* (Éditions de la NRF) dont on nous annonce qu'il n'est qu'une introduction à une œuvre plus considérable. Les proportions naturelles à toute œuvre d'imagination y sont faussées. Et ce thème qui nous paraissait significatif prendra peut-être, dans l'ensemble de l'œuvre, une place secondaire. Ce sont donc des remarques de détail, que nous introduirons à propos de *La Conspiration*.

Il s'agit ici d'une œuvre irritée. Elle est sévère pour la jeunesse, certains de ces jeux, son goût pour la littérature. Rosenthal, Laforgue et quelques autres jouent aux barricades. Ils créent même une belle revue qu'ils appellent *La Guerre civile*. Et pour se convaincre que c'est sérieux, ils font imprimer une mitrailleuse sur la couverture. Ensuite, ils sont plus à l'aise pour être subtils et très intelligents. On parle de Kant et on mêle Kierkegaard aux guerres de rues. On pourrait trouver la chose inoffensive. Mais Nizan pense que c'est grave, et, à bien voir, c'est lui qui est dans le vrai.

Que Rosenthal invente une conspiration d'allure dostoïevskienne, où ses amis et lui se livreront à une sorte d'espionnage « désintéressé et technique », dans le but de fournir les partis révolutionnaires d'une documentation précise sur l'outillage du capitalisme, qu'il appuie ensuite cette entreprise sur de savants raisonnements, cela n'est inoffensif qu'en apparence.

Car cette idée, qu'il abandonne dès l'instant où la femme entre dans sa vie, poursuit ses conséquences en dehors de lui et fait risquer le conseil de guerre à l'un de ceux qu'il avait entraînés. Nizan appuie sur cet épisode, et à juste titre. Je dirais bien que cette vue sur le pouvoir meurtrier des idées ravirait M. Benda si je ne craignais pas de déplaire à Nizan. Mais dans tous les cas, il est difficile de ne pas suivre ce dernier dans le jugement qu'il porte sur ses singuliers héros.

Un homme est toujours plus utile à son parti en collant des timbres ou des affiches, qu'en imprimant noir sur blanc de beaux prêches sur la condition de l'homme. Pourtant, il faudrait ici introduire quelques nuances.

C'est une mode aujourd'hui de condamner le romantisme révolutionnaire. Mais rien n'est plus difficile que de séparer, dans un homme, la comédie qu'il se joue et l'instinct profond qui dicte ses actes. Il est courant, par exemple, de dénoncer l'attitude romantique d'un écrivain comme Malraux, seulement la question n'est pas de savoir si Malraux, dans la Révolution, préfère l'épopée à la construction économique (encore que *L'Espoir* soit tout entier une réponse à cette accusation), mais bien de se demander s'il risque sa vie tous les jours pour la façon de voir qu'on lui prête. Et ceci demeure notre seul critérium vérifiable.

Il y a dans tout héroïsme un peu de littérature. Et à force de répudier le romantisme révolutionnaire, il faut craindre de divorcer avec la Révolution elle-même. Nous savons où nous mènent les politiques dites « réalistes ».

Dans tous les cas, rien ne saurait justifier les intempérances littéraires des jeunes gens de *La Conspiration*. Rien, sinon peut-être leur jeunesse. Mais c'est justement le procès de la jeunesse qu'engage Nizan. Ce temps de l'adolescence, si cher aux poètes, reçoit toute sa colère. Et à voir les magnifiques pages que cette fureur inspire, on ne peut douter qu'il s'agisse surtout d'une certaine jeunesse qui fut aussi celle de l'auteur. On n'est jamais si bien irrité que par soi-même. Cette colère, dont les accents résonnent tout au long du roman, c'est contre Nizan à vrai dire que Nizan la retourne, ou du moins contre certaines de ses erreurs de jeunesse.

« Comment sort-on de la jeunesse ? » se demande Laforgue dans le dernier chapitre du livre. Mais la réponse de Nizan a déjà été donnée par l'un des personnages : « Quand, dit ce dernier, cessera-t-on de vivre cette idée qu'il n'y a de dignité que dans le refus ? » Nizan demande un engagement où l'homme se résigne, et avec lui ses préjugés et ses choix. À ce compte seulement, il sera peut-être (on le sent) beaucoup pardonné à Laforgue dans la suite de l'œuvre. Et c'est ainsi que Nizan pose le grand problème des intellectuels de notre temps : celui de l'adhésion.

Nous ne le suivrons pas sur ce terrain. Depuis quelques années, on a beaucoup écrit et discuté autour de l'adhésion. Mais, tout compte fait, c'est un problème aussi futile que celui de l'immortalité, une affaire qu'un homme règle avec lui-même et sur quoi il ne faut pas juger. On adhère comme on se marie. Et quand il s'agit d'un écrivain, c'est sur son œuvre que l'on peut juger des effets de l'adhésion.

Malraux, qui adhère, est un grand écrivain. On aimerait pouvoir en dire autant d'Aragon. Et d'un autre côté, M. Henry Bordeaux n'a jamais songé à l'adhésion, ce qui n'ajoute rien à son talent, qui reste médiocre. Montherlant, qui se refuse à tout enrégimentement, demeure un des plus étonnants prosateurs du siècle. Nizan enfin, partisan et partisan provocant, est un écrivain de race et le prouve, des *Chiens de garde* à *La Conspiration*.

En tout cas, c'est ici que prendront fin ces réflexions. Car il faut savoir gré à Nizan de ne pas sacrifier l'artiste au par-

tisan. Le livre fermé, c'est par de précieux échos qu'il se prolonge en nous. Et comment oublier certaines pages sur le
vieux Paris, avec ses cours où, sur les pavés gluants de pluie,
l'herbe se mêle aux fragments de statue ; ou telle évocation
de l'île de Naxos, avec ses paysages dorés et fraternels à
l'homme ?

C'est ici sans doute que s'arrête la colère de Nizan.
Rosenthal se suicide à cause de l'abandon d'une femme
qu'il n'aime pas. Pluvinage est transformé par l'humiliation
en indicateur de police, Laforgue reste plus seul que jamais
après cette orgie de littérature, et, du sein de ces vies
prétentieuses et ratées, monte une leçon de solitude et de
communion mêlées.

L'homme n'est pas si mauvais puisqu'à certaines heures il
se retrouve devant les paysages de son cœur, et puisqu'il sait
pleurer, comme Laforgue, devant les dépouilles de son ami
et de sa jeunesse. Peut-être est-ce alors la leçon de l'œuvre
qui suivra, qu'une adolescence peuplée de vanités est la
meilleure école d'un homme digne de ce nom. Et peut-être
Laforgue, conscient de tant d'erreurs, sera-t-il mieux armé
pour retourner aux hommes, dès l'instant où il ira vers eux,
délesté d'orgueil et plus riche d'humilité.

22 novembre 1938

« LES FABLES BÔNOISES »,
d'Edmond Brua

Edmond Brua vient de réunir en volume des *Fables bônoises*
qui circulaient déjà de bouche en bouche et qu'on relit
aujourd'hui avec un plaisir subtil. On aurait tort, en effet, de
sous-estimer ces petits chefs-d'œuvre de cocasserie et d'absurdité. S'ils prennent, parfois, la forme du pastiche, c'est
par modestie — ou caprice de lettré.

On peut être sûr que la saveur singulière de ces apologues
ironiques n'appartient qu'à Brua et, à travers lui, au peuple
vigoureux des Bagur, des Sauveur, et des Salvador qui
aiment, trichent, insultent, fanfaronnent et se baignent sur

les lieux mêmes où saint Augustin méditait sur la tragédie
des âmes.

Comme la caricature nous délivre l'esprit d'un visage, ces
héros sentencieux nous donnent un résumé attachant du
peuple algérois lui-même. Bagur, pour tout dire est le père
spirituel de Cagayous. Et la moralité de ces fables savou-
reuses c'est aussi la morale du peuple sans âme et débordant
de vie qui est le nôtre.

Voilà pourquoi les plus réussis de ces contes sont ceux
où les ambassadeurs les mieux accrédités de ce peuple sont
opposés à des hommes qui ne les peuvent comprendre. Je
pense ici à la fable des *Turcs et du Savant* qui est, de loin, la
plus « classique » par son raccourci, sa concision et l'imprévu
de ses coq-à-l'âne.

À ce peuple neuf dont personne encore n'a tenté la
psychologie (sinon peut-être Montherlant dans ses *Images
d'Alger*), il faut une langue neuve et une littérature neuve.
Il a forgé la première pour son usage personnel. Il attend
qu'on lui donne la seconde. Et s'il me paraît que ces fables
dépassent les limites du pittoresque et du folklore c'est qu'à
tout prendre, elles restituent une des plus vieilles et des plus
jeunes traditions de la poésie populaire : celle grâce à quoi
la poésie était chose qu'on récitait et qui courait parmi le
peuple qui l'avait inspirée. *Les Fables bônoises* de même sont
moins faites pour être lues que pour être dites. Et c'est le
sort qu'il faut leur souhaiter.

Le volume est illustré par Brouty. Peu de choix pouvaient
être plus heureux. Ces visages matois, ravinés, pleins de plis,
de cachettes et de secrets périssables, nous les reconnaissons
pour ceux qui nous accompagnent tous les jours dans les
trams. La liberté bondissante du dessin n'exclut pas d'ailleurs l'effort artistique de composition qui l'équilibre et le
consacre. Témoin, la suggestive planche qui illustre *La Mort
et le Bônois* et où Bagur explique à la Mort que « s'il meurt, sa
mère elle le tue » et que par conséquent…

Regrettons seulement que Brua n'ait pas cru devoir
joindre au volume ces étonnantes comptines bônoises qui
parurent, il y a quelques années, dans une petite revue, et
dont l'étrangeté et le bonheur du rythme auraient ravi
Apollinaire. Dans tous les cas, ces fables suffisent à réjouir
l'honnête homme. Et c'est peut-être une des entreprises les
plus difficiles du temps.

L'art du fabuliste demande du naturel, qui n'est pas si

courant. Brua (et c'est de quoi il faut lui savoir gré) est allé du moins le chercher où il se trouve, devant les jeux chaleureux de la mer et du soleil et parmi ce peuple harmonieux de barbares où nous reconnaissons nos frères.

28 novembre 1938

LES REVUES

« POÉSIE »

numéro spécial de la revue « Aguedal » (Rabat)

La revue *Aguedal*, que dirige à Rabat l'écrivain Henri Bosco, vient de consacrer à la poésie méditerranéenne un numéro qui mérite qu'on s'y arrête.

Armand Guibert, qui a déjà tant fait pour la poésie avec ses *Cahiers de Barbarie* présente le numéro qu'il a composé. Le recueil s'ouvre sur un texte de Gabriel Audisio : *Un enfant nous montre le chemin*, où l'on trouve, parmi de bien jolies choses, ce mot d'enfant sur un paysage de Normandie : « Les vaches sont assises sur la salade. »

Les poèmes qui suivent sont groupés par région. Disons tout de suite que leur intérêt est inégal. On comprend sans doute que Guibert ait voulu fermer les yeux sur certaines esthétiques périmées pour faire place à ce chant intérieur sans lequel la poésie n'est rien. Mais pour certains des poèmes accueillis dans ce volume, c'est leur spontanéité même qui peut être mise en doute. Et en ce qui concerne la poésie nord-africaine dans un pays où la littérature souffre surtout de complaisance, un excès de sévérité eût été plus souhaitable qu'un excès d'indulgence.

Mais ces réserves faites, il faut convenir que ce numéro justifie l'optimisme, exprimé dans sa préface par Guibert, à l'égard du destin de notre poésie. Ce sont des voix à la fois étrangères et complices qui s'assemblent ici. Et chacune à sa façon se fait l'écho de cette incalculable émotion qui saisit l'homme devant le monde et qui fait tout le prix de la poésie.

Henri Bosco, Rose Celli, Edmond Brua, Jean Grenier avec deux poèmes passionnés sur l'indifférence, Jean Amrouche, Armand Guibert, Paul Souffron, Arsène Yersath, voici déjà beaucoup de noms pour l'Afrique du Nord. Mais, à n'en pas douter, il s'agit de poètes authentiques, qu'il faut remercier *Aguedal* d'avoir su réunir.

Le volume est complété par un choix de poètes français où il faut retenir les noms de Patrice de la Tour du Pin, Max Jacob, Supervielle et Noël Vesper, une romance de Lorca, et cinq poèmes secrets d'un poète catalan, Tomàs Garces. Signalons enfin que les poètes algériens sont présentés par Mme Lucienne Barrucand, dans une préface de faits et d'aperçus.

C'est assez dire l'intérêt et l'importance que présente ce recueil. Il nous paraît significatif qu'il ait été publié à Rabat — et dans une revue nord-africaine — comme si la poésie reprenait un sens plus jeune et une force nouvelle à vivre sur ces rivages. Et c'est parce que Henri Bosco et Armand Guibert l'ont bien compris, que le numéro qu'ils viennent de composer avec tant d'intelligence et de soins figurera avec bonheur un des aspects du jeune effort de notre pays à la recherche de ses vérités et de sa grandeur.

« LA REVUE ALGÉRIENNE »

La Revue algérienne vient d'entamer une nouvelle série remarquable par sa présentation et sa tenue littéraire. Une élégante traduction inédite de Cervantès, par Jeanne Sicard, un poème de Francisco Mendès, une étude illustrée de Jean Raffi sur le peintre René-Jean Clot, composent un numéro vivant et substantiel qui nous paraît devoir être signalé.

Par ailleurs, *La Revue algérienne* annonce son intention de se consacrer à une collaboration franco-musulmane active et désintéressée, par des enquêtes, une tribune libre et des études objectives. Dans ce pays que la haine défigure, un semblable effort doit être encouragé. Il est significatif en tout cas qu'il soit entrepris par une revue dont la tenue intellectuelle ne donne prise à aucun reproche.

3 janvier 1939

« COMMUNE MESURE »,

par Renaud de Jouvenel

Sous le titre de *Commune mesure*, Renaud de Jouvenel a réuni une série de chroniques où il entreprend la tâche délicate — il nous le dit en toutes lettres — de parler de sa haine. Pour reprendre une de ses formules les plus heureuses, il y a des raisons de ne pas s'entendre. Ce sont elles, justement, que Jouvenel s'attache à illustrer en noir et blanc, peignant tour à tour le monde des riches et le sous-sol des pauvres.

La haine est, sans contredit, un beau sentiment, délicat et fier par certains côtés, meurtrier par d'autres. C'est assez dire qu'il s'agit d'un sentiment bien humain. Mais il ne faut pas confondre haine et ressentiment. Et, à vrai dire, la première a été rarement mise en scène.

L'Homme souterrain, de Dostoïevski, nous en donne quelquefois une idée ; Shakespeare presque toujours (surtout après *Jules César*) et avec une facilité et un naturel qui font justement son génie : il est à l'aise dans la haine. Mais, à lire ces noms, on sent bien que cette réussite n'est pas si courante. Et, précisément, en ce qui concerne *Commune mesure*, elle est inégale.

C'est qu'aussi bien la peinture de la haine n'est féconde que dans la mesure où elle anime un personnage et non l'auteur lui-même. Plus un sentiment est passionné, et plus, semble-t-il, il faut le peindre objectivement, si on veut être suivi. Ce n'est qu'au théâtre que l'auditeur peut aimer ou haïr pour un autre.

Dira-t-on qu'il peut exister des haines communes à l'auteur et aux lecteurs ? Je crois plutôt qu'il y a des façons différentes de haïr la même chose. Et, par exemple, dans *Commune mesure*, ces milieux bourgeois que Jouvenel hait pour tant de raisons, les lecteurs moyens dont nous sommes peuvent les mépriser seulement. Ainsi ne rejoindrons-nous pas l'auteur du fait que celui-ci à tort ou à raison, estime que ces milieux sont à juger quand nous pouvons les considérer déjà comme jugés.

C'est, du moins, ainsi qu'on peut expliquer les réticences que provoquent les portraits de « ceux qui vivent », industriels, bourgeois et journalistes marrons dont parle Jouvenel. Appeler M. Renault « un grand exploiteur des ouvriers français », c'est un peu enfoncer une porte ouverte. En tout cas, cela n'ajoute rien à une œuvre d'art.

J'entends bien qu'ici Jouvenel pourrait répondre qu'il ne veut pas faire œuvre d'artiste, mais seulement de militant. Ce serait jouer sur les mots. À la vérité, ce qui surgit ici, c'est le problème de la littérature militante. Et il serait trop long d'en donner un commentaire. Disons seulement, pour étendre un mot de Malraux, que la littérature militante ne justifiera la passion généreuse qui l'anime que si elle ne la sacrifie pas à la volonté de prouver.

Au demeurant, nous ne présenterions pas ces observations si Jouvenel ne parvenait si souvent à nous toucher. Car, à parler de « ceux qui souffrent », cadavre de jeune fille sur une plage, ouvriers et employés, chômeurs aux bouches de métro, il nous émeut directement.

Le monde de l'homme des huit heures, l'univers sans éclat des bureaux et des usines, l'esclavage humiliant et stérile dont est fait le travail moderne, il a su les rendre sans une fausse note, dans une langue brève et amère, à l'image des vies qu'elle commente.

Je ne veux citer ici que la meilleure de ces nouvelles intitulée « Au marin des péniches », et dont voici les dernières lignes. Au patron d'un bar au bord de la Seine, sa vieille mère reproche d'avoir servi gratuitement un chômeur étranger :

— Il est encore venu, l'Italien, dit la vieille, et il n'a pas payé.

— C'est un copain, répond le fils.

« Et ça dit ce que ça veut dire : qu'on a confiance, qu'Aldo ne vient que quand il ne peut plus faire autrement, que c'est comme un frère qui n'aurait pas de chance. Un homme ne doit pas laisser son frère crever de faim… »

Beaucoup de choses, dans ce petit volume, ont cette qualité. Et il est curieux que, voulant parler de sa haine, Jouvenel nous touche surtout par l'amour dont son livre est plein. Cela est curieux assurément, mais significatif. Si l'homme est souvent plus mauvais qu'on ne l'imagine, peut-être est-il toujours meilleur qu'il ne le croit.

3 janvier 1939
« LETTRE AUX PAYSANS
SUR LA PAUVRETÉ ET LA PAIX »,
par Jean Giono

Cette petite brochure de Giono s'adresse aux paysans et, par certains de ses accents, constitue un réquisitoire violent (mais non sans nostalgie) contre l'ouvrier. On en jugerait mal cependant si on ne savait pas que, dans le dernier numéro des *Cahiers du Contadour*, Giono est revenu sur sa position et a précisé que, devant les événements de septembre 1938, désespérant de la classe ouvrière, il s'est adressé aux paysans comme au dernier espoir des hommes pacifiques.

Quoi qu'il en soit, et dégagée de l'actualité, cette *Lettre* ne s'oublie pas facilement. Giono s'est débarrassé, à ce propos, de tout lyrisme et, privée de la surabondance poétique qui l'alourdit si souvent, sa phrase est ici rapide et nette. Si je puis dire elle est « parlante ». On serait même tenté de croire, à la lire, que Giono est moins poète qu'on ne le croit et qu'à sa façon, il se rattache à cette lignée de prosateurs moralistes qui figure assez bien la tradition littéraire de la France. On en juge, du moins, au bon sens dévastateur et à l'impitoyable lucidité qui font le prix de cette *Lettre*.

Mais, à lire ces pages éloquentes sur la pauvreté et la paix, cet appel passionné pour une vie paysanne mesurée, les pieds sur la terre, loin de l'argent et des spéculations d'État, on comprend mieux, toutes proportions gardées, ce que peut signifier le mot de prophète.

Jusqu'ici c'était un monsieur à barbe qui disait des choses magnifiques et violentes dans une langue pas toujours comprise. Mais on prend conscience, devant cette *Lettre*, que ce devait être un homme qui parlait à d'autres hommes le langage de leur cœur avec leurs mots de tous les jours.

Je ne sais pas si cette Révolution individuelle et non violente dont parle Giono est possible. Mais je sais qu'aucune n'est possible si elle n'a commencé dans le cœur et l'esprit de ceux qui comptent la faire. L'échec de tant de révolutions tient peut-être à cette idée. Cela suffit pour comprendre et aimer le message singulier de Giono. Il est quelque chose de plus qu'une actualité sans avenir.

16 janvier 1939

« CAROLINE OU LE DÉPART POUR LES ÎLES »,

par Félix de Chazournes

(Prix Fémina 1938, Éd. de la NRF, Paris)

Un beau livre, élégant et triste où les hommes s'appellent Michel de Joffré et les femmes s'évanouissent d'amour. Beaucoup de choses qui pourraient être ridicules y sont touchantes. Et une certaine continuité du ton, une émotion mal contenue, rendent légitime ce que les sentiments des personnages ont d'un peu suranné.

C'est *Clara d'Ellebeuse* dans le cadre du *Grand Meaulnes*. On y lit que depuis l'enfance Caroline Sainte-Anne aime Michel de Joffré, qui ne l'aime pas. Elle se donne à lui. Il en épouse une autre. Et Caroline enceinte va rejoindre son père, aux Antilles. C'est tout. Mais l'histoire se passe dans un beau pays plein de rougeurs, d'aubes fumantes et de marais. Le livre en tire sa poésie.

Caroline elle-même est à l'image de son pays avec ses réveils, sa vérité, son indifférence et le poids de son amour. Celui-ci a deux raisons d'être malheureux : d'abord il n'est pas réciproque, et ensuite il s'adresse à un ahurissant niais, que l'auteur s'efforce en vain de nous rendre sympathique, qui sort de Saint-Cyr, court les garden-parties, se réjouit immodérément à l'idée de danser avec la fille de son général, mais obéit comme un pékinois à son gendarme de mère. Car s'il n'épouse pas Caroline, c'est que sa mère ne le veut pas : elle lui a mis de côté la perruche de salon qu'il a méritée cent fois.

Autour de l'intrigue, quelques personnages secondaires, assez mal dessinés, font penser aux fantoches bizarres de Robert Francis, mais le seul personnage convaincant du livre, c'est Caroline. Elle est authentique, et, par elle, le roman le devient.

Ce que M. de Chazournes s'est sans doute proposé, c'est de peindre un être pur, c'est-à-dire un cœur innocent même quand il fait le mal. Il y a réussi. Il dessine devant nous un beau et mélancolique visage de femme et c'est à travers lui qu'il faut juger le roman. On comprend alors que toute l'étrange tristesse du livre tient justement à cette disproportion entre l'amour sans secrets de Caroline (elle aime, elle se donne) et l'insignifiance réelle de celui qui reçoit ce don.

Ce que Caroline aime en Michel de Joffré, c'est l'enfant grave et bien peigné qui s'asseyait au pied de son lit, les matins de vacances. À ses yeux, il en est transfiguré. Et de même, ce sont ces fêtes du souvenir et de l'enfance qui donnent à tout le livre cet air de paradis perdu où l'on peut voir son charme et sa faiblesse.

On comprend mieux ainsi que les meilleures pages du roman soient précisément les premières qui décrivent ces vacances d'enfants (les dialogues sont de premier ordre) et qu'à mesure qu'on s'éloigne du souvenir pour entrer dans la création pure, l'intérêt faiblisse et l'art se dégrade. Rien d'étonnant, par là, à ce que le dernier chapitre soit franchement mauvais.

Ce qu'il y a d'un peu mélodramatique dans la situation de cette femme enceinte, délaissée, et quittant le pays de celui qu'elle aime, n'est pas atténué par la forme où l'imprécision est reine. Cette incertitude générale du ton, conforme à la poésie du souvenir et si heureuse par moments (« Sa joie avait de grands espaces silencieux et vides où régnait une sorte d'inquiétude ») révèle ici son défaut profond. L'émotion a fui. Et le poète échoue là où le romancier s'impose. Il reste une rhétorique assez vague, une philosophie bien consolante mais où perce le désir de conclure et selon quoi le malheur fortifie les grandes âmes ; ce qui est vrai ou faux, mais n'ajoute rien à un livre qui pouvait se passer de conclusion, puisqu'il était vivant à sa façon.

21 janvier 1939

LITTÉRATURE NORD-AFRICAINE

« LA CAGE OUVERTE »,
par Gabriel Audisio
(Éditions Edmond Charlot, Alger)

Un très petit nombre de poèmes. Mais un rythme dansant et saugrenu, un mélange de soleil et de bon sens, donnent à ce mince recueil une saveur incisive. C'est un peu un livre de morale, mais d'une morale qui se chante et qui s'apprend devant la mer. On peut y voir ainsi une illustration familière, où l'auteur se délasse, des thèmes qu'Audisio a longuement traités dans son œuvre. De temps en temps, une image brève et chargée de lumière vient donner un sens plus grave au poème. Mais telles quelles, ces petites variations sur la joie, le sel et la simplicité s'inscrivent naturellement dans une œuvre tout entière consacrée à la Méditerranée et à ses hommes.

« TROIS CONTES DE LA MUSARAIGNE »,
par Françoise Berthault
(Éditions Edmond Charlot, Alger)

Écrire pour les enfants, c'est une entreprise dangereuse. Il y faut du désintéressement et une certaine pureté de cœur, qui n'est pas si fréquente. C'est pourquoi je voudrais signaler les *Trois contes de la musaraigne*, de Françoise Berthault. Ils constituent à cet égard une réussite.

L'histoire du petit âne Marki, « qui attendait la mort et ce fut une petite fille qui vint », celles de Margot la pie et de Mirmy, la fourmi noire, bénéficient d'une poésie involontaire et spontanée. Qu'on en juge plutôt : « Enfin, une belle nuit, brusquement, sans se faire annoncer, madame la Neige arriva ; elle vint si doucement que personne — sauf la source d'argent qui rentra vite sous terre — ne s'en aperçut. »

« LE LONG DES OUEDS DE L'AURÈS »,
par Claude-Maurice Robert
(Éditions Baconnier, Alger)

M. Claude-Maurice Robert vient de consacrer à l'Aurès, un gros livre dans lequel l'histoire, la poésie et l'amitié se rencontrent. C'est une impression mélangée qu'on retire de ce volume où des exposés un peu dialectiques voisinent avec des effusions lyriques, où le lyrisme lui-même est parfois authentique et d'autres fois indiscret.

M. Claude-Maurice Robert a longtemps écrit en poète sur notre pays. Et ce qui est sensible dans sa dernière œuvre, c'est l'intérêt soudain qu'il porte aux questions sociales et administratives. De là peut-être le déséquilibre de l'ouvrage. On y sent l'auteur empêché de choisir.

La question sociale lui a été révélée par les administrateurs (dont il dresse d'ailleurs deux figures vivantes). On le reconnaît bien quand on voit M. Robert affirmer que les troubles récents de l'Aurès étaient dus à la propagande malfaisante et conjuguée des marabouts et des Oulémas — ce qui ne peut manquer d'étonner l'homme le moins au courant de la question indigène, s'il sait que marabouts et Oulémas représentent les deux factions ennemies du mouvement arabe.

À l'opposé, M. Robert est resté poète. Et les évocations lyriques sont nombreuses. Mais il me semble cependant que les meilleures pages de l'ouvrage demeurent celles qui sont à égale distance du lyrisme et de l'information sociale. La rencontre de la caravane à la trouée de Tahmimine, l'évocation des Azriettes, les prostituées de l'Aurès et l'histoire des roses dans le café maure, sauvent le livre de ses propres excès par l'accent mesuré et attentif que leur confère l'amour du poète pour le pays dont il parle.

21 janvier 1939

MANIFESTE DU
THÉÂTRE DE L'ÉQUIPE

À l'heure où, dans toute la France, une éclatante renaissance du Théâtre s'affirme, caractérisée par une décentralisation étendue, le Théâtre de l'Équipe se propose de donner à Alger une saison théâtrale qui lui convienne. Ville jeune, Alger se doit d'avoir un théâtre jeune. Le Théâtre de l'Équipe s'attachera à jouer de bonnes œuvres dans un esprit de jeunesse et ceci déjà constitue un programme.

Les idées générales ne sont pas indispensables aux réalisations. Mais les réalisations imposent parfois des idées générales. Et si le Théâtre de l'Équipe entend travailler dans un sens précis, c'est parce que quelques expériences de la scène ont conduit ses membres vers certaines conclusions.

Le théâtre est un art de chair, qui donne à des corps vivants, le soin de traduire ses leçons, un art en même temps grossier et subtil, une entente exceptionnelle des mouvements, de la voix et des lumières. Mais il est aussi le plus conventionnel des arts, tout entier dans cette complicité de l'acteur et du spectateur qui apportent un consentement mutuel et tacite à la même illusion. C'est ainsi que, d'une part, le théâtre sert naturellement les grands sentiments simples et ardents, autour desquels tourne le destin de l'homme (et ceux-là seulement) : amour, désir, ambition, religion. Mais, d'autre part, il satisfait au besoin d'une construction qui est naturel à l'artiste. Cette opposition fait le théâtre, le rend propre à servir la vie et à toucher les hommes. Le Théâtre de l'Équipe instituera cette opposition, c'est-à-dire qu'il demandera aux œuvres la vérité et la simplicité, la violence dans les sentiments et la cruauté dans l'action. Ainsi se tournera-t-il vers les époques où l'amour de la vie se mêlait au désespoir de vivre : la Grèce antique (Eschyle, Aristo-

phane), l'Angleterre élisabéthaine (Forster, Marlowe, Shakespeare), l'Espagne (Fernando da Rojas, Calderon, Cervantès), l'Amérique (Faulkner, Caldwell), notre littérature
contemporaine (Claudel, Malraux). Mais d'un autre côté, la
liberté la plus grande régnera dans la conception des mises
en scène et des décors. Les sentiments de tous et de tout
temps dans des formes toujours jeunes, c'est à la fois le
visage de la vie et l'idéal du bon théâtre. Servir cet idéal et
du même coup faire aimer ce visage, c'est le programme
du Théâtre de l'Équipe.

28 janvier 1939

« LE QUARTIER MORTISSON »,
par Marie Mauron

« Le corps, Jacques, ne veut rien perdre. Laissez votre
mère un moment. Le chagrin, ça ne nourrit guère. Oui, je
sais, personne n'a faim. Mais il faut être raisonnable, même
au plus noir de son malheur. »

Ainsi s'exprime un des personnages du *Quartier Mortisson*.
Il n'est pas le seul. Tous parlent en vers et chantent leurs
petites histoires. Je n'ai pas relevé moins de trente alexan-
drins dans les trois premiers chapitres du roman. Du point
de vue de la forme, c'est une faute grave. Car cette cadence
ininterrompue nuit au lyrisme authentique du curieux roman
de Marie Mauron. Et cette perpétuelle mélopée fait oublier,
par l'agacement qu'elle apporte, le chant plus intérieur d'un
récit souvent inégalable par ses qualités de fraîcheur et d'invention. Car on ne peut pas être exalté à longueur de journée. C'est fatigant et c'est inhumain.

Dans le cas de Marie Mauron, on regrette d'autant plus
cette erreur de technique qu'elle risque de faire oublier la
nouveauté et l'accent de jeunesse d'un roman sans intrigue,
attaché seulement à la vie d'un quartier, d'un pays et de
ses hommes. La Provence, craquante au soleil de midi, et la
douceur fugitive de ses soirs sont restituées ici avec amour.
Et sur cette terre, se dresse un peuple d'hommes, hâbleurs,

mauvais garçons et poètes, toujours en désaccord avec la loi, mais juste ce qu'il faut pour mériter le nom d'hommes libres, affublés de vagues métiers, et pour le reste, bergers, braconniers et bohémiens.

Tout ce qui, dans le livre, touche à ces hommes demeure fort et juste. Aussi longtemps que l'auteur n'intervient pas, qu'il décrit ce qu'il aime sans parler de son amour, le ton reste émouvant et simple, et légitime le succès de critique que le livre a recueilli. Ainsi peut-être les meilleures pages du livre sont-elles consacrées au berger Clarille.

La leçon de musique en pleine montagne devant les cyprès, les oliviers et les arbres en fleurs, l'amour silencieux du vieux Clarille pour la vieille Ricardonne, l'enterrement du berger enfin sont autant de tableaux inimitables dans leur vérité. Je pense surtout ici aux funérailles de Clarille, son cercueil porté au milieu du ciel, dans une belle matinée, sur le sommet d'une colline, par six Mortissonnais — le long parcours parmi le thym, les fleurs sauvages et les pierres chaudes — et cet œillet des champs poussé au milieu du chemin, que tous les porteurs évitent et qui reste intact après le passage du cortège.

Ici, Marie Mauron ne s'extasie plus. Mais dans ce mort en plein ciel, elle figure les intentions profondes de son roman, et de façon si juste et si difficile qu'on est tenté d'espérer d'elle plus qu'on n'accorde généralement aux romanciers dont nous sommes envahis.

Il ne s'agit pour elle que d'une question de forme. Mais c'est le problème dont un écrivain prend le plus aisément conscience et qu'il résout avec le plus de difficultés. Penser que, pour exprimer une vie ensoleillée et libre, il faille nécessairement une forme désordonnée et lyrique est une erreur. Chaque art a sa technique — le roman plus que tout autre. *Le Quartier Mortisson*, émouvant à tant d'égards, en fait une fois de plus la preuve.

5 février 1939
« L'ÉQUINOXE DE SEPTEMBRE »,
par Henry de Montherlant

Henry de Montherlant vient de publier, à propos des événements de septembre, un livre qui fait beaucoup de bruit (Éd. Bernard Grasset). D'une façon générale, la critique n'est pas tendre. On sait que cette sévérité des critiques devant la désinvolture de Montherlant est pour un quart dans son succès, son talent faisant le reste.

Jusqu'ici, rien de trop. Mais ce que l'on comprend mal, c'est que les mêmes esprits qui trouvent du goût à Montherlant, lorsqu'il s'intéresse aux femmes, aux taureaux ou à lui-même, s'indignent à la lecture de *L'Équinoxe de septembre*. Car enfin, Montherlant ici ne se sépare pas de lui-même, et il n'est rien, dans son dernier livre, qui ne se puisse justifier par l'éthique du *Songe*, des *Bestiaires*, ou même des *Jeunes Filles*. Il faut donc croire que les admirateurs de ces livres, s'ils renient *L'Équinoxe de septembre*, aiment mal leur auteur, puisqu'ils l'aimaient sans le comprendre.

La tâche du critique, au contraire, est de commencer par comprendre. En ce qui concerne Montherlant, son cas est trop particulier pour qu'on n'essaie pas de lui appliquer ce dont lui-même fait profession : la lucidité. On parle beaucoup, à propos de cet auteur, de coquetterie, de publicité bien comprise ou de je ne sais quoi[1]. J'ignore si cela est vrai. Il est difficile, à coup sûr, d'en juger. Mais on peut voir, lorsqu'un auteur fait preuve d'un certain sens de la grandeur (cela arrive parfois) qu'une réaction naturelle est de lui prêter sans tarder des motifs intéressés. Cela s'appelle humaniser les grands hommes. La tendance la plus équitable, c'est-à-dire la moins spontanée, serait au contraire de le faire bénéficier du préjugé favorable et de le juger seulement sur ce qu'il dit ou a dit.

Montherlant est un des trois ou quatre grands écrivains français qui propose un système de vie, ce qui ne paraîtra ridicule qu'aux impuissants, et qui dispose d'une échelle de valeurs personnelle. Je m'étonne alors qu'on persiste à le juger en dehors de cette conception. Qu'on s'obstine par exemple à s'indigner des *Jeunes Filles*, alors qu'il annonce que le héros de *La Rose des sables* est à Costals ce que le noir est au blanc, qu'on s'entête surtout à jeter les hauts cris aux déclarations de Montherlant sur la guerre, quand ces déclarations ne sont qu'un cas particulier de l'éthique de *Service inutile*, salué en son temps comme un des grands manuels de morale de l'époque.

Montherlant a déclaré, à plusieurs reprises, qu'il avait le goût de l'alternance et qu'il considérait ce principe comme fondamental pour sa vie et son œuvre. Mais il y a des gens qui veulent pouvoir résumer un écrivain en une formule[2]. Or un grand écrivain ne se résume pas et ne s'exprime jamais tout entier. Celui qui se met totalement dans un premier roman, on peut être sûr qu'il n'a pas grand-chose à dire. Et cette impatience si commune, cette mauvaise volonté du public aux désirs de l'écrivain, finit par prendre l'allure d'une prime au manque de tempérament.

Essayons au contraire d'être juste, c'est-à-dire généreux avec *L'Équinoxe de septembre*. Je dirai tout de suite qu'il n'est pas facile de suivre l'auteur dans le jugement qu'il porte sur la guerre, tout au long de ce petit journal des semaines hideuses de septembre[3]. Mais il faut ajouter aussitôt que cela n'a aucune importance et que la question ne doit pas se poser ainsi.

La première impression, il faut la dire tout à trac, c'est que Montherlant apprécie la guerre dans la mesure où elle lui permet de faire du sport. C'est une impression fausse, parce que c'est une impression d'apparence spirituelle. Les critiques, pourtant, s'en sont tenus là — ce qui leur a fait dire que M. de Montherlant appelait la guerre et le carnage européens pour se donner des occasions d'héroïsme. Cela est faux. Et, sur un aussi grave sujet, cela est malhonnête.

À la vérité, Montherlant le dit en toutes lettres, il ne souhaite rien. Si la guerre vient à lui, il la prend comme un des visages implacables du destin. Il sait de reste que nous n'y pouvons rien. Faire la guerre pour des industriels ou pour une idée ne change rien à son absurdité, qui est fondamentale. Montherlant ne se pose pas la question de prévenir ou de guérir, mais cherche seulement comment subir la guerre. Et quel autre problème se pose à cette heure aux esprits sincères de ce pays ?

On nous partage aujourd'hui en deux clans selon que nous choisissons entre la servitude et la mort. Mais nous sommes beaucoup à refuser ce dilemme, à ne pas savoir choisir, à admirer ceux qui, délibérément, ont arrêté leur action. Montherlant n'est pas de ceux-là. Mais il affirme que la guerre venue, il la prendra comme une maladie et tentera d'y trouver encore des raisons de vivre. Il n'y a peut-être pas dans notre littérature de passage plus viril et plus amer que celui où Montherlant affirme qu'il combattra sans croire, sans autre idéal que celui d'être à la hauteur d'un destin venu sans qu'on l'appelle. Service inutile, c'est le thème de tout l'ouvrage.

Montherlant cite avec raison *L'Espoir* et ce passage où Malraux écrit d'un de ses héros marchant vers l'ennemi que jamais il ne sentira mieux qu'à cet instant ce que c'est que d'être un homme. Ce qui est commun en effet à Montherlant et à Malraux, c'est un certain héroïsme lucide qui ne vaut que pour l'individu. De même le jugement que Montherlant porte sur la guerre ne vaut que pour lui seul. Et il l'affirme. Et l'honnêteté, même si l'on n'est pas disposé à le suivre, est de l'accepter tel qu'il veut être.

Voilà pourquoi il est regrettable que ce livre ait été utilisé, les pacifistes l'ayant renié et les chauvins accaparé. Cela est d'autant plus regrettable que ce livre n'a rien à voir avec le problème du pacifisme, qui est social autant que moral. *L'Équinoxe de septembre*, au contraire, à propos d'un événement mondial pose un problème de morale individuelle. Le pacifisme aurait plutôt à y gagner, si je pense à cette « guerre sans haine » dont parle Montherlant. Quant au chauvinisme, sa fonction est d'avilir tout ce qu'il touche.

C'est ainsi du moins qu'on peut voir la dernière œuvre de Montherlant. Je dis voir et non juger. Car, à cet instant, se pose un problème de valeur : que vaut cet héroïsme sans illusions, cette grandeur non sans amertume et cette magnifique prédication de la lucidité ? La réponse est facile : cette morale vaut ce que vaut l'homme qui la propose ou celui qui la fait sienne. Et par ce détour, le « cas Montherlant » est tout entier posé à nouveau. Disons seulement qu'on n'en juge pas en quelques lignes et qu'il faudrait y revenir.

18 février 1939

LIVRES DE FEMMES

« DERNIER VOL »,
par Amelia Earhardt

La disparition d'Amelia Earhardt rend peut-être plus sensible au lecteur de ce livre (Éditions NRF, Paris) des qualités qui seraient passées autrement au second plan, je veux dire une gaieté sans apprêts, un courage mêlé de bonne humeur et une philosophie du danger qui prend tout son sens en face du destin malheureux de l'aviatrice.

Son livre ne se raconte pas. Elle y parle de ses différents raids, s'étend particulièrement sur son voyage autour du monde et de temps en temps affirme avec vigueur ses convictions féministes. Mais c'est toujours avec aisance et sur le ton de la vérité. Si Amelia Earhardt a raison de penser que la femme peut égaler l'homme dans ses propres entreprises, ce n'est pas seulement par ce qu'elle croit. Mais bien plutôt par ce sentiment singulier et si particulier à l'homme qui s'appelle l'amour du métier. L'aviatrice parle de ses appareils avec toutes les précautions qu'on prend pour évoquer un être cher. Et ce n'est pas le côté le moins émouvant de ses confidences.

Quant à l'esprit qu'elle apportait dans ses entreprises, sa note liminaire nous le délivre. Et dans cette morale de grande allure, où le « faire ce qu'on veut » devient un principe d'élévation, on décèle sans surprise des thèmes où des hommes comme Montherlant se retrouveraient et avec lui tous les êtres que le danger attire comme une épreuve de leurs forces.

« FEMMES SOVIÉTIQUES »,
par Hélène Isvolski

Voici l'opinion d'une catholique sur les femmes soviétiques (Éditions Desclée de Brouwer, Paris). Mme Hélène Isvolski n'a aucune sympathie pour le gouvernement des Soviets. Elle le dit. Mais elle précise d'autre part que son jugement n'en est pas influencé. Et de fait, à ne considérer que la documentation, l'étude objective qu'elle publie est précieuse pour les enseignements qu'elle nous transmet sur une expérience humaine aussi émouvante qu'instructive.

Tous les textes de Mme Isvolski sont empruntés à la littérature et à la presse soviétiques. Les conclusions que l'auteur en tire sont inégales. On peut ne pas les adopter en bloc. Mais elles s'inspirent toutes de la sympathie la plus profonde pour les femmes russes. Tout l'effort de l'auteur est, en effet, de distinguer la femme russe de la femme soviétique. Cette méthode a ses inconvénients. Car les réalisations de la Russie actuelle (l'incroyable extension des études féminines, l'égalité politique, etc.) l'auteur est tentée d'en attribuer le mérite à la femme russe, tandis que le déchet de ces réalisations (industrialisation de la femme, excès des pratiques abortives), le législateur soviétique en porte la responsabilité.

Mais cette réserve faite, et puisque j'ai parlé d'expérience, celle tentée par les dirigeants en matière d'organisation familiale donne à réfléchir. Et les pages les plus suggestives de l'essai de Mme Isvolski sont bien celles qui décrivent l'évolution du code familial et matrimonial, depuis les facilités accordées à l'union libre et à l'avortement, jusqu'aux dispositions du 27 mai 1937, qui rétablissent les fondements juridiques de la famille bourgeoise et interdisent l'avortement.

De toutes façons, on aura intérêt (et même les communistes), à lire un livre à la fois ému et documenté qui reste lucide jusque dans son hostilité au régime soviétique. Ce qui peut nuire le plus à l'U.R.S.S. en effet, ce ne sont pas les critiques de bonne foi, mais, comme le dit Friedmann, les admirateurs maladroits qui la présentent comme le paradis de l'homme.

5 mars 1939
LITTÉRATURE NORD-AFRICAINE

« PÉRIPLE DES ÎLES TUNISIENNES,
par Armand Guibert

Le goût des îles, des mondes fermés et vierges, nous a déjà valu un beau livre de Jean Grenier. Armand Guibert, dont nous avons souvent parlé ici même, vient de publier à Tunis un petit livre, ardent et secret, sur les îles tunisiennes. Et ce n'est pas seulement un recueil de belles méditations sur des paysages privilégiés. Mais encore, quoique indirect, un témoignage amer et vibrant sur l'époque. Car on y sent un homme bien décidé à ne pas se séparer de ce que son cœur une fois pour toutes a choisi, dont toute l'attention va aux images du monde et dont le seul souci est de rien perdre qui soit pur. Peut-être est-ce le secret de ce livre et de son prestige. Il se referme autour du lecteur et les tumultes du monde en paraissent assoupis.

Une forme lisse et transparente, une succession de peintures précises et de retours mélancoliques, un attachement à la beauté des choses qui se veut serein et qu'on sent nostalgique, ce sont les qualités de ce livre. Djerba, les îles Kerkennah, Zembra et la Galite, autant de prétextes différents à une même leçon. Cette leçon on la pressent un peu partout et on la découvre dans le dernier essai sur l'île de la Galite, visitée par Guibert pendant les semaines de septembre. Constamment, les signes de la tragédie européenne viennent rejoindre l'auteur, occupé à comprendre et à espérer. Des hommes qui partent, des femmes qui pleurent, des prières pour la paix, autant de preuves d'une nouvelle vérité, désespérante et particulière à l'époque : il n'y a plus d'îles.

Guibert, cependant, semble refuser cette vérité. Ou du moins, s'il en a conscience, il la tient pour nulle. Et lui préfère cette autre vérité que la tâche de l'homme est de créer ses îles, même au sein de l'absurde tempête qui nous entoure.

On voit, par là, que c'est trahir l'artiste que d'aborder le problème social à propos de son œuvre. C'est de poésie seulement qu'il faudrait parler ici. Mais à la vérité, le problème se pose autrement. C'est la question sociale qui aborde Guibert et le pousse dans ses retranchements. L'artiste d'aujourd'hui doit, d'une façon ou d'une autre lui trouver une solution. C'est à la fois sa servitude et sa grandeur. Et là, se trouve peut-être le secret de l'émotion et de la vérité qu'on sent dans ce *Périple*.

Il n'y a pas aujourd'hui beaucoup d'œuvres désintéressées et nourries dans le silence du cœur. La littérature nord-africaine, en particulier est à cet égard inexistante. Mais il est permis de penser que ce livre, édité à Tunis, inspiré par des paysages tunisiens, autorise tous les espoirs. Dans tous les cas la sensibilité de ces pages, leur élégance sans maniérisme, la passion de leur style, assurent Armand Guibert de cette audience, réservée aux œuvres pudiques et secrètes qui rassemblent sans bruit autour[1] un petit nombre de lecteurs qui deviennent autant d'amis.

« INTRODUCTION À L'ÉTUDE DE L'ISLAM »,
par Abd-Errahman Ben el-Haffaf

Voici un livre intéressant et utile. Tant de Français méconnaissent l'Islam, qu'on ne peut leur souhaiter rien de mieux, qu'avant d'en parler ou d'en juger, ils en prennent connaissance à l'occasion d'un exposé clair et documenté comme celui de M. Ben el-Haffaf.

L'érudition est une vieille vertu islamique. Il n'y a rien d'étonnant à en retrouver le goût dans ce livre. L'abondance des sources est même surprenante. On trouve, cités dans la même page, Camille Flammarion, Allan Kardec, Barthélemy Saint-Hilaire, Renan et Lamartine. Mais sans doute faut-il voir là un souci de précision qui fait honneur à l'auteur.

En tout cas, on lira avec profit le récit clair et riche en citations coraniques de la vie de Mohammed et l'exposé précis de la doctrine islamique. Et, s'il ne le sait déjà, le lecteur

aura l'occasion de comprendre quelle étonnante largeur
d'esprit inspire la prédication du Prophète. Générosité (« J'ai
été envoyé pour parfaire ce qu'il y a de généreux dans la
nature de l'homme »), tolérance (« point de contrainte en
religion ») et respect de l'homme, ce sont les piliers de la
sagesse coranique. Mais ce sont aussi des vertus d'homme,
c'est-à-dire des vertus qui font les grands peuples. Et il faut
savoir gré à M. Ben el-Haffaf d'en donner une démonstration aussi précise et aussi délicate.

« DU BLED À LA CÔTE »,
par Aimé Dupuy

Les Éditions E. Charlot viennent de publier un petit
livre de nouvelles de M. Aimé Dupuy, directeur des Écoles
normales de la Bouzaréah. Dans ces nouvelles, ces essais
et ces fragments, l'auteur nous livre ses souvenirs d'une
Algérie et d'une Tunisie dont il dit avec finesse qu'elles
sont aussi loin de nous qu'elles l'étaient des Français de la
conquête.

La qualité de ce petit livre est peut-être tout entière
dans l'absence de prétention qui l'a dicté, dans le goût de
l'observation et la patience à aimer qui ont donné naissance
à Bournier, Allégro, et aux autres personnages du livre. C'est
de l'observation directe. Cela n'est pas, pour autant, du
vécu. Je dirai même que l'auteur pèche parfois, par excès
d'objectivité. Mais c'est un reproche assez singulier à notre
époque pour prendre figure de compliment. Cependant,
bien des personnages de ce livre qui nous paraissent pittoresques, qui nous « intéressent », ne nous touchent pas. Et
l'on est peut-être plus sensible encore à cet écart, lorsqu'en
lisant le court récit sur le forgeron Barker, on sent combien
la méthode de M. Dupuy pourrait être féconde. Car ces
quelques pages sont émouvantes. Et les thèmes simples et
essentiels de la solitude de l'homme parmi ses joies élémentaires, prennent ici une figure nouvelle dans sa vérité.

12 mars 1939
« LE MUR »,
par Jean-Paul Sartre

Jean-Paul Sartre, dont nous avons commenté ici même *La Nausée*, vient de publier un recueil de nouvelles (Éditions de la NRF) où l'on retrouve, sous une forme différente, les thèmes singuliers et amers de son premier roman. Des condamnés à mort, un fou, un déséquilibré sexuel, un impuissant et un pédéraste, ce sont les personnages de ces nouvelles. On pourrait s'étonner peut-être de ce parti pris. Mais *La Nausée*, déjà s'attachait à faire une histoire quotidienne d'un cas exceptionnel. Et c'est aux limites du cœur ou de l'instinct que M. Sartre trouve son inspiration.

Mais il faut préciser. On peut démontrer que le plus banal des êtres est déjà un monstre de perversité et que par exemple, nous souhaitons tous, plus ou moins, la mort de ceux que nous aimons. C'est du moins le propos d'une certaine littérature. Il me semble que ce n'est pas celui de M. Sartre. Et pour hasarder une nuance peut-être subtile, il s'agit pour lui de démontrer que le plus pervers des êtres agit, réagit et se décrit comme le plus banal. Et sous cet angle, s'il y avait une critique à faire, elle porterait seulement sur l'usage que fait l'auteur de l'obscénité.

L'obscénité en littérature peut atteindre la grandeur. À coup sûr, elle contient l'élément d'une grandeur, si on pense par exemple à l'obscénité de Shakespeare. Mais du moins, il faut qu'elle soit commandée par l'œuvre elle-même. Et pour *Le Mur*, si cela se trouve dans « Érostrate » par exemple, je n'en dirai pas autant d'« Intimité » où la description sexuelle semble souvent gratuite.

Il y a chez M. Sartre un certain goût de l'impuissance, au sens plein et au sens physiologique, qui le pousse à prendre des personnages arrivés aux confins d'eux-mêmes et trébuchant contre une absurdité qu'ils ne peuvent dépasser. C'est contre leur propre vie qu'ils butent, et, si j'ose dire, par excès de liberté.

Ces êtres restent sans attaches, sans principes, sans fil d'Ariane, libres au point d'en être désagrégés, sourds aux appels de l'action ou de la création. Un seul problème les préoccupe et ils ne l'ont pas défini. De là, le prodigieux intérêt des récits de M. Sartre et du même coup leur maîtrise profonde.

Que ce soit le jeune Lucien qui commence par le surréalisme et finit par l'Action française, Ève dont le mari est fou et qui veut à toute force pénétrer ce domaine insensé d'où elle est rejetée, ou le héros d'« Érostrate », tout ce qu'ils font, disent ou sentent est imprévu. Et dans le moment où ils nous sont présentés, rien ne signale le geste qu'ils feront à l'instant suivant. C'est l'art de M. Sartre de raconter le détail, de suivre le mouvement monotone de ses créatures dérisoires. Il décrit, suggère peu, mais suit patiemment ses personnages et n'attache d'importance qu'aux plus futiles de leurs actes.

On ne serait pas étonnés d'apprendre qu'au moment où il entame son histoire, lui-même sait mal où elle le mène. Mais l'attrait qui se dégage d'un tel récit est indéniable. On n'abandonne plus l'histoire et le lecteur à son tour épouse cette liberté supérieure et ridicule qui mène les personnages à leur propre fin.

Car ces personnages, en effet, sont libres. Mais leur liberté ne leur sert de rien. C'est du moins la démonstration de M. Sartre. L'émotion de ces pages, si souvent bouleversantes, leur pathétique cruel vient sans doute de là. Car dans cet univers, l'homme est délivré de toutes les entraves, de ses préjugés, de sa propre nature parfois et réduit à se contempler, il prend conscience de son indifférence profonde à tout ce qui n'est pas lui. Il est seul, il est enfermé dans cette liberté. C'est une liberté qui se situe seulement dans le temps, et la mort lui donne un démenti bref et vertigineux. Sa condition est absurde. Il n'ira pas plus loin et les miracles de ces matins où la vie recommence n'ont plus de sens pour lui.

Comment rester lucide en face de ces vérités ? Il est normal que ces êtres, privés des divertissements humains, cinéma, amour ou Légion d'honneur, se rejettent dans un monde inhumain où cette fois, ils créeront leurs propres chaînes : démence, folie sexuelle ou crime. Ève *veut* devenir folle. Le personnage d'« Érostrate » *veut* commettre un crime et Lala *veut* vivre avec son mari impuissant.

Pour ceux qui échappent à cette révolution ou qui ne l'achèvent pas, ils ont toujours la nostalgie de cet anéantissement de soi. Et dans la meilleure de ces nouvelles, « La Chambre », Ève regarde son mari délirer et se torture à chercher le secret de cet univers où elle voudrait se fondre, de cette chambre retranchée où elle aspire à s'endormir, la porte fermée pour toujours.

Cet univers intense et dramatique, cette peinture à la fois éclatante et sans couleurs, définissent bien l'œuvre de M. Sartre et font sa séduction. Et l'on peut bien déjà parler d'une œuvre à propos d'un écrivain qui en deux livres, a su aller tout droit au problème essentiel et le faire vivre à travers des personnages obsédants. Un grand écrivain apporte toujours avec lui son monde et sa prédication. Celle de M. Sartre convertit au néant mais aussi à la lucidité. Et l'image qu'il perpétue à travers ses créatures, d'un homme assis au milieu des ruines de sa vie, figure assez bien la grandeur et la vérité de cette œuvre.

28 mars 1939

« FORÊT VIERGE »,
par Ferreiro de Castro
(Traduction de Blaise Cendrars)

Forêt vierge (Éditions Bernard Grasset) décrit l'aventure d'un intellectuel portugais, exilé de son pays pour raisons politiques, et contraint de gagner sa vie dans les plantations caoutchoutières de l'Amazonie.

À la vérité, le roman vaut moins par l'intérêt de cette aventure que par la forêt vierge qui lui donne son cadre. L'histoire en elle-même pouvait être féconde. Mais on doit reconnaître qu'elle n'offre au lecteur rien d'attachant.

Cela tient sans doute à la personnalité assez médiocre du

héros, presque toujours traîné par son destin, incapable d'une réaction lucide, et satisfaisant sur les juments les désirs irréalisables qu'une femme éveille en lui (c'est encore ce qu'il y a de plus original).

Cela tient d'autre part à la faiblesse du dialogue. Castro échoue presque toujours à trouver le ton juste. La langue châtiée de ses mulâtres et les subtiles inversions de ses héros jurent avec le décor hallucinant et démesuré où elles s'échangent.

Mais, précisément, il reste la forêt vierge et l'Amazonie. C'est-à-dire le livre tout entier, le reste n'étant que prétexte. Il reste un monde où rien n'est à la taille de l'homme, où les pluies finissent en inondations et la sécheresse en désastre, où la pierre et le végétal sont les ennemis de l'homme, où l'homme lui-même est une menace pour ses pareils. Les distances ici ne se comptent pas en kilomètres, mais en jours. L'espace lui-même se transforme en un temps confus et inhumain, mesuré par l'attente ou l'espoir des êtres qui le peuplent. La vie individuelle retrouve ici son vrai sens, qui est de n'en point avoir. Trop menacée pour être longtemps raisonnable, elle se réfugie dans l'alcool ou dans des rêves hébétés qui touchent à la masturbation mentale.

Sur ce point, *Forêt vierge* est un livre inégalable. La pêche de Firmino et d'Alberto dans un lac de boue, l'univers pourri des sous-bois, la découverte de l'Indien décapité et la marche dans la forêt de ce corps sans tête, porté par des mulâtres, autant d'épisodes ignobles et magnifiques contés dans la plus évocatrice des langues.

Le style sinueux et suggestif de Castro fait ici merveille. Il épouse la matière dont il prétend rendre compte. Il est lui-même comme une végétation débordante de mots bizarres et merveilleux. Et ce reportage (car c'en est un) sur l'une des régions du monde les plus fermées à l'homme, devient alors inoubliable.

C'est à Blaise Cendrars que nous devons cette traduction. Et l'on sent, aussi bien, que souvent Cendrars fait écrire Castro comme lui-même eût écrit. C'est le défaut sans doute des traducteurs trop personnels. Mais en même temps, Cendrars nous donne quelque chose de plus qu'une traduction, car il nous restitue intégralement un lyrisme qu'il était un des seuls à pouvoir rendre.

Il a toujours marqué du goût, en effet, pour les beaux criminels, l'aventure cruelle et les contrées sauvages. Une fois de plus, il nous révèle ici la poésie du dépaysement et de l'inhumain.

« L'EXPLORATION DU SAHARA »,
par Henri-Paul Eydoux

Un livre qu'on lit comme un roman (Éditions de la NRF). D'une écriture brève et précise, il raconte sans littérature les expéditions des voyageurs sahariens et leurs souffrances inouïes. Avant eux, la carte du Sahara n'était qu'un vaste blanc au sommet du continent africain. Après chacun d'eux, une partie de ce blanc a disparu sous les noms, les indications d'altitudes et les références géographiques. Mais chacun des noms qu'on peut voir sur la carte moderne du Sahara est payé par une ou plusieurs vies humaines et des souffrances sans nombre.

Ce qui ressort du livre de M. Eydoux, c'est que la connaissance géographique, autant que les autres, se paye cher. Et à la lecture de ce livre, on ne peut rester insensible au pathétique de tant d'efforts d'hommes jeunes attirés par le mirage de l'inconnu. Mis à part le malheureux Flatters[1], aucun des explorateurs sahariens, n'avait plus de 30 ans. Certains, par contre, n'avaient pas 20 ans. Et si quelques-uns d'entre eux se voyaient chargés de missions commerciales, tous sans exception étaient guidés par l'esprit de l'aventure désintéressée et l'attrait de ce monde implacable et mystérieux que figurait le désert.

C'est pourquoi la partie la plus émouvante du très beau livre de M. Eydoux est celle qui retrace les premières explorations, celles des Caillé, Barthe ou Duveyrier. On ne lira pas sans émotion en particulier, la magnifique histoire de Duveyrier, seul, sans armes et sans argent au milieu des Touaregs et faisant leur conquête par son courage tranquille et sa seule politesse. L'effet de cette politique insolite fut tel que le nom de Duveyrier[2], 40 ans après son expédition, demeurait encore la meilleure lettre d'introduction dans le Hoggar.

Ces détails émouvants, la poésie de l'action, l'efficacité de l'énergie humaine, tout cela abonde dans le livre discret de M. Eydoux. Et là où on craignait un peu de trouver une compilation sans âme, on découvre un manuel du courage où des notions aussi peu actuelles que le sacrifice individuel, le goût de l'aventure pour elle-même et la passion du danger reprennent un sens nouveau à propos de quelques figures d'hommes exceptionnels.

Après ceux-là, le Sahara n'avait plus de secrets. Et l'épopée individuelle ayant pris fin, les militaires sont venus. Car la rançon des grands aventuriers, c'est que les plus désintéressées de leurs vertus finissent par être annexées et servir la politique et ses appétits.

Je signale enfin la parfaite présentation typographique de ce livre. C'est une qualité qui se fait rare.

9 avril 1939
« BAHIA DE TOUS LES SAINTS »,
par Jorge Amado

Un livre magnifique et étourdissant (Éditions de la NRF). S'il est vrai que le roman est avant tout action, celui-ci est un modèle du genre. Et l'on y lit clairement ce que peut avoir de fécond une certaine barbarie librement consentie. Il peut être instructif de lire *Bahia de tous les saints* en même temps par exemple que le dernier roman de Giraudoux, *Choix des élues*. Car ce dernier figure assez exactement une certaine tradition de notre littérature actuelle qui s'est spécialisée dans le genre « produit supérieur de la civilisation ». À cet égard, la comparaison avec Amado est décisive.

Peu de livres s'éloignent autant des jeux gratuits de l'intelligence. J'y vois, au contraire, une utilisation émouvante des thèmes feuilletonesques, un abandon à la vie dans ce qu'elle a d'excessif et de démesuré. De même que la nature ne craint pas à l'occasion le genre « carte postale », de même les situations humaines sont souvent conventionnelles. Et une situation conventionnelle bien sentie, c'est le propre des grandes œuvres.

Dans une grande capitale, ouverte sur la mer, Antonio Balduino, nègre, pauvre et illettré, fait l'expérience de la liberté. Éprouver la liberté, c'est d'abord se révolter. Le sujet du roman, s'il y en a un, c'est la lutte entre les servitudes d'un nègre, d'un miséreux, d'un illettré, et cette exigence de liberté qu'il sent en lui. C'est la quête passionnée d'un être élémentaire à la recherche d'une révolte authentique.

C'est une révolte qui fait du nègre un boxeur et un boxeur triomphant. C'est une révolte qui pousse le misérable à refuser tout travail organisé et à vivre splendidement parmi les joies de la chair. Boire, danser, aimer des mulâtresses le soir, devant la mer, autant de richesses inaliénables, conquises à force de virilité. Et c'est encore une révolte, mais celle-là plus subtile et née dans le profond du cœur, qui pousse le nègre ignorant à chanter sur sa guitare et à composer d'étonnantes chansons populaires.

Mais toutes ces révoltes mêlées ne font pas une âme confiante. Si Antonio Balduino vit de toutes ses forces, il n'en est pas, pour autant, satisfait. Qu'une grève arrive, il se jettera tout entier dans le mouvement. Et il reconnaît alors que la seule révolte valable et la seule satisfaisante, c'est la révolution. C'est du moins la conclusion de l'auteur. Je ne sais pas si elle est vraie, mais ce qui est psychologiquement vrai, c'est que le héros d'Amado rencontre alors le sens d'une fraternité qui le délivre de sa solitude. Et il est dans la nature de cet être instinctif de s'en satisfaire absolument.

Au reste, qu'on ne s'y trompe pas. Il n'est pas question d'idéologie dans un roman où toute l'importance est donnée à la vie, c'est-à-dire à un ensemble de gestes et de cris, à une certaine ordonnance d'élans et de désirs, à un équilibre de oui et de non, et à un mouvement passionné qui ne s'accompagne d'aucun commentaire. On n'y discute pas que l'amour. On s'y suffit d'aimer, et avec toute la chair. On n'y rencontre pas le mot de fraternité, mais des mains de nègres et des mains de Blancs (pas beaucoup) qui se serrent. Et le livre tout entier est écrit comme une suite de cris ou de mélopées, d'avances et de retours. Rien n'y est indifférent. Tout y est émouvant. Une fois de plus, les romanciers américains nous font sentir le vide et l'artifice de notre littérature romanesque.

Un dernier mot : Jorge Amado avait 23 ans lorsqu'il publia ce livre. Il a été expulsé du Brésil pour l'avoir vécu avant de l'avoir écrit.

16 avril 1939

LE ROMAN D'AVENTURES

Aranga, par Gabriel Saint-Georges
Bauduin des Mines, par O. P. Gilbert
Chez Krull, par Simenon

Le roman d'aventures est un genre noble. Peu d'auteurs y réussissent. Il exige du désintéressement, du goût et de la probité. Surtout du goût. À ce compte, on a Jules Verne ou José Moselli (un des collaborateurs de *L'Intrépide*). Entre les deux, on a le feuilleton et M. Pierre Benoit.

Aranga (Éditions de la NRF) est un roman-feuilleton bien imprimé, sinon toujours bien écrit. À la vérité, on croirait plutôt à un pastiche. Tout y est : enlèvements, apparitions dans la nuit, trappes secrètes et vilains bandits, sans compter les reconnaissances de paternité et les repentirs authentiques d'une aventurière malgré elle. Mais le pastiche pour être goûté demande à être reconnu. Si *Aranga* est un jeu d'esprit, il est trop bien fait et se laisse prendre au tragique. Cette histoire de fabricants d'armes est précisément trop sérieuse. Et tout bien pesé, *Monsieur Lecoq* est préférable.

M. O. P. Gilbert (Éditions de la NRF) s'est spécialisé dans le roman d'aventures à nuances psychologiques. Cela nous a valu un roman valable, *Mollenard*, et une série de récits secondaires qu'on peut ne point trouver heureux. *Bauduin des Mines* est de ceux-là. On peut y trouver une peinture assez précise d'une famille d'industriels, une évocation très superficielle du monde des mineurs de l'Est et quelques personnages d'intérêt inégal. Mais l'intrigue est heurtée, mal liée et souvent arbitraire. Les dialogues surtout sont étonnamment faux. Et si *Bauduin des Mines* retient l'intérêt, il le doit surtout au style bref et tourmenté de M. Gilbert dont les dons certains de conteur sont ici mal employés.

Le dernier roman de Simenon (Éditions de la NRF) au contraire, est un des meilleurs de cet extraordinaire auteur. Le grand art de Simenon c'est de choisir des intrigues vraisemblables dans leur détail et de les développer dans des milieux naturels. Ce n'est pas aux prestiges du style ou de la pensée que ses récits doivent leur étonnant attrait, mais sans doute à cette vie qui circule à plein dans les pages et qui donne une allure familière aux plus surprenantes des aventures du héros.

Certes, il y a déjà un poncif Simenon : une ville du Nord, un canal, le ciel gris et les personnages sans grandeur, racontés par l'extérieur. Mais il faut avouer qu'à chaque fois (Simenon publie un livre tous les mois) le charme opère.

Chez Krull nous offre le canal, la ville du Nord et un milieu d'émigrés allemands. La tragédie naît du conflit entre la vie méticuleuse et retirée de la famille Krull et les passions qui animent en secret tous ces êtres bridés. Tous les personnages vivent (miracle dans le roman français). Et l'histoire achevée, Simenon n'a pas conclu. Mais c'est à peine si l'on y est sensible, car la partie ne se jouait pas sur l'intrigue.

Il serait intéressant de s'attarder sur les procédés techniques de Simenon. Car écrire un roman tous les mois sans démentir sa qualité suppose précisément un procédé. Mais la place nous manquerait.

23 avril 1939

ROMANS FRANÇAIS

Le Pot aux roses, par P.-H. Michel
L'Amour de soi-même, par Guy Mazeline
Les Navires truqués, par Jacques Baïf

Le Pot aux roses (Éditions de la NRF, Paris) est un roman qui pourrait être écrit par un auteur dramatique. Il emprunte, en effet, son sujet et ses personnages au vaudeville. Sa fin tragique et peu motivée appartient à la saine tradition du coup de théâtre. Et il n'est pas jusqu'au découpage en scènes qui ne fasse penser au récit dramatique

C'est ainsi que M. P.-H. Michel a pris pour sujet un quiproquo et pour acteurs des personnages qui se racontent plus qu'on ne les décrit. Une famille ruinée veut redorer son blason en mariant sa fille à un riche cousin de province. Le futur gendre, qui accepte l'invitation, mais qui est moins bête qu'on ne l'espère, y voit surtout une occasion de retrouver à Paris de vieux souvenirs et une jeune maîtresse. Il confie donc à un ami le soin de jouer son propre rôle dans la famille Fauvel. Et tout comme dans une comédie de M. Birabeau, l'ami s'éprendra de la jeune fille qui, ellemême, se prendra au jeu à demi. Le pot aux roses découvert, l'ami se tuera aussi sottement que n'importe quel pantin des boulevards.

Les personnages épisodiques eux-mêmes agissent comme des acteurs. Mme Fauvel, par exemple, est le type classique, sinon toujours amusant, de la femme bavarde, élégante et sans cervelle, qui considère les catastrophes comme de simples contretemps et les petits ennuis de la vie mondaine comme des désastres envoyés par Dieu. On peut trouver, en outre dans le roman beaucoup de dialogues qui touchent souvent au naturel, des indications de scène, parfois une évocation du décor.

Le procédé est pour le moins curieux. Mais il est rare qu'une confusion de genres profite à son auteur. Le théâtre use d'une certaine stylisation du récit et de la psychologie qui lui permet de camper ses personnages en deux heures. Mais c'est qu'aussi bien le héros vit devant le spectateur. Et le dialogue, comme la mise en scène, lui fournit surtout des directions et des directives, au bout desquelles l'acteur deviendra personnage.

Si même, à la seule lecture, une œuvre dramatique peut encore être émouvante, d'abord elle ne l'est jamais autant qu'à la scène et ensuite cette émotion tient pour sa plus grande part à l'effort machinal que fait le lecteur pour replacer le texte dans les conditions de la scène.

Privé de l'acteur ou de notre disposition à l'imaginer, le texte est encore quelque chose, sans doute, mais il laisse insatisfait. Le théâtre, à la vérité, ne s'écrit pas, même quand il s'intitule roman. Et Le Pot aux roses en est une preuve. Ce qui paraîtrait légitime au théâtre semble gratuit ici. Et ces personnages symboliques d'une aventure sans grandeur paraissent aussi réels que des fantoches de vaudeville rencontrés par miracle dans un tram.

M. Guy Mazeline a écrit un certain nombre de romans auxquels il est difficile de faire des critiques précises, mais qui, cependant, n'enlèvent pas l'adhésion. Et c'est encore ce qu'on peut dire de *L'Amour de soi-même* (Éditions de la NRF, Paris).

M. Mazeline sait conter. On lit son récit avec intérêt sinon avec passion. Mais il y a, dans son roman, quelque chose qui date. C'est le caractère du personnage central, Éveline Brucard. La jeune fille sportive, garçonnière, qui prend des amants comme elle se met à table, est un personnage qui a vécu. Il y a, sans doute, beaucoup de jeunes filles sportives. Mais il n'y en a plus guère qui considèrent cet exercice comme une éthique ou une fin en soi. Le sport a repris sa place naturelle qui est d'être une joie parmi d'autres joies.

C'est peut-être cette donnée initiale qui fausse un peu le caractère du roman. Car toute l'intrigue est engagée sur Éveline Brucard. Ici aussi, il y a une confusion de genres, mais cette fois c'est le personnage qui la commet. Faire du culte du corps un principe de vie et voir dans l'acquisition de quelques muscles supplémentaires l'élément d'un progrès moral, cela revient tout simplement à mesurer de vérités bonnes en elles-mêmes. Le but de M. Mazeline c'est de montrer cet être sec et brûlant de vanité aux prises, pour finir, avec un amour quasi mystique pour un assassin sympathique et déséquilibré.

Ce n'est pas une théorie nouvelle que les extrêmes se rejoignent. Les Grecs, comme Pascal, savaient déjà qu'il faut se tenir à égale distance de l'ange et de la bête. Pour être traduite en langage moderne, la thèse, ici ne va pas plus loin.

Du moins les qualités formelles de ce récit sont indéniables. On n'y sent pas la marque du créateur, il est vrai, mais on y reconnaît la main d'un artisan. Et c'est à la fois peu et beaucoup.

La prière d'insérer nous avertit que le roman de M. Jacques Baïf, *Les Navires truqués* (Éditions Denoël, Paris) est le premier d'une série intitulée *Les Apprentis faussaires*. Pour en bien juger, il faudra juger du tout. Mais nous pouvons déjà introduire ici quelques remarques.

M. Baïf s'est attaqué à un beau sujet. Il avoue, dans son

épigraphe, avoir commenté le mot célèbre de Stendhal :
« Pourquoi ne pas avoir une maîtresse en deux volumes :
Mme de C… pour les plaisirs du cœur et Mme d'H… pour
les instants moins métaphysiques. » Il est bien certain qu'on
ne désire pas toujours la femme qu'on aime. Quant à la réciproque, elle est évidente. Dans cette disposition masculine
peut se trouver une source de conflits. Et c'est un conflit de
ce genre que M. Baïf s'est proposé d'illustrer en partageant
son héros entre deux femmes : Anne-Marie, jeune fille à
marier qui fait du tricot et a peur des baisers, et Huguette,
appétissante et généreuse. Entre les deux, José Bruniquel
est incapable de choisir et, au fait, il ne choisit pas. C'est du
moins sa solution qui consiste à ne rien résoudre.

Tout cela se tient. Placé dans le décor truqué d'un paquebot de croisière, dans un univers où tout le monde triche,
l'intrigue est toujours attachante. Une fois même, à propos
d'un soir de fête, l'évocation du paquebot chargé de désirs
et de mâles en éveil, atteint un pathétique réel. Mais dans la
description psychologique, M. Baïf pèche un peu par excès.
On voudrait plus de nuances. Nous présenter José Bruniquel comme un monstre, c'est aller un peu loin. Il ne faut
rien exagérer. On n'est pas un monstre parce qu'on vit avec
deux femmes. Stendhal voyait plus juste qui considérait la
chose sous l'angle d'une morale aimable. Et ce n'est pas à
ces jeux, mais à des engagements plus graves, que l'homme
devrait porter son sérieux.

De même, on peut trouver que les extrêmes entre lesquels oscille Bruniquel sont précisément trop conventionnels. Dans le style « oie blanche », Anne-Marie me paraît
insurpassable et surtout introuvable. Quant à Huguette, par
ailleurs le personnage le plus authentique du roman, il n'était
pas nécessaire de la doter d'une enfance à ce point mélodramatique. La vie dans la zone, le père ivrogne, le viol de la fille
par le père et la chute au ruisseau consécutive, il me semble
avoir lu ça quelque part. On peut regretter du moins que ces
excès de l'imagination enlèvent de son caractère à un visage
de femme si souvent émouvant.

Peut être, en tout cas, est-il ridicule de vouloir juger d'une
œuvre inachevée[1]. Notons, cependant, l'écriture ferme, parfois un peu apprêtée, mais toujours rigoureuse, de M. Baïf.
Et attendons la suite.

23 mai 1939

« LE PAIN ET LE VIN »,
par Ignazio Silone

Les Éditions Grasset viennent de nous donner une excellente traduction du roman d'Ignazio Silone, *Le Pain et le Vin*. Là encore, il s'agit d'une œuvre engagée dans les problèmes de l'heure. Mais le mélange de détachement et d'angoisse avec lequel ces problèmes sont abordés permet de saluer, dans *Le Pain et le Vin*, une grande œuvre révolutionnaire. Et ceci à plusieurs titres.

Tout d'abord, ce roman est sans doute celui d'un antifasciste. Mais le message qu'il porte dépasse l'antifascisme. Car ce révolutionnaire exilé pendant des années, après s'être évadé d'un camp de concentration s'il revient en Italie et s'il découvre toujours des motifs de haïr le fascisme, y trouve en même temps des raisons de douter. Non de sa foi révolutionnaire sans doute, mais de la façon dont elle s'exprimait. Un des passages culminants de ce livre est sans doute le moment où Pietro Sacca, le héros, au contact de la vie élémentaire des paysans italiens, se demande si les théories dont il a travesti l'amour qu'il portait à ce peuple ne l'ont pas éloigné de ce peuple lui-même. C'est par là qu'on peut estimer que cette œuvre est révolutionnaire. Car une telle œuvre n'est point celle qui exalte les victoires et les conquêtes, mais celle qui met à jour les conflits les plus angoissants de la Révolution. Plus ces conflits seront douloureux et plus ils seront agissants. Le militant trop vite convaincu est au vrai révolutionnaire ce que le bigot est au mystique. Car la grandeur d'une foi se mesure à ses doutes. Et celui qui envahit Pietro Sacca, aucun militant sincère, issu du peuple et résolu à défendre sa dignité, ne peut le méconnaître. Cette angoisse qui saisit le révolutionnaire italien est celle-là même qui donne au livre de Silone son éclat sombre et son amertume.

D'autre part, il n'est point d'œuvre révolutionnaire sans

qualité artistique. Ceci peut paraître paradoxal. Mais je crois que si l'époque nous enseigne quelque chose à cet égard, c'est que l'art révolutionnaire ne peut se passer de grandeur artistique, sans retomber aux formes les plus humiliées de la pensée. Il n'est point de milieu entre la basse propagande et la création exaltante, entre ce que Malraux appelle « la volonté de prouver » et une œuvre comme *La Condition humaine.*

Le Pain et le Vin répond à cette exigence. Ce livre de révolté est coulé dans la plus classique des formes. Une phrase courte, une vision du monde à la fois naïve et réfléchie, des dialogues naturels et serrés, donnent au style de Silone une vibration secrète qui transparaît jusque dans la traduction. Si le mot poésie a un sens, c'est ici qu'il le retrouve, dans ces tableaux d'une Italie éternelle et rustique, dans ces pentes plantées de cyprès et ce ciel sans égal, et dans les gestes séculaires de ces paysans italiens.

Retrouver le chemin de ces gestes et de cette vérité, et d'une philosophie abstraite de la révolution revenir au pain et au vin de la simplicité, c'est l'itinéraire d'Ignazio Silone et la leçon de ce roman. Et ce n'est pas sa moindre grandeur que de nous inciter, nous aussi, à retrouver à travers les haines de l'heure le visage d'un peuple fier et humain, qui demeure notre seul espoir de paix.

« LA GALÈRE »,
par André Chamson

On connaissait déjà *La Galère* (Éditions de la NRF) par sa publication dans *La Nouvelle Revue française*. À la relecture on est encore plus sensible à l'espèce de réussite dont ce roman fait la preuve. Son propos est, en effet, de faire une œuvre d'art de la nuit du 6 février.

Je ne sais pas si cette nuit est historique. Elle n'est pas assez loin de nous pour s'estomper derrière la légende. Elle n'est plus assez proche pour que nous la défigurions de nos passions. Et justement, c'est peut-être l'instant de la juger avec clairvoyance. Aucun jugement de ce genre, en tout cas, ne saurait se passer du témoignage direct et évocateur d'André Chamson.

Sans doute, *La Galère* nous présente un peu trop l'émeute du 6 février comme une manifestation cohérente, tout entière menée par les amis de M. de La Rocque. Il y a du vrai dans cette vue. Et c'est ainsi que, peut-être, cette journée entrera dans l'Histoire. Mais, comme toujours, la réalité est à la fois plus simple et plus compliquée. Car ce jour-là, il y avait aussi des hommes de gauche et des communistes parmi les manifestants. C'est après coup que le sens de cette manifestation fut reconnu et que le 12 février vint comme une réplique.

Au demeurant, l'intérêt du livre ne porte pas sur un point d'histoire. Le roman historique — qui n'est pas l'histoire romancée — est un genre difficile. Et plus encore peut-être le roman d'actualité. Voilà pourquoi j'ai parlé de réussite. Car l'actualité n'offre une matière au créateur que dans la mesure où elle suscite des problèmes « inactuels » qui lui donnent son sens. Autant dire qu'elle n'est valable qu'une fois dépassée.

Et Chamson l'a bien compris qui a pris surtout comme thème de son roman la répercussion de l'émeute sur deux intellectuels qui s'étaient tenus, jusque-là, à l'écart du combat. Il est juste, en effet, de penser que le grand mouvement des intellectuels français vers l'adhésion date de février 1934. Car, à cette époque, il s'est créé, en France, un climat de panique et de haine qui multiplia chez tous le sens d'une responsabilité peut-être illusoire.

Nous avons tous connu cette époque ignoble de la guerre des journaux, ces trajets d'autobus où, par-dessus les manchettes de *L'Humanité* ou de *Gringoire*, des yeux se défiaient sans se connaître. Les intellectuels ne pouvaient y échapper. Et ce qui fait l'émotion de *La Galère*, c'est justement que de cet entraînement, Chamson a senti et dit la nécessité et le caractère douloureux.

L'amitié est un beau sujet. L'amitié trahie pour la politique est un sujet actuel. Et c'est un drame de l'amitié qu'il faut surtout voir dans *La Galère*. Pour tout ce qui touche aux sentiments virils, Chamson possède un art très personnel. Ce goût de la vie rude et forte, des sentiments simples de l'homme aux prises avec les barrières artificielles de l'esprit (si évident par exemple dans *L'Année des vaincus*), voilà ce qu'on retrouve dans son dernier roman. À l'occasion de l'actualité ? Sans doute. Mais cette confrontation entre une agitation périssable et quelques sentiments éternels donne le ton et la grandeur de l'ouvrage.

Cette galère à la dérive et remplie de cris insensés, que fut Paris en 1934, Chamson lui a donné sa charge d'amoureux, d'escrocs et de cœurs fiers. Elle nous donne ainsi une image brève et flamboyante de ce qu'est l'Histoire selon l'auteur : un épisode dérisoire dont la vie finit toujours par triompher.

23 mai 1939

« DES CHAROGNARDS
SUR UN HOMME »,
par Michel Hodent

Nos lecteurs ont suivi avec attention le déroulement de l'affaire Hodent. Nous sommes heureux de leur annoncer qu'un roman de Michel Hodent, qui relate avec fidélité cette invraisemblable aventure, va paraître à Alger.

Des charognards sur un homme, tel est le titre de ce document unique qui fut écrit en prison. Tous ceux que la question sociale en Algérie préoccupe, tous ceux que l'injustice révolte, voudront lire cet émouvant témoignage d'un homme dont la vie a été bouleversée arbitrairement.

D'ores et déjà on peut souscrire au roman de Michel Hodent, pour un prix inférieur au prix de vente. S'adresser aux bureaux d'*Alger républicain*, ou aux Éditions Cafre, 2, rue Altairac.

25 juin 1939
LES ÉCRIVAINS
ET LEURS CRITIQUES
Constantin Léontieff, par Nicolas Berdiaeff
Henri Heine, par E. Vermeil
Introduction à Swift, par A. M. Petitjean

Nicolas Berdiaeff est aujourd'hui un des derniers représentants d'une philosophie religieuse qui fit la grandeur d'une certaine tradition russe et qui s'exprime aujourd'hui dans l'exil. Nous devons, en tout cas, à Berdiaeff deux ou trois études sur l'essence religieuse du communisme russe dont on peut dire qu'elles éclairent d'un jour singulièrement cru la mystique soviétique. Aujourd'hui, il s'agit seulement d'une volumineuse étude sur un cas exceptionnel de la littérature russe, Constantin Léontieff (Éditions Denoël, Paris).

Constantin Léontieff est un cas unique dans l'histoire de la pensée russe. Si en effet on voulait définir l'esprit qui inspire cette pensée, il semble bien qu'on le placerait aux antipodes de l'esprit grec ou du mouvement d'idées qui fit la Renaissance. Au culte de la beauté, les Russes substituaient plus volontiers celui de l'âme, dans ses joies et ses laideurs. Aucun littérateur russe n'a jamais cherché « sérieusement » de justification esthétique à la vie. Or, ce qui caractérise Léontieff, c'est que justement il a été un homme de la Renaissance dans un pays d'esprit moyenâgeux. Artiste et dilettante, il a cherché d'abord à vivre en « fils de roi » et à tout consacrer dans la beauté. On peut aussi le considérer comme une sorte de « Nietzsche russe », dans la mesure où il prêchait une morale aristocratique, basée sur le mépris des doctrines égalitaires et l'acceptation lucide de la souffrance. Au milieu du mouvement de l'« intelligentsia » russe vers le peuple, après les effusions de Tolstoï et de Dostoïevski, il garde le goût et le désir de la domination.

Culte de l'élégance, amour de la vie dans ce qu'elle a de

fugitif et de grandiose, mépris du troupeau et nostalgie de
la grandeur, on conviendra que ces traits sont assez exceptionnels pour un penseur russe. Il est juste d'ajouter que
Léontieff finit ses jours dans un couvent, ce qui constitue une
contradiction assez remarquable. Mais ce fut sans rien résigner de ce qu'il pensait et tout porte à croire que sa conversion sacrifia beaucoup au prestige historique du christianisme et à sa grandeur esthétique.

Cette passionnante aventure intellectuelle est retracée
avec pénétration par Berdiaeff et, pour ceux que le roman
d'une intelligence ne laisse pas indifférents, ils trouveront
dans ce livre l'exemple d'une vie qui fut à la fois éclatante et
insatisfaite, mais dont l'ardeur ne s'est jamais ralentie.

Les Éditions sociales internationales viennent de publier,
présenté par M. E. Vermeil, professeur à la Sorbonne, un
choix de textes de Henri Heine qui se réfèrent à des
questions sociales. L'utilité de la collection « Socialisme et
culture » dans laquelle paraissent ces extraits est de faire
mesurer au public l'intérêt que tel ou tel auteur a pu porter au problème social. Son inconvénient est peut-être de
grossir sans mesure des idées et des vues qui, dans l'ensemble d'une œuvre, n'ont que des conséquences très
secondaires. Mais cet inconvénient se retrouve dans toutes
les études de détail. Et il suffit de ne pas oublier ce décalage dans l'utilisation éventuelle de ces documents toujours
suggestifs.

En ce qui concerne Henri Heine, le choix de textes qu'on
nous propose est précédé d'une étude de M. Vermeil sur la
pensée politique de l'auteur. Cette étude replace les idées de
Heine dans leur cadre historique et pour le reste se borne à
paraphraser les extraits qui suivent. De l'ensemble, on retire
l'impression que si Heine avait trop le sens de l'ironie pour
ne pas s'intéresser à la politique, il n'y apportait pas cependant de conviction passionnée. Ce qui le poussait à la critique sociale, c'est surtout le curieux sentiment qui l'attachait
à l'Allemagne de son temps, qu'il aima et blasphéma de tout
son cœur pendant son long exil. Ses vues sur la Révolution
française, sur Napoléon, sur l'avenir du communisme sont
toutes inspirées par une volonté de comparaison ou d'enseignement. Et ce qu'il y a de plus précieux dans ce petit livre,
ce sont peut-être les vues de Heine sur l'esprit révolution-

naire allemand. Toutes les révolutions allemandes, selon lui, se sont faites, en effet, dans le sens de la nation et ont abouti à un renforcement de l'idéal national. À un siècle de distance, ceci fait songer à la révolution nationale-socialiste. Et sans doute, c'est un des buts de l'ouvrage.

Il n'en reste pas moins qu'il semble difficile de définir une pensée sociale cohérente dans l'œuvre de Heine. Il était d'abord intelligent et ensuite poète. Et ces deux qualités ne vont pas toujours avec celle de partisan. Ce qu'on lit, au contraire, dans les textes à la fois ironiques et véhéments de ce volume, ce sont les variations et les grâces d'un esprit empêché de choisir et livré à ses impressions. Et c'est par là peut-être qu'on trouvera que ce curieux esprit est actuel. En tout cas on serait mal venu de juger, comme on le fait souvent, que par sa fantaisie et son goût de poésie, Heine représente une exception dans ce pays où aujourd'hui ses livres sont brûlés. L'exemple de Goethe peut nous rappeler à temps que l'admirable génie allemand s'incarne souvent dans ses figures les plus opposées.

Voici enfin un livre passionnant (Éditions de la NRF, Paris) qui remplit à merveille le rôle que lui assigne son titre. Et ceci, moins peut-être par l'introduction de M. Petitjean dont on peut trouver le style boursouflé et déplaisant et la pensée inutilement grandiloquente que par les extraits de Swift lui-même et par l'ingénieuse confrontation de critiques à laquelle s'est livré M. Petitjean.

On a ainsi une sorte de vue plongeante sur l'une des figures les plus attachantes de la littérature anglaise. On garde trop volontiers en tête l'image d'un Swift grognon et satirique qui se délivrait de ses humeurs par de grandes œuvres symboliques et cruelles. La réalité, comme toujours, est plus compliquée. Cet homme qui mourut fou après de longues années de souffrances physiques a eu dans sa vie un grand amour et beaucoup de haines. Et s'il était entier dans ses jugements, implacable dans ses pamphlets, c'est sans doute par la grâce d'un tempérament exigeant et intolérant, un des plus flatteurs qui soit.

M. Petitjean appuie à juste titre sur une idée qu'il dévalorise un peu par les développements excessifs qu'il lui donne et selon laquelle Swift serait un homme d'action et un réformateur. Ce qui le pousse, si j'ose dire, ce sont ses rapports avec les femmes. Aldous Huxley l'a d'ailleurs fort bien senti dans un extrait cité par M. Petitjean et la chose n'est paradoxale qu'en apparence. Comme tous les hommes qui ont en tête une grande œuvre ou une conquête, Swift fut avec Stella par exemple, à la fois puéril et dogmatique. Il est toujours difficile de concilier un besoin de détente et une conscience excessive de sa propre personnalité. Et ce fut sans doute le propre de Swift.

On lira en tout cas avec profit deux ou trois pamphlets étonnants et en particulier celui sur l'utilisation éventuelle des enfants pauvres sous forme de plats de viande. On oublie ici l'homme et ses excès, ses défauts et ses grandeurs pour admirer seulement l'étonnante réussite technique où la pensée et le mot se suivent sans se dépasser pour donner naissance à l'un des langages les plus directs et les plus efficaces de toutes les littératures.

4 juillet 1939

LA PENSÉE ENGAGÉE

Scandale de la vérité, par Georges Bernanos
La Commune, par Albert Ollivier
Les Nouveaux Cahiers

Georges Bernanos est un écrivain deux fois trahi. Si les hommes de droite le répudient pour avoir écrit que les assassinats de Franco lui soulevaient le cœur, les partis de gauche l'acclament quand il ne veut point l'être par eux. Car Bernanos est monarchiste. Il l'est comme Péguy le fut et comme peu d'hommes savent l'être. Il garde à la fois l'amour vrai du peuple et le dégoût des formes démocratiques. Il faut croire que cela peut se concilier. Et dans tous les cas, cet écrivain de race mérite le respect et la gratitude de tous les hommes libres. Respecter un homme, c'est le respecter tout entier. Et la première marque de déférence qu'on puisse montrer à Bernanos consiste à ne point l'annexer et à savoir reconnaître son droit à être monarchiste.

Je pense qu'il était nécessaire d'écrire cela dans un journal de gauche.

C'est à cette condition aussi bien qu'on pourra comprendre et aimer le petit manifeste que Bernanos vient de publier, *Scandale de la vérité* (Éditions Gallimard). On peut y lire la condamnation la plus dure et la plus lucide qu'on ait jamais portée sur Charles Maurras. Mais on peut y lire aussi l'exaltation de la monarchie.

Dans cet essai écrit au Brésil, Bernanos dit sa honte : « Si on me demande pourquoi je me suis retiré au Brésil, je dirai que c'est pour cacher ma honte. » Honte de ne pas voir la France égale à l'image qu'il s'en fait, honte de voir les tricheurs tenir la place et de sentir son pays incapable de s'arracher aux querelles de partis tous menteurs pour surmonter son humiliation.

Je n'ai pas à juger le destin que Bernanos propose à la France. Mais à des accents qui ne trompent pas, je puis juger qu'il l'aime vraiment. Cela est respectable. Et aujourd'hui où tant de gens qui disent l'aimer étranglent ce pays en sourdine, on ne peut s'empêcher de donner toute sa sympathie à cet individu qui s'insurge et qui a honte. Car on a oublié ce qu'est la honte. C'est un sentiment qui va de pair avec l'honneur et la loyauté. Et ces deux mots par eux-mêmes ont la vertu de faire rire. Tous les partis sont fiers et ont l'assurance d'être les seuls à sauver la France. Il est bien temps alors que quelques individus oublient leurs attaches et leurs préférences pour ne songer qu'à cette honte qui les unit et pour dire, à tour de rôle, ce mépris qui précède toutes les renaissances.

Dans la collection « Anatomie des révolutions », M. Albert Ollivier vient de publier un livre sur la Commune (Éditions Gallimard) qui est un petit chef-d'œuvre d'intelligence et de pénétration. Dans une préface d'une remarquable élégance, l'auteur avertit le lecteur que son livre est un livre de parti pris mais non un livre de partisan. Et il est difficile en effet de savoir à quelles doctrines l'auteur se rallie. Tout au plus affiche-t-il une certaine sympathie pour les idées de Proudhon. Mais surtout, il a pris le parti de chercher des règles d'action dans la douloureuse expérience de 1871.

Il n'a pas cherché à contredire cette vérité historique que pendant la Commune le pouvoir a été pris par des hommes qui n'étaient pas préparés à le prendre. Mais il s'est efforcé

de vivre et de faire vivre ce divorce tragique. Et il a trans-
posé cet essai dans un style efficace par sa rigueur et son
rythme. Et c'est ainsi qu'on peut voir en bref que la
Commune a été faite soit par des révolutionnaires sans
doctrine, soit par des doctrinaires sans pouvoir d'action.
Pas un homme ne s'est trouvé pour penser et agir à la fois.
Et la malheureuse Commune prise entre des bagarreurs
sans génie et des hommes qui cédaient à la grande tentation des théoriciens politiques : « faire de l'éternel, régler une
fois pour toutes les conflits », a été livrée à la plus féroce
des répressions : celle d'un vieillard et d'un bien-pensant,
M. Thiers. C'est ainsi que la première expérience de fédéralisme vrai a été aussi la dernière et que cette idée féconde qui
eût pu être celle de l'avenir s'est desséchée sous les caillots
de sang.

Robert Aron et Arnaud Dandieu ont déjà dit que la
Révolution est sanglante dans la mesure où elle est mal
préparée. Mais Albert Ollivier pense que cette préparation
est difficile, qu'elle doit se faire loin du tumulte et des mensonges, et quelle demande du temps, ce qui n'est rien, mais
aussi des hommes et de la lucidité, ce qui est tout. À cet
égard, le livre se termine par quelques lignes qui devraient
être méditées et qui donneront peut-être envie de lire cet
intelligent essai :

« Le véritable révolutionnaire doit donc s'éloigner de la
place publique… Il doit résister à cette tentation de l'action
immédiate, si forte soit-elle, et pour cela on accordera qu'il
lui faut beaucoup d'humilité et beaucoup d'orgueil. »

Il n'est pas inutile enfin de signaler que l'auteur a 25 ans.
Cela prouve du moins que le bon sens, la fermeté du jugement et la pénétration d'esprit ne sont pas seulement l'apanage des historiens d'Académie.

Les Nouveaux Cahiers (Éditions Gallimard) font un nouvel
effort de propagande pour faire connaître leur programme.
Il n'est pas inutile que les lecteurs de ce journal soient mis
au courant de cet effort. Tous les quinze jours, *Les Nouveaux
Cahiers* publient sur les problèmes de l'heure des études impar-
tiales, des confrontations de points de vue et des précisions
qui aident à mieux comprendre les réalités. Ces *Cahiers*, à
l'heure où tout le monde a des idées, s'efforcent de n'avoir que
des connaissances mais ils les veulent précises et objectives.
Peu d'entreprises semblent aujourd'hui plus nécessaires.

Beaucoup d'entre nous disent aimer la vérité. Mais l'aimer n'est rien, c'est l'accepter qu'il faut. Et à la lumière du bon sens, beaucoup de vérités sont difficiles à recevoir. La lecture de cette publication demande donc qu'on se débarrasse d'un certain nombre d'habitudes de pensées et de préjugés. À ce titre, il faut souhaiter que son effort se continue sans dévier.

15 juillet 1939

« OISEAU PRIVÉ »,

par Armand Guibert

Armand Guibert, dont j'ai déjà signalé à cette place le beau *Périple des îles tunisiennes*, vient de publier un livre de poésie dont l'importance, l'inspiration et la chaleur ne peuvent être sous-estimées (Éditions du Monomotapa, Tunis).

C'est à la fois une sorte de geste intérieure, un voyage métaphysique et un itinéraire sentimental. Il y a longtemps qu'une certaine poésie, patiente et justement ambitieuse, a disparu des soucis du jour. Et c'est à cet égard que la tentative de Guibert paraît précieuse et enseignante. Certaines philosophies mystiques de l'antiquité décrivaient volontiers en termes métaphysiques le voyage de l'âme à la recherche de ses origines. Et ce retour à la patrie première coïncidait avec l'approfondissement psychologique d'une pensée revenue à l'essentiel. Ce voyage mélancolique et magnifique, qu'on retrouve par exemple chez Plotin, figurait à la fois une science et une méthode, une métaphysique et une psychologie.

Cette tradition, il semble bien que Guibert la restitue. Mais, singulier mysticisme, c'est plutôt un retour du ciel à la terre qu'il tente d'illustrer, ou, pour être plus juste, le balancement perpétuel, qui écartèle l'homme entre son désir d'absolu et sa faim de nourritures terrestres. Ceci déjà suffirait à faire sentir l'intérêt de ce long poème. Mais les desseins les plus ambitieux ne sont rien sans la forme qui les rend communicables. Et il faudrait insister sur les variations subtiles et émouvantes que Guibert sait donner à ce thème.

Cet oiseleur solitaire en quête d'une joie, d'un oiseau rare et secret dont la vérité le satisfasse pour toujours, c'est à la fois l'auteur et nous-mêmes. « Les rencontres perdues sont les plus déchirantes », c'est ainsi que se marquent ses premiers échecs. « Brûler l'huile de vie, mais vivre doublement », c'est ainsi que se figure sa soif inextinguible. Cet oiseau, il le trouve cependant, et il peut croire un moment qu'il découvre cet être rare, cette joie exclusive et privée qui faisait son attente. Elle est celle que chaque homme peut trouver aux limites de lui-même, à ces instants subtils où tout paraît plus simple et où la ligne d'une colline et le jeu d'une lumière à la rencontre du ciel et de la terre nous rend à l'essentiel.

Mais l'erreur est de croire que cette joie signifie plus qu'elle-même et que cet oiseau pour toujours se lie à l'oiseleur. Après cette joie, une autre viendra et aucune n'est l'image de « quelque confuse annonciation ». Elles naissent pour mourir et ceci, qui est désespérant, peut figurer en même temps une règle de vie. Car ce n'est plus un oiseau, mais des milliers de vols somptueux qui peuvent monter dans le ciel d'une vie par le seul fait de la patience et de l'amour.

> *Impie refus de la vie dangereuse*
> *Vain désir par toi-même répudié*
> *Ta loi d'homme est d'aimer ce qui t'use.*

C'est du moins ce que l'oiseleur aura compris lorsque l'oiseau mourra sous la flèche du Temps. Et de cette vaine recherche, il aura appris à ne point refuser les lèvres qui s'offrent au nom d'une destinée supérieure mais illusoire. On comprend alors que si l'inquiétude de Guibert est mystique, ses solutions ne le sont point. Mais s'il choisit, on sent du moins qu'il reste partagé.

On le voit, l'âme de Plotin à la recherche de sa patrie perdue, l'itinéraire des dieux souffrants, qu'ils soient Orphée ou Dionysos, la quête éperdue d'Isis pleurant à la recherche des membres d'Osiris, ce désir d'unité et cet appel d'amour, ces thèmes éternels de la sensibilité méditerranéenne sont renouvelés dans cet *Oiseau privé*. Mais ici, les membres saignants d'Osiris sont à jamais dispersés. L'homme doit renoncer à ce mythe d'un oiseau qui lui serait privé, d'une joie éperdue et conseillère qui suffirait à remplir sa vie. Et la fin dernière de cet itinéraire, c'est une sorte de bonheur aride et magnifique, qui naît de cette constatation :

> *J'ai le bonheur de n'aimer pas*
> *... Ô joie, posséder seul m'attire.*

Je n'ai pas besoin, pour finir, de dire ce qu'une telle entreprise a d'émouvant. La constance de ces thèmes dans la pensée de ce pays fait la preuve de leur grandeur. Ils marquent quelque chose qui dépasse Guibert et le définit en même temps. Ils sont aussi le signe d'une race empêchée de choisir et placée au milieu de beautés si pressantes qu'elle ne peut se résoudre à chercher ce qui surpasse cette splendeur et lui donne un sens.

« Pour le ciel, il n'était pas né », dit Guibert, parlant de l'oiseleur. Non, et cela est bien. Des hommes que la terre suffit à contenter doivent savoir payer leur joie de leur lucidité et, fuyant le bonheur illusoire des anges, accepter de n'aimer que ce qui doit mourir.

24 juillet 1939

L'ÉDITION ALGÉRIENNE

« COPLAS POPULAIRES ANDALOUSES »

L'édition algérienne vient de s'enrichir d'un petit recueil de *coplas* populaires andalouses, dont la saveur, la vérité et la grandeur naïve font un chef-d'œuvre de tous les temps (Éditions Cafre, Alger).

La *copla* andalouse est un quatrain improvisé, de tour elliptique qu'on pourrait sans ridicule rapprocher du haï-kaï japonais, mais qui résume dans un raccourci plein de sève ce qu'on peut saisir de plus intime dans l'âme espagnole : le goût de la préciosité, l'amour de la vie dans ce qu'elle a de magnifique et de périssable, et le sens de l'image charnelle. Il faudrait tout citer ici de ces *coplas* amoureuses où les

visages de femmes deviennent des œillets rouges et où la
Vierge Marie est mêlée sans égards à tous les rendez-vous
amoureux.

Le traducteur anonyme dont le goût artistique égale la
modestie a eu l'excellente idée d'user dans sa version française de tours proprement méditerranéens, dont la familiarité nous rend cette poésie éternelle plus vivante et plus
intime.

Dans tous les cas, il est difficile de savoir si cette Espagne
humaine et naturelle, si cette joie éperdue renaîtront du
sang qui couvre aujourd'hui ce pays. Mais il est bon que des
hommes nés sur les mêmes rivages prennent le soin d'en
collectionner les témoignages et de perpétuer par l'amitié et
la ferveur la tradition généreuse d'une littérature et d'une
pensée sans égales.

« QUINTA PUGNETA »,
par Jean Lavergne

Sous ce titre agressif (Éditions Baconnier, Alger) M. Jean
Lavergne vient de publier sur l'Espagne républicaine un
reportage qui a toutes les qualités et tous les défauts du
genre. M. Lavergne a eu l'ingéniosité et le courage de s'engager comme steward sur les bateaux qui approvisionnaient
la Catalogne. Ces deux qualités méritent déjà une certaine
considération. Il s'est ensuite attaché à « faire vivant » et à
négliger l'aspect politique du problème. Sur le premier point,
on ne peut refuser en effet la vie à ces notes rapides et
brèves, à ces promenades imprévues et pittoresques dans un
monde que la guerre ne peut changer et qui est celui de
l'amour vénal, des intérêts privés et de la vie quotidienne.

En ce qui concerne l'objectivité, un petit mot, la véritable
objectivité n'est pas faite d'indifférence, mais de contrainte
et de maîtrise. Pour être vraiment objectif, il faut commencer par croire à quelque chose. On a quelque raison et
quelque mérite ensuite d'admettre cela même qui contra-
rie cette croyance. Or il n'apparaît pas que ce soit le cas de
M. Lavergne.

Et si l'on peut parler à propos de ce livre des défauts du
reportage, c'est qu'on y trouve les lignes d'une attitude d'es-

prit assez fréquente chez les journalistes où l'on rencontre
souvent « le monsieur à qui on ne la fait pas ». Ce n'est
pas exactement le cas de M. Lavergne dont les boutades de
« mauvais garçon », restent sympathiques. Mais ce n'est pas
de sa faute si la tragédie d'Espagne a une signification plus
sanglante que le fait divers et le pittoresque.

Dans tous les cas, et cette réserve faite, *Quinta pugneta*
se lit comme il a été écrit, à toute allure, et nous fournit un
document curieux sur la fin de la guerre d'Espagne.

« KEBOUL »,
par A.-L. Breugnot

M. A.-L. Breugnot, connu et apprécié à Alger comme
journaliste, vient de nous donner son premier livre d'écrivain (Éditions Baconnier, Alger). Il s'agit d'un roman, je
devrais dire plutôt d'une longue nouvelle, car du roman ce
livre n'a ni l'enchevêtrement des thèmes ni la multiplicité
des actions. Il s'agit au contraire d'un seul thème avec
quelques variations et une sorte de final tragique.

Le thème, c'est l'incompréhension des races et l'hostilité
inavouée entre Jacques, bâtard de Juif, et le Juif qui lui
a donné naissance. Et Jacques, à cheval sur deux civilisations, trouve pour finir sa raison d'être en se faisant tuer
pour cette famille qui le rejette, pendant les récents mas-
sacres de Constantine.

On peut estimer que cette fin garde quelque chose de
conventionnel. Mais ce qui me paraît plus important à
signaler, c'est le fait que M. Breugnot, à propos d'un roman,
fait la preuve de ses qualités d'essayiste. Car ce qui me paraît
le plus précieux dans ces pages, ce sont des moments, des
intervalles du récit où l'auteur retrouve son ton, sa manière
d'être la plus secrète et la plus naturelle et où l'on sent ce
laisser-aller généreux sans lequel il n'est pas d'art. C'est à
cette soudaine naissance de l'écrivain chez l'auteur qu'on
doit les très belles pages sur le Sud qui font la deuxième
partie du roman.

Dans cet exercice sur le vide, cette analyse mélancolique
de l'usure d'âme qu'on peut trouver devant des paysages
démesurés, M. Breugnot retrouve son vrai penchant et

résume efficacement son talent. Il en offre en tout cas une image attirante dans les marques qu'il donne de son goût de la solitude, d'une certaine hauteur d'âme et d'un dédain à peine appuyé pour tout ce qui n'est pas poésie ou élans du cœur.

Documents sur « Alger républicain »
et « Le Soir républicain »

[LE LANCEMENT
D'« ALGER RÉPUBLICAIN »]
6 octobre 1938

LECTEURS

Voici le premier numéro d'*Alger républicain*. Ceux de nos amis qui ont suivi les innombrables travaux qu'exige la préparation d'un journal savent seuls les difficultés de tous ordres qu'il nous a fallu surmonter.

Un deuil cruel est en outre venu compliquer notre tâche : il y a treize jours, notre ami André Duquenne, directeur technique d'*Oran républicain*, et qui, avec un magnifique dévouement, travaillait nuit et jour à la mise au point de nos machines, était victime à Affreville d'un mortel accident d'auto, alors qu'il revenait d'Oran où il était allé pour nous chercher du matériel d'imprimerie.

Malgré cet affreux coup du sort, malgré une multitude de contretemps, *Alger républicain* paraît, avec six jours de retard seulement sur la date qu'il s'était d'abord fixée. Ses lecteurs voudront bien excuser les imperfections inévitables d'un début. Ils savent qu'un journal foncièrement républicain comme celui-ci ne dispose ni des capitaux ni des facilités de crédit que trouvent aisément les feuilles disposées à soutenir les intérêts les moins défendables.

Alger républicain, au contraire, ne défend que l'intérêt public. Son programme politique sera strictement celui du Rassemblement populaire, dont tous les partis et organisations ont participé à sa fondation.

Il sait d'avance, qu'il aura contre lui les ennemis de toute démocratie, les commis voyageurs du fascisme, la féodalité industrielle, agraire et bancaire, et il s'en fait honneur.

Les vrais républicains se doivent de lire et de répandre ce journal qui est le leur, et où nous comptons lutter contre les privilèges exorbitants de certaines « familles » dont le nombre dépasse malheureusement deux cents ; contre un antisémitisme *made in Germany* ; contre le conservatisme social qui entend maintenir nos amis indigènes sur un plan d'infériorité.

Pour *Alger républicain*, il ne saurait y avoir deux sortes de Français, mais une seule et qui englobe également le Parisien, indigène de Paris, le Marseillais, indigène de Marseille, et l'Arabe, indigène d'Algérie. C'est pourquoi nous réclamons l'égalité sociale immédiate de tous les Français, quelles que soient leur origine, leur confession ou leur philosophie. C'est pourquoi nous réclamons l'acheminement des indigènes d'Algérie vers l'égalité politique. C'est pourquoi nous réclamons le bénéfice, pour les populations de l'Afrique du Nord, des lois sociales et des mesures d'assistance et d'hygiène dont bénéficient les habitants de la Métropole.

Après Oran, Alger a son journal républicain. Nos amis de Constantine préparent le leur. *Constantine républicain* verra le jour au début de l'année 1939. Pour la première fois une presse absolument indépendante va soutenir en Algérie la cause de la démocratie, qui est celle de la justice et de la paix.

À NOS FRÈRES MUSULMANS

Il manquait, en notre département, un vrai QUOTIDIEN où nous pouvions, sur un même pied d'égalité que nos camarades européens et dans un même esprit de mutuelle fraternité, défendre librement, nos légitimes revendications et obtenir régulièrement l'insertion des communiqués de nos divers groupements.

Il y manquait aussi et surtout un organe qui, éduquant journellement les masses populaires algériennes trompées par des campagnes haineuses ou égoïstement intéressées, aurait travaillé inlassablement au rapprochement ethnique de ce pays, à la fusion totale des cœurs et des esprits en cette France d'outre-mer.

À notre grande joie, ce journal si attendu pour renforcer l'action des hebdomadaires français et indigènes est né aujourd'hui.

Forts de votre confiance, stimulés par vos précieux encouragements, nous avons, de tout cœur, collaboré à son heureuse création.

Mais notre rôle, comme le vôtre, mieux, notre mission à tous, ne fait que commencer. Il importe, en effet, et dans toute la mesure de nos possibilités, d'assurer une vitalité durable au vaillant quotidien *Alger républicain* qui, avec *Oran républicain* et sous peu *Constantine républicain*, reflétera le vrai visage de la France en Algérie.

Que chacun de nous considère donc comme un devoir sacré de lire et de faire lire *Alger républicain*, de se hâter de payer le complément de l'action souscrite — c'est urgent, impérieux — et de s'efforcer de trouver autour de lui de nouveaux actionnaires et de nombreux abonnés.

Sans formalisme et sans hiérarchie, c'est de l'activité incessante et de la collaboration dévouée de chacun de nous que dépendra le succès prochain espéré de nous tous.

« Aide-toi, le ciel t'aidera. »

Et maintenant amis lecteurs et actionnaires, merci bien sincèrement de l'accueil si cordial que vous avez bien voulu nous réserver au cours de nos visites et de nos réunions publiques. Vous pouvez compter sur nous comme nous comptons beaucoup plus sur vous pour le triomphe de la cause commune : LA CAUSE FRANÇAISE.

ABBAS TURQUI, LECHANI MOHAMMED, MAKACI.

UN JOURNAL POUR LES TRAVAILLEURS[1]

On a depuis longtemps appelé la Presse le « quatrième État ». C'est reconnaître l'influence profonde que les journaux exercent sur l'opinion publique.

Aujourd'hui, cette influence est plus considérable qu'elle ne l'a jamais été. Le grand nombre de journaux, leur diffusion, leur moyen d'action dont ils disposent en sont l'indication.

Et cette influence est d'autant plus redoutable, qu'à de rares exceptions près, la presse est complètement asservie à l'argent, a perdu toute indépendance et toute dignité et s'emploie avec une ardeur qui n'a d'égale que sa corruption à déformer, à mentir, à trahir.

Faites un rapide tour d'horizon de la presse française et algérienne dite d'information : la majorité des journaux ne sont plus des organes faits pour défendre des idées : ce sont de grandes entreprises commerciales montées par des hommes d'affaires ou exploitées par des journalistes inféodés aux banques ou aux trusts. Haute finance, grosse industrie, assurances, transports, tous les gros intérêts capitalistes tiennent essentiellement à avoir à leur disposition les moyens de « fabriquer » ou de contrôler l'opinion.

Comment s'étonner, dans ces conditions, que toutes les causes de la démocratie aient été trahies ? Comment ne pas concevoir que les plus légitimes intérêts de la classe ouvrière aient été présentés sous l'aspect de manifestations de la plus sordide démagogie ?

Une grève se déroule : il n'est pas besoin pour la disqualifier de vitupérer contre elle. Il suffit de la présenter savamment comme susceptible de faire augmenter le coût de la vie, de compromettre la sécurité du pays, de favoriser le commerce du voisin, etc. Nous en savons quelque chose, dans ce pays, où la presse plus ou moins fasciste n'a jamais manqué l'occasion de remplir pareil office.

Aussi, dès que la parution d'*Alger républicain* est devenue une certitude, un immense soulagement et un grand espoir ont réconforté les travailleurs. L'assurance était désormais acquise, qu'un journal honnête, libre dans ses appréciations, indépendant des puissances d'argent ennemies de la classe ouvrière, allait être à leur disposition pour les défendre.

Alger républicain n'est pas l'organe exclusif des travailleurs. Il n'a pas l'intention de jouer le rôle dévolu à *L'Algérie ouvrière*, le puissant hebdomadaire du mouvement syndical algérien. Mais il est à la disposition des organisations syndicales algériennes pour informer le public républicain et ouvrier, de la vie et des aspirations du monde du travail, de l'action et des réalisations de la Confédération générale du travail.

Alger républicain est né !
Vive *Alger républicain* !

Par leur soutien et leur confiance, les travailleurs s'emploieront à en faire le grand journal de la démocratie algérienne.

ROGER MÉNICUCCI.

[« LE SOIR RÉPUBLICAIN », DU LANCEMENT À LA SUSPENSION]
1939-1940

[AVIS DE PARUTION DU « SOIR RÉPUBLICAIN »]
« Alger républicain », 15 septembre 1939

À partir d'aujourd'hui lisez tous les après-midi *Le Soir républicain* qui vous donnera une information complète sur les événements de la nuit et vous apportera les premières nouvelles de la journée.

Rédacteur en chef : Albert Camus.

Le Soir républicain sera mis en vente à Alger et dans la banlieue d'Alger.

À NOS LECTEURS
« *Le Soir républicain* », *le 15 septembre 1939*

La parution du *Soir républicain* répond à un besoin pressant.

Dans cette guerre où sa vie même est engagée, où chaque heure qui s'écoule peut décider de son sort, le public a soif de nouvelles et d'informations vraies.

Ce journal les lui apporte. Il le fera sans outrance et sans vaine forfanterie.

Une cause juste peut se passer de l'indigne et futile « bourrage de crâne ».

Seuls prévaudront ici les droits de la froide raison.

Aucune autre considération ne nous fera dévier de notre route. Fidèles à notre idéal, nous serons fidèles à la vérité.
D'ailleurs l'expression de la vérité pour si douloureuse et si amère qu'elle soit ne peut que fortifier les résolutions et stimuler les énergies.
C'est ce que M. Giraudoux, haut-commissaire de l'Information a parfaitement compris en s'engageant par la voix de la radio à renseigner le public avec franchise. Pour notre part nous nous efforcerons d'être fidèles au programme qu'annonce l'auteur de *La guerre de Troie n'aura pas lieu*.
Nos informations sur les derniers événements de la nuit et de la journée seront présentées sans altération ni déguisement.
En nous imposant cette très rude tâche, nous ne poursuivons d'autre dessein que de servir la cause de la justice et du droit, patrimoine de la république et de la démocratie.

LE SOIR RÉPUBLICAIN.

À NOS LECTEURS
« Le Soir républicain », 28 octobre 1939

Les républicains d'Algérie n'auront pas appris sans tristesse la disparition momentanée d'*Alger républicain*. Mais cette amertume ne saurait nous faire oublier qu'*Alger républicain* avait une tâche à remplir et que, lui disparu, cette tâche demeure. Les droits de l'esprit libre, la volonté d'indépendance se payent toujours par quelques déboires. Mais ces mêmes déboires consacrent l'authenticité de ces aspirations.

Ce que nos amis cherchaient dans *Alger républicain* n'a pas disparu. Nous le maintiendrons dans *Le Soir républicain*. Tous ceux qui, parmi nous, croient que la liberté vaille encore d'être défendue doivent faire bloc autour de nous. Jusqu'au jour où *Alger républicain* renaîtra avec la paix, notre journal du soir défendra ce qui faisait notre raison de vivre et ce qui fait notre raison d'espérer : la dignité de l'esprit et l'indépendance des personnes.

Le Soir républicain n'est pas seulement le journal du soir le mieux informé. Il est aussi le plus clairvoyant. Au sein même de la guerre, il ne dépend de personne. Que nos amis n'oublient pas ceci. Qu'ils nous servent en le lisant. En nous aidant, ils prépareront la renaissance d'*Alger républicain* en même temps qu'ils fortifieront cette démocratie généreuse que nous espérons et sans laquelle nous ne saurions vivre. Ce monde nouveau dont parlait le dernier éditorial d'*Alger républicain* ce n'est pas seulement après la guerre qu'il faudra l'édifier. Mais c'est au cœur même de la tragédie européenne qu'il faut jeter ses bases et annoncer son rayonnement. C'est cette tâche que nous nous sommes assignée. Nous la poursuivrons malgré tous les obstacles.

[PROCÈS-VERBAL DE SUSPENSION]
10 janvier 1940

GOUVERNEMENT GÉNÉRAL DE L'ALGÉRIE
Département d'Alger
POLICE SPÉCIALE DÉPARTEMENTALE
N° 230

PROCÈS-VERBAL DE NOTIFICATION

L'an mil neuf cent quarante et le dix du mois de janvier

À la requête de Monsieur le Préfet d'Alger

Dépêche du 10 janvier 1940 n° 249

Nous Bourrette commissaire divisionnaire chef de la police spéciale départementale d'Alger, parlant à la personne de : Monsieur Albert Camus, rédacteur en chef du journal *Le Soir républicain*.

Lui avons notifié : l'arrêté du 9 janvier 1940, de Monsieur le Gouverneur général de l'Algérie, suspendant, par application des dispositions des décrets des 24 et 26 août 1939, la publication du journal

Le Soir républicain

et lui avons laissé copie du présent.

Fait à Alger, les jours, mois et an que dessus.

> Le commissaire divisionnaire
> de la police spéciale départementale
> *Signé* : BOURRETTE.

Alger, le 10 janvier 1940

L'Intéressé.
Signé : ALBERT CAMUS.

« ALGER RÉPUBLICAIN »
ET M. CAMUS
Janvier 1940

M. Camus a été engagé comme rédacteur, dès le début, par *Alger républicain* où il a fait son apprentissage de journaliste ; lorsque, après le début de la guerre, le journal a cessé de paraître, on l'a néanmoins conservé, malgré la pénurie de moyens, pour collaborer avec le personnel très réduit du *Soir républicain*.

C'est dire que M. Camus a bénéficié d'une sympathie constante et on pouvait s'attendre, de sa part, à la réciproque, sous la forme d'un dévouement total à l'œuvre entreprise, dont il connaissait bien l'esprit : grouper les républicains de toutes nuances pour la réalisation des améliorations sociales désirées par la Démocratie. Or M. Camus n'a cessé, depuis la parution de ce dernier journal, d'y faire une politique personnelle, en contradiction absolue avec ces principes et qui devait avoir nécessairement les pires conséquences.

L'attention du conseil d'administration avait été appelée sur l'état d'esprit qui existait au journal, du fait de M. Camus, par la diminution rapide et considérable de la vente, l'allure et les tendances données à sa polémique et les démêlés quotidiens avec la censure, qui se traduisaient par des blancs de plus en plus importants dans les colonnes du journal. Des observations réitérées et pressantes furent faites à l'intéressé par l'intermédiaire de M. Pia, en lui recommandant la prudence et la conciliation. Non seulement M. Camus n'en a tenu aucun compte, mais il a aggravé la situation en exagérant la violence de ses critiques et son refus d'obtempérer aux consignes qui lui étaient données.

Aussi, à deux reprises, sur plainte de l'autorité militaire, un blâme et la saisie du journal furent ordonnés, mesures auxquelles M. Camus et M. Pia répondirent par une lettre déclarant qu'à l'avenir ils ne s'inclineraient plus devant les décisions de la censure. À aucun moment les administrateurs ne furent mis par eux au courant de ces faits. Bien mieux, lorsque est survenu l'arrêté gubernatorial suspendant le journal, M. Camus, qui n'avait aucune qualité pour cela, se borna à en prendre communication et à en signer la notification, sans aviser personne, absolument comme si *Le Soir républicain* lui appartenait.

C'est dans les jours qui suivirent, que les administrateurs, ayant fait des démarches pour protester contre une mesure qui leur paraissait injustifiée, apprirent les griefs à l'égard des rédacteurs du journal. À leur demande d'être autorisés à entreprendre la publication il fut répondu qu'elle ne serait pas tolérée si ces derniers étaient conservés.

Le dossier des articles supprimés par la censure, qu'ils purent réunir à ce moment, leur permit de constater que, contrairement aux directives qui lui avaient été données, M. Camus essayait de faire servir *Le Soir républicain* à une propagande absolument contraire aux opinions du journal. On n'en citera comme exemple qu'un seul article, intitulé « Profession de foi », signé par lui et par M. Pia, où l'on affirmait que « tous les partis ont trahi », que la « politique a tout corrompu » et qu'il ne restait comme ressource à chacun que la conscience individuelle. M. Camus ne pouvait ignorer que cette affirmation de principes anarchistes était réprouvée par tous les administrateurs du journal ; d'autre part, il se doutait certainement des suites qu'une telle propagande, en temps de guerre, devait avoir pour ce dernier. Il en est tellement ainsi qu'un sympathisant, M. R., a déclaré qu'il était convaincu, comme beaucoup de gens, dans le public, que *Le Soir républicain* désirait disparaître et qu'il ne cherchait qu'un prétexte pour se faire supprimer.

Bien au contraire, pendant toute cette période difficile, les administrateurs du journal, essayant de faire face aux pires difficultés, n'étaient occupés que par le souci d'assurer son existence. On peut dire qu'au lieu de les aider M. Camus a tout fait pour donner le coup de grâce au sacrifice de quelques citoyens dévoués dont il avait le devoir d'être un collaborateur fidèle et qui assuraient, au surplus, sa situation personnelle. Il est vrai que M. Camus dit maintenant son intention d'aller se fixer à Paris, ce qui explique que l'avenir du *Soir républicain* ne l'intéresse plus guère.

Les faits se présentent de telle manière que, si l'on doutait de la probité de M. Camus — ce qui n'est pas le cas — on pourrait penser qu'il a été le naufrageur volontaire et conscient du journal qui l'employait. Il ne peut en tout cas contester que si celui-ci a été frappé durement, c'est à lui qu'en incombe toute la responsabilité.

Malgré cette faute grave, dont les administrateurs du journal pourraient demander réparation à M. Camus, ils ont voulu être à son égard plus qu'équitables, en lui offrant, comme à M. Pia, le règlement de ses émoluments jusqu'au jour de la suppression du *Soir républicain*. M. Pia a accepté, mais M. Camus refuse en réclamant des indemnités à une entreprise dont ses agissements ont plus que compromis l'existence. Le Conseil des prud'hommes appréciera.

[TÉMOIGNAGES]

LETTRE DE JEAN-PIERRE FAURE
À ANDRÉ ABBOU
20 juin 1970

20 juin 1970.

Monsieur,

J'ai été, en fait, cofondateur de la société *Alger républicain* avec Paul Schmitt, courtier en librairie, membre du parti socialiste, à l'automne de 1937, me semble t-il. C'est à l'exemple d'*Oran républicain*, quotidien Front populaire, mais plus étroitement socialiste, créé un an avant nous (administrateur Tabarot, rédacteur en chef Michel Rouzé) que je tentai, en 1937, de rassembler autour de l'idée d'une information libre sous la forme d'une coopérative de publication d'un quotidien, quelques notables d'Alger, architectes, avocats, professeurs de droit. La guerre d'Espagne faisait rage, et contre *La Dépêche algérienne* réactionnaire et *L'Écho d'Alger*, radical fasciste, il paraissait nécessaire de défendre le Front populaire, l'Espagne républicaine, le projet Blum-Viollette de citoyenneté indigène.

Ma rencontre avec Paul Schmitt orienta le choix des administrateurs dans un sens plus politique. On ne put obtenir le soutien radical, les quelques radicaux encore Front populaire d'Algérie ne pouvant se séparer du sénateur Duroux et de *L'Écho d'Alger*. La droite du conseil alla jusqu'aux socialistes U.S.R. (est-ce bien leur sigle[1]?) : Dalloni, professeur à la faculté des sciences d'Alger ; les frères Pestre, professeurs ; Coti et le président (dont le nom m'échappe[2]) des P.T.T. ; docteur Loufrani ; Élie Gozlan ; Bel Hadj[3], instituteur ; quelques communistes[4], Muchielli, également des postes, syndicaliste ; Falquès du Gaz-Électricité ; sans parti : Bloch-Larroque, Kergomard (C.F.A.), neveu de Th. Steeg (ancien gouverneur), etc. Un instituteur kabyle, homme intelligent et distingué, dont le nom m'échappe[5], etc. Peut-être retrouverai-je la liste entière du conseil dans de vieux papiers si cela vous était utile[6].

On créa d'abord une association d'étude — puis une société à capital variable dont je fus administrateur délégué. L'argent fut péniblement rassemblé par souscription obtenue par meetings, tournées de conférence, etc. Techniquement le journal fut monté avec l'aide d'*Oran républicain* qui nous prêta le directeur de son imprimerie, un nommé Duquesne. La parution en octobre 1938, fut retardée de quelques jours par la mort de ce remarquable imprimeur, d'un dévouement inaltérable et qui se tua en auto entre Oran et Alger, terrassé par la fatigue.

Je ne me souviens plus par qui Pascal Pia nous fut recommandé. Il fut choisi par moi à Paris entre trois ou quatre candidats : Pernoud, Émile Dermenghem peut-être… Est-ce Aragon et Jean-Richard Bloch de *Ce soir* qui me le recommandèrent ? Je ne m'en souviens plus. Là aussi nous trouvâmes un dévouement à toute épreuve, une puissance de travail et une conscience professionnelle hors pairs. Pia passait 16 heures au journal chaque jour, dont 10 heures au marbre. Il relisait intégralement le journal en raison de la médiocrité des correcteurs de rencontre.

La ligne du journal fut maintenue par moi très fermement Front populaire et je pus me garder des manœuvres de la faction socialiste antisoviétique, comme de la mainmise des communistes. Nous fûmes antimunichois, laïques, républicains, partisans de l'accession des musulmans à la vie politique, défenseurs de l'Espagne républicaine et du syndicalisme. Nous avions à Paris l'appui du professeur Charles André Julien, alors secrétaire du Comité méditerranéen, organisation créée par Léon Blum.

Nous étions bien entendu contre la municipalité Rozis, et l'un des succès du journal fut d'empêcher la vente du service municipal des Eaux à la Lyonnaise des Eaux. Il fallut lutter, car nous vivions difficilement avec fort peu de publicité et la Lyonnaise nous aurait fait un pont d'or pour que nous changions d'attitude. Une partie du conseil eût admis de se vendre.

La rédaction se bornait à Pia et à quelques utilités, journalistes sur le sable que nous pûmes embaucher et amateurs pour les chiens écrasés. Ce fut Pia qui m'amena un jour à Camus, que je connaissais déjà et dont l'action au Théâtre du Travail (?) avait été si remarquable.

Camus avait été inscrit au parti, mais n'y était pas resté. Il était assez mal vu par les communistes de ce fait. Il représentait à mes yeux, dans une certaine mesure, le libéralisme universitaire inculqué par son maître Jean Grenier. Son entente avec Pascal Pia fut profonde et leur optique parallèle, avec prédominance de l'esprit critique sur le réalisme politique. Je pense que les admirables reportages de Camus pour *Alger républicain* sont assez connus pour que je n'aie pas à insister sur son immense talent.

Pour la petite histoire, je ne sais pas jusqu'à quel point je ne suis pas le patron du début de *L'Étranger*, et peut-être ai-je un rôle dans *La Peste*. Mais vous savez combien les écrivains utilisent leurs contacts sociaux pour nourrir leurs créations qui sont tout autre chose.

Lors de la mobilisation de septembre 1939, j'aurais pu aisément me faire affecter spécialement par les services de presse du G.G. (d'ailleurs dirigés par un officier) (qui ne savaient par quel bout me prendre). Mais pour moi la lutte ne se trouvait plus à Alger, dans le verbe. Officier de réserve, je rejoignis mon corps en Tunisie, pensant, peut-être à tort, que la lutte contre le fascisme demandait alors l'action directe.

Aussi ne puis-je vous donner aucun détail sur la fin d'*Alger républicain*, sa transformation en *Soir républicain* et l'audience qu'il obtint par Pia et Camus. Tout ce que je puis dire est que le journal Front populaire avait alors été transformé en journal anarchiste, ce qui n'était pas dans les intentions de ses fondateurs. Ils se sabordèrent naturellement en mai 1940[7], ce qui est louable.

Ces divergences, que je n'ai guère manifestées, n'ont pas empêché, je l'espère, que je puisse m'honorer d'avoir conservé l'amitié d'Albert Camus jusqu'à sa mort.

En 1943, avec l'aide du Gouvernement provisoire, représenté par le professeur Capitant, nous relançâmes *Alger républicain*. Mais je laissai alors la place à Paul Schmitt. Pour des raisons que j'ignore, étant reparti aux armées en Italie, il ne put, au bout de quelques mois, empêcher les communistes d'en prendre la direction.

Tels sont les quelques souvenirs qui me restent. J'espère que vous y trouverez ce qui vous est nécessaire.

Je vous prie d'agréer, Monsieur, l'expression de mes sentiments bien distingués.

LETTRE DE PASCAL PIA
À ANDRÉ ABBOU
Décembre 1970

Décembre 1970.

J'ai vu Camus pour la première fois en septembre 1938. Venant de Paris, j'étais arrivé depuis peu à Alger, où Jean-Pierre Faure, administrateur délégué de la société *Alger républicain*, m'avait demandé d'être le rédacteur en chef du quotidien que cette société devait bientôt faire paraître. Mal instruits des conditions d'exploitation d'un journal, les fondateurs d'*Alger républicain* avaient fixé leur capital social à un chiffre que j'ai oublié, mais qui, beaucoup trop faible, compromettait d'avance les chances de l'entreprise. Le maigre budget prévu pour la rédaction ne permettait ni d'embaucher autant de journalistes qu'il eût fallu, ni d'attirer de bons professionnels. Force m'était de recruter des débutants et de pourvoir à leur apprentissage. Sans me targuer de la moindre perspicacité, je dois dire que Camus m'apparut sur-le-champ comme le meilleur collaborateur que je pourrais trouver. Il ne disait rien d'insignifiant, et cependant il était clair qu'il s'exprimait tout uniment. Ses propos, sur quelque sujet que ce fût, dénotaient à la fois de solides connaissances géné-

rales et un acquis impliquant plus d'expérience que n'en ont d'ordinaire les hommes de son âge (il avait tout juste vingt-cinq ans). Je
n'ai pas eu à soupeser sa candidature à un emploi de rédacteur.
Je l'ai invité immédiatement à travailler avec moi. [...]

Aussi n'est-ce pas en dévot d'extrême gauche que Camus entra
dans la rédaction d'*Alger républicain*. Il ne nourrissait plus d'illusions sur la moralité des organisations politiques, mais ses déceptions ne l'avaient cependant pas conduit à l'acceptation de l'ordre
établi. Autant que j'ai pu en juger, ses sympathies allaient désormais aux libertaires, aux objecteurs de conscience, aux syndicalistes
à la Pelloutier, bref à tous les réfractaires. Je ne pense pas qu'il
ait surestimé l'influence réelle de l'anarcho-syndicalisme dans les
années 30 (elle n'a eu alors d'importance qu'en Espagne, avec la
F.A.I.), mais si restreinte qu'ait été cette influence, ceux qui s'efforçaient de l'étendre lui inspiraient certainement beaucoup plus de
respect que les marxistes assermentés.

En tout cas, lui ne s'était pas renié. Ce qu'il a écrit dans *Alger républicain* ne lui a été dicté par personne. Le capital de ce journal pro-
venait d'une émission d'actions souscrites par plusieurs milliers
d'Algérois ou d'habitants du département d'Alger, après les élections de 1936, qui avaient amené Blum à la présidence du Conseil.
Ces actionnaires — fonctionnaires, petits commerçants, artisans,
cultivateurs — se situaient politiquement à gauche, mais se définis-
saient surtout par leur hostilité à toute dictature. Il y avait parmi eux
des républicains de tendances radicales et anticléricales, des anti-
racistes auxquels Goebbels et Rosenberg rappelaient Drumont et
Max Régis, des catholiques de gauche (nuance *Jeune République*),
quelques libertaires de la meilleure trempe en qui coulait le sang
généreux des frères Reclus, et, en plus grand nombre, des socialistes ; très peu de communistes, mais depuis le départ des messalistes, le parti communiste algérien ne comptait presque plus
d'adhérents, très peu de musulmans, ce qui est normal, et en un certain sens, puisque la majorité des Arabes d'Algérie ne savaient pas
lire, mais qui appelle néanmoins quelques observations. Car, soit
par prudence, soit par hostilité à toute réforme qui eût réduit entre
eux les inégalités, les musulmans qui, à la veille de la guerre, ache-
taient un quotidien à Alger, accordaient leur clientèle non pas à *Alger
républicain*, mais à la réactionnaire *Dépêche algérienne* et/ou à *L'Écho
d'Alger*, discrètement officieux.

Pour éviter toute querelle avec un conseil d'administration qui
comptait vingt-quatre membres, et aussi pour ne pas mécontenter telle
ou telle fraction des actionnaires du journal, je m'étais efforcé de ne
pas insérer d'articles de propagande pour un parti ou un groupement
politique. L'actualité (nazisme, guerre d'Espagne, grèves, loi Blum-
Viollette, etc.) nous procurait suffisamment d'occasions d'émettre
des opinions ou d'indiquer des tendances pour qu'il fût inutile d'en-
combrer le journal d'articles provenant de députés ou de futurs candidats à des élections ou à de hauts postes administratifs. [...]

Quand la guerre éclata, ils (les services du Gouvernement général) se dirent, non sans raison, qu'il nous serait à peu près impossible de continuer la publication de notre journal. Ceux des membres du conseil d'administration qui s'ingéniaient à faire vivre *Alger républicain* étaient mobilisables. On les envoya loin d'Alger. Quelques autres, bénéficiant d'affectations spéciales, durent être invités à se désintéresser de cette feuille, rédigée par des énergumènes dont la censure militaire allait se charger d'éplucher les phrases et de scruter les virgules. Les locations de lignes télégraphiques France-Algérie étaient interrompues — du moins pour nous. On savait que nous n'aurions pas les moyens de maintenir un service de distribution dans tout le département d'Alger ; bref, nous devions mourir d'asphyxie dans les huit jours. Comme nous mesurions nous-mêmes toutes ces difficultés, je pris la décision — l'administrateur délégué mobilisé m'avait transmis ses pouvoirs — de substituer à *Alger républicain* une feuille de deux pages, vendue seulement dans Alger et sa banlieue par crieurs, dès le début de l'après-midi. Nous trouvions plus d'informations que n'en recevaient les autres journaux en procédant à une écoute systématique des émissions de la B.B.C., recueillies en sténo. Et l'impression de jour, avec une équipe ouvrière réduite, nous permettait un équilibre budgétaire jamais atteint jusque-là. Hélas ! Le journal avait des dettes, et c'est presque par hasard que j'avais découvert, à Alger même, un petit stock de papier journal en bobines, que le Gouvernement général eût certainement acheté s'il en eût connu l'existence. Mais il ne m'échappait pas que ce stock épuisé, *Le Soir républicain* devrait cesser de paraître. Cette certitude nous rendait intransigeants, Camus et moi, dans nos discussions quotidiennes avec l'officier chargé de viser nos morasses. Autant nous acceptions de supprimer certaines informations « intéressant la défense nationale », autant nous élevions de véhémentes protestations quand le censeur prétendait nous imposer l'échoppage de nouvelles diffusées par la radio de nos alliés, et même quelquefois par la radio française. On sait que les consignes de censure, fréquemment stupides, sont presque toujours appliquées avec stupidité, mais je puis assurer qu'à cet égard, la censure, en Algérie, se surpassait. Il nous est même arrivé de paraître sans visa. Mais tirer une simple feuille sur rotative est une opération rapide et la police chargée de saisir notre tirage s'est une ou deux fois présentée à l'imprimerie alors que les journaux étaient déjà partis et même vendus, les crieurs n'hésitant pas à annoncer : « Demandez *Le Soir*, numéro interdit… »

Cela a abouti à une suspension définitive du journal, prononcée par arrêté gubernatorial en janvier 1940. Si le signataire de l'arrêté avait su que nous n'avions même plus assez de papier pour le numéro du jour suivant, il eût certainement préféré ne pas nous aider à mourir. Mais il n'en savait rien. Il avait eu avant la guerre un indicateur ou deux dans la maison. L'un s'était évaporé. J'avais invité l'autre à ne plus se montrer dans les parages du journal. C'était un fonctionnaire. Comme il n'aimait pas les « histoires », il se découvrit promptement une sciatique qui allait le tenir à la chambre pour l'hiver.

Camus, en raison de son état de santé, ne pouvait être soldat. J'étais moi-même réformé avec pension depuis 1923. Il m'a aidé. Nous avons fait de concert *Le Soir républicain*. Ça ne nous aura pas valu de bonnes notes dans les petits papiers des états-majors et des ministères.

Articles, préfaces, conférences
(1938-1944)

RIVAGES

REVUE DE CULTURE MÉDITERRANÉENNE

La naissance d'une revue a toujours sa raison. *Rivages* nourrit pourtant l'ambition de ne répondre à aucune nécessité actuelle. Elle naît d'une surabondance de vie. Elle est le premier fruit d'une sève encore désordonnée. Et rien ne la justifie, sinon son dédain des justifications. C'est pourquoi il est difficile à *Rivages* d'apporter avec elle sa définition puisque aussi bien son but est de se définir, et avec elle le visage d'une culture dont nous savons seulement qu'elle est et que nous l'aimons sans pouvoir encore en classer les résonances.

Il n'échappera à personne qu'un mouvement de jeunesse et de passion pour l'homme et ses œuvres est né sur nos rivages. Des tendances diverses, incoordonnées, véhémentes, s'expriment dans la maladresse et l'injustice. Il reste qu'elles s'expriment dans les domaines les plus divers : théâtre, musique, arts plastiques et littérature ; mais avec un commun amour de la vie, et dans un même goût de l'intelligence désintéressée. Il n'y a pas si longtemps, il aurait paru naturel d'être désintéressé. Mais aujourd'hui des esprits neufs doivent trouver dans ce mot une secrète ivresse…

À l'heure où le goût des doctrines voudrait nous séparer du monde, il n'est pas mauvais que des hommes jeunes sur une terre jeune, proclament leur attachement à ces quelques biens périssables et essentiels qui donnent un sens à notre vie : mer, soleil et femmes dans la lumière. Ils sont le bien de la culture vivante, le reste étant la civilisation morte que nous répudions. S'il est vrai que la vraie culture ne se sépare pas d'une certaine barbarie, rien de ce qui est barbare ne peut nous être étranger. Le tout est de s'entendre sur le mot barbare. Et cela déjà constitue un programme.

Rivages veut être une revue vivante. Littérairement parlant, elle ne peut céder à la tentation de légiférer là où rien n'est légiférable. Elle veut seulement exprimer. Elle n'essaiera pas d'avoir raison ni de convaincre, mais seulement d'entraîner.

Rivages ne représente pas une école. Et sans doute à contempler toujours le même gonflement de la mer dans une baie toujours semblable, il est impossible que des hommes ne se créent pas une sensibilité à bien des égards commune. Mais leurs différences n'en sont pas limitées et c'est à la fois cette communion et ces oppositions que *Rivages* tentera de figurer.

De Florence à Barcelone, de Marseille à Alger tout un peuple grouillant et fraternel nous donne des leçons essentielles de notre vie. Au cœur de cet être innombrable doit dormir un être plus secret puisqu'il suffit à tous. C'est cet être nourri de ciel et de mer, devant la Méditerranée fumant sous le soleil que nous visons à ressusciter, ou du moins les formes bariolées de la passion de vivre qu'il fait naître en chacun de nous.

Les esprits les plus divers, grands écrivains et inconnus d'hier, trouveront un terrain de rencontre ; grâce à de nombreuses traductions, des textes vivants (espagnols, italiens, arabes), retrouveront leur jeunesse. Notre seule exigence sera celle de la qualité : qualité de la forme et de la pensée, barbarie harmonieuse et ordonnée sans laquelle rien de vivant ne se trouve être communicable. Par là *Rivages*, née de la spontanéité, exprimera dans la liberté plus subtile issue de la domination sur soi, une culture, des pensées et des mouvements dont nous sommes tous ici solidaires dans la mesure où nous répudions toutes les puissances d'abstraction et de mort au nom de nos forces de vie.

À cet égard, il faut revenir aux soldats dont parle Xénophon, ramenés de Perse en Grèce, tout le long d'une retraite interminable, épuisés de faim, de soif et de fatigue, abreuvés d'amertume et d'humiliation, ils arrivèrent au sommet d'une colline d'où on apercevait la mer. Et là, jetant leurs armes, oublieux de la fatigue et de la défaite, loin de la guerre au regard vide, ils se mirent à danser devant les vagues éclatantes où souriaient leurs dieux. Cette danse devant la mer qui consacre la beauté et la poésie vivante comme les seules vérités d'une vie d'homme, c'est à la fois un programme pour *Rivages* et une garantie pour ses lecteurs.

Une pensée inspirée par les jeux du soleil et de la mer peut être injuste dans ses jugements ou excessive dans son lyrisme. Elle ne peut pas être une pensée morte.

Là se borne, à la fois ambitieux et modeste, le programme que s'est tracé *Rivages*.

LETTRE D'ALGER
LES PROGRÈS DU NATIONALISME ALGÉRIEN

Le Parti du peuple algérien vient de triompher à Alger, à l'issue des dernières élections au Conseil général (section indigène). Son candidat, M. Douar, a été élu au scrutin de ballottage par 4 488 voix contre 4 182 à M. Zerrouk Mahieddine, candidat de l'administration, et 833 à M. Lamine Lamoudi, des Jeunesses du Congrès musulman algérien. Pour la première fois dans l'histoire de l'Algérie, un prolétaire arabe, représentant un parti qui demande pour la colonie le statut de dominion, va participer aux travaux d'une assemblée officielle.

On sait que le mouvement politique arabe, à Alger, se divise en plusieurs courants. D'une part, les Jeunesses du Congrès musulman demandent, sur un ton modéré, qu'on tienne la balance égale entre les droits et les devoirs du sujet arabe. D'autre part, le Parti du peuple algérien réclame la constitution de l'Algérie en colonie semi-autonome, avec son Parlement et son appareil législatif. Entre les deux, le Parti communiste algérien, depuis 1936, demande la qualification du sujet arabe en citoyen français et l'assimilation de l'Algérie aux départements de la Métropole.

Ainsi, le seul parti se réclamant d'une sorte de nationalisme algérien prouve sa force et son influence à l'heure même où le slogan de l'empire français indivisible est dans toutes les bouches. On comprend que cet événement n'ait pas reçu de publicité. Mais l'informateur objectif ne peut pas avoir de ces scrupules. Et, dans le cas présent, nous pensons qu'il est de l'intérêt même de la France que la vérité soit connue. Car elle est la preuve d'un danger sur lequel il est vain de chercher à s'aveugler.

Déjà, l'an passé, aux mêmes élections, le leader du P.P.A., M. Hadj Messali avait été élu à une majorité considérable. Condamné à deux ans de prison en vertu du décret Régnier, son élection avait été cassée. À un an de distance, les électeurs indigènes ont marqué que leur volonté n'avait pas changé. Cette persévérance est riche d'enseignements.

Ce qui est remarquable, tout d'abord, c'est que la victoire du P.P.A. a marqué un écrasement du Parti communiste. Au premier tour, en effet, le candidat communiste a obtenu 458 voix dans le temps où le candidat P.P.A. en réunissait 3 277. Entre les deux tours, il s'est retiré. Or, il y a trois ans, aux élections municipales indigènes, la liste communiste avait été élue avec une imposante majorité. Ce qui est encore plus significatif, c'est que la campagne du P.P.A. ne s'est pas faite contre le candidat de l'administration, arrivé en deuxième position, mais uniquement contre le Parti communiste dont les réunions ont été systématiquement troublées.

Ce paradoxe apparent s'explique aisément. C'est une vérité, en politique algérienne, qu'une promesse non tenue fait plus de ravages qu'un refus définitif. On ne désespère jamais qu'après avoir espéré. Le Front populaire avait promis le vote du projet Blum-Viollette. Cette promesse n'a pas encore été tenue et la situation s'est retournée en moins d'un an.

Il en résulte que les succès du P.P.A. prouvent surtout les progrès du mécontentement dans les masses arabes. Et l'on ne gagnerait rien à faire le silence autour de ce fait. Proclamer l'indissolubilité de l'empire français n'arrange rien. Car, un phénomène psychologique sensible à l'observateur, plus cette union des races est mise en avant et plus le décalage entre ce programme et la réalité qu'il recouvre devient évident aux yeux du peuple arabe. À la vérité, il s'agit moins d'exalter l'empire français que de le faire. Et il ne se fait pas contre ses propres sujets.

En tout cas, l'intérêt du pays exige qu'on mette l'opinion en garde contre les manifestations de loyalisme orchestrées. Elles ne prouvent rien. Et elles risquent d'égarer. Il vaut mieux découvrir le mal et le guérir. On entend dire ici que l'heure n'est pas aux réformes et que la défense nationale prime les autres préoccupations. Mais c'est aussi bien de défense nationale qu'il s'agit. Car, à tout prendre, il est difficile de refuser la parole à des hommes dont on va demander le sang.

L'erreur, jusqu'ici, a été de rester sourd à ceux qui demandaient seulement le droit de prouver leur loyalisme. On se trouve aujourd'hui devant un parti dont le programme, par son mélange de revendications légitimes et de démagogie, peut faire sans le vouloir le jeu des forces antidémocratiques. On peut dire, sans crainte d'être contredit, qu'à cet égard nous nous sommes créé nos propres adversaires. Et les artisans de cette singulière réussite sont ceux qui par un nationalisme mal compris ont desservi leur nation : les maires et les colons d'Algérie qui se sont opposés à toute réforme du statut indigène. Là encore la chose n'est paradoxale qu'en apparence. Dans le même ordre d'idées, on peut être sûr, en effet, que toute répression envers le P.P.A. aboutirait du même coup au renforcement de ce parti. La preuve vient d'en être faite.

La seule façon de donner à ce problème douloureux une solution équitable, c'est de montrer ici ce visage de la France que beaucoup d'Algériens s'obstinent à croire le vrai. Ce ne sont pas des martyrs qu'il faut faire, mais des citoyens libres et respectés. La montée du nationalisme algérien s'accomplit sur les persécutions dont on le poursuit. Il n'aura plus de raison d'être, au contraire, quand l'injustice disparaîtra de ce pays.

N.D.L.R. — Au moment de mettre sous presse, nous apprenons que le Conseil de préfecture d'Alger a annulé l'élection de M. Douar Mohammed et proclamé élu en ses lieu et place M. Zerrouk, qui passe pour être vu d'un œil plus favorable par l'administration. En dépit des moyens juridiques, d'ailleurs fragiles, employés pour justifier cette décision (incompatibilité entre une fonction départementale et le mandat de conseiller général, reconstitution de ligue dissoute, manœuvres électorales), il s'agit évidemment d'une mesure d'ordre politique et administratif, dont le caractère exceptionnel est souligné par le fait que le Conseil de préfecture, au lieu de convoquer les électeurs pour un nouveau scrutin, proclame élu un autre candidat. À ce titre, cette décision est appelée à avoir dans la masse indigène un profond

retentissement, dont l'article de notre correspondant d'Alger
éclaire par avance le sens et la portée.

MAURICE BARRÈS
ET LA QUERELLE DES « HÉRITIERS »

MAURIAC, MALRAUX, MONTHERLANT
LOIN DU « JARDIN DE BÉRÉNICE »...

La querelle des « héritiers de Barrès » est instituée. Qui
dans notre génération est digne de ce nom ? Voilà le grand
débat que, malgré la pureté de ses intentions, M. Mauriac
vient de soulever par un récent article. Pourtant, avec la
sensibilité de jugement qui lui est propre, il se bornait à dire
qu'il ne voyait pas de successeur à Barrès ou plutôt que les
vrais héritiers de Barrès seraient sans doute désavoués par
lui. Et il citait, d'une façon qui n'était paradoxale qu'en apparence, Malraux, Montherlant, Aragon et Drieu La Rochelle.
Mais d'un autre côté, M. Henry Bordeaux et quelques journaux dont *Le Matin* et *L'Action française* ont levé leurs bou-
cliers. Dans la filiation qu'invoquait M. Mauriac ils auraient
reconnu, à la rigueur et par suite d'un malentendu, Drieu La
Rochelle. Mais Montherlant, Malraux et Aragon, cela sonne
hérétique. D'où : articles, démonstrations et citations au titre
de grands barrésiens dont celle, assez inattendue, des frères
Tharaud.

La querelle vaut la peine qu'on s'y arrête. Et bien qu'elle
soit un peu étrangère aux soucis de l'heure, elle nous y
ramène cependant dès qu'on la pousse un peu. Car on voudrait ressusciter Barrès et Barrès n'a plus rien à faire parmi
nous. Dans les écrivains qui se font ses défenseurs ou que
L'Action française lui assigne comme successeurs, on chercherait en vain cette qualité d'âme et cette solitude du cœur
qui fait l'attirance du visage barrésien. Dans ceux cités par
M. Mauriac qui nourrissent cette solitude et rendent sensible
cette qualité, il n'y a qu'éloignement envers Barrès tout
entier. Ce paradoxe si essentiel à l'écrivain lorrain, la querelle
d'aujourd'hui l'illustre à merveille. Ceux qui se réclament de

lui ne sont pas dignes de son œuvre. Et ceux qui sont dignes de cette œuvre ne se réclament point de lui. Car de Barrès à sa création, il y eut toujours un fossé sensible qu'il ne combla qu'à partir du moment où il fit un monde à son image et non pas à l'image de ses nostalgies. Et à ce moment précis, son œuvre perdit toute valeur.

Je crois qu'il est bon de distinguer entre des œuvres de nostalgie et des œuvres de vie. Celle de Barrès appartient aux premières. Son paradis perdu, c'était cet univers de sang, de volupté, et de mort, ce monde brûlant et solitaire dont il ne fut jamais l'un des princes, quoi qu'il en eût. Le rêve, chez lui n'était pas le frère de l'action. Il n'en était que le mirage. Et ce héros qu'il concevait, Barrès était incapable de le devenir. Il avait, à cet égard, plus d'esprit que d'âme.

Ce hiatus a fini par s'ouvrir dans l'œuvre même de Barrès, entre les premiers livres et les dernières polémiques. Et même aujourd'hui, on le sent si largement ouvert, si évident, que M. Henry Bordeaux lui-même, essaie de le légitimer en déclarant qu'il faut comprendre la leçon barrésienne selon quoi la fin de l'individu est de rejoindre le groupe social. Ce qui est vrai ou faux, mais figure à coup sûr une erreur de raisonnement chez M. Bordeaux. Car il donne comme argument ce qu'il s'agit de démontrer. Il y a en effet plusieurs façons de rejoindre le groupe et la question est de savoir si celle de Barrès peut convenir en même temps à l'« ennemi des lois ».

Fait significatif, ce sont ceux qui ont le plus subi son influence qui se sont retournés contre lui avec le plus de violence, comme si ayant aimé d'abord ce solitaire de race royale dont il proposait l'image, ils avaient reproché ensuite à son créateur de ne pas assez ressembler à ce fils spirituel. Je citerai à peine André Gide. Mais on le sait, ce qu'on a dit de plus profond, de plus juste et de plus dur sur Barrès, c'est Montherlant qui l'a formulé. Justement peut-être parce que dans sa génération il était l'un des mieux préparés à vivre cette vie de prince du corps et de l'esprit dont Barrès sentait seulement la nostalgie. On sentira mieux la différence essentielle qui sépare ces deux hommes en comparant leurs patriotismes, *L'Équinoxe de septembre* aux harangues de la Grande Guerre. Le divorce ici ne porte que sur deux choses : la qualité et la clairvoyance d'âme.

C'est pourquoi on peut dire sans doute qu'entre Barrès, Montherlant et Malraux la filiation est sensible. Mais il n'y a aucune commune mesure entre leurs œuvres respectives. Et il y a tout le passé qui sépare l'écriture artiste du vrai style, l'écrivain de l'homme et, comme dirait Mac Orlan, l'aventurier passif de l'aventurier actif. C'est en cela qu'on ne peut suivre absolument M. Mauriac tout en admirant la sûreté de son jugement. Et c'est en cela aussi qu'il faut désavouer les prétentions de M. Henry Bordeaux et du chroniqueur de *L'Action française*. Le destin de Barrès, malgré M. Mauriac, n'excite pas la pitié. Il est assez commun. C'est celui d'un écrivain désavoué par sa création même. Il avait l'imagination plus forte que le sang et ceci, dans un certain ordre de valeur, ne peut se pardonner. La dure condamnation portée par Montherlant doit être reconnue, à cet égard, comme légitime.

Mais peut-être y a-t-il une autre leçon à tirer de cette querelle. Car en l'espèce les journaux dont j'ai parlé continuent un petit jeu dont la droite et l'extrême gauche ont beaucoup abusé avant la guerre : celui des annexions littéraires. Et, pour être franc, leur grande préoccupation semble être aujourd'hui de savoir si Barrès autorise Montherlant ou légitime M. Maurras. Ce jeu est puéril de vouloir communiser ou nazifier Nietzsche, et dégermaniser Mozart. Car Montherlant et Maurras, pour des raisons différentes et inégalement estimables, n'ont aucun besoin de l'autorisation de Barrès. C'est malgré lui que le premier Barrès voit ses valeurs perpétuées dans l'univers absurde et magnifique d'André Malraux. C'est malgré lui que le second Barrès se voit défendu par M. Henry Bordeaux. Et je ne sais pas si l'auteur des discours de 1914 peut être flatté de tels défenseurs. Mais, à coup sûr, l'homme qui écrivit *Le Secret de Tolède*[1] ne peut être que grandi par des hommes qui de Malraux à Montherlant ont transformé en une exaltante règle de vie l'éthique que lui-même n'avait magnifiée que sur le papier.

Et puisque les circonstances font que le débat s'est institué autour d'un exemple vivant et non sur un cas littéraire, alors il est nécessaire d'être net. On doit le dire maintenant : à sa façon, qui fut émouvante quelquefois, Barrès a été un esthète du patriotisme comme il le fut de l'individualisme. C'est la seule constance profonde qu'on puisse lui reconnaître. Quel que soit son parti cependant, ce genre d'hommes nous est aujourd'hui inutile. Ni la vraie guerre, ni surtout la vraie paix ne se sont jamais faites dans le jardin de Bérénice.

JEAN GIRAUDOUX
OU BYZANCE AU THÉÂTRE

Le théâtre français vit sur un paradoxe à propos duquel il est peut-être temps de réfléchir. Nous avons quelques-unes des meilleures scènes d'Europe sinon les meilleures. Et depuis l'autre guerre nous n'avons pas une seule œuvre dramatique qui puisse compter comme telle. Nos metteurs en scène sont parmi les plus grands, mais nos auteurs ne les ont point aidés. Et l'on dirait que ce n'est point tant le sens du théâtre qui nous manque aujourd'hui que celui de l'œuvre dramatique qui, pourtant, ne devrait pas s'en séparer. Il est difficile de dire à quoi est dû ce divorce. Mais il est aisé de voir qu'il existe et, partant, ce serait péché que de ne pas le dénoncer chaque fois que l'occasion s'en présente.

Il ne s'agit pas ici des pièces dites « de boulevard », qui ont fait leur temps et qui, pour rester indulgent, sont seulement des amusettes parisiennes. Il y a peu à dire également d'une certaine catégorie d'auteurs dramatiques français, spécialisés dans le genre « âpre » et appliqués à rendre aussi sensible que possible la décomposition d'une classe ou d'un milieu. Ce théâtre relève selon les cas de la plaisanterie, du simple dialogue ou de l'exercice.

Mais il est plus significatif de se référer au seul auteur dont les pièces soient aujourd'hui consacrées par le succès et le talent, à qui il soit difficile de nier une vocation profonde et qui, par ailleurs, s'installe dans l'actualité à la fois par la place exclusive qu'il a prise dans le monde théâtral et par l'affiche qu'il tient encore sur une de nos plus grandes scènes. On a compris qu'il s'agissait de M. Jean Giraudoux et des représentations d'*Ondine*.

On ne se donnera pas ici le ridicule de parler d'une pièce reprise à Paris après avoir été applaudie pendant de longs mois. Mais le succès continu dont elle jouit encore rend plus sensible peut-être le paradoxe dont je parlais plus haut et autorise dans une certaine mesure des réflexions plus larges sur nos conceptions actuelles du théâtre.

Car enfin personne ne peut nier à M. Giraudoux la qualité, la sensibilité toujours, l'émotion quelquefois. Et cependant, à qui demande au théâtre quelque chose de plus qu'une griserie passagère ou le sourire de l'intelligence éveillée, son œuvre dramatique ne peut apporter que déception. On sent bien dans quel esprit cette opinion s'exprime. On ne saurait trop se réjouir en effet qu'un écrivain vienne au théâtre avec le souci du style et tous les scrupules qui font le talent. Et pour une fois où cette aventure survient dans une époque où cet art est avili par les journalistes de la littérature on voudrait pouvoir adhérer pleinement à une expression qui, du moins, n'est jamais vulgaire. Cependant le théâtre a ses lois qui ne semblent pas être celles de M. Giraudoux, si l'on en juge à cette étrange déception qui, pour certains, sont tous ses spectacles.

Il est toujours vain de réduire un art à une seule esthétique. Mais il n'en reste pas moins que chacun d'entre eux obéit à des mouvements qui lui sont propres. L'obéissance à ces mouvements, l'humilité devant des règles qui servent l'écrivain de retour, font les conditions du chef-d'œuvre. Et le théâtre justement est un art trop singulier pour qu'on puisse rejeter ses servitudes.

Jusqu'au jour de la première représentation, une œuvre dramatique est un peu comme la Belle au bois. Elle n'est rien sans le prince qui vient la réveiller. Et que celui-ci soit Dullin, Jouvet ou Copeau, il ne peut encore rien à lui seul et il lui faut une multitude de monstres qui sont autant les acteurs que les machinistes et les électriciens. Que le théâtre figure la réalisation collective de la pensée d'un seul, voilà qui montre quelle est sa vérité profonde et la réussite qui en est contemporaine. À l'égard de ceux qui l'applaudissent comme envers ceux qui le font vivre, cet art est soumis au suffrage universel. Et les sentiments qu'il illustre doivent, en conséquence, recevoir l'accord de tous. Ce qui compte au théâtre, par suite, c'est l'évidence et l'action. Le côté élémentaire fait, au reste, sa noblesse et si un art se mesure, comme on peut le croire, aux difficultés contradictoires qu'il présente, celui-là est un des plus grands, qui demande à l'artiste d'être évident sans être plat, simple sans vulgarité et vivant sans grandiloquence.

Et c'est ainsi que, malgré M. Giraudoux, le propre des grandes œuvres dans ce domaine c'est d'illustrer un grand sentiment qui marche sans arrêt vers sa fin. Ce sont des thèmes de feuilleton que Shakespeare la plupart du temps illustra. Mais ce drame du mari trompé, par la force convaincante du génie théâtral, devient Othello.

Cette histoire de police et de revenants, Hamlet, et sur un autre plan, cette aventure d'une belle-mère amoureuse nous donne Phèdre. Ainsi encore, le secret particulier au grand théâtre c'est de se situer un lieu géométrique du familier et de l'inhumain. Car c'est par ce jour exclusif qu'il jette sur des passions bien humaines qu'il s'éloigne le plus de la réalité. Et par un paradoxe émouvant et singulier, c'est avec des matériaux tirés du cœur de l'homme qu'il édifie ce monde à part, ce plateau merveilleux où les dieux, pour quelques heures, surgissent et parlent.

La solitude des grands sentiments, c'est le thème dramatique par excellence. Hamlet et Othello sont des spécialistes de la passion, si l'on entend par là qu'elle est leur exercice exclusif et que rien ne les touche plus de ce qui dans la vie quotidienne distrait l'homme de lui-même : entrer dans un restaurant ou changer de linge. Cette constante caricature de la passion explique peut-être quelques-uns des artifices dramatiques de tous les temps, ceux qui servent à exprimer un sentiment ou un personnage type : le masque grec, la stylisation du « No » japonais, les symboles eschyliens, Iago en face d'Othello ou l'« *invitus invitam*[1] » qui résume toute une tragédie. Ainsi le plus élémentaire des arts, par sa simplicité même, peut devenir le plus lointain et le plus nostalgique. Ainsi, par ce jeu des corps et des lumières, cette précipitation d'hommes violemment colorés vers la consommation finale, les tragédies les plus humaines enlèvent le spectateur au-dessus de lui-même. Le corps est ici le serviteur de ses propres passions, l'acteur interprète d'un destin qui appartient à tous et à personne.

Ce mouvement unique, cette force, sa logique sans raison, cette conséquence aveugle et implacable, font le théâtre et son retentissement universel. Des vies entamées et conclues en trois heures, l'absurdité essentielle qui précipite les héros dans des conclusions que les hommes étalent, ces figures à la fois familières et disproportionnées ont défini un monde où les jeux de l'esprit cèdent la place aux raisons du corps et de ses passions. Comment alors un art fait de subtilité et de délicatesses trouverait-il sa place dans cet univers sans nuances ?

Le théâtre, malgré les apparences et malgré M. Girau-

doux, ne peut pas être un jeu. Ou alors il n'est que cela, et
le plus passionnant de tous. Mais tragique ou non, cet art
est toujours sérieux. On pourrait croire justement que tout
l'effort de M. Giraudoux est de ne point prendre et de ne pas
faire prendre le théâtre au sérieux.

Au lieu d'obéir aux lois d'un art élémentaire et puissant,
M. Giraudoux, au contraire, a mis la conscience sous les
projecteurs et la psychologie devant la rampe. Et cet éclairage blanc et muet que Jouvet sut donner à *Électre* figure
assez bien l'essentiel d'une œuvre qui semble être le renouvellement et qui n'est que la négation du théâtre. M. Giraudoux a découpé en actes la philosophie qui lui est propre.
Et, par un malentendu qu'on s'explique mal chez un auteur
aussi averti, il a cru qu'on pouvait confondre le mouvement
dramatique et les songeries de l'intelligence.

Tout l'art de M. Giraudoux est de remplacer les grands
thèmes de la fatalité par les acrobaties de l'intelligence.
Et peut-être le sentait-il lui-même puisqu'il a si souvent
demandé aux tragiques grecs le cadre rigide et émouvant
dont il avait besoin mais que, par son manque de force
profonde, il ne pouvait songer à forger. Tout le sens d'*Électre*
réside peut-être dans la disproportion que l'on sent entre le
thème éternel de la vengeance et les grâces mélancoliques
que M. Giraudoux y surajoute. Mais aucun art ne saurait
trouver son compte à ce mélange d'esthétiques.

Pour *Ondine* du moins la chose est claire. Car, ici, Giraudoux s'est privé d'Eschyle et l'on assiste alors à la décomposition d'un art réduit à lui-même. Car de ces trois actes,
remplis à craquer de discours et de pointes, un seul peut-
être, le troisième, garde quelque vérité. Mais le deuxième
est le plus significatif. Il n'est tout au long qu'une théorie
sur ce que le théâtre devrait être. Et si ingénieuse que soit
cette théorie dans ses illustrations, elle n'en reste pas moins
aussi éloignée du vrai théâtre que l'esthétique peut l'être de
la création. M. Giraudoux, ici, met en scène les intentions
qu'il a et toute son œuvre à la vérité ne semble jamais qu'une
longue promesse qui n'est jamais tenue. Quand le cham-
bellan, à la fin du deuxième acte, demande un entracte aux
jeux du magicien et que le rideau tombe sur le véritable
entracte, la preuve est faite par cet artifice que M. Giraudoux
s'amuse et que personne ne peut prendre au sérieux cette
histoire où l'acteur devient public quand le public lui-même
ne se sent jamais acteur.

Dans un récent article de la *N.R.F.*, Jean-Paul Sartre démontrait, avec la profondeur qu'on lui connaît que l'art romanesque de M. Giraudoux n'est qu'une illustration de la métaphysique d'Aristote. Il est difficile de dire quelle est la part de jeu ou de dédain que cette démonstration comportait[2]. Il est aisé, au contraire, d'en sentir la vérité. Mais l'Aristote de M. Giraudoux est déjà passé par Alexandrie. L'afféterie a fait son œuvre. Si la grâce, l'esprit, le conventionnel et le charmant peuvent convenir à la rigueur au roman, ils sont la négation même du théâtre, qu'Aristote, démentant par avance le plus élégant de ses illustrateurs, enfermait dans les catégories de pitié et de terreur. Et qui donc parmi tous ceux qui ont applaudi *Électre* et *Ondine* s'est senti projeté hors de lui-même par une horreur sacrée ?

Que l'un des écrivains les moins faits pour le théâtre soit aujourd'hui consacré grand dramaturge, cela démontre justement à quel point cet art est méconnu. *Électre* le faisait pressentir, *Ondine* en apporte la preuve. L'émotion y court, puis s'arrête. Le mouvement s'ébauche et tourne court. L'intelligence ici ne sert qu'elle-même et c'est en vain qu'on attend, qu'on espère et qu'on poursuit un peu de cette chaleur humaine et de cette divine passion qui nous faisait aimer également Hamlet et Iago. Au terme de ce feu d'artifice, de ces jeux chatoyants de l'esprit, au moment même où Hans, avant de mourir, sait trouver des accents venus du cœur pour quitter le poème où il apparaissait comme un étranger, le cœur se serre un peu. Mais, c'est autant le destin du chevalier dépassé par l'amour qui nous émeut que les signes de ce que *Ondine* aurait pu être, et cette nostalgie singulière qui prolonge les chefs-d'œuvre manqués.

« PIERROT MON AMI »,
de Raymond Queneau

Les livres de Raymond Queneau sont des féeries ambiguës où les spectacles de la vie quotidienne se mêlent à une mélancolie sans âge. Quoique l'amertume ne leur fasse pas défaut, il semble que leur auteur se refuse toujours aux conclusions et qu'il obéisse à une sorte d'horreur du sérieux. « L'ineptie, disait Flaubert, consiste à vouloir conclure. » On imagine volontiers cette phrase en épigraphe au dernier roman de Queneau : *Pierrot mon ami*.

On y retrouve en effet cette apparente gratuité et ces jeux funambulesques qui faisaient déjà le prix d'*Odile*. Le livre se présente modestement comme une charge du roman policier. Une charge et non un pastiche. Mais l'auteur nous en avertit lui-même : ce qui l'irrite dans le roman-détective, c'est le dernier chapitre où tout est expliqué. On pouvait alors prévoir que *Pierrot mon ami* serait un roman policier où rien n'est expliqué. Il en est ainsi en effet. Dès qu'un événement prend corps, il y est décapité.

Mais, si le lecteur altéré de logique reste sur sa soif, la poésie n'y perd rien. Sur un si mince prétexte, ce sont les variations infinies du démon baroque. À regarder d'un peu plus près, on peut cependant discerner deux thèmes fondamentaux dans cette symphonie absurde : le fakir, les attractions mécaniques, les animaux exotiques, les masques de cire, les princes poldèves, les clowns et les illuministes, toutes les créatures de la foire et du rêve donnent à ce roman un visage fantastique. Mais les personnages se répandent dans un Paris dont la présence et le poids sont partout sensibles dans le livre. Les fakirs et les montreurs se rencontrent dans les bistrots de la capitale au milieu des odeurs de sciure et de percolateurs ; Pierrot, malchanceux partout, n'a pas de rival aux appareils à billes ; la Seine, Chaillot et Argenteuil surgissent comme des personnages de premier plan. Cette ambiguïté se retrouve dans l'opposition des faits…

Le récit de ces miracles perpétuels abonde en effets, en dialogues étincelants, en raccourcis cocasses : « Pour finir, dit un personnage racontant l'incendie du parc, on a eu les pompiers qui ont mis de l'humidité partout. » Et le symbole même de ce mariage entre la féerie et le quotidien est le héros du livre, créature lunaire à qui rien ne réussit, qui traverse le livre avec distraction, muni de lorgnons, d'une centaine de mots d'argot et d'un amour inconscient pour les promenades solitaires. La meilleure scène du livre est ainsi celle où Pierrot déjeune avec le singe Mésange et le sanglier Pistolet dans une auberge de province. L'insolite se renforce ici du naturel dont on le pare, la personnalité (si j'ose dire) des animaux ne nous étant révélée que bien après, comme si elle allait de soi. Précisément ce mélange étroit de la réalité la plus immédiate et de l'imagination la plus débridée fait du roman de Queneau un exemple remarquable de ce fantastique naturel, si familier à certains peintres, si difficile au contraire à évoquer pour un conteur.

Ce « fantastique dans la cité » se rapproche en effet de celui de l'école flamande et, plus près de nous, fait penser au grand peintre belge James Ensor. En même temps, et c'est le dernier éloge qu'on peut apporter à ce livre, cette parenté fait souhaiter parfois à Queneau plus d'ambition. On imagine la grande composition d'Ensor, l'*Entrée du Christ à Bruxelles*, où des masques, des travestis, les figures épouvantables ou grotesques de l'inconscient accompagnent un Christ qui n'en peut mais dans les rues de la cité moderne…

Mais je voudrais être sûr que ce souhait ne concède pas quelque chose à l'ineptie dont parle Flaubert.

LETTRE AU SUJET DU « PARTI PRIS »

Cher Ponge,

Avant de vous répondre, j'ai pris le temps de relire attentivement *Le Parti pris des choses* ainsi que vos notes[*] et de lire *Le Bois de pins*. Je vous dis tout de suite que je ne l'ai pas fait sans émotion puisque, vous avez raison, je rencontre chez vous, cristallisée sur un point précis et avec une constance que je ne peux pas revendiquer, la préoccupation qui m'est essentielle. Mais vous lui avez donné une expression qui n'appartient qu'à vous.

Je voudrais vous en parler un peu longuement ici, faute de pouvoir le faire ailleurs et publiquement. Je pense que *Le Parti pris* est une œuvre absurde à l'état pur — je veux dire celle qui naît, conclusion autant qu'illustration, à l'extrémité d'une philosophie de la non-signification du monde. Elle

[*] Sur *Le Mythe de Sisyphe* (F. P.).

décrit parce qu'elle échoue. Mais ce qui me paraît inappréciable chez vous, c'est que, sur le plan que vous avez choisi
(ou qui vous a choisi), celui de l'expression, c'est votre maîtrise même qui rend convaincant votre aveu d'échec. Je veux
dire ceci : les romantiques ne me persuadent pas — et surtout ils ne m'émeuvent pas — lorsqu'ils me parlent de sentiments ou de situations ineffables, indicibles, infinis. Ces
préfixes privatifs sont seulement les signes de leur pauvreté
personnelle. Ils m'affirment que tel sentiment est indicible,
ils ne me le font pas sentir. C'est en cela qu'ils sont généralement de foutus artistes, l'artiste n'étant pas celui qui
dit, mais celui qui fait dire. Au contraire, quand un écrivain
fait la preuve d'une admirable maîtrise de l'expression, c'est
alors que son aveu d'échec devient enseignant. Ce n'est pas
l'impuissance à parler ou le balbutiement qui me convaincront du mutisme auquel nous sommes condamnés, ce sont
les réussites relatives du langage dont vous parlez. Quand on
a fini *Le Parti pris*, on a justement consenti au relatif, mais par
des moyens supérieurs. Cela est bien dans la dialectique
de l'absurde. Comme Kafka fait consentir au fantastique avec
du naturel, Melville* au symbole avec du quotidien, vous
faites accepter le mutisme par une science prestigieuse du
langage. C'est cette modestie tragique que j'admire dans *Le
Parti pris*. Elle fait que vous résumez en quatre-vingt-quatre
pages non pas plusieurs années de réflexions, ce qui ne serait
rien, mais une réflexion de plusieurs années. Elle fait aussi
que vous résumez paradoxalement en tableaux fragmentaires cet esprit d'insistance dont vous parlez avec grandeur.
Vous avez tiré un beau parti de cette image du flot et de
la parole qu'il profère inlassablement sur les grèves. C'est
justement cette parole « parfois par temps à peine un peu
plus fort clamée » qui soutient votre œuvre et lui donne sa
vraie perspective.

Mais, en somme, vous auriez pu, pour les décrire, choisir
par exemple le cœur humain ou les passions politiques, qui
sont choses aussi réelles que le granit. Votre originalité,
au contraire, est d'avoir élu plus particulièrement l'objet, le
« monde qui se voit ». Car les sens autres que la vue n'ont
qu'une place restreinte dans votre travail de description
(vous vous en expliquez d'ailleurs, page 39). J'entends bien
que vous ne vous êtes pas détourné des hommes. Les textes

---

* Avez-vous lu *Moby Dick*, admirable roman de l'échec ?

sur Hachette et sur le Restaurant sont des réussites, peut-être relatives, mais sûrement étonnantes. Mais ce qui personnellement me frappe le plus dans votre livre, c'est la nature sans hommes, le matériau, la chose comme vous dites. C'est la première fois, je crois, qu'un livre me fait sentir que l'inanimé est une source incomparable d'émotions pour la sensibilité et l'intelligence (nouvelle coïncidence : j'ai écrit des pages — assez lyriques malheureusement — sur les pierres. Elles devaient paraître à Alger). En lisant votre livre, je puis dire déjà : si ce sont là les choses, que les choses sont passionnantes ! Mais vous ne seriez alors qu'un poète (et vous vous y refusez). Ce qui m'intéresse aussi bien, c'est que vous me démontrez que l'illustration, l'imagerie dernière du monde absurde, c'est l'objet. Le sens du monde est comme l'eau (« elle m'échappe, échappe à toute définition »), le végétal est l'esprit d'insistance qui répète son échec (« malgré tous leurs efforts pour s'exprimer, ils ne parviennent jamais qu'à répéter un million de fois la même expression, la même feuille »), la servitude humaine a la figure du cristal (« une volonté de formation et une impossibilité de se former autrement que d'une manière »). Ainsi l'homme, chez vous, cherche par le parti pris sa parenté avec le monde. Et en réalité, quoique vous vous dirigiez vers le relativisme humain (et humaniste) dont vous parlez dans vos notes, il y a dans vos textes poétiques un message plus catégorique et moins conciliant. J'y découvre les signes de ce qui, aujourd'hui me préoccupe et me presse : qu'une des fins de la réflexion absurde est l'indifférence et le renoncement total — celui de la pierre. Je pourrais en plaisanter et vous dire que Sisyphe devient alors rocher lui-même et qu'il faut trouver quelqu'un d'autre pour le pousser, d'où tête des dieux. Mais je le prends au sérieux. Car s'il y a dans vos pages une curieuse nostalgie de ce qu'on appelle stupidement les formes inférieures de la vie, c'est dans la mesure même où Schopenhauer attribue la paix qui tombe des arbres au contraste qui existe entre notre vouloir vivre tumultueux et celui plus ralenti, plus endormi, qui circule dans le végétal. En fait, il y a dans votre pensée, comme dans toute pensée absurde, la nostalgie de l'immobilité (vous en parlez, page 68). Il est significatif à cet égard que votre livre se termine par le texte sur le galet, où j'ai lu, avec un grand sentiment, cette phrase qui (avec son contexte) figure à mon sens la dernière tentation de l'esprit absurde : « Dans un décor qui a renoncé à s'émouvoir et songe seulement à tomber en ruine, la vie s'inquiète et s'agite de ne savoir que ressusciter. » Oui, c'est là un point d'aboutissement attirant, au moins pour moi. Mais je reconnais que c'est une extrémité de la pensée où, si l'on est sincère et « engagé », on ne s'aventure pas sans la crainte et le tremblement dont parle Kierkegaard. C'est pour tout cela, mon cher Ponge, que je me suis permis, au début de cette lettre, de parler d'émotion. J'ai souvent entendu parler ou lu des hommes qui faisaient état de leur pensée. Mais je n'ai que très rarement eu l'impression que, pour eux, cette pensée était vivante : je veux dire qu'ils en souffraient et qu'ils l'aimaient à la fois. Je vous dois cette impression aujourd'hui et je vous en remercie très amicalement. Cela me met en particulier tout à fait à l'aise pour répondre à quelques-unes de vos observations sur *Le Mythe*.

Je ne pose pas, en effet, le problème qui nous intéresse sur le plan de l'expression. Je l'ai posé seulement sur le plan qui m'est le plus intime, celui des idées et des passions, ou, si vous voulez, de la connaissance (qui se fait par l'idée autant que par la passion). Mais notez que le problème de l'expression n'est si vital pour vous que parce que vous l'identifiez à celui de la connaissance (page 22 du *Bois de pins* : « Mais mon dessein est autre : c'est la connaissance du Bois de pins »). Pour vous, dans une certaine mesure, trouver le mot juste, c'est pénétrer un peu plus au cœur des choses. Et si votre recherche est absurde, c'est dans la mesure où vous ne pouvez trouver que *des* mots justes et non *le* mot juste ; comme la recherche absurde parvient à se saisir de vérités et jamais de la vérité. Il y a ainsi, dans tout être qui s'exprime, la nostalgie de l'unité profonde de l'univers, la nostalgie de la parole qui résumerait tout (quelque chose comme « Aum », la syllabe sacrée des hindous), du verbe enfin qui illumine. Je crois ainsi qu'en réalité le problème du langage est *d'abord* un problème métaphysique, et que c'est comme tel qu'il est voué à l'échec. Il exige lui aussi un choix total, un « tout ou rien ». Vous avez choisi le vertige du relatif, selon la logique absurde. Mais la nostalgie du maître mot, de la parole absolue, transparaît dans tout ce que vous faites. Ceci n'est pas du tout pour vous mettre dans le même vilain sac que moi, car vous me semblez en même temps heureusement très différent. Vous touchez juste dans vos observations : il est vrai que je reste l'homme « énervé » et que je ne puis me laver du souci métaphysique. Je me garderai d'aller là contre, puisque je ne prétends pas à penser nouvellement, mais à penser honnêtement. C'est pour cela que j'ai multiplié les précautions pour montrer le caractère provisoire de la position définie dans *Le Mythe*. C'est que je me méfie de moi-même — et je veux me ménager la possibilité d'être tout à fait personnel, c'est-à-dire de penser en marge de ce nihilisme moderne dont *Le Mythe* est très exactement un essai de définition passionnée. Quoiqu'il n'y paraisse pas, cette étude a un aspect historique, et, pour bien la juger, il faut *aussi* se placer sur ce plan. Je l'ai dit dans ma prière d'insérer : « Il s'agit de savoir si l'on peut définir un bon nihilisme. » Il me semble que vous du moins avez démontré qu'on le pouvait. Si j'en juge par vos notes, la définition serait celle-ci : « Le bon nihilisme est celui qui conduit au relatif et à l'humain. » C'est là que je vous rejoins, malgré mon goût de l'ontologie, car, sur le point précis de notre destin historique, j'ai assez le goût de l'homme et de son bonheur pour éviter toutes les contradictions. En matière politique du moins, la notion du relatif ne m'est pas étrangère, croyez-le. Je regrette d'avoir laissé en Algérie le seul écrit politique que j'aie commis et qui (coïncidence supplémentaire) faisait état de ce que j'appelais « la révolution pessimiste » ou « la révolution sans métaphysique ». Vous auriez été surpris de voir que j'ai rencontré, vous ignorant, exactement les mêmes formules que vous. Cette communauté de vues me paraît un signe. Si je n'avais pas une peur bleue des magnifiques généralisations à la Nietzsche, je vous dirais : « Le sentiment de l'absurde, c'est le monde qui est en train de mourir. La volonté de l'absurde, c'est le monde nouveau. » Mettons que cette formule contienne trente pour cent de vérité, et ce serait assez pour exalter beaucoup d'esprits. Mais aurons-nous la force qu'il faut ?

Ceci me ramène, avant de terminer cette interminable lettre, à ce dont je vous ai déjà parlé. Je crois que, dans la méditation où le temps nous plonge, la seule chose que nous puissions faire, c'est de prendre conscience. Nous avons pour cela besoin les uns des autres. À cet égard, je crois que votre expérience, cette chasse insistante de l'expression, qui aboutit à un humanisme intolérant (au bon sens) et à un relativisme passionné, est irremplaçable, et que vous devriez lui donner une forme. Je n'invoquerai pas le bénéfice qu'en retirerait votre œuvre. Vous savez aussi bien que moi qu'elle est destinée à un certain nombre de malentendus, et je suppose, sans le savoir, que vous avez entendu jusqu'à satiété et (j'espère) jusqu'à l'indifférence des accusations de préciosité ou de virtuosité. C'est que le lecteur lit vite et toujours d'un œil (je le sais bien : il a fallu que je réapprenne à lire à vingt-cinq ans). Et je vous reconnais le droit de lui refuser des explications. Mais vous ne pouvez pas ignorer que votre méditation sur le problème de l'expression répond aux questions que se posent beaucoup d'esprits contemporains. Et je ne peux pas vous cacher, après avoir lu *Le Bois de pins** (qui ne figure pourtant que les travaux pratiques de la théorie à édifier), que je suis encore plus ferme dans ma curiosité. Dites-moi ce que vous en pensez. Pour ma part, je rêve d'une Philosophie du Minéral, ou de Prolégomènes à une métaphysique de l'Arbre, ou à un Essai sur les attributs de la Chose. Plaisanterie à part, je pense quelquefois à une immense révision des valeurs, totale et clairvoyante — et je sais bien que je n'aurai ni le talent ni la force de mener cela à bien. Mais cela du moins peut être l'œuvre de plusieurs esprits et c'est une tâche qui doit vous séduire. Vous pouvez évidemment alléguer que Sisyphe est paresseux. Mais quoi, ce sont les paresseux qui remuent le monde. Les autres n'ont pas le temps.

Je vous serre les mains.

PORTRAIT D'UN ÉLU

Le *Portrait de M. Pouget* a paru avant la guerre, en livraisons, dans une revue dont l'influence ne dépassait pas certains cercles. On ne peut dire que l'ouvrage à ce moment ait connu autre chose qu'une réputation sûre, mais discrète. Il vient d'être édité en volume** et il semble encore qu'on n'en ait pas beaucoup parlé en zone non occupée. C'est que, malgré les apparences, le monde n'a pas changé depuis la

---

* Dommage que les circonstances soient ce qu'elles sont ; je vous l'aurais demandé pour une collection que je dirige à Alger.
** Gallimard.

guerre. Il est toujours très bruyant. Et pour peu qu'une voix mesurée entreprenne de nous parler d'un exemple austère et pur, elle a chance de ne pas être entendue. Pour un livre, se faire entendre veut dire dépasser le cercle, restreint ou étendu, qui lui est acquis avant même sa parution. Je ne doute pas, bien entendu, que le *Portrait de M. Pouget* ait été lu avec enthousiasme dans les milieux catholiques. Mais il serait bon que des lecteurs très différents aient l'occasion de méditer ce beau livre et je voudrais justement apporter ici le témoignage d'un esprit étranger au catholicisme.

C'est une entreprise singulièrement ardue que de mettre en scène l'intelligence et la modestie, d'en tenter le portrait et de se faire le romancier d'une aventure spirituelle. Le *Portrait de M. Pouget* appartient à un genre difficile à définir, plus délicat encore à apparenter. Ce n'est pas l'amitié qui l'inspire, Montaigne parlant de La Boétie, ce serait plutôt la vénération, Alain tentant de faire revivre Jules Lagneau. Il y a toujours quelque chose d'émouvant dans l'hommage qu'un homme rend à un autre homme. Mais qui pourrait se vanter de définir ce sentiment si prenant qui lie certains esprits par les liens du respect et de l'admiration. C'est une parenté quelquefois plus solide que celle du sang. Bien pauvre en effet qui n'a pas eu cette expérience, heureux qui, l'ayant eue, s'y est abandonné. C'est une expérience de ce genre en tout cas que M. Guitton nous rapporte.

Qui était M. Pouget ? Un vieux prêtre lazariste aux trois quarts aveugle qui réfléchissait sur la Tradition et recevait quelques étudiants dans la petite cellule où il achevait sa vie. Celle-ci peut se résumer en quelques mots : paysan, séminariste, professeur, infirme et quarante ans de retraite studieuse à la maison des Lazaristes. Elle est donc privée de ces coups de théâtre qui alimentent les biographies brillantes. Les seules péripéties de cette existence sont enfermées dans une interminable réflexion sur la Tradition et les textes. Ainsi, faire la biographie de M. Pouget revenait à écrire un petit manuel d'exégèse et d'apologétique, à faire entrevoir une figure spirituelle derrière ses œuvres, sa méthode et ses idées.

Ces idées étaient nuancées. M. Pouget les avançait avec beaucoup de précaution. Et M. Guitton a mis toute la mesure et le respect qu'il fallait dans leur exposition. Les résumer, c'est par conséquent les trahir. Le lecteur remédiera à cet inconvénient en ayant sans cesse à l'esprit l'indice de correction nécessaire. Devant tout ce qui suit, en effet,

M. Pouget aurait été et M. Guitton serait en droit de s'écrier :
« C'est bien plus compliqué que cela ! »

★

Tout l'effort de M. Pouget semblait être de trouver le
chemin moyen entre la foi aveugle et la foi raisonnante. Il ne
voulait pas soutenir ce qui est insoutenable, défendre dans
l'Écriture des ambitions qu'elle n'a jamais eues. M. Pouget
jetait du lest. Tout dans les Écritures lui paraissait inspiré,
mais tout ne lui paraissait pas sacré. Il fallait faire un choix.
Du point de vue d'une orthodoxie entêtée, cela pouvait
être dangereux. En réalité, cela n'a pas manqué de l'être.
M. Pouget, semble-t-il, souffrait de disgrâce officielle. Il s'en
tirait en s'exerçant à la sérénité et en posant un postulat :
« L'Église n'est pas infaillible à cause des preuves qu'elle
propose, mais à cause de l'autorité divine avec laquelle elle
enseigne. » Ceci dit, il s'agissait pour lui de faire la part du
feu, de discerner un minimum irréprochable dans les textes
et de démontrer que ce minimum suffisait à prouver les
vérités de la foi. M. Pouget remarquait par exemple qu'on
demande aux Évangiles une rigueur historique que personne
n'aurait l'idée d'exiger des historiens de l'antiquité ou du
Moyen Âge. Il faut bien compter pourtant avec la mentalité
particulière à chaque temps, avec les sautes du climat moral
à travers les siècles. Et il faut distinguer soigneusement dans
l'Écriture ce qui revient à l'inspiration divine et ce qui provient de la mentalité propre à une certaine époque. Ainsi la
Bible, très longtemps, a précipité dans le même enfer, sans
discernement, les bons et les méchants. L'Ecclésiaste le dit
formellement. « Mais les morts ne savent rien et il n'y a plus
pour eux de salaire. » C'est que l'idée d'une récompense
morale était étrangère au milieu juif primitif. On ne saurait
défendre ces textes par conséquent et leur extorquer, au
moyen d'une torture par l'allégorie, l'aveu d'une inspiration
divine.

À qui se serait étonné de l'insouciance de Dieu qui, apparemment, laisse ainsi trahir sa pensée, M. Pouget aurait
reparti qu'il pouvait bien s'agir plutôt d'un plan concerté.
Dieu a proportionné ses révélations à la capacité de la créature. L'illumination divine est trop vive pour des yeux
humains et la révélation doit être graduée. « Dieu est éducateur », disait M. Pouget.

Il a fallu arriver au XXe siècle pour croire qu'on pouvait philosopher sans savoir son orthographe. Cette idée aurait scandalisé M. Pouget. La pédagogie divine, comme toutes les pédagogies raisonnables, procède au contraire par étapes. Elle ne vaticine pas, elle enseigne. Elle temporise avec l'esprit humain et le laisse respirer. Dieu s'est fait ainsi politique et réaliste. M. Pouget parlait volontiers d'un nouvel attribut divin, la condescendance (qu'il faudrait, je suppose, prendre au sens précis : descendre au niveau de…). La maxime divine serait ainsi, selon notre auteur : « Ni trop, ni trop tôt, ni trop à la fois. » Le résultat, c'est que Dieu a fait coïncider son enseignement avec l'histoire. L'histoire, c'est la série des manœuvres divines pour faire pénétrer les lumières de la vérité au cœur aveugle de la créature. Il faut prendre par conséquent la révélation dans son développement, dans son effort obstiné pour se dégager des écorces successives de préjugés séculaires. La science historique est sacrée. Et M. Guitton peut objecter avec quelque force aux critiques : « Ce qui est remarquable, ce n'est pas que le judéo-christianisme se revête de mentalités, c'est qu'il s'en évade. » Notons enfin que l'Église appuie cet effort par son propre travail de définitions dont M. Pouget remarque qu'il est presque toujours négatif. L'Église laisse toute liberté aux théologiens. Elle repousse seulement les théories qui menacent l'existence de la foi à leur époque. La Révélation enseigne ce qui est, l'Église repousse ce qui n'est pas. Cette dernière aurait ainsi à faire respecter la marche de la vérité, à empêcher qu'on la précipite et qu'on l'égare. Les hérétiques, en somme, seraient ceux qui veulent aller plus vite que Dieu. Pour l'impatience, point de salut.

★

Ces principes de minimum, de mentalité et de développement fondent la méthode de M. Pouget. Elle ne prend pas le problème à sa racine, il est vrai. La racine, c'est le problème de l'être et M. Pouget semblait se méfier de la métaphysique. En tout cas l'estime intellectuelle qu'inspire son entreprise fait une obligation au commentateur de rester sur le plan choisi par l'auteur. Sur ce plan cependant, cette méthode offre le flanc à une grosse objection. Elle risque, en effet, de faire de la mentalité le vide-poche de l'exégèse. Tout ce qui contredit la foi revient à la mentalité : la discussion est évitée. M. Guitton, sur ce point, fait une réponse qui n'est qu'à demi rassurante. « La méthode vaut ce que vaut l'esprit qui la manie. » Il est vrai. Mais cela risque de supprimer le problème des méthodes. Il n'y aurait pas de bonnes ou de mauvaises méthodes, mais de bons et de mauvais esprits. Avec quelques nuances, cela ne me paraît pas extraordinaire à admettre. Mais cela semble au contraire surprenant pour un esprit qui se place dans la Tradition.

On est plus à l'aise, en revanche, pour signaler ce qui paraît sans prix dans la réflexion de M. Pouget. C'est qu'elle laisse le problème de la foi intact. Entendons-nous. Est-il besoin de le dire, pour M. Pouget lui-même, la question ne se posait pas. Mais toute exégèse suppose ses incroyants. Comme les *Pensées* de Pascal, la pensée de M. Pouget a une direction sous-entendue : elle est apologétique. Mais sa méthode ne cherche pas à emporter directement la conviction. Cela, c'est l'œuvre de la grâce. La critique de M. Pouget était négative et préparatoire. Elle visait à montrer que l'Écriture inspirée n'offre rien qui heurte vraiment le bon sens. Les textes divins ne peuvent pas être des obstacles sur le chemin de la foi. Ce sont des guides sûrs au contraire. « De tout cela, disait M. Pouget, on ne tire pas la foi, *ce qui est impossible*, mais des motifs suffisants de croire. » Ainsi, à l'égard de l'intelligence une telle méthode, si généreuse et si modeste, laisse la question intacte. Le choix reste entier. Il est ramené dans son vrai climat.

On a beaucoup trop mélangé en effet depuis cent ans, les affaires de la foi et de la science*. Un examen plus souple, au contraire, rend toute liberté aux chrétiens et aux incroyants. Les premiers ne tentent plus de « démontrer » la révélation et les seconds ne tirent plus argument des généalogies fabuleuses de la Bible. Le problème de la foi ne gît pas dans des arguties. C'est par le bon sens que M. Pouget rend ses prestiges à la grâce. Il remet ici toute chose à sa place, seule façon de faire avancer l'esprit. Ce sont les vrais mérites d'une telle méthode. Et ces mérites, pour être discrets, sont à ce point inappréciables qu'ils font oublier la surprenante attitude qui, pendant trois siècles, mit à l'index Copernic et

---

* En fait, l'incrédulité contemporaine ne s'appuie plus sur la science comme à la fin du siècle dernier. Elle nie à la fois science et religion. Ce n'est plus le scepticisme de la raison en face du miracle. C'est une incroyance passionnée.

Galilée, ou qui érige en signe de la divinité la plus petite virgule de la Bible.

★

M. Pouget tient-il tout entier dans cette méthode ? On s'attend peut-être à ce qu'à tout cela s'ajoute un parfum d'existence, une résonance plus humaine. Cette méthode même cependant devrait mettre les chercheurs dans le secret d'une grande âme. Quand M. Guitton écrit que le principe de M. Pouget dans sa recherche était « une indifférence courageuse vis-à-vis de ses désirs », il semble qu'on soit devant l'homme et pour une seconde au moins qu'on le saisisse à plein. On se sent tout à fait renseigné encore sur l'étendue de ce registre humain lorsque M. Pouget nous confie lui-même : « Il y a des moments, maintenant que j'approche de ma fin, où j'ai des questions qui tendraient à l'incrédulité. » Il serait puéril de grossir le sens de ces aveux. Ce sont les ombres significatives du portrait, ce pli de la lèvre que Piero della Francesca a donné au duc d'Urbin. Il ne serait rien sans le reste, les yeux durs, le nez impérieux et même le paysage du fond. Mais sans lui, ce visage perdrait son secret et son humanité.

Je peux ici, pour finir, répéter ma question du début : mais qui était M. Pouget ? Aujourd'hui où l'Inde est à la mode, on est assuré de se faire entendre si l'on parle de gourou. C'est bien en effet à l'un de ces maîtres spirituels que ce prêtre fait penser. Seulement, cela ne peut se dire que de son influence. Son enseignement en effet ne vise pas à l'illumination, ni au dieu intérieur ; ce gourou singulier a fait de la critique historique un instrument d'ascèse. Il s'adresse au bon sens pour appuyer la révélation de ce qui passe le sens. Je ne suis pas à même de juger s'il en a été récompensé dans ce qui lui tenait à cœur*. On peut au contraire facilement éprouver qu'un livre comme celui qui vient de lui être consacré n'est pas seulement un hommage, mais aussi une preuve de l'efficacité d'un tel enseignement. Car j'ai à peine parlé du livre lui-même, fidèle en cela, je le suppose, aux intentions de son auteur. Dans un autre livre de M. Guitton

---

* On remarquera cependant que la belle thèse de M. Guitton sur le Temps et l'Éternité chez Plotin et saint Augustin, commence par une distinction méthodique entre l'esprit et la mentalité.

on lit que « l'élu est un être qui réalise son type idéal ». Dans ce sens, on peut dire que nous avons aujourd'hui « un portrait d'élu » qui me paraît une réussite exceptionnelle dans notre littérature. Il n'y fallait pas seulement du talent, mais ces puissants mobiles que sont l'admiration et la tendresse. M. Guitton en effet apporte de la clarté aux idées les plus délicates, et c'est un effet du grand style. Mais il met de la chaleur dans les abstractions et de la passion à l'objectivité. C'est un effet de l'âme. Une piété virile fait le reste et donne le ton de ce beau livre.

Il y aurait mauvaise grâce enfin à insister sur les réserves que peut inspirer à un esprit extérieur au catholicisme l'a priori moral que l'on sent à l'œuvre dans certaines pages du livre (130 et suivantes, 157). Il suffit de les noter. L'essentiel est que ce livre de bonne foi soit mis à sa vraie place : bien au-dessus des vains propos qui, de toutes parts aujourd'hui, résonnent comme la cymbale retentissante dont parle saint Paul*.

L'INTELLIGENCE ET L'ÉCHAFAUD

On dit que Louis XVI, sur le chemin de la guillotine, ayant voulu charger un de ses gardiens d'un message pour la reine, s'attira cette réponse : « Je ne suis pas ici pour faire vos commissions, je suis ici pour vous conduire à l'échafaud. » Ce bel exemple de propriété dans les termes et d'obstination dans l'emploi, me paraît s'appliquer parfaitement, sinon à toute notre littérature romanesque, du moins à une certaine tradition classique du roman français. Les romanciers de cette famille se refusent aux commissions et leur seul souci semble être de mener imperturbablement leurs personnages au rendez-vous qui les attend, que ce

---

* Le *Portrait de M. Pouget* a été écrit avant la guerre. Depuis l'armistice, au contraire, M. Guitton a publié des écrits et des articles auxquels je n'apporterais pas la même approbation.

soit la maison de retraite de Mme de Clèves, le bonheur de Juliette ou la déchéance de Justine, l'échafaud de Julien Sorel, la solitude d'Adolphe, le lit de mort de Mme de Graslin ou cette fête de la vieillesse que découvre Proust dans le salon de Mme de Guermantes. Ce qu'ils ont en propre, c'est l'unité de l'intention et l'on chercherait en vain parmi ces romans l'équivalent des interminables aventures d'un Wilhelm Meister ; ce n'est pas que nous soyons étrangers au pédantisme — mais nous avons le nôtre qui, heureusement, n'est pas celui de Goethe. Tout ce qu'on peut dire est qu'en art, un idéal de simplicité demande toujours la fixité de l'intention. On peut mettre ainsi au centre du roman français une certaine obstination.

Voilà pourquoi le roman pose d'abord des questions d'art. Si nos romanciers ont démontré quelque chose, c'est que le roman, contrairement à ce qu'on croit, se passe difficilement de perfection. Seulement, il s'agit d'une perfection singulière qui n'est pas toujours formelle. Sans doute on imagine à tort que le genre ne demande pas de style. Il exige, en fait, le style le plus difficile, celui qui se soumet. Mais justement, les questions que se sont posées nos grands romanciers n'intéressaient pas la forme pour la forme. Elles portaient seulement sur le rapport précis qu'ils voulaient introduire entre leur ton et leur pensée. À mi-chemin de la monotonie et du bavardage, ils avaient à trouver un langage pour leur obstination. Si ce langage, souvent, est sans prestiges extérieurs, c'est qu'il est fait à coups de sacrifices. On y a supprimé les commissions ; tout se ramène à l'essentiel. C'est la raison qui donne un air de parenté à des esprits aussi différents que Stendhal et Mme de Lafayette : ils se sont tous deux appliqués à parler le langage qu'il fallait. Le premier problème que se pose Stendhal est en effet celui des romanciers des grands siècles. Il appelle absence de style une parfaite conformité de son art et de ses passions*. Car l'originalité de toute cette littérature romanesque, devant celle d'autres pays étrangers, c'est qu'elle n'est pas seulement une école de vie, elle est aussi une école d'art : la flamme la plus vivace y court dans un langage exact. Nos grandes réussites sont nées d'une conception particulière de la force, qu'on peut appeler élégance, mais qui reste à définir.

---

* « Si je ne suis pas clair, tout *mon monde* est anéanti » (Stendhal).

Il faut être deux quand on écrit. En littérature française, le grand problème est ainsi la traduction de ce qu'on sent en ce qu'on veut faire sentir. Nous appelons mauvais écrivain celui qui s'exprime en tenant compte d'un contexte intérieur que le lecteur ne peut connaître. L'auteur médiocre, par là, est amené à dire tout ce qui lui plaît. La grande règle de l'artiste, au contraire, est de s'oublier à moitié au profit d'une expression communicable. Cela ne peut aller sans sacrifices. Et cette recherche d'un langage intelligible qui doit recouvrir la démesure de son destin, le conduit à dire non pas ce qui lui plaît, mais seulement ce qu'il faut. Une grande partie du génie romanesque français tient dans cet effort éclairé pour donner aux cris des passions l'ordre d'un langage pur. En bref, ce qui triomphe dans les œuvres dont je parle, c'est une certaine idée préconçue, je veux dire l'intelligence.

Il faut s'entendre cependant. On a toujours tendance à penser que cette intelligence porte sur l'extérieur, la composition par exemple. Or, il est curieux de noter que la composition du roman-type du XVIIᵉ siècle, *La Princesse de Clèves*, est fort lâche, rebondit en plusieurs récits, débute dans la complication si elle se termine dans l'unité. Il faut, en réalité, attendre jusqu'au XIXᵉ siècle pour trouver dans *Adolphe* la ligne pure qu'on prête volontiers par l'imagination à *La Princesse*. De même, la composition des *Liaisons dangereuses* est purement chronologique, il n'y entre pas de recherches d'art. Celle des romans de Sade est primaire, les dissertations philosophiques alternant avec les descriptions érotiques et ainsi jusqu'à la fin. Les romans de Stendhal offrent de curieux témoignages de négligence et on ne s'étonnera jamais assez du dernier chapitre de *La Chartreuse*, où l'auteur, comme à portée de l'écurie, pressé d'en finir, entasse pêle-mêle deux fois plus d'événements que dans le reste de l'ouvrage. Ce ne sont pas ces exemples en tout cas qui permettront de conclure à la perfection apollinienne de la forme.

L'unité, la simplicité profonde, le classicisme sont donc ailleurs. On s'approchera sans doute de la vérité en disant seulement que la grande caractéristique de ces romanciers est que, chacun de leur côté, ils disent toujours la même chose et toujours sur le même ton. Être classique, c'est se répéter. On trouve ainsi, au cœur de nos grandes œuvres romanesques, une certaine conception de l'homme que l'intelligence s'efforce de mettre en évidence au moyen d'un petit nombre de situations. Et certes, cela pourrait se dire de n'importe quel bon roman, s'il est vrai que le roman fait de l'intelligence son univers, comme le drame le fait de l'action. Mais ce qui semble particulier à cette tradition française, c'est que l'intrigue et les personnages se limitent en général à cette idée et que tout est disposé pour la faire retentir indéfiniment. L'intelligence, ici, n'apporte pas seulement sa conception, elle est en même temps un principe d'une merveilleuse économie et d'une sorte de monotonie passionnée. Elle est à la fois créatrice et mécanicienne. Être classique, c'est en même temps se répéter et savoir se répéter. Et c'est la différence que je vois avec d'autres littératures romanesques où l'intelligence inspire l'œuvre, mais se laisse aussi entraîner par ses propres réactions*.

Pour prendre un exemple précis, il me semble que Mme de Lafayette ne vise, rien d'autre ne l'intéressant au monde, qu'à nous enseigner une très particulière conception de l'amour. Son postulat singulier est que cette passion met l'être en péril. Et c'est en effet ce qu'on peut dire dans la conversation, mais personne n'a eu l'idée d'en pousser la logique aussi loin que Mme de Lafayette l'a fait. Ce qu'on sent à l'œuvre dans *La Princesse de Clèves* comme dans *La Princesse de Montpensier*, ou *La Comtesse de Tende*, c'est une constante méfiance envers l'amour. On peut la reconnaître déjà dans son langage où il semble vraiment que certains mots lui brûlent la bouche : « Ce qu'avait dit Mme de Clèves de son portrait lui avait redonné la vie en lui faisant connaître que c'était lui qu'elle ne haïssait pas. » Mais les personnages à leur manière nous persuadent aussi de cette méfiance salutaire. Ce sont de curieux héros qui périssent tous de sentiments et vont chercher des maladies mortelles dans des passions contrariées. Il n'est jusqu'à ses figures secondaires qui ne meurent par un mouvement de l'âme : « On lui porta sa grâce comme il n'attendait que le coup de la mort, mais la peur l'avait tellement saisi qu'il n'avait plus de connaissance et mourut quelques jours après. » Les plus audacieux de nos romantiques n'ont pas osé donner tant de pouvoirs à la passion. Et l'on comprend sans peine que devant ces ravages du sentiment, Mme de Lafayette prenne comme ressort de son intrigue une extraordinaire théorie du mariage considéré comme un moindre mal : il vaut mieux

---

* Les romans russes, par exemple, ou des tentatives comme celle de Joyce.

être fâcheusement mariée que souffrir de la passion. On reconnaît ici l'idée profonde dont la répétition obstinée donne son sens à l'ouvrage. C'est une idée de l'ordre.

Bien avant Goethe, en effet, Mme de Lafayette a mis en balance l'injustice d'une condition malheureuse et le désordre des passions ; et bien avant lui, par un mouvement étonnant de pessimisme, elle a choisi l'injustice qui ne dérange rien. Simplement, l'ordre dont il s'agit pour elle est moins celui d'une société que celui d'une pensée et d'une âme. Et loin qu'elle veuille asservir les passions du cœur aux préjugés sociaux, elle se sert de ceux-ci pour remédier aux mouvements désordonnés qui l'effraient. Elle n'a cure de défendre des institutions qui ne sont pas son fait, mais elle veut préserver son être profond dont elle connaît le seul ennemi. L'amour n'est que démence et confusion. On n'a pas de peine à deviner les souvenirs brûlants qui se pressent sous ces phrases désintéressées, et c'est là, bien mieux qu'à propos d'une illusoire composition, que nous prenons une grande leçon d'art. Car il n'y a pas d'art là où il n'y a rien à vaincre, et cette mélodie cérémonieuse, nous comprenons alors que sa monotonie est faite autant d'un calcul clair-voyant que d'une passion déchirée. S'il ne s'y trouve qu'un seul sentiment, c'est qu'il a tout dévoré et s'il parle toujours sur le même ton un peu compassé, c'est qu'on ne lui permet pas les cris. Cette objectivité est une victoire. D'autres, qui peuvent être instructifs mais qui n'emportent rien, se sont exercés à l'objectivité. Mais c'est qu'ils n'étaient pas capables d'autre chose. C'est pourquoi les romanciers appelés natu-ralistes ou réalistes, qui ont écrit tant de romans et beaucoup de bons, n'en ont pas fait un seul grand. Ils ne pouvaient aller plus loin que la description. Chez Mme de Lafayette, au contraire, la grandeur de cet art hautain est de faire sentir que ses limites ont été posées avec *intention*. Du même coup, elles disparaissent et toute l'œuvre retentit. Cela est d'un art concerté qui doit tout à l'intelligence et à son effort de domi-nation. Mais il est bien évident que cet art naît en même temps d'une infinie possibilité de souffrance et d'une déci-sion arrêtée de s'en rendre maître par le discours. Rien ne dit mieux cette détresse disciplinée, cette lumière puissante dont l'intelligence transfigure la douleur, qu'une admirable phrase de *La Princesse de Clèves* : « Je lui dis que tant que son affliction avait eu des bornes, je l'avais approuvée et que j'y étais entré ; mais que je ne le plaindrai plus s'il s'abandonnait

au désespoir et s'il perdait la raison. » Ce ton est magnifique.
Il postule qu'une certaine force de l'âme peut poser des
bornes au malheur en censurant son expression. Il fait entrer
l'art dans la vie en donnant à l'homme en lutte contre son
destin les forces du langage. Et l'on voit ainsi que si cette
littérature est une école de vie, c'est *justement* parce qu'elle
est une école d'art. Exactement, la leçon de ces existences et
de ces œuvres n'est plus seulement d'art, elle est de style. On
y apprend à donner une forme à sa conduite. Et cette vérité
constante que Mme de Lafayette ne cesse de répéter, et
qu'elle figure dans cette phrase sous une forme inoubliable,
prend tout son sens et éclaire ce que je veux dire quand on
voit que c'est le même homme (le prince de Clèves) qui dit
cela et qui mourra pourtant de désespoir.

On retrouverait aisément chez Sade, chez Stendhal,
Proust et quelques rares contemporains, l'enseignement
d'un style de vie, fort différent pour chacun, mais toujours
fait d'un choix, d'une indépendance calculée et d'une chasse
clairvoyante. L'entêtement dans le péché devenu légitime
chez Sade*, les litanies de l'énergie chez Stendhal**, l'ascèse
héroïque de Proust pour repétrir la détresse humaine dans
une existence tout entière privilégiée, ils ne disent tous
qu'une chose et ils ne disent rien d'autre. D'un sentiment
unique qui les a pour toujours envahis, ils font une œuvre
aux visages à la fois différents et monotones.

Bien entendu, il ne s'agit ici que d'indications. Elles
suffiront peut-être à faire admettre que ce ne sont pas des
qualités purement formelles (en art cette expression n'a
d'ailleurs pas de sens) qui font la rigueur, la pureté, la force
rentrée de cette littérature romanesque. C'est l'obstination
ajustée au ton qui lui convient, la constance d'âme qui s'y
rattache, la science littéraire et humaine du sacrifice. Un tel
classicisme est fait de partis pris***. Ce culte de l'intelligence
efficace autant qu'un art fait une civilisation et un savoir-

---

* « Il a forgé des cruautés qu'il n'a point vécues, et qu'il n'aurait point
voulu vivre, pour entrer en contact avec de grands problèmes. » (Otto Flake.)
Le grand problème de Sade, c'est l'irresponsabilité de l'homme sans Dieu.
** On rapprochera de la phrase du prince de Clèves cette notation du
Journal de Stendhal : « Comme il arrive souvent aux hommes qui ont
concentré leur énergie sur un ou deux points vitaux, il avait l'air indolent et
négligé. »
*** C'est la raison pour laquelle *Le Parti pris des choses*, de Francis Ponge,
est une des seules œuvres classiques contemporaines.

vivre. Au demeurant, il est possible qu'une telle attitude n'aille pas sans limitations. Mais peut-être sont-ce des limitations nécessaires. Nous avons tendance aujourd'hui à sous-estimer cet effort lucide. Et nous sommes très fiers de l'universalité de notre goût. Mais elle détend peut-être notre force intérieure. À qui lui demandait comment il était arrivé à édifier sa théorie, Newton pouvait répondre : « En y pensant toujours. » Il n'y a pas de grandeur sans un peu d'entêtement.

En tout cas, c'est ainsi que j'explique le sentiment très fort que je trouve à la lecture de nos grands romans. Ils témoignent pour l'efficacité de la création humaine. On s'y persuade que l'œuvre d'art est chose humaine, jamais assez humaine, et que le créateur peut se passer d'une dictée transcendante. Ils ne sont pas nés dans les éclairs de l'inspiration, mais par une fidélité quotidienne. Et c'est vraiment un des secrets du roman français que de savoir manifester en même temps un sens harmonieux de la fatalité et un art tout entier sorti de la liberté individuelle — de figurer enfin le terrain idéal où les forces de la destinée se heurtent à la décision humaine. Cet art est une revanche, une façon de surmonter un sort difficile en lui imposant une forme. On y apprend la mathématique du destin, c'est une manière de s'en délivrer. Et si le prince de Clèves se montre supérieur, malgré tout, à cette sensibilité frémissante qui le tuera, c'est dans la mesure où il est capable de former cette admirable phrase qui refuse de peindre le désespoir et la déraison. Aucun de nos grands romanciers ne s'est détourné de la douleur des hommes, mais il est possible de dire qu'aucun ne s'y est abandonné et que par une émouvante patience, ils l'ont tous maîtrisée par les règles de l'art. L'idée qu'un Français contemporain peut se faire de la virilité (et naturellement elle n'a que faire du tambour) il la doit peut-être à cette suite d'œuvres sèches et brûlantes où se déroule sans une défaillance, jusqu'à l'échafaud, l'exercice supérieur d'une intelligence qui n'a de cesse qu'elle domine.

SUR UNE PHILOSOPHIE
DE L'EXPRESSION

Il n'est pas sûr que notre époque ait manqué de dieux. On lui en a proposé beaucoup, et le plus souvent bêtes ou lâches. Il semble bien, au contraire, qu'elle manque d'un dictionnaire. C'est une chose, du moins, qui paraît évidente à ceux qui espèrent pour ce monde, où tous les mots sont prostitués, une justice claire et une liberté sans équivoque. Mais la question que vient de poser Brice Parain est justement de savoir si un tel dictionnaire est possible et, surtout, s'il peut se concevoir en dehors d'un dieu qui lui donne ses significations. Les livres que vient de faire paraître Parain traitent du langage*. Mais c'est déjà l'incertitude du langage qui faisait le sujet de ses premiers essais**. Cette longue et scrupuleuse réflexion suffirait à lui valoir l'attention et l'estime. Mais pour bien d'autres raisons, que je dirai pour finir, ces livres importent pour notre époque dont, malgré l'apparente spécialité de leur sujet, ils ne se séparent pas un instant.

Quelle est l'originalité de Parain ? Il fait du langage une question métaphysique. Pour les philosophes de profession, le langage pose des problèmes historiques et psychologiques. Comment s'est-il formé, quelles sont ses lois, l'ambition du chercheur s'arrête là. Mais il y a une interrogation primordiale qui doit porter sur la valeur même des mots que nous prononçons. Il s'agit de savoir si notre langage est mensonge ou vérité : c'est la question que pose Parain.

Pourtant, parler est apparemment la chose la plus facile du monde. Nous mentons lorsque nous le voulons et disons vrai lorsqu'il le faut. Mais la question n'est pas là. Il s'agit, au contraire, de savoir si notre langage n'est pas mensonge au

---

* *Essai sur le logos platonicien* (1941), *Recherches sur la nature et les fonctions du langage* (1943), chez Gallimard.
** *Essai sur la misère humaine* (1934), *Retour à la France* (1936), chez Grasset.

moment même où nous croyons dire vrai, si les mots ont une chair ou s'ils ne sont que des coques vides, s'ils recouvrent une réalité plus profonde ou s'ils ne sont que poursuite du vent. À vrai dire, nous savions déjà que les mots nous manquent parfois, et au moment même où notre cœur va parler, qu'ils nous trahissent plus souvent encore dans nos plus grandes sincérités et que, d'autres fois, leur seul rôle est de nous duper en faisant mine de tout arranger. Nous n'ignorions pas que, « payer sa dette à la société », « mourir au champ d'honneur », « mettre fin à ses jours », « faire toute la guerre », « s'en aller de la poitrine », « une vie de labeur » étaient des formules toutes faites, destinées à camoufler des expériences désespérantes. Mais l'interrogation de Parain est encore plus impérieuse. Car, en fait, il s'agit de savoir si même nos mots les plus justes et nos cris les plus réussis ne sont pas privés de sens, si le langage n'exprime pas, pour finir, la solitude définitive de l'homme dans un monde muet. Cela revient, pour tout dire, à chercher quel est l'être du langage et à demander aux mots les mêmes raisons que nous demandons à Dieu. Car la pensée profonde de Parain est qu'il suffit que le langage soit privé de sens pour que tout le soit et que le monde devienne absurde. Nous ne connaissons que par les mots. Leur inefficacité démontrée, c'est notre aveuglement définitif.

Mais entrer dans la métaphysique, c'est entrer dans le paradoxe, et la métaphysique du langage ne manque pas à cette règle. Ou bien, en effet, nos mots traduisent seulement nos impressions et ils participent ainsi de leur contingence, hors de toute signification précise, ou bien ils représentent quelque vérité idéale et essentielle et, alors, ils n'ont que faire de la réalité sensible sur laquelle ils sont sans action. Ainsi nous ne pouvons nommer les choses que d'une façon incertaine, et nos mots ne deviennent certains qu'à partir du moment où ils ne désignent plus les choses.

Dans aucun de ces cas, nous ne pouvons compter sur eux pour la conduite de notre vie. Et le tragique commence avec les conséquences. « On ne peut pas, dit Parain, accuser notre langage d'être l'instrument du mensonge et de l'erreur sans accuser en même temps, et du même coup, le monde d'être mauvais, Dieu d'être méchant*. » Et, citant Socrate, dans le *Phédon* : « Une expression vicieuse ne détonne pas unique-

---

* *Recherches*, p. 141.

ment par rapport à cela même qu'elle exprime, mais cause encore du mal dans les âmes. »

La situation devant laquelle se trouvait Socrate n'était pas, en effet, sans analogie avec la nôtre. Il y avait du mal dans les âmes parce qu'il y avait contradiction dans le discours, parce que les mots les plus courants étaient munis de plusieurs significations, contrefaits, détournés du simple usage qu'on leur imaginait. De semblables problèmes ne peuvent pas nous laisser indifférents. Nous aussi, nous avons nos sophistes et nous réclamons quelque Socrate, puisque ce fut la tâche de Socrate que de tenter la guérison des âmes par la recherche d'un dictionnaire. Si les mots justice, bonté, beauté, n'ont pas de sens, les hommes peuvent se déchirer. L'effort, et l'échec, de Socrate, c'est de trouver ce sens irréprochable, à défaut duquel il a choisi de mourir. De même, c'est le souci de ces conséquences urgentes qui fait tout le prix des *Recherches* de Parain. Son premier effort est de loyauté. Il est de poser, dans sa plus grande clarté, le paradoxe de l'expression : « S'il opte pour l'hypothèse sensualiste, il y gagnera le monde extérieur, mais y perdra la science ; s'il opte pour l'hypothèse idéaliste, il y gagnera la science, mais ne saura que faire de la réalité sensible et sa science sera vaine. Dans le premier cas, son langage deviendra littérature ; dans le second cas, le système logique, développé à partir de quelques propositions simples, apparaîtra bientôt comme le produit d'un rêve ou l'atroce divertissement dont un prisonnier occuperait sa solitude*. » On comprend alors que pour Parain le langage ne soit pas seulement un problème métaphysique, mais encore la racine de toute métaphysique. Et ce n'est pas sans raison qu'il présente ses recherches à la fois comme une enquête sur notre condition et comme une introduction à l'histoire de la philosophie. Tout système philosophique est, à la fin, une théorie du langage. Toute interrogation sur l'être met en question le pouvoir des mots.

L'histoire de la philosophie, pour Parain, est, au fond, l'histoire des échecs de la pensée devant le problème du langage. L'homme n'est pas arrivé à trouver ses mots. Et peut-être est-il possible d'imaginer l'aventure métaphysique comme une quête, à la fois obstinée et stérile, du maître

---

* *Recherches*, p. 56.

mot qui éclairerait tout, le « Sésame » suffisant, l'équivalent de « Aum », la syllabe sacrée des hindous. À cet égard, les recherches de Parain montrent que des premiers Grecs à la dialectique moderne, la réflexion sur le langage a évolué dans le sens d'une démission. Aux tentatives de justification, on a substitué l'étude des règles de l'expression. C'est une évolution parallèle à celle qui a fini par remplacer, dans notre siècle, la métaphysique par le culte de l'action, l'effort de connaissance par la petite sagesse du pragmatisme. « La connaissance et le devenir s'excluent », dit Nietzsche. Il faut donc, si l'on veut vivre dans le devenir, abandonner tout espoir de connaissance.

Les Grecs, grands aventuriers de l'intelligence, ont cependant abordé le problème de front. Et du premier coup, les présocratiques ont défini un univers immobile et transparent, où à chaque objet correspondait une expression. Mais ils n'ont pas reculé non plus devant les conséquences de cette première affirmation. Car, si chaque mot trouve sa garantie dans un objet de ce monde, rien ne peut se nier et Protagoras a le droit de s'écrier que tout est vrai. La science est la sensation et la discussion est impossible. Ce monde est sans objections. Il suffit de parler pour dire vrai*. Mais Gorgias peut dire aussi bien que tout est faux, puisque, en fait, il y a plus d'objets réels que de mots pour les désigner. Aucun mot ne peut rendre un compte complet de ce qu'il désigne, rien ne peut se démontrer puisque rien ne peut s'épuiser.

La pensée grecque a oscillé longtemps entre ces conclusions extrêmes. Et ce n'est pas en vain qu'elle a trouvé sa forme littéraire la plus pure dans le dialogue, comme si, pendant des siècles, dans toute pensée hellène, Protagoras et Gorgias devaient s'opposer inlassablement. L'effort de Socrate, celui de Platon, a été de trouver la loi qui transcende nos actes et nos expressions. Nous ne sommes pas très sûrs des conclusions de Socrate. Nous savons qu'il est mort volontairement et c'est peut-être la preuve qu'il croyait plus à la vertu de l'exemple qu'à la démonstration par les mots. Mais, pour Platon, Parain dit justement que les *Dialogues* ne sont que de longs combats entre le langage et la réalité où,

---

* De même, si on conclut qu'on ne peut nommer ce qui n'existe pas, tout ce qui a un nom existe et il n'est pas un des rêves de l'homme (Jésus ou Pan) qui n'ait de réalité. Si, au contraire, on conclut qu'on peut nommer ce qui n'existe pas, nous sommes privés de règle.

paradoxalement, c'est la réalité qui a le dessous. Car la théorie des Idées marque la victoire des mots plus généraux que
les objets et plus près de la patrie idéale dont ce monde n'est
qu'une copie délavée. Pour que les mots aient un sens, il faut
que ce sens leur vienne d'ailleurs que du monde sensible, si
fugace et si changeant. Cet ailleurs, que tant d'esprits grecs
ont appelé de toutes leurs forces, c'est l'Être. La solution de
Platon n'est plus psychologique, elle est cosmologique*. Il
a fait du langage un intermédiaire dans la hiérarchie qui va
de la matière à l'Un. Le logos est un genre de l'être, une des
sphères de l'harmonie universelle. Auprès de lui, ce monde
est sans importance.

Dès le ve siècle avant notre ère, le dilemme définitif est
donc posé : le monde ou le langage, le non-sens ou l'éternelle lumière. C'est ce choix abrupt qu'Aristote, soucieux de
rester dans la familiarité des choses, repousse. Mais, en face
de certains problèmes, la prudence ne paie pas. La théorie
de la démonstration aristotélicienne où les mots ne sont
justes que par convention, mais où cette convention repose
sur une intuition exacte des essences, est un compromis
ambigu. C'est ce choix, au contraire, que Pascal restitue
dans toute sa cruauté. Incertain du langage, tremblant
devant l'énormité du mensonge, incapable de raisonner le
paradoxe, Pascal s'assure seulement qu'il existe**. Mais il
le dénonce mieux que personne : « Deux erreurs, dit-il,
1° prendre tout littéralement, 2° prendre tout spirituellement. » C'est pour cela que Pascal ne propose pas une solution, mais une soumission. Soumission au langage traditionnel parce qu'il nous vient de Dieu, humiliation devant
les mots pour trouver leur véritable inspiration. Il faut choisir entre le miracle et l'absurde, il n'y a pas de moyen terme.
On connaît le choix de Pascal.

Avec quelques nuances importantes que j'indiquerai plus
loin, il est évident que, pour Parain aussi, ce dilemme fait le
fond du débat. Mais il n'en étudie pas moins l'effort considérable accompli par le philosophe moderne pour obtenir
un compromis moins scandaleux pour la raison. C'est un
compromis qui s'amorce déjà avec Descartes et Leibniz et
je signale que les chapitres qui leur sont consacrés dans les

---

* *Essai sur le logos platonicien.*
** Que signifient les mots ! Pascal est pour nous un grand philosophe.
Mais dans la rue qui l'a vu naître à Clermont-Ferrand, il existe un Pascal-bar.

Recherches sont tout à fait neufs. Ce compromis, cependant, trouve dans la philosophie allemande, et surtout chez Hegel, sa meilleure expression. On sait que, sous un de ses aspects les plus caractéristiques, la pensée allemande a inventé de diviniser l'histoire. Exactement, l'histoire, prise dans sa totalité, y est considérée comme l'expression commune du devenir et de l'unité. En fait, il n'est plus question d'unité ou d'absolu, au sens classique. Il n'y a plus d'essences vraiment intemporelles. Les idées, au contraire, se réalisent dans le temps. Un texte de Hegel, cité par Parain[*], illustre cette position de façon frappante : « Il faut donc dire de l'Absolu qu'il est essentiellement Résultat et que ce n'est qu'à son terme qu'il parvient à être ce qu'il est en vérité, sa nature consistant précisément à être à la fois le fait, le sujet ou le devenir de soi-même. » On reconnaît ici une philosophie de l'immanence. L'absolu ne s'oppose plus au monde relatif, il se confond avec lui. Il n'y a plus de vérité, mais il y a quelque chose qui est en train de se faire et qui sera vérité. Et, de même, le langage n'est pas autre chose que la totalité de notre vie intérieure. La vérité d'un mot ne lui est pas acquise, mais elle se fait peu à peu dans la phrase, le discours, la littérature et l'histoire des littératures. Le mot « Dieu », par exemple, n'est rien en dehors de ses attributs et de la phrase qui le salue. Il est peu de chose, séparé de l'amas des notions que l'histoire et le cœur humain ont ensemble accumulé et ne cessent d'accumuler à son propos. Tous les mots sont ainsi dans une aventure incessante vers une signification universelle. Là aussi le langage est l'être, mais c'est parce que l'être est toutes choses.

La place manque pour discuter ici cette conception. On se reportera avec intérêt à la discussion que Parain en donne. Mais en bref, elle oppose à Hegel les objections que soulève toute philosophie de l'immanence : on ne peut concevoir de vérité qui ne s'achève ni ne commence, qui participe à la fois du sensible et de l'universel. La métaphysique est la science des commencements et l'exigence que soulève le langage est plus catégorique que la réponse qu'on lui fournit ainsi. Le langage est-il mensonge ou vérité ? Répondre qu'il est vérité en train de se faire (et à l'aide du mensonge) n'est possible qu'en introduisant l'abstraction jusque dans le concret et,

[*] *Recherches*, p. 149.

dans tous les cas, ne peut satisfaire au paradoxe tranchant qui lui est proposé.

L'histoire de la philosophie ramène toujours le penseur au dilemme pascalien. Et le propos des *Recherches*, c'est de marquer avec des arguments nouveaux un paradoxe aussi vieux et aussi cruel que l'homme. Ce serait un contresens, en effet, d'imaginer ici une pensée qui conclut simplement à la non-signification du monde. Car l'originalité de Parain, pour le moment du moins, c'est de maintenir le dilemme en suspens. Il affirme sans doute que, si le langage n'a pas de sens, rien ne peut en avoir et que tout est possible. Mais ses livres montrent *en même temps* que les mots ont juste assez de sens pour nous refuser cette ultime certitude que tout est néant. Notre langage n'est ni faux ni vrai. Il est à la fois utile et nuisible, nécessaire et futile. « Mes paroles déforment peut-être ma pensée, mais si je ne raisonne pas, ma pensée s'évanouit. » Ni oui ni non, le langage est seulement une machine à fabriquer du doute. Et comme dans tout problème qui engage l'être, dès que nous avançons un peu loin, là où notre condition se joue, nous rencontrons la nuit. Un « non » brutal serait au moins positif. Mais ce n'est pas cela. Ce langage si incertain semble à Parain livrer, malgré tout, les éléments d'une hiérarchie. Il ne donne pas l'être, mais il le laisse soupçonner. Chaque mot dépasse l'objet qu'il prétend désigner et appartient au genre. Mais s'il indique le genre, il n'est pas le genre tout entier. Et même la réunion de tous les mots désignant tous les individus de ce genre ne ferait pas le genre. Dans le mot, il y a quelque chose de plus, mais ce quelque chose de plus n'est encore pas assez.

L'auteur se défend de conclure et, il le dit lui-même, son livre commence et se termine par une inquiétude. Il laisse cependant deviner où le mènent sa sensibilité et son expérience. Son propos apparent est de maintenir le choix et le paradoxe : « Toute philosophie, dit-il, qui ne réfute pas Pascal, est vaine. » Cela est vrai, même pour des esprits que rien n'incline vers le miracle. En tout cas, l'apparente objectivité de l'auteur pourrait faire croire que ses beaux livres résument une métaphysique du mensonge qui a eu déjà un très grand défenseur. Mais alors que Nietzsche acceptait le mensonge de l'existence et y voyait le principe de toute vie et de tout progrès, Parain le repousse. Ou, du moins, s'il accepte de le reconnaître, il ne lui apporte pas son approbation préférant, à cet instant précis, se démettre de son jugement dans les mains de quelque puissance supérieure. Cette philosophie de l'expression s'achève en effet sur une théorie du silence. L'idée profonde de Parain est une idée d'honnêteté : la critique du langage ne peut éluder ce fait que nos paroles nous engagent et que nous devons leur être fidèles. Mal nommer un objet, c'est ajouter au malheur de ce monde. Et justement la grande misère humaine qui a longtemps poursuivi Parain et qui lui a inspiré des accents si émouvants, c'est le mensonge. Sans savoir ou sans dire encore comment cela est possible, il sait que la grande tâche de l'homme est de ne pas servir le mensonge. Au terme de ses analyses, il entrevoit seulement qu'il y a dans le langage une puissance qui nous déborde : «On lui demande de formuler ce que l'homme a de plus intimement individuel. Il n'y est pas propre. Sa destination est de formuler ce que l'homme a de plus strictement impersonnel, de plus intimement pareil aux autres*.» C'est à cette banalité supérieure que peut-être il faut se tenir, là où se rejoignent l'artiste et l'homme des champs, le penseur et l'ouvrier. Car le langage passe l'individu et sa terrible inefficacité est le signe de sa transcendance. Pour Parain, il faut une hypothèse à cette transcendance. On sent bien ici que, placé devant le choix pascalien, il incline au miracle, et, par lui, au langage traditionnel. Il voit le signe d'un dieu dans la ressemblance des hommes. Le miracle consiste à revenir aux mots de tout le monde, mais en y apportant l'honnêteté qu'il faut afin de diminuer la part du mensonge et de la haine**. C'est en vérité un chemin vers le silence, c'est un silence relatif, puisque le silence absolu est impossible. Quoique Parain nous dise que son livre s'arrête au bord de l'ontologie, son effort dernier est de poursuivre avec le plus muet des êtres cette conversation supérieure où les paroles sont inutiles : «Le langage n'est qu'un moyen pour nous attirer vers son contraire qui est le silence et qui est Dieu***.»

---

* *Recherches*, p. 173.

** «Ne pas mentir n'est pas seulement ne pas dissimuler ses actes ou ses intentions, mais les dire et les accomplir avec vérité, ce qui n'est pas aisé et rien qu'on obtienne sans souffrir.» *Recherches*, p. 183.

*** *Recherches*, p. 179. Mais à partir de ce moment, le nouveau problème qui se pose est la conciliation de l'existence du mensonge et de l'existence divine. Je suppose que c'est le problème qu'abordera Parain dans son prochain livre.

C'est ici la limite où le commentateur doit s'arrêter. L'essentiel aussi bien n'est pas encore de savoir ce qu'il faut élire du miracle ou de l'absurde. L'essentiel est de montrer qu'à eux deux ils forment le seul choix possible, et que le reste est sans importance. Mais, je crois bon de l'indiquer pour finir, c'est par là que cette réflexion, d'apparence si spéciale, rejoint l'époque et son destin. À vrai dire, elle ne s'en est jamais séparée et il n'est pas indifférent d'apprendre que les livres de Parain représentent pour leur auteur une seule méditation, étendue sur de longues années, étroitement mêlée à l'histoire de sa vie et à notre histoire.

Ce qui caractérise notre siècle, ce n'est peut-être pas tant d'avoir à reconstruire le monde que d'avoir à le repenser. Cela revient en fait à lui donner son langage. C'est ainsi que quelques-uns des grands mouvements de l'époque, artistiques ou politiques, ont été des remises en question du langage. Il suffira de citer le surréalisme pour qu'on aperçoive comment une philosophie de l'expression peut se mêler étroitement à une critique sociale. Aujourd'hui où les questions que nous pose le monde sont bien plus pressantes, nous cherchons nos mots avec encore plus d'angoisse. Les lexiques qu'on nous propose ne peuvent nous convenir. Et il est naturel que les meilleurs parmi nos esprits forment une sorte d'académie passionnée à la recherche d'un dictionnaire français. C'est pourquoi les œuvres les plus significatives de ces années quarante ne sont peut être pas celles qu'on imagine, mais celles qui remettent en question le langage et l'expression. La critique de Jean Paulhan, le nouveau monde créé par Francis Ponge et la philosophie historique de Parain, me semblent répondre, sur des plans très différents et avec des oppositions très marquées, à cette exigence. Car il ne s'agit pas chez eux d'un exercice byzantin sur des motifs de grammaire, mais d'une interrogation profonde qui ne se sépare pas de la souffrance des hommes. Nos sacrifices y trouvent leur forme.

Une chose est changée seulement depuis les surréalistes. Au lieu de tirer de l'incertitude du monde ou du langage toutes les libertés, une démence calculée, l'inspiration automatique, on s'efforce à la discipline intérieure. Du désespoir on ne tire plus l'anarchie, mais la domination de soi. La tendance n'est plus de nier la raison du langage et de lâcher la bride à ses désordres. Elle est de lui reconnaître des pouvoirs relatifs de revenir, par l'absurde ou le miracle, à sa tradition. Autrement dit, et ce passage de pensée est capital pour l'époque, d'une philosophie du mensonge et de la non-signification, au moins apparente, du monde, on ne tire plus l'apologie de l'instinct, mais un parti pris d'intelligence. Il s'agit seulement d'une intelligence raisonnable revenue au concret et soucieuse d'honnêteté. C'est un nouveau classicisme — et qui témoigne pour les deux valeurs qui sont aujourd'hui le plus attaquées, je veux dire l'intelligence et la France.

Pour bien des raisons, le livre que Parain nous promet sur l'ontologie du langage revêt une grande importance. Mais en attendant, et par-dessus les oppositions, sachons déjà reconnaître nos ressemblances profondes. Le goût de la vérité, une leçon de modestie qui termine une analyse scrupuleuse, servie par l'information la plus étendue, c'est l'enseignement de ces livres. Nous ne pouvons pas nous en détourner. Nous avons encore beaucoup à faire et nous sommes toujours soumis à la plus cruelle des questions. Mais il est sûr que, tournés vers le miracle ou vers l'absurde, nous ne ferons rien en dehors de ces vertus qui font l'honneur de l'homme et qui sont honnêteté et pauvreté. Ce qu'on peut apprendre de l'expérience qui nous est ici proposée, c'est à tourner le dos aux attitudes et aux discours, pour porter avec scrupule le poids de notre vie quotidienne. « Maintiens l'homme dans son application, dit l'*Essai sur la misère humaine*, c'est par elle qu'il devient immense et c'est la seule immensité qu'il transmet. » Oui, nous avons à retrouver notre banalité. La question est seulement de savoir si nous aurons à la fois le génie et le cœur simple qu'il y faut.

Articles publiés dans
« Combat » clandestin
(Mars-juillet 1944)

À GUERRE TOTALE
RÉSISTANCE TOTALE

On ne ment jamais inutilement. Le mensonge le plus impudent, pourvu qu'il soit répété assez souvent et assez longtemps, laisse toujours sa trace. C'est un principe que la propagande allemande a pris à son compte et nous avons aujourd'hui encore un exemple de la façon dont elle l'applique. Inspirée par les services de Goebbels, aboyée par la presse des domestiques, mise en scène par la Milice, une formidable campagne vient de s'ouvrir qui, sous le couvert d'une lutte contre les patriotes des maquis et de la Résistance, vise à diviser une fois de plus les Français. On dit aux Français : « Nous tuons et nous détruisons des bandits qui vous tueraient si nous n'étions pas là. Vous n'avez rien de commun avec eux. »

Mais si le mensonge, tiré à des millions d'exemplaires, garde un certain pouvoir, il suffit du moins que la vérité soit dite pour que le mensonge recule. Et la vérité la voici : c'est que les Français ont tout en commun avec ceux qu'on veut aujourd'hui leur apprendre à craindre et à mépriser. Il n'y a pas deux France, l'une qui combat et l'autre qui juge le combat. Car quand bien même certains voudraient rester dans la position confortable du juge, cela n'est pas possible. Vous ne pouvez pas dire : « Cela ne me concerne pas. » Car cela vous concerne. La vérité est qu'aujourd'hui l'Allemagne n'a pas seulement déclenché une offensive contre les meilleurs et les plus fiers de nos compatriotes, elle continue aussi la guerre totale contre la totalité de la France, totalement offerte à ses coups.

Ne dites pas : « Cela ne me concerne pas. Je vis à la campagne, et la fin de la guerre me trouvera dans la paix où j'étais déjà au début de la tragédie. » Car cela vous concerne. Écoutez plutôt. Le 29 janvier, à Malleval, dans l'Isère, tout un village, sur le seul soupçon que des réfractaires avaient pu s'y réfugier, a été incendié par les Allemands. 12 maisons ont été complètement détruites, 11 cadavres découverts, une quinzaine d'hommes arrêtés. Le 18 décembre en Corrèze, à Chaveroche, à 5 km d'Ussel, un officier allemand ayant été blessé dans des conditions obscures, 5 otages ont été fusillés sur place et deux fermes incendiées. Le 4 février à Grole, dans l'Ain, les Allemands n'ayant pas trouvé les réfractaires qu'ils recherchaient, ont fusillé le maire et deux notables.

Voici donc des morts français que « cela ne concernait pas ». Mais les Allemands ont décidé que cela les concernait et de ce jour ils ont fait la preuve que cela nous concernait tous. Ne dites pas : « Cela ne me concerne pas ; je suis chez moi avec ma famille, j'écoute tous les soirs la radio et je lis mon journal. » Car on viendra vous chercher sous le prétexte qu'un autre homme, à l'autre bout de la France, n'a pas voulu partir. On prendra votre fils que cela non plus ne concerne pas et on mobilisera votre femme qui croyait jusqu'ici qu'il s'agissait d'une affaire d'hommes. En vérité cela vous concerne et cela nous concerne tous. Car tous les Français aujourd'hui sont liés par l'ennemi dans de tels liens que le geste de l'un crée l'élan de tous les autres et que la distraction ou l'indifférence d'un seul fait la mort de dix autres.

Ne dites pas : « Je sympathise, cela suffit bien, et le reste ne me concerne pas. » Car vous serez tué, déporté ou torturé aussi bien comme sympathisant que comme militant. Agissez, vous ne risquerez pas plus et vous aurez au moins ce cœur tranquille que les meilleurs des nôtres emportent jusque dans les prisons.

La France ainsi ne sera pas divisée. L'effort de l'ennemi est en réalité de faire hésiter les Français devant ce devoir national qui est la résistance au S.T.O. et l'appui des maquis. Il y réussirait si la vérité ne se dressait pas devant lui. Et la vérité, c'est que l'action conjuguée des assassins de la Milice et des tueurs de la Gestapo n'a eu que des résultats dérisoires. Des centaines de milliers de réfractaires résistent encore, luttent et espèrent. Ce n'est pas quelques arrestations qui changeront cela. Et c'est cela que doivent comprendre les 125 000 jeunes gens que l'ennemi se propose de déporter tous les mois. Car ils sont tous visés par la même arme et les classes 44 et 45 que l'ennemi appelle avec une belle franchise « un réservoir de main-d'œuvre » donnent l'exemple de cette France que l'Allemagne unit dans la même haine.

La guerre totale est déclenchée et elle demande la résistance totale. Vous devez résister car cela vous concerne et il n'y a pas deux France. Et les sabotages, les grèves, les manifestations organisés avec la France tout entière sont les seules façons de répondre à cette guerre. C'est cela que nous attendons de vous. *À l'action dans les villes* pour répondre à l'attaque des campagnes. *À l'action dans les usines. À l'action sur les voies de communications de l'ennemi. À l'action contre la Milice* : tout milicien est un assassin possible.

Il n'y a qu'un seul combat, et si vous ne le rejoignez pas, notre ennemi vous démontrera tous les jours qu'il est pourtant le vôtre. Prenez-y votre place car si le sort de tout ce que vous aimez et respectez vous concerne, alors encore une fois, n'en doutez pas, ce combat vous concerne. Dites-vous seulement que nous y apporterons tous ensemble cette grande force des opprimés qu'est la solidarité dans la souffrance. C'est cette force qui à son tour tuera le mensonge et notre espoir commun est qu'elle gardera alors assez d'élan pour animer une nouvelle vérité et une nouvelle France.

LES HORS-LA-LOI

Qu'est-ce que la Milice ? Quand on prend la presse parisienne, on y lit qu'elle est la plus grande espérance, la dernière chance, et que cette dernière chance ne doit pas être déçue. Cela aide à comprendre. Car la Milice défend quelque chose, et ce quelque chose n'a rien à voir avec l'ordre qu'elle prétend maintenir. Elle défend la peau et les intérêts, la honte et les calculs d'une petite fraction de Français dressés contre la France et menacés d'être exterminés par la victoire. Elle met le crime au service de la lâcheté.

Mais elle met aussi le crime au service de la trahison.

Depuis quatre ans, l'ennemi n'a jamais cessé un seul jour
de dresser les Français les uns contre les autres. Tout lui a
été bon. Mais il est juste de dire qu'il ne lui a pas fallu moins
de quatre ans pour décider un petit nombre d'hommes
déshonorés à porter les armes contre la France elle-même
et ses hommes les meilleurs. Il y a eu en effet chez nous
pendant ces quatre années de folie et de honte des chefs
d'État, des ministres et une police qui, consciemment ou
non, par lâcheté ou par faiblesse, dans la trahison ou dans
la veulerie, ont fait le jeu allemand. Il s'est trouvé aussi
des Français pour aller combattre sur des fronts lointains
et défendre la cause de ceux-là mêmes qui torturaient leur
patrie. Mais il a fallu quatre années entières pour que se
recrute une troupe de mercenaires assassins résolus à prêter main-forte à l'ennemi de la France contre la France
elle-même. Il a fallu quatre ans de propagande allemande
pour découvrir un « héros des deux guerres » qui accepte
de traîner ses décorations dans la besogne policière la plus
lâche et la plus dégradante.

Mais ces hommes ont été trouvés et leur existence même
pose un problème de justice. Car comme il arrive toujours,
Sganarelle veut faire mieux que Don Juan, le domestique
renchérit sur le maître. Sur ce point, convaincus [*sic*] que les
serviteurs sont bien stylés. On se désigne pour maintenir
l'ordre et l'on enlève courageusement un couple de vieillards
que l'on déshabille dans un champ, et que l'on abat avec des
raffinements de torture. On représente la France héroïque et
l'on se fait livrer par les Allemands, comme à Nice récemment, six Français arrêtés par la Gestapo (la plupart pour
des motifs futiles) pour les torturer, les défigurer et les faire
mourir. On s'annonce comme les défenseurs de la loi, et
l'on fait passer devant un tribunal de bandits des patriotes
qu'on fusille quelques instants après une parodie de jugement. Le héros des deux guerres prétend continuer une
admirable tradition française. Elle consiste apparemment à
prendre des otages, à tuer l'intellectuel et l'ouvrier, à torturer
et à humilier pour, ensuite, profitant d'une presse à genoux
couvrir ses victimes de mensonges ou d'insultes. Mais en
vérité, c'est une tradition que nous connaissons bien. Elle est
née outre-Rhin dans le cœur d'un autre héros de la guerre.
Pour M. Darnand, il ne s'agit pas d'une tradition, mais d'une
trahison.

Mais c'est là justement ce qui rend facile à régler le problème de justice. Car si pour d'autres qui ont trahi il est souhaitable que les formes de la justice soient observées, la Milice, de ce point de vue, s'est mise hors la loi. Il faut qu'il soit bien clair qu'en signant son engagement, chaque milicien ratifie en même temps sa propre condamnation à mort. En se dressant contre la France, ils se mettent hors de la France. Les branches pourries d'un arbre ne peuvent pas lui rester attachées. Il faut qu'elles soient arrachées, broyées et jetées à terre. C'est là le sort qui attend chacun des assassins à Darnand. Et les cours martiales seront inutiles. La Milice est à elle-même son propre tribunal. Elle s'est jugée et condamnée à mort. Les sentences seront exécutées.

PENDANT TROIS HEURES
ILS ONT FUSILLÉ DES FRANÇAIS

Il faut dire les choses comme elles sont : nous sommes vaccinés contre l'horreur. Tous ces visages défigurés par les balles ou les talons, ces hommes broyés, ces innocents assassinés, nous donnaient au début la révolte et le dégoût qu'il fallait pour entrer consciemment dans la lutte. Maintenant la lutte de tous les jours a tout recouvert et si nous n'en oublions jamais les raisons, il peut nous arriver de les perdre de vue. Mais l'ennemi est là, et comme s'il veillait à ne laisser personne se détourner, il augmente ses efforts, il se dépasse lui-même, il renchérit chaque fois un peu plus sur la lâcheté et sur la crise. Aujourd'hui, en tout cas, il est allé plus loin qu'on ne pouvait l'imaginer et la tragédie d'Ascq rappelle à tous les Français qu'ils sont engagés dans une lutte générale et implacable contre un ennemi déshonoré.

Quels sont les faits ?

Le 1er avril 1944, dans la nuit, deux explosions se produisent, occasionnant la rupture d'un rail et le déraillement de deux wagons d'un train de troupes allemandes. La voie fut obstruée. Aucune victime dans le train.

Vers 23 heures, alors que M. Carré, chef de gare à Ascq, alerté à son logement par les agents du service de nuit,

prenait au téléphone les dispositions utiles, un officier allemand faisant partie du transport pénètre en hurlant dans
son bureau suivi de plusieurs soldats qui, à coups de crosse,
abattent MM. Carré, chef de gare, Peloquin, commissaire de
1ʳᵉ classe, Derache, facteur-enregistreur qui s'y trouvaient.
S'étant ensuite retirés à la porte du bureau, ils tirèrent une
salve de mitraillette sur les trois agents abattus. MM. Carré
et Peloquin sont grièvement blessés au ventre et aux cuisses.
Puis l'officier amène un important contingent de troupes dans
la localité, fouille les maisons après en avoir défoncé les
portes et rassemble environ 60 hommes qui sont amenés
dans une pâture en face de la gare. Là on les fusille. Vingt-
six autres hommes sont également fusillés dans leur domicile ou à leurs abords. En plus de ces 86 fusillés, il y a un
certain nombre de blessés.

Le facteur-enregistreur Derache parvient à alerter la
permanence de l'arrondissement de Lille qui prévient la
préfecture du Nord ; celle-ci fait intervenir l'Oberfeldkom-
mandantur.

Ce n'est qu'à l'arrivée d'officiers d'état-major sur les lieux
que les exécutions cessent : elles ont duré plus de trois
heures.

Je ne sais pas si l'on imagine suffisamment ce qu'il y a derrière ce compte rendu brutal. Mais est-il possible de lire sans
une révolte et un dégoût de tout l'être ces simples chiffres :
86 hommes et 3 heures.

Quatre-vingt-six hommes comme vous qui lisez ce journal[1] ont passé devant les fusils allemands, 86 hommes qui
pourraient remplir trois ou quatre pièces comme celle où
vous vous tenez, 86 visages hagards ou farouches, boule-
versés par l'horreur ou par la haine.

Et la tuerie a duré trois heures, un peu plus de deux
minutes pour chacun d'entre eux. Trois heures, le temps
que certains ont passé ce jour-là à dîner et à converser
paisiblement avec des amis, le temps d'une représentation
cinématographique où d'autres riaient au même moment
au spectacle d'aventures imaginaires. Pendant trois heures,
minute après minute, sans un arrêt, sans une pause, dans un
seul village de France, les détonations se sont succédé et les
corps se sont tordus par terre.

Voilà l'image qu'il faut garder devant les yeux pour que
rien ne soit oublié, celle qu'il faut proposer à tous les Français qui restent encore à l'écart. Car sur ces 86 innocents

beaucoup pensaient que, n'ayant rien fait contre la force allemande, il ne leur serait rien fait. Mais la France est solidaire, il n'y a qu'une seule colère, qu'un seul martyre. Et quand M. de Brinon[2] écrit aux autorités allemandes non pour se plaindre du massacre de tant de Français, mais pour gémir qu'on entrave ainsi son propre travail de policier mondain, il est responsable de ce martyre et justiciable de cette colère. Car il ne s'agit pas de savoir si ces crimes seront pardonnés, il s'agit de savoir s'ils seront payés. Et si nous avions tendance à en douter, l'image de ce village couvert de sang et maintenant seulement peuplé de veuves et d'orphelins suffirait à nous assurer que le crime sera payé puisque cela désormais dépend de tous les Français et puisque devant ce nouveau massacre, nous nous découvrons la solidarité du martyre et les forces de la vengeance.

LA GRANDE PEUR DES ASSASSINS

Sur les murs, sur les urinoirs de Paris, Darnand étale sa prose. Il s'adresse aux siens, réclame l'obéissance absolue, promet des châtiments exemplaires pour les défaillants. Il y a donc des défaillants dans la Milice ! Qui s'en étonnera ?

Quand les Allemands avaient incendié quelques villages et capturé quelques patriotes, les miliciens, avec un retard calculé, arrivaient et prenaient possession des prisonniers. Ils regardaient ces captifs silencieux et ils se mettaient en colère. Rien n'est plus irritant que la vue d'un homme pour ceux qui ont délibérément cessé d'être hommes. Et puis leur travail commençait. Il s'agissait de prouver que la dignité humaine est un mensonge et que l'homme conscient de soi et maître de son destin n'est qu'un mythe démocratique. Ils couvraient d'insultes leurs victimes, pour se mettre en goût, pour les avilir d'abord en paroles et pour s'avilir un peu plus. Puis ils arrachaient quelques ongles, ils défonçaient quelques poitrines ; il fallait obtenir de la victime pantelante un cri de souffrance, un aveu, un reniement. S'ils y parvenaient, ils respiraient un peu mieux, ils pensaient : nous sommes tous

pareils, ceux-là ne crâneront plus… heureux d'avoir transformé des juges muets en complices de leur déchéance.
Malraux dit quelque part qu'il est impossible de diriger le
jet d'un lance-flammes sur le visage d'un homme qui vous
regarde[1]. Qu'on imagine donc ce que doit être un milicien
qui s'acharne à supplicier un homme dont les yeux sont
ouverts. C'est qu'ils ont une fonction très précise : effacer
tout ce qui n'est pas vil, tout ce qui n'est pas lâcheté, démontrer par leur propre exemple et par celui des autres que
l'homme est fait pour vivre dans les chaînes et dans la terreur. S'ils y parvenaient, ils n'auraient plus de témoins et leur
déchéance personnelle s'identifierait aux vices de la nature
humaine.

Mais aujourd'hui on veut les faire sortir de leur rôle.
Les Allemands occupés ailleurs ne sont plus là pour les
défendre ; une armée de la résistance est sortie de terre.
On leur demande de se battre homme contre homme, fusil
contre fusil. Et c'est profondément injuste. Où veut-on que
ces bourreaux trouvent du courage ? Il faudrait qu'ils possèdent précisément les qualités qu'on leur a demandé de
détruire chez eux et chez les autres, la confiance en l'homme,
la confiance en soi. Darnand le sait. Voilà pourquoi il
menace. Mais il est trop tard. Il n'y a pas de menace assez
terrible pour faire un homme d'un milicien.

VOUS SEREZ JUGÉS SUR VOS ACTES

Au moment où la dernière lutte s'engage, Pétain et Laval
ont tenu à faire entendre une fois de plus leurs voix désac-
cordées et à faire bénéficier leur politique commune d'une
apparente différence de ton. Ils se sont tous les deux adres-
sés au pays, et selon leur traditionnelle division du travail,
Laval a parlé de l'Allemagne, tandis que Pétain faisait mine
de parler de la France. Mais à la vérité, ils parlaient tous deux
de trahison. Simplement ils en parlaient tous deux sur le ton
de la tristesse, comme si cette trahison brusquement devenait clairvoyante. Il y a des années que cela dure. Depuis le

temps où Pétain jetait à Vichy les bases d'un régime qui nous a tout rationné sauf l'humiliation et la honte, il n'a pas cessé, par ce jeu qu'il croit habile, d'être le plus haut symbole que nous ayons du compromis et de la confusion. Mais quand le compromis règne, il suffit de parler net. Nous sommes dans un temps où il n'est pas d'autre habileté que le courage et le langage clair. Et comme toujours, c'est la Résistance française qui dit les paroles où la France se reconnaît. Et puisque l'heure est aux appels, la Résistance lance, elle aussi, un suprême appel au peuple de ce pays. Elle lui dit qu'il n'y a plus à réfléchir, à peser ou à évaluer. Les arrière-pensées de Pétain, à supposer qu'il en ait, les finasseries de Laval sont sans importance : la neutralité n'est plus possible. Le temps vient où les hommes de ce pays ne seront plus jugés sur leurs intentions, mais sur leurs actes et sur les actes que leurs paroles ont engagés. Cela seul est juste.

Et la Résistance française nous dit clairement que depuis cinq ans, les paroles et les actes de Pétain et Laval n'ont désuni que la France, n'ont humilié que la France, n'ont tué que des Français. Pétain et Laval ont désormais les déshonneurs de la guerre. Ils seront jugés pour cela.

La Résistance vous dit que nous sommes dans un temps où toutes les paroles comptent, où toutes engagent, et plus encore, quand ce sont des paroles qui ratifient l'exécution de nos frères, qui insultent à notre courage, et qui livrent la chair même de la France au plus implacable des ennemis. Quand on appelle terroristes, assassins des patriotes, quand on nomme honneur ce qui n'est que démission, ordre ce qui est torture, loyalisme ce qui est meurtre, le compromis n'est pas possible.

La Résistance vous dit que vous n'avez pas de gouvernement sur le sol de France, et que vous n'en avez pas besoin. Nous sommes bien assez grands pour supporter les dents serrées ce qui nous entoure et nous écrase, bien assez grands pour la pensée de nos camarades emprisonnés et torturés, dont nous ne parlons jamais, et sur lesquels nous du moins nous laissons le silence de la fraternité ; bien assez grands pour la faim et le meurtre. Nous n'avons pas besoin de Vichy pour régler notre compte avec la honte. Nous n'avons pas besoin de bénédiction hypocrite, nous avons besoin d'hommes et de courage ; pas besoin de servir le culte de la souffrance, nous avons seulement à la surmonter. Non pas seuls, mais avec tout un peuple contre une nation de proie

et quelques traîtres déshonorés. Nous n'avons pas besoin
d'une morale de confiseur, nous avons besoin d'âme et ce
ne sont pas les apôtres de toutes les démissions qui nous
fourniront.

Français, la Résistance française vous lance le seul appel
que vous ayez à entendre. La guerre est devenue totale, il
n'y a plus qu'une seule lutte. Ce n'est pas au moment où
le meilleur de la nation se prépare au sacrifice que nous
serons tentés de pardonner. Tout ce qui n'est pas avec nous
est contre nous. Il n'y a plus désormais que deux partis en
France : la France de toujours et ceux qui seront détruits
pour avoir tenté de la détruire.

LA PROFESSION DE JOURNALISTE

« Pour la première fois dans l'histoire, le métier de journaliste est devenu une profession honorable », a déclaré
M. Marcel Déat.

M. Marcel Déat a raison.

Le journalisme clandestin est honorable parce qu'il est
une preuve d'indépendance, parce qu'il comporte un risque.
Il est bon, il est sain que tout ce qui touche à l'actualité politique soit devenu périlleux. S'il est une chose que nous ne
souhaitons pas revoir, c'est l'impunité derrière laquelle se
sont abritées tant de lâchetés, tant de combinaisons néfastes.

Étant devenus des activités honorables, la politique et
le journalisme auront à juger demain ceux qui en furent le
déshonneur… M. Marcel Déat, par exemple.

TOUT NE S'ARRANGE PAS

Il n'est pas un écrivain qui ne sache le prix de la vie humaine et je suppose que c'est une des définitions honorables de cet état. C'est peut-être pour cela que j'ai toujours eu l'horreur de la justice des hommes en exercice. Ce qu'un journal parisien appelait récemment « le cérémonial digne et tragique » des exécutions m'a toujours rempli de dégoût et de révolte. J'imagine aussi que je partage ce sentiment avec beaucoup d'entre nous et nous avons eu depuis quatre ans bien des occasions de l'éprouver jusqu'à la fureur. Voici pourtant, et pour la première fois, que, sous un ciel où il n'avait apparemment que faire, un homme est condamné, puis exécuté, dont la mort nous laisse à la fois sans haine et sans compassion. Je puis donc dire ici, pour beaucoup d'autres et pour moi : que de chemin parcouru en quatre ans jusqu'à la mort de Pierre Pucheu.

C'est pour cela en tout cas que cette mort mérite qu'on y réfléchisse et que l'écrivain apporte à cette réflexion cette part de lui-même dont on a l'impression justement qu'elle est la même qui s'indignait avant ces quatre ans devant de semblables événements. Car enfin, ce qui nous révoltait devant des juges professionnels disposant avec sérénité de la vie d'un homme, c'est justement ce pourquoi Pucheu a été condamné à mort. On pourrait dire, en effet, qu'il a été jugé pour trahison et parce qu'il portait la responsabilité de la mort de quelques grands Français. Mais en réalité, cela ne dit pas tout. La vérité est que Pierre Pucheu a été condamné pour avoir, comme ces fonctionnaires de la trahison qui

vivent encore à Vichy, manqué d'imagination[1]. Il a cru, par
exemple, qu'un gouvernement de défaite était un gouvernement comme les autres et que les mots ministre, pouvoir,
lois, condamnation, ne changeaient pas de sens quand la
France elle-même changeait de visage. Il a cru que tout pouvait continuer, qu'il était toujours dans le système abstrait
et administratif où il avait toujours vécu, où l'on se poussait,
où l'on intriguait, où l'on signait ces lois derrière lesquelles
rien ne s'imaginait. Et ces lois qu'il signait dans le décor de
tous les jours, dans un bureau confortable et anonyme, il
n'a pas eu assez d'imagination pour voir *réellement* qu'elles
allaient se transformer en petits matins d'agonie pour des
Français innocents qu'on mènerait à la mort. Pour ce genre
d'hommes, c'est toujours la même abstraction[2] qui continue et je suppose que le plus grand de leurs crimes à nos
yeux est de n'avoir jamais approché un corps, fût-il supplicié
comme celui de Politzer[3], avec les yeux du corps et la notion
que j'appellerai physique de la justice.

Il faut croire en tout cas que l'abstraction était encore
plus puissante puisque devant l'échec évident de Vichy, elle
a poussé Pucheu à croire qu'on pouvait encore continuer et
aller à Alger former de nouveaux gouvernements et signer
de nouvelles lois. Et c'est à nous maintenant d'imaginer le
cri de cet homme arrêté, jugé et conduit à la mort et assurant en lui-même qu'il n'avait pas voulu cela. Mais cela était
inutile puisqu'il était alors sorti de l'abstraction et entré,
pour la première fois, sur une terre de chair et de sang d'où
il pouvait, mais trop tard, tout mesurer enfin.

Notre tâche ici n'est pas d'accabler ceux qui ont payé. Je
ne veux donc pas chercher les autres motifs de cet homme,
mais il faut bien dire que celui-là seul que nous lui prêtons
aujourd'hui suffirait à faire taire toute compassion. Nous
savons maintenant que dans le monde où nous sommes une
chose équivalait à la mort, et c'est le manque d'imagination.
Personne n'a plus *le droit* d'en manquer. Trop de morts que
nous aimions et respections, trop de grandeurs trahies, de
valeurs humiliées ont payé leur tribut à cet aveuglement
pour que nous soyons, au cœur même de la lutte, tentés de
pardonner. Il faut qu'on sache dans toute la France (et dans
tous les ministères) que le Temps de l'abstraction est terminé. Tout maintenant a un sens et ce sens peut être mortel.
C'est cette vérité qu'on peut tirer de l'exécution de Pierre
Pucheu. Et à partir du moment où cette vérité s'aperçoit

clairement, il devient possible d'apporter à ce condamné l'imagination dont il a été privé et de la considérer alors sans dédain. Mais c'est dans la pleine lumière de l'imagination que nous apprenons en même temps, et par un paradoxe qui n'est qu'apparent, à admettre sans révolte qu'un homme puisse être rayé de cette terre. Car ce n'est pas le jugement d'une classe[4] ou d'une idéologie, ce n'est pas le verdict porté au nom d'une Abstraction qui fonctionne ici. C'est le cri général, l'appel, le langage plein de chair et d'images vraies, la revendication de tous les inculpés que nous sommes depuis quatre ans, devenus soudain assez forts pour juger leurs juges eux-mêmes et pour le faire sans haine, mais sans pitié.

INTRODUCTION
AUX « MAXIMES ET ANECDOTES »
DE CHAMFORT

Pour un homme qui observe le monde sans cesser d'y tenir sa place, il est bien difficile de penser toujours comme Chamfort. Et, par exemple, on admettra mal que la supériorité fait toujours des ennemis, que le génie est forcément solitaire. Ce sont là choses qu'on dit pour faire plaisir au génie ou à soi-même. Mais il n'y a rien de vrai. La supériorité va très bien avec l'amitié, le génie est quelquefois de bonne compagnie. La sorte de solitude qu'il rencontre ne lui est pas particulière : il est seul quand il le veut.

Il est bien difficile aussi d'entrer avec Chamfort dans un des sentiments les plus communs et les plus sots qui soient au monde, je veux dire le mépris des femmes en général. Il n'y a pas de mépris ni de passion en général. Tout cela demande la connaissance de cause. Ajouterai-je enfin que la misanthropie me paraît une attitude futile et mal venue et que je n'aime dans Chamfort ni sa hargne rentrée, ni son côté « roquet », ni son désespoir total. J'aurai alors donné tous les éléments du paradoxe qui fait qu'avec cela Chamfort cependant me paraît un des plus enseignants parmi nos moralistes.

Mais je le dis tout de suite, c'est qu'en portant ces jugements dans le général, il est infidèle au principe le plus secret de son art. En toute autre occasion, il procède d'une manière bien différente qui fait son originalité et sa profondeur.

Nos plus grands moralistes ne sont pas des faiseurs de maximes, ce sont des romanciers. Qu'est-ce qu'un moraliste en effet ? Disons seulement que c'est un homme qui a la passion du cœur humain. Mais qu'est-ce que le cœur humain ? Cela est bien difficile à savoir, on peut seulement imaginer que c'est ce qu'il y a de moins général au monde. C'est pourquoi, et malgré les apparences, il est bien difficile d'apprendre quelque chose sur la conduite des hommes en lisant les maximes de La Rochefoucauld. Ce bel équilibre dans la phrase, ces antithèses calculées, cet amour-propre érigé en raison universelle, cela est bien loin des replis et des caprices qui font l'expérience d'un homme. Je donnerais volontiers tout le livre des *Maximes* pour une phrase heureuse de *La Princesse de Clèves* et pour deux ou trois petits faits vrais comme savait les collectionner Stendhal. « On passe souvent de l'amour à l'ambition mais on ne revient guère de l'ambition à l'amour », dit La Rochefoucauld, et je ne sais rien de plus sur ces deux passions, car cela peut se retourner. Julien Sorel tuant sa carrière par le moyen de deux amours si différents m'enseigne bien plus dans chacun de ses actes. Nos vrais moralistes n'ont pas fait de phrases, ils ont regardé et se sont regardés. Ils n'ont pas légiféré, ils ont peint. Et par là ils ont plus fait pour éclairer la conduite des hommes que s'ils avaient poli patiemment, pour quelques beaux esprits, une centaine de formules définitives, vouées aux dissertations de bacheliers. C'est que le roman seul est fidèle au particulier. Son objet n'est pas les conclusions de la vie mais son déroulement même. En un mot, il est plus modeste, c'est en cela qu'il est classique. Du moins, c'est en cela qu'il sert à la connaissance comme le peuvent les sciences naturelles ou physiques et comme ne le peuvent ni les mathématiques ni les maximes qui sont toutes deux des jeux de l'esprit aux prises avec lui-même.

Qu'est-ce que la maxime en effet ? On peut dire en simplifiant que c'est une équation* où les signes du premier terme se retrouvent exactement dans le second, mais avec un ordre

* On s'explique ainsi qu'elle ait été cultivée avec un si rare bonheur en France et particulièrement dans ce xviie siècle qui est celui des mathématiques.

différent. C'est pour cela que la maxime idéale peut toujours être retournée. Toute sa vérité est en elle-même et pas plus que la formule algébrique, elle n'a de correspondant dans l'expérience. On peut en faire ce que l'on veut jusqu'à épuisement des combinaisons possibles entre les termes donnés dans l'énoncé, que ces termes soient amour, haine, intérêt ou pitié, liberté ou justice. On peut même, et toujours comme en algèbre, tirer de l'une de ces combinaisons un pressentiment à l'égard de l'expérience. Mais rien de cela n'est réel parce que tout y est général.

Or l'intérêt de Chamfort est qu'il n'écrit pas des maximes, à quelques exceptions près. Et, sauf à céder, quand il s'agit des femmes ou de la solitude, aux mouvements d'une humeur excessive, il n'a rien généralisé. Si l'on regarde de près ce qu'il est convenu d'appeler ses pensées, on verra aisément qu'elles ne cultivent ni l'antithèse ni la formule. L'homme qui écrit : « Le philosophe qui veut éteindre ses passions ressemble au chimiste qui voudrait éteindre son feu » est de la même famille d'esprits que celui qui, à peu près dans le même temps, écrit admirablement : « On déclame contre les passions sans songer que c'est à leur flambeau que la philosophie allume le sien*. » Et le premier comme le dernier s'expriment, non par maximes, mais par remarques qui pourraient aussi bien entrer dans le cours d'un récit. Ce sont des traits**, des coups de sonde, des éclairages brusques, ce ne sont pas des lois. Tous les deux apportent une matière où rien n'est à légiférer, tout à peindre. Et, par exemple, on peut chercher longtemps chez nos moralistes de profession un texte qui aille aussi loin et qui porte plus d'expérience utilisable que celui-ci, dont le mot final me paraît de loin ce qui convient le mieux à l'usage de notre monde : « Il y a des fautes de conduite que, de nos jours, on ne fait plus guère ou qu'on fait beaucoup moins. On est tellement raffiné que, mettant l'esprit à la place de l'âme, un homme vil, pour peu qu'il ait réfléchi, s'abstient de certaines platitudes qui, autrefois, pouvaient réussir. J'ai vu des hommes malhonnêtes avoir quelquefois une conduite fière et décente avec un prince, un ministre ; ne point fléchir, etc. Cela trompe les gens et les novices qui ne savent pas, ou bien oublient, qu'il

---

* Marquis de Sade.
** « Il faut être juste avant d'être généreux, comme on a des chemises avant d'avoir des dentelles. »

faut juger un homme par l'ensemble de ses principes ou de son caractère. »

Mais on voit en même temps qu'il ne peut s'agir à aucun moment d'un art de la maxime. Chamfort ne met pas en formules son expérience du monde. Son très grand art abonde seulement en traits infiniment justes dont chacun suppose un portrait ou plusieurs situations que l'esprit peut facilement rétablir après coup*. C'est en cela qu'il fait penser d'abord à Stendhal qui est allé chercher comme lui l'homme où il se trouvait, c'est-à-dire dans la société et la vérité où elle se cache, dans ses traits particuliers. Mais la ressemblance va encore plus loin et il est possible sans paradoxe de parler de Chamfort comme d'un romancier. Car mille traits du même goût finissent par composer chez lui une sorte de roman inorganisé, une chronique collective qui est ici versée tout entière dans les commentaires qu'elle suscite chez un homme. Je parle des *Maximes*. Mais si l'on considère en même temps les *Anecdotes* où les personnages cette fois ne sont plus suggérés par les jugements qui se rapportent à eux, mais au contraire mis en scène et représentés dans leurs particularités, on peut prendre une idée encore plus précise de ce roman inavoué. En les joignant aux *Maximes*, on dispose des matériaux complets, personnages et commentaires, d'une sorte de grande « comédie mondaine » où il est possible, nous le verrons, de distinguer une histoire et un héros. Il suffirait de lui restituer la cohérence que l'auteur n'a pas voulu lui donner et l'on obtiendrait une œuvre bien supérieure au recueil de pensées qu'elle paraît être, le livre vrai d'une expérience humaine dont le pathétique et la cruauté font oublier les vaines injustices. C'est en tout cas un travail qu'il est possible d'indiquer. Et l'on verrait par lui que Chamfort, au contraire de La Rochefoucauld**, est un moraliste aussi profond que Mme de La Fayette ou Benjamin Constant et qu'il se place, malgré et à cause de ses aveuglements passionnés, parmi les plus grands créateurs d'un certain art où, à aucun moment, la vérité de la vie n'a été sacrifiée aux artifices du langage.

L'action se passe à la fin du XVIIIe siècle, au milieu d'une société sans force, sinon sans grâce, et dont l'unique occupa-

---

* Il en a eu lui-même l'intuition la plus claire : « Les maximes générales sont dans la conduite de la vie ce que les routines sont dans les arts. »
** Et même de Vauvenargues qui ne pratique que la confidence. Il n'a pas l'objectivité apparente qui fait le grand artiste.

tion paraît être de danser sur les volcans. Le décor du roman est donc fourni par ce qu'on appelait alors le monde. Remarquons tout de suite que cela enlève de la généralité aux remarques de Chamfort. C'est le lecteur pressé qui, la plupart du temps, étend au cœur humain ce que l'auteur affirme seulement de certaines têtes folles. Et la fameuse phrase sur l'amour ramené au contact de deux épidermes, incompréhensible chez un homme qui a dit tant de choses profondes sur la passion, ne s'entend qu'avec ce que Chamfort lui-même y ajoute : « L'amour, tel qu'il existe dans la société… »

Ce qui est attaqué dans la chronique de Chamfort, c'est une classe, une minorité séparée du reste de la nation, sourde et aveugle, entêtée de plaisirs. C'est cette classe qui fournit les personnages du roman, le décor et les sujets de la satire. Car, à le regarder d'une vue courte, il s'agit d'abord d'un roman satirique. Ce sont les *Anecdotes* qui apportent ici la précision. Le roi, la cour, Madame, fille du roi, s'étonnant que sa bonne puisse, comme elle-même, avoir cinq doigts ; Louis XV bronchant sur son lit d'agonie parce que son médecin emploie la formule « Il faut » ; la duchesse de Rohan considérant qu'accoucher d'un Rohan est un honneur ; les courtisans préférant se réjouir de la bonne santé du roi à déplorer cinq défaites des armées françaises ; leur bêtise insondable, l'incroyable prétention qui leur fait désigner Dieu comme « le gentilhomme d'en haut », l'ignorance infinie d'une classe où d'Alembert n'est rien auprès de l'ambassadeur de Venise ; Berrier faisant empoisonner l'homme qui l'a averti de l'attentat de Damiens et dont il a négligé l'avis ; M. de Maugeron faisant pendre un marmiton innocent à la place d'un cuisinier coupable, mais dont il apprécie la cuisine ; d'autres encore. Ce sont des portraits, des images où reviennent souvent les mêmes personnages. Ayant à traiter d'une société figée dans les abstractions de l'étiquette, Chamfort a choisi de les montrer, comme des marionnettes, de l'extérieur. À deux ou trois exceptions près, où il cultive la scène de comédie, sa technique est celle du roman et même du roman moderne. Les êtres sont toujours représentés dans leur action. Ses traits (voir l'anecdote de Maupertuis) ne concluent rien, ils peignent des caractères.

Au milieu de tous ces personnages, le héros du roman, c'est Chamfort lui-même. Sa biographie pourrait nous fournir des renseignements intéressants. Mais cela n'est même pas utile puisqu'il s'est mis en scène dans les *Anecdotes* et les

Maximes, et toujours selon la technique romanesque, c'est-à-dire indirectement. Si on réunissait en effet tous les textes qui concernent un certain M…, on obtiendrait un portrait assez complet de ce personnage pour lequel Chamfort a forgé le mot de « sarcasmatique » et de la conduite de qui il rend un compte scrupuleux au milieu de la société irréelle et folle qui l'entoure. Ce personnage est arrivé à l'âge où la jeunesse se perd et avec elle les êtres, que l'on croyait jusque-là une source de jouissances éternelles. Ennemi de la religion, ayant goûté à tout et désormais détourné de tout, il ne pourrait plus se décrire que par ses refus, s'il ne lui restait deux choses qui lui font un ton irremplaçable : le souvenir de la passion et le culte du caractère. On trouvera dans la bouche de M… assez de déclarations sur le caractère. Ce n'est pas pour rien que Chamfort a intitulé, avec tant de hauteur, une section de ses maximes : « Du goût pour la retraite et de la dignité du caractère. » Il n'est rien qu'il mette plus haut chez un homme et son seul défaut est peut-être de confondre justement le caractère avec la solitude. Mais c'est en même temps le sujet de son livre secret sur lequel nous aurons à revenir. On donnera cependant son vrai sens à ce culte du caractère en considérant qu'il est la réaction évidente d'un homme situé au milieu d'une société décadente où l'esprit se débite dans toutes les maisons, mais où les grandes leçons de la volonté ne peuvent se prendre au sérieux. Mais, en posant cette première valeur, Chamfort ne le fait pas dans l'arbitraire ni le général. Il se réfère à l'expérience pour tempérer son postulat : « Il n'est pas bon, dit-il, de se donner des principes plus forts que son caractère. »

C'est qu'en même temps ce personnage épris de hauteur d'âme a l'expérience de la passion et de ses blessures. Le même homme qui a écrit l'une des plus fières maximes qu'un esprit français ait jamais formées : « La fortune pour arriver à moi passera par les conditions que lui impose mon caractère », donne cependant à chaque page toutes les preuves d'une sensibilité frémissante. Simplement, et le personnage nous donne ici sa dernière dimension, il a réalisé ce mélange de la volonté et de la passion qui fait le caractère tragique et qui donne à Chamfort une avance considérable sur son siècle. Car c'est un contemporain de Byron et de Nietzsche qui eût pu écrire : « J'ai vu peu de fiertés dont j'aie été content. Ce que je connais de mieux dans le genre, c'est celle de Satan dans le *Paradis Perdu*. » On reconnaît ici le ton tragique et l'allure de ce que Nietzsche appelait l'esprit libre. Qu'on se souvienne seulement de la société à laquelle cet esprit appartient malgré lui et que, pour son malheur, il n'a pu s'empêcher de juger. On imaginera aisément dès lors l'aventure de mépris et de désespoir qu'une âme de cette envergure est destinée à courir dans un monde qu'elle méprise. Et l'on tiendra le roman dont Chamfort nous a laissé les éléments. C'est le roman du refus, le récit d'une négation de tout qui finit par s'étendre à la négation de soi, une course vers l'absolu qui s'achève dans la rage du néant.

Cette aventure ne prend son sens que par les élans confiants dont a été faite la jeunesse de Chamfort. Il était, dit-on, aussi beau que l'amour. Cette vie a commencé par le succès. Les femmes l'ont aimé, ses premières œuvres, si médiocres fussent-elles, lui ont gagné les salons et même la faveur royale. Cette société, en fait, ne lui a pas été si dure et sa qualité d'enfant naturel ne lui a même pas été une gêne. Si la réussite sociale a un sens, on peut dire que, dans ses débuts, la vie de Chamfort est une éclatante réussite. Mais, justement, il n'est pas sûr que ce mot ait un sens. C'est ce que nous apprend le roman de Chamfort, qui est l'histoire d'une solitude. Car la réussite sociale n'a de sens que dans une société à laquelle on croit. Or il y a, d'abord, dans le personnage de Chamfort, cette disposition tragique qui l'empêchera toujours de croire à une société et cette susceptibilité de cœur qui l'arrêtera d'entrer dans un monde où ses origines risqueraient d'être contestées. Il est de ceux que poussent à la fois de grandes et éclatantes vertus qui les mettent au point de tout conquérir et cette autre vertu plus amère qui les mène à nier cela même qui vient d'être conquis. Ajoutons enfin qu'il est placé dans une société à laquelle ne croient même plus ceux dont c'est pourtant la profession d'y croire. Que peut faire alors un homme en face d'un monde qu'il méprise ? Si sa qualité est bonne, il prendra sur lui les exigences qui justement ne sont pas satisfaites dans ce monde. Non pour se donner en exemple, mais par un simple souci de cohérence. S'il faut à toute intrigue son ressort profond, on trouvera donc le ressort de cette histoire dans le goût de la morale*.

---

* Il s'agit d'une morale d'engagement, et non d'une moralité. En fait Chamfort est immoraliste : « Jouis et fais jouir sans faire de mal à toi et à personne, voilà, je crois, toute la morale. »

Voilà donc notre personnage installé au milieu de ses réussites et de son dédain d'un monde corrompu. La seule chose qui l'anime, c'est le mouvement d'une morale personnelle. Immédiatement, c'est à ses avantages particuliers qu'il s'attaque. Lui qui vit de pensions demande leur suppression, qui reçoit de l'Académie ses jetons, l'attaque avec violence et demande sa dissolution. Homme d'ancien régime, il se jette dans le parti qui finira par le tuer. Il s'écarte de tout, il refuse tout, il n'épargne personne ni lui-même : on voit qu'il s'agit d'une tragédie de l'honneur. Solitaire dès lors, il s'acharne aussi contre l'unique recours de l'homme seul ; jamais l'incroyance n'avait trouvé d'accents si vigoureux*. Son corps lui-même est mis en cause, ce visage si séduisant devient « altéré, puis hideux ».

Notre héros ira encore plus loin, car le renoncement à ses propres avantages n'est rien et la destruction de son corps est peu de chose auprès de la destruction de son âme même. Finalement, c'est cela qui fait la grandeur de Chamfort et l'étonnante beauté du roman qui nous est proposé. Car, en somme, le mépris des hommes est souvent la marque d'un cœur vulgaire. Il s'accompagne alors de la satisfaction de soi. Il n'est légitime au contraire que lorsqu'il se soutient du mépris de soi. « L'homme est un sot animal, dit Chamfort, si j'en juge par moi. » C'est en cela qu'il me paraît être le moraliste de la révolte, dans la mesure précise où il a fait toute l'expérience de la révolte en la tournant contre lui-même, son idéal étant une sorte de sainteté désespérée. Une attitude si extrême et si farouche devait l'amener à la négation ultime qui est le silence : « M... qu'on voulait faire parler sur différents abus publics ou particuliers répondit froidement : " Tous les jours, j'accrois la liste des choses dont je ne parle plus. Le plus philosophe est celui dont la liste est la plus longue. " » Cela même devait le conduire à nier l'œuvre d'art et cette force pure du langage qui, en lui-même, depuis si longtemps, essayait de donner une forme inégalable à sa révolte. Il n'y a pas manqué et c'est ici la négation dernière. À l'un de ses personnages dont on réclame qu'il prenne de l'intérêt à son propre talent, il fait dire : « Mon

---

* Si l'incroyance est la privation volontaire d'espérance, qu'a-t-on dit de plus définitif à cet égard : « L'espérance n'est qu'un charlatan qui nous trompe sans cesse et pour moi le bonheur n'a commencé que lorsque je l'ai eue perdue. »

amour-propre a péri dans le naufrage de l'intérêt que je prenais aux hommes. » Et cela est logique. L'art est le contraire du silence, il est l'une des marques de cette complicité qui nous lie aux hommes dans notre lutte commune. Pour qui a perdu cette complicité et s'est placé tout entier dans le refus, ni le langage ni l'art n'ont plus leur expression. C'est sans doute la raison pour laquelle ce roman d'une négation n'a jamais été écrit. C'est qu'il était justement le roman d'une négation. Il y avait dans cet art les principes mêmes qui devaient le conduire à se nier. Et sans doute Chamfort n'a pas écrit de roman parce que, peut-être, ce n'était pas l'usage. Mais, on le voit bien, c'est surtout parce qu'il n'aimait ni les hommes ni lui-même. On imagine mal un romancier qui n'aime aucun de ses personnages. Et pas un seul de nos grands romans ne se comprend sans une passion profonde pour l'homme. L'exemple de Chamfort, unique dans notre littérature, peut nous en persuader. Dans tous les cas ici se termine cette « comédie mondaine » qui dément pour finir le titre futile qu'on pouvait lui donner.

C'est à la biographie de Chamfort qu'il faut demander la fin de cette aventure. Par l'ensemble et par les détails, je n'en connais pas de plus tragique et de plus cohérente. Car c'est par cohérence, en effet, que Chamfort, s'est jeté tout entier dans la révolution et que ne pouvant plus parler il a agi, remplaçant le roman par le libelle et le pamphlet. Mais il n'est pas difficile de voir qu'il n'a pris pour lui que la part négative de la révolution. Il avait trop le goût d'une justice idéale pour accepter vraiment l'injustice inséparable de toute action. L'échec l'attendait encore. Pour qui est comme Chamfort, tenté par l'absolu et incapable de s'en délivrer au moyen de l'homme, il ne reste qu'à mourir. Et en vérité c'est ce qu'il a fait, mais dans des circonstances si horribles qu'elles donnent sa dimension exacte à cette tragédie de la morale : elle s'achève en boucherie. La rage de la pureté s'identifie ici à la folie de la destruction. Le jour où Chamfort croit que la révolution l'a condamné, devant l'échec définitif, il se tire un coup de pistolet qui lui fracasse le nez et lui crève l'œil droit. Vivant encore, il revient à la charge, se coupe la gorge avec un rasoir et se déchiquette les chairs. Inondé de sang, il se fouille la poitrine de son arme et enfin, s'ouvrant jarrets et poignets, s'écroule au milieu d'un lac de sang dont le suintement hors des portes finit par donner l'alerte. Cette rage de suicide, ce délire de destruction, sont difficiles à imaginer.

Mais on en trouve le commentaire dans les *Maximes* : « On s'effraie des partis violents ; mais ils conviennent aux âmes fortes et les caractères vigoureux se reposent dans l'extrême. » Et c'est en effet le culte obstiné de l'extrême et de l'impossible qui est figuré dans le roman de Chamfort. Mais c'est cela que précisément on peut appeler le goût de la morale. Simplement, ce roman d'une moralité supérieure s'achève dans des flots de sang, au milieu d'un monde bouleversé où chaque jour une dizaine de têtes rebondissent au fond d'un panier. En face des images conventionnelles que l'on nous donne de l'un et de l'autre, cela fournit une idée plus profonde de Chamfort et de la morale.

Car le métier de moraliste ne peut aller sans désordres, sans fureurs ou sans sacrifices — ou alors il n'est qu'une feinte odieuse. C'est pour cela que Chamfort m'apparaît comme un de nos rares grands moralistes : la morale, ce grand tourment des hommes, lui est une passion personnelle, et il en a poussé la cohérence jusqu'à la mort. J'ai lu de tous côtés qu'on lui reprochait son amertume. Mais, en vérité, j'aime mieux cette amertume tout entière éclairée par une grande idée de l'homme que la philosophie sèche du grand seigneur qui a écrit cette maxime impardonnable : « Le travail du corps délivre des peines de l'esprit et c'est ce qui rend les pauvres heureux*. » Même dans ses plus extrêmes négations, Chamfort n'a pas cessé de prendre le parti des vaincus. Il n'a nui vraiment qu'à lui-même et pour des raisons supérieures. Certes, je vois bien où sa pensée fléchit. Il a cru que le caractère se définissait par le refus et il est des cas où le caractère doit savoir dire oui. Comment imaginer une supériorité qui se sépare des hommes ? C'est pourtant celle que Chamfort et, après lui, Nietzsche qui l'aimait tant, ont choisie. Mais lui et Nietzsche ont payé ce qu'il fallait pour cela, faisant la preuve que l'aventure d'une intelligence en quête de sa justice profonde peut être aussi sanglante que les plus grandes conquêtes. C'est une idée qui force au respect. C'est aussi une idée qui porte son enseignement pour nous et notre monde. Je rappelle ici que Chamfort est un écrivain classique. Mais si la cohérence, le goût du raisonnement, la logique même mortelle, l'exigence obstinée de la morale sont des vertus classiques, on peut bien dire que la façon que Chamfort a choisie d'être classique a été d'en

---

* La Rochefoucauld.

mourir. Cela restitue à cette notion la démesure et le frémissement que nos grands siècles ont su lui donner et que nous avons à lui conserver.

AU SERVICE DE L'HOMME

Pour ceux d'entre nous qui sont nés et qui ont grandi dans des familles ouvrières, ils ne comprennent pas plus qu'on se réclame du peuple ou qu'on tienne à descendre des Croisés. Cela n'ajoute ni ne retranche rien à un homme. Il n'y a pas de mérite à être ce qu'on est.

Mais, en même temps, la pauvreté laisse une leçon et une fidélité à ceux qui l'ont connue. C'est cette leçon que je voudrais tirer, parce qu'elle me paraît importante aujourd'hui pour notre pays.

Dans ma jeunesse, lorsque autour de moi on voulait juger quelqu'un, on ne s'avisait pas de signaler qu'il était communiste ou royaliste. Bien qu'on votât à gauche, on affirmait en même temps qu'il y avait du bon et du mauvais dans tous les partis. Mais voulant juger, on disait de tel ou tel, puissant ou misérable, qu'il fût le député de l'arrondissement ou le bistrot du coin : « C'est un homme » ou « Ce n'est pas un homme[1] ».

Ce verdict élémentaire était lui-même basé sur des éléments très simples d'appréciation. On n'était pas un homme lorsqu'on ne se montrait pas franc, lorsqu'on reculait à faire respecter sa femme ou sa propre dignité, lorsqu'on volait ou qu'on abusait de sa force. Un voisin plus faible qui se battait malgré son infériorité restait un homme, même s'il était terrassé. Les agent de police, à cause de leurs fréquentes brutalités, étaient considérés comme ne faisant pas partie des hommes. (Cela se marquait très bien aux exceptions que l'on faisait parfois pour eux, ajoutant : « Après tout, ce sont des hommes comme les autres. »)

On voit ainsi que la morale consistait à être courageux et juste, à respecter l'homme dans les autres et à le faire respecter en soi-même. Pour ma part, je ne vois pas que nous ayons besoin de plus. Ma génération a lu de nombreux livres, a fait beaucoup d'expériences et de bêtises. Elle a aussi mesuré tout le poids du monde et de ses souffrances. Mais à travers tout cela, pour quelques-uns d'entre nous que je connais et qui sont restés fidèles, ils ont maintenu cette exigence élémentaire qu'ils doivent à un passé de pauvreté et de vérité. Et ils savent bien que, si l'époque est à la politique, la politique est mue par ce désir simple et ardent, ressenti par la majorité laborieuse du pays, de voir l'homme remis à sa place.

Nous ne voulons pas d'une politique sans morale, parce que nous savons que cette morale est seule à justifier la politique. Nous savons aussi que c'est un instinct moral, semblable à celui que j'ai défini, qui pousse les classes laborieuses vers la politique. C'est pourquoi nous ne voulons pas que la politique se fasse sans elles et même hors de leur direction.

C'est ici que le problème devient difficile. Ces classes populaires ne sont pas toujours conscientes de la grande notion qu'elles portent en elles, bien qu'elles en fassent la preuve dans leur vie de tous les jours. Beaucoup de Français aspirent au repos, justement parce qu'ils ont trop travaillé. Qui ne les comprendrait ? Mais, malgré les raisons qu'on peut avoir de les comprendre, je crois cependant qu'il faut dire ce qui est à dire : nous n'avons plus le droit de nous reposer. Nous devons nous hisser à la hauteur de nos plus grandes responsabilités pour porter ce pays le plus loin possible.

Il ne faut pas que les ouvriers de chez nous aspirent, comme il arrive, à la vie bourgeoise. Si la France devait devenir le pays des petites villes de lotissement, des amicales et des orphéons, du mobilier Barbès[2] et du cinéma dominical, si elle devait être enfin une nation de petits retraités et de boulomanes, elle serait inutile au monde et à elle-même. Et, bien sûr, il faudrait continuer de l'aimer quand même. Mais quelle affreuse chose qu'un amour résigné !

Si, au contraire, la classe ouvrière, sans cesse en marche vers la grande victoire, met au premier rang de son idéal les deux ou trois exigences qui n'ont jamais cessé de faire le meilleur de ses aspirations, alors la France sera une nation d'hommes.

Ce qui a le plus manqué à nos classes dirigeantes, c'est la responsabilité qui entraîne à la fois la force et le sacrifice.

C'est aussi qu'elles n'étaient pas ambitieuses pour notre pays ni pour l'homme, se contentant de l'être pour elles-mêmes. De ce point de vue, la faillite est complète et la France n'a plus d'autre espoir que son peuple. Quoi qu'on dise et quoi qu'on fasse, les classes laborieuses sont les classes dirigeantes de demain. Mais il faut qu'elles sachent qu'elles sont la dernière chance de ce pays et que leur échec donnerait à la France le signe de toutes les décadences.

C'est une grande et angoissante minute que celle où un pays mesure ses derniers atouts. Pour que la promotion qui les attend ait un sens, il faut que les travailleurs français gardent une juste conscience de cette grandeur et de cette angoisse. Eux, du moins, ne seront jamais assez ambitieux. Ils n'auront jamais de but assez grand.

S'ils devaient cependant échouer, personne sans doute ne les accablerait. Les classes laborieuses auraient plus d'excuses que n'en ont eu les classes aisées. Le travail et la pauvreté fatiguent, il arrive qu'ils découragent. Mais comment ne pas souhaiter qu'elles refusent d'avance ces excuses, qu'elles veuillent vaincre un destin séculaire de labeur et d'obscurité, qu'elles donnent enfin une forme à cette notion d'homme qui fait le fond de leur morale ? Ce jour-là, la politique sera morale parce que la politique aura servi l'homme au lieu de le dégrader.

Bien entendu, cela est difficile. Mais il me semble qu'il y a dans l'homme plus de choses à admirer que de choses à mépriser. Notre société jusqu'ici était faite de telle sorte, qu'elle a surtout mis en évidence ce qui était méprisable en lui. Ainsi, nous n'avions pas de goût pour elle et cela était dans l'ordre. Mais il faut maintenant faire la part de ce qui est admirable. Aujourd'hui, nous sentons que la France a besoin de grandeur et l'homme de victoires. Une victoire par jour, sur le monde et sur soi-même, c'est le seul mot d'ordre qui puisse avoir du sens dans la grande aventure où nous sommes engagés.

Écrits posthumes

(1932-1944)

PREMIERS ÉCRITS

(1932-1936)

INTUITIONS

O. 1932.

J'ai souhaité d'être heureux comme si je n'avais rien d'autre à être.

A. G.

Ces rêveries sont nées de grandes lassitudes. Elles marquent le souhait d'une âme trop mystique, qui demande un objet pour sa ferveur et sa foi.

Si elles sont parfois découragées c'est qu'on n'a point voulu de leur enthousiasme. Si elles sont parfois négatives c'est qu'on n'a point voulu de leurs affirmations.

Mais malgré les piétinements, les erreurs, les hésitations et les lassitudes, la ferveur y demeure, prête aux surhumaines communions et aux actions impossibles.

A. C.

INCERTITUDES

La musique s'était tue et les deux hommes se taisaient. Aux murs étaient des couleurs. Et un matin clair riait derrière les vitres.

L'un des hommes se leva et secoua l'engourdissement où la musique l'avait plongé. Mais cet engourdissement était fait de sentiments et de passions personnels et il devenait manifeste qu'il ne voulait pas se dissiper. L'homme haussa les épaules et, découragé, s'assit pour reprendre le cours de son rêve.

Mais l'autre ne rêvait pas. Il pensait. Aussi fut-ce lui qui alla ouvrir les fenêtres. Du jardin monta une vapeur dorée et sans odeur. Ce matin-là était désinvolte. L'homme aspira fortement l'air léger.

Très seul dans mon coin, je les regardais tous deux sans curiosité. La musique m'avait fait choir dans le néant d'une impuissance spirituelle.

Pourtant je sentais un drame[a] dans notre indifférence respective. L'homme s'encadrait toujours dans la fenêtre. Il regardait des choses. Les choses vivaient avec tant de plénitude qu'on pouvait croire qu'elles livraient leur secret. C'est alors qu'il parla :

« Je suis fait pour commander, dit-il, parce que je sais borner mes désirs. Le fini et le relatif de ce monde me contentent. »

Celui qui était assis eut un sourire inquiet et un geste de défense. Mais déjà l'autre reprenait :

« Je méprise ceux qui disent qu'ils ne sont faits ni pour obéir ni pour commander. Car ceux-là sont faits pour obéir en murmurant. Il y a une liberté qui consiste à se donner et à s'enchaîner. »

Pour moi je ne trouvais pas étonnant que cet homme parlât sans transition de choses si hautes. Et mon indifférence persistait. On m'avait donné tant de formules de bonheur, de systèmes de vie et de religions que plus rien de ce genre ne m'émouvait.

Mais celui qui était assis parla :

« Tu as raison, dit-il, mais tu n'as que raison. Pour moi je suis las, horriblement las : Las de chercher la Vérité et le Bonheur ; Las de me fixer une règle de conduite que je ne suis pas ; Las de tout, incapable de chercher et d'agir, nourri de ma lassitude. Mon besoin d'infini s'étiole à force de vivre. Et je suis un de ceux qui disent qu'ils ne sont faits ni pour obéir ni pour commander. Et je suis un de ceux qui obéissent en murmurant. »

Il ne pleurait même pas. Et je voyais sans effroi cette épave qui se nourrissait de la volupté d'être une épave. Je m'étais trop longtemps sondé et contemplé pour ne pas trouver une grande satisfaction à être spectateur.

Encore m'apercevais-je que je cherchais à me trouver dans ces deux hommes. Mais je vis que tous deux me regardaient. Et je pensais qu'il était juste qu'à mon tour je parlasse, puisque tous les deux avaient parlé :

« Ce que je pourrais dire, tout le monde l'a dit avant moi.

Et il n'y a pas une seule position devant la vie qui n'ait déjà été prise. Je ne suis pas las. Je ne suis pas fort. Je veux être indifférent. »

Et je me tus en souriant, content de mon mensonge, conscient de mon âme tourmentée et mystique. Ce faisant, je me répétai mentalement et avec force le mot : « mensonge ». Et ce mot qui d'abord avait pris une forte signification s'élargissait et s'estompait dans la répétition, de sorte que je me perdis peu à peu dans son vide et répétai avec fixité des syllabes sans aucun sens.

J'ai l'habitude de ces anéantissements. Tout effort d'intelligence me devient alors extraordinairement douloureux. Mais lorsque je m'éveillai de celui-ci :

Tout avait disparu. J'étais seul dans ma chambre et je continuai à m'épuiser en vains efforts pour concilier les deux hommes que j'avais créés et pour concilier le passé qui me hantait avec l'avenir que j'espérais.

DÉLIRES[b]

Lorsque le fou est entré dans ma chambre, j'étais très triste. J'étais triste parce que je ne savais pas ce que je voulais être tout en sentant très vivement que je ne voulais pas demeurer ce que j'étais. Je cherchais le sens de la vie, de cette vie que je ne connaissais pas.

C'est alors que le fou est entré dans ma chambre et m'a dit :

« Tu ne pourras jamais être heureux si tu continues à chercher de quoi est fait le bonheur. Tu ne pourras jamais vivre si tu cherches le sens de la vie. De même que les émotions les plus fécondes te fuiront si tu veux les analyser.

« Écoute ma folie.

« Ne pas savoir marque un état heureux de l'esprit.

« Savoir, que l'on croit communément un progrès, n'est qu'un asservissement de cet esprit.

« Refuser de savoir est un affranchissement, un définitif pas en avant et une libération de l'âme.

« Regarde-moi agir.

« Je vis en refusant de savoir que je vis. Je n'agite pas de problème vain sur la mort ou sur l'âme. Et je suis heureux parce que je n'essaie pas d'atteindre au bonheur en cherchant ses éléments. »

Impatienté par tant d'assurance, je dis au fou :

« Mais ta position devant la vie repose sur une théorie. N'est-ce pas un problème, cette théorie ? Que fais-tu d'autre que discourir sur la vie en ce moment ? »

Et le fou m'a répondu :

« Je t'ai dit tout cela parce que j'ai abandonné un instant ma folie pour mieux me faire comprendre de toi. Mais sorti de ta chambre, je serai moi-même et j'agirai en fou. Je vivrai sans le savoir. Je suis capable maintenant de dédoublement : je sais que je suis le fou. Mais dans quelques minutes je ne saurai rien. Mon esprit n'élaborera plus. Il enregistrera.

« Aussi bien — et si c'est volontairement que je me dédouble aujourd'hui — y a-t-il des jours où cela m'arrive malgré moi. Je suis alors faible et lâche. Je te ressemble en ces moments.

« Mais cela n'est rien. Je veux encore te livrer le secret de mon bonheur. Je suis le fou et j'aime d'amour universel. Ton malheur vient de ce que tu n'aimes pas encore pleinement. Tu es faible et toute faiblesse demande de l'amour. Je crains d'ailleurs que même en aimant tu ne demandes les raisons de cet amour. »

Et le fou avait raison. J'aurais voulu qu'il eût tort. Il me regardait et je voyais dans ses yeux la flamme de l'amour universel. Il aimait tout. Il acceptait tout. Il m'aimait en ce moment.

J'ai fermé les yeux pour ne pas connaître à mon tour et si peu que ce fût cet amour universel. Je n'ai pas voulu brûler et je suis resté très seul dans ma chambre, gardant pour toute consolation ma faiblesse et la volupté de ma faiblesse.

★

J'ai attendu longtemps le fou. J'avais besoin de sa présence seule. Mais il ne venait pas et je me consolais en pensant qu'il vivait intensément et qu'il était heureux.

Il vint pourtant un jour. Il était triste et las et je compris qu'il souffrait d'un de ces états de dépression dont il m'avait parlé.

Il m'a dit :

« Je ne pense pas toujours de même, mais j'ai ce matin une grosse envie d'être comme tout le monde. Je voudrais avoir femme et enfants, gagner de l'argent, avoir un nom et la considération des gens de bien. Mais je suis forcé de m'apercevoir que ce désir est la marque d'une originalité et que c'est une folie de plus… Et tu comprends mon tourment. » Le fou était très doux. Il se promenait dans la chambre. Étendu sur mon lit, je l'écoutais et le regardais. Je l'aimais beaucoup à ce moment.

« D'ailleurs, reprit-il, je souffre de cela comme je souffre de toute contradiction. En moi, je concilie tout. Je suis le Conciliateur. Il reste évident que je ne peux détruire les contradictions externes. Elles sont l'essence même de la vie et je suis impuissant devant elles. C'est pourquoi mon tourment est inguérissable. Je vois ainsi dans ta bibliothèque les livres que tu préfères : ils t'apprennent à mépriser les livres. C'est inconcevable. »

« C'est peut-être pour cette contradiction que je les aime », dis-je. Le fou devint méprisant :

« Ne crois pas que le paradoxe te donnera une originalité. Crois au bon sens. »

Je me souvins alors qu'il avait envie d'être comme tout le monde — un long silence. Le fou parla ainsi :

« Je songe à ces contradictions, je songe à la vie et je me désole car songer à la vie c'est encore vivre. J'erre dans cette impasse et je rencontre d'autres errants qui envient comme moi ceux qui ne pensent pas et boivent là-bas le soleil, à longs traits. »

Je parlai à mon tour et je dis :

« Il n'y a rien à faire contre l'intelligence. Toute révolte est impossible. »

« Oui, dit le fou, si l'on reste dans le commun. Mais tu viens de me faire voir ma sottise lorsque je prétends être comme tout le monde. Je ne peux oublier mon intelligence qu'en étant moi-même. Aussi pourquoi analyser, pourquoi se révolter. Vivre n'est-ce pas une suffisante révolte ? »

Quoique prévenu contre de pareils revirements, je ne pus m'empêcher de rire, et lui, ravi, s'écria :

« Vois-tu, rire devrait être notre unique préoccupation. Mais je ne sais quelle dégradation est attachée au rire. Pour l'homme, un sentiment n'est beau, amour, haine, sacrifice, que s'il est arrosé par des larmes. N'est-ce pas absurde ? S'il me plaît de haïr en riant ? »

Et le fou reprit :

« Vois-tu mon bonheur est dans mon oubli. Tu le reconnais avec moi. Il faut que j'enseigne cette vérité aux hommes. »

Et il partit.

Lassé, je l'ai regardé partir. J'admirais cette jeunesse et cet amour, mais je n'avais pas la force d'agir de même. L'appel de mon avenir, l'angoissante préoccupation d'oublier mon passé : j'agitais à nouveau ces soucis en moi.

★

Et le fou est parti à grands pas ; il est allé retrouver les hommes. Et, les ayant trouvés, il les a assemblés et leur a parlé ainsi :

« Je ne suis ni faible ni fort. Je ne suis rien car je ne me connais pas m'étant oublié. Je suis heureux et je viens vous apporter la bonne parole. Je viens vous dire : Oubliez-vous.

« Vous errez, lamentables, et votre malheur vient de ce que vous connaissez votre faiblesse, pour les uns, et l'inutilité de votre prétendue force, pour les autres.

« Vous avez créé l'art pour avoir l'oubli. Le malheur est que l'Artiste ne voit dans l'œuvre d'art qu'un moyen pour raviver les plaies de sa personnalité.

« Hommes, vous ne souffrez que parce que vous êtes vous-mêmes. Oubliez. Il est mille moyens pour oublier. La terre, le ciel, le Rêve, l'action, Dieu, tout est objet d'amour. Aimez la vie sous ses multiples formes. Aimez-la pour elle et non pour ce qu'elle révèle en vous. Et pour commencer, aimez-moi. Comme je vous aime. Je suis le fou et c'est tout. Je suis l'Universel parce que je ne veux point être particulier. Ma vie et mon bonheur consistent à fermer les yeux sur les éléments de ma vie et de mon bonheur.

« Hommes détruisez en vous l'être particulier. Communiez dans la vie et dans l'amour. »

Mais les hommes enfermèrent le fou, car ils tenaient jalousement à ce qui faisait de chacun d'eux un être particulier et craignaient d'y renoncer.

Mais de sa prison le fou continuait :

« Dieu ne se connaît point. C'est pourquoi il est Dieu. Il a créé le monde dans son délire et il l'a oublié. Et moi aussi, l'oubli m'a rendu divin. Hommes, écoutez-moi. Croyez en ma folie.

« Toute religion, toute morale, toute éducation sont mauvaises qui vous affirment dans votre triste individualité. Créez l'Universel. Façonnez votre religion. Mais ne lui donnez pas de nom.

« Hommes, ne croyez pas à votre originalité. Et vous que j'aime, faibles, mes frères, oubliez que votre faiblesse veut s'étaler. Oubliez cette faiblesse qui recherche la volupté d'être elle-même. Rien ne compte que le moment présent, qui écrase tout, la vie passée et la vie à venir. »

Alors les hommes tuèrent le fou car ils tenaient jalousement à ce qui faisait de chacun d'eux un être original et craignaient d'y renoncer.

Mais la mort ne pouvait atteindre le fou, car il l'avait éloignée en refusant de connaître la vie.

Et du corps du fou sortit la Folie.

★

Je regardais les hommes passer sous ma fenêtre lorsque le fou est entré dans ma chambre.

Il m'a dit :

« Que regardes-tu là ? Laisse cette animalité stupide. Je la quitte à l'instant. Je lui ai annoncé la vérité et elle est restée sourde. Je lui ai offert le bonheur et elle l'a refusé. Je l'abandonne. Mais tu me restes. Ensemble nous avons découvert cette vérité que, stupidement généreux, je voulais donner aux hommes. Ensemble nous vivrons cette vérité. Et Dieux enfin, nous aurons le perpétuel désir. »

Le fou avait raison. Je regardais ma chambre détestée. Je regardais, là-haut, un coin de ciel très pur. Lentement j'ai secoué la tête et j'ai dit non car je suis aussi un homme.

Le fou vivra donc seul et seul il détiendra la précieuse vérité. Il me méprise et il a raison.

. . . .

Quand donc se lèvera pour moi l'aurore audacieuse de mes résolutions. Quand aurai-je le courage de ne plus être un homme.

Vers des îles lointaines voguent des hommes déchaînés, qui goûtent avec force l'âcreté des cieux et la splendeur vigoureuse de la brise marine. Ils ne regardent pas derrière eux, dédaignant le lâche sillage qui fuit l'hélice et meurt.

Où donc est la vraie vie, heureuse,
puisqu'elle n'est pas l'attente.

O. 1932.

LA VOLONTÉ DE MENSONGE

Le monde était comme tous les jours. Ni brise spéciale, ni vent violent, ni calme extraordinaire. Et nous ne nous apercevions pas de sa présence…

Il marchait à pas mesurés, croyant ainsi donner plus de calme et de méthode à sa pensée. Il y avait très longtemps que nous allions ainsi. Mais la terre sonnait sous nos pas sans que nous l'entendions. Et le soleil très bas déclinait sans que nous l'apercevions.

Il parla tout d'un coup, traînant ses phrases et regardant à terre :

« Vois-tu, l'unité que je cherche dans ma pensée n'existe pas. Mais je crois que le principe même de l'unité de cette pensée réside dans le fait de ne pas en avoir. Je ne voudrais pas faire de paradoxe mais je dis ce que je sens très profondément. Ou plutôt non, reprit-il, je ne le pensais pas profondément. Et j'ai cru m'en persuader par les paroles. Mais pour une fois je veux être honnête envers moi-même. En vérité, je crois à l'Unité. Et je crois à beaucoup de choses. »

Il me regarda et je vis sur sa face le sourire niais de ceux qui se trouvent gênés en face de leurs découvertes. Je ne répondis pas. Et croyant à une désapprobation, il dit à nouveau :

« Tu pourrais m'aider… »

Un geste de moi arrêta cette tentative de flatterie. Ce geste me coûta beaucoup.

Et lui retomba dans son silence. Je cherchai dans l'air l'odeur de mystère qui tombe le soir sur les campagnes. Lui regardait le ciel. On voyait trop loin dans la plaine. Et la nuit qui approchait détachait chaque chose en la rendant vivante, si bien que nous nous arrêtâmes.

Il parla encore et sa voix était embuée :

« J'ai beaucoup souffert. Et ces spectacles qui me remplissaient de calme et de sérénité ne font qu'éveiller en moi les lassitudes des vieilles tristesses. Je n'espère plus en l'avenir. Je ne crois plus en moi. Je ne sais plus me repaître de mon passé. Quant à mon présent… »

Il avait dit cela très simplement sans geste, j'allais dire sans voix tant celle-ci était incolore. Et du fait que cet être ne semblait plus participer à sa douleur, celle-ci, détachée de lui, semblait plus effrayante et plus inexorable.

Et moi qui commençais à peine à nier j'étais très ému. Et un sourire sceptique parut sur mes lèvres.

Il le vit. Mais il comprit. Et pour la première fois cet homme très vieux et qui avait beaucoup souffert me parut respectable et digne d'amour.

Nous revenions ensuite dans la nuit maintenant tombée. L'aboiement d'un chien troua au loin le silence. Et nous nous sentions très près l'un de l'autre. Il ne parlait plus maintenant. Pour moi j'avais beaucoup à dire. Mais je me taisais. J'étais ennuyé qu'il y eût des étoiles.

Et arrivé devant sa maison, il s'arrêta. Je ne voyais de lui que sa silhouette et son feutre aux larges ailes sur lesquelles j'arrêtais mon regard. Il m'avait pris la main et je sentais sous mes doigts une peau très vieille. Du moins, je la pensais vieille et je n'aurais su dire pourquoi. Je l'aimais pour ses souffrances et son ridicule. Mais j'étais gêné par son silence.

Et pour la première fois je parlai. Et je dis à mon tour et très vite tout ce que je recelais d'attentes et de désirs d'infini. J'avais le sentiment de me débarrasser. J'avais aussi l'obscure sensation que cette confession Lui était due.

Et lorsque j'eus fini, un nouveau silence plana. Puis lentement il m'attira et mit un baiser sur mon front. La porte de sa maison claqua. J'étais seul.

Et je suis reparti lentement, un peu apaisé, dans le silence énorme. Je crois bien que j'avais envie de pleurer mais je me souviens que la pensée que cet homme allait bientôt mourir me rendit quelque force.

1932.

SOUHAIT

Il me dit un jour, cependant :

« Comme je voudrais aimer la vie ! Je voudrais me débarrasser de toute contrainte. J'ai peur de la mort. Elle m'aveugle. Je suis content d'attendre. Il est triste de toucher un but. Aussi je ne veux pas aimer la vie. C'est quelque chose de trop proche et de trop tangible. Je l'atteindrais aussitôt. »

Nous marchions dans la ville et ses phrases hachées m'aidaient à comprendre mon trouble et mes revirements.

« La vérité, dis-je, est que tu crois à quelque chose de plus haut. »

« La vérité, dit-il, est que je cherche à croire. »

Et tout d'un coup cette conversation me parut horriblement vide et banale. À lui aussi sans doute, car il s'enfonça dans un silence bourru.

La ville bruyait autour de nous. Mais les bruits, les lumières et le mouvement n'arrivaient pas à me faire oublier le ciel au-dessus de tout cela. Effaré par cette vaine agitation j'eus soudain la brusque intuition que chaque homme pouvait après tout penser et chercher comme moi. Et ce monde que j'imaginais d'abord comme un tout qui s'opposait à moi me parut soudain composé d'innombrables éléments séparés mais qui cherchaient à se regrouper. J'eus ainsi l'intuition brusque d'une vérité. Mais je cherchai vainement à retrouver cet éclair fugitif.

Et vaincu, je songeai aux innombrables éclairs de cette sorte, à peine entrevus et qui me laissaient désespérément assoiffé d'idéal et de vérité.

Pour Lui, il parla tout d'un coup, comme suivant une idée :

« Et le prince ne voulut pas ; mais il alla dans la forêt qui chantait. Il cueillit là les fleurs que le Rêve avait semées. Et après avoir respiré le parfum de ces fleurs, il connut le tourment de l'éternel Amour. »

Je compris qu'il songeait à ses vaines aspirations. Mais je compris aussi le factice de cette douleur qui voulait s'étaler. Et je m'affermis de plus en plus dans l'idée qu'il fallait se taire.

Je songeais de nouveau aux intuitions soudaines qui éclairaient la nuit de mes incertitudes et je me persuadais que là seulement était la vérité, où l'intelligence ne pouvait entrer de plain-pied, mais à laquelle seuls des éclairs de lucidité presque matérielle permettaient d'accéder. Je me persuadais aisément aussi que l'intelligence que nous considérons généralement comme claire et méthodique n'était qu'un obscur et tortueux labyrinthe à côté de ces presciences immédiates.

Et il ne comprenait pas cela. Victorieux, je le regardais. Lui qui lisait ma pensée autrefois restait étranger à mes ruminations présentes. C'est que j'étais entré très profondément en moi. Je m'étais attentivement sondé au lieu de chercher la vérité dans l'apparence. Non pas que je fusse arrivé à un résultat quelconque. Mais le sourd contentement d'avoir, ne fût-ce que quelques secondes, entrevu une partie de la précieuse vérité, commençait à combattre le désespoir de l'avoir laissée échapper.

Au détour d'une rue, il me quitta. Car il n'était que ce « moi » que j'avais coutume de regarder agir sous mes yeux. Il disparut, car j'avais enfin uni le spectateur et l'acteur dans un même désir d'idéal et d'infini.

Et cette disparition me fit bien augurer de mes recherches futures. Et si jusqu'à présent cet espoir a été déçu, dois-je conclure qu'il le sera toujours ?

O. 1932.

RETOUR SUR MOI-MÊME

Un jour le fou est revenu. Et j'ai compris à son air las qu'il avait échoué. On ne peut s'oublier ainsi. Seuls les mots avaient pu nous assurer le contraire…

Et cet échec me persuada aussitôt que la vérité que nous avions reconnue ensemble était la bonne. Cette conviction n'était pas raisonnée. Une nouvelle intuition me l'avait imposée.

Et apaisé, enfin, j'ai dit au fou :

« Tu es trop faible, mais cette mission que tu t'étais imposée, devant laquelle j'avais reculé, ne la crois pas illusoire. De ce que tu n'as pu y suffire ne crois pas qu'un autre ne puisse la remplir. Cet autre viendra, un jour, plus fort de ses presciences et de ses intuitions. Il agira sans savoir qu'il le fait. Tu le savais, toi — c'est pourquoi tu as échoué. Mais cet autre peut être toi-même. Ce peut être moi aussi. Il suffirait pour cela que nous progressions. »

« Oui, dit-il, et j'avais tort de te mépriser. Tout est à refaire. Mais il nous reste la joie d'avoir pensé à cela. »

Le soir tombait. La chambre s'emplissait d'ombre. Je ne donnai pas de lumière. Mais j'ouvris la fenêtre et tous deux regardâmes la rue.

Des gens passaient sans hâte. Je me sentis rempli d'amour pour eux. Je les aimais parce que je savais d'une manière certaine que leur indifférence cachait tout un monde d'attentes et de déceptions. Je n'étais pas différent des autres hommes. Je m'apercevais que ce sort commun n'était pas si banal. Et je me dis que ma vie consumée en inutiles efforts et déchirée de mille hésitations était belle de ces hésitations puisqu'elles sont autant de souffrances.

J'en étais là de mes réflexions lorsque je sentis la main du fou sur la mienne. Et le contact de cette main, me rappelant une présence extérieure, fit surgir en moi un nouvel éclair et une nouvelle prescience.

Je vis clairement que je me mentais à moi-même. C'était parce que ce mensonge était doux.

Je ne croyais pas ce que je pensais. Je n'exécuterais pas ce que je décidais. Car je pensais et décidais trop. J'essayais en vain de trouver ma véritable Pensée : il est des vérités que l'on découvre soudain à un détour de l'esprit et dont on se détourne avec horreur pour ne pas les découvrir entièrement.

L'air du soir était vif et les bruits de la ville importuns qui montaient jusqu'à nous.

Et le fou m'a dit :

« Cherche pour ne point trouver. Toujours. Car tu es*d* trop tourmenté pour abandonner la recherche — … Mais, vois-tu, nous aurons au moins trouvé quelque chose.

— Et quoi ? dis-je.

— La Lassitude. »

Que dirai-je encore ? J'ai mal de tant chercher. Et ce soir est trop semblable aux autres soirs. Tout ce que j'ai dit, j'aurais dû le taire. Mais mon orgueil n'est pas assez grand pour cela. Je suis triste d'être ainsi dénudé. Mais j'aime trop mes mensonges et mes attentes pour ne pas les crier avec ferveur.

Où me tourner*e* ? Je ne sais qu'une chose : mon âme mystique qui brûle de se donner avec enthousiasme, avec foi, avec Ferveur.

[NOTE À MAX-POL FOUCHET
SUR « BÉRIHA »]

À Max-Pol Fouchet.

1. Bériha n'est pas logicien puisqu'il est spontané. Ne dis pas qu'il est logicien spontanément. Ce serait une antinomie ou un paradoxe : également détestable.

2. D'autre part Bériha est le Rêveur. Le Rêve est le désordre de la réalité. Diras-tu alors que sa logique est une logique désordonnée ?

3. La grande erreur est de confondre la forme et le fond ; si Bériha exprime ce qu'il sent d'une façon en quelque sorte mathématique, c'est qu'il y a une grande jouissance à exprimer un sentiment profond dans un cadre qui ne lui convient pas.

Cf. Gide : fait de la spéculation philosophique avec des mots courants.
Cf. Stravinsky : exprime une âme très rude avec des refrains populaires.

4. Ne sens-tu pas que ce qu'exprime Bériha est trop décousu, trop humain, trop douloureux pour être vraiment logique ?

5. Prendrais-tu Nietzsche pour un logicien ?

6. Un logicien n'hésite pas. Il tranche (par la logique). Bériha *attend*. L'attente n'a que faire de la logique. Le contraire est d'ailleurs vrai.

7. Je mets au-dessus de la logique à la fois le Rêve et l'Action. Car je vois dans la logique la pure intelligence vide et méprisable. Mes incertitudes, et mes inquiétudes m'empêchent de savoir lequel du Rêve et de l'Action est le plus près de cette intelligence. Je ne saurais que répéter : Bériha est un faible. Il ne méprise pas l'Action. Il l'envie.

8. J'appellerais logicien un homme qui sent logiquement et non un homme qui s'exprime logiquement.

9. Tu me dis logicien, tu te dis le contraire. Or, tu goûtes précisément dans Bériha les pages soi-disant logiques. Pour parler logiquement : de deux choses l'une, ou ces passages sont vraiment logiques et, les aimant, ton goût t'attire vers la logique, ou ils ne le sont pas puisque tu les aimes ; choisis.

10. Tu as admirablement compris ce que j'avais mis dans Bériha. Cela m'a touché, mais peut-être y a-t-il quelque chose que je sens dans moi-même et qui, par cela seul, est le plus important. Une lecture t'aiderait sans doute ; pour moi, seule la réflexion m'aidera ou autre chose…

NOTES DE LECTURE
(Avril 1933)

Ce qu'on peut gagner en lisant Stendhal : le mépris du paraître.

Il me faudrait apprendre à dompter ma sensibilité, trop prompte à déborder. Pour la cacher sous l'ironie et la froideur, je croyais être le maître. Il me faut déchanter. Elle est trop vive, trop prodigue, importune, inopportune. Elle me rend trop complaisant à l'impressionnisme, à l'immédiat, au facile, au « fatal ». Par elle, je me complais dans d'insignifiants alanguissements.

Il faudrait qu'elle parle, non qu'elle crie. Il faudrait, puisque je veux écrire, qu'on puisse la sentir, dans mon œuvre, non dans ma vie.

Mais est-ce bien la peine ? J'accorde trop de prix à mes contradictions. Je m'arrête trop souvent à considérer la faiblesse naturelle de mon caractère aux prises avec une énergie occasionnelle, qui est bien réelle.

Terminé ma *Maison mauresque*. Sans doute vaut-elle mieux que ce que j'ai déjà montré à G. Je me suis efforcé de n'y rien laisser paraître de mes souffrances présentes. Mais j'ai laissé éclater un peu de cette souffrance dans les dernières lignes. Cela doit être ainsi. Je ne me cache pourtant pas que la partie où j'ai essayé de cacher mon besoin de pleurer est la meilleure.

Ai relu Stendhal toute la journée. Impossible de travailler. *L'Abbesse de Castro* et les *Chroniques italiennes*. Elles ne me

touchent pas. Elles me satisfont. Quelle personnelle objectivité ! Exemple à me proposer. G. a raison.

Je m'étonne à cette heure d'accorder plus d'importance
qu'elle n'en mérite (je m'en rends bien compte) à ma *Maison
mauresque*. Sans doute pour ce travail qu'elle m'a coûté,
lorsque je songe à son peu de volume. Je me défends de la
relire avant G.

Maudit orgueil.

Ai relu le *Prométhée* d'Eschyle. Romantisme de Prométhée.
Sa complaisance dans le malheur. Amère satisfaction de l'injustice. Incompris, méconnu, ça le rend fier.

L'art du portrait byzantin : donner l'importance aux yeux,
les agrandir démesurément… afin de rappeler constamment
l'au-delà et l'élan religieux. Intéressant comme correspondance. Pourquoi les yeux ? Ai peur du cliché.

Lorsque marché à travers la ville avec S. C., me suis
complu à dire des vers et des banalités pour cacher exaltation trop naturelle. Le soleil sentait bon sur les quais.

Jeu des paysages qui fuient l'auto : ces admirables
spectacles qui frappent vivement les sens pour disparaître
et garder enfin toute la magie brumeuse du souvenir.
L'air pur et clair. Soleil sensible et aérien… Couché dans
les herbes. Au-dessus de ma tête, les chênes subissent le
soleil… Je ferme les yeux blessés de cette lumière. Nuit des
paupières. Et les lents sentiments qui y croissent comme
dans la fraîcheur d'ombre des pièces closes…

Je ne peux m'imaginer Gide aimant d'amour exclusif.
Peut-être est-ce à cela qu'il tend.
Je ne peux m'imaginer Gide à son lit de mort.

Passivité de l'attitude de Gide.

Ai relu mes notes sur Gide. Affreusement banales. Lieux
communs puérils. J'enrageais de la médiocrité de ma pensée en songeant à la profondeur du sentiment que j'ai pour
Gide.

Je finis par me persuader qu'on ne peut pas parler des gens qu'on aime trop.

Étonné par Léon Chestov. Encore cette aventure qui m'avait saisi après avoir lu Proust : tant de choses à ne plus dire.

Dostoïevski et Nietzsche, non pas Chestov : le désespoir contre la vie banale. Cette idée m'entraîne. Mais je me méfie de sa facilité. Elle est trop naturelle. Pourtant, à force d'approfondissement, Chestov semble en faire une idée neuve. D'ailleurs, peut-être cette idée n'est-elle pas naturelle au Russe qu'est Chestov.

On pourrait soutenir qu'en même temps qu'un besoin d'unité, il y a un besoin de la mort, parce que celle-ci permet à la vie de former un seul bloc, par opposition. Développer et préciser.

Ai lu livre de Grenier. Il y est tout entier et je sens croître l'admiration et l'amour qu'il m'inspire. C'est de lui-même qu'on peut dire qu'il assume le plus d'humanité possible, précisément en tâchant de s'en éloigner. L'unité de son livre est la présence constante de la mort. Je m'explique ainsi que la seule vue de G., tout en ne modifiant rien à ma façon d'être, me rende plus grave, plus pénétré de la gravité de la vie.

Je ne sais pas d'homme qui puisse me rendre ainsi. Deux heures passées avec lui m'augmentent toujours. Saurais-je jamais tout ce que je lui dois ?

Ai changé la fin de ma *Maison mauresque*, quoi que j'en aie dit. J'en reviens à ce que je disais : ma sensibilité doit parler, non crier.

N'est-ce pas une erreur de ne consigner dans ces notes que mon activité spirituelle ?

Grenier : « L'indépendance ne peut être autre chose que le libre choix d'une dépendance. » Variante : « La liberté de l'esclavage se donne pour être libre. »

La volubile faconde du soleil.

L'art naît de contraintes. Généralisons : la vie naît de contraintes. Le sentiment contraint doit être le plus florissant.

Ce qu'on appelle chez Gide besoin de justification, c'est le besoin qu'a Gide de concilier son être lucide et son être passionné. Son être lucide exige justification de son être passionné.

Si besoin de justification il y a, c'est une justification envers lui-même…

Faux-Monnayeurs : un écrivain aux prises avec la Réalité, qui s'oppose à ce qu'il veut faire d'elle.

Aussi bien le vrai Gide est peut-être André Walter : « Je suis pur, je suis pur, je suis pur. » Dans toute son œuvre se trouve ce besoin effréné de pureté…

Il serait bon quelque jour de dire des banalités sur Gide, des banalités profondément vraies, mais comme seules les banalités savent l'être. Comme celle-ci : que Gide n'est grand que de banalité.

L'œuvre de Gide est un écran devant sa vie : « Nos livres n'auront pas été les récits très véridiques de nos misères. »

Lorsque G. aime et parle passionnément, il y a toujours Gide qui regarde Gide. Il y a toujours chez Gide une dualité redoutable entre son besoin d'enfance et de… et sa lucidité ironique.

Gide n'est lui que lorsqu'il comprend que ce conflit est à nous et qu'il le mythifie. Il le comprend souvent. De là les sanglots contenus dans chacune de ses phrases.

Gide a trop cherché à s'éloigner de Gide. C'est l'aspect de Gide que j'ai immédiatement compris. Mais n'est-ce pas parce que je cherche à m'éloigner de moi ?

Et le drame, la souffrance de Gide, c'est de se retrouver à chaque pas. Cela se voit même dans son œuvre. Il a essayé dans ses dernières œuvres de faire objectif : chaque paysage, chaque personnage est gidien par quelque côté que ce soit…

Je n'ose plus relire *Les Nourritures*, pour garder intact le souvenir de l'ivresse et de l'extase qu'elles m'ont procurées.

Je n'ai jamais pu imaginer Gide aimant d'amour exclusif. Et pourtant c'est cela qu'il attend, qu'il a attendu.

Je n'imagine pas Gide à son lit de mort.

Nourritures terrestres : cette apologie de la sensation… n'est jamais qu'une intellectualisation des sens. Rien de plus intellectuel que *Les Nourritures terrestres*. Le seul fait d'en faire une théorie annihilait, émasculait cette théorie dionysiaque. Sa vérité ne pouvait se trouver que dans la réalisation même de ce cercle vicieux. *Nourritures terrestres* : paradis défendu…

L'ART DANS LA COMMUNION

... Et je ne puis approuver que ceux qui cherchent en gémissant.

PASCAL.

Qu'un homme jeune se trouve au seuil de la vie et avant toute entreprise, c'est généralement une grave lassitude et un dégoût profond des petitesses et des vanités dont il est sali alors même qu'il s'en défend, c'est encore un instinctif refus qui monte en lui. Son orgueil révolte la vie quotidienne qui se montre plus humiliante alors. Il doute : des idées générales, des conventions sociales, de tout ce qu'il a reçu. Chose plus grave, il doute aussi des sentiments plus profonds : Foi, Amour. Il prend conscience qu'il n'est rien. Le voilà seul, et désemparé. Mais il sait qu'il désire, donc qu'il peut être quelque chose : il lui faut à tout prix définir ses virtualités. Et, par ailleurs, il sait la vanité de ce que j'appellerai le libertinage métaphysique. Au dur contact de l'inexpérience, il apprend ainsi que sa liberté réside dans le don et qu'obtenir l'indépendance, c'est choisir sa dépendance.

Son drame : il lui faut choisir. C'est Dieu, ou l'Art, ou lui-même. Qu'importe.

Et alors, seulement, l'adolescent qui tout à l'heure reculait devant la vie la dépasse et l'oublie. Ainsi l'Art s'élève au-dessus de la vie.

Il y a donc, non pas opposition entre l'Art et la vie, mais ignorance de l'Art à l'égard de la vie.

Arrêtons-nous à cette conclusion. Comment l'expliquer ? En fait, l'Art lutte contre la mort. À la conquête de l'immortalité, l'artiste cède à un orgueil vain, mais à un juste espoir. Et c'est pourquoi, il faut que l'Art s'éloigne de la vie et l'ignore, puisque la vie est transitoire et mortelle. Pendant que l'Art est Arrêt, la vie court rapidement, puis s'éteint. Ce que la vie essaye et tente (vainement, puisqu'elle ne peut retourner en arrière pour parfaire son ouvrage), l'Art le réalise. Entre la vie et notre conscience, les impressions artistiques se groupent et s'agglomèrent pour former une sorte d'écran. Prisme bienheureux, aussitôt atteint : nous avons le sentiment confus d'une délivrance.

Au-dessus de la vie, au-dessus de ses cadres rationnels, se trouve l'Art, se trouve la Communion.

★

Et ceci se retrouve dans les arts particuliers. Je crois pouvoir l'affirmer : Architecture, Peinture, Littérature, Musique. Vient également la vie.

Je dis architecture, quoique celle-ci semble, au contraire, au service de la vie courante. Voyez plutôt l'architecture d'une maison arabe. Généralement une entrée carrée surmontée d'une coupole, puis un long couloir qui fuit dans le bleu, une brusque tombée de lumière, un autre couloir à angle droit, plus petit, qui mène au patio, large, horizontal, infini. À ce processus architectural on peut faire correspondre une sorte de principe affectif ; si l'on songe à l'inquiétude qui flotte sous la coupole de l'entrée, qui s'engage dans l'incertaine attirance du couloir bleu, est illuminée une première fois mais retrouve un couloir hésitant pour arriver à l'infinie vérité du patio, ne peut-on croire que de la coupole au patio se déroule une volonté d'évasion qui répond justement à l'âme orientale ? Je ne crois pas qu'il y ait seulement là une subtilité intellectuelle. Car on ne peut nier qu'il y ait chez l'Arabe une volonté de se créer un monde à lui, ordonné et personnel, qui lui fasse oublier l'extérieur. Monde que lui fournit précisément sa maison. Un fait précis : il est impossible de l'extérieur d'apercevoir autre chose que l'entrée. On ne peut se douter devant une maison mauresque de la richesse de l'émotion intérieure.

Je songe en même temps aux cathédrales du Moyen Âge. Il est étonnant de voir que leur architecture répond à des symboles et des diagrammes qu'on pourrait dire mystiques. Que l'on songe à la place qu'y tient le triangle, symbole de trinité et de perfection : les trois flèches triangulaires de la façade, la décoration intérieure, les vitraux, etc.

Si j'insiste sur l'architecture c'est que je prends dans cet

essai des exemples extrêmes, défavorables à première vue.
Je finirai toutefois ces suggestions sur l'architecture en citant
Plotin : « […] C'est demander comment l'architecte, ayant
ajusté la maison réelle à l'idée intérieure de la maison, prononce que cette maison est belle. C'est parce que l'être extérieur de la maison, si l'on fait abstraction des pierres, n'est
que l'idée intérieure, divisée selon la masse extérieure de la
matière et manifestant dans la multiplicité son être indivisible » (*Ennéades*, I, liv. 6).

Quant à la peinture, il est facile de montrer qu'elle se
crée un monde à elle, vrai, plus logique parfois : je songe à
Giotto.

Volontiers, chez ce dernier, les églises ou les maisons
sont plus petites que l'homme. Les personnages sont figés
dans le silence d'une action parfaite. Au deuxième plan, précédant des paysages encore conventionnels*, des églises, des
maisons, semblent un minuscule mobilier de poupée. On
s'est ingénié à trouver des explications : depuis la simpliste
erreur de perspective jusqu'à l'explication mieux fondée qui
voit dans cette bizarrerie une conséquence de la hauteur où
se trouvaient placées les fresques de Giotto. Il y a pourtant
une raison plus simple, reçue maintenant semble-t-il :

Giotto voulait restituer à l'homme sa prééminence spirituelle, qu'il symbolisait dans une disproportion physique.
D'autant que ses personnages se trouvaient être ordinairement des saints, comme saint François d'Assise. On peut
donc dire que Giotto corrigeait la vie, créait un monde plus
logique où il distribuait à chacun sa vraie place.

D'ailleurs la peinture nous fournit d'autres exemples.
Parmi les modernes, de l'impressionnisme au cubisme en
passant par Cézanne, il y a un effort logique pour recréer un
monde spécial, très différent de la réalité visible. Cézanne
apprit des impressionnistes à voir la nature avec ses yeux
et sa sensibilité propres. Il s'habitua à y voir des volumes et
des valeurs plutôt que des lignes. Et le cubisme exagéra cette
tendance. Le monde qu'il crée ressemble aussi peu que possible au monde à trois dimensions que nous connaissons.
Aussi a-t-on pu appeler le cubisme, un « hyper-cézannisme ».

Je passerai plus rapidement sur la littérature. Le cas de la
poésie est évident : poésie-prière, incantation, magie, mysticisme du vers, tout a été dit. Je prends seulement un cas

---

* Je songe à l'Art byzantin.

extrême de la prose, qu'on ne manque pas d'objecter en pareil cas : le naturalisme. Je crois pouvoir affirmer que le naturalisme ne vaut que par ce qu'il ajoute à la vie. Il divinise l'ordure, souvent. Mais ce n'est plus de l'ordure. Ce n'est plus du naturalisme, c'est du romantisme. C'est un lieu commun de voir en Zola un romantique. Mais c'est un lieu commun nécessaire.

J'arrive enfin à la musique. La musique est, à ce point de vue comme aux autres, le plus parfait des arts. Je voudrais savoir ce qu'il y a de commun entre une phrase mélodique et la vie courante. Rien de plus idéal que cet art : aucune forme tangible comme dans la peinture ou la sculpture. Et pourtant chaque œuvre musicale possède une individualité propre. Une sonate, une symphonie, sont des monuments au même titre qu'un tableau ou une statue. La musique exprime le parfait d'une manière assez fluide et assez légère pour qu'aucun effort ne soit nécessaire. La musique crée la vie. Elle crée aussi la mort. Que l'on songe à cet admirable passage de *La Divine Comédie*, où Dante, descendu aux enfers, rencontre un chanteur célèbre de son temps. Il lui demande de chanter. À son chant, les ombres s'arrêtent, subjuguées, oubliant le lieu où elles se trouvent, où il faut « *lasciare ogni speranza* ». Et elles restent là jusqu'à ce que leurs impitoyables gardiens viennent les chercher.

Musset fut très vrai et très profond lorsqu'il disait, comme en plaisantant : « C'est la musique qui m'a fait croire à Dieu. » Et on se convaincra de cette perpétuelle victoire de la musique sur la vie en écoutant la musique de Wagner :

Aucun point central, une masse uniforme et fluide formant un tout. Au sein de cette masse un motif essaie de percer, se nourrit, échoue et ne se réalise qu'à la fin[*]. On ne porte aucun jugement au cours de l'exécution : l'emprise affective est trop forte. Mais quand la musique s'est tue, quand la longue trame que tisse l'orchestre s'est effrangée lentement, alors seulement on s'aperçoit qu'on a goûté l'oubli. C'est une masse chaotique de ténèbres, une sensuelle impersonnalité, une synthèse, mais rien de la vie : une évasion hors de la vie.

Mieux encore, si nous écoutons Bach : sa sérénité s'élève sans effort, d'un seul coup d'aile, au-dessus du commun. Dans cet art si pur, dans cette foi si assurée, on ne sent

---

[*] *Tristan et Iseut*. Prélude. Mort d'Amour.

aucun tremblement, si ce n'est celui de la perfection, maintenue et conservée à chaque minute, par un miracle sans cesse renouvelé.

Et toute la musique nous donne cela : Mozart ? Un sourire divin, sans lèvres. Beethoven ? La vieille mythologie allemande des Eddas conte que dans l'orage qui gronde passent des esprits furieux et resplendissants. Chopin ? La perfection dans la sensibilité. Chaque note s'arrête au bord de la sentimentalité courante et sotte. C'est la grandeur de Chopin de toujours risquer de perdre son aristocratie idéale pour retomber dans la vie.

Ainsi la musique est l'art le plus parfait. Mieux que tout autre elle nous a montré l'Art planant au-dessus de la vie. Mais tous les Arts s'identifient dans une même aspiration : il leur faut ignorer la vie.

L'Art serait donc divin ? Non. Mais l'Art est un moyen d'arriver au divin. On pourrait nous reprocher d'abaisser l'Art, en le considérant comme un moyen. Mais les moyens sont parfois plus beaux que les fins et la recherche plus belle que la vérité. Qui n'a rêvé d'un livre ou d'une œuvre d'art qui ne soit qu'un commencement et qui espère, profondément inachevé ? Aussi bien y a-t-il d'autres moyens que l'Art : ils s'appellent Foi et Amour.

Si Paul Claudel est à la fois symboliste et réaliste, s'il est à la fois simple et recherché, obscur et puissant, rude et primitif, il est surtout mystique. Que l'homme n'est rien par lui seul et qu'il lui faut se donner à quelque chose de plus haut, il l'a compris. Il a choisi le Dieu chrétien. Et à ce Dieu, il offre ce qu'il a : son art, qu'il élève au-dessus du monde et dont il fait la vraie vie, expression douée de sens mystérieux et profonds, sans doute des intuitions mystiques.

Ses lignes sont pour moi une occasion de réunir en un travail des sentiments épars — auxquels on donne à tort le nom d'idées ; de donner à ces sentiments une rassurante cohésion. Il est nécessaire à l'homme de s'assurer qu'on peut adopter une attitude logique. Ce maniaque de l'Unité porte en lui un besoin de cohérence. Beaucoup moins une étude critique qu'un essai personnel, donc, ce travail, partant des lignes de Claudel, arrivera sans doute à des vues encore plus larges, quand même s'appuyant sur des cas particuliers de l'Art.

★

J'ai d'abord parlé du recul de l'adolescent devant la vie. En Art, toujours frappé par la laideur de la Réalité, il se rejette dans le rêve. Mais il y retrouve, hélas ! une autre réalité avec son beau et son laid. C'est, sans doute, que le Rêve, par nous, tient de trop près à la vie. Quoi que nous fassions et par notre seule existence, nous unissons ces deux ennemis apparents. Et les mêmes déboires nous attendent en tous deux. Le jeune homme comprend alors que l'Art n'est pas seulement le Rêve. Il se persuade qu'il lui faut choisir dans la vie courante l'objet de l'Art et l'élever au-dessus de l'Espace et du Temps. Il comprend que l'Art est dans l'Arrêt, dans la Communion.

Il semble alors que toute plénitude, et toute grandeur soit dans l'Arrêt. La plénitude d'un geste, d'une œuvre d'art n'est réalisée que si celui-là et celle-ci fixent, par une contrainte, un aspect de la fuite des choses où nous nous complaisions. À la rêveuse et stérile insignifiance des soirs il faut substituer la lumière plus certaine de l'œuvre d'art. Et quoi de plus pathétique que cet arrêt puisqu'il résulte de l'équilibre entre deux forces puissantes, puisqu'on y voit l'immobilité torturée d'une lutte trop égale — aussi la délicieuse fusion du combat ? Il ne faut pas chercher ce qui gît sous le monde délicat du geste et de la forme. Il faut se donner à lui et avec lui communier. Des vaines recherches de la vérité, nous sommes las : rien d'autre ne peut en sortir que le sentiment d'une offensante inutilité. Le propre de l'Art, c'est « de fixer en formules éternelles ce qui flotte dans le vague des apparences* ». L'Art détache l'objet de sa contemplation du fleuve rapide des phénomènes et cet objet qui, dans le courant terne et uniforme, n'était qu'une molécule invisible devient la Pluralité infinie qui submerge et noie la vie.

---

* Schopenhauer.

CONCLUSION

À relire ces pages, je ne retrouve pas l'unité voulue. Sans doute parce qu'elles cherchent. Il me semble pourtant avoir montré que l'Art était dans une Communion qui ignore la vie, expliqué pourquoi et précisé cette affirmation par des exemples.

Il reste toutefois qu'il ne me semble pas avoir atteint une certitude. C'est que cet essai de définition est parti du spectacle de la vie et du dégoût qu'elle éveillait dans l'âme de l'adolescent. Pour arriver à l'art, il a fallu se détourner de la vie. Et il fallait qu'il y eût quelque chose dont on se détournât pour connaître l'Art. C'est donc que l'Art ne peut nier la vie. Il la suppose, ne serait-ce que comme repoussoir. Le problème reste entier. Rien ne saurait-il donc le résoudre ?

Le malheur est que toujours notre besoin d'unité se trouve en face de dualités dont les termes sont irréconciliables. Une sorte de rythme binaire, insistant et despotique, règne dans la vie et les idées, qui peut susciter plus que de la lassitude, du désespoir.

Mais le découragement n'est pas permis. La lassitude et le scepticisme ne sont pas des conclusions. Il faut aller plus loin. Il faut à toute force dissiper l'insistante dualité, serait-ce par un acte de foi.

Ce même adolescent qui nous a conduits jusqu'ici — il lui faut en face de ce qu'il ne comprend pas se persuader qu'en lui toute une jeunesse se lève, avide de l'écrasement qu'elle avait voulu éviter et de la lumière dont elle s'était privée.

LA MAISON MAURESQUE

L'inquiétude qui flotte sous la coupole de l'entrée, la confuse attirance du couloir bleu, la stupeur d'une brusque floraison de lumière élevant l'importance de la courte pénombre qui mène enfin au patio, large infini, horizontal, parfait de lumière, ces fines et courtes émotions que donne la première visite d'une maison mauresque, j'ai voulu les élargir dans des correspondances, plus générales et plus humaines, devant des créations naturelles. J'ai voulu bâtir une maison d'émotions, mauresque par son plan et sa volonté d'évasion. La voici. — En elle, se succèdent des pénombres bleues et des cours ensoleillées. Une même question se pose dans l'ombre et la lumière.

À cette heure où je n'espère plus, j'ai cédé à l'orgueil vain de la construire, quand même espérant dans la séduction de ce nouveau rêve. Je lui avais dit : « Orgueilleuse, vaniteuse, jalouse du monde que tu renfermes, donne-moi de m'oublier. » Mais pour ne vouloir plus oublier, je la hais maintenant. Elle s'écroulera : je la soutenais de ma foi et de mes espérances, disparues.

L'ENTRÉE

Je me suis avancé sur une terrasse d'où on surprenait toute la ville arabe et la mer.

. . . .

Avec les vols de mouettes s'adoucit le soir et la ville
qui oublie ses violentes couleurs du jour s'assombrit de tristesse par degrés. Mais, rebelle et contredisant l'heure, le
mouvement brutal de la descente vers la mer reste, si les
couleurs se diluent lentement. La paix qui descend du ciel
est inquiétée par les maisons qui se bousculent jusque vers
l'eau qu'elles heurtent sans transition. Leurs coups de coude
creusent des rues, des impasses, des remous de terrasses
qui grimacent des insultes au calme du soir. Sensible et belle
d'impunité, c'est une foule bien vivante qui descend vers
l'eau. Son agitation est si vraie, si humaine qu'on lui en veut
presque de ne point crier. Des cris briseraient la cruelle
opposition qui s'étoffe et se nourrit dans le silence.

Mais il faut alors oublier la ville et, très loin, regarder la
mer, plate, sereine, où les remorqueurs tracent de grandes
lignes droites qui s'épanouissent en frissons écumeux. Il
faut la regarder fuir largement vers les premières étoiles qui
se dénudent, pures, impudiques. Alors, le calme des eaux
rejoint celui des cieux, tandis qu'en deçà du regard, la ville
en vain s'évertue à troubler cette fugitive harmonie.

. . . .

Lorsque la nuit a recouvert le ciel, je suis allé jusqu'au
port. J'ai longtemps regardé les feux d'un paquebot dans
les eaux sombres. Mon inquiétude est alors revenue comme
je regardais ce primordial mélange d'eau et de lumière dont
on n'aurait dit si l'eau brassait la lumière ou si la lumière
noyait l'eau. L'inquiétude devant, encore, le conflit de deux
éléments. Rythme binaire, atroce, jazz despotique et cruel,
sans nostalgie, devant l'eau et la lumière, la ville et le ciel,
toujours — :

Comme ces voix sans sexe qui dans les cathédrales
montent d'un trait jusqu'aux plus hautes voûtes tandis que
la masse obscure du chœur se tait pour donner plus de prix
à cette flèche ardente, comme ces voix dont la supplica-
tion se tend désespérément, sans une défaillance, jusqu'à la
mort finale, comme ces voix mystiques qui se grisent de
leur mysticisme et oublient les dômes qui les séparent de
Dieu, comme ces voix tenaces et soutenues, avides et exta-
siées, comme ces plaintes orgueilleuses qu'on ne comprend
que dans la sensualité de l'Église, comme ces voix enfin qui
ne trouvent pas en cherchant mais en se donnant, j'avais
rêvé la vie.

LE COULOIR

L'immense parc crie sous le vent et sa vie intense se cabre sous la pluie. Le bruit saccadé de l'eau sur les feuilles larges monte comme une protestation dans l'odeur fade du sol détrempé. L'énorme silence qui avait régné dans ce jardin public avant l'orage se rassemble sous la tonnelle qui m'abrite. Avec un entêtement sourd, je regarde la pluie qui suscite d'éphémères lutins sur l'eau du bassin ou qui se plaque amoureusement sur le sol. Nulle solitude dans cette poésie effrayée. Mais elle ne suggère rien d'autre qu'un amer dégoût de la beauté et du sublime. Des souffles odorants, chargés de terre mouillée et de mimosas, secouent l'air dense d'humidité et de larges feuilles d'acanthe se froissent à grand bruit.

Rien dans le jardin que la pluie et le vent, et le clapotement de l'eau sur les feuilles et le froissement énervé de celles-ci. Le cri aigu d'un merle s'envole pour se réfugier plus loin. Puis du silence. On perçoit distinctement chaque minute qui s'écoule et dans chaque minute il y a un peu du douloureux effroi de ce qui va passer.

Longtemps, longtemps, l'eau crépite sur la tonnelle. Puis tout se calme, le ciel resté sombre. Et la vie reprend enfin avec la désespérance de l'eau qui s'égoutte lentement des branches moirées. On attend les derniers craquements de bambous dans le soir qui vient. Le soir ! Je pense alors aux étoffes merveilleuses qui pendent chez les marchands arabes. À cette heure je revois dans les boutiques dorées les bleus et les roses, puis, enfantins, les magiques tissus d'argent et de soie, qui rient sans raison, affinés de lumière. Et l'invariable polychromie des jaunes insolents, des roses insoucieux d'harmonie, des bleus oublieux du bon goût, revit intense en moi comme un appel confus, harem des étoffes, femmes aux idées sans suite et sans confort. Des robes de fête pendent sur des mannequins plats au sourire niais et entendu.

Et quittant la méphitique mélancolie de ce jardin, je songe que j'avais surpris ce sabbat des couleurs, d'une rue noire et rude, d'une rue que j'aimais parce qu'elle refusait de me

porter et ne se laissait piétiner qu'en rechignant. Alors, je
m'arrêtais dans le soir, je ne savais où poser mes yeux,
éblouis par cette joie de la couleur, cette trépidation des
tons, le regard heurté, bousculé, choqué et ravi.

Et puis, comme je quitte maintenant ce qui a été ma vie
d'un instant, je quittais alors ces boutiques, les yeux pleins
de chaleur, — pour songer quand même à l'eau qui crépite
sur le silence d'une tonnelle.

LA TOMBÉE DE LUMIÈRE

Comme dans ces maisons arabes, au sortir d'un couloir
qui chasse sa pénombre dans une longue fuite de bleu, on
s'arrête surpris devant une brusque tombée de lumière, tous
sentiments et pensées bloqués, dans une subite communion,
heureuse puisqu'elle ne se doute point qu'elle l'est, ainsi au
sortir de moi-même j'entrevis un jour la paix et la lumière,
sans les préciser et sans me demander si là était enfin le
bonheur angoissant, à toute force cherché.

J'y fus préparé d'abord par le chaleureux oubli que je
goûtai dans une cour retirée d'un musée. Le soleil enlevait
à cette cour intérieure toute sa fausse sentimentalité, qui se
réfugiait en dernier lieu, dans une gracile colonnade. Une
architecture un peu précieuse d'arcs brisés et de mosaïques
reculait devant la plénitude odorante du soleil.

Aux quatre coins d'un bassin rectangulaire, des jets vigoureux de papyrus se tendaient avidement vers la lumière. Et,
en se penchant sur l'eau, on pouvait étirer du rêve dans la
glauque transparence de lentes traînées vertes, tout au fond.

Moelleuses de chaleur, les larges dalles invitaient au repos.
Et on goûtait l'oubli dans une robe de soleil, vivant sans penser et sans agir surtout, étendu paresseusement et résorbé
dans l'unique sensation de chaleur envahissante. Au-dessus
de tout cela, on voyait le ciel d'un bleu orgueilleux et aéré. Il
n'y avait nul bruit et nul chant d'oiseau, nul coassement de
grenouille, que le bourdonnement indistinct et endormeur
de la grande chaleur.

Quelquefois et si seulement on ouvrait les yeux, on pouvait apercevoir des rameaux et des feuilles, immobiles dans
l'arcature d'une fenêtre, au fond de la cour. Et la contem-

plation de cette nature vivante n'inspirait que le machinal désir de retrouver l'anéantissement premier. En ce jour, je consentis au soleil. J'eus l'intuition de sa vertu purificatrice, destructrice des faux alanguissements et des rêveuses insignifiances. Mais une longue course errante dans la ville m'amena ensuite dans un petit cimetière musulman. Le jour était paisible. Une mosquée protégeait le cimetière qui était là, sous des figuiers. Les tombes en forme de berceau n'éveillaient nulle idée désespérante et les inscriptions rassuraient parce qu'elles étaient incompréhensibles. Il était près de midi. Une terrasse s'avançait d'où on découvrait une fuite de toits qui finissait confusément dans le bleu de la mer, très loin. Et le soleil chauffait doucement l'air blanc et tendre : la paix. Il n'y avait personne auprès des tombes. Il semblait que cette calme retraite dût satisfaire ceux qui étaient morts. Maintenant, la seule vertu du silence et de la paix leur apprenait l'indifférence. Des marbres simples et blancs que les figuiers tachaient d'ombres capricieuses à la balustrade crépie, le regard errait puis suivait les toits pour se perdre dans la mer.

C'est dans cette paix étroite et silencieuse, dans cet infini calme et blanc que je me pris à mépriser l'amour du pathétique qui m'avait trop souvent guidé. Non qu'il y eût une leçon dans cette muette demeure : elle se contentait d'exister, de vivre d'une vie paisible et indifférente, qui ne daignait pas être méprisante. Elle voulait bien abriter les passions et les folies mais sans qu'elle cessât de se tourner vers l'infini bleu et reposant, dans le délicieux brouillard du lointain.

Au long du mur de la mosquée courait une ombre douce dont la seule vue rafraîchissait. Et sans cette ombre qui avançait et gagnait peu à peu les tombes on aurait cru que la vie était là suspendue et le cours du temps arrêté. Le cimetière contemplait. Il n'y avait aucune lassitude dans cet arrêt de la vie, — mais bien une plénitude d'indifférence.

Il fallut qu'un oiseau s'effarouchât avec bruit dans les branches d'un figuier et jetât sa poésie dans cette paix pour en rompre tout le charme.

Je redescendis vers la ville.

DERNIÈRE PÉNOMBRE

Toutes les maisons ont leur drame. Que j'aime, il en est deux. Il y a la maison arabe. Elle cache sous d'ironiques couleurs l'importance d'une évasion vers l'idéal et l'infini. Il y a aussi la maison grise qui masque le drame capital de la médiocrité. Je les aime toutes deux par ce qu'elles cherchent sous un aspect indifférent. Secrètes, jalouses, elles ne veulent pas laisser voir le ridicule d'un appel qui se tord vers l'infini. Elles veulent bien qu'on les croie gaies ou indifférentes. Elles ne veulent pas qu'on sache. Je les comprends si bien.

Je les hais, orgueilleuses et vaniteuses maisons, comme je me hais parfois pour ce stupide orgueil de la souffrance et de la contrainte.

Et aujourd'hui, au sortir de la maison mauresque que je viens de visiter, ma haine leur demande comme à moi : « Toujours pourrons-nous oublier les rêveuses cantilènes pour des chants durs et chauds, et banals pour fuir le pathétique et l'extraordinaire ? Maison arabe où courent l'ombre, la pénombre et la lumière, apprends-moi à me lasser. »

Au seuil de cette maison, je regardais la nuit approcher. De leur grande écriture égarée les chauves-souris commençaient à tracer sur le ciel leur machinal désespoir. Incertain encore, à cette heure vaine d'un jour si riche, je sentais monter en moi le dégoût des inquiétudes qui fuient. En fin du soir que j'avais trop aimé je sentais l'aversion. Et ma jeunesse espérait dans le retour de la lumière, des heures de soleil qui brûlent les blés, où monte vers les cieux une saveur rousse de pain trop chaud, des heures où l'ivresse consentie de la grande chaleur apporte avec elle la complète communion, la communion enfin dans l'écrasement délicieux, dans l'arrêt vertigineux et tourmenté, dans l'étourdissement qui siffle et suggère bonté, pitié, générosité. Pour trop craindre le raffinement, je me persuadais que toute grandeur était dans l'arrêt et la communion. Et la rage de cette défaite me faisait souhaiter enfin de passer de l'adolescent qui croit en son orgueil à l'homme arrivé, fini, mourant dans ses habitudes, me faisait souhaiter de craindre la mort sans complication et sans hantise, simplement, parce qu'on *doit* craindre la mort, de ne plus pleurer non par héroïsme mais par platitude, de ne plus mentir, non par franchise mais par bêtise.

Et sur le seuil de cette maison, sous la coupole où j'étais revenu, je voyais la nuit noyer un monde délicat et je m'efforçais de croire qu'en moi une jeunesse se révoltait, avide de l'écrasement qu'elle avait voulu éviter et de la lumière dont elle s'était privée.

LE PATIO

> *Osvald, d'une voix étrange : «— Mère, donne-moi le soleil. »*
>
> IBSEN, *Les Revenants.*

Il est des visages qui s'unissent étroitement avec tout un côté de nos élans et avec lesquels on communie si parfaitement dès l'abord qu'il n'est pas possible de penser fort et juste en face d'eux, mais seulement de parler doucement, silencieusement, en se servant de mots ternes et usés, auxquels le sentiment d'une étroite complicité redonne seul une nouvelle valeur.

Je me souviens ainsi des visages que sait prendre la campagne d'Algérie sous l'éclaboussement du soleil d'été. Je me souviens des oliviers de Cherchell dans la poussière dorée, dressant leur hirsute maigreur sur la terre qui flamboie et halète. Je me souviens des profondes vallées de la Kabylie, à midi, quand ne tournoyaient plus les grands oiseaux que j'avais aimés dans le soir. Du fond de ces vallées montait une paix écrasée, vers moi, qui, penché vers le fond, regardais le lit brûlant de blancheur des oueds asséchés et jouissais d'un glorieux vertige. Je me souviens aussi de ces petits villages du bord de mer où je tentais de saisir la perfection en contemplant l'eau d'un bleu absolu ou en recevant à travers mes cils l'éblouissement multicolore d'un ciel blanc de chaleur. Alors pas une ride n'assombrissait la mer et, en vérité, la moindre apparence de mouvement m'eût été insupportable. Pour n'avoir jamais aimé cette terre où je suis né, je me demande cependant si je ne retrouverai ailleurs l'équivalent de cette extase que j'ai goûtée sous le soleil, et qui renonce.

Cette ivresse anéantie, cet étourdissement chaleureux, cette plénitude, la bienfaisance de ce ciel qui déverse sans fin le torrent de sa lumière, je doute de les retrouver ailleurs. Ailleurs encore pourrait-on comprendre la chaude paresse des terrasses de cafés maures, où les indigènes, yeux mi-clos, goûtent la confuse symphonie de la lumière ?

Et à revivre ces moments une reconnaissance émue m'envahit. Je songe que ces moments furent heureux puisqu'ils ne se préoccupaient point de l'être. Je songe qu'après ces oublis une soif de générosité et de pitié me brûlait. Je savais aimer. Je *savais* qu'il suffisait de tant chercher à se connaître.

À jouir des chants, des sourires et des danses, on oublie la morbide tristesse et l'écœurante mélancolie ; à voir les oiseaux dans les îles, à se pencher sur les transparences vitrées des sources, à se perdre dans l'attirance infinie de l'horizon marin, on oublie les stériles incertitudes et les petits orgueils. À se pencher aussi sur la souffrance, la laideur et la misère, on peut conserver en soi l'horreur de toute bassesse et la pitié qui craignait de se montrer.

Ainsi devant mon ciel d'Algérie, j'apercevais la vanité de mes inquiétudes et je songeais aux souffrances étrangères. Pour avoir trop voulu échapper à la Réalité, j'apprenais qu'il est une autre évasion et méconnue : celle qui fait oublier le Rêve dans l'ivresse de la nature.

Ainsi encore, devant cette luxuriante lumière, je sentais monter en moi avec des larmes, une prière ardente qui disait : « Toi qui n'a pas de nom, donne-moi de m'oublier. »

Mais le souvenir est stérile. Il est temps de retourner vers les midis éclatants, vers les couleurs franches et dures, il est temps de revoir les oliviers de Cherchell, les vallées de Kabylie, et les petits villages qui se pressent devant les vagues.

Il est temps d'aimer et de se purifier dans la confuse musique de la chaleur et du soleil.

EN MANIÈRE DE CONCLUSION

Lentement, dans l'oubli et le sérieux, aussi dans la joie convaincue, j'ai édifié ma maison. Et à la voir maintenant bâtie le regret germe en moi des émotions secrètes et savourées dont elle m'abritait. Je m'inquiète d'avoir à chercher de nouveau puisqu'elle n'est plus à moi, achevée.

Avant qu'elle fût créée, dans la fraîcheur d'ombre de ses pièces closes, je suivais, attentif, la lente éclosion de sentiments qui, imprécis, me donnaient pourtant des joies complètes, indéfinissables raretés surgies dans la serre moite du Rêve.

Elle est maintenant édifiée et je me désespère de la sentir se dérober à moi, de la voir, avec une criante lucidité, rejoindre lentement, inéluctablement, l'abîme où, insoucieuse de l'homme qu'elle protégeait, elle n'aura pour tout crépi que la brumeuse magie du souvenir.

Avril 1933.

[MÉDITERRANÉE]

I

Au vide regard des vitres, le matin rit
De toutes ses dents qu'il a bleues et brillantes,
   Jaunes, vertes et rouges, aux balcons se bercent les rideaux.
Des jeunes filles aux bras nus étendent du linge.
   Un homme ; sur une fenêtre, la lunette à la main.

   Matin clair aux émaux de la mer,
   Perle latine aux liliales lueurs :
      Méditerranée.

II

Midi sur la mer immobile et chaleureuse :
M'accepte sans cris : un silence et un sourire.
   Esprit latin, Antiquité, un voile de pudeur sur le cri
   torturé !
Vie latine qui connaît ses limites,
Rassurant passé, oh ! Méditerranée !
Encore sur tes bords des voix triomphent qui se sont tues,
   Mais qui affirment parce qu'elles t'ont nié !

   Énorme et si légère,
Tu assures et satisfais et murmures l'éternité de tes minutes,
Oh ! Méditerranée ! et le miracle de ton histoire,

Tu l'enfermes tout entier
Dans l'explosion de ton sourire.
 Inaliénable vierge, à chaque heure son être se conçoit
 dans des êtres déjà faits.
 Sa vie renaît sur nos douleurs.
Elle s'envole ! et de quelles cendres — en lumineux phénix !
 Méditerranée ! ton monde est à notre mesure,
L'homme à l'arbre s'unit et en eux l'Univers se joue la
comédie
  En travesti du Nombre d'Or.
De l'immense simplicité sans heurts jaillit la plénitude,
  Oh ! nature qui ne fais pas de bonds !
De l'olivier au Mantouan, de la brebis à son berger, rien que
l'innommable communion de l'immobilité.
Virgile enlace l'arbre, Mélibée mène paître.
  Méditerranée !
Blond berceau bleu où balance la certitude,
Si près, oh ! si près de nos mains
Que nos yeux l'ont caressé et nos doigts l'ont délaissé.

III

Au soir qui vient, la veste sur l'épaule, il tient la porte
ouverte —
Léché des reflets de la flamme, l'homme entre en son
bonheur et se dissout dans l'ombre.
Ainsi ces hommes rentreront en cette terre, sûrs d'être
prolongés,
  Épuisés plutôt que lassés du bonheur d'avoir su.
Aux cimetières marins il n'est qu'éternité.
Là, l'infini se lasse aux funèbres fuseaux.
La terre latine ne tremble pas.
Et comme le tison détonnant tournoie dans le masque
immobile d'un cercle,
Indifférente, l'inaccessible ivresse de la lumière paraît.
  Mais à ses fils, cette terre ouvre les bras et fait sa chair
  de leur chair,
Et ceux-ci, saturés, se gorgent de la secrète saveur de cette
transformation — lentement la savourent à raison qu'ils la
découvrent.

IV

Et bientôt, encore et après, les dents, les dents bleues et
  brillantes.
Lumière ! Lumière ! c'est en elle que l'homme s'achève.

Poussière de soleil, étincellement d'armes,
  Essentiel principe des corps et de l'esprit,
En toi les mondes se polissent et s'humanisent,
En toi nous nous rendons et nos douleurs s'élèvent.

    Pressante antiquité
Méditerranée, oh ! mer Méditerranée !
Seuls, nus, sans secrets, tes fils attendent la mort.
La mort te les rendra, purs, enfin purs.

O. 1933.

« VOILÀ ! ELLE EST MORTE… »

« Voilà ! Elle est morte. Alors, n'est-ce pas ? je ne la reverrai plus. Je l'aime. Elle meurt. Et je n'ai pas le droit de parler.

Elle est encore là. Elle est encore belle. Mais elle est morte. Hier elle bougeait, elle a même un peu parlé ; elle a jeté dans la vie un peu d'elle. Hier je l'aimais, je souffrais, je la savais malade, mais je la savais aussi vivante. Maintenant…

C'est vrai, il y a ça ! Je n'ai pas le *droit*, je n'ai pas *le droit*. Je suis vivant, ma main bouge. Elle se crispe sur la table, c'est vrai, mais je n'ai pas à me plaindre : elle vit. Je vis, si je souffre. D'ailleurs, je ne souffre pas. Il n'y a pas un cri. Il y a quelque chose qui crie : oui, elle est morte. J'ai tout de suite embrassé la totalité de l'événement. Elle est morte, c'est-à-dire que hier vivante, aimée, elle est maintenant désormais sans pensée. Et je ne peux plus l'aimer. Si en moi quelque chose se tend, appelle, ce n'est pas vers elle. C'est plutôt vers une pensée : Elle est morte.

Elle est morte, morte. Il faut crier, appeler, frapper quelqu'un. Mais si, j'ai le droit de crier, de me révolter. Puisqu'on me l'a tuée. Et qu'on m'a tué. Je l'aimais. On n'avait pas le droit de me l'enlever. Ou alors il fallait me l'enlever tout à fait. Et non pas me laisser ce corps, cette pierre qui n'est plus elle que parce que je le crois, que je le dis. Ah ! »

… Il gifla la morte. Il regarda sans bienveillance le corps. Une pensée lui vint qui le fit frissonner : sa gifle n'avait laissé aucune trace. Vivante, le sang aurait afflué aux endroits meurtris. Et puis aussi la bonne complexité d'une révolte aurait jailli. Il alla se laver les mains. Il sentait au bout de ses doigts la lourde inertie de la tête.

Geste qui l'ennuya un peu. Ce qui le gênait dans cette mort, ce n'était pas qu'elle ne fût plus là, que ce composé de vertus et de défauts (graves, pensait-il) fût anéanti, mais bien plutôt que fût éteint l'indiscernable comportement, l'étrangeté d'un sourire, l'angle particulier sous lequel elle voyait le monde, tout ce qui l'accusait avec cruauté dans son insaisissable originalité. Cela, il ne le reverrait plus. D'autres femmes lui apporteraient le même mensonge, la même tendresse d'habitude. Aucune ne serait elle. Et précisément ce corps sans vie manquait de ce parfum secret de l'âme qui se glissait dans les gestes et auquel il la reconnaissait. Il ne se demandait plus s'il l'avait aimée. C'était nécessaire *avant*. Maintenant il fallait songer aux formalités d'inhumation.

Il fallait bien se l'avouer, son subit désespoir lui semblait maintenant une comédie. Au moment même, non pourtant. C'est qu'il est très difficile de faire la part de ce qui est simulé et de ce qui est vrai dans chacun de nos actes. Lui surtout sentait cela cruellement qui non seulement mentait aux autres, mais surtout se fuyait et se murait très souvent, gêné de sa présence, confus de sa lucidité. Car il avait l'âme vaniteuse, le savait, se le disait et tâchait de se persuader qu'il attisait une ardente soif de grandeur et de pathétique. Un certain vague de la pensée, une complaisance qui l'envahissait aux heures grises des soirs lui permettaient de croire à l'infini de ses aspirations. Tout son penchant pour les idées vagues et mal précisées lui semblait de la profondeur. En cela pourtant son ironique suffisance le gênait. Et son pessimisme inné le plongeait quelquefois dans un profond dégoût de lui-même, ce qui eût été beau, s'il n'eût étendu ce dégoût à l'humanité entière. Il faut cependant dire que, sensible à l'art, il savait apprécier la beauté dans la misère et dans la laideur. Aimant l'étrange, et reculant devant l'obscur.

Ses graves défauts lui conféraient par ailleurs une sorte de personnalité. J'oubliais de dire qu'il était resté très jeune.

Maintenant que tout était achevé, il n'y avait plus qu'à attendre. L'inhumation aurait lieu demain. Il songeait qu'il aurait dû prévenir la famille, les amis, faire part de la perte cruelle qu'il éprouvait en la personne de…, etc. (suit l'énumération des degrés de parenté qui se termine ordinairement par ces mots : « et alliés »). En fait, il ne se sentait pas du tout disposé à prévenir la famille. On le regarderait avec curiosité. Il jouerait malgré lui la comédie. Il lui faudrait hocher la tête douloureusement et chasser d'un geste machinal de la main le cruel souvenir. Il lui faudrait être « un homme fini ». Et il sentait fort bien qu'il ne l'était pas du tout. À parler franc, il comprenait au contraire que la morte obscurcissait tout un coin de l'avenir, qu'il voyait maintenant net et lavé comme le ciel après la pluie. De nouvelles aspirations s'élargissaient en lui et lui faisaient une âme neuve et brillante. Il s'interrogeait pourtant avec inquiétude : il avait aimé cette femme. Il lui avait même sacrifié quelques-uns de ses préjugés les plus chers. Il savait, d'autre part, que la mort de cet être aurait dû le désespérer. Or cette mort s'était étendue au sentiment dont elle anéantissait l'objet. Un sentiment de désespoir, ou plutôt une explosion de haine contre le corps sans âme. Donc un acte égoïste. Il ne l'avait donc pas aimée. Il s'était persuadé qu'il l'aimait. Que ce soit cela l'amour, qui peut le dire —

Il s'avança vers la porte. Les grands champs de vigne marchaient en rangs comptés. Le velours côtelé des terres s'aplatissait désespérément, sans un arbre pour gêner l'espace. Il faisait bon vivre dans l'air fluide et dilaté. Et il regarda devant lui, avec un peu d'ironie, le corps qui ne connaissait plus tout cela.

Octobre 1933.

« PERTE DE L'ÊTRE AIMÉ… »

Perte de l'être aimé, incertitude sur ce que nous sommes, ce sont des manques qui font naître nos pires douleurs. Nous pouvons être idéalistes, mais il nous faut du tangible. C'est à une présence que nous croyons reconnaître la certitude. Et si nous ne nous l'avouions pas, du moins vivions-nous sur cette nécessité. Mais l'étonnant ou le malheur est que ces manques, en même temps que la douleur, nous apportent la guérison. Nous comprenons que la certitude acquise, l'être aimé obstruaient tout un coin du possible, pur maintenant comme un ciel lavé de pluie. De la lassitude sort la disponibilité. Être heureux, c'est s'arrêter. Nous ne sommes pas là pour nous arrêter. Disponibles, nous cherchons à nouveau, enrichis de douleur. Et ce perpétuel élan toujours retombe pour reprendre une nouvelle force. La chute est brutale, mais nous repartons.

Quand un intérêt de notre vie s'écroule sous nos pieds, nous reportons sur une autre possibilité l'intérêt que nous lui accordions, et de celle-ci sur une autre et à nouveau, sans désemparer. Incessant besoin de croire, perpétuelle projection en avant, cette nécessaire comédie, nous la jouerons pendant longtemps. Encore certains jouent-ils ce pitoyable jeu au moment décisif. Ils se retournent sur toute leur vie pour se persuader de sa grandeur. Un faible espoir s'agite en eux : Qui sait ? la récompense… ou bien…

Mais pourquoi parler de comédie et de jeu — Rien n'est comédie de ce qui est vécu. Nos plus cyniques mensonges, nos plus basses hypocrisies méritent le respect ou la pitié due à chaque chose vivante. Au demeurant, peut-être en effet notre vie est-elle notre œuvre. Mais s'il faut croire que vivre n'est pas autre chose que créer, il y a un singulier raffinement de cruauté dans ce geste qui suscite ce qui nous écrase. Il n'est pas aisé de croire qu'à défaut d'une providence pour veiller à son comptant de douleurs, l'homme se fournisse lui-même de désespoirs. Et il faut bien que l'idéaliste, pour forcené qu'il soit, oublie sa philosophie devant la mort de son fils.

Mais tel homme croit avoir tout perdu avec la mort de sa femme. Il s'aperçoit qu'à partir de ce malheur une nouvelle vie commence. Et serait-elle de regrets et de renoncement, le pathétique d'une telle existence l'attire encore. Et cela est bien ainsi ; puisque à tout moment il nous est donné d'en finir : Il nous est permis de ne point vivre. On peut dire de certains hommes qu'en toutes circonstances, heureuses ou non, il vaut toujours mieux mourir pour eux. Mais dès l'instant qu'ils vivent, ils doivent accepter le ridicule comme le sublime. Et pourtant, nous ne nous y trompons pas : on peut toujours déceler le ridicule dans le sublime ; il est peu d'exemples du contraire.

C'est pourquoi les douleurs dont nous faisons tant de cas sont en réalité les moins nocives. Ce sont des égratignures à côté de l'insondable tourment pour lequel nous croyons vivre. La véritable douleur n'est pas tant d'être frustré d'un bien quelconque, mais de toujours en vain aspirer au seul bien qui nous tente. Sans doute ne saurions-nous pas le désigner avec précision. Mais la douleur que suscite le sentiment de son absence est la seule qui ne me change pas. C'est elle, qui se révèle profonde aux yeux expérimentés, et à laquelle nous disons ne rien savoir pour répondre aux questions inquiètes. Nous désirons à toute force un bien que nous ne connaissons pas. Et de nous en croire dignes, nous fait méconnaître les seuls buts que nous pourrions atteindre. Qu'y faire ? Une vague s'affaisse et gémit, se recouvre d'une autre plainte qui s'étouffe sous la désolation d'une troisième.

Et ici comment ne pas me rappeler ce père dominicain qui me disait avec une grande simplicité et sur le ton le plus évident : « Quand nous serons en paradis… » Il y a donc des hommes qui vivent avec une pareille certitude quand d'autres la recherchent à grands frais ? Je me souviens aussi de la jeunesse et de la gaieté de ce père. Sa sérénité m'avait fait mal. En d'autres circonstances elle m'aurait éloigné de Dieu. Elle

m'avait alors profondément troublé. C'est que sans doute
on ne peut s'éloigner de Dieu quand ce n'est pas lui qui veut
nous écarter.

Oui, ce sont des manques, ce sont des manques qui font
naître nos pires douleurs. Mais qu'importe vraiment ce qui
nous manque quand ce que nous avons n'a pas été épuisé.
Tant de choses sont susceptibles d'être aimées que sans doute
aucun découragement ne peut être définitif. Savoir souffrir,
savoir aimer. Et lorsque tout croule, reprendre tout, simples,
plus riches de douleur, presque heureux du sentiment de
notre malheur.

Octobre 1933.

« ACCEPTER LA VIE… »

Accepter la vie, la prendre telle qu'elle est ? Stupide.
Le moyen de faire autrement ? Loin que nous ayons à la
prendre, c'est elle qui s'empare de nous et nous clôt la
bouche à l'occasion.

Accepter la condition humaine ? Je crois qu'au contraire
la révolte est dans la nature humaine.

C'est une sinistre comédie que de prétendre accepter
ce qui nous est imposé. Il nous faut vivre d'abord. Tant de
choses sont susceptibles d'être aimées que c'est ridicule de
paraître choisir la douleur.

Comédie. Simulation. Il faut être sincère. Sincère à tout
prix, même contre nous.

D'ailleurs pas la révolte ni le désespoir. La vie avec ce
qu'elle a. Accepter ou se révolter, c'est se mettre en face de
la vie. Pure illusion. Nous sommes dans la vie. Elle nous
frappe, nous mutile, nous crache au visage. Elle nous illumine aussi de bonheur fou et soudain qui nous fait participer. C'est court. Ça suffit. Pourtant qu'on ne s'y trompe
pas : la douleur est là. Impossible de tergiverser.

Peut-être, au fond de nous, la partie essentielle de la vie.

Nos contradictions. Les mystiques et J.-C. Amour. Communion. Certes, mais pourquoi se payer de mots ? À plus
tard.

DIALOGUE DE DIEU AVEC SON ÂME

D. : À la fin, je m'ennuie. Parce qu'au fait, il y a un certain nombre de millénaires que je suis seul. Et les écrivains ont beau me dire que la solitude fait la grandeur, je ne suis pas écrivain, moi. Et je ne peux même pas me mentir à moi-même, vu que je suis au centre de toute pensée. Je ne suis pas un idéaliste, moi. Et je n'ai pas la ressource de me croire damné. La vérité est que je m'ennuie. Omniscience, omnipotence, c'est un peu toujours la même chose.

A. : Prends garde, l'ennui couve le doute.

D. : Tiens, c'est nouveau. Tu m'amuses. Ce serait une belle farce, n'est-ce pas ? Dieu doutant de Dieu. Au fait, si je n'étais sûr d'être Dieu, le nombre fabuleux de noms dont les hommes m'ont coiffé pourrait un jour me perdre. Le Temps et l'Espace se sont arrangés pour me nommer de bien des façons et m'attribuer des horreurs que je n'ai jamais faites sans doute : Zeus…, Batara ou hunter-center, Jupiter, Zeus ou…, Huitzilopochtli ou…, Ahura Mazdah, Indra et même — belle farce — Bouddha, Râ, Anou ou Mardouk, Allah, Iahveh et tant d'autres, et, comme si ce n'était pas assez compliqué, ils se sont avisés de me découper en trois. Et cela me fait réfléchir. Dans tout cela, quel est le vrai nom ? Pourvu que ce ne soit pas Huitzilopochtli. Si j'avais à choisir, j'aimerais mieux quelque chose qui sonne bien.

A. *(à part)* : Quel bavard !

D. : Tu ne peux pas dire quelque chose, toi ? Oui, je sais, tu te dis que je deviens vieux. Et c'est bien là aussi ce qui m'inquiète. Si c'était un mensonge cette éternité. Puisque je peux tout, je peux fort bien avoir menti. Et si j'y réfléchis, il y a bien des choses en moi qui peuvent me faire douter. Ainsi je sais parfaitement que pour me vaincre, il suffit qu'un homme s'arme de beaucoup de pitié. Mon âme, écoute. J'ai peur, je sens le doute s'insinuer en moi.

A. : ... (et pour cause, Dieu ne croyait plus en elle).

D. : Ce mal, ce doute qui me torture. Je me connais trop pour pouvoir croire en moi. Ah ! s'il pouvait y avoir quelqu'un au-dessus de moi que je puisse adorer, en qui je puisse croire. Ce qui m'inquiète, c'est de ne pouvoir me donner. Il n'y a devant moi que l'amour. Comment pourrai-je me donner à quelque chose de *[mots illisibles]*. Quelqu'un au-dessus de moi, par pitié ! Pour me donner. Hélas, je suis Dieu. Je sais bien qu'il n'y a rien au-dessus. Et je ne peux même pas lever les yeux. Ah ! je sens des odeurs cruelles qui se mêlent à celle de chairs grillées. Heureux vous qui pouvez croire. Heureux qui pouvez vous donner, prier, sangloter, souffrir utilement. Ma souffrance ne peut être qu'inutile. À moins que je sois autre. Peut-être ne suis-je pas Dieu, suis-je un homme comme les autres. Ah ! je sens mon orgueil qui me fait mal à cette pensée. Que faire, que croire ? Il n'y a rien. Ah ! je vais le dire aux hommes. Je veux les voir souffrir aussi. Il n'y a rien. Vous ne devez plus croire.

Vous ne devez plus espérer. Je vous jette la certitude du néant. Prenez-la, faites-en une robe et laissez tomber les plis avec art : et marchez, fiers d'être les premiers qui ont célébré la douleur d'un monde sans Dieu.

Mais il n'y a rien à faire. Prométhée leur donna en même temps que le feu l'espérance aveugle.

Accablé, Dieu murmura : « Moi, Dieu, je n'ai qu'un espoir. Les indigènes de la Terre de Feu, tout au bout de la Patagonie, m'adorent comme un grand homme noir, qui défend de faire le mal et de tuer les petits canards. S'ils ont raison, je suis sauvé de ma main. Les petits canards m'apporteront la paix. »

LE LIVRE DE MÉLUSINE

CONTE POUR DES ENFANTS
TROP TRISTES

Il est temps de parler des fées. Pour échapper à l'intrépide mélancolie de l'attente, il est temps de créer des mondes nouveaux. Ne croyez pas, d'ailleurs, que les contes de fées mentent. Celui-là ment qui les dit — mais, aussitôt conté, le miracle des fées flotte lentement dans l'air, et s'en va vivre sa vie, réel, plus vrai que la quotidienne insolence. Il ne reste plus au conteur que l'amertume d'avoir donné et de ne rien garder. L'amertume ou la joie fervente.

Il faut donc parler des fées. Encore convient-il de choisir parmi elles. Car il en est, parce que trop belles, d'ennuyeuses. Et parce que trop parfaites, il en est d'irritantes. Les plus sympathiques et les plus près de nous sont encore celles qui n'ont de fées que le nom. Faibles, malheureuses, attentives à l'inquiétude, telles je les voudrais. C'est dire qu'il est impossible d'en trouver. C'est dire qu'il nous faut les créer.

Commençons par trouver le nom de celle qui nous occupera. Au fond, c'est le plus difficile. La recherche des noms ou des titres suppose de grandes qualités inventives. Que je n'ai pas. Donc, et pour plus de simplicité, j'appellerai cette fée : Elle. Par ailleurs, j'aime beaucoup rencontrer dans les contes un chevalier. À ce chevalier il faut un cheval que nous appellerons palefroi plutôt que destrier. C'est une question d'oreille et de musique. D'ailleurs, un pur arbitraire. Il nous faut aussi un animal miraculeux : j'aurais préféré dire « miragineux », toujours pour l'oreille, mais la logique s'y oppose. Et il faut beaucoup de logique pour écrire un conte de fées. Quel sera cet animal ? Un oiseau ? Les oiseaux ont la mauvaise habitude de troubler par leurs chants la poésie des paysages. Un chien ? Bien usé. Le mieux serait d'utiliser un chat en lui enlevant ses bottes pour éviter le lieu commun. Peut-être pouvons-nous maintenant commencer notre conte. Et l'intrigue, direz-vous ? Inutile. Un conte de fées doit, sans règles, partir à l'aventure et autant que possible ne rien signifier. Donc, partons. Mais j'oubliais. Il nous faut un bois, c'est indispensable.

★

La fée est dans le bois. Elle marche sur les fleurs qui plient avec grâce sous son simulacre de poids et se détendent légèrement pour l'envoyer sur d'autres fleurs. Et la fée va ainsi, immatérielle musique, phrase libérée d'une âme enfantine.

Entre nous, c'est une enfant, cette fée. Elle ne songe pas à l'avenir, ni aux repas. Elle vit dans son moment et rit avec ses fleurs. Elle crée des contes d'hommes. Sans doute voudrait-elle bien que vînt l'un d'eux pour, d'un geste, lui accorder quelques souhaits. Je la trouve plus attirante ainsi, de bien vouloir se départir d'une attitude conventionnelle et de se laisser deviner sérieuse dans l'espérance.

Ruisseau d'eau vive, clarté précieuse, quelque chose glisse comme un arc-en-ciel. On pourrait y noyer ses mains et sentir le courant fuir et rester entre les doigts. Mort de tous les instants suivie de renaissance. Miracle renouvelé, ce ruisseau me ravit. Car c'est la voix de notre fée qui chantait sans le savoir, qui chantait dans ses pas et dans les gestes de ses bras.

★

Suffit-il de chanter et de danser pour être fée ? Non. — Et si j'ai montré ma fée dans le chant et dans la danse, encore me reste-t-il à la montrer dans des fonctions plus humaines. Que nous ferait une fée qui n'aurait rien d'humain ? Et le chant et la danse n'appartiennent plus à l'homme.

À quoi occuper notre fée ? Si quelque chose d'extérieur n'intervient pas, elle ne peut s'occuper que d'elle, son mysticisme ne peut s'adresser qu'à elle. Il faut donc faire intervenir ou notre chevalier ou notre chat.

Mais déjà, sous ma plume, le chevalier s'avance, armé avec sa gloire. Il suit un chemin du même bois. Il est droit sur sa selle et l'obliquité de sa lance accuse sa propre rigidité. Son palefroi — j'ai eu raison de préférer palefroi à destrier : c'est un nom d'automne et qui tremble —, son palefroi, donc, avance à pas recourbés et réguliers, fier, logique en sa marche puisqu'il ne sait qu'il marche. Le chevalier porte un heaume dont la visière est baissée. Et comme on ne voit pas son visage, on ne sait ce qu'il pense. L'avantage, ainsi, est qu'on ne peut se tromper sur ses sentiments. Car même dans les contes de fées les visages mentent souvent. Sans doute, l'âme de ce chevalier est-elle petite et vaniteuse. Aurait-il sans cela l'orgueil d'être seul ? J'entends par « âme petite et vaniteuse » qu'il a une âme de sage. D'ailleurs, le sage n'est-il pas condamné à rester isolé ?

À parler franc, ce chevalier ne m'est point du tout sympathique. Son cheval marche trop logiquement. Lui-même se tient trop droit. On sent qu'il détient la vérité ou, ce qui revient au même, qu'il en est au moins persuadé. Et que voulez-vous faire d'un chevalier qui détient la vérité ?

Je réfléchis pourtant que les chevaliers des contes sont tous sympathiques. Mais que faire puisque je sens décidément que celui-ci m'ennuie de plus en plus ? Laissons-le dans le chemin du bois. Allons plutôt chercher notre chat, évadé du lieu commun.

★

Le chat miaule. Rien d'extraordinaire jusque-là. Mais il miaule sans passion ; vous voyez bien que nous sommes dans un conte de fées.

Il miaule sans cause, comme on se ronge les ongles. Évidente preuve de sensibilité. Peut-être est-ce un chat romantique ? Par malheur, il s'est évadé de son décor composé ordinairement d'une gouttière sous une arrogante cheminée, et d'un croissant de lune dans un ciel pelucheux.

Mais au fait, où se trouve-t-il ? Dans ma cervelle, dit Baudelaire. Baudelaire a tort. La logique des contes de fées s'oppose à ce qu'on fasse promener un chat dans une cervelle. Notre chat se trouve dans une situation plus naturelle, il ne désire rien et voudrait désirer. Ce qui fait qu'il éprouve tout de même un désir. D'ailleurs, n'est-il pas très difficile de savoir ce que pensent les bêtes ? Et seule, la suffisance, cette compagne du savoir, permet de décréter la supériorité de l'homme sur de quelconques animaux-machines. En cette querelle, il est vrai, tout est affaire de puissants. Sinon le plus fort, l'homme est le plus puissant des êtres. Ennemi des contes de fées, il déclare donc non qu'il ne comprend pas le mode d'existence des autres créatures, mais que ce mode est inférieur et mécanique. Mais imaginez que les crapauds se montrent les plus puissants, qu'ils construisent une civilisation batracienne et un crapaud cartésien aura tôt fait de construire une théorie de l'homme-machine. Affirmation qui me paraîtrait aussi probante que celle de notre ennuyeux génie.

Ceci pour montrer le danger qu'il y aurait à donner une trop petite place au chat dans notre conte. Respectons cet animal en considération d'un règne prochain des chats. Ce chat qui miaule sans passion ne désire donc rien. C'est plutôt un obscur besoin d'ailleurs, une volonté d'anonymat : « être ce chat qui passe et qui doit avoir un million au moins d'idées originales ». En effet, j'oubliais de dire que ce chat se trouve dans une loge de concierge, sur l'appui d'une fenêtre, roulé sur sa mélancolie, l'œil au-delà et la fourrure soignée. Je m'étais borné, en effet, à indiquer qu'il avait perdu son décor lunaire et tectile. Mais c'est que j'ai une tendance à décrire négativement.

Et c'est en pitié de ce chat domestique et ennuyé que je l'ai transporté dans mon conte de fées. Quelle plus belle évasion aurait-il pu rêver que ce départ dans un monde que tout chat, sans le savoir peut-être, porte dans ses oblongues prunelles ? D'autant que notre conte de fées ne rassemble que des figures jeunes. Aucune fée Carabosse. Rien donc qui puisse lui rappeler son ancienne maîtresse, la concierge.

Notre tigre atrophié entre dans cette histoire par une longue route sans tain, nue, aride, désolée : un chemin de Damas. Cette route conduit naturellement au bois où doit se jouer le conte. Et le chat chemine dans le fossé de la route car les chats répugnent à tenir un milieu.

À le regarder marcher de son pas aigu, je vois qu'il prend conscience de son nouveau rôle et qu'il commence à s'adapter à l'atmosphère nouvelle qui l'environne. Son pas devient plus fluide, la ligne de son mouvement plus ténue. Un peu de volonté encore, ce ne sera qu'une essence de chat.

Il va. Il sait qu'une fée se trouve dans le bois dont on aperçoit les premières feuilles, très haut, dans un titubant lointain. Il va, portant son offrande d'espérances vigoureuses, à peine jaillies dans ce monde si nouveau. Il va, portant son fardeau d'espérances, lourd des déceptions prochaines. Allègre et vibrant, beau comme un sou bien neuf, l'âme limée et débarrassée de sa gangue d'habitudes, il va, sans reconnaissance pour celui qui lui ouvre les portes de ce monde si nouveau. Mais les chats ignorent la reconnaissance. Une chose est beaucoup plus importante pour eux : leur toilette. Cela suffit pour que je les aime.

★

En face de mes trois personnages, la question se pose de les faire agir.

Le chevalier chemine à travers bois. Le chat fait route vers la fée. Seule, la fée danse en la clairière. N'est-elle pas désavantagée si l'attente est plus riche que l'événement et les moyens plus certains que les fins ?

À une croisée de routes le chevalier est arrivé. Vers les fleurs et la fée s'achemine une petite allée. Une grande route prétentieuse mène vers le ciel, très loin, à la sortie du bois. Ici va se décider le sort du chevalier. Vers la fée ira-t-il ou vers le ciel ? Mais déjà le palefroi s'engage dans la grande route qui, seule, lui permet son orgueilleuse marche. Et le chevalier peut continuer sa route sans baisser sa lance comme il l'aurait fait dans la petite allée pour éviter les basses branches.

Vous voyez bien que ce chevalier n'est pas du tout sympathique. En notre conte il est venu, armé d'orgueil. Il repart, certain de sa vérité. Ne l'avais-je pas dit : nous ne pouvons rien faire d'un chevalier qui détient la vérité. Adieu, bon chevalier et puissiez-vous un jour souffrir et douter. Il vous sera beaucoup pardonné ce jour-là et peut-être vous sera-t-il permis de finir votre vie dans un beau conte de fées.

Le chat et ses espérances cheminent toujours. Il a oublié loge et ennui. Il attend, il craint, il espère. Il vit. Qu'importe l'insidieuse et peu miraculeuse poussière de la route, si, là-bas, la forêt sourit à la chanson de la fée. Aigu et souple, il va. Il est heureux car il attend le bonheur. Je l'aime d'être heureux sans le savoir. Toujours, je le voudrais ainsi. Et puisque je le veux, à chacun de ses pas, les lointains feuillages reculent d'autant. Et sans qu'il le sache jamais, éternellement notre chat vivra dans l'attente et dans la crainte. Il n'atteindra jamais la fée ; car comment l'atteindrait-il mieux qu'en l'espérant ?

Je suis ravi de tant donner au chat. Quand ce conte sera fini, quand même le chat marchera et toujours sera joyeux. Il détiendra la vérité puisqu'il la cherchera. Je suis heureux puisque moi aussi je ne puis approuver que ceux qui cherchent en gémissant.

★

Mais notre fée ? Elle ne chante pas, elle ne danse plus. Le soir s'est glissé sous les branches. Sur l'heure indécise se berce la fée. Immensément heureuse, elle vit dans ses derniers moments. Tout à l'heure la nuit l'enlèvera car les fées, comme les petites filles, ne sortent pas le soir. Habillée de l'angoisse de ce qui va passer, ma fée est encore plus belle. Dans la nuit qui somnole la fée grandit, grandit, large vapeur, ondoyant souvenir. Sa voix s'est tue. Mais dans le parfum de l'heure gît le miracle de sa mort sans cesse renaissante. Comme il fait noir ! C'est sans doute que mon conte est fini. Au conteur il ne reste que l'amertume d'avoir donné et de ne rien garder. L'amertume ou la joie fervente.

★

Contes de fées, silences d'enfants, oh ! mes réalités, seules vraies, seules grandes, je voudrais m'oublier. Fée Mélusine, Fée Morgane, Fée Urgèle, Fée Viviane, j'ai soif de votre humanité. Car moi aussi j'attends, je cherche, j'espère et ne veux point trouver. N'ayant pas de vérité, je n'aime pas les grandes allées. Mais j'aime les routes arides, arrosées d'espérance. La poussière des chemins, la rudesse des fossés, autant d'ivresses pour qui sait attendre.

Bonheur de la souffrance, orgueil de la contrainte, oh ! mes réalités, silences d'enfants, contes de fées.

LE RÊVE DE LA FÉE

Je sais le beau secret du monde.

. . . .

Dans son irréalité, Mélusine flotte. D'inviolable ignorance et d'air secret procède la gaze de sa robe. Et seule, ignorée, vraie mais seule, Mélusine, sans espoir de retour, crée sa vie et son monde par son Rêve. C'est là métier de fée.

Sans lien, sans raison, d'étrangères images passent qu'elle encadre dans l'unité d'un rêve. Ce sera Mélusine d'ignorée devenue révélée. Sa pure solitude essentielle chante et se manifeste, sans cause se donne pour le plaisir seul de se donner. Voici Mélusine révélée.

À peine connue, elle ne s'arrête point à s'admirer et voici que déjà, fleurs et insectes diaprés, se déroule le monde, trop beau, ignoré puisque mal regardé, surtout mal aimé. D'irréelle et vraie devenue réelle, Mélusine goûte la secrète saveur de cette transformation, lentement la savoure à raison qu'elle la découvre. Enfin ordonnée, fléchissante, la musique du Rêve continue. Et que nous fait le Rêve de la fée puisqu'il est notre réalité ? Mais il s'étage : Mélusine révélée, puis l'amour pur et la terre, l'air et l'eau — les bêtes aimées, orgueilleuses, adorables, impudentes. Du rêve jaillit l'existence, mais de moins en moins y vit Mélusine. Sous la joie de la musique, de l'amour et des couleurs se cache Mélusine lentement dégradée, se connaissant de moins en moins. Le Rêve continue, lentement, jusqu'à l'adoration de la terre, se courbe. Le monde jaillit encore. Irréelle genèse dont Mélusine est le verbe. Pourquoi a-t-elle rêvé notre réalité ?

★

Indigne, impur, jaillit du Rêve enfin celui qui conte pour dire Mélusine, seul moyen de s'en rapprocher. Tout continue. Dans notre réalité, Mélusine flotte maintenant.

Puis tout revient, tout retourne dans le morne désespoir et la révolte timide. Lasse est Mélusine. Dans l'air et la terre et l'eau rentre celui qui conte. Et dans l'amour, l'eau, tout l'univers avec les fleurs, ancolies, aconits, jonquilles. Et l'amour béant même dans Mélusine révélée qui va à son tour dormir dans Mélusine.

Le Rêve se tait. L'effort est vain : rien qu'à force d'aimer on puisse créer. Rien qu'une caricature. Dans le monde qui disparaît, je me souviens que sur un lac traînait l'argent d'une brume, robe de Mélusine.

. . . .

C'est là le beau secret du monde.

LES BARQUES

Il y avait un enfant dans la clairière, près du bassin. Sans cesse troublée par un filet d'eau, la vasque rassemblait sa tranquillité sur les bords et là seulement on pouvait méditer sur de longues plantes vertes toujours mouvantes mais toujours, à leur pied, retenues par quelque persévérant enchantement. L'après-midi était avancé. Après le soleil, l'ombre était délicieuse. Du bois alentour d'émouvants parfums sortaient qui se rassemblaient dans la petite clairière. Dans le ciel encore très clair, une lune pâle était comme oubliée.

Pour être seul, l'enfant était venu là. Mais une légère inquiétude rendait ses mains gauches et hâtives. Plus qu'il ne l'émouvait, le grand silence qui songeait dans la forêt l'effrayait. Il lui semblait simulé, destiné à masquer quelque chose d'étrange et de surnaturel. La solitude qu'il était venu chercher l'importunait maintenant. C'est seulement à jouer et à croire qu'on s'accroît d'être seul.

Pour lui, de nouveau, les désirs le reprenaient. Devant ses yeux, le filet d'eau rejoignait la vasque sans hésiter. De la mousse où il surgissait à l'eau où il se perdait, son chemin allait, ferme et clair. Alors l'enfant se pencha et, sans soif, but cette certitude sans cesse renaissante.

Et ce fut la Communion. De divins machinistes levèrent le silence. L'imprécise harmonie s'éleva, s'affermit et fut la belle chanson de la forêt qu'écouta l'enfant, ravi, anxieux, seul enfin :

Que triste et grave est le don, cela, fille de ceux qui croient,
    je le connais.
Fleurs et ruisseaux, dans l'ombre du présent tout s'étale et
    s'enlace, ténèbres et feuillages.
J'aurais voulu partir mais pour être attaché, je vois le ciel
    trop haut.
À voir comme les désirs meurent qui regardent en arrière
    qui donc pourra renaître ?
Non. Non. Que tout s'étonne — de chaque chose de chaque
    naissance et de chaque mort.

La vie est trop courte qui regrette et désire ; hélas je crois à
  l'Amour, et qu'importent mes racines.
Je sais que tout arrive et que le communiel instant loin de
  s'attendre se gagne.
Et lorsque la nuit tombe, c'est l'aube qu'il faut atteindre.

Alors la forêt se tut et ce fut, plein des heures à venir, un
silence gorgé de voluptés, pâmé, jusqu'à ce que l'oiseau du
soir, exténué, jetât sa joie jusqu'aux étoiles. Ivre, l'enfant
connut qu'il ne fallait désespérer des heures du soir. Et pleurant d'extase contenue, il se jeta dans la forêt, pour marcher
vers l'orée, jusqu'à l'aube qu'il fallait atteindre.

★

L'enfant marche dans la nuit. Il a oublié les fertiles versants dans la lumière. Autour de lui, le bois s'enchante de la
promesse faite. Dans la clameur de l'aube, tout au bout de
la nuit, l'amour est exilé. Mais le noir s'endort. Et seule reste
l'espérance de l'amour à venir, ravie. Long, le jour a été si
plein de regrets, à présent délaissés. Oubliée, l'horreur sacrée
des nuits, oubliée dans la neuve joie de l'Amour qui s'élance
et qui frappe.
  De l'attente la forêt s'illumine et l'on peut tout voir
comme sous le soleil. Ici les traces de meute, présage d'hiver
qui se hâte. Là, une rouille d'automne, avec indifférence par-
semée.
  L'enfant court, s'arrête, écoute. La pluie tombe maintenant, fine sur le haut des arbres. Dans la forêt clapoteuse, les
feuilles parlent. Des ombres, du vent, passent dans des trous
de nuit. Ivre, l'enfant repart et court vers l'apaisé. Douleurs,
silences, pâleurs, tout cela est bien mort. Tout s'élance maintenant et brille et brunit. Enfin la joie approche, la joie des
tables chargées de fleurs, des tables sous les tonnelles. Nuit
dans le bois. Les arbres vont s'éveiller. Le pin s'inquiète et
le chêne grogne, grince, rechigne. Mais l'enfant avance. Son
chemin donne sur la vie. Mieux, la vie même est dans son
chemin. L'enfant apprend l'attente, la volupté et ce qui est
neuf. Maintenant il longe le lac dont il connaît la ceinture
de fleurs dans le jour et, au fond, les ombres vertes, linceul
d'Ophélie. Le jour, il fallait naviguer dans l'eau glauque du
souvenir, où des herbes embarrassent la marche. Tout est
si long qui s'embarrasse du passé ! L'enfant connaît que sa

jeunesse est la vérité et qu'il faut se hâter de la perdre pour goûter la volupté du renoncement.

L'aube, l'aube enfin, pleine d'oiseaux, de moiteurs parfumées, l'aube s'arrondit du fond de laquelle l'enfant vit sortir sa destinée. Sérieuse, rêveuse…

★

Quelquefois, souvent, vers le soir, sur l'eau tremblante, un vol de barques s'éparpille et lentement s'éloigne jusqu'à l'horizon, opportun mais surprenant.

Timide, le soir commence à peine. Dans le lointain les barques s'effacent et la passion dont on les suivait s'accroît de leur disparition. Alors commence la grande aventure. Alors, l'esprit veille et goûte dans la fièvre l'interrogation palpitante, douloureuse, nostalgique.

Ainsi j'ai souvent eu désir d'un conte qui ne fût qu'un commencement et qui pendît, délicieusement inachevé.

MÉTAPHYSIQUE CHRÉTIENNE
ET NÉOPLATONISME
(DIPLÔME D'ÉTUDES SUPÉRIEURES)

Dans les peintures des Catacombes, le bon Pasteur prend volontiers le visage d'Hermès. Mais si le sourire est le même, le symbole a changé de portée. C'est ainsi que la pensée chrétienne, contrainte de s'exprimer dans un système cohérent, a tenté de se couler dans des formes de pensées grecques et de s'exprimer dans les formules métaphysiques qu'elle a trouvées toutes faites. Mais du moins les a-t-elle transfigurées. D'où pour comprendre l'originalité du Christianisme, la nécessité d'éclaircir ce qui fait son sens profond, et d'un point de vue historique la nécessité de remonter à ses sources. C'est le but du présent travail. Mais toute recherche pour être cohérente doit s'ordonner suivant une ou deux démarches fondamentales. Cette introduction nous permettra de les définir, dans la mesure où, considérant la complexité de la matière historique qui nous occupe, elle saura cependant y faire ressortir quelques constantes.

On s'est beaucoup demandé ce qui faisait l'originalité du Christianisme par rapport à l'Hellénisme. À côté de différences évidentes, un bon nombre de thèmes restent communs. Mais à la vérité, dans tous les cas où une civilisation naît, la grande affaire de l'humanité, c'est un changement de plans et non une substitution de systèmes. Ce n'est pas en comparant les dogmes chrétiens et la philosophie grecque qu'on peut se faire une idée de ce qui les sépare. Mais plutôt en remarquant que le plan sentimental où se plaçaient les communautés évangéliques est étranger à l'aspect classique de la sensibilité grecque. C'est dans le plan affectif où les problèmes se posent et non dans le système qui tente d'y répondre, qu'il faut chercher ce qui fit la nouveauté du Christianisme. À ses débuts, celui-ci n'est pas une philosophie qui s'oppose à une philosophie, mais un ensemble d'aspirations, une foi, qui se meut sur un certain plan et qui cherche ses solutions à l'intérieur de ce plan.

Mais c'est ici, avant de parler de ce qu'il y a d'irréductible dans les deux civilisations, qu'il convient d'introduire des nuances et de tenir compte de la complexité du problème. Il est toujours arbitraire de parler d'un « esprit grec » par opposition à un « esprit chrétien ». Eschyle près de Sophocle, les masques primitifs et les Panathénées, les lécythes du Vᵉ siècle à côté des métopes du Parthénon, les mystères enfin en même temps que Socrate, tout porte à mettre en valeur près de la Grèce de la lumière une Grèce de l'ombre, moins classique, mais aussi réelle. Mais, d'un autre côté, il est bien certain qu'on peut dégager d'une civilisation un certain nombre de thèmes favoris, et, le socratisme aidant, de calquer à l'intérieur de la pensée grecque un certain nombre de dessins privilégiés dont la composition inspire précisément ce que l'on appelle l'hellénisme. Quelque chose dans la pensée grecque préfigure le Christianisme dans le même temps qu'autre chose le rejette à l'avance.

A. LES DIFFÉRENCES

C'est ainsi qu'on peut mettre à jour chez les Grecs et les Chrétiens des attitudes devant le monde irréconciliables. Tel qu'il se formule vers les premiers siècles de notre ère, l'hellénisme implique que l'homme peut se suffire et qu'il porte en lui de quoi expliquer l'univers et le destin. Ses temples sont construits à sa mesure. En un certain sens les Grecs acceptaient une justification sportive et esthétique de l'existence. Le dessin de leurs collines ou la course d'un jeune homme sur une plage leur délivrait tout le secret du monde. Leur évangile disait : notre Royaume est de ce monde[1]. C'est le « Tout ce qui t'accommode, Cosmos, m'accommode », de Marc Aurèle[A].

A. *Pensées* IV, 23 : « Tout ce qui t'accommode, Cosmos, m'accommode : rien n'est prématuré ou tardif de ce qui pour toi échoit à son heure ; je fais mon fruit de ce que portent les saisons, ô nature. De toi naît tout, en toi est tout, vers toi va tout. »

Cette conception purement rationnelle de la vie — le monde peut être tout entier compris — conduit à l'Intellectualisme moral : la vertu est chose qui s'apprend. Sans toujours l'avouer, toute la philosophie grecque fait du sage un égal de Dieu. Et Dieu n'étant qu'une plus haute science, le surnaturel n'existe pas : tout l'univers se centre autour de l'homme et de son effort. Si donc le mal moral est une ignorance[A] ou une erreur, comment insérer dans cette attitude les notions de Rédemption et de Péché ?

Au reste et dans l'ordre physique, les Grecs croyaient encore à un monde cyclique, éternel et nécessaire, qui ne pouvait s'accommoder d'une création « ex nihilo » et partant d'une fin du monde[B].

D'une façon générale, attachés à la réalité de l'idée pure, les Grecs ne pouvaient comprendre le dogme d'une résurrection charnelle. Celse, Porphyre, et Julien par exemple n'ont pas assez de railleries à cet égard. Que ce soit donc en physique, en morale, ou en métaphysique toute la différence était dans la façon de poser les problèmes.

Mais en même temps des points restaient communs. Le Néoplatonisme qui est l'ultime effort de la pensée grecque ne peut se comprendre, ni le Christianisme, sans considérer le fond d'aspirations communes, auquel toute pensée de cette époque se doit de répondre.

B. LES ASPIRATIONS COMMUNES

Peu d'époques furent aussi tourmentées. Dans une extraordinaire incohérence de races et de peuples, les vieux thèmes gréco-romains se mêlaient à cette nouvelle sagesse qui venait de l'Orient. L'Asie Mineure, la Syrie, l'Égypte, la Perse envoyaient pensées et penseurs au monde occidental[C]. Les juristes de l'époque sont Ulpien, de Tyr, et Papinien,

---

A. Cf. Épictète : *Entretien* I, 7 : « Si tu ne peux corriger les méchants ne les accuse pas car toute méchanceté est corrigible ; mais plutôt accuse-toi, toi qui ne trouves pas en toi-même assez d'éloquence et de persévérance pour les amener au bien. » — B. Cf. Aristote : *Probl.* XVIII, 3 : « Si la suite des événements est un cercle, comme le cercle n'a ni commencement ni fin, nous ne pouvons, par une plus grande proximité à l'égard du commencement, être antérieur à ces gens-là [les contemporains de la guerre de Troie] et ils ne peuvent pas non plus être antérieurs à nous. » Cité par Rougier, *Celse*, chap. II, p. 76 ; cf. encore Plotin : II, IX, 7. — C. Cf. F. Cumont : *Les Religions orientales dans le paganisme romain.*

d'Hérèse. Ptolémée et Plotin sont des Égyptiens, Porphyre et Jamblique des Syriens, Diasconide et Galien des Asiates. Même Lucien, cet esprit consacré « attique », est de Commagène à la frontière de l'Euphrate. Et c'est ainsi qu'à la même époque le ciel put être peuplé des Éons gnostiques, du Iahveh judaïque, du Père des Chrétiens, de l'Un plotinien et même des vieux dieux romains, adorés encore dans les campagnes d'Italie.

Et certes on peut trouver à cela des causes politiques et sociales : cosmopolitisme[A] ou crise économique réelle de l'époque. Mais c'est aussi qu'un certain nombre de revendications passionnées commencent à naître qui tenteront de se satisfaire par tous les moyens. Et l'Orient n'est pas seul responsable de cet éveil. S'il est vrai que la Grèce avait alors evhémérisé les dieux[2], s'il est vrai que le problème de la destinée de l'âme avait disparu sous les idées épicuriennes et stoïciennes, il n'en reste pas moins que c'est à une réelle tradition que revenait le monde gréco-romain. Mais quelque chose de neuf se fait cependant sentir.

Dans ce monde où le désir de Dieu se fait plus fort, le problème du Bien perd du terrain. À l'orgueil de la vie qui animait le monde antique se substitue l'humilité d'esprits en quête d'inspirations. Le plan esthétique de la contemplation est recouvert par le plan tragique où les espérances se bornent à l'imitation[B] d'un Dieu. On joue le drame douloureux d'Isis à la recherche d'Osiris[C], on meurt avec Dionysos[D], on renaît avec lui. Le galle[3] suit Attis dans les pires mutilations[E]. À Éleusis[F], Zeus s'unit à Déméter dans la personne du grand prêtre et d'une hiérophantide.

Et dans le même temps s'infiltre l'idée que le monde ne s'oriente pas vers le « Sunt eadem omnia semper » de Lucrèce[4], mais qu'il sert de cadre à la tragédie de l'homme sans Dieu. Les problèmes eux-mêmes s'incarnent et la phi-

---

A. Alexandre dans ses campagnes en Orient avait créé plus de quarante villes grecques. — B. Cf. « L'homme nouveau » dans les rites de purification et de lustration à Éleusis ; « La déesse Brimo a enfanté Brimos. » *Philosoph.* : V. 8. Cf. Plutarque, *de Iside, 27 apud* Loisy : *Les Mystères païens et le Mystère chrétien*, ch. IV, p. 139. « Après avoir comprimé et étouffé la rage de Typhon [Isis] ne voulut pas que les combats qu'elle avait soutenus… tombassent dans l'oubli et le silence. Elle institua donc des initiations très simples où seraient représentées par des images, des allégories et par des scènes figurées les souffrances de sa lutte. » — C. Cf. Loisy, *op. cit.*, ch. I. — D. Cf. Cumont, *op. cit.*, appendice : *Les Mystères de Bacchus*. — E. Cumont, chap. III. — F. Loisy, chap. II.

losophie de l'histoire prend naissance. On répugnera moins
dès lors à admettre cette retouche au monde que constitue la
Rédemption. Il ne s'agit pas de connaître et de comprendre,
mais d'aimer. Et le Christianisme ne fera que donner corps
à cette idée, si peu grecque pourtant, que le problème pour
l'homme n'est pas de perfectionner sa nature, mais d'y échapper. Désir de Dieu, humilité, imitation, aspirations vers une
renaissance, tous ces thèmes s'entrecroisent dans les mystères et les religions orientales du paganisme méditerranéen.
Depuis surtout le IIᵉ siècle avant J.-C. (le culte de Cybèle est
introduit à Rome en 205) les principales religions n'ont
cessé, par leur influence et par leur extension, de préparer la
voie au Christianisme. À l'époque qui nous occupe, les nouveaux problèmes sont posés dans toute leur acuité.

C. POSITION DU PROBLÈME
ET PLAN DE CE TRAVAIL

Considérer le Christianisme comme une nouvelle forme
de pensée succédant brusquement à la civilisation grecque,
serait donc esquiver les difficultés. La Grèce se continue
dans le Christianisme. Lui-même se trouve préformé dans la
pensée hellène. Il est trop facile de voir dans la dogmatique
chrétienne une addition grecque, que rien dans les doctrines
évangéliques ne légitimait. Mais, d'autre part aussi, on ne peut
nier l'apport chrétien dans la pensée du temps et il paraît
difficile d'exclure toute notion de philosophie chrétienneᴬ.
Une chose est commune et c'est une inquiétude qui fait
naître des problèmes : c'est une même évolution qui mène
des soucis pratiques d'Épictète aux spéculations de Plotin et
du Christianisme intérieur de Paul à la dogmatique des Pères
grecs. Mais peut-on cependant démêler dans une pareille
confusion ce qui fait l'originalité du Christianisme ? Tout le
problème est là.

D'un point de vue historique la doctrine chrétienne est
un mouvement religieux, né en Palestine, inscrit dans la
pensée judaïque. À une époque qu'il est difficile de déterminer, mais certainement contemporaine du moment où Paul
autorise en principe l'admission des gentils et les exempte de

---

A. *Bulletin de la Société française de Philosophie*, mars 1931. *Revue de métaphysique
et de morale* (Bréhier), avril 1931 ; *id.* juillet 1932 (Souriau).

la circoncision[A], le Christianisme se sépare du Judaïsme. À la fin du Ier siècle, Jean proclame l'identité du Seigneur et de l'Esprit. Entre 117 et 130 l'épître de Barnabé est déjà résolument antijuive. C'est le point capital. La pensée chrétienne se sépare alors de ses origines et se déverse tout entière dans le monde gréco-romain. Celui-ci, préparé par ses inquiétudes et les religions de mystères, finit par l'accepter.

Il n'est pas intéressant dès lors, de séparer absolument les deux doctrines, mais plutôt de chercher comment elles ont uni leurs efforts et de voir ce qui, de chacune d'elles, est resté intact dans cette collaboration. Mais quel fil d'Ariane suivre pour se diriger dans cette confusion d'idées et de systèmes. Disons de suite que ce qui fait l'originalité irréductible du Christianisme, c'est le thème de l'Incarnation. Les problèmes sont faits chair et prennent immédiatement le caractère de tragique et de nécessité qui manque si souvent à certains jeux de l'esprit grec. Même après que les Juifs eurent rejeté et la Méditerranée accepté le Christianisme, son caractère profondément novateur survécut. Et la pensée chrétienne, qui emprunte forcément à la philosophie déjà existante des formules toutes faites, les transfigure cependant. Le rôle de la Grèce fut de l'universaliser en l'orientant vers la métaphysique. Les mystères l'avaient préparée à ce rôle et toute une tradition qui prend sa source dans Eschyle et les Apollons doriques. Ainsi se trouve expliqué un mouvement où le miracle chrétien a su s'assimiler le miracle grec et jeter les bases d'une civilisation assez durable pour que nous en soyons encore tout imprégnés.

Notre tâche et notre plan se trouvent alors tracés. Suivre dans le Néoplatonisme l'effort de la philosophie grecque pour donner au problème de l'époque une solution spécifiquement hellène ; tracer le travail chrétien pour adapter sa dogmatique à sa vie religieuse primitive, jusqu'au moment où, rencontrant dans le Néoplatonisme des cadres métaphysiques déjà moulés sur une pensée religieuse, le Christianisme s'épanouit dans cette seconde révélation que fut la pensée augustinienne. Mais il y a trois moments dans l'évolution chrétienne : le Christianisme évangélique où elle prend sa source, la dogmatique augustinienne où elle s'achève dans la conciliation du verbe et de la chair, et les écarts où elle se laisse entraîner pour tenter d'identifier connaissance et

A. C'est-à-dire vers le milieu du Ier siècle.

salut, c'est-à-dire les hérésies dont le Gnosticisme donne un modèle complet — Évangile, Gnose, Néoplatonisme, Augustinisme, nous étudierons ces quatre stades d'une commune évolution gréco-chrétienne, dans l'ordre historique et dans le rapport qu'ils soutiennent avec le mouvement de pensée où ils s'inscrivent. Le Christianisme évangélique dédaigne toute spéculation mais place dès l'origine les thèmes de l'Incarnation, la Gnose poursuit une solution particulière où la Rédemption et la connaissance se confondent, le Néoplatonisme s'efforce de parvenir à ses fins en tentant de concilier rationalisme et mysticisme et, ses formules aidant, permet à la dogmatique chrétienne de se constituer chez Saint Augustin en métaphysique de l'Incarnation. Dans le même temps, le Néoplatonisme sert ici de doctrine-témoin. Le mouvement qui l'anime est le même que celui qui meut la pensée chrétienne, mais la notion d'incarnation lui demeure étrangère.

Dès le VIᵉ siècle déjà, ce mouvement se consomme : « Le Néoplatonisme meurt avec toute la philosophie et toute la culture grecque : le VIᵉ et le VIIᵉ siècle sont des moments de grand silenceᴬ. »

CHAPITRE PREMIER

LE CHRISTIANISME ÉVANGÉLIQUE

Il est difficile de parler en bloc d'un « Christianisme évangélique ». Mais du moins est-il possible de déceler un certain état d'esprit où prend sa source l'évolution postérieure. Le thème privilégié, celui qui est au centre de la pensée chrétienne d'alors et vers qui tout converge, la solution naturelle aux aspirations de l'époque, c'est l'Incarnation. L'Incarnation, c'est-à-dire la mise en contact du divin et du charnel dans la personne de Jésus-Christ ; l'aventure extraordinaire d'un Dieu prenant à son compte le péché et la misère de l'homme, l'humilité et les humiliations présentées comme autant de symboles de la Rédemption. Mais cette notion couronne un ensemble d'aspirations qu'il nous appartient de définir.

ᴬ. Émile Bréhier : *Histoire de la philosophie I*, II, chap. VII, p. 484.

Il y a deux états d'âme dans le chrétien évangélique : le pessimisme et l'espoir. Évoluant sur un certain plan tragique, l'humanité d'alors ne se repose plus qu'en Dieu et, remettant entre ses mains tout espoir d'une destinée meilleure, n'aspire qu'à lui, ne voit que lui dans l'Univers, abandonne tout intérêt hors la foi et incarne en Dieu le symbole même de cette inquiétude déchirée d'élévations. Il faut choisir entre le monde et Dieu. Ce sont ces deux aspects du Christianisme que nous aurons à examiner successivement dans une première partie. L'étude du milieu et de la littérature de l'époque nous montrera ensuite ces différents thèmes chez les hommes du Christianisme évangélique.

Le plus sûr était de remonter aux textes néotestamentaires eux-mêmes. Mais une méthode supplémentaire consiste à faire appel chaque fois qu'il est possible à un polémiste païen[A]. Leurs reproches, en effet, nous donnent une idée assez exacte de ce qui devait choquer un Grec, dans le Christianisme, et partant nous renseigne sur la nouveauté de l'apport de ce dernier.

I. LES THÈMES
DU CHRISTIANISME ÉVANGÉLIQUE

A. *Le Plan tragique*

L'ignorance et le dédain de toute spéculation systématique, voilà ce qui caractérise l'état d'esprit des premiers chrétiens. Des faits les aveuglent et les pressent. En outre la mort.

a) À la fin du IVe siècle encore, Julius Quintus Hilarianus, évêque de l'Afrique proconsulaire, calcule dans son « De mundi induratione » qu'il reste 101 ans à vivre au monde[B].

Cette idée d'une mort prochaine liée étroitement d'ailleurs à la parousie du Christ a obsédé toute la première génération chrétienne[C]. Il y a là l'exemple unique d'une

---

A. P. de Labriolle : *La Réaction païenne*, Paris, 1934. — B. P. de Labriolle : *Histoire de la littérature latine chrétienne*. — C. Sur l'imminence de cette parousie cf. *Marc* : VIII, 39-XIII, 30 ; *Matthieu* : X, 23, XII, 27-28, XXIV, 34 ; *Luc* : IX, 26-27, XXI, 32. Cf. aussi le *Vigilate* ; *Mt.* : XXIV, 42-44 ; XXV, 13 ; *Luc* : XII, 37-40.

expérience collective de la mort[A]. Dans le monde de notre expérience, réaliser cette idée de la mort revient à doter notre vie d'un sens nouveau. Ce qui s'y découvre en effet, c'est le triomphe du charnel, l'effroi physique devant cette révoltante issue. Et comment s'étonner de ce que les Chrétiens aient eu un sens si aigri de l'humiliation et de la détresse de la chair, et de ce que ces notions aient pu jouer un rôle capital dans l'élaboration de la métaphysique chrétienne. « Ma chair se couvre de vers et de croûtes terreuses. Ma peau se gerce et coule. Les jours passent, plus rapides que la navette. Ils s'évanouissent : plus d'espérance[B]. » On le voit, l'Ancien Testament donnait déjà le ton avec Job[C] et l'Ecclésiaste[D]. Mais les Évangiles ont mis ce sens de la mort au centre de leur dévotion.

On ne songe pas assez en effet que le Christianisme est centré autour de la personne du Christ et de sa mort. On fait de Jésus une abstraction ou un symbole. Mais les vrais Chrétiens sont ceux qui ont réalisé ce triomphe de la chair martyrisée. Jésus étant homme tout l'accent a été porté sur sa mort : on n'en connaît guère de plus horrible physiquement[E]. C'est à certaines sculptures catalanes, aux mains déchirées et aux articulations craquelées, qu'il faut songer pour imaginer la terrifiante image de torture que le Christianisme a érigée en symbole, mais aussi bien suffit-il de se référer aux textes célèbres de l'Évangile.

Une autre preuve, s'il en était besoin, de l'importance de ce thème dans le Christianisme évangélique, c'est l'indignation des païens : « Laisse-la donc, obstinée dans ses vaines erreurs, célébrer par de fausses lamentations, les funérailles de ce Dieu, mort, condamné par d'équitables juges et livré publiquement au plus ignominieux des supplices[F]. »

A. P. de Labriolle, *op. cit.*, p. 49 : « Pénétrés du sentiment que le monde allait bientôt mourir [on sait que cette croyance fut commune aux premières générations chrétiennes, mais ils paraissent l'avoir sentie avec une intensité d'angoisse toute particulière] ils voulaient… » — B. *Job* VII, 5-6. — C. *Job* II, 9 ; III, 3 ; X, 8 ; X, 21-22 ; XII, 23 ; XVII, 10-16 ; XXI, 23-26 ; XXX, 23. — D. *Passim*, mais surtout : II, 17 ; III, 19-21 ; XII, 1-8. — E. Cf. Renan : *Vie de Jésus*, ch. xxv, p. 438 : « L'atrocité particulière du supplice de la croix était qu'on pouvait vivre trois ou quatre jours dans cet horrible état. L'hémorragie des mains s'arrêtait et n'était pas mortelle. La vraie cause de la mort était la position contre nature du corps, laquelle entraînait un trouble affreux de la circulation, de terribles maux de tête et de cœur, enfin la rigidité des membres. » — F. Porphyre : *Philosophie des oracles, apud* Saint Augustin : *Cité de Dieu* : XIX, 23.

Et encore : « … Il se laissa frapper, cracher au visage, couronner d'épines… même s'il devait souffrir par ordre de Dieu, il aurait dû accepter le châtiment, mais ne pas endurer sa passion sans quelque discours hardi ; quelque parole vigoureuse et sage, à l'adresse de Pilate, son juge, au lieu de se laisser insulter comme le premier venu de la canaille des carrefours[A]. » Mais en voilà assez pour montrer l'importance du sens de la mort et de son contenu charnel dans la pensée qui nous occupe.

b) « Nous sommes plaisants, dit Pascal, de nous reposer dans la société de nos semblables : misérables comme nous, impuissants comme nous, ils ne nous aideront pas : on mourra seul[5]. » L'expérience de la mort entraîne à sa suite une certaine position très délicate à définir. Nombreux sont en effet les textes de l'Évangile où Jésus recommande l'indifférence ou même la haine à l'égard de ses proches comme moyen de parvenir au royaume de Dieu[B]. Est-ce la base d'un immoralisme ? Non, mais d'une morale supérieure : « Si quelqu'un vient à moi et ne hait pas son père et sa mère, sa femme et ses enfants, ses fils et ses sœurs et son âme même, celui-là ne peut être mon disciple[C]. » On comprend par ces textes cependant combien le « Rends à César » marque une concession méprisante plutôt qu'une déclaration de conformisme. Ce qui est à César est le denier où s'imprime son effigie. Ce qui est à Dieu est le cœur de l'homme seul, ayant rompu toute attache avec le monde. Ceci est la marque du pessimisme et non de l'acceptation. Mais comme il est naturel ces thèmes assez vagues et ces attitudes de l'esprit se concrétisent et se résument dans la notion proprement religieuse du péché.

c) Dans le péché l'homme prend conscience de sa misère et de son orgueil. « Nemo Bonus[D] », « Omnes peccaverunt[E6] », le péché est universel. Mais parmi tous les textes significatifs[F] du Nouveau Testament peu sont aussi riches de sens et d'observation que ce passage de l'Épître aux Romains[G] : « Je

---

A. Porphyre : cité par P. de Labriolle : *La Réaction païenne*, p. 211. — B. *Matt.*, VIII, 22 ; *Matt.*, X, 21-22 ; *Matt.*, X, 35-37 ; *Matt.*, XII, 46-50 ; *Luc*, III, 34 [IX, 59-62] ; XIV, 26-33. — C. *Luc*, XIV, 26-28. — D. *Marc*, X, 18. — E. *Aux Romains*, III, 23. — F. *Jean*, I, 8 ; *I Corinth.*, X, 13 ; *Matthieu*, XII, 21-23 ; *id.* XIX, 25-26. — G. VII, 15-24.

ne comprends pas ce que je fais : je ne fais pas le bien que je veux, et je fais le mal que je ne veux pas. Si je fais ce que je ne veux pas, ce n'est pas moi qui le fais, mais le péché qui habite en moi. Lorsque je veux faire le bien, je trouve que, par une loi fatale, le mal m'est adhérent. Je me plais dans la loi de Dieu selon l'homme intérieur, mais je sens dans les membres de mon corps une autre loi qui combat contre la loi de mon esprit et qui m'asservit à la loi du péché qui est dans mes membres. »

Ici se dessine le « Non posse non peccare » de Saint Augustin[7]. En même temps la vue pessimiste des Chrétiens sur le monde s'explicite. C'est à cette vue et à ces aspirations que répond la partie constructive du Christianisme évangélique. Mais il était bon de noter auparavant cet état d'esprit. « Qu'on s'imagine un nombre d'hommes dans les chaînes, et tous condamnés à mort, dont les uns étaient chaque jour égorgés à la vue des autres, ceux qui restent voient leur propre condition, dans celle de leurs semblables, et, se regardant avec douleur et sans espérance, attendent leur tour. C'est l'image de la condition des hommes[A]. »

Mais de même que cette pensée pascalienne placée au début de l'Apologie sert à faire ressortir l'adhésion finale à Dieu, de même de ces condamnés à mort est sortie l'espérance qui devait les transporter.

B. *L'Espoir en Dieu*

a) « Deum et animam scire cupio », dit Saint Augustin — « Nihil[ne] plus » — « Nihil omnino » —[B9]. Il en est bien ainsi dans l'Évangile où seul compte le Royaume de Dieu pour la conquête duquel il faut tant renoncer ici-bas. L'idée du Royaume de Dieu n'est pas absolument neuve dans le Nouveau Testament. Les Juifs connaissaient déjà le mot et la chose[C]. Mais dans les Évangiles ce royaume n'a rien de terrestre[D]. Il est spirituel. Il est la contemplation de Dieu lui-même. En dehors de cette conquête, nulle spéculation n'est souhaitable. « Je dis ceci, pour que personne ne vous égare par des discours séduisants… Prenez garde que personne

---

A. *Pensées*, n° 199[8]. — B. *Sol.* 1, 2, 7. — C. *Sagesse*, X, 10 : « C'est celle qui conduisit par les voies droites le juste fuyant les colères de son frère ; qui lui montra le royaume de Dieu et lui donna la science des choses saintes. » — D. *Luc*, XII-14 ; *Matt.*, XVIII-11 ; *Matt.*, XX-28.

ne s'empare de vous comme d'une proie, par la philosophie et des discours trompeurs qui reposent sur une tradition humaine, sur ce qu'il y a d'élémentaire dans le monde et non sur le Christ[A]. » C'est à l'humilité et à la simplicité des petits enfants qu'il faut s'efforcer d'atteindre[B]. C'est donc aux enfants que le Royaume de Dieu est promis, mais aussi aux savants qui ont su dépouiller leur savoir pour comprendre la vérité du cœur, et ont ajouté ainsi à la vertu même de la simplicité le précieux mérite de l'effort sur soi. Dans l'*Octavius*[C], Minucius Félix fait parler Caecilius, défenseur du paganisme en ces termes : « Ne doit-on pas s'indigner que des gens qui n'ont pas étudié, étrangers aux lettres, inhabiles même dans les arts vils, émettent des opinions qu'ils tiennent pour certaines, sur tout ce qu'il y a de plus élevé et plus majestueux dans la nature, tandis que la philosophie en discute depuis des siècles. » Ce dédain de toute spéculation pure s'explique chez des gens qui tenaient l'effusion en Dieu pour le but de tout effort humain. Mais un certain nombre de conséquences suivent encore.

b) À mettre au premier plan l'effort de l'homme vers Dieu, on subordonne tout à ce mouvement. Et le monde lui-même s'ordonne suivant cette direction. L'histoire a le sens que Dieu a bien voulu lui donner. La philosophie de l'histoire, notion étrangère à un esprit grec, est une invention judaïque. Les problèmes métaphysiques s'incarnent dans le temps et le monde n'est que le symbole charnel de cet effort de l'homme vers Dieu. De là encore l'importance capitale accordée à la foi[D]. Il suffit qu'un paralytique ou un aveugle croie — et le voici guéri. C'est que l'essence de cette foi est de consentir et de renoncer. La foi d'ailleurs est toujours plus importante que les œuvres[E].

La récompense dans l'autre monde conserve un caractère gratuit. Elle est d'un si haut prix qu'elle surpasse l'exigence des mérites. Et là encore il s'agit d'une apologie de l'humilité. Il faut préférer le pécheur repentant au vertueux tout rempli de lui-même et de ses bonnes œuvres. L'ouvrier de la onzième heure sera payé un denier comme ceux de la première. Et l'on fera fête à l'enfant prodigue dans la maison de

A. *Aux Colossiens*, II, 18 [II, 4 et 8]. — B. *Matt.*, XVIII, 3, 4 ; XIX, 16 ; *Mc.*, X, 14, 15. — C. VI, 4. — D. *In Matt.* : XIV, 33 [XIV, 31] ; XII, 58 ; XV, 28. — E. *In Matt.* : X, 16-18 ; XX, 1-16 ; XXV, 14-23.

son père. Aux pécheurs repentis, la vie éternelle. Ce mot si important de vie éternelle est pris dans son sens large d'immortalité chaque fois qu'il est cité[A].

c) Ici se place alors la notion qui nous intéresse. S'il est vrai que l'homme n'est rien et que sa destinée est tout entière dans les mains de Dieu, que les œuvres ne suffisent pas à assurer à l'homme sa récompense si le « Nemo Bonus » est fondé, qui donc atteindra ce royaume de Dieu ? La distance est si grande de l'homme à Dieu que personne ne peut espérer la combler. L'homme ne peut y parvenir et seul le désespoir lui est ouvert. Mais alors l'Incarnation apporte sa solution. L'homme ne pouvant rejoindre Dieu, Dieu descend jusqu'à lui. Et c'est l'universel espoir en Christ qui naît alors. L'homme a eu raison de s'en remettre à Dieu puisque celui-ci lui fait la grâce la plus infinie qui soit.

C'est dans Paul que cette doctrine s'exprime pour la première fois de façon cohérente[B]. Pour lui, la volonté de Dieu n'a qu'un seul but : sauver les hommes. La création et la rédemption ne sont que deux manifestations de sa volonté, la première et la seconde de ses révélations[C]. Le péché d'Adam a corrompu l'homme et l'a conduit à la mort[D]. Il ne lui reste aucune ressource personnelle. La loi morale de l'Ancien Testament se contente en effet de donner à l'homme l'image du devoir à atteindre. Mais elle ne lui en donne pas la force. Par là, elle le rend deux fois coupable[E]. La seule façon de nous sauver était de venir à nous, nous relever de nos péchés par un miracle de la grâce. C'est Jésus, de notre race, de notre sang[F], qui nous représente et s'est substitué à nous. Mourant avec lui et en lui, l'homme a payé son péché et l'incarnation est en même temps la rédemption[G]. Mais pour autant la toute-puissance de Dieu n'est pas atteinte, car la mort et l'Incarnation de son fils sont des grâces et non des sanctions dues au mérite humain.

Cette solution de *fait* résolvait toutes les difficultés d'une doctrine, établissant un si grand écart entre Dieu

A. *Matt.*, XX, 46 [XX, 1-16] ; XXV, 34-36 [XXV, 46] ; *Mc.*, X, 17 ; *Luc*, X, 24 [X, 25]. — B. *Col.*, I, 15 ; *Corinth.*, XV, 45 ; *Rom.*, I, 4. — C. *Rom.*, I, 20 ; VIII, 28 ; *Éph.*, I, 45 [I, 4-5] ; III, 11 ; *Timo.*, I, 9. — D. *Rom.*, V, 12 ; 14 + 15-17 ; VI, 23. — E. *Rom.*, III, 20 ; *Rom.*, V, 13 ; *Rom.*, VII, 7-8. — F. *Rom.*, I, 3 ; IV, 4 [V, 8-9]. — G. *Rom.*, III, 25 ; VI, 6 ; *Cor.*, VI, 20 ; *Gal.*, III, 13.

et l'homme. Platon qui voulait unir le Bien à l'homme était contraint de construire toute une échelle d'idées entre ces deux termes. Par là il créait un savoir. Ici, point de raisonnement ; mais un fait. Jésus est venu. À la sagesse grecque qui n'est qu'une science, le Christianisme s'oppose comme un état de choses.

Pour comprendre enfin toute l'originalité d'une notion devenue trop familière à nos esprits, demandons leur avis aux païens de l'époque. Un esprit aussi cultivé que Celse ne comprend pas. Son indignation est réelle. Quelque chose lui échappe qui était trop nouveau pour lui : « Que si, dit-il, parmi les Chrétiens et les Juifs, il en est qui déclarent qu'un Dieu ou un fils de Dieu, les uns, doit descendre, les autres, soit descendu, c'est là de leur prétention la plus honteuse… Quel sens peut avoir pour un Dieu un voyage comme celui-là ? Serait-ce pour apprendre ce qui se passe chez les hommes ? Mais ne sait-il pas tout ? Est-il donc incapable, étant donné sa puissance divine, de les améliorer sans dépêcher quelqu'un corporellement à cet effet… Et si, comme les chrétiens l'affirment, il est venu pour aider les hommes à rentrer dans la droite voie, pourquoi ne s'est-il avisé de ces devoirs qu'après les avoir laissés errer pendant tant de siècles[A]. » De même l'Incarnation paraît inacceptable à Porphyre : « Même en supposant que tels des Grecs soient assez obtus pour penser que les Dieux habitent dans des statues, ce serait encore une conception plus pure que d'admettre que le Divin soit descendu dans le sein de la Vierge Marie, qu'il soit devenu embryon, qu'après sa naissance, il ait été enveloppé de langes, tout sali de sang, de bile et pis encore[B]. » Et Porphyre s'étonne que le Christ ait pu souffrir sur sa croix, alors qu'il devait être par nature impassible[C].

Rien donc n'est aussi spécifiquement chrétien que la notion d'Incarnation. C'est en elle que se résument les thèmes obscurs que nous avons essayé de délimiter. C'est sur cet argument de fait immédiatement compréhensible que s'achèvent les mouvements de pensée qu'il faut regarder vivre maintenant chez ceux qu'ils animaient.

A. Celse : *Discours vrai.* Trad. Rougier : IV, 41. — B. Porphyre : *Contre les Chrétiens.* Fragment 77 *in* P. de Labriolle : *La Réaction païenne,* p. 274. — C. *Fragment 84-id.*

II. LES HOMMES
DU CHRISTIANISME ÉVANGÉLIQUE

A. *Les Œuvres*

Dégoût de la spéculation, souci pratique et religieux, primauté de la foi, pessimisme à l'égard de l'homme et immense espoir qui naît de l'Incarnation, autant de thèmes qui revivent dans les hommes et les œuvres des premiers siècles de notre ère.

Et, en effet, il faut être grec pour croire que la sagesse s'apprend. La littérature chrétienne depuis les origines ne compte aucun moraliste jusqu'à Clément et Tertullien[A]. Saint Clément, Saint Ignace, Saint Polycarpe, l'auteur de la doctrine des douze apôtres et celui de l'épître apocryphe, dite de Barnabé, ne s'intéressent qu'au côté religieux des problèmes. La littérature dite apostolique[B] est exclusivement pratique et populaire. Il nous faut l'examiner dans ses détails pour nous faire une idée un peu précise de son esprit et de ses caractéristiques. Cette littérature s'est développée de 50 à 90. C'est-à-dire qu'elle peut prétendre refléter l'enseignement des apôtres. Quoi qu'il en soit, elle se compose : de la première épître de Saint Clément (93-97) écrite sans doute à Rome ; des sept épîtres de Saint Ignace (107-117) à Antioche et le long des côtes d'Asie Mineure ; en Égypte entre 130 et 131, de l'épître apocryphe[C] de Barnabé ; de la doctrine des douze apôtres, en Palestine probablement (131-160) ; du « Pasteur » d'Hermas à Rome (140-155) ; à Rome ou à Corinthe, de la deuxième épître de Saint Clément en 150 ; des fragments de Papias, à Hiérapolis en Phrygie (150) ; à Smyrne, de l'épître de Saint Polycarpe et de son « Martyrium » (155-156). Mais voyons plutôt chacune d'elles et tentons d'y retrouver à l'état pur les postulats passionnés que nous avons déjà signalés.

A. Tixeront : *Histoire des dogmes*, chap. III ; « Le témoignage des Pères apostoliques ». — B. *Id.* chap. III, p. 115 : « On donne le nom de Pères apostoliques aux écrivains ecclésiastiques qui ont paru à la fin du Iᵉʳ ou dans la première moitié du IIᵉ siècle et qui sont censés avoir reçu des apôtres ou de leurs disciples immédiatement l'enseignement qu'ils nous transmettent. » — C. Ou « Didache »[10].

a) La première épître de Saint Clément se propose comme
seul but de ramener la paix dans l'Église de Corinthe. Son
caractère est donc purement pratique. Il insiste sur la filiation qui existe entre le chef de l'Église et les Apôtres, puis
entre ceux-ci et Jésus-Christ dont l'Incarnation nous a sauvés[A]. Voulant soumettre les Corinthiens à leurs chefs spirituels, il leur montre que la cause des discordes réside dans
l'envie et il en prend prétexte pour parler de l'humilité et de
la vertu d'obéissance, ce qui l'amène à l'éloge de la charité[B].
C'est par l'humilité que nous obtenons la rémission de nos
péchés. Ici peut se placer un deuxième point de vue spécifiquement évangélique : ceux qui sont élus ne le sont pas
par leurs œuvres mais par leur foi en Dieu[C]. Un peu plus
loin, d'ailleurs, Clément parle de la nécessité des œuvres et
de l'inefficacité de la foi sans elles[D].

b) Les lettres de Saint Ignace[E] ne sont que des écrits de
circonstance, étrangers à toute spéculation méthodique.
Mais Saint Ignace est celui des Pères apostoliques qui a eu le
sentiment le plus vif pour le Christ fait chair. Il combat avec
acharnement la tendance docète au sein du christianisme.
Jésus est « Fils de Dieu suivant la volonté et la puissance de
Dieu, fait vraiment d'une Vierge[F] ». « De la race de David
selon la chair il est fils de l'homme et fils de Dieu[G]. » Il
affirme la maternité réelle de Marie[H]… « Vraiment né d'une
vierge » … « Il a vraiment été percé de clous pour nous sous
Ponce Pilate et Hérode le Tétrarque[I]. » « Il a vraiment
souffert, comme il s'est vraiment ressuscité lui-même, et non
pas, ainsi que le disent certains incrédules qui prétendent
qu'il a souffert seulement en apparence[J]. » Ignace appuie
plus encore, s'il se peut, sur l'humanité qu'a revêtue le
Christ. Il affirme que c'est en chair que le Christ a ressuscité :
« Je sais qu'après sa résurrection, Jésus a été en chair et je
crois qu'il l'est encore. Et quand il vint à ceux qui étaient
avec Pierre, il leur dit : " Prenez, palpez-moi et voyez que
je ne suis pas un génie sans corps. " Et aussitôt ils le tou-
chèrent et ils crurent, s'étant mêlés à sa chair et à son
esprit… Et après la résurrection, il mangea et il but avec eux,

A. XXXI, 6, *apud* Tixeront : III, 2. — B. XLIV, *id.* — C. XXXII, 3, 4, *id.*
— D. XXXIII, 1, *id.* — E. Pour tout ce qui suit, cf. Tixeront, III, 5. — F. *Aux
habitants de Smyrne*, I, 1. — G. *Éph.*, XX, 2. — H. *Éph.*, VII, 2. — I. *Smyrne*, I,
1, 2. — J. *Smyrne*, II.

comme étant corporel bien qu'étant uni spirituellement à son Père[A]. »

Sur cette communion du Christ en nous, Ignace établit l'unité de l'Église et les règles de la vie religieuse. Pour lui, rien ne vaut que la Foi et l'Amour : « Le tout c'est la foi et la charité : il n'y a rien de plus précieux[B]. » Et même poussant à l'extrême un des thèmes déjà signalés du Christianisme primitif, il affirme que celui qui a la foi ne pèche pas : « Les charnels ne peuvent faire les œuvres spirituelles ni les spirituels les œuvres charnelles, pas plus que la foi ne peut faire les œuvres de l'infidélité, ni l'infidélité celles de la foi. Les choses que vous faites selon la chair sont spirituelles, car vous faites tout en Jésus-Christ[C]. » C'est là le type de ce Christianisme exalté, extrême dans sa foi et dans les conséquences qu'elle présuppose, que nous avons déjà défini : on ne s'étonnera pas au reste de trouver chez Saint Ignace, les accents du mysticisme le plus passionné : « Mon amour est crucifié, et il n'y a point en moi de feu pour la matière ; mais il y a une eau vive et parlante qui me dit intérieurement : " Viens au Père[D]. " »

c) L'épître attribuée à Saint Barnabé[E] est surtout une œuvre polémique dirigée contre le Judaïsme. Elle ne contient guère d'éléments doctrinaux et ne présente d'ailleurs qu'un intérêt médiocre. L'auteur insiste seulement avec beaucoup de réalisme — et c'est ce qui était à noter — sur la Rédemption. Celle-ci vient de ce que Jésus a livré sa chair à la destruction et nous a aspergés de son sang[F]. Et c'est le Baptême qui nous fait participer à cette Rédemption : « Nous descendons dans l'eau, remplis de péchés et de souillures, et nous en sortons, portant des fruits, possédant dans le cœur et dans l'esprit, l'espérance en Jésus[G]. »

d) « Il existe deux voies, l'une de la vie, l'autre de la mort, mais il y a une grande différence entre les deux[H]. » La doctrine des douze apôtres s'est attachée seulement à l'enseignement de ce qui constitue la voie de la vie et de ce qu'il faut faire pour éviter celle de la mort. C'est un catéchisme, un formulaire liturgique qui ne dément pas ce que nous

A. *Smyrne*, III. — B. *Smyrne*, VI, 1. — C. *Éph.*, VIII, 2. — D. *Rom.*, VII, 2. — E. Tixeront, *op. cit.*, III, 8. — F. V, 1 ; VII, 3, 5. — G. XI, xı, 1-8 [XI, 15-16]. — H. I, 1. *ap.* Tixeront, III, 7[11].

avancions sur le caractère exclusivement pratique de toute cette littérature.

e) Le « Pasteur » d'Hermas et la 2ᵉ épître de Clément sont avant tout des œuvres d'édification[A]. Le thème commun à ces deux ouvrages est la pénitence. Celle-ci, Hermas l'accorde seulement aux fautes commises jusqu'au moment où il écrit. Et dès ce moment la doctrine pénitentielle s'imprègne de la rigueur particulière aux doctrines pessimistes. Aux Chrétiens de son temps, il n'accorde cette pénitence qu'une seule fois[B]. Il établit un tarif selon lequel une heure de plaisir impie doit s'expier par trente jours de pénitence et un jour par une année. Selon lui les méchants sont voués aux flammes et quiconque connaissant Dieu aura commis cependant le mal, expiera éternellement[C].

La deuxième épître de Clément est une homélie offrant de fréquentes analogies avec le « Pasteur » d'Hermas. Là encore le but est tout pratique : exhorter les fidèles à la Charité et à la Pénitence. Au chapitre IX on démontre l'incarnation réelle et tangible de Jésus. La suite s'attache à décrire les punitions et les récompenses qui seront infligées ou accordées après la résurrection.

f) L'épître de Polycarpe, la relation qui nous est faite de son martyre, les fragments de Papias enfin ne nous apprendraient rien de sensiblement nouveau[D]. Vouées à des buts pratiques, ces œuvres se rencontrent dans une Christologie antidocète, une théorie classique du péché et l'exaltation de la Foi. Elles résument fidèlement, au vrai, ce que nous savons déjà sur cette littérature apostolique et son mépris de toute spéculation. Demandons-nous seulement dans quel milieu se développait cette prédication.

B. *Les Hommes*

On peut dire que la pensée des Pères apostoliques reflète le vrai visage de l'époque où ils vivaient. Les premières communautés évangéliques partageaient ces soucis et s'écartaient de toute ambition intellectuelle. Rien n'éclaire mieux cet état d'esprit que les efforts de Clément d'Alexandrie pour

A. Tixeront, III, 3 et 4. — B. Manduc, IV, 3. — C. *Similit.* IV, 4¹². — D. Tixeront, *op. cit.*, III, 6.

dissiper ces préventions. Si l'on songe que Clément vivait à la fin du IIe siècle[A], on voit avec quelle ténacité le Christianisme se cramponnait à ses origines, et d'autant plus que les fantaisies du Gnosticisme n'étaient pas faites pour ramener les esprits vers la philosophie.

Clément d'Alexandrie[B], d'esprit et de culture grecs, rencontrait les plus vives résistances dans son milieu et tout son effort fut pour réhabiliter la philosophie païenne en déconsidération et y habituer les esprits chrétiens. Mais ceci est d'un autre ordre. Et l'intérêt que présentent souvent les « Stromates », c'est de nous montrer dans le dépit de l'auteur ce qu'avait de solide l'hostilité du milieu à l'égard de toute spéculation. Ceux que Clément appelle les « Simpliciores » ce sont bien véritablement les premiers chrétiens et nous retrouvons en eux les postulats de la prédication apostolique : « Le vulgaire a peur de la philosophie grecque comme les enfants ont peur d'un épouvantail[C]. » Mais le dépit se fait sentir : « Certaines gens qui se croient gens d'esprit estiment qu'on ne doit se mêler ni de philosophie, ni de dialectique, ni même s'appliquer à l'étude de l'univers[D]. » Ou encore : « Il y a des personnes qui font cette objection. À quoi sert de savoir les causes qui expliquent le mouvement du soleil ou des autres astres ou d'avoir étudié la géométrie, la dialectique ou les autres sciences ? Ces choses ne sont d'aucune utilité lorsqu'il s'agit de définir les devoirs. La philosophie grecque n'est qu'un produit de l'intelligence humaine : elle n'enseigne pas la vérité[E]. »

Les opinions du milieu chrétien d'Alexandrie étaient donc parfaitement claires. La Foi suffit à l'homme et le reste est littérature. Comparons plutôt une affirmation de Tertullien, contemporain de Clément, et un texte de ce dernier, qui se recoupent exactement. « Qu'y a-t-il de commun, dit Tertullien, entre Athènes et Jérusalem, entre l'Académie et l'Église… Tant pis pour ceux qui ont mis au jour un Christianisme stoïcien, platonicien, dialecticien. Pour nous, nous n'avons pas de curiosité après Jésus-Christ, ni de recherche après l'Évangile[F]. » Et Clément écrit : « Je n'ignore pas ce que ressassent certaines gens ignorants qui s'effrayent du moindre bruit à savoir que l'on doit s'en tenir aux choses essentielles,

---

A. Entre 180 et 203. — B. De Faye : *Clément d'Alexandrie*, livre II, chap. II. — C. *Stromates*, VII, 80 [VI, 10]. — D. *Stromates*, I, 43 [I, 9]. — E. VI, 93 [VI, 11]. — F. *De Praescriptione Haereticorum*, VII.

à celles qui se rapportent à la foi, et que l'on doit négliger celles qui viennent du dehors et qui sont superflues[A]. »

Mais ces simpliciens s'en tenaient aux Livres saints. Saint Paul les avait mis en garde contre les « discours trompeurs[B] ». Nul ne se souciait d'être, sans la charité, l'airain qui résonne ou la cymbale retentissante. C'est pourquoi au IVe siècle, Rutillius Namatianus définit le Christianisme, la « secte qui abêtit les âmes[C] ». Et de cela Clément d'Alexandrie est seulement dépité : Celse est indigné[D]. Preuve certaine de la vivacité d'une tradition qu'il nous semble ainsi avoir maintenant établie.

III. LES DIFFICULTÉS ET LES CAUSES D'ÉVOLUTION DU CHRISTIANISME ÉVANGÉLIQUE

Si nous jetons un regard en arrière, nous devons conclure que le Christianisme primitif se résume en quelques thèmes élémentaires mais vivaces autour desquels des communautés se groupent, imbues de ces aspirations et tentant de leur donner corps par leur exemple ou leur prédication. Ce sont des valeurs fortes et amères que cette nouvelle civilisation met en œuvre. D'où l'exaltation qui accompagne sa naissance et la richesse intérieure qu'il suscite chez l'homme.

Mais, sur ces bases, une évolution se prépare. Déjà de Matthieu à Jean, le dessin en apparaît. Le royaume de Dieu cède la place à la vie éternelle. Dieu est esprit et c'est en esprit qu'il faut l'adorer. Le Christianisme s'universalise déjà. La Trinité, informe encore, s'exprime cependant à demi[F]. C'est que déjà le Christianisme a rencontré le monde grec et, avant de passer à d'autres formes de son évolution, il faut s'arrêter aux causes qui le poussèrent à s'approfondir constamment et à répandre ses doctrines sous le manteau grec. La rupture avec le Judaïsme et l'entrée dans l'esprit méditerranéen créaient à la pensée chrétienne des obligations : satisfaire les Grecs déjà acquis à la nouvelle religion, attirer les autres en leur montrant un Christianisme moins judaïque et d'une façon générale parler leur langue,

A. *Stromates*, I, 18. — B. *Aux Colossiens*, II, 8. — C. *De Reditu suo*, I, 389[13], *in* Rougier, *Celse*, p. 112. — D. *Discours vrai*, III, 37, trad. Rougier. — E. *Jean*, III, 16, 36 ; IV, 14. — F. V, 19, 26.

s'exprimer en formules compréhensibles et faire entrer par conséquent les élans incoordonnés d'une foi très profonde dans les moules commodes de la pensée grecque. Ce sont ces nécessités que nous devons préciser.

A. *Les Adhésions*

Dès cette époque, en effet, et pendant tout le IIe siècle, le Christianisme compte des adhésions parmi les Grecs les plus cultivés[A]. Aristide, dont l'« Apologie à Antonin le Pieux » se place entre 136 et 161, Miltiade (vers 150), Justin dont la première « Apologie » se situe entre 150 et 155, la deuxième entre 150 et 160 et dont le célèbre « Dialogue avec Tryphon » a été publié vers 161, Athénagore enfin (« Supplicatio pro christianos » 176-178), autant d'esprits venus à la nouvelle religion et qui concrétisent l'union d'une tradition spéculative et d'une sensibilité encore neuve dans le bassin méditerranéen.

Dès lors il s'agit pour eux de concilier leur esprit, que l'éducation a fait grec, et leur cœur que l'amour chrétien a pénétré. Dans l'histoire ces Pères sont des apologistes, car tout leur effort effectivement est de présenter le Christianisme comme conforme à la Raison. La foi, selon eux, complète les données de la Raison et il n'est pas indigne d'un esprit grec de l'accepter. C'est donc sur le terrain de la philosophie que les deux civilisations se sont rencontrées.

Justin, en particulier, va très loin dans cette voie. Il s'appuie sur les ressemblances entre la doctrine chrétienne et les philosophies grecques : l'Évangile continue Platon et les stoïciens[B]. Et à cette coïncidence, Justin voit deux raisons. D'abord cette idée, si répandue à l'époque[C], que les philosophes grecs ont eu connaissance des livres de l'Ancien Testament et s'en sont inspirés (supposition sans portée, mais qui eut une fortune énorme). En second lieu, Justin pense que le Logos s'est manifesté à nous en la personne de Jésus mais qu'il préexistait à cette incarnation et inspirait la philosophie des Grecs[D]. Cela n'empêche pas notre auteur de conclure à la nécessité morale de la Révélation, à cause du caractère incomplet de la spéculation païenne.

A. Puech : *Les Apologistes grecs du IIe siècle.* — B. *Apol.*, II, 13. — C. *Apol.*, I, 44, 59 ; Tatien : *Oratio ad Graecos*, 40 ; Minucius Felix, *op. cit.* 34 ; Tertullien : *Apologet.* 47 ; Clément d'Alex. : Str. I, 28 ; VI, 44 ; VI, 153 ; VI, 159 [VI, 3 ; VI, 5]. — D. *Ap.* II, 13, 8, 10.

En même temps que les Apologistes se rapprochaient des Grecs, ils s'éloignaient de plus en plus du Judaïsme. L'hostilité des Juifs à l'égard de la nouvelle religion était un motif suffisant. Mais il s'ajoutait une raison d'ordre politique et c'était le rôle qu'avaient tenu les Juifs dans les persécutions par leurs accusations[A]. Tout l'argument du « Dialogue avec Tryphon », c'est la démonstration de l'accord entre les Prophètes et le Nouveau Testament d'où Justin tirait la prescription de l'Ancien Testament et le triomphe de la vérité chrétienne[B].

B. *Les Résistances*

Mais, dans le même temps, les résistances se développaient aussi. Nous savons d'ailleurs le mépris de Tertullien à l'égard de toute pensée païenne. Tatien[C] et Hermias[D] se font aussi les apôtres de ce mouvement particulariste. Mais la tendance la plus naturelle c'est l'extension et les résistances dont nous parlions sont celles des païens. On peut dire sans paradoxe que ces résistances ont beaucoup contribué à la victoire du Christianisme. P. de Labriolle[E] insiste beaucoup sur ce fait que les païens à la fin du IIᵉ siècle et au début du IIIᵉ se sont appliqués à dériver l'enthousiasme religieux de l'époque vers des figures et des personnalités copiées sur le modèle du Christ[F]. Cette idée avait déjà effleuré Celse quand il opposait à Jésus, Esculape, Hercule ou Bacchus. Mais ce devint bientôt un système de polémique. Au début du IIIᵉ siècle Philostrate écrit la merveilleuse histoire d'Apollonius de Tyane qui semble sur beaucoup de points imitée des Écritures[G]. Puis Socrate, Pythagore, Hercule, Mithra, le soleil, les Empereurs détourneront la faveur du monde gréco-romain et figureront tour à tour un Christ païen. La méthode avait ses dangers et ses avantages, mais rien ne montre mieux combien les Grecs avaient compris la puissance et la séduction de la Religion nouvelle. Mais cette christianisation de l'Hellénisme décadent prouve aussi que

A. Justin. *Dialogue avec Tryphon* : 16, 17, 108, 122, etc. *Apologie* : I, 31-36. — B. *Dialog.* 63 et *sq.* — C. *Oratio ad Graecos* (165¹⁴). — D. *Irrisio gentilium philosophorum* (IIIᵉ siècle). — E. *La Réaction païenne* : deuxième partie, ch. II. — F. Cf. Boissier : *La Religion romaine*, Préface, tome I, IX : « Le paganisme essaie de se réformer sur le modèle de la religion qui le menace et qu'il combat. » — G. Comparer surtout l'épisode de la fille de Jaïre (*Luc*, VII, 40 [VIII, 40-56]) et *Vie d'Apollonius*, IV, 45 (p. 184 de la traduction Chassaing).

les résistances se faisaient ingénieuses. De là encore, pour le Christianisme, la nécessité d'user ses angles, d'exposer de préférence ses grands dogmes sur la vie éternelle, la nature de Dieu et d'en introduire ainsi la métaphysique. Ce fut là encore le rôle des Apologistes. Qu'on ne s'y trompe pas, d'ailleurs. Ce travail d'assimilation venait de plus haut. Il remonte à Paul né à Tarse, ville universitaire et hellénique. Il est particulièrement net mais d'un point de vue judaïque, chez Philon. Nous l'avons noté seulement dans les Apologistes parce que c'est la première fois dans l'histoire que ce mouvement prend une forme cohérente et collective. Voyons seulement les problèmes qui en résultaient.

C. *Les Problèmes*

De cette combinaison de la foi évangélique avec la métaphysique grecque sont sortis les dogmes chrétiens. Par ailleurs, baignée dans cette atmosphère de tension religieuse, la philosophie grecque a donné le néoplatonisme.

Mais la chose ne s'est pas faite en un jour. S'il est vrai que les oppositions entre idées chrétiennes et idées grecques furent adoucies par le cosmopolitisme que nous avons signalé, cependant bien des antinomies demeuraient ; il fallait concilier la création « ex nihilo » qui excluait l'hypothèse de la matière, avec la perfection du Dieu grec qui impliquait l'existence de cette matière. L'esprit grec voyait la difficulté d'un Dieu parfait et immuable créant du temporel et de l'imparfait. Comme Saint Augustin l'écrivait beaucoup plus tard[A] : « Il est difficile de comprendre la substance de Dieu qui fait des choses changeantes sans en éprouver aucun changement et des choses temporelles sans se mouvoir aucunement dans le Temps. » Autrement dit, l'histoire faisait une nécessité au Christianisme de s'approfondir s'il voulait s'universaliser. C'était créer une métaphysique. Or il n'est pas de métaphysique sans minimum de rationalisme. L'intelligence est impuissante à renouveler ses thèmes quand le sentiment varie à l'infini des nuances. L'effort de conciliation inhérent au Christianisme sera d'humaniser, d'intellectualiser ses thèmes sentimentaux et de ramener la pensée de ces confins où elle se débattait. Car expliquer c'est

---

A. *De Trinitate* : I, I, 3.

dans une certaine mesure avoir prise. C'est donc un peu réduire cette disproportion entre Dieu et l'homme que le Christianisme avait instaurée. Il semble bien au contraire qu'à ses débuts, la pensée chrétienne, sous l'influence de ces valeurs de mort et de passion, dans la crainte du péché et du châtiment, était arrivée à ce point où, comme dit Hamlet, le temps saute hors de ses gonds. Il faut maintenant que l'intelligence lui donne son visa.

Ce fut la tâche, dans une assez faible mesure, des premiers systèmes théologiques, ceux de Clément d'Alexandrie et d'Origène, des conciles aussi en réaction contre les hérésies, et surtout de Saint Augustin. Mais, à ce point précis, la pensée s'infléchit. Le Christianisme entrait dans une nouvelle phase où il s'agissait de savoir s'il perdrait son originalité profonde afin de se mieux vulgariser, si au contraire il sacrifierait sa puissance d'expansion à son besoin de pureté, ou si enfin il parviendrait à concilier ces préoccupations également naturelles. Mais son évolution ne fut pas harmonieuse. Elle suivit des chemins dangereux qui lui enseignèrent la prudence. Ce fut le Gnosticisme. Elle s'aida du Néoplatonisme et de ses cadres commodes pour loger une pensée religieuse. Définitivement détaché du Judaïsme, le Christianisme s'insérait dans l'Hellénisme par la porte que tenaient ouverte les Religions orientales. Et sur cet autel au Dieu inconnu[A], que Paul avait rencontré dans Athènes, plusieurs siècles de spéculation chrétienne allaient élever l'image du Sauveur sur la croix.

CHAPITRE DEUXIÈME

LA GNOSE

Si on accepte comme un fait établi cette christianisation de la Méditerranée hellénique, on doit considérer l'hérésie gnostique comme un des premiers essais de collaboration gréco-chrétienne. Le Gnosticisme c'est en effet une réflexion grecque sur des thèmes chrétiens. De là qu'il ait été désavoué par les uns et par les autres. Plotin écrit « contre

A. *Actes*, XVIII, 16 [XVII, 23].

ceux qui disent que le monde est mauvais^A ». Et ce que
Tertullien reproche aux gnostiques dans l'« Adversus Marcionem » (comme Saint Augustin plus tard aux manichéens)
c'est de croire qu'on peut ajouter à l'Évangile une explication rationnelle. Il est exact pourtant que les gnostiques aient
été chrétiens. On retrouve chez eux le thème de l'Incarnation. Le problème du mal les obsède. Ils ont compris
toute l'originalité du Nouveau Testament et partant, de la
Rédemption. Mais au lieu de considérer un Christ fait chair
et symbolisant l'humanité souffrante, c'est toute une mythologie qu'ils incarnent. Sur des postulats authentiques, ils
se livrent à tous les jeux subtils de l'esprit grec. Et sur les
quelques aspirations simples et passionnées du Christianisme, ils bâtissent, comme sur autant de solides piliers, tout
un décor de kermesse métaphysique. Mais une difficulté se
pose sur le plan historique. Les écoles gnostiques se succèdent sur plus de deux siècles^B. Plusieurs générations de
gnostiques ont spéculé dans des directions divergentes.
Valentin et Basilide sont des esprits aussi différents, toutes
proportions gardées, que Platon et Aristote. Comment définir alors un Gnosticisme ? Mais c'est une difficulté que nous
avons déjà rencontrée. S'il est vrai que nous ne puissions
définir que des gnosticismes, il est cependant possible de
caractériser une gnose. La première génération gnostique^C,
celle de Basilide, Marcion, Valentin, a fourni une trame sur
laquelle les disciples ont brodé. Le petit nombre de thèmes
communs pourra suffire pour faire entrevoir le sens de cette
solution hérétique. Historiquement en effet, le Gnosticisme
est un enseignement philosophique et religieux, dispensé à
des initiés, basé sur des dogmes chrétiens, mêlé de philosophie païenne et s'assimilant tout ce qu'il y avait de splendide
et d'éclatant dans les religions les plus diverses.

Mais avant d'indiquer les thèmes de la solution gnostique
et d'en déceler les origines, il est nécessaire de voir comment
elle s'insère dans le mouvement de pensée que ce travail
considère. C'est au reste, définir encore la gnose, mais cette
fois dans le plan métaphysique. Celle-ci pose les problèmes
de façon chrétienne. Elle les résout en formules grecques.
Basilide et Marcion sont en effet persuadés de la laideur de
ce monde. Mais qu'on accuse le côté charnel, qu'on charge

A. II, 9. — B. Du début du IIe siècle à la fin du IIIe. — C. Première moitié
du IIe siècle.

le tableau des péchés et des laideurs, et on creuse de plus en plus le fossé entre l'homme et Dieu. Il viendra un moment où aucun repentir ni aucun sacrifice ne saurait combler un tel gouffre. Il suffit de connaître Dieu pour être sauvé[A]. Sinon quelles œuvres, ou quelles autres sources pourraient tirer l'homme de son néant. C'est, nous l'avons vu, la solution chrétienne du salut par l'Incarnation. C'est aussi en un sens celle des gnostiques. Mais la grâce chrétienne conserve un caractère d'arbitraire divin. Les gnostiques méconnaissant le sens profond de l'Incarnation, la restreignant dans sa portée, ont transformé la notion de salut en celle d'initiation. Valentin sépare en effet l'humanité en trois ordres[B] : les matériels attachés aux biens de ce monde, les psychiques balancés entre Dieu et la matière, et les spirituels qui, seuls, vivent en Dieu et le connaissent. Ceux-là sont sauvés comme le seront plus tard les Élus de Manès. Là s'introduit la notion grecque. Les spirituels ne sont sauvés que par la gnose ou connaissance de Dieu. Mais cette gnose ils l'apprennent de Valentin et des hommes. Le salut s'apprend. C'est donc une initiation. Car si, à première vue, ces deux notions peuvent sembler parentes, l'analyse peut déceler des différences subtiles, sans doute, mais fondamentales. L'initiation donne prise à l'homme sur le royaume divin. Le salut l'y introduit sans qu'il ait aucune part à ce succès. On peut croire à Dieu sans pour cela être sauvé. Aux mystères d'Éleusis il suffisait de contempler[C]. Au contraire, le baptême n'implique pas le salut. C'est que l'Hellénisme ne peut se séparer de cet espoir, tenace chez lui, que l'homme tient sa destinée entre ses mains. Et, au sein même du christianisme, il y eut justement une tendance à faire rentrer lentement la notion de salut dans celle d'initiation. De même que le fellah égyptien a lentement conquis sur le Pharaon le droit à l'immortalité, le Chrétien par le truchement de l'Église a eu enfin entre les mains les clefs du Royaume céleste.

C'est à bon droit, on le voit, que nous pouvons considérer le Gnosticisme comme une des solutions, une des étapes chrétiennes dans le problème que nous décelions : la

---

A. Cf. dans le Bouddhisme, forme parente de l'Amidisme. — B. De Faye : *Gnostiques et Gnosticisme*, I, ch. II. Amelineau : *Essai sur le Gnosticisme égyptien.* — C. Cf. *Hymne homérique à Déméter*, 480-483 : « Heureux, celui des hommes vivant sur la terre qui a vu ces choses. Mais celui qui n'a pas été initié aux cérémonies sacrées et celui qui y a pris part n'auront jamais la même destinée après la mort dans les vastes ténèbres. » P. Loisy, *op. cit.*, p. 76.

gnose est une tentative de conciliation entre connaissance et salut. Mais voyons maintenant le détail de cette tentative.

LES THÈMES DE LA SOLUTION GNOSTIQUE

Plus ou moins accusés chez les différents auteurs, quatre thèmes fondamentaux se retrouvent cependant au fond de tout système gnostique : le problème du mal, la rédemption, la théorie des intermédiaires et une conception de Dieu comme être ineffable et incommunicable.

a) S'il est vrai que le problème du Mal est au centre de toute pensée chrétienne, personne n'a été plus profondément chrétien que Basilide.

Cette originale figure est assez mal connue. On sait qu'il vécut sous les règnes d'Hadrien et d'Antonin le Pieux (c'est-à-dire vers 140) et qu'il commença d'écrire probablement vers 80. La seule notice un peu complète sur sa pensée est maintenant considérée comme peu fondée. C'est celle des « Philosophumena » qui traite vraisemblablement d'un pseudo-Basilide. Notre source la plus importante reste Clément d'Alexandrie dans ses « Stromates ». Irénée parle de Basilide dans son catalogue, Épiphane dans son « Contra Haeresios » (chap. xxiv). On peut enfin réunir quelques allusions d'Origène[A].

« L'origine et la cause de cette mauvaise doctrine, dit Épiphane, c'est la recherche et la discussion du problème du Mal[B]. » C'est en effet ce qui ressort du peu que l'on sait de la pensée basilidienne. Éloigné de toute spéculation, il ne s'attache qu'au problème moral, et plus précisément à ce problème moral qui naît des rapports de l'homme et de Dieu. Ce qui l'intéresse c'est le péché et le côté humain des problèmes. De la foi même, il fait une existence naturelle et réelle : « Basilide paraît incapable de concevoir une abstraction. Il faut qu'il la revête d'un semblant de corps[C]. »

C'est de ce point de vue que Basilide développe sa pensée et s'attache à établir une théorie du péché originel. À vrai dire, le mot n'y est pas, mais du moins l'idée d'une certaine prédisposition naturelle au péché. Il ajoute enfin deux affir-

A. *Comm. in Rom.* V ; *Hom. in Luc* I ; *Com. in Matt.* 38. — B. *Contra Haer.*[15], XXIV, 6, 72 C. — C. *De Faye, op. cit.*, page 31.

mations complémentaires : le péché entraîne toujours un
châtiment ; il y a un amendement et un rachat à tirer de la
souffrance. Les trois thèmes sont attribués indistinctement à
Basilide et à Isidore, son fils.

Quoi qu'il en soit, Basilide est vivement frappé par le sort
des martyrs. Selon lui, il n'est pas de souffrance inutile. Et
chaque souffrance exige un péché précédent qui la légitime.
Il faut donc conclure que les martyrs ont péché. Au reste, cet
état se concilie parfaitement avec leur sainteté. C'est justement
leur privilège de pouvoir expier si complètement leur
passé. Mais quel est le plus grand des martyrs, sinon Jésus
lui-même. « Si l'on me pousse, je dirai qu'un homme, *quel que
soit celui que tu nommes*, est toujours homme, tandis que Dieu
est juste. Car comme on l'a dit, personne n'est pur de toute
souillure[A]. » L'allusion est transparente et l'on comprend que
la doctrine soit mauvaise aux yeux d'Épiphane. Le Christ
n'échappe pas à la loi universelle du péché. Mais du moins
nous montre-t-il le chemin de délivrance qui est la croix.
C'est pourquoi Basilide et son fils Isidore ont inauguré dans
une certaine mesure une vie ascétique[B]. Il le fallait d'ailleurs
pour Isidore, car c'est à lui qu'on doit la théorie des passions
appendices. Les passions ne dépendent pas de nous mais
s'accrochent à l'âme et nous exploitent.

Isidore a bien vu qu'une pareille théorie pouvait conduire
les méchants à se présenter comme victimes et non comme
coupables. De là, une règle de vie ascétique.

Voilà ce qui nous reste de la philosophie de Basilide.
On ne voit guère comment ces quelques renseignements
pourraient s'accorder avec la notice d'Hippolyte dans les
« Philosophumena[C] ». Selon celle-ci Basilide aurait conçu
l'idée d'un Dieu abstrait, résidant dans l'ogdoade séparé de
notre monde par l'univers intermédiaire ou hebdomade. Le
Dieu de ce monde intermédiaire, le grand Archonte, Basilide
l'aurait identifié au Dieu de l'Ancien Testament : « L'ogdoade
est ineffable, mais on peut dire le nom de l'hebdomade.
C'est cet archonte de l'hebdomade qui a parlé à Moïse
en ces termes : Je suis le Dieu d'Abraham, d'Isaac et de
Jacob et je ne leur ai pas révélé le nom de Dieu, c'est-à-dire
de l'ogdoade qui est ineffable[D]. »

A. Cité par de Faye, ch. 1. — B. Cf. de Faye, *op. cit.*, ch. 1. — C. Livre VII[16].
— D. VII, p. 125 [VII, XIII, 41-42], *ap.* Amelineau, *op. cit.*, II, 2.

Cette cosmologie métaphysique semble peu compatible avec les tendances profondes de notre auteur, surtout lorsqu'on lui attribue a) l'idée que le Christ n'est pas mort crucifié, mais qu'il s'est substitué à Simon de Cyrène ; b) l'eschatologie grandiose que prédit le passage suivant : « Quand tout cela sera définitivement accompli, quand toutes les formes confondues auront été dégagées, et rendues à leur place primitive, Dieu répandra une ignorance absolue sur le monde entier afin que tous les êtres qui le composent restent dans les limites de leur nature et qu'ils ne désirent rien qui en soit en dehors[A]. » C'est que le centre des méditations de Basilide, c'est le problème du mal et pour parler anachroniquement, la prédestination. Les doctrines qui précèdent sont trop évoluées : nous dirions décadentes. Une seule affirmation d'Hippolyte pourrait nous en faire douter. Et c'est quand il attribue à son auteur l'idée que l'âme n'a pas plus la liberté d'action que la liberté de croyance. Elle est par sa nature portée au péché et faillira immanquablement.

On aura saisi l'importance du problème du mal chez celui des gnostiques que nous connaissons le moins. Il en est de même dans toutes les sectes gnostiques[B]. On ne s'étonnera donc pas de trouver, placé au même rang, le problème si voisin de la Rédemption.

b) Marcion[C] est celui des gnostiques qui a senti le plus vivement l'originalité du Christianisme. À tel point, que du mépris de la loi judaïque, il s'est fait une morale. Marcion n'est pas un spéculatif mais un génie religieux. On ne lui connaît pas de système semblable à celui de Valentin. Il n'a fondé ni église ni école, ses livres ne sont pas originaux mais exégétiques[D]. D'une façon générale sa pensée tourne autour de trois points : 1° Dieu ; 2° la Rédemption et la personne du Christ ; 3° la Morale.

Il y a deux divinités pour Marcion : l'une, supérieure règne dans le monde invisible, l'autre, subalterne est le Dieu de ce monde. « Notre Dieu n'a pas été révélé dès le commencement, il ne l'a pas été par la création ; il s'est révélé lui-même

---

A. Cité par Amelineau, p. 135. Comparer avec les vieilles croyances égyptiennes : « Les rebelles deviennent choses immobiles pendant des millions d'années », cité par Amelineau, p. 152. — B. De Faye, *op. cit.*, conclusion pp. 460-463. — C. *In* Tertullien (*Adversus Marcionem*) ; Clément d'Alexandrie (*Stromates* III) ; Origène (*de Principiis*, lib. II, ch. IV et V) et Philaster : *Épiphane pseudo Tertullien* ; Irénée. — D. De Faye, *op. cit.*, I, 4.

en Jésus-Christ^A. C'est que le deuxième Dieu, juge cruel et belliqueux, est le dieu de l'Ancien Testament, celui qui persécutait Job pour prouver sa puissance à Satan, qui réclamait du sang et des batailles et dont la loi opprimait le peuple juif. Il n'y a là aucune influence avestique. Il ne s'agit pas de deux principes opposés et d'égale force dont la lutte soutient le monde, mais d'un Dieu et d'un démiurge entre lesquels la lutte est inégale. Ce faisant, Marcion prétendait être dans la vérité et s'appuyait sur les Évangiles (ou plutôt sur le seul évangile qu'il admît, celui de Luc) : « On ne met pas une pièce neuve sur de la vieille étoffe, ni du vin nouveau dans de vieilles outres^B. » Et encore : « Un bon arbre ne donne pas de mauvais fruits pas plus qu'un mauvais arbre de bons fruits^C. » Surtout il commentait l'« Épître aux Galates ». Et dans la continuelle opposition que Paul fait entre la Loi et l'Évangile, le Judaïsme et le Christianisme, Marcion croyait voir la preuve que les deux livres étaient inspirés par des auteurs différents. Chez Valentin aussi, nous retrouverons cette idée d'un créateur différent du Dieu unique, mais il s'agit d'une solution logique nécessitée par le problème du mal. Chez Marcion au contraire, c'est le sentiment très vif de la nouveauté du Christianisme qui fait naître cette opposition radicale. En ce sens on a eu raison de parler d'une pensée politique^D, plutôt que métaphysique, chez Marcion.

On voit déjà quelle importance va revêtir le Christ. Il n'est rien de moins que l'envoyé du Dieu suprême pour combattre le Dieu méchant, créateur du monde et délivrer l'homme de sa domination. Jésus accomplit ici-bas une mission révolutionnaire. S'il rachète nos péchés c'est qu'en eux il combat l'œuvre du Dieu cruel. Émancipateur autant que Rédempteur, il est l'organe d'une sorte de coup d'État métaphysique : « Marcion prétend qu'il y a deux Christs ; l'un est révélé au temps de Tibère par un Dieu que l'on ne connaissait pas, avec mission de sauver tous les peuples ; l'autre était destiné par le Dieu créateur à restaurer Israël et devait apparaître un jour. Il fait entre ces deux Christs autant de différence qu'entre la Loi et l'Évangile, le Judaïsme et le Christianisme^E. » À l'appui de cette singulière théorie, Mar-

---

A. *In Adv. Mar.* ch. VIII. Cf. encore *Ad. Mar.* I, 16 : « Consequens est ut duas species rerum visibilia et invisibilia duobus auctoribus deis dividant et ita suo deo invisibilia defendant[17] » et L, XVII, 1, 6. — B. *Luc*, V, 36. — C. *Luc*, VI, 43. — D. De Faye, p. 130. — E. Tertullien : *Adv. M.* IV, 6.

cion cite quantité de textes qu'il interprète dans son sens et tirés pour la plupart de l'Évangile de Luc[A18]. « Qui de vous, si son fils lui demande du pain, lui donnera une pierre. Si donc vous, tout méchants que vous êtes, vous savez donner de bonnes choses à vos enfants, combien plus votre père qui est dans les cieux donnera-t-il ce qui est bon à ceux qui le prient. » Cette étrange interprétation trouve son couronnement dans la morale. La règle de vie que propose Marcion est ascétique. Mais c'est un ascétisme d'orgueil. C'est par haine du Créateur qu'il faut mépriser les biens de ce monde : donner le moins de prise à sa domination c'est l'idéal de Marcion. De là l'ascétisme le plus extrême. Et si Marcion prêche l'abstinence sexuelle c'est parce que le Dieu de l'Ancien Testament a dit : « Croissez et multipliez. » Dans cette vue pessimiste sur le monde et ce refus orgueilleux d'accepter, court la résonance d'une sensibilité toute moderne. Aussi bien prend-elle sa source dans le problème du mal. Il considère le monde comme mauvais, mais il se refuse à croire que Dieu puisse en être l'auteur. Si sa solution tourne autour de la Rédemption, c'est qu'il envisage le rôle de Jésus de façon plus ambitieuse que les Chrétiens eux-mêmes. Il s'agit de rien de moins que la destruction complète d'une création.

c) Les deux derniers thèmes du Gnosticisme doivent être considérés comme étroitement liés. Car si l'on fait de Dieu un être incommunicable et intemporel, on ne renonce pas pour autant à lui supposer de l'intérêt pour le monde. Il faut alors expliquer ces relations entre Dieu et l'homme et, ne pouvant mettre en contact ce néant et cet infini, admettre du moins un ou plusieurs intermédiaires participant à la fois de l'infinité divine et de notre finitude. Trouver ces moyens termes, c'est à peu de chose près le grand problème des premiers siècles de notre ère. Les gnostiques n'ont point manqué de s'y attacher. Ils apportèrent même à leur mise en scène un luxe et un faste inégalés.

La première génération gnostique se contentait de considérer Dieu comme ineffable et inexprimable. Mais du moins le croyait-elle fermement. Les successeurs allèrent encore plus loin et certaines de leurs expressions font souvent penser au Brahman des « Upanishads », qui ne peut se défi-

A. V, 12-14 ; V, 27-32 ; VII, 9, 10 ; XI et XVI ; XVIII, 19.

nir que par : non, non. « Ce Dieu, dit le pseudo-Basilide, était lorsque le rien était, mais ce rien n'était pas quelqu'une des choses qui existent maintenant, et, pour parler ouvertement, simplement et sans subtilité, seul le rien existait. Or, quand je dis qu'il existait, je ne veux pas dire qu'il a réellement existé, je veux seulement montrer ma pensée[A]. » Et encore : « Celui qui parlait n'existait pas, et ce qui fut ensuite créé n'était pas davantage ; donc de ce qui n'était pas fut fait le germe du monde, c'est-à-dire cette parole qui fut prononcée par le Dieu néant : Que la lumière soit ; et c'est ce qui est écrit dans l'Évangile. Il est la lumière illuminant tout homme venant en ce monde[B]. » Ce qu'Hippolyte résume ainsi : « Ainsi Dieu non existant a fait un cosmos non existant d'éléments non existants en émettant un germe unique qui contenait tous les germes du cosmos[C]. » Mais il faut faire la part des sentiments d'Hippolyte et cette subtilité excessive n'est pas la règle chez les gnostiques. Il semble au contraire que Valentin ait eu un sentiment très vif de la nature divine. C'est seulement dans la doctrine des intermédiaires qu'il donna libre cours à son imagination.

d) Valentin est celui des gnostiques que nous connaissons le mieux[D]. Mais par contre sur sa vie nous n'avons aucun renseignement. À tel point qu'on a pu le mettre en doute. Très cohérent son système peut se répartir suivant une théologie, une cosmologie et une morale. C'est l'exemple le plus curieux de cette incarnation de mythologie dont nous parlions plus haut. Le plérôme que Valentin place entre Dieu et le monde c'est à vrai dire un olympe chrétien. Du moins chrétien d'intention, mais grec de forme et d'imagination. La philosophie de Valentin est une métaphysique en acte, une immense tragédie qui se joue du ciel à la terre et, dans l'infinité du Temps, une lutte de problèmes et de symboles, quelque chose comme le « Roman de la Rose » de la pensée gnostique.

1° Le Dieu de Valentin[E] est un Dieu incréé et intemporel. Mais, solitaire et parfait, il surabonde du fait de sa perfection. Ce faisant il crée une Dyade, celle de l'Esprit et de la

---

A. *Philosoph.* I. VII, p. 20 [VII, VIII, 22]. — B. P. 340, lignes 12-15 [VII, VIII, 22]. — C. VII, 22 [VII, IX, 24]. — D. *Philosoph. et Stromates*, XIII[19]. — E. De Faye, *op. cit.* : I, 2. Amelineau, *op. cit.* : III, 1, 2, 3, 4, 5.

Vérité. Ce couple à son tour engendre le Verbe et la Vie lesquels produisent l'Homme et l'Église. De ces six principes vont sortir maintenant le plérôme tout entier qui est composé de deux groupes d'anges ou éons, l'un de douze, l'autre de dix, c'est-à-dire en langage gnostique, la décade et la dodécade[A]. L'Esprit et la Vérité voulant glorifier la divinité créent un chœur de dix éons dont la mission est de rendre hommage à Dieu. Ce sont dans l'ordre : l'Abîme, le Mélange, Celui qui est sans vieillesse, l'Union, Celui qui est de sa propre nature, le Plaisir, Celui qui est immobile, la Mixtion, le Fils unique, la Félicité. Le Verbe et la Vie à leur tour, mais cette fois dans le but de glorifier l'Esprit agissant, créent la dodécade. Elle se compose de douze éons disposés en syzygies, c'est-à-dire en couples : mâle et femelle. Ce sont : Le Paraclet et la Foi, le Paternel et l'Espérance, le Maternel et l'Amour, la Prudence et l'Intelligence, l'Ecclésiastique et le Très Heureux, le Volontaire et la Sagesse. L'ensemble de ces éons forme le plérôme, intermédiaire entre Dieu et le monde. Mais ce qu'est ce monde et les rapports qu'il a avec cette théologie et cette aeonologie, Valentin va nous l'apprendre.

2° Il est remarquable que jusqu'ici seul le Dieu a produit sans l'aide d'un principe femelle. Lui seul est parfait. Lui seul surabonde. C'est par leur union que l'Esprit et la Vérité ou le Verbe et la Vie sont parvenus à engendrer respectivement la décade et la dodécade. Or, le dernier-né des éons, Sophia ou la Sagesse, du bas de l'échelle des principes se retourna et voulut voir Dieu[B]. Et elle connut ainsi qu'il avait créé seul. Par orgueil et par envie, elle tenta de créer seule. Mais elle ne réussit à mettre au monde qu'un être informe, celui-là même dont il est dit dans la genèse : « La terre était invisible et informe[C]. » Sophia reconnut alors avec douleur son ignorance et, pleine de crainte, se laissa aller au désespoir. Ces quatre passions constituèrent les quatre éléments du monde. Et Sophia se vit liée pour toujours à ce fœtus informe qu'elle avait engendré. Mais Dieu eut pitié d'elle et créa de nouveau un principe spécial, Horos[D] ou Limite. Celui-ci venant au secours de Sophia la réintégra dans sa nature primitive et

---

A. La dodécade consacrée à l'Esprit agissant ; la décade, nombre parfait selon les pythagoriciens, consacrée au Dieu parfait. — B. De Faye, ch. II. — C. I, 2. — D. Cf. de Faye : *op. cit.*, p. 238.

rejeta le monde hors du plérôme rétablissant ainsi l'équilibre primitif. À ce moment un démiurge intervient et ordonnant la matière il en fait le cosmos. — Utilisant les passions de Sophia, il en crée des hommes. Ces hommes se divisent en trois catégories suivant le degré de conscience qu'ils ont de leur origine[A]. Les spirituels qui aspirent à Dieu, les matériels qui n'ont aucun souvenir partant aucun souci de leurs origines, et entre les deux, les psychiques, indécis, qui vont de la vie grossière des sens aux inquiétudes les plus élevées sans savoir où se raccrocher. Mais ils portent tous la marque de leur naissance : ils ont été faits de crainte, d'ignorance et de douleur. D'où la nécessité d'une rédemption. Mais c'est l'Esprit cette fois qui, se transformant en Christ, est venu délivrer l'homme de ses germes néfastes. Les choses se compliquent encore lorsqu'on apprend que le rédempteur n'était pas Jésus. Celui-ci est né de la reconnaissance des éons à l'égard de Dieu qui avait rétabli l'ordre. Ils réunirent donc leurs vertus et offrirent en actions de grâces l'être ainsi formé à Dieu. La rédemption au contraire est une œuvre de l'Esprit saint qui a révélé aux hommes leur partie divine et qui a réalisé en eux la mort de leur élément pécheur. C'est sans doute le sens de ce texte énigmatique des « Stromates » : « Vous êtes immortels depuis le commencement ; vous êtes enfants de la vie éternelle et vous voulez vous partager la mort afin que vous la dépensiez et l'épuisiez et que la mort meure en vous et par vous. Car lorsque vous désagrégez le monde et que vous-mêmes n'êtes pas désagrégés, vous êtes maîtres de la création et de la corruption tout entière[B]. »

3° La morale de Valentin est étroitement liée à sa cosmologie. Au demeurant celle-ci n'est qu'une solution adaptée à un problème qui obsède Valentin : le mal. « J'en vins à croire à la réalité de ce qu'ont représenté les tragédies, je suis persuadé qu'elles ne mettent sous les yeux que la vérité. Je crois au désir d'Œnomaüs pendant son ivresse, je ne regarde pas comme une chose incroyable que deux frères aient pu se combattre l'un l'autre. Et je ne trouvais pas en moi la force de dire que Dieu était l'auteur et le créateur de tous ces maux[C]. » C'est donc le problème du mal qui a

---

A. Cf. Amelineau : *op. cit.*, p. 219. De Faye : *op. cit.*, p. 45. — B. XIII, 85, *ap.* de Faye : *op. cit.*, p. 42. — C. Cité par l'auteur du *Dialogue contre les Marcionites*, Amelineau : *op. cit.*, p. 230.

orienté Valentin vers ces spéculations. Et la conclusion qu'il tire de sa cosmologie est toute simple : il n'y a pas de liberté dans l'âme humaine par suite de la faute de Sophia. Seuls seront sauvés ceux qui reprennent conscience de leurs origines : les gnostiques ou spirituels. Le salut est contemporain de la connaissance. Quant aux psychiques, ils peuvent être sauvés mais il faut s'en remettre à l'arbitraire divin.

C'est par là que la pensée de Valentin rejoint le fond commun à tous les gnostiques. Mais à son tour son aeonologie et sa cosmologie devaient connaître un très grand succès dans la foule de petites écoles où s'achève le Gnosticisme et qu'il nous reste à caractériser brièvement pour compléter notre étude du Gnosticisme.

Si l'on adopte la classification qui semble la mieux avertie, celle de M. de Faye, les thèmes que nous venons de parcourir se retrouvent dans trois groupes d'écoles : un groupe étudié par les haeréséologues et que l'on peut appeler les Adeptes de la Mère ; puis, et par l'intermédiaire de ces derniers, ces thèmes sont repassés à des gnostiques dont la plupart sont mentionnés dans les « Philosophumena » et au groupe de gnostiques coptes dont le « Papyrus » de Bruce et la « Pistis Sophia » nous donnent une image fidèle. Filiation toute théorique d'ailleurs, car, s'il est vrai qu'en gros les Adeptes de la Mère précèdent dans le temps les deux derniers groupes, chacune des trois écoles est composée d'un si grand nombre de sectes qu'il est probable qu'elles se sont chevauchées et qu'elles ont entrecroisé leurs thèmes. Mais la filiation intellectuelle est réelle et aussi bien les nécessités de l'exposition rendent cette classification indispensable. Nous nous bornerons au reste à des indications et à des textes pour compléter notre tableau de la pensée gnostique.

Les Adeptes de la Mère sont ainsi nommés parce qu'ils admettent à peu près tous un principe femelle à l'origine du monde. Mais à l'intérieur même de cette rubrique, on peut comprendre les Barbelognostiques (Barbelo est le nom du principe femelle), les ophites dont parle Hippolyte et les « gnostiques » d'Irénée. Ils insistent pour la plupart sur la rivalité du principe premier, la Mère, et d'un principe mâle ou Iadalboath. Celui-ci créa l'homme et la mère corrigea ce que cette création avait de désastreux en mettant dans l'homme un germe divin. Par là, s'introduisait l'histoire classique de la Rédemption suivant des thèmes valentiniens.

Les « Philosophumena » citent et commentent un grand

nombre de gnostiques qu'il serait vain de vouloir reprendre un par un pour retrouver des idées déjà rencontrées. Le plus simple sera de citer quelques textes qui, par leur bizarrerie où leurs curieuses intentions, illustreront en quelque sorte les doctrines de Valentin, Basilide ou Marcion, comme un pastiche délivre souvent l'esprit d'une œuvre. Ils nous donnent en même temps une idée très précise d'une façon de penser assez commune à cette époque, étrange, souvent condamnée mais quelquefois suggestive.

Les Naassènes[A] accusent le pessimisme à l'égard du monde et raffinent sur la théologie : « C'est le Dieu dont parle un Psaume, qui habite le déluge et qui du sein de la multitude des eaux élève la voix et crie. Les eaux, c'est le lieu où sont les générations multiples et variées des hommes mortels. De là il crie vers l'homme qu'aucune forme ne définit, il dit : " Délivre ton fils unique des lions. " C'est à lui que s'adresse cette parole : " Tu es mon fils Israël, ne crains pas lorsque tu traverses les fleuves, ils ne te submergeront pas ; si tu traverses le feu, il ne te consumera pas[B]. " »

Les Pérates insistent sur la Rédemption et la font consister dans une attirance que le Fils exerce sur tout ce qui a une ressemblance avec le Père. C'est la théorie des Empreintes « … comme il a emporté d'en haut les empreintes du Père, de même réciproquement il emporte d'ici là-haut ces empreintes du Père lorsqu'elles ont été réveillées[C]. »

Pour les Sethiens le monde supérieur est celui de la lumière et le nôtre celui des ténèbres. Et c'est ainsi qu'ils illustrent notre recherche de la divinité : « L'image de ces choses, c'est la pupille de l'œil. D'une part, elle est sombre, ce sont les liquides sous-jacents qui l'enténèbrent, d'autre part un pneuma l'illumine : comme les ténèbres de la pupille s'attachent à cette clarté et voudraient la garder et se l'asservir afin de voir, de même la lumière et l'esprit recherchent avec ardeur leur vertu égarée dans les ténèbres[D]. » Justin, le gnostique dont parle Hippolyte, est plutôt un chef de confrérie religieuse. La symbolique sexuelle tient une grande part dans ses spéculations. C'est ainsi qu'il y a trois parties dans le monde : le Dieu Bon, Élohim le père créateur, Éden sa femme qui figure le monde. La tragédie naît de ce qu'Élohim, attiré par le Dieu Bon, abandonne Éden. Celle-ci

---

A. C'est du moins le nom que leur donne E. de Faye. — B. V, 8 [V, III, 80-83]. — C. V, 16 [V, XI-XII, 188]. — D. V, 15 [V, XIV, 198].

pour se venger crée l'homme mauvais. D'où la nécessité de la Rédemption. « Élohim s'écrie : " Ouvrez-moi les portes afin que j'entre et que je voie le Seigneur. Car je croyais jusqu'ici être le Seigneur. " Au sein de la lumière se fait entendre une voix qui disait : " Voici la porte du Seigneur, les Justes la franchiront. " Aussitôt la porte s'ouvre et le Père, sans les anges, y entre et va vers le Bon. Et il contemple les choses que l'œil n'a point vues et que l'oreille n'a pas entendues et qui ne sont point montrées au cœur de l'homme. Alors le Bon lui dit : " Assieds-toi à ma droite[A]. " »

On peut enfin noter un gnostique docète aux idées assez obscures qui décrit ainsi la Rédemption : « Voici comment le Fils Monogène voyant d'en haut les idées transmuées en des corps ténébreux voulut les sauver. Sachant que même les éons ne pourraient soutenir la vue du plérôme tout entier, mais que frappés de stupeur, ils en deviendraient mortels et périraient, il se contracta lui-même et réduisit son éclat au plus petit volume ; je devrais dire qu'il se fit petit comme la lumière sous les paupières ; puis il s'avança jusqu'au ciel visible : il toucha les astres qui s'y trouvent et de nouveau se replia sous les paupières… Ainsi est venu dans le monde le Monogène, sans éclat, inconnu, sans gloire : on n'a même pas cru en lui[B]. »

Si nous ajoutons à cette énumération un certain Monoïmus l'Arabe, néopythagoricien et jongleur de chiffres, nous aurons une idée assez juste de la variété des sectes et des idées.

Notons seulement ici les doctrines du « Papyrus » de Bruce et de la « Pistis Sophia » qui reproduisent tous deux des entretiens de Jésus, où les thèmes classiques sont largement développés et où il est expliqué que posséder la gnose, c'est savoir « le pourquoi de la lumière et des ténèbres, chaos, trésor de lumières, péché, baptême, colère, blasphème, injures, adultères, pureté, superbe, vie, médisance, obéissance, humilité, richesse et esclavage[C] ».

À ce prix nous aurons encore laissé de côté les disciples directs de Valentin, Héracléon et Ptolémée, Apelle disciple de Marcion, Marcos et ses adeptes, les gnostiques licencieux. On voit alors la richesse d'un mouvement trop souvent

---

A. Cité par de Faye : *op. cit.*, p. 191. — B. Cité par E. de Faye : *op. cit.*, p. 217. — C. Cité par de Faye, p. 269.

dédaigné. Il nous reste maintenant à démêler, dans cet
ensemble d'affirmations soit émouvantes, soit simplement
curieuses, les apports étrangers.

LES ÉLÉMENTS DE LA SOLUTION GNOSTIQUE

Cette métaphysique qui s'incarne tout le long du temps
garde son éloquence. Mais elle ne peut prétendre à l'originalité.

Il semble que dans le Gnosticisme le Christianisme et
l'Hellénisme se sont rencontrés sans pouvoir s'assimiler et
ont juxtaposé les thèmes les plus hétéroclites.

Notre tâche, ici, sera de répartir aussi schématiquement
que possible les apports extérieurs.

a) Un grand nombre de thèmes semblent venir de Platon
ou du moins de la tradition qu'il représente. Émanation des
intelligences du sein de la Divinité, égarement et souffrances
des esprits éloignés de Dieu et engagés dans la matière,
anxiété de l'âme pure liée à l'âme irrationnelle dans les psychiques, régénération par le retour aux sources premières,
tout cela est purement grec. Horos, au nom significatif, faisant rentrer Sophia dans les limites de sa nature est typique
à cet égard.

La notion d'ordre et d'harmonie, la Grèce l'introduisait
en morale comme en esthétique. Si Prométhée a souffert
c'est qu'il est sorti de sa nature d'homme. Sophia a fait de
même et c'est en réintégrant la place qui lui était désignée
qu'elle retrouve la paix.

b) Le Gnosticisme a pris par ailleurs au Christianisme
l'essentiel de ses dogmes. Il s'est contenté d'en jouer. Pourtant tout système gnostique est accompagné de quelques
idées sur la résonance desquelles nous ne pouvons nous
tromper. La préoccupation de tous nos auteurs, c'est le
problème du mal, nous l'avons vu chez Basilide, Marcion
et Valentin. De là leur effort pour expliquer également la
Rédemption.

Une autre influence moins nette, mais aussi vraie, c'est
le sens de l'histoire, c'est-à-dire cette idée que le monde
marche vers un but comme il a été la conclusion d'une tragédie. Le monde est un point de départ. Il a été un commen-

cement. Les vérités ne sont pas à contempler. Nous les jouons plutôt et avec [elles] notre salut. L'influence chrétienne ici réside moins dans un ensemble de doctrines que dans un état d'esprit et une orientation. Dans aucune doctrine ce qu'il y a d'irréductible dans l'homme n'a pris une telle valeur explicative.

c) Mais à ces influences s'ajoutaient des éléments très divers, par là même moins saisissables et sur lesquels nous nous étendrons un peu plus, ce qui précède ayant reçu une illustration dans nos exposés sur les doctrines.

1° Dans cette notion d'une science supérieure qui constitue la gnose, on peut aussi voir l'influence des mystères. Nous avons déjà défini l'initiation comme l'union de la connaissance et du salut. C'est le même problème que nous retrouvons ici. Un « spirituel » ferait siens ces vers orphiques retrouvés sur des tablettes d'or à Crotone : « Je me suis enfuie du cercle des peines et des tristesses et maintenant je m'avance vers la reine des lieux souverains, la sainte Perséphone et les autres divinités de l'Hadès. Je me glorifie d'appartenir à leur race bienheureuse. Je leur demande de m'envoyer dans la demeure des innocents pour y recevoir le mot sauveur : Tu seras déesse et non plus mortelle[A]. »

2° Une coïncidence plus suggestive est celle qui relie les gnostiques à Philon. Celui-ci parfois vaticine comme un initié : « Que les hommes bornés se retirent, les oreilles bouchées. Nous transmettons des mystères divins à ceux qui ont reçu l'initiation sacrée, à ceux qui pratiquent une piété véritable, qui ne sont pas enchaînés par le vain apparat des mots ou le prestige des païens[B]. »

Et ceci, plus significatif encore : « Ô vous initiés, vous dont les oreilles sont purifiées, recevez cela dans votre âme comme des mystères qui n'en doivent jamais sortir. Ne le révélez à aucun profane ; cachez-le et gardez-le dans vous-même, comme un trésor qui n'est point corruptible, à l'instar de l'or et de l'argent, mais qui est plus précieux que toute autre chose, puisque c'est la science de la grande cause de la vertu et de ce qui naît de l'une et de l'autre[C]. »

A. *In* Toussaint : *Saint Paul et l'Hellénisme*, chap. I. — B. De Cherubin, pp. 115-116 ; Matter : *Histoire du Gnosticisme*, I, chap. V. — C. M. Matter, *id.*

Dès lors on ne s'étonnera pas de rencontrer chez les gnostiques un assez grand nombre de thèmes chers à Philon : l'Être suprême, foyer de lumière qui rayonne à travers l'univers[A], la lutte de la lumière et des ténèbres pour la domination du monde, la création du monde par êtres intermédiaires, le monde visible comme image du monde invisible, le thème (capital chez Philon) de l'image de Dieu comme pure essence de l'âme humaine, la délivrance enfin assignée comme but à l'existence humaine[B].

3º Enfin il est possible de reconnaître au sein des doctrines gnostiques l'influence d'un certain nombre de spéculations orientales et tout particulièrement du Zend-Avesta. Le Zoroastrisme, d'ailleurs, du fait de l'exil des Juifs, de la protection que Cyrus leur accordait et de la bienveillance qu'il portait au Zend-Avesta, a joué un rôle considérable dans l'évolution d'idées aux premiers siècles de notre ère.

Les Ameshas Spentas et les Yazatas, qui mènent la lutte contre les mauvais démons, constituent eux aussi un plérôme, intermédiaire entre Dieu et la Terre. Et Ahura Mazdah a tous les caractères du Dieu infini gnostique.

Ces indications suffisent pour mettre à jour la complexité du Gnosticisme. On voit de quelles bigarrures étincelait cette hérésie chrétienne. Encore faut-il tenter de résumer nos investigations en quelques caractères généraux.

CONCLUSION
LE GNOSTICISME DANS L'ÉVOLUTION DU CHRISTIANISME

« ... au lieu d'actes éternels de volonté divine, des coups de théâtre ou des initiatives passionnées ; les fautes remplaçant les causes ; à la place de l'union de deux natures dans la personne du Christ incarné, la dispersion des parcelles divines dans la matière ; au lieu d'histoire, une suite d'actes sans lien ; l'enchevêtrement du charnel et du spirituel ; et, pour tout résumer, au lieu de la distinction de l'éternité et du

A. Cf. Bréhier : *Les Idées philosophiques et religieuses de Philon d'Alexandrie*. Part. 2 : « Dieu, les Intermédiaires et le Monde ». — B. *Id.* III Part. « Le culte spirituel et le progrès moral ».

temps, un temps saturé d'influences éternelles et une éternité traversée, scandée de tragédies[A]. »

On ne saurait mieux résumer l'esprit du Gnosticisme :
s'étendant sur plus de deux siècles, il ramasse toutes les idées
qui traînent dans l'époque pour en former un monstrueux
Christianisme, tissé de religions orientales et de mythologie
grecque. Mais que cette hérésie fût chrétienne, on ne peut
en douter à certaine résonance plus rauque, qui court entre
les lignes. C'est le mal qui obsède les gnostiques. Ils sont
tous pessimistes à l'égard du monde. C'est avec une très vive
ferveur qu'ils s'adressent au Dieu qu'ils font pourtant inaccessible. Mais le Christianisme tire de cette émotion incalculable en face de la divinité l'idée de sa toute-puissance et
du néant de l'homme. Le Gnosticisme voit dans la connaissance un moyen de salut. En cela il est Grec car il veut que
ce qui illumine, régénère du même coup. Ce qu'il élabore,
c'est une théorie grecque de la grâce.

Historiquement, il montre au Christianisme la voie à ne
pas suivre. C'est à cause de ses excès que Tertullien et Tatien
freinent le Christianisme dans sa marche vers la Méditerranée. C'est un peu à cause de lui que la pensée chrétienne
ne prendra aux Grecs que leurs formules et leurs cadres de
pensée — non leurs postulats sentimentaux irréductibles à la
pensée évangélique ou capables de s'y juxtaposer, mais sans
la moindre cohérence. On s'explique peut-être déjà que le
Christianisme, implanté dans le monde gréco-romain de la
fin du Ier siècle, n'ait pris son essor définitif qu'au milieu du
IIIe siècle. On comprend aussi l'importance que nous avons
accordée aux doctrines gnostiques au regard de l'évolution
que nous voulons retracer. Le Gnosticisme nous montre
une des combinaisons gréco-chrétiennes qui furent possibles. Il marque un stade important, une expérience qu'on
ne pouvait passer sous silence.

Les excès même nous font mieux sentir ce qui risquait de
se perdre dans le détail et les nuances. Cette ivraie vivace, le
Christianisme l'a pourtant combattue sans merci. Mais c'est
qu'il est plus dur de se débarrasser de ses faux enfants que
de ses ennemis. Et c'est aussi que, par un sens singulier de
l'Histoire, les Pères ont paru comprendre quelle œuvre allait
être compromise dans de pareils excès, pour émouvants
qu'ils fussent souvent : la marche du Christianisme vers le

A. J. Guitton : *Le Temps et l'Éternité chez Plotin et Saint Augustin*, chap. II, p. 27.

rôle qui lui était destiné. Mais laissons la pensée chrétienne arrivée à ce tournant de son histoire. Parallèlement à elle la métaphysique alexandrine se cristallisait à cette époque dans le Néoplatonisme et le matériel dont usera la dogmatique chrétienne est en train de s'élaborer. Ainsi se prépare, dans des directions différentes, cette seconde révélation que fut la doctrine augustinienne.

CHAPITRE TROISIÈME

LA RAISON MYSTIQUE

I. LA SOLUTION DE PLOTIN

Au regard de notre sujet, une étude de Plotin est intéressante à un double titre. Pour la première fois le problème sur lequel se joue le sort du Christianisme est nettement posé. Et de plus la synthèse plotinienne fournit à la pensée chrétienne, non pas une doctrine (selon certains auteurs) mais une méthode et une façon de voir les choses. Le système plotinien se détache, en effet, sur un fond d'aspirations religieuses et mystiques commun à toute l'époque. Il emprunte même souvent le langage des mystères[A]. Et c'est la passion de Dieu qui l'anime[B]. Mais aussi bien Plotin est un Grec. Et bien décidé à l'être puisqu'il ne veut être qu'un commentateur de Platon[C]. En vain d'ailleurs. Son âme du monde est stoïcienne. Son monde intelligible vient d'Aristote. Et sa synthèse garde un accent tout personnel. Mais il reste qu'il a le goût de l'explication rationnelle des choses. Et c'est en cela que sa tragédie personnelle reflète aussi le drame de la métaphysique chrétienne. Il s'inquiète de la destinée de l'âme[D] mais il veut aussi, à la suite de son maître, faire rentrer le devenir dans des formes intellectuelles[E]. Le matériel

---

A. Comparer *Enn.* I, « … seuls l'obtiennent … ceux qui se dépouillent de leurs vêtements… » et la description du voyage de l'âme dans les mystères de Mithra ; M. Cumont : *Les Mystères de Mithra*, pp. 114 et *sq.* — B. Cf. Árnou : *Le Désir de Dieu dans la philosophie de Plotin*. — C. III, 7, 13 ; V, 1, 9. — D. Cf. I, 1, 12 : « L'âme ne peut pécher. Pourquoi alors les châtiments ? » — E. I, 2, 2 : « Car un être devient meilleur parce qu'il se limite et parce que, soumis à la mesure, il sort du domaine des êtres privés de mesure et de limite. »

conceptuel n'a pas changé chez Plotin ; seul, le sentiment s'affaire à de nouvelles recherches. Tout le parfum du paysage plotinien est là : un certain tragique dans cet effort pour couler le sentiment dans les formes logiques de l'idéalisme grec. De là encore, et du point de vue du style, cette lenteur, cette avance par degrés, cette maîtrise apparente qui naît plutôt d'une entrave librement acceptée. Et puis aussi l'originalité profonde de cette solution et la grandeur de l'entreprise. Car, à bien voir, Plotin se propose de faire avec les seules ressources de la philosophie grecque et sans le recours de la Foi, ce que dix siècles de Christianisme ont réussi à grand-peine.

Ceci explique une sorte de miroitement dans la pensée de notre auteur. À vrai dire, chaque doctrine plotinienne révèle un double aspect dont la coïncidence détermine précisément une solution au problème que nous avons signalé ci-dessus. Cette solution c'est la confusion de la destinée de l'âme et de la connaissance rationnelle des choses. Il en est ici comme en psychanalyse : le diagnostic coïncide avec le traitement. Révéler, c'est guérir et connaître l'un, c'est réintégrer sa patrie. « Les démonstrations qu'on en donne (du Bien) sont aussi des moyens de s'élever jusqu'à lui[A]. »

C'est par ce biais que nous aborderons l'étude de Plotin. Nous tenterons de retrouver ce double aspect dans chacun des moments de sa doctrine. Mais remarquons déjà combien sa solution dépend de la conception qu'il se fait de la Raison. Connaître, c'est adorer selon la Raison. La science est une contemplation et un recueillement intérieur, non une construction. Le Rationalisme de Plotin est certes basé sur l'explicabilité du monde. Mais avec quelle infinie souplesse. Les principes ou hypostases qui sous-tendent cette explicabilité ne valent que dans un perpétuel balancement qui les mène de l'explication cosmologique à l'état de grâce particulier que chacun d'eux représente. Dans un sens ils marquent l'ordre d'une procession et dans l'autre ils montrent le chemin d'une conversion. En une certaine mesure la Raison plotinienne est déjà le « cœur » de Pascal. Mais cela ne veut pas dire qu'on puisse le rapprocher d'une pensée chrétienne car cette conception de la Raison, à être basée sur la contemplation, s'inscrit dans une esthétique : aussi bien qu'une pensée religieuse, la philosophie de Plotin est un

point de vue d'artiste. Si les choses s'expliquent c'est que
les choses sont belles. Mais cette extrême émotion qui saisit
l'artiste devant la beauté du monde, Plotin la transporte dans
le monde intelligible. Il admire l'univers au détriment de la
nature. « Tout ce qui ici-bas vient de là-haut, est plus beau
dans le monde supérieur[A]. » Ce n'est pas l'apparence que
Plotin recherche mais plutôt cet envers des choses qui est
son paradis perdu. Et cette patrie solitaire du sage, chaque
chose ici-bas s'en fait le vivant rappel. Voilà pourquoi Plotin décrit l'intelligence de façon sensuelle[B]. Sa Raison est
vivante, étoffée, émouvante comme un mélange d'eau et de
lumière : « ... comme une qualité unique, qui a et conserve
en elle toutes les autres, une douceur qui serait en même
temps une odeur, en qui la saveur du vin s'unirait à toutes
les autres saveurs et toutes les autres couleurs ; elle a toutes
les qualités qui sont perçues par le tact et aussi toutes celles
qui sont perçues par l'oreille puisqu'elle est toute harmonie
et tout rythme[C]. » C'est donc avec sa sensibilité que Plotin se
saisit de l'intelligible.

Mais ceci qui pourrait faire croire à un point de contact
entre Christianisme et Néoplatonisme nous apparaît au
contraire comme une des oppositions irréductibles. Car tout
jouer sur la contemplation ne vaut que pour un monde
éternel et harmonieux une fois pour toutes. Et de fait, pour
Plotin il n'est pas d'Histoire. Mais pour un Chrétien l'art ne
suffit pas. Le monde se déroule suivant une mise en scène
divine ; et se rénover c'est s'incorporer dans le mouvement
de cette tragédie. Le coup de théâtre de l'Incarnation n'a
aucun sens pour Plotin. Opposition qui va plus loin encore.
Pour un Chrétien qui sépare la Raison de la Beauté, le Vrai
du Beau, la Raison est réduite à son rôle de législatrice
logique. Et les conflits deviennent possibles entre la Foi et
la Raison. Pour un Grec, ces conflits ont moins d'acuité,
car la Beauté qui est à la fois ordre et sensibilité, économie
et objet de passion, demeure un terrain d'entente : « Il en est
qui voyant l'image de la beauté sur un visage sont transportés dans l'intelligible ; d'autres ont une pensée trop pares-
seuse et rien ne les émeut ; ils ont beau regarder toutes les
beautés du monde sensible, ses proportions, sa régularité, et

A. V, 8, 7. — B. Cf. encore l'abus d'une « Métaphysique de la Lumière »
chez Plotin. La Lumière c'est ce qui est la limite du corporel et de l'incorporel.
— C. VI, 7, 12.

le spectacle qu'offrent les Astres malgré leur éloignement, ils ne songeront pas, saisis d'un respect religieux, à dire : " Que c'est beau, et de quelle beauté doit venir leur beauté. " C'est qu'ils n'ont compris ni les choses sensibles ni les êtres intelligibles[A]. » On a déjà reconnu ce passage. Il est dirigé contre les gnostiques chrétiens.

A. *L'Explication rationnelle selon la procession*

a) Si le monde est beau, c'est que quelque chose y vit. Mais c'est aussi que quelque chose l'ordonne. Cet esprit qui l'anime c'est l'âme du monde. Le principe supérieur qui limite cette vie dans des cadres déterminés, c'est l'intelligence. Mais l'unité d'un ordre est toujours supérieure à cet ordre. Il y a donc un troisième principe supérieur à l'Intelligence et qui est l'Un. Raisonnons en sens inverse. Il n'y a pas d'être qui ne soit un[B]. Or il n'y a pas d'unité sans forme et sans logos, le logos étant justement le principe d'unité. C'est dire encore qu'il n'y a pas d'être sans âme puisque le logos est l'acte nécessaire de l'âme. Dans le premier sens nous avons découvert trois degrés dans l'explication du monde ; dans le second, trois étapes de l'approfondissement du Moi. Ces deux démarches coïncident[C]. La Réalité métaphysique c'est la vie spirituelle considérée en elle-même. L'une est objet de connaissance, l'autre d'ascèse intérieure. Mais où les objets coïncident, les méthodes se rencontrent. Connaître c'est un peu revenir à « l'interior intimo meo[20] ». La connaissance n'est pas un acquis, mais un effort et un désir, en un mot une évolution créatrice. De là encore le caractère divin des principes métaphysiques. L'un, l'Intelligence et l'âme du monde, le premier dans sa plénitude, les deux autres comme en reflet, expriment la même divinité. Comment cette unité et cette multiplicité se concilient, on le voit dans la procession de trois hypostases. Celle-ci qui sous-tend l'explication rationnelle du monde trouve naturellement son égale dans la conversion qui est le mouvement même de l'âme à la recherche de ses origines[D].

A. II, 9, 16. — B. VI, 9, 1. — C. Cf. surtout ce passage : pour le rôle religieux des hypostases : V, I, Des 3 hypostases. Cf. sur leur valeur explicative : V, 3, Des hypostases qui connaissent. — D. V, 1, 6 : « Tout être engendré désire et aime l'être qui l'a engendré. »

Indiquons seulement le mouvement de cette procession, nous réservant d'observer en détail chacun de ses moments.

« Tous les êtres d'ailleurs, tant qu'ils subsistent, produisent nécessairement autour d'eux, de leur propre essence, une réalité qui tend vers l'extérieur et dépend de leur pouvoir actuel… ainsi le feu fait naître de la chaleur et la neige ne garde pas en elle-même tout son froid[A]. »

Dieu lui-même en tant qu'il est substance parfaite et intemporelle surabonde. Il crée l'intelligence et de celle-ci sortira l'âme du Monde.

C'est ainsi que l'Intelligence et l'Âme sont et ne sont pas l'Un. Elles le sont dans leur origine et non dans leur aboutissement où elles se fragmentent, l'une en dualité, l'autre en multiplicité. « L'un est toutes les choses et il n'est aucune d'entre elles ; principe de toutes choses car toutes font en quelque sorte retour à lui ; ou, plutôt à son niveau, elles ne sont pas encore mais elles seront[B]. »

On voit ici comment la notion de procession s'oppose à celle de création : celle-ci séparant le ciel et le créateur, celle-là les unissant dans le même mouvement doux de la surabondance. Mais cette émanation divine ne prend forme que lorsque l'Intelligence, issue de Dieu, se retourne vers lui et en reçoit le reflet et lorsque l'âme à son tour contemple le soleil intelligible et en est illuminée. C'est donc par la contemplation de l'hypostase supérieure que chaque principe se réalise pleinement[C]. Dieu ne fait ici que susciter ses admirateurs. Mais ceci, à peine noté, demande à être repris dans le détail.

b) *La Première Hypostase.* Mettons-nous de suite en face de l'ambiguïté déjà signalée dans la notion de l'Un. Il est à la fois principe rationnel d'explication et désir de l'âme. Platon dit que le Bien est la plus grande des sciences : il entend par science, non pas la vision du Bien, mais la connaissance raisonnée que nous en avions avant cette vision.

Ce qui nous en instruit ce sont les analogies, les négations, la connaissance des êtres issus de lui et leur gradation ascendante. Mais ce qui nous mène jusqu'à lui ce sont nos purifications, nos vertus, notre ordre intérieur…

Ainsi l'on devient contemplateur de soi-même et des autres choses et en même temps objet de sa contemplation ;

A. V, I, 6. — B. V, 2, I. — C. V, I, 6 ; V, 2 ; V, 3, 4.

et, devenu essence, intelligence et animal total on ne voit plus le bien de l'extérieur[A].

Remarquons-le, ces deux aspects ne sont pas coexistants, mais identiques. Ce qui fait que la première hypostase est principe d'unité, c'est qu'on la contemple[B]. Dans l'instant même où nous regardons une étoile, elle nous définit et nous limite dans une certaine mesure. Et dire que l'Un est le principe de toutes choses c'est dire que la contemplation est la seule réalité.

Si l'on cherche maintenant à définir cet Un, on se heurte à bien des difficultés.

1° D'abord il n'est rien, n'étant pas distinct, étant unité pure. Mais il est tout, comme principe de toutes choses. Certes, il est le Beau et le Bien tout ensemble[C]. Mais ce ne sont pas des définitions. Ce sont des manières de parler qui ne l'engagent pas. Car à bien voir il n'est qu'un néant ou, au plus, un point de convergence[D]. Mais au fond la difficulté n'est pas là. Cet Un qui contenait toute la réalité contractée en lui, pourquoi a-t-il créé et surtout comment cette unité s'est faite multiplicité.

2° L'un étant parfait surabonde et cette surabondance produit une chose différente de lui ; la chose engendrée se retourne vers lui ; elle est fécondée ; et, en tournant son regard sur elle-même, elle devient intelligence ; son arrêt, par rapport à lui, la produit comme être ; et son regard tourné vers elle-même comme intelligence. Et puisqu'elle s'est arrêtée pour se regarder elle-même, elle devient à la fois intelligence et être[E]. L'un produit donc comme le feu cède sa chaleur ou une fleur son parfum. Et c'est en tant qu'objet de contemplation qu'il donne à l'intelligence les formes dont elle s'habille[F]. Mais comment admettre que l'un soit épars dans la multiplicité des Intelligibles. Là se place la vraie difficulté et le centre du système plotinien. Car ce problème se relie à celui, non moins important, de la Trans-

---

A. VI, 7, 35. — B. III, 8, 10. — C. I, 6, 6 : « Il faut donc rechercher par des moyens analogues le Bien et le Beau, le Laid et le Mal. Il faut poser d'abord que la Beauté est aussi le Bien. » — D. VI, 8, 9 ; V, 1, 6. — E. VI, 2 [VI, 9, 2]. — F. Cf. encore VI, 7, 16. « Au moment où la vie dirige sur lui ses regards, elle est illimitée ; une fois qu'elle l'a vu, elle se limite » … « Ce regard vers l'Un apporte immédiatement en elle la limite, la détermination et la forme… ; cette vie qui a reçu une limite c'est l'Intelligence. »

cendance ou Immanence divine, et à ceux qui posent les rapports entre Intelligence et intelligibles, ou Âme du monde et âmes individuelles. Et c'est ici que précisément intervient une certaine façon de voir, particulière à Plotin, et que nous aurons à définir au terme de notre étude.

À certains moments, il se contente de décrire le mécanisme de l'opération : « Le Bien est principe. C'est de lui que l'Intelligence tient les êtres qu'elle produit. Quand elle les regarde il n'est pas plus permis à l'Intelligence de ne rien penser que de penser ce qui est en lui ; sinon elle n'engendrerait pas. De l'Un, elle tient la puissance d'engendrer et de se rassasier des êtres qu'elle engendre ; il lui donne ce qu'il ne possède pas lui-même. *De l'Un naît pour l'Intelligence une multiplicité : incapable de contenir la puissance qu'elle reçoit de lui, elle la fragmente et la multiplie, afin de pouvoir la supporter ainsi, partie par partie*[A]. » Mais si, de la description, Plotin passe à l'explication, il a recours à des images. Comment l'Un peut-il, à la fois, être et ne pas être dispersé dans la multiplicité. Comme l'arbre est dispersé dans ses branches sans s'y trouver tout entier[B], comme la lumière se divise entre les rayons qu'elle émet sans pour autant s'y rassembler[C], comme le feu émet de la chaleur et la communique par sympathie[D], comme enfin d'une source peuvent naître des fleuves qui rouleront jusqu'à la mer des eaux différentes et pourtant semblables[E]. Autrement dit, le principe de contradiction pourrait jouer s'il s'agissait d'une création, mais sous la catégorie de procession, c'est à un autre principe qu'il faut faire appel, fort semblable au reste à ce principe de participation que M. Lévy-Bruhl attribue seulement aux mentalités primitives. Mais c'est à l'intérieur du monde intelligible qu'il faut tenter de comprendre maintenant cette solution particulière.

c) *La Deuxième Hypostase.* Dans le plan rationnel où nous tentons ici de nous tenir à peu près exclusivement, c'est l'Intelligence qui est douée du plus grand pouvoir explicatif. La théorie d'ailleurs n'en est pas bien fixée. On peut d'abord noter un double aspect déjà classique pour nous. L'Intelligence est un principe métaphysique mais demeure une étape dans le rapatriement de l'âme. Par le premier aspect, elle s'identifie au monde des Idées platoniciennes. Mais à l'intérieur même de cette dernière notion, on peut déceler trois

A. VI, 7, 15. — B. V, 2, fin. — C. V, 1, 6. — D. V, 4, 1. — E. III, 8, 10.

interprétations juxtaposées de la deuxième hypostase. L'Intelligence est en premier lieu une sorte d'art intuitif qui se réfléchit sur le cristal du monde, comme l'art du statuaire se devine dans une glaise même ébauchée. En second lieu, elle est le modèle parfait sur lequel se moulent les Formes. Et c'est enfin un Dieu, ou plutôt un démiurge qui a informé la matière. Mais gardons-nous d'exagérer cette diversité d'interprétation. Et prenons ici la notion d'Intelligence dans son sens le plus large du Monde des idées. Dès cet instant un problème s'impose qui est le proche parent de celui que nous envisageons dans la théorie de l'Un. Comment l'Intelligence s'épanche-t-elle dans les intelligibles ? Ceux-ci sont-ils différents de celle-là, ou sont-ils à l'intérieur de la forme qui leur est commune ?

La solution de Plotin, c'est la transparence. Les intelligibles sont dans l'Intelligence mais leurs rapports ne sont pas de ceux qu'une logique courante accepterait. Comme ces diamants qu'une même eau remplit, dont chaque éclat se nourrit de feux qui jouent aussi dans d'autres faces, de sorte que cette même lumière infiniment répétée ne se définit que par ces feux mais en même temps ne saurait s'y résumer, ainsi l'Intelligence répand son éclat dans les intelligibles qui sont en elle, comme elle en eux, sans qu'on puisse dire ce qui d'elle est à eux, et d'eux à elle : « Tout est transparent, rien d'obscur ni de résistant ; tout être y est visible à tout être jusque dans son infinité ; il est une lumière pour une lumière. Tout être a en lui toutes choses et voit toutes choses en autrui. Tout est partout. Tout est tout. Chaque être est tout. Là-bas, le soleil est tous les astres et chacun d'eux est le soleil... Un caractère différent ressort en chaque être mais tous les caractères s'y manifestent... Ici-bas une partie vient d'une autre partie, et chaque chose est fragmentaire : là-bas chaque être vient à chaque instant du tout et il est à la fois particulier et universel[A]. » De ceci il ressort que l'Intelli-

A. II, 8, 4 [V, 8, 4]. De même nous citons en note, pour sa longueur, un texte suggestif, et par l'image et par le sens, sur cet aspect de la pensée plotinienne. VI, 8, 9 [V, 8, 9] : « Supposez que dans notre monde visible chaque partie reste ce qu'elle est sans confusion, mais que toutes se rassemblent en une, de telle sorte que si l'une d'entre elles apparaît, par exemple la sphère des fixes, il s'ensuit immédiatement l'apparition du soleil et des autres astres ; l'on voit en elle, comme sur une sphère transparente, la terre, la mer et tous les animaux ; effectivement alors, on y voit toutes choses. Soit donc, dans l'âme, la représentation d'une telle sphère. Gardez-en l'image et représentez-vous une autre sphère pareille en faisant abstraction de sa masse ; faites abstraction

gence porte en elle toute la richesse du monde intelligible. Connaître pour elle est tout entier dans se connaître — et par là connaître l'un. C'est dans cette idée que se trouve l'Unité de la deuxième hypostase en quelque sens qu'on l'envisage. Mais ici même la pensée change de plan pour entrer dans la conversion et l'ascèse intérieure, dont nous ne tenons pas compte encore. Notons seulement que dans l'idéal l'Intelligence marque un état où l'objet s'identifie au sujet, où la pensée pure n'est que pensée d'elle-même. C'est par une concentration progressive, par une plongée en soi que l'Intelligence se saisit de sa richesse intérieure. Veut-on aller plus loin ? C'est à une image encore que Plotin fait appel : « Dans la figure unique de l'Intelligence qui est comme une enceinte, se trouvent des enceintes intérieures qui limitent d'autres figures ; il s'y trouve des puissances, des pensées et une subdivision qui ne va pas en ligne droite mais la divise intérieurement, comme un animal universel qui comprend d'autres animaux puis d'autres encore jusqu'aux animaux et aux puissances qui ont le moins d'extension, c'est-à-dire jusqu'à l'espèce indivisible où elle s'arrête[A]. » C'est par le reploiement de cette enceinte que l'Intelligence se saisit de sa vérité la plus profonde. Cet Être qui gît au fond de toutes choses, qui donne au monde son existence et son vrai sens, tire toute son unité de son origine. Et répandu dans ses intelligibles quoique se connaissant comme Intelligence, il est l'intermédiaire idéal entre le Bien indéfinissable que nous espérons et l'Âme qui respire derrière les apparences sensibles.

d) *La Troisième Hypostase*[B]. « C'est qu'elle occupe dans les êtres un rang intermédiaire ; elle a une portion d'elle-même qui est divisée : mais placée à l'extrémité des êtres intelligibles et aux confins de la nature sensible, elle lui donne

aussi des différences de position et de l'image de la matière ; ne vous contentez pas de vous représenter une seconde sphère plus petite que la première… Dieu vient alors, nous apportant son propre monde uni à tous les dieux qui sont en lui. Tous sont chacun et chacun est tous ; tous ensemble ils sont différents par leurs puissances ; mais ils sont tous un être unique avec une puissance multiple. »

A. VI, 7, 14. — B. Principaux textes : a) en général : IV, 3, 4, 5. b) définition : I, 8, 14 ; III, 4, 3 ; IV, 6, 31 ; IV, 8, 7 ; IV, 8, 3 ; VI, 7, 35. c) analyse : III, 8, 5 ; IV, 3, 4, 9 ; IV, 9. d) rapports entre Âme du Monde et âmes individuelles : III, 1, 14 ; IV, 3, 5 et 6 ; IV, 3, 12 ; IV, 3, 17 ; IV, 8, 6 ; IV, 9, 8 ; VI, 1, 2 ; VI, 2, 7 ; VI, 4, 16 ; VI, 5, 7 ; VI, 1, 7.

quelque chose d'elle-même. Elle reçoit en échange quelque chose de cette nature, si elle ne l'organise pas en restant elle-même en sûreté et si par trop d'ardeur elle se plonge en elle sans rester en entier en elle-même[A]. » En termes plotiniens expliquer une notion revient à circonscrire la place exacte où elle s'insère dans le courant des hypostases. Ce texte explique clairement ce premier aspect de l'âme, héritière du monde intelligible dans sa partie supérieure et trempant son extrémité inférieure dans le monde sensible. Mais en même temps apparaît le contenu religieux de cette conception, et on voit comment l'âme, principe métaphysique, pourrait également servir de point d'attache à une théorie de la chute ou du péché originel.

Cette Âme du monde définit tout ce qui vit, à la manière de l'Animal du monde stoïcien. Mais en même temps elle est aussi le monde intelligible et de plus en plus divisé et fragmenté (comme ce dernier marquait déjà la dispersion de l'Un). Elle est donc l'intermédiaire entre le monde sensible et le monde intelligible. Dans ses rapports avec l'intelligible peu de difficultés. L'Intelligence produit l'Âme comme l'Un l'a engendrée elle-même[B]. Mais s'il est vrai que l'Âme du monde est éparpillée dans le monde sensible, s'il est vrai que les âmes individuelles sont des parties de l'Âme du monde qui s'appliquent à jouer dans leurs sphères respectives le rôle qu'elle-même soutient sur le théâtre du monde[C], comment concilier ces parties et ce tout ; et cette continuité des principes et des Êtres qui donne tout son sens à la doctrine plotinienne sera-t-elle maintenue ? Un nouveau problème se pose à propos de l'âme comme il se posait pour les deux premières hypostases.

1° Plotin l'a considéré comme particulièrement important, puisqu'il lui consacre tout spécialement trois traités de la « IVᵉ Ennéade[D] ». Le plus sûr encore est de nous reporter à ces traités. Ils envisagent deux problèmes : les rapports de l'âme du monde et des âmes individuelles, ceux de l'âme humaine à son corps. Mais ceci qui traite plus particulièrement de la psychologie sera étudié en son lieu et servira de transition toute naturelle à notre étude sur la conversion.

A. IV, 8, 7. — B. V, 4, 2 [V, 8, 3]. — C. III, 2 et 3. — D. IV, 3, 4, 5, « Difficultés relatives à l'âme ».

Dans le 9ᵉ traité de la « IVᵉ Ennéade », Plotin démontre l'unité fondamentale des âmes et leur liaison à la force qui anime le monde. À vrai dire, il en donne surtout une image. Il figure cette unité comme celle d'une raison séminale renfermant tous les organes du corps ou la définit comme une science renfermant en puissance tous ses théorèmes[A]. Mais ceci établi, se pose le comment de la production des âmes individuelles. La solution de Plotin est comme toujours moins une raison qu'un sentiment dont il tente de donner l'équivalent dans une image — solution déjà utilisée pour l'Un et l'Intelligence, et dont l'essentiel se ramène selon M. Bréhier à « l'affirmation d'une unité entre les âmes qui ne soit pas une confusion et l'affirmation d'une confusion qui ne soit pas un morcellement[B] ». L'image de la lumière intervient encore ici[C].

Ou cette autre image : « Elle est dans tout le corps qu'elle pénètre, par exemple dans chaque partie différente d'une plante, même dans une bouture qu'on en a séparée : elle est à la fois dans la première plante et dans celle qui en est issue par bouture ; car le corps de l'ensemble est un corps unique et elle est partout en lui comme un corps unique[D]. » Comment expliquer alors les différences entre les âmes individuelles ? C'est qu'elles n'ont pas le même rapport avec l'intelligible. Elles sont plus ou moins opaques. Et cette moindre transparence qui les rend différentes sur le chemin de la procession, les hiérarchise dans la voie de la conversion[E]. À ce propos l'explication par la contemplation intervient encore avec force. « L'une est unie actuellement aux intelligibles, une autre n'y est unie que par la connaissance, une autre par le désir ; chacune, contemplant des choses différentes, est et devient ce qu'elle contemple[F]. »

2° Somme toute l'unité des âmes est une unité de convergence par laquelle elles participent toutes de la même réalité vivante. Leur multiplicité est celle d'une vie spirituelle qui va s'obscurcissant peu à peu jusqu'à la dispersion de ses parties. C'est un relâchement qui met en évidence les particularités des âmes individuelles. S'enténébrant peu à peu, les âmes s'enfoncent dans la matière. Ici enfin, la pensée plotinienne n'est pas définitive. Pour lui la cause de cette chute de l'âme

A. IV, 9, 5. — B. Notice à IV, 3, p. 17. — C. IV, 3, 4. — D. IV, 3, 8. —
E. IV, 4, 3. — F. IV, 3, 8.

c'est à la fois l'audace[A] et l'aveuglement[B]. Cette dernière interprétation semblerait plus orthodoxe. L'âme se reflète dans la matière et prenant ce reflet pour elle-même, elle descend s'unir à lui, quand elle devrait s'élever au contraire pour rejoindre ses origines.

3° Enfin la conception plotinienne de l'âme humaine est étroitement liée à tout ce qui précède. Le principe qui la règle est celui-ci : c'est seulement par sa partie inférieure que l'âme humaine participe du corps. Mais il y a toujours en elle une intelligence dirigée vers le monde intelligible[C]. Mais contrainte de piloter le corps débile au milieu des embûches de la nature sensible, elle déchoit et oublie peu à peu sa princière origine. De ce principe découle toute la psychologie de Plotin. D'abord, si la diversité des âmes imite celle du monde intelligible[D], leur fonction est purement cosmique. Et la psychologie est encore une physique. Une autre conséquence immédiate est que toute connaissance qui n'est pas intuitive et contemplative participe des conditions de la vie corporelle : la pensée raisonnée n'est qu'un affaiblissement de la pensée intuitive. La Conscience est un accident et une obnubilation. Rien de ce qui la constitue ne peut appartenir à la partie supérieure de l'âme. La mémoire elle-même marque un attachement aux formes sensibles. Et l'âme arrivée à la contemplation des intelligibles n'aura aucune mémoire de ses vies passées[E]. Et c'est ainsi qu'apparaît une conception du moi à première vue paradoxale, mais très féconde : « Il n'y a pas un point où on puisse fixer ses propres limites, de manière à dire : Jusque-là c'est moi[F]. » On voit ici le lien où s'insère la doctrine de la conversion. C'est dans le recueillement que l'âme oublie les nécessités pratiques. En fermant les yeux, naîtra en elle le regard de l'Intelligence. Le désir de Dieu l'animera. Elle remontera l'échelle des choses et des êtres. Elle recouvrira la procession de tout un mouvement d'amour — qui est la conversion.

Voici donc notés aussi brièvement que possible les divers moments de la procession. Mais tout ici n'est pas également satisfaisant. Nous n'avons pas donné un reflet exact de la pensée de Plotin. Il y manque le mouvement. C'est à la

A. IV, 3, 12 ; IV, 3, 17 ; IV, 8, 5. — B. IV, 3, 13 ; VI, 7, 7 ; V, 2, 7[21]. — C. III, 12, 4, 5 [III, 4, 5]. — D. IV, 3, 14. — E. IV, 1, 1, 10. — F. IV, 3, 18 [IV, 4, 2].

conversion que nous allons demander de reſtituer cette continuité sans heurts, qui mène l'âme jusqu'à l'Un.

B. *La Conversion ou le Chemin de l'extase*

a) C'eſt dans l'Âme que se trouve le principe de la conversion. L'Âme eſt désir de Dieu et noſtalgie d'une patrie perdue. La vie sans Dieu n'eſt qu'une ombre de vie. Tous les êtres s'efforcent vers Dieu dans l'échelle des Idées et tendent à remonter le cours de la procession. Seule la matière, cette grande indigente, ce néant positif, n'aspire pas à Dieu et c'eſt en elle que réside le principe du mal : « C'eſt un fantôme fragile et effacé qui ne peut recevoir une forme. Si elle eſt en aĉte, elle eſt un fantôme en aĉte, un mensonge en aĉte, c'eſt-à-dire un mensonge véritable, autant dire le réel non-être[A]. » Mais créatrice de mirages elle n'existe au fond que dans l'aveuglement des âmes. Le principe de la conversion prend sa source dans l'Âme et non dans la matière. Mais quel eſt ce principe : c'eſt le désir de Dieu. Et tout au long de ce désir se révèle l'aspeĉt religieux des Hypoſtases considérées comme autant d'étapes dans le voyage de l'Âme au pays métaphysique. « Le désir nous fait découvrir l'être universel ; ce désir eſt l'Éros qui veille à la porte de son aimé ; toujours dehors et toujours passionné, il se contente d'y participer autant qu'il le peut[B]. »

Désir aussitôt contrarié par le monde. « Et c'eſt pourquoi il faut nous enfuir d'ici et nous séparer de ce qui s'eſt ajouté à nous-mêmes[C] ». Désirer c'eſt aimer ce qui nous manque. C'eſt vouloir être et vouloir être un. Car se chercher c'eſt en un sens se rassembler. La Beauté même ne suffit pas[D]. La vertu n'eſt aussi qu'un ſtade qu'il faut dépasser pour arriver à Dieu[E]. Et rien n'eſt désirable que par l'Un qui le colore[F]. L'Âme dans son désir éperdu ne se contente même pas de l'Intelligence. « Mais dès que descend sur elle la douce chaleur de là-haut, elle reprend des forces, elle s'éveille en vérité, elle ouvre ses ailes ; et tant qu'il y a quelque chose au-dessus de ce qui lui eſt présent, elle monte naturellement plus haut, attirée par celui qui donne l'amour ; elle dépasse l'Intelligence mais ne peut aller au-delà du Bien, car il n'y a rien au-delà. Si elle s'arrête à l'Intelligence, elle voit certes de belles

A. II, 5, 5. — B. VI, 5, 10. — C. II, 3, 9. — D. V, 5, 12. — E. I, 2, 7 ; VI, 3, 16 ; VI, 9, 7. — F. VI, 7, 22.

et nobles choses mais elle n'a pas encore tout à fait ce qu'elle cherche. Tel un visage qui, malgré sa beauté, ne peut attirer les regards, car il lui manque le reflet de grâce qui est la fleur de la beauté[A]. »

b) Ce désir de l'Âme contamine l'Intelligence. Connaître c'est encore désirer. Dire que l'Intelligence n'a besoin de rien, c'est dire seulement qu'elle est indépendante du monde sensible. Mais elle est tournée vers l'au-delà. Elle a besoin de l'Un. « Elle vit orientée vers lui ; elle se suspend à lui ; elle se tourne vers lui[B]. » Quelque chose lui manque et c'est son unité. Il y a en elle une indigence par rapport à soi et dont elle souffre et vibre. L'intelligence plotinienne n'est pas la Raison mathématique.

D'ailleurs, nous l'avons vu, c'est par le retour et la Contemplation de l'Un qu'elle reçoit sa forme. Cette marche vers Dieu lui est donc fondamentale. Et le monde intelligible tout entier s'ébranle aussi vers l'Un.

c) Mais le grand problème que la conversion suscite est analogue à celui qu'à trois reprises nous avons trouvé dans la Procession. Il est tout entier posé dans un texte des « Ennéades » : « Ce qui n'aurait absolument aucune part au Bien, ne saurait désirer le bien[C]. » C'est-à-dire : tu ne me chercherais pas si tu ne m'avais déjà trouvé. Ou en termes plotiniens : le désir requiert une certaine immanence de ce qui est désiré en ce qui désire. L'un sera-t-il alors transcendant ou immanent ? Question controversée, les uns (Zeller) partisans du panthéisme de Plotin, les autres y décelant une doctrine de la transcendance (Caird[D]). Sans prétendre trancher la question on peut cependant tenter de la poser autrement.

Dieu nous est donc immanent. Le désir l'exige. Et d'ailleurs nous portons en nous les trois hypostases puisque c'est par le recueillement intérieur que nous réalisons l'extase et l'Union avec l'Un. D'autre part on ne peut refuser au Dieu de Plotin une transcendance incontestable par rapport aux autres êtres. Quand il produit il ne se complète pas, mais il surabonde sans s'épuiser. Il faut comprendre cette contra-

A. VI, 7, 22. Traduction Arnou : *Le Désir de Dieu dans la philosophie de Plotin*, p. 82. — B. VI, 7, 16. — C. III, 5, 9. — D. Edw. Caird : « Sa philosophie est la condamnation du dualisme grec justement parce qu'elle le pousse à l'excès. » *The Evolution of Theology in the Greek Philosophers* : vol. II, pp. 210 et 393[22].

diction, renverser les termes du problème. S'il est vrai que celui qui apprend à se connaître, connaît en même temps d'où il vient[A], s'il est vrai que s'élever à son principe c'est se recueillir, il faut dire que Dieu n'est immanent à aucun être, mais que toutes les choses sont immanentes à Dieu. « L'Âme à son tour n'est pas dans le monde, mais le monde est en elle… l'Âme est dans l'Intelligence, le corps est dans l'Âme, l'Intelligence est en un autre principe ; mais cet autre principe n'a plus rien de différent où il puisse être : il n'est donc pas en quoi que ce soit et, en ce sens, il n'est nulle part. Où sont donc les autres choses ? [EN LUI][B]. Considérons d'autre part que tout être a deux actes : l'acte de l'essence et un acte qui vient de l'essence ; le premier le rattache à lui-même, le second le pousse à produire et à sortir de son propre sein. Ainsi de Dieu, il surgit hors de lui-même, mais sans faillir à son essence. Toute l'erreur des interprétations trop rigoureuses, c'est de *placer l'Un dans l'espace*. La doctrine de Plotin est un essai de pensée non spatialisée. Et c'est dans ce plan, qualitatif et inexprimable, qu'il faut tenter de la comprendre. Ou alors revenir en dernière analyse à un problème psychologique : existe-t-il une pensée abstraite de l'espace ; ce qui est d'un autre ordre. En faisant effort pour assimiler l'expérience plotinienne, on voit que le premier principe est lui-même présent dans toutes ses œuvres[C], qu'il n'y est pas localement et qu'en un certain sens il est à la fois transcendant et immanent à toutes choses[D]. Au demeurant, il est partout à condition d'être nulle part, car ce qui n'est pas attaché à un lien, il n'est pas de lieu où il ne soit.

d) *L'Extase ou l'Union avec l'Un.* Ce problème examiné on pourra comprendre que pour s'élever à Dieu, il faille rentrer en soi. Portant en elle le reflet de ses origines, l'âme doit s'y plonger. De Dieu à Dieu, tel est son voyage[E]. Mais il faut se purifier c'est-à-dire se laver de ce qui s'est attaché à l'âme pendant la génération. Il ne faut pas vivre de ce qui dans

A. V, 1, 1. — B. V, 5, 9. — C. Encore VI, 5, 12 : « Il n'est pas besoin qu'il vienne pour être présent, c'est vous qui êtes parti ; partir ce n'est pas le quitter pour aller ailleurs ; car il est là. Mais tout en restant près de lui vous vous en étiez détourné. » — D. À rapprocher du mysticisme chrétien. Suso ex. n° 54 : « C'est être en même temps dans toutes choses et en dehors de toutes choses. C'est pourquoi un maître a dit que Dieu est comme un cercle dont le centre est partout et la circonférence nulle part. » — E. Arnou : *op. cit.*, p. 191.

l'âme n'est pas l'âme[A] mais retourner dans cette patrie[B] dont le souvenir colore parfois nos inquiétudes d'âme ; l'âme à cet effet se détruit et se laisse absorber dans l'intelligence qui la domine, et celle-ci à son tour s'efforce de disparaître pour ne laisser que l'Un qui l'illumine. Cette union si complète et si rare[C] c'est l'extase[D]. Mais ici c'est à la méditation intérieure de prendre place et Plotin s'arrête à ce point de son voyage. Les analyses ne peuvent aller plus loin, ni plus profond. Ce sentiment si nuancé et si « plein » de la divinité, cette exquise mélancolie de certains textes plotiniens nous mènent au cœur de la pensée de leur auteur. « Souvent je m'éveille à moi-même en m'échappant de mon corps[E]... » Méditation de solitaire, amoureux du monde dans la mesure où il n'est qu'un cristal où se joue la divinité, pensée toute pénétrée des rythmes silencieux des astres mais inquiète du Dieu qui les ordonne, Plotin pense en artiste et sent en philosophe, selon une raison toute pénétrée de lumière et devant un monde où l'intelligence respire.

Mais avant de dégager les thèmes originaux de sa philosophie, avant surtout d'examiner en quoi ils servent ou desservent l'évolution de la métaphysique chrétienne, voyons d'après les textes ce que fut l'attitude du Néoplatonisme à l'égard du Christianisme. Nous aurons alors ce qu'il faut pour juger de l'originalité néoplatonicienne par rapport à la pensée chrétienne.

II. LA RÉSISTANCE

La ferveur avec laquelle Plotin s'élève vers Dieu pouvait nous faire illusion. Et nous pousser à le croire plus chrétien qu'il ne saurait être. Son attitude envers les gnostiques c'est-à-dire à l'égard d'une certaine forme de pensée chrétienne, la position plus catégorique de son disciple Porphyre nous permettront au contraire de juger avec prudence.

a) C'est dans le 9ᵉ traité de la « IIᵉ Ennéade » que Plotin écrit contre une secte gnostique qui n'a pu être définie avec précision[F]. Il y oppose avec éloquence son propre univers,

---

A. V, 5, 8 [V, 3, 8-9]. — B. I, VI, 8. — C. Porphyre : *Vie de Plotin*, 23. — D. Principaux textes : IV, 8, I ; VI, 9, 9 ; VI, 7, 39 ; VI, 8, 19. — E. IV, 8, [1]. — F. Peut-être une secte des Adeptes de la Mère : II, 9, 10 ; II, 9, 12.

cohérent et harmonieux, à l'univers romantique des gnostiques. Et on peut ainsi saisir sur le vif un certain nombre d'oppositions irréductibles. Les reproches de Plotin portent à peu près sur quatre points, d'inégale importance d'ailleurs. Il reproche aux gnostiques de mépriser le monde créé et de croire qu'une terre nouvelle les attend[A], de se croire les enfants de Dieu et de substituer à l'harmonie universelle une providence qui contentera leur égoïsme[B], d'appeler frères les hommes les plus vils alors qu'ils n'accordent pas ce titre aux dieux[C], d'avoir substitué à la vertu du sage l'idée d'un salut arbitraire où l'homme n'est pour rien[D].

Le traité s'intitule en effet : Contre ceux qui disent que le démiurge du monde est méchant et que le monde est mauvais. Au fond c'est le point de vue esthétique qui s'engage ici : « Le ciel est fait pourtant de choses bien plus belles et bien plus pures que notre corps : ils en voient la régularité, la belle ordonnance et ils blâment plus que personne le désordre des choses terrestres[E]. » Et plus loin : « Non, encore une fois, mépriser le monde, mépriser les dieux et toutes les beautés qui sont en lui ce n'est pas devenir un homme de bien[F]. »

b) C'est ensuite dans son sens de l'ordre et l'économie du monde que Plotin se sent blessé : « Si Dieu exerce sa providence en votre faveur, pourquoi négligerait-il l'ensemble du monde dans lequel vous êtes… les hommes, dites-vous, n'ont pas besoin qu'il regarde le monde. Oui, mais le monde en a besoin. Ainsi le monde connaît son ordre propre[G]. » Les coups de théâtre, la création, ce dieu humain et sensible, tout répugne à Plotin. Mais peut-être plus encore à son aristocratie, l'humanitarisme des chrétiens : « Voilà des gens qui ne dédaignent pas de donner le nom de frères aux hommes les plus vils ; mais ils ne daignent accorder ce nom au soleil, aux astres du ciel et pas même à l'aimé du monde tellement leur langage s'égare[H]. » C'est donc aussi le vieux naturalisme grec qui proteste en Plotin.

Mais il est bien certain que toutes ces objections se résument dans la répugnance du sage grec à l'égard de « l'anarchie » chrétienne. La théorie du Salut gratuit et irra-

A. II, 9, 5. — B. II, 9, 9. — C. II, 9, 18. — D. II, 9, 15. — E. II, 9, 5, surtout II, 9, 17 : « Il n'est pas possible qu'un être réellement beau à l'extérieur ait une âme laide. » — F. II, 9, 16. — G. II, 9, 9. — H. II, 9, 18.

tionnel est au fond l'objet de toutes les attaques de ce traité. Nous l'avons vu, cette doctrine du salut implique un certain désintérêt à l'égard de la vertu au sens hellénique. S'adresser à Dieu, y croire et l'aimer en conséquence rachète de bien des erreurs. Plotin l'a bien compris qui critique ce point précis avec une rare violence : « Ce qui prouve ce défaut (méconnaissance de la nature divine) chez eux, c'est qu'ils n'ont aucune doctrine de la vertu. Il est tout à fait superflu de dire : regardez vers Dieu, si l'on n'enseigne pas comment regarder. Ce sont les progrès de la vertu intérieure à l'âme et accompagnée de prudence qui nous font voir Dieu. Sans la vertu véritable, Dieu n'est qu'un mot[A]. » L'arbitraire inhérent à toute doctrine du salut ne peut se concilier avec une doctrine où les êtres agissent selon les nécessités de leur nature, et non, comme Plotin s'en indigne, à tel moment plutôt qu'à tel autre[B].

Entendons bien qu'il s'agit du Gnosticisme et que ces reproches s'adressent à certaines caricatures du Christianisme. Mais enfin Plotin combat beaucoup plus une attitude devant le monde que des détails de doctrine. Ce qui s'oppose ainsi ce sont deux réflexions sur la condition humaine. Sur toutes deux nous en savons déjà assez pour deviner combien sur certains points elles demeurent inconciliables.

Le disciple de Plotin est cependant allé plus loin et n'a pas hésité à écrire un ouvrage entier contre les Chrétiens. Il l'écrivit entre 35 et 40 ans (après 208). Ce traité ne comportait pas moins de 15 livres. Nous le connaissons par des fragments[C] recueillis par Harnack. Nous laisserons de côté les critiques de détail (invraisemblance, contradiction) que Porphyre ne manque pas de formuler. Elles constituent le fond commun de tous les ouvrages de polémique païenne. Nous citerons seulement quelques textes qui opposent sur des points de doctrine le Christianisme et le Néoplatonisme.

Porphyre se plaint de ce que les apôtres aient été des rustres sans intelligence[D]. La chose est classique, mais plus loin il reproche aux fidèles de s'attacher à une « foi irrationnelle[E] » et s'exprime en ces termes : « La grande trouvaille du Christ sur cette terre c'est d'avoir dissimulé aux sages le

A. II, 9, 15 fin. — B. II, 9, 4 ; II, 9, 11. — C. Saint Jérôme, *Chronique d'Eusèbe* : *Manuscrit de Macarius*. — D. Fragment 4 cité par de Labriolle : *La Réaction païenne*, p. 256. — E. Fr. 73 *ap.* Labriolle : *op. cit.*, p. 212.

rayon de la science pour le dévoiler aux êtres privés de sens et aux nourrissons[A]. »

À propos de la conception du monde, il bute sur ce texte de Paul[B]. « Elle passe, la figure de ce monde. » Comment le pourrait-elle, dit Porphyre, et qui la ferait passer : « Si c'était le démiurge il s'exposerait au reproche de troubler, d'altérer un ensemble paisiblement établi… Si vraiment la condition du monde est lugubre, c'est un concert de protestations qui doit s'élever contre le démiurge, pour avoir disposé les éléments de l'Univers d'une façon si fâcheuse au mépris du caractère rationnel de la nature[C]. »

L'eschatologie chrétienne choque non seulement son idée de l'ordre mais aussi son sens esthétique. « Et lui, le Créateur, il verrait le ciel (peut-on imaginer quelque chose de plus admirablement beau que le ciel) se liquéfier… tandis que les corps pourris, anéantis des hommes ressusciteraient, y compris ceux qui avant la mort offraient un aspect pénible et repoussant[D]. »

De l'indignation, Porphyre d'ailleurs passe quelquefois à l'injure[E]. Un Grec cultivé ne pouvait adopter cette attitude sans de sérieuses raisons.

III. SENS ET INFLUENCE DU NÉOPLATONISME

Mais il est temps de déterminer le sens de la solution néoplatonicienne et son rôle dans l'évolution de la métaphysique chrétienne. Notre tâche ici sera de faire ressortir la nouveauté du Néoplatonisme et d'indiquer dans quelles directions s'est exercée son influence. Notre étude du Christianisme nous permettra d'entrer dans le détail de cette influence. Mais résumons d'abord en quelques mots les caractères généraux du Néoplatonisme.

a) C'est un perpétuel effort pour concilier des notions contradictoires à l'aide d'un principe de participation, valable seulement dans une logique non spatiale et intemporelle. Raison mystique, Intelligence sensible, Dieu immanent et

A. Fr. 52 *ap.* Labriolle : *op. cit.*, p. 272. — B. *I Corinthiens* : VII, 31. — C. Fr. 34 *ap.* Labriolle : *op. cit.*, p. 260. — D. Fr. 94 *ap.* Labriolle : *op. cit.*, p. 287. — E. Fgts 23, 35, 49, 54, 55 *ap.* Labriolle : *op. cit.*, p. 287.

transcendant, les oppositions abondent. Elles marquent toutes cependant un balancement constant entre le sensible et l'intellectuel, l'aspect religieux des principes et leur pouvoir explicatif. Dans ce dialogue du cœur et de la Raison, la vérité ne peut s'exprimer que par des images. D'où l'abondance des comparaisons chez Plotin. Ce luxe correspond sans doute au même besoin que les paraboles évangéliques : couler l'intelligible dans une forme sensible, rendre à l'intuition ce qui appartenait à la Raison. Mais en même temps ces apparentes contradictions s'éclairent dans l'hypothèse d'une pensée située hors de l'Espace et du Temps. C'est pourquoi l'originalité de Plotin réside surtout dans la méthode qui préside à ses conciliations. Mais une méthode ne vaut que dans la mesure où elle exprime une nécessité dans la nature de son auteur. Nous avons aussi montré qu'il en était ainsi.

Quelle place faut-il donc attribuer au Néoplatonisme entre l'Hellénisme et le Christianisme ? À l'égard du premier, nous avons assez montré ce que les « Ennéades » renfermaient de purement hellénique. Mais quelque chose cependant fait de Plotin une figure tout à fait originale. Chez Platon les mythes sur la destinée de l'âme semblent surajoutés et juxtaposés aux explications proprement rationnelles. Chez Plotin, les deux procédés font corps et ne sauraient s'exclure puisqu'ils recouvrent au fond la même réalité. Différence essentielle à bien voir et qui singularise Plotin à son époque. Différence qui vaut également envers le Christianisme puisque pour le coup c'est l'aspect rationnel qui manquera à la pensée chrétienne. À mi-chemin entre les deux doctrines[A] Plotin est tout désigné pour servir d'intercesseur.

b) À la vérité, ce que le Néoplatonisme a fourni au Christianisme pour son évolution postérieure, c'est une méthode et une direction de pensée.

Une direction de pensée parce qu'en lui fournissant des cadres déjà façonnés aux pensées religieuses, il l'orientait forcément vers les façons de voir à l'intérieur desquelles ces cadres avaient été créés. C'est vers la conciliation d'une métaphysique et d'une foi primitive que la pensée alexandrine encourage le Christianisme à marcher. Mais ici, il y avait peu à faire, le mouvement était donné. Mais la méthode arrivait

---

A. Ici se placerait la question de l'orientalisme de Plotin.

à point. C'est en effet selon le principe de participation que le Christianisme va résoudre ses grands problèmes. Incarnation et Trinité. Mais tentons de préciser ceci sur un exemple particulier.

Arius[A] s'appuyait sur certains textes scripturaires pour affirmer la création du Fils par le Père et la subordination à celui-ci de celui-là. « Le Seigneur m'a créé pour être le commencement de ses voies[B]. »

Pour ce qui est du jour ou de l'heure, ni les Anges du Ciel ni le Fils n'en sont instruits. Le Père seul les connaît. Puis Arius citait des textes johanniques : « Le Père qui m'a envoyé est plus grand que moi[C]. » « La vie éternelle est de vous connaître, vous le seul vrai Dieu et Jésus-Christ que vous avez envoyé[D]. » « Le Fils ne peut rien faire par lui-même[E]. »

À cette affirmation Athanase, défenseur de l'orthodoxie, opposait trois textes formels de Jean : « Mon Père et moi nous ne sommes qu'un[F]. » « Je suis dans mon Père et mon Père est en moi[G]. » « Celui qui m'a vu, a vu mon Père[H]. » Le Fils selon ces textes était et n'était pas Dieu. Mais qui ne voit que le problème ainsi posé, c'est la question classique du Néoplatonisme. Et comment s'étonner si c'est selon une méthode semblable que la pensée chrétienne tranchera le débat. Le symbole de Nicée (325) pose le principe de la consubstantialité et oppose le Christ engendré au Jésus créé d'Arius : « Nous croyons en un seul Dieu, Père tout-puissant, créateur des choses visibles et invisibles et en un Seigneur Jésus-Christ, fils de Dieu, lumière des lumières, vrai Dieu de vrai Dieu, engendré, non créé, de la même substance que le Père, par qui toutes choses ont été engendrées et celles qui sont dans le ciel et celles qui sont sur la terre, qui est descendu du ciel pour nous et notre salut, s'est incarné, s'est fait homme, a souffert, est ressuscité le troisième jour, est monté aux cieux, et il viendra juger les vivants et les morts. Et au Saint Esprit[I]. » Et si ce texte ne paraît pas suffisamment explicite, ajoutons celui qu'Athanase dans sa « lettre sur les décrets du Concile de Nicée[J] » cite d'après

---

A. Pour l'histoire de l'arianisme cf. Tixeront : *Hist. des dogmes*, tome II, chap. II. — B. VIII, 22. — C. *J.* XIV, 28. — D. *J.* XVII, 3. — E. *J.* V, 19 ; aussi *J.* XI, 33, 38 [XI, 33-40] ; *Luc*, II, 52 [IV, 18-19] ; *Mat.*, XXVI, 39 ; *Phil.* 19 [2, 6-11] ; *Hébreux*, I, 9. — F. *J.* X, 30. — G. *J.* X, 38. — H. *J.* XII, 45. — I. In Hésèle : *Histoire des Conciles*, tome I, pp. 443, 444. — J. N° 25.

Théognoste, chef de l'École catéchétique d'Alexandrie, entre 270 et 280[A]. « La substance du Fils n'est pas venue du dehors, elle n'a pas été tirée du néant, elle provient de la substance du Père *comme l'éclat provient de la lumière, la vapeur de l'eau,* car la splendeur n'est pas le soleil même, la vapeur n'est pas l'eau même. Ce n'est pas cependant une chose étrangère, c'est une émanation de la substance du Père, sans que celle-ci subisse aucune division. De même que le soleil demeurant ce qu'il est n'est pas diminué par les rayons qu'il répand ; de même la substance du Père ne subit aucune altération en ayant son fils pour image. »

Ces textes sont significatifs et nous montrent de quelle qualité fut l'influence du Néoplatonisme en ce qui concerne les méthodes de résolution. De nombreux textes le montreraient encore[B]. Mais pour éloquents que soient ces rapprochements, n'en tirons pas de conclusions hâtives et trop généreuses à l'égard du Néoplatonisme. Le Christianisme est ailleurs et avec lui son originalité foncière.

c) On voit donc en quel sens on peut parler d'une influence du Néoplatonisme sur la pensée chrétienne. C'est à la vérité l'influence d'une doctrine métaphysique sur une pensée religieuse : un exemple à suivre, des ambitions suscitées. C'est donc à bon droit que nous avons pris la pensée de Plotin comme le symbole de cette influence. Elle a préparé et assoupli des formules, qui en temps voulu se sont trouvées toutes faites. En dehors de ce qu'il comporte en lui-même d'émouvant et d'original, son rôle s'arrête là. Trop de choses séparent Saint Augustin et Plotin.

A. Plotin est mort en 270. — B. Saint Basile : « *Homélies sur le précepte " Observation "* », par. 7, et Eusèbe de Césarée : *Préparat. Évang.* XII, 17 : « C'est le rayonnement d'une lumière qui s'en échappe sans troubler sa quiétude, etc. »

CHAPITRE QUATRIÈME

LE VERBE ET LA CHAIR

I. LA DEUXIÈME RÉVÉLATION

A. *L'Expérience psychologique*
de Saint Augustin et le Néoplatonisme

a) Avant de montrer comment l'évolution que nous avons tenté de retracer trouve dans l'Augustinisme l'une de ses formules les plus émouvantes, il faut nous intéresser au Néoplatonisme de Saint Augustin. Posons d'abord le problème : la nouvelle philosophie platonicienne a exercé une influence sur le grand docteur. Il cite plusieurs textes des « Ennéades[A]. » On peut rapprocher un certain nombre de textes augustiniens et de pensées plotiniennes. Les plus suggestifs à cet égard concernent la nature de Dieu.

Sur son ineffabilité : « Sermo », 117,5 ; « De civitate Dei », IX, 16 avec « Enn. », VI, 9, 5 ; « De Trinitate », VIII, 2 et XV, 5 avec « Enn. », V, 3, 13 ; sur son éternité : « Conf. » XI, 13 et « Enn. », III, 6, 7 ; sur son ubiquité : « Sermon » 277, 13 et 18 avec « E » VI, 4, 2 ; sur sa spiritualité : « De civitate Dei », XIII, 5 et « E » VI, 8, 11. De cette influence on a pu tirer des conclusions excessives[B]. Le témoignage de Saint Augustin est pourtant suffisamment explicite. Et le célèbre passage des « Confessions » sur « les livres des platoniciens » donne un exposé très clair de la question. Qu'on nous permette de le citer malgré sa longueur. Dans tout ce qui va suivre il nous enseignera : « Je lus… que le verbe était dès le commencement ; que le verbe était en Dieu et que le verbe était Dieu ; qu'aussi dès le commencement le verbe était Dieu… que le verbe de Dieu, qui est Dieu, est cette lumière véritable qui illumine tout homme venant en ce monde…

A. I, vi, *Du Beau* ; III, vi, *De la Providence* ; III, iv, *Du Démon qui nous est donné en partage* ; IV, iii, *Questions sur l'âme* ; V, i, *Des trois hypostases principales* ; V, vi, *Le principe supérieur à l'être ne pense pas.* — B. Alfaric : *L'Évolution intellectuelle de Saint Augustin.*

« Mais je n'y lus pas que le verbe a été fait homme et a habité parmi nous… mais je n'y lus pas qu'il s'est anéanti soi-même en prenant la forme d'un esclave ; qu'il se soit rendu semblable à l'homme en se revêtant de ses infirmités ; qu'il s'est humilié et a été obéissant jusqu'à la mort…^A » Opposant l'Incarnation à la Contemplation, Saint Augustin a fixé du premier coup les oppositions et les ressemblances des deux pensées.

b) Mais du moins jusqu'où va cette influence. Ce qu'il y a de saisissant dans la pensée augustinienne, c'est qu'elle ramasse en quelques années^B les hésitations et les retours de la pensée chrétienne. Grand passionné, sensuel, la crainte de ne pouvoir observer la continence diffère longtemps sa conversion^C. Dans le même temps il a le goût des vérités rationnelles. C'est ce souci de la raison qui le fait adhérer au Manichéisme, à Carthage même au milieu d'une vie débordante et voluptueuse^D. En bien des points le Manichéisme ne faisait que continuer le Gnosticisme mais il promettait des démonstrations. C'est ce qui attire Saint Augustin^E.

Mais en même temps le problème du mal l'obsède : « Je cherchais d'où vient le mal et je n'en sortais pas^F. » Et il est poursuivi par l'idée de la mort :

« J'étais rongé par la crainte de mourir sans avoir découvert la vérité^G. » Grec par son besoin de cohérence, Chrétien par les inquiétudes de sa sensibilité, il resta longtemps à l'écart du Christianisme. Ce fut à la fois la méthode allégorique de Saint Ambroise et la pensée néoplatonicienne qui convainquirent Saint Augustin. Mais dans le même temps, elles ne le persuadèrent pas. La conversion était différée. Par là, lui apparut surtout que la solution n'était pas dans la connaissance, que l'issue de ses doutes et de son dégoût de la chair n'était pas dans l'évasion intellectuelle mais dans la pleine conscience de sa dépravation et de sa misère. Aimer

---

A. *Conf.* VIII, C, IX [VII, 9]. — B. 354, 430²³. — C. *Conf.* VIII, ch. 1 : « Adhuc tenaciter colligabar [alligabar] ex femina²⁴. » — D. Cf. Salvien : *De Gubernatore Dei*, Patrologie latine, VII, 16-17 : « … débordants de vices, bouillonnants d'iniquité, des hommes engourdis par le vice et enflés de nourriture puaient la sale volupté. » — E. « Il me persuadait que je devais me fier à des maîtres qui m'instruiraient plutôt qu'à ceux qui procéderaient par autorité. » *Conf.* VII, 67, 24. Tes. col. 739 [VII, 5]. — F. *De Beata vita* 4 [*Conf.* VII, 5]. — G. *Conf.* LVII, col. 152 P.L., t. 33 col. 737 [VII, 5] ; cf. aussi sur sa crainte de la mort : *Conf.* VI, 16 ; VII, 19-26 ; *Sol.* I, 16 ; II, 1.

ces biens qui l'entraînaient si bas : la grâce l'en relèverait plus haut.

Saint Augustin se trouve donc au carrefour des influences que nous essayons de déterminer ici. Mais dans quelle mesure précise ? C'est ce qu'il faut définir.

c) Ce que Saint Augustin exigeait à côté de la Foi, c'était la vérité, à côté des dogmes, une métaphysique. Et avec lui le Christianisme tout entier. Mais s'il adopte un moment le Néoplatonisme ce fut bientôt pour le transfigurer. Et avec lui le Christianisme tout entier[A]. C'est le sens de cette transfiguration qu'il nous appartient de préciser. Plotin apporte à Saint Augustin, nous l'avons vu, la doctrine du verbe intermédiaire et, par surcroît, une solution au problème du mal.

L'intelligence hypostasiée éclaire en effet la destinée du Christ comme verbe de Dieu : « Nous avons appris de source divine que le Fils de Dieu n'est autre que la Sagesse de Dieu — et certes le Fils de Dieu est Dieu… mais que pensez-vous que soit la sagesse, sinon la vérité. Et en effet, il a encore été dit : Je suis la vérité. » (« De Beata vita », ch. IV, nᵒ 34 (P.L.I 32, col. 975.) Quant au mal, le plotinisme lui enseigne qu'il est lié à la matière et que sa réalité est toute négative (« Conf. » VII, 12, VIII, 13 [VII, 16]). Et par là tous les doutes de Saint Augustin semblaient dissipés. Mais la conversion ne vint pas pour autant. Il y a ceci de curieux chez l'auteur des « Confessions » que son expérience demeure la référence perpétuelle de ses recherches intellectuelles. Satisfait et non convaincu il le dit lui-même : c'est l'Incarnation et son humilité que le Néoplatonisme n'a pu lui restituer. C'est seulement après avoir compris ceci qu'une explosion de larmes et de joie vient le délivrer dans le jardin de sa maison. Conversion presque physique, et si totale que Saint Augustin

A. J. Martin : *Philon*, 1907, p. 67 : « Les pères durent naturellement après Saint Paul adopter la langue que la spéculation grecque et la spéculation alexandrine avaient créée ; et au moyen de cette langue ils exprimèrent des vérités que ni Philon ni aucun Alexandrin n'avaient conçues », et Puech : *Les Apologistes grecs*… (1912), p. 297 : « Le fait essentiel c'est que dans son principe, la doctrine des Apologistes est religieuse et non pas philosophique ; ils croient d'abord en Jésus, Fils de Dieu. Et ils s'expliquent ensuite sa divinité par la préexistence du verbe. » Et enfin Le Breton : *Les Origines du Dogme de la Trinité* (1910), p. 521 : « Si la Théologie du Logos apparaît si profondément transformée c'est que la personne de Jésus à qui elle a été appliquée lui imposait ces transformations. »

va progressivement renoncer à tout ce qui fut sa vie et se consacrer à Dieu.

C'est donc cette place donnée au Christ et à l'Incarnation dans l'originalité du Christianisme qu'il faut retenir chez lui. Ce sont des formules et des thèmes qu'il a demandés au Néoplatonisme. La figure de Jésus et le problème de la Rédemption vont tout transfigurer. C'est cette interférence entre thèmes grecs et dogmes chrétiens qu'il faut essayer d'examiner sur quelques points de sa doctrine.

B. *Hellénisme et Christianisme*
chez Saint Augustin

1° *Le Mal, la Grâce et la Liberté*. Dans l'examen de problèmes aussi spécifiquement chrétiens, notre effort constant sera de mettre à jour, dans l'Augustinisme, les thèmes fondamentaux du Christianisme. À vrai dire un simple rappel suffira puisque ces thèmes nous les avons déjà étudiés.

a) Nous ne reviendrons pas sur l'importance que revêt le problème du mal chez Saint Augustin. Mais il faut cependant noter l'extrême fécondité de cette obsession. C'est en partant de là que notre auteur a pu développer ses doctrines les plus originales. Cette richesse même nous forcera à diviser notre matière. La pensée de Saint Augustin s'est affirmée doctrinalement d'une part, en réaction contre Pélage de l'autre. Examinons d'abord sa doctrine générale et la controverse avec les Pélagiens éclairera ensuite sous le jour plus cru de la polémique les tendances profondes de l'Augustinisme.

Le Néoplatonisme affirme que le mal est une privation et non une réalité propre. Saint Augustin acquiesce[A]. Mais encore faut-il distinguer deux sortes de maux : le mal naturel (misère de notre condition, tragique des destinées humaines) et le mal moral, c'est-à-dire le Péché. Le premier s'explique dans la mesure où les ombres se justifient dans un tableau[B]. Il sert l'harmonie universelle. Pour le second la question est plus complexe. Comment Dieu a-t-il pu nous douer d'un libre arbitre, c'est-à-dire d'une volonté capable de faire le mal : « L'homme étant comme il est maintenant n'est pas bon et il n'est pas en son pouvoir d'être bon, soit qu'il ne

---

A. *De natura Boni* : IV P.L., t. 42 ; col. 553. — B. *Contra Julianum*[25] : III, 206 P.L., t. 45 ; col. [1]334.

voie pas ce qu'il devrait être, soit que, le voyant, les forces lui manquent pour le réaliser[A]. C'est que le péché conséquence de la faute originelle nous est imputable. Dieu nous a laissé le libre arbitre d'Adam, mais notre volonté a gagné le désir de s'en mal servir. Et nous sommes si profondément pervertis que c'est de Dieu seul que vient tout bon usage du libre arbitre. Laissé à lui-même l'homme ne posséderait en propre que la malfaisance, le mensonge et le péché : « Nemo habet de suo nisi mendacium atque peccatum[B]. » C'est Dieu qui le relève quand il le daigne. C'est pourquoi les vertus qui subsistent en nous n'ont de sens et de valeur que par un secours de Dieu, spécial et adapté à notre faiblesse : la grâce. Saint Augustin insiste beaucoup sur la vanité de la vertu elle-même. La grâce d'abord, la vertu ensuite, nous reconnaissons là un thème évangélique.

C'est ainsi que les vertus des païens sont inopérantes. Dieu les leur a données pour nous inciter à les avoir si elles nous manquent, et pour rabaisser notre orgueil si nous les possédons. Jamais dans le Christianisme la vertu, au sens hellénique, ne s'était trouvée à si rude épreuve et en de si fréquentes occasions[C]. Plus encore, ces vertus naturelles deviennent autant de vices lorsque l'homme s'en glorifie[D]. L'orgueil est le péché de Satan. Notre seule fin légitime au contraire c'est Dieu. Et le don que Dieu fait de sa grâce est toujours un effet de sa générosité. Cette grâce est gratuite. Et certains qui croient l'acquérir par de bonnes œuvres prennent les choses à rebours. Elle ne serait pas gratuite s'il était possible de la mériter. Il faut même aller plus loin. Croire en Dieu c'est déjà subir sa grâce. La Foi est le commencement de la Grâce[E].

On voit à quelles extrémités parvient la pensée augustinienne. Elle ne s'épargne aucune difficulté du problème. Mais aussi bien il n'y a pas encore de problème là où il n'y a

---

A. *De libero arbitrio* : L. 3, ch. 18, n° 51 ; P.-L., 32-1268. — B. *In Johann.* V, 1 ; P.-L., 18 ; t. 35 : col. 414, et aussi *Sermo* 156, II, 12 ; P.-L., t. 38 : col. 856 : « Cum dico tibi : Sine adjutorio Dei nihil agis nihil boni dico, nam ad male agendum habes sine adjutorio Dei liberam voluntatem[26]. » — C. *De civ. Dei* V, 18, 3 ; P.-L., t. 41 ; col. 165, *id.* V. 19, P.-L., t. 41, col. 165-166 ; *Epist.* 138 ; III, 17 ; P.-L., t. 33, col. 533 ; *De Patientia*, XXVII, 25 ; P.-L., tome 44 ; col. 376. — D. *De civ. Dei* XXI, 16, P.-L., tome 41 ; col. 730 et XIX, 25, chap. intitulé : « Quod non possint ibi verae esse virtutes ubi non est vera religio[27] » (t. 41, col. 656). Cf. aussi *De div. quaest.* 83,66 P.-L., t. 40 col. 63. — E. Surtout *De divers. quaest.*[28] livre I, 2, t. 40, col. III.

que soumission. Cependant comme il est de règle en ce qui concerne le mal, cette dépendance absolue soulève de grandes difficultés. La grâce divine est ici absolument arbitraire : l'homme doit seulement faire confiance à Dieu. Comment parler alors de liberté humaine ? Mais c'est que précisément notre seule liberté est celle de faire le mal[A]. Le dernier aveu de Saint Augustin sur cette question vitale pour un Chrétien est un aveu d'ignorance. L'arbitraire divin demeure intact[B].

C'est cette théorie que Saint Augustin a été amené à développer dans tous ses détails en face de l'hérésie pélagienne. En l'occurrence il a pu dépasser sa pensée pour les besoins de la cause. Mais c'est aussi que son pessimisme et son renoncement ont gardé toute leur âpreté. C'est dans ce sens alors que sa doctrine de la liberté se précise.

b) L'acharnement que Saint Augustin apporte dans sa lutte contre le Pélagianisme s'expliquera si nous résumons la pensée de ce dernier[C]. C'est dans son expérience profonde, dans son sentiment aigu de ce qu'il y a de mauvais en l'homme que Saint Augustin était atteint.

Moine breton, Pélage craignait au fond une certaine complaisance dans le péché qui peut se tirer des doctrines de prédestination. Homme de conscience plutôt que d'idées, ce sont surtout ses disciples : Célestius et Julien, qui propagèrent ses doctrines.

Selon Pélage l'homme a été créé libre. À son gré il peut faire le Bien ou le Mal. Cette liberté c'est une émancipation de Dieu. « Libertas arbitrii, qua a Deo emancipatus homo est, in admittendi peccati et abstinendi a peccato possibilitate consistit[D29]. »

La perte de cette liberté était chez Saint Augustin une conséquence du péché originel. Des Pélagiens pensèrent au contraire que la Liberté étant réglée tout entière par la volonté, l'homme pouvait, s'il le voulait, éviter le péché : « Ego dico posse esse hominem sine peccato[E30]. »

A. Sur le plan métaphysique. En psychologie, Saint Augustin concède le libre arbitre. — B. *De div. quaest.* I, 2, 16 ; P.L., t. 40 ; col. 120, 121. — C. Pour les œuvres de Pélage (*Commentarium in Epistulas Sancti Pauli* ; *Epistula ad Demetriadem* ; *Libellus Fidei ad Innocentium papam*) et celles de Julien et Célestin, P.L., t. XXX. — D. Julien, *ap.* Aug. : *Contra Julianum* : I, 78 ; P.L., t. 45, col. 1101. Voir aussi Pélage : *Libellus Fidei* 13. — E. Pélage, *ap.* Aug. : *De natura et Gratia.* Cf. aussi : *De Gratia Christi* I, 5. *De gestis Pelag.*

Mais alors le péché originel perd toute signification. Et les Pélagiens le rejettent absolument comme entraînant à des conclusions manichéennes. Si Adam nous a nui, c'est seulement par son mauvais exemple. On ne doit même pas accepter les conséquences secondaires de la chute, comme la perte de l'immortalité de l'âme. Adam était né mortel. Rien de son erreur n'a transpiré sur nous. « Quoniam infantes nuper nati in illo statu sunt in qua Adam fuit ante praevaricationem[31]. »

Si nous péchons aisément c'est que le péché est devenu en nous une seconde nature[A]. On le voit et à proprement parler la grâce est inutile. Mais toujours selon Pélage, la création est déjà une grâce. Au demeurant, la grâce conserve son utilité non pas « ad operandum » mais « ad facilius operandum[B] ». C'est une aide, une recommandation que Dieu nous apporte.

Cette doctrine se trouve résumée dans les neuf points d'accusation retenus par le Concile de Carthage (29 avril 418[C]). D'une façon générale, elle fait confiance à l'homme et répugne aux explications par l'arbitraire divin. C'est aussi un acte de foi dans la nature et l'indépendance de l'homme. Autant de choses qui devaient indigner un homme pénétré du cri de Saint Paul : « Malheureux que je suis, qui me délivrera de ce corps de mort[D]. » Mais, des conséquences plus graves suivaient. La chute niée, la Rédemption perdait son sens. La grâce était un pardon et non une protection. Surtout, c'était déclarer l'indépendance de l'homme à l'égard de Dieu et nier ce besoin constant du créateur qui est au fond de la religion chrétienne.

Contre cette pensée, Saint Augustin complète ses théories par un certain nombre d'affirmations. Adam possédait l'immortalité[E]. Il était libre en ce qu'il avait le « posse non peccare[F33] » et bénéficiait déjà d'une certaine grâce divine. Le péché originel vint détruire cet état heureux. L'Écriture est formelle sur ce point et Saint Augustin s'y appuie[G]. Notre nature est viciée, et sans baptême, l'homme est destiné à la damnation (selon Jean, II, 54). Saint Augustin en voit une

---

A. *Ad Demetriadem*, 8, 17. — B. *Ap.* August. : *De Gratia Christi*, I, 27, 30[32]. — C. *Ap.* Tixeront : *Histoire des Dogmes*, ch. XI. — D. *Rom.* VII, 25 [VII, 24]. — E. *De Gen. contra manich.* II, VIII, 32. — F. *De concept. et gratia* 33. — G. *Psaume* L, livre de Job. XIX, 4 ; *Éphésiens*, II, 3 surtout aux *Rom.*, V, 12 ; *Jean*, III, 5.

preuve dans l'universelle désolation du monde et la misère de notre condition dont il trace des tableaux énergiques[A].

Mais ce sont là des effets secondaires du péché originel. D'autres plus intimes et plus irrémédiables donneront la mesure de notre malheur. Nous avons d'abord perdu la liberté du « posse non peccare ».

Nous dépendons de la grâce divine. D'autre part la damnation est universelle en principe. Le genre humain tout entier est voué aux flammes. Son seul espoir est la miséricorde divine[B]. D'où une autre conséquence : la damnation des enfants morts sans baptême[C].

La grâce se fait alors plus impérieuse. Et nous en sommes les tributaires à trois points de vue ; pour nous préserver de notre nature viciée, pour croire les vérités d'ordre surnaturel[D], pour nous faire agir selon ces vérités[E]. Mais cette première grâce qui est la foi ce ne sont pas nos œuvres qui nous la valent. Nous pouvons toutefois mériter dans une certaine mesure celle de bien faire[F]. En tout cas ce qui règle notre sort entier, c'est la Prédestination. Et Saint Augustin revient constamment sur la gratuité de celle-ci[G]. Le nombre des prédestinés ainsi que celui des réprouvés est fixé une fois pour toutes et invariablement. Ensuite seulement, Dieu considère les mérites et les démérites pour le degré des peines. Ce que nous ne pouvons pas savoir c'est le pourquoi. Notre liberté, c'est la liberté de refuser les grâces premières d'une part, celle d'autre part de mériter les grâces secondes. Notre spontanéité ne joue qu'à l'intérieur de la toute-puissance divine[H].

2° *Le Verbe et la Chair : la Trinité.* Nous venons de saisir sur le vif ce qui chez Saint Augustin est spécifiquement chrétien. Qu'on se reporte par la pensée à la métaphysique plotinienne et l'on verra la distance infinie qui sépare les deux attitudes. Ainsi du moins ne serons-nous pas abusés par des rapprochements fréquents et saurons-nous faire la part du Christianisme de Saint Augustin dans son Néoplatonisme. Nous l'avons vu, ce qu'il a puisé chez les auteurs platoni-

---

A. *Contra Julianum*[34] I, 50, 54, t. 45, col. 1072. *Id. De Civit. Dei*, XXII, 22 ; I, 3. — B. « Universa massa perditionis. » *De div. quaest. ad Simpl.* I quaest. II, 16[35]. — C. *Contra Julian...* III, 199, P.L., t. 45, col. 1333. — D. *De praedestin Sanctor* 5, 7, 22. — E. *Epist.* CCXXVII. — F. *Epist.* CLXXXVI, 7. — G. *Enchiridion* XCVIII et XCIX. *Epist.* CLXXXVI, 15. *De dono perseverantiae*, 17. — H. *De Gratia et libero arbitrio* 4.

ciens c'est une certaine conception du Verbe. Mais son rôle
fut d'y faire entrer le Christ et par là de donner toute son
extension au Verbe fait chair du 4ᵉ Évangile. Attachons-
nous donc à comprendre ce que Saint Augustin a pu
demander au Néoplatonisme. Nous montrerons ensuite
ces emprunts transformés par la doctrine de l'Incarnation.

a) Le Verbe — « C'est en Dieu, dit Plotin[A], que l'âme
pure habite avec les intelligibles. » Mais Saint Augustin[B] :
« Les idées sont comme les formes premières ou les raisons
des choses, stables et immuables, n'ayant point reçu leur
forme éternelle par suite et toujours de même qui sont
contenues dans l'intelligence divine. » Il saisit Dieu par le
cœur, mais aussi par l'intelligence. On le voit bien, sa
conception est alors toute philosophique. Car le monde
intelligible que nous admirons nous livre son secret. Notre
esprit devant lui accomplit un double mouvement. Devant
la variété des êtres produits par l'intelligible, il distingue
les idées qu'il renferme, mais son second effort synthétise
ces idées en une seule réalité qui les exprime : « Non solum
sunt ideae sed ipsae verae sunt, quae eternae sunt, et ejus
modi atque incommutabiles manent[c36]. »

Cette réalité est Dieu que Saint Augustin saisit ainsi
comme Intelligence pure et première vérité[D]. C'est une
conception plotinienne. Ce qui joue ici c'est le principe de
participation. Les idées participent du tout divin. Elles sont
en lui et pourtant il est quelque chose de plus. On sentira
mieux encore cette parenté dans un texte vigoureux du
« De Trinitate[E] » :

« Puisque le Verbe de Dieu par qui tout a été fait est un ;
puisqu'il est la vérité immuable c'est en lui comme dans
leur principe immuable que sont à la fois toutes choses : non
seulement celles de ce monde présent, mais encore celles
qui ont passé et celles qui viendront. En lui elles ne sont ni
passées ni futures. Elles sont simplement et toutes sont vie
et toutes sont un ou plutôt c'est une seule chose qui est, et
une seule vie[F]. » La méthode plotinienne transparaît ici. Mais
dans l'instant où Saint Augustin incorpore cette doctrine du

A. *Enn.* IV, III, 24. — B. *De div. quaest.* LXXXIII qu. 46, nº 2, P.L., t. 40,
col. 30. — C. *De div. quaest.* LXXXIII qu. 46, nº 2, P.L., t. 40, col. 30. — D. Je
pense, donc il est, si on a pu rapprocher ceci du cogito c'est aussi que le
Dieu augustinien est un Dieu intérieur. — E. En rapprocher *En.* V, VII, 3 ; VI,
VII, 3. — F. *De Trinit.* L. 4, G. 1, nº 3. P.L., tome 42, col. 888.

Verbe-intelligence dans la théorie de la Trinité, les choses changent de sens. Plotin en effet hiérarchise ses hypostases et affirme la distance qui sépare l'Un de l'Intelligence. Saint Augustin dans son exposé part du Dieu, non comme source des deux autres essences, mais de la nature unique de la Trinité : « Unus quippe deus est ipsa Trinitas et sic unus deus quomodo unus creator[A37]. »

Les trois personnes sont donc identiques. De là trois conséquences fondamentales : les trois personnes n'ont qu'une seule volonté et une seule opération. « Ubi nullam naturam esse, nulla est diversitas voluntatum[B38]. » « Ce n'est donc pas le Verbe seul qui est apparu sur la terre mais la Trinité tout entière. » « Dans l'incarnation du Fils c'est la Trinité tout entière qui s'unit au corps humain[C39]. »

Chacune des trois personnes vaut la Trinité tout entière et Dieu lui-même, qui contient les deux autres personnes : « Tantus est solus Pater, vel solus Filius, vel solus spiritus Sanctus, quantus est simul Pater, Filius et Spiritus Sanctus[D40]. » Cette théorie de la Trinité tente donc de concilier l'égalité et la distinction des Personnes. Problème qui dépasse déjà le plotinisme mais qui met en œuvre sa méthode. À cette doctrine de la Trinité se rattache d'ailleurs la Christologie augustinienne et c'est alors que le Verbe s'écarte de l'Intelligence néoplatonicienne.

b) La Chair. — Le Verbe a été fait chair en effet, son corps est réel, terrestre et né d'une femme[E]. L'union d'un corps et d'un verbe est indestructible. L'homme et le Christ ne font qu'un, c'est tout le mystère chrétien : « Quod Verbum caro factum est, non Verbum in carnem pereundo cessit, sed caro ad Verbum ne ipsa periret, accessit... idem deus qui homo et qui Deus, idem homo, non confusione naturarum, sed unitate personae[F41]. » Ce qu'il faut noter ici, c'est que plus la notion du verbe chez Saint Augustin est plotinienne, et plus il se sépare du Néoplatonisme dans la mesure où l'union de ce verbe et de cette chair devient plus miraculeuse.

Mais tout se justifie par un *fait*. Si la chose est contradictoire, du moins le fait est patent. Et d'ailleurs à considérer la grandeur de la tâche, la grandeur du miracle se conçoit.

A. *Contra Sermon.* 3. — B. *Contra Maximinum* II, 10. — C. *De Trinit.* II, 8, 9, P.L., t. 42, col. 85. — D. *De Trinit.* VI, 9, t. 42, col. 93 [V, 8]. — E. *Sermo* CXC, 2. — F. *Sermo* CLXXXVI, 1.

C. *Foi et Raison chez Saint Augustin*

Certes, ce n'est pas un exposé de la pensée augustinienne que nous avons prétendu faire, mais aussi bien la tâche ne nous en revenait pas. Au regard de notre sujet l'important était de considérer une certaine interférence de deux pensées chez notre auteur, d'essayer d'en circonscrire la partie vivante et la partie acquise et d'en tirer des conclusions en ce qui concerne les rapports du Néoplatonisme et du Christianisme. C'est pourquoi nous avons centré notre étude de l'Augustinisme autour de deux thèmes particulièrement suggestifs à ce sujet. Et il reste seulement à tirer les conclusions de cette étude particulière. Le faisant, nous aurons la possibilité de retracer à gros traits ce que nous avons observé jusqu'ici dans le détail. Et nous plaçant à l'intérieur même de la métaphysique chrétienne à ce point de son évolution, nous pourrons envisager celle-ci, et voir comment tout son effort aboutit, Saint Augustin aidant, à la conciliation d'une métaphysique et d'une religion, du Verbe et de la Chair, sans qu'à vrai dire la physionomie originale du Christianisme y perdît.

Résumons ici seulement la signification de l'Augustinisme à l'égard de cette évolution : « Dans aucune de ces choses que je parcours à votre lumière, je ne trouve un lieu de repos pour mon âme, si ce n'est en Vous ; en Vous ma dispersion se recueille et de vous plus rien de mieux n'échappe. Et quelquefois vous me faites entrer dans un état intérieur très extraordinaire, et goûter je ne sais quelle douceur, qui si elle se consomme en moi sera je ne sais quoi qui ne sera pas la vie présente[A]. » Saint Augustin finit où la conversion plotinienne s'achève. C'est le même but que tous deux poursuivent mais leurs chemins, pour s'être quelquefois mêlés, sont cependant différents. L'Augustinisme proclame à chaque pas l'insuffisance de la philosophie. La seule raison intelligente est celle qui est éclairée par la foi. « La vraie philosophie débute par un acte d'adhésion à l'ordre surnaturel qui libère la volonté de la chair par la grâce, et la pensée du scepticisme par la révélation[B]. » On ne saurait trop insister sur ce point.

A. *Conf.* L. x, ch. xl. — B. E. Gilson : *Introduction à l'Étude de Saint Augustin*. Conclusion.

Le dialogue de la Foi et de la Raison est mis pour la première fois en pleine lumière par Saint Augustin : c'était toute l'histoire de l'évolution chrétienne. On veut souvent que la pensée chrétienne se soit surajouté une doctrine hellénique. La chose est vraie. La Foi a fini par accepter la Raison qu'elle ignorait ; mais si l'on en croit Saint Augustin ce fut pour la mettre à un rang bien singulier.

« Si non potes intelligere, crede ut intelligas, praecedit fides, sequitur intellectus. Ergo noli quaerere intelligere ut creda[s], sed crede ut intelligas[A42]. » Cette raison s'assouplit. Elle s'éclaire des lumières de la Foi. C'est qu'il y a deux choses dans la foi augustinienne : l'adhésion de l'esprit aux vérités surnaturelles et l'humble abandon de l'homme à la grâce du Christ. Ce n'est pas à Dieu qu'il faut croire, mais *en Dieu*.

« Qua tibi persuadetur non prius ratione quam fide te esse docendum[43]. » La raison doit s'humilier : « La béatitude commence par l'humilité. Bienheureux les pauvres en esprit c'est-à-dire ceux qui ne s'enflent pas, mais qui se soumettent à l'autorité divine[B]. »

C'est ainsi que l'on peut comprendre que le verbe alexandrin ait servi la pensée chrétienne sans la desservir. À voir Saint Augustin, on peut comprendre tout le travail de l'évolution chrétienne : assouplir de plus en plus la raison grecque et l'incorporer à son édifice mais dans un domaine où elle est inoffensive. Passé ce domaine, obligation lui est faite de s'incliner. À cet égard le Néoplatonisme sert chez Saint Augustin une doctrine de l'humilité et de la foi. C'est que son rôle dans l'évolution du Christianisme fut d'aider cet assouplissement de la Raison, d'entraîner la logique socratique à des spéculations religieuses et de passer ainsi cet outil déjà façonné aux Pères de l'Église chrétienne.

En ce sens encore, il est possible de considérer l'Augustinisme comme une deuxième révélation ; celle d'une métaphysique chrétienne après celle de la foi évangélique. Le miracle est que les deux ne soient pas contradictoires.

A. *In Joan Tract.* 29, 6 P.L., t. 35, col. 1630. — B. *De sermone domini in monte* I, ch. III, n° 10, P.L., t. 34, col. 1233.

II. LA PENSÉE CHRÉTIENNE
AU SEUIL DU MOYEN ÂGE

Là se termine l'évolution du Christianisme primitif et commence l'histoire de la doctrine chrétienne.

L'Augustinisme marque à la fois un aboutissement et une naissance. Par quel chemin la pensée évangélique est parvenue à ce point, nous l'avons indiqué. Le fait capital de cette évolution, c'est la rupture avec le Judaïsme et l'entrée dans le monde gréco-romain. Dès cet instant la fusion s'opère. Préparée par les religions orientales, la pensée méditerranéenne se dispose à être fécondée par la nouvelle civilisation. Si le Néoplatonisme peut être considéré comme l'artisan de cette fécondation, c'est qu'aussi bien il est né de ce syncrétisme gréco-oriental. Les formules dogmatiques du Christianisme sont sorties d'une combinaison entre ce dernier et les propres données de la foi évangélique. Annoncées par Paul et Jean, élaborées par les Grecs arrivés au Christianisme, ces formules trouvent leur pleine expression dans la pensée augustinienne, non cependant sans qu'auparavant une partie des Chrétiens ne se soient égarés dans de fausses conciliations.

L'énigme au fond, c'est que cette fusion se soit opérée, car si la sensibilité du monde gréco-romain était ouverte à l'Évangile, la Raison se refusait à admettre un certain nombre de postulats. Providentialisme, créationnisme, philosophie de l'histoire, goût de l'humilité, tous les thèmes que nous avons signalés se heurtaient à l'attitude grecque. Cette naïveté grecque dont parle Schiller était trop pénétrée d'innocence et de lumière pour abdiquer sans résistance. L'effort des conciliateurs fut de transformer l'instrument même de cette attitude, la Raison régie par le principe de contradiction, en une notion pétrie de l'idée de participation. Le Néoplatonisme fut l'artisan inconscient de ce rapprochement. Mais il y a une limite à l'élasticité de l'intelligence. Et la civilisation grecque en la personne de Plotin s'est arrêtée à mi-chemin. C'est dans ce décalage que se peut sentir justement l'originalité du Christianisme. Certes c'est le Verbe alexandrin que la pensée chrétienne a transporté dans ses dogmes. Mais ce verbe ne se distingue pas de Dieu. Mais il est engendré et non émané.

Mais il est en contact direct avec sa créature pour laquelle il est venu mourir. Et ceci qui pouvait paraître contradictoire à un esprit grec se justifiait aux yeux des Chrétiens par un fait : l'apparition de Jésus sur la terre et son incarnation. C'est le mot qu'on retrouve au début et au terme de l'évolution de la métaphysique chrétienne. C'est la preuve aussi que le Christianisme, pour s'être revêtu de pensées grecques, n'avait rien abdiqué de sa saveur primitive.

À la veille du Moyen Âge le vieux thème humain du voyage d'un Dieu sur la Terre s'applique pour la première fois à une notion métaphysique de la divinité. Et plus la métaphysique se développe, plus grande sera l'originalité du Christianisme dans la mesure où grandira l'écart entre le Fils de l'Homme et les notions qu'il transfigure.

CONCLUSION

Nous nous sommes attachés à la solution de deux problèmes : l'un très vaste touchant les rapports du Christianisme et de l'Hellénisme, l'autre s'inscrivant à l'intérieur du premier. Il portait sur le rôle du Néoplatonisme dans l'évolution de la pensée chrétienne. La matière était trop vaste pour qu'il y eût l'espoir d'apporter des réponses définitives. Mais nous avons considéré, d'une part, trois étapes dans l'évolution de la pensée chrétienne, d'autre part, l'aboutissement du travail de la pensée grecque dans le Néoplatonisme. Une simple comparaison nous a fourni quelques conclusions.

Le Christianisme a emprunté à la pensée grecque son matériel, au Néoplatonisme une méthode. Il a gardé intacte sa vérité profonde en traitant toutes les difficultés sur le plan de l'Incarnation. Et s'il n'avait justement apporté cette façon déroutante de poser les problèmes, sans doute la Grèce l'eût absorbé. Elle en avait vu d'autres. Ceci, du moins, reste précis, mais combien d'autres difficultés demeurent : le rôle joué par Philon dans la constitution de la métaphysique alexandrine, l'apport d'Origène et de Clément d'Alexandrie à la dogmatique chrétienne, les influences multiples que nous avons tues : Kabbale, Zend-Avesta, philosophies indiennes ou Théurgie égyptienne. Mais l'énoncé suffit. Tenons-nous à quelques constatations. Beaucoup parlent de l'hellénisation du Christianisme primitif. Et en ce qui concerne la morale, la chose n'est pas douteuse[A]. Mais c'est que la morale chrétienne n'est pas l'objet d'un enseignement ; c'est une ascèse intérieure qui vient sanctionner une foi. Au contraire, il faudrait parler plutôt, selon notre travail, de la christianisation de l'Hellénisme décadent. Et ici les mots ont un sens historique et même géographique.

Mais est-il possible enfin, au terme de cette étude, de déterminer ce qui fait la nouveauté du Christianisme ? Y a-t-il même des notions qui soient proprement chrétiennes ? La question est d'actualité. Au vrai, c'est un paradoxe particulier à l'esprit humain de saisir les éléments et de ne pouvoir embrasser la synthèse : paradoxe épistémologique d'une science certaine dans ces faits, mais alors insuffisante : suffisante dans ses théories, mais alors incertaine, ou paradoxe psychologique d'un moi perceptible dans ses parties, mais inaccessible dans son unité profonde. À cet égard l'histoire ne nous délivre pas de nos inquiétudes, et restituer la nouveauté profonde de l'Évangile apparaît comme une tâche impossible. Nous voyons bien sous quelles influences, de quel syncrétisme est née la pensée chrétienne. Mais nous sentons bien aussi, que, serait-elle démontée tout entière en éléments étrangers, nous la reconnaîtrions encore pour originale à cause de quelque résonance plus sourde que le monde n'avait pas encore entendue.

Et si nous réfléchissons sur les principaux thèmes du Christianisme, Incarnation, Philosophie selon l'histoire, misère et douleur de la condition humaine, nous reconnaissons que ce qui compte ici c'est la substitution d'un « homme chrétien » à un « homme grec ». Cette différence que nous parvenons mal à cerner dans les doctrines nous l'éprouvons en comparant Saint Jérôme au désert aux prises avec la tentation et les jeunes gens qui écoutaient Socrate[B]. Car si par ailleurs on en croit Nietzsche, si on accorde que la Grèce de l'ombre que nous signalions au début de ce travail, Grèce pessimiste,

---

A. Le premier traité systématique de morale chrétienne, celui d'Ambroise, dans la seconde moitié du IVe siècle, est calqué non sur l'Évangile, mais sur le *De Officiis* de Cicéron. — B. Et *Ép.* XXII, 7 : « Moi, oui moi, qui par crainte de la géhenne m'étais condamné à une telle prison, habitée seulement par les scorpions et les bêtes sauvages, souvent je me croyais transporté au milieu des danses virginales, j'étais pâle de jeûnes et mon imagination bouillonnait de désirs. » *Ap.* P. de Labriolle : *Histoire de la littérature latine chrétienne*, p. 451.

sourde et tragique, était la marque d'une civilisation forte, il faut convenir que le Christianisme à cet égard est une renaissance par rapport au socratisme et à sa sérénité. « Les hommes, dit Pascal, ne pouvant guérir la mort, ils se sont avisés de n'y point penser[44]. » Tout l'effort du Christianisme est de s'opposer à cette paresse du cœur. Par là se définit l'homme chrétien et du même coup une civilisation. Ch. Guignebert dans son « Christianisme antique » parle de la pensée chrétienne, comme d'une religion « d'exaltés, de désespérés et de gueux ». La chose est vraie, mais non comme le voudrait son auteur.

Quoi qu'il en soit, à la mort de Saint Augustin, le Christianisme s'est constitué en philosophie. Il est maintenant assez armé pour résister à la tourmente où tout sombrera. Pendant de longues années il demeure le seul espoir commun et le seul bouclier effectif contre le malheur du monde occidental. La pensée chrétienne avait conquis par là sa catholicité.

BIBLIOGRAPHIE

LES AUXILIAIRES DU CHRISTIANISME

Loisy. — *Les Mystères païens et le Mystère chrétien*, Paris, 1919.
Cumont. — *Les Religions orientales dans le paganisme romain*, 1907.
Cumont. — *Les Mystères de Mithra*.
Foucart. — *Recherches sur l'origine et la nature des mystères d'Éleusis*, 1895.
Foucart. — *Les Associations religieuses chez les Grecs*.
Gernet & Boulanger. — *Le Génie grec dans la Religion*, Paris, 1932.

LA MÉTAPHYSIQUE ALEXANDRINE

(a) Textes :

Plotin. — *Ennéades I à VI*, 5 inclus, traduction Bréhier ; VI, V à VI, 9, trad. Bouillet.
Porphyre. — *Vie de Plotin*, tome I de la trad. Bréhier.
Proclus. — *Commentaires du Parménide*, trad. Chaignet. 3 vol.
Damasius. — *Des principes*, trad. Chaignet, 1898.

(b) Études :

VACHEROT. — *Histoire de la philosophie d'Alexandrie*. 3 vol., 1846-1851.
SIMON. — *Id.* 2 vol., 1843-1845.
RAVAISSON. — *Essai sur la métaphysique d'Aristote*.
BOIS. — *Essai sur les origines de la philosophie indéo-alexandrine*, Toulouse, 1890.
BRET. — *Essai historique et critique sur l'école juive d'Alexandrie*.
BRÉHIER. — *Les Idées philosophiques et religieuses de Philon d'Alexandrie*, Paris, 1908.
KURPPE. — *Philon et la Patristique in « Essais d'histoire »* : Philosophie, Paris, 1902.
BRÉHIER. — *La Philosophie de Plotin*, Paris, 1903.
ARNOU. — *Le Désir de Dieu dans la philosophie de Plotin*, Paris, 1921.
GUYOT. — *L'Infinité divine depuis Philon le Juif jusqu'à Plotin*, Paris, 1908.
PICAVET. — *Hypostases plotiniennes et Trinité chrétienne*.
ANNUAIRE DE L'ÉCOLE DES HAUTES-ÉTUDES, 1917.
GUITTON. — *Le Temps et l'Éternité chez Plotin et Saint Augustin*, Paris, 1933.
PICAVET. — *Plotin et les Mystères d'Éleusis*, Paris, 1903.
COCHEZ. — *Les Religions de l'Empire dans la philosophie de Plotin*, 1913.
COCHEZ. — *Plotin et les Mystères d'Isis*, « Revue néoscolastique », 1911.
C. ELSEE. — *Neoplatonism in relation to Christianity*, Cambridge, 1908.
INGE. — *The Philosophy of Plotinus*, Londres, 1918.
LINDSAY. — *The Philosophy of Plotinus*, 1902.
FULLER. — *The Problem of Evil in Plotinus*, Cambridge, 1912.
CAIRD. — *The Evolution of Theology in the Greek Philosophers*. 2 vol., Glasgow, 1904.
   Plotin : II, pp. 210-346.

LE GNOSTICISME

(a) Études :

DE FAYE. — *Introduction à l'étude du Gnosticisme*, Paris, 1903.
   Gnostiques et Gnosticisme, Paris, 1913.
   Clément d'Alexandrie, 2ᵉ éd. Paris, 1898.
MATTER. — *Histoire critique du Gnosticisme*, 2 vol., 2ᵉ éd., Paris, 1844.
MANSEL. — *The Gnostic Heresies*.
KING. — *The Gnostics*.
SALMON. — *Gnosticisme*.
AMELINEAU. — *Essai sur le Gnosticisme égyptien*, Guimet, XIV.
DE BEAUSOBRE. — *Histoire du Manichéisme*, 2 vol., 1739-1744.
CUMONT. — *Recherches sur le Manichéisme*. I : « La Cosmogonie manichéenne d'après Théodore Bar. Khoni », Bruxelles, 1908.
ALFARIC. — *Les Écritures manichéennes*.

(b) Textes. Cf. surtout :

Tertullien. — *De Praescriptionibus adversus Haeresos, in Patrologie latine de Migne*, tome II, colonnes 10 à 72.
        Adversus Marcionem — *id.*, colonnes 239 à 468.
        Adversus Valentianum, colonnes 523-524.

ÉVOLUTION DU CHRISTIANISME

Ouvrages généraux :

Tixeront. — *Histoire des Dogmes dans l'antiquité chrétienne*, 3 vol., Paris, 1915, 1919, 1921.
P. de Labriolle. — *Histoire de la littérature latine chrétienne*, Paris, 1920. 2ᵉ éd., 1923.
Puech. — *Histoire de la littérature grecque chrétienne, jusqu'à la fin du IVᵉ siècle*, 3 vol., 1928-1930.
Puech. — *Les Apologistes grecs du IIᵉ siècle de notre ère*, Paris, 1912.
Le Breton. — *Les Origines du dogme de la Trinité*, 1920, éd. 1923.

HELLÉNISME ET CHRISTIANISME

(a) Études :

Havet. — *Le Christianisme et ses origines*, 4 vol., Paris, 1800-1884.
Aubié. — *Les Chrétiens de l'Empire romain de la fin des Antonins au début du IIIᵉ siècle*, Paris, 1881.
Boissier. — *La Fin du paganisme*. 4ᵉ éd. 1903.
Corbière. — *Le Christianisme et la Fin de la philosophie antique*, Paris, 1921.
Toussaint. — *L'Hellénisme et l'Apôtre Paul*.
Lenain de Tillemont. — *Mémoires pour servir à l'Histoire ecclésiastique des six premiers siècles*, 1702.
Dourif. — *Du Stoïcisme et Du Christianisme...*, Paris, 1863.
Bréhier. — *Hellénisme et Christianisme aux premiers siècles de notre ère*, « Revue philosophique ». 27-5-35.
T. R. Glover. — *The Influence of Christ in the Ancient World*.

(b) La polémique :

P. de Labriolle. — *La Réaction païenne*, Paris, 1934.
Aubié. — *La Polémique païenne à la fin du IIᵉ siècle*, Paris, 1878.
Rougier. — *Celse ou le Conflit de la civilisation antique et du christianisme primitif*, Paris 1925 + Traduction du *Discours vrai* de Celse.
Paul Allard. — *Julien l'Apostat*, 3 vol., Paris, 1900-1903.
        Julien l'Apostat, œuvres : édition Bridez, Paris, 1932.

(c) Sur Saint Augustin :

Voir la bibliographie raisonnée et à peu près complète in GILSON : *Introduction à l'étude de Saint Augustin*, Paris, 1931.

I. ŒUVRES — MIGNE : *Patrologie latine*, tomes XXII à XL inclus. Principales œuvres citées dans ce travail.

a) Confessions, tome XXXII : colonnes 659 à 905.
De civ. Dei, t. XXXVIII : colonnes 13 à 806.
Soliloques, t. XXXVII : colonnes 863 à 902.
Méditations, t. XXXVII : colonnes 901 à 944.
De beata vita, t. XXXII : colonnes 959 à 977.

b) Contre les hérésies :
De duabus animis contra Manichaeos, t. XXXIX : colonnes 93 à 112.
Contra Fortunatum manichoeum, t. XXXIX : colonnes 111 à 130.
Contra Adimandum manichoei discipulum, t. XXXIX : colonnes 129 à 174.
De Natura Boni contra manichaeos, t. XXXIX : colonnes 551 à 578.
Contra Julianum, t. XXXIX : colonnes 1094 à 1612.
De Natura et gratia, t. XLI : colonnes 199 à 248.
De Gestis Pelagii, t. XLI : colonnes 319 à 360.
De gratia Christi et peccato originali, t. XLI : colonnes 359 à 416.
De gratia et libero arbitrio, t. XLI : colonnes 881 à 914.

c) *Epistolae* : tome XXXIII.

d) *Sermones* : tome XXXVI.

II. ÉTUDES GÉNÉRALES.

E. GILSON. — *Introduction à l'étude de saint Augustin*, Paris, 1931.
PORTALIÉ. — « Article saint Augustin » in *Dictionnaire de Théologie catholique*. Tome I, col. 2268-2472. 1902.
NOURRISSON. — *La Philosophie de saint Augustin*, 2 vol., 2ᵉ éd., 1809.
ALFARIC. — *L'Évolution intellectuelle de saint Augustin*, tome I : « Du Manichéisme au Néoplatonisme », 1918.
BOYER. — *L'Idée de vérité dans la philosophie de saint Augustin*, Paris, 1920.
BOYER. — *Christianisme et Néoplatonisme dans la formation de saint Augustin*, Paris, 1920.
J. MARTIN. — *Saint Augustin*, 1901.
GRANDGEORGE. — *Saint Augustin et le Néoplatonisme*, 1896.
CAYRE. — *La Contemplation augustinienne*, Paris, 1927.

NOTION DE PHILOSOPHIE CHRÉTIENNE

E. GILSON. — *La Notion de philosophie chrétienne* in « Bulletin de la Société française de philosophie », mars 1931.

E. Bréhier. — *Le Problème de la philosophie chrétienne*, « Revue de métaphysique et de morale », avril 1931.

Souriau. — *Y a-t-il une philosophie chrétienne ?* « Revue de métaphysique et de morale », juillet 1932.

E. Gilson. — *L'Esprit de la philosophie médiévale.* 2 vol., Paris, 1932 — Ch. 1 : « Le Problème de la philosophie chrétienne ».

LE THÉÂTRE DU TRAVAIL

(1936-1937)

LE THÉÂTRE DU TRAVAIL

(1910-1917)

LE TEMPS DU MÉPRIS

(d'après le roman d'André Malraux)

> *Aux camarades allemands qui ont tenu à me faire connaître ce qu'ils ont souffert et ce qu'ils ont maintenu,*
>
> *ce livre qui est le leur[1].*

ACTE I

SCÈNE II[2]
[Tirée du chapitre I]

> *Une cellule figurée par un rideau en arc de cercle. Toute la scène ou presque se passe dans le silence. Elle est seulement soutenue par le tambour. Ce sont les bruits du dehors qui alimentent l'action.*
> *Kassner erre puis se penche. À la base du mur, des inscriptions…*

K. : Je ne veux… Mourir dans la rue aurait quand même été moins moche que mourir ici… [p. 784]

> *Silence… puis Kassner lit une autre inscription.*

K. : … Mes cheveux sont encore noirs… [p. 785]

> *Des pas [p. 785] au-dehors. (5 ou 6) s'approchent, semblent venir vers la cellule, mais la porte d'un cachot éloigné s'ouvre. Martèlement de bottes — Silence. Un long cri — qui reprend — Plusieurs fois.*
> *Le silence.*
> *Les pas s'approchent de nouveau. Une seconde porte s'est ouverte.*
> *K. tourne en rond puis lit d'autres inscriptions.*

K. : Stahl tué le… [p. 786]

> *Il écrit à son tour et lit en même temps.*

K. : Nous sommes avec toi [p. 786].

> *Des pas, la porte de la cellule s'ouvre. 4 nazis : bras en cerceau, tête en avant [p. 787].*

> *Le lynchage. Kassner tombe à terre, sur le ventre —*
> *et sous les bottes le sang jaillit.*

UN NAZI : Alors quoi, tu craches ton drapeau ? [p. 788]

SCÈNE III
[Tirée des chapitres II, III, IV et V]

> *Toujours la cellule. Kassner de nouveau, seul. En*
> *proie à la folie qui monte. Une voix invisible souligne*
> *ses rêves et son délire.*
> *Le garde repasse.*
> *Silence — Kassner se couche tout au long.*
> *Le garde repasse en chantonnant [p. 791]. Ce*
> *chant reparaît dans les intervalles jusqu'à la fin, sou-*
> *tenu par le tambour.*

LA VOIX : Tu te souviens : le gel sur Gelsenkirchen, avec
un chien qui aboie contre un vol de canards sauvages et
dont le cri se perd dans l'intimité touffue de la neige ; l'appel
des porte-voix de grève contre la sirène des mines ; *(des*
ombres en groupe — Une porte-voix : « 1 — Arrêtez le travail. —
2 — Formez des piquets de grève. — 3 — N'écoutez plus la sirène
des usines. ») — les tournesols saccagés sous les combats des
partisans, leurs pétales jaunes chiffonnés par le sang ; l'hiver
sur la Mongolie livide en trois jours, le coassement des
grenouilles dans l'aube pluvieuse d'un village aux palmes
détrempées, avec les trompes lointaines des camions insurgés encore dans la nuit : les cliquettes des marchands chinois
en fuite devant les lances-rouges ; l'inondation à perte de
vue de la Yang Tsé, avec des bancs de cadavres arrêtés par
des arbres crochus dans le plat reflet de lune [p. 792] ..... tu
te souviens, ta jeunesse et ta douleur, et ta volonté même.

Silence.

LA VOIX, *psalmodie* : Et si cette nuit est une nuit du destin —
Bénédiction sur elle jusqu'à l'apparition de l'aurore [p. 793].

Kassner se lève, fait quelques pas en trébuchant.

LA VOIX : Tu te souviens. Tes camarades assassinés à
Essen. Ta jeunesse et les mines en grève, et les champs aux
vaches couchées, lentement réveillées par des aboiements
répercutés de ferme en ferme [p. 794].

Silence.

LA VOIX : Tu te souviens. Les meetings à Paris pour les emprisonnés d'Allemagne. Les aveugles du premier rang, avec leurs terribles petits gestes d'aveugles. Et la mort de Lénine. Le discours de sa femme devant son cercueil. *(Kroupskaïa apparaît.)* Tes compagnons de Chine enterrés vivants, tes amis de Russie aux yeux arrachés, ceux d'Allemagne [p. 811] dans le noir des cachots. Ah ! c'est si difficile de parler dans la nuit.

> *Kassner se colle éperdument contre le mur. Un long silence souligné par le tambour.*
> *Soudain des coups au mur. Kassner écoute. Silence.*
> *Le guichet s'ouvre brusquement. Un garde apparaît, regarde et claque la porte.*
> *Un long cri dans une cellule voisine [p. 799].*

LA VOIX : Ils sont morts. Ta femme aussi est morte, je te dis, elle est morte [p. 801].

> *Kassner se laisse tomber à terre.*
> *Long silence. Tambour.*
> *La porte s'ouvre. Un garde, jambes écartées [p. 804], examine K. Il jette une corde devant lui.*

LE GARDE : Travail. Effilocher [p. 804].

> *À ce moment des coups au mur. Patiemment. Régulièrement.*
> *À force [p. 807] d'attention, Kassner saisit et épelle.*

K. : 3-C, 1-A, 13-M ..... Camarade [p. 809].

> *Les pas du garde approchent puis s'éloignent.*
> *Kassner frappe le mot « camarade » [p. 809].*
> *Le prisonnier répond : « 3, 15, 21, etc. ... Courage » [p. 809].*
> *Le garde passe. Une porte refermée à toute volée [p. 809]. Des coups sourds dans la cellule voisine. Des cris étouffés. Puis plus rien.*

K., *hurlant* : Camarades autour de moi dans l'obscurité [p. 810].

> *Puis le silence. Long. Souligné par le tambour.*

LA VOIX, *sourde* : Calme, calme comme la paisible neige,

morne comme le ciel d'hiver. La tristesse et la guerre
accroupie derrière les montagnes [p. 802]. Mais dehors c'est
le chant de la terre et le froid sous le gel — l'air — le froid
cabré comme un cheval dans la nuit glacée — et martelant
de ses sabots barbares la terre ouverte et crevassée, la terre
vivante comme le fleuve et la mer [p. 802].

> *Le chant s'élève très puissant.*
> *Des pas dans le couloir. La porte s'ouvre [p. 813].*
> *K. reste immobile.*

UN NAZI : Alors tu vas te décider ? [p. 813]

> *On emmène Kassner.*

ACTE II

SCÈNE I
[Tirée du chapitre V]

> *Le décor de la première scène, plus deux policiers*
> *en pardessus, qui se tiennent derrière le nazi chargé de*
> *l'interrogatoire de Kassner. Kassner signe un registre.*
> *Le nazi remet une enveloppe à l'un des deux [p. 813-*
> *814] policiers et à l'autre un paquet. Ce dernier ouvre*
> *le paquet.*

P. : Il manque un briquet et une boîte de cachous.
K. : Ils sont enveloppés dans le mouchoir.
P., *à Kassner* : Alors on va revoir la petite mère ?

> *Kassner se tait.*

P. : On voit que ça va mieux [p. 814].

> *Kassner se tait.*

P., *hochant la tête* : N'empêche que vous avez de la chance
qu'il se soit livré.
K. : Qui ?
P. : Kassner.
K. : Son identité a été établie ?
P. : Il a avoué.

Silence.

K. : On avoue beaucoup de choses ici.

P. : Vous n'avez subi aucun mauvais traitement. Et cette tête de cochon n'avait même pas été battue. À ce moment-là bien entendu. Il a avoué, en un mot, librement.

N. fronce les sourcils.

P. : Tous savaient que nous le cherchions et que nous ferions ce qu'il faudrait pour le trouver. Nous avions commencé, mais il s'est dénoncé.

K. : Ce qu'il faudrait… Et si c'est un type qui a voulu épargner ça aux autres ?

P. : Sans blague ? Un communiste ? Les corrections des autres il ne les a pas connues. C'est quand il a su que c'était lui qu'on cherchait qu'il s'est dénoncé. En un mot, la trouille de revenir ici vous rend piqué.

Silence.

P. : Il y a les photos, je crois. Et il savait ce qu'il risquait [p. 815].

K. : Où est-il ?

P. hausse les épaules.

K. : Mort ?

P. : Tout à fait vivant, ça m'étonnerait… Avec de pareilles questions je me demande comment ils ont pu vous prendre pour un communiste important. En un mot, c'était un cochon, mais pas un fou.

K., *songeur* : Ce n'était pas un cochon.

P. : Si vous aviez été endommagé à sa place, vous auriez trouvé que c'était un monsieur très bien.

K. : Si je… oui.

2e P. : Si vous tenez à y retourner ?…

1er P. se touche la tête du doigt.

K. : Vous n'avez pas sa photo ?

Le policier hausse les épaules.

2e P. : Et si vous n'aviez pas de relations avec des gens qu'un étranger qui respecte l'hospitalité ne doit pas rencontrer, il ne vous serait rien arrivé. Vous avez de la veine que votre légation se soit occupée de vous [p. 816].

Silence — On donne son paquet à Kassner [p. 817].

N. : Je retiens 11 marks 70.

K. : Pour les timbres ?

N. : Non, pour le camp. Un mark trente par jour.

K. : C'est pour rien. Je suis resté seulement neuf jours ?

N. : Vous en avez deux pour quitter l'Allemagne. À moins que d'ici là… [p. 817]

SCÈNE II
[Tirée du chapitre VII]

> *Le meeting. La scène est dans la salle. Sur la grande scène, le bureau. Sur la petite scène, Kassner au milieu de figurants. Il cherche sa femme. Il a déjà traversé toute la salle pour arriver là.*

UNE VIEILLE FEMME, *parle* : Mon fils était ouvrier. Pas même socialiste. On l'a envoyé au camp d'Oranienbourg et il y est mort… parce qu'il est allé à une manifestation antifasciste, juste avant la prise du pouvoir par les autres… Jamais je ne m'étais occupée de politique. On dit que ce n'est pas l'affaire des femmes. Leur affaire, c'est les enfants morts. Moi… je ne… ferai pas de discours… [p. 828]

LA VIEILLE FEMME, *se tait un moment, puis reprend* : On l'a tué… C'est ça que je dois dire à tout le monde… Le reste… Les délégués, les… savants qui parleront vous expliqueront.

> *Elle lève le poing pour crier : « Front rouge », mais, décontenancée [p. 829], prononce à peine ces mots.*
> *Applaudissements. Rumeurs de toux et de mouchoirs [p. 829].*

UNE FEMME DANS LA FOULE : Je lui ai défendu de jouer à la guerre et la dernière fois qu'il est revenu avec un œil poché, il m'a expliqué : tu comprends maintenant, on est plus civilisé, on joue à la révolution…

UN HOMME : Nous pourrons sûrement réunir des fonds si on met dans la délégation des gars du bâtiment.

UN SECRÉTAIRE DU BUREAU, *dicte des instructions* : Qu'ambassadeurs et consuls reçoivent sans cesse des coups de téléphone demandant la liberté des emprisonnés. Établissez des permanences. Formez des délégations d'enquête en Allemagne. — Postiers, collez le timbre Thaelmann sur les envois à destination de l'Allemagne ! — Marins et dockers, continuez à interdire le pavillon hitlérien dans les ports, causez avec les marins allemands [p. 829]. — Cheminots, inscrivez notre mot d'ordre sur les wagons qui se rendent en Allemagne…

LE PRÉSIDENT : La parole est au camarade… [p. 830]

*Le nom se perd dans le bruit, mais le silence se réta-
blit lentement. Un petit orateur chauve se lève.*

L'ORATEUR : Camarades, écoutez ces applaudissements qui viennent du fond de la nuit. Écoutez leur nombre, leur éloignement. Dans toutes ces salles, combien sommes-nous debout, serrés ? Vingt mille. — Camarades, il y a plus de cent mille hommes dans les camps et les prisons d'Allemagne. — Nos ennemis dépensent des millions pour leur propagande : il n'est pas inutile de faire avec nos volontés ce qu'ils font avec leur argent. — Nous avons arraché la libération de Dimitroff. Nous arracherons celle de nos camarades emprisonnés. — On tue rarement pour le plaisir et ces emprisonnements ont un sens. Ils sont une tentative d'intimidation à toutes les forces qui s'opposent au gouvernement nazi, mais il se trouve que ce gouvernement compte avec l'opinion publique étrangère. L'excès d'impopularité est nuisible aux armements et nuisible aux emprunts. — Il faut que notre divulgation, constante, opiniâtre, sans relâche fasse perdre plus à Hitler qu'il ne gagne à maintenir ce qu'il appelle la répression. C'est imprudent de juger Dimitroff à la face de tous parce que ça oblige à le montrer. Et à l'acquitter. Le procureur de Cologne a tort de se réjouir quand il dit que la justice a retrouvé son glaive et le bourreau sa hache comme au temps jadis. Le visage[3] des militants inconnus qu'elle [p. 830] reflète, la hache les fait connaître à tous. Et, de Thaelmann à Torgler, de Ludwig Renn à Ossietsky : ceux-là, jour après jour, vont vers ce qu'il y eut de tout temps de plus grand en l'homme avec la certitude de toute vie vers la mort… Camarades allemands, vous qui avez des frères ou des fils dans les camps de concentration, cette nuit même, en cette minute même, depuis cette salle jusqu'à l'Espagne et jusqu'au Pacifique, des foules semblables à la nôtre sont massées et la veillée s'étend d'un bout à l'autre du monde autour de leur solitude [p. 831].

— *Chant des Partisans* —

SCÈNE III
[*Tirée du chapitre* VIII]

> *L'appartement de Kassner sur la grande scène.*
> *Kassner entre à revers par la petite scène. Dans la pièce*
> *sa femme parle à son enfant. Kassner s'arrête.*

ANNA : Mon petit printemps, bouchonnet, poussin ! Poussin ? Je t'ai donné des magnifiques yeux, bleus qu'ils sont et si ça ne te suffit pas, je te donnerai des yeux du dimanche. Avec ceux-là, nous irons voir le pays des petits animaux. Où il y a des chiens et des oiseaux tous en peluche, vu leur jeune âge ; et les poissonnes, dont les lumières sont comme des chandelles de pissenlits. Mais bleues. Et nous verrons les chatons et les oursons. À petits pas. Tous les deux.

> *Sa voix change douloureusement* [*p. 832*].

ANNA : Tous les deux seulement…

> *L'enfant pousse de petits cris.*

ANNA : Tu verras les poissons tristes qui vivent très loin dans la mer. Ils ont des lanternes pour s'éclairer. Et quand ils ont trop froid…

KASSNER, *à voix basse* : Ils se réfugient aux pays des poissons à fourrures.

> *Il entre.*
> *Anna crispe ses mains sur le dossier*[a] *de la chaise et secoue nerveusement la tête. Lui, sourit* [*p. 832*]. *Elle se lève et hésite. Ils s'embrassent* [*p. 833*].
> *Choral de Bach — Kassner embrasse son enfant*[b].

K. : C'était terrible.
A. : Tu leur as donné ta fausse identité…

> *— Kassner allume une cigarette —*

A. : J'avais peur. Tu leur as donné ta fausse identité ? [*p. 833*]
K. : Non. Mais quelqu'un s'est dénoncé pour que je sois libre.

> *Lumière sur la cellule — Un homme est attaché —*
> *Regard fixe — Il restera jusqu'à la fin.*
> *Les yeux d'Anna interrogent.*

K. : Je ne sais pas qui il est.

A. : Oh ! J'ai tant de choses à te dire. Mais je ne peux pas. Nous allons parler de n'importe quoi, tu veux ? — Pour que je me réhabitue à toi [p. 834].

K., *indiquant leur enfant* : Quand l'avion est parti, il y avait autour de nous des tourbillons de feuilles. C'était ça la joie. Et tout était léger, bondissant.

A., *triste* : Si du moins je pouvais te donner cette joie.

> *Elle fait non de la tête, avec gaucherie. Pendant toute sa tirade Choral de Bach sur la flûte[4].*

A. : Ma vie est ce qu'elle est, je l'ai acceptée, et même… choisie… Je veux que tu gardes dans la tienne une toute petite place pour moi. Mais je pensais à quelque chose et j'ai voulu dire que je souhaitais être ta joie davantage… [p. 835]

> *Silence. Choral.*

À certains moments, j'ai l'impression que la souffrance ne change pas, seulement l'espoir.

> *Elle lève les yeux vers Kassner et parle encore.*

— J'ai inventé tant de conversations avec toi que j'ai toujours peur de la seconde où je vais me réveiller. Je m'étais pourtant promis que, ce jour-là, je ne te dirais pas une seule chose triste. Il y a plus de joie en moi… [p. 835]

> *Un geste — bras ouverts.*

— … mais elle n'ose pas venir… comme si elle avait encore peur.

> *Silence.*

Peut-être que je pense à ce que je vais dire parce qu'aujourd'hui je ne pourrais pas penser autrement, mais ce n'est pas une raison pour que j'aie tort. Je ne suis pas toujours une femme très heureuse ; je vis une vie difficile à vivre… Et pourtant rien au monde n'est plus fort, rien, que de savoir que cet enfant est là. Et qu'il est à moi. Je pense qu'il y a dans cette ville, je ne sais pas, cinq mille, dix mille enfants. Et des milliers de femmes que les douleurs vont prendre dans un moment (ça commence presque toujours vers une ou deux heures du matin) et qui attendent. Avec angoisse, oui. Mais aussi avec autre chose. Auprès de quoi le mot joie n'a presque pas de sens. Ni aucun mot. Et depuis que le monde est monde, chaque nuit a été comme ça.

La voix de l'enfant s'élève.

A. : Quand il est né, tu étais en Allemagne. Je me suis réveillée, je l'ai regardé, tout rabougri dans son berceau, j'ai pensé que sa vie serait ce qu'est la vie et j'ai pleuré comme un petit veau sur lui et sur moi… Comme j'étais très faible, les larmes ne cessaient pas de couler et pourtant dès ce moment-là, je savais qu'il y avait quelque chose pour moi qui était au-delà du chagrin…

K. : Les hommes n'ont pas d'enfants. Et pourtant au cachot, tu vois, ils ont grand besoin que quelque chose existe, qui vive à la même profondeur que la douleur… La joie c'est difficile à dire[5] [p. 836].

On frappe à une porte à côté. Anna sursaute.

A. : J'ai cru que c'était toi qui arrivais !

Porte qui s'ouvre et voix cordiale.

K. : Je voudrais écrire de nouveau. Dans le cachot, j'ai essayé de me servir de la musique, pour… me défendre. Des heures, ça donnait des images, des images, naturellement — et, par hasard, une phrase, une seule, l'appel des caravaniers : « Et si cette nuit est une nuit du destin… »

Anna lui prend la main, la porte contre sa tempe à l'envers et, caressant contre elle son visage.

A. : « Bénédiction sur elle jusqu'à l'apparition de l'aurore » [p. 837].

Long silence — Choral —

K. : J'ai envie de marcher, de sortir avec toi, n'importe où.
A. : Il faut que j'aille chercher quelqu'un pour garder le petit.

Anna sort. Kassner reste au silence appuyé contre la fenêtre. Obscurité. — Le prisonnier reste quelques secondes éclairé.
— Choral —

RÉVOLTE
DANS LES ASTURIES

*[Le texte de cette pièce a été publié par Camus lui-même. Il est donc repro-
duit dans ce volume aux pages 1-28.]*

PROMÉTHÉE ENCHAÎNÉ
(Adaptation de la tragédie d'Eschyle)

1) *Le théâtre est plongé dans l'obscurité.*
2) *« Petite fugue » de Bach — sur la flûte.*
3) *Lumière sur la scène B — éclairant violemment la Force. Elle*
s'adresse à Vulcain tout près d'elle.

LA FORCE : Nous voilà tout au bout de la terre, Vulcain,
dans le pays de Scythie, au fond d'un désert sans issue.
Attaché sur ce rocher avec des chaînes de diamant Prométhée *(elle clame ce nom — lumière sur la grande scène. Prométhée a les
bras en croix sur son rocher)* — Prométhée, Prométhée pro-
tecteur des humains — Prométhée qui a volé le feu. Prométhée qui l'a donné aux hommes. Punir ce crime, ça intéresse
tous les dieux. Ça va lui apprendre à respecter la puissance
de Jupiter *(bref éclat de trompettes)*. Ça va lui apprendre à s'intéresser à l'homme.

VULCAIN, *empêché et grognant, puis songeur* : Eh, pour toi qui
ne connais pas la pitié, c'est facile et ça ne t'arrête pas d'obéir
aux ordres de Jupiter *(bref éclat de trompettes)*. Mais moi, comment vais-je faire pour enchaîner Prométhée ? C'est un dieu
et il est un peu comme mon frère. Et pourtant, j'y suis forcé ;
ça serait pas prudent de désobéir à mon père. Ah ! Prométhée trop audacieux, tu vois, malgré moi et malgré toi je vais
t'attacher ici avec des chaînes que rien ne pourra briser. Ici,
pas d'habitants, pas de voix, pas de visages. — Le soleil te
brûlera lentement —. Tu cuiras. La nuit gonflée d'étoiles
viendra noyer le jour, mais ce sera trop tard. Le soleil viendra sécher la rosée du matin, mais ce sera trop tard. Trop

tard parce que nuit et jour, ton mal sera là et te rongera. Et personne pourra te délivrer. Tu vois ce que ça rapporte de s'intéresser à l'Homme. Tu étais dieu, tu as voulu faire à l'homme des cadeaux. Mais tu comptais sans les autres dieux. — Ah ! Prométhée l'audacieux, voilà ta punition. La solitude, la solitude debout, la solitude sans sommeil et sans repos. Tout seul, Prométhée, tout seul. Et tu auras beau crier et soupirer. Jupiter *(trompette)* est sans pitié. Un nouveau maître est toujours sans pitié.

LA FORCE, *véhémente* : Alors quoi — tu as pitié, toi ? — Tu devrais le détester. Il t'a pris ton feu, le feu qui était à tous les dieux et il l'a donné à l'homme.

VULCAIN : Il est un peu comme mon frère. — Et puis c'était mon ami.

LA FORCE : C'est vrai. Mais pense à ton père. Vas-tu lui désobéir ?

VULCAIN : Toi, tu es sans pitié.

LA FORCE : La tienne de pitié est inutile à Prométhée. Il est condamné.

VULCAIN : Ah ! J'aimerais mieux ne pas être forgeron.

LA FORCE : Tu parles pour rien.

VULCAIN : Mais pourquoi moi ?

LA FORCE : Tu peux tout faire, mais tu n'es pas libre. Seul est libre Jupiter *(bref éclat de trompette)*. Dépêche-toi.

VULCAIN : Voilà les anneaux pour les bras.

LA FORCE : Prends-les. Mets-les aux mains de J[upiter]. Tape avec ton marteau jusqu'à ce que les anneaux entrent dans le rocher.

> *Vulcain traverse la salle. Monte les [un mot illisible] de la scène et se dirige vers Prométhée. Il passe les chaînes et frappe à toute volée. Pendant tout ce jeu de scène sardane sourde et pathétique qui cesse sur le premier coup de marteau.*

SCÈNE II

PROM[ÉTHÉE] : Ah — ciel — regarde. Regardez, vents, sources des fleuves, flots aux mille sourires, Nature, mère de tous les êtres et toi soleil qui es le seigneur de la terre, regardez. Voilà comment un dieu est traité par ses frères. Voilà ce que je vais souffrir pendant 1 000 et 1 000 ans. Voilà

les chaînes dont m'a chargé le nouveau dieu. — Ah ! je soupire et je pleure. Je ne sais pas la fin de tout ça. — Il faut
pourtant subir. Mais comment parler et comment me taire
sous cette main qui m'écrase. Je suis bien puni d'avoir tant
fait pour les hommes. J'ai volé le feu du ciel. Je leur ai donné
le feu. Et ils ont tout fait et tout inventé avec. — C'est pour
ça qu'on m'enchaîne et qu'on me livre sur ce rocher à toutes
les morsures du vent.

> *Silence. La flûte se fait entendre. La jeune fille du
> chœur monte lentement sur la scène. Prométhée tend
> l'oreille.*

Mais ce bruit, ce parfum. Ah ! qui vient jusqu'à moi.
Regarde, toi qui viens, j'ai trop aimé les hommes — je suis le
plus malheureux des dieux.

LE THÉÂTRE DE L'ÉQUIPE

(1937-1939)

LE RETOUR
DE L'ENFANT PRODIGUE

(d'après le « traité » d'André Gide)

> *Obscurité totale avant le lever du rideau. Lorsque la rampe s'allume, le récitant est à genoux, à gauche et achève en ces termes :*

LE R[ÉCITANT] : « comme un donateur dans le coin du tableau, je me suis mis à genoux, faisant pendant au fils prodigue, à la fois comme lui souriant et le visage trempé de larmes » [p. 475].

> *Sur quoi le rideau se lève et découvre le décor, comme un triptyque grossier, figurant des cruches, des coffres et des chaînes d'oignons qui sèchent.*

L'ENFANT PRODIGUE

SCÈNE I

L'E[NFANT] P[RODIGUE], *entre à droite* : « ses genoux fléchissent, il tombe et couvre de ses mains son visage, s'avance dans la cour[1]. » *(Paraît son père. L'E.P. :)* « devant lui s'agenouille et cachant son front d'un bras, crie à lui, levant vers le pardon sa main droite. »

L.'E.P. : « Mon père, mon père, j'ai gravement péché contre le ciel et contre toi, je ne suis plus digne que tu m'appelles ;

mais du moins comme un de tes serviteurs, le dernier, dans un coin de notre maison laisse-moi vivre… »

LE PÈRE, *le relève et le presse* : Mon fils, que le jour où tu reviens à moi soit béni ! » *(Pleurant et criant vers l'intérieur de la maison.)* Apportez la plus belle robe. Mettez des souliers à ses pieds, un anneau précieux à son doigt. Cherchez dans nos étables le veau le plus gras, tuez-le ; préparez un festin de joie, car le fils que je disais mort est vivant. *(Courant vers la maison.)* Mère, le fils que nous pleurions nous est rendu.

> *L'E.P. reste en scène, tourné vers la maison, et regagne sa chambre à droite lentement.*

LE RÉCITANT : À présent dans la nuit où pas un souffle ne s'élève, la maison fatiguée, âme après âme, va s'endormir. Mais pourtant dans la chambre à côté de celle du prodigue, je sais un enfant, son frère cadet, qui toute la nuit jusqu'à l'aube, va chercher en vain le sommeil [p. 477].

> *Le frère cadet apparaît. Le rideau se ferme à demi de façon à cacher les chambres latérales.*

LA MORT HEUREUSE

MORT NATURELLE

I

Il était 10 heures du matin et Patrice Mersault marchait d'un pas régulier vers la villa de Zagreus[1]. À cette heure, la garde était sortie pour le marché et la villa était déserte. On était[a] en avril[2] et il faisait une belle matinée de printemps étincelante et froide, d'un bleu pur et glacé, avec un grand soleil éblouissant mais sans chaleur. Près de la villa, entre les pins qui garnissaient les coteaux, une lumière pure coulait le long des troncs. La route[b] était déserte. Elle montait un peu. Mersault avait une valise à la main, et dans la gloire de ce matin du monde, il avançait parmi le bruit sec de ses pas sur la route froide et le grincement régulier de la poignée de sa valise.

Un peu avant la villa, la route débouchait sur une petite place garnie de bancs et de jardins[3]. De précoces géraniums rouges parmi des aloès gris, le bleu du ciel et les murs de clôture blanchis à la chaux, tout cela était si frais et si enfantin que Mersault s'arrêta un moment avant de reprendre le chemin qui de la place descendait vers la villa de Zagreus. Devant le seuil il s'arrêta et mit ses gants. Il ouvrit la porte que l'infirme faisait tenir ouverte et la referma naturellement. Il s'avança dans le couloir et, parvenu devant la troisième porte à gauche, il frappa et entra. Zagreus était bien là, dans un fauteuil, un plaid sur les moignons de ses jambes, près de la cheminée, à la place exacte que Mersault occupait deux jours auparavant. Il lisait, et son livre reposait sur ses couvertures tandis qu'il fixait de ses yeux ronds, où ne se lisait aucune surprise, Mersault maintenant arrêté près de la

porte refermée. Les rideaux des fenêtres étaient tirés et il
y avait par terre, sur les meubles, au coin des objets, des
flaques de soleil. Derrière les vitres, le matin riait sur la terre
dorée et froide. Une grande joie glacée, des cris aigus d'oiseaux à la voix mal assurée, un débordement de lumière
impitoyable donnaient à la matinée un visage d'innocence
et de vérité. Mersault s'était arrêté[d], saisi à la gorge et aux
oreilles par la chaleur étouffante de la pièce. Malgré le changement du temps, Zagreus avait allumé un grand feu. Et
Mersault sentait son sang monter aux tempes et battre l'extrémité de ses oreilles. L'autre, toujours silencieux, le suivait
des yeux. Patrice marcha vers le bahut de l'autre côté de
la cheminée et sans regarder l'infirme, déposa sa valise sur la
table. Arrivé là, il sentit un tremblement imperceptible dans
ses chevilles. Il s'arrêta et mit à sa bouche une cigarette qu'il
alluma maladroitement à cause de ses mains gantées. Un
petit bruit derrière lui. La cigarette aux lèvres, il se retourna.
Zagreus le regardait toujours, mais venait de fermer son livre.
Mersault, pendant qu'il sentait le feu chauffer ses genoux
jusqu'à la douleur, lut le titre à l'envers : _L'Homme de cour_,
de Baltasar Gracian. Il se pencha sans hésiter vers le bahut
et l'ouvrit. Noir sur blanc, le revolver luisait de toutes ses
courbes, comme un chat soigné, et il maintenait toujours la
lettre de Zagreus. Mersault prit celle-ci dans sa main gauche
et le revolver de la droite. Après une hésitation, il fit passer
l'arme sous son bras gauche et ouvrit la lettre. Elle contenait une seule feuille de papier grand format couverte sur
quelques lignes seulement de la grande écriture anguleuse de
Zagreus :

« Je ne supprime qu'une moitié d'homme. On voudra
bien ne pas m'en tenir rigueur et trouver dans mon petit
bahut beaucoup plus qu'il ne faut pour désintéresser ceux
qui m'ont servi jusqu'ici. Pour le surcroît, j'ai le désir qu'il
soit consacré à l'amélioration du régime des condamnés à
mort. Mais j'ai conscience que c'est beaucoup demander. »

Mersault, le visage fermé, replia la lettre et à ce moment
la fumée de sa cigarette vint piquer ses yeux tandis qu'un
peu de cendre tombait sur l'enveloppe. Il secoua le papier,
le posa bien en vue sur la table et se tourna vers Zagreus.
Celui-ci regardait maintenant l'enveloppe, et ses mains,
courtes et musclées, étaient demeurées autour du livre. Mersault se pencha, tourna la clef du coffre, prit les liasses dont
on voyait seulement la tranche à travers leur enveloppe de

papier journal. Son arme sous le bras il en emplit régulièrement sa valise d'une seule main. Il y avait là moins d'une
vingtaine de paquets de cent et Mersault comprit qu'il avait
pris une valise trop grande. Il laissa dans le coffre une liasse
de cent billets. La valise fermée, il jeta sa cigarette à demi
consumée dans le feu et, prenant le revolver dans sa main
droite, s'approcha de l'infirme.

Zagreus maintenant regardait la fenêtre. On entendit une
auto passer lentement devant la porte, avec un bruit léger
de mastication. Zagreus, sans bouger, semblait contempler
toute l'inhumaine beauté de ce matin d'avril. Lorsqu'il sentit
le canon du revolver sur sa tempe droite, il ne détourna
pas les yeux. Mais Patrice qui le regardait vit son regard
s'emplir de larmes. Ce fut lui qui ferma les yeux. Il fit un
pas en arrière et tira. Un moment appuyé contre le mur, les
yeux toujours fermés, il sentit son sang battre encore à ses
oreilles. Il regarda. La tête s'était rejetée sur l'épaule gauche,
le corps à peine dévié. Si bien qu'on ne voyait plus Zagreus,
mais seulement une énorme plaie dans son relief de cervelle,
d'os et de sang. Mersault se mit à trembler. Il passa de l'autre
côté du fauteuil, prit à tâtons la main droite, lui fit saisir le
revolver, la porta à hauteur de la tempe et la laissa retomber. Le revolver tomba sur le bras du fauteuil et de là sur les
genoux de Zagreus. Dans ce mouvement Mersault aperçut
la bouche et le menton de l'infirme. Il avait la même expression sérieuse et triste que lorsqu'il regardait la fenêtre. À ce
moment, une trompette aiguë résonna devant la porte. Une
seconde fois, l'appel irréel se fit entendre. Mersault toujours
penché sur le fauteuil ne bougea pas. Un roulement de voiture annonça le départ du boucher. Mersault prit sa valise,
ouvrit la porte dont le loquet luisait sous un rayon de soleil
et sortit la tête battante et la langue sèche. Il franchit la porte
d'entrée et partit d'un grand pas. Il n'y avait personne, sinon
un groupe d'enfants à une extrémité de la petite place. Il
s'éloigna. En arrivant sur la place, il prit soudain conscience
du froid et frissonna sous son léger veston. Il éternua deux
fois et le vallon s'emplit de clairs échos moqueurs que le
cristal du ciel portait de plus en plus haut. Un peu vacillant,
il s'arrêta cependant et respira fortement. Du ciel bleu[4] descendaient des millions de petits sourires blancs. Ils jouaient
sur les feuilles encore pleines de pluie, sur le tuf humide des
allées, volaient vers les maisons aux tuiles de sang frais et
remontaient à tire-d'aile vers les lacs d'air et de soleil d'où ils

débordaient tout à l'heure. Un doux ronronnement descendait d'un minuscule avion qui naviguait là-haut. Dans cet épanouissement de l'air et cette fertilité du ciel, il semblait que la seule tâche des hommes fût de vivre et d'être heureux. Tout se taisait en Mersault. Un troisième éternuement le secoua, et il sentit comme un frisson de fièvre. Alors il s'enfuit sans regarder autour de lui, dans le grincement de sa valise et le bruit de ses pas. Arrivé chez lui, sa valise dans un coin, il se coucha et dormit jusqu'au milieu de l'après-midi.

II

L'été remplissait le port de clameurs et de soleil. Il était 11 heures et demie. Le jour s'ouvrait par son milieu pour écraser les quais de tout son poids de chaleur. Devant les hangars de la chambre de commerce d'Alger, des « Schiaffino » à coque noire et cheminée rouge embarquaient des sacs de blé. Leur parfum de poussière fine se mêlait aux volumineuses odeurs de goudron qu'un soleil chaud faisait éclore. Devant une petite baraque au parfum de vernis et d'anisette, des hommes buvaient et des acrobates arabes en maillot rouge sur les dalles brûlantes tournaient et retournaient leurs corps devant la mer où bondissait la lumière. Sans les regarder, les dockers portant les sacs s'engageaient sur les deux planches élastiques qui montaient du quai sur le pont des cargos. Arrivés en haut, soudain découpés dans le ciel et sur la baie, parmi les treuils et les mâts, ils s'arrêtaient une seconde éblouis face au ciel, les yeux brillants dans le visage couvert d'une pâte blanchâtre de sueur et de poussière, avant de plonger en aveugles dans la cale aux odeurs de sang chaud. Dans l'air brûlant, une sirène hurla sans arrêt. Sur la planche, soudain les hommes s'arrêtèrent en désordre. Un des leurs était tombé entre les madriers assez rapprochés pour le retenir. Mais son bras pris derrière lui, écrasé sous l'énorme poids du sac, il criait de douleur. À ce moment, Patrice Mersault sortit de son bureau. Sur le pas de la porte, l'été lui coupa la respiration. Il aspira de toute la bouche ouverte la vapeur de goudron qui lui raclait la gorge et s'arrêta devant les dockers. Ils avaient dégagé le blessé et, renversé sur les planches et parmi la poussière, les lèvres

blanchies par la souffrance, il laissait pendre son bras cassé
au-dessus du coude. Une esquille d'os avait traversé les
chairs, dans une plaie hideuse d'où coulait le sang. Roulant
le long du bras, les gouttes de sang tombaient, une à une, sur
les pierres brûlantes avec un petit grésillement d'où s'élevait une buée. Mersault, immobile, regardait ce sang lorsqu'on lui prit le bras. C'était Emmanuel, le «petit des
courses[5]». Il lui montrait un camion qui arrivait vers eux
dans un fracas de chaînes et d'explosions. «On y va?»
Patrice courut. Le camion les dépassa. Et de suite ils s'élan-
cèrent à sa poursuite, noyés dans le bruit et la poussière,
haletants et aveugles, juste assez lucides pour se sentir transportés par l'élan effréné de la course, dans un rythme éperdu
de treuils et de machines, accompagnés par la danse des
mâts sur l'horizon, et le roulis des coques lépreuses qu'ils
longeaient. Mersault[c] prit appui le premier, sûr de sa vigueur
et de sa souplesse, et sauta au vol. Il aida Emmanuel à s'asseoir les jambes pendantes, et dans la poussière blanche
et crayeuse, la touffeur lumineuse qui descendait du ciel, le
soleil, l'immense et fantastique décor du port gonflé de mâts
et de grues noires, le camion s'éloigna à toute vitesse, faisant
sauter sur les pavés inégaux du quai, Emmanuel et Mersault,
qui riaient à perdre haleine, dans un vertige de tout le sang.

Arrivé à Belcourt, Mersault descendit avec Emmanuel
qui chantait. Il chantait fort et faux. «Tu comprends, disait-
il à Mersault, c'est quelque chose qui monte dans la poitrine.
Quand je suis content. Quand je prends des bains.» C'était
vrai. Emmanuel chantait en nageant, et sa voix, rendue
rauque par l'oppression, imperceptible sur la mer, rythmait
les gestes de ses bras courts et musclés. Ils prirent la rue de
Lyon. Mersault marchait à grands pas, très grand et balançant des épaules larges et musclées. Dans sa façon de poser
le pied sur le trottoir qu'il allait gravir, d'éviter d'un glissement des hanches la foule qui à certains moments l'entourait, on sentait un corps étrangement jeune et vigoureux, capable de porter son propriétaire aux extrémités de la
joie physique[6]. Au repos, il reposait son corps sur une seule
hanche, avec une légère affectation de souplesse, comme un
homme qui du sport avait appris le style du corps. Ses yeux
brillaient sous les arcades sourcilières un peu fortes et tandis
qu'il parlait avec Emmanuel, d'un geste machinal, avec un
mouvement crispé de ses lèvres courbées et mobiles, il tirait
sur son col pour dégager son cou. Ils entrèrent dans leur

restaurant. Ils s'installèrent et mangèrent en silence. Il faisait frais dans l'ombre. Il y avait des mouches, des tintements d'assiettes, et des conversations. Le patron, Céleste, s'avança vers eux. Grand et moustachu, il grattait son ventre par-dessus son tablier qu'il laissait ensuite retomber. « Ça va ? dit Emmanuel. — Comme les vieux. » On parla. Céleste et Emmanuel échangeaient des « Oh ! collègue », et des tapes sur l'épaule. « Les vieux, tu vois, disait Céleste[7], ils sont un peu couillons. Ils disent qu'un vrai homme c'est un homme de cinquante ans. Mais c'est parce qu'ils ont la cinquantaine. Moi j'ai eu un copain[f] qui était heureux rien qu'avec son fils. Ils sortaient ensemble. Ils faisaient la bombe. Ils allaient au casino et le copain disait : " Pourquoi vous voulez que j'aille avec tous ces vieux ? Ils me disent tous les jours qu'ils ont pris une purge, qu'ils ont mal au foie. Ça vaut mieux que j'aille avec mon fils. Des fois qu'il s'accroche une petite poule, je fais celui qui voit rien, je monte dans un tram. Au revoir et merci. Je suis bien content. " » Emmanuel riait. « Bien sûr, dit Céleste, c'était pas une autorité, mais je l'aimais bien. » Et s'adressant à Mersault : « Et puis j'aime mieux ça qu'un copain que j'ai eu. Quand il a réussi, il me parlait en levant la tête et avec de petits signes. Maintenant, il est moins fier, il a tout perdu.

— C'est bien fait, dit Mersault.

— Oh, il faut pas être vache dans la vie. Il a pris du bon temps et il a eu raison. Neuf cent mille francs qu'il avait… Ah ! si c'était moi !

— Qu'est-ce que tu ferais ? dit Emmanuel.

— J'achèterais un cabanon, je me mettrais un peu de glu sur le nombril et un drapeau. Comme ça j'attendrais pour voir d'où vient le vent. »

Mersault mangeait avec tranquillité. Jusqu'à ce qu'Emmanuel entreprît de raconter au patron sa fameuse bataille dans la Marne.

« Nous autres, les zouaves, on nous avait fait mettre en tirailleurs[8]…

— Tu nous emmerdes, dit Mersault placide.

— Le commandant y dit : À la charge ! Et puis on descendait, ça faisait comme un ravin avec des arbres. Il nous avait dit de charger, mais y avait personne devant nous. Alors on marche, on marche en avant, comme ça. Et puis tout d'un coup des mitrailleuses y commencent à nous taper dedans. Tous, on tombe les uns sur les autres. Y avait tellement de blessés et de morts, que dans le fond du ravin, il y avait tellement de sang qu'on aurait pu traverser avec un canot. Il y en avait qui criaient : Maman ! que c'était terrible. »

Mersault se leva et fit un nœud avec sa serviette. Le patron alla marquer son déjeuner à la craie derrière la porte de la cuisine. C'était son livre de comptes. Quand il y avait contestation, il sortait la porte de ses gonds et amenait les comptes sur son dos. Dans un coin, René, le fils du patron, mangeait un œuf à la coque : « Le pauvre, dit Emmanuel, il s'en va de la poitrine. » C'était vrai. René était généralement silencieux et sérieux. Il n'était pas trop maigre, mais son regard était brillant. En ce moment, un consommateur lui expliquait que la tuberculose « avec du temps et des précautions, ça se guérit[9] ». Il approuvait et répondait gravement entre deux bouchées. Mersault vint s'accouder près de lui au comptoir pour prendre un café. L'autre continuait : « Tu n'as pas connu Jean Pérez ? Celui de la Compagnie du gaz. Il est mort. Il avait qu'un poumon malade. Mais il a voulu quitter l'hôpital pour rentrer chez lui. Et là, il avait sa femme. Et sa femme c'est un cheval. Lui, la maladie l'avait rendu comme ça. Tu comprends, il était toujours sur sa femme. Elle, ne voulait pas. Mais il était terrible. Alors, deux, trois fois tous les jours, ça finit par tuer un homme malade. » René, un morceau de pain entre les dents, s'était arrêté de manger et fixait l'homme. « Oui, dit-il enfin, le mal vient vite, mais pour repartir il lui faut du temps. » Mersault écrivit son nom avec le doigt sur le percolateur couvert de buée. Il cligna des yeux. De ce tuberculeux placide à Emmanuel gonflé de chants, sa vie oscillait tous les jours dans des odeurs de café et de goudron, détachée de lui-même et de son intérêt, à son cœur étrangère et à sa vérité. Les mêmes choses qui en d'autres circonstances l'eussent passionné, il se taisait sur elles puisqu'il les vivait, jusqu'au moment où il se retrouvait dans sa chambre et mettait toute sa force et sa précaution à éteindre la flamme de vie qui brûlait en lui.

« Dis, Mersault, toi qui as de l'instruction, disait le patron.

— Oui, ça va, dit Patrice, tu repasseras.

— Oh, tu as mangé du lion, ce matin. »

Mersault sourit et, quittant le restaurant, traversa la rue et monta dans sa chambre. Elle était au-dessus d'une boucherie chevaline. En se penchant à son balcon il recevait l'odeur de sang et il pouvait lire l'enseigne : « À la plus noble conquête de l'homme. » Il s'étendit sur son lit, fuma une cigarette et s'endormit.

Il logeait dans la chambre qu'habitait sa mère. Ils avaient longtemps vécu dans ce petit appartement de trois pièces. Seul, Mersault avait loué deux pièces à un tonnelier de ses amis qui vivait avec sa sœur, et il avait gardé la meilleure chambre. Sa mère était morte à cinquante-six ans[10]. Belle, elle avait cru pouvoir être coquette, bien vivre et briller. Vers la quarantaine, un mal terrible l'avait saisie. Elle fut dépouillée de robes et de fards, réduite aux blouses de malades, déformée dans son visage par d'affreuses boursouflures, immobilisée presque à cause de ses jambes gonflées et sans vigueur, à demi aveugle enfin et tâtonnant éperdument dans un appartement sans couleurs qu'elle laissait à l'abandon. Le coup fut soudain et bref. Elle avait du diabète qu'elle avait négligé et enrichi encore par sa vie insouciante. Il avait été contraint d'arrêter ses études et de travailler. Jusqu'à la mort de sa mère, il avait continué à lire et à réfléchir. Et pendant dix ans, la malade supporta cette vie. Ce martyre avait tant duré que ceux qui l'entouraient prirent l'habitude de sa maladie et oublièrent qu'atteinte gravement elle pouvait succomber. Elle mourut un jour. Dans le quartier, on plaignit Mersault. On attendait beaucoup de l'enterrement. On rappelait le grand sentiment du fils pour la mère. On adjurait les parents éloignés de ne point pleurer afin que Patrice ne sentît point sa douleur s'accroître. On les suppliait de le protéger et de se consacrer à lui. Lui, cependant, s'habilla du mieux qu'il put et, le chapeau à la main, contempla les préparatifs. Il suivit le convoi, assista au service religieux, jeta sa poignée de terre et serra des mains. Une fois seulement, il s'étonna et exprima son mécontentement de ce qu'il y eût si peu de voitures pour les invités. Ce fut tout. Le lendemain, on put voir à l'une des fenêtres de l'appartement un écriteau : « À louer. » À présent, il habitait la chambre de sa mère. Auparavant, la pauvreté près de sa mère avait une douceur. Lorsqu'ils se retrouvaient le soir et mangeaient en silence autour de la lampe à pétrole, il y avait un bonheur secret dans cette simplicité et ce retranchement. Le quartier autour d'eux était silencieux. Mersault regardait la bouche lasse de sa mère et souriait. Elle souriait aussi. Il mangeait à nouveau. La lampe fumait un peu. Sa mère la réglait du même geste usé, le bras droit seul tendu et le corps renversé en arrière. « Tu n'as plus faim, disait-elle un peu plus tard.

— Non. » Il fumait ou lisait. Dans le premier cas, sa mère disait : « Encore ! » Dans le second : « Approche-toi de la lampe, tu vas user ta vue. » Maintenant, au contraire, la pauvreté dans la solitude était une affreuse misère. Et quand Mersault pensait avec tristesse à la disparue, c'était sur lui, au vrai, que sa pitié se retournait. Il eût pu se loger plus confortablement, mais il tenait à cet appartement et à son odeur de pauvreté. Là, du moins, il rejoignait ce qu'il avait été et dans une vie dont volontairement il cherchait à s'effacer, cette confrontation sordide et patiente lui permettait de se référer encore à lui-même dans les heures de tristesse et de regret. Il avait laissé sur la porte un bout de carton gris, effrangé au bord, où sa mère avait écrit son nom au crayon bleu. Il avait gardé le vieux lit de cuivre, recouvert de satinette, le portrait de son grand-père avec sa petite barbe et ses yeux clairs immobiles. Sur la cheminée, des bergers et des bergères entouraient une vieille pendule arrêtée et une lampe à pétrole qu'il n'allumait presque jamais. Le décor douteux des chaises de paille un peu creusées, de l'armoire à glace jaunie et de la table de toilette dont un coin manquait n'existait pas pour lui, car l'habitude avait tout limé. Il se promenait dans une ombre d'appartement qui ne lui demandait aucun effort. Dans une autre chambre il eût fallu s'habituer au neuf, et là encore, lutter. Lui voulait diminuer la surface qu'il offrait au monde et dormir jusqu'à ce que tout soit consommé. Dans ce dessein, cette chambre le servait. Elle donnait d'une part sur la rue, d'autre part sur une terrasse toujours couverte de linge et, par-delà cette terrasse, sur de petits jardins d'orangers serrés entre de hauts murs. Parfois, les nuits d'été, il laissait la chambre dans l'obscurité et il ouvrait la fenêtre sur la terrasse et les jardins obscurs. De la nuit vers la nuit, l'odeur de l'oranger montait très forte et l'entourait de ses écharpes légères. Toute la nuit d'été, sa chambre et lui-même étaient alors dans ce parfum à la fois subtil et dense et c'était comme si, mort pendant de longs jours, il ouvrait pour la première fois sa fenêtre sur la vie.

Il s'éveilla la bouche pleine de sommeil et couvert de sueur. Il était très tard. Il se peigna, descendit au galop et sauta dans un tram. À 2 h 5 il était dans son bureau. Il travaillait dans une grande pièce dont les quatre murs étaient couverts de 414 niches où s'empilaient des dossiers. La pièce n'était ni sale ni sordide, mais elle évoquait à toute heure du jour un columbarium où des heures mortes auraient pourri.

Mersault vérifiait des connaissements, traduisait les listes de provisions des bateaux anglais et, de 3 à 4, recevait les clients désireux de faire expédier des colis. Il avait demandé ce travail qui en réalité ne lui revenait pas. Mais, au début, il avait trouvé là une porte de sortie sur la vie. Il y avait des visages vivants, des habitués, un passage et un souffle où il sentait enfin son cœur battre. Il échappait ainsi aux visages des trois dactylos et au chef de bureau, M. Langlois. L'une des dactylos était assez jolie et mariée depuis peu. L'autre vivait avec sa mère et la troisième était une vieille dame, énergique et digne dont Mersault aimait le langage fleuri et la réserve au sujet de « ses malheurs », selon l'expression de Langlois. Celui-ci avait avec elle des passes décisives où la vieille Mme Herbillon avait toujours l'avantage. Elle méprisait Langlois pour la sueur qui collait son pantalon à ses fesses et pour l'affolement qui le prenait devant le directeur et quelquefois au téléphone en entendant le nom d'un avocat ou d'un zèbre à particule. Le malheureux essayait vainement d'adoucir la vieille dame ou de trouver le chemin de sa bonne grâce. Ce soir-là il se dandinait au milieu du bureau. « N'est-ce pas, madame Herbillon, que vous me trouvez sympathique ? » Mersault traduisait *vegetables, vegetables*, contemplait au-dessus de sa tête l'ampoule et son abat-jour de carton vert plissé. En face de lui il avait un calendrier fort en couleurs qui figurait le pardon des terre-neuvas. Mouillette, buvard, encrier et règle s'alignaient sur sa table. Ses fenêtres donnaient sur d'énormes piles de bois amenées de Norvège par des cargos jaunes et blancs. Il tendait l'oreille. Derrière le mur, la vie respirait à grands coups sourds et profonds sur la mer et sur le port. Si loin à la fois et si près de lui… la sonnerie de 6 heures le libéra. C'était un samedi.

En rentrant chez lui il se coucha et dormit jusqu'à l'heure du dîner. Il se fit cuire des œufs et mangea à même le plat (sans pain parce qu'il avait oublié d'en acheter), puis s'étendit et s'endormit aussitôt jusqu'au lendemain matin[11]. Il se réveilla un peu avant le déjeuner, fit sa toilette et descendit manger. Remonté, il fit deux mots croisés, découpa minutieusement une réclame des sels Kruschen[12] qu'il colla dans un cahier déjà rempli de grands-pères farceurs descendant des rampes d'escalier. Ceci fait, il se lava les mains et se mit au balcon. L'après-midi était belle. Cependant le pavé était gras, les gens rares et pressés encore. Lui, suivait chaque homme du regard avec attention et le lâchait une fois hors

de vue pour revenir à un nouveau passant. C'était d'abord
des familles allant en promenade, deux petits garçons en
costume marin, la culotte au-dessous du genou, empêtrés
dans leurs vêtements raides, et une petite fille à gros nœud
rose, aux souliers noirs vernis. Derrière eux une mère en
robe de soie marron, bête monstrueuse entourée d'un boa,
un père plus distingué, une canne à la main. Un peu plus tard
passèrent les jeunes gens du quartier, cheveux laqués et cravate rouge, le veston très cintré avec une pochette brodée et
des souliers à bouts carrés. Ils allaient aux cinémas du centre
et se dépêchaient vers le tram en riant très fort. Après eux la
rue devint peu à peu déserte. Les spectacles partout étaient
commencés. Maintenant le quartier était livré aux boutiquiers et aux chats. Le ciel, quoique pur, était sans éclat au-
dessus des ficus qui bordaient la rue. En face de Mersault,
le marchand de tabacs sortit une chaise devant sa porte et
l'enfourcha en s'appuyant des deux bras sur le dossier. Les
trams tout à l'heure bondés étaient presque vides. Dans le
petit café Chez Pierrot, le garçon balayait de la sciure dans
la salle déserte. Mersault retourna sa chaise, la plaça comme
le marchand de tabacs et fuma deux cigarettes coup sur
coup. Il rentra dans la chambre, cassa un morceau de chocolat et revint le manger à la fenêtre. Peu après le ciel s'assombrit et de suite se découvrit. Mais le passage des nuages
avait laissé sur la rue comme une promesse de pluie qui la
rendait plus sombre. À 5 heures, des tramways arrivèrent
dans le bruit, ramenant des stades de banlieue des grappes de
spectateurs, perchés sur les marchepieds et les rambardes.
Les tramways suivants ramenèrent les joueurs qu'on reconnaissait à leurs petites valises. Ils hurlaient et chantaient à
pleins poumons que leur club ne périrait pas. Plusieurs firent
des signes à Mersault. L'un cria : « On les a eus ! — Oui », dit
seulement Mersault en secouant la tête. Les autos alors se
firent plus nombreuses. Certaines avaient chargé de fleurs
leurs ailes et leurs pare-chocs. Puis la journée tourna encore
un peu. Au-dessus des toits le ciel devenait rougeâtre. Avec
le soir naissant les rues s'animèrent à nouveau. Les promeneurs revenaient. Fatigués, les enfants pleuraient ou se laissaient traîner. À ce moment les cinémas du quartier déver-
sèrent dans la rue un flot de spectateurs. Mersault retrouvait,
dans les gestes décidés et ostentatoires des jeunes gens qui
en sortaient, le commentaire inconscient du film d'aventures
qu'ils avaient vu. Ceux qui revenaient des cinémas de la ville

arrivèrent un peu plus tard. Ils étaient plus graves. Entre les rires et les grosses farces, réapparaissait dans leurs yeux et dans leur maintien comme une nostalgie de ces vies au style brillant que le cinéma leur avait ouvertes. Ils restèrent dans la rue, allant et venant. Et sur le trottoir en face de Mersault, il finit par se former deux courants. Les jeunes filles du quartier, en cheveux, se tenaient le bras et formaient l'un d'eux. Les jeunes gens, de l'autre, lançaient des plaisanteries dont elles riaient en détournant la tête. Les gens sérieux entraient dans les cafés ou sur le trottoir faisaient des groupes que l'eau humaine qui circulait contournait comme des îlots. La rue était maintenant éclairée et les lampes électriques faisaient pâlir les premières étoiles qui montaient dans la nuit. Sous Mersault les trottoirs s'étalaient avec leurs chargements d'hommes et de lumières. Les lampes faisaient luire le pavé gras et les tramways à distance régulière mettaient leurs reflets sur des cheveux brillants, une lèvre humide, un sourire ou un bracelet d'argent. Peu après, avec les tramways plus rares et la nuit déjà noire au-dessus des arbres et des lampes, le quartier se vida insensiblement et le premier chat traversa lentement la rue déserte à nouveau. Mersault songea au dîner. Il avait un peu mal au cou d'être resté longtemps appuyé sur le dossier de sa chaise. Il descendit acheter du pain et des pâtes, fit sa cuisine et mangea. Il retourna à la fenêtre. Des gens sortaient, l'air avait fraîchi. Il frissonna, ferma ses vitres et revint vers la glace, au-dessus de la cheminée. Sauf certains soirs où il recevait Marthe ou sortait avec elle et sa correspondance avec ses amies de Tunis, toute sa vie était dans la perspective jaunie que la glace lui offrait d'une chambre où la lampe à alcool crasseuse voisinait avec des bouts de pain.

« Encore un dimanche de tiré », dit Mersault.

III

Quand Mersault se promenait dans les rues, le soir, et qu'il était fier de voir les lumières et les ombres briller également sur le visage de Marthe[13], tout lui semblait merveilleusement facile, sa force même et son courage. Cette beauté qu'elle lui versait tous les jours comme la plus fine des ivresses, il lui était reconnaissant qu'elle l'affichât en public et à ses côtés. Que Marthe fût insignifiante l'eût fait autant souffrir que de la voir heureuse dans les désirs des hommes. Il était content d'entrer ce soir au cinéma avec elle, un peu avant que le spectacle commençât, alors que la salle était presque remplie. Elle marchait devant lui, parmi les regards admiratifs, avec son visage de fleurs et de sourires et sa beauté violente. Lui, son feutre à la main, se sentait une aisance surnaturelle, comme une conscience intérieure de sa propre élégance. Il prit un air lointain et sérieux. Il exagéra sa politesse, s'effaça pour laisser passer l'ouvreuse, baissa le siège de Marthe avant qu'elle s'assît. Et c'était moins par désir de paraître qu'à cause de cette reconnaissance qui lui gonflait le cœur et le remplissait d'amour pour tous les êtres. S'il donna un pourboire exagéré à l'ouvreuse, c'est qu'aussi bien il ne savait comment payer sa joie et qu'il adorait par ce geste de tous les jours une divinité dont l'éclatant sourire brillait comme une huile dans son regard. À l'entracte, se promenant au foyer tapissé de glaces, c'est le visage de son bonheur que lui renvoyaient les murs, peuplant la salle d'images élégantes et vibrantes, avec sa grande silhouette sombre et le sourire de Marthe vêtue de couleurs claires. Certes il aimait le visage qu'il se voyait ainsi, la bouche frémissante autour de la cigarette et la fièvre sensible de ses yeux un peu enfoncés. Mais quoi, la beauté d'un homme figure des vérités intérieures et pratiques. Sur son visage se lit ce qu'il peut faire. Et qu'est cela au prix de la magnifique inutilité d'un visage de femme. Mersault le savait bien qui réjouissait sa vanité et souriait à ses démons secrets.

En regardant la salle, il songea que seul il ne sortait jamais à l'entracte, préférant fumer et écouter les disques de musique légère que l'on passait à ce moment-là. Mais ce soir le jeu continuait. Toutes les occasions de l'étendre et de le renouveler étaient bonnes. Au moment de s'asseoir, cependant, Marthe rendit son salut à un homme assis à quelques rangs derrière eux. Et Mersault, saluant à son tour, crut lui voir un léger sourire au coin des lèvres. Il s'assit sans remarquer la main que Marthe posait sur son épaule pour lui parler et qu'une minute plus tôt, il eût reçue avec joie, comme une preuve nouvelle de ce pouvoir qu'elle lui reconnaissait.

« Qui est-ce ? » dit-il, attendant le « qui ? » parfaitement naturel qui ne manqua pas de venir en effet.

« Tu sais bien. Cet homme…

« — Ah, dit Marthe… et elle se tut.

— Eh bien ?

— Tu tiens absolument à le savoir ?

— Non », dit Mersault.

Il se retourna légèrement. L'homme regardait la nuque de Marthe sans que rien bougeât sur son visage. Il était assez beau avec de belles lèvres très rouges, mais des yeux sans expression, un peu à fleur de peau. Mersault sentit des flots de sang monter à ses tempes. Devant son regard devenu noir, les brillantes couleurs de ce décor idéal où il vivait depuis quelques heures étaient soudain souillées de suie. Qu'avait-il besoin de l'entendre dire. Il en était sûr, cet homme avait couché avec Marthe. Et ce qui grandissait en Mersault comme une panique c'était l'idée de ce que cet homme pouvait se dire. Il le savait bien, lui qui avait pensé de même : « Tu peux toujours crâner… » À l'idée que cet homme, à la minute même, revoyait des gestes précis de Marthe et sa façon de mettre son bras sur ses yeux au moment du plaisir, à l'idée que cet homme aussi avait essayé d'écarter ce bras pour lire la levée tumultueuse des dieux sombres dans les yeux de la femme, Mersault sentait tout crouler en lui, et sous ses yeux fermés, pendant que la sonnerie du cinéma annonçait la reprise du spectacle, des pleurs de rage se gonflaient. Il oubliait Marthe qui avait été seulement le prétexte de sa joie, et maintenant le corps vivant de sa colère. Longtemps, Mersault tint ses yeux fermés, jusqu'au moment où il les rouvrit sur l'écran. Une voiture capotait et dans un grand silence de tout l'orchestre, seule, une des roues continuait à tourner lentement, entraînant dans son cercle entêté toute la honte et l'humiliation nées du cœur mauvais de Mersault. Mais en lui, un besoin de certitude lui faisait oublier sa dignité :

« Marthe, il a été ton amant ?

— Oui, dit-elle. Mais le film m'intéresse. »

Ce jour-là, Mersault commença de s'attacher à Marthe. Il l'avait connue quelques mois auparavant. Il avait été frappé par sa beauté et son élégance. Dans un visage un peu large mais régulier, elle avait des yeux dorés et des lèvres si parfaitement fardées, qu'elle semblait quelque déesse au visage peint. Une bêtise naturelle qui luisait dans ses yeux accusait encore son air lointain et impassible. Jusqu'ici chaque fois que Mersault avait lié avec une femme les premiers gestes qui engagent, conscient du malheur qui veut que l'amour et

le désir s'expriment de la même façon, il songeait à la rupture avant d'avoir serré cet être dans ses bras. Mais Marthe
était arrivée à un moment où Mersault se délivrait de tout et
de lui-même. Le souci de liberté et d'indépendance ne se
conçoit que chez un être qui vit encore d'espoir. Pour Mersault rien ne comptait alors. Et la première fois que Marthe
s'amollit dans ses bras et qu'il vit, dans les traits rendus flous
par le rapprochement, les lèvres jusque-là immobiles comme
des fleurs peintes s'animer et se tendre vers lui, il ne vit
pas l'avenir à travers cette femme mais toute sa force de
désir se fixa en elle et s'emplit de cette apparence. Les lèvres
qu'elle lui tendait lui semblaient le message d'un monde sans
passion et gonflé de désir, où son cœur se serait satisfait.
Cela, il l'éprouva comme un miracle. Son cœur battait d'une
émotion qu'il faillit prendre pour de l'amour. Et lorsqu'il
sentit la chair pleine et élastique sous ses dents, c'est à une
sorte de sauvage liberté qu'il mordit furieusement après
l'avoir longtemps caressée de ses propres lèvres. Elle devint
sa maîtresse le jour même. Après quelque temps, leur accord
dans l'amour était parfait. Mais, la connaissant mieux, il
avait perdu peu à peu l'intuition de cette étrangeté qu'il
avait lue en elle et que, penché sur sa bouche, il cherchait
encore à faire naître quelquefois. C'est ainsi que Marthe,
habituée à la réserve et à la froideur de Mersault, n'avait
jamais compris pourquoi dans un tramway chargé de monde
il lui avait un jour demandé ses lèvres. Ahurie, elle les
avait tendues. Et il les avait embrassées comme il aimait,
les caressant d'abord de ses lèvres et les mordant avec lenteur. « Qu'est-ce qui te prend ? » lui avait-elle dit ensuite. Il
avait eu le sourire qu'elle aimait, le sourire bref qui répond
et il avait dit : « J'ai envie de me tenir mal » — pour rentrer ensuite dans son silence. Elle ne comprenait pas non
plus le vocabulaire de Patrice. Après l'amour, à ce moment
où dans le corps libéré et détendu le cœur sommeille,
plein seulement de l'affection tendre qu'on porte à un chien
gracieux, Mersault lui disait en souriant : « Bonjour, apparence. »

Marthe était dactylo. Elle n'aimait pas Mersault mais lui
était attachée dans la mesure où il l'intriguait et la flattait.
Depuis le jour où Emmanuel, que Mersault lui avait présenté, en avait dit : « Vous savez, c'est un type bien, Mersault. Il a quelque chose dans le ventre. Mais il la ferme. Alors,
on s'y trompe », elle le regardait avec curiosité. Et comme il

la rendait heureuse en amour, elle n'en demandait pas plus, s'accommodant au mieux de cet amant silencieux et peu bruyant qui ne lui réclamait jamais rien et la prenait quand elle voulait bien venir. Elle était seulement un peu gênée devant cet homme dont elle n'apercevait pas la faille.

Ce soir-là pourtant, au sortir du cinéma, elle comprit que quelque chose pouvait atteindre Mersault. Elle se tut toute la soirée et dormit chez lui. Il ne la toucha pas de la nuit. Mais à partir de ce moment, elle usa de son avantage. Elle lui avait déjà dit qu'elle avait eu des amants. Elle sut trouver les preuves nécessaires.

Le lendemain et contrairement à son habitude, elle vint chez lui en sortant de son travail. Elle le trouva endormi et s'assit au pied du lit de cuivre sans le réveiller. Il était en bras de chemise, et les manches retroussées laissaient voir le dessous blanc de l'avant-bras musclé et brun. Il respirait régulièrement, avec la poitrine et le ventre à la fois. Deux plis entre les sourcils lui donnaient l'expression de force et d'entêtement qu'elle lui connaissait bien. Ses cheveux retombaient en boucles sur son front très brun, au travers duquel se gonflait une veine. Et ainsi abandonné sur ses larges épaules, les bras le long du corps et l'une des jambes à demi repliée, il semblait un dieu solitaire et têtu, jeté endormi dans un monde étranger. Devant ses lèvres pleines et gonflées par le sommeil, elle le désira. Lui, à ce moment, ouvrit à demi les yeux et les refermant, dit sans colère :

« Je n'aime pas qu'on me regarde dormir. »

Elle lui sauta au cou et l'embrassa. Il resta immobile.

« Oh, chéri, encore une de tes lubies. »

— Ne m'appelle pas chéri, tu veux. Je te l'ai déjà dit. »

Elle s'allongea contre lui et le regarda de profil.

« Je me demande à qui tu ressembles comme ça. »

Il remonta son pantalon et lui tourna le dos. Souvent Marthe, au cinéma, chez des étrangers, au théâtre, reconnaissait des gestes ou des tics de Mersault. En ceci d'ailleurs, il retrouvait l'influence qu'il avait sur elle, mais cette habitude qui le flattait souvent l'agaçait aujourd'hui. Elle se colla contre son dos et reçut dans le ventre et sur les seins toute la chaleur de son sommeil. Le soir tombait très vite et la chambre se noyait d'ombre. De l'intérieur de la maison, montaient des pleurs d'enfants battus, un miaulement, le claquement d'une porte. Les lampes de la rue éclairaient le balcon. Des tramways passaient rarement. Et après eux, l'odeur de quartier faite d'anisette et de viande grillée montait dans la chambre en bouffées lourdes.

Marthe sentit le sommeil la gagner.

« Tu as l'air fâché, dit-elle. Déjà hier… c'est pour ça que je suis venue. Tu ne dis rien ? » Elle le secoua. Mersault resta immobile, il guettait dans le noir déjà épais la courbe brillante d'un soulier sous la table de toilette.

« Tu sais, dit Marthe, le type d'hier, eh bien, j'ai exagéré. Il n'a pas été mon amant.

— Non ? dit Mersault.

— Enfin, pas tout à fait. »

Mersault ne disait rien. Il voyait parfaitement les gestes, les sourires… Il serra les dents. Puis il se leva, ouvrit la fenêtre et revint s'asseoir sur le lit. Elle se blottit contre lui, passa la main entre deux boutons de sa chemise et lui caressa les seins.

« Combien as-tu eu d'amants ? dit-il enfin.

— Tu m'ennuies. »

Mersault se tut.

« Une dizaine », dit-elle.

Chez Mersault, le sommeil appelait la cigarette.

« Je les connais ? » dit-il en sortant son paquet.

Il voyait seulement une blancheur à la place du visage de Marthe. « Comme dans l'amour », pensait-il.

« Quelques-uns, oui. Dans le quartier. »

Elle frottait sa tête contre son épaule et prenait la voix de petite fille qui amollissait toujours Mersault.

« Écoute, petit », dit-il… (Il alluma sa cigarette.) « Comprends-moi. Tu vas me promettre de me dire leurs noms. Et pour les autres, ceux que je ne connais pas, tu vas me promettre encore, si nous les rencontrons, de me les montrer. »

Marthe se rejeta en arrière : « Ah non ! »

Une auto klaxonna brutalement sous les fenêtres de la chambre, une fois encore et deux fois, longuement. Le timbre du tram tinta au fond de la nuit. Sur le marbre de la toilette, le réveil avait un tic-tac froid. Mersault dit avec effort :

« Je te demande ça parce que je me connais. Si je ne sais pas, chaque type que je vais rencontrer, ça sera la même chose. Je me demanderai, j'imaginerai. C'est ça. J'imaginerai trop. Je ne sais pas si tu comprends. »

Elle comprenait à merveille. Elle dit les noms. Un seul était inconnu à Mersault. Le dernier était un jeune homme qu'il connaissait. C'était à celui-là qu'il pensait, car il le savait beau et fêté par les femmes. Ce qui le frappait dans l'amour c'était, pour la première fois du moins, l'intimité effroyable que la femme acceptait et le fait de recevoir en son ventre le ventre d'un inconnu. Dans cette sorte de laisser-aller, d'abandon et de vertige, il reconnaissait le pouvoir exaltant et sordide de l'amour. Et c'est cette intimité que d'abord il imaginait entre Marthe et son amant. À ce moment, elle se mit au bord du lit et mettant son pied gauche sur la cuisse droite, ôta un soulier puis l'autre et les laissa tomber, l'un couché sur le flanc, l'autre debout sur son haut talon. Mersault sentit sa gorge se serrer. Quelque chose dans l'estomac le rongeait.

« C'est comme ça que tu faisais avec René ? » dit-il en souriant.

Marthe leva les yeux.

« Qu'est-ce que tu vas te mettre dans la tête, dit-elle. Il n'a été qu'une fois mon amant.

— Ah ! dit Mersault.

— Et d'ailleurs, je n'ai même pas enlevé mes souliers. »

Mersault se leva. Il la voyait renversée, habillée, sur un lit semblable à celui-ci, et donnée tout entière et sans réserves. Il cria : « Ferme ça » et marcha vers la fenêtre.

« Oh chéri ! » dit Marthe assise sur le lit, les pieds nus dans ses bas et sur le sol.

Mersault se calmait à regarder le jeu des lampes sur les rails. Jamais il ne s'était senti aussi près de Marthe. Et à comprendre que du même coup il s'ouvrait un peu plus à elle, l'orgueil lui brûlait les yeux. Il revint vers elle et, entre l'index replié et le pouce, prit sous l'oreille, la peau tiède du cou. Il sourit.

« Et ce Zagreus, qui est-il ? C'est le seul que je ne connaisse pas.

— Lui, dit Marthe en riant, je le vois encore. »

Mersault serra les doigts sur la peau.

« C'est mon premier, tu comprends. J'étais toute jeune. Il était un peu plus âgé. Maintenant il a les deux jambes coupées. Il vit tout seul. Alors je vais le voir des fois. C'est un type bien et instruit. Il lit tout le temps. À cette époque il était étudiant. Il est très gai. Un type, quoi. D'ailleurs il dit comme toi. Il me dit : " Viens ici, apparence. " »

Mersault réfléchit. Il lâcha Marthe qui se renversa sur le lit en fermant les yeux. Après un moment, il s'assit à côté d'elle et se penchant sur ses lèvres entrouvertes, chercha les signes de sa divinité d'animal et l'oubli d'une souffrance qu'il jugeait indigne. Mais il quitta sa bouche sans aller plus loin.

En raccompagnant Marthe, elle lui parla de Zagreus : « Je lui ai parlé de toi, dit-elle. Je lui ai dit que mon chéri était très beau et très fort. Alors il m'a dit qu'il aimerait te connaître. Parce que, comme il le dit : " Ça m'aide à bien respirer de voir un beau corps. "

— Encore un compliqué celui-là », dit Mersault.

Marthe voulait lui faire plaisir et crut le moment venu de placer la petite scène de jalousie qu'elle méditait et qu'elle pensait lui devoir en quelque sorte.

« Oh, il l'est moins que tes amies.

— Quels amis ? dit Mersault, sincèrement étonné.

— Les petites bourriques, tu sais ? »

Les petites bourriques, c'étaient Rose et Claire, des étudiantes de Tunis que Mersault avait connues et avec lesquelles il entretenait la seule correspondance de sa vie. Il sourit et prit Marthe par la nuque. Ils marchèrent longtemps. Marthe habitait près du Champ de Manœuvres. La rue était longue et brillait de toutes ses fenêtres dans la partie supérieure, tandis que le bas, tous magasins fermés, était noir et sinistre.

« Dis, chéri, tu ne les aimes pas, ces petites bourriques, hein ?

— Oh non », dit Mersault.

Ils marchaient, la main de Mersault sur la nuque de Marthe, recouverte par la chaleur des cheveux.

« Tu m'aimes », dit Marthe sans transition.

Mersault soudain s'anima et rit très fort.

« Voilà une question bien grave.

— Réponds.

— Mais à notre âge, on n'aime pas, voyons. On se plaît, c'est tout. C'est plus tard, quand on est vieux et impuissant qu'on peut aimer. À notre âge, on croit qu'on aime. C'est tout, quoi. »

Elle parut triste, mais il l'embrassa : « Au revoir chéri », dit-elle. Mersault revint par les rues noires. Il marchait vite et sensible au jeu des muscles de sa cuisse le long de l'étoffe lisse du pantalon, il songea à Zagreus et à ses jambes coupées. Il eut le désir de le connaître et il décida de demander à Marthe de le présenter.

La première fois que Mersault vit Zagreus, il fut exaspéré. Pourtant Zagreus avait tenté d'atténuer ce qu'a de gênant

pour l'imagination la rencontre de deux amants d'une même
femme en présence de celle-ci. À cet effet, il avait tenté
de rendre Mersault complice en traitant Marthe de « bonne
fille » et en riant très fort. Mersault était resté buté. Il le dit
brutalement à Marthe dès qu'ils se retrouvèrent seuls.

« Je n'aime pas les demi-portions. Ça me gêne. Ça m'empêche de penser. Et encore moins les demi-portions qui
crânent.

— Oh toi, répondit Marthe qui n'avait pas compris, si on
t'écoutait… »

Mais par la suite, ce rire jeune qui chez Zagreus d'abord
l'avait exaspéré retint son attention et son intérêt. Aussi
bien la jalousie mal déguisée qui guidait Mersault dans son
jugement avait disparu en voyant Zagreus. À Marthe qui
évoquait en toute innocence le temps où elle avait connu
Zagreus, il conseilla :

« Ne perds pas ton temps. Je ne peux pas être jaloux
d'un type qui n'a plus de jambes. Pour peu que je pense à
vous deux, je le vois comme un gros ver sur toi. Alors tu
comprends, ça me fait marrer. Te fatigue pas, mon ange. »

Et par la suite il retourna seul chez Zagreus. Ce dernier
parlait vite et beaucoup, riait, puis se taisait. Mersault se
sentait bien dans la grande pièce où Zagreus se tenait, entre
ses livres et ses cuivres marocains, le feu et ses reflets
sur le visage discret du bouddha khmer sur la table de travail. Il écoutait Zagreus. Ce qui le frappait chez l'infirme,
c'est qu'il réfléchissait avant de parler. Pour le reste, la passion contenue, la vie ardente qui animait ce tronc ridicule
suffisait à retenir Mersault et à faire naître en lui quelque
chose qu'avec un peu plus d'abandon il aurait pu prendre
pour de l'amitié.

IV

Ce dimanche après-midi, après avoir beaucoup parlé
et plaisanté, Roland Zagreus se tenait en silence près du
feu dans son grand fauteuil roulant, émergeant de ses couvertures blanches. Mersault, appuyé contre la bibliothèque,
regardait le ciel et la campagne, à travers les rideaux de soie
blanche des fenêtres. Il était venu sous une mince pluie fine

et, craignant d'arriver trop tôt, avait erré pendant une heure dans la campagne. Le temps était sombre et, sans entendre le vent, Mersault voyait cependant les arbres et les feuillages se tordre en silence dans le petit vallon. Du côté de la rue une voiture de laitier passa dans un grand vacarme de fer et de bois. Presque aussitôt la pluie se mit à tomber avec violence et inonda les fenêtres. Avec toute cette eau comme une huile épaisse sur les vitres, le bruit creux et lointain des sabots du cheval plus sensible maintenant que le vacarme de la voiture, l'averse sourde et persistante, cet homme-potiche auprès du feu et le silence de la pièce, tout prenait un visage de passé dont la sourde mélancolie pénétrait le cœur de Mersault, comme tout à l'heure l'eau ses souliers humides, et le froid ses genoux mal protégés par une étoffe mince. Quelques instants auparavant l'eau vaporisée qui descendait, ni brume ni pluie, avait lavé son visage comme une main légère et mis à nu ses yeux largement cernés. Maintenant il regardait le ciel du fond duquel des nuages noirs arrivaient sans cesse, bientôt effacés et bientôt remplacés. Le pli de son pantalon avait disparu et avec lui la chaleur et la confiance qu'un homme normal promène avec lui dans un monde qui est fait pour lui. C'est pour cela qu'il se rapprocha du feu et de Zagreus, s'asseyant en face de lui, un peu dans l'ombre de la haute cheminée et toujours devant le ciel. Zagreus le regarda, détourna les yeux et lança dans le feu une boule de papier qu'il tenait dans sa main gauche. De ce mouvement comme toujours ridicule, Mersault reçut le malaise que lui donnait la vue de ce corps à moitié vivant seulement. Zagreus sourit mais ne dit rien. Et soudain il pencha son visage vers lui. Les flammes luisaient sur sa joue gauche seulement, mais quelque chose dans sa voix et son regard se chargeait de chaleur.

« Vous avez l'air fatigué », dit-il.

Par pudeur Mersault répondit seulement : « Oui, je m'ennuie », et après un temps se redressa, marcha vers la fenêtre et ajouta en regardant au-dehors : « J'ai envie de me marier, de me suicider, ou de m'abonner à *L'Illustration*. Un geste désespéré, quoi. »

L'autre sourit :

« Vous êtes pauvre, Mersault. Ça explique la moitié de votre dégoût. Et l'autre moitié, vous la devez à l'absurde consentement que vous apportez à la pauvreté. »

Mersault lui tournait toujours le dos et regardait les arbres

sous le vent. Zagreus lissa de la main la couverture qui couvrait ses jambes.

« Vous savez. Un homme se juge toujours à l'équilibre qu'il
sait apporter entre les besoins de son corps et les exigences
de son esprit. Vous, vous êtes en train de vous juger, et sale-
ment, Mersault. Vous vivez mal. En barbare. » Il tourna la tête
vers Patrice : « Vous aimez conduire une auto, n'est-ce pas ?

— Oui.

— Vous aimez les femmes ?

— Lorsqu'elles sont belles.

— C'est ce que je voulais dire. » Zagreus se retourna vers
le feu.

Après un moment il commença : « Tout ça… » Mersault
se retourna et appuyé contre les vitres qui fléchissaient un
peu derrière lui, il attendit la fin de la phrase. Zagreus resta
muet. Une mouche précoce vibra contre la vitre. Mersault se
retourna, l'emprisonna sous sa main puis la libéra. Zagreus
le regardait et lui dit avec une hésitation :

« Je n'aime pas parler sérieusement. Parce qu'alors, il n'y
a qu'une chose dont on puisse parler : la justification qu'on
apporte à sa vie. Moi, je ne vois pas comment je pourrais
justifier à mes yeux mes jambes mutilées.

— Moi non plus », dit Mersault sans se retourner.

Le rire frais de Zagreus éclata soudain. « Merci. Vous ne
me laisserez aucune illusion. » Il changea de ton : « Mais
vous avez raison d'être dur. Pourtant il y a une chose que je
voudrais vous dire. » Et sérieux il se tut. Mersault vint
s'asseoir en face de lui.

« Écoutez, répéta Zagreus, et regardez-moi. On m'aide à
faire mes besoins. Et après on me lave et on m'essuie. Pire,
je paie quelqu'un pour ça. Et bien je ne ferai jamais un geste
pour abréger une vie à laquelle je crois tant. J'accepterais
pis encore, aveugle, muet, tout ce que vous voudrez, pourvu
seulement que je sente dans mon ventre cette flamme sombre
et ardente qui est moi et moi vivant. Je ne songerai qu'à
remercier la vie pour m'avoir permis de brûler encore. »
Zagreus se rejeta en arrière, un peu essoufflé. On le voyait
moins maintenant, seulement un reflet livide que ses couvertures laissaient sur son menton. Il dit alors : « Et vous,
Mersault, avec votre corps, votre seul devoir est de vivre et
d'être heureux.

— Ne me faites pas rire, dit Mersault. Avec huit heures
de bureau. Ah ! si j'étais libre ! »

Il s'était animé en parlant et, comme parfois, l'espoir le reprenait, plus fort aujourd'hui de se sentir aidé. Une confiance lui venait de pouvoir enfin faire confiance. Il se calma un peu, commença à écraser une cigarette et reprit plus posément : « Il y a quelques années, j'avais tout devant moi, on me parlait de ma vie, de mon avenir. Je disais oui. Je faisais même ce qu'il fallait pour ça. Mais alors déjà, tout ça m'était étranger. M'appliquer à l'impersonnalité, voilà ce qui m'occupait. Ne pas être heureux, " contre ". Je m'explique mal, mais vous comprenez, Zagreus.

— Oui, dit l'autre.

— Maintenant encore, si j'avais le temps… Je n'aurais qu'à me laisser aller. Tout ce qui m'arriverait par surcroît, eh bien, c'est comme la pluie sur un caillou. Ça le rafraîchit et c'est déjà très beau. Un autre jour, il sera brûlant de soleil. Il m'a toujours semblé que c'est exactement ça, le bonheur. »

Zagreus avait croisé les mains. Dans le silence qui suivit, la pluie sembla redoubler et les nuages se gonflèrent dans une brume indistincte. La pièce s'assombrit un peu plus comme si le ciel y déversait son chargement d'ombres et de silences. Et l'infirme dit avec intérêt :

« Un corps a toujours l'idéal qu'il mérite. Cet idéal du caillou, si j'ose dire, il faut pour le soutenir un corps de demi-dieu.

— C'est vrai, dit Mersault un peu surpris, mais n'exagérons rien. J'ai fait beaucoup de sports, voilà tout. Et je suis capable d'aller très loin dans la volupté. »

Zagreus réfléchit.

« Oui, dit-il. Tant mieux pour vous. Connaître les limites de son corps, c'est ça la vraie psychologie. D'ailleurs ça n'a pas d'importance. Nous n'avons pas le temps d'être nous-mêmes. Nous n'avons que le temps d'être heureux. Mais est-ce que ça vous ennuierait de me préciser votre idée d'impersonnalité ?

— Non », dit Mersault qui se tut.

Zagreus but une gorgée de son thé et abandonna sa tasse pleine. Il buvait très peu, ne voulant uriner qu'une fois par jour. À force de volonté, il arrivait presque toujours à réduire la charge d'humiliations que lui apportait chaque journée. « Il n'y a pas de petites économies. C'est un record comme un autre », avait-il dit un jour à Mersault. Quelques gouttes d'eau tombèrent pour la première fois dans la cheminée. Le feu gémit. La pluie redoublait sur les vitres.

Quelque part une porte claqua. Sur la route d'en face des autos filaient comme des rats luisants. Une d'elles klaxonna longuement et, à travers le vallon, le son creux et lugubre élargit encore les espaces humides du monde, jusqu'à ce que son souvenir même devînt pour Mersault une composante du silence et de la détresse de ce ciel.

« Je vous demande pardon, Zagreus, mais il y a longtemps que je n'ai plus parlé de certaines choses. Alors, je ne sais plus, ou pas bien. Quand je regarde ma vie et sa couleur secrète, j'ai en moi comme un tremblement de larmes. Comme ce ciel. Il est à la fois pluie et soleil, midi et minuit. Ah Zagreus ! Je pense à ces lèvres que j'ai baisées, à l'enfant pauvre que j'ai été, à la folie de vie et d'ambition qui m'emporte à certains moments. Je suis tout cela à la fois. Je suis sûr qu'il est des moments où vous ne me reconnaîtriez pas. Extrême dans le malheur, démesuré dans le bonheur, je ne sais pas dire.

— Vous jouez sur plusieurs plans à la fois ?

— Oui, mais pas en amateur, dit Mersault avec véhémence. Chaque fois que je songe à ce cheminement de douleur et de joie en moi, je sais bien, et avec quel emportement, que la partie que je joue est la plus sérieuse, la plus exaltante de toutes. »

Zagreus souriait.

« Vous avez donc quelque chose à faire ? »

Mersault dit violemment :

« J'ai ma vie à gagner. Mon travail, ces huit heures que d'autres supportent, m'en empêchent. »

Il se tut et alluma la cigarette qu'il avait tenue jusqu'ici entre ses doigts.

« Et pourtant, dit-il avant d'éteindre son allumette, si j'avais assez de force et de patience… » Il souffla sur son allumette et écrasa le bout charbonneux sur le dos de sa main gauche. « … Je sais bien jusqu'à quel degré de vie j'arriverais. Je ne ferais pas de ma vie une expérience. Je serais l'expérience de ma vie… Oui, je sais bien quelle passion me gonflerait de toute sa force. Avant j'étais trop jeune. Je me mettais au milieu. Aujourd'hui, dit-il, j'ai compris qu'agir et aimer et souffrir c'est vivre en effet, mais c'est vivre dans la mesure où l'on est transparent et accepte son destin, comme le reflet unique d'un arc-en-ciel de joies et de passions qui est le même pour tous.

— Oui, dit Zagreus, mais vous ne pouvez pas vivre ainsi en travaillant…

— Non, parce que je suis en état de révolte, et ça c'est mauvais. »

Zagreus se tut. La pluie avait cessé, mais dans le ciel la nuit avait remplacé les nuages et l'ombre maintenant était à peu près complète dans la pièce. Seul le feu éclairait les visages luisants de l'infirme et de Mersault. Zagreus, longtemps silencieux, regarda Patrice, dit seulement : « Beaucoup de douleurs attendent ceux qui vous aiment… » et s'arrêta surpris devant le bond soudain de Mersault, qui la tête dans l'ombre dit violemment : « L'amour qu'on me porte ne m'oblige à rien.

— C'est vrai, dit Zagreus, mais je constatais. Vous resterez seul un jour, voilà tout. Mais asseyez-vous et écoutez-moi. Ce que vous m'avez dit m'a frappé. Une chose surtout parce qu'elle confirme tout ce que mon expérience d'homme m'a appris. Je vous aime beaucoup, Mersault. À cause de votre corps d'ailleurs. C'est lui qui vous a appris tout ça. Aujourd'hui il me semble que je peux vous parler à cœur ouvert. »

Mersault se rassit lentement et son visage rentra dans la lumière déjà plus rouge d'un feu qui tirait à sa fin. Soudain dans le carré de la fenêtre on sentit derrière les rideaux de soie comme une ouverture dans la nuit. Quelque chose se détendait derrière les vitres. Une lueur laiteuse entra dans la pièce et Mersault reconnut sur les lèvres ironiques et discrètes du bodhisattva et sur les cuivres ciselés le visage familier et fugitif des nuits d'étoiles et de lune qu'il aimait tant. C'était comme si la nuit avait perdu sa doublure de nuages et brillait maintenant dans son éclat tranquille. Sur la route, les autos filaient moins vite. Dans le fond du vallon, un émoi soudain prépara les oiseaux au sommeil. On entendait des pas devant la maison et dans cette nuit comme un lait sur le monde, les bruits sonnaient plus vastes et plus clairs. Entre le feu rougeoyant, la palpitation du réveil de la pièce, et la vie secrète des objets familiers qui l'entouraient, une poésie fugitive se tissait qui préparait Mersault à recevoir d'un autre cœur, dans la confiance et l'amour, ce qu'allait dire Zagreus. Il se renversa un peu sur son fauteuil et c'est devant le ciel qu'il écouta l'étrange histoire de Zagreus.

« Je suis certain, commença-t-il, qu'on ne peut être heureux sans argent. Voilà tout. Je n'aime ni la facilité ni le romantisme. J'aime à me rendre compte. Eh bien, j'ai remarqué que chez certains êtres d'élite il y a une sorte de snobisme spirituel à croire que l'argent n'est pas nécessaire au bonheur. C'est bête, c'est faux, et dans une certaine mesure, c'est lâche.

« Voyez-vous, Mersault, pour un homme bien né, être heureux ça n'est jamais compliqué. Il suffit de reprendre le destin de tous, non pas avec la volonté du renoncement, comme tant de faux grands hommes, mais avec la volonté du bonheur. Seulement, il faut du temps pour être heureux. Beaucoup de temps. Le bonheur lui aussi est une longue patience. Et dans presque tous les cas, nous usons notre vie à gagner de l'argent, quand il faudrait, par l'argent, gagner son temps. Ça, c'est le seul problème qui m'ait jamais intéressé. Il est précis. Il est net. »

Zagreus s'arrêta et ferma les yeux. Mersault regardait le ciel obstinément. Un moment, les bruits de la route et de la campagne devinrent distincts et Zagreus reprit sans se presser :

« Oh ! je sais bien que la plupart des hommes riches n'ont aucun sens du bonheur. Mais ce n'est pas la question. Avoir de l'argent, c'est avoir du temps. Je ne sors pas de là. Le temps s'achète. Tout s'achète. Être ou devenir riche, c'est avoir du temps pour être heureux quand on est digne de l'être. »

Il regarda Patrice :

« À vingt-cinq ans, Mersault, j'avais déjà compris que tout être ayant le sens, la volonté et l'exigence du bonheur avait le droit d'être riche. L'exigence du bonheur me paraissait ce qu'il y a de plus noble au cœur de l'homme. À mes yeux, tout se justifiait par elle. Un cœur pur y suffisait. »

Zagreus qui regardait toujours Mersault parla soudain plus lentement, d'une voix froide et dure comme s'il voulait tirer Mersault de son apparente distraction. « À vingt-cinq ans, j'ai commencé ma fortune. Je n'ai pas reculé devant l'escroquerie. Je n'aurais reculé devant rien. En quelques années, j'avais réalisé toute ma fortune liquide. Vous rendez-vous compte, Mersault, près de deux millions. Le monde s'ouvrait à moi. Et avec le monde, la vie que je rêvais dans la solitude et l'ardeur… » Après un temps, Zagreus reprit plus sourdement : « La vie que j'aurais eue, Mersault, sans l'accident qui emporta mes jambes presque aussitôt. Je n'ai pas su finir… Et maintenant, voilà. Vous comprenez bien, n'est-ce pas, que je n'aie pas voulu vivre d'une vie diminuée. Depuis vingt ans, mon argent est là, près de moi. J'ai vécu modestement. À peine ai-je écorné la somme. » Il passa ses mains dures sur ses paupières et dit un peu plus bas : « Il ne faut jamais salir la vie avec des baisers d'infirme. »

À ce moment, Zagreus avait ouvert le petit bahut qui touchait la cheminée et montré un gros coffre d'acier bruni avec sa clef. Sur le coffre il y avait une lettre blanche et un gros revolver noir. Au regard involontairement curieux de Mersault, Zagreus avait répondu par un sourire. C'était très simple. Les jours où il sentait trop la tragédie qui l'avait privé de sa vie, il posait devant lui cette lettre, qu'il n'avait pas datée, et qui faisait part de son désir de mourir. Puis il posait l'arme sur la table, approchait le revolver et y plaquait son front, y roulait ses tempes, apaisait sur le froid du fer la fièvre de ses joues. Il restait alors un long moment ainsi, laissant errer ses doigts le long de la gâchette, maniant le cran d'arrêt, jusqu'à ce que le monde se tût autour de lui et que, somnolent déjà, tout son être se blottît dans la sensation d'un fer froid et salé dont pouvait sortir la mort. À sentir ainsi qu'il lui suffirait de dater sa lettre et de tirer, à éprouver l'absurde facilité de la mort, son imagination était assez vive pour lui représenter dans toute son horreur ce que signifiait la négation de la vie pour lui, et il emportait dans son demi-sommeil tout son désir de brûler encore dans la dignité et le silence. Puis, se réveillant tout à fait, la bouche pleine d'une salive déjà amère, il léchait le canon de l'arme, y introduisait sa langue et râlait enfin d'un bonheur impossible.

« Bien sûr, j'ai raté ma vie. Mais j'avais raison alors : tout pour le bonheur, contre le monde qui nous entoure de sa bêtise et de sa violence. » Zagreus rit enfin et ajouta : « Voyez-vous, Mersault, toute la bassesse et la cruauté de notre civilisation se mesure à cet axiome stupide que les peuples heureux n'ont pas d'histoire. »

Il était maintenant très tard. Mersault en jugeait mal. Sa tête grouillait d'une excitation fiévreuse. Il avait dans la bouche la chaleur et l'âcreté des cigarettes qu'il avait fumées. La lumière autour de lui était toujours complice. Pour la première fois depuis son récit il regarda dans la direction de Zagreus : « Je crois que je comprends », dit-il.

L'infirme, fatigué de son long effort, respirait sourdement. Après un silence, il dit cependant avec peine :

« Je voudrais en être sûr. Ne me faites pas dire que l'argent fait le bonheur. J'entends seulement que pour une certaine classe d'êtres le bonheur est possible (à condition d'avoir du temps) et qu'avoir de l'argent c'est se libérer de l'argent. »

Il était tassé sur sa chaise et sous ses couvertures. La nuit s'était refermée sur elle-même et, maintenant, Mersault ne voyait presque plus Roland. Un long silence suivit, et Patrice, voulant rétablir les contacts, s'assurer dans l'ombre de la présence de cet homme, dit en se levant et comme à tâtons :

« C'est un beau risque à courir.

— Oui, dit l'autre sourdement. Et il vaut mieux parier sur cette vie que sur l'autre. Pour moi, bien sûr, c'est une autre affaire. »

« Une loque, pensa Mersault. Un zéro dans le monde. »

« Depuis vingt ans je n'ai pas pu faire l'expérience d'un certain bonheur. Cette vie qui me dévore, je ne l'aurais pas connue tout à fait, et ce qui m'effraie dans la mort c'est la certitude qu'elle m'apportera que ma vie a été consommée sans moi. En marge, vous comprenez ? »

Sans transition, un rire très jeune sortit de l'ombre :

« Ça veut dire, Mersault, qu'au fond, et dans mon état, j'ai encore de l'espoir. »

Mersault fit quelques pas vers la table.

« Pensez à tout cela, dit Zagreus, pensez à tout cela. »

L'autre dit seulement :

« Puis-je donner de la lumière ?

— S'il vous plaît. »

Les ailes du nez et les yeux ronds de Roland sortirent plus pâles dans la lumière rayonnante. Il respirait avec force. Au geste de Mersault lui tendant la main, il répondit en secouant la tête et en riant trop fort. « Ne me prenez pas trop au sérieux. Ça m'agace, toujours, vous savez, l'air tragique que prennent les gens devant mes jambes coupées. »

« Il se fout de moi », pensa l'autre.

« Ne prenez au tragique que le bonheur. Pensez-y bien, Mersault, vous avez un cœur pur. Pensez-y. » Puis il le regarda dans les yeux et après un temps : « Et vous avez aussi deux jambes, ce qui ne gâte rien. »

Il sourit alors et agita une sonnette :

« Sauvez-vous, mon petit, j'ai mon pipi à faire. »

V

En rentrant chez lui ce dimanche soir, toutes ses pensées tournées vers Zagreus, avant de pénétrer dans sa chambre, Mersault entendit des gémissements qui venaient de l'appartement de Cardona, le tonnelier[14]. Il frappa. On ne lui répondit pas. Les plaintes continuaient. Il entra sans hésiter. Le tonnelier était roulé en boule sur son lit et pleurait avec de grands hoquets d'enfant. À ses pieds, il y avait la photographie d'une vieille femme. « Elle est morte », dit-il à Mersault, dans un grand effort. C'était vrai, mais il y avait longtemps de cela.

Il était sourd, à demi muet, méchant et brutal. Jusqu'ici il avait vécu avec sa sœur. Mais, lassée de sa méchanceté et de son despotisme, elle s'était réfugiée auprès des enfants. Et lui était resté seul, aussi désemparé que peut l'être un homme qui doit faire son ménage et sa cuisine pour la première fois. Sa sœur avait raconté leurs démêlés à Mersault qu'elle avait rencontré un jour dans la rue. Lui avait trente ans, était petit, assez beau. Depuis son enfance, il avait vécu avec sa mère. Elle était le seul être qui lui inspirât, plus superstitieuse que fondée, quelque crainte. Il l'avait aimée avec son âme fruste, c'est-à-dire avec rudesse et élan à la fois, et la meilleure preuve de son affection était dans sa façon de taquiner la vieille femme en articulant à grands frais les pires grossièretés sur les curés et l'Église. S'il était resté si longtemps avec sa mère, c'est aussi qu'il n'avait inspiré d'attachement sérieux à aucune femme. De rares aventures ou la maison publique l'autorisaient cependant à se dire un homme.

La mère mourut. À partir de ce moment, il vécut avec sa sœur. Mersault leur avait loué la chambre qu'ils occupaient. Seuls tous les deux, ils peinaient et gravissaient une longue vie sale et noire. C'est avec difficulté qu'ils pouvaient se parler. Aussi passaient-ils des journées entières sans échanger un seul mot. Mais elle était partie. Il était trop orgueilleux pour se plaindre et lui demander de revenir : il vivait seul. Le matin, il mangeait au restaurant, le soir chez lui avec de la charcuterie. Il lavait son linge et ses gros bleus d'ouvrier.

Mais il laissait sa chambre dans la plus poisseuse des saletés. Quelquefois, cependant, au début, le dimanche, il prenait un chiffon et tentait de mettre un peu d'ordre dans les pièces. Mais des naïvetés d'homme, une casserole sur la cheminée naguère fleurie et ornée, révélaient l'abandon dans lequel tout était tenu. Ce qu'il appelait mettre de l'ordre consistait à cacher le désordre, à dissimuler ce qui traînait derrière des coussins ou à ranger sur le buffet les objets les plus hétéroclites. Au demeurant, il avait fini par se lasser, ne faisait même plus son lit et couchait avec son chien sur les couvertures sales et puantes[15]. Sa sœur avait dit à Mersault : « Il fait le malin dans les cafés. Mais la propriétaire m'a dit qu'elle l'avait vu pleurer en lavant son linge. » Et c'était un fait que, pour endurci qu'il fût, une terreur prenait cet homme à certaines heures et lui faisait mesurer l'étendue de son abandon. C'était bien sûr par pitié qu'elle vivait avec lui, disait-elle à Mersault. Mais il l'empêchait de voir l'homme qu'elle aimait. À leur âge, pourtant, ça n'avait plus grande importance. C'était un homme marié. Il apportait à son amie des fleurs qu'il avait cueillies dans les haies de banlieue, des oranges et des liqueurs qu'il gagnait à la foire. Certes, il n'était pas beau. Mais la beauté ne se mange pas en salade, et il était si brave. Elle tenait à lui qui tenait à elle. Est-ce autre chose, l'amour ? Elle lui lavait son linge et s'efforçait de le tenir propre. Il avait l'habitude de porter des mouchoirs pliés en triangle et noués autour du cou : elle lui faisait des mouchoirs très blancs et c'était une de ses joies.

Mais l'autre, le frère, ne voulait pas qu'elle reçoive son ami. Il lui fallait le voir en secret. Elle l'avait reçu une fois. Surpris, ç'avait été une affreuse rixe. Le mouchoir en triangle était resté après leur départ dans un coin sale de la pièce et elle s'était réfugiée chez son fils. Mersault pensait à ce mouchoir devant la chambre sordide qui s'offrait à ses yeux.

À l'époque, on avait plaint pourtant le tonnelier d'être si seul. Il avait parlé à Mersault d'un mariage possible. Il s'agissait d'une femme plus âgée. Et sans doute était-elle tentée par l'espoir de caresses jeunes et robustes… Elle les eut avant le mariage. Au bout de quelque temps, son amant renonça à ce projet, déclarant qu'il la trouvait trop vieille. Et il fut seul dans cette petite maison du quartier. Peu à peu la saleté l'encercla, l'assiégea, vint battre son lit, puis le submergea de manière indélébile. La maison était trop laide. Et pour un homme pauvre qui ne se plaît pas chez lui, il est une maison plus accessible, riche, illuminée et toujours accueillante : c'est le café. Ceux de ce quartier étaient particulièrement vivants. Il y régnait cette chaleur de troupeau qui est le dernier refuge contre les terreurs de la solitude et ses vagues aspirations. L'homme muet y élut domicile. Mersault l'y voyait tous les soirs. Grâce à eux il retardait le plus possible le moment du retour. En eux il retrouvait sa place parmi les hommes. Ce soir-là, sans doute, les cafés n'avaient pas suffi. Et rentrant chez lui, il avait dû sortir cette photographie et réveiller avec elle les résonances du passé mort. Il retrouva celle qu'il avait aimée et taquinée. Dans la chambre hideuse, seul devant l'inutilité de sa vie, rassemblant ses dernières forces, il avait pris conscience du passé qui avait été son bonheur. Il fallait le croire du moins, et qu'à la conjonction de ce passé et de son misérable présent une étincelle de divin jaillit puisqu'il s'était mis à pleurer.

Comme chaque fois qu'il se trouvait devant une manifestation brutale de la vie, Mersault était sans force et plein de respect devant cette douleur de bête. Il s'assit sur les couvertures sales et froissées et mit la main sur l'épaule de Cardona. Devant lui, sur la toile cirée de la table, il y avait en désordre une lampe à alcool, une bouteille de vin, des miettes de pain, un morceau de fromage et une caisse à outils. Au plafond des toiles d'araignées. Mersault qui n'était jamais entré dans cette chambre depuis la mort de sa mère, mesurait à la saleté et à la misère poisseuse qui l'emplissaient le chemin parcouru par cet homme. La fenêtre qui donnait sur la cour était fermée. L'autre à peine entrouverte. La lampe à pétrole, dans la suspension entourée d'un jeu de cartes en miniature, jetait sa lumière ronde et tranquille sur la table, les pieds de Mersault et de Cardona une chaise un peu en avant du mur qui leur faisait face. Cardona cependant avait pris la photo dans ses mains et la regardait, et l'embrassant encore, disait de sa voix d'infirme : « Pauvre maman. » Mais c'était lui qu'il plaignait ainsi. Elle était enterrée dans le cimetière hideux que Mersault connaissait bien, à l'autre bout de la ville.

Il voulut partir. Il dit en articulant pour se faire comprendre :

« Il-faut-pas-rester-comme-ça.

— J'ai plus de travail », dit l'autre péniblement, et, tendant la photo, il dit d'une voix entrecoupée : « Je l'aimais », et Mersault traduisit : « Elle m'aimait. » « Elle est morte » et

il comprit : « Je suis seul. » — « Je lui avais fait ce petit tonneau pour sa fête. » Sur la cheminée il y avait un petit tonneau de bois verni garni de cercles de cuivre et d'un robinet
brillant. Mersault lâcha l'épaule de Cardona qui se laissa aller
sur les oreillers crasseux. De dessous le lit sortit un soupir
profond et une odeur écœurante. Le chien sortit lentement,
en creusant les reins. Et il posa sur les genoux de Mersault sa tête aux longues oreilles et aux yeux dorés. Mersault
regardait le petit tonneau. Dans la chambre sordide où cet
homme respirait à force, avec la chaleur du chien sous
ses doigts, il fermait les yeux sur le désespoir qui pour la
première fois depuis longtemps montait en lui comme une
mer. Devant le malheur et la solitude, son cœur aujourd'hui
disait : « Non. » Et dans la grande détresse qui l'emplissait,
Mersault sentait bien que sa révolte était la seule chose vraie
en lui et que le reste était misère et complaisance. La rue qui
hier vivait sous ses fenêtres se gonflait encore de ses bruits.
Des jardins sous la terrasse monta une odeur d'herbes. Mersault offrit une cigarette à Cardona et tous deux fumèrent
sans parler. Les derniers trams passèrent et avec eux les souvenirs encore vivants des hommes et des lumières. Cardona
s'endormit et bientôt ronfla de tout son nez plein de larmes.
Le chien, roulé en boule aux pieds de Mersault, remuait parfois et gémissait sous ses rêves. À chaque mouvement, son
odeur montait vers Mersault. Lui était appuyé contre le mur,
et tentait de comprimer en son cœur la révolte de la vie. La
lampe fumait, charbonnait, et s'éteignit enfin avec une horrible odeur de pétrole. Mersault somnolait et se réveilla les
yeux fixés sur la bouteille de vin. Dans un grand effort il
se leva, alla vers la fenêtre du fond et s'immobilisa. Du cœur
de la nuit montaient vers lui des appels et des silences. Aux
limites du monde qui sommeillait ici, un bateau appela longuement les hommes au départ et aux recommencements.
   Le lendemain, Mersault tuait Zagreus, rentrait chez lui, et
dormait toute une après-midi. Il se réveillait avec la fièvre.
Et le soir, toujours couché, il fit venir le docteur du quartier qui le reconnut grippé. Un employé de son bureau venu
aux nouvelles, emporta sa demande de congé. Quelques
jours après, tout s'était arrangé : un article, une enquête.
Tout justifiait le geste de Zagreus. Marthe vint voir Mersault
et dit en soupirant : « Il y a des jours où on voudrait être à
sa place. Mais des fois, il faut plus de courage pour vivre
que pour se tuer. » Une semaine après, Mersault s'embar-

quait pour Marseille. Pour tout le monde, il allait se reposer en France. De Lyon, Marthe reçut une lettre de rupture
dont seul son amour-propre souffrit. En même temps, il lui
annonçait qu'une situation exceptionnelle lui était offerte
en Europe centrale. Marthe lui écrivit sa souffrance en poste
restante. Cette lettre ne parvint jamais à Mersault qui, le lendemain de son arrivée à Lyon, eut un violent accès de fièvre
et sauta dans un train pour Prague. Pourtant, Marthe lui
annonçait qu'après plusieurs jours de morgue on avait enterré
Zagreus et qu'il avait fallu beaucoup de coussins pour caler
son tronc dans la bière.

Deuxième partie

LA MORT CONSCIENTE

I

« Je voudrais une chambre », dit l'homme en allemand.

Le portier, devant un tableau chargé de clefs, était séparé du hall par une large table. Il examina celui qui venait d'entrer, un grand imperméable gris jeté sur les épaules et qui parlait en détournant la tête.

« Certainement, monsieur. Pour une nuit ?

— Non, je ne sais pas.

— Nous avons des chambres à dix-huit, vingt-cinq et trente couronnes. »

Mersault regardait la petite rue de Prague qu'on voyait à travers la porte vitrée de l'hôtel. Les mains dans les poches, il était tête nue sous ses cheveux mêlés. À quelques pas, on entendait grincer les tramways qui descendaient l'avenue Wenceslas.

« Quelle chambre désirez-vous, monsieur ?

— N'importe laquelle », dit Mersault, le regard toujours fixé sur la porte vitrée. Le portier prit une clef sur le tableau et la tendit à Mersault.

« Chambre n° 12 », dit-il.

Mersault sembla se réveiller.

« Combien, cette chambre ?

— Trente couronnes.

— C'est trop cher. Je voudrais une chambre à dix-huit couronnes. »

L'homme, sans dire un mot, prit une nouvelle clef et montra à Mersault l'étoile de cuivre qui y pendait : « Chambre n° 34. »

Assis dans sa chambre, Mersault enleva sa veste, tira un peu sa cravate, sans la défaire, et retroussa machinalement les manches de sa chemise. Il avança vers la glace au-dessus du lavabo, à la rencontre d'un visage aux traits tirés, un peu hâlé aux endroits que ne noircissait pas une barbe de plusieurs jours. Ses cheveux dépeignés dans la course du train, retombaient en désordre sur son front jusqu'à deux plis profonds entre les sourcils qui donnaient à son regard une sorte d'expression sérieuse et tendre dont il fut frappé. Il pensa seulement alors à regarder autour de lui la misérable chambre qui faisait son seul bien et au-delà de laquelle il ne voyait plus rien. Sur une écœurante tapisserie à grosses fleurs jaunes sur fond gris, toute une géographie de crasse dessinait de gluants univers de misère. Derrière l'énorme radiateur, des coins gras et boueux. Le commutateur était brisé et laissait voir ses contacts de cuivre. Au-dessus d'un lit de milieu à lamelles, un fil verni de crasse, où séchaient de vieux restants de mouches, laissait pendre une ampoule sans abat-jour qui collait aux doigts. Mersault inspecta les draps qui étaient propres. Il prit ses objets de toilette dans la valise et un à un les disposa sur le lavabo. Puis il s'apprêta à se laver les mains, mais ferma le robinet à peine ouvert, et alla ouvrir la fenêtre sans rideaux. Elle donnait sur une arrière-cour avec lavoir et sur des murs troués de petites fenêtres. À l'une d'elles séchaient des linges. Mersault se coucha et s'endormit aussitôt. Il s'éveilla en sueur, débraillé, et tourna un moment dans sa chambre. Puis il alluma une cigarette et assis, la tête vide, il regarda les plis de son pantalon froissé. Dans sa bouche se mêlait l'amertume du sommeil et de la cigarette. Il regarda sa chambre une nouvelle fois en se grattant les côtes sous sa chemise. Une affreuse douceur lui venait à la bouche devant tant d'abandon et de solitude. À se sentir si loin de tout et même de sa fièvre, à éprouver si clairement ce qu'il y a d'absurde et de misérable au fond des vies les mieux préparées, dans cette chambre, se levait devant lui le visage honteux et secret d'une sorte de liberté qui naît du douteux et de l'interlope. Autour de lui des heures flasques et molles et le temps tout entier clapotait comme de la vase.

On frappa à la porte violemment et, secoué, Mersault se souvint qu'il avait été réveillé par des coups semblables. Il ouvrit et se trouva devant un petit vieux au poil roux, écrasé sous les deux valises de Mersault qui, sur lui, paraissaient énormes. Il étouffait de colère et ses dents clairsemées laissaient passer une bave gonflée d'injures et de récriminations. Mersault se souvint alors de la poignée brisée qui rendait la plus grosse valise si incommode à porter. Il voulut s'excuser, mais ne sut comment dire qu'il ne savait pas que le porteur fût si vieux. Le petit vieux l'interrompit :

« C'est quatorze couronnes.

— Pour un jour de consigne ? » s'étonna Mersault.

Il comprit alors dans les longues explications qu'on lui fournit que le vieux avait pris un taxi. Mais il n'osa pas dire que lui-même l'aurait aussi bien pris dans ce cas, et paya par lassitude. La porte refermée, Mersault sentit des larmes inexplicables lui gonfler la poitrine. Une horloge très proche sonna quatre heures. Il avait dormi deux heures. Il s'en rendait compte, il n'était séparé de la rue que par la maison qui lui faisait face et il sentait le gonflement sourd et mystérieux de la vie qui s'y écoulait. Il valait mieux sortir. Mersault se lava les mains très longuement. Pour limer ses ongles, il s'assit à nouveau sur le bord du lit et manœuvra régulièrement la lime. Deux ou trois avertisseurs résonnèrent dans la cour si brutalement que Mersault regagna la fenêtre. Il vit alors que sous la maison un passage en voûte menait à la rue. C'était comme si toutes les voix de la rue, toute la vie inconnue de l'autre côté des maisons, les bruits des hommes qui ont une adresse, une famille, des dissentiments avec un oncle, des préférences à table, une maladie chronique, le fourmillement des êtres dont chacun avait sa personnalité, comme de grands battements pour toujours séparés du cœur monstrueux de la foule, s'infiltraient dans le passage et montaient tout le long de la cour pour éclater comme des bulles dans la chambre de Mersault. À se sentir si poreux, si attentif à chaque signe du monde, Mersault sentit la fêlure profonde qui l'ouvrait à la vie. Il alluma une autre cigarette et s'habilla fébrilement. En boutonnant son veston la fumée vint piquer ses paupières. Il retourna au lavabo, s'essuya les yeux et voulut se peigner. Mais son peigne avait disparu. Le sommeil avait mêlé ses cheveux, et c'est en vain qu'il tenta de les rajuster. Il descendit tel quel, les cheveux sur le visage, et par-derrière tout hérissés. Il se sentait encore plus diminué. Une fois dans la rue, il fit le tour de l'hôtel pour déboucher devant le petit passage qu'il avait remarqué. Il s'ouvrait sur la place de la vieille mairie et dans le soir un peu lourd qui descendait sur Prague, les flèches gothiques de la mairie et de la vieille église de Tyn* se découpaient en noir. Une foule nombreuse circulait sous les petites rues en arcades. Mersault, devant chacune des femmes qui passaient, guettait le regard qui lui eût permis de se croire encore capable de jouer le jeu délicat et tendre de la vie. Mais les gens en bonne santé ont une manière d'art naturel pour éviter les regards fiévreux. Mal rasé, dépeigné, aux yeux une expression d'animal inquiet, son pantalon froissé comme son col de chemise, il avait perdu cette merveilleuse assurance que donne un complet bien coupé ou le volant d'une voiture. La lumière devenait cuivrée et le jour s'attardait encore sur l'or des dômes baroques qu'on voyait au fond de la place. Il se dirigea vers l'un d'eux, entra dans l'église et, saisi par la vieille odeur, s'assit sur un banc. La voûte était parfaitement obscure, mais les ors des chapiteaux versaient une eau dorée et mystérieuse qui coulait dans les cannelures des colonnes jusqu'au visage bouffi des anges et des saints ricanants. Une douceur, oui, il y avait là une douceur, mais si amère que Mersault se rejeta sur le seuil et, debout sur les marches, respira l'air maintenant plus frais de la nuit, où il allait s'enfoncer. Un instant encore, et il vit la première étoile s'allumer, pure et dénudée, entre les flèches de la Tyn.

Il se mit à la recherche d'un restaurant à bon marché. Il s'enfonça dans des rues plus noires et moins peuplées. Sans qu'il ait plu dans la journée le sol était détrempé, et Mersault devait éviter les flaques noires entre les pavés rares. Puis une petite pluie fine se mit à tomber. Les rues animées n'étaient sans doute pas loin, puisque les crieurs de journaux s'entendaient jusqu'ici qui annonçaient le *Narodni Politika*. Lui, pendant ce temps, tournait en rond. Il s'arrêta soudain. Une étrange odeur venait à lui du fond de la nuit. Piquante, aigrelette, elle réveillait en lui toutes ses puissances d'angoisse. Il la sentait sur sa langue, au fond de son nez et sur ses yeux. Elle était loin, puis au coin de la rue, et entre le ciel maintenant obscurci et les pavés gras et gluants, elle était là, comme le sortilège mauvais des nuits de Prague. Il avança vers elle qui, au fur et à mesure, devenait plus réelle, l'envahissait tout entier, piquait ses yeux de larmes et le laissait sans défense. Au coin d'une rue, il comprit : une vieille femme vendait des concombres trempés dans du vinaigre et c'était leur odeur qui avait saisi Mersault. Un passant s'arrêta, acheta

---

* Tinsky.

un concombre que la vieille enroula dans un papier. Il fit
quelques pas et, devant Mersault, ouvrit son paquet, mordit
à pleines dents dans le concombre dont la chair déchirée
et ruisselante laissa s'exhaler l'odeur encore plus puissante.
Mal à l'aise, Mersault s'appuya contre un pilier et respira un
long moment tout ce que le monde lui offrait d'étrange et
de solitaire à cette minute. Puis il partit et entra sans réfléchir dans un restaurant d'où sortait un air d'accordéon. Il
descendit quelques marches, s'arrêta au milieu de l'escalier,
se trouva dans un caveau assez sombre rempli de lueurs
rouges. Sans doute avait-il l'air étrange puisque l'accordéon
joua plus sourdement, que les conversations s'arrêtèrent et
que les consommateurs se tournèrent vers lui. Dans un
coin, des filles mangeaient avec des lèvres très grasses. Les
autres consommateurs buvaient la bière brune et douceâtre
de Tchécoslovaquie. Beaucoup fumaient sans consommer.
Mersault gagna une table assez longue, occupée par un seul
homme. Grand et maigre, le poil jaune, tassé sur sa chaise,
les mains dans les poches, il serrait des lèvres gercées autour
d'un bout d'allumette déjà tout gonflé de salive, le suçait
avec un bruit désagréable ou le faisait passer d'un coin de
la bouche à l'autre. Quand Mersault s'assit, l'homme bougea à peine, se cala contre le mur, fit aller son allumette du
côté de l'arrivant et plissa imperceptiblement les yeux. À ce
moment, Mersault vit une étoile rouge à sa boutonnière.

    Mersault mangea peu et vite. Il n'avait pas faim. L'accor-
déon jouait maintenant plus distinctement, et l'homme
qui le maniait regardait fixement le nouvel arrivant. À deux
reprises celui-ci chargea ses yeux de défi et tenta de soutenir son regard. Mais sa fièvre l'avait affaibli. L'homme le
regardait toujours. Brusquement, une des filles éclata de rire,
l'homme à l'étoile rouge suça fortement son allumette où se
gonfla une petite bulle de salive, et le musicien, sans cesser
de regarder Mersault, arrêta la danse animée qu'il jouait pour
entamer une mélodie lente et grasse de toute une poussière
de siècles. À ce moment la porte s'ouvrit devant un nouveau
client. Mersault ne le vit pas, mais dans l'ouverture s'enfila
prestement l'odeur de vinaigre et de concombre. Elle emplit
d'un coup le caveau sombre, mêlée à la mélodie mystérieuse
de l'accordéon, gonflant la bulle de salive sur l'allumette de
l'homme, rendant les conversations soudain plus significatives, comme si des limites de la nuit qui dormait sur Prague
tout le sens d'un vieux monde méchant et douloureux était

venu se réfugier dans la chaleur de cette salle et de ces hommes. Mersault qui mangeait une marmelade trop sucrée, projeté soudain tout au bout de lui-même, sentit que la fêlure qu'il portait en lui craquait et l'ouvrait plus grand à l'angoisse et à la fièvre. Il se leva brusquement, appela le garçon, ne comprit rien à ses explications, et paya trop largement en apercevant à nouveau le regard du musicien toujours ouvert et fixé sur lui. Il gagna la porte, dépassa l'homme, et s'aperçut que celui-ci contemplait toujours la table qu'il venait de quitter. Il comprit alors qu'il était aveugle, gravit les marches et, ouvrant la porte, tout entier jeté dans l'odeur toujours présente, avança par des rues courtes vers le fond de la nuit.

Des étoiles brillaient au-dessus des maisons. Il devait être près du fleuve dont il entendait le chant sourd et puissant. Devant une petite grille dans un mur épais, recouvert de caractères hébreux, il comprit qu'il était dans le quartier juif. Au-dessus du mur, retombaient les branches d'un saule à l'odeur sucrée. À travers la grille, on apercevait des grosses pierres brunes enfouies dans les herbes. C'était le vieux cimetière juif de Prague. À quelques pas de là, Mersault se retrouva, courant, sur la vieille place de l'hôtel de ville. Près de son hôtel, il dut s'appuyer contre un mur et vomit avec effort. Avec toute la lucidité que donne l'extrême faiblesse, il retrouva sa chambre sans une erreur, se coucha, et s'endormit aussitôt.

Le lendemain, il fut éveillé par les crieurs de journaux. Le temps était lourd encore, mais on devinait le soleil derrière les nuages. Mersault, quoique un peu faible, se sentait mieux. Mais il songeait à la longueur de la journée qui s'annonçait. À vivre ainsi en présence de lui-même, le temps prenait son extension la plus extrême et chacune des heures de la journée lui semblait contenir un monde. Avant tout, il fallait éviter des crises comme celle de la veille. Le mieux était de visiter la ville avec méthode. En pyjama, il s'assit à sa table et se fit un emploi du temps systématique qui devait occuper chacune de ses journées pendant une semaine. Cloîtres et églises baroques, musées et vieux quartiers, il n'oublia rien. Puis il fit sa toilette, s'aperçut alors qu'il avait oublié de s'acheter un peigne et descendit, comme la veille, dépeigné et taciturne, devant le portier dont il remarqua en plein jour les cheveux hérissés, l'air ahuri et la veste à laquelle le deuxième bouton manquait. Au sortir de l'hôtel il fut saisi par un air puéril et tendre d'accordéon. L'aveugle de la veille, au coin de la vieille place, accroupi sur ses talons, maniait son instrument avec la même expression vide et souriante, comme délivré de lui-même et tout entier inscrit dans le mouvement d'une vie qui le dépassait. Au coin de la rue, Mersault tourna et retrouva l'odeur de concombres. Avec elle, son angoisse[1].

Cette journée fut ce que devaient être celles qui suivirent. Mersault se levait tard, visitait cloîtres et églises, cherchait refuge dans leur odeur de cave et d'encens puis, revenu au jour, retrouvait sa peur secrète avec les marchands de concombres qu'on rencontrait à tous les coins de rue. C'est à travers cette odeur qu'il voyait les musées et comprenait la profusion et le mystère du génie baroque qui remplissait Prague de ses ors et de sa magnificence. La lumière dorée qui luisait doucement sur les autels au fond de la pénombre lui semblait prise au ciel cuivré fait de brumes et de soleil, si fréquent au-dessus de Prague. La quincaillerie des volutes et des macarons, le décor compliqué qu'on eût dit en papier doré, si émouvant dans sa ressemblance avec les crèches d'enfant que l'on dresse à Noël, Mersault en éprouvait le grandiose, le grotesque et l'ordonnance baroque, comme un romantisme fiévreux, puéril et grandiloquent par quoi l'homme se défend contre ses propres démons. Le dieu qu'on adorait ici était celui qu'on craint et qu'on honore, non celui qui rit avec l'homme devant les jeux chaleureux de la mer et du soleil. Sorti de l'odeur fine de poussière et de néant qui régnait sous les voûtes sombres, Mersault se retrouvait sans patrie. Tous les soirs il se rendait au cloître des moines tchèques, à l'ouest de la ville. Dans le jardin du cloître les heures s'envolaient avec les pigeons, les cloches battaient doucement sur l'herbe mais c'était encore sa fièvre qui parlait à Mersault. Du même coup cependant, le temps passait. Mais alors c'était l'heure où églises et monuments sont déjà fermés et les restaurants pas encore ouverts. Là était le danger. Mersault se promenait sur les bords de la Vltava chargés de jardins et d'orchestres dans le jour finissant. De petits bateaux remontaient le fleuve de barrage en barrage. Mersault remontait avec eux, quittait le bruit assourdissant et le bouillonnement d'une écluse, retrouvait peu à peu la paix et le silence du soir, puis marchait à nouveau à la rencontre d'un grondement qui s'enflait jusqu'au vacarme. Arrivé au nouveau barrage, il regardait de petits canots de couleur essayer vainement de passer le barrage sans se renverser jusqu'à ce que l'un d'eux ayant passé le point dangereux des clameurs s'élevassent au-dessus du bruit des eaux. Toute cette eau descendant avec son chargement de cris, de mélodies, et d'odeurs de jardins, pleine des lueurs cuivrées du ciel couchant et des ombres contorsionnées et grotesques des statues du pont Charles, apportait à Mersault la conscience douloureuse et ardente d'une solitude sans ferveur où l'amour n'avait plus de part. Et s'arrêtant devant le parfum d'eaux et de feuilles qui montait jusqu'à lui, la gorge serrée, il imaginait des larmes qui ne venaient pas. Il eût suffi d'un ami, ou de bras ouverts. Mais les larmes s'arrêtaient à la frontière du monde sans tendresse où il était plongé. D'autres fois, traversant le pont Charles, toujours à cette heure du soir, il se promenait dans le quartier du Hradschin, au-dessus du fleuve, désert et silencieux à quelques pas des rues les plus animées de la ville. Il errait parmi ces grands palais, longeait d'immenses cours dallées, le long de grilles travaillées, autour de la cathédrale. Entre les grands murs des palais ses pas résonnaient dans le silence. Un bruit sourd montait de la ville jusqu'à lui. Il n'y avait pas de marchand de concombres dans ce quartier, mais quelque chose d'oppressant dans ce silence et cette grandeur. Si bien que Mersault finissait toujours par redescendre vers l'odeur ou la mélodie qui faisait désormais toute sa patrie. Il mangeait dans le restaurant qu'il avait découvert et qui, pour lui, demeurait du moins familier. Il avait sa place auprès de l'homme à l'étoile rouge, qui venait seulement le soir, buvait un demi et mâchonnait son allumette. Au dîner, encore, l'aveugle jouait et Mersault mangeait vite, payait et regagnait son hôtel vers un sommeil d'enfant fiévreux qui ne lui manqua pas une seule nuit.

Chaque jour, Mersault songeait à partir et chaque jour, enfoncé un peu plus dans l'abandon, sa volonté de bonheur le guidait un peu moins. Il y avait quatre jours qu'il était à Prague et il n'avait pas encore acheté le peigne dont il sentait l'absence tous les matins. Il avait cependant le sentiment confus d'un manque et c'était cela qu'il attendait obscurément. Un soir, il se dirigeait vers son restaurant par la petite rue où le premier soir il avait rencontré l'odeur. Déjà il la sentait venir lorsqu'un peu avant le restaurant, sur le trottoir d'en face, quelque chose l'arrêta et le fit s'approcher. Un homme était étendu sur le trottoir, les bras croisés et la tête retombant sur la joue gauche. Trois ou quatre personnes se tenaient appuyées au mur, semblant attendre quelque chose, très calmes cependant. L'une fumait, les autres parlaient à voix basse. Mais un homme en bras de chemise, le veston sur le bras, un feutre rejeté en arrière, mimait autour du corps une danse sauvage, sorte de pas indien, martelé et harcelant. Au-dessus, la lumière très faible d'un réverbère éloigné se composait avec la lueur sourde qui venait du restaurant à quelques pas. Cet homme dansant sans arrêt, ce corps aux bras croisés, ces spectateurs si calmes, cet ironique contraste et ce silence inusité, il y avait là, enfin faite de contemplation et d'innocence, parmi les jeux un peu oppressants de l'ombre et de la lumière, une minute d'équilibre passé laquelle il semblait à Mersault que tout s'écroulerait dans la folie. Il approcha encore. La tête du mort baignait dans du sang. C'était sur la plaie que la tête s'était retournée et reposait maintenant. Dans ce coin reculé de Prague, entre la lumière rare sur le pavé un peu gras, les longs glissements mouillés d'autos qui passaient à quelques pas de là, l'arrivée lointaine de tramways sonores et espacés, la mort se révélait doucereuse et insistante et c'est son appel même et son souffle humide que sentit Mersault au moment où il partit à grands pas sans se retourner. Soudain, l'odeur vint le frapper, qu'il avait oubliée : il entra dans le restaurant et se mit à sa table. L'homme était là, mais sans son allumette. Il sembla à Mersault qu'il voyait quelque chose d'égaré dans son regard. Il chassa la stupide idée qui se présentait à lui. Mais tout tournait dans sa tête. Avant de rien commander, il s'enfuit brusquement, courut jusqu'à son hôtel et se jeta sur son lit. Une pointe aiguë lui brûlait la tempe. Le cœur vide et le ventre serré, sa révolte éclatait. Des images de sa vie lui gonflaient les yeux. Quelque chose en lui clamait après des gestes de femmes, des bras qui s'ouvrent et des lèvres tièdes. Du fond des nuits douloureuses de Prague, dans des odeurs de vinaigre et des mélodies puériles, montait vers lui le visage angoissé du vieux monde baroque qui avait accompagné sa fièvre. Respirant avec peine, avec des yeux d'aveugle et des gestes de machine il s'assit sur son lit. Le tiroir de la table de nuit était ouvert et tapissé d'un journal anglais dont il lut tout un article. Puis il se rejeta sur son lit. La tête de l'homme était tournée sur la plaie et dans cette plaie on eût pu mettre des doigts. Il regarda ses mains et ses doigts, et des désirs d'enfant se levaient dans son cœur. Une

ferveur ardente et secrète se gonflait en lui avec des larmes
et c'était une nostalgie de villes pleines de soleil et de femmes,
avec des soirs verts qui ferment les blessures. Les larmes cre-
vèrent. En lui s'élargissait un grand lac de solitude et de
silence sur lequel courait le chant triste de sa délivrance.

II

Dans le train qui l'emmenait vers le nord, Mersault considérait ses mains. Il faisait un ciel d'orage où la course du
train mettait une ruée de nuages bas et lourds. Mersault était
seul dans ce wagon surchauffé. Il était parti précipitamment
dans la nuit et, seul maintenant devant la matinée sombre,
il laissait entrer en lui toute la douceur de ce paysage de
Bohême, où l'attente de la pluie entre les grands peupliers
soyeux et de lointaines cheminées d'usines mettaient comme
une envie de larmes. Puis il regardait la plaque blanche
aux trois inscriptions : « *Nicht hinauslehnen, È pericoloso sporgersi,*
Il est dangereux de se pencher au-dehors. » De là, ses
mains, bêtes vivantes et farouches sur ses genoux, appelaient ses regards. L'une, la gauche, était longue et souple,
l'autre noueuse et musclée. Il les connaissait, les reconnaissait et dans le même temps les sentait distinctes, comme
capables d'actions où sa volonté n'eût point pris de part.
L'une d'elles vint s'appuyer à son front et faire obstacle à la
fièvre qui battait à ses tempes. L'autre glissa le long de son
veston et vint prendre dans sa poche une cigarette, rejetée
aussitôt qu'il eut pris conscience de cette envie de vomir qui
le laissait sans forces. Revenues sur ses genoux, ses mains
s'abandonnèrent et, les paumes en forme de coupe, elles
offrirent à Mersault le visage de sa vie, retournée à l'indifférence et offerte à qui la voudrait prendre.

Il voyagea pendant deux jours. Mais cette fois, ce n'était
pas un instinct de fuite qui le poussait. La monotonie même
de cette course le comblait. Ce wagon qui le menait à travers
la moitié de l'Europe le gardait entre deux mondes. Il venait
de le prendre et l'allait quitter. Il le tirait hors d'une vie dont
il voulait effacer jusqu'au souvenir pour le mener au seuil
d'un monde nouveau où le désir serait roi. Pas une seule
fois Mersault ne s'ennuya. Il restait dans son coin, rarement

dérangé, regardait ses mains, puis le paysage, et réfléchissait. Il prolongea volontairement son voyage jusqu'à Breslau, faisant effort seulement aux douanes pour changer de billet. Il voulait rester encore en face de sa liberté. Il était fatigué et ne se sentait pas la force de bouger. Il recevait en lui les moindres parcelles de sa force et de ses espérances, les resserrait et les regroupait, en lui-même se refaisait lui-même et, du même coup, son destin à venir. Il aimait ces longues nuits où le train détale sur les rails glissants, le passage en trombe dans les petites gares où seule l'horloge est éclairée, le freinage subit avant le nid de lumières des grandes gares qu'on apercevait à peine qu'il avalait déjà le train et déversait dans les compartiments son or à profusion, sa lumière et sa chaleur. Des marteaux tintaient sur les roues, la locomotive s'ébrouait de toute sa vapeur, et le geste d'automate de l'employé abaissant son disque rouge relançait Mersault dans la course folle du train où seules veillaient sa lucidité et son inquiétude. À nouveau dans le compartiment le jeu croisé des ombres et des lumières, le recouvrement de noir et d'or. Dresde, Bautzen, Gœrlitz, Liegnitz. La longue nuit seul devant soi, avec tout son temps pour former les gestes d'une vie future, la lutte patiente avec l'idée qui s'échappe au tournant d'une gare, se laisse ressaisir et poursuivre, rejoint ses conséquences, et fuit encore devant la danse des fils luisant de pluie et de lumières. Mersault recherchait le mot, la phrase qui formulerait l'espoir de son cœur, où se clorait son inquiétude. Dans l'état de faiblesse où il était, il avait besoin de formules. La nuit et le jour passaient dans cette lutte obstinée avec le verbe, l'image qui désormais feraient toute la couleur de son regard devant la vie, le rêve attendri ou malheureux qu'il faisait de son avenir. Il fermait les yeux. Il faut du temps pour vivre. Comme toute œuvre d'art, la vie exige qu'on y pense. Mersault pensait à sa vie et promenait sa conscience éperdue et sa volonté de bonheur dans un compartiment qui, en ces jours-là, fut pour lui dans l'Europe comme une de ces cellules où l'homme apprend à connaître l'homme à travers ce qui le dépasse.

Le matin du deuxième jour, et quoiqu'on fût en rase campagne, le train ralentit sensiblement. On était à quelques heures de Breslau, et le jour s'ouvrait sur la longue plaine de Silésie, sans un arbre, gluante de boue, sous un ciel couvert et gonflé de pluie. À perte de vue et à distances régulières, de grands oiseaux noirs aux ailes luisantes volaient par groupes à quelques mètres du sol, incapables de s'élever plus haut sous le ciel pesant comme une dalle. Ils tournaient en rond dans un vol lent et lourd, et parfois l'un d'eux quittait le groupe, rasait la terre, presque confondu avec elle, et s'éloignait d'un même vol gras, interminablement jusqu'à ce qu'il fût assez loin pour se détacher comme un point noir dans le ciel commençant. Mersault avait effacé de ses mains la buée de la vitre et il regardait avidement par les longues raies que ses doigts avaient laissées sur le verre. De la terre désolée au ciel sans couleur se levait pour lui l'image d'un monde ingrat où pour la première fois, il revenait enfin à lui-même. Sur cette terre, ramenée au désespoir de l'innocence, voyageur perdu dans un monde primitif, il retrouvait ses attaches et, le poing serré contre sa poitrine, le visage écrasé contre la vitre, il figurait son élan vers lui-même et vers la certitude des grandeurs qui dormaient en lui. Il eût voulu s'écraser dans cette boue, rentrer dans la terre par ce bain de glaise, et dressé sur la plaine sans limite, couvert de boue et les bras ouverts devant le ciel d'éponge et de suie, comme en face du symbole désespérant et splendide de la vie, affirmer sa solidarité avec le monde dans ce qu'il avait de plus repoussant et se déclarer complice de la vie jusque dans son ingratitude et son ordure. L'immense élan qui le soulevait creva enfin pour la première fois depuis son départ. Mersault écrasa ses larmes et ses lèvres contre le verre froid. De nouveau la vitre se troubla, la plaine disparut.

Quelques heures après, il arrivait à Breslau. De loin la ville lui apparut comme une forêt de cheminées d'usines et de flèches de cathédrales. De près, elle était faite de briques et de pierres noires ; des hommes en casquette à visière courte circulaient lentement. Il les suivit, passa la matinée dans un café ouvrier. Un jeune homme y jouait de l'harmonica : des airs d'une bonne et lourde bêtise qui reposaient l'âme. Mersault décida de redescendre vers le sud, après avoir acheté un peigne. Le lendemain, il était à Vienne. Il dormit une partie de la journée et la nuit tout entière. Au réveil, sa fièvre était complètement tombée. Il se gava d'œufs à la coque et de crème fraîche au petit déjeuner, et le cœur un peu barbouillé sortit dans une matinée traversée de soleil et de pluie. Vienne était une ville rafraîchissante : il n'y avait rien à visiter. La cathédrale Saint-Étienne, trop grande, l'ennuyait. Il lui préféra les cafés qui lui faisaient face et, pour le soir, un petit dancing près des rives du canal. Dans la journée il se promenait le long du Ring, dans le luxe des belles vitrines et des femmes élégantes. Il jouissait pour un temps de ce décor frivole et luxueux qui sépare l'homme de lui-même dans la ville la moins naturelle du monde. Mais les femmes étaient belles, les fleurs grasses et éclatantes dans les jardins, et sur le Ring, au soir tombant, dans la foule brillante et facile qui circulait, Mersault contemplait sur le sommet des monuments l'envol vain des chevaux de pierre dans le soir rouge. C'est alors qu'il se souvint de Rose et Claire ses amies. Pour la première fois depuis son départ il écrivit une lettre. C'était en vérité le trop-plein de son silence qui se déversait sur le papier[a] :

> *Mes enfants,*
>
> *Je vous écris de Vienne. Je ne sais ce que vous devenez. Moi je gagne ma vie en voyageant. J'ai vu d'un cœur amer beaucoup de choses belles. Ici, la beauté a fait place à la civilisation. C'est reposant. Je ne visite pas d'églises ou de lieux antiques. Je me promène sur le Ring. Et le soir venu au-dessus des théâtres et des palais somptueux, l'élan aveugle des chevaux de pierre dans le rouge du couchant me met au cœur un singulier mélange d'amertume et de bonheur. Le matin je mange des œufs à la coque et de la crème fraîche. Je me lève tard, l'hôtel m'entoure de ses prévenances, je suis sensible au style des maîtres d'hôtel, gavé de bonne nourriture (ô cette crème fraîche). Il y a des spectacles et de jolies femmes. Il ne manque qu'un vrai soleil.*
>
> *Que faites-vous ? Parlez de vous et du soleil au malheureux que rien ne retient nulle part et qui reste votre fidèle*
>
> PATRICE MERSAULT.

Ce soir-là, ayant écrit, il retourna au dancing. Il avait retenu la soirée d'une des entraîneuses, Helen, qui savait un peu de français et comprenait son mauvais allemand. En sortant du dancing à deux heures du matin, il la reconduisit chez elle, fit l'amour le plus correctement du monde et se retrouva le matin, nu dans un lit étranger, contre le dos d'Helen, dont il admira avec désintéressement et bonne humeur les hanches longues et les larges épaules. Il partit sans vouloir la réveiller, et glissa un billet dans un de ses souliers. Au moment où il atteignait la porte il s'entendit appeler : « Mais, chéri, tu t'es trompé. » Il revint vers le lit. Il s'était trompé en effet. Connaissant mal la monnaie autrichienne, il avait laissé un billet de cinq cents shillings au lieu de cent shillings. « Non, dit-il en souriant, c'est pour toi.

Tu as été très chic. » Le visage d'Helen taché de rousseur sous les cheveux blonds et emmêlés s'éclaira d'un sourire. Brusquement elle se mit debout sur le lit et l'embrassa sur les joues. Ce baiser, le premier sans doute qu'elle lui eût donné de bon cœur, fit jaillir en Mersault un élan d'émotion. Il la coucha et la borda, regagna la porte et la regarda en souriant. « Adieu », dit-il. L'autre ouvrit de grands yeux au-dessus du drap remonté sous le nez et le laissa disparaître sans trouver mot.

À quelques jours de là, Mersault reçut une réponse datée d'Alger :

Cher Patrice,

Nous sommes à Alger. Vos enfants seraient très heureuses de vous revoir. Si rien ne vous retient nulle part, venez donc à Alger, nous pouvons vous loger à la Maison. Nous on est heureux. On a un peu honte, bien sûr, mais c'est plutôt pour la convenance. C'est aussi rapport aux préjugés. Si ça vous dit d'être heureux, venez l'essayer ici. Ça vaut mieux que d'être sous-officier rengagé. Nous tendons nos fronts à vos paternels baisers.

ROSE, CLAIRE, CATHERINE.

P.-S. — *Catherine proteste contre le mot paternel. Catherine habite avec nous. Ce sera, si vous le voulez bien, votre troisième fille.*

Il décida de regagner Alger par Gênes. Comme d'autres ont besoin de solitude avant de prendre leurs grandes décisions et de jouer la partie essentielle d'une vie, lui, empoisonné de solitude et d'étrangeté, avait besoin de se retirer dans l'amitié et la confiance et de goûter une sécurité apparente avant de commencer son jeu.

Dans le train qui le menait à Gênes à travers l'Italie du Nord, il écoutait les mille voix qui en lui chantaient vers le bonheur. Dès le premier cyprès, droit sur la terre pure, il avait cédé. Il sentait encore sa faiblesse et sa fièvre. Mais quelque chose en lui avait molli, s'était détendu. Bientôt, à mesure que le soleil avançait dans la journée et qu'approchait la mer, sous le grand ciel rutilant et bondissant d'où coulaient sur les oliviers frémissants des fleuves d'air et de lumière, l'exaltation qui remuait le monde rejoignit l'enthousiasme de son cœur. Le bruit du train, le jacassement puéril qui l'entourait dans le compartiment bondé, tout ce qui riait et chantait autour de lui rythmait et accompagnait une sorte de danse intérieure qui le projeta, pendant des heures, immobile, aux quatre coins du monde et enfin le déversa, jubilant et interdit, dans Gênes assourdissante, qui crevait de santé devant son golfe et son ciel, où luttaient jusqu'au soir le désir et la paresse. Il avait soif, faim d'aimer, de jouir et d'embrasser. Les dieux qui le brûlaient le jetèrent dans la mer, dans un petit coin du port, où il goûta le goudron et le sel mélangés et perdit ses limites à force de nager. Il s'égara ensuite dans les rues étroites et pleines d'odeurs du vieux quartier, laissa les couleurs hurler pour lui, se consumer le ciel au-dessus des maisons sous son poids de soleil et se reposer à sa place les chats parmi les ordures et l'été. Il alla sur la route qui domine Gênes et laissa monter vers lui toute la mer chargée de parfums et de lumières, dans un long gonflement. En fermant les yeux, il étreignait la pierre chaude où il s'était assis, pour les rouvrir sur cette ville où l'excès de vie hurlait dans un exaltant mauvais goût. Dans les jours qui suivirent il aimait aussi s'asseoir sur la rampe qui descend au port, et à midi regardait passer les jeunes filles qui remontent des bureaux sur les quais. Chaussées de sandales, les seins libres dans des robes éclatantes et légères, elles laissaient Mersault la langue sèche et le cœur battant d'un désir où il retrouvait à la fois une liberté et une justification. Le soir[b] c'étaient les mêmes femmes qu'il rencontrait dans les rues et qu'il suivait avec dans ses reins la bête chaude et lovée du désir qui remuait avec une douceur farouche. Pendant deux jours, il brûla dans cette inhumaine exaltation. Le troisième il quitta Gênes pour Alger.

Tout au long du voyage, contemplant les jeux de l'eau et de la lumière, le matin puis le cœur du jour et le soir sur la mer, il accorda son cœur aux lents battements du ciel et revint à lui-même. Il se méfiait de la vulgarité de certaines guérisons. Étendu sur le pont, il comprenait qu'il ne fallait pas s'endormir mais veiller, veiller contre les amis, contre le confort de l'âme et du corps. Il avait à construire son bonheur et sa justification. Et sans doute la tâche maintenant lui serait plus facile. À la paix étrange qui le pénétrait devant le soir soudain plus frais sur la mer, la première étoile lentement durcie dans le ciel où la lumière mourait verte, pour renaître jaune, il éprouvait qu'après ce grand tumulte et cet orage, ce qu'il avait d'obscur et de mauvais en lui se déposait pour laisser, transparente désormais, l'eau claire d'une âme revenue à la bonté et à la décision. Il voyait clair. Il

avait longtemps espéré l'amour d'une femme. Et il n'était
pas fait pour l'amour. À travers sa vie, le bureau des quais,
sa chambre et ses sommeils, son restaurant et sa maîtresse,
il avait poursuivi d'une recherche unique un bonheur qu'au
fond de lui, et comme tout le monde, il croyait impossible.
Il avait joué à vouloir être heureux. Jamais il ne l'avait voulu
d'une volonté consciente et délibérée. Jamais jusqu'au jour…
Et à partir de ce moment, à cause d'un seul geste calculé en
toute lucidité, sa vie avait changé, et le bonheur lui semblait
possible. Sans doute il avait enfanté dans les douleurs cet
être neuf. Mais qu'était-ce au prix de la dégradante comédie
qu'il jouait auparavant ? Il voyait, par exemple, que ce qui
l'avait attaché à Marthe c'était la vanité plus que l'amour.
Jusqu'à ce miracle des lèvres qu'elle lui tendait et qui n'était
que l'étonnement joyeux d'une puissance qui se reconnaît et
s'éveille à la conquête. Toute l'histoire de son amour c'était
à la vérité le remplacement de cet étonnement initial par une
certitude, de sa modestie par une vanité. Il avait aimé en
elle ces soirs où ils apparaissaient au cinéma et où les regards
se tournaient vers elle, ce moment où il la présentait au
monde. Il s'aimait en elle et sa puissance et son ambition de
vivre. Son désir même, le goût profond de toute sa chair
venait peut-être de cet étonnement du début à posséder
un corps particulièrement beau, à le dominer et à l'humilier.
Maintenant, il savait' qu'il n'était pas fait pour cet amour,
mais pour l'amour innocent et terrible du dieu noir qu'il servait désormais.

Comme il arrive souvent, ce qu'il y avait de meilleur
dans sa vie avait cristallisé autour de ce qu'il y avait de pire.
Claire et ses amies, Zagreus et sa volonté de bonheur autour
de Marthe. Il savait maintenant que c'était à sa volonté de
bonheur de prendre le pas. Mais pour cela il comprenait
que c'était au temps qu'il fallait s'accorder, qu'avoir son
temps était à la fois la plus magnifique et la plus dangereuse
des expériences. L'oisiveté n'est fatale qu'aux médiocres.
Beaucoup ne peuvent même pas prouver qu'ils ne sont
pas médiocres. Il avait conquis ce droit. Mais la preuve restait
à faire. Une seule chose était changée. Il se sentait libre à
l'égard de son passé, et de ce qu'il avait perdu. Il ne voulait
que ce resserrement et cet espace clos en lui, cette lucide et
patiente ferveur devant le monde. Comme un pain chaud
qu'on presse et qu'on fatigue, il voulait seulement tenir sa
vie entre ses mains. Comme dans ces deux longues nuits

du train où il pouvait se parler et se préparer à vivre. Lécher sa vie comme un sucre d'orge, la former, l'aiguiser, l'aimer enfin. Là était toute sa passion. Cette présence de lui-même à lui-même, son effort désormais était de la maintenir devant tous les visages de sa vie, même au prix d'une solitude qu'il savait maintenant si difficile à supporter. Il ne trahirait pas. Toute sa violence l'y aidait et le point où elle le portait, son amour l'y rejoignait comme une furieuse passion de vivre.

La mer se froissait lentement contre les flancs du navire. Le ciel se chargeait d'étoiles. Et Mersault, silencieux, se sentait des forces extrêmes et profondes pour aimer et admirer cette vie au visage de larmes et de soleil, cette vie dans le sel et la pierre chaude, il lui semblait qu'à la caresser toutes ses forces d'amour et de désespoir se conjugueraient. Là étaient sa pauvreté et sa richesse unique. C'était comme si, marquant zéro, il recommençait la partie mais avec la conscience de ses forces et la fièvre lucide qui le pressaient en face de son destin.

Et puis ce fut Alger, la lente arrivée au matin, la cascade éblouissante de la Kasbah au-dessus de la mer, les collines et le ciel, la baie aux bras tendus, les maisons parmi les arbres et l'odeur déjà proche des quais. Alors, Mersault s'aperçut que pas une seule fois depuis Vienne il n'avait songé à Zagreus comme à l'homme qu'il avait tué de ses mains. Il reconnut en lui cette faculté d'oubli qui n'appartient qu'à l'enfant, au génie et à l'innocent. Innocent, bouleversé par la joie, il comprit enfin qu'il était fait pour le bonheur.

III[2]

Patrice et Catherine prennent leur petit déjeuner au soleil, sur la terrasse. Catherine est en maillot de bain, le garçon, comme l'appellent ses amies, en slip, une serviette autour du cou. Ils mangent des tomates avec du sel, une salade de pommes de terre, du miel et des fruits en grande quantité. Ils mettent des pêches à refroidir dans de la glace et, les retirant, lèchent des gouttes de sueur au duvet des peaux veloutées. Ils font aussi des jus de raisin qu'ils boivent en levant la face vers le soleil pour brunir de visage (du moins Patrice qui sait qu'être brun l'avantage).

« Sens le soleil », dit Patrice, son bras tendu vers Cathe-rine. Elle lèche le bras. « Oui, dit-elle, sens aussi. » Il sent, puis s'allonge en se caressant les côtes. Elle, de son côté, se met sur le ventre et fait tomber son maillot jusqu'aux reins.

« Je ne suis pas indécente ?

— Non », dit le garçon qui ne regarde pas.

Le soleil coule et s'attarde sur son visage. Les pores légè-rement humides, il respire ce feu qui le déborde et l'endort. Catherine cuve son soleil, soupire et gémit :

« C'est bon, dit-elle.

— Oui », dit le garçon.

La maison s'accrochait au sommet d'une colline d'où on voyait la baie. Dans le quartier on l'appelait la maison des trois étudiantes. On y montait par un chemin très dur qui commençait dans les oliviers et finissait dans les oliviers. Dans son milieu, il faisait une sorte de palier, le long d'un mur gris couvert de dessins obscènes et d'invocations politiques dont la lecture redonnait du souffle au voyageur épuisé. Après, c'était encore les oliviers, les linges bleus du ciel entre les branches, et l'odeur des lentisques le long de prés roussis où séchaient des étoffes violettes, jaunes et rouges. On arri-vait dans une grande détresse de sueur et de respiration, poussait une petite barrière bleue en évitant la griffe des bou-gainvillées et l'on avait encore à gravir un escalier raide comme une échelle, mais couvert d'une pénombre bleue où l'on calmait déjà sa soif. Rose, Claire, Catherine et le garçon l'appelaient la Maison devant le Monde[3]. Tout entière ouverte sur le paysage, elle était comme une nacelle suspendue dans le ciel éclatant au-dessus de la danse colorée du monde. Depuis la baie à la courbe parfaite, tout en bas, une sorte d'élan brassait les herbes et le soleil, et portait les pins et les cyprès, les oliviers poussiéreux et les eucalyptus jusqu'au pied de la maison. Au cœur de cette offrande fleurissaient, suivant les saisons, des églantines blanches et des mimosas, ou ce chèvrefeuille qui des murs de la maison laissait monter ses parfums dans les soirs d'été. Linges blancs et toits rouges, sourires de la mer sous le ciel épinglé sans un pli d'un bout à l'autre de l'horizon, la Maison devant le Monde braquait ses larges baies sur cette foire des couleurs et des lumières. Mais, au loin, une ligne de hautes montagnes violettes rejoignait la baie par sa pente extrême et contenait cette ivresse dans son dessin lointain. Alors, personne ne se plaignait du chemin raide et de la fatigue. On avait chaque jour à conquérir sa joie.

À vivre ainsi devant le monde, à éprouver son poids, à voir tous les jours son visage s'éclairer, puis s'éteindre pour le lendemain brûler de toute sa jeunesse, les quatre habitants de la maison avaient conscience d'une présence qui leur était à la fois un juge et une justification. Le monde, ici, devenait personnage, comptait parmi ceux dont nous prenons plus volontiers conseil, chez qui l'équilibre n'a pas tué l'amour. Ils le prenaient à témoin :

« Moi et le Monde[4], disait Patrice à propos de rien, nous vous désapprouvons. »

Catherine, pour qui être nue signifiait se débarrasser des préjugés, profitait des absences du garçon pour se déshabiller sur la terrasse. Et restant à voir changer les couleurs du ciel, elle disait à table avec une manière d'orgueil sensuel :

« J'étais nue devant le Monde.

— Oui, disait Patrice avec mépris, les femmes préfèrent naturellement leurs idées à leurs sensations. » Catherine alors bondissait parce qu'elle ne voulait pas être une intellectuelle. Et Rose et Claire avec ensemble :

« Tais-toi, Catherine, tu as tort. »

Car il était entendu que Catherine avait toujours tort, étant celle que tout le monde aimait de la même façon. Elle avait un corps pesant et dessiné, couleur de pain brûlé, et l'instinct animal de ce qu'il y a d'essentiel dans le monde. Nul mieux qu'elle ne démêlait le langage profond des arbres, de la mer et du vent.

« Cette petite, disait Claire, en mangeant sans arrêt, c'est une force de la nature. »

Puis tout le monde allait se chauffer au soleil et se taire. L'homme diminue la force de l'homme. Le monde la laisse intacte. Rose, Claire, Catherine et Patrice, aux fenêtres de leur maison, vivaient dans les images et l'apparence, consentaient à cette sorte de jeu qu'ils liaient entre eux, riaient à l'amitié comme à la tendresse, mais revenus devant la danse du ciel et de la mer, retrouvaient la couleur secrète de leur destin et se rencontraient enfin avec le plus profond d'eux-mêmes. Parfois, les chats venaient rejoindre les maîtres. Gula s'avançait, perpétuellement offensée, noir point d'interrogation aux yeux verts, maigre et délicate, prise soudain de démence et se battant contre des ombres. « C'est une question de glandes internes », disait Rose. Puis elle riait, tout entière à son rire, sous ses cheveux bouclés, les yeux plissés et gais derrière les lunettes rondes, jusqu'à ce que Gula sau-

tant sur elle (faveur spéciale), ses doigts errant sur le poil
luisant, Rose s'adoucît, se détendît, et devenue chatte aux
yeux tendres, calmât la bête avec des mains douces et fra-
ternelles. Car les chats étaient la porte de sortie de Rose sur
le monde, comme la nudité celle de Catherine. Claire préfé-
rait l'autre chat qui était Cali. Il était doux et niais comme
son poil d'un blanc sale et se laissait martyriser. Claire au
visage florentin se sentait alors l'âme magnifique. Silencieuse
et renfermée, avec de brusques éclats, elle avait bon appétit.
Et, la voyant grossir, Patrice la grondait :

« Vous nous dégoûtez, disait-il. Un être beau n'a pas le
droit d'enlaidir. » Mais Rose intervenait : « Quand vous aurez
fini de brimer cette enfant ! Mangez, ma sœur Claire. »

Et la journée tournait du levant au couchant autour des
collines et sur la mer, parmi le soleil délicat. On rit, plaisante,
fait des projets. Tout le monde sourit aux apparences et feint
de s'y soumettre. Patrice allait du visage du monde aux faces
graves et souriantes des jeunes femmes. Il s'étonnait parfois
de cet univers surgi autour de lui. Confiance et amitié, soleil
et maisons blanches, nuances à peine entendues, là naissaient des bonheurs intacts dont il mesurait l'exacte résonance. La Maison devant le Monde, disaient-ils entre eux,
n'est pas une maison où l'on s'amuse mais une maison où
l'on est heureux. Patrice le sentait bien lorsque le visage
tourné vers le soir, tous laissaient entrer en eux, avec la
dernière brise, l'humaine et dangereuse tentation de ne ressembler à rien.

Aujourd'hui après le bain de soleil, Catherine[d] est partie
au bureau.

« Mon cher Patrice, dit Rose soudain surgie, j'ai une
bonne nouvelle à vous annoncer. »

Dans la pièce-terrasse, le garçon, ce jour-là, est courageusement étendu sur un divan, un roman policier aux mains.

« Ma chère Rose, je vous écoute.

— C'est aujourd'hui votre tour de cuisine.

— Bon », dit Patrice sans bouger.

Rose s'en va, avec son cartable d'étudiante où elle met
indifféremment les poivrons du déjeuner et le tome III de
l'*Histoire*, ennuyeuse, de Lavisse. Patrice qui doit faire des
lentilles flâne jusqu'à onze heures, contemple la grande pièce
aux murs ocrés, meublée de divans et d'étagères, de masques
verts, jaunes et rouges, de tentures grèges aux rayures tango,
puis en hâte fait bouillir les lentilles à part, met de l'huile

dans la cocotte, un oignon à revenir, une tomate, un bouquet garni, s'affaire et maudit Gula et Cali qui protestent de leur faim. Pourtant Rose leur a expliqué hier :

« Sachez, bêtes, a-t-elle dit, qu'en été il fait trop chaud pour avoir faim. »

À midi moins un quart, Catherine arrive, robe légère et sandales découvertes. Il lui faut une douche et un bain de soleil. Elle sera la dernière à table. Rose dira sévèrement : « Catherine, tu es insupportable. » L'eau siffle dans la salle de bains et voici Claire essoufflée :

« Vous faites des lentilles ? J'ai une recette très bien…

— Je sais. Je prends de la crème fraîche… vous repasserez, ma chère Claire. »

C'est un fait que les recettes de Claire commencent toujours par de la crème fraîche.

« Il a raison, dit Rose qui vient d'arriver.

— Oui, dit le garçon. Passons à table. »

Ils mangent dans une cuisine qui tient aussi bien du magasin d'accessoires. Il y a de tout et même un agenda pour noter les bons mots de Rose. Claire dit : « Soyons chics, mais simples » et mange son saucisson avec les doigts. Catherine arrive avec le retard convenable, ivre et dolente, les yeux pâles de sommeil. Elle n'a pas assez d'amertume dans l'âme pour penser à son bureau — huit heures qu'elle enlève au monde et à sa vie pour les donner à une machine à écrire. Ses amies comprennent et songent à ce que serait leur vie amputée de ces huit heures. Patrice se tait.

« Oui, dit Rose, qui n'aime pas les attendrissements, au fond ça t'occupe. Et d'abord tu nous parles tous les jours de ton bureau. Nous t'enlevons la parole.

— Mais, soupire Catherine.

— Aux voix, dans ce cas. Un, deux, trois, tu as la majorité contre toi.

— Tu vois », dit Claire.

Les lentilles arrivent, trop sèches, et tous mangent en silence. Claire, lorsqu'elle fait la cuisine, la goûtant à table, ajoute toujours d'un air satisfait : « Mais c'est excellent ! » Patrice, qui a sa dignité, préfère se taire jusqu'au moment où tous éclatent de rire. Catherine mal inspirée aujourd'hui, mais qui voudrait obtenir la semaine de quarante heures, demande alors qu'on l'accompagne à la C.G.T.

« Non, dit Rose, après tout c'est toi qui travailles. »

Exaspérée, la « force de la nature » va se coucher au

soleil. Mais bientôt tous l'y rejoignent. Et caressant négligemment les cheveux de Catherine, Claire croit bien que ce qui manque à « cette enfant », c'est un homme. Car il est d'usage courant à la Maison devant le Monde de décider du sort de Catherine, de lui attribuer des besoins et d'en fixer l'étendue et la variété. Certes, elle fait bien remarquer de temps à autre qu'elle est assez grande, etc., mais on ne l'écoute pas. « La pauvre, dit Rose, elle a besoin d'un amant. »

Puis tout le monde se laisse couler dans le soleil. Catherine, qui n'est pas rancunière, raconte alors un potin de son bureau et comment Mlle Perez, la grande blonde, qui doit se marier sous peu, fait le tour des services pour se documenter, quelles descriptions horrifiantes les voyageurs se plaisent à lui faire, et avec quel soulagement, revenue de son congé de mariage, elle a déclaré souriante : « Ça n'était pas si terrible. » « Elle a trente ans », ajoute Catherine pitoyable. Et Rose, reprochant ses histoires risquées : « Voyons, Catherine, dit-elle, il n'y a pas que des jeunes filles ici. »

À cette heure, le courrier aérien passe au-dessus de la ville et promène la gloire de son métal étincelant sur la terre et dans le ciel. Il entre dans le mouvement de la baie, s'incline comme elle, s'incorpore à la course du monde et d'un coup, laissant là son jeu, vire brusquement, plonge longuement dans la mer et amerrit dans une grande explosion d'eau blanche et bleue. Gula et Cali sont sur le flanc, leurs petites gueules de serpent laissant voir le rose du palais, traversés de rêves luxueux et obscènes qui leur mettent des frissons aux flancs. Le ciel là-haut tombe de toute sa hauteur avec son poids de soleil et de couleurs. Les yeux fermés, Catherine éprouve la chute longue et profonde qui la ramène au fond d'elle-même, où doucement remue cet animal qui respire comme un dieu.

Le dimanche suivant on attend des invités. C'est Claire qui doit faire la cuisine. Rose a donc épluché les légumes, préparé la vaisselle et la table ; Claire mettra les légumes dans les récipients et surveillera la cuisson en lisant dans sa chambre. Comme Mina la Mauresque n'est pas venue ce matin ayant perdu son père pour la troisième fois dans l'année, Rose a fait aussi le ménage. Les invités arrivent. Éliane, que Mersault appelle l'idéaliste. « Pourquoi ? dit Éliane. — Parce que lorsqu'on vous dit une chose vraie qui vous choque, vous dites : c'est vrai, mais ce n'est pas bien. » Éliane a bon cœur et se trouve une ressemblance avec

L'Homme au gant que tout le monde lui nie. Mais, personnelle, sa chambre est tapissée de reproductions de *L'Homme
au gant*. Éliane fait des études. La première fois qu'elle est
venue à la Maison devant le Monde, elle s'est déclarée enchan-
tée du « manque de préjugés » de ses habitants. Avec le
temps, elle a trouvé ça moins commode. Ne pas avoir de préjugés consistait à lui dire que l'histoire racontée et fignolée
par ses soins est parfaitement ennuyeuse et à déclarer aimablement à la moindre phrase : « Éliane, vous n'êtes qu'une
bourrique. »

Quand Éliane est entrée dans la cuisine avec Noël,
second invité et sculpteur de son métier, elle est tombée sur
Catherine qui ne fait jamais la cuisine dans une position normale. Couchée sur le dos, elle mange des raisins d'une main
et de l'autre met en mouvement une mayonnaise encore à
ses débuts. Rose, vêtue d'un grand tablier bleu, admire l'intelligence de Gula qui a sauté sur le potager pour manger
l'entremets de midi.

« Croyez-vous, dit Rose béate, non mais, croyez-vous,
qu'elle est intelligente.

— Oui, dit Catherine, elle se surpasse aujourd'hui », ajoutant que ce matin Gula de plus en plus intelligente, a cassé
la petite lampe verte et un vase de fleurs.

Éliane et Noël, trop essoufflés sans doute pour exprimer
leur dégoût, se décident à prendre un siège que personne n'a
songé à leur offrir. Claire arrive, aimable et languissante, serre
des mains et goûte la bouillabaisse sur le feu. Elle pense
qu'on peut se mettre à table. Mais aujourd'hui Patrice est
en retard. Il arrive cependant et, volubile, explique à Éliane
qu'il est de bonne humeur parce que les femmes étaient
belles dans les rues. La saison chaude commence à peine,
mais déjà les robes fraîches où tremblent des corps durs
ont fait leur apparition. Patrice en a, selon lui, la bouche
sèche, les tempes battantes et les reins chauds. Devant
cette précision dans les termes, Éliane et sa pudeur gardent
le silence. À table, une consternation suit les premières
cuillères de bouillabaisse. Claire, coquette, dans une diction
très pure :

« Je crains, dit-elle, que cette bouillabaisse ait un goût
d'oignon brûlé.

— Mais non », dit Noël, dont tout le monde aime le bon
cœur.

Alors, pour éprouver ce bon cœur, Rose le prie d'acheter

pour la maison un certain nombre de choses utiles telles que chauffe-bain, tapis persans et frigidaire. Noël ayant répondu en encourageant Rose à faire des prières pour que lui-même gagnât à la loterie :

« Tant qu'à faire, dit Rose, avec réalisme, nous les ferons pour nous ! »

Il fait chaud, d'une bonne chaleur épaisse qui rend plus précieux le vin glacé et les fruits bientôt venus. Au café, Éliane parle de l'amour avec un beau courage. Si elle aimait, elle se marierait. Catherine lui dit que ce qu'il y a de plus pressé quand on aime c'est de faire l'amour et cette politique matérialiste convulse Éliane. Rose, pragmatique, l'approuverait si « malheureusement l'expérience ne prouvait que le mariage tue l'amour ».

Mais Éliane et Catherine forcent leurs pensées dans l'antagonisme et deviennent injustes comme il se doit quand on a du tempérament. Noël, qui pense en formes et en argile, croit à la femme, aux enfants et à la vérité patriarcale dans une vie concrète et pesante. Alors, Rose, excédée par les cris d'Éliane et Catherine, feint de comprendre soudain le but des visites nombreuses de Noël.

« Je vous remercie, dit-elle, et je saurais mal vous dire combien cette découverte me bouleverse toute. Je parlerai dès demain à mon père de " notre " projet et vous pourrez lui faire votre demande dans quelques jours.

— Mais... dit Noël, qui ne comprend pas très bien.

— Oh, dit Rose dans un grand élan, je sais. Mais je vous comprends sans que vous ayez besoin de parler. Vous êtes de ceux qui se taisent et ont besoin d'être devinés. D'ailleurs je suis contente que vous vous soyez déclaré, car la fréquence de vos visites commençait à ternir la pureté de ma réputation. »

Noël amusé et vaguement inquiet se déclare enchanté de voir ses vœux couronnés.

« Sans compter, dit Patrice avant d'allumer une cigarette, qu'il faudra vous grouiller la patate. L'état de Rose vous fait un devoir de presser les choses.

— Quoi ? dit Noël.

— Mon Dieu, dit Claire, nous n'en sommes qu'au deuxième mois.

— Et puis, ajoute Rose avec tendresse et persuasion, vous êtes arrivé à l'âge où l'on est heureux de se reconnaître dans l'enfant d'un autre. »

Noël se ride un peu, et Claire, bonne enfant :

« C'est une plaisanterie. Il s'agit de la prendre avec esprit. Passons au salon. »

Du même coup la discussion de principes a pris fin. Pourtant, Rose qui fait ses bonnes actions en cachette parle doucement à Éliane. Dans la grande pièce, Patrice s'est mis à la fenêtre, Claire se tient droite contre la table et Catherine est couchée sur la natte. Les autres sont sur le divan. Il y a une épaisse brume sur la ville et le port. Mais les remorqueurs reprennent leur travail, et leurs appels graves portent jusqu'ici avec des odeurs de goudron et de poisson, le monde de coques rouges et noires, de bittes rouillées et de chaînes gluantes d'algues qui s'éveille tout en bas. Comme tous les jours, c'est l'appel viril et fraternel d'une vie à goût de force, dont tout le monde ici sent la tentation ou l'appel direct. Éliane dit à Rose avec tristesse :

« Vous aussi, au fond, êtes comme moi.

— Non, dit Rose, je cherche seulement à être heureuse et le plus possible.

— Et l'amour n'est pas le seul moyen », dit Patrice sans se retourner.

Il a beaucoup d'affection pour Éliane et craint de l'avoir peinée tout à l'heure. Mais il comprend Rose de vouloir être heureuse.

« C'est un idéal médiocre, dit Éliane.

— Je ne sais pas si c'est un idéal médiocre, mais c'est un idéal sain. Et ça voyez-vous… » Patrice ne continue pas. Rose a fermé un peu les yeux. Gula a gagné ses genoux et, par de longues caresses sur les os du crâne, Rose prélude à ce mariage secret où le chat aux yeux mi-clos et la femme immobile verront du même regard un semblable univers. Chacun songe entre les longs appels de remorqueur. Rose laisse remonter en elle le ronronnement de Gula lovée au creux de son corps. La chaleur s'appuie sur ses yeux et la plonge dans un silence peuplé des coups de son sang. Les chats dorment des journées entières et aiment de la première étoile jusqu'à l'aube. Leurs voluptés mordent et leur sommeil est sourd. Ils savent aussi que le corps a une âme où l'âme n'a point de part.

« Oui, dit Rose, ouvrant les yeux, être heureuse et le plus possible. »

Mersault pensait à Lucienne Raynal. Quand il avait dit un peu auparavant que les femmes étaient belles dans les rues,

il voulait dire surtout qu'une femme lui avait paru belle. Il
l'avait rencontrée chez des amis. Une semaine auparavant
ils étaient sortis ensemble et, n'ayant rien à faire, s'étaient
promenés sur les boulevards, le long du port, par une belle
matinée chaude. Elle n'avait pas desserré les dents et, la raccompagnant chez elle, Mersault s'était surpris à lui serrer la
main longuement et à lui sourire. Elle était assez grande, ne
portait pas de chapeau, était chaussée de sandales découvertes et habillée d'une robe de toile blanche. Sur les boulevards ils avaient marché contre un vent léger. Elle posait son
pied bien à plat sur les dalles chaudes, y prenait appui pour
se soulever légèrement contre le vent. Dans ce mouvement,
sa robe se plaquait contre elle et dessinait son ventre plat
et bombé. Avec ses cheveux blonds en arrière, son nez petit
et droit et l'élan magnifique de ses seins, elle figurait et
sanctionnait une sorte d'accord secret qui la liait à la terre
et ordonnait le monde autour de ses mouvements. Lorsque,
son sac balancé dans la main droite ornée du bracelet d'argent qui cliquetait contre la fermeture, elle levait la main
gauche au-dessus de sa tête pour se protéger du soleil, la
pointe du pied droit encore sur le sol, mais prêt à le quitter,
il semblait à Patrice qu'elle liait ses gestes au monde.

C'est alors qu'il éprouva le mystérieux accord qui accordait
ses pas à ceux de Lucienne. Ils marchaient bien ensemble et
sans effort de sa part pour s'adapter. Sans doute cet accord
était facilité par les chaussures plates de Lucienne. Mais il y
avait en même temps dans leurs foulées respectives quelque
chose qui leur était commun dans la longueur et la souplesse. Dans le même temps, Mersault remarqua le silence
de Lucienne et l'air fermé de son visage. Il pensa qu'elle
était probablement inintelligente et s'en réjouit. Il y a quelque
chose de divin dans la beauté sans esprit et, mieux que
personne, Mersault savait y être sensible. Tout cela fit qu'il
s'attarda sur les doigts de Lucienne, qu'il la revit souvent, se
promena longtemps avec elle de la même allure silencieuse,
offrant leurs visages brunis au soleil ou aux étoiles, se bai-
gnant ensemble et accordant leurs gestes et leurs pas sans
rien échanger que la présence de leurs corps. Tout ceci jusqu'au soir d'hier où Mersault avait retrouvé un miracle familier et bouleversant sur les lèvres de Lucienne. Jusqu'ici ce
qui l'émouvait c'était sa façon de s'accrocher à ses vêtements, de le suivre en prenant son bras, cet abandon et cette
confiance qui touchaient l'homme en lui. Son silence aussi

qui la mettait tout entière dans son geste du moment et par-
faisait sa ressemblance avec les chats, à qui elle devait déjà la
gravité qu'elle mettait dans tous ses actes. Hier, après dîner,
il s'était promené sur les quais avec elle. À un moment, ils
s'étaient arrêtés contre la rampe des boulevards et Lucienne
avait glissé contre Mersault. Dans la nuit il sentit sous ses
doigts les pommettes glacées et saillantes, et les lèvres
chaudes d'une tiédeur où le doigt enfonçait. Alors ce fut en
lui comme un grand cri désintéressé et ardent. Devant la
nuit chargée d'étoiles à craquer, et la ville, comme un ciel
renversé, gonflé des lumières humaines sous le souffle chaud
et profond qui montait du port vers son visage, lui venait la
soif de cette source tiède, la volonté sans frein de saisir sur
ces lèvres vivantes tout le sens de ce monde inhumain et
endormi, comme un silence enfermé dans sa bouche. Il se
pencha et ce fut comme s'il posait ses lèvres sur un oiseau.
Lucienne gémit. Il mordit dans ses lèvres et durant des
secondes, bouche contre bouche, aspira cette tiédeur qui le
transportait comme s'il serrait le monde dans ses bras. Elle
cependant s'accrochait à lui, comme noyée, surgissait par
élans de ce grand trou profond où elle était jetée, repoussait
alors ses lèvres qu'elle attirait ensuite, retombant alors dans
les eaux glacées et noires qui la brûlaient comme un peuple
de dieux.

... Mais Éliane partait déjà. Une longue après-midi de
silence et de réflexion attendait Mersault dans sa chambre.
Au dîner tous furent silencieux. Mais d'un commun accord
tous passèrent sur la terrasse. Les jours finissent toujours par
rejoindre les jours. Du matin sur la baie, éclatant de brumes
et de soleil, à la douceur du soir, sur la baie. Le jour se lève
sur la mer et se couche derrière les collines, parce que le
ciel ne montre qu'une route qui va de la mer aux collines.
Le monde ne dit jamais qu'une chose, et il intéresse, puis
il lasse. Mais un temps vient toujours où il conquiert à
force de répéter et touche le prix de sa persévérance. Ainsi
les jours de la Maison devant le Monde, tissés dans l'étoffe
luxueuse des rires et des gestes simples, s'achèvent sur la
terrasse devant la nuit gonflée d'étoiles. On s'étendit sur des
chaises longues, Catherine assise sur le mur de garde.

Au ciel, ardent et secret, brille le visage de la nuit obscure.
Des lumières passent très loin dans le port et les hurlements
des trains se font plus espacés. Les étoiles grandissent puis
diminuent, disparaissent et renaissent, lient d'instables figures

entre elles, avec d'autres les renouent. Dans le silence, la nuit reprend son épaisseur et sa chair. Pleine des glissements de ses étoiles, elle laisse aux yeux les jeux de lumières qu'y mettent les larmes. Et chacun, plongeant dans la profondeur du ciel, retrouve à ce point extrême où tout coïncide, la pensée secrète et tendre qui fait toute la solitude de sa vie.

Catherine que l'amour étouffe tout d'un coup, n'a su que soupirer. Patrice qui sent sa voix changée, demande cependant :

« Vous n'avez pas froid ?

— Non, dit Rose. Et d'ailleurs c'est si beau. »

Claire s'est levée, a mis ses mains sur le mur et tendu le visage vers le ciel. Devant tout ce qu'il y a d'élémentaire et de noble au monde, elle confond sa vie et son désir de vivre, et mêle son espoir au mouvement des étoiles. Retournée brusquement elle s'adresse à Patrice :

« Dans les bons jours, dit-elle, faire confiance à la vie, ça la force à bien répondre.

— Oui », dit Patrice sans la regarder.

Une étoile file. Derrière elle, s'élargit la lueur d'un phare lointain, dans la nuit maintenant plus noire. Des hommes gravissent le chemin en silence. On les entend piétiner et respirer fortement. Peu après monte une odeur de fleurs.

Le monde ne dit jamais qu'une seule chose. Et dans cette vérité patiente qui va de l'étoile à l'étoile, se fonde une liberté qui nous délie de nous-mêmes et des autres, comme dans cette autre vérité patiente qui va de la mort à la mort. Patrice, Catherine, Rose et Claire prennent alors conscience du bonheur qui naît de leur abandon au monde. Si cette nuit est comme la figure de leur destin, ils admirent qu'il soit à la fois charnel et secret et que sur son visage se mêlent les larmes et le soleil. Et leur cœur de douleur et de joie sait entendre cette double leçon qui mène vers la mort heureuse.

Il est tard maintenant. Minuit déjà. Au front de cette nuit qui est comme le repos et la pensée du monde, un sourd gonflement et une rumeur d'étoiles annoncent le réveil prochain. Du ciel gorgé d'astres, descend une lumière tremblante. Patrice regarde ses amis : Catherine, accroupie sur le mur, la tête renversée en arrière ; Rose, tapie dans la chaise longue, les mains allongées sur Gula ; Claire, debout et raide contre le mur avec la tache blanche de son front bombé. Des êtres jeunes, capables de bonheur, qui échangent leur jeunesse et gardent leurs secrets. Il s'est approché de Catherine et regarde par-dessus son épaule de chair et de soleil, dans sa rondeur de ciel. Rose s'est approchée du mur et tous les quatre sont devant le Monde. C'est comme si la rosée soudain plus fraîche de la nuit lavait sur leurs fronts les signes de leur solitude et les délivrant d'eux-mêmes, par ce baptême tremblant et fugitif les rendait au monde. À cette heure où la nuit déborde d'étoiles leurs gestes se figent sur le grand visage muet du ciel. Patrice lève le bras vers la nuit, entraîne dans son élan des gerbes d'étoiles, l'eau du ciel battue par son bras et Alger à ses pieds, autour d'eux comme un manteau étincelant et sombre de pierreries et de coquillages.

IV[5]

Au petit matin, la voiture de Mersault roulait sur la route du littoral avec ses phares en veilleuse. En sortant d'Alger, il avait rattrapé et doublé des voitures de laitier, et l'odeur des chevaux, faite de sueur chaude et d'écurie, lui avait rendu plus sensible la fraîcheur du matin. Il faisait encore noir. Une dernière étoile fondait lentement au ciel, et sur la route luisante dans l'obscurité, il percevait seulement le bruit de bête heureuse du moteur et quelquefois un peu plus loin, le trot d'un cheval et le vacarme cahotant d'une voiture pleine de bidons, jusqu'à ce que lui devienne perceptible, sur le fond noir de la route, le quadruple éclat des fers luisants aux pieds du cheval. Puis tout s'évanouissait dans le bruit de la vitesse. Il allait plus vite maintenant et la nuit virait rapidement au jour.

Du fond de la nuit ramassée entre les collines d'Alger, l'auto sortait sur une route libre dominant la mer où le matin s'arrondissait. Mersault lança la voiture à toute vitesse. Les roues multipliaient sur la route humide de rosée leurs petits bruits de ventouse. À chacun des nombreux tournants, un coup de frein faisait hurler les pneus sur un mode aigu, et dans la ligne droite le ronflement grave de la reprise couvrait un moment les petites voix de la mer qui montaient des plages en contrebas. Seul l'avion permet une solitude plus sensible à l'homme que celle qu'il découvre dans l'auto. Tout entier présent à lui-même, consciemment satisfait de la précision de ses gestes, Mersault pouvait en même temps revenir à lui-même et à ce qui l'occupait. Le jour maintenant était grand ouvert au bout de la route. Le soleil se levait sur la mer et avec lui les champs en bordure, encore déserts tout à l'heure, se réveillaient pleins d'oiseaux et d'insectes au vol rouge. Parfois un paysan traversait l'un d'eux, et Mersault emporté par la vitesse gardait seulement l'image d'une silhouette chargée d'un sac, pesant de tout son pas sur la terre grasse et juteuse. Régulièrement , l'auto le ramenait contre les coteaux qui dominaient la mer. Ils grossissaient et leur silhouette, un peu plus tôt à peine indiquée en ombre chinoise contre le jour, se rapprochait rapidement, grossissait dans son détail et présentait à Mersault, pleins d'oliviers, de pins et maisonnettes crépies, ses flancs soudain découverts. Puis un autre tournant lançait l'auto vers la mer qui se gonflait en marée et montait vers Mersault, comme une offrande pleine de sel, de rougeurs et de sommeil. L'auto alors sifflait sur la route et repartait vers d'autres coteaux et la mer toujours semblable.

Un mois auparavant, Mersault avait annoncé son départ à la Maison devant le Monde. Il allait voyager d'abord et se fixer ensuite dans les environs d'Alger. Quelques semaines après il était de retour, certain que le voyage figurait pour lui une vie désormais étrangère : le dépaysement lui paraissait seulement un bonheur d'inquiet. Aussi bien, il sentait en lui une fatigue obscure. Il avait hâte de réaliser le projet qu'il avait formé d'acheter une petite maison entre la mer et la montagne, au Chenoua, à quelques kilomètres des ruines de Tipasa. À son arrivée à Alger, il avait mis en scène le décor extérieur de sa vie. Il avait acheté un portefeuille important de produits pharmaceutiques allemands, mis un employé qu'il payait à la tête de l'affaire, et justifié ainsi ses absences d'Alger et la vie indépendante qu'il menait. L'affaire, pour le reste, marchait tant bien que mal et il subvenait aux déficits occasionnels, apportant sans remords ce tribut à sa liberté profonde. Il suffit en effet de présenter au monde une face qu'il puisse comprendre. La paresse et la lâcheté font le reste. L'indépendance se gagne avec quelques mots de confidence à bon marché. Mersault s'occupa ensuite du sort de Lucienne.

Elle n'avait pas de parents, vivait seule, était secrétaire dans une maison de charbons, mangeait avec des fruits et faisait de la culture physique. Mersault lui prêta des livres.

Elle les lui rendit sans rien dire. À ses questions, elle répondit : « Oui, c'est bien », ou encore : « C'est un peu triste. » Le jour où il décida de quitter Alger, il lui proposa alors de vivre avec lui mais de résider à Alger sans travailler et de le rejoindre quand il aurait besoin d'elle. Il le dit avec assez de conviction pour que Lucienne n'y vît rien d'humiliant et aussi bien il n'y avait rien d'humiliant. Lucienne percevait souvent par le corps ce que son esprit ne pouvait comprendre. Elle accepta. Mersault ajouta :

« Si vous y tenez, je puis vous promettre de vous épouser. Mais ça ne me paraît pas utile.

— Ce sera comme vous voudrez », dit Lucienne.

Une semaine après, il l'épousait et se préparait à partir. Lucienne pendant ce temps s'acheta un canoë orange pour aller sur la mer bleue.

Mersault évita d'un coup de volant une poule matinale. Il songeait à la conversation qu'il avait eue avec Catherine. La veille du départ il avait quitté la Maison devant le Monde pour passer une nuit seul à l'hôtel.

C'était le début de l'après-midi et, comme il avait plu dans la matinée, la baie tout entière était comme une vitre lavée et le ciel comme un linge frais. Tout en face, le cap qui terminait la courbe de la baie se dessinait avec une merveilleuse pureté et, doré par un rayon de soleil, il s'allongeait dans la mer comme un grand serpent d'été. Patrice avait fini de boucler ses valises et maintenant, les bras contre le portant de la fenêtre, il regardait avidement cette nouvelle naissance du monde.

« Je ne comprends pas pourquoi tu pars, si tu es heureux ici, lui avait dit Catherine.

— Je risquerais d'y être aimé, petite Catherine, et ça m'empêcherait d'être heureux. »

Catherine lovée sur le divan, la tête un peu basse, regardait Patrice avec son beau regard sans fond. Il dit sans se retourner :

« Beaucoup d'hommes compliquent leur existence et s'inventent des destins. Moi c'est tout simple. Regarde... »

Il parlait face au Monde et Catherine se sentait oubliée. Elle regardait les longs doigts de Patrice pendant au bout de l'avant-bras replié contre le portant, sa façon de porter son corps sur une seule hanche et son regard perdu qu'elle devinait sans l'apercevoir.

« Ce que je voudrais... » dit-elle, mais elle se tut et regarda Patrice.

De petites voiles commençaient à gagner la mer en profitant du calme. Elles abordaient la passe, la remplissaient de battements d'ailes et soudain tiraient leur course vers le large, avec un sillage d'air et d'eau qui s'épanouissait en longs frissons écumeux. De sa place et à mesure qu'elles avançaient dans la mer, Catherine les voyait s'élever autour de Patrice comme un vol d'oiseaux blancs. Il parut sentir son silence et son regard. Il se retourna, lui prit les mains et l'amena contre lui.

« Ne renonce jamais, Catherine. Tu as tant de choses en toi et la plus noble de toutes, le sens du bonheur. N'attends pas seulement la vie d'un homme. C'est pour cela que tant de femmes se trompent. Mais attends-la de toi-même.

— Je ne me plains pas, Mersault, dit Catherine doucement, en prenant l'épaule de Patrice. Une seule chose importe pour le moment. Soigne-toi. »

Il sentit alors combien sa certitude tenait à peu de choses. Son cœur était étrangement sec.

« Tu n'aurais pas dû dire cela maintenant. »

Il prit sa valise et descendit d'abord l'escalier raide puis le chemin depuis les oliviers jusqu'aux oliviers. Rien ne l'attendait plus que le Chenoua, une forêt de ruines et d'absinthes, un amour sans espoir ni désespoir avec le souvenir d'une vie de vinaigre et de fleurs¹. Il se retourna. Là-haut, Catherine le regardait partir, sans un geste.

Après un peu moins de deux heures Mersault arriva en vue du Chenoua. À ce moment les dernières lueurs violettes de la nuit traînaient encore sur ses pentes qui plongeaient dans la mer tandis que le sommet s'éclairait de lueurs rouges et jaunes. Il y avait là comme un élan vigoureux et massif de la terre parti des coteaux du Sahel qui se profilaient à l'horizon, pour aboutir dans cet énorme dos de bête musclée qui plongeait dans la mer de toute sa hauteur. La maison que Mersault avait achetée s'élevait sur les dernières pentes à une centaine de mètres de la mer qui se dorait déjà de chaleur. Elle n'avait qu'un étage au-dessus du rez-de-chaussée et dans cet étage une seule chambre avec ses dépendances. Mais cette chambre était vaste et s'ouvrait sur le jardin du devant, puis sur la mer par une magnifique baie prolongée d'une terrasse. Mersault y monta rapidement. La mer commençait déjà à fumer et du même coup son bleu se fonçait tandis que le rouge chaud des carreaux de la terrasse y gagnait son rayonnement et son éclat. La balustrade crépie laissait déjà passer les premières fleurs d'un magnifique rosier grimpant. Les roses étaient blanches et pour celles qui étaient ouvertes, détachées sur la mer, il y avait à la fois quelque chose de saturant et de plantureux dans la fermeté de leur chair. Des pièces du bas, l'une donnait sur les premières pentes du Chenoua, peuplées d'arbres fruitiers, les deux autres sur le jardin et sur la mer. Dans le jardin, deux pins lançaient dans le ciel leurs troncs démesurés couverts à leur extrémité seulement d'une fourrure jaunie et verte. De la maison, on ne pouvait voir que l'espace compris entre ces deux arbres et la courbe de la mer entre les troncs. En ce moment du moins, un petit vapeur passait au large et Mersault le regarda pendant tout le long voyage qu'il fit d'un pin à l'autre pin.

C'était là qu'il allait vivre. Sans doute la beauté de ces lieux touchait son cœur. C'était pour eux qu'aussi bien il avait acheté cette maison. Mais le délassement qu'il avait espéré trouver là l'effrayait maintenant. Et cette solitude qu'il avait recherchée avec tant de lucidité lui paraissait plus inquiétante maintenant qu'il en connaissait le décor. Le village n'était pas loin, à quelques centaines de mètres. Il sortit. Un petit sentier descendait de la route vers la mer. Au moment de le prendre, il s'aperçut pour la première fois qu'on apercevait de l'autre côté de la mer la petite pointe de Tipasa. Sur l'extrémité de cette pointe, se découpaient les colonnes dorées du temple et tout autour d'elles les ruines usées parmi les absinthes qui formaient à distance un pelage gris et laineux. Les soirs de juin, pensa Mersault, le vent devait porter vers le Chenoua à travers la mer le parfum dont se délivraient les absinthes gorgées de soleil.

Il lui fallait installer sa maison et l'organiser. Les premiers jours passèrent rapidement. Il peignit les murs à la chaux, acheta des tentures à Alger, recommença l'installation électrique. Et dans ce labeur coupé dans la journée par les repas qu'il prenait à l'hôtel du village et par des bains de mer, il oubliait pourquoi il était venu ici et se dispersait dans la fatigue de son corps, les reins creusés et les jambes raides, soucieux du manque de peinture ou de l'installation défectueuse d'un va-et-vient dans le couloir. Il couchait à l'hôtel et faisait peu à peu connaissance avec le village : les garçons qui venaient le dimanche après-midi jouer au billard russe et au ping-pong (ils occupaient les jeux toute l'après-midi et, à la grande fureur du patron, ne prenaient qu'une consommation) ; les filles qui se promenaient le soir sur la route qui

dominait la mer (elles se tenaient le bras et leurs voix chantaient un peu sur les dernières syllabes des mots) ; Pérez, le
pêcheur, qui fournissait l'hôtel en poissons et n'avait qu'un
bras. Ce fut là aussi qu'il rencontra le docteur du village,
Bernard. Mais le jour où dans la maison tout fut installé,
Mersault y transporta ses affaires et revint un peu à lui.
C'était le soir. Il était dans la pièce du premier, et derrière la
fenêtre deux mondes se disputaient l'espace entre les deux
pins. Dans l'un, presque transparent, les étoiles se multipliaient. Dans l'autre, plus dense et plus noir, une secrète
palpitation d'eau annonçait la mer.

Jusqu'ici il avait vécu en disponibilité, rencontrant les
ouvriers qui l'aidaient ou bavardant avec le patron du café.
Mais ce soir, il prit conscience qu'il n'avait personne à
rencontrer, ni demain ni jamais et qu'il était en face de la
solitude tant souhaitée. Dès l'instant où il ne devait voir personne, le lendemain lui parut terriblement proche. Il se persuada cependant que c'était ce qu'il avait voulu : lui devant
lui et pendant un long temps, jusqu'à la consommation. Il
résolut de rester à fumer et à réfléchir tard dans la nuit, mais
vers dix heures il eut sommeil et se coucha. Le lendemain il
s'éveilla très tard, vers dix heures, prépara son petit déjeuner
et le prit avant de faire sa toilette. Il se sentait un peu las. Il
n'était pas rasé et ses cheveux étaient emmêlés. Pourtant
après avoir mangé, au lieu de gagner la salle de bains, il erra
d'une pièce à l'autre, feuilleta une revue et finalement fut
tout heureux de trouver un commutateur détaché du mur
et se mit au travail. On frappa à la porte. C'était le petit
garçon de l'hôtel qui lui apportait son déjeuner comme il en
avait convenu la veille. Tel qu'il était et par paresse il se
mit à table, mangea sans appétit avant que les plats se refroi-
dissent et se mit à fumer, étendu sur le divan de la pièce du
bas. Quand il se réveilla, furieux de s'être endormi, il était
quatre heures. Il fit alors sa toilette, se rasa soigneusement,
s'habilla enfin et écrivit deux lettres, l'une pour Lucienne,
l'autre pour les trois étudiantes. Il était déjà très tard et la
nuit tombait. Il alla cependant jusqu'au village pour mettre
ses lettres à la poste et revint sans avoir rencontré personne.
Il monta dans sa chambre et sortit sur la terrasse. La mer
et la nuit dialoguaient sur la grève et dans les ruines. Lui
réfléchissait. Le souvenir de cette journée perdue l'empoi-
sonnait. Ce soir du moins, il voulait travailler, faire quelque
chose, lire ou sortir pour marcher dans la nuit. La grille du

jardin grinça. Son repas du soir arrivait. Il avait faim, mangea avec appétit et se sentit alors incapable de sortir. Il décida de lire longtemps au lit. Mais sur les premières pages ses yeux se fermèrent et le lendemain il se réveillait tard.

Les jours suivants, Mersault tenta de réagir contre cet envahissement. À mesure que les journées passaient, tout entières remplies par le grincement de la grille et les innombrables cigarettes, une angoisse le prenait à mesurer la disproportion entre le geste qui l'avait amené à cette vie et cette vie même. Un soir, il écrivit à Lucienne de venir, rompant ainsi avec cette solitude dont il attendait tant. Quand la lettre partit, il était dévoré de honte secrète. Mais quand Lucienne arriva, cette honte fondit dans une sorte de joie sotte et précipitée qui l'envahit à retrouver un être familier et la vie facile que sa présence impliquait. Il s'occupait d'elle, s'empressait, et Lucienne le regardait avec un peu de surprise, mais toujours préoccupée de ses robes de toile blanche bien repassées.

Il sortit alors dans la campagne, mais avec Lucienne. Il retrouva sa complicité avec le monde, mais en portant sa main sur l'épaule de Lucienne. Et réfugié dans l'homme, il échappait ainsi à sa peur secrète. Deux jours après cependant, Lucienne l'ennuyait. Elle choisit ce moment pour lui demander de vivre auprès de lui. Ils dînaient alors et Mersault avait nettement refusé sans lever les yeux de son assiette.

Après un silence, Lucienne avait ajouté d'une voix neutre :
« Tu ne m'aimes pas. »

Mersault leva la tête. Elle avait les yeux pleins de larmes. Il s'adoucit :

« Mais je ne te l'ai jamais dit, mon petit.

— C'est vrai, dit Lucienne, et c'est pour ça. »

Mersault se leva et marcha vers la fenêtre. Entre les deux pins, les étoiles foisonnaient dans la nuit. Et jamais peut-être Patrice n'avait eu au cœur en même temps que son angoisse un tel dégoût des jours qui venaient de passer.

« Tu es belle, Lucienne, dit-il. Je ne vois pas plus loin. Je ne te demande rien de plus. Cela est suffisant pour nous deux.

— Je sais », dit Lucienne. Elle tournait le dos à Patrice et elle grattait la nappe avec la pointe de son couteau. Il vint à elle et lui prit la nuque.

« Crois-moi, il n'y a pas de grande douleur, pas de grands repentirs, de grands souvenirs. Tout s'oublie, même les grandes amours. C'est ce qu'il y a de triste et d'exaltant à la fois dans la vie. Il y a seulement une certaine façon de voir les choses et elle surgit de temps en temps. C'est pour ça qu'il est bon quand même d'avoir eu un grand amour, une passion malheureuse dans sa vie. Ça fait du moins un alibi pour les désespoirs sans raison dont nous sommes accablés. »

Après un temps, Mersault réfléchit et ajouta :

« Je ne sais pas si tu me comprends.

— Je crois que je comprends », dit Lucienne. Elle retourna brusquement la tête vers lui : « Tu n'es pas heureux.

— Je vais l'être, dit Mersault violemment. Il faut que je le sois. Avec cette nuit, cette mer et cette nuque sous mes doigts. »

Il s'était retourné vers la fenêtre et il serra sa main sur le cou de Lucienne. Elle se taisait.

« Du moins, dit-elle sans le regarder, tu as un peu d'amitié pour moi ? »

Patrice s'agenouilla près d'elle en lui mordant l'épaule. « De l'amitié, oui, comme j'ai de l'amitié pour la nuit. Tu fais la joie de mes yeux et tu ne sais pas ce que cette joie peut avoir de place dans mon cœur. »

Elle partit le lendemain. Le surlendemain, Mersault, incapable de s'accorder à lui-même, arrivait à Alger en auto. Il alla d'abord à la Maison devant le Monde. Ses amies lui promirent d'aller le voir à la fin du même mois. Il voulut alors retrouver son quartier.

Sa maison était louée à un cafetier. Il s'enquit du tonnelier et personne ne put le renseigner. On croyait savoir qu'il était parti à Paris pour chercher du travail. Mersault se promena. Au restaurant, Céleste avait vieilli — peu en somme. René était toujours là, avec sa tuberculose et son air grave. Tous furent heureux de revoir Patrice et lui se sentait ému par cette rencontre.

« Oh ! Mersault, lui dit Céleste, tu n'as pas changé. Toujours le même, oh !

— Oui », dit Mersault.

Il admirait le curieux aveuglement par quoi les hommes, si renseignés pourtant sur ce qui change en eux, imposent à leurs amis l'image qu'une fois pour toutes ils se sont faite d'eux. Pour lui, on le jugeait selon ce qu'il avait été. Comme un chien ne change pas de caractère, les hommes sont des chiens pour l'homme. Et dans la mesure même où Céleste, René et les autres l'avaient beaucoup connu, il leur devenait aussi étranger et aussi fermé qu'une planète inhabitée. Il les quitta cependant avec amitié. Et en sortant du restaurant, il rencontra Marthe. En la voyant, il prit conscience qu'il l'avait à peu près oubliée et qu'en même temps il espérait la rencontrer. Elle avait toujours son visage de déesse peinte. Il la désira sourdement mais sans conviction. Ils marchèrent ensemble.

« Oh Patrice, disait-elle, que je suis contente. Qu'est-ce que tu deviens ?

— Rien, tu vois. J'habite la campagne.

— Ça c'est chic. Moi, j'ai toujours rêvé ça. »

Et après un silence :

« Tu sais, dit-elle, je ne t'en veux pas.

— Oui, dit Mersault en riant, tu t'es consolée. »

Alors Marthe prit un ton qu'il ne lui connaissait guère :

« Ne sois pas méchant, tu veux ? Je savais bien que ça finirait comme ça un jour. Tu étais un drôle de type. Et moi rien qu'une petite fille comme tu disais. Alors quand c'est arrivé, bien sûr, j'ai ragé, tu comprends. Mais j'ai fini par me dire que tu étais malheureux. Et c'est drôle, hein, je ne sais pas bien dire ça, mais c'est la première fois que ce qu'il y a eu entre nous m'a rendue triste et heureuse à la fois. »

Surpris, Mersault la regarda. Il réfléchissait soudain que Marthe avait toujours été très bien avec lui. Elle l'avait accepté tel qu'il était et l'avait enlevé à beaucoup de solitude. Il avait été injuste. Dans le même temps où son imagination et sa vanité lui avaient accordé trop de prix — son orgueil ne lui en avait pas donné assez. Il éprouvait par quel paradoxe cruel nous nous trompons toujours deux fois sur les êtres que nous aimons, à leur bénéfice d'abord et à leur désavantage ensuite. Il comprenait aujourd'hui que Marthe avait été naturelle avec lui — qu'elle avait été ce qu'elle était et qu'à ce titre il lui devait beaucoup. Il pleuvait à peine — juste de quoi multiplier et disperser les lumières de la rue. À travers les gouttes de lumières et de pluie, il voyait le visage soudain sérieux de Marthe et il se sentait pris d'une gratitude volubile qui n'arrivait pas à s'exprimer et qu'en d'autres temps il aurait pu prendre pour une sorte d'amour. Mais il ne sut trouver que de pauvres mots : « Tu sais, lui dit-il, je t'aime bien. Et maintenant encore, si je pouvais quelque chose… »

Elle lui sourit :

« Non, lui dit-elle. Je suis jeune. Alors, je ne me prive pas, tu penses. »

Il approuva. De lui à elle, quelle distance à la fois et quelle secrète entente. Il la quitta devant chez elle. Elle avait ouvert son parapluie. Elle dit :

« J'espère qu'on se reverra.

— Oui », dit Mersault. Elle eut un petit sourire triste. « Oh, dit Mersault, tu as ton visage de petite fille. »

Elle s'était retirée sous la porte et fermait son parapluie. Patrice lui tendit la main et sourit à son tour : « Au revoir, apparence. » Elle la serra rapidement et brusquement l'embrassa sur les deux joues et monta l'escalier en courant. Mersault, resté sous la pluie, sentait encore sur ses joues le nez froid et les lèvres chaudes de Marthe. Et ce baiser soudain et désintéressé avait toute la pureté de celui de la petite prostituée aux taches de rousseur de Vienne.

Cependant il alla chercher Lucienne, coucha chez elle, et le lendemain lui demanda de marcher avec lui sur les boulevards. Il était près de midi quand ils descendirent. Des coques orange séchaient au soleil comme des fruits coupés en quartiers. Un vol double de pigeons et d'ombres de pigeons descendit vers les quais pour remonter aussitôt dans une courbe lente. Le soleil éclatant chauffait doucement. Mersault regardait le courrier rouge et noir sortir lentement de la passe, prendre de la vitesse et virer largement vers la barre de lumière qui écumait à la rencontre du ciel et de la mer. Pour celui qui regarde partir, il y a dans tout départ une douceur amère. « Ils ont de la chance, dit Lucienne. — Oui », dit Patrice. Il pensait « non » — ou que du moins il n'enviait pas cette chance. Pour lui aussi les recommencements, les départs, les nouvelles vies gardaient leur attrait. Mais il savait que le bonheur ne s'y attachait que dans l'esprit des paresseux et des impuissants. Le bonheur impliquait un choix et à l'intérieur de ce choix, une volonté concertée, et lucide. Il entendait Zagreus : « Non pas avec la volonté du renoncement, mais avec la volonté du bonheur. » Il avait son bras autour de Lucienne et dans sa main reposait le sein chaud et souple de la femme.

Le soir même, dans l'auto qui le ramenait au Chenoua, Mersault, devant les gonflements de l'eau et les coteaux soudain surgis, sentait un grand silence en lui. À simuler quelques recommencements, à prendre conscience de sa vie passée, il avait défini en lui ce qu'il voulait et ce qu'il ne voulait pas être. Ces jours de dispersion qui lui avaient fait honte, il les jugeait dangereux mais nécessaires. Il aurait pu y sombrer et manquer ainsi sa seule justification. Mais aussi bien, il fallait s'adapter à tout.

Mersault entre deux coups de frein se pénétrait de cette vérité à la fois humiliante et inappréciable que le bonheur singulier qu'il recherchait trouvait ses conditions dans des levers matinaux, des bains réguliers et une hygiène consciente. Il allait très vite, décidé à profiter de sa lancée pour s'installer dans une vie qui par la suite ne lui demanderait plus d'efforts, pour accorder sa respiration au rythme profond du temps et de la vie.

Le lendemain matin il se leva tôt et descendit vers la mer. Le jour était déjà dans toute sa clarté et le matin chargé de froissements d'ailes et de pépiements d'oiseaux. Mais le soleil effleurait seulement la courbe de l'horizon, et lorsque Mersault entra dans l'eau encore sans éclat, il lui sembla nager dans une nuit indécise jusqu'à ce que le soleil se levant, il enfonçât ses bras dans des coulées d'or rouge et glacé. Il revint à ce moment et rentra chez lui. Il sentit son corps alerte et prêt à tout accueillir. Dans les matins qui suivirent, il descendit un peu avant le lever du soleil. Et ce premier geste commandait le reste de sa journée. Ces bains d'ailleurs le fatiguaient. Mais dans le même temps, par la faiblesse et l'énergie qu'ils lui laissaient à la fois, ils donnaient à toute sa journée un goût d'abandon et de lassitude heureuse. Pourtant ses journées lui paraissaient encore longues. Il n'avait pas encore détaché son temps d'une carcasse d'habitudes qui lui servaient de points de repère. Il n'avait rien à faire et son temps prenait alors toute son extension. Chaque minute retrouvait sa valeur de miracle, mais il ne la reconnaissait pas encore pour telle. De même qu'en voyage, les jours paraissent interminables et que dans un bureau au contraire le passage du lundi au lundi se fait dans un éclair, de même, privé de ses appuis, il essayait de les retrouver encore dans une vie qui pourtant n'en avait que faire. Quelquefois il prenait une montre et regardait l'aiguille passer d'un chiffre à l'autre et s'émerveillait de ce que cinq minutes lui parussent alors interminables. Sans doute cette montre lui ouvrit le chemin pénible et torturant qui mène à l'art suprême de ne rien faire. Il apprit à se promener. L'après-midi, quelquefois, il marchait le long de la plage jusqu'aux ruines sur l'autre pointe. Il se couchait alors dans les absinthes et la main sur la chaleur d'une pierre il ouvrait ses yeux et son cœur à la grandeur insoutenable de ce ciel gorgé de chaleur. Il accordait les battements de son sang à la pulsation violente du soleil à 2 heures et enfoncé parmi les odeurs sauvages et les concerts d'insectes somnolents, il regardait le ciel passer du blanc au bleu pur, pour s'aérer bientôt jusqu'au vert et verser sa douceur et sa tendresse sur les ruines encore chaudes. Il rentrait tôt alors et se couchait. Dans cette course d'un soleil à un autre soleil, ses journées s'ordonnaient suivant un rythme dont la lenteur et l'étrangeté lui devinrent aussi nécessaires qu'autrefois, son bureau, son restaurant et son sommeil. Dans les deux cas, il en était à peu près inconscient. Maintenant du moins, à ses heures de lucidité, il sentait que le temps était à lui et que dans ce court instant qui va de la mer rouge à la mer verte, quelque chose d'éternel se figurait pour lui en chaque seconde. Pas plus que le bonheur surhumain, il n'entrevoyait d'éternité hors de la courbe des journées. Le bonheur était humain et l'éternité quotidienne. Le tout était de savoir s'humilier, d'ordonner son cœur au rythme des journées au lieu de plier le leur à la courbe de notre espoir.

De même qu'il faut savoir s'arrêter en art, qu'un moment vient toujours où une sculpture ne doit plus être touchée et qu'à cet égard une volonté d'inintelligence sert toujours plus un artiste que les ressources les plus déliées de la clair-voyance, de même il faut un minimum d'inintelligence pour parfaire une vie dans le bonheur. À ceux qui ne l'ont pas de la gagner.

Le dimanche, d'ailleurs, Mersault jouait au billard avec Pérez. Pérez était manchot. Son bras mutilé était coupé au-dessus du coude. Il jouait alors de façon bizarre et, le torse bombé, appuyait son moignon sur la queue. Lorsqu'il allait pêcher le matin, Mersault admirait toujours l'adresse du vieux pêcheur qui tenait sa rame gauche sous son aisselle et, debout dans la barque, le corps de travers, poussait l'une des rames avec sa poitrine et l'autre avec sa main. Tous deux s'entendaient très bien. Pérez faisait des sépias à la sauce piquante. Il les faisait cuire dans leur jus et Mersault parta-geait avec lui la sauce noire et brûlante que tous les deux pompaient avec leur pain sur une poêle couverte de suie dans la cuisine du pêcheur. Pérez, d'ailleurs, ne parlait jamais. Mersault lui était reconnaissant de sa capacité de silence. Quelquefois le matin après son bain, il le voyait mettre sa barque à la mer. Il s'avançait alors :

« Je vais avec vous, Pérez ?

« — Embarquez », disait l'autre.

Ils mettaient alors les rames à deux taquets différents et ramaient de concert en prenant garde (Mersault du moins) de ne pas embarrasser ses pieds dans les hameçons de la palangre. Puis ils pêchaient et Mersault surveillait les lignes, luisantes jusqu'à la surface de la mer, onduleuses et noires sous l'eau. Le soleil se brisait sur l'eau en milliers de petits morceaux et Mersault respirait une odeur lourde et étouffante qui montait de la mer comme une respiration. Quelquefois Pérez tirait un petit poisson. Il le rejetait alors et disait : « Va chez ta mère. » À 11 heures, ils revenaient et Mersault, les mains luisantes d'écailles et la figure gonflée de soleil, rentrait dans sa maison comme dans une cave fraîche, tandis que Pérez allait préparer un plat de poissons qu'ils mangeaient ensemble le soir. Jour après jour, Mersault se laissait aller dans sa vie comme il se laissait glisser dans l'eau. Et comme on avance grâce à la complicité des bras et de l'eau qui porte et transporte, il lui suffisait de quelques gestes essentiels, une main sur un tronc d'arbre, une course sur la plage, pour se maintenir intact et conscient. Il rejoignait ainsi une vie à l'état pur, il retrouvait un paradis qui n'est donné qu'aux animaux les plus privés ou les plus doués d'intelligence. À ce point où l'esprit nie l'esprit il touchait sa vérité et avec elle sa gloire et son amour extrêmes.

Grâce à Bernard il se mêlait aussi à la vie du village. Il avait été obligé de le faire appeler pour une petite indisposition, et ils s'étaient revus par la suite et souvent avec plaisir. Bernard était silencieux, mais avec une sorte d'esprit amer qui mettait des lueurs dans ses lunettes d'écaille. Il avait longtemps exercé en Indochine et s'était retiré à quarante ans dans ce coin d'Algérie. Depuis quelques années il y menait une vie paisible avec sa femme, une Indochinoise presque muette, avec des cheveux en chignon et un tailleur moderne. Bernard, par sa capacité d'indulgence, s'adaptait à tous les milieux. Par là il aimait tout le village et en était aimé. Il y entraînait Mersault. Celui-ci connaissait déjà très bien le patron de l'hôtel, ancien ténor qui chantait à son comptoir et, entre deux mugissements de *La Tosca*, promettait une peignée à sa femme. On demanda à Patrice de faire partie avec Bernard du comité des fêtes. Et les jours de fête, 14 juillet et autres, ils se promenaient un brassard tricolore au bras ou discutaient avec les autres commissaires, autour d'une table de tôle verte poisseuse d'apéritifs sucrés, si l'estrade des musiciens devait être entourée de fusains ou de palmiers. On voulut même l'entraîner dans un conflit électoral. Mais Mersault avait eu le temps de connaître le maire. Il « présidait aux destinées de sa commune » (comme il disait) depuis dix ans et cette quasi-pérennité l'inclinait à se croire Napoléon Bonaparte. Vigneron enrichi, il s'était fait construire une maison dans le style grec. Il l'avait fait visiter à Mersault. Elle se composait d'un rez-de-chaussée surélevé d'un étage. Mais, ne reculant devant aucun sacrifice, le maire y avait installé un ascenseur. Il le fit essayer à Mersault et à Bernard. Et Bernard dit avec placidité : « Il glisse bien. » De ce jour, Mersault conçut une admiration profonde pour le maire. Bernard et lui usaient de toute leur influence pour le conserver au poste qu'à tant de titres il méritait.

Au printemps, le petit village aux toits rouges rapprochés, entre la montagne et la mer, regorgeait de fleurs, roses thé, jacinthes et bougainvillées, et de bourdonnements d'insectes. À l'heure de la sieste, Mersault passait sur sa terrasse et regardait le village dormir et fumer sous la lumière débordante. La grande histoire du village tenait dans la rivalité de Moralès et Binguès, deux riches colons espagnols qu'une série de spéculations avaient transformés en millionnaires. Dès cet instant, la fièvre des grandeurs les avait pris. Quand l'un achetait une auto, il choisissait la plus chère. Mais l'autre qui achetait la même y faisait mettre des poignées d'argent. Le génie en l'espèce était Moralès. On l'appelait « le Roi d'Espagne ». Et c'est qu'en toutes choses il avait battu Binguès qui manquait d'imagination. Le jour où, pendant la guerre, Binguès souscrivit pour plusieurs centaines de mille francs à l'emprunt national, Moralès avait déclaré : « Moi je fais mieux, je donne mon fils. » Et il avait fait engager son fils encore trop jeune pour être mobilisé. En 1925, Binguès était arrivé d'Alger dans une magnifique Bugatti course. Quinze jours après Moralès s'était fait construire un hangar et acheté un avion Caudron. Cet avion dormait encore dans son hangar. Le dimanche seulement on le montrait aux visiteurs. Lorsque Binguès parlait de Moralès il disait : « Ce va-nu-pieds », et Moralès de Binguès : « Ce four à chaux. »

Bernard emmena Mersault chez Moralès. Dans la grande ferme pleine de guêpes et d'odeurs de raisin, celui-ci les reçut avec toutes les marques du respect, mais en espadrilles et en bras de chemise parce qu'il ne pouvait pas supporter la veste et les souliers. On leur fit voir l'avion, les autos, la médaille du fils encadrée et exposée dans le salon, et Moralès qui expliquait à Mersault la nécessité d'éloigner les étrangers de l'Algérie française (lui était naturalisé, « mais, par exemple, ce Binguès ») les emmena vers une récente trouvaille. Ils s'engagèrent dans un immense champ de vigne au milieu duquel était ménagé un rond-point. Sur ce rond-point, se trouvait disposé un salon Louis XV, du bois et de l'étoffe les plus précieux. Moralès pouvait ainsi recevoir ses visiteurs dans ses terres. À Mersault qui s'informait courtoisement de ce qui arrivait par temps de pluie, Moralès répondit sans broncher, par-dessus son cigare : « Je remplace. » Les retours avec Bernard se passaient alors à distinguer le nouveau riche du poète. Moralès, suivant Bernard, était poète. Mersault pensait qu'il aurait fait un admirable empereur romain de la décadence.

À quelque temps de là, Lucienne vint passer quelques jours au Chenoua et repartit. Un dimanche matin, Claire, Rose et Catherine vinrent rendre visite à Mersault comme elles l'avaient promis. Mais Patrice était déjà très loin de l'état d'esprit qui l'avait poussé à Alger aux premiers jours de sa retraite. Il fut pourtant heureux de les revoir. Il alla les chercher avec Bernard à la descente du grand autocar canari qui faisait le service. La journée était magnifique, le village plein de belles voitures rouges de bouchers ambulants, les fleurs épaisses et les gens habillés de couleurs claires. Ils s'installèrent un moment au café sur la demande de Catherine. Elle admirait cet éclat et cette vie, et derrière le mur où elle s'adossait elle devinait la présence de la mer. Au moment de partir une étonnante musique éclata dans une rue toute proche. C'était sans doute la « Marche des Toréadors » de *Carmen*, mais avec un éclat et une exubérance qui empêchaient les instruments de garder leur rang. « C'est la société de gymnastique », dit Bernard. Pourtant on vit déboucher une vingtaine de musiciens inconnus et soufflant sans arrêt dans les instruments à vent les plus divers. Ils avançaient vers le café et derrière eux, le canotier en arrière, posé sur un mouchoir, se rafraîchissant d'un éventail de réclame, Moralès débouchait. Il avait loué ces musiciens à la ville parce que, expliquat-il plus tard, « avec cette crise, la vie elle est trop triste ». Il s'installa et fit disposer autour de lui les musiciens qui achevèrent leur marche. Le café regorgeait de public. Alors, Moralès se leva et dans un mouvement circulaire dit avec dignité : « À ma demande, l'orchestre va rejouer *Toréador*. »

En partant, les petites bourriques étouffaient sous les rires. Mais arrivées à la maison, dans l'ombre et la fraîcheur des pièces qui rendaient plus sensible l'éclatante blancheur des murs pleins de soleil du jardin, elles retrouvèrent un silence et un accord profond qui, chez Catherine, se traduisit par le désir de prendre un bain de soleil sur la terrasse. Mersault reconduisit alors Bernard. C'était la seconde fois que Bernard voyait quelque chose de la vie de Mersault. Ils ne s'étaient jamais rien confié, Mersault conscient que Bernard n'était pas heureux, et Bernard un peu dérouté devant la vie de Mersault. Ils se quittèrent sans dire un mot. Mersault convint avec ses amies qu'ils partiraient tous les quatre en excursion le lendemain de très bonne heure. Le Chenoua était très haut et difficile à escalader. Il y avait là en perspective une belle journée de fatigue et de soleil.

Au petit matin, ils gravirent les premières pentes raides. Rose et Claire marchaient devant, Patrice fermait la marche avec Catherine. Ils étaient silencieux. Ils s'élevaient peu à peu au-dessus de la mer encore toute blanche dans les brumes du matin. Patrice se taisait aussi, tout entier intégré à la montagne avec sa chevelure rase ébouriffée de colchiques, aux sources glacées, à l'ombre et au soleil, à son corps qui consentait puis refusait. Ils entraient dans l'effort concentré de la marche, l'air du matin dans leurs poumons comme un fer rouge ou un rasoir effilé, totalement livrés à cette application, à ce surpassement qui s'efforçaient de triompher de la pente. Rose et Claire, fatiguées, ralentirent leur marche. Catherine et Patrice prirent les devants et les eurent bientôt perdues de vue.

« Ça va ? disait Patrice.

— Oui, c'est très beau. »

Dans le ciel le soleil montait et, avec lui, un grésillement d'insectes qui se gonflait avec la chaleur. Bientôt Patrice enleva sa chemise et, torse nu, continua la route. La sueur coulait sur ses épaules où le soleil avait soulevé des épluchures de peau. Ils prirent un petit chemin qui semblait longer le flanc de la montagne. Les herbes qu'ils écrasaient étaient plus humides. Bientôt un bruit de sources les accueillit et dans un renfoncement un jaillissement de fraîcheur et d'ombre. Ils s'aspergèrent mutuellement, burent un peu, et Catherine se coucha sur l'herbe, pendant que Patrice, les cheveux noirs d'eau et bouclés sur le front, clignait des yeux devant le paysage couvert de ruines, de routes luisantes et d'éclats de soleil. Puis il s'assit près de Catherine.

« Pendant que nous sommes seuls, Mersault, dis-moi si tu es heureux ?

— Regarde », dit Mersault. La route tremblait au soleil et tout un peuple de vibrions multicolores montait vers eux. Patrice souriait et se caressait les bras.

« Oui, mais, je voulais te dire. Bien sûr tu ne me répondras pas si ça t'ennuie. » Elle hésita : « Est-ce que tu aimes ta femme ? »

Mersault sourit :

« Ça n'est pas indispensable. » Il prit l'épaule de Catherine et, secouant la tête, lui aspergea d'eau le visage : « L'erreur, petite Catherine, c'est de croire qu'il faut choisir, qu'il faut faire ce qu'on veut, qu'il y a des conditions du bonheur. Ce qui compte seulement, tu vois, c'est la volonté du bonheur, une sorte d'énorme conscience toujours présente. Le reste, femmes, œuvres d'art ou succès mondains, ne sont que prétextes. Un canevas qui attend nos broderies.

— Oui, dit Catherine, les yeux pleins de soleil.

— Ce qui m'importe c'est une certaine qualité de bonheur. Je ne puis goûter le bonheur que dans la confrontation tenace et violente qu'il soutient avec son contraire. Si je suis heureux ? Catherine ! Tu sais la fameuse formule : " Si j'avais à recommencer ma vie ", eh bien, je la recommencerais telle quelle. Naturellement, tu ne peux pas savoir ce que ça veut dire.

— Non, dit Catherine.

— Comment te dire, petit. Si je suis heureux c'est grâce à ma mauvaise conscience. J'avais besoin de partir et de gagner cette solitude où j'ai pu confronter en moi ce qui était à confronter, ce qui était soleil et ce qui était larmes… Oui, je suis humainement heureux. »

Rose et Claire arrivaient. Ils reprirent leur sac. Le chemin longeait toujours la montagne et les maintenait dans une zone de végétation abondante. Les chemins étaient encore bordés de figuiers de Barbarie, d'oliviers et de jujubiers. On y croisait des Arabes montés sur des ânes. Puis ils montèrent. Le soleil frappait maintenant à coups redoublés sur chaque pierre du chemin. À midi, écrasés de chaleur, saouls de parfums et de fatigue, ils jetèrent leurs sacs et renoncèrent à atteindre le sommet. Les pentes étaient rocheuses et pleines de silex. Un petit chêne rabougri les abrita dans son ombre ronde. Ils tirèrent les provisions des sacs et mangèrent. La montagne tout entière vibrait sous la lumière et les cigales. La chaleur montait et les assiégeait sous leur chêne. Patrice se renversa sur la terre et la poitrine contre les pierres respira un arôme brûlant. Il recevait dans son ventre les coups sourds de la montagne qui semblait en travail. Leur monotonie, le chant assourdissant des insectes entre les pierres chaudes et les parfums sauvages finirent par l'endormir.

Quand il se réveilla il était couvert de sueur et courbaturé. Il devait être 3 heures. Les enfants avaient disparu. Bientôt des rires et des cris les annoncèrent. La chaleur avait diminué. Il fallait redescendre. C'est à ce moment-là que pour la première fois et au milieu de la descente, Mersault eut une syncope. Quand il se releva il aperçut la mer très bleue entre trois visages inquiets. Ils redescendirent plus lentement. Aux dernières pentes, Mersault demanda une pause. La mer verdissait avec le ciel et toute une douceur montait de l'horizon. Sur les collines qui prolongeaient le Chenoua autour de la petite baie, les cyprès noircissaient lentement. Tous se taisaient. Claire dit pourtant :

« Vous avez l'air fatigué.

— Sans doute, petite fille.

— Vous savez, ça ne me regarde pas. Mais cette région ne vous vaut rien. Elle est trop près de la mer, trop humide. Pourquoi n'allez-vous pas vivre en France, en montagne ?

— Cette région ne me vaut rien, Claire, mais j'y suis heureux. Je me sens en accord.

— C'est pour pouvoir l'être complètement et plus longtemps.

— On ne vit pas plus ou moins longtemps heureux. On l'est. Un point, c'est tout. Et la mort n'empêche rien — c'est un accident du bonheur en ce cas. » Tous se turent.

« Je ne suis pas convaincue », dit cependant Rose après un temps.

Ils rentrèrent lentement dans le soir descendant.

Catherine prit sur elle de faire appeler Bernard. Mersault était dans sa chambre et, par-dessus l'ombre luisante des carreaux de la maison, il voyait la tache blanche de la balustrade, la mer comme une bande de toile sombre ondulante et au-dessus la nuit plus claire mais sans étoiles. Il se sentait faible et, par un mystère bienfaisant, sa faiblesse l'allégeait et le rendait lucide. Lorsque Bernard frappa, Mersault sentit qu'il allait tout lui dire. Non que son secret lui pesât. Il n'y avait pas de secret à cela. S'il l'avait tu jusqu'ici c'était dans la mesure où dans certains milieux on garde ses pensées parce qu'on sait qu'elles heurteraient les préjugés et la bêtise. Mais aujourd'hui, avec toute la fatigue de son corps et sa sincérité profonde, comme l'artiste, après avoir longtemps caressé et édifié son œuvre, éprouve un jour la nécessité de la mettre au jour et de communiquer enfin avec les hommes, Mersault avait le sentiment qu'il devait parler. Et sans être sûr qu'il le ferait, il attendait Bernard avec impatience.

Des pièces du bas montèrent deux rires frais qui le firent sourire. À ce moment, Bernard entra.

« Alors ? dit-il.

— Alors, voilà », dit Mersault.

Il l'ausculta. Il ne pouvait rien dire. Mais il eût aimé avoir une radiographie, si Mersault pouvait.

« Plus tard », répondit celui-ci.

Bernard se tut et s'assit sur le rebord de la baie :

« Je n'aime pas être malade, moi, dit-il. Je sais ce que c'est. Rien n'est plus laid ni plus dégradant que la maladie. »

Mersault était indifférent. Il se leva de son fauteuil, offrit des cigarettes à Bernard, en alluma une et dit en riant :

« Puis-je vous poser une question, Bernard ?

— Oui.

— Vous ne prenez jamais de bains, pourquoi donc avez-vous choisi cet endroit pour vous retirer ?

— Ah, je ne sais pas trop. Il y a longtemps. »

Après un temps il ajouta :

« Et puis j'ai toujours agi par dépit[6]. Maintenant ça va mieux. Avant, je voulais être heureux, faire ce qu'il fallait, m'installer, par exemple, dans un pays qui m'aurait plu. Mais l'anticipation sentimentale est toujours fausse. Alors il faut vivre comme il nous est le plus facile de vivre — ne pas se forcer. C'est un peu cynique. Mais c'est aussi le point de vue de la plus belle fille du monde. En Indochine, je suis allé à tous les bouts. Ici, je rumine. Simplement.

— Oui, dit Mersault sans cesser de fumer, enfoncé dans son fauteuil et regardant au plafond. Mais je ne suis pas sûr que toute anticipation sentimentale soit fausse. Elles sont seulement déraisonnables. En tout cas, les seules expériences qui m'intéressent sont celles où justement tout se trouverait être comme on l'espérait. »

Bernard sourit : « Oui, un destin sur mesure.

— Le destin d'un homme, dit Mersault sans bouger, est toujours passionnant s'il l'épouse avec passion. Et pour certains, un destin passionnant, c'est toujours un destin sur mesure.

— Oui », dit Bernard. Et il se leva avec effort et regarda un moment la nuit, le dos un peu tourné vers Mersault.

Sans le regarder, il reprit :

« Vous êtes avec moi le seul homme dans ce pays qui vive sans compagnie. Je ne parle pas de votre femme et de vos amis. Je sais bien que ce sont des épisodes. Et pourtant, vous semblez mieux aimer la vie que moi. » Il se retourna : « Parce que pour moi, aimer la vie ce n'est pas prendre des bains. C'est vivre de façon étourdissante, effrénée. Des femmes, des aventures, des pays. C'est agir, c'est forcer quelque chose. Une vie brûlante et merveilleuse. Enfin je veux dire… comprenez-moi » (il semblait comme honteux de s'être animé), « j'aime trop la vie pour me satisfaire de la nature. »

Bernard ramassait son stéthoscope et refermait sa trousse. Mersault lui dit :

« Au fond, vous êtes un idéaliste. »

Lui avait le sentiment que tout était renfermé dans cet instant qui va de la naissance à la mort et que tout se jugeait et se consacrait là.

« C'est que, voyez-vous, dit Bernard avec une sorte de tristesse, le contraire d'un idéaliste c'est trop souvent un homme sans amour.

— Ne le croyez pas », dit Mersault en lui tendant la main.

Bernard la lui serra longuement.

« Pour penser comme vous, dit-il en souriant, il n'y a que des hommes qui vivent sur un grand désespoir ou un grand espoir.

— Sur les deux, peut-être.

— Oh, je n'interroge pas !

— Je sais », dit Mersault sérieusement.

Mais quand Bernard fut sur la porte, poussé par un élan irréfléchi, Mersault l'appela.

« Oui, dit le docteur en se retournant.

— Êtes-vous capable d'avoir du mépris pour un homme ?

— Je crois.

— À quelles conditions ? »

L'autre réfléchit.

« C'est assez simple, il me semble. Dans tous les cas où il serait poussé par l'intérêt ou le goût de l'argent.

— C'est simple, en effet, dit Mersault. Bonsoir Bernard.

— Bonsoir. »

Resté seul, Mersault réfléchit. Au point où il était parvenu le mépris d'un homme le laissait indifférent. Mais il reconnaissait en Bernard des résonances profondes qui le rapprochaient de lui. Il lui semblait insupportable qu'une partie de lui jugeât l'autre. Avait-il agi par intérêt ? Il avait pris conscience de cette vérité essentielle et immorale que l'argent est un des moyens les plus sûrs et les plus rapides pour conquérir sa dignité. Il était arrivé à chasser l'amertume qui prend toute âme bien née à considérer ce qu'ont d'inique et de vil la naissance et les conditions de croissance d'un beau destin. Cette malédiction sordide et révoltante selon laquelle les pauvres finissent dans la misère la vie qu'ils ont commencée dans la misère, il l'avait rejetée en combattant l'argent par l'argent, avec la haine la haine. Et de ce combat de bête à bête, il arrivait parfois que l'ange sortît, tout entier dans le bonheur de ses ailes et de sa gloire, sous le souffle tiède de la mer. Il restait seulement qu'il n'avait rien dit à Bernard et que son œuvre désormais resterait secrète.

Dans l'après-midi du lendemain, vers cinq heures, les enfants partirent. Au moment de monter dans l'autobus, Catherine se retourna vers la mer :

« Au revoir, plage », dit-elle.

Un moment après, trois visages rieurs regardaient Mersault par les vitres du fond et, comme un gros insecte doré, l'autobus jaune disparaissait dans la lumière. Le ciel quoique pur était un peu oppressant. Mersault seul sur la route se sentait au fond du cœur un sentiment mêlé de délivrance et de tristesse. Aujourd'hui seulement sa solitude devenait réelle parce qu'aujourd'hui seulement il se sentait lié à elle. Et de l'avoir acceptée, de se savoir désormais maître de ses jours à venir, l'emplissait de la mélancolie qui s'attache à toute grandeur.

Au lieu de prendre la grande route, il revint parmi les caroubiers et les oliviers par un petit chemin détourné qui passait au pied de la montagne et débouchait derrière sa maison. Il écrasa du pied quelques olives et s'aperçut que le chemin était entièrement tigré de taches noires. À la fin de l'été, les caroubiers mettent une odeur d'amour sur toute l'Algérie[7], et le soir ou après la pluie c'est comme si la terre tout entière reposait, après s'être donnée au soleil, son ventre tout mouillé d'une semence au parfum d'amande amère. Pendant toute la journée leur odeur était descendue des grands arbres, lourde et oppressante. Dans ce petit chemin, avec le soir et le soupir détendu de la terre, elle devenait légère, à peine sensible aux narines de Patrice — comme une maîtresse avec qui l'on sort dans la rue après tout un après-midi étouffant, et qui vous regarde, épaule contre épaule, parmi les lumières et la foule.

Devant cette odeur d'amour et ses fruits écrasés et odorants, Mersault comprit alors que la saison déclinait. Un grand hiver allait se lever. Mais il était mûr pour l'attendre. De ce chemin on ne voyait pas la mer, mais on pouvait apercevoir au sommet de la montagne des brumes légères et rougeâtres qui annonçaient le soir. Sur le sol, des taches de lumière pâlissaient entre les ombres des feuillages. Mersault aspira violemment l'odeur amère et parfumée qui consacrait ce soir ses noces avec la terre. Ce soir qui tombait sur le monde, dans le chemin entre les oliviers et les lentisques, sur les vignes et la terre rouge, près de la mer qui sifflait doucement, ce soir entrait en lui comme une marée[8]. Tant de soirs semblables avaient été en lui comme une promesse de bonheur que d'éprouver celui-ci comme un bonheur lui fit mesurer le chemin qu'il avait parcouru de l'espoir à la conquête. Dans l'innocence de son cœur, il acceptait ce ciel vert et cette terre mouillée d'amour avec le même tremblement de passion et de désir que lorsqu'il avait tué Zagreus dans l'innocence de son cœur.

V

En janvier, les amandiers fleurirent. En mars les poiriers, pêchers et pommiers se couvrirent de fleurs. Le mois d'après les sources se gonflèrent imperceptiblement et puis revinrent à un débit normal. Au début de mai on coupa les foins et, dans les derniers jours, on moissonna les avoines et les orges. Déjà les abricots étaient gonflés d'été. En juin, les poires précoces firent leur apparition avec les grandes moissons. Déjà les sources se tarissaient et la chaleur croissait. Mais le sang de la terre, tari de ce côté, faisait ailleurs fleurir les cotons et sucrait les premiers raisins. Il fit un grand vent brûlant qui dessécha les terres et alluma des incendies un peu partout. Et puis d'un coup, l'année bascula. Hâtivement, les vendanges se terminèrent. La pluie à grandes averses de septembre à novembre balaya la terre. Avec elle, à peine terminés les travaux de l'été commencèrent les emblavures et les premières semailles, pendant que les sources brusquement grossissaient et jaillissaient en torrents. À la fin de l'année le blé germait déjà dans certaines terres, tandis que d'autres finissaient à peine de recevoir les labours. Un peu plus tard, les amandiers à nouveau furent blancs dans le ciel glacé et bleu[9]. La nouvelle année se poursuivit dans la terre et le ciel. Le tabac fut planté, la vigne labourée et soufrée, les arbres greffés. Le même mois, les nèfles mûrirent. À nouveau la fenaison, les moissons et les labours d'été. À la moitié de l'année de gros fruits juteux et collant aux doigts garnissaient les tables : figues, pêches et poires qu'on mangeait goulûment entre deux battages. Aux vendanges suivantes, le ciel se couvrit. Venant du nord, passèrent des bandes noires et silencieuses d'étourneaux et de grives. Pour eux les olives étaient déjà mûres. On les cueillit peu après leur passage. Dans la terre gluante, une seconde fois le blé germa. De gros vols de nuages venant aussi du nord passèrent sur la mer et sur la terre, brossèrent l'eau de son écume et la laissèrent nette et glacée sous un ciel de cristal. Pendant plusieurs jours, il y eut dans le soir des éclairs lointains et silencieux. Les premiers froids commencèrent[10].

Vers cette époque, Mersault s'alita une première fois. Des poussées de pleurésie l'enfermèrent un mois à la chambre. Quand il se leva, les dernières pentes du Chenoua étaient couvertes d'arbres fleuris qui descendaient vers la mer. Jamais printemps ne l'avait trouvé si sensible. Et, la première nuit de sa convalescence, il marcha longuement à travers les terres jusqu'à la colline pleine de ruines où dormait Tipasa. Dans un silence peuplé des bruits soyeux du ciel, la nuit était comme un lait sur le monde. Mersault marchait sur la falaise, pénétré de la grave méditation de cette nuit. La mer un peu plus bas sifflait doucement. On la voyait pleine de lune et de velours, souple et lisse comme une bête. À cette heure[11], où sa vie lui paraissait si loin, seul, indifférent à tout et à lui-même, il parut à Mersault qu'il avait atteint enfin ce qu'il cherchait et que cette paix qui l'emplissait était née du patient abandon de lui-même qu'il avait poursuivi et atteint avec l'aide de ce monde chaleureux qui le niait sans colère[12]. Il marchait légèrement et le bruit de ses pas lui paraissait étranger, familier sans doute, mais au même titre que les froissements de bêtes dans les buissons de lentisques, les coups de la mer ou les battements de la nuit dans la profondeur du ciel. Et aussi bien il sentait son corps, mais avec la même conscience extérieure que le souffle chaud de cette nuit de printemps et l'odeur de sel et de pourri qui montait de la mer. Ses courses dans le monde, son exigence du bonheur, l'affreuse plaie de Zagreus, pleine de cervelle et d'os, les heures douces et retenues de la Maison devant le Monde, sa femme, ses espoirs et ses dieux, tout cela était devant lui, mais comme une histoire préférée entre toutes, sans raison valable, étrangère à la fois et secrètement familière, livre favori qui flatte et confirme le plus profond du cœur, mais qu'un autre a écrit. Pour la première fois, il ne se sentait pas d'autre réalité que celle d'une passion à l'aventure, d'un désir de sève, d'un instinct intelligent et cordial de la parenté du monde. Sans colère et sans haine, il ne connaissait pas de regret. Et assis sur un rocher dont il sentait le visage grêlé sous ses doigts, il regardait la mer se gonfler silencieusement sous la lumière de la lune. Il pensait à ce visage de Lucienne qu'il avait caressé et à la tiédeur de ses lèvres. Sur la surface unie de l'eau, la lune, comme une huile, mettait de longs sourires errants. L'eau devait être tiède comme une bouche et molle et prête à s'enfoncer sous un homme. Mersault, toujours assis, sentit alors combien le bonheur est près des larmes, tout entier dans cette silencieuse exaltation où se tissent l'espoir et le désespoir mêlés d'une vie d'homme. Conscient et pourtant étranger, dévoré de passion et désintéressé, Mersault comprenait que sa vie même et son destin s'achevaient là et que tout son effort serait désormais de s'arranger de ce bonheur et de faire face à sa terrible vérité.

Il lui fallait maintenant s'enfoncer dans la mer chaude, se perdre pour se retrouver, nager dans la lune et la tiédeur pour que se taise ce qui en lui restait du passé et que naisse le chant profond de son bonheur. Il se dévêtit, descendit quelques rochers et entra dans la mer. Elle était chaude comme un corps, fuyait le long de son bras, et se collait à ses jambes d'une étreinte insaisissable et toujours présente. Lui, nageait régulièrement et sentait les muscles de son dos rythmer son mouvement. À chaque fois qu'il levait un bras, il lançait sur la mer immense des gouttes d'argent en volées, figurant, devant le ciel muet et vivant, les semailles splendides d'une moisson de bonheur. Puis le bras replongeait et, comme un soc vigoureux, labourait, fendant les eaux en deux pour y prendre un nouvel appui et une espérance plus jeune. Derrière lui, au battement de ses pieds naissait un bouillonnement d'écume, en même temps qu'un bruit d'eau clapotante, étrangement clair dans la solitude et le silence de la nuit. À sentir sa cadence et sa vigueur, une exaltation le prenait, il avançait plus vite et bientôt il se trouva loin des côtes, seul au cœur de la nuit et du monde. Il songea soudain à la profondeur qui s'étendait sous ses pieds et arrêta son mouvement. Tout ce qu'il y avait sous lui l'attirait comme le visage d'un monde inconnu, le prolongement de cette nuit qui le rendait à lui-même, le cœur d'eau et de sel d'une vie encore inexplorée. Une tentation lui vint qu'il repoussa aussitôt dans une grande joie du corps. Il nagea plus fort et plus avant. Merveilleusement las, il retourna vers la rive. À ce moment il entra soudain dans un courant glacé et fut obligé de s'arrêter, claquant des dents et les gestes désaccordés. Cette surprise de la mer le laissait émerveillé ; cette glace pénétrait ses membres et le brûlait comme l'amour d'un dieu d'une exaltation lucide et passionnée qui le laissait sans force. Il revint plus péniblement et sur le rivage, face au ciel et à la mer, il s'habilla en claquant des dents et en riant de bonheur.

Lorsqu'il rentra, il fut pris d'un malaise. Du sentier qui montait de la mer vers sa villa, il pouvait voir le promontoire rocheux qui lui faisait face, les fûts lisses des colonnes et des ruines. Et soudain le paysage se renversa et il se retrouva appuyé contre un rocher, à moitié renversé sur un buisson de lentisques dont les feuilles écrasées laissaient monter leur odeur. Il regagna péniblement la villa. Son corps qui l'avait porté tout à l'heure aux extrémités de la joie le plongeait maintenant dans une détresse qui le tenait au ventre et lui fermait les yeux. Il se fit du thé. Mais il avait pris une casserole sale pour chauffer l'eau et le thé était gras jusqu'à l'écœurement. Il le but cependant avant d'aller se coucher. En ôtant ses chaussures, sur ses mains dont le sang s'était retiré, il remarqua les ongles très roses, élargis, recourbés jusqu'à recouvrir l'extrémité des doigts. Il n'avait jamais eu ces ongles qui donnaient à sa main quelque chose de tortueux et de malsain. Il sentait sa poitrine prise dans un étau.

Il toussa et cracha plusieurs fois normalement, quoique sa bouche gardât un goût de sang. Au lit, de longs frissons le saisirent. Il les sentait monter depuis l'extrémité du corps et se rejoindre dans les épaules comme deux filets d'eau glacée pendant que ses dents claquaient au-dessus des draps qui lui paraissaient mouillés. La maison lui semblait vaste et les bruits familiers qu'il entendait s'élargissaient jusqu'à l'infini comme s'ils ne rencontraient pas de mur qui mît un terme à leur résonance. Il entendait la mer comme un roulement d'eau et de galets, le battement de la nuit derrière ses grandes vitres et le cri des chiens aux fermes éloignées. Il eut chaud, rejeta les couvertures, puis froid, et les ramena. Dans ce balancement entre deux souffrances, cette somnolence et cette inquiétude qui le tirait du sommeil, il prit conscience soudain qu'il était malade. Une angoisse lui vint à la pensée qu'il pouvait peut-être mourir dans cette sorte d'inconscience et sans pouvoir regarder devant lui. Au village, l'horloge de l'église sonna sans qu'il pût reconnaître le nombre de coups. Il ne voulait pas mourir comme un malade. Pour lui du moins il ne voulait pas que la maladie fût ce qu'elle est souvent, une atténuation et comme une transition vers la mort. Ce qu'il voulait encore inconsciemment, c'était la rencontre de sa vie pleine de sang et de santé avec la mort. Et non la mise en présence de la mort et de ce qui était déjà presque la mort. Il se leva, tira péniblement un fauteuil vers la fenêtre et s'assit en se couvrant de couvertures. Derrière les rideaux légers aux endroits où les plis n'épaississaient pas l'étoffe, il voyait des étoiles. Il respira longuement et serra les bras de son fauteuil pour apaiser ses mains qui tremblaient. Il voulait reconquérir sa lucidité. « Ça se pouvait », pensait-il. En même temps, il pensait que le gaz était resté allumé dans la cuisine. « Ça se pouvait », se répétait-il. La lucidité elle aussi était une longue patience. Tout pouvait se gagner et s'acquérir. Il frappait de son poing les bras de son fauteuil. On ne naît pas fort, faible ou volontaire. On devient fort, on devient lucide. Le destin n'est pas dans l'homme mais autour de l'homme. Il s'aperçut alors qu'il pleurait. Une étrange faiblesse, une sorte de lâcheté née de la maladie le rendait à l'enfance et à ses larmes. Il avait froid aux mains et un immense dégoût dans le cœur. Il pensait à ses ongles, sous sa clavicule il fit rouler des ganglions qui lui parurent énormes. Au-dehors toute cette beauté répandue sur le monde. Il ne voulait pas quitter son goût et sa jalousie de vivre. Il pensait à ces soirs sur Alger où monte dans le ciel vert le bruit des hommes sortant des fabriques à l'appel des sirènes. Entre le goût des absinthes, les fleurs sauvages parmi les ruines et la solitude des petites maisons entourées de cyprès dans le Sahel se tissait l'image d'une vie où la beauté et le bonheur prenaient son visage au désespoir et où Patrice trouvait une sorte d'éternité fugitive. Cela il ne voulait pas le quitter et que cette image pût durer sans lui. Rempli de révolte et de pitié, il vit alors le visage de Zagreus tourné vers la fenêtre. Il toussa longuement. Il respirait mal. Il étouffait dans ses vêtements de nuit. Il avait froid. Il avait chaud. Il brûlait d'une immense colère trouble et les poings serrés, tout son sang battant à grands coups sous son crâne ; le regard vide, il attendait le nouveau frisson qui le replongerait dans la fièvre aveugle. Le frisson vint, le rendit à un monde humide et clos où ses yeux se fermèrent et firent taire la révolte de l'animal, jaloux de sa soif et de sa faim. Mais avant de s'endormir il eut le temps de voir la nuit blanchir un peu derrière les rideaux et d'entendre, avec l'aube et le réveil du monde, comme un immense appel de tendresse et d'espoir qui fondait sans doute sa terreur de la mort, mais qui dans le même temps l'assurait qu'il trouverait une raison de mourir dans ce qui avait été toute sa raison de vivre.

Quand il se réveilla la journée était déjà avancée et tout un peuple d'oiseaux et d'insectes chantait dans la chaleur. Il songea que Lucienne devait arriver le jour même. Il était brisé et regagna péniblement son lit. Il avait le goût de la fièvre dans sa bouche et cette fragilité qui aux yeux des malades rend les choses plus dures et les êtres plus contraignants. Il fit appeler Bernard. Il vint, toujours silencieux et affairé, l'ausculta, ôta ses lunettes pour en essuyer les verres. « Mauvais », dit-il. Il lui fit deux piqûres. Pendant la seconde, Mersault, pourtant peu douillet, s'évanouit. Quand il revint à lui, Bernard lui tenait le poignet d'une main et sa montre dans l'autre, regardait l'avance saccadée d'une aiguille à secondes. « Vous voyez, dit Bernard, une syncope d'un quart d'heure. Votre cœur flanche. Vous pouvez y rester, dans une nouvelle syncope. »

Mersault ferma les yeux. Il était harassé, les lèvres blanches et sèches, la respiration sifflante.

« Bernard, dit-il.

— Oui.

— Je ne veux pas finir dans une syncope. J'ai besoin de voir clair, vous comprenez.

— Oui », dit Bernard. Il lui donna quelques ampoules. « Si vous vous sentez faible, brisez et avalez. C'est de l'adrénaline. »

En sortant, Bernard rencontra Lucienne qui arrivait :

« Toujours charmante.

— Patrice est malade ?

— Oui.

— C'est grave ?

— Non, il est très bien », dit Bernard. Et, avant de partir : « Au fait, un conseil, laissez-le seul dans la mesure du possible.

— Ah, dit Lucienne, ça n'est donc rien. »

Toute la journée, Mersault étouffa. Deux fois il sentit le vide froid et tenace qui l'aspirait dans une nouvelle syncope, deux fois l'adrénaline le tira de cette plongée liquide. Et toute la journée, ses yeux sombres regardèrent la campagne magnifique. Vers 4 heures, un grand canot rouge pointa sur la mer et grossit peu à peu, ruisselant de soleil, d'eau et d'écailles. Pérez, debout et ramant régulièrement. La nuit vint alors rapidement. Mersault ferma les yeux et, pour la première fois depuis la veille, sourit. Il n'avait pas desserré les dents. Lucienne était dans sa chambre depuis un moment, vaguement inquiète, elle se précipita sur lui et l'embrassa.

« Assieds-toi, dit Mersault. Tu peux rester.

— Ne parle pas, dit Lucienne, ça te fatigue. »

Bernard vint, fit des piqûres, partit. De grands nuages rouges passaient lentement dans le ciel.

« Quand j'étais enfant, dit Mersault avec effort, enfoncé dans son oreiller et les yeux au ciel, ma mère me disait que c'était les âmes des morts qui montaient au paradis. J'étais émerveillé d'avoir une âme rouge. Maintenant je sais que c'est le plus souvent une promesse de vent. Mais c'est aussi merveilleux. »

La nuit commença. Des images venaient. De grands animaux fantastiques qui hochaient la tête au-dessus de paysages désertiques. Mersault les écarta doucement au fond de sa fièvre. Il laissait venir seulement le visage de Zagreus dans sa fraternité sanglante. Celui qui avait donné la mort allait mourir. Et comme alors pour Zagreus, le regard lucide qu'il tenait sur sa vie était celui d'un homme. Jusqu'ici il avait vécu. Maintenant on pourrait parler de sa vie. De ce grand

élan ravageur qui l'avait emporté en avant, de la poésie fugitive et créatrice de la vie, rien ne restait plus maintenant que
la vérité sans rides qui est le contraire de la poésie. De tous
les hommes qu'il avait portés en lui comme chacun au commencement de cette vie, de ces êtres divers qui mêlaient
leurs racines sans se confondre, il savait maintenant lequel
il avait été : et ce choix que dans l'homme crée le destin
il l'avait fait dans la conscience et le courage. Là était tout
son bonheur de vivre et de mourir. Cette mort qu'il avait
regardée avec l'affolement d'une bête, il comprenait qu'en
avoir peur signifiait avoir peur de la vie. La peur de mourir
justifiait un attachement sans bornes à ce qui est vivant dans
l'homme. Et tous ceux qui n'avaient pas fait les gestes déci-
sifs pour élever leur vie, tous ceux qui craignaient et exaltaient l'impuissance, tous ceux-là avaient peur de la mort,
à cause de la sanction qu'elle apportait à une vie où ils
n'avaient pas été mêlés. Ils n'avaient pas assez vécu, n'ayant
jamais vécu. Et la mort était comme un geste privant à
jamais d'eau le voyageur ayant cherché vainement à calmer
sa soif. Mais pour les autres, elle était le geste fatal et tendre
qui efface et qui nie, souriant à la reconnaissance comme à
la révolte. Il passa un jour et une nuit assis sur son lit, les
bras sur la table de nuit et la tête dans ses bras. Couché il
ne pouvait respirer. À ses côtés, Lucienne était assise et
l'observait sans dire un mot. Mersault la regardait parfois. Il
songeait qu'après lui, le premier qui prendrait sa taille la
ferait mollir. Tout entière dans ses seins elle serait offerte
comme elle lui avait été offerte, et le monde continuerait
dans la tiédeur de ses lèvres entrouvertes. Quelquefois il
levait la tête et regardait par la fenêtre. Il n'était pas rasé, ses
yeux rougis tout au bord et profondément creusés avaient
perdu leur éclat sombre et les joues creuses et pâles sous le
poil bleuâtre, le transformaient complètement.

Son regard de chat malade se posait sur les vitres. Il respirait et se tournait vers Lucienne. Alors il souriait. Et dans
ce visage qui de toute part fuyait et s'amollissait, ce sourire
dur et lucide mettait une nouvelle force, une gravité allègre.

« Ça va ? disait Lucienne de sa voix éteinte.

— Oui. » Il retournait alors à la nuit de ses bras. À la
limite de sa force et de sa résistance, il rejoignait pour la première fois et par l'intérieur, Roland Zagreus dont le sourire
l'exaspérait tant au début. Sa respiration courte et précipitée
laissait sur le marbre de la table de nuit une buée humide qui

lui renvoyait sa chaleur. Et dans cette tiédeur malsaine qui montait vers lui, il éprouvait de façon plus sensible le bout glacé de ses doigts et de ses pieds. Cela même révélait une vie, et dans ce voyage du froid au chaud, il retrouvait l'exaltation qui avait saisi Zagreus, remerciant « la vie pour lui permettre de brûler encore ». Il se prenait d'un amour violent et fraternel pour cet homme dont il s'était senti si loin et il comprenait qu'à le tuer il avait consommé avec lui des noces qui les liaient à tout jamais. Ce lourd cheminement de larmes qui était en lui comme un goût mêlé de la vie et de la mort, il comprenait qu'il leur était commun. Et dans l'immobilité même de Zagreus en face de la mort, il retrouvait l'image secrète et dure de sa propre vie. La fièvre l'y aidait et avec elle cette certitude exaltante qu'il avait de maintenir sa conscience jusqu'au bout et de mourir les yeux ouverts. Zagreus aussi avait les yeux ouverts ce jour-là et des larmes y roulaient. Mais c'était là la dernière faiblesse d'un homme qui n'avait pas eu de part à sa vie. Patrice ne craignait pas cette faiblesse. Dans les coups de son sang fiévreux qui s'arrêtait toujours à quelques centimètres des limites de son corps, il comprenait encore que cette faiblesse ne serait pas la sienne. Car lui avait rempli son rôle, avait parfait l'unique devoir de l'homme qui est seulement d'être heureux[13]. Pas longtemps sans doute. Mais le temps ne fait rien à la chose. Il ne peut être qu'un obstacle, ou alors il n'est plus rien. Il avait détruit l'obstacle, et ce frère intérieur qu'il avait engendré en lui, peu importait qu'il fût deux ou vingt années. Le bonheur était qu'il fût.

Lucienne se leva et recouvrit les épaules de Mersault d'où la couverture avait glissé. Il frissonna sous ce geste. Depuis le jour où il avait éternué sur la petite place près de la villa de Zagreus, jusqu'à cette heure, son corps l'avait fidèlement servi et l'avait ouvert au monde. Mais dans le même temps, il continuait une vie propre et détachée de l'homme qu'il figurait. Il avait poursuivi à travers ces quelques années une lente décomposition. Maintenant il avait parfait sa courbe et il se tenait prêt à quitter Mersault et à le rendre au monde. Dans ce frisson subit dont Mersault était conscient, il marquait encore une fois cette complicité qui déjà leur avait conquis tant de joies. À ce titre seul, Mersault prenait ce frisson comme une joie. Conscient, c'était ce qu'il fallait sans duperie, sans lâcheté — seul à seul — en tête à tête avec son corps — les yeux ouverts sur la mort. Il s'agissait d'une

affaire entre hommes. Rien, pas un amour ni un décor, mais
un désert infini de solitude et de bonheur où Mersault jouait
ses dernières cartes. Il sentait son souffle faiblir. Il aspira une
gorgée d'air et dans ce mouvement toutes les orgues de sa
poitrine ronflèrent. Il sentait ses mollets très froids et ses
mains insensibles. Le jour se levait.

Le matin qui pointa fut plein d'oiseaux et de fraîcheur.
Le soleil se leva rapidement et d'un bond fut au-dessus de
l'horizon. La terre se couvrit d'or et de chaleur. Dans le
matin le ciel et la mer s'éclaboussaient de lumières bleues
et jaunes, par grandes taches bondissantes. Un vent léger
s'était levé et par la fenêtre un air à goût de sel venait rafraî-
chir les mains de Mersault. À midi le vent cessa, la journée
éclata comme un fruit mûr et sur toute l'étendue du monde,
elle coula en jus tiède et étouffant[14], dans un concert soudain
de cigales. La mer se couvrit de ce jus doré comme d'une
huile et renvoya sur la terre écrasée de soleil un souffle
chaud qui l'ouvrit et laissa monter des parfums d'absinthe,
de romarin et de pierre chaude. De son lit, Mersault perçut
ce choc et cette offrande et il ouvrit les yeux sur la mer
immense et courbe, rutilante, peuplée des sourires de ses
dieux. Il s'aperçut soudain qu'il était assis sur son lit et que
le visage de Lucienne était tout près du sien. En lui montait
lentement, comme depuis le ventre, un caillou qui cheminait
jusqu'à sa gorge. Il respirait de plus en plus vite, profitant
des passages. Cela montait toujours. Il regarda Lucienne. Il
sourit sans une crispation, et ce sourire aussi venait de l'intérieur. Il se renversa sur son lit et il éprouva la lente montée
en lui. Il regarda les lèvres gonflées de Lucienne et, derrière
elle, le sourire de la terre. Il les regardait du même regard et
avec le même désir.

«Dans une minute, une seconde», pensa-t-il. La montée
s'arrêta. Et pierre parmi les pierres, il retourna dans la joie
de son cœur à la vérité des mondes immobiles.

LA MAISON DEVANT LE MONDE

J'avais des camarades,
Une maison devant le monde.
Dans le matin et le soir immenses
La journée tournait ronde
Autour de notre silence. *(bis)*

Là où s'arrête un monde,
Prend naissance une amitié,
Désir têtu de transparence
Qui définit la liberté,
Notre maison avance. *(bis)*

Mais dans tout le ciel bleu,
Le monde rit, indifférent.
Camarades de quelques heures,
La vie est un sourire errant,
Miracle d'aimer ce qui meurt. *(bis)*

SANS LENDEMAINS

[Ff^{os} 6 à 13 recto et verso.]

17 mars 1938.

Ce jour-là chaque auto m'était une tentation. Et je voyais leurs roues arriver sur moi — et dans mon corps pourtant immobile un autre être se tendait vers cette force sans âme qui m'aurait broyé. Je cherchais par toute la ville un être avec qui faire des gestes humains : boire un café, rire devant des femmes, ou entrer dans un cinéma. Mais les êtres fuient les lépreux et si les lépreux ne trouvent personne ce n'est pas un hasard.

Le soir tombait sur le port et devant cette lumière douce et ce cirque de montagnes autour de la lumière, les défauts qui m'auraient ordinairement retenu à la vie se dissipaient dans cette paix qui affleurait en moi comme un poison. J'indique à peine ce qu'avait été ma journée et l'extrême désespoir, la folie où j'avais été jeté*. L'essentiel pour ce qui va suivre est qu'à cet instant du soir j'avais accepté sans y penser l'idée de mourir et je ne pensais plus en vivant mais en condamné : peu importe si cela a duré. Ce qui compte c'est que dans la nuit qui suivit je ne dormis pas et me promenais de long en large. Peu importe si je suis encore capable de cette extrémité dans la douleur. Ce qui compte c'est que pendant trois jours je ne sortis pas de chez moi et je restais des heures à contempler mes mains ou à courir chercher dans une glace cet être étrange et glacé qui venait de naître. Je ne dirais pas que tout est sorti de ces trois jours — Mais l'essentiel. Jusqu'ici j'avais vécu avec des buts, avec un souci d'avenir et de justification (à l'égard de qui ou de quoi ce n'est pas la question) qui dirigeait ma vie. J'évaluais mes chances, je comptais sur le plus tard. J'agissais comme si je pouvais agir sur ces chances et cet avenir. Cette nuit-là, tout s'écroula.

Je pensais alors combien était illusoire cette liberté selon laquelle mes jours se succédaient. Cette idée que « j'étais », ma façon d'agir comme si tout avait un sens (même si à l'occasion j'estimais que rien n'en avait) tout cela se trouvait démenti de façon vertigineuse par l'assurance de ma mort. Penser au lendemain, se fixer un but, avoir des préférences, tout cela suppose

---

* Se regarder.

la croyance à la liberté — même si l'on s'assure parfois de ne point l'avoir — Et cette liberté supérieure, cette liberté d'*être* qui seule pouvait fonder une vérité, je savais bien alors qu'elle n'était pas — Que la mort était là comme seule réalité, qu'après elle les jeux étaient faits et que par là j'étais, non plus libre de me perpétuer mais esclave et surtout sans espoir de révolution, sans recours au mépris. Et qui, sans mépris, peut demeurer esclave ? Quelle liberté peut exister au sens plein, sans assurance d'éternité.

Je n'étais donc pas libre, mais esclave de la mort. Je n'insiste pas sur le sentiment définitif dont s'accompagna cette découverte d'une vérité que je savais sans la connaître. Mais, à cet instant, je comprenais en même temps que jusqu'ici j'étais lié à ce postulat de liberté suivant lequel je vivais — que dans un certain sens il m'entravait et que dans la mesure où je voyais un but à ma vie, j'agissais en conséquence et je devenais esclave de ma liberté. Le postulat de liberté, je le soutenais inconsciemment. Mais en même temps il se fortifiait des croyances de ceux qui m'entouraient, des préjugés de mon milieu enfin. Si loin que déjà je fusse de ces préjugés, moraux ou sociaux, je les subissais en partie et même, pour les meilleurs d'entre eux (il y a de bons et de mauvais préjugés) je leur conformais ma vie. Ainsi je n'étais réellement pas libre. Et pour parler clair dans la mesure où j'espérais, où je m'inquiétais d'une vérité qui me fût propre, d'une façon d'être ou de créer, où j'ordonnais ma vie, où enfin j'admettais sans discussion que ma vie eût un sens, je me créais des barrières entre quoi je resserrais ma vie et je faisais comme tant de fonctionnaires de l'esprit et du cœur qui m'inspiraient du dégoût et qui ne faisaient pas autre chose, je le voyais maintenant, que prendre au sérieux la liberté de l'homme.

Un intellectuel ainsi défini, j'ai cessé de l'être dans cette nuit. Car l'assurance de mon esclavage m'ôtait en même temps tout souci du lendemain. Il n'y avait pas de lendemain.

Je prendrais ici deux comparaisons. Les mystiques d'abord trouvent une liberté à se donner. En s'abîmant dans leur dieu, en se soumettant à sa règle, ils demeurent secrètement libres de leur don et c'est dans l'esclavage librement consenti qu'ils retrouvent une indépendance profonde. Mais libres, le sont-ils vraiment ? À la vérité, ils se sentent libres. Et surtout ils *se sentent* libres vis-à-vis d'eux mêmes. Et non pas tant libres, qu'à leurs yeux *libérés* de tout. De même tout entier tourné vers la mort, je me sentais dégagé de tout ce qui n'était pas cette horreur qui cristallisait en moi. Je goûtais une indicible liberté à l'égard des règles communes et des gestes quotidiens. Et pour faire sentir le climat de cette liberté, j'userai de ma deuxième comparaison.

Les esclaves de l'Antiquité ne s'appartenaient pas. Mais il y a une liberté à ne pas se sentir responsable. La mort aussi a des mains patriciennes qui écrasent, mais qui délivrent.

S'abîmer dans cette certitude sans fond, se sentir désormais assez étranger à sa propre vie pour l'étendre et la parcourir sans la myopie de l'amant, je sentais dans tout cela la naissance d'une libération. Cette liberté nouvelle était *[mot illisible]*. Mais elle remplaçait les illusions de la liberté qui soumettent toutes à la mort. Et plus je la sentais près de sa fin, plus je prenais conscience de son pouvoir exaltant. La divine liberté du condamné à mort devant qui s'ouvrent les portes de la prison par une certaine aube, cet horrible désintéressement à l'égard de tout sauf de la flamme pure de la vie, voilà ce que je retrouvais comme fin dernière de mon itinéraire sans surface (libre d'agir parce qu'empêché d'être, ayant perdu toute raison d'espérer et gagner la liberté profonde d'une vie sans direction), je décidais dans un grand arrachement d'appliquer ma lucidité à jouer toutes les parties d'un jeu où je partais perdant. Et ma consolation (risible à mes propres yeux) était que, seule, cette liberté d'esprit me donnerait pouvoir de vivre plus que jamais à une profondeur et avec une intensité où tout autre aurait trouvé la folie.

Cette affreuse clairvoyance et cet haïssable pouvoir de vivre m'étaient donnés enfin. Jusqu'ici j'avais seulement pressenti cette issue. Toutes les libertés partielles dont j'avais fait l'exercice dans ma vie, m'avaient fait entrevoir qu'elles n'étaient pas et qu'elles perdaient leur sens devant les morts innombrables qui présagent la mort solitaire : amour défunt et goût de cendre de chaque élan. Maintenant je comprenais et j'entrevoyais un univers brûlant et glacé, transparent et *[mot illisible]*, où rien n'était possible mais tout était donné et passé lequel c'était l'effondrement et le néant. Je décidais cette nuit d'accepter une vie dans un tel univers et d'en tirer mes forces, mon refus d'espérer, une vie débordante et le témoignage lucide et obstiné d'une œuvre sans consolation, comme un désert stérile et magnifique.

À cet égard qu'avais-je besoin d'éthique ou de métaphysique. Pour un homme qui pense, la tragédie revient à concilier son désir d'unité et l'irrationnel qui l'entoure. Pour un homme qui connaît sa mort, c'est réaliser l'unité *dans la vie*, dans la vie *d'un homme*, dans sa propre vie, individuelle et irremplaçable : Équilibrer son corps et son esprit, avoir la méthode de l'un et de l'autre et dominer ces méthodes par un instinct *qui sait*. Ceci ne peut se résoudre ou se figurer que dans une œuvre — comme un miroir qui précise — l'œuvre était mon éthique — Mais en même temps ceci ne pouvait se justifier que par le renoncement au « saut », que ce soit celui de la religion ou de l'amour. Il fallait *savoir* que l'amour n'est pas, n'était pas éternel. On peut aimer sans que l'amour soit pour autant. Être celui qui renonce délibérément à l'amour, qui se suffit d'un univers mathématique et violent — ce qui ne veut pas dire stériliser sa vie ou la fermer — C'est le contraire ou l'on n'a rien compris. Si je ne réalise mon unité et celle de ma vie qu'en face de ma mort, alors je saisis ma vie à plein. Sa diversité, son irréversibilité, « sa signification insensée » s'arrêtent ici. Et ses fontaines [d'émotion ?] se rejoignent au désespoir.

Étendre alors sa vie, saisir toutes ses chances, s'arrêter sur tous les visages de femmes, c'est donner son plein à cette vérité mortelle. Car une vérité est chose qui croît, qui se fortifie. Elle est une œuvre à faire. Et c'est cette œuvre qu'il faut poursuivre sur le papier et dans la vie avec toutes les ressources de la lucidité.

Essais	Théâtre	Romans
L'Absurde ou le point de départ	Caligula ou le joueur à mort	Un homme libre (l'indifférent)
Le monde fermé essai sur la tragédie	Budejovice ou le joueur puni	la peste dorique
[L'Avidité ?] (N)	Don Juan	L'Amoureux
Les dieux de la mort	L'anti Faust	Le Lépreux

Il ne s'agissait plus d'expliquer et de résoudre, mais d'éprouver et de décrire. Tout commençait par l'indifférence.

[Fᵒ 14 recto.]

À quelque temps de là, je fis un progrès supplémentaire sur le chemin de cette liberté. Car j'étais encore lié par le désir même d'exploiter cette liberté et d'en donner une image dans l'œuvre que je méditais. Et tout ce qui, en moi et dans ces circonstances, entravait l'accomplissement quotidien de cette œuvre m'entravait du même coup. Lorsque je compris cette évidence, je cessais de me tourmenter pour ce que j'étais ou pour ce qui m'arrivait. J'arrivais à admettre que cette œuvre même pouvait ne pas être et je consommais ainsi l'inutilité de ma vie individuelle. J'acceptais d'être ce que j'étais et de me répugner parfois. J'acceptais de manquer ce qu'il était indifférent de manquer. Et ainsi tout ce qui m'arrivait, se trouvait m'être donné réellement par surcroît. Il fallait porter aussi ma lucidité jusqu'à la conscience et à l'acceptation de ce qui risquait de la limiter ou de l'obscurcir par moments. Je savais alors que rien n'est un frein. Qu'une autre profession, un autre pays, un autre avenir, une autre conduite ne change rien — et que pour avoir créé une œuvre géniale on n'était pas plus avancé qu'avant de l'avoir mise au jour. Cela même devait me permettre plus de facilités dans la réalisation de cette œuvre, comme d'apercevoir l'absurdité de la vie m'avait permis de m'y plonger avec tous les excès.

[Ffos 15 recto et 16 recto ; calligraphie différente.]

Je n'eus point de peine alors à me persuader qu'il était indifférent de poursuivre tel ou tel but, d'avoir son éthique ou de choisir cette expérience plutôt que cette autre. L'essentiel était de ne rien refuser. Et non pas en refusant de choisir, car cette position implique une échelle de valeur qualitative (il vaut mieux ne pas choisir), mais en accueillant pêle-mêle tous les visages de la vie, l'amour et le désir, le désir et les désirs.

Car il était indifférent de préserver quoi que ce soit en moi-même, puisque tout devait être brûlé. J'acceptais la vie dans sa quantité. Il me devenait indifférent de me marier ou de ne point me marier, de voyager ou non, d'être connu ou de demeurer solitaire. Mais si l'on m'a bien compris on comprendra quelle magnifique facilité j'acquérais ainsi pour recevoir le mariage, le voyage, le renom, la solitude, la vie retirée ou le célibat. Et aussi de les accepter en même temps. J'avais toujours eu du penchant pour le secret, pour une certaine attitude romantique de l'homme qui se poursuit en silence et qui se parfait à l'insu du public. Je comprenais alors le ridicule et la légitimité de ce penchant. Et j'éprouvais qu'une telle vie était possible dans son principe mais non dans ses détails.

Mais comme tout ceci pouvait rester dans le général, j'appliquais alors ma réflexion au problème de l'amour. J'ai écrit plus haut que j'avais accepté une vie sans amour. Mais ceci qui est abject d'un point de vue humain mérite explication. Car j'ai en effet précisé qu'il s'agissait de renoncer au « saut », c'est-à-dire à cette abdication devant l'irrationnel que sont la religion ou l'amour qui se croit éternel. Mais j'étais vulnérable comme tout être à l'amour. J'avais seulement besoin de savoir qu'il n'était pas éternel, pas durable et que rien ne justifiait la grandeur et le merveilleux dont les hommes l'ont attifé. Aimer sans doute. Mais ce n'est point là fonder l'amour. Ne pouvant vivre sans aimer, je pouvais du moins vivre sans amour, je veux dire avec lucidité.

Il s'agissait d'accepter que l'amour fût humain et rien d'autre, comme j'avais accepté que la vie ne dépassât point l'homme. Il m'était alors possible de recevoir un amour, et de fonder l'édifice périssable d'une existence sur le plus périssable des sentiments. Cela était logique. Cela était cohérent. Cela satisfaisait à la fois ma passion et ma clairvoyance. Cela rejoignait l'affreuse vérité que j'avais atteinte et consommait sur un point précis ma liberté déchirante et la plus extravagante des solitudes.

[Ff⁰ˢ 17 recto et 18 recto ; très net changement de calligraphie.]

La première partie de cette œuvre me demanda trois ans. Je tâchais d'y exprimer l'aspect négatif de ma pensée et lui seulement. Je ne sais pourquoi je sentais le besoin de donner trois formes à cette expression. Il en sortit ainsi un roman, *L'Étranger*, un essai, *Le Mythe de Sisyphe*, et une pièce, *Caligula*. Seuls les deux premiers venus pouvaient être valables. Je retirais *Caligula* ne sachant encore si je le reverrais et donnais les deux autres à la publication.

Peu de temps avant la parution définitive, je ne fus plus aussi sûr de ce que j'avais à dire, plus aussi sûr de tout ce qui précède. Partant je fus moins certain de ce que j'avais encore à faire. En particulier, ces idées, une fois précisées, prenaient un parfum d'athéisme qui n'était pas dans mes intentions.

J'arrivais en conséquence à consigner dans ce cahier mon incertitude et la façon que j'avais d'être en contradiction avec l'idée essentielle qui avait présidé à sa rédaction. Il me semblait que je devais laisser ici ce témoignage. Quitte à reprendre ensuite le courant de mon raisonnement.

Aussi je décidais de travailler au « Soleil de la Peste » et à « Budejovice » et à réfléchir seulement à l'œuvre que je méditais. Rien de tout ce que je méditais ne pouvait s'atteindre sans un constant approfondissement de moi-même. Une correction de ma pensée par rapport à l'expérience. Une simplification et une vérité enfin. Par exemple j'avais mis longtemps à reconnaître que j'étais un homme pour qui compteraient à peu près seules les choses de l'intelligence. Qui au fond savait qu'on ne pouvait admettre de confusion entre créateur et homme d'action. J'ai toujours essayé d'être *aussi* autre chose. Et naturellement j'y suis arrivé — ce n'est pas si difficile. Mais c'était par jeu et avec une répugnance croissante pour les conséquences. Il fallait le reconnaître. Il est toujours douloureux de se classer, de se limiter. Mais une fois le pas franchi on s'aperçoit que tout peut s'intégrer.

En réalité tout cela n'était pas sans lien avec les pages précédentes. Il s'agissait de l'incertitude qui prélude toujours aux simplifications essentielles. Il s'agissait d'aller plus loin et d'être l'homme sans commentaires personnels. Celui qui crée des formes sans se livrer (demande-t-on des commentaires à un sculpteur ?). Une œuvre sans [articles   ?], sans expression, sans lettres, sans confessions, c'est ce qu'on n'imagine plus de nos jours. Il fallait tourner le dos à un certain nombre de faits et, ce qui est plus difficile, à un certain nombre de problèmes. Il fallait réaliser la vie et l'expérience d'un artiste et seulement celle-là. C'était le principe d'un choix. Et c'était là qu'était la contradiction apparente.

Mais *Sisyphe* donne la solution dans sa première partie.

De toutes façons je ne puis m'empêcher de retrouver dans ces incertitudes l'effet que j'attendais précisément de la vie. Il m'aurait semblé méprisable de me conformer sans interruption à une image préalablement définie. Il me semblait normal au contraire (et encore une fois je l'attendais) que l'âge m'oblige à corriger cette image. Ainsi mon œuvre serait faite par ma vie et non le contraire. Cette attente, partant, me semblait facile.

[F⁰ 19 verso ; calligraphie similaire aux ff⁰ˢ 15 et 16.]

Naturellement je donne ce manuscrit pour ce qu'il vaut. Mais à la première lecture, je fus frappé de la sécheresse un peu mathématique de cet exposé désespéré. Les problèmes qu'avec beaucoup de gens avertis je considère comme les plus immédiats se trouvaient agités là sous une lumière froide, avec un détachement péremptoire qui faisait plutôt penser à la conférence qu'à la confession.

Et cependant (est-ce parce que je connaissais bien mon ami ?) je sentais sous cette logique implacable, une résolution farouche, une ardeur de révolte et d'amour qui n'appartient qu'aux âmes très jeunes et que Patrice Mersault a soutenue tout le long d'une vie extraordinairement pleine et magnifique. Dans une lettre qu'il m'écrivit alors qu'il avait déjà dépassé la cinquantaine il me disait : « Je puis maintenant mourir satisfait. Peu de joies de cette terre m'auront été étrangères, j'ai goûté à toutes les contradictions. Je sais que ma mort sera une chose affreuse et définitive et je *sais* (je sais vraiment, je devrais dire c'est là ma foi) qu'il n'y a rien en dehors de ce monde et de mon désir. »

Sur la mort de Patrice Mersault je reviendrai peut-être un jour. Elle a été terrible et magnifique. Mais il est permis de croire que le nouveau manuscrit que je livre en partie au public rendra possible à ceux qui ont connu cet homme remarquable de s'expliquer sa conduite, ses injustices et sa générosité.

NOTICES, NOTES ET VARIANTES

RÉVOLTE DANS LES ASTURIES

NOTICE

L'insurrection des mineurs asturiens, qui a commencé le 5 octobre 1934, est parfois appelée la Commune asturienne ou encore les « journées rouges » de la révolution d'Octobre. Ces événements sont généralement considérés comme la première des grandes batailles qui constitueront la guerre civile espagnole. Pendant une quinzaine de jours, les comités d'ouvriers et les mineurs grévistes — parmi lesquels furent recrutés les dynamiteurs de l'armée populaire « rouge » — occupèrent Oviedo et réussirent, fait exceptionnel étant donné ses dissensions constantes, à rassembler le mouvement ouvrier. Quoique temporaire, ce premier rassemblement de factions disparates annonça la formation du Front populaire de 1936. La répression systématique de cette insurrection d'octobre 1934 par les troupes du général López de Ochoa, renforcées par la Légion étrangère espagnole que fit appeler Franco, alors chef de l'état-major général, annonça la méthode et la brutalité sans frein qui devaient caractériser désormais bien des opérations du futur *caudillo*. À partir d'octobre 1934, la confrontation entre la gauche et la droite en Espagne se durcit au point qu'une solution politique parut impossible[1].

Moins de deux ans plus tard, cet événement et les échos qu'il produisit dans la presse internationale furent à la source d'une « création collective » à laquelle participèrent, outre Camus, Jeanne-Paule Sicard, Yves Bourgeois et Alfred Poignant. S'inspirant en partie des théories du grand metteur en scène Erwin Piscator[2], ce quatuor décida de rédiger et de monter ensemble une pièce politique.

1. Voir, entre autres, André Ribard, « Oviedo, la honte du gouvernement espagnol », *Monde*, 11 novembre 1934, p. 15-17 ; repris dans *Espagne 1934 : de la grève à la révolution ; les luttes d'octobre*, Paris, Comité mondial de lutte contre la guerre et le fascisme, s.d. [1934] ; Manuel Grossi, *L'Insurrection des Asturies*, Études et documentation internationales, 1972 ; et, surtout, Walter Langlois, « Camus et le sens de la révolte asturienne », *Albert Camus 1980. Second International Conference*, 21-23 février 1980, éd. R. Gay-Crosier, Gainesville, University Presses of Florida, 1980, p. 163-178.

2. Charles Poncet, dans « Camus à Alger » (*Simoun*, Oran, nº 32, 1960), renvoie à Piscator en parlant de l'adaptation du *Temps du mépris* dans le cadre du Théâtre du Travail. En 1929, Piscator, fondateur d'un Théâtre prolétarien, avait publié *Le Théâtre politique*,

Le Théâtre du Travail[1], compagnie fondée à Alger sous l'égide du parti communiste peu de temps auparavant, offre alors à Camus un premier cadre de réflexion et d'action pour ses projets de théâtre politique et populaire, avant son départ du P.C. et la constitution du Théâtre de l'Équipe.

Témoin de la première heure, Jeanne-Paule Sicard décrit, en 1960, les circonstances de la conception de *Révolte dans les Asturies* :

« [...] La salle où nous devions jouer la pièce, à Belcourt (et que Marguerite [Dobrenn] me dit s'être appelée la salle Cervantès), appartenait ou dépendait d'une manière quelconque de la municipalité d'Alger d'alors. La location en était faite et les répétitions s'y étaient déroulées depuis deux mois environ, quand, au dernier moment, sur intervention du personnage[2], elle nous fut retirée, la pièce étant jugée subversive. La saison était trop avancée[3], les salles adaptées trop rares pour que nous ayons pu envisager de la jouer ailleurs. Ce qui n'était encore que le Théâtre du Travail en décida donc la publication — à quelques centaines d'exemplaires. Charlot, qui cherchait à se lancer, accepta de courir l'aventure.

« Le livre avait été précédé de la distribution d'un petit " tract " vengeur [...]. L'intérêt de ce " tract " est qu'il est, à deux ou trois mots près, entièrement de Camus.

« " Essai de création collective ", *Révolte dans les Asturies* qui devait, un peu à la façon de la *commedia dell'arte*, se présenter comme un canevas sur lequel les acteurs étaient invités à broder, fut finalement rédigé par quatre d'entre nous : Camus, deux jeunes agrégés du lycée d'Alger, un d'anglais : Bourgeois, un d'allemand : Poignant, et moi-même. Le sujet, l'action, la mise en scène, le déroulement des actes furent établis par ces quatre, au cours de plusieurs séances de travail, qui eurent presque toutes lieu à la maison Fichu[4]. Au début de nos discussions, nous avions voulu écarter de l'action toute intrigue amoureuse. Nous finîmes par établir un lien entre Pépé *[sic]* et Pilar. Je ne puis, avec le temps, dire avec assez de sûreté quelle fut la part de chacun dans cette première élaboration : les discussions étaient d'ailleurs animées et enthousiastes.

« En revanche, le travail de rédaction ayant été ensuite réparti entre les quatre, je me rappelle parfaitement de quelle plume sont la plupart des scènes. Les textes de radio furent rédigés (tous ?) par Poignant ; l'interrogatoire, au début de l'acte IV, est de Bourgeois (Camus admirait beaucoup la rapidité de ce dialogue) ; la scène du conseil de ministre (quelle prédestination[5] !) est de moi. Le chœur parlé final est tout entier de Camus (entre Santiago, Sanchez, Antonio, Pépé, etc.). Je pense, mais sans pouvoir être aussi affirmative que pour ce que je viens d'énumérer, que presque tout le reste est de Camus ; sa marque apparaît nettement dans les scènes II, III de l'acte I et I, II, III de l'acte II. [...]

livre-pamphlet à grand retentissement qui fut un manifeste pour le théâtre d'agitation. Sur Piscator, Camus et *Révolte dans les Asturies*, voir aussi R. Gay-Crosier, *Les Envers d'un échec. Étude sur le théâtre d'Albert Camus*, Lettres modernes, 1967, p. 23-24 et 41-53.

  1. Voir la Notice sur le Théâtre du Travail, p. 1430.

  2. Il s'agit du maire d'Alger. Voir plus bas, p. 1209.

  3. Une note au bas de la page ajoute : « C'était peu avant les vacances de Pâques et nous avions presque tous des examens à passer au début de juin. »

  4. Sur cette maison, voir la Chronologie, année 1936, ainsi que la notule de la chanson « La Maison devant le Monde », p. 1462.

  5. Jeanne-Paule Sicard sera chef du cabinet de René Pleven, président du Conseil.

« C'est enfin dans la mise en scène, dans ce qu'elle laisse apparaître de recherche d'un " théâtre total ", comme dans le détail, qu'apparaît la griffe de Camus : la page de présentation, sans titre, est tout entière de lui, ainsi que les premières indications de mise en scène qui commencent par " Le décor entoure et presse le spectateur... " et finissent par " Dans l'idéal, le fauteuil 156 voit les choses autrement que le fauteuil 157 ". Elles constituent ses premières pages de doctrine théâtrale.

« Ai-je besoin d'ajouter qu'il était, dès ce moment, notre animateur incontesté ? que nous reconnaissions tous sa valeur ? que la participation des trois autres coauteurs de *Révolte dans les Asturies* n'a existé que dans son sillage ? [...]

« Quant au titre, il fut l'objet de discussions sans fin. Nous hésitâmes entre *La Neige* et *La Vie brève*. Nous finîmes par nous rallier à celui de *Révolte dans les Asturies* par lassitude, mais aussi sur les conseils d'un de nos professeurs (Jacques Heurgon), qui aimait entretenir avec nous des liens autres que ceux de maître à élèves et qui trouva cette appellation " très claudélienne ".

« Dans notre souvenir, *Révolte dans les Asturies* demeure comme l'expression d'un moment où Camus, qui ne cessa de s'interroger sur les manières de lutter contre la misère humaine, cherchait une formule d'art " collectiviste " et populaire en accord avec sa doctrine politique, qu'il croyait alors être le communisme — un communisme assez débarrassé de la terminologie marxiste. D'où l'expression et la tentative : " Essai de création collective " [...][1]. »

Les répétitions eurent lieu « à Belcourt dans les locaux de l'Africaine, société musicale[2] », et la représentation de la pièce fut annoncée par *La Lutte sociale* pour le 2 avril 1936. Si, malgré le caractère tendancieux de la pièce, la préfecture ne souleva aucune objection contre sa représentation, le maire d'Alger, Augustin Rozis[3], élu par une coalition des partis de droite et d'extrême droite, parvint à déguiser l'interdiction directe en refusant simplement d'accorder la salle sur laquelle les acteurs comptaient. « Nous ne feindrons pas la surprise en voyant le maire refuser une autorisation déjà accordée par le préfet, écrit Camus dans une lettre ouverte au maire, mais l'approbation de la préfecture suggère qu'il n'y a rien de subversif dans la pièce[4]. » L'action de la municipalité n'empêcha pas qu'un an plus tard, dans le cadre des activités du Théâtre du Travail, des extraits de *Révolte dans les Asturies* fussent lus à la Maison de la culture

---

1. Cette lettre, datée du 20 juin 1960 et à l'en-tête de l'Assemblée nationale, est adressée à Francine Camus. Elle accompagnait l'envoi d'un des exemplaires rarissimes de l'édition Charlot de *Révolte dans les Asturies*. La lettre originale est déposée au Fonds Camus (mais sans l'exemplaire de l'édition qu'elle accompagnait — précisons que la B.N.F. en possède un).

2. Olivier Todd, *Albert Camus. Une vie* (1996), Gallimard, coll. « Folio », p. 167. Herbert R. Lottman parle d'« un grand hangar de Belcourt appartenant à un orchestre amateur » (*Albert Camus* [1978], Le Seuil, coll. « Points Biographie », p. 116).

3. Sur Camus et Rozis voir la Notice des Articles publiés dans *Alger républicain* et dans *Le Soir républicain*. C'est Camus qui laisse penser que Rozis fut à l'origine de l'interdiction de la pièce, alors même qu'il suffisait au maire de ne pas accorder le droit d'utiliser la salle Cervantès : « Pièce interdite par municipalité. Votre idée était bonne, J. S. Mais Rosis *dixit*. D'où travail pour votre serviteur. Lettres de protestation aux quotidiens (style polémiste ..... l'hospitalité de vos colonnes ... il serait puéril de croire .... intérêts communs — les intérêts de l'art et de la bienfaisance) » (lettre inédite à Jeanne-Paule Sicard, coll. part.).

4. Cité dans H. R. Lottman, *Albert Camus*, p. 117.

d'Alger sous le titre « Espagne 34, chœur parlé »[1]. Mais la pièce ne fut jamais jouée.

Dans ses œuvres théâtrales, Camus ne reprit plus jamais la formule dramatique d'une « création collective[2] » visant à une orchestration démonstrative de l'actualité politique. Mais en 1948, il y reviendra indirectement, et en la modifiant cependant, lorsqu'il collaborera avec Jean-Louis Barrault à la création de *L'État de siège*[3].

JACQUELINE LÉVI-VALENSI et RAYMOND GAY-CROSIER.

NOTE SUR LE TEXTE

Révolte dans les Asturies a été publié, à 500 exemplaires, par les soins d'Edmond Charlot (édition dite « édition E. C. »), et sans nom d'auteur. L'édition n'est pas non plus datée, mais on sait qu'elle parut en 1936, « À Alger. Pour les amis du Théâtre du Travail ». C'est ce texte que nous reproduisons. Un exemplaire qui se trouve à la Bibliothèque nationale de France porte une dédicace de la main de Camus : « À notre ami Perero. Les auteurs. »

Le texte ne sera jamais republié du vivant de Camus, mais en 1968 dans *L'Avant-scène. Théâtre*, nᵒ 413-414 (1er-15 novembre), au côté de *L'État de siège*.

Il n'existe qu'une dactylographie[4] de la pièce, conservée dans le Fonds Camus de la Bibliothèque Méjanes (Aix-en-Provence), libre de correction autographe et sans doute établie bien après 1936, qui reproduit le texte publié. Un manuscrit partiel, probablement de la main de Camus, a été détruit selon le témoignage d'un coauteur rapporté par H. R. Lottman : « Après la publication de *Révolte dans les Asturies*, Yves Bourgeois mit la main sur un manuscrit qui comprenait la majeure partie de la pièce et n'était rédigé que d'une seule et même écriture (vraisemblablement celle de Camus). Mais, pendant la Seconde Guerre mondiale, alors que Bourgeois se trouvait loin de chez lui et qu'une campagne antisubversive faisait rage en Algérie, sa femme jugea plus prudent de brûler une bonne partie des papiers de son mari, dont le manuscrit original de *Révolte dans les Asturies*[5]. »

Jamais représentée sur scène, la pièce a connu une sorte de « première » radiophonique diffusée par Radio Berne le 8 avril 1965 dans une version allemande dont le texte a été établi par nos soins.

R. G.-C.

---

1. Voir n. 4, p. 26 (acte IV). Et la Notice sur le Théâtre du Travail, p. 1433.
2. À Claude de Fréminville, qui s'interrogeait sur « la coquetterie de l'anonymat » qu'affichait l'édition Charlot en publiant la pièce sans nom d'auteurs, Camus répondit : « Quelle coquetterie ? Nous nous sommes mis à plusieurs pour écrire *Révolte dans les Asturies*. (Un silence.) Après tout il serait peut-être temps de revenir à la supériorité de l'œuvre sur l'artisan » (C. de Fréminville, « Camus », *Simoun*, Oran, nᵒ 31, 1960, p. 55).
3. T. II de la présente édition, p. 289. Voir, ici, la Note sur le texte.
4. De 36 feuillets (cote : CMS2.Ab5-04.01).
5. H. R. Lottman, *Albert Camus*, p. 119.

NOTES

Acte II.

1. Les indications concernant les bons de travail et l'assaut de la caserne sont visiblement tirées de l'article d'André Ribard, dans *Monde* (voir la Notice, p. 1207, n. 1 en bas de page), qui reproduit un de ces « bons » et précise : « Pour forcer ces murs inexpugnables qui ont résisté à huit jours de siège, les mineurs décident de charger un camion de dynamite. Un homme au volant pour le conduire jusqu'au pied de la muraille et un second qui allumera sa charge d'explosif. / Deux volontaires, deux volontaires de la mort sans aucune chance de salut. On va tirer au sort parmi ceux qui se présentent, lorsque les troupes de renfort surgissent et attaquent les mineurs. » La pièce reprend les faits : on entendra une explosion à la scène suivante, et Santiago soulignera que Ruiz et Léon, désignés par le sort, sont morts ; ils feront entendre leurs voix parmi celles des hommes tués, à la dernière scène (voir p. 26-27). De même, l'allusion au fait que les mineurs veillent à ce qu'il n'y ait pas de pillage figure dans le reportage d'A. Ribard.

Acte III.

1. Lluis Companys i Jover, réfugié en France après la guerre civile, devait être livré à Franco par le gouvernement de Vichy en 1940. Camus le rappellera à plusieurs reprises : voir l'éditorial du 7-8 janvier 1945 de *Combat* (voir les Articles publiés dans *Combat*, t. II de la présente édition, p. 594), et « Pourquoi l'Espagne ? », article du 25 novembre 1948, repris dans *Actuelles* (voir *ibid.*, p. 485).

Acte IV.

1. Cet acte ne comporte pas de division en scènes : oubli (la division aurait été facile et logique) — ou volonté délibérée des auteurs ?
2. Ce détail est sans doute emprunté à un article signé Alvarez, publié dans le numéro spécial de *Monde*, déjà cité (voir n. 1 de la scène 1 de l'acte II, p. 12).
3. Ce « journaliste étranger » désigne certainement un collaborateur de *Monde*, Octave Rabaté, emprisonné à Madrid, dont le journal publie une lettre.
4. Ce « chœur parlé » est dû à Camus, selon J.-P. Sicard (voir la Notice, p. 1208 et 1210) ; l'attribution ne fait aucun doute : non seulement parce que le procédé rappelle « Les Voix du quartier pauvre » (voir par exemple la « voix de la vieille femme malade », Appendices de *L'Envers et l'Endroit*, p. 83), que le style et le ton évoquent ce texte ou même certains passages de *L'Envers et l'Endroit* (voir par exemple « L'Ironie », p. 39), mais aussi parce que c'est ce passage que le Théâtre du Travail a lu, sous le titre « Espagne 1934, chœur parlé », dans les entractes de projections cinématographiques sur la guerre civile.

L'ENVERS ET L'ENDROIT

NOTICE

Les cinq essais de *L'Envers et l'Endroit* paraissent en 1937, chez le libraire et ami de Camus Edmond Charlot, dans la collection « Méditerranéennes », où l'on trouve également les signatures de plusieurs camarades de Camus au lycée et à l'université, ainsi que celle de leur maître, Jean Grenier[1].

Il s'agit du premier ouvrage publié et signé par Camus seul. Et à cette date, celui-ci est parvenu à un certain aboutissement dans son travail d'écriture. Si le jeune étudiant a forgé sa plume dans des articles de critique littéraire ou picturale, dans des articles et dans des textes lyriques[2], des projets de textes des années précédentes permettent de voir à quel point son regard s'est tourné vers le réel le plus immédiat, celui du « quartier pauvre », selon la désignation qu'il adopte fréquemment et qui marque sa volonté de dépasser la référence spécifique à Belcourt, le quartier populaire d'Alger où il a passé son enfance, pour viser — déjà — une réalité plus large, mise sous le signe essentiel de la pauvreté. Entre 1933 et 1936, la formule « le quartier pauvre », parfois réduite à ses initiales ou au seul substantif, apparaît dans de nombreux brouillons où, entre essai et narration, Camus cherche une écriture à la fois réaliste et symbolique pour dire un mode de vie, un type de personnages et de relations, un langage.

Le projet est mené assez loin pour qu'en décembre 1934, il offre à sa femme Simone Hié le manuscrit des « Voix du quartier pauvre », qui constitue la matrice de *L'Envers et l'Endroit* puisque le contenu de trois des quatre « voix », ou récits, y sera repris[3]. On trouve aussi dans *L'Envers et l'Endroit* la trace de diverses autres pages de la nébuleuse des écrits du « quartier pauvre » qui, entre 1933 et 1936, témoignent de cette recherche. Camus rédige d'amples fragments dans un cahier à la couverture de moleskine noire, jette des esquisses et des plans sur des feuilles volantes, dactylographie quelques pages de manuscrits ; à partir

---

1. « Il faut dire, dans ce temps-là, écrit Emmanuel Roblès en 1960, nous étions des " Méditerranéens " conscients, presque militants et assez bien organisés autour d'Edmond Charlot qui engloutissait ses maigres bénéfices de libraire dans l'édition de cahiers, de brochures […]. Charlot publia donc cette charmante série de " Méditerranéennes " où parurent *L'Envers et l'Endroit*, de Camus ; *Santa Cruz*, de Jean Grenier ; *L'Annonciation à la Licorne*, de René-Jean Clot ; *À la vue de la Méditerranée*, de Claude de Fréminville ; *Amour d'Alger*, de Gabriel Audisio, celui-ci faisant figure de maître en la matière puisqu'il avait déjà publié chez Gallimard *Jeunesse de la Méditerranée* et *Sel de la mer*, deux livres qui comptaient pour nous » (E. Roblès, « Jeunesse d'Albert Camus », *Hommage à Albert Camus. 1913-1960*, *La Nouvelle Revue française*, VII, n° 87, 1ᵉʳ mars 1960, p. 413). *L'Envers et l'Endroit* est le deuxième de neuf ouvrages qui paraissent dans la collection « Méditerranéennes » entre 1936 et 1938.

2. Voir, dans les Écrits posthumes, les Premiers écrits, p. 941-997.

3. Voir plus bas, p. 1214-1215.

de mai 1935, il consigne des notes dans ses cahiers (que l'on appellera *Carnets* et que nous reproduisons dans la présente édition). Il ne cesse de reprendre ces fragments dans des projets entremêlés les uns aux autres. De cette nébuleuse émergent « Le Courage » (datant vraisemblablement de 1933), « L'Hôpital du quartier pauvre » (1933), « Les Voix du quartier pauvre » déjà citées, sans oublier une ébauche de roman que nous avons intitulée « Louis Raingeard », du nom du personnage qui fait le lien entre des fragments divers (ébauche travaillée entre 1934 et 1936)[1].

Ces tâtonnements permettent à Camus de définir de plus en plus précisément ce qu'il veut que soit son œuvre. En mai 1935, il écrit ainsi dans la première page des *Carnets* : « À mauvaise conscience, aveu nécessaire. L'œuvre est un aveu, il me faut témoigner. Je n'ai qu'une chose à dire, à bien voir. C'est dans cette vie de pauvreté, parmi ces gens humbles ou vaniteux, que j'ai le plus sûrement touché ce qui me paraît le sens vrai de la vie. Les œuvres d'art n'y suffiront jamais. L'art n'est pas tout pour moi. Que du moins ce soit un moyen[2]. » L'art (sans la majuscule que les textes antérieurs de Camus lui affectaient souvent[3]) est donc mis au service de l'aveu, certes, mais surtout du témoignage ; pour celui qui pense avoir trahi le monde de son enfance, il ne s'agit pas tant de satisfaire sa conscience que de trouver le moyen d'expression adéquat pour une découverte récente : loin d'être déshumanisante, la pauvreté met au contact de l'essentiel.

L'Envers et l'Endroit, cependant, va bien au-delà du témoignage sur le « quartier pauvre » : pris en charge par un « je » qui médite sur ce qu'il rapporte, les cinq essais posent la question du « sens vrai de la vie », en tentant de définir un rapport complexe au monde, aux autres, à la vie, au temps, à la mort. En même temps qu'il se projette dans le personnage fictif du Mersault de *La Mort heureuse*[4], Camus tisse les essais avec son vécu : « Amour de vivre » recueille une impression marquante du voyage aux Baléares tandis que « La Mort dans l'âme » se construit sur la double expérience de déréliction et d'extase du voyage à Prague et en Italie. Surtout, il inscrit au cœur d'« Entre oui et non » la scène qu'il sait désormais être fondatrice de sa sensibilité, celle où l'enfant qu'il fut a découvert l'irrémédiable étrangeté de sa mère silencieuse. Or, parmi les écrits du « quartier pauvre », et plus précisément dans des pages (dont certaines arrachées au cahier de moleskine noire) où il a noté des éléments pour « Louis Raingeard », on trouve le projet de trois titres de chapitres : « La Mère et le Fils », « Le Quartier pauvre », « Notre royaume est de ce monde[5] » ; cette dernière phrase sera au centre du dernier essai du recueil, « L'Envers et l'Endroit[6] ». Depuis plusieurs mois, donc, Camus cherchait à relier ces sources diverses : l'élucidation du rapport à la mère, le témoignage sur le « quartier pauvre », la méditation à la fois existentielle et métaphysique sur la vie et la mort. Ce n'est pas le roman mais le recueil d'essais qui lui permet d'atteindre son but.

1. Voir les Appendices, p. 86. — Sur « Le Courage », voir la notule du Projet de préface, p. 1223.
2. *Carnets 1935-1948*, t. II de la présente édition, p. 795.
3. Voir par exemple « L'Art dans la Communion » (Premiers écrits), p. 960.
4. Ce roman resté à l'état de projet semble avoir été commencé en 1936 (voir la Notice sur *La Mort heureuse*, p. 1446).
5. Voir la notule de « Louis Raingeard », p. 1225.
6. Voir p. 71.

En mai 1937, c'est-à-dire au moment où *L'Envers et l'Endroit* est sur le point de paraître, Camus recopie dans ses *Carnets* un projet de préface : « Pour ceux qui prendront ces pages pour ce qu'elles sont vraiment : des essais, la seule chose qu'on puisse leur demander, c'est d'en suivre la progression[1]. » Un texte bien antérieur donnait déjà une clé fondamentale sur cette « démarche sourde » ; il s'agit d'une page accompagnant « Le Courage » où Camus esquissait une sorte de préface à un futur recueil d'essais, et que nous avons reproduite en appendice[2]. Ce qui allait devenir le titre du recueil de 1937 était donc latent depuis longtemps, et l'expérience de ces quatre années n'avait fait que renforcer l'intuition de Camus sur sa position essentielle par rapport à « l'envers et l'endroit » (non seulement de la vie et du monde, mais aussi de soi-même) : non pas chercher une voie médiane ni prendre le parti de l'un ou l'autre extrême, mais arriver à la conscience la plus aiguë possible de l'un et de l'autre, et les accepter en tant que tels, comme aussi indissociables que le recto et le verso d'une page. Loin d'un quelconque juste milieu, Camus choisit — déjà et pour longtemps — de vivre intensément et jusqu'au bout la tension entre des pôles contradictoires ; en mai 1936, il note : « S'engager à fond. Ensuite, accepter avec une force égale le oui et le non[3] » ; les titres des différents essais, on le voit, s'élaborent peu à peu.

Camus songe d'abord à mettre en œuvre cette tension par un schéma d'alternance ; en marge d'un plan de travail dans le cahier de moleskine, il note : « Mettre en présence désespoir secret et amour de la vie. Ne jamais le dire. Alterner les chapitres. Vie triomphante et arrière-plan d'âmes brisées. Deux mondes, deux vies qui s'opposent. » Le résultat est plus complexe : organisant les textes qu'il reprend des tentatives antérieures identifiées plus haut et ceux qu'il écrit pour le recueil, il instaure une progression et une circularité, tout en mettant en évidence la coexistence des contraires (or celle-ci sous-tend les jeux de l'ironie, cette même ironie qu'il a voulu mettre en exergue et à l'ouverture et à la clôture[4] de son recueil). Si l'on s'en tient aux titres, la coexistence des contraires fonde l'organisation du deuxième et cinquième essais (« Entre oui et non » et « L'Envers et l'Endroit ») et elle joue entre le troisième et le quatrième (« La Mort dans l'âme » / « Amour de vivre ») ; de plus elle informe également « La Mort dans l'âme », composé de deux récits antithétiques du séjour à Prague et du séjour à Vicence. La progression est celle d'une conscience qui se situe de plus en plus clairement par rapport au monde et à elle-même ; la reprise du titre du recueil pour le dernier essai indique que celui-ci apporte des réponses aux questions posées par l'ensemble.

« L'Ironie » juxtapose trois récits : les deux premiers viennent des « Voix du quartier pauvre » (la quatrième et la deuxième « voix ») ; le troisième du « Courage ». Tous trois mettent en scène des êtres confrontés à l'indifférence et à l'incompréhension de leur entourage qui les laisse seuls face à leur mort ; autour d'eux, le « quartier pauvre » prend forme,

---

1. *Carnets*, p. 815.
2. Voir le Projet de préface, p. 73.
3. *Carnets*, p. 808.
4. « Si j'écoute l'ironie, tapie au fond des choses, elle se découvre lentement », lit-on p. 71.

avec ses modes de vie, ses lieux de rencontre, ses phrases toutes faites, et cette pauvreté accentue la solitude. Le titre « L'Ironie » s'éclaire à la lecture du Projet de préface : « Si vous voyez un sourire sur les lèvres désespérées d'un homme, comment séparer celui-ci de celles-là ? Ici l'ironie prend une valeur métaphysique sous le masque de la contradiction. Mais c'est une métaphysique en acte[1]. » L'ironie, ici, est positive : elle est à la fois conscience du monde et de soi-même, et exercice de détachement qui permet de faire surgir le scandale et l'absurde. Le « je » jette un regard lucide sur le malheur humain et sur l'inéluctabilité de la mort ; et à la fin, il constate, anonyme et presque cynique, que « ça ne se concilie pas[2] » avec la beauté du monde, dont l'évidence s'impose lors de l'enterrement, à la fin du troisième récit. Portée par cette présence discrète de l'auteur, la méditation philosophique vient ainsi envelopper les récits qui, eux, témoignent sur le « quartier pauvre ».

« Entre oui et non » reprend, en le remaniant beaucoup, la première des « Voix du quartier pauvre », celle de « la femme qui ne pensait pas[3] » ; Camus lui adjoint d'autres fragments du « quartier pauvre » ainsi que des pages plus récentes, comme en témoigne leur première apparition sous forme de notes dans les *Carnets* en mars et avril 1936[4]. Pour ce deuxième essai, il a songé un temps au titre « Intervalle » ; et, si l'on veut bien gloser ce titre abandonné, le texte, loin d'introduire une tension « entre oui et non », dessine en effet l'espace d'une halte sereine au sein du recueil : « Puisque cette heure est comme un intervalle entre oui et non, je laisse pour d'autres heures l'espoir ou le dégoût de vivre. Oui, recueillir seulement la transparence et la simplicité des paradis perdus : dans une image[5]. » L'essai tisse ensemble la méditation générale, la description du moment présent dans un café maure et le récit de moments clés du passé, tous centrés sur le rapport essentiel du fils à sa mère étrange, silencieuse, indifférente. Mais si la méditation est prise en charge par le « je », les récits insérés sont presque tous mis à distance à la troisième personne (« un enfant », un « fils[6] »), comme si Camus contenait la charge affective de ces évocations, même s'il laisse passer cette phrase qui, de n'être pas même une exclamation, n'en est que plus lyrique : « Ma mère, ce soir, et son étrange indifférence[7]. » Et cette indifférence de la mère est pour la première fois reliée à celle du monde[8] ; on les retrouvera à la fin de *L'Étranger*. Si les écrits du quartier pauvre sont une matrice de l'œuvre future, « Entre oui et non » l'est plus encore que les autres essais de *L'Envers et l'Endroit* ; ce dont se souvient le « je », ce sont les expériences d'une communion éblouie avec la nature, de l'étrangeté entre sa mère et lui, et surtout de « l'absurde simplicité du monde[9] » : *Noces, L'Étranger*

1. P. 73.
2. P. 46.
3. P. 75.
4. Voir n. 3, p. 52 (« Entre oui et non »).
5. P. 52.
6. P. 48 et 52.
7. P. 52.
8. Voir p. 48 (« [...] le monde soupire vers moi dans un rythme long et m'apporte l'indifférence ») et 50 (« L'indifférence de cette mère étrange ! »).
9. P. 53. La note de travail que nous citions plus haut (p. 1214) se poursuivait ainsi : « Les [le désespoir secret et l'amour de la vie] unir et les concilier dans l'Absurde. Avec mer et soleil magnifique au-delà. Absurde. Absurde. »

et *Le Mythe de Sisyphe* sont là en germe et, au-delà, *Le Premier Homme*[1] qui conférera à ces scènes une tout autre ampleur. Dans le tissage du présent et du passé, l'être embrasse un vaste pan de son itinéraire spirituel. À la fin d'« Entre oui et non », ce que Camus pose clairement pour la suite, c'est l'exigence de lucidité, qui est toujours lucidité face à la mort ; le condamné à mort apparaît ainsi pour la première fois sous sa plume[2].

« La Mort dans l'âme » est directement lié au voyage de Camus en Europe au cours de l'été 1936[3] (la transposition littéraire est donc presque immédiate). L'ordre chronologique aurait imposé de le mettre après « Amour de vivre » qui concerne le voyage aux Baléares de 1935 ; mais Camus n'écrit pas une autobiographie, il progresse dans sa méditation sur « le sens vrai de la vie ». Structuré linéairement, puisque le narrateur suit l'ordre du voyage et relate d'abord sa déréliction à Prague, puis sa communion extatique avec le monde en Italie, ce troisième essai, le plus long du recueil dont il est le pivot, est le récit d'un voyage initiatique où vient s'illustrer parfaitement le titre *L'Envers et l'Endroit*[4]. En conclusion, Camus, clairement identifié au narrateur, tire la leçon des deux expériences : non seulement elles sont profondément liées, mais il est aussi attaché à l'une qu'à l'autre et il se refuse à choisir entre l'envers et l'endroit de la vie. Cela revient pour lui à entériner l'absence de toute « promesse d'immortalité[5] » au moment même où il laisse éclater son amour de la vie. On comprend mieux dès lors le titre : « La Mort dans l'âme » ; si l'expression a bien son sens courant, elle est à prendre au pied de la lettre pour la partie praguoise du voyage : l'être se sait et s'accepte habité par la mort, avec laquelle la vie ne fait qu'« un bloc[6] ». Comme « Entre oui et non », « La Mort dans l'âme » met en place des thèmes et des symboles qui essaimeront dans toute l'œuvre[7]. Camus s'y essaie, en outre, à un mode de narration à la première personne qu'il n'oubliera pas. Dans les deux précédents essais, le « je » central était celui de l'essayiste qui organisait les différents noyaux narratifs et la méditation qui

---

1. Tome IV de la présente édition, à paraître.
2. Voir p. 54.
3. En juillet 1936, Camus entreprend avec sa femme et un ami, Yves Bourgeois, un voyage en Europe centrale (Allemagne, Autriche, Tchécoslovaquie). À cause de sa santé, Camus est forcé d'abréger son voyage et il revient seul par Vicence et Gênes (voir Olivier Todd, *Albert Camus. Une vie* [1996], Gallimard, coll. « Folio », p. 148-160). « C'est la première fois que Camus s'éloigne de la Méditerranée. [...] c'est au cours de ce voyage que sa femme et lui se séparent. À Prague, notamment, Camus est très malheureux ; il fait une expérience douloureuse de l'abandon, de la solitude, de l'étrangeté ; en un mot, de l'exil. Dans sa mémoire, sa vie, sa pensée et son imaginaire, l'Europe gardera pour toujours ces couleurs sombres » (Jacqueline Lévi-Valensi, « "Terre faite à mon âme" : pour une mythologie du réel », *Albert Camus : parcours méditerranéens*, Actes du colloque de Jérusalem, novembre 1997, *Perspectives*, n° 5, 1998, p. 185).
4. On pourrait appliquer à « La Mort dans l'âme » ce que Camus dira en 1942 de *L'Étranger* : « Le sens du livre tient exactement dans le parallélisme entre les deux parties » (*Carnets*, p. 951).
5. P. 62.
6. P. 63.
7. Dans *La Mort heureuse*, Mersault vivra lui aussi à Prague une expérience négative (voir IIᵉ partie, chap. I, p. 1138) ; cette pièce si sombre qu'est *Le Malentendu*, se déroule en Tchécoslovaquie ; et, à l'autre bout de l'œuvre, dans *La Chute*, Amsterdam aura plus d'une ressemblance avec la Prague de notre recueil. Quant à l'expérience existentielle, Meursault, dans *L'Étranger*, ressentira la même étrangeté au monde que le narrateur de « La Mort dans l'âme ».

en découlait ; ici, le « je » est celui d'un narrateur-personnage qui raconte au plus près une expérience vitale ; ce sera le « je » de *L'Étranger*. Dans « La Mort dans l'âme », enfin, Camus trouve les voies d'un réalisme symbolique qui restera une marque durable de son écriture.

« Amour de vivre » est inspiré par le voyage aux Baléares de l'été 1935[1] ; il entretient aussi des rapports étroits avec la conférence sur la culture méditerranéenne que Camus prononce le 8 février 1937 pour l'inauguration de la Maison de la culture d'Alger[2]. L'essai ne consiste pas en un récit de voyage, mais en une méditation à partir d'une série d'images qui l'ont frappé pendant le voyage et que l'essai constitue en symboles. D'une manière parfois paradoxale, le « je », là encore clairement identifié à Camus, creuse son « amour de vivre » — ce qui n'est pas la même chose que l'« amour de la vie » — et sa capacité à tout embrasser dans cet amour[3]. Ainsi la progression du recueil se poursuit-elle ; c'est la conclusion de « Amour de vivre » qui propose une formule décisive pour *L'Envers et l'Endroit* — sur laquelle Camus reviendra dans sa Préface : « Il n'y a pas d'amour de vivre sans désespoir de vivre[4]. »

« L'Envers et l'Endroit » est l'essai le plus hybride du recueil. L'essentiel de la méditation qui le compose vient d'un long développement, très écrit, que l'on trouve dans les *Carnets* sous la mention « janvier 1936 » (p. 798-800) ; mais ces pages elles-mêmes doivent beaucoup à certains passages de « Louis Raingeard ». D'autres réflexions proviennent des *Carnets* en date de mars (p. 802 et p. 803). Quant à l'histoire de la femme qui s'achète un tombeau, elle avait une existence autonome et pouvait, selon le témoignage de Jean de Maisonseul[5], être rattachée aux écrits du « quartier pauvre ».

Ce récit initial (la femme qui prépare son tombeau) s'articule mal, certes, avec la méditation très dense qui le suit, où le narrateur coïncide avec le monde et avec lui-même ; mais l'un et l'autre sont des variations sur le rapport à la vie et à la mort. La méditation propose quelques formules clés d'une sagesse que Camus ne fera plus ensuite qu'affirmer : « tout mon royaume est de ce monde » ; « L'éternité est là, et moi je l'espérais[6] ». Elle lui permet de réaffirmer en conclusion de l'essai — et du recueil — l'exigence de vérité, de lucidité et de courage, dont il pose l'ironie comme une modalité nécessaire à qui ne veut pas choisir entre l'envers et l'endroit, tout en les ayant explorés au plus loin. Ainsi l'itinéraire philosophique, et même métaphysique, que parcourt le recueil prend-il en s'achevant une dimension morale, où s'affirme également la nécessité d'aimer les hommes. Camus parachève l'unité du recueil : la notion qui présidait au premier essai se trouve ici lestée d'un contenu primordial ; vingt ans plus tard, elle sera le ressort essentiel de *La Chute*. Le texte, enfin, réitère la réponse à la question contenue

---

1. Camus part aux Baléares pour y rejoindre sa femme. Il ne semble avoir pensé écrire sur ce premier voyage que quelques mois plus tard ; voir les *Carnets*, p. 800.
2. Voir les Articles, préfaces, conférences, p. 565.
3. À cet égard, il faut souligner l'influence de Montherlant ; dans *Aux fontaines du désir* (1927) ou dans *La Petite Infante de Castille* (1929), celui-ci évoque le désir sans remède, son amour de la vie et sa fascination de la mort. (Voir *Noces*, « Le Désert », n. 7, p. 130).
4. P. 67. Voir la Préface, p. 36.
5. Lettre adressée à Jacqueline Lévi-Valensi.
6. P. 71.

dans son titre : « Entre cet endroit et cet envers du monde, je ne veux pas choisir, je n'aime pas qu'on choisisse[1] » ; *Le Premier Homme* ne dira pas autre chose.

Camus dédie sa première œuvre personnelle à Jean Grenier, son professeur de philosophie au lycée, et autour duquel lui et ses camarades faisaient cercle. Alors qu'il avait dix-sept ans, Jean Grenier lui prêta *La Douleur* d'André de Richaud : « [...] je n'ai jamais oublié son beau livre, qui fut le premier à me parler de ce que je connaissais : une mère, la pauvreté, de beaux soirs dans le ciel. [...] Je venais d'apprendre que les livres ne versaient pas seulement l'oubli et la distraction. Mes silences têtus, ces souffrances vagues et souveraines, le monde singulier qui m'entourait, la noblesse des miens, leur misère, mes secrets enfin, tout cela pouvait donc se dire[2] ! » À cette sorte d'autorisation de parler de soi quand on écrit, Jean Grenier a ajouté, deux ans plus tard, en publiant *Les Îles* (1933), quelques leçons essentielles pour Camus ; la manière dont il lie la beauté et la mort sera décisive pour *L'Envers et l'Endroit* : « Les transports, les instants du oui, que nous [Camus et ses amis] avions vécus obscurément, et qui ont inspiré quelques-unes des plus belles pages des *Îles*, Grenier nous rappelait en même temps leur goût impérissable et leur fugacité. » Et Camus ajoute : « À l'époque où je découvris *Les Îles*, je voulais écrire, je crois. Mais je n'ai vraiment décidé de le faire qu'après cette lecture[3]. »

« Voulez-vous m'autoriser à vous dédier mon petit recueil d'essais ? J'en connais les défauts — mais je le publie parce que je crois que c'est devenu nécessaire », écrit-il à son maître à penser en 1937[4]. Il fait preuve de la même humilité auprès de son ami Jean de Maisonseul, le 8 juillet 1937[5], dans une lettre qui renseigne, d'une part, sur la réception de cet ouvrage, dont Camus « fut déçu[6] » — et, d'autre part, sur ce que représentait pour lui *L'Envers et l'Endroit* ; inabouti en tant qu'œuvre d'art, le recueil lui semble contenir l'essentiel de ce qu'il a à dire, pour le présent et pour l'avenir.

Quelque vingt ans plus tard, il le réaffirmera dans la Préface à la réédition, préface méditée pendant de longues années : « Mais sur la vie elle-même, je n'en sais pas plus que ce qui est dit, avec gaucherie, dans *L'Envers et l'Endroit*. » Situant cette première œuvre au plus près de son « propre centre », cette Préface définit des éléments de ce que l'on pourrait en quelque sorte appeler « l'art poétique » de Camus. « Si, malgré tant d'efforts pour édifier un langage et faire vivre des mythes, je ne parviens pas un jour à réécrire *L'Envers et l'Endroit*, je ne serai jamais parvenu à rien, voilà ma conviction obscure », écrit-il alors qu'en 1958 il a derrière lui quelques-unes de ses œuvres majeures. Sans doute *Le Premier Homme* sera-t-il une tentative de cette réécriture, à partir de laquelle, peut-être,

---

1. *Ibid.*
2. « Rencontres avec André Gide », *Hommage à André Gide*, N.R.F., novembre 1951.
3. Préface de la réédition (1959) des *Îles* de Jean Grenier, Gallimard, coll. « L'Imaginaire », p. 13.
4. Albert Camus-Jean Grenier, *Correspondance*, Gallimard, 1981, p. 28. — Voir aussi le projet de préface pour le recueil dans les *Carnets*, p. 815.
5. Voir la lettre à Jean de Maisonseul reproduite en appendice, p. 97-98.
6. Herbert R. Lottman, *Albert Camus* (1978), Le Seuil, coll. « Points Biographie », p. 152.

Camus aurait cessé de dire : « [...] mon œuvre n'est même pas commencée[1]. »

JACQUELINE LÉVI-VALENSI et SAMANTHA NOVELLO.

NOTE SUR LE TEXTE

L'Envers et l'Endroit a été publié la première fois en 1937 (l'achevé d'imprimer est de mai) à Alger, chez Edmond Charlot, dans la collection « Méditerranéennes » (sigle : *orig.*). Le recueil sera réédité en 1958 (mais Camus a peu corrigé son texte), aux Éditions Gallimard (collection « Les Essais », nº LXXXVIII ; achevé d'imprimer : 5 mars), augmenté d'une préface. C'est ce texte que nous donnons (sigle : *1958*).

Dans le Fonds Camus n'est conservé aucun avant-texte (manuscrit ou dactylogramme) qui correspondrait au texte complet tel qu'il aurait été donné pour l'impression en 1937. On trouvera un descriptif des principaux avant-textes de *L'Envers et l'Endroit* dans la notule de la préface et de chacun des cinq essais.

J. L.-V. et S. N.

NOTES ET VARIANTES

Préface.

Dans le Fonds Camus sont conservés deux dactylogrammes, chacun en plusieurs exemplaires. Le premier (sigle : *dactyl. corr.*) contient des corrections manuscrites parfois différentes sur chacun de ses trois exemplaires ; il est signé (« A. C. ») et daté (« 1954 »).

a. ne m'a pas [inspiré *biffé*] enseigné le ressentiment, mais [une certaine qualité d'amour qui a coloré, jusqu'à mes révoltes. *biffé*] la fidélité, ou la tendresse muette, non ce qui sépare enfin, mais ce qui réunit. Et s'il m'est arrivé *dactyl. corr.* ◆◆ *b.* exercice. Ceux qui, parfois, m'ont accusé d'être un solitaire ne savaient pas ce qu'ils disaient. Si la solitude *dactyl. corr.* ◆◆ *c.* parfois... Après tout, ce qu'elles essaient de contenir était aussi trop mouvant. Le jour où [...] je dis, entre l'être et le langage, ce jour-là *dactyl. corr.* ◆◆ *d.* publication ? C'est qu'il est un temps dans la vie d'un artiste où il doit faire le point, ne pas céder à l'enlisement qui guette tout aventurier, se rapprocher de son propre centre d'abord, pour *dactyl. corr.*

L'IRONIE

La première partie de cet essai (jusqu'à « ... dans le noir." », p. 41) reprend la quatrième « voix » des « Voix du quartier pauvre » (« Puis c'est

---

[1]. P. 36 et 38.

la voix de la vieille femme malade », reproduit en appendice p. 83). On trouve dans le Fonds Camus deux dactylogrammes de cette « voix » ; un double carbone de l'un d'eux comporte des corrections manuscrites prises en compte dans *orig.*

La deuxième partie (depuis « Ce vieillard triomphait… » jusqu'à « … Tout était dit. », p. 41-44) reprend la deuxième « voix » (« Puis c'est la voix de l'homme qui était né pour mourir », p. 78). De cette « voix » il existe deux dactylogrammes datant peut-être d'époques différentes ; parmi les doubles du dactylogramme qui semble le plus récent, certains portent des corrections manuscrites.

La troisième et dernière partie (depuis « Ils vivaient à cinq… » jusqu'à « La belle vérité. », p. 44-46) est reprise du fragment manuscrit du « Courage » (voir la notule du Projet de préface, p. 1223). L'un des dactylogrammes de ce texte comporte des corrections et un ajout manuscrits, lequel ajout correspond à la suite et fin du texte (de « Une femme qu'on abandonne… » à « … les os. », p. 46).

1. En introduisant une première personne qui ne se trouvait pas dans le texte de la quatrième des « Voix du quartier pauvre » (dont ce début est la reprise), Camus insère les trois récits de L'Ironie dans l'itinéraire spirituel du « je » qui prend à son compte les réflexions des essais — et qui est souvent, aussi, protagoniste dans les microrécits qui constituent ou parsèment les essais.

2. Camus retourne ironiquement une pensée de Pascal : « Misère de l'homme sans Dieu » (Le Guern, n° 4).

3. Le chrétien doit « se reposer en Dieu », c'est-à-dire s'abandonner à Lui et à Sa volonté en toute confiance (voir *L'Imitation de Jésus-Christ*, livre III, chap. xxi). Là encore, Camus retourne la formule. Voir aussi 15 lignes plus loin : « la seule certitude en laquelle elle eût pu reposer » (et qui est une présence humaine) ; la forme active « reposer en » a ici la même valeur que la forme pronominale, avec la connotation mortuaire que le verbe acquiert quand il est pris intransitivement (« qu'il repose en paix »).

4. Selon le témoignage de Lucien Camus, rapporté par Roger Quilliot, l'expression « avoir la lune » aurait été employée par la propre mère de Camus (voir *Pléiade Essais*, p. 1176).

5. Camus enfant a vécu dans la même structure familiale, avec sa grand-mère, sa mère, son oncle et son frère. C'est dans une famille analogue que vit Jacques Cormery dans *Le Premier Homme* ; la grand-mère est la même « droite dans sa robe noire, la bouche ferme, les yeux clairs et sévères » (Gallimard, coll. « Folio », p. 65).

6. Voir les *Carnets*, p. 802.

ENTRE OUI ET NON

Cet essai reprend la première « voix » des « Voix du quartier pauvre » (« C'est d'abord la voix de la femme qui ne pensait pas. », Appendices, p. 75), approximativement jusqu'à la page 50. On dispose, pour cette « voix », de divers états dactylographiés (sigle : *dactyl. H*) — sans doute à partir du manuscrit offert à Simone Hié (sigle : *ms. H*) —, dont certains portent des corrections manuscrites (sigle : *dactyl. H corr.*)

Il existe, pour cet essai, divers feuillets manuscrits (sigle : *ms.*), mais surtout un manuscrit contenu dans le cahier noir en moleskine. Il existe aussi deux dactylogrammes : l'un incomplet (sigle : *dactyl.*), l'autre complet et portant des corrections manuscrites (sigle : *dactyl. corr.*).

a. mauresque   *ms.* H, *dactyl.*, *dactyl. corr.*, *orig.* ◆◆ *b.* lui. Et au bord des pierres froides il n'y aura ni interrogation, ni réponse : un silence définitif. / La mère   *dactyl.* H ◆◆ *c.* paix. Mère étrange qui ne battait ni ne caressait ses enfants. Et pourtant. Un soir   *dactyl.* H *corr.* ◆◆ *d.* malade. [/Il   *biffé]* Raingeard   *biffé en définitive]* Lui   *ms.* ◆◆ *e.* saison. » Dans cette chambre close, rattachée au monde extérieur par quelques bruits que j'entends, je me souviens d'heures pareilles. C'était l'été alors — dans le même appartement. Toutes les persiennes étaient fermées sur le silence énorme de la rue. De loin en loin la trompette aiguë du marchand de glaces et le silence retombait plus [pesamment   *biffé]* lourdement. Enfant, j'[allais   *?]* dans les pièces pleines d'ombre en répétant inlassablement « Je m'ennuie »   *[deux mots illisibles]* ma mère répondait de sa voix calme « Mange ton poing, garde l'autre pour demain ». Lui se taisait et le silence devenait insupportable. Elle s'est levée   *ms.* H

1. Dans *Le Temps retrouvé*, Proust écrivait : « [...] les vrais paradis sont les paradis qu'on a perdus » (*À la recherche du temps perdu*, Bibl. de la Pléiade, t. IV, p. 449). Camus est, comme beaucoup d'écrivains de sa génération, un lecteur de Proust.

2. Voir les *Carnets*, p. 806. Voir aussi *Le Mythe de Sisyphe*, p. 222.

3. Voir une première version de cet épisode dans les *Carnets* en avril 1936 (p. 807) ; Camus la présente comme lui ayant été rapportée par un débardeur (que l'on retrouvera dans *La Mort heureuse*, p. 1108-1109). Ici, prise en charge directement par le narrateur, qui en est le protagoniste, elle est construite comme « une image » en qui « la vie tout entière se résume » ; à ce titre, elle devient une étape importante dans son expérience du dénuement et du désespoir.

LA MORT DANS L'ÂME

On dispose essentiellement, pour cet essai, de deux dactylogrammes. L'un est incomplet (sigle : *dactyl.*) et porte le titre « La mort dans l'âme (Fragment) », titre repris dans *orig.* L'autre est complet, comporte des corrections manuscrites et correspond à *orig.* (sigle : *dactyl. corr.*).

On trouve aussi dans le Fonds Camus un feuillet dactylographié (signé « Albert Camus ») donnant une version différente du passage allant de « puis allait se perdre... » (p. 62) jusqu'à la fin de l'essai.

a. La mort dans l'âme (Fragment)   *dactyl.* ◆◆ *b.* femmes aux chairs émouvantes. (C'est curieux que je ne puisse voir une très jolie femme sans me sentir extraordinairement malheureux.) J'allai donc très vite. C'est trop difficile d'entrer dans les grands hôtels quand on a été pauvre. Quelque chose dans ma course précipitée ressemblait déjà à une fuite. Vers huit heures pourtant, épuisé, j'arrivai   *dactyl.* ◆◆ *c.* sorti, j'étais livré à mes démons. Une fois pourtant   *dactyl.* ◆◆ *d.* l'illumine. Dans le grand désaccord qui se fait entre lui et les choses il retrempe une vision plus pure. Dans ce   *dactyl.* ◆◆ *e.* d'accordéon : « Viens, gosse de gosse, on va faire un tour ». À ce moment   *dactyl.*, *dactyl. corr.*, *orig.* ◆◆ *f.* elles.

Je respire avec le monde et j'y gagne mon silence. Je mesure ici tout le bonheur dont je suis capable. [Le bonheur, cette   *biffé*] Une conscience attentive et amicale [de ce qui fait notre malheur   *biffé*]. Je   *dactyl. corr.*

AMOUR DE VIVRE

De cet essai on dispose de feuillets manuscrits (sigle : *ms.*) et de trois feuillets dactylographiés portant des corrections manuscrites (sigle : *dactyl. corr.*).

a. salle regardait, comme écrasée [*5 lignes plus haut*]. Mais un refrain, tournant [autour d'elle   *biffé*] sur elle, [le nez dans le nez de chaque consommateur   *biffé*] tenant ses seins à pleines mains, [elle chantait et riait   *biffé*] le nez dans le visage des consommateurs, ouvrant sa bouche rouge et mouillée [comme une anémone de mer   *biffé*] elle reprenait la mélodie en chœur avec la salle, jusqu'à ce que la salle se lève dans les hurlements. Elle, campée   *ms.* ◆◆ *b.* tons   *dactyl. corr., orig.* ◆◆ *c.* odeur de [néant   *biffé*] silence   *ms.* ◆◆ *d.* qu'un coup d'ongle l'eût fêlé.   *ms.* ◆◆ *e.* semblables paysages. J'admire que certains puissent trouver dans les pays au bord de la mer [une leçon de certitude   *biffé*] des certitudes et des règles de vie, que leur raison s'y satisfasse, et qu'ils en tirent un optimisme et une justification de leur sens social. Mais pour moi [*phrase biffée illisible*] je n'y pouvais croire. Car enfin   *ms.* ◆◆ *f.* l'homme. Ce qui me frappait c'est que je n'étais plus et avec moi mes certitudes. Non, c'est que si la musique de ces pays s'accordait à ce qui résonnait   *ms.* ◆◆ *g.* à la vie. Je tremblais de désir comme dans ces heures tendues du cabaret de Palma   *ms.*

1. Voir dans les *Carnets* (p. 801) la liste des impressions rapportées des Baléares, parmi lesquelles Camus choisit celles qui, plus aptes à faire « image », trouveront leur place dans cet essai.

L'ENVERS ET L'ENDROIT

Il existe deux dactylogrammes corrigés à la main : l'un, sur lequel le titre « L'Envers et l'Endroit » est biffé ; l'autre (sigle : *dactyl. corr.*), donnant une version sensiblement différente de la nôtre, est divisé en deux parties : « Je me regarde mourir » et « Je me regarde naître ».

a. abandonné et rendu à lui-même   *dactyl. corr. La partie « Je me regarde mourir » se termine ici.* ◆◆ *b.* étourdissante. / Prisonnier de la caverne, seul en face de l'envers du monde. Après-midi de Janvier. Mais   *dactyl. corr.* ◆◆ *c.* naître. Je suis un heureux de ce monde car mon royaume est de ce monde. / Nuage qui passe et instant qui pâlit. Si le soleil meurt, vais-je mourir à moi-même ? Le livre s'ouvre à une page aimée. Qu'elle est fade aujourd'hui devant le livre du monde. Est-il vrai que j'aie souffert ? N'est-il pas vrai que je souffre ; et que cette souffrance me grise parce qu'elle est ce soleil et ces ombres, cette chaleur, et ce froid que l'on sent tout au fond de l'air. Vais-je me demander   *dactyl. corr.* ◆◆ *d. Fin de la partie « Je me regarde naître » dans dactyl. corr. :* espérais. / Le temps s'est couvert et la pluie est tombée, délivrant le froid que le soleil masquait. Heure inquiète où j'entends monter de la ville les sifflets des trains, où je saisis mieux ma richesse passée. Et maintenant je puis parler. Je ne vois pas ce que je pourrais souhaiter de mieux de cette continuelle présence de moi-même à moi-même. Ce n'est pas d'être heureux que je souhaite maintenant mais seulement d'être conscient. On se croit retranché du monde. Mais il suffit qu'un olivier se dresse dans la poussière dorée, il suffit de quelques plages éblouissantes sous le soleil du matin, pour qu'on sente en soi se fondre cette résistance. Ainsi de moi. Je prends conscience des possibilités dont je suis responsable. Et je comprends qu'à bien voir chaque minute de vie porte en elle sa valeur de miracle et son visage d'éternelle jeunesse

1. Ce fantasme se trouvait déjà dans « Le Dernier Jour d'un mort-né », le deuxième texte publié par Camus dans *Sud*, un journal lycéen (voir les Textes publiés dans *Sud*, p. 512).

2. Camus retourne la phrase de Jésus devant Pilate : « Mon royaume n'est pas de ce monde » (Jean, XVIII, 36). Dans son mémoire de D.E.S., en 1936, Camus écrivait : « Leur évangile [des Grecs] disait : notre Royaume est de ce monde » (« Métaphysique chrétienne et néoplatonisme », p. 1000). Elle figurait également comme titre d'un chapitre de « Louis Raingeard » (voir la Notice, p. 1213). Enfin, la question sera au centre du recueil de nouvelles *L'Exil et le Royaume*, en 1957.

3. Voir les *Carnets*, p. 799.

4. Voir la note du 16 mars 1936 des *Carnets*, p. 803.

5. Voir le Projet de préface, p. 73.

6. « Le sens de l'ironie est une forte garantie de liberté », avait écrit Barrès (*Sous l'œil des barbares*, Paris, A. Lemerre, 1888).

Appendices

[PROJET DE PRÉFACE]

Le manuscrit du « Courage » occupe les quatre dernières pages du cahier manuscrit de « La Maison mauresque » (voir p. 967) ; il date donc probablement de 1933.

Camus le reprend dans « L'Ironie », de « Ils vivaient à cinq… » jusqu'au début du dernier paragraphe : « Tout ça ne se concilie pas ? La belle vérité » (p. 44-46). Comme les variantes sont minimes, nous ne redonnons pas le texte ici.

Après la signature (« A.C. »), et sur une autre page, on trouve un bref texte, qui apparaît comme un projet de préface à un futur recueil d'essais : c'est ce texte que nous reproduisons.

L'HÔPITAL DU QUARTIER PAUVRE

Ce texte, daté de 1933 sur la dactylographie faite d'après la version définitive appartenant à Jean de Maisonseul, est le premier où Camus s'efforce de rendre compte de la réalité vécue. Son origine autobiographique est incontestable, même si le récit se veut totalement objectif.

Voir « Louis Raingeard. Reconstitution », n. 5, p. 87.

LES VOIX DU QUARTIER PAUVRE

En décembre 1934, en même temps que « Le Livre de Mélusine »
(voir les Premiers écrits, p. 988), Camus offre à sa femme le manuscrit des « Voix du quartier pauvre », qu'il lui dédie (et qu'il date du
25 décembre) ; mais, contrairement au recueil de contes, qui ne connaîtra pas de prolongement dans l'œuvre de Camus, ces pages essaimeront
largement dans *L'Envers et l'Endroit*, dans *La Mort heureuse* et jusqu'au
Premier Homme.

Parmi ces quatre voix qui disent la solitude et le désespoir dans le
« quartier pauvre », paradigme de la condition humaine, la première, celle
de « la femme qui ne pensait pas », constitue la toute première version
de la scène, « primitive » à divers égards, où l'enfant découvre l'étrangeté
de sa mère, retranchée dans le silence et l'indifférence. Représentation
réaliste et réflexion morale débouchant sur une dimension symbolique,
on peut dire que « Les Voix du quartier pauvre » constitue une mise au
point de l'écriture narrative de Camus et une première manifestation des
options fondamentales de son œuvre.

Roger Quilliot avait pu consulter ce manuscrit en possession de Mme
Simone Hié et en donner, en variante, de longs passages. Paul Viallaneix
s'est ainsi appuyé sur ces variantes pour établir le texte dans *CAC 2*
(p. 271-287). Nous avons consulté également plusieurs dactylogrammes
conservés dans le Fonds Camus (cotes de la série : CMS2. Aa), et principalement un portant le titre manuscrit « Le Quartier pauvre. I ».

[LOUIS RAINGEARD.
RECONSTITUTION]

Parmi les manuscrits des années 1934-1936 qui concernent le « quartier pauvre », figurent plusieurs séries de textes qui constituent l'ébauche
d'un roman. Ils tirent leur unité d'un personnage central, Louis Raingeard (écrit parfois Raingard, ou encore Rainjard)[1]. Ce qui permet de
parler d'une tentative d'élaboration romanesque, c'est ce nom dans le
texte même, ou en rappel dans les marges, ou en correction sur des « il »
préexistants, ou encore remplaçant ces « il » quand Camus recopie les
textes antérieurs appartenant aux « Voix du quartier pauvre ». Cette
ébauche romanesque serait donc une étape entre les « Voix » et *L'Envers
et l'Endroit* : héritant de ce que Camus a acquis en écrivant les témoignages des « Voix » et la narration de « Louis Raingeard », le recueil de
1937 nouera ensemble écriture narrative et essai. Ce roman d'inspiration
autobiographique que Camus tente ici en vain, il le réussira magistrale-
ment quelque vingt ans plus tard avec *Le Premier Homme*.

Dans les manuscrits du Fonds Camus, plusieurs feuillets de « Louis
Raingeard » se trouvent dans le même cahier à couverture de moleskine
noire (coté à la Bibliothèque Méjanes : CMS2. Ad1-01.01) que *L'Envers
et l'Endroit* (voir la Notice, p. 1212-1213), mais certains en ont été arrachés et se sont retrouvés dans des dossiers différents (CMS2. Ad1-01.01,
01.02 et 02.02). La plupart portent une numérotation au crayon, de la

1. Sans doute ce nom a-t-il été inventé en référence à Louis Germain, qui fut l'instituteur de Camus.

main de Camus, mais quelques feuillets demeurent manquants (on a les pages 6, 12 à 43, 46 à 56). Nous avons reconstitué « Louis Raingeard » à partir de cette numérotation : nous indiquons en note où se trouve chaque fragment. Nous incluons dans cet ensemble un fragment que Roger Quilliot avait recueilli sous le titre : « Fragment manuscrit pour " Entre oui et non " »[1] ; et nous donnons à la fin trois fragments liés à cet ensemble romanesque mais non foliotés par Camus. Nous renvoyons aux « Voix du quartier pauvre » et à *L'Envers et l'Endroit* quand les textes ne présentent que de légères variantes.

Le cahier de moleskine contient également deux plans. La page de garde porte : « Première partie : Les vieilles gens ». À la deuxième page : « Chapitre premier. [/La Mère et le Fils *écrit au crayon et biffé au crayon bleu]* [L'absurdité *biffé au crayon]*[Le Fils *biffé au crayon]*[Le Retour chez la Mère *biffé]* [Retour *biffé à l'encre]* Louis Raingeard *biffé en définitive au crayon bleu]* La Mère et le Fils ». Devaient suivre dans la première partie : « Chapitre second. Le Quartier Pauvre » (f° 19 du même cahier) ; « Chapitre troisième. L'Absurde » (f° 42, écrit au crayon bleu). On trouve encore une page du cahier (f° 38) avec un titre biffé : « II Partie. La Mère et le Fils » ; suivi de : « Chapitre trois. Notre royaume est de ce monde » (f° 45). Plusieurs éléments semblent indiquer que les corrections au crayon bleu sont postérieures aux années 1934-1936.

Le second plan, plus élaboré, offre d'importants éclaircissements ; nous le donnons ci-après (CMS2. Ad1-01.03, f° 25) : on retrouvera aisément les correspondances entre ce plan et les trois fragments de « Louis Raingeard » qui le suivent.

I. Le Q<uartier> P<auvre>
Chap. I. *Le point de crise*
Chap. II. La lente désagrégation qui a mis cette femme face à face avec
son fils
    Mort de la grand-mère
    Maladie du fils
    Séparation d'avec le frère
Chap. III. Expérience parallèle du fils rejeté par deux choses :
        Abandon de la vieille femme du palier
        Mort du vieil oncle
    Seuls aux deux bouts de la ville — Se voyant de temps en
temps
    2 infinis
II. *La M<ère> et le F<ils>*
Premier point de compréhension
Attirance incurable
III. *Le Dernier retranchement*
Le Retour à l'essai : 8 jours
Symbole
La vieille Le vieux
Départ

1. CMS2. Ad1-01.01, f°⁵ 20-24. Le feuillet n° 20 est numéroté 6 de la main de Camus.

1. *Pléiade Essais*, p. 1213.

2. La page se termine ici. Un bout de page écrit au crayon est collé au feuillet n° 20 et donne le texte du « Courage » qui sera repris dans « L'Ironie » de *L'Envers et l'Endroit* (voir p. 44-46). Nous en donnons ici le début pour que soit compréhensible le raccord effectué par Camus.

3. CMS2. Ad1-01.01, f° 25.

4. CMS2. Ad1-01.02, ff°s 22-29, arrachés du cahier de moleskine noire et numérotés de 12 à 18 de la main de Camus.

5. Le texte reprend celui de « L'Hôpital du quartier pauvre » (voir p. 73) tel qu'il est donné dans le cahier de moleskine ; nous le donnons pour qu'on voie comment, en recopiant « L'Hôpital », Camus introduit son personnage dans une narration dépourvue, dans sa première version, de point de vue central.

6. « Louis Raingeard » reprend ici son autonomie par rapport à « L'Hôpital du quartier pauvre ».

7. Le feuillet n° 29, paginé 18 par Camus, se termine ici. Le texte continue sur deux pages, elles aussi arrachées du cahier de moleskine noire, classées CMS2. Ad1-01.02, ff°s 38-39 et paginées 19-20 par Camus.

8. CMS2. Ad1-01.01, f° 26, paginé 21 par Camus (qui a biffé la mention « Chapitre III »).

9. CMS2. Ad1-01.01, ff°s 27-33, paginés 22 à 28 par Camus.

10. Ce qui suit est la reprise de la deuxième des « Voix du quartier pauvre », celle de « l'homme qui était né pour mourir » (voir p. 78).

11. CMS2. Ad1-01.01, ff°s 34-37, paginés 29 à 35 par Camus.

12. Ce qui suit est la reprise de la quatrième des « Voix du quartier pauvre », celle de « la vieille femme malade qu'on abandonnait pour aller au cinéma » (voir p. 83). À plusieurs reprises, « le jeune homme » est corrigé en « Louis ».

13. Cette « conclusion » est écrite à l'encre noire, donc à un autre moment que le reste.

14. CMS2. Ad1-01.01, ff°s 3-10, paginés 36 à 43 de la main de Camus. Au verso du feuillet 8, on lit : « C'était cela qui valait à ses yeux. Et de tout cela sa mère était le vivant symbole. Là résidait toute sa sensibilité, ce *[mot illisible]* à un sentiment unique aux yeux duquel se jugent toutes choses. *[mot illisible]* de la mort d'un père et non la peine qu'on peut éprouver *[mots illisibles]*. / Louis savait bien que tout ce qui faisait sa sensibilité, c'était lui qui le jour où il avait compris qu'il était né de sa mère et que celle-ci, tapie dans le noir, ne pensait jamais. » Et au verso du feuillet 9 : « Il savait bien aussi que chaque livre découvert, chaque raffinement et chaque fleur lui cachait à degrés ce vivant qui dormait en lui. Le cœur de lui-même était ailleurs, dans cette chambre de bonne où sa mère travaillait. Et, derrière elle, les souvenirs. Elle était le reflet de cette misère autrefois si dure, maintenant comprise et jugée à sa valeur. »

15. Il s'agit de la première des « Voix », celle de « la femme qui ne pensait pas ». À plusieurs reprises, en recopiant son texte, Camus écrit « Louis » à la place de « il » ou de « lui ».

16. CMS2. Ad1-01.01, ff°s 11-12, paginés 46-47 de la main de Camus. Les feuillets paginés 44 et 45 n'ont pas été retrouvés.

17. CMS2. Ad1-02.02, ff°s 17-19, arrachés du cahier de moleskine noire, paginés 48 à 50 de la main de Camus.

18. Le texte suit dans CMS2. Ad1-01.01, f° 13, paginé 51 par Camus.

19. CMS2. Ad1-01.01, ff°s 4-18, paginés 52 à 56 par Camus.

20. CMS2. Ad1-01.02, ff[os] 35-37. Camus reprend ici la troisième des « Voix du quartier pauvre », « la voix qui était soulevée par de la musique » (voir p. 80). Il l'allège considérablement ; on a là une des meilleures preuves de la postériorité de « Louis Raingeard » par rapport aux « Voix ».

21. CMS2. Ad1-01.02, ff[os] 21-22 ; feuillets arrachés du cahier de moleskine.

22. CMS2. Ad1-01.02, ff[os] 30-34 ; feuillets arrachés du cahier de moleskine.

LETTRE À JEAN DE MAISONSEUL

En 1937, date de la lettre que nous reproduisons, Jean de Maisonseul (1912-1999) est pour Camus un ami déjà ancien. Ils se sont rencontrés en 1932 : cette année-là, Camus entre en hypokhâgne, il collabore à la revue *Alger-Étudiant*[1] et il rejoint un groupe de jeunes gens ouverts à l'actualité intellectuelle, littéraire et artistique, parmi lesquels on trouve Max-Pol Fouchet, André Bénisti, Edmond Charlot et Jean de Maisonseul. En 1937, celui-ci est élève de Le Corbusier ; il deviendra architecte et, plus tard, directeur des Beaux-Arts d'Alger.

NOCES

NOTICE

Deux ans après *L'Envers et l'Endroit* (1937), Camus fait paraître *Noces*. Les deux ouvrages publiés à Alger aux Éditions Charlot partagent une même forme, celle de l'essai — mais un essai mêlant récit et poésie à la réflexion philosophique —, et une même structure, celle du recueil. Avec *Noces*, Camus continue à travailler cette technique de l'essai qui lui est propre et grâce à laquelle il cherche à rendre compte d'une expérience vécue au travers de détails relevant du réalisme le plus objectif, mais détourné vers ce qu'il est convenu d'appeler un réalisme intérieur. Le voyage dans un espace externe, aussi familier ou étranger soit-il, devient prétexte à un voyage intérieur. Oscillant entre la confession et la méditation, l'essai se révèle le moyen adéquat pour Camus de la mutation d'une expérience en conscience. *L'Envers et l'Endroit* a enseigné que la face noire de l'existence était inséparable de sa face claire ; dans *Noces*, la pleine conscience de sa condition misérable et mortelle face à la beauté démesurée et éternelle du monde conférera à l'homme sa splendeur, et le soumettra au devoir d'accueillir la vie avec « une floraison de " oui "[2] ». La solitude, la douleur, l'angoisse, la pauvreté, la mort, etc., évoquées dans le livre précédent sont dorénavant des objets d'expérience et d'enseignement face auxquels il s'agit d'être lucide

1. Voir les Articles, préfaces, conférences, p. 547.
2. « Le Désert », p. 136.

« jusqu'au bout[1] » ; elles sont en majeure partie à la source de l'éclatante force de vie qui se déverse dans *Noces*. Cependant, le lyrisme
exacerbé de cet ouvrage ne trahit ni un refus de l'histoire ni le désir d'un
« je » qui cherche à s'isoler dans la douloureuse volupté de sa subjectivité. Il laisse entendre une voix qui veut redonner sens à la vie, sauver
l'homme.

La « Note de l'éditeur » qui ouvre la réédition de 1945 laisse quelque
peu perplexe : elle date la première édition de 1938 alors qu'elle a paru
en 1939, et l'écriture du texte dans les années 1936-1937 alors qu'il
semble que Camus s'y soit consacré en 1937-1938. Il est vrai que l'année
1936, ainsi que l'en attestent les *Carnets*, voit naître des ébauches de
réflexions que le texte prendra en compte en les développant[2] ; mais il
faut noter qu'en juin 1938 ces mêmes *Carnets* signalent un plan de travail
où figure : « Finir Florence et Alger » (par allusion au « Désert » et à
« L'Été à Alger »), et décembre de la même année deux variantes
« Pour la fin de *Noces*[3] ». L'un des dactylogrammes de « Noces à Tipasa »
est daté à la main de juillet 1937, et sa comparaison avec la première
édition ne révèle que de petites retouches plutôt d'ordre stylistique.
Une note d'avril 1937 dans les *Carnets* inscrit « Le Vent à Djémila »
dans la rubrique des travaux en cours[4], et l'un des dactylogrammes porte
la mention « juin 1937 ». Par ailleurs, les documents auxquels nous avons
eu accès sont regroupés dans une chemise qui porte en page de garde
la mention autographe suivante : « 1937-1938. *Noces* (manuscrits et versions successives). » Force est donc de considérer le milieu de l'année
1937 comme le moment principal dans la genèse de *Noces*, époque que
l'auteur lui-même place sous le signe d'une double exigence : « Il faut
vivre et créer. Vivre à pleurer [...][5]. »

Cette année-là, les *Carnets* en témoignent, est féconde en projets
d'écriture, en ébauches, en réflexions sur l'acte d'écrire. *Caligula* figure
sous la date du mois de janvier ; des plans pour *La Mort heureuse* sont
dressés[6]. 1937 est aussi une année mouvementée pour Camus, qui
songe à fonder avec Claude de Fréminville les Éditions Cafre lors
d'« une éclipse temporaire des Éditions Charlot[7] », démissionne du
Parti communiste et rebaptise alors son Théâtre du Travail en Théâtre
de l'Équipe. Mais, et même à l'heure des grands rendez-vous politiques
internationaux, Camus ne laisse pas étouffer le mythe méditerranéen
qui l'habite depuis toujours. Et lors de sa conférence intitulée « La
Culture indigène. La Nouvelle Culture méditerranéenne[8] », prononcée
en février à la Maison de la culture d'Alger, il montre combien il ressent le besoin d'affirmer la possibilité d'un espace de communion entre

1. « Le Vent à Djémila », p. 115.
2. Voir les *Carnets 1935-1948*, t. II de la présente édition, p. 806 (« Les sens... ») ;
p. 799-800 (« Je suis heureux... » ; idée maîtresse du « Vent à Djémila ») ; de même, l'idée
de ne pas se « sépare[r] du monde » (p. 115) est notée dans les *Carnets*, p. 808.
3. Voir les *Carnets*, p. 853 et 870. — Voir n. 20, p. 137 (« Le Désert »).
4. Voir les *Carnets*, p. 814.
5. *Ibid.*, p. 827 (septembre 1937).
6. Voir *ibid.*, p. 812 et 826-827.
7. Herbert R. Lottman, *Albert Camus* (1978), Le Seuil, coll. « Points Biographie », p. 211.
8. Voir les Articles, préfaces, conférences, p. 565.

les hommes, serait-ce à travers un collectivisme méditerranéen qui se reconnaît dans « un certain goût de la vie[1] ».

Dans une lettre à Marguerite Dobrenn datée du 7 août 1937, Camus évoque le manuscrit de « Noces à Tipasa » qu'il lui a fait parvenir quelques jours plus tôt par courrier : « Il est écrit pour nous tous, pour nous de la mer[2]. » Les chants qui célèbrent la lumière de l'Afrique du Nord et des autres pays qui bordent la Méditerranée sont alors dans l'air du temps. Citons parmi bien d'autres les hymnes de Montherlant à la gloire d'Alger dans *Il y a encore des paradis* (1935), ceux de Gabriel Audisio dans *Amour d'Alger* (1938), sans oublier l'écho toujours vivant des *Inspirations méditerranéennes* (1934) de Valéry. Blanche Balain, Max-Pol Fouchet, Claude de Fréminville, etc. — frères d'âge de Camus, qui, comme lui, furent ébranlés par la préface à l'édition de 1927 des *Nourritures terrestres*[3] —, tous à leur façon se mettent à faire de la Méditerranée le berceau des noces de l'être et du monde. Et en tout premier lieu Jean Grenier dans *Santa Cruz et autres paysages africains*, qui paraît en 1937 chez Charlot dans la collection « Méditerranéennes ». Le professeur de philosophie de Camus au lycée et le dédicataire du « Désert » fut aussi le maître incontesté du jeune écrivain[4], ainsi que celui-ci le déclarera dans sa préface à la réédition des *Îles* (1933) en 1959 : « J'avais vingt ans lorsqu'à Alger je lus ce livre pour la première fois. L'ébranlement que j'en reçus, l'influence qu'il exerça sur moi, et sur beaucoup de mes amis, je ne peux mieux le comparer qu'au choc provoqué sur toute une génération par *Les Nourritures terrestres*. Mais la révélation que nous apportait *Les Îles* était d'un autre ordre[5]. » Comme l'a souligné Louis Faucon[6], le titre *Noces* est certainement redevable à J. Grenier, qui citait l'Évangile selon saint Matthieu (XXII, 8-10) dans *Cum apparuerit*, paru en 1930 : « Les noces sont prêtes, mais ceux qui avaient été invités n'en étaient pas dignes. Allez donc dans les carrefours et appelez aux noces tous ceux qui seront là[7]. »

Des *Îles* et de *Santa Cruz*, *Noces* hérite notamment le genre du récit de voyages et le registre de la rêverie des promeneurs solitaires[8]. Au pied de l'imposant massif du Chenoua, Tipasa, ville des premiers siècles chrétiens où demeurent les ruines de thermes romains et de la basilique Sainte-Salsa, exerce la même fascination sur le maître et le disciple. L'épanouissement sensuel qu'elle déclenche transforme la volonté de bonheur en une révélation : la parenté entre la nature et l'homme. Tipasa

---

1. P. 567.

2. Coll. M. Dobrenn.

3. « J'écrivais ce livre à un moment où la littérature sentait furieusement le factice et le renfermé ; où il me paraissait urgent de la faire à nouveau toucher terre et poser simplement sur le sol un pied nu » (*Les Nourritures terrestres* ; *Romans*, Bibl. de la Pléiade, p. 249).

4. *L'Envers et l'Endroit*, « Le Désert » de *Noces* et *L'Homme révolté* (1951) lui sont dédiés.

5. « Sur *Les Îles* de Jean Grenier » (1959 ; texte à paraître au tome IV de la présente édition), Gallimard, coll. « L'Imaginaire », p. 9.

6. Voir *Pléiade Essais*, p. 1333.

7. Repris dans « Initiation à la Provence », *Inspirations méditerranéennes*, Gallimard (1940, puis 1961), coll. « L'Imaginaire », p. 81.

8. « Cette suite de symboles décrit un homme dépouillé de tout ce qui peut constituer dans sa vie l'épisode, le décor, le divertissement… / Ce sont pourtant bien des réalités que la foi, la pitié et l'amour ; et les temples antiques, les églises et les palais, maintenant les usines sont de sûrs asiles contre le désespoir. De ces acquisitions et de ces révélations il ne s'agit pas ici », écrit J. Grenier en ouverture aux *Îles* (p. 19). — Voir n. 9, p. 131 (« Le Désert »).

est l'un des lieux de prédilection de Camus[1]. Il se rend souvent en
compagnie d'ami(e)s ou de femmes aimées dans cette ville de bord de
mer située à une soixantaine de kilomètres d'Alger et à une heure et
demie d'autocar. Louis Bénisti retrouvera, à la lecture du texte, bien des
cadences que Camus a improvisées alors qu'ils étaient tous deux en
excursion à Tipasa accompagnés ce jour-là de Christiane Galindo,
l'amante de Camus au milieu des années 1930[2]. D'après le témoignage
de cet ami sculpteur, celle-ci ne serait pas étrangère à l'inspiration du récit
(« la terre » était d'ailleurs le surnom de cette femme sensuelle[3]) : « Au
bout de quelques pas, les absinthes nous prennent à la gorge. Leur laine
grise couvre les ruines à perte de vue. Leur essence ferment sous la chaleur, et de la terre au soleil monte sur toute l'étendue du monde un alcool
généreux qui fait vaciller le ciel. Nous marchons à la rencontre de
l'amour et du désir[4]. » Une fois l'enceinte des ruines franchie, l'intimité
du monde et celle du spectateur deviennent acteur se touchent et se confondent. Il suffit d'être et de consentir à l'appel du monde pour en cueillir
la récompense : reconnaître les forces vitales et vivifiantes du monde
sensible, prendre conscience de sa parenté avec lui, avoir foi dans les
pouvoirs de la chair[5]. Mais la vérité solaire qui mène à l'extase mène aussi
à sa négation absolue. Et à la lumière du jour succède l'ombre de la nuit
que vont investir des dieux aux « faces ravagées » et nés « dans le cœur
de la terre[6] ». L'éclat des matinées de printemps à Tipasa n'est tel que
parce qu'il se détache sur fond de mort. Il n'est pas d'amour qui ne soit
au désespoir. Mordre la vie à pleines dents, dynamique maîtresse de
« Noces à Tipasa », c'est accepter ce fait.

Après la vie, la mort ; après Tipasa la charnelle, Djémila, « ville
morte » au « squelette jaunâtre[7] ». C'est encore avec une amie, mais cette
fois-ci Marie Viton, membre du Théâtre du Travail et pilote amateur,
que Camus effectue en 1937 une visite des ruines romaines du site de
Djémila, situé à 330 kilomètres à l'est d'Alger. Si à Tipasa tout ou
presque est volupté, ici tout est désolation. Le soleil ne réchauffe pas
mais incendie, la fleur est anéantie par l'invasion de la pierre, la vertica-
lité supplante l'horizontalité. Le rouge, le bleu et le jaune se neutralisent
dans un décor couleur de « cendres[8] » balayé en permanence par un vent
qui engloutit le pèlerin dans le vertige du néant. Insolite sentiment que
celui qui naît alors devant Djémila l'« inhumaine[9] ». L'homme est à la
fois minéral, végétal, élément solaire, et il n'est rien de tout cela. La luci-

---

1. Voir « Retour à Tipasa » dans *L'Été* (1954), à paraître au tome III de la présente
édition ; précisons que *L'Été* sera réédité avec *Noces* en 1959 aux Éditions Gallimard (voir
la Note sur le texte, p. 1234).
2. Voir Louis Bénisti, « La Maison Fichu », *Albert Camus, une pensée, une œuvre*, Actes du
colloque de Lourmarin, 1er-10 août 1985, Rencontres méditerranéennes de Lourmarin, 1986,
p. 163. — Il est arrivé à Camus de demander à Christiane Galindo, sténodactylo à Alger,
de dactylographier certains de ses textes ; on peut d'ailleurs lire un mot manuscrit en bas
d'une page de l'un des dactylogrammes de « Noces à Tipasa » : « (pour Christiane — ne rien
changer). »
3. Voir H. R. Lottman, *Albert Camus*, p. 153.
4. P. 106.
5. Voir aussi « L'Été à Alger », p. 119, et la note de Camus.
6. « Noces à Tipasa », p. 110.
7. « Le Vent à Djémila », p. 111 et 112.
8. P. 113.
9. P. 114.

dité refuse l'identification absolue de l'homme au monde. Elle réveille sans cesse le principe de différence fondée sur la précarité d'une vie d'homme face à un ciel qui dure. Comme à Tipasa cependant, il n'est nullement question de réprimer le désir de dissolution de sa propre nature dans la nature du monde. Il s'agit de se soumettre à l'épreuve, si aride soit-elle, pour en faire émerger le tragique visage de la vérité : « [...] les hommes meurent malgré eux, malgré leurs décors » ; « Le monde finit toujours par vaincre l'histoire[1]. » Reste alors à l'orgueilleux visiteur de revendiquer son appartenance à l'univers de l'ici et du maintenant : « Créer des morts conscientes, c'est diminuer la distance qui nous sépare du monde, et entrer sans joie dans l'accomplissement, conscient des images exaltantes d'un monde à jamais perdu[2]. »

C'est ainsi qu'en cherchant à accéder au dénuement le plus extrême, ce sont des « voix » du « quartier pauvre[3] » qui investissent la conscience de Camus. Et c'est à « L'Été à Alger » qu'il faut en demander la matière. L'Afrique est conçue pour la jeunesse qui a concentré toute sa fureur de vivre dans « la mer et le soleil [qui] ne coûtent rien[4] ». À Alger tout parle au corps et seul le corps sait parler. La vie de l'Algérien se passe de l'intellectualisation des sens. Sans passé, sans avenir, mais fier et avide de sa richesse présente, il ne connaît que l'instant. « Mais quand l'univers l'écraserait, l'homme serait encore plus noble que ce qui le tue puisqu'il sait qu'il meurt [...][5] », écrivait Pascal. Aussi, si le narrateur de « L'Été à Alger » apprend « qu'une seule chose est plus tragique que la souffrance et c'est la vie d'un homme heureux[6] », il apprend également que vivre de la sorte, c'est-à-dire avec la pleine conscience de la tragédie du bonheur, peut le conduire sur les chemins d'une vie plus noble puisqu'il appréhende son destin sans tricherie. Telle est la condition de possibilité d'un équilibre entre révolte et consentement, démesure et mesure.

Les exercices de canoë auxquels Camus s'était livré le long de la vallée de l'Inn lors de son voyage en Europe centrale (été 1936) l'ont épuisé. Il s'en ouvre à Marguerite Dobrenn dans une lettre du 22 juillet 1936 : « [...] je me suis souvenu que toute gymnastique intense m'était défendue [...] Il faudrait d'ailleurs que j'écrive un jour " une psychologie du corps " (à ajouter à l'innombrable foule de mes œuvres en préparation). » Ce projet d'écrire « une psychologie du corps », un motif majeur de « L'Été à Alger »[7], naît bien sûr de son expérience de la maladie. « Il me faut écrire comme il me faut nager parce que mon corps l'exige[8] », note Camus dans ses *Carnets* dès 1936. Si *Noces* conte les amours sans cesse renouvelées de l'homme et de la nature, il s'agit d'une nature façonnée à la mesure de la passion de vivre qui anime Camus, fils « du soleil et de la mer[9] ». Ruines de Tipasa, désert de Djémila, plages

1. P. 115.
2. *Ibid.*
3. Voir « Les Voix du quartier pauvre », reproduit en appendice à *L'Envers et l'Endroit*, p. 75, et la Notice de ce recueil, p. 1212.
4. Préface de *L'Envers et l'Endroit*, p. 31.
5. Pascal, *Pensées* (Le Guern, n° 186).
6. P. 125.
7. Voir p. 119.
8. *Carnets*, p. 811.
9. « Noces à Tipasa », p. 110.

d'Alger, Florence, autant d'images de la vie d'autant plus exaltante qu'il
la découvre condamnée. L'abandon de soi à la logique du monde se
révèle quête, la sensualité en liberté voie de la connaissance, et la révélation devient le fondement d'une morale où l'amour de vivre — comme
s'intitulait l'un des essais de *L'Envers et l'Endroit* — et la tragédie de vivre
se réconcilient : « Florence ! Un des seuls lieux d'Europe où j'ai compris
qu'au cœur de ma révolte dormait un consentement[1]. »

Le voyage qu'il effectue en Italie, en septembre 1937, en compagnie
de Jeanne-Paule Sicard et de Marguerite Dobrenn, qu'il avait invitées
à le rejoindre, est à l'origine du « Désert », le dernier essai de *Noces*. Les
nourritures terrestres n'ont certes pas déserté l'univers toscan, témoin
les oliviers, les cyprès, les pierres, les femmes, la lumière, le silence…
rencontrés déjà dans les trois essais précédents, mais les vérités ressenties là-bas ont accédé ici à un certain degré d'intellectualisation. En Italie,
c'est moins la nature qui enseigne la vie que les hommes et leur culture.
Se référer à Piero della Francesca, Cimabue, Giotto, pour glorifier le
présent, ou convoquer Shakespeare pour exalter l'amour de vivre, est
révélateur à cet égard. « Le Désert » n'ajoute donc rien à ce qui a été dit
depuis « Noces à Tipasa », mais cet essai met au jour un des aspects de
l'élaboration du système de pensée camusien. Les bases de la philosophie du corps, données dès le premier essai, sont ici rapportées aux produits de la culture européenne, comme s'il s'agissait de faire figure d'autorité et propulser le fils du pauvre dans la sphère de l'histoire. Tipasa,
Djémila, Alger sont des lieux que sonde une écriture exploratrice des
sens. Et à celle-ci finit par s'ajouter celle de la mémoire.

Comme lorsqu'il écrivit à Jean Grenier à propos de *L'Envers et
l'Endroit* en 1937[2], Camus fait preuve d'humilité à propos de *Noces* en
1939 : « Vous m'avez écrit sur *Noces* beaucoup de choses vraies. Et je
vous remercie de l'aide clairvoyante que vous m'apportez toujours. *Noces*
va cependant paraître. Je suis sensible à ce qu'il y a d'emphatique dans
ces essais. Ils sont du moins les derniers du genre. Je n'écrirai plus dans
ce sens. Surtout je n'essaiera plus de conclure[3]. » À Francine Faure,
sa future femme, il se reproche d'y avoir mis « quelque chose de trop
tendu — sans laisser-aller[4] ». Même si la « Note de l'éditeur » de 1945 cor-
robore ce jugement de l'auteur sur lui-même, il n'empêche que le recueil
sera réédité plusieurs fois[5].

Quoi qu'il en soit, à sa sortie en 1939, le texte jouit d'un succès relativement limité. Camus reçoit en tout cas l'approbation d'amis tels que
Claude de Fréminville, André Belamich, et une lettre très chaleureuse de
Montherlant du 20 juin 1939 qui reconnaît en l'auteur un écrivain et un
frère méditerranéen : « J'avais déjà remarqué votre " Été à Alger " quand
il avait paru en revue, et je m'étais dit que — toute question de talent mise
à part, — c'était *cela* qui se rapprochait le plus de ce que je voudrais et

1. « Le Désert », p. 137.
2. Voir la Notice de ce recueil, p. 1218.
3. Lettre du 2 février 1939 ; Albert Camus-Jean Grenier, *Correspondance 1932-1960*,
éd. Marguerite Dobrenn, Gallimard, 1981, p. 34. Voir aussi la lettre du 19 juillet 1939, *ibid.*,
p. 35.
4. Cité dans Olivier Todd, *Albert Camus. Une vie* (1996), Gallimard, coll. « Folio », p. 227.
5. Voir la Note sur le texte, p. 1234.

pourrais écrire sur l'Algérie. Ce n'est pas de la critique de critique, c'est de la critique d'écrivain. Et je vous redirai, sur le même mode, après lecture de vos *Noces*, que ce que vous avez écrit là est ce qui est le plus proche de moi : de tout ce que j'ai lu sur ce pays — Ce que j'aime le plus est " Le Désert ". Vous écrivez comme il faut écrire ; vous êtes net ; et vos " agrandissements " (quand vous réfléchissez) sont d'aussi bonne qualité. Il est très bien que vous soyez édité à Alger, mais je souhaite qu'un jour un livre d'essais de vous, à Paris, puisse obtenir une plus large audience[1]. » Herbert R. Lottman signale que dans le bulletin de l'O.F.A.L.A.C. (Office algérien d'action économique et touristique) fut publié un compte rendu par Gabriel Audisio, qui louait la « densité tout à fait remarquable [du texte, lequel] fait le plus grand honneur à la littérature et à l'édition algériennes. On y découvre, poursuit-il, une sensibilité et un esprit de méditation qui ont des accents nouveaux dans les livres nord-africains[2] ». Cependant, même si ce livre n'a pas fait grand éclat à sa sortie des presses, il a sans doute tout de même marqué la génération de Camus. Lorsqu'il sera demandé en 1996[3] à Emmanuel Roblès de s'exprimer sur son amour pour Alger, ce sont des phrases de « L'Été à Alger » qu'il cite[4]. D'autres, comme Marcel Moussy, qui découvre *Noces* à dix-huit ans et cite de mémoire vingt et un ans plus tard des passages de « L'Été à Alger », considèrent l'ouvrage comme « l'expression définitive de ce qui avait fait le bonheur de [leur] jeunesse, en même temps qu'une certaine angoisse sourde que ni le soleil ni la mer ne pouvaient submerger[5] ».

ZEDJIGA ABDELKRIM.

NOTE SUR LE TEXTE

Nous ne disposons pas de l'état manuscrit ou plus vraisemblablement dactylographié qui servit à l'impression de la première édition en 1939. Pour « Noces à Tipasa », « Le Vent à Djémila », « Le Désert », nous n'avons pu consulter que des dactylogrammes[6] ; ceux-ci ont été amplement retravaillés de la main de Camus. Pour « L'Été à Alger », nous n'avons en revanche disposé que d'un manuscrit.

Les remaniements opérés sur les dactylogrammes sont d'une densité inégale. Par ailleurs, chaque essai ne compte pas le même nombre de versions : on a pu consulter deux versions successives pour « Noces à Tipasa », trois pour « Le Vent à Djémila », une seule pour « L'Été à Alger » et « Le Désert ». De version en version, il s'est agi pour l'auteur non pas de récrire chaque fois un texte différent mais de privilégier la concision.

---

1. Lettre citée dans Frantz Favre, *Montherlant et Camus : une lignée nietzschéenne*, Minard, 2000.
2. Cité dans H. R. Lottman, *Albert Camus*, p. 210.
3. Entretiens diffusés sur France Culture.
4. Voir Jean-Louis Depierris, *Entretiens avec Emmanuel Roblès*, Le Seuil, 1967, p. 42.
5. M. Moussy, « Rencontres », *Simoun*, numéro spécial sur *Camus l'Algérien*, Oran, n° 31, 1960, p. 25.
6. Pour « Le Vent à Djémila », il existe cependant un manuscrit : voir la notule, p. 1236.

Noces fut l'objet de trois prépublications partielles en janvier et février-mars 1939 : un extrait du « Vent à Djémila » parut dans la revue *Mithra*, un extrait de « L'Été à Alger » dans *Rivages*, et la « Note[1] » de ce même essai dans *La Revue algérienne*.

Trois mois plus tard, le 28 mai 1939, *Noces*, publié par Edmond Charlot à Alger, sortait en librairie (achevé d'imprimer le 23 mai ; sigle : *orig.*). Les Éditions Charlot rééditeront le recueil en 1945 (sigle : *1945*). D'une nouvelle édition Charlot de 1947 (dont le dépôt légal est daté du deuxième trimestre) circuleront des exemplaires sous une couverture de relais des Éditions Gallimard (sigle : *1947*). C'est en 1950 (achevé d'imprimer le 12 mai), dans la collection « Les Essais » (n° XXXIX), que l'ouvrage paraît pour la première fois sous copyright Gallimard (sigle : *1950*). Il sera réédité en 1959, avec *L'Été* (coll. « Soleil », n° 24), aux Éditions Gallimard, et aussi, la même année, chez M. Lubineau (sigle : *Lub. 1959*) à Paris (achevé d'imprimer le 10 novembre) — mais cette édition, illustrée par Jacques Houplain, est fautive[2].

Notre texte de référence est celui qui fut édité chez Gallimard en 1959 (sigle : *1959*), le dernier texte publié du vivant de l'auteur.

Seules les variantes les plus significatives, relevées sur les états préparatoires (manuscrits et dactylogrammes) et les diverses éditions, sont mentionnées.

À chaque essai est consacrée une notule où l'on trouvera des informations plus précises quant aux avant-textes et aux préoriginales.

Z. A.

NOTES ET VARIANTES

Note de l'éditeur.

1. Cette « Note » apparaît dans l'édition de 1945.

[Épigraphe.]

1. « La Duchesse de Palliano » est une nouvelle généralement recueillie dans le recueil posthume *Chroniques italiennes*. (Il s'agit en fait du cardinal Carafa, et non pas Carrafa.)

NOCES À TIPASA

On dispose de quatre dactylogrammes corrigés à la main et successifs procurant deux versions du texte (sigle : *dactyl.*, lorsque les quatre documents concordent) : *dactyl. 1* et *dactyl. 2* donnent un premier texte identique (les quelques différences sont minimes) ; *dactyl. 3* donne un second texte corrigé sur *dactyl. 4*.

« Noces à Tipasa » et « Le Vent à Djémila » ont été composés pour l'essentiel conjointement, comme le prouvent les dates portées sur les

1. Voir p. 126-127.
2. Voir n. 3, p. 119 (« L'Été à Alger »), et var. *g*, p. 136 (« Le Désert »).

derniers dactylogrammes : juillet 1937 pour le premier essai, juin 1937 pour le second. On notera aussi que l'*incipit* de *dactyl. 3* de « Noces à Tipasa » figure sur un feuillet dont une partie entièrement biffée est consacrée au « Vent à Djémila ».

a. Nous étions venus par *dactyl., orig. Sur ces états, les verbes de tout le paragraphe étaient conjugués à l'imparfait. Le présent confère aux réflexions une dimension générale, alors que l'imparfait les réduisait à des impressions du moment. Le même phénomène est à noter dans les paragraphes 3ᵉ et 4ᵉ.* ◆◆ b. À gauche du petit port *dactyl. 1* ◆◆ c. couvre le parc des ruines *dactyl. 1, dactyl. 2. On voit, ici et à la variante précédente, que le travail de correction vise à élargir l'espace — travail à rapprocher du phénomène noté à la variante a, p. 105 (voir ci-dessus).* ◆◆ d. entier. Bien sûr, il y a eu ici des Romains, mais je ne sais pas dire à quel point ça m'est égal. Dans ce *dactyl. 1, dactyl. 2* ◆◆ e. La dernière phrase du paragraphe est ajoutée à la main sur dactyl. 4.* ◆◆ f. Cette phrase est ajoutée à la main sur dactyl. 4.* ◆◆ g. fleurs. » Je suis ivre d'un élan qui me jette à genoux. Et qu'ai-je besoin alors de comparaison ou de mythologie ou de parler de Dionysos pour dire que j'aime *dactyl. 1* : fleurs. » Et qu'ai-je alors besoin de comparaison ou de mythologie ou de parler de Dionysos pour dire que j'aime *dactyl. 2* ◆◆ h. la mer. Hors cette joie, est grimace et faux semblant, les « je vous aime pour la vie » et « après tout c'est ton père ». Tout à l'heure *dactyl. 1, dactyl. 2* ◆◆ i. des pêches qui ne se peuvent manger qu'avec incorrection — je veux dire en y mordant [...] sur le menton. *dactyl. 1, dactyl. 2* ◆◆ j. jouir (par faiblesse, c'est dans le sens latin). On nous a tellement *dactyl. 1, dactyl. 2* ◆◆ k. naturel. Pour faire œuvre d'art sur Tipasa, c'est l'Odyssée qu'il faudrait réécrire. Il me *dactyl. 1, dactyl. 2, dactyl. 3* ◆◆ l. oublié. Tipasa est de ces lieux où l'on va peu mais souvent et que l'on pénètre au long de la véritable expérience qu'on s'en construit. / Vers le soir *dactyl. 1, dactyl. 2* : oublié. [comme dans dactyl. 1, dactyl. 2] long d'une véritable expérience. / Vers le soir *dactyl. 3* ◆◆ m. rôle. L'acteur qui aime son métier se suffit de cette certitude et les critiques les plus élogieuses ne lui apportent rien de plus. J'avais fait *dactyl. 1* ◆◆ n. d'avoir été heureux tout un *dactyl. 1, dactyl. 2* ◆◆ o. dans l'ombre. [Tout [8 lignes plus haut] à l'heure [...] pollen doré. add. ms.]. Mer, campagne, *dactyl. 3, dactyl. 4* ◆◆ p. vainqueur *dactyl., orig.

1. Le souvenir de Nietzsche est ici évident. Voir, entre autres, « *Que dit ta conscience ? — " Tu dois devenir celui que tu es "* » (*Le Gai Savoir* ; § 270).

2. Valéry, dans « Le Cimetière marin » (1920), évoque la mer sous l'aspect d'une « chienne splendide ».

3. Il s'agit ici de notes de lecture consignées dans son diplôme « Métaphysique chrétienne et néoplatonisme » obtenu en 1936, où Camus donne pour référence de cette citation les vers 480-483 de *L'Hymne homérique à Déméter* (voir p. 1024).

4. Voir les *Carnets*, p. 806.

5. Voir *ibid.*, p. 862 ; et *Le Mythe de Sisyphe*, p. 286.

6. Voir *La Mort heureuse*, p. 1108. « Il n'y [a] pas de honte à préférer le bonheur », répond Rieux à Rambert dans *La Peste* (t. II de la présente édition, p. 177). Montherlant exprime une idée analogue : « Et, quand vous serez heureux, sachez que vous l'êtes, et n'ayez pas honte de confesser

un état si digne d'estime » (*Service inutile* [1935], « Lettre d'un père à son fils » ; *Essais*, Bibl. de la Pléiade, p. 731). La voix de Camus répond aussi vraisemblablement à celle de Nietzsche : « Mais quel malentendu plus grand et plus néfaste que celui des heureux, des robustes, des puissants d'âme et de corps qui se mettent à douter de leur droit au bonheur ! Arrière ce " monde à l'envers " » (*La Généalogie de la morale*, « Troisième dissertation », § 14, trad. Henri Albert révisée par Jacques Le Rider ; *Œuvres*, t. II, coll. « Bouquins », Robert Laffont, 1993, p. 859).

7. Voir Jean, XXVI, 29.

8. Voir *Les Nourritures terrestres* : « Il ne me suffit pas de *lire* que les sables des plages sont doux ; je veux que mes pieds nus le sentent… Toute connaissance que n'a pas précédée une sensation m'est inutile » (I, III, Bibl. de la Pléiade, p. 164) ; ou *Ainsi parlait Zarathoustra*, Iʳᵉ partie, « Lire et écrire » : « De tout ce qui est écrit, je n'aime que ce que l'on écrit avec son propre sang » (trad. H. Albert révisée par Jean Lacoste, p. 312).

9. Cf. « Sur la musique » : « […] un même paysage trop longtemps vu, trop souvent contemplé finit par lasser » (Textes publiés dans *Sud*, p. 523).

LE VENT À DJÉMILA

On dispose de cinq documents dactylographiés grâce auxquels nous pouvons reconstituer trois versions successives d'un cet essai. Seuls nous intéressent les dactylogrammes corrigés à la main par Camus (*dactyl. 1*, *dactyl. 2* et *dactyl. 3*). Il existe aussi un manuscrit de 5 feuillets, très difficilement déchiffrable (mais, pour ce que nous avons pu en déchiffer, il semble proche de *dactyl. 1* et *dactyl. 2*).

De tous les essais pour lesquels nous avons pu consulter des dactylogrammes, « Le Vent à Djémila » est celui qui a subi les retouches les plus notables : on remarque essentiellement sur *dactyl. 3* de nombreuses biffures, des fragments manuscrits dispersés, une chronologie narrative différente d'*orig.*, des corrections à l'encre noire, bleue, rouge ou encore au crayon et dans tous les sens. Bien que la composition en soit achevée pour la majeure partie en juin 1937 (date figurant sur *dactyl. 3*), les rectificatifs ultérieurs révèlent un texte souvent remis sur le métier[1].

La revue *Mithra* (bientôt rebaptisée *Fontaine* et dirigée par Max-Pol Fouchet) offre, dans sa deuxième et dernière livraison de janvier-février 1939, un extrait du « Vent à Djémila » sous le titre « Djémila ». Il s'agit des deux premiers paragraphes de l'essai. Aucune variante n'est à relever.

a. Voir var. e, p. 113, où l'on voit que cette phrase d'ouverture dans le texte définitif figurait d'abord dans le 5ᵉ paragraphe de dactyl. 1 et dactyl. 2 (le paragraphe d'ouverture de ces deux documents est donné à la variante c, ci-après). ◆◆
b. Les deuxième et troisième phrases du texte définitif figuraient d'abord dans le troisième paragraphe de dactyl. 1 et dactyl. 2. ◆◆ *c. Le texte de ce paragraphe est repris, et considérablement modifié, à partir du premier paragraphe de dactyl. 1 et dactyl. 2 :* On descend sur la ville par une longue route en lacets qui la promet à chacun de ses tournants et ne la livre vraiment qu'à la fin du trajet, faisant surgir brusquement, sur un plateau aux couleurs éteintes enfoncé entre de hautes collines, la splendeur aride d'une forêt d'osse-

1. Voir aussi la notule de « Noces à Tipasa », p. 1234.

ments, squelette jaunâtre d'une cité depuis longtemps disparue qui est Djémila. / Il faut être historien pour demander aux ruines des leçons d'histoire. Au fond, elles ne représentent qu'elles-mêmes et leur enseignement ne vient pas de si loin. Ce n'est pas le rapport de ce qu'elles sont et de ce qu'elles ont été qui m'intéresse, mais leur présence dans ce qu'elle a de permanent et dans le rappel constant qu'elle formule de quelque chose qui dure devant nous qui voulons passer. Par là très peu de gens aiment les ruines pour elles-mêmes. On les visite à cause d'Hubert Robert et de Baedeker. Pour lire des inscriptions. Djémila qui ne se donne qu'au terme de la route qui y mène est le symbole de cette leçon d'amour et de patience qui peut seule nous conduire au cœur battant du monde. Djémila se défend de toutes ses montagnes et de toutes ses pierres, entourée d'immense solitude. Des arbres, mais si peu. De l'herbe sèche aux trois quarts de l'année. Souvent le pittoresque nous aide à tromper notre faim de vérité. Il y a une certaine vulgarité à en rester là. Djémila n'est pas pittoresque et elle ennuie tout ce qui est vulgaire. ◆◆ *d.* m'entourait. Je mourais à moi-même pour renaître au monde dans l'étreinte fugitive et toujours si pareille à elle-même, qui me donnait, [...] toute la solitude ardente d'une colonne *dactyl. 1, dactyl. 2* ◆◆ *e.* déserte *[p. 112, 3ᵉ ligne en bas de page].* Il y a des lieux où meurt l'esprit pour que naisse la vérité qui est sa négation même. Entre ces colonnes aux belles ombres maintenant obliques, comme des oiseaux blessés tombaient d'une chute lente, les formes, les vieilles idées, les abstractions et avec elle toute pour laisser à nu, ni repoussant ni séduisant, le calme pur visage dépouillé de la mort. Oui, il y a des paysages dont on peut dire qu'ils sont des états d'âme mais ce sont les plus vulgaires. *dactyl. 1, dactyl. 2* ◆◆ *f.* commun *[5 lignes plus haut].* / À mesure que *dactyl. 1, dactyl. 2* ◆◆ *g.* non *[15 lignes plus haut].* Se sentir sans défense : pour un homme cela veut dire ne plus pouvoir attaquer. J'avais ici le désir ridicule d'être plante et de croître et de mourir sans pensée. J'avais le désir ridicule d'une vie qui serait faite d'instants comme un collier est fait de perles. J'ai trop de jeunesse en moi *dactyl. 1, dactyl. 2* : non. / [Peu de gens comprennent [...] ne m'appartient plus. *add. ms.*] J'ai trop de jeunesse en moi *dactyl. 3* ◆◆ *h.* silence, le point précis où je vaincrai mon corps pour dire oui au néant. / On vit avec *dactyl. 1, dactyl. 2* ◆◆ *i.* mort. Le cycle est fermé. La mort est bonne et juste. À cet égard la maladie est un remède contre *dactyl. 1, dactyl. 2* ◆◆ *j.* conscientes *[10 lignes plus haut].* Il y a quelque chose d'héroïque dans la façon dont nous nous aveuglons sur la mort. Devant elle nous dressons le décor de nos usines et de nos tramways quotidiens. Faire ses trois repas par jour, simuler l'amour, s'essayer à jouir, se proposer une carrière, avoir des idées, autant de tricheries qui nous permettent de ne jamais y penser. Si nous en parlons, les lieux communs dont nous nous servons et le pseudo-romantisme que nous étalons nous aident à faire un thème poétique d'une nécessité aussi brutale et aussi ridicule qu'une gifle reçue à toute volée. / Mais puis-je y penser *dactyl. 1, dactyl. 2* ◆◆ *k.* le croire. J'ai vu *dactyl. 1, dactyl. 2* : le voir et que je ne puis [...] des autres. J'ai vu *dactyl. 3* ◆◆ *l.* bouleversait. Ils étaient devenus une chose. Je dis alors que moi aussi je deviendrai une chose. On me dira : vois ces fleurs et ces sourires, ces femmes et ce ciel, mais le langage des fruits et des fleurs n'aura plus d'écho en moi. Je pense aussi : ce chien que j'aimais est mort, j'avais une grande peine, et aujourd'hui je vis encore. D'autres souffriront et aimeront après ma mort, et je comprends que toute mon horreur *dactyl. 1, dactyl. 2 ◆◆ m.* autour de moi. Je suis jaloux parce que je pense aux autres et néglige ma vérité profonde qui est aussi celle du monde. / Mais les hommes *dactyl. 1, dactyl. 2 ◆◆ n.* mort. S'il est vrai que cette peur est jalousie. Créer des morts conscientes *dactyl. 1, dactyl. 2 ◆◆ o.* monde, jusqu'au moment où, sans supplications ni révoltes, le fatal et silencieux dialogue de l'homme avec la nature aura fait place au chœur ardent qui poursuit l'univers en son histoire. Je veux être une voix de ce chœur. Car le chant triste *dactyl. 1, dactyl. 2 ◆◆ p.* poésie : indifférence, lucidité, fatalité, les vrais signes *dactyl. 1, dactyl. 2 ◆◆ q.* beauté. Mais nous partons déjà. Djémila reste *dactyl. 1. Fin du texte dans dactyl. 2 :* beauté. Le cœur se serre devant cette grandeur. ◆◆ *r. Fin du texte dans dactyl. 1 :* autel. Le cœur se serre devant cette grandeur.

1. Camus prend le contre-pied de Barrès qui monte sur la colline de Sion-Vaudémont, en Lorraine, pour y hanter « des lieux où souffle l'esprit » — titre du premier chapitre de *La Colline inspirée* (1913).

2. « Le vent, une des rares choses propres du monde » (*Carnets*, p. 923).

3. Camus cite Jacob Wassermann dans les *Carnets* : « Seul celui qui a connu le " présent " sait vraiment ce qu'est l'enfer » (p. 857).

4. Il s'agit là d'une citation du *Journal* d'Amiel : « Un paysage quelconque est un état de l'âme », que Camus a commenté dans « Sur la musique » (voir p. 523).

5. L'opposition refus-renoncement est un motif clé du *Mythe de Sisyphe* (voir p. 240 et 257).

6. L'ajout manuscrit de tout ce passage à partir de *dactyl. 3* (voir var. *g*) n'est sans doute pas étranger à la fuite de Camus de Sidi-Bel-Abbès. Voir les *Carnets*, à la date du 4 octobre 1937, p. 838, où Camus semble consigner un brouillon de lettre envoyée à certains de ses amis pour se justifier d'avoir fui la « situation » que lui aurait offerte un poste de professeur au collège de Sidi-Bel-Abbès — un samedi soir de l'automne 1937, à peine arrivé dans ce poste frontière, Camus s'était présenté au proviseur et était brutalement reparti le lendemain (voir Olivier Todd, *Albert Camus. Une vie* [1996], Gallimard, coll. « Folio », p. 216).

7. Le refus d'être déchargé « du poids de sa propre vie » est une constante du *Mythe de Sisyphe* (voir p. 257 et 314).

8. Voir, dans les *Carnets*, les réflexions à propos des *Riens philosophiques* de Kierkegaard : « L'acteur (de vie) parfait c'est celui qui " est agi " — et qui le sait — la passion passive » (p. 835). L'« être-agi » est à rapprocher du *wou-wei*, idéal taoïste cher à Jean Grenier.

9. Voir la note de l'été 1938 des *Carnets*, p. 857, relative à la « mort consciente ».

10. Camus explore la problématique de l'expérience de la mort dans *Le Mythe de Sisyphe*, p. 229. Louis Faucon (voir *Pléiade Essais*, p. 1352) émet l'idée que l'addition de ce thème sur *dactyl. 3* (voir var. *k*) serait tardive et due à la publication, en 1938 chez Gallimard de *Qu'est-ce que la métaphysique ?* de Heidegger (« Nous n'éprouvons pas en un sens authentique la mort des autres ; nous ne faisons tout au plus qu'y assister », Ire partie, chapitre 1er).

11. Voir la note d'avril 1937 dans les *Carnets*, p. 814. — Comme

Nietzsche, Camus refuse le règne de l'idéal mensonger : « Le " monde
vrai " et le " monde de l'apparence ", traduisez : le monde *inventé* et
la réalité… Le *mensonge* de l'idéal a été jusqu'à présent la malédiction
suspendue au-dessus de la réalité. L'humanité elle-même, à force de
se pénétrer de ce mensonge, a été faussée et falsifiée jusque dans les
instincts les plus profonds, — jusqu'à l'adoration des valeurs *inverses* de
celles qui lui garantissaient l'épanouissement, l'avenir, le *droit* éminent
à l'avenir » (*Ecce homo*, « Avant-propos », trad. H. Albert révisée par
J. Lacoste, p. 1112).

12. L'expression « ne pas se séparer du monde » revient comme un
leitmotiv dans les *Carnets* (voir p. 799 et 808).

L'ÉTÉ À ALGER

De cet essai, nous n'avons pu consulter qu'un manuscrit (sigle : *ms.*).
Au regard des *Carnets*, la composition de « L'Été à Alger » semble couvrir la période allant de l'été de 1937 à l'été suivant.
En février-mars 1939, la revue *Rivages*, dans son deuxième et dernier
numéro, annonce la parution de *Noces* et offre un extrait de cinq pages
de « L'Été à Alger », dédié à Jacques Heurgon, professeur à la faculté des
lettres d'Alger, ami de Camus et membre de rédaction de la revue. Il
s'agit des cinq paragraphes depuis « Dans les cinémas de quartier, à
Alger… », jusqu'à « … ces vérités que la main peut toucher » (p. 121-
124). Aucune variante n'est à relever.
La Revue algérienne, dirigée par ses amis de la famille Raffi, bénéficia elle
aussi en février 1939 d'un fragment inédit dans la rubrique « Chronique
du jeune Alger : le récit intégral de la bagarre de Bab-el-Oued », donné
en « Note » de « L'Été à Alger » à partir d'*orig*. Là non plus, aucune
variante n'est à relever.

a. sentir *ms.* ◆◆ *b.* pauvres ? / Il y a des peuples nés pour le soleil
et pour la vie. C'est chez eux que le sentiment de la mort est le plus profond et le plus tragique. Les hommes trouvent *ms.* ◆◆ *c.* trésors des
dieux : tiédeur *ms* ◆◆ *d.* progrès et ses déficits. Il y a toute une chronique du corps qui reste à faire et dont on imagine mal l'importance.
Cette nuance *ms.* : *e.* Norvège et ses parfums du bois *ms.* : :
Norvège ont tous les parfums du bois *orig., 1945, 1947* ◆◆ *f.* parfumée à la vanille. Ils disent « Fraîche-Fraîche ». La place est déserte.
Après *ms.* ◆◆ *g.* tête. Le soir *ms.* ◆◆ *h.* pencher tout d'un coup. Est-
ce pour cela que l'idée que je me fais de l'innocence est toujours liée
à certains soirs d'Alger. Mais du moins cette image me conduit à ces
êtres *ms.* : dois. En tout cas, ces êtres *orig., 1945, 1947* ◆◆ *i.* généreuses. Il ne s'agit pas alors *ms.* ◆◆ *j.* principes. À Belcourt par
exemple, on a *ms.* ◆◆ *k.* plus tragique. Les amusements de ce peuple
hors les fêtes des sens dont j'ai parlé plus haut sont parmi les plus
ineptes. *ms.* : peuple sont parmi les plus ineptes. *orig., 1945, 1947*
◆◆ *l.* ans. Et il n'y a pas de pays où les dimanches soient plus insuppor-
tables. La pauvreté et la sueur prennent leur revanche sur la puissance.
Comment ce peuple *ms.* ◆◆ *m.* noirs clôtures de pierres bleues laissent
monter *ms.* ◆◆ *n.* aller avec *[6 lignes plus haut]* son temps, on exile parfois la fauvette pour la remplacer par un […] niais qui arbore sans honte
une magnifique paire d'ailes pourtant inutiles désormais. / Et pourtant

c'est sous les murs mêmes de ce cimetière que les jeunes filles de Belcourt s'offrent aux baisers et aux caresses — devant un paysage qui invite à la vie. Les valeurs ici sont étroitement liées et les images de la mort ne se séparent jamais de la vie. La plaisanterie   *ms.* ◆◆ *o.* route. On répond à l'annonce d'un décès en clignant l'œil droit : « Le pauvre   *ms.* ◆◆ *p.* repris. » Après quoi les étés recommencent et les fêtes sont exaltantes et sans secours. / J'entends bien   *ms.* ◆◆ *q.* Italie ni l'aisance de sa foi comme en Espagne. Cette race est indifférente à l'esprit. Ses plaisirs sont violents et charnels. Elle a le culte   *ms.* ◆◆ *r.* « mentalité ». Il faut bien dire ici que c'est par cette mentalité qu'ils me touchent. Qu'importe la littérature si je vois se modeler sous mes yeux une nouvelle forme de vie. Voici sans doute un peuple sans passé   *ms.* ◆◆ *s.* mort. Tous les dons   *ms., orig., 1945, 1947, 1950* ◆◆ *t.* naître, il serait semblable à celui des Doriens dont la première colonne fut une colonne de bois (elle était de pierre en Égypte) et qui marquèrent leur haine dans la durée. À la vérité je trouve ici ma mesure — dans le visage violent de ce peuple qui ne hurlait pas dans son abandon, voué au sens, à leur grandeur et à leur misère sous ce ciel d'été brûlant et figé, sans faux attendrissement, qui se donne sans se livrer, devant quoi toutes les vérités   *ms. Voir les « Carnets », p. 845.* ◆◆ *u.* toucher. Sans doute cela signifie qu'elles doivent périr avec nous. Mais pour ma part je trouve là le principe de ma liberté. / Sentir ses liens avec une terre, l'amour qu'on partage avec une race, savoir   *ms.* ◆◆ *v.* tue *[6 lignes plus haut].* / Qu'on n'attende pas ici le « Tout est permis » des Frères Karamazov. Beaucoup affectent l'amour   *ms.* ◆◆ *w.* après j'vais te l'enlever et t'y auras des coups quand même   *ms.* ◆◆ *x.* copains. La honte à la figure   *ms. Le manuscrit contient un autre récit de bagarre d'une teneur semblable et construit autour de trois personnages : la vieille, Julot et Gaston. Les « Carnets » donnent, p. 877, un récit de bagarre de la même veine et qui sera repris dans « L'Étranger », p. 157.*

1. Montherlant place en épigraphe à *Sans remède* cette citation de sainte Thérèse : « Notre désir est sans remède » (*Essais*, Bibl. de la Pléiade, p. 289).

2. « J'ai passé deux mois en Europe centrale, de l'Autriche à l'Allemagne, à me demander d'où venait cette gêne singulière qui pesait sur mes épaules, cette inquiétude sourde qui m'habitait. Je compris depuis peu. Ces gens étaient boutonnés jusqu'au cou » (« La Culture indigène. La Nouvelle Culture méditerranéenne », *Jeune Méditerranée*, avril 1937, p. 567).

3. La réflexion sur Gide est la reprise développée d'une note consignée dans les *Carnets* en juillet 1937 (p. 819). (Le texte édité chez Marcel Lubineau en 1959 est le seul à avoir regroupé ces réflexions sous la « Note » placée à la fin du texte, ce qui ne correspond d'ailleurs pas au manuscrit où une délimitation à l'encre noire sépare lesdites réflexions du reste du texte.)

4. Un « personnage " physique " », Étienne, évoqué en 1938 dans les *Carnets*, p. 861, est très proche du « camarade Vincent » (voir aussi la Notice de *L'Étranger*, p. 1248).

5. Voir *L'Envers et l'Endroit*, « Entre oui et non », p. 48.

6. Reprise d'une note consignée en juin 1938 dans les *Carnets* (p. 853).

7. Reprise d'une note du 8 novembre 1937 dans *ibid.* (p. 841).

8. Cf. *Le Mythe de Sisyphe*, p. 269 : « Ces visages chaleureux ou émer-

veillés, il les parcourt, les engrange, les brûle. Le temps marche avec lui. L'homme absurde est celui qui ne se sépare pas du temps. »

9. Sur l'enfer (et aussi sur l'éternité), voir les *Carnets*, p. 817. Voir aussi n. 3, p. 113 (« Le Vent à Djémila »).

10. Voir « Au service de l'homme », *Résistance ouvrière*, 14 décembre 1944, p. 933.

11. Voir *L'Envers et l'Endroit*, « La Mort dans l'âme », p. 63.

12. Voir *L'Été* (1954), « Petit guide pour les villes sans passé », Gallimard, coll. « Folio », p. 125-131 (à paraître au tome III de la présente édition).

13. Voir la présentation de la revue *Rivages*, p. 869. Le rapport culture-civilisation préoccupe beaucoup Camus dans les années 1936-1938, ainsi que l'attestent les réflexions des *Carnets* (voir p. 813, 816 et 845-846).

14. Voir var. *i*, p. 124.

15. Voir *Le Mythe de Sisyphe*, p. 280.

16. Camus se souvient de son Diplôme d'études supérieures de 1936, « Métaphysique chrétienne et néoplatonisme » (voir les Premiers écrits, p. 999). Par ailleurs, il écrit à la fin de l'été de 1938 dans les *Carnets* : « Reprendre travail sur Plotin » (p. 861).

17. Voir ici n. 9, p. 122.

18. Voir *Le Mythe de Sisyphe*, p. 250.

19. Voir *La Mort heureuse*, p. 1182 ; et une note de l'été de 1938 dans les *Carnets*, p. 858.

20. « Être privé d'espoir, ce n'est pas désespérer » (*Le Mythe de Sisyphe*, p. 282).

21. Musette, en fait Auguste Robinet (1862-1930), a immortalisé les aventures d'un héros sympathique — mais antisémite —, voyou, Gavroche, titi de Bab-el-Oued qu'il nomme Cagayous. Gabriel Audisio a présenté un recueil des histoires de Musette en 1931 chez Gallimard (*Musette. Cagayous, ses meilleures histoires* ; réédité chez Tchou en 2003) ; on y trouve aussi un lexique sur le parler « pataouète » du héros.

LE DÉSERT

Les notations relevées dans les *Carnets*, depuis septembre 1937 jusqu'à décembre 1938, supposent une composition délaissée un certain temps, probablement durant la période couvrant l'hiver de 1937 et le printemps de 1938, pour être reprise à l'été de 1938 — ainsi qu'en témoigne une note des *Carnets* de juin citée dans la Notice, p. 1228. Le seul dactylogramme conservé (sigle : *dactyl.*) porte de nombreuses corrections manuscrites, tantôt au stylo, tantôt au crayon, mais aucune date susceptible de renseigner sur le moment de l'achèvement.

a. français et l'anglais, « *si come dactyl., orig., 1945, 1947* ◆◆ *b.* dernière parole. [Tout en moi […] pas à pas. *add. ms.*] Et, pour *dactyl.* ◆◆ *c.* loi *dactyl.* ◆◆ *d.* cœurs *dactyl.* ◆◆ *e.* devenait silence. [Le sommet […] nuages. *add. ms.*] Mais une brise *dactyl.* ◆◆ *f.* sourire des choses. Il me mettait *dactyl.* ◆◆ *g.* monde m'annihile. [Il me porte jusqu'au bout. Il me nie sans colère. *add. ms.*] Dans ce soir *dactyl.* : monde m'annihile. Dans ce soir *Lub. 1959* ◆◆ *h.* poésie qui me gonflait le cœur ne m'avait *dactyl.* : poésie qui me gonflait ne m'avait *orig.* ◆◆ *i.* vivre. Son regard est ailleurs ou plutôt, il est vide, ou encore, il n'est pas. Car le sage *dactyl., orig.* ◆◆ *j. Fin du texte dans dactyl. :* dieux, la tâche de l'homme est d'édifier sa joie pour que le monde un jour la jette dans la cendre.

1. Sans doute les titres « Le Vent à Djémila » ou « Noces à Tipasa » suggèrent-ils plus, au premier abord, l'idée de désert que la Toscane, mais il semble, à la lecture des premières lignes du « Minotaure ou la Halte d'Oran », que les lieux les plus fréquentés soient également ceux où la solitude est possible : « Il n'y a plus de déserts. [...] Mais où trouver la solitude nécessaire à la force, la longue respiration où l'esprit se rassemble et le courage se mesure ? Il reste les grandes villes » ; « Descartes ayant à méditer choisit son désert : la ville la plus commerçante de son époque » (*L'Été*, p. 77). Le choix du titre peut être aussi dû à l'influence de Nietzsche qui évoque, dans *La Généalogie de la morale*, « la volonté de " désert " » comme idéal « des grands esprits féconds et inventifs » ; sachant que l'on peut entendre par désert « une chambre dans un hôtel bondé, où l'on est certain d'être confondu avec tous et de pouvoir parler impunément avec n'importe qui ».

2. Voir Gide, préface aux *Nourritures terrestres* : « Et quand tu m'auras lu, jette ce livre, — et sors. »

3. Reprise des *Carnets*, septembre 1937, p. 829.

4. On peut imaginer que Camus a lu *Le Voyage du condottiere*, d'André Suarès, réédité en 1932 et qui était largement diffusé. Cet auteur (dans l'édition du Livre de Poche, 1996, p. 343-344) évoque les œuvres de Piero della Francesca et consacre notamment un long développement au Christ « ressuscitant » (voir plus loin, p. 136). Camus connaît l'analyse de Malraux sur l'art italien parue dans la deuxième livraison de *Verve*, au printemps de 1938, dans son article « Psychologie des Renaissances ». On peut d'ailleurs rapprocher ce passage des *Voix du silence* (1951) : « Piero, créateur de l'un des styles les plus élaborés qu'ait connus l'Europe, est l'inventeur du détachement comme expression dominante des personnages. [...] Les bourreaux distraits de la *Flagellation* frappent un Christ absent, derrière trois conseillers du duc d'Urbin qui ne les regardent pas ; le Christ de la *Résurrection* est aussi étranger aux soldats endormis qu'au spectateur » (Malraux, *Écrits sur l'art* ; *Œuvres complètes*, Bibl. de la Pléiade, t. IV, p. 290).

5. Voir n. 9, p. 122 (« L'Été à Alger »).

6. Voir les *Carnets*, 8 septembre 1937, p. 828.

7. Voir les *Carnets*, p. 841, et *Le Mythe de Sisyphe*, p. 274. L'idée des *Voyageurs traqués* relative à son expérience de vie errante est chère à Montherlant, qui a rangé sous ce titre une série de trois ouvrages : *Aux fontaines du désir* (1927), *La Petite Infante de Castille* (1929), *Un voyageur solitaire est un diable* (1945).

8. Voir *Le Marchand de Venise*, V, 1.

9. Jean Grenier dans *Les Îles*, « Les Îles Kerguelen » (p. 72), évoque également les héros de Shakespeare : « À côté de Venise qui s'ouvre à la mer et s'étale au soleil, voici Vérone, fermée et impénétrable. Il y a toutes sortes de raisons pour que *Roméo et Juliette* se passe à Vérone plutôt qu'à Venise. »

10. Reprise des *Carnets*, p. 828-829.

11. La visite du cloître est une reprise modifiée d'une note des *Carnets*, p. 829. Le travail de reprise a consisté en un allégement de l'expression qui confère aux notations une valeur générale.

12. Camus, à l'instar de Grenier dans *Santa Cruz et autres paysages méditerranéens*, se plaît à évoquer les inscriptions funéraires. C'est un phénomène récurrent du recueil : voir « L'Été à Alger », p. 123.

13. « … parlait le français " aussi bien que les Français ". » — « … mais la joie est pèlerine sur la terre », par référence à la parole biblique (voir p. 132). — Littéralement : « avec le soleil levant avec le soleil couchant », par référence à l'expression latine désignant l'essor et le déclin de la vie.

14. La visite du couvent de Fiesole est la reprise épurée d'une note des *Carnets*, p. 832 (15 septembre 1937).

15. « Alberto fait l'amour avec ma sœur. »

16. En janvier 1936, Camus notait dans ses *Carnets* : « Je suis heureux dans ce monde car mon royaume est de ce monde » (p. 799) ; on retrouve cette formule notamment dans « L'Envers et l'Endroit » : « À cette heure, tout mon royaume est de ce monde » (p. 71). — Voir les *Carnets*, p. 831.

17. Ce « balancement » est l'objet de *L'Envers et l'Endroit* : voir la Notice de ce recueil, p. 1214.

18. Camus évoque le « parti pris de silence » de Rimbaud dans *L'Homme révolté* (Gallimard, coll. « Folio essais », p. 22 et 119) ; voir aussi *Le Mythe de Sisyphe*, p. 286.

19. Voir les *Carnets*, p. 843.

20. Les *Carnets* donnent deux versions « Pour la fin de *Noces* » datées de décembre 1938 (p. 870). — Camus se souvient de Nietzsche : « Je n'érige pas de nouvelles idoles ; que les anciennes apprennent donc ce qu'il en coûte d'avoir des pieds d'argile ! » (*Ecce homo*, « Avant-propos », trad. H. Albert révisée par J. Lacoste, p. 1111.) Voir également *Le Mythe de Sisyphe*, où Camus oppose des « dieux de lumière et des idoles de boue » (p. 290).

L'ÉTRANGER

NOTICE

L'Étranger est le premier roman de Camus achevé et publié de son vivant. Mis en vente le 19 mai 1942, il est le fruit d'une longue gestation. C'est l'aboutissement des tentatives de récits autobiographiques déguisés, connues sous les noms de « Louis Raingeard », des écrits du « quartier pauvre » et de *La Mort heureuse*. Mais les premières esquisses narratives du roman n'ont prospéré qu'une fois *La Mort heureuse* remisée dans les cartons. Entré à *Alger républicain* en octobre 1938, Camus prit sans doute rapidement la mesure des difficultés sociales, économiques et politiques qui disloquaient les vies de ses contemporains et conféraient aux attitudes et aux dialogues des personnages de *La Mort heureuse* un caractère désuet et esthétique, inadapté à la période. On peut penser que, comme projet conscient, distinct et résolu, *L'Étranger* n'a pris forme qu'après la suspension du quotidien algérois en janvier 1940.

Appliquant la technique de recueil des faits — les « pilotis » de Stendhal, romancier cher à Camus —, il a assemblé et détaillé en mai 1938 les instants de « la veillée mortuaire », à laquelle il assista, en compagnie de son frère Lucien, à l'hospice de Marengo[1] : la note des *Carnets* qui lui est consacrée peut être considérée comme une « histoire », une intrigue nouvelle, qui servira pour le chapitre 1 du roman définitif. La défunte était Marie Burg, la belle-mère de Lucien. Comme le montrent d'autres notes de la période[2], l'esprit de Camus tourne autour de projets romanesques dont la thématique qui les désigne reste floue et ne prospère pas.

Il serait toutefois imprudent d'accorder une confiance absolue aux datations qui encadrent certaines notes dans ses cahiers d'écolier publiés sous le titre *Carnets*, voire à l'exactitude et à l'exhaustivité de celles-ci, pour fonder la genèse de *L'Étranger*. On doit cependant prendre en compte les faits suivants. Occupé par les enquêtes de terrain et le travail au marbre du journal, en compagnie de Pia, pris aussi par les tentatives de réécriture de *La Mort heureuse*, jusqu'en février 1939[3], date à laquelle il comprend que toute publication de ce roman n'est plus envisageable, Camus n'a pu conduire le travail d'amplification projeté à partir de l'épisode de la veillée mortuaire. À peine a-t-il eu le loisir, en juillet 1938, de figurer le cheminement du « vieux à travers champs[4] » qui prolonge le scénario de l'enterrement de Marie Burg, ou de relater l'« Histoire de R.[5] » de Belcourt (le réel quartier pauvre de l'enfance de Camus) dont les répliques se retrouvent p. 157 de notre roman ; à peine, à la fin de novembre 1938, a-t-il tenté de jeter quelques bribes de narration à la première personne, qui exploitent les notes relatives à l'asile de Marengo : « Aujourd'hui, maman est morte[6] » (où l'on reconnaîtra le célèbre *incipit*). On ne peut dire qu'une intrigue romanesque, en bonne et due forme, soit en vue.

Ce n'est que le 25 juillet 1939 qu'il expose à Christiane Galindo le travail auquel il se prépare : « [...] je commencerai mon roman chez ma mère. Tout cela va me prendre beaucoup de temps[7]. » Il semble avoir alors rédigé, sous une forme définitive ou provisoire, le premier chapitre de *L'Étranger*. Ceci est corroboré par l'écrivain dans sa lettre à Pia, le 2 juin 1941 : « [...] le premier chapitre a été écrit un an avant les autres, rédigés à Paris[8]. » En effet, de janvier au début de mars 1940, en séjours alternés à Alger ou à Oran, chez sa future belle-famille, Camus paraît avoir esquissé des liens possibles entre les différentes pièces du puzzle. Mais le vrai travail d'assemblage commencera à Paris, en mars 1940, lorsque Camus prend ses fonctions de secrétaire de rédaction à *Paris-Soir*. La rédaction sembla aller vite, au point que Camus put écrire à Francine Faure le 1er mai 1940 : « Je viens de terminer mon roman [...] Sans doute, mon travail n'est pas fini. J'ai des choses à reprendre, d'autres à ajouter, d'autres à réécrire. Mais le fait est que j'ai fini et que

1. Voir les *Carnets 1935-1948*, t. II de la présente édition, p. 852.
2. Voir *ibid.*, p. 853.
3. Voir la Notice sur *La Mort heureuse*, p. 1443.
4. Voir les *Carnets*, p. 860.
5. Voir *ibid.*, p. 859.
6. *Ibid.*, p. 863.
7. Cité par Olivier Todd, *Albert Camus. Une vie* (1996), Gallimard, coll. « Folio », p. 300.
8. Cité dans *ibid.*, p. 382.

j'ai tracé la dernière phrase. [...] je le porte depuis deux ans et j'ai bien vu à la façon dont je l'écrivais qu'il était déjà tout tracé en moi[1]. »

C'est que la maturation, au plan du choix de l'intrigue comme au plan de l'écriture, avait fini par porter ses fruits. Si l'intrigue fut le résultat — comme nous le verrons ensuite — d'un compromis entre des faits divers d'actualité, des scénarios envisagés pour les ébauches narratives antérieures et des scènes de vie quotidienne issues du quartier pauvre, la symbolique de cette intrigue est puisée dans la vie la plus intime de l'écrivain, celle de ses fêlures d'enfant, de ses misères d'adolescent et de ses révoltes d'homme. Mais, la lettre adressée à Francine le 1er mai 1940 l'atteste, l'écrivain resta lucide quant au long travail de complétude et de révision qui l'attendait. Sur le seul manuscrit à peu près complet dont nous disposions[2], apparaît la date de « mai 1940 », laquelle date est biffée et corrigée en « février 1941 ». Ces dates ne signalent cependant que les repères d'achèvement des phases principales de rédaction et de relecture. Nous avons trouvé, en effet, sur une demi-feuille à en-tête de *Paris-Soir*, portant l'adresse tamponnée « 57, rue Blatin, Clermont-Ferrand », un plan de développement ainsi conçu : « Discours du procureur — la population indigène... etc. », qui renvoie au procès de Meursault dont celui-ci fait le récit dans la seconde partie. Or l'installation à Clermont-Ferrand, où Camus a suivi l'équipe de *Paris-Soir* au moment de l'exode, s'est faite durant la seconde semaine de juin. Le roman continue donc d'être revu durant l'été 1940[3]. La correction et la révision s'étendirent encore, une fois Camus rentré à Oran à la fin de février 1941, la surcharge « février 1941 » n'indiquant certainement que la date des derniers ajouts et corrections, mais non le terme de révision ultime. Il y a fort à parier, en effet, que la lecture faite par Malraux en mai 1941 (Pia lui ayant transmis un manuscrit de *L'Étranger*) porta ses fruits et inspira des corrections postérieures. C'est enfin grâce à l'aide infatigable de Pia auprès de Jean Paulhan et de Gaston Gallimard[4] que *L'Étranger* paraîtra en mai 1942.

De nouveaux repères expressifs.

S'en tenir à cette reconstitution accélérée pourrait laisser croire à une métamorphose subite et *ex nihilo* chez l'écrivain. Or, des tentatives laborieuses et avortées de récit autobiographique déguisé à *L'Étranger*, la mutation, qui fut profonde et radicale, s'explique par un lent apprentissage du métier d'écrivain.

La lecture, de 1937 à 1939, des articles et des comptes rendus de la *N.R.F.* consacrés à des œuvres littéraires laissa des traces dans les *Carnets* de la période, sous forme de notes traitant de questions d'expression et de technique romanesques. En janvier 1937, la revue publie

---

1. Lettre du 30 avril-1er mai, citée dans *ibid.*, p. 246-247, et reproduite intégralement dans *« L'Étranger » d'Albert Camus* commenté par Bernard Pingaud, Gallimard, coll. « Foliothèque », p. 147.
2. Voir la Note sur le texte, p. 1261.
3. Camus est revenu à Paris en juillet et a tenté, en vain, de récupérer des papiers (parmi lesquels des papiers relatifs à *L'Étranger*) laissés à l'hôtel Madison (VIe arrondissement) où il avait séjourné avant l'exode ; mais l'hôtel était désormais réquisitionné par les Allemands qui y avaient établi un des locaux de la Komandantur.
4. Voir plus bas, p. 1258-1259.

des extraits du *Journal intime* de Joubert : « 1783. On ne devrait écrire ce qu'on sent qu'après un long repos de l'âme. Il ne faut jamais exprimer comme on sent, mais comme on se souvient. » En juillet 1938, toujours dans la même revue, Gabriel Marcel relève, à propos des *Carnets* de Joubert, que l'expression y « est en deçà de l'affirmation et comme en retrait par rapport à elle. En réalité, tout ce qui se poursuit tout le long des *Carnets*, c'est la conquête d'un style, au sens précis du terme. » En 1938, Camus consigne dans ses propres *Carnets* : « Pour écrire, être toujours en deçà dans l'expression (plutôt qu'au-delà)[1]. » Ces incitations aux consignes de rigueur, de réserve et d'économie de l'expression composeront une partie de la grille de critères sur lesquels Camus fondera le type d'écriture qu'il mettra en œuvre. L'autre partie de cette grille provient des lectures des articles de Sartre sur le roman américain, parus dans la *N.R.F.*, dès août 1938, et intitulés pour le premier « À propos de John Dos Passos et de *1919* » : « Le temps de Dos Passos est sa création propre : ni roman, ni récit [...] Tout est raconté par quelqu'un qui se souvient [...]. C'est le dévidage balbutiant d'une mémoire brute et criblée de trous [...]. » Entre ces deux types d'expression, deux esthétiques s'opposent. Mais Camus, fort d'une conviction proclamée, dès 1936, dans son D.E.S.[2], pense que l'équilibre et l'harmonie artistiques procèdent de formes opposées. La composition du mélange « explosif[3] », entre les principes dits classiques et ceux du néomodernisme américain, qui sera expérimentée dans *L'Étranger*, est probablement à l'origine de la nouvelle écriture de Camus. Pour camper l'histoire d'une vie livrée à l'absurde[4], le romancier essaie d'élaborer un type d'écriture. La syntaxe est particulière : elle dissocie au lieu d'organiser. Juxtapositions, énumérations en cascade, conjonctions de coordination neutres (par « et »), ordre de type invariant (sujet-verbe-attribut ou complément), complétives déclaratives, la phrase de *L'Étranger* stagne. Le lexique est au diapason, verbes déclaratifs atones, vocabulaire « fondamental »[5].

Deux pôles romanesques à régénérer.

La Mort heureuse ajourné a laissé au romancier deux pôles fictionnels, depuis toujours privilégiés, l'un centré sur les relations de la mère et du fils, l'autre ressassant, de plusieurs façons, l'univers du condamné à mort. Dans le destin du condamné que représente Meursault, Camus ne perçoit pas seulement la forme ultime d'une civilisation qui nie ses valeurs, il distingue la *vox populi* qui retourne à ses meurtres rituels. L'actualité nationale et l'actualité algéroise de décembre 1938 réactivèrent les vieilles

---

1. *Carnets*, p. 856.
2. « Tout le parfum du paysage plotinien est là : un certain tragique dans cet effort pour couler le sentiment dans les formes logiques de l'idéalisme grec » (« Métaphysique chrétienne et néoplatonisme », p. 1041).
3. Voir Jean Grenier, *Albert Camus. Souvenirs* : « Relisant *L'Étranger* [...] je suis saisi par ce que je crois entendre : un cri sauvage. [...] Le cri de l'animal pris au piège. [...] Mais la force avec laquelle il se contraint à se taire est explosive » (Gallimard, 1968, p. 185).
4. Au côté de *L'Étranger*, *Le Mythe de Sisyphe* et *Caligula* (mais aussi *Le Malentendu*) constituent chacun, selon leur logique propre, des illustrations ou des mises en situation du thème de l'absurde (voir la note des *Carnets* du 21 février 1941, p. 920 : « Terminé *Sisyphe*. Les trois Absurdes sont achevés »).
5. Voir A. Abbou, « Les Paradoxes du discours dans *L'Étranger*, de la parole directe à l'écriture inverse », *Revue des Lettres modernes*, série « Albert Camus », nos 212-216, 1969.

répulsions. Les bagnards, en partance pour Cayenne, qui accostent à Alger, sur *Le Martinière* : voici les hommes « qu'on raie de l'humanité[1] », comme il titre l'un de ses articles pour *Alger républicain*. Le 30 décembre, Aaron Zaoui est exécuté à Alger. *La Dépêche algérienne* n'hésite pas à décrire l'atmosphère lugubre et les derniers instants du supplicié[2]. Le sujet n'est pas exempt de fétichisme pour l'écrivain : parler de l'exécution capitale, c'est évoquer les vomissements du père qui revint, tordu de nausée, après avoir assisté au supplice de Pirette[3]. C'est ainsi suggérer la figure du père, lui aussi supplicié par un obus, à la Grande Guerre. C'est agiter une vieille peur enfantine, la parentèle maternelle ayant murmuré à l'oreille de l'adolescent qu'il finirait, en raison de ses frasques, guillotiné[4]. Les deux pôles fictionnels ont partie liée avec l'histoire personnelle du romancier.

De « Louis Raingeard » à *La Mort heureuse*, puis à *L'Étranger*, les postulations contraires des deux égos, l'un attaché à la mère, l'autre hostile et la rejetant, n'ont cessé d'agiter l'imaginaire du romancier. Velléités d'indifférence, suicide ou exécution capitale pour échapper au remords et à la déchéance morale : les scénarios romanesques ont mis en scène ces pulsions. Le besoin d'assumer enfin son héritage familial et social, d'expier ses « mauvaises pensées », enfin de se délivrer tout ensemble, l'emporte sur les doutes et les souffrances du passé.

Un nouveau « quartier pauvre ».

Écrire sur les quarante heures[5] ? Camus envisagea ce virage vers l'actualité. N'avait-il pas connu la vie de bureau avec ses niches à dossiers, vrai « columbarium où des heures mortes auraient pourri[6] » ? N'avait-il pas réagi individuellement, en refusant de céder « à la convention et aux heures de bureau[7] » ? En cours de rédaction, l'essai tourna court. En est demeurée une longue esquisse donnée à Christiane Galindo[8].

L'actualité internationale de juin 1939, pour Camus, réactivait la crise connue en décembre 1937. C'est que les conditions d'aujourd'hui et d'alors paraissaient interchangeables et induisaient la même tentation : quitter à tout prix un monde aliénant : « Le type qui donnait toutes les promesses et qui travaille maintenant dans un bureau. Il ne fait rien d'autre part, rentrant chez lui, se couchant et attendant l'heure du dîner en fumant, se couchant à nouveau et dormant jusqu'au lendemain[9]. » Les histoires délivraient la même pesanteur humaine et sociale. Le travail, le chômage, la pauvreté, la misère, l'humiliation, la mort solitaire ou en hospice, celle du condamné à mort, procédaient des mêmes fatalités, plus terrestres que métaphysiques.

---

1. Voir p. 585.
2. Voir la Notice de *La Mort heureuse*, p. 1453.
3. Voir *Le Premier Homme*, CAC 7, 1994, p. 80.
4. Voir *ibid.*, p. 81. — Voir A. Abbou, « Du goût de l'innocence à l'attente du supplice », *Camus et le lyrisme*, actes du colloque de Beauvais, 31 mai-1er juin 1996, SEDES, 1997.
5. « Essai sur les 40 heures. / Dans ma famille : travail 10 heures. Sommeil. Dimanche-Lundi — Chômage : l'homme pleure. La grande misère de l'homme c'est qu'il ait à pleurer à souhaiter ce qui l'humilie (concours) » (*Carnets*, p. 854).
6. *La Mort heureuse*, p. 1113.
7. *Carnets*, p. 841.
8. Voir O. Todd, *Albert Camus. Une vie*, p. 207-208.
9. *Carnets*, p. 844.

En février 1939, bien que la combinatoire des écrits du « quartier pauvre » et de la « vie absurde » fût engagée, romanesquement rien n'était encore ficelé. Camus ignorait certainement encore par quelle intrigue et par quelle trajectoire il unirait les épisodes.

La revendication des siens.

Il fallait prendre parti pour ceux qui subissaient les fatalités. Pour combattre les tentations de l'intellectualisme débridé, il n'y avait qu'un remède, la cause du peuple, et, contre les sollicitations égotistes, il fallait marcher droit à l'objet, en privilégiant la description des mœurs. C'est probablement le moment où Camus pénètre plus avant dans l'univers des romanciers classiques, et notamment de Stendhal[1]. Et les termes retenus par Camus, dans *Le Soir républicain* du 7 décembre 1939, pour présenter le nouveau feuilleton « Place Mahon » ne sont pas, non plus, propos de circonstance : « Il inaugurera ainsi une série de feuilletons exploitant la veine populaire qui, tout compte fait, demeure la seule valable dans le monde absurde des puissants. »

Une telle inclination pour la « veine populaire » éclaire l'état d'esprit du romancier durant la période de maturation du roman. Sans doute convaincu de la spécificité d'une littérature liée à la société nord-africaine[2], Camus avait commencé à recueillir et à verser dans les *Carnets* les histoires reçues en argot local. Un fragment de « L'Été à Alger » (avant-dernier essai de *Noces*), bâti sur cette fresque de scénettes populaires, fut prépublié en février 1939[3]. Les personnages répertoriés à l'automne 1938[4], Marie C., probable sœur du Cardona de *La Mort heureuse*, Étienne, frère en goûts et en « besoins » du Vincent de *Noces*[5], parlaient « vrai » au cœur de l'enfant de Belcourt. À l'époque, comme il le précisa dans *Noces*, l'écrivain ne voyait et n'aimait son pays « qu'au milieu de ses hommes les plus pauvres[6] ».

Une approche nouvelle du « quartier pauvre » fut corrélée aux autres « légendes », l'« Histoire de R. » de Belcourt mentionnée plus haut, bientôt celle de « Tolba et les bagarres[7] », variante de l'histoire de Coco rapportée dans la « Note » insérée dans *Noces*[8]. En février-mars 1939, une autre séquence, aussi pittoresque, non reprise dans la dactylographie des Cahiers à l'origine de *L'Étranger*, s'était intercalée. Rayée dans le manuscrit, cette note aurait dû s'insérer entre « La mort du " Caporal " » et « Le fou dans la librairie[9] ». Le texte mérite d'être rapporté et comparé à celui de *L'Étranger*, p. 161-162 :

« Rue de la Marine. Di<manche> m<atin>. Domingui qui a collé une

1. Voir A. Abbou, « À la rencontre d'un univers romanesque : Camus et Stendhal à travers *L'Étranger* et *Le Rouge et le Noir* », *Revue des Lettres modernes*, série « Albert Camus », nos 170-174, 1968.

2. Voir par exemple « La Culture indigène. La Nouvelle Culture méditerranéenne », p. 565. Et aussi les articles du « Salon de lecture » du 21 janvier et du 5 mars 1939, p. 812 et 822.

3. Voir « L'Été à Alger », p. 117, et sa notule, p. 1239.

4. Voir les *Carnets*, p. 861.

5. Voir *Noces*, « L'Été à Alger », p. 119, note en bas de page de Camus.

6. *Ibid.*, p. 118.

7. *Carnets*, p. 877.

8. Voir « L'Été à Alger », p. 126.

9. *Carnets*, p. 874.

beigne à une fille. La fille pleure. L'agent à Domingui. " Ton nom. " Domingui dit " Domingui " et fume. L'agent : " ta cigarette. " Domingui hésite. L'agent le gifle à toute volée. La cigarette tombe. Domingui : " Je peux la ramasser. " L'agent : " si tu veux, mais la prochaine fois tu sauras qu'un agent n'est pas un guignol. " La fille pleure. " Il m'a tapé. C'est un enculé. " Domingui : " Mons<ieur> l'agent, c'est dans la loi, ça de dire enculé à un homme. "

« " Ta gueule. "

« Domingui : " Attends petite on se retrouvera. " (Il habite impasse du soleil.)

« L'agent : " ferme ça. Va te coucher maintenant. Avec la gueule en sueur. Tu n'as pas honte d'être soûl comme ça ".

« Domingui (doux) : " Je ne suis pas soûl, monsieur l'agent. Seulement, je suis là devant vous et je tremble c'est forcé. " »

Sous le signe de l'absurde.

L'attention du journaliste fut toutefois détournée de cette veine populaire par les bruits de guerre. Vaille que vaille, Camus cherchait une intrigue de remplacement à *La Mort heureuse*. D'autres propos et d'autres scènes prirent la relève. Ainsi furent passés en revue quatre à cinq nouveaux scénarios. L'un, enregistré entre mai et juin 1939, s'appliquait à rendre la part d'absurde que recèle toute vie humaine, dès lors qu'on mettait en pratique la technique du roman américain, rapportée par Sartre, c'est-à-dire le découplage gestes/paroles qui rabaissait toute conduite humaine au stade d'actes sans signification, privés d'intentionnalité et de portée[1]. Au terme de ces rédactions préparatoires surgira, en janvier 1940, une intrigue sentimentale où l'homme, ré-accordé aux pulsions de la nature, échappera quelques instants à l'absurde. Camus, en contrepoint aux deux pôles romanesques déjà retenus, introduisait ainsi lors qu'on mettait en pratique déjà retenus, introduisait ainsi les référents symboliques de la dualité du monde : une vie accordée à la nature et sa déchéance dans l'absurde. Son imaginaire ne se déprenait pas des thèmes privilégiés dans *Noces* et dans *La Mort heureuse*. Il convenait de rappeler à l'homme qu'il existait un cadre accueillant où il pouvait se retrancher du délire et de la mort. « Roman. / Cette histoire commencée sur une plage brûlante et bleue, dans les corps bruns de deux êtres jeunes — bains, jeux d'eau et de soleil — soirs d'été sur les routes des plages avec l'odeur de fruit et de fumée au creux de l'ombre [...]. / — Terminée à Paris avec le froid ou le ciel gris, les pigeons parmi les pierres noires du Palais-Royal, la cité et ses lumières [...][2]. »

Nihilisme et individualisme.

Cette prise de distance vis-à-vis d'un monde qui consentait sans broncher à son anéantissement conduisit à un nihilisme dévastateur. « Tous

---

1. Voir : « La femme qui vit avec son mari sans rien comprendre. Il parle un jour à la radio. On la met derrière une glace et elle peut le voir sans l'entendre. Il fait seulement des gestes [...]. Pour la première fois, elle le voit dans son corps [...] comme un pantin qu'il est » (*Carnets*, p. 879).
2. *Carnets*, p. 902.

ont trahi […]. Et jamais l'individu n'a été plus seul devant la machine à
fabriquer le mensonge. […] Rien ne peut sortir de l'humain, de la foule.
[…] On meurt seul. Tous vont mourir seuls[1] », écrit Camus en septembre 1939. Le temps était désormais celui des innocents promus coupables par défaut, des bourreaux et des exécutions sans jugement, des
procès sans loi. Mais la vertu d'une conduite individualiste à l'extrême
et un dernier scrupule humaniste le retinrent d'ignorer le monde en ruine
qui survenait. Il tenta de s'engager par deux fois (en 1939 et en 1940). « Il
est toujours vain de vouloir se désolidariser, serait-ce de la bêtise et de
la cruauté des autres[2]. » Solidaire de ce monde, même à contrecœur,
Camus n'en continuait pas moins de s'opposer à ces ruines la conviction
d'avoir tout tenté pour résister à l'abrutissement. Et le 2 août 1939, dans
une lettre signée du pseudonyme Vincent Capable, il avait affirmé le
droit de l'homme à se retirer[3]. L'erreur était de croire que « l'homme
[avait] été mis sur terre et y faire quelque chose[4] ».

« M. Les hommes ne sont pas mes semblables. Ils sont ceux qui me
regardent et qui me jugent ; mes semblables, ce sont ceux qui m'aiment
[…] contre tout, qui m'aiment contre la déchéance, […] qui m'ai-
meraient […] tant que je m'aimerais moi-même — jusqu'au suicide
compris[5] », lit-on dans les *Carnets*.

La synthèse des possibles narratifs.

En février 1940, en séjour prolongé à Oran dans la famille de sa
fiancée, vivant d'expédients et mesurant jour après jour la précarité
de son existence, l'écrivain refusa de renoncer à une vie où il puisse à la
fois créer, se faire entendre et poursuivre un travail sur lui-même. La
conscience de l'absurde le délivra des tentations de remodeler le monde.
Il était décidé à coudre ensemble et à exploiter les notations éparses pour
achever un roman qui refléterait un monde similaire à celui de l'essai sur
l'absurde (*Le Mythe de Sisyphe*) et à celui de *Caligula*. À cette date, on
trouve une note dans les *Carnets* qui esquisse le portrait du « vieux »
Salamano, le voisin de Meursault, et de son chien, ainsi que celui de
Masson, reconnaissable à son tic, tous personnages du roman en cours :
« Personnages. Le vieux et son chien. Huit ans de haine. / L'autre et son
tic de langage : " Il était charmant, je dirai plus, agréable. " / " Un bruit
assourdissant, je dirai plus, éclatant. " / " C'est éternel, je dirai plus :
humain[6]. " »

Au plus fort de cette révolte sourde, éclata alors le rejet brutal, à la
fin de février 1940[7], du marécage oranais où il risquait de s'enliser. Pia
avait rapporté à Camus que, s'il allait à Paris à ses frais, Pierre Lazareff
l'engagerait comme secrétaire de rédaction à *Paris-Soir*. La décision de
rompre l'emporta, comme par conviction d'un point de non-retour

---

1. *Ibid.*, p. 886.
2. *Ibid.*, p. 888.
3. Voir « À la manière de King Hall », p. 740.
4. *Carnets*, p. 895.
5. *Ibid.* — Echo aux propos de Kyo dans *La Condition humaine* de Malraux (comme
le signale le « M. » au début de la note).
6. *Carnets*, p. 905. Voir *L'Étranger*, p. 155 et 170.
7. Voir la lettre à Lucette Maeurer évoquée dans O. Todd, *Albert Camus. Une vie*, p. 316
et n. 21, et la lettre de la fin de février-début de mars, à Pia, dans *ibid.*, p. 319.

atteint, d'une incompatibilité radicale avec un décor devenu totalement étranger. « Que signifie ce réveil soudain [...] avec les bruits d'une ville tout d'un coup étrangère ? Et tout m'est étranger [...] Étranger, qui peut savoir ce que ce mot veut dire[1]. »

Sa future belle-famille le traita d'égoïste. « Ce qui d'ailleurs est la vérité », écrit-il à Christiane Galindo, le 23 mars 1940[2]. Quittant l'Algérie le 14 mars 1940, il arriva à Paris le 16 mars et prit son service au journal dès le dimanche 17[3]. Comme évoqué au début de cette Notice, la décision de rejoindre l'« exil » parisien allait de pair avec le souci de boucler une rédaction qui traînait, donc d'agencer les différentes séquences préparées. Il demanda à Francine, le 23 mars, de lui adresser un chapitre de *La Mort heureuse*[4].

Plus de roman sur les 40 heures. La censure d'ailleurs y aurait bien vite mis fin. Témoigner pour soi, pour ses joies, pour le bonheur le plus humble et le moins trompeur. L'aventure des deux « corps bruns[5] », esquissée au début de 1940, en devint l'illustration. Et surtout dénoncer « l'hypocrisie bourgeoise, la morale médiocre et les préjugés mesquins[6] ». Quel meilleur recours pour cela que le heurt avec le monde des réalités populaires, de la misère, de la pauvreté, de la relégation sociale. Protester métaphysiquement contre l'injustice, la mort, l'absurde ? Camus a poussé à son terme l'exploitation des deux pôles, gardés en réserve, et frappés de narcissisme. Étrangement les deux s'articulaient en une suite accordée au temps, morbide et logique, mort de la mère enclenchant l'exécution du fils. En cours d'écriture, l'écrivain a-t-il perçu le lien intime qui l'unissait à son personnage, a-t-il eu conscience qu'il enchâssait son mythe personnel dans la trajectoire romanesque ? Les rares confidences présentes dans la « Préface à l'édition universitaire américaine », et notamment la référence au « seul christ que nous méritions[7] », montrent que le romancier n'a pas été totalement ignorant du processus de transfert qui s'accomplissait. Les situations étaient jumelles. N'étaient-ce pas les composantes de son univers habituel que la séparation imposée et la tentation de disparaître ? « Certes il avait fait sa vie hors de sa mère. Mais s'il savait une chose, c'était bien la vanité de ce confort et de ces livres. [...] le cœur de lui-même était ailleurs, dans cette chambre de bonne où sa mère travaillait », a-t-il écrit pour « Louis Raingeard »[8].

La constitution de la fiction semble donc s'être accompli dans un état mi-contrôlé, mi-subconscient. Les chapitres s'ordonnèrent autour d'unités dramatiques. Pérez, de *La Mort heureuse*, prêta son nom au « fiancé » de la mère de Meursault. Puis, Cardona offrit son intérieur sale et puant à Salamano, le voisin de Meursault, et légua son patronyme à

---

1. *Carnets*, p. 906.
2. Cité dans O. Todd, *Albert Camus. Une vie*, p. 319.
3. Voir *ibid.*, p. 322.
4. « J'espère du moins que tu as gardé le texte de *La Mort heureuse*. Si oui, tu regarderas attentivement le chapitre II, je crois, et tu prélèveras 1) le passage du début où Emmanuel et Mersault courent après un camion sur les quais. 2) Tout ce qui a trait « aux Dimanches à la fenêtre ». Si ces deux passages se trouvent bien dans le chapitre II, tu n'as qu'à m'envoyer le chapitre tout entier rue de Ravignan. » Voir *La Mort heureuse*, p. 1109 et 1114-1115 ; et *L'Étranger*, p. 155 et 152-154.
5. Voir ci-dessus, p. 1249.
6. « À la manière de King Hall », p. 741.
7. Appendice, p. 216.
8. Voir « Louis Raingeard », appendice de *L'Envers et l'Endroit*, p. 90-91.

Marie. Céleste demeura restaurateur. Outre le douar qui portait ce nom, et sur lequel nous revenons plus bas, l'original fut peut-être le patron d'une gargote, « à l'extrême bout de la Bouzareah », selon le souvenir — vague, selon ses propres dires — d'Edmond Charlot, éditeur et ami de Camus, consigné en 1969[1]. Le patron de Meursault aussi eut, peut-être, quelque relation avec le directeur du journal, Jean-Pierre Faure, au dire de l'intéressé[2]. Marie Cardona, elle-même, ne fut pas sans profiter d'une conjonction féminine de ses aînées, les Marthe et Lucienne de *La Mort heureuse*, voire de relations sentimentales bien réelles, comme celles avec Christiane Galindo et Yvonne Ducailar. Des fragments furent ainsi transférés de *La Mort heureuse* aux *Cahiers* vers la narration en cours. Le second chapitre récupéra toute une séquence du chapitre II de la première partie de *La Mort heureuse* décrivant l'appartement de Mersault, ses mœurs domestiques et son occupation dominicale. L'écrivain disposait aussi probablement de ses *Cahiers* à Paris, puisque le comportement de Raymond s'illustre des hauts faits de Tolba, de R., et de ceux de Domingui[3].

La peur et la méfiance qui séparaient les deux communautés d'Algérie, mais aussi les souvenirs de l'été 1939, si fertiles en meurtres provoqués par le soleil ou l'alcool, jouèrent leur rôle. Trois procès de cour d'assises (affaires Laskar-Pierro, Billota, Cozzolino) avaient eu à traiter, en 1939, de crimes semblables. *Alger républicain* et *La Dépêche algérienne* en rendaient compte. Chaque fois le hasard rapprochait les protagonistes, dont l'un tuait l'autre. L'affaire Billota, en particulier, avait opposé deux habitants du douar Céleste pour une question de mauvais voisinage. Si l'on suit les souvenirs d'Edmond Charlot, il pourrait s'agir du « fait méditerranéen relaté par un journal tombé entre les mains de Camus ». *La Dépêche algérienne* du 6 juillet 1939 résumait ainsi le drame : « Il a vu l'indigène porter la main à sa poche : il a eu peur : il a fait feu avant lui. Éternelle histoire[4] ! » Mais une autre affaire, celle d'un docker en butte à l'un de ses camarades de travail, l'affaire Cozzolino, où l'on avait tiré parce qu'il avait vu l'autre, Toubal, porter la main à sa poche, offrait un scénario voisin[5]. La prétendue source oranaise, rapportée par Olivier Todd[6], paraît superfétatoire, tant les faits allégués semblent reconstruits par une mémoire particulièrement agile (en l'occurrence celle des frères Raoul et Edgar Bensoussan), cinquante-quatre ans après les faits. Cet événement, qui se serait déroulé, en août 1939, à Bouisseville, près d'Oran, et qui aurait été rapporté à Camus, paraît aussi plaqué que superflu, tant les querelles de ce type étaient nombreuses dans toute l'Algérie, et à simple portée de lecture ou d'audience pour un journaliste abonné aux chroniques judiciaires, comme le fut Camus tout au long de l'année 1939. Le décor auquel se réfère Camus pour la description de la plage (de la banlieue d'Alger, dans le roman) évoque de

---

1. Céleste, « Ce n'était pas un restaurant, plutôt une petite gargote [...] à l'extrême bout de la Bouzareah » (Edmond Charlot, « Interview accordée à Éric Sellin par Charlot », *Revue des Lettres modernes*, série « Albert Camus », nᵒˢ 238-244, 1970, p. 161).
2. Voir la lettre adressée par J.-P. Faure à A. Abbou, p. 862.
3. Voir plus haut, p. 1244 et 1248-1249. Et voir *L'Étranger*, p. 157-158, et 161-162.
4. Le numéro du 6 juillet manque à la collection d'*Alger républicain* conservée à la B.N.F., mais on dispose de celui de *La Dépêche algérienne*.
5. Voir *Alger républicain*, 4 mars 1939.
6. Voir *Albert Camus. Une vie*, p. 313-315.

surcroît la note consacrée à Trouville en 1940[1]. Cependant, force est de noter que le premier prénom de Raymond — Raoul —, envisagé dans le fragment du premier manuscrit que nous avons retrouvé[2], et celui du protagoniste principal de l'affaire rapportée à Olivier Todd sont les mêmes : cela justifie de ne pas exclure celle-ci du croisement de scénarios ayant pu interagir au moment de la rédaction de la scène du meurtre.

Un procès contre la justice.

La seconde partie coûta, semble-t-il, au romancier plus d'effort d'imagination, car il ne disposait guère de séquences rédigées ou de notes élaborées. Pour l'écrire, il semble avoir procédé rationnellement. Le découpage en cinq chapitres épouse la vie du prisonnier, de l'incarcération au châtiment. Toute une culture judiciaire s'y révèle. Effectivement, dès la visite du *Martinière* et de sa cargaison de forçats en route pour Cayenne, en décembre 1938[3], et tout au long des procès du printemps et de l'été 1939, les références carcérales et judiciaires de l'écrivain n'ont cessé de s'enrichir. Weidmann, accusé d'avoir assassiné, pour les voler, plusieurs personnes, déchaîna à Paris les passions xénophobes et suscita une vindicte populaire extrême ; l'insensibilité de cet assassin apparemment sans remords lui fut reprochée autant qu'à Meursault. Hodent, commis de ferme à Tiaret, inculpé de vol et d'abus de confiance, n'avait dû son acquittement qu'à une vigoureuse campagne d'opinion, à laquelle Camus participa activement dans *Alger républicain*. Le procès el-Okbi[4] avait servi de prétexte à déférer en justice quelques Algériens modernistes et membres d'une association réformiste, le Cercle du Progrès. Ils étaient accusés d'avoir fait assassiner le muphti Kahoul par des hommes de main de la pègre algéroise. Bref, chaque affaire fut pour le journaliste l'occasion de parfaire sa connaissance des mœurs du barreau, du parquet et des prisons. Camus semble avoir procédé de mémoire au moment de la rédaction. Peut-être a-t-il consulté, avant le 1er mai 1940, la collection de *Paris-Soir*. De même, les notes de brouillon prises à l'occasion des procès glissées dans les *Cahiers* ont pu fournir leur lot de faits vrais. Mais les interférences relevées entre les comptes rendus des audiences de procès suivies et les péripéties du processus carcéral et judiciaire de Meursault montrent que toutes les réminiscences ont fusionné au point de ne plus figurer qu'un seul univers, celui de la justice la plus rigide et la plus répressive.

Les différents moments de l'instruction — interrogatoire d'identité, désignation et rencontre du défenseur, interrogatoires de routine — furent reconstitués au chapitre 1 de la seconde partie du roman. De tels détails, comme Camus l'a écrit à Jean Grenier[5], procèdent de la connaissance des rituels et des mécanismes de l'institution judiciaire. Plus nette qu'une simple transposition paraît être la ressemblance du juge d'instruction de Meursault avec le juge Vaillant chargé de l'instruction de

1. Voir les *Carnets*, p. 907, et *L'Étranger*, p. 169.
2. Voir la Note sur le texte, p. 1261.
3. Voir plus haut, p. 1247.
4. Sur les affaires Hodent et el-Okbi, voir la Notice des Articles publiés dans *Alger républicain* et *Le Soir républicain*, p. 1379 et 1380.
5. Voir la lettre du 5 mai 1941, Albert Camus-Jean Grenier, *Correspondance 1932-1960*, éd. Marguerite Dobrenn, Gallimard, 1981, p. 53.

l'affaire el-Okbi. Même âge, mêmes traits, mêmes tics, si l'on en croit les portraits journalistiques. N'a-t-il pas réclamé d'Akacha[1] les mêmes aveux et la même confession, n'a-t-il pas mêlé son cas personnel à celui du présumé coupable ? N'a-t-il pas brandi un crucifix à son visage[2] ? La reconstitution d'un interrogatoire est donnée dans *Alger républicain* par Camus : « " Si tu es religieux, nous pouvons nous comprendre, je suis un chrétien. Et je crois aussi en Dieu. J'ai là une image qui m'aide lorsque je me tourne vers elle. " / Et en la lui montrant il dit à Akacha : " Lorsque tu crois en Dieu, comment peux-tu avoir tué un homme religieux et vouloir envoyer au bagne un autre homme religieux ? " » Une réponse négative analogue à celle de Meursault lui fut opposée : « Non, j'ai dit, je ne crois pas en Dieu. Il est trop vieux. Il faut le changer[3]. » Bien d'autres références enrichirent ce chapitre. Akacha lui aussi se montra replié et taciturne, comme Meursault[4] : « Il répond d'une voix sourde, très brièvement, par affirmations ou négations, aux questions qui lui sont posées[5]. » Dans ces audiences de procès, Camus n'a pas simplement trouvé un référent pour nourrir sa fiction, mais aussi un certain rapport au témoignage et à la parole dont il saura tirer un parti esthétique, pour donner forme à l'étrangeté de son héros. Pareillement, l'« histoire de Tchécoslovaque[6] » qui clôt le deuxième chapitre, et qui deviendra le sujet du *Malentendu*, paraît avoir été puisée, selon le canal révélé par Meursault, dans des journaux français et algériens. Le récit de ce crime survenu à Bela-Tserkva, en Yougoslavie, fut publié dans deux journaux parisiens, *Le Peuple* et *Le Populaire*, le 6 janvier 1935 d'après une dépêche de l'Associated Press. Nous avons relevé le même texte d'agence, à la même date, dans les journaux algériens *La Dépêche algérienne* et *L'Écho d'Alger*. Seuls les titres différaient[7].

Les troisième et quatrième chapitres ont également bénéficié des informations que l'écrivain amassa au cours d'autres audiences judiciaires. Les clichés des procès Weidmann et el-Okbi parus dans *Alger républicain* renseignent sur ce qu'a pu voir directement ou indirectement l'écrivain. D'ailleurs les transpositions volontaires — n'oublions pas la pratique stendhalienne des « pilotis » que Camus fait sienne — sont assez facilement repérables. Le procès d'el-Okbi et de ses co-inculpés s'est ouvert en juin 1939. Et la même chaleur assiégeait les assistants que dans le roman. *L'Écho d'Alger* du 21 juin note « l'indiscutable fatigue » et « les volontaires efforts [du président Veillon] pour continuer dans une pesante atmosphère aggravée par le sirocco, sa lourde, complexe et délicate tâche[8] ».

Le cinquième et dernier chapitre eut pour pivot le second pôle romanesque, celui de l'univers du condamné à mort. Les aspects absurdes de

---

1. Voir *Alger républicain*, à partir de l'article du 21 juin 1939, p. 669.
2. Voir p. 180 et suiv.
3. « L'Assassinat du muphti », *Alger républicain*, 24 juin 1939, p. 701-702.
4. « [...] on me dépeignait comme étant d'un caractère taciturne et renfermé [...]. J'ai répondu : " C'est que je n'ai jamais grand-chose à dire. Alors je me tais " » (p. 179).
5. *L'Écho d'Alger*, 2 juin 1939.
6. P. 187.
7. Voir la Notice du *Malentendu*, p. 1329.
8. Le narrateur de *L'Étranger* relèvera ainsi, entre autres nombreux exemples, que « Malgré les stores, le soleil s'infiltrait par endroits et l'air était déjà étouffant », que « La chaleur montait », ou qu'elle « était beaucoup plus forte » (p. 189, 191 et 192).

la « mathématique de la mort » furent accrus. Camus les compléta encore de transpositions journalistiques et littéraires. La guillotine est décrite d'après le montage photographique paru, en exclusivité, le 18 juin 1939 dans *Alger républicain*. Rutilante, à même le pavé, assortie des paniers et de la planche, elle « illustrait » la nouvelle de l'exécution de Weidmann. Une nouvelle fois, Camus précisait sa source : « [...] une photographie publiée par les journaux à l'occasion d'une exécution retentissante[1]. » Il confirmait ainsi l'intérêt qu'il avait pris à cette affaire.

L'intrigue fut, logiquement, conduite à son terme. L'intervention de l'aumônier, cautionnée peut-être par l'exemple du *Rouge et le Noir*, était prévue dès les premières ébauches de *La Mort heureuse* : « Condamné à mort qu'un prêtre vient visiter tous les jours[2]. »

Recoudre les morceaux d'un « moi » déchiré.

« À la fin de ce voyage aux frontières de l'inquiétude, M. Sartre semble autoriser un espoir : celui du créateur qui se délivre en écrivant[3] », écrivait Camus avec flair dans sa critique de *La Nausée* de Sartre (*Alger républicain*, 20 octobre 1938). Et pour cause. Telle semble être aussi la formule appropriée pour qualifier la tentative cathartique à l'œuvre dans *L'Étranger* : se délivrer, mais aussi se recoudre, en écrivant.

En alchimiste conscient du processus qu'il perçoit en lui depuis 1934-1936, le romancier sait que la narration, qu'il projette d'écrire depuis au moins « Louis Raingeard », et dont la matière, à peu près identique, exploite toujours la substance douloureuse de sa jeune vie, est nécessaire et libératrice. « [...] tout cela pouvait donc se dire[4] », avait-il déjà pensé, en 1930, une fois refermé *La Douleur* d'André de Richaud.

L'aventure de Meursault est donc le récit tronqué d'un voyage aux confins de l'angoisse et de la mort, qui a débuté bien avant le décès de la mère, et dont il convient de récupérer les instants égarés ou enfouis sous la mémoire disponible. À la façon d'une narration, qui, partant du présent, tente de remonter aux sources des chocs et du traumatisme qui ont ébranlé le psychisme de l'individu. Ce qui est projeté d'abord est le vécu d'un être qui ne parvient pas à s'extraire d'un scénario de vie bloqué, rongé par la routine et la perte de repères et d'objectifs. Les tranches et les instants de vie de Meursault ont la consistance de celle à laquelle Camus tente d'échapper depuis 1932 (date du récit posthume « Intuitions »)[5]. Depuis cette date, il sent que pour juguler l'angoisse, cette « couleur secrète » et « ce lourd cheminement de larmes[6] » qui l'étreignent à l'évocation de son enfance, et pour renforcer son état de *résilience*[7], il doit recoudre en un récit les morceaux malmenés de son moi et donner un sens à sa déchirure. « Créer, c'est ainsi donner une forme à son destin[8] », écrit-il. Et ce n'est pas au hasard qu'il épinglera dans ses

1. P. 206.
2. *Carnets*, p. 816.
3. « *La Nausée*, par Jean-Paul Sartre », « Le Salon de lecture » d'*Alger républicain*, p. 796.
4. « Rencontres avec André Gide », *N.R.F.*, novembre 1951, p. 1117.
5. Voir p. 941.
6. *La Mort heureuse*, p. 1195 et 1128, et les *Carnets*, p. 821 et 834.
7. Le psychiatre Boris Cyrulnik, dans *Le Murmure des fantômes* (Odile Jacob, 2003), a mis en relation ce concept de « résilience » avec la sublimation propre à la création artistique.
8. *Le Mythe de Sisyphe*, p. 299.

Cahiers le mot de Nietzsche : « Ce qui ne me fait pas mourir me rend plus fort[1]. »

Camus, de ses premiers écrits à « Louis Raingeard », et jusqu'à *L'Étranger*, a entrepris consciencieusement le récit de ses épreuves passées comme pour leur échapper, isoler les parties mortifiées de son être et se reconstruire avec celles qui vivent encore en lui. Une grande part du travail intime, à l'œuvre dans ses fictions, prend, ainsi, sa source dans la quête de l'homme et de l'écrivain pour récupérer la partie de soi qui a le moins souffert et peut encore aider à vivre.

La source d'un genre narratif ambigu.

Le premier et le seul à s'être intéressé au genre littéraire perceptible dans la narration de *L'Étranger* fut Sartre, dans « Explication de *L'Étranger* » publié dans les *Cahiers du Sud* en février 1943[2]. Le roman en général, selon lui, exigeait « une durée continue, un devenir, la présence manifeste de l'irréversibilité du temps ». À l'inverse, l'auteur de *La Nausée* relevait dans *L'Étranger* « l'économie mécanique d'une pièce montée », l'existence « de présents inertes », associées à une « satire » et à « des portraits ironiques », révélateurs d'un « court roman de moraliste qui malgré l'apport des existentialistes allemands et des romanciers américains, [restait] très proche au fond d'un conte de Voltaire à la manière de *Candide* et de *Zadig*[3] ». Sartre pointait à juste titre quelques-uns des aspects multiformes de la narration dans *L'Étranger*. Le cadre spatio-temporel, à peine esquissé, la représentation de personnages dépourvus d'intériorité et réduits à une figuration quasi typologique, de même que la symbolique de péripéties organisées en phases structurées rappelaient l'univers typique des contes. Effectivement, selon le modèle d'analyse structurale du conte, les situations se concertent autour de scénarios archétypaux : mandement et avertissement, quête et sacrilège, échec et transfiguration[4]. À rebours cependant de la lecture sartrienne, rien qui rappelât l'humour grinçant mais pacifié des malheurs de Candide. Le Candide de Camus avait fait ses classes au « quartier pauvre » et enduré des tourments qui imprégnaient durablement son esprit.

Une fois admis le télescopage entre récit et conte dans *L'Étranger*, il est loisible d'en induire la cause probable. Elle tient à une pratique narrative qui, dès l'enfance, fut salutaire à l'équilibre psychique de Camus. « Contes de fées, silences d'enfants, oh ! mes réalités, seules vraies, seules grandes, je voudrais m'oublier[5] », confia-t-il, au sortir de l'adolescence. On peut, sous cet angle, lire *L'Étranger* comme le récit mythique de la tentative de s'affranchir des expériences traumatisantes de la vie et de l'histoire pour se forger un nouveau royaume. La victoire d'un Sisyphe qui se serait affranchi de son rocher.

1. *Carnets*, p. 889.
2. Repris dans *Situations, I*, Gallimard, 1947, p. 92.
3. *Ibid.*, p. 112.
4. Voir A. Abbou, « Le Quotidien et le Sacré : introduction à une nouvelle lecture de *L'Étranger* », *CAC 5*, p. 247-259.
5. « Le Livre de Mélusine », p. 988.

Une transposition stylisée.

Inadvertance ou duplicité d'écrivain, Camus laissait croire à une exécution publique[1] alors que, dès juin 1939, un décret-loi, bien connu de lui, assignait à la mise à mort une enceinte close. Tout comme Stendhal envoyait Julien Sorel à l'échafaud sur un article inexistant du code pénal[2].

On sait donc de quelles associations de péripéties, de propos, de personnages et de destins est né *L'Étranger*. Au terme de la réécriture avortée de *La Mort heureuse*, et de la plongée dans les vies brisées et les malheurs des justiciables, en butte à une mécanique inhumaine, Camus eut le génie d'unifier ces trajectoires. Sous l'emprise de l'absurde, les personnages, privés de cohérence et pourvus de destins composites jusqu'à la contradiction, ne dérogeaient plus aux logiques de l'heure. Une seule exigence pour le romancier : pour être classique, il fallait raconter sur le même ton et placer la cohérence non au plan seul de l'architecture de la fiction, mais à celui d'une pensée et d'une âme[3]. Contradictions, discordances et paradoxes étaient légitimés et propageaient les signes d'un univers inversé. Dans un tel monde, il était concevable que le simple employé de bureau Meursault, immergé dans le quotidien et la routine, endossât la défroque des meurtriers par accident, ou qu'il parût, aux yeux d'une justice traversée par la démesure et le chaos, *monstrueux* comme l'assassin en série Weidmann. La parole désarticulée du héros, émergeant progressivement d'une amnésie[4], pouvait s'aligner sur le dire saccadé et compulsif d'un Akacha, comparse fruste de l'affaire el-Okbi, relayé par un interprète qui dévidait, de façon encore plus hachée, le récit factuel de ses démêlés judiciaires.

Le romancier a donc habillé de défroques issues du quotidien le plus banal les séquences de vie et les blessures parmi les plus intimes, pour inscrire en creux sa représentation du monde. Il a construit un univers truqué, à double fond et à multiples miroirs. Car « l'essence du roman est dans cette correction perpétuelle, toujours dirigée dans le même sens, que l'artiste effectue sur son expérience[5] ».

Les aspects relatifs au statut de la narration et à son cadre énonciatif permettent ici de mettre en évidence l'artifice de l'écrivain qui transcende une donnée occasionnelle en une technique narrative, dont l'effet esthétique a pu être conçu avec le procès el-Okbi, mais aussi à la faveur de l'analyse par Sartre de l'écriture propre au roman américain. Le récit se présente assumé par un narrateur-acteur, Meursault, relatant une tranche de vie, la sienne, à compter d'un événement repère, le décès de sa mère, lequel paraît déclencher des péripéties inhabituelles. La fiction épouse donc les contours d'une narration dont la forme écrite ou orale, l'instance où celle-ci débute et se poursuit, et la cause, restent inconnues, jusqu'à la fin du chapitre II de la seconde partie.

Meursault, à ce stade, semblant sortir d'une amnésie, reconnaît pour siennes les voix qu'il entend, depuis un nombre indéterminé de jours,

1. Voir les derniers mots du roman, p. 213.
2. Voir *Le Rouge et le Noir*, Bibl. de la Pléiade, n. 2, p. 756 (II, chap. XXXVI).
3. Voir « L'Intelligence et l'Échafaud », p. 894.
4. Voir ci-dessous, et p. 1258.
5. *L'Homme révolté*, Gallimard, coll. « Folio essais », p. 330.

voire de semaines, et l'image que lui renvoie sa gamelle. Ce sont les deux supports d'une identité personnelle : « Ce jour-là […] je me suis regardé dans ma gamelle de fer. Il m'a semblé que mon image restait sérieuse […]. Mais en même temps et pour la première fois depuis des mois, j'ai entendu distinctement le son de ma voix. Je l'ai reconnue pour celle qui résonnait déjà depuis de longs jours à mes oreilles et j'ai compris que pendant tout ce temps j'avais parlé seul[1]. »

L'instance de narration est ainsi postérieure de plusieurs mois à l'actualité des événements affectés à la première partie, alors que la relation des péripéties de la seconde se déplace sur un travelling, dont les intervalles temporels entre vécu et narration se réduisent progressivement, au point que le récit des dernières péripéties — l'altercation avec l'aumônier et les pensées de la dernière nuit — est quasi consécutif aux épisodes eux-mêmes.

Il s'agit donc d'une reconstitution dont les instances successives s'additionnent et défilent au fur et à mesure que le second point de repère de Meursault, l'exécution, se rapproche. La chronologie, toute relative, s'ordonne principalement vers l'énonciateur, par les marques temporelles — « aujourd'hui », « demain », « hier », « c'est aujourd'hui » —, cependant que d'autres marques — « dimanche », « samedi » ou « toute la semaine », « la veille » — ne délivrent qu'une chronologie résiduelle, celle d'une durée ramenée, nœud après nœud, à la conscience. On reconnaît là la technique du « rétroviseur », la vie perçue une fois passée, un temps rompu et en trompe l'œil, une existence chèrement reconquise à la veille d'être exécuté, en « cette petite aube où [il] serai[t] justifié[2] », c'est-à-dire innocenté et racheté.

Circonstances de la publication.

Un certain nombre de médiateurs ou d'intercesseurs ont conjugué leurs efforts pour que le roman puisse paraître. Trois personnes en particulier œuvrèrent à la publication et à l'appréciation de *L'Étranger* : Pascal Pia, Jean Paulhan et André Malraux[3]. Pia fut de loin le plus actif et le plus dévoué à Camus.

Tout commença, le 31 mars 1941, par une lettre de Pia demandant à Camus de lui adresser les manuscrits de *L'Étranger* et de *Caligula*. Le 10 avril, il accusa réception. J. Grenier, qui reçut de son disciple le texte du roman, retourna à celui-ci, le 19 avril, une lettre de félicitations, jointes à quelques réserves se rapportant à l'influence sensible de Kafka, un certain manque d'unité, des phrases trop brèves et un style « tournant au procédé »[4]. Pia, le 25, exprima, lui, une admiration sans réserve, « persuadé que, tôt ou tard, *L'Étranger* trouvera[it] sa place, qui est une des premières ». À Jean Paulhan, le 28 avril, même conviction : « Camus m'a envoyé le manuscrit de son roman, *L'Étranger*, qui est excellent. De tout premier ordre. » De Pia, les manuscrits passèrent, *via* Roland Malraux, à André, qui se trouvait au Cap-d'Ail. Le 20 mai, Pia

    1. P. 188
    2. P. 212.
    3. Voir Albert Camus-Pascal Pia, *Correspondance 1939-1947*, Fayard-Gallimard, 2000 ; et O. Todd, *Albert Camus. Une vie*, p. 377 et suiv.
    4. Voir Albert Camus-Jean Grenier, *Correspondance 1932-1960*, p. 50.

expose à l'intention de Camus les réactions de Malraux : « Il est clair que vos manuscrits l'ont secoué […] il propose des corrections de forme. » En résumé[1] : 1) « Caligula me paraît à laisser en tiroir » ; 2) « la force et la simplicité des moyens » sont mises au service du personnage, dont le caractère, « convaincant ou non », détermine « le sort du livre » ; 3) amender l'ordre canonique de la phrase (sujet, verbe, complément) « en modifiant parfois la ponctuation » ; 4) « travailler encore la scène avec l'aumônier » (« Ce qui est dit est clair, mais ce que Camus veut dire n'est dit que partiellement ») ; 5) à propos de la scène du meurtre, il suggère d'ajouter un paragraphe de plus « sur le lien entre le soleil et le couteau de l'Arabe » ; 6) « Pour tout ce qui concerne la mer », « *serrer* tous les accents » mais en retirer le « coton » qui est « entre eux ». Camus, en deux lettres, l'une adressée à Pia (le 2 juin 1941) et l'autre à Malraux (le 15 novembre 1941), reconnut le bien-fondé de certaines des remarques, et confirme avoir « écrit deux chapitres, qui s'en sont bien trouvés[2] ».

Le 12 novembre 1941, Pia informa Camus que le comité de lecture de Gallimard donnait son approbation. Il déconseilla à Camus d'accepter quelque publication que ce soit dans la *N.R.F.* de Drieu La Rochelle. Gaston Gallimard écrivit à Camus le 8 décembre, l'assurant qu'il trouvait le roman remarquable, et lui proposa les termes du contrat à passer. Au début de 1942, Queneau informa Camus que *L'Étranger* était en fabrication. Il revint à celui-là de corriger les premières épreuves de l'ouvrage et à Paulhan les secondes, à la place de l'auteur, pour éviter les risques de perte de celles-ci, et surtout vu l'état de santé très compromis de celui-ci. Gerhard Heller, de la Propaganda-Staffel, qui avait la charge d'accorder l'autorisation de publication, y consentit, ayant trouvé le roman asocial et apolitique.

Le roman fut tiré à 4 400 exemplaires et d'autres tirages, de même ampleur, eurent lieu en novembre 1942 et avril 1943.

Accueil de la critique.

Les efforts de G. Gallimard pour lancer Camus aboutirent à deux articles, l'un de Marcel Arland paru dans *Comœdia* (« Un écrivain qui vient »), le 11 juillet 1942, l'autre de Fieschi, publié dans la *N.R.F.* de septembre 1942. Cinq autres textes furent consacrés à *L'Étranger*, jusque dans l'année 1943. Ceux d'André Rousseaux, dans *Le Figaro* des 18 et 19 juillet 1942 (une disqualification de l'écrivain et du roman), d'Henri Hell dans la revue *Fontaine* (numéro de juillet-septembre 1942), de Sartre et de J. Grenier dans les *Cahiers du Sud*, en février 1943 ; sans oublier le chapitre de *Faux pas* (1943) que Blanchot consacre au roman de Camus. Le 6 septembre 1942, dans une lettre à Fréminville, Camus ne parut pas particulièrement satisfait de cette réception. « La critique : médiocre en zone libre, excellente à Paris. Finalement tout repose sur des malentendus. Le mieux c'est de fermer ses oreilles et de travailler[3]. » Le 8 août, dans un courrier adressé au jeune auteur, G. Gallimard en convint : « La critique a été absurde en effet […][4]. »

1. Lettre du 27 mai 1941, citée dans O. Todd, *Albert Camus. Une vie*, p. 381-383.
2. Lettre à Malraux citée dans *ibid.*, p. 385.
3. Cité dans *ibid.*, p. 417.
4. Cité dans *ibid.*

Dans « Un écrivain qui vient », Arland soumit le roman à une analyse psychologique classique. « C'est moins, semble-t-il, le procès d'un homme que l'on instruit, que le procès de l'homme, que le procès d'une monstrueuse, d'une dangereuse innocence. » Les aspects de technique romanesque et d'artifice expressif, comme dimensions essentielles d'une œuvre littéraire, furent ignorés ; « […] et c'est M. Camus lui-même qui, renonçant à son rôle de romancier, élève la voix aux dernières pages du livre, dont il entend dégager la leçon. » Le propos intimidera Camus au point de lui faire partager, un moment, cette façon d'appréhender l'opposition expressive entre la première partie du roman et la scène finale.

L'article de Rousseaux, ignorant toutes les particularités qui distinguent un bulletin de propagande d'une œuvre d'art, assimila la fiction à un plaidoyer détourné de la veulerie. « […] tout ce que l'épreuve de notre peuple peut laisser émaner çà et là de veulerie plus ou moins consciente et d'aboulie devant la destinée trouve un misérable refuge dans les petites histoires que les romanciers nous ressassent. » Cette façon de requérir au nom de la morale résonnait comme une déploration que n'aurait pas désavouée le vichysme ambiant. Référant la conduite de Meursault à un « passif spirituel » et à « un déchet moral », il conclut « que cette piètre humanité manque vraiment d'intérêt ». Ce qui conduisit Camus à stigmatiser la « Moraline[1] ».

Avec Henri Hell, qui connut Camus pour avoir collaboré au Théâtre du Travail, l'analyse accéda à une approche plus compréhensive à l'égard des artifices de l'œuvre littéraire et de ses techniques. Hell souligna la logique du personnage et la dimension idéologique de son aventure, l'association entre l'artificialité expressive issue du *Dos Passos* de *1919*, et la rigueur de la prose classique. « Alors que des jeunes écrivains s'obstinent en vain à employer des moules éculés et des recettes devenues stériles, M. Camus a réussi — grâce à une technique qui n'a rien de classique et sans écrire un roman psychologique et analytique — à donner à son livre la rigueur et la pureté des récits classiques de la meilleure tradition française. »

Sartre, présentant le bouleversement que *L'Étranger* introduirait dans l'univers assoupi du roman français, lui accorda vingt pages où il passa en revue les singularités de l'œuvre qu'il « expliqua » en se cautionnant des préceptes du *Mythe de Sisyphe* (paru en octobre 1942) : l'irruption de l'absurde dans une conscience, à la façon d'une rupture avec le mode de sentir et de vivre antérieur, le paradoxe du silence postulé au cœur des mots, les fausses révérences à Kafka et au roman américain, le subterfuge de la cloison vitrée pour isoler les actes de toute intentionnalité et de toute signification, le recours aux constructions nominales pour désactiver les repères logiques du discours, imposer une temporalité stagnante et faire de chaque phrase une « île ». Camus, dans un courrier adressé à J. Grenier, le 9 mars 1943, reconnut que l'analyse de Sartre était un « démontage » qui l'« éclair[ait] sur ce qu'il] voulai[t] faire[2] ».

Il revint à J. Grenier d'insister, dans son article, sur la révolte comme composante importante du roman, résultant de la blessure inguérissable d'une enfance humiliée, cependant que Blanchot s'en tint à souligner les

1. *Carnets*, p. 951.
2. *Correspondance 1932-1960*, p. 88.

évolutions expressives entre les deux parties, sans en déceler les causes dans l'évolution psychique du personnage.

Depuis, les analyses et commentaires, pertinents ou non, ont parfois servi à instruire des prises à partie[1]. On soulignera aussi l'intérêt que portèrent au roman des écrivains aussi distincts que Roland Barthes (« *L'Étranger*, roman solaire », *Bulletin du Club du meilleur livre*, nᵒ 12, avril 1954), Nathalie Sarraute (dans « De Dostoïevski à Kafka », paru dans *Les Temps modernes* en 1947 et repris dans *L'Ère du soupçon* en 1956) et Alain Robbe-Grillet (« Nature, humanisme, tragédie », article paru en 1958 et repris dans *Pour un nouveau roman* en 1963).

ANDRÉ ABBOU.

NOTE SUR LE TEXTE

Les manuscrits.

De la rédaction de *L'Étranger*, demeurent deux manuscrits à peu près complets, couramment appelés « manuscrit Camus » et « manuscrit Millot », du nom de leurs possesseurs. L'un fut consulté et analysé par nous au domicile de Francine Camus, rue Madame, à Paris, en 1968-1969 (il se trouve aujourd'hui conservé dans le Fonds Camus de la Bibliothèque Méjanes à Aix-en-Provence ; cote : CMS2. Ac2-01.01), l'autre, aimablement mis à notre disposition par son propriétaire, fut examiné durant la même période[2].

Distinct de ces manuscrits, demeure un fragment subsistant d'un manuscrit antérieur, présumé de premier jet (sigle : *ms. 1*), et retrouvé au milieu de feuillets volants entre les pages d'un Cahier à l'origine des *Carnets*. Ce fragment est rédigé au crayon sur une demi-page ; le personnage dénommé Raymond dans le texte définitif s'y appelle « Raoul », comme il l'est aussi sous les biffures du manuscrit Camus (sigle : *ms. 2*).

Le manuscrit Camus comptait, avant son transfert à l'I.M.E.C. puis à la Méjanes, 85 feuillets numérotés, dont 14, constituant le chapitre I de la première partie, sont dactylographiés. Le manuscrit correspondant à ces feuillets dactylographiés n'est plus disponible. Quatre feuillets ne sont pas numérotés. L'un est placé entre les feuillets 34 et 35 (Iʳᵉ partie, chap. v) ; il relate que Salamano, voisin de Meursault, « mâchonnait des bouts de phrases » et prend fin sur la séquence « il savait que j'aimais beaucoup maman » (p. 167). Les trois autres, insérés entre les feuillets 43 et 44, se rapportent à la scène du meurtre (Iʳᵉ partie, chap. vi) jusqu'aux « quatre coups brefs » (p. 176). On se souvient que Malraux avait formulé des remarques au sujet de cette scène[3] : peut-être les feuillets non paginés ont-ils été insérés après la réécriture de celle-ci par Camus.

D'autres feuillets attirent l'attention (les feuillets 46 et 47, 56 à 59), du

1. Voir Jean-Jacques Brochier, *Albert Camus, philosophe pour classes terminales*, Balland, 1970. — Voir aussi Renée Balibar, « La Rédaction fictive dans *L'Étranger* d'Albert Camus », *Les Français fictifs*, Hachette, 1974, p. 229-292.

2. Coll. part.

3. Voir la Notice, p. 1259.

fait que le papier et la graphie diffèrent. Les deux premiers relatent une séquence du chapitre 1 de la IIe partie (l'avocat s'assoit sur le lit de Meursault, qui, en fin de passage, renonce « par paresse » ; p. 178-179). Les quatre autres se réfèrent aux moments qui suivent la visite de Marie (IIe partie, chap. 11 ; « Au début de ma détention [...] », p. 185), et à l'histoire du Tchécoslovaque conclue par « [...] il ne faut jamais jouer » (p. 187). Ces feuillets semblent correspondre à la première formulation des thèmes de base des chapitres 1 et 11 de la seconde partie. Peut-être s'agit-il d'états antérieurs au reste de *ms. 2*.

Plusieurs campagnes de correction sont visibles à l'intérieur de *ms. 2* — elles sont portées soit à l'encre, soit au crayon de diverses couleurs. Par ailleurs, des passages présents dans l'édition originale sont absents de *ms. 2* (comme certains compléments aux scènes du meurtre et de l'altercation avec l'aumônier).

L'autre manuscrit, dit « manuscrit Millot », compte 102 feuillets dont 87 numérotés. Il présente un certain nombre de ratures nettes et de corrections. De façon surprenante, il comporte des mentions telles que « Attention à la 2e partie » et des illustrations marginales — chevalets en X sur lesquels repose le cercueil de la mère ou une guillotine schématique. Les variantes textuelles paraissent hybrides, donnant des leçons tantôt contemporaines de *ms. 2* et tantôt postérieures. L'impression d'un manuscrit postiche, rédigé après coup, s'est imposée. Francine Camus a bien voulu nous confirmer en avril 1970 cette déduction, en reconnaissant que ce manuscrit avait été rédigé en 1944, après la publication de *L'Étranger*, par Camus, sous la dictée de Josette Clotis, compagne de Malraux à l'époque, sans doute pour satisfaire les besoins d'argent du jeune écrivain. Et aussi en façon d'espièglerie à l'égard des bibliophiles, particulièrement soucieux, à ses yeux, de la valeur marchande des manuscrits.

Les éditions.

Camus poursuivit son travail d'allègement et d'homogénéisation des marques expressives de son texte jusqu'en 1954 (édition du Club du meilleur livre ; sigle : *1954*). La seule preuve que nous ayons d'un travail personnel de révision et de correction concerne justement cette édition (texte corrigé par Camus). Les modifications (de ponctuation) intervenues pour les autres éditions, jusqu'en 1959, ne peuvent être attribuées à l'auteur de façon certaine.

Les pincipales éditions parues entre 1942 et 1959 sont les suivantes :
— Éditions Gallimard, 1942 (sigle : *orig.*) ;
— Éditions Gallimard, 1946 (sigle : *1946*) ; édition illustrée de 29 eaux-fortes de Mayo et texte quasi conforme à *orig.* ;
— Le Club du meilleur livre, 1954 ;
— Club des libraires de France, 1957 ; texte conforme à *1954* ;
— Éditions Gallimard, 1957 ; texte conforme à *1954* ;
— Éditions Gallimard, 1959 (y a paru la même année une édition dans la collection « Le Livre de Poche ») ; texte conforme à *1954*.

La dernière édition parue du vivant de Camus, et qui fut publiée en 1959 avec un copyright daté de 1957, étant conforme au texte de 1954, c'est celle que nous reproduisons.

Évolutions du texte.

À observer les corrections effectuées par Camus sur *ms. 2*, on voit qu'elles tendent à l'homogénéisation mentionnée ci-dessus, à la suppression de ce qui a pu lui paraître redondant, mal lié, inutile et stéréotypé, ainsi que des marques ostensibles de la langue familière, enfin à l'allègement des indications temporelles.

Cette homogénéisation s'est voulue discrète, privilégiant l'expression allusive et suggestive, comme on le voit dans l'exemple suivant. Dans *ms. 2*, on lit en effet : « […] morgue. Il me demanda s'il ne m'ennuyait pas : " […] non ". Alors, il m'a raconté que son fils avait une situation à Alger et qu'il les avait fait venir sa femme et lui. Mais sa belle-fille avait mauvais caractère. Alors c'était des disputes. Un jour sa belle-fille lui a " manqué de respect ". Il lui a levé la main et son fils l'a mis aux vieillards. Comme il se sentait valide, il a obtenu… » Cette leçon est ensuite corrigée dans *ms. 2* ainsi : « […] sa belle-fille lui avait manqué de respect. Il lui avait levé la main et son fils l'avait mis aux vieillards […]. » Pour donner dans *orig.* et notre texte : « […] morgue, il m'a appris qu'il était entré à l'asile comme indigent » (p. 144).

Le parti pris de monotonie lexicale et de mise en concordance syntaxique et temporelle a poussé Camus à supprimer des coordinations par « et » réitérées, de même que des formes neutres du démonstratif, ou de celles des pronoms personnels redondants. Par exemple, sur *ms. 2* on lit : « Alors il a tortillé sa moustache blanche et il a déclaré… » ; sur *orig.* : « Alors, tortillant sa moustache blanche, il a déclaré […] » (et enfin dans notre texte : « Alors tortillant sa moustache blanche, il a déclaré […] », p. 143).

Enfin, au verbe déclaratif prépondérant « dire » furent fréquemment substituées des formes équivalentes ou descriptives : « expliqué », « répondu », « demandé », « raconté ».

Au plan de la logique et de la cohérence de la narration, Camus semble avoir perçu qu'il fallait suggérer une mutation de la compétence expressive de Meursault, pour disposer de plus de liberté d'énonciation et éviter de tomber dans les interventions factices du romancier venant à la rescousse du narrateur. Autant la première partie du récit paraît soumise au trauma éprouvé par le narrateur après le décès de sa mère et aux effets anesthésiants d'une vie sans repères et livrée aux routines de l'existence, autant la seconde partie émerge, à compter du troisième chapitre, de l'amnésie et bénéficie d'une parole ayant recouvré mémoire, identité personnelle et capacité de raisonnement. La narration, vigilante à l'égard des logiques à l'œuvre dans les argumentations du procureur, de l'avocat général et de l'aumônier, y oppose, grâce aux marques du discours indirect libre, les désaveux et les rectifications nécessaires. Véritable jeu de ping-pong que Camus avait rodé dans ses comptes rendus d'audiences pour *Alger républicain*[1]. Cette aptitude rationnelle recouvrée, la sensibilité semble aussi redevenue disponible, puisque le discours de Meursault s'anime du souffle qui le libère des oppressions passées, face à l'aumônier et face à l'imminence du supplice. L'évolution expressive de *L'Étranger* s'est donc accomplie au service d'une stylisation nuancée

---

1. Voir la Notice, ci-dessus, p. 1253 et suiv.

et maîtrisée, par-delà les oppositions stériles entre classicisme et romantisme, stylisation imposant à l'inhumain des digues, celles de l'intelligence et de la volonté conjuguées. « Cet art est une revanche, une façon de surmonter un sort difficile en lui imposant une forme[1] », écrira Camus en 1943.

A. A.

NOTES

Première partie.

1. L'*incipit* du roman qui a retenu l'attention et suscité divers commentaires peut être rapproché des moules expressifs relevés par Camus chez Nizan, dans *La Conspiration* (voir « Le Salon de lecture », p. 800), et chez Dos Passos dans *1919* (voir la Notice, p. 1246 et 1260). S'y adjoint, comme le journaliste-écrivain le note à l'époque dans les lettres signées Vincent Capable dans *Alger républicain* (voir à partir de la page 740), la conviction que les problèmes d'expression sont au centre du combat politique. Il fait sien un des credo de Brice Parain, selon lequel la confusion entretenue autour du sens des mots dépossède l'homme de tout repère. « Car la pensée profonde de Parain est qu'il suffit que le langage soit privé de sens pour que tout le soit et que le monde devienne absurde » (« Sur une philosophie de l'expression », p. 902). Dans ce passage, les signes linguistiques, privés de leurs référents habituels et explicites, privent les énoncés d'intelligibilité. Orientées vers l'énonciateur, les marques temporelles, logiques et spatiales, circulaires et déréglées, sont un des traits distinctifs de l'écriture du roman et portent témoignage d'une altération de la mémoire du narrateur, sous l'effet du traumatisme consécutif au décès de la mère.

2. Voir, dans *Le Mythe de Sisyphe*, le commentaire que Camus donne à la réaction de Grégoire Samsa, le personnage de *La Métamorphose* de Kafka, p. 308 : « Voilà pourquoi la seule chose qui l'ennuie dans la singulière aventure qui fait de lui une vermine, c'est que son patron sera mécontent de son absence. »

3. L'origine du patronyme du héros de *La Mort heureuse* a été explicitée dans la Notice consacrée à ce roman (voir p. 1446). Celle de son cadet dans *L'Étranger* paraît relever de multiples motivations. La première tient à la relation de type familial qui fait des deux personnages des acteurs du « quartier pauvre » et des héritiers de la dure enfance de leur auteur. La seconde paraît relever de la coïncidence fortuite entre le patronyme de l'aîné et une anecdote journalistique propre à susciter la verve sarcastique du conteur des hauts faits des Binguès et Moralès, personnages de *La Mort heureuse*. Dans *L'Écho d'Alger* du 2 novembre 1937 parut un entrefilet assez cocasse, intitulé « Un prix littéraire original ». Il y était annoncé que « trois mille bouteilles de vin de Meursault récompensent l'auteur de *Notre village* ».

---

1. « L'Intelligence et l'Échafaud », p. 900.

4. On peut reconnaître un sens symbolique au bandeau de l'infirmière dans la réalité coloniale, qui fait des « indigènes » algériens des citoyens de seconde zone privés de beaucoup de droits, dont celui à la parole (voir les relations données par Camus aux affaires judiciaires qu'il suit pour *Alger républicain*). Ce bandeau peut sembler être la marque de tous les bâillonnés de l'histoire et de la société coloniale (voir la nouvelle « Les Muets », à paraître au tome III de la présente édition), au premier rang desquels l'écrivain place sa mère.

5. La présence de ces femmes, leur veille et leurs larmes rappellent celles des Érinyes dans les *Euménides* d'Eschyle, dont Camus mit en scène *Prométhée enchaîné* pour le Théâtre du Travail (1937). Les Érinyes étaient chargées d'exécuter les sentences des juges.

6. Voir *Le Château* de Kafka : « L'endroit te plaît-il ? lui demanda K. en indiquant les paysans pour lesquels il n'avait encore rien perdu de son intérêt et qui le regardaient bouche bée avec leurs lèvres boursouflées et leurs visages torturés ; leur crâne avait l'air d'avoir été aplati à coups de maillet et il semblait que les traits de leurs visages se fussent formés dans la douleur de ce supplice ; ils regardaient puis ne regardaient plus car leur regard se détournait parfois [...] » (Gallimard, 1957, p. 28).

7. Sartre, dans *La Nausée*, écrivain en 1938 : « Le marronnier se pressait contre mes yeux. Une rouille verte le couvrait jusqu'à mi-hauteur ; l'écorce, noire et boursouflée, semblait de cuir bouilli » ; « Nous étions un tas d'existants gênés, embarrassés de nous-mêmes, nous n'avions pas la moindre raison d'être là, ni les uns ni les autres, chaque existant, confus, vaguement inquiet, se sentait de trop par rapport aux autres » (*Œuvres romanesques*, Bibl. de la Pléiade, p. 151 et 152). Camus naturalise l'extraordinaire aux instants propices de la narration, durant la veillée mortuaire ou l'enterrement. « Ce malaise devant l'inhumanité de l'homme même, cette incalculable chute devant l'image de ce que nous sommes, cette " nausée " comme l'appelle un auteur de nos jours, c'est aussi l'absurde », écrit Camus dans *Le Mythe de Sisyphe*, p. 229.

8. Les journaux d'Alger, et plus particulièrement *L'Écho d'Alger*, inséraient à date régulière des textes publicitaires vantant, sur un mode humoristique, les bienfaits des sels en question. En voici quelques-uns : « Plus de maux de reins ! Et rajeunir à 57 ans. " J'ai pris mes sels Kruschen ", écrit Mlle M. F. » (19 octobre 1937) ; « Il refait de la moto à 78 ans avec les sels Kruschen » (1er janvier 1938).

9. Voir *La Mort heureuse*, p. 1114-1115. Et voir la Notice, p. 1251, et la note 4 en bas de page.

10. Voir *ibid.* La scène dite du « camion » a été transférée de *La Mort heureuse* (voir p. 1109).

11. « Un surnuméraire aux Postes est l'égal d'un conquérant si la conscience leur est commune. Toutes les expériences sont à cet égard indifférentes » (*Le Mythe de Sisyphe*, p. 266-267).

12. « Avant de rencontrer l'absurde, l'homme quotidien vit avec des buts, un souci d'avenir ou de justification [...]. Il évalue ses chances, il compte sur le plus tard [...]. L'absurde m'éclaire sur ce point : il n'y a pas de lendemain. Voici désormais la raison de ma liberté profonde » (*ibid.*, p. 258-259).

13. Voici, à propos de cette rupture de trajectoire personnelle et sociale, le portrait de Camus que firent ses confrères d'*Alger républicain*, à l'occasion d'un feuilleton policier écrit alternativement par chacun des

membres de la rédaction du journal, et publié sous le titre « Le Mystère de la rue Michelet ». Le cinquième chapitre, intitulé « La Bande à Bébert », publié le 18 août 1939, précisait notamment : « Bébert avait mal tourné, comme disent les honnêtes gens. Il avait eu une jeunesse calme et studieuse, et était plus parcheminé qu'un mandarin chinois ; mais, voilà, le mauvais sort s'était acharné sur Bébert et avait mis fin à de belles espérances. En désespoir de cause et en rupture de thèse, Bébert la teigne allait donc chercher des consolations au " farniente ". » Camus, après son Diplôme d'études supérieures en 1936, n'a pu en effet continuer ses études par la préparation du concours de l'agrégation (voir la notule sur « Métaphysique chrétienne et néoplatonisme », p. 1424).

14. La désignation des adversaires de Raymond par le terme « Arabes » a servi de vecteur à la dénonciation récurrente, selon laquelle, chez Camus, aurait existé une disposition d'esprit favorable aux, ou complice des, situations coloniales (voir Conor Cruise O'Brien, *Camus*, trad. Sylvie Dreyfus, Seghers, 1970 ; et Edward W. Said, *Culture et impérialisme*, trad. Paul Chemla, Fayard, 2000 ; voir aussi A. Abbou, « Les Pièges de la critique littéraire symptomale », *Revue des Lettres modernes*, série « Albert Camus », nᵒˢ 315-322, 1972). La question s'est posée bien sûr au moment de la guerre d'Algérie et de la position de Camus vis-à-vis de l'indépendance de ce pays. L'emploi du terme « Arabe » chez Camus est quoi qu'il puisse sembler une marque de respect et de considération à l'égard d'une communauté dont il demande l'émancipation politique et sociale dès 1937 (voir le « Manifeste des intellectuels d'Algérie en faveur du projet Viollette », p. 572), tout en lui reconnaissant le droit à garder sa personnalité culturelle et ethnique, parce qu'elle est source de richesse pour les autres communautés qui lui sont juxtaposées. « Sur le plan politique, je voudrais rappeler aussi que le peuple arabe existe » (« Crise en Algérie », mai 1945 ; *Chroniques algériennes. Actuelles III* [1958], Gallimard, coll. « Folio », p. 95).

15. Voir la note sur Gide dans les *Carnets*, p. 819, et celle en bas de page de « L'Été à Alger » dans les *Noces*, p. 119.

16. À propos de cette scène, et plus généralement de l'aventure de Meursault, voir A. Abbou, « Le Quotidien et le Sacré : introduction à une nouvelle lecture de *L'Étranger* ».

17. « Tout l'effort du drame est de montrer le système logique qui, de déduction en déduction, va consommer le malheur du héros. [...] si la nécessité nous en est démontrée dans le cadre de la vie quotidienne, société, état, émotion familière, alors l'horreur se consacre » (*Le Mythe de Sisyphe*, p. 308).

Deuxième partie.

1. Avant corrections, sur *ms. 2*, le texte commençait par l'entrée en scène de l'avocat. Filigrane, couleur jaune clair du papier, traces de découpage d'après des pointillés, dimensions des feuillets indiquent que ceux qui ont été reversés dans *ms. 2* proviennent sans doute d'un état antérieur. En corrigeant, Camus a choisi de suivre le processus habituel de mise en marche de la machine judiciaire : arrestation, saisine d'un juge d'instruction, interrogatoire d'identité, désignation d'office d'un avocat, entretien avec celui-ci.

2. « L'absurde rend seulement leur équivalence aux conséquences de

ces actes. Il ne recommande pas le crime, ce serait puéril, mais il restitue au remords son inutilité » (*Le Mythe de Sisyphe*, p. 266). L'expression de cette nuance n'est pas sans lien avec celle du héros de *La Métamorphose* : « […] cela lui cause " un léger ennui ". Tout l'art de Kafka est dans cette nuance » (*ibid.*, p. 308).

3. « Çakia-Mouni, de longues années, resta au désert, immobile et les yeux au ciel. Les dieux eux-mêmes enviaient cette sagesse et ce destin de pierre » (*Carnets*, p. 922). Le recours à la pétrification, comme remède à une conscience trop sensible au tragique de l'existence, est une alternative à une révolte perçue comme sans issue dans les premières œuvres de Camus (voir *Le Malentendu*, acte III, scène III, p. 496 ; *La Mort heureuse*, p. 1196). Elle va de pair avec la tentation de quitter la condition humaine pour se fondre dans le cosmos.

4. La représentation psychologique du temps vécu par Meursault est redevable aux vues bergsoniennes exposées dans *Durée et simultanéité* paru en 1922 et réédité de nombreuses fois. Allongement, rétrécissement, annulation, extensibilité, etc., y sont explicités comme attributs de la « durée intérieure ».

5. Chaque fois que s'impose chez Meursault, au cours d'une situation, le sentiment d'une disjonction ou d'une rupture avec l'aspect inhumain ou dérisoire de la condition qu'il subit, Camus prend soin de cautionner, par une causalité externe logique, la référence à l'absurde, comme épreuve immédiate de l'opposition radicale entre l'homme et le cosmos. Le sentiment « d'être de trop » renvoie à la « nausée » qu'éprouve le personnage aux instants déterminants de son destin (enterrement, journée du meurtre, procès, annonce de sa condamnation à mort). Voir n. 7, p. 150 (I, 1).

6. Le portrait du journaliste en cause pourrait être celui de Marcel Achard, critique de théâtre à ses heures, journaliste, et cultivant particulièrement son image dans les médias de l'époque.

7. Dans *Les Conquérants* (1928) de Malraux, Garine aussi, à son procès, se montre « écœuré, excédé, ayant perdu jusqu'au désir de dire à ces gens qu'ils se trompaient, il attendait avec une patience mêlée de résignation la fin de la pièce qui le libérerait de sa corvée » (Gallimard, 1969, p. 57). Chez Sartre, ce retrait vis-à-vis d'un ordre artificiel aboutit à la « nausée », comme manifestation de rejet et de sortie de ce monde. Chez Camus, celle-ci se manifeste par une rupture et un rejet, un refus de participer à un monde où tout est joué d'avance.

8. Le mot « provocation » demeure dans les questions posées au jury jusqu'à ce que Camus corrige le texte en 1953 et le remplace par « préméditation », correction intégrée dans l'édition de 1954. Le texte est en effet plus logique ainsi ; car poser la question de la préméditation limite le champ d'application des circonstances atténuantes.

9. « Dans cette révolte qui secoue l'homme et lui fait dire : " Cela n'est pas possible ", il y a déjà la certitude désespérée que " cela " se peut. / C'est tout le secret de la tragédie grecque ou du moins d'un de ses aspects » (*Le Mythe de Sisyphe*, p. 308).

10. Il s'agit de l'exécution de Weidmann : voir la Notice, p. 1253-1255.

11. *Ms. 2* donne ici : « je lui ai dit de ne pas prier, et qu'il valait mieux hurler que disparaître. Je l'avais saisi par le collet », etc. « Hurler » a, semble-t-il, été mal lu lors de la lecture des épreuves par Queneau et

Paulhan et l'on a « brûler » en place de « hurler » jusqu'à *1946*. À partir
de *1954*, on trouve notre texte. On lit dans *La Voie royale* de Malraux,
œuvre que Camus s'obstinait à apprécier contre l'avis de son auteur :
« Ah ! qu'il en existât [des dieux], pour pouvoir, au prix des peines éternelles, hurler, comme des chiens, qu'aucune pensée divine, qu'aucune
récompense future, que rien ne pouvait justifier la fin d'une existence
humaine » (Gallimard, 1969, p. 182).

12. L'aumônier arrive trop tard. Meursault a redressé son être tout
seul, en dénonçant les manipulations et le conditionnement dont il avait
été la victime.

13. La veillée et la transfiguration de Meursault peuvent être rappro-
chées de celles du Christ, la nuit, à Gethsémani ; voir *Le Mythe de Sisyphe*,
p. 303.

14. « Une parole démesurée retentit alors : " Malgré tant d'épreuves,
mon âge avancé et la grandeur de mon âme me font juger que tout est
bien. " L'Œdipe de Sophocle, comme le Kirilov de Dostoïevsky, donne
ainsi la formule de la victoire absurde. La sagesse antique rejoint l'héroïsme moderne » (*ibid.*).

Appendice

PRÉFACE À L'ÉDITION UNIVERSITAIRE AMÉRICAINE

Cette préface parut au côté de *L'Étranger* publié par Methuen and Co.,
à Londres, en 1958, dans une édition de Germaine Brée et Carlos Lynes,
universitaires américains. La rédaction de la préface a eu lieu au cours de
la période 1953-1955, celle durant laquelle Camus, délivré des querelles
idéologico-mondaines liées à l'affaire de *L'Homme révolté*, entreprit de
réexaminer tout ce qui avait pu conduire aux confusions, malentendus,
et conflits dont il s'était un temps distrait et moqué, mais qui désormais
lui pesaient.

En soulignant le caractère paradoxalement intègre, dépourvu de
duplicité et de perversité, de son héros, mais assoiffé d'absolu, voire
prédisposé à l'ascétisme et au martyr, l'écrivain va à l'encontre des
stéréotypes qui ont réduit le personnage à l'état d'individu privé de sensibilité et de sens social, rebelle aux normes codifiées ou routinières de
la société où il vit.

C'est contre une telle assimilation abusive, constatée chez A. Rousseaux, en juillet 1942, qu'il avait réagi. Lors de sa tournée de conférences
dans les universités américaines, en mars 1946, il avait pu mesurer la
persistance d'une telle « lecture ».

Sous une forme à peine paradoxale, Camus, qui avait fait de la veillée
du Christ à Gethsémani un intertexte de celle de Meursault[1], proclame
ici la vocation néochristique de son héros : convertir l'homme à la condition précaire d'un individu conscient de sa mort et riche de son présent.

On pourrait rapprocher cette préface de ce que Camus a écrit, en
1954, dans un brouillon de lettre à M. Hädrich, qui lui avait soumis une

---

1. Voir ci-dessus la note 13 (II, v, p. 212).

adaptation de *L'Étranger* pour la scène allemande : « [...] je dirai qu'il faut éviter le genre Kafka et l'expressionnisme, qui depuis 25 ans a tant d'adeptes chez nous. *L'Étranger* n'est ni réaliste, ni fantastique. J'y verrai plutôt un mythe incarné, mais très enraciné dans la chair et la chaleur des jours. On a voulu y voir un nouveau type d'immoraliste. C'est tout à fait faux. Ce qui est attaqué de front ici ce n'est pas la morale mais le monde du procès qui est aussi bien bourgeois que nazi et que communiste, qui est en un mot le chancre contemporain. Quant à Meursault il y a en lui quelque chose de positif : et c'est son refus, jusqu'à la mort, de mentir. Mentir ce n'est pas seulement dire ce qui n'est pas, c'est aussi accepter de dire plus qu'on ne veut, la plupart du temps pour se conformer à la société[1]. Meursault n'est pas du côté des juges, de la loi sociale, des sentiments convenus. Il existe, comme une pierre, ou le vent, ou la mer sous le soleil, qui eux ne mentent jamais. Si vous envisagez le livre sous cet aspect vous y verrez une morale de la sincérité et une exaltation à la fois ironique et tragique, de la joie du monde. Ce qui exclut l'ombre, la caricature expressionniste ou la lumière désespérée. »

LE MYTHE DE SISYPHE

NOTICE

Dans ses *Carnets*, le 21 février 1941, Camus note : « Terminé *Sisyphe*. Les trois Absurdes sont achevés. / Commencements de la liberté[2]. » Qu'entendre là, sinon un cri de soulagement ? Il semble que ce cycle sur l'absurde (*L'Étranger*, *Caligula*, *Le Mythe de Sisyphe*) a dû coûter beaucoup de peine et d'efforts à Camus, un cycle qu'il envisage assez tôt, comme il l'écrivait au printemps de 1940 à Jean Grenier : « Il y a longtemps que je voulais entamer une certaine œuvre, allongée sur beaucoup d'années et figurée sous plusieurs formes. [...] Aujourd'hui ce n'est peut-être pas cela, mais cela m'en approche, à tort ou à raison. Je travaille donc beaucoup et j'ai déjà beaucoup avancé (une pièce terminée, un roman aux trois quarts et un essai à moitié — les trois sur le même thème)[3]. »

Le 7 octobre 1939, Camus a écrit à Francine Faure, sa future femme : « Hier j'ai commencé vraiment mon travail. Comme je t'avais dit (et je m'étais dit) que je commencerais par mon roman, c'est mon essai sur l'Absurde que j'ai entamé. D'ailleurs il est beaucoup plus mûr en moi que le roman [...] J'espère continuer sans m'arrêter[4]. » Il est vrai que ce désir, ce besoin même, de cerner l'absurde, Camus l'éprouve depuis longtemps. En témoigne dans les *Carnets* un schéma datant de janvier 1936[5] qui met

---

1. Voir p. 215.
2. *Carnets 1935-1948*, t. II de la présente édition, p. 920. — Voir les Notices de *L'Étranger*, p. 1246, et de *Caligula*, p. 1301.
3. Albert Camus-Jean Grenier, *Correspondance 1932-1960*, éd. Marguerite Dobrenn, 1981, p. 39.
4. Cité dans Olivier Todd, *Albert Camus. Une vie* (1996), Gallimard, coll. « Folio », p. 282.
5. Voir les *Carnets*, p. 800.

déjà en place les éléments fondateurs du *Mythe de Sisyphe* et leurs prolongements dans les œuvres à venir.

On imagine comment les auteurs de prédilection de Camus — Malraux[1], Proust, Melville, Dostoïevski, Kafka, etc.[2] — ont pu lui inspirer cette réflexion sur « l'absurdité » à laquelle il projette, en mai 1936, de consacrer une « Œuvre philosophique[3] ». En décembre 1938, le chantier semble encore ouvert ; Camus consigne ses lectures : le *Traité du désespoir* de Kierkegaard (paru chez Gallimard en 1932, dans la traduction de Knud Ferlov et Jean-Jacques Gateau), et Georges Gurvitch, l'auteur des *Tendances actuelles de la philosophie allemande* (Vrin, 1930)[4]. À l'université, René Poirier aurait, semble-t-il, initié Camus à Husserl, Kierkegaard et Heidegger ; Jean Grenier, son professeur de philosophie au lycée et maître à penser, l'avait incité à approfondir sa connaissance de Pascal, saint Augustin, Plotin[5], Chestov — philosophe russe, exégète de Nietzsche et de Dostoïevski, auteur des *Révélations de la mort. Dostoïevski-Tolstoï* (1923) et du *Pouvoir des clefs* (1928). Ses investigations sur la philosophie existentielle s'intensifient entre 1938 et 1940 ; il lit alors, par exemple, *Cheminements et carrefours* (1938) de Rachel Bespaloff, ouvrage consacré à Malraux, Gabriel Marcel, Kierkegaard et « Chestov devant Nietzsche »[6].

Par ailleurs, Camus commence à écrire en 1938 une étude sur Kafka dont le texte, comme l'avait remarqué Louis Faucon, est écrit « au verso de circulaires émanant du conseil d'administration[7] » d'*Alger républicain* en date du 25 mai 1938. L'analyse de Camus porte sur trois œuvres de Kafka dans la traduction française qu'en a donnée Alexandre Vialatte : *La Métamorphose*, *Le Procès* (1933), *Le Château*. Le dépôt légal du *Château* (Gallimard) est daté du troisième trimestre 1938 — année de la parution de *La Métamorphose*. Il est donc plausible d'envisager comme premier temps de rédaction l'automne 1938. Le 2 février 1939, l'étude est toujours en cours ; Camus écrit à Jean Grenier à cette date : « Je travaille à mon essai sur l'Absurde. [...] À cet essai s'ajoutent un certain nombre d'études où dans mon esprit font comme autant d'illustrations. J'en ai à peu près terminé une sur Kafka que je vous enverrai peut-être[8]. » Sans doute sera-t-elle terminée en mars 1939, selon un fragment de lettre à Jean Grenier[9] qui y fait référence en même temps qu'au *Baladin du monde occidental*, de Synge, joué par le Théâtre de l'Équipe en mars et avril 1939[10]. La longueur de l'étude excluait une parution dans *Alger républi-*

---

1. Voir l'Introduction, p. XXXIII.
2. Voir les *Carnets*, p. 940.
3. *Ibid.*, p. 809.
4. Voir *ibid.*, p. 872. — C'est grâce à cet ouvrage de Gurvitch que Camus a eu accès aux concepts de Heidegger, comme celui du « souci » (voir p. 228 et 235), et de Husserl (voir à partir de la page 248).
5. Voir « Métaphysique chrétienne et néoplatonisme », mémoire rédigé pour son Diplôme d'études supérieures en 1936, p. 999.
6. Notons par ailleurs que c'est dans *L'Illusion philosophique* (Alcan, 1936), de Jeanne Hersch, que Camus prend connaissance de la philosophie de l'existence de Karl Jaspers. Voir p. 225, 236 et 318 (et n. 1).
7. Voir *Pléiade Essais*, p. 1414.
8. *Correspondance 1932-1960*, p. 34.
9. « Je vous enverrai, sans doute, dans le courant de la semaine mon étude sur Kafka. Je vous dirai en même temps la place qu'elle tient dans mon " essai sur l'absurde ", auquel je travaille régulièrement » (*ibid.*, Annexes, p. 277).
10. Voir la Notice sur le Théâtre du Travail et le Théâtre de l'Équipe, p. 1440. Et H. R. Lottman, *Albert Camus* (1978), Le Seuil, coll. « Points Biographie », p. 217.

cain. D'après les souvenirs de Christiane Galindo interrogée par Herbert R. Lottman[1], Camus aurait remis son texte à Jacques Heurgon, membre de la revue *Rivages* dont le deuxième et dernier numéro date de février-mars 1939[2], à peine son texte achevé ; Heurgon l'aurait envoyé à Bernard Groethuysen : lié à la NRF, ce dernier était considéré comme l'un des spécialistes de Kafka en raison d'une remarquable préface rédigée pour *Le Procès*. Mais l'analyse de Camus ne fut pas publiée dans *La Nouvelle Revue française* ni dans aucune autre revue à cette date. Camus revient donc à son idée première : conserver ce texte pour son « essai sur l'Absurde ».

Nous avons vu qu'en octobre 1939 Camus affirmait s'être enfin mis au travail ; mais dès le 26 novembre il avoue à Francine : « Depuis hier je suis dans le doute. Hier soir j'ai commencé à rédiger mon essai sur l'Absurde. Jusqu'ici j'en ai écrit des fragments dispersés — ceux qui s'accordaient avec mon humeur du moment. Mais le vrai travail reste à faire. Il faut l'écrire, le mener de bout en bout, tout fondre dans la même œuvre. C'est ce que j'ai commencé hier. Et au bout d'une demi-heure tout s'est effondré[3]. » Le découragement s'accroît dramatiquement le 3 décembre : « J'ai renoncé à mon travail. Quand j'écris maintenant c'est ma volonté qui trace les mots [...] Ce n'est pas écrit avec tout l'être — je n'y mets pas cette vibration contenue sans quoi rien n'est valable. [...] Alors ce soir je n'ai plus fait d'effort. [...] Mais plutôt que de laisser une œuvre qui trahisse tout ce que je sens je préfère ne rien laisser du tout[4]. » Ces difficultés, Camus les attribuera, le 13 mai 1940, à son excès de lectures : « [...] j'ai sorti mon essai pour organiser mon travail. Je suis effrayé par la somme d'effort et de conscience qu'il va me demander. J'étais débordé devant ces notes, ces vues, etc.[5] »

Mais on ne saurait passer sous silence les conditions matérielles et morales responsables elles aussi de cet insuccès de l'écriture. Camus commence son essai en Algérie (octobre 1939-mars 1940 ; il est à la recherche de travail depuis la disparition du *Soir républicain*), il en poursuit la rédaction à Paris (de mars à juin 1940 ; grâce à Pascal Pia, il est devenu secrétaire de rédaction à *France-Soir*), à Clermont-Ferrand (juin-septembre 1940), où le journal s'est replié, à Lyon et à Bordeaux, puis de nouveau à Clermont (septembre-décembre 1940), à la suite de nouveaux déplacements du journal, enfin le termine à Oran (décembre 1940-février 1941 ; licencié de *France-Soir* en décembre lors d'une compression de personnel, il est au chômage). Ce morcellement, défavorable en soi, favorise en outre chez Camus ce qu'il nommait son « anarchie profonde[6] », son dilettantisme d'écriture et de pensée difficilement conciliable avec l'élaboration méthodique et structurée d'une pensée philosophique.

En septembre 1940, dans les *Carnets*, Camus avait noté : « Fini Iʳᵉ partie Absurde[7] » ; cinq mois plus tard, en février 1941, le titre semble avoir été

---

1. Voir H. R. Lottman, *Albert Camus*, p. 209.

2. Sur cette revue, voir la notule sur « *Rivages*. Revue de culture méditerranéenne », p. 1402.

3. Cité dans O. Todd, *Albert Camus. Une vie*, p. 292.

4. Cité dans *ibid.*, p. 293.

5. Cité dans *ibid.*, p. 340.

6. « Réponses à Jean-Claude Brisville », *Camus*, par Jean-Claude Brisville, Gallimard, coll. « La Bibliothèque idéale », 1959 ; *Pléiade Essais*, p. 1921.

7. P. 915.

trouvé puisqu'on est passé de « Absurde » et « essai sur l'Absurde » à *Sisyphe*. Peut-être est-ce une réflexion de J. Grenier dans son *Essai sur l'esprit d'orthodoxie* qui lui suggéra l'idée de se pencher sur ce mythe : « On parle toujours du mythe de Prométhée en oubliant de citer son dénouement qui est la principale partie. On ne parle jamais de Sisyphe[1]. » Mais, de l'aveu même de Camus, l'hellénisme nourrit depuis toujours sa pensée et son imaginaire. En 1937, il notait quelques idées concernant le mythe en général dans ses *Carnets*[2]. En 1950, il avouera que le monde où il se sent « le plus *à l'aise* » est « le mythe grec[3] ». Dans « Prométhée aux Enfers », il écrira aussi : « Les mythes n'ont pas de vie par eux-mêmes. Ils attendent que nous les incarnions. Qu'un seul homme réponde à leur appel, et ils nous offrent leur sève intacte[4]. »

On peut considérer qu'en février 1941, l'œuvre est achevée même si, comme à son habitude, Camus jusqu'aux tous derniers instants ne veut pas risquer de perdre un matériau nouveau, puisqu'il écrit à J. Grenier le 5 mai : « Mon manuscrit sur l'Absurde n'est pas encore tapé. Il ne le sera pas avant un mois. D'ici là je voudrais bien lire votre essai sur l'Absolu[5]. » Les manuscrits dont nous disposons[6] portent tous deux la signature de Camus sous laquelle se trouve indiquée la date « Février 1941 ». (Cette dernière se retrouve aussi dans l'édition originale de 1942.)

Se pose alors pour Camus le problème de la publication. À Alger, le libraire-éditeur Charlot, qui avait pris en charge *L'Envers et l'Endroit* ainsi que *Noces*, ne pouvait assurer financièrement la sortie des « trois Absurdes ». En effet, Camus souhaitait la parution simultanée de *Caligula*, de *L'Étranger* et du *Mythe de Sisyphe*, comme en témoigne cette lettre de Pia de mai 1941 auprès duquel il cherche aide et conseil : « Je me suis empressé de signaler à J. P. que vous aviez trois manuscrits à publier, et que vous tiendriez, si possible, à les publier simultanément[7]. » *Le Mythe de Sisyphe* quitte donc Oran pour Paris. Dans un premier temps, Pia, mettant à profit le vif intérêt dont *L'Étranger* bénéficie auprès des membres du comité de lecture chez Gallimard[8], se charge de la ligne littéraire et éditoriale en faisant lire l'essai à Paulhan, Malraux, Martin du Gard ; J. Grenier se charge de la ligne philosophique : Gabriel Marcel, Jean Wahl. Malgré une certaine réticence de Paulhan[9], Pia renouvelle ses efforts pour répondre au vœu de Camus et obtenir une publication simultanée. Il trouve d'ailleurs un précieux appui auprès de Malraux qui, le 1er décembre 1941, lui écrit : « J'ai achevé l'essai de Camus. C'est remarquable, et ce qu'il a à dire passe — ce qui n'était pas très facile. Ce livre éclaire tout à fait son roman, il diminue beaucoup la valeur des objections de détail que je faisais à celui-ci. Je crois main-

1. J. Grenier, *Essai sur l'esprit d'orthodoxie*, Gallimard, 1938, p. 181.
2. Voir les *Carnets*, p. 845-846.
3. *Carnets II*, Gallimard, 1964, p. 317.
4. « Prométhée aux Enfers » (1946), *L'Été* (1954), Gallimard, coll. « Folio », p. 123 – à paraître au tome III de la présente édition.
5. *Correspondance 1932-1960*, p. 54. — Cet « essai sur l'Absolu » désigne *Le Choix* ; voir var. *n*, p. 263 (« La Liberté absurde »).
6. Voir la Note sur le texte, p. 1280.
7. Albert Camus-Pascal Pia, *Correspondance 1939-1947*, Fayard-Gallimard, 2000, p. 61. (Les initiales désignent Jean Paulhan.) Voir aussi *ibid.*, p. 69 et 71.
8. Voir la Notice sur *L'Étranger*, p. 1258-1259.
9. Voir O. Todd, *Albert Camus. Une vie*, p. 387.

tenant comme vous qu'il est très souhaitable que G. G.[1] publie les deux livres à la fois. »

Mais tandis que la décision de publication est prise, surgit un nouveau et grave problème : il faut éliminer le chapitre sur Kafka, écrivain juif. Le 5 février 1942, sur une carte interzones, Queneau évoque pour Camus des « difficultés " locales " » (le passage sur Kafka)[2]. Le même jour et le 4 mars, G. Gallimard insiste dans ses lettres à Camus pour que les pages incriminées soient supprimées. Quant à Pia, il plaide fortement pour une publication en Suisse : elle « offrirait un autre avantage que celui du texte intégral : par ricochet, elle conférerait un intérêt particulier à l'édition de *L'Étranger* […] cela vous éviterait des ennuis d'un remaniement qui si habile et si réussi qu'il soit frustrerait toujours Kafka de la place qui lui revient » (16 mars 1942). Gravement malade et seul à Oran, Camus opte pour une publication chez Gallimard en acceptant de faire disparaître le chapitre concernant Kafka[3] ; il est remplacé par un texte sur Kirilov, le personnage des *Possédés* de Dostoïevski, et que Camus rédige alors. Dostoïevski est particulièrement familier à Camus ; il avait joué Ivan Karamazov en mai 1938 dans l'adaptation des *Frères Karamazov* par le Théâtre de l'Équipe, et en 1955 il rendra un vibrant hommage à l'auteur russe en soulignant la prégnance de cet écrivain sur sa propre pensée : « J'ai rencontré cette œuvre à vingt ans et l'ébranlement que j'en ai reçu dure encore, après vingt autres années. […] J'ai d'abord admiré Dostoïevski à cause de ce qu'il révélait de la nature humaine », et ensuite, ajoutait Camus, parce qu'il est « l'écrivain qui, bien avant Nietzsche, a su discerner le nihilisme contemporain, le définir, prédire ses suites monstrueuses, et tenter d'indiquer les voies du salut[4] ».

Enfin, le 16 octobre 1942 sort en librairie *Le Mythe de Sisyphe*. Il porte le numéro XII de la collection « Les Essais » : élégante couverture bleue à fleuron noir (feuille de vigne et raisins), titre en noir et rouge ; il est publié à 2 750 exemplaires. Depuis l'été, Camus se trouve, en compagnie de son épouse, au Panelier, près du Chambon-sur-Lignon. Ainsi peut-il suivre la sortie de *Sisyphe* et se rapprocher du cœur de la vie littéraire française.

Pour autant, Camus ne renonce pas à la publication du texte sur Kafka. C'est dans le numéro 7 de la revue *L'Arbalète*, revue de « contrebande » publiée à Lyon par Marc Barbezat, que finalement Camus le fait publier à l'été 1943 ; le texte s'intitule alors « L'Espoir et l'Absurde dans l'œuvre de Franz Kafka » et se trouve précédé d'un liminaire : « Les pages qui suivent ont fait d'abord partie d'un ouvrage déjà paru, où était étudiée la notion d'absurde. Il s'agissait par la critique de quelques thèmes de la philosophie existentielle, d'y définir une pensée absurde, c'est-à-dire une pensée délivrée de l'espoir métaphysique. On se demandait ensuite s'il était possible d'imaginer de même, sur le plan de la création, une œuvre véritablement absurde. Le chapitre sur Kafka répondait à cette préoccupation. Les circonstances ont cependant empêché sa publication. » Il faudra attendre la réédition de *Sisyphe* en 1945 (il y a eu entre-temps, en 1943, une réimpression) pour que « L'Espoir et

1. Gaston Gallimard. — Voir Albert Camus-Pascal Pia, *Correspondance 1939-1947*, p. 73.
2. Voir O. Todd, *Albert Camus. Une vie*, p. 390.
3. Voir la lettre à J. Grenier du 7 mars 1942, *Correspondance 1932-1960*, p. 69.
4. « Pour Dostoïevski », 1955 ; *Pléiade TRN*, p. 1888.

l'Absurde dans l'œuvre de Franz Kafka » soit réintégré à l'essai, dans un
« Appendice ».

Malheureusement, la publication finalement quasi simultanée de
L'Étranger et de *Sisyphe* déséquilibre la réception des deux œuvres. L'essai
va surtout servir de support à l'exégèse du roman. Ce phénomène avait
d'ailleurs pris naissance alors que chez Gallimard on en était encore à la
lecture des manuscrits. Ainsi Malraux avait-il écrit le 30 octobre 1941 à
Camus : « Le rapprochement de *Sisyphe* et de *L'Étranger* a beaucoup plus
de conséquences que je ne le supposais. L'essai donne au livre son sens
plein, et surtout, change ce qui paraissait d'abord, dans le roman, mono-
chrome et presque pauvre, en une austérité qui devient positive, qui
prend une force de primitif[1]. » Après publication, l'une des premières
analyses critiques, publiée dans le numéro 15 de *Confluences*, en décembre
1942, est signée de J. M. A. Paroutaud et s'intitule : « *L'Étranger* et *Le
Mythe de Sisyphe* ». Mais c'est évidemment l'article de Sartre publié en
1943 dans les *Cahiers du Sud* qui va lier pour longtemps les deux textes
dans une approche qui fera référence : « À peine sorti des presses,
L'Étranger de M. Camus a connu la plus grande faveur. [...] Mais [...] le
roman demeurait assez ambigu [...]. M. Camus, dans *Le Mythe de Sisyphe*
paru quelques mois plus tard, nous a donné le commentaire exact de son
œuvre » ; « *Le Mythe de Sisyphe* va nous apprendre la façon dont il faut
accueillir le roman de notre auteur. Nous y trouvons en effet la théorie
du roman absurde. [...] Il est vrai qu'il [Camus] a cru devoir donner
de son message romanesque une traduction philosophique qui est
précisément le " Mythe de Sisyphe " et nous verrons plus loin ce qu'il
faut penser de ce doublage[2]. » Dans ce jeu brillant entre essai et roman,
Sartre dénie en fait à Camus toute aptitude à conceptualiser sa pensée :
« M. Camus met quelque coquetterie à citer des textes de Jaspers, de
Heidegger, de Kierkegaard, qu'il ne semble d'ailleurs pas toujours bien
comprendre. » Et sous l'apparence d'un compliment le domaine de la
philosophie se ferme devant l'auteur du *Mythe de Sisyphe* : « [...] par le
sujet de ses essais, M. Camus se place dans la grande tradition de ces
Moralistes français qu'Andler appelle avec raison les précurseurs de
Nietzsche [...][3]. »

Peu nombreux seront les philosophes, les critiques, les essayistes qui
tenteront de cerner le « dire » du seul *Mythe de Sisyphe* lors de sa parution :
J. Grenier (« Le Sentiment de l'absurde », *Comœdia*, novembre 1942),
Georges Blin (« Albert Camus ou le Sens de l'absurde », *Fontaine*, 1942),
M. Blanchot (*Faux pas*, 1943), Th. Maulnier (« *Le Mythe de Sisyphe* », *La
Revue universitaire*, n° 53, 1943), Jeanne-Paule Sicard (« *Le Mythe de Sisyphe*
d'Albert Camus », *Renaissance*, n° 8, 1944). Ils centrent leurs analyses sur
la notion d'absurde. Cette piste indiquée par le sous-titre (« Essai sur
l'absurde ») était d'autant plus facile que chacun vivait alors l'irrationnel
de cette période de guerre. Ils soulignent, en des registres divers, la
vigueur de la pensée de Camus, son audace en même temps que son écriture aussi brillante qu'émouvante. J. Grenier avait déjà noté dans une

1. Cité dans O. Todd, *Albert Camus. Une vie*, p. 384. — Voir la lettre de Malraux à Pia du
1er décembre 1941 citée plus haut, p. 1272-1273.
2. « Explication de *L'Étranger* », *Cahiers du Sud*, février 1943 ; repris dans *Situations, I*,
Gallimard, 1947, p. 93-94 et 97-98.
3. *Ibid.*, p. 94.

lettre du 9 juillet 1941, après lecture du manuscrit : « Je vais quitter Montpellier — Je garde encore votre essai que je veux relire. Il me paraît absolument remarquable, de premier ordre, sans comparaison avec ce que vous avez fait. Il y a des pages admirables de netteté, de *résolution virile*. [...] Merci de m'avoir confié cela[1]. » Blin écrira quant à lui : « Les premières pages du *Mythe* ne sont pas loin d'être bouleversantes. »

En même temps, les critiques s'interrogent aussi sur un certain flottement conceptuel et sur la contradiction manifeste entre l'affirmation explicite du « Tout est égal »[2] et la réintroduction implicite de la notion de valeur reportée sur celles de révolte et de quantité[3]. Blin analyse cette faille du raisonnement en citant Grenier : « La vie humaine est absurde, j'en ai toujours été convaincu ; mais pour que j'aie conscience de cette absurdité, c'est qu'il existe un monde *par rapport auquel* elle est absurde[4]. » Blanchot, qui reprendra sous cet angle (non moins sévère) l'analyse du texte de Camus en 1954 (« Réflexions sur l'enfer », repris dans *L'Entretien infini* en 1969), parle en 1943 de « défaillance » de la pensée et note : « " Il faut imaginer Sisyphe heureux[5]. " Heureux ? Voilà qui est vite écrit. Si le livre de Camus mérite de n'être pas jugé comme un livre ordinaire, il faut aussi regarder pourquoi à certains moments sa lecture nous pèse et nous gêne. C'est que lui-même n'est pas fidèle à sa règle, c'est qu'à la longue il fait de l'absurde non pas ce qui dérange et brise tout, mais ce qui est susceptible d'arrangement et ce qui même arrange tout. Dans son ouvrage, l'absurde devient un dénouement, il est une solution, une sorte de salut[6]. »

Mais *Le Mythe de Sisyphe* pâtira bien plus encore de la polémique particulièrement violente que suscitera *L'Homme révolté* (1951). La cause est entendue : Camus n'est pas un philosophe[7]. *Le Mythe de Sisyphe* devient le simple réceptacle du vocable « absurde », lui-même tremplin d'analyses souvent remarquables mais portant sur l'ensemble de l'œuvre de Camus. En fait la reconnaissance de celui-ci en tant que philosophe est, d'une certaine manière, venue de G. Marcel : « Ce que m'a écrit Gabriel Marcel ? Une lettre irritée et définitive. Après avoir lu la moitié de mon essai, il m'a demandé comment j'avais pu penser qu'il approuverait une pareille position, quel pouvait être mon but en la lui soumettant, et il qualifiait de façon très sévère l'attitude d'esprit que mon essai révélait. Il terminait en s'expliquant mon point de vue par l'effet de lectures hâtives et d'une inexpérience qu'il me souhaitait de corriger. [...] Je lui ai répondu et j'ai reçu en retour une lettre où il me demandait avec beaucoup de bonne grâce si je ne voulais pas entamer avec lui un colloque sur les thèmes de mon essai. Malheureusement, j'étais alors au lit et je

---

1. *Correspondance 1932-1960*, p. 58. — Voir aussi cependant la lettre du 31 juillet 1941, *ibid.*, p. 60-61, où Grenier soumet à Camus quelques remarques et critiques de fond.
2. Georges Blin (dans « Albert Camus ou le Sens de l'absurde », *Fontaine*, n° 30, t. V, p. 554) utilise cette expression pour déplorer que Camus ait mis sur le même plan tous les philosophes qu'il cite dans son essai, et que la notion de quantité impliquant celle d'égalité prime, pour Camus, sur la qualité.
3. Voir plus bas, p. 1277.
4. G. Blin, « Albert Camus ou le Sens de l'absurde », p. 559 et 560.
5. Référence aux derniers mots de l'essai : voir p. 304.
6. M. Blanchot, « *Le Mythe de Sisyphe* », *Faux pas* (1943), Gallimard, 1971, p. 70.
7. Voir cependant Anne-Marie Amiot – Jean-François Mattei, *Albert Camus et la Philosophie*, Actes du colloque de Nice, 7-8 avril 1995, P.U.F., 1997. Et notamment Robert Sasso, « Camus et le Refus du système », *ibid.*, p. 207.

n'ai pu que le remercier[1]. » Ce brillant représentant de l'existentialisme chrétien (celui-là même que dénonce *Le Mythe de Sisyphe*) invitait donc Camus à débattre de philosophie (mais, malade, il ne put répondre à l'invitation).

Il faut aussi le reconnaître, Camus a tout fait pour ajouter au malentendu et à l'ambiguïté du débat : refus d'être classé dans une quelconque école philosophique, refus d'être philosophe. « J'ai lu l'article que Henri Troyat a bien voulu consacrer à *Caligula* […]. / Mais je commence à être légèrement (très légèrement) impatienté par la confusion continuelle qui me mêle à l'existentialisme[2] », écrit-il en 1946. « Je ne suis pas un philosophe. Je ne crois pas assez à la raison pour croire à un système. Ce qui m'intéresse, c'est de savoir comment il faut se conduire. Et plus précisément comment on peut se conduire quand on ne croit ni en Dieu ni en la raison[3]. » Camus allait récuser sans appel le dogmatisme qui, à ses yeux, ruinait l'originalité de son essai qui se devait d'être de la philosophie « sensible », notion dont la mise au point s'était opérée par étapes mais de manière raisonnée et délibérée. Ainsi écrit-il à J. Grenier le 2 février 1939 dans la lettre citée plus haut : « Je travaille à mon essai sur l'Absurde. J'ai renoncé à en faire une thèse. Ce sera un travail personnel[4]. » En août de la même année, dans une lettre au même destinataire, « personnel » s'éclaire par le rapport d'analogie qu'établit Camus entre R. Bespaloff et lui-même : « Je vous remercie de m'avoir envoyé le livre de Rachel Bespaloff. J'ai retrouvé des thèmes que je me proposais d'aborder dans mon " Absurde ", mais surtout c'est de la philosophie " sensible "[5]. » Une philosophie « sensible » : si séduisante qu'elle apparaisse, la formule n'en demeure pas moins ambiguë ; et dès 1943 Camus reconnaît que « bien des équivoques planent en effet sur le raisonnement absurde », mais il ajoute cette précision d'importance : « Ce sont des problèmes qu'il faut d'abord vivre[6]. »

Que *Le Mythe de Sisyphe* porte la marque d'un vécu personnel, c'est une évidence. De manière voilée passent tout au long du texte les diverses formes d'absurdité qu'a dû affronter Camus dans sa vie, sa sensibilité, ses idées — maladie, échec conjugal, mutisme d'une mère adorée, amères déceptions politiques. Plus net encore, dans la deuxième partie de l'essai, le choix opéré par Camus des « hommes absurdes », c'est-à-dire des hommes capables de prendre à la fois conscience et mesure de l'absurde : Don Juan, le comédien, le conquérant et le créateur. Don Juan (le personnage de théâtre et d'opéra), les *Carnets*[7] en font foi, fascina Camus tout au long de sa vie ; il avait interprété le rôle de Don Juan dans la pièce de Pouchkine en mars 1937, et espéra, un instant, le réinterpréter mais, cette fois, dans l'œuvre de Molière, en 1941, après son retour à Oran. Don Juan ne donne-t-il pas lieu au plaidoyer *pro domo* d'un homme jeune qui connaît et aime exercer son pouvoir de séduction ? Un plaidoyer *pro domo* aussi en faveur de cette « castillanerie[8] » dont souriait

---

1. Lettre à J. Grenier du 7 mars 1942, *Correspondance 1932-1960*, p. 68-69.
2. « Lettre à M. le directeur de *La Nef* », p. 445.
3. « Interview à *Servir* » (1945), t. II de la présente édition, p. 659.
4. *Correspondance 1932-1960*, p. 34. — Voir ci-dessus, p. 1270.
5. *Correspondance 1932-1960*, p. 36.
6. Lettre à Pierre Bonnel (18 mars 1943), Appendices, p. 320 et 321.
7. Voir n. 5, p. 268 (« Le Don Juanisme »).
8. Préface de *L'Envers et l'Endroit*, p. 32.

J. Grenier mais dont bon nombre s'exaspéraient ? Cela se peut ; mais,
plus profondément, ce qu'en Don Juan Camus rejoint est la terre espagnole, la terre du ressourcement : « À travers ce que la France a fait de
moi inlassablement toute ma vie j'ai essayé de rejoindre ce que l'Espagne
avait laissé dans mon sang qui selon moi était la vérité[1]. »

La réflexion sur le comédien doit beaucoup à l'expérience personnelle
de Camus, pour qui le théâtre (comme acteur, auteur, metteur en scène)
fut la passion première et dernière (depuis l'adaptation du *Temps du
mépris*, de Malraux, par le Théâtre du Travail en 1936 à Alger, jusqu'à
celle des *Possédés*, de Dostoïevski, en 1959 à Paris) ; le théâtre lui offrait
cette chaleur humaine dont il éprouvait le besoin : « [...] une scène de
théâtre est un des lieux du monde où je suis heureux » ; « [...] le théâtre
est mon couvent. L'agitation du monde meurt au pied de ses murs et
à l'intérieur de l'enceinte sacrée, pendant deux mois, voués à une seule
méditation, tournés vers un seul but, une communauté de moines travailleurs, arrachés au siècle, préparent l'office qui sera célébré un soir
pour la première fois[2]. » Par ailleurs, le comédien, pour Camus, est l'être
qui peut le plus aisément expérimenter et évaluer cette philosophie de la
quantité engendrée par l'absurde[3] : « À parcourir ainsi les siècles et les
esprits, à mimer l'homme tel qu'il peut être et tel qu'il est, l'acteur rejoint
cet autre personnage absurde qui est le voyageur. Comme lui, il épuise
quelque chose et parcourt sans arrêt. Il est le voyageur du temps et, pour
les meilleurs, le voyageur traqué des âmes. Si jamais la morale de la quantité pouvait trouver un aliment, c'est bien sur cette scène singulière[4]. »

Le personnage du conquérant n'aurait, peut-être, pas pris place dans
Le Mythe de Sisyphe si l'essai avait été composé dans un contexte historique autre. Il faut se rappeler le dilemme personnel de Camus déchiré
entre pacifisme et engagement actif dans la guerre. En témoignent
nombre de pages des *Carnets*[5] ou cette lettre à J. Grenier : « Je me suis
engagé le 3 septembre non parce que j'" adhérais " mais parce que je ne
voulais pas que ma maladie me servît de paravent dans cette histoire et
aussi parce que je me sentais solidaire de tous ces malheureux qui partaient sans trop savoir pourquoi. La commission de réforme qui m'a examiné m'a cependant jugé inapte et m'a maintenu exempté. Depuis, une
autre commission qui m'a appelé avec les réformés de ma classe m'a
encore exempté[6]. »

Enfin, dans la troisième section de l'essai (« La Création absurde »),
le lecteur rencontre un autre personnage absurde, le créateur, et plus
particulièrement l'écrivain ; c'est Camus s'interrogeant sur le double problème de l'élaboration et de la réception de l'œuvre : « L'artiste au même
titre que le penseur s'engage et se devient dans son œuvre. Cette osmose

1. *Carnets III*, Gallimard, 1989, p. 183 (janvier 1956).
2. « Pourquoi je fais du théâtre ? », *Gros plan*, émission de télévision, mai 1959 ; *Pléiade
TRN*, p. 1720 et 1722.
3. « [...] la croyance à l'absurde revient à remplacer la qualité des expériences par la
quantité. Si je me persuade que cette vie n'a d'autre face que celle de l'absurde, si j'éprouve
que tout son équilibre tient à cette perpétuelle opposition entre ma révolte consciente et
l'obscurité où elle se débat, si j'admets que ma liberté n'a de sens que par rapport à son
destin limité, alors je dois dire que ce qui compte n'est pas de vivre le mieux mais de vivre
le plus » (p. 260).
4. P. 273-274.
5. Voir les *Carnets*, p. 884-887 et 888-889.
6. Lettre à J. Grenier du printemps de 1940, *Correspondance 1932-1960*, p. 38.

soulève le plus important des problèmes esthétiques » ; « On considère trop souvent l'œuvre d'un créateur comme une suite de témoignages isolés[1]. »

Il existe un document, généralement appelé le « Cahier resté à Oran », qui tend à montrer comment la réflexion de Camus sur l'absurde procède de son expérience personnelle. En effet, le 17 mars 1938 — c'est la date qui apparaît sur ce cahier —, Camus commence à rédiger quelques pages qui seront reprises (parfois littéralement) dans *Le Mythe de Sisyphe*, pour les cinq premières dans les paragraphes 10 (« Avant de rencontrer l'absurde… ») à 13 (« S'abîmer dans cette certitude sans fond… ») de « La Liberté absurde » (p. 258-260), et de manière partielle pour les quatre autres dans le paragraphe 4 de « Philosophie et roman » (« Ces hommes savent d'abord… », p. 284) et dans le paragraphe 10 de « La Création sans lendemain » (« Répétons-le. Rien de tout cela… », p. 299). La rédaction est à la première personne du singulier : un « je » auquel, dans le texte définitif, sera le plus souvent substitué « homme quotidien » ou « homme absurde ». Camus rend en effet compte d'une crise métaphysique profonde : « Peu importe si je ne suis encore capable de cette extrémité dans la douleur. Ce qui compte c'est que pendant trois jours je ne sortis pas de chez moi et je restais des heures à contempler mes mains ou à courir chercher dans une glace cet être étrange et glacé qui venait de naître. Je ne dirais pas que tout est sorti de ces trois jours — Mais l'essentiel[2]. » L'essentiel ? Plus que la question posée, c'est l'impossible remise en cause de la réponse. Pour qui ne croit pas en Dieu, le scandale de la mort innerve la vie d'une gratuité et d'une vacuité telles qu'on ne peut que lui refuser un sens ; faut-il pour autant se suicider ou peut-on réenchanter la déshérence de l'être humain ? Tous les « hommes absurdes », après avoir dénombré les pièges de l'absurde, évalué leur ferment de mort, répondent « oui » à la vie pour y avoir découvert sous des formes diverses le bonheur. Même ou surtout Sisyphe, dernier avatar de l'homme absurde ; il est celui qui sur terre a su maîtriser le destin en assumant la beauté du monde mais sans se séparer des hommes — Prométhée apporte le feu aux humains, Sisyphe offre l'eau d'une source à Corinthe ; il est celui qui, aux Enfers, par sa conscience requiert une liberté intérieure que l'on peut nommer joie.

Le vécu personnel s'universalise par l'écriture. Par là, cette « pensée au plus près de la vie, au plus près de l'émotion qui secoue le corps ou de l'angoisse qui l'étreint » intègre « cette tradition philosophique que l'on peut appeler, en reprenant le texte de Fichte, le " moralisme " et qui consiste à s'intéresser au problème de l'action plutôt qu'au problème de l'être[3] ». Lorsqu'il récusait toute approche dogmatique de son œuvre, Camus affirmait : « Pourquoi suis-je un artiste et non un philosophe ? C'est que je pense selon les mots et non selon les idées[4]. » C'est dans le chapitre consacré à Kafka que l'on se rend compte combien Camus valorise l'écriture. Ainsi s'explique cette détermination à réintégrer ce

1. P. 285-286 et 297.
2. « Sans lendemains », Cahier resté à Oran, Appendices de *La Mort heureuse*, p. 1198.
3. André Comte-Sponville, « L'Absurde dans *Le Mythe de Sisyphe* », *Albert Camus et la Philosophie*, p. 160. — Gérard Pascal, « Camus ou le Philosophe malgré lui », *ibid.*, p. 175.
4. *Carnets*, p. 1029.

texte dans son essai ; ainsi s'explique surtout, concernant le premier paragraphe, un travail de réécriture. Celui-ci s'opère d'ailleurs sous le double signe de la lecture de l'*Essai sur le logos platonicien* de Brice Parain[1] et du dialogue épistolaire avec Francis Ponge[2], c'est-à-dire du langage dans son essence comme dans ses diverses potentialités de communication. C'est bien en effet le mot qui est mis au premier plan dans les lignes qui servent d'ouverture au chapitre sur Kafka. Ce paragraphe participe de la réflexion permanente de Camus sur l'image, « image » étant pris soit dans une extension de signification extrêmement large : « On ne pense que par images. Si tu veux être philosophe, écris des romans » ; soit dans les limites plus rigoureuses que définit la rhétorique, même si les termes employés par Camus ne sont pas techniques : « Reprendre travail sur Plotin. [...] / L'image comme la parabole : cet essai pour couler l'indéfinissable du sentiment dans l'indéfinissable évident du concret » ; « Les sentiments, les images multiplient la philosophie par dix[3] » ; « [...] chaque fois que la poésie de Char semble obscure, c'est par une condensation furieuse de l'image, un épaississement de la lumière qui l'éloigne de cette transparence abstraite que nous ne réclamons le plus souvent que parce qu'elle n'exige rien de nous. [...] Au centre du *Poème pulvérisé*, par exemple, se tient un foyer mystérieux autour duquel tournent inlassablement des torrents d'images chaleureuses. / C'est pourquoi cette poésie nous comble si exactement[4]. »

Mais n'oublions pas aussi qu'au moment où Camus en termine avec le texte qui sera envoyé à *L'Arbalète*, les articles sur *L'Étranger* ont déjà paru, et notamment l'éreintement de Rousseaux[5]. Ainsi se comprend mieux que l'axe majeur et premier de ce paragraphe soit le problème de la réception de l'œuvre, même si celui de la création n'est pas oublié. De l'image — ou du « symbole[6] » —, Camus attend d'abord qu'elle soit un stimulus qui provoque le lecteur pour vaincre chez ce dernier une instinctive et inhérente paresse intellectuelle ; qu'ensuite elle soit un signe médiateur de sens. À l'image de guider le lecteur non vers la signification première et immédiate du texte mais vers ce « plus » qu'elle fait dire au créateur lui permettant ainsi d'exprimer « La part obscure, ce qu'il y a d'aveugle et d'instinctif[7] » en son être, lui permettant donc de répondre à cette aspiration exprimée, dès 1937, par Camus : « J'ai souvent parfois d'écrire des choses qui m'échappent en partie, mais qui précisément font la preuve de ce qui en moi est plus fort que moi[8]. » Que la même technique de lecture puisse être envisagée pour *Le Château*, *Le Procès* ou *Le Mythe de Sisyphe*, Camus permet de le penser ; toujours à propos de la cri-

1. Voir « Sur une philosophie de l'expression » (article paru dans *Poésie 44*), p. 901.

2. Grâce à Pia, Ponge a lu le manuscrit de *Sisyphe* ; celui-ci notait dans son journal à la date des 26 et 27 août 1941 : « Il ne recense pas parmi les " thèmes de l'absurde " l'un des plus importants (le plus important historiquement pour moi), celui de l'infidélité des moyens d'expression, celui de l'impossibilité pour l'homme non seulement de s'exprimer mais d'exprimer n'importe quoi » (*Proêmes*, « Pages bis », « I. Réflexions en lisant l'" Essai sur l'absurde " » ; *Œuvres complètes*, Bibl. de la Pléiade, t. I, p. 206).

3. *Carnets*, p. 800, 861, 936.

4. « René Char », préface à l'édition allemande des *Poésies*, 1959 ; Pléiade Essais, p. 1164.

5. Voir la Notice sur *L'Étranger*, p. 1259-1260.

6. P. 305.

7. « Dernière interview d'Albert Camus », 20 décembre 1959 (*Venture*) ; Pléiade Essais, p. 1929.

8. *Carnets*, p. 823.

tique de Rousseaux sur son roman, il écrivait en effet : « Vous me prêtez l'ambition de faire réel. Le réalisme est un mot vide de sens […]. Je ne m'en suis pas soucié. S'il fallait donner une forme à mon ambition, je parlerais au contraire de symbole[1]. » Approcher ainsi *Le Mythe de Sisyphe*, c'est pour le lecteur qui veut bien tenter cette expérience prendre conscience que, quelle que soit la rigueur philosophique de l'ouvrage, ou bien son manque de rigueur[2], Camus ne travaille pas les concepts fondamentaux d'absurde, d'espoir, de suicide sur le seul plan strictement philosophique, mais aussi sur celui de la langue et du régime de la métaphore[3]. De même que pour Camus « Tout l'art de Kafka est d'obliger le lecteur à relire » parce qu'« il y a une double possibilité d'interprétation[4] », *Le Mythe de Sisyphe* gagne à être lu ou relu en considérant la dimension métaphorique de son essai comme une clé de lecture.

En 1950, dans « L'Énigme », Camus s'interrogera sur sa réputation d'écrivain de l'absurde et, partant, sur la possibilité de définir ainsi une œuvre par un nom ou une formule. Non, il n'est pas celui qui se limite « à l'idée que rien n'a de sens » et qui promeut de fait une « littérature désespérée » : les deux propositions sont des « contradictions dans les termes ». Mais la vraie question est celle de la « vérité » de l'écrivain, ou de son « soleil enfoui » qu'il s'agit de rechercher sans en fixer le mouvement, en recourant au rapport d'analogie qu'établit Camus entre Eschyle et lui-même : « Eschyle est souvent désespérant ; pourtant, il rayonne et réchauffe. Au centre de son univers, ce n'est pas le maigre non-sens que nous trouvons, mais l'énigme, c'est-à-dire un sens qu'on déchiffre mal parce qu'il éblouit[5]. » Le mythe et le symbole s'éclairent et s'appuient l'un l'autre pour Camus, qui écrira bien plus tard : « L'artiste est comme le dieu de Delphes : " Il ne montre ni ne cache, il signifie[6]. " »

MARIE-LOUISE AUDIN.

NOTE SUR LE TEXTE

Le Fonds Camus de la Bibliothèque Méjanes (Aix-en-Provence) possède un manuscrit allographe (de la main de Francine Camus) corrigé par Camus (cote : CMS2. Ad5-01.01). Ce manuscrit du *Mythe de Sisyphe* est constitué de 119 feuillets (dont un feuillet dactylographié).

Cependant, nous avons eu la possibilité d'examiner un manuscrit autographe, antérieur au précédent, appartenant à une collection parti-

1. *Ibid.*, p. 952.
2. G. Pascal (« Camus ou le Philosophe malgré lui », *Albert Camus et la Philosophie*, par exemple), montre que le refus et la dévalorisation du suicide dans l'essai ne sont nulle part l'objet d'une démonstration rigoureuse, sur le plan de la logique philosophique.
3. Voir M.-L. Audin, « *Le Mythe de Sisyphe* ou l'autre scène », *Albert Camus 14*, Minard, 1991 ; « Le Paradigme du théâtre dans *Le Mythe de Sisyphe* », *Camus et le Théâtre*, IMEC éditions, 1992.
4. P. 305. Voir aussi p. 307 (« Un symbole, en effet, suppose deux plans, deux mondes d'idées et de sensations, et un dictionnaire de correspondance entre l'un et l'autre »).
5. « L'Énigme », *L'Été*, p. 148, 149 et 150. — Voir aussi « Rencontre avec Albert Camus », *Les Nouvelles littéraires*, 10 mai 1951 ; *Pléiade Essais*, p. 1342-1343.
6. *Carnets III*, p. 223.

culière[1], et comptant 127 feuillets dont certains constitués de papier à en-tête de *Paris-Soir*. Ce manuscrit autographe (sigle : *ms. 1*), de même que le manuscrit allographe (sigle : *ms. 2*), contient le chapitre sur Kafka qui devra être retiré de l'essai avant sa parution dans l'édition originale en 1942 — et que Camus remplacera par un chapitre sur Kirilov[2]. Ils sont tous deux signés par Camus et datés de février 1941. Dans *ms. 1*, les titres de chapitre (parfois différents des titres définitifs) sont inscrits au crayon sur d'étroites bandes de papier rayé et en général accompagnés du plan du chapitre. Quant au plan général de l'essai, il est indiqué en tête de chapitre par une double numérotation en chiffres romains et arabes (I_1, I_2, etc.). Nombre de pages sont écrites quasiment sans rature. Un seul chapitre (« Philosophie et roman ») concentre une série particulièrement importante de ratures, de renvois, d'inversions, et de restructurations de paragraphes. Pour le reste du manuscrit, les corrections (additions, suppressions, reprises de mots) visent à souligner la rigueur démonstrative du raisonnement et répondent aussi à une recherche stylistique nette. Ce double but se retrouve dans *ms. 2* à travers quelques reprises autographes de Camus.

En ce qui concerne le chapitre consacré à Kafka, il faut prendre en compte dans un premier temps : *ms. 1*, la dactylographie de ce manuscrit (sigle : *dactyl. 1 Kafka* ; cote : CMS2. Ad5-02.01) et *ms. 2*.

Dans *ms. 1*, le texte comporte 7 feuillets : sur 5 feuillets (papier à en-tête d'*Alger républicain*) est consigné un texte homogène (encre bleue) ; 2 feuillets à part sont consacrés à cinq additifs (encre noire) : sur le premier feuillet, deux additifs numérotés en caractères romains (I, II) ; sur le second, papier pelure, légère évolution de l'écriture, trois additifs numérotés en chiffres arabes (1, 2, 3).

La dactylographie (signée par Camus, 11 feuillets) reprend le texte de *ms. 1* majoré des additifs I et II. C'est sur cette dactylographie que Camus, de manière manuscrite, retravaille son texte : indication précise de la place des trois derniers additifs et recherches stylistiques (en particulier sur le premier paragraphe du chapitre).

Ms. 1 et *dactyl. 1 Kafka* portent comme titre : « Kafka, romancier de l'espoir ». Dans *ms. 2*, le titre change : « Une création absurde », alors que le texte demeure fondamentalement le même.

Dans un deuxième temps, c'est le texte du dactylogramme[3] (sigle : *dactyl. 2 Kafka*) publié *ne varietur* dans la revue lyonnaise *L'Arbalète* (n° 7, été 1943 ; sigle : *préorig. Kafka*) qu'il faut observer, car c'est ce texte qu'intégrera Camus en appendice au *Mythe de Sisyphe* en 1945. Pour la seconde fois Camus en remanie le premier paragraphe : sur la première page de *dactyl. 2 Kafka*, il ajoute, à la main, de manière très lisible, le passage qui ouvre aujourd'hui le chapitre (« Tout l'art de Kafka […] mot à mot », p. 305). Pour le reste, on retrouve le texte de *ms. 2* (à quelques exceptions près, comme le remaniement du paragraphe commençant par « Le mot d'espoir… », p. 312, et l'ajout de la dernière note). Sur une feuille

1. Nous tenons à remercier M. F. Feinsilber d'avoir mis à notre disposition, avec une très grande générosité intellectuelle, ce manuscrit autographe.

2. Voir la Notice, p. 1273.

3. Dactylogramme également mis à notre disposition avec une très grande générosité par M. Feinsilber.

volante, dans un cercle, Camus note à la main le titre définitif de ce chapitre : « L'Espoir et l'Absurde dans l'œuvre de Franz Kafka ». Le texte
de *L'Arbalète* est repris dans l'édition de 1945 et sera corrigé pour l'édition de 1953.

En ce qui concerne le chapitre intitulé « Kirilov », qui remplace en
1942 le chapitre sur Kafka, la Bibliothèque Méjanes en possède le manuscrit autographe (cote : CMS2. Ad5-02.03) : 7 feuillets (dont un fᵒ 4 *bis*).
On constate que le manuscrit comporte une première partie — ffᵒˢ 1
à 4 — correspondant aux paragraphes 1 (constitué de quatre alinéas) à 7
inclus du texte actuel (p. 290-294). L'écriture d'abord ferme se délite dès
le fᵒ 3.
Sur le fᵒ 4 *bis*, dont de très nombreux éléments sont repris plusieurs
fois de manière embryonnaire et lacunaire en une recherche stylistique
qui n'aboutit pas, Camus conserve comme texte : « Notons bien pour
terminer : ce qui contredit l'absurde dans cette œuvre ce n'est pas son
caractère chrétien, c'est l'annonce qu'elle fait de la vie future. On peut
être chrétien et absurde. Il y a des exemples de chrétiens qui ne croient
pas à la vie future. À propos de l'œuvre d'art il serait donc possible de
préciser une des directions de l'analyse absurde qu'on a pu pressentir
dans les pages précédentes, celle qui conduit à poser " l'absurdité de
l'Évangile ". Elle éclaire cette idée féconde en rebondissements que les
convictions n'empêchent pas l'incrédulité. / La surprenante réponse du
créateur à ses personnages, de Dostoïevski à Kirilov, peut en effet se
résumer ainsi : l'existence est mensongère *et* elle est éternelle. »
Camus semble donc avoir eu comme première intention d'arrêter
le chapitre consacré à Dostoïevski au paragraphe 7 augmenté de ces
quelques lignes. Mais après trois grandes croix, sur un feuillet numéroté
5, Camus reprend son analyse (l'écriture d'abord ferme se fatigue à nouveau assez vite) ; les paragraphes 8, 9, 10, 11, 12 sont écrits sur les ffᵒˢ 5
et 6 du manuscrit. Le paragraphe 12 qui termine le chapitre reprend quant
à lui en grande partie le texte de la page 4 *bis* mais s'arrête sur ces formules : « […] absurdité de l'Évangile. Elle aiderait alors à éclairer cette
idée féconde en rebondissements que l'incrédulité n'empêche pas les
convictions. Elle n'est pas plus surprenante en tous cas que la réponse de
Dostoïevski à Kirilov : l'existence est mensongère *et* elle est éternelle. »

En 1942, *Le Mythe de Sisyphe* a donc paru aux Éditions Gallimard
(achevé d'imprimer du 22 septembre 1942 ; sigle : *orig.*), dans la collection « Les Essais » (nᵒ XII). Le texte sera réimprimé en 1943 à l'identique
(les coquilles auront pu être corrigées). L'édition de 1945 (et non celle de
1948, comme on le croit généralement) est la première à être augmentée,
en appendice, de « L'Espoir et l'Absurde dans l'œuvre de Franz Kafka ».
L'essai connaîtra diverses rééditions, en 1948, 1950, 1953, 1956, 1957,
1958 et enfin 1959[1].
L'édition de 1953 est une édition munie du cartonnage de Mario
Prassinos. Sur les épreuves de celle-ci (conservées au Fonds Camus sous
la cote CMS2. Ad5-02.05 ; sigle : *épr.*) sont portées des corrections
manuscrites autographes. Les éditions suivantes donnent un texte iden-

---

1. Dans les variantes, les diverses éditions postérieures à *orig.* portent, en guise de sigle,
leur millésime.

tique à celui de 1953 ; notre texte de référence est celui de 1957, sur
lequel nous nous sommes permis de suppléer la ponctuation effacée et
de corriger de très rares erreurs manifestes.

M.-L. A.

NOTES ET VARIANTES

[Page de faux titre.]

1. La dédicace ne figure ni dans *ms. 1* ni dans *ms. 2*. — *Alger républicain, Soir républicain* en 1938-1939, *Paris-Soir* en 1940, *Combat* enfin jusqu'en 1947, date où l'amitié entre Camus et Pascal Pia prend fin (voir la
Chronologie) : les deux hommes auront vécu côte à côte les mêmes
aventures journalistiques durant ces années-là. C'est grâce à Pia, lecteur
enthousiaste de Camus, que les manuscrits de *L'Étranger* (voir la Notice,
p. 1258-1259), de *Caligula* (voir la Notice, p. 1314) et du *Mythe de Sisyphe*
(voir la Notice, p. 1272) seront lus par Malraux et Paulhan — premiers
pas vers la NRF.

2. D'après L. Faucon, éditeur du *Mythe de Sisyphe* dans la *Pléiade Essais*
(voir cette édition, p. 1430), Camus note dans les *Carnets* (p. 905), en
février 1940, ces deux vers de Pindare dans la traduction d'Aimé Puech
des *Pythiques* (Les Belles Lettres, 1931), lesquels avaient déjà servi, mais
en grec, d'épigraphe au « Cimetière marin » de Valéry.

[Avertissement.]

a. livre. [Quelques expériences personnelles me poussent à le préciser.   *biffé*]   *épr. Pourquoi la suppression relativement tardive (1953) de cette
phrase qui pendant plus de dix ans a terminé le liminaire du « Mythe de Sisyphe » ?
Sans doute pour éviter ce déplacement de la lecture vers le biographique et l'anecdotique que dénonce Camus dans « L'Énigme » (« L'Été », p. 146-147).*

UN RAISONNEMENT ABSURDE

L'Absurde et le Suicide.

a. Nietzsche, qu'on ne peut concevoir d'estime pour un philosophe
que dans la mesure où il donne l'exemple, on saisit   *ms. 1, ms. 2* ◆◆
b. Dans ms. 1, ms. 2, orig., 1943 et 1946, après il fit bien.   *était appelée cette
note qui sera biffée dans épr. :*   Du point de vue de la valeur relative de la
vérité. Au contraire, du point de vue de la conduite virile, la fragilité de
ce savant peut prêter à sourire.   ◆◆   *c. Cette note ne se trouve ni dans ms. 1 ni
dans ms. 2. Elle apparaît dans orig.*   ◆◆   *d.* subtile où [la mort paraît séduisante   *corrigé dans l'interl. en*   l'esprit a parié pour la mort], il est   *ms. 2*
◆◆   *e. Dans ms. 1, la note se poursuit :*   mauvais. Eût-il obtenu la gloire souhaitée qu'il faudrait encore dire qu'elle ne valait pas les cinquante maîtresses et la dizaine d'œuvres d'art que, vivant, il eût encore rencontré
sur sa route. Une gloire posthume à cet égard eût été une amère plaisanterie.   *Dans ms. 2, orig., 1943 et 1946, la note est la même, mais n'y figure*

pas la dernière phrase. ◆◆ *f.* j'appellerai l'[élision *corrigé en* esquive] […] pascalien. [Éluder, voilà le jeu constant. L'élision type, l'élision *corrigé en* L'esquive] mortelle *épr.* ◆ ◆ *g.* que j'ai jusqu'ici joué *ms. 2* ◆◆ *h.* eaux *ms. 1, ms. 2, orig., 1943 in 1959.*

1. « Je ne me soucie d'un philosophe qu'autant qu'il est capable de donner un exemple. Que par l'exemple il puisse tirer après lui des peuples tout entiers, il n'y a là aucun doute […]. Mais l'exemple doit être donné par la vie visible et non point seulement par les livres » (Nietzsche, *Considérations inactuelles*, « Schopenhauer éducateur », III ; trad. Henri Albert révisée par Jacques Le Rider dans *Œuvres*, t. I, coll. « Bouquins », Robert Laffont, 1993, p. 297).

2. Voir les *Carnets*, p. 896.

3. Voir *ibid.*, p. 801-802 et 806 ; voir aussi *L'Envers et l'Endroit*, « Entre oui et non », p. 51-52.

4. J. Grenier, dans son essai *L'Existence malheureuse* (Gallimard, 1957), s'interroge sur des thématiques que l'on trouve dans *Le Mythe de Sisyphe* ou dans *L'Homme révolté* et cite ainsi à plusieurs reprises le nom de Camus. L'intertextualité peut même parfois être particulièrement sensible, comme L. Faucon l'avait noté : « L'homme quoi qu'il fasse est un *exilé*. Exilé, sans même qu'il y ait pour lui une terre perdue ni une terre promise » (*L'Existence malheureuse*, p. 41).

5. La récurrence de la notion de suicide est nette dans les *Carnets* sur trois plans : matériau littéraire à exploiter (*Carnets*, p. 805-806, 824, 825 et 1015) ; citations retenues chez d'autres écrivains (p. 1072) ; expression d'une tentation personnelle (p. 810, 839 et 1027) ; *Carnets II*, p. 322 ; *Carnets III*, p. 122, 200, 206, 220 et 261). De même, en date du 1ᵉʳ juillet 1949, dans la relation de son voyage en Amérique du Sud, Camus note : « À deux reprises idée de suicide. La deuxième fois, toujours regardant la mer, une affreuse brûlure me vient aux tempes. Je crois que je comprends maintenant *comment* on se tue » (*Journaux de voyage*, Gallimard, 1978, p. 58).

6. Peregrinus Proteus s'immola aux jeux Olympiques de 165 après Jésus-Christ. Peregrinus voulait imiter à la fois le brahmane Calanos et le héros Héraclès, patron et modèle des cyniques, philosophes dont Peregrinus faisait partie. Montherlant a commenté son geste dans « La Mort de Peregrinos » (*Aux fontaines du désir* ; *Essais*, Bibl. de la Pléiade, p. 247). L'« émule de Peregrinos » qu'évoque en note Camus pourrait être, selon L. Faucon qui ne justifie pas ce rapprochement (voir *Pléiade Essais*, p. 1431), André Gaillard qui se suicida le 16 décembre 1929 alors qu'il s'apprêtait à faire paraître *La terre n'est à personne*, recueil de proses et de poèmes surréalistes publié par les *Cahiers du Sud* en 1929.

7. J. Grenier consacra sa thèse de doctorat en 1936 à Jules Lequier (1814-1862), philosophe que Renouvier présentait « comme le chef du véritable criticisme » (néokantien) en France. « Cet homme, dont tous ceux qui l'entendirent proclamèrent le génie, eut une existence tourmentée, toute empreinte d'un romantisme violent » (André Canivez, « Aspects de la philosophie française », *Histoire de la philosophie* (1974), dir. Yvon Belaval, Gallimard, coll. « Folio », III, vol. I, p. 436) ; il semble avéré, et non pas hypothétique comme l'écrit Camus, qu'il se soit jeté à la mer le 11 février 1862 pour nager « vers le large jusqu'à épuisement de ses forces » (*ibid.*, p. 437).

Les Murs absurdes.

a. Dans ms. 1, Camus hésite entre deux titres : « Le vautour » et « Absurde et irrationnel ». Dans ms. 2, ces deux titres sont biffés et un ajout autographe donne le titre « Les murs absurdes ». ◆◆ *b.* univers. Ne craignons pas le paradoxe. Bien maîtrisé c'est une monture utile. Il est   *ms. 2* ◆◆ *c.* inévitable. Le reste est hypocrisie intellectuelle. La méthode   *ms. 1, ms. 2* ◆◆ *d. Cette note apparaît sur orig.* ◆◆ *e.* refuser. Un degré   *ms. 1* ◆◆ *f.* esprit   *ms. 1, ms. 2. Même variante à l'occurrence suivante.* ◆◆ *g.* disparu. [N'insistons pas et revenons aux évidences : / 1) Il n'y a pas de poésie de la mort. La mort est une chose répugnante. / 2) Un être mort est bon à jeter aux ordures. Les souvenirs n'y feront rien. « Mieux vaut un chien vivant… ». Cette pensée a du style   *corrigé à la main par Camus dans ms. 2 en* « n'insistons pas et gardons-nous de la poésie dans une affaire aussi répugnante. / « Mieux vaut un chien vivant… », cette pensée a du style. Comprendre qu'un être mort est bon à jeter aux ordures, se persuader que les souvenirs n'y feront rien, ce sont là de véritables progrès spirituels.] Ce côté   *ms. 1* ◆◆ *h.* malgré tout ? [J'excepte l'hypothèse de « l'acceptation ». Elle est dérisoire. À supposer que nous « n'acceptions pas » la mort, nous serions bien avancés. Ce vocabulaire judéo-chrétien a quelque chose de vil. Cette précision apportée   *biffé*] Il est   *ms. 2* ◆◆ *i.* impuissances. Ce cœur   *ms. 1, ms. 2* ◆◆ *j.* trouvé son [existence   *corrigé dans l'interl. en* pain.] Elle y a   *ms. 1*

1. Hésitation de Camus entre un titre programmatique (« Absurde et irrationnel »), tel qu'il apparaît sur *ms. 1*, et deux titres symboliques (« Le vautour » et « Les murs absurdes ») : voir var. *a*, et la notule de « Sur Husserl et Kierkegaard », p. 1300. La préférence accordée au symbole répond à la réflexion de Camus sur la dynamique de l'écriture (voir la Notice, p. 1279-1280). Comme l'a suggéré L. Faucon, le choix du « mur » peut faire écho à la lecture de *Mémoires écrits dans un souterrain* (ou *Le Sous-sol*). On peut penser à : « Mon Dieu que m'importent les lois de la nature et de l'arithmétique, lorsque pour une raison quelconque, ces lois et " deux fois deux font quatre " me déplaisent ? Bien entendu je ne briserai pas ce mur avec mon front ; mais je ne me résignerai pas uniquement parce que c'est un mur de pierre et que les forces m'ont manqué », s'écrie l'occupant du souterrain et narrateur du récit de Dostoïevski (*Carnets du sous-sol*, trad. André Markowicz, Actes Sud, coll. « Babel », 1992, p. 23).

2. Le thème de la lucidité qui rend la mort sans espoir (avec les conséquences qu'implique cette conception) se trouve déjà annoncé dans « Le Vent à Djémila », p. 114-115.

3. Dans *L'Envers et l'Endroit*, l'essai « Entre oui et non » s'ouvre par ce thème des « paradis perdus » (voir p. 47, et n. 1). Voir aussi la « Lettre à Pierre Bonnel », p. 322.

4. Voir les *Carnets*, p. 906.

5. Voir *ibid.*, p. 879. Dans « Explication de *L'Étranger* », Sartre commente cette image et conteste ses prolongements esthétiques et éthiques dans *L'Étranger* en tant que procédé d'écriture romanesque : « […] le geste de l'homme qui téléphone et que vous n'entendez pas n'est que *relativement* absurde : c'est qu'il appartient à un circuit tronqué. Ouvrez la porte, mettez l'oreille à l'écouteur : le circuit est rétabli, l'activité humaine

a repris son sens. Il faudrait donc, si l'on était de bonne foi, dire qu'il n'y a que des absurdes relatifs et seulement par référence à des " rationnels absolus ". Mais il ne s'agit pas de bonne foi, il s'agit d'art ; le procédé de M. Camus eſt tout trouvé : entre les personnages dont il parle et le leſteur, il va intercaler une cloison vitrée. [...] Reſte à choisir la vitre : ce sera la conscience de l'Étranger » (*Situations, I*, p. 106-107).

6. Voir, p. 794, le compte rendu de leſture que Camus a fait de *La Nausée* le 20 oſtobre 1938 dans *Alger républicain*. — Voir aussi la lettre de Camus à Lucette Maeurer de la fin de juillet 1938 : « [...] quand on écrit un roman, on met une philosophie en image et toute la réussite c'est de faire passer cette philosophie *uniquement* dans les images. Dans *La Nausée*, il y a *une* philosophie *et* des images — juxtaposées » (cité dans O. Todd, *Albert Camus. Une vie*, p. 273).

7. La méconnaissance de la mort reprend de très près un passage du « Vent à Djémila » (voir *Noces*, p. 114 et n. 10) et fait écho au *Poſt-scriptum aux miettes philosophiques* de Kierkegaard (« Cette difficulté peut aussi être exprimée en demandant si les choses sont telles que le vivant ne peut pas du tout s'approcher de la mort, du fait qu'il ne peut pas par l'expérience s'en approcher suffisamment sans devenir de façon comique la viſtime de son expérience » ; trad. Paul Petit, Gallimard, 1941, p. 111), ainsi que *Qu'eſt-ce que la métaphysique* de Heidegger (« Atteindre son total dans la mort [...] une expérience de ce genre reſtera interdite à chaque réalité humaine respeſtive, en ce qui la concerne elle-même. D'autant plus impressionnante eſt la mort des autres » ; trad. Henry Corbin, Gallimard, 1938, p. 118).

8. Voir les *Carnets*, p. 871. — Écho pascalien : « Le dernier aſte eſt sanglant, quelque belle que soit la comédie en tout le reſte. On jette enfin de la terre sur la tête et en voilà pour jamais » (Le Guern, n° 154). Sur l'importance de Pascal pour Camus, voir en particulier les *Carnets III*, p. 177.

9. J. Grenier souligne une leſture erronée d'Ariſtote par Camus (qui ne reſtifiera pas son texte) : « Votre dialeſtique eſt insuffisante et contraſte avec la force de vos sentiments. Ariſtote dans la page que v<ou>s citez réfute les Sceptiques absolus et les Dogmatiques absolus pour conclure qu'il exiſte certaines choses vraies et d'autres fausses — il dit donc le contraire de ce que vous lui faites dire » (*Correspondance 1932-1960*, lettre du 31 juillet 1941, p. 61).

10. Homère évoquait l'Élysée souterrain « où la plus douce vie eſt offerte aux humains » et auquel Ménélas eſt deſtiné (*Odyssée*, chant IV, 561 ; Bibl. de la Pléiade, p. 612), et Hésiode (*Les Travaux et les Jours*) cette île des Bienheureux où les dieux envoient les héros qu'ils veulent récompenser ou consoler de leurs épreuves terreſtres. Pindare reprend la légende homérique dans la deuxième Olympique, en la mêlant aux théories orphiques concernant le séjour de l'âme après la mort, et situe la félicité suprême dans ces îles Fortunées.

11. L. Faucon rapproche cette phrase des réflexions de Camus notées dans ses *Carnets* à propos des méthodes de météorologie (rappelons que Camus travailla à l'Inſtitut de météorologie d'Alger en 1937-1938). Voir les *Carnets*, p. 858 et 861-862.

12. Transposition d'un passage de « Avant le lever du soleil » de *Ainsi parlait Zarathouſtra* : « " Par hasard " — c'eſt là la plus vieille noblesse du monde, je l'ai rendue à toutes les choses, je les ai délivrées de l'asservis-

sement au but. / Cette liberté et cette sérénité célestes, je les ai placées comme des cloches d'azur sur toutes les choses, lorsque j'ai enseigné qu'au-dessus d'elles, et par elles, aucune " volonté éternelle " — n'affirmait sa volonté » (*Ainsi parlait Zarathoustra*, III, trad. H. Albert révisée par Jean Lacoste dans *Œuvres*, t. II, p. 412). — L. Faucon renvoie quant à lui au *Traité du désespoir* de Kierkegaard, Gallimard, 1932, p. 70.

13. *L'Homme du ressentiment* de Scheler est analysé par Camus dans *L'Homme révolté* (Gallimard, coll. « Folio essais », p. 32-33).

14. *Dormir* évoque l'inconscience et la culpabilité des disciples de Jésus la nuit de l'arrestation de ce dernier (voir Matthieu, XXVI, 36-46). *Consommation* évoque la dernière parole de Jésus agonisant sur la croix pour le rachat des hommes (voir Jean, XIX, 28-30). Voir plus loin « Philosophie et roman », p. 284.

15. Tout en s'opposant à leur conclusion, c'est sans doute avec Chestov et Kierkegaard (voir le paragraphe suivant) que Camus se sent le plus en empathie. Dans ce passage, Camus évoque *Le Pouvoir des clefs* (Schiffrin, 1928) et *Sur les confins de la vie. L'Apothéose du dépaysement* (1927), contestation infinie des prétendus acquis de la philosophie. Pour Chestov, en effet, la connaissance véritable est à l'opposé de la raison et ne se découvre que le plus loin possible des lieux organisés de la civilisation et de l'esprit ; il faut choisir entre l'arbre de la science du bien et du mal et l'arbre de vie ; il faut choisir entre Socrate et Tertullien qui, par son « *certum est quia impossibile* », devient le prototype des hommes prêts à abandonner toutes les « vérités » pour renaître dans la vérité de Dieu.

16. Comme l'a noté L. Faucon (*Pléiade Essais*, p. 1435), l'expression « Don Juan de la connaissance » est de Nietzsche dans *Aurore*, aphorisme 327 ; et la métaphore de l'épine, empruntée à la seconde Épître de Paul aux Corinthiens (XII, 7), est récurrente chez Kierkegaard.

17. Dans le *Traité du désespoir* (p. 155), Kierkegaard écrit : « Cette sorte de désespoir ne court pas les rues, des héros de son genre ne se rencontrent au fond que chez les poètes, chez les plus grands d'entre eux qui confèrent toujours à leurs créations cette idéalité " démoniaque " au sens où l'entendaient les Grecs. »

18. Voir p. 248.

19. Camus emprunte à Husserl la notion de « lieu ». L. Faucon avait relevé cette citation (*Pléiade Essais*, p. 1436) : « Ce qui manque à celles-ci [les philosophies] c'est un " lieu " spirituel commun où elles puissent se toucher et se féconder mutuellement » (*Méditations cartésiennes*, Armand Colin, 1931, p. 4). En fait, si pour Husserl le « lieu » n'arrive pas à se constituer, pour Camus au contraire le lieu de la « fécondation » existe, construit « sur les décombres de la raison » (p. 241). Mais la « fécondation » est un échec puisque les philosophes « divinisent ce qui les écrase » (*ibid.*).

Le Suicide philosophique.

a. Dans ms. 1, le titre du chapitre est « Le saut et l'existentiel ». Dans ms. 2, il est biffé et corrigé par « Le suicide philosophique ». ◆◆ *b.* avenir et aucun évangile ne garde de sens pour lui. Cela *ms. 1, ms. 2* ◆◆ *c.* Ainsi le rien devient Dieu (dans *ms. 2* ◆◆ *d.* examiner [l'émotion *corrigé en* le pathétique] d'une pensée *épr.* ◆◆ *e.* clarté. [L'antinomie et le paradoxe deviennent pour Kierkegaard critère du religieux. *biffé*] Ce christianisme *ms. 1, ms. 2* ◆◆ *f.* conscient, exclut Dieu. Peut-être *ms. 1, ms. 2*, *où ne figure donc pas la note de Camus appelée, à partir d'orig., au mot « Dieu »*. ◆◆ *g.* et [je *corrigé en* on] croit *ms. 2* ◆◆ *h.* Parménide contractait la pensée *ms. 1* ◆◆ *i.* vertigineuse, dans une attitude d'esprit où la folie peut se glisser à tout moment, voilà l'honnêteté, le reste eſt tricherie d'impuiſſant. Je *ms. 1*

1. L'évolution du titre (voir var. *a*) montre comment Camus entend souligner l'articulation démonſtrative de son analyse : ce titre se trouve déjà de manière synonymique à la fin de « L'Absurde et le suicide », lorsque, à partir de l'exemple de Jaspers, Camus affirme que les philosophes existentiels, « princes parmi l'esprit », ont procédé au « suicide de leur pensée » (p. 225).

2. Allusion à *L'Étranger* mais aussi à l'expérience personnelle de Camus lorsqu'il couvrait, pour *Alger républicain*, les procès politiques (voir la Notice sur *L'Étranger*, p. 1253 à 1255).

3. Voir « L'Espoir et l'Absurde dans l'œuvre de Franz Kafka », p. 313.

4. L. Faucon (*Pléiade Essais*, p. 1436) cite *Le Pouvoir des clefs*, de Cheſtov : « Si Dieu trompe les hommes, cela ne signifie pas que Dieu soit coupable. Ce sont les hommes qui sont coupables, et non pas de s'être laiſſé tromper — l'homme pourrait-il percer les ruses de Dieu, son Créateur ! — mais d'avoir limité leur Créateur en imposant des lois aux manifeſtations de Sa volonté. »

5. *Hamlet*, aĉte I, scène v. L. Faucon (*Pléiade Essais*, p. 1437) cite ici *La Philosophie de la tragédie* (Gallimard, 1926, p. 108), toujours de Cheſtov : « Il y a trois cents ans de cela que le plus grand des poètes a prononcé un terrible jugement sur le plus grand des idéaliſtes. Vous vous rappelez le cri d'Hamlet : "Le temps eſt hors des gonds ! " Depuis lors, les poètes, les écrivains ne cessent de varier ces paroles. Mais personne jusqu'à ce jour n'a consenti à admettre qu'il ne faut pas essayer de ressouder les chaînons brisés, qu'il ne faut pas essayer de faire rentrer le temps dans l'ornière dont il s'eſt échappé… »

6. Il s'agit du chriſtianisme tragique que son père a transmis à Kierkegaard, celui du Chriſt ensanglanté criant dans la solitude du Golgotha : « Mon Dieu, pourquoi m'as tu abandonné ? »

7. Complétant les vœux de pauvreté et de chaſteté, le troisième vœu des Jésuites eſt celui d'obéissance, que criſtallise dans les *Conſtitutions* l'expression « *perinde ac cadaver* » : « Il faut considérer que chacun de ceux qui vivent dans l'obéissance doit se laisser mener et diriger par la Providence au moyen du supérieur, comme s'il était un corps mort qui se laisse mener n'importe où et traiter n'importe comment… » (*Écrits*, dir. Maurice Giuliani, Desclée de Brouwer, 1991.) Pour Ignace de Loyola, sur le plan matériel, ce vœu visait à maintenir la cohésion du groupe ; sur le plan humain et spirituel, cette obligation d'obéissance absolue, bien que tout commandement dût être expliqué et rendu intelligible, était à vivre comme une véritable mortification mais une mortification apte à être transcendée en une disponibilité totale à la volonté de Dieu. — Voir les *Carnets II*, p. 343 (février 1951), et les *Carnets III*, p. 277 (décembre 1959). Selon L. Faucon (*Pléiade Essais*, p. 1437), Kierkegaard cite cette expression à plusieurs reprises dans son *Journal*, Nietzsche la reprend au début de *Par-delà le bien et le mal*, et Cheſtov commente les *Exercices spirituels* d'Ignace de Loyola dans *Les Révélations de la mort*.

8. Le passage de « À considérer de nouveau… » jusqu'à « … cacher le paradoxe » (p. 247, 1er paragraphe, 11e ligne) se trouve écrit dans *ms. 1* sur papier à en-tête de *Paris-Soir*, 57, rue Blatin, Clermont-Ferrand, ville où Camus s'est réfugié en même temps que le journal pour lequel il travaille alors, pendant l'exode, en juin 1940. Voir aussi n. 1, p. 255 (« La Liberté absurde »).

9. L'abbé Galiani, ami de Mme d'Épinay, fut secrétaire de l'ambassadeur de Naples à Paris de 1759 à 1769. L. Faucon (*Pléiade Essais*, p. 1438) localise cette citation dans une lettre du 8 février 1777 : « Il faut vivre avec ses maux. Le problème est de vivre, et pas de guérir. »

10. L. Faucon a daté ces quatre citations dans le *Journal* de Kierkegaard (respectivement : mai 1850, septembre 1849, juin 1847). Il précise qu'elles « proviennent, dans l'ordre, de la préface donnée par J. Gateau au *Traité du désespoir* ».

11. Pour Kierkegaard, « l'existant » se trouve renvoyé non pas à telle ou telle faute mais à la conscience absolue de la faute, de la faute de l'individu devant Dieu (voir la préface de J. Gateau au *Traité du désespoir*, p. 31).

12. Référence à *L'Âne d'or* d'Apulée et à la signification ésotérique des roses dans le parcours initiatique de Lucius métamorphosé en âne.

13. Sur Bergson, Camus a consacré un article : voir « La Philosophie du siècle », *Sud* (n° 7, juin 1932), p. 543.

14. Camus sollicite Gurvitch (voir la Notice, p. 1270), comme l'a relevé L. Faucon (*Pléiade Essais*, p. 1439) : « Elles sont directement présentes dans le monde réel et en général dans toute donnée de perception et d'imagination » (*Tendances actuelles de la philosophie allemande*, p. 19).

15. Platon, dans le *Phédon*, développe la théorie de l'Idée et de la Réminiscence. Si l'esprit est capable de former des idées *a priori*, c'est parce que notre âme avant de venir dans le corps a contemplé les « divines idées », essences éternelles et immuables, et qu'à l'occasion des données sensibles, elle s'en ressouvient. Chestov, dans *Le Pouvoir des clefs*, écrit qu'à l'exception de Platon, qui admettait Dieu à moitié », tous les autres philosophes d'Aristote à Spinoza et Hegel « ne recherchaient que la sagesse » (préface, p. VII) et étaient convaincus (qu'ils l'affirment ou non) de la non-existence de Dieu.

16. D'après L. Faucon, les trois citations, qui appartiennent au *Logische Untersuchungen* (*Recherches logiques*) de Husserl, se trouvent dans *Le Pouvoir des clefs*, aux pages 329, 346 et 392.

17. Voir « Métaphysique chrétienne et néoplatonisme », chapitre « La Raison mystique », p. 1040.

La Liberté absurde.

a. me *ms. 1, ms. 2* ◆◆ *b.* trinité *ms. 1, ms. 2* ◆◆ *c.* condition. Le surprenant c'est que la route qui mène à ces évidences ne soit pas plus simple. Le surprenant c'est qu'il faille tant d'efforts, une si grande tension, et une volonté si concertée pour tenir les yeux ouverts sur ce qui depuis si longtemps m'aveugle. Si j'étais arbre *ms. 1, ms. 2* ◆◆ *d.* espérer. Dans cet enfer du présent pour la première fois il pourra vivre en prince désespéré et exalté du royaume absurde. Tous *ms. 1, ms. 2* ◆◆ *e.* couleurs. Les [problèmes *corrigé en* conflits] spirituels *ms. 1* ◆◆ *f.* grandeur. Un mot seulement sur la méthode. On aura eu le temps déjà de reconnaître et peut-être de s'irriter d'une certaine façon de penser appliquée à cette étude et qui consiste à se détourner de tout ce qui n'est pas l'évidence la plus simpliste (au sens vulgaire et non au sens cartésien). Mais il faut se répéter, dans cet objet cela est nécessaire : il s'agit de faire la bête. À un   *ms. 1, ms. 2* ◆◆ *g. À partir d'ici, le paragraphe est écrit à la première personne dans ms. 1 et ms. 2. Le changement de pronom pourrait répondre au procédé de distanciation, de « dépersonnalisation » qu'évoque Camus dans les « Carnets II », p. 267. Mais il semble plutôt qu'il s'agit ici de conserver au passage son unité stylistique.* ◆◆ *h. Après « accompagner », il y avait une note dans ms. 1 et ms. 2 :*   Ceci peut se transposer sur le plan social dans la mesure même où les systèmes qu'on nous propose impliquent une métaphysique. La seule politique acceptable serait une politique pessimiste : résignée au « ménage » social hors de toute emprise sur les esprits. ◆◆ *i.* surhumain   *ms. 2* ◆◆ *j.* éternelle (ou si du moins il les remet à leur vraie place qui est celle de la conversation édifiante), il   *ms. 2* ◆◆ *k.* « j'étais »   *ms. 1, ms. 2* ◆◆ *l.* l'écrivain   *ms. 1, ms. 2* ◆◆ *m.* cette horreur qui   *ms. 1, ms. 2* ◆◆ *n. La dernière phrase de cette note de Camus ne figure dans aucun des manuscrits. « Le Choix » de J. Grenier a paru en 1941 (P.U.F).* ◆◆ *o.* l'homme, [en se mesurant à la difficulté, *add.*] se   *épr.* ◆◆ *p. Dans ms. 2, le texte continuait :* Où qu'on aille par la suite, c'est ici en tout cas que le raisonnement peut s'arrêter.

1. Depuis « Je puis aborder… » jusqu'à la fin du chapitre (p. 264), tout le texte dans *ms. 1* est écrit sur papier à en-tête de *Paris-Soir*. Voir n. 8, p. 245 (« Le Suicide philosophique »). — Camus connaissait-il l'enquête lancée dans le premier numéro de *La Révolution surréaliste* (décembre 1924 ; les réponses sont publiées dans le numéro 2, en 1925), « Le suicide est-il une solution ? » ? Dans la lettre de J. Grenier du 31 juillet 1941, une remarque permet d'en douter (voir *Correspondance 1932-1960*, p. 61). Par contre, à l'époque de *L'Homme révolté*, Camus connaît les positions du surréalisme par rapport au suicide, positions qu'il attaque sans concession : « Les surréalistes, en même temps qu'ils exaltaient l'innocence humaine, ont cru pouvoir exalter le meurtre et le suicide. Ils ont parlé du suicide comme d'une solution […] Il n'empêche que célébrer l'anéantissement et ne point s'y précipiter avec les autres ne fait honneur à personne » (p. 123). Ce passage de la théorie à l'acte en tant qu'exemple à donner a été évoqué ici (p. 224), en particulier pour stigmatiser la conduite de Schopenhauer aussi peu estimable pour Camus que celle des surréalistes et de tous ceux qui sont incapables de « se mettre d'accord avec eux-mêmes ».

2. Camus n'échappe pas à cette mode qu'il constate dans les *Carnets*, p. 968 : « Utilisation immodérée d'Eurydice dans la littérature des années 40. C'est que jamais tant d'amants n'ont été séparés. » En 1941 était créé *Eurydice* de Jean Anouilh. Chez Camus on retrouve l'évocation d'Orphée et d'Eurydice dans *La Peste* (voir t. II de la présente édition, p. 170) et dans les *Carnets*, p. 975.

3. Camus posera à plusieurs reprises ce problème, qui est omniprésent dans *La Peste* ; voir en particulier les *Carnets*, p. 1069.

4. Voir les *Carnets*, p. 838-839.

5. Voir *ibid.*, p. 935. Voir aussi Nietzsche, *Humain, trop humain*, aphorisme 439.

6. Conscience aiguë chez Camus du rapport temps/mort comme

paramètre capital pour que l'homme puisse ou ne puisse pas transformer sa vie en destin. Cette thématique sera reprise dans les pages consacrées au comédien (voir p. 277).

7. Comme l'écrit L. Faucon (*Pléiade Essais*, p. 1442), ce thème se trouve chez Chestov, dans *Le Pouvoir des clefs* (p. 127) : « Un célèbre poète grec disait jadis : " Ceux qu'aiment les Dieux meurent jeunes " » ; et chez Euripide, dans *Alceste*, où Thanatos déclare à Apollon : « Quand ceux qui meurent sont jeunes, l'honneur que je reçois est plus grand. »

8. Voir *Noces*, « Noces à Tipasa », p. 105-110.

9. *Par-delà le bien et le mal*, aphorisme 188.

10. L. Faucon (*Pléiade Essais*, p. 1442) localise la citation d'Alain dans l'édition de 1927 (Gallimard) des *Idées et les Âges* : « Prier, ce serait sentir que la fatigue vient, et la nuit sur toutes les pensées » (t. I, p.15) ; et indique que la phrase qui suit cette citation est une référence à Chestov, *Les Révélations de la mort*, p. 183.

L'HOMME ABSURDE

a. Dans ms. 1, deux titres : « L'absurde et l'action » (biffé) et « L'innocence » (écrit à l'encre). Dans ms. 2, « L'innocence » est biffé. ◆◆ *b. Cette épigraphe ne figure ni dans ms. 1, ni dans ms. 2 ; elle a été ajoutée lorsque le texte sur Kafka a dû être remplacé par les pages sur Kirilov (voir la Notice, p. 1273). Elle ne figure pas dans les pages de brouillons où Camus relève les citations qu'il a l'intention d'employer dans son essai.* ◆◆ *c. qui ne fait   ms. 2*

1. D'après L. Faucon (*Pléiade Essais*, p. 1442), la citation de Dostoïevski est tirée des *Possédés*, IIIᵉ partie, chap. VI, « Une nuit laborieuse ».

2. Thématique déjà présente dans *Noces*, « L'Été à Alger », p. 125-126, et « Le Désert », p. 133 et 134.

3. *Appel à l'impartiale postérité, par la citoyenne Roland, femme du ministre de l'Intérieur, ou Recueil des écrits qu'elle a rédigés pendant sa détention aux prisons de l'Abbaye et de Sainte-Pélagie*, Paris, an III [1794]. Comme l'a noté L. Faucon, dans *Maximes et réflexions*, cet appel au jugement de la postérité est commenté par Goethe qui ne cite cependant pas Mme Roland.

4. Cette formulation est préparée dans les *Carnets* (p. 857) ; elle est expliquée dans le chapitre consacré à Kirilov p. 294. Cette réflexion sera reprise dans *L'Homme révolté* (chapitre « Le Refus du salut »).

5. Allusion à la comédie en trois actes de Charles Palissot de Montenoy, *Les Philosophes*, qui, en 1760, attaquait et ridiculisait Diderot, Helvétius, Duclos et Rousseau. Le valet Crispin (Rousseau) déclare dans l'acte III, scène IX : « Pour la philosophie un goût à qui tout céda / M'a fait choisir exprès l'état de quadrupède ; / Sur mes quatre piliers mon corps se soutient mieux, / [...] / En nous civilisant nous avons tout perdu / [...] / Je me renferme donc dans la vie animale. » La satire de Palissot fait elle-même allusion à la célèbre plaisanterie de Voltaire au sujet du *Discours sur l'origine et les fondements de l'inégalité parmi les hommes* (1755) de Rousseau : « Vous peignez avec des couleurs bien vraies les horreurs de la société humaine dont l'ignorance et la faiblesse se promettent tant de consolations. On n'a jamais employé tant d'esprit à vouloir nous rendre bêtes. / Il prend envie de marcher à quatre pattes, quand on lit votre ouvrage » (lettre à Rousseau du 30 août 1755, *Correspondance*, Bibl. de la Pléiade, t. IV, p. 539).

6. Camus reprendra par deux fois, p. 293, cette expression, à propos de l'hypothèse que formule Kirilov sur le Christ et à propos de Kirilov lui-même. — Dans un dossier de notes et de brouillons relatif au *Mythe de Sisyphe* (cote : CMS2. Aq1-01.05), Camus note : « " Il faut être absurde, mon ami, il ne faut pas être dupes " Month. ». L'« auteur moderne » est donc Montherlant (voir *Service inutile*, « Lettre d'un père à son fils » ; *Essais*, Bibl. de la Pléiade, p. 732). Voir *L'Envers et l'Endroit*, « Amour de vivre » (« Sans être dupe, je me prêtais aux apparences », p. 66-67), et la lettre du 18 juin 1938 à J. Grenier (*Correspondance 1932-1960*, p. 28 et suiv.).

Le Don Juanisme.

a. « une fois de plus. » Il n'y a que les impuissants pour croire qu'il faille aimer rarement. Don Juan   *ms. 1, ms. 2* ◆◆ *b.* châtiment. Il n'a jamais été assez bas pour voir dans un destin une punition.   *ms. 1, ms. 2* ◆◆ *c.* l'acte [physique   *corrigé en*   d'amour.] Il   *épr.*

1. L. Faucon (*Pléiade Essais*, p. 1443) note, à juste titre, que l'étude de Camus emprunte plusieurs traits aux ouvrages critiques de Gendarme de Bevotte : *La Légende de Don Juan* (Hachette, 1906, rééd. 1911), et de Lorenzi de Bradi : *Don Juan : la légende et l'histoire* (Librairie de France, 1930). Il faut ajouter à ces deux sources Stendhal, *De l'amour*. Voir ici n. 8, p. 270.

2. À cette affirmation s'oppose le texte des *Carnets*, p. 855.

3. On peut penser au poème posthume de Nikolaus Lenau, *Don Juan* (1844), où le héros poursuit la conquête de la femme unique, symbole de la Beauté universelle ; de même Alekseï K. Tolstoï dans son *Don Juan* (1862) fait de son héros un « élu de Dieu » qui d'aventure en aventure n'a cherché qu'un « cœur qui comprit plus son cœur que ses sens ».

4. Référence au *Don Juan* (*L'Invité de pierre*) de Pouchkine joué par le Théâtre du Travail le 24 mars 1937 lors du gala organisé pour le centenaire de la mort du poète. Camus tenait le rôle de Don Juan.

5. Cette réflexion opposant et associant Faust et Don Juan, se retrouve à partir de mai 1954 dans les *Carnets III*, p. 110, 151, 186, 212 et 277.

6. Dans le mystère en six tableaux de Lubicz-Milosz — *Miguel Mañara* (NRF, 1913) —, Don Juan est un affamé d'absolu qui, après avoir vainement cherché la satisfaction dans les créatures, s'apercevra que c'est à Dieu seul qu'il était destiné.

7. « Si, du moins, on pouvait vivre selon l'honneur, cette vertu des injustes ! Mais notre monde tient ce mot pour obscène ; aristocrate fait partie des injures littéraires et philosophiques », regrette Camus dans la Préface à *L'Envers et l'Endroit* (p. 37). Voir aussi les *Carnets II*, p. 279.

8. Voir Stendhal, *De l'amour*, chapitre LIX ; les échos sont nets entre ces pages du *Mythe de Sisyphe* et les pages de Stendhal établissant un jugement comparatif entre Don Juan (celui de Mozart au point de départ, mais aussi celui de Byron et celui de la mémoire collective) et Werther, le héros de Goethe.

9. Voir var. *c*, p. 241 (« Le Suicide philosophique »).

10. Le thème de la vieillesse dramatique de Don Juan se trouve aussi dans Stendhal.

11. Reprise des *Carnets*, p. 882.

12. Le « chroniqueur » en question serait en fait l'auteur de la notice du Larousse, comme en témoigne la note des *Carnets* (p. 914).

13. Voir *ibid.*

La Comédie.

a. Dans ms. 1, le titre est « La comédie et la contradiction » ; dans ms. 2, « La comédie » (« et la contradiction » est biffé). ◆◆ *b.* vol, [à cet endroit à peine sensible *corrigé en* à ce moment inappréciable] où *épr.* ◆◆ *c. Dans ms. 1 et ms. 2, la phrase se poursuit :* vit, les dictateurs seraient conséquents si seulement ils parlaient moins de Dieu.

1. Dernière réplique d'Hamlet à l'acte II, scène II.

2. L. Faucon renvoie à l'aphorisme 361 du *Gai Savoir*, où Nietzsche pose le « problème du comédien ».

3. Allusion au conte de Voltaire *Micromégas*.

4. C'est le Sigismond de *La vie est un songe*.

5. Voir *Noces*, n. 7, p. 130 (« Le Désert »).

6. Sans doute un écho, selon L. Faucon, à l'aphorisme 51 de *Humain, trop humain*. Voir aussi p. 299. Mais voir les *Carnets*, p. 841.

7. Voir *ibid.*, p. 928.

8. *Le Théâtre et son double* d'Antonin Artaud a paru en 1938 ; L. Faucon y voit ici une allusion.

9. *Hamlet*, acte III, scène II.

10. L. Faucon (*Pléiade Essais*, p. 1145) a localisé cette citation de Nietzsche dans *Opinions et sentences mêlées*, aphorisme 408.

11. Le curé de la paroisse de Saint-Sulpice à Paris avait en effet refusé à la célèbre tragédienne Adrienne Lecouvreur (1692-1730) le droit d'être inhumée en terre chrétienne. Voir la note suivante.

12. Les comédiens n'étaient pas excommuniés s'ils abjuraient leur profession : « Je promets à Dieu de tout mon cœur, avec une pleine liberté d'esprit, de ne plus jouer la comédie le reste de ma vie et quand même il plairait à son infinie bonté de me rendre la santé » (*Comédie-française 1680. Le Petit Molière 1673-1973*, Guy Authier éditeur, 1973).

13. Le prêtre étant arrivé après la mort de Molière, ce dernier sera inhumé clandestinement au cimetière Saint-Joseph, lieu des suicidés et des enfants non baptisés.

14. Camus écrit en 1945 un récit intitulé « Mort d'un vieux comédien » dans les *Carnets* (p. 1043 et suiv.).

La Conquête.

a. Dans le ms. 1, ce paragraphe et le suivant se présentent dans l'ordre inverse. Camus les renumérote en marge. ◆◆ *b.* révolte *ms. 1* ◆◆ *c.* destin. Le tyran n'est *ms. 1, ms. 2* ◆◆ *d. Après ce mot, est appelée dans ms. 1 et ms. 2 cette note biffée :* Encore une fois, ceci est une illustration, le conquérant tel qu'il est défini par la pensée moderne. Mais si je voulais résumer son rapport au vrai, je dirais que pour l'homme absurde sont seules acceptables les attitudes politiques qui s'occupent de l'événement, du ménage de la cité sans demander la soumission à aucune éthique ou métaphysique. ◆◆ *e.* moi *[p. 280, 2ᵉ ligne en bas de page]* : la fin du conquérant c'est la trahison. Ne craignez rien ! Comme toute chose en ce monde, la trahison elle-même se transfigure dans un cœur un peu fier. Il y a des trahisons qui affranchissent et de beaux traîtres dans l'histoire. Il y a des trahisons honorables. Ce sont elles que j'ai toujours choisies. Vous attendiez de moi une morale à la mesure de votre doctrine. Mais dans presque tous les cas, l'élégance des sentiments remplace avantageusement la morale. Votre doctrine n'y peut rien. Au bout de tout cela   *ms. 1*

1. Comme l'a noté L. Faucon, Camus est, pour ce chapitre, redevable de la lecture que R. Bespaloff a faite des romans de Malraux (*Les Conquérants, La Voie royale, La Condition humaine* ; voir la Notice, p. 1270).

2. Dans « Explication de *L'Étranger* », Sartre commente cette phrase à deux reprises. La première fois il la rapproche de celle de *L'Étranger* : « On lui a demandé [...] s'il avait remarqué que j'étais renfermé et il a reconnu seulement que je ne parlais pas pour ne rien dire » (p. 194), pour en déduire que le personnage de Meursault « est construit de manière à fournir une illustration concertée des théories soutenues dans *Le Mythe de Sisyphe* ». La seconde fois, Sartre associe cette phrase à la formule de Kierkegaard citée dans « Les Murs absurdes » (p. 236), pour affirmer que « M. Camus parle beaucoup dans *Le Mythe de Sisyphe*, il bavarde même » (*Situations, I*, p. 99 et 104). Sur la réaction de Camus à l'article de Sartre, voir la lettre du 9 mars 1943 à Jean Grenier (*Correspondance 1932-1960*, p. 88).

3. Phrase reprise dans « Les Amandiers » (1940), *L'Été* (p. 111). Voir les *Carnets*, p. 885. Voir aussi la Conférence du 14 décembre 1957 (après l'attribution du prix Nobel de littérature), Gallimard, coll. « Folio », p. 25-26.

4. Voir les *Carnets*, p. 863.

5. Voir *ibid.*, p. 888-889, et aussi la lettre adressée à J. Grenier au printemps de 1940 citée dans la Notice, p. 1277.

6. Voir *L'Homme révolté*, « La Pensée de midi ».

7. Sur la question du « comment se conduire ? » (voir la Notice, p. 1276) propre à Camus, voir les *Carnets*, p. 888 et 892-893.

8. La formule se trouve dans *ibid.*, p. 849.

9. Camus, qui avait monté avec le Théâtre du Travail le *Prométhée enchaîné* d'Eschyle (mars 1937), avait prévu de se pencher sur le mythe de Prométhée pour son cycle sur la révolte — aboutissement de celui sur l'absurde (voir les *Carnets II*, p. 328, mai 1950). — Ce thème est repris dans *L'Homme révolté*, « Les Fils de Caïn », et dans *L'Été*, « Prométhée aux Enfers » (1946) ; ainsi que dans les *Carnets*, p. 889.

10. Reprise du texte des *Carnets*, p. 916.

11. L. Faucon renvoie ici à *Mors et vita* de Montherlant (Grasset, 1932, p. 200). Notons en outre que ce dernier paragraphe reprend les thèmes développés dans le texte « Dialogue Europe-Islam », *Carnets*, p. 878.

12. Voir *ibid.*, p. 892.

13. D'après L. Faucon, il s'agit ici d'un écho de la formule de Kierkegaard dans *Le Concept d'angoisse* (Alcan, 1935, p. 43) : « Je suis un roi sans royaume. »

LA CRÉATION ABSURDE

Philosophie et roman.

a. Dans ms. 1, *le titre de la section était « Le grand mime ».* ◆◆
b. honneur   ms. 1, ms. 2 ◆◆ *c.* monde. Et l'honneur est un sentiment
dont il faut apercevoir l'immense dérision pour sentir le respect qu'on
lui doit. La   ms. 2 ◆◆ *d. Le passage depuis « Elle ne peut être la fin… » et
jusqu'à « … Abyssinie. » ne figure pas dans* ms. 1, *mais se trouve ajouté, de la main
de Camus, en marge, dans* ms. 2. ◆◆ *e.* couleur [(Cela surtout est sensible
chez Léger.) *biffé*] *épr.* ◆◆ *f.* consentir [à eux-mêmes *corrigé en* à
l'illusion]. Cette   ms. 2 ◆◆ *g.* trouver. Je veux donc   ms. 2 ◆◆ *h.* trouver *[17 lignes plus haut].* Je veux donc choisir pour l'interroger une œuvre
où tout soit réuni qui marque la conscience de l'Absurde, dont le départ
soit clair et le climat lucide. Je veux savoir alors quelles sont ses conséquences : je n'ai besoin que d'un exemple précis. Il s'agit de la même analyse qui déjà a été faite plus longuement. Je parlerai ici de Franz Kafka.
J'aurais pu aussi bien étudier d'autres œuvres. Mais dans celle-ci le problème est traité directement de la même démarche et avec la même émotion dissimulée que dans les penseurs dont il a déjà été question. Ce
parallélisme sert   ms. 1

1. C'est J. Grenier qui fait découvrir Proust à Camus (voir la lettre de
Camus du 25 août 1932, *Correspondance 1932-1960*, p. 13). Le thème ici
évoqué sera repris dans *L'Homme révolté*, « Roman et révolte » (voir par
exemple p. 332, coll. « Folio »).
2. Voir « Les Murs absurdes », p. 236 et n. 14.
3. Voir les *Carnets*, p. 886.
4. Dans *ms. 1*, ce chapitre est très nettement divisé en deux ; la seconde
partie commençant ici est celle qui, de tout le manuscrit, comporte le
plus de ratures, de renvois, d'interversions et de refontes de paragraphes.
Par ailleurs la pagination, suivie jusqu'alors, s'arrête et se trouve remplacée par une pagination de 1 (non indiqué) à 6.
5. Voir les *Carnets*, p. 931.
6. « Avoir ou n'avoir pas de valeur. Créer ou ne pas créer. Dans le
premier cas, tout est justifié. Tout, sans exception. Dans le second cas,
c'est l'Absurdité complète » (*Carnets*, p. 839).
7. Allusion évidente à Rimbaud. Voir *L'Homme révolté*, « Surréalisme
et révolution ».
8. Voir les *Carnets*, p. 856 et 862.
9. Cette réflexion sur la sculpture grecque se trouve dans les *Carnets*,
p. 811-812 ; dans *L'Envers et l'Endroit*, « Amour de vivre », p. 67.
10. Camus reprend et développe ces thèmes dans *L'Homme révolté*,
« Roman et révolte » (p. 328-329).
11. Voir les *Carnets*, p. 962-963.
12. Cette thématique se trouve déjà en janvier 1936 dans les *Carnets*
(p. 800) et elle réapparaît le 20 octobre 1938 dans l'article de Camus sur
La Nausée (voir p. 794).
13. Songe de Nabuchodonosor, Daniel, II, 31-34.
14. En avril 1937 Camus envisageait d'écrire un essai sur Malraux
(voir les *Carnets*, p. 815).

Kirilov.

1. Ce personnage apparaît dans les *Carnets* à la fin de 1938 (p. 871).

2. L. Faucon (*Pléiade Essais*, p. 1449) renvoie ici au *Journal d'un écrivain* de Dostoïevski : « Sans la foi en son âme et en l'immortalité de son âme, l'existence humaine est quelque chose de contre-nature, un intolérable non-sens » (décembre 1876 ; Gallimard, 1934, p. 364).

3. Cela met Kirilov en porte-à-faux avec ce qui caractérise « l'homme absurde ». Camus se penche sur ce porte-à-faux à la page suivante.

4. Au point de départ, dans *Les Possédés*, Dostoïevski veut faire œuvre polémique et pamphlétaire contre le nihilisme et les révolutionnaires du type Netchaïev. Les commentateurs s'accordent généralement pour voir se dessiner en filigrane l'anarchiste Bakounine dans le personnage de Stavroguine. On retrouvera une analyse de ces problèmes dans *L'Homme révolté*, en particulier dans les chapitres intitulés « Trois possédés » et « Le Chigalevisme »

5. Aristocrate décadent, incapable de s'engager dans aucun acte, Stavroguine, froid et rationnel, est dominé par « l'enivrement de la bassesse » et son suicide ne relève pas du désir de se faire justice mais de celui d'« échapper à son propre tourment » (Nina Gourfinkel, *Dostoïevski notre contemporain*, Calmann-Lévy, 1961).

6. Il est intéressant de comparer ces pages à l'adaptation des *Possédés* que fera Camus pour la scène en 1959, et pour laquelle il reprend presque à l'identique certaines formules de ce chapitre. Ainsi, l'hypothèse de Kirilov et la conséquence qu'il en tire se retrouvent dans la partie III, 21ᵉ tableau.

7. Les répliques seront reprises dans l'adaptation, partie II, 6ᵉ tableau.

8. L. Faucon cite ici le *Prométhée enchaîné* d'Eschyle (Les Belles Lettres, 1931, v. 248-250) : « J'ai délivré les hommes de la peur de la mort [...] j'ai installé en eux les aveugles espoirs. » Notons en outre que dans « Prométhée aux Enfers », Camus utilisera ce mythe comme contre-exemple à l'asservissement volontaire de l'homme à l'histoire.

9. Voir l'adaptation théâtrale, partie III, 21ᵉ tableau.

10. C'est à la page 303 du chapitre « Le Mythe de Sisyphe » (chapitre qu'il a écrit avant « Kirilov ») que Camus rappelle la réplique d'Œdipe dans *Œdipe à Colone*, réplique à laquelle il donne librement le sens du « tout est bien », faisant ici écho au texte de Montherlant « L'Âme et son ombre » (*Service inutile*, p. 717). Contrairement à ce que pourrait laisser croire le texte, c'est donc « un mot » d'Œdipe et non de Kirilov. — André Comte-Sponville analyse ce « oui » d'Œdipe qui met en danger la cohérence de l'ensemble du raisonnement de Camus dans « L'Absurde dans *Le Mythe de Sisyphe* », *Albert Camus et la Philosophie*.

11. Ivan Karamazov professe un violent scepticisme, niant aussi bien Dieu que la nécessité de la compassion envers son prochain. Pour Dostoïevski il est le meurtrier réel de son père, même s'il n'a pas matériellement accompli cet acte. Camus dans tout ce paragraphe occulte ce problème qui pour l'écrivain russe est majeur, pour que ses personnages puissent apparaître comme des « hommes absurdes ».

12. Voir n. 4, p. 265 (section « L'Homme absurde »).

13. Cette formule du *Journal d'un écrivain* est explicitée par Dostoïevski dans *Les Frères Karamazov*, dans le chapitre intitulé « Le Grand Inqui-

siteur » (deuxième partie, livre V) ; Ivan condamne en fait le Christ pour avoir voulu enseigner aux hommes une liberté qu'ils sont incapables d'assumer. Dans *L'Homme révolté*, dans « Le Refus du salut », Camus évoque le(s) grand(s) inquisiteur(s) et met en place certains éléments de sa réflexion sur ce besoin d'asservissement qui lui paraît dominer le xxᵉ siècle.

14. Comme l'a noté L. Faucon, il s'agit ici de la citation du *Journal d'un écrivain* (décembre 1876, p. 367), où les mots entre parenthèses sont ajoutés par Camus.

15. Le prince Muichkine est « l'idiot », le personnage éponyme du roman de Dostoïevski et que celui-ci envisageait comme un « personnage entièrement positif [...] et d'une nature absolument belle comme il n'y en avait eu qu'une dans l'Histoire : le Christ et dans la littérature : Don Quichotte » (N. Gourfinkel, *Dostoïevski notre contemporain*).

16. Dans l'adaptation théâtrale des *Possédés*, c'est Kirilov qui reprend à son compte la réflexion de Dostoïevski, la résumant en une formule lapidaire : « Toute ma vie, j'ai été tourmenté par Dieu » (partie I, 3ᵉ tableau).

17. Référence au *Dostoïevski* de Gide, publié en 1923. Gide renouvelait en effet la vision que l'on pouvait avoir de l'écrivain russe depuis *Le Roman russe* (1886) d'Eugène-Melchior de Vogüé, et nourrit, dans une certaine mesure, la réflexion de Camus.

18. Voir les *Carnets* : « Secret de mon univers : Imaginer Dieu sans l'immortalité humaine » (p. 945) ; ainsi que les *Carnets III* : « Je lis souvent que je suis athée, j'entends parler de mon athéisme. Or ces mots ne me disent rien, ils n'ont pas de sens pour moi. Je ne crois pas à Dieu *et* je ne suis pas athée » (p. 128, 1ᵉʳ novembre 1954). Voir aussi « Sans lendemains », p. 1203.

La Création sans lendemain.

a. Dans ms. 1, le chapitre est intitulé « Le créateur absurde ». Dans ms. 2, ce titre est biffé et figure notre titre, écrit à la main par Camus. Voir « Sans lendemains », p. 1198. L'expression (au singulier) apparaît aussi dans les « Carnets », p. 911, 951 et 1084. ◆◆ *b.* exemple, et quelques-uns des livres nés sur la terre américaine. *ms. 1, ms. 2* ◆◆ *c.* chose. Mais il est vrai, l'œuvre de Malraux prouve que la condition humaine est exaltante et absurde. Dostoïevski prouve l'existence de deux abîmes de chaque côté de l'homme, [Kafka prouve que l'espoir humain est une bassesse *biffé*] mais *ms. 2* ◆◆ *d.* douleur *ms. 2*

1. Écho du Diplôme d'études supérieures de Camus : tout le chapitre II est consacré à la gnose (voir p. 1022).

2. L. Faucon renvoie ici à la dernière strophe des « Phares » de Baudelaire et aux deux discours de Malraux prononcés dans le cadre de l'Association internationale des écrivains pour la défense de la culture et publiés dans *Commune* : « L'Œuvre d'art » (juillet 1935) et « Sur l'héritage culturel » (septembre 1936).

3. L'attaque contre le roman à thèse sera reprise dans la Conférence du 14 décembre 1957 (voir p. 44 à 49), où elle sera dramatisée par l'éclairage historique du passage de la thèse à la propagande idéologique.

4. Voir *L'Homme révolté* (p. 330) : « Le roman fabrique du destin sur mesure. »

LE MYTHE DE SISYPHE

a. hommes. Si Œdipe triomphe du Sphinx et dissipe les mystères c'est par la connaissance de l'homme. Toute la joie *ms. 1, ms. 2. Voir les « Carnets », p. 882.* ◆◆ *b.* rocher, [où dans ce léger pivotement, il *biffé*] contemple *épr.* ◆◆ *c. Ici se terminent ms. 1, ms. 2 et orig. Rappelons que dans ces manuscrits, le chapitre sur Kafka figurait dans le corps du texte et que celui-ci sera remplacé, dans orig., par celui sur Kirilov ; et que le texte sur Kafka a été ajouté, en « appendice », dans l'édition de 1945.*

1. D'après L. Faucon (*Pléiade Essais*, p. 1451), Camus utilise ici *La Nouvelle Mythologie grecque et romaine* de Pierre Commelin ; il utilise aussi le Larousse du XXᵉ siècle, le *Dictionnaire de la mythologie grecque et romaine* de Pierre Grimal n'ayant paru qu'en 1951. Celui-ci renvoie à l'*Iliade*, VI, 152 (« […] Sisyphe, fils d'Éole, qui fut le plus rusé des hommes » ; Bibl. de la Pléiade, p. 192), et à l'*Odyssée*, XI, 593-600 (à propos de son supplice aux Enfers).

2. Égine fut emmenée par Zeus dans l'île d'Œnoné, qui prit de ce fait le nom d'Égine. Elle épousa ensuite le héros thessalien Actor et devint la grand-mère de Patrocle, l'ami inséparable d'Achille.

3. Asopos (fils de Poséidon, ou de l'Océan, ou encore de Zeus) accorda cette source — la source Pyrène — et elle fut consacrée aux Muses. Dans sa colère, Zeus foudroya Asopos, et la légende veut que ce soit à partir de ce temps-là qu'on trouve des charbons dans le lit du fleuve Asopos.

4. Camus transforme et change l'esprit de cet épisode qu'il emprunte au Larousse ; en fait Sisyphe, une fois encore, utilise la ruse pour échapper à la mort, et ce avec la complicité de son épouse, à laquelle il demande de ne pas lui rendre les honneurs funèbres ; Sisyphe force ainsi Pluton à lui redonner la liberté afin de retourner sur terre châtier la pseudo-coupable.

5. Gaston Bachelard, dans *La Terre et les Rêveries de la volonté* (José Corti, 1948), tout en admirant *Le Mythe de Sisyphe*, donne une autre « traduction » du travail de Sisyphe : « À l'instant de l'effort, Camus dit d'une manière énigmatique : " Un visage qui peine si près des pierres est déjà pierre lui-même. " Je dirais, tout à l'inverse, qu'un rocher qui reçoit un si prodigieux effort de l'homme est déjà homme lui-même » (p. 192). Voir aussi Ponge, *Proêmes*, « Pages bis », « I. Réflexions en lisant l'" Essai sur l'absurde " », p. 208.

6. Comme l'a noté L. Faucon, l'acceptation de son sort par Œdipe n'apparaît pas dans *Œdipe roi* mais dans *Œdipe à Colone*, lorsque, après une longue errance, Œdipe guidé par Antigone (« la main fraîche d'une jeune fille ») vient à Athènes demander l'hospitalité à Thésée, qui le reçoit. Camus donne une traduction libre des vers 7 et 8 d'*Œdipe à Colone*. En fait le texte de Sophocle établi et traduit par P. Masqueray, pour Les Belles Lettres (1942), dit : « Mes souffrances, les longues années que j'ai vécu et aussi la force de mon âme m'apprennent la résignation. »

L'ESPOIR ET L'ABSURDE DANS L'ŒUVRE DE FRANZ KAFKA

a. Ms. 1, dactyl. 1 Kafka, ms. 2 commencent à « Rien n'est plus difficile… ». Sur dactyl. 2 Kafka, Camus ajoute de sa main, à l'encre noire, le passage qui ouvre aujourd'hui le texte : « Tout l'art de Kafka… » Voir les « Carnets » (p. 968, novembre 1942). ◆◆ *b.* exprimer. [La sagesse est d'attendre de l'auteur lui-même ses secrets. S'il les draine lors de l'œuvre et nous le livre, alors c'est un monde nouveau qui naît. Et les deux tomes du « Temps retrouvé » suffisent à légitimer toutes les pages et toute la clameur secrète du long roman de Proust. Mais pour Kafka la question ne se pose pas. Et c'est à nous de retrouver ce que la mort l'a empêché de révéler. Au demeurant, son œuvre pourrait n'avoir pas de sens secret. *biffé*] À cet égard *ms. 1, dactyl. 1 Kafka* ◆◆ *c. Dans ms. 1 le passage* Et justement […] sa résonance et sa signification. *(p. 307) correspond à l'additif II (voir la Note sur le texte, p. 1281).* ◆◆ *d. Après cette phrase, dans ms. 1 figurait, mais biffée, la phrase suivante :* Elles se résument dans la tragédie du voyageur perdu dans le désert et qui rencontrerait pour apaiser la soif qui le tient un immense chott dont il ne peut consommer une goutte. ◆◆ *e. Dans ms. 1 le passage* La tragédie grecque […] grâce qui est figurée. *(p. 309) correspond à l'additif I.* ◆◆ *f.* héros. Tuer son père ou coucher avec sa mère, voilà deux actions insolites, mais être en même temps parricide et inceste, c'est déjà tout un destin. Nous *ms. 1* ◆◆ *g. Dans ms. 1 et dactyl. 1 Kafka, le bonheur est « absurde » ; dans ms. 2 il est « déraisonnable » ; notre leçon apparaît dans préorig. Kafka.* ◆◆ *h.* eux-mêmes. Mais Ulysse pour un chrétien est un personnage d'enfer. Et la pensée de Kafka est avant tout une pensée chrétienne. / Ce qu'il faut retenir *ms. 1, dactyl. 1 Kafka* ◆◆ *i.* eux-mêmes. Ce n'était pas si facile de retrouver Ithaque. / Ce qu'il faut retenir *ms. 2, préorig. Kafka, 1945, 1946, 1948, 1950. C'est dans épr. que cette phrase disparaît pour donner notre texte.* ◆◆ *i. Dans ms. 1, ce paragraphe ne figure pas.* ◆◆ *j. Le paragraphe* Pourtant ce monde […] lui-même. *(p. 310) constitue l'additif I.* ◆◆ *k.* secret de la religion chrétienne et du *ms. 1* ◆◆ *l.* raison de vivre. *[8 lignes plus haut]* Mais rien *ms. 1* ◆◆ *m. Le paragraphe, dans ms. 1, se termine ici.* ◆◆ *n.* reconnaissance *dactyl. 1 Kafka* ◆◆ *o.* grâce *[11 lignes plus haut]* divine. / J'ai parlé d'espoir. Et cela peut paraître ridicule au regard de l'œuvre de Kafka. C'est pourtant autour de ce thème si je voudrais grouper pour finir quelques remarques. La plupart de ceux *ms. 1, dactyl. 1 Kafka* : Le mot d'espoir ici n'est pas ridicule. […] espoir. Nous retrouvons ici dans l'ordre de la création le paradoxe qui nous est désormais familier sur le plan de la pensée pure. […] illégitime. Je ne reprendrai pas les analyses qui ont précédé. On les retrouvera aisément. La plupart de ceux *ms. 2* ◆◆ *p.* auteur. Elle fait semblant de croire que l'échec n'est pas la fin naturelle de tout effort artistique. / Il est singulier *ms. 2* ◆◆ *q.* existentiels [on pourrait dire des « théologiens chrétiens » *add.*], tout *dactyl. 1 Kafka* ◆◆ *r. Dans ms. 1 le passage* Mais dans ce saut […] vide de sens. *(fin du paragraphe) constitue l'additif 2.* ◆◆ *s. Dans ms. 1 le passage* Il serait inintelligent […] aveuglement volontaire. *(p. 314) constitue l'additif 3, avec cette fois des variantes :* Il serait inintelligent en effet de considérer comme rigoureuse la démarche qui mène du *Procès* au *Château* : Joseph K. et l'arpenteur K. sont seulement les deux pôles qui attirent Kafka. Et l'universalité de son œuvre vient aussi de ce qu'il a su figurer avec tant d'ampleur ce passage quotidien de l'espoir à la détresse et de la sagesse désespérée à l'aveuglement volontaire. ◆◆ *t.* surnaturelle. [Il serait intéressant à cet égard de voir comment dans la pensée nietzschéenne la raison garde son pouvoir au sein même de l'absurde alors qu'elle le perd si totalement pour l'amant de Régine Olsen et l'arpenteur de Franz

Kafka. Le paradoxe n'est qu'apparent. Mais son commentaire serait ici déplacé] *dactyl. 1 Kafka. Addition manuscrite en marge :* Le passage entre crochets doit être mis en note. Ajouter : c'est un paradoxe que Chestov, par exemple, s'est donné beaucoup de mal pour expliquer. ◆◆ *u. Fin de ms. 1 et de dactyl. 1 Kafka :* terrestres. À cet égard Kafka se range parmi les plus grands pour avoir su animer ce monde hideux et bouleversant où les taupes elles-mêmes se mêlent d'espérer. ◆◆ *v.* incroyable, c'est ce monde hideux *préorig. Kafka, 1945*

1. Sur l'histoire de ce texte, voir la Notice, p. 1270-1271 et p. 1273-1274, et la Note sur le texte, p. 1281-1282.

2. L. Faucon indique des formules voisines chez Nietzsche : *Le Gai Savoir*, aphorisme 213 ; *Le Crépuscule des idoles*, aphorisme 34.

3. Camus interprète, de manière très personnelle, Ulysse comme le symbole de l'amour de vivre sur cette terre (voir les *Carnets*, p. 945 ; ainsi que, dans *L'Été*, « L'Exil d'Hélène » [1948]).

4. Comme l'a écrit L. Faucon, évoquant après Kierkegaard la nostalgie des paradis perdus, Chestov aime à citer l'appel de Plotin (*Ennéades*, I, 6, 8) : « Fuyons vers notre chère patrie… »

5. Dans « L'Exil d'Hélène », on peut lire : « Alors que Platon contenait tout, le non-sens, la raison et le mythe, nos philosophes ne contiennent rien que le non-sens ou la raison, parce qu'ils ont fermé les yeux sur le reste. La taupe médite » (*Pléiade Essais*, p. 855). Cette dernière image résonne comme un écho de Nietzsche — *Ainsi parlait Zarathoustra* — où par trois fois (dans « De la vision et de l'énigme » et « De l'esprit de lourdeur ») la taupe symbolise « l'esprit de lourdeur » qui, en entraînant l'être humain vers l'immobilisme et l'obscurantisme, l'empêche d'agir et de s'élever jusqu'à l'extrême liberté pour atteindre le surhumain.

Appendices

[SUR HUSSERL ET KIERKEGAARD]

Parmi tous les brouillons concernant *Le Mythe de Sisyphe*, deux pages inédites et rédigées sur papier à l'en-tête des éditions Cafre (voir la Chronologie, année 1937) apparaissent très importantes (cote : CMS2. Aq1-01.05), car elles forment un ensemble offrant l'ébauche de plusieurs passages des « Murs absurdes » et du « Suicide philosophique ». Surtout, les dernières lignes de ce brouillon, qui ne sont pas reprises dans l'essai, explicitent le premier titre envisagé pour le chapitre « Les Murs absurdes » (p. 226-238 ; voir aussi var. *a*, p. 226), c'est-à-dire « Le vautour ». L'image suggère déjà un lien entre l'essai et *L'Homme révolté*, la philosophie existentielle chrétienne apparaissant comme une sorte de négatif, d'image inversée (vautour et soumission) du mythe de Prométhée (aigle et révolte).

Nous suppléons quelques mots manquants et les signalons entre crochets.

1. « JH » désigne Jeanne Hersch (1910-2000), philosophe suisse, qui a traduit et commenté les œuvres de son maître à penser Karl Jaspers,

auteur de *L'Illusion philosophique* (Alcan, 1936 ; voir la Notice, p. 1270 et n. 6 en bas de page).

2. La parenthèse est de Camus. Les citations de Kierkegaard, qui seront reprises dans *Le Mythe de Sisyphe*, se trouvent regroupées sur une page entièrement consacrée au philosophe danois (Fonds Camus ; cote : CMS2. Aq1-01.04).

AVERTISSEMENT
(Version de 1939-1940)

Cet avertissement est dactylographié (cote : CMS2. Ad5-01.01 *bis*).

LETTRE À GASTON GALLIMARD
(22 septembre 1942)

Lettre écrite sur une carte interzones.

1. Zone occupée.

LETTRE À PIERRE BONNEL
(18 mars 1943)

Letre communiquée par Mme Pierre Bonnel.

CALIGULA

NOTICE

Caligula fait partie d'une trilogie que Camus a nommée, dans ses *Carnets*, « les trois Absurdes[1] ». Cette trilogie comprend une pièce (*Caligula*), un roman (*L'Étranger*) et un essai (*Le Mythe de Sisyphe*). C'est dire que, plutôt que de chercher la perfection d'une forme, Camus a approfondi grâce à des genres différents la notion qui était, avant la guerre, au cœur de sa réflexion philosophique. Homme de théâtre par vocation, il donne ainsi le soupçon que la scène lui offrait un moyen d'illustrer des idées. De fait, *Révolte dans les Asturies* avait été, dès 1936, conçu comme une pièce politique, chargée d'un message.

Imaginé peut-être dès 1936, ébauché en 1937, achevé dans un premier état en 1939, retouché pour aboutir à une première version (non jouée) en 1941[2], profondément remanié jusqu'à l'édition de 1944 (qui donne le texte de la pièce telle qu'elle a été créée en septembre 1945), à nouveau retouché à plusieurs reprises jusqu'à la dernière édition de 1958, *Caligula* traverse toute la carrière de Camus. Les notes fragmentaires des *Carnets*

---

1. « Terminé *Sisyphe*. Les trois Absurdes sont achevés » (*Carnets 1935-1948*, t. II de la présente édition, p. 920 ; 21 février 1941).
2. Cette version est reproduite en appendice, p. 389.

montrent qu'il a conçu en priorité un héros en quête d'absolu, mais qui se trompe sur les moyens d'y parvenir. L'erreur commise quant aux moyens finira par enlever toute légitimité à la forme de révolte qui les avait justifiés. L'étude des versions de 1941 et de 1944 livre le témoignage le plus tangible sur l'évolution de la pièce. Les changements intervenus entre ces deux dates admettent trois sortes d'explications : le souci de Camus d'amender son texte en vue de sa création, sa prise de conscience plus aiguë face à la guerre, l'évolution générale de sa pensée.

Nous verrons comment Camus a constamment cherché à améliorer l'efficacité dramatique de sa pièce. Pour évaluer sa réussite, il faudrait qu'un metteur en scène veuille « donner enfin sa chance à un *Caligula* qui mérite de trouver son public », comme le souhaitait A. James Arnold en présentant la version de 1941[1]. Instructive pour une poignée d'initiés, l'expérience consacrerait assurément les versions postérieures.

L'expérience de la guerre suggère des explications inégalement convaincantes. La figure d'un tyran justifiant ses crimes par son aspiration vers l'absolu devenait-elle plus scandaleuse à mesure que le monde prenait conscience des horreurs de l'hitlérisme ? Mais le fléau était connu dès avant 1941. Au demeurant, le *Caligula* de 1944 est à peine plus monstrueux que celui de 1941. Si le premier souci de Camus avait été d'éviter le scandale, il aurait, pour prévenir toute sympathie du spectateur avec lui, noirci encore le caractère de son héros. Les critiques ne furent du reste pas, à la création de 1945, obnubilés par l'actualité récente : sans doute jugèrent-ils qu'il n'y avait pas lieu d'éclairer par un « cas psychiatrique » singulier l'organisation politique et militaire qui venait de meurtrir le monde[2]. C'est plutôt l'entourage du tyran qui, en s'étoffant, a modifié le sens politique de la pièce et permis à certaines répliques de sonner, à la Libération, de façon moins équivoque.

Pour ce qui concerne l'évolution de sa propre pensée, Camus en a lui-même indiqué les étapes : 1) l'absurde, 2) la révolte, à laquelle aurait succédé l'amour, qu'il n'aura pas le temps de figurer et dont sa dernière œuvre inachevée, *Le Premier Homme*, offrirait les prémisses[3]. À la version de 1941 correspondrait ainsi, sommairement, la phase de l'absurde ; à celle de 1944, la phase de la révolte. Mais la critique a montré depuis longtemps que ces phases se chevauchaient plus qu'elles ne se succédaient : à l'époque où il publie *Le Mythe de Sisyphe* (1942), Camus a déjà écrit des pages qui amorcent la réflexion de *L'Homme révolté* (1951), et *L'Étranger*, roman de l'absurde achevé pour l'essentiel en mai 1940, trouve son sens grâce à la révolte finale de Meursault. Les deux versions de *Caligula* illustrent bien, l'une et l'autre, à la fois l'absurde et la révolte, même si la réflexion sur la révolte s'aiguise après l'achèvement de la première version.

1. « La Poétique du premier *Caligula* », *CAC* 4, p. 176. Sans doute le volume de A. James Arnold était-il déjà sous presse quand il a eu connaissance d'une tentative de Maurizio Scaparro, mentionnée en note (*ibid.*, p. 189). Ce metteur en scène italien créa le 23 novembre 1983, au Teatro Argentina de Rome, le *Caligula* de 1941. Il ne semble pas qu'en France, au moins, il ait fait des émules.

2. Voir Jeanyves Guérin et Madeleine Valette-Fondo, « *Caligula*, ou la Nécessité du roman pour dire le totalitarisme », *Pour un humanisme romanesque. Mélanges offerts à Jacqueline Lévi-Valensi*, SEDES, 1999, p. 204.

3. Il parle dans ses *Carnets*, en 1956, des « trois étages » de son œuvre, dont le troisième serait « l'amour » (*Carnets III*, Gallimard, coll. « Blanche », p. 187).

On parlera donc moins d'un tournant de la pensée de Camus que d'un approfondissement dans lequel la guerre a joué un rôle capital : sa conception de la révolte se nourrit en effet de ses activités de journaliste clandestin dans *Combat*, comme le prouve la genèse de *La Peste*[1]. S'il retravaille sa pièce entre 1941 et 1944, c'est pour suivre une inspiration personnelle enrichie par l'expérience plus que par crainte de choquer son public. Nous entendons la « pensée » de Camus non seulement comme une interrogation sur des notions philosophiques, mais aussi comme une « poétique », selon le terme au moyen duquel A. James Arnold présente le « premier *Caligula* ». Les retouches que Camus continue, après la création de 1945, d'apporter à sa pièce sont trop circonstancielles, voire techniques, pour en modifier le sens général, mais des indications nouvelles sur le décor ou la position des personnages font elles aussi, pour qui verrait d'abord en Camus un homme de théâtre, partie de la poétique de la pièce. Cette poétique demeure, il est vrai, sujette à des variations répétées : ainsi, Raymond Gay-Crosier se demande s'il faut appeler « version définitive » celle de 1958, dans la mesure où elle est celle du festival d'Angers, donc destinée à une représentation de plein air[2]. En réalité, Camus n'a pas retenu, pour l'édition de 1958, tous les ajouts qu'il avait prévus pour Angers. L'édition que nous donnons est définitive par la force des choses, mais la passion que Camus gardait pour le théâtre à la veille de sa mort permet effectivement de rêver.

Caligula selon Suétone.

Les données de l'histoire de Caligula, Camus les doit à son professeur de philosophie, Jean Grenier, qui se souvient : « Lorsque devant Albert Camus (en 1ʳᵉ Supérieure) je citais et vantais les *Vies des douze Césars* de Suétone, je le faisais du point de vue romantique et d'annunzien. Le mot de Caligula condamnant coupables et innocents indistinctement : " Ils sont tous coupables ! " me ravissait par son audace impassible. Un Nietzsche barbare — voilà quel était pour moi cet empereur (et pas seulement un malade ou un fou)[3]. » Dans *Les Îles* (1933), ouvrage qui provoqua chez Camus un choc égal à celui des *Nourritures terrestres*[4], Jean Grenier raconte, au chapitre intitulé « L'Île de Pâques », qu'il avait prêté l'ouvrage de Suétone à un boucher malade. Celui-ci s'extasia à la découverte des atrocités commises par Caligula : « Voilà des *durs*, disait le boucher. Ah ! que la vie est belle ! Votre lecture m'a fait du bien[5]. »

Caïus Caesar Augustus Germanicus, surnommé Caligula (12-41 ap. J.-C.), fils de Germanicus et d'Agrippine (grand-mère de Néron), devint empereur de Rome à vingt-cinq ans. Il fut assassiné à la suite d'un

---

1. Voir la Notice sur ce roman, t. II de la présente édition, p. 1151-1152.

2. R. Gay-Crosier, *Les Envers d'un échec. Étude sur le théâtre d'Albert Camus*, Lettres Modernes, 1967, p. 71, note 26. Dans l'interview donnée en 1958 à *Paris-Théâtre*, Camus dira de *Caligula* : « Je l'ai modifié pour les représentations d'Angers, mais comme toujours en fonction du plateau et des acteurs que j'avais » (*Pléiade TRN*, p. 1716).

3. Jean Grenier, *Albert Camus. Souvenirs*, Gallimard, 1968, p. 59. — Camus a suivi les cours d'hypokhâgne en 1932-1933. En 1932 a été publié aux Belles Lettres *Vies des douze Césars*, texte établi et traduit par Henri Ailloud. La vie de Caligula y figure au tome II. Nous nous référons à cette édition.

4. Voir la Préface de Camus à la réédition (1959 ; à paraître au tome IV de la présente édition) des *Îles*, coll. « L'Imaginaire », Gallimard, p. 9.

5. *Les Îles*, p. 106-107.

complot ourdi par la garde prétorienne et commandé par son tribun, Cassius Cherea. Sur les circonstances exactes de sa mort, Suétone livre deux hypothèses, qui accordent toutes deux le rôle principal à Cherea ; c'est selon la seconde que Caligula, projeté à terre, aurait crié, comme dans la pièce de Camus, qu'il vivait encore. Son surnom, diminutif de *caliga* (chaussure militaire), lui venait du fait que, élevé parmi des militaires, il portait leur costume. S'il fut sujet dès son enfance à des crises d'épilepsie, on croit que c'est un philtre, donné par sa femme Cæsonia, qui contribua à le rendre fou. Selon Suétone encore, « il avait la taille haute, le teint livide, le corps mal proportionné, le cou et les jambes tout à fait grêles, les yeux enfoncés et les tempes creuses, le front large et mal conformé, les cheveux rares, le sommet de la tête chauve, le reste du corps velu […]. Quant à son visage, naturellement affreux et repoussant, il s'efforçait de le rendre plus horrible encore, en étudiant devant son miroir tous les jeux de physionomie capables d'inspirer la terreur et l'effroi ». En indiquant en tête de la version de 1941 qu'« il est moins laid qu'on ne le pense généralement[1] », Camus suggérera assez plaisamment que la fiction a le pouvoir de corriger l'Histoire. Aurait-il pu interpréter lui-même, de façon plausible, le rôle de l'empereur si celui-ci était apparu comme un monstre de laideur[2] ? De laideur morale, du reste, aussi bien que physique. Ajoutons qu'en révélant que son rôle préféré était, à cette époque, celui d'Ivan Karamazov[3] (le héros de Dostoïevski qui constate avec amertume que, si Dieu n'existe pas, tout est permis[4]), il donne du crédit à la ressemblance parfois relevée entre les deux figures. Quant au miroir, le spectateur pourra se demander s'il est pour le Caligula de Camus le moyen d'une contemplation narcissique ou d'une interrogation.

Toujours selon Suétone, le prestige de son père Germanicus contribua à faire de Caligula, au début de son règne, « le prince rêvé pour la majorité des provinciaux et des soldats », popularité qu'il ne tarda pas à dilapider. « Il assistait avec le plus vif plaisir aux exécutions et aux supplices des condamnés, courait la nuit à la débauche et à l'adultère, coiffé d'une perruque et dissimulé sous un long manteau, et se passionnait pour les arts de la scène, la danse et le chant. » Il aimait donner de grands spectacles, et organisa à Lyon « un concours d'éloquence grecque et latine, dans lequel, dit-on, les vaincus furent contraints d'offrir les prix aux vainqueurs et, par surcroît, de composer leur panégyrique ; quant aux concurrents qui avaient particulièrement déplu, on leur ordonna, paraît-il, d'effacer leurs écrits avec une éponge ou avec la langue, à moins qu'ils ne préférassent être battus à coups de férule ou précipités dans le fleuve voisin ». Jusque dans la version de 1941, les concurrents fautifs sont également condamnés, chez Camus, à lécher leurs tablettes, mais l'essentiel est que le concours est désormais réservé à la poésie. En réalité, s'il aimait jouer à l'histrion et particulièrement se déguiser en Vénus, Caligula ne manifesta guère de goût pour la culture littéraire. On trouva effectivement « dans ses papiers secrets deux écrits intitulés différem-

---

1. Appendices, p. 390.
2. « Je destinais cette pièce au petit théâtre que j'avais créé à Alger et mon intention, en toute simplicité, était de créer le rôle de Caligula. Les acteurs débutants ont de ces ingénuités. Et puis j'avais 25 ans, âge où l'on doute de tout, sauf de soi » (« Préface à l'édition américaine de *Caligula and Three Other Plays* », Appendices, p. 446).
3. Voir l'interview donnée à *Paris-Théâtre*, 1958, Pléiade TRN, p. 1714.
4. Voir *Le Mythe de Sisyphe*, p. 265.

ment, l'un ayant pour titre " le glaive ", et l'autre, " le poignard " », mais « tous deux indiquaient les noms et les crimes des personnes qu'il destinait à la mort ». Nous verrons comment Camus saura subvertir et exploiter cette fugitive indication.

De Suétone, Camus retiendra aussi l'attirance de Caligula pour la lune : « La nuit, Caligula invitait la Lune, lorsqu'elle brillait dans son plein, à venir l'embrasser et partager sa couche. » La lune vient pareillement jusque dans le lit du héros de Camus (acte III, scène III dans la version de 1958). Mais ce qu'on interprète chez le personnage historique comme une fantaisie d'ordre religieux va acquérir dans la pièce une signification différente. L'expression triviale « demander la lune » suggère en effet à Camus qu'on peut, si la lune est un jour venue à vous, aller la chercher soi-même ou, du moment qu'on a des serviteurs, l'envoyer quérir. Elle deviendra, dans la pièce, le principal symbole de l'impossible.

Suétone parle des relations incestueuses que Caligula entretient avec toutes ses sœurs. Il aurait défloré Drusilla alors qu'il portait encore la robe prétexte (c'est-à-dire avant d'avoir atteint l'âge de la puberté). « Quand elle mourut, il ordonna une suspension générale des affaires, et, pendant cette période, ce fut un crime capital d'avoir ri, de s'être baigné, d'avoir dîné avec ses parents, sa femme ou ses enfants. Puis, dominé par sa douleur, il s'enfuit subitement loin de Rome, la nuit, traversa la Campanie et gagna Syracuse, d'où il revint précipitamment, sans s'être coupé la barbe ni les cheveux ; et depuis, dans toutes les circonstances, fussent-elles les plus importantes, même devant l'assemblée du peuple ou devant les soldats, il ne jura plus que par la divinité de Drusilla. » Quant à Cæsonia, elle « n'était pas d'une beauté remarquable ni dans la fleur de l'âge ; de plus, elle avait déjà trois filles d'un autre mari, mais elle était perdue de débauches et de vices : il eut pour elle une passion si ardente et si durable que souvent il la présenta à ses soldats chevauchant à ses côtés avec une chlamyde, un bouclier et un casque, et même toute nue à ses amis. Il l'honora du titre d'épouse ; quand elle eut accouché, en un seul et même jour il se déclara son mari et le père de l'enfant qu'elle avait mise au monde ».

Parmi les sinistres fantaisies de Caligula citées par Suétone, Camus retiendra encore la mise à mort d'un proche soupçonné d'avoir osé, dans sa méfiance pour l'empereur, absorber un contrepoison (acte II, scène x dans la version de 1958), ou son habitude d'emmener hors de la salle à manger, en présence de son mari, une femme qui avait excité sa convoitise (acte II, scène v). Plus généralement, il a trouvé chez l'historien romain l'acharnement que mit Caligula à humilier et terroriser les citoyens les plus nobles de l'Empire, mais on ne trouve guère d'indice, chez Suétone, que leur éventuelle bassesse ait ou non mérité un tel sort.

Vers la version de 1941.

« Camus lisait *Caligula* de Suétone », témoignera Christiane Galindo qui loge avec deux amies dans cette « maison Fichu » (la Maison devant le Monde) où Camus venait souvent chercher refuge. « Il était fasciné par le personnage. Il en parlait constamment et surtout le " jouait ". Maison Fichu, dans la vie courante, il répondait en Caligula. D'abord il

ne parlait pas d'écrire cette pièce[1]. » Il n'en parlait peut-être pas, mais il
y songeait déjà. Les *Carnets* présentent à la date de mai 1936 une réflexion
sur le jeu, qui préfigure le titre que Camus donnera au deuxième acte de
la première version de sa pièce, « Jeu de Caligula » : « Aux confins — Et
par-dessus : le jeu. Je nie, suis lâche et faible, j'agis comme si j'affirmais,
comme si j'étais fort et courageux. Question de volonté = pousser l'absurdité jusqu'au bout = je suis capable de…[2] » A. James Arnold a montré
comment *Caligula* avait profité, plus encore que *L'Étranger*, de l'abandon de *La Mort heureuse* ; c'est l'expression « pousser l'absurdité jusqu'au bout » de mai 1936 qui nous oriente le plus franchement vers l'inspiration de la pièce. On supposera donc que, notant à la même date :
« Œuvre philosophique : l'absurdité. / Œuvre littéraire : force, amour et
mort sous le signe de la conquête[3] » Camus a dans l'esprit deux de ses
trois « Absurdes », encore qu'il n'ait pas décidé si l'« œuvre littéraire »
serait romanesque ou théâtrale.

Un premier plan de la pièce est mis au point en janvier 1937 :

« Caligula ou le sens de la mort. 4 Actes.
I — *a)* Son accession. Joie. Discours vertueux (Cf. Suétone)
　　　 b) Miroir
II — *a)* Ses sœurs et Drusilla
　　　 b) Mépris des grands
　　　 c) Mort de Drusilla. Fuite de Caligula
III —
Fin : Caligula apparaît en ouvrant le rideau :
« " Non, Caligula n'est pas mort. Il est là, et là. Il est en chacun de
nous. Si le pouvoir vous était donné, si vous aviez du cœur, si vous
aimiez la vie, vous le verriez se déchaîner, ce monstre ou cet ange que
vous portez en vous. Notre époque meurt d'avoir cru aux valeurs et que
les choses pouvaient être belles et cesser d'être absurdes. Adieu, je rentre
dans l'histoire où me tiennent enfermé depuis si longtemps ceux qui
craignent de trop aimer[4]. " »

La mort de Drusilla, suivie de la fuite de l'empereur, qui sera à partir de 1939 située avant le lever du rideau de la pièce, est encore prévue
ici pour figurer au centre de l'œuvre et la séparer en deux versants. Il
faut probablement créditer l'empereur des « discours vertueux » ou du
« mépris des grands », placés avant l'événement décisif. Le second de ces
traits persistera dans les deux versions, si on suppose que l'expression
« les grands » désigne les patriciens qui entourent l'empereur. Leur veulerie donnera, jusque dans la version finale, un semblant de justification
aux persécutions dont Caligula les accable ; mais quel mérite aura-t-il de
les traiter en esclaves du moment que sa tyrannie sera sans limites ? Le
contenu du versant postérieur à la cassure reste, à cette date, à imaginer.
Le Caligula positif s'impose plus spontanément à Camus, dirait-on, que
celui qui sera privé de ses repères moraux. À en juger par l'appel qu'il
lance pour finir aux vertus du cœur et à la beauté, l'empereur ne semble

1. Cité dans « La Poétique du premier *Caligula* », p. 136-137.
2. *Carnets*, p. 808.
3. *Ibid.*, p. 809.
4. *Ibid.*, p. 812.

pas avoir été trop abîmé par l'épreuve qui, dès la version de 1941, le dénaturera.

À la date du 17 mars 1938, Camus évoque une journée où s'est dissipée de façon décisive la conception illusoire de la liberté dont il s'était grisé : « Et cette liberté supérieure, cette liberté d'*être* qui seule pouvait fonder une vérité, je savais bien alors qu'elle n'était pas. » Il découvrit en ce jour qu'il l'était, non pas libre, « mais esclave de la mort ». Renonçant au « postulat de liberté » qui avait été le sien, il a du même coup cessé d'« être un fonctionnaire de l'esprit et du cœur », ou encore un « intellectuel », pour reconnaître qu'« il n'y avait pas de lendemain ». Au passage, Camus ne dénie pas toute liberté aux esclaves, car « il y a une liberté à ne pas se sentir responsable ». « [...] tout entier tourné vers la mort », il a lui-même appris à goûter « La divine liberté du condamné à mort devant qui s'ouvrent les portes de la prison par une certaine petite aube[1] ». Ce texte, dont on trouve des échos dans *Le Mythe de Sisyphe*[2], éclaire la figure et le destin des héros de *L'Étranger* et de *Caligula*, tous deux condamnés à mort, le premier trouvant une liberté rédemptrice à l'approche de l'échafaud où l'a conduit l'absurdité du monde, le second acceptant pour lui-même comme une suprême expérience (ultime preuve de sa liberté ?) le châtiment qu'il a sans frein distribué autour de lui.

En avril 1938, Camus note : « Expédier 2 Essais. *Caligula*. Aucune importance. Pas assez mûr. Publier à Alger[3]. » Les pages datées de juin offrent une évocation de l'été (à Alger) : celui-ci « donne un sens plus pur aux appels des martinets[4] » auxquels Caligula sera sensible au cours de ce dialogue où il communie avec le jeune Scipion dans le sentiment de la nature (acte II, scène XIV). L'inspiration de *Noces*, composé vers la même époque, nourrit cette page où sont évoquées les nuits gorgées d'étoiles et l'odeur des lentisques[5]. Le personnage de Martha, dans *Le Malentendu*, permettra de le vérifier : Camus ne nous amadoue jamais autant en faveur de ses meurtriers qu'en leur prêtant la capacité de communier avec la nature[6]. On trouve aussi dans les *Carnets* un plan de travail daté de juin 1938 où *Caligula* figure parmi les travaux en cours[7]. Peu de temps après, Camus note : « Caligula : " Ce que vous ne comprendrez jamais, c'est que je suis un homme simple[8]. " », réplique paradoxale si on la prend au pied de la lettre, le rôle important joué par le miroir[9] dès la version de 1941 inclinant à voir dans la perversité de l'empereur celle d'un intellectuel : « Intellectuel = celui qui se dédouble[10]. » Quand Caligula fera valoir la « simplicité » de son plan d'exécution (acte I, scène VII), la formule ne sera plus qu'une boutade. Même s'il n'a pas cherché à faire de lui un « intellectuel », Camus a d'emblée conçu son héros comme

---

1. « Sans lendemains », Cahier resté à Oran, Appendices de *La Mort heureuse*, p. 1199 et 1200.

2. Voir la Notice de cet essai, p. 1278.

3. *Carnets*, p. 850. — Les « 2 Essais » sont peut-être un « essai sur [les] 40 heures » et un « essai sur [le] théâtre » (voir *ibid.*, p. 853). Mais dans une interview, Camus dira que « *Caligula* n'était qu'un essai », donnant sans doute au terme une acception différente (voir p. 444).

4. *Carnets*, p. 853.

5. Voir par exemple « L'Été à Alger », p. 120.

6. Voir *Le Malentendu*, acte II, scène I.

7. Voir les *Carnets*, p. 853.

8. *Ibid.*, p. 854.

9. Voir plus bas, p. 1315.

10. *Carnets*, p. 810.

quelqu'un d'intelligent : « un tyran *intelligent*, dont les mobiles semblaient à la fois singuliers et profonds[1] », écrira-t-il plus tard. Mais il lui a donné la « tentation commune à toutes les intelligences : le cynisme[2] ».

En décembre 1938, Camus note : « Pour *Caligula* : L'anachronisme est ce qu'on peut inventer de plus fâcheux au théâtre. C'est pourquoi Caligula ne prononce pas dans la pièce la seule phrase raisonnable qu'il eût pu prononcer : " Un seul être qui pense et tout dépeuplé " » ; et : « Caligula. " J'ai besoin que les êtres se taisent autour de moi. J'ai besoin du silence des êtres et que se taisent ces affreux tumultes du cœur[3]. " » Au pastiche du vers de Lamartine fera plus ou moins écho le « Prière d'insérer » de 1944 : « Caligula, obsédé d'impossible, tente d'exercer une certaine liberté dont il est dit simplement pour finir " qu'elle n'est pas la bonne ". C'est pourquoi l'univers se dépeuple autour de lui et la scène se vide jusqu'à ce qu'il meure lui-même[4]. » En simplifiant un peu, on lira, grâce au rapprochement des deux formules, l'évolution du sens de la pièce : l'univers se dépeuple en 1938 parce que Caligula *pense*, en 1944 parce qu'il *pense mal*. Quant à la dénonciation de l'anachronisme, elle met en procès les facilités du théâtre tel que le pratique Giraudoux[5] : jusque dans la version finale de *Caligula*, écartant à la fois (y compris par ses indications de mise en scène) la reconstitution à l'antique et l'adaptation moderne, Camus visera à l'intemporalité. « […] *il ne s'agit à aucun moment d'une pièce historique*[6] », mais non plus d'une fantaisie sur l'histoire. Camus s'autorisera tout de même un anachronisme : ce « Soldats, je suis content de vous » (acte II, scène v), qui persiste dans toutes les versions.

« Caligula. Le glaive et le poignard », noté à l'automne de 1939, est un emprunt à Suétone. L'instrument employé ne changerait rien au pouvoir de l'empereur ? On peut le suggérer à la lumière de la réplique qui suit cette note, et qui ne se retrouve dans aucune des versions : « " Je crois qu'on ne m'a pas bien compris avant-hier quand j'ai assommé le sacrificateur avec le maillet dont il allait abattre la génisse. C'était pourtant très simple. Pour une fois, j'ai voulu changer l'ordre des choses — pour voir, en somme. Vu, c'est vu, c'est que rien n'est changé. Un peu d'étonnement et d'effroi chez les spectateurs. Pour le reste, le soleil s'est couché à la même heure. J'en ai conclu qu'il était indifférent de changer l'ordre des choses. " / Mais pourquoi le soleil un jour ne se lèverait-il pas à l'ouest[7] ? » Caligula réaffirme ici sa simplicité devant un entourage qui lui prête des intentions compliquées, et le commentaire de Camus donne à sa folie une forme de justification. Quant à la leçon d'indifférence qu'en tire l'empereur, on lui trouve un écho dans l'attitude du Meursault de *L'Étranger*, pour qui tout est égal et qui pense qu'on ne change jamais de vie. Dans la pièce, Caligula placera « sur le même pied »

1. « Le Programme pour le Nouveau Théâtre » (1958), Appendices, p. 450-451.
2. *Carnets*, p. 855.
3. *Ibid.*, p. 864.
4. Appendices, p. 442-443.
5. Dans un article de *La Lumière* du 10 mai 1940, « Jean Giraudoux ou Byzance au théâtre », Camus estime que tout son art est « de remplacer les grands thèmes de la fatalité par les acrobaties de l'intelligence » (Articles, préfaces, conférences, p. 880). L'adaptation moderne de la tragédie grecque par Giraudoux sera qualifiée plus tard de « transposition précieuse et littéraire » (« Sur l'avenir de la tragédie », 1955 ; *Pléiade TRN*, p. 1710).
6. « Le Programme pour le Nouveau Théâtre », p. 451.
7. *Carnets*, p. 896.

la grandeur de Rome et l'arthrite de Cæsonia (acte I, scène vi), et jugera que, du moment que les exécutions ont une importance égale, c'est qu'elles n'en ont point (acte I, scène vii) ; mais on comprendra que c'est l'impossibilité de changer *vraiment* le monde qui le rend indifférent aux détails (un meurtre de plus ou de moins…) de l'ordre des choses.

Surtout, le mémorandum de l'assassin mentionné par Suétone va devenir dans la pièce de Camus un traité consacré au « pouvoir meurtrier de la poésie » (acte II, scène viii). Faisant de l'empereur un poète, Camus va ainsi œuvrer en faveur de la cohérence de son personnage. A-t-il, pour l'occasion, contaminé la figure de Caligula avec celle de Néron ? Au moins n'a-t-il pas fait de son héros un poète ridicule : son goût pour la poésie témoigne, en effet, en faveur de son aspiration à l'absolu. Car si la poésie a pour mission de changer le monde, l'action a chance, plus que de simples vers, de parvenir au but. « Par Caligula et pour la première fois dans l'histoire, la poésie agit et le rêve rejoint l'action », dit Cherea dans la version de 1941 (acte II, scène ii). En terrorisant les faux poètes dont les stéréotypes bafouent la mission sacrée de leur art, Caligula va mettre en scène (en actes) les règlements de compte chers aux surréalistes. « Révolte absolue, insoumission totale, sabotage en règle, humour et culte de l'absurde » : voilà les objectifs de ce mouvement qui a choisi Violette Nozière comme héroïne pour affirmer « devant le crime lui-même, l'innocence de la créature », et posé, par la voix d'André Breton, que « l'acte surréaliste le plus simple consistait à descendre dans la rue, revolver au poing, et à tirer au hasard dans la foule[1] ». *L'Homme révolté* fera ressortir l'erreur qui consiste à répondre à l'absurde en le poussant jusqu'à sa limite. Que les surréalistes proclament par jeu qu'ils rêvent d'exécuter leur prochain ne leur fournit pas une excuse, au contraire : faire l'« apologie du meurtre » sans être capable soi-même de passer à l'acte est typique de cette irresponsabilité que *L'Homme révolté* reprochera à l'« homme de lettres ». Caligula échappe du moins à ce grief. Écrivant sur le glaive, il se montre logique en faisant périr par le glaive. Il n'empêche : le risque existait que certains spectateurs, complices des outrances de langage des surréalistes, applaudissent plus joyeusement que ne l'aurait souhaité Camus au jeu de massacre des barbons de l'académisme. Il se peut aussi que Camus ait été attentif au désir de Caligula, évoqué par Suétone, de détruire les poèmes d'Homère et d'enlever des bibliothèques les écrits et les portraits de Virgile et de Tite-Live, stupide caprice d'iconoclaste dans le texte de l'historien romain, mais qui pourrait prendre, au xxᵉ siècle, les allures d'une révolution culturelle.

Camus écrit, dans son article « À la manière de King Kong », signé Vincent Capable, du 2 août 1939 et publié dans *Alger républicain* : « Le malheureux Baudelaire, qui serait poursuivi aujourd'hui par M. Daladier, disait que la déclaration des Droits de l'homme avait omis deux droits essentiels qui étaient celui de se contredire et celui de s'en aller[2] ». Avant de revendiquer le droit de « se contredire » (acte III, scène v), Caligula aura mis en pratique, avant le lever du rideau, celui de s'en aller. Peut-être y a-t-il quelque chose de baudelairien, après tout, dans ce personnage qui fait de la plongée dans le Mal une condition de sa recherche

---

1. *L'Homme révolté* (1951 ; à paraître au tome III de la présente édition), coll. « Folio essais », Gallimard, p. 121 et 123.
2. P. 741.

de l'Absolu, qui tient la philanthropie pour méprisable et qui, à défaut
d'assommer des pauvres, écrase ses courtisans parce qu'il exècre leur
manque de dignité.

Une figure qui, hantée par le sens de la mort, cherche dans le « jeu »
une réponse à son interrogation, tel le comédien, « mime du périssable »
qui témoigne de sa grandeur en acceptant l'enfer[1] ; une âme éprise d'absolu et de beauté, croyant de surcroît à ces vertus du silence que Camus
a célébrées dès *L'Envers et l'Endroit* : on ne voit pas grand-chose, dans les
jalons des *Carnets*, qui tourne au négatif la figure de l'empereur. Connus
par la tradition historique et reflétés sans concessions par l'intrigue de la
pièce, ses crimes suffisaient sans doute à éclairer sur sa monstruosité.
« Travailler » le personnage, ce ne pouvait être, pour Camus, qu'interroger cette pulsion au meurtre, non pour la justifier, mais pour illustrer,
grâce à elle, une des réponses possibles, fût-elle mauvaise, de l'homme
confronté à l'absurde.

Alors que, chez Suétone, la perversité de Caligula s'est fait jour peu
après son avènement, la pièce de Camus laisse, dès la version de 1941,
supposer que c'est la mort de Drusilla qui déclenche ses folles cruautés.
Tant que l'événement était placé au cœur de l'intrigue, une place était
d'abord ménagée, nous l'avons vu, aux « discours vertueux » de l'empereur ; du moment où Camus le fait précéder le lever du rideau, il faut les
dialogues entre les sénateurs (appelés patriciens à partir de la version de
1944) pour évoquer la nostalgie de ce temps où l'empereur, incestueux
certes (autres temps, autres mœurs), était « encore un enfant » (acte I,
scène III) qu'on avait chance de ramener à la raison. C'est vers l'époque
où il travaille à *L'Étranger* que Camus imagine d'avancer la mort de Drusilla. Dans le roman, la mort de la mère, constatée à la première ligne,
marque le début d'une chaîne d'événements qui conduira Meursault vers
une fin tragique. Privés de la seule femme qui comptait dans leur vie, les
deux héros ont perdu leurs repères moraux ; désormais, rien ne vaut plus
la peine de rien. « Un surnuméraire était l'égal d'un conquérant si la conscience leur est commune », écrit Camus dans *Le Mythe de
Sisyphe*[2]. Il était logique que, d'abord porté à choisir ses héros parmi les
humbles (*La Mort heureuse*, *L'Étranger*), il ait expérimenté à l'inverse, au
théâtre, une figure de puissant : la condition de l'« homme absurde »,
aiguisée en l'occurrence par une épreuve, se vérifie du moment qu'est
couvert le spectre des conditions sociales. Au roman, le héros moyen ; à
la tragédie, le héros mythique ou historique. La distribution apparaît
conforme à la tradition des genres. Bientôt pourtant, avec *Le Malentendu*,
Camus tentera d'inventer une forme de tragédie moderne. Au parallèle
des situations auxquelles sont confrontés Meursault et Caligula, on
ajoutera que le second a, de son malheur, une conscience qui fait défaut
au premier ; mais l'erreur de Caligula est d'en faire une source de ce
désespoir auquel se refusera toujours, jusque dans la pire douleur, la
pensée de Camus. Pourvu de la plus grande lucidité, le vrai héros camusien demeure, malgré tout, capable d'espérer. Caligula en dessine un
négatif dont le Clamence de *La Chute* offrira pour finir le pendant.

---

1. Voir *Le Mythe de Sisyphe*, p. 274. — « L'erreur de tous ces hommes, c'est de ne pas
croire assez au théâtre » : cette formule de la scène II de l'acte III (version de 1958) paraît
empruntée par Caligula à son créateur.
2. P. 229.

Les lectures de Georges Sorel (*Les Illusions du progrès*), d'Oswald Spengler (*Le Déclin de l'Occident*), de Kierkegaard (*Traité du désespoir*) et surtout de Nietzsche (*L'Origine de la tragédie, Humain, trop humain, Le Crépuscule des idoles*) ont été recensées, notamment par R. Gay-Crosier[1], comme celles qui ont le plus influencé Camus à l'époque où il composait *Caligula*. Dans *L'Origine de la tragédie*, en particulier, il a pu puiser la conception du tragique mise en forme dans sa pièce : un « culte dionysien du vouloir-vivre et de la liberté porté jusqu'à l'obsession totalitaire par la découverte du mal[2] ». Mais la philosophie de Camus suppose dès cette époque un équilibre (une « mesure ») entre les forces dionysiennes et la réflexion, de nature apollinienne. *Caligula* illustre ainsi son dialogue avec Nietzsche plutôt que son adhésion à sa philosophie. Nietzsche mise sur l'art pour transformer notre « nausée en face de l'effroyable et de l'absurdité de l'existence en pensées qui permettent de vivre : celles-ci sont le *sublime* en tant que maîtrise créatrice de l'épouvantable et le *comique* en tant qu'éruption créatrice de la nausée absurde[3] ». Caligula, lui, témoigne des impasses où mène cette confiance aveugle en la création artistique. De Nietzsche, Camus se sépare encore lorsque celui-ci attend de la souffrance qu'elle renverse les valeurs établies. Dans ce pari, Camus dénonce en effet les germes d'un nihilisme qui aboutit à la destruction des autres, par conséquent de soi-même. À la version de 1941 peut s'appliquer déjà la formule par laquelle Camus définira sa pièce : « *Caligula* est l'histoire d'un suicide supérieur[4]. »

Les étapes de la rédaction.

La note des *Carnets* du 21 février 1941 célèbre l'achèvement des « trois Absurdes » en même temps que celui de « *Sisyphe* ». *L'Étranger* ayant été achevé pour l'essentiel dès mai 1940, la formule s'applique sans aucun doute à *Caligula*, du moins à sa version dite de 1941.

Camus, qui jugeait que son projet de pièce n'était pas encore « assez mûr » en avril 1938, y a consacré beaucoup de temps de décembre 1938 à l'été de 1939. Le 25 juillet 1939, il écrit à Christiane Galindo : « Je viens de terminer *Caligula* à la minute. C'est une chose insupportable. Il me semble que tout de même je suis meilleur que ça. Il faut aussi que je retravaille dessus[5]. » Le 27 juillet, il écrit à la même : « Je ne peux détacher mon esprit de *Caligula*. Il est capital que cela soit une réussite. Avec mon roman et mon essai sur l'Absurde, il constitue le premier stade de ce que maintenant je n'ai pas peur d'appeler mon œuvre. Stade négatif et difficile à réussir mais qui décidera pour tout le reste. Je vais le recopier et te l'envoyer pour être tapé[6]… » Le 24 août, il fait savoir à son amie qu'il apporte des retouches à son manuscrit. Celui-ci étant à nouveau retouché le 4 du mois suivant (« Je le voudrais encore plus transparent et plus amer. Ça me ressemblerait assez », écrit Camus à Christiane Galindo), A. James Arnold suppose que le premier dactylogramme de

1. R. Gay-Crosier, *Les Envers d'un échec*, p. 59.
2. R. Quilliot, *La Mer et les prisons : essai sur Albert Camus*, Gallimard, 1964, p. 63.
3. *L'Origine de la tragédie*, cité dans R. Gay-Crosier, *Les Envers d'un échec*, p. 62.
4. « Préface à l'édition américaine de *Caligula and Three Other Plays* », p. 447.
5. Lettre citée dans Olivier Todd, *Albert Camus. Une vie* (1996), Gallimard, coll. « Folio », p. 300.
6. Lettre citée dans « La Poétique du premier *Caligula* », p. 157.

la pièce a été fait en septembre 1939[1]. C'est ce premier état qui aurait « épaté » Jean Paulhan[2], tandis que celui que Pascal Pia réclamera à Camus en mars 1941[3] est à l'évidence le second état, que Christiane Galindo aurait dactylographié au cours du mois précédent.

Par rapport au plan prévu en janvier 1937, le premier état avait déplacé la mort de Drusilla avant le lever du rideau, comme nous l'avons dit plus haut, mais il avait conservé la distribution en trois actes. La principale modification apportée au second état a été l'ajout d'un acte entier, le troisième (l'ancien acte III devenant ainsi l'acte IV). Cet ajout a accentué le pouvoir d'autodérision de Caligula, qui parade au début de l'acte en costume de Vénus ; sur un mode plus sérieux, il découvre sa quête de la lune (scène III). Puisque ces deux traits se trouvaient chez Suétone, c'est la preuve que l'historien romain était plus qu'un point de départ et que Camus a continué d'y puiser pour enrichir sa pièce.

Sont aussi illustrées sous forme de dialogues des idées que Camus creuse vers la même époque, c'est-à-dire entre la fin de 1939 et le début de 1941, pour *Le Mythe de Sisyphe*. La question du suicide, et plus généralement celle de savoir si « la vie vaut ou ne vaut pas la peine d'être vécue[4] », placée au seuil de l'essai, était déjà au cœur de la pièce. Mais, continuant de travailler à l'essai, Camus confère des accents plus nettement nietzschéens à la volonté de Caligula de s'égaler aux dieux (« S'il y a un Dieu, comment supporter de ne l'être pas ? », se demandait Nietzsche[5]). Comme l'observe A. James Arnold, l'addition du troisième acte (« Divinité de Caligula ») donne un sens profondément blasphématoire à l'ensemble de la pièce : la tragédie chrétienne étant impossible du fait du rachat de l'homme par le Christ, Camus lui substitue la tragédie de l'homme confronté à la mort de Dieu[6]. L'éloge du théâtre par Caligula[7] illustre la posture du comédien, exposée dans la partie « L'Homme absurde » du *Mythe de Sisyphe*. À sa folie destructrice, Cherea oppose une « envie de vivre et d'être heureux » qu'on ne saurait satisfaire « en poussant l'absurde dans toutes ses conséquences » (acte III, scène V).

Enfin, Camus crée un nouveau personnage, Hélicon, dont le rôle pourrait faire songer, selon le répertoire traditionnel, à celui d'un confident ou d'un bouffon. « Je ne suis pas son confident, je suis son spectateur », prévient toutefois Hélicon (acte I, scène V) ; et, par son obéissance servile aux volontés de son maître (il part sans broncher à la conquête de la lune, scène III), il se pose comme le contraire d'un bouffon. Quel besoin de faire le pitre, en effet, du moment que l'empereur s'en charge lui-même mieux que personne ? À force de sérieux, pourtant, l'attitude d'Hélicon atteint une vertu ironique qui démystifie, mieux que par des

---

1. Voir *ibid.*
2. En mars 1940 ? A. James Arnold tient en tout cas pour impossible la date de mars 1939 dont se souvient J. Paulhan dans une lettre beaucoup plus tardive envoyée à I. H. Walker (voir *ibid.*, p. 158).
3. « Je vous ai demandé si, *a priori*, vous verriez un inconvénient à ce que votre roman [*L'Étranger*] parût dans la revue […]. J'attends votre réponse là-dessus, tel, quelle qu'elle soit, le roman lui-même. Ainsi que *Caligula*, que je voudrais lire et relire » (Albert Camus-Pascal Pia, *Correspondance 1939-1947*, Fayard-Gallimard, 2000, p. 39).
4. *Le Mythe de Sisyphe*, p. 221.
5. Cité dans *L'Homme révolté*, p. 101. Voir *Caligula* : « Et pourtant, qu'est-ce qu'un dieu pour que je désire m'égaler à lui ? » (acte I, scène XI, dans la version de 1958).
6. Voir « La Poétique du premier *Caligula* », p. 161-162.
7. Voir la citation de l'acte III, scène II, donnée à la note en bas de page 1, p. 1310.

grimaces, la folie du maître. Lui incombe aussi un rôle dans l'action : il dévoile à Caligula, grâce à des preuves que celui-ci néglige ostensiblement, le complot qui se trame contre lui (scène III). Ainsi le spectateur est-il plus clairement invité à accueillir comme une forme de suicide la mort de l'empereur sous les coups des conjurés. L'addition d'un nouvel acte conduisait presque mécaniquement à modifier les autres. En fait, Camus se contente, pour l'essentiel, d'ajouter aux actes I et II de brèves répliques d'Hélicon. Et celui-ci ne reparaîtra pas au dernier acte. « Hélicon n'est pas venu », prononce deux fois Caligula avant de s'effondrer ; il était, la dernière fois qu'on l'avait vu sur scène, parti chercher la lune.

Vers la version de 1944.

À défaut d'être proposé au public, le dactylogramme de février 1941 de *Caligula* ne manqua pas de lecteurs avertis : Robert Namia, un jeune collaborateur d'*Alger républicain* à qui Camus destinait le rôle de Scipion, Pascal Pia, par qui Jean Paulhan en eut sans doute connaissance[1], André Malraux, Jean Grenier. Ce dernier exprime son avis à son ancien élève dans une lettre du 19 avril 1941 : « J'y ai trouvé [...] beaucoup de mouvement et de vie, plus à la fin qu'au début. Je crois que cela peut être excellent au théâtre, sans pouvoir bien le dire. / Le Caligula romantique à la Jules Laforgue du 1ᵉʳ acte ne me plaît pas — désespoir d'amour — le crépuscule — les seins des femmes (qui dans vos 2 mss [manuscrits[2]] sont une obsession freudienne), n'est-ce pas quelque peu mièvre et faux ? Il se peut qu'au théâtre ce soit différent. / Sur le Caligula-monstre il y a de belles tirades. Aussi sur le Caligula-Hamlet. Votre Caligula est complexe, peut-être contradictoire, je ne sais pas si ce n'est pas une qualité plutôt qu'un défaut quand il y a du mouvement comme il y en a dans votre pièce[3]. »

Le 11 mai, il écrit à Camus : « Pour *Caligula* je voudrais le voir à la scène. C'est plein de mouvement, vous avez raison — la seule chose que je n'y aime pas, c'est son côté Lorenzaccio (au début surtout) — Mais c'est pathétique[4]. » C'est un peu la manie (professorale) de Jean Grenier de chercher dans les œuvres que Camus lui soumet les influences des grands maîtres[5]. Le rapprochement avec *Hamlet* est précisément justifié par cette scène où Caligula exécute ses courtisans comme Hamlet tuait Polonius, dont le seul tort était d'avoir complaisamment prêté aux nuages les formes que lui suggérait son seigneur. Faut-il trouver une parenté plus profonde entre ces deux tragédies dont le héros est désorienté par un deuil survenu avant le lever du rideau ? Au moins le Caligula de Camus est-il exempt du sentiment de culpabilité qui mine durant les cinq actes le héros de Shakespeare. Malraux, ajoutera Jean Grenier le

---

1. « Je n'ai pas encore lu *Caligula*. Je vais le lire », écrit J. Paulhan à P. Pia le 10 novembre 1941 (Albert Camus-Pascal Pia, *Correspondance 1939-1947*, p. 74).
2. Il parle, dans la même lettre, du manuscrit de *L'Étranger* qu'il a reçu en même temps que celui de *Caligula*.
3. Albert Camus-Jean Grenier, *Correspondance 1932-1960*, éd. Marguerite Dobrenn, Gallimard, 1981, p. 51.
4. *Ibid.*, p. 55.
5. Comme l'influence de Kafka qui le gêne dans *L'Étranger* et qu'il évoque dans la lettre du 19 avril (voir *ibid.*, p. 50).

10 mars 1942, « pense comme [lui] sur les côtés faibles (romantiques) » de la pièce[1]. Pascal Pia avait, le 27 mai 1941, transcrit dans une lettre à Camus l'avis réservé que lui avait communiqué Malraux : « J'ai lu d'abord *L'Étranger*. Le thème y est fort clair ; et il n'est clair dans *Caligula*, je crois, que parce que *L'Étranger* l'a éclairé. En gros, *Caligula* me paraît à laisser en tiroir tant que *L'Étranger* — ou autre chose — n'aura pas familiarisé le public avec Camus[2]. » On supposera que Camus lui-même n'était pas très sûr de son fait : les aspects que Jean Grenier lui a reprochés seront corrigés dans la version suivante.

Il avait, toutefois, des raisons plus impérieuses de se remettre à l'ouvrage. Au 15 mars 1941, alors que le second dactylogramme vient seulement d'être achevé, il note dans ses *Carnets* : « L'Absurde et le Pouvoir — à creuser (cf. Hitler) » ; et si la note du mois d'avril suivant : « Le monde de la tragédie et l'esprit de révolte[3] » concerne explicitement la pièce qui deviendra *Le Malentendu*, nul doute que la réécriture de *Caligula* profite aussi de cette réflexion. Le 25 septembre 1942, il écrit à Christiane Galindo au sujet de sa pièce : « Gallimard me propose de l'éditer après mon essai, mais j'ai refusé et dit que je préférais attendre[4]. » Lorsque Camus revient sur les notes du 17 mars 1938 et relatives au projet des « trois Absurdes », il écrit que « Seuls les deux premiers venus [*L'Étranger* et *Le Mythe de Sisyphe*] pouvaient être valables. Je retirais *Caligula* ne sachant encore si je le reverrais et donnais les deux autres à la publication[5] » Pendant l'été de 1941, il s'est mis à de nouvelles corrections, qu'il porte sur la dactylographie de février 1941. L'année 1942 est troublée par la détérioration de sa santé, qui le conduit à partir pour Le Panelier, et par l'occupation, en novembre, de la « zone libre », qui menace de le séparer de sa femme pour un temps indéterminé. À cette époque il se consacre à d'autres ouvrages : la première *Lettre à un ami allemand*, *Le Malentendu*, *La Peste*. Sans doute songe-t-il aussi à son « essai sur la révolte » mentionné au début et à la fin de l'année dans les *Carnets*[6]. C'est vers décembre qu'il revient à *Caligula* et note : « Pour la publication du théâtre : Caligula : *tragédie* — L'Exilé (ou Budejovice) : *comédie*[7]. » La révision de *Caligula* semble achevée, pour l'essentiel, quand arrive l'été de 1943.

Les écrits de Camus contemporains de cette réécriture en éclairent les motivations, en particulier le texte intitulé « Nietzsche et le nihilisme », qui prendra place dans *L'Homme révolté*, ainsi que les *Lettres à un ami allemand*. Ses réticences à l'égard de Nietzsche ne datent pas de cette époque, mais les développements du conflit contre le totalitarisme leur donnent un tour nouveau. « En lui le nihilisme, pour la première fois, devient conscient », écrit Camus à propos du philosophe allemand ; au nom de ce nihilisme, Nietzsche condamne la morale, qu'il tient pour « un signe de décadence » ; à l'homme débarrassé de Dieu et de ses maîtres, il confère une liberté qui, loin d'être un confort, impose de nou-

---

1. *Ibid.*, p. 70.
2. *Correspondance 1939-1947*, p. 67.
3. *Carnets*, p. 921 et 923.
4. Lettre citée dans « La Poétique du premier *Caligula* », p. 166.
5. « Sans lendemains », p. 1203.
6. *Carnets*, p. 940 et 973.
7. *Ibid.*, p. 971. — « Budejovice » deviendra *Le Malentendu*.

veaux devoirs et la recherche d'une « valeur supérieure ». « Au terme de
la plus grande libération, Nietzsche choisit donc la plus grande dépendance » ; ainsi se rue-t-il « avec une sorte de joie affreuse » à cette extrémité où le conduit son nihilisme. La révolte, chez lui, aboutirait à une
divinisation de l'homme et à une exaltation du mal. Sans doute Camus
distingue-t-il entre Nietzsche et Rosenberg, le théoricien du national-
socialisme, au point de se vouloir l'« avocat » du philosophe ; mais l'ensemble de son étude donne le sentiment que c'est là se faire l'avocat du
diable[1]. A. James Arnold[2] a montré comment, tout en étant conscient
des déformations imposées à la pensée de Nietzsche pour le faire servir
aux crimes du nazisme, Camus intégrait désormais à sa réflexion la responsabilité encourue par le philosophe devant l'histoire. D'une réflexion
parente s'inspirent les *Lettres à un ami allemand* dont la phrase de Pascal,
placée en exergue, « On ne montre pas sa grandeur pour être à une extrémité, mais bien en touchant les deux à la fois[3] », offre la formule de la
mesure, vertu qui, loin d'admettre la tiédeur, suppose au contraire, chez
Camus, la suprême exigence. On lit de plus en plus clairement, dans son
œuvre, sa dénonciation de la facilité qu'il y a à « pousser l'absurdité jusqu'au bout » et son application à « refuser la légitimation du meurtre[4] ».

Toutefois, ni la docilité de Camus aux critiques de ses proches ni
l'acuité que donnent à sa pensée les affaires du monde n'expliquent en
totalité les remaniements qu'il impose à sa pièce entre 1941 et 1944.
Certains d'entre eux sont l'amplification naturelle des retouches auxquelles il avait procédé sur la dactylographie de 1939. Comment pouvait-
il imaginer qu'on pût greffer un acte entier sur une pièce sans en revoir
la structure d'ensemble ? Nous avons vu qu'il n'était pas disposé à éditer
ni à faire jouer sa pièce en 1941. La censure de l'occupant aurait-elle, du
reste, toléré sa représentation ? *Caligula* avait commencé par être, pour
Camus, une sorte de soliloque issu du personnage restitué par Suétone[5].
Au fil des années, le soliloque s'est étoffé. Les modifications intervenues
pendant la guerre doivent assurément au contexte politique. Plus encore,
elles donnent à la pièce son ampleur et sa profondeur dramatiques.

Une note du printemps de 1943 précise le rôle du miroir : « L'absurde,
c'est l'homme tragique devant un miroir (Caligula). Il n'est donc *pas seul*.
Il y a le germe d'une satisfaction ou d'une complaisance. Maintenant, il
faut supprimer le miroir[6]. » C'est selon une exigence *morale* que Camus
entend « supprimer le miroir » : puisqu'il conçoit un héros négatif, il va
logiquement accroître son importance *dramatique*. Dès la version de
1941, le miroir revient avec insistance dans les indications scéniques du
dénouement. En le tenant obstinément devant ses yeux, Caligula recule
l'instant où il sera vraiment seul avec lui-même. Du moment où le miroir
se brise, il est privé du faux-fuyant qui le dispensait d'assumer sa condition d'homme absurde. Il ne fait plus face qu'aux conjurés, c'est-à-dire
à son destin.

Imaginé entre les deux premiers états, le rôle d'Hélicon gagne de l'am-

1. *L'Homme révolté*, respectivement : p. 91, 93, 98 et 103-104.
2. Voir « La Poétique du premier *Caligula* », p. 172-176.
3. Tome II de la présente édition, p. 5.
4. Voir ci-dessus, p. 1306, et « Ni victimes ni bourreaux », *Actuelles*, t. II de la présente
édition, p. 440.
5. Voir ci-dessus, p. 1303 et suiv.
6. *Carnets*, p. 995.

pleur. À lui seul, il justifiait que Camus se remît à l'ouvrage : à l'évidence, il n'avait pas tiré le meilleur parti de son nouveau personnage. Sa présence permet désormais, dès le premier acte, d'articuler plus fortement le mépris mérité par les sénateurs (devenus « patriciens ») et d'éclairer le mal de vivre de Caligula. Le monologue de Caligula (acte I, scène IV) est supprimé ; témoignant de sa souffrance (grâce aux indications scéniques notamment), de sa lucidité (il se traitait de « monstre ») et de son exigence (il refusait de « s'arranger avec sa vie »), il prédisposait plutôt en sa faveur ; y est approximativement substitué son dialogue avec Hélicon, où sont formulées la quête de la lune (qui court désormais, tel un leitmotiv, du premier au dernier acte) et la justification de la quête par cette phrase qui joue désormais un rôle clé : « Les hommes meurent et ils ne sont pas heureux. »

À la scène IX de l'acte I, Camus supprime un développement sur la liberté adressé par Caligula à Cherea, où se lit un écho de sa propre conversion du 17 mars 1938[1]. À l'instar de Camus, Caligula considère, dans la version de 1941, qu'« il n'y a qu'une liberté, celle du condamné à mort » ; mais il ignore quelle forme de liberté on peut reconnaître chez les esclaves, et lui-même se grise d'une liberté supérieure dont Camus a compris qu'elle était illusoire. Croira-t-il accéder à la liberté du condamné à mort en consentant, pour finir, à une sorte de suicide ? C'est une erreur qu'éclaire la lecture du *Mythe de Sisyphe* : « On peut croire que le suicide suit la révolte. Mais à tort. Car il ne figure pas son aboutissement logique. Il est exactement son contraire, par le consentement qu'il suppose. […] Le contraire du suicidé, précisément, c'est le condamné à mort[2]. » Le « suicide » de Caligula devra apparaître, sans ambiguïté, comme une fuite devant les infinies possibilités qui s'offrent à l'« homme absurde ». La suppression du terme de « liberté » en cet endroit de la version de 1941 n'est du reste pas unique : le mot apparaissait neuf fois dans la première version, et on suppose que Camus a évité que son héros ne revendique de façon trop insistante une valeur qui était alors celle de la Résistance[3].

De ce premier acte disparaît aussi, à la dernière scène, un autre monologue où, face à son miroir et ignorant Cæsonia, Caligula ressuscitait dans une sorte d'hypnose la présence de Drusilla. Jean Grenier, qui n'aimait pas ces accents romantiques, a donc eu gain de cause.

Le professeur reçoit un nouveau motif de satisfaction à l'acte II : Caligula ne tient plus dans sa main le sein de la femme de Mucius et, tant qu'à gagner en pudeur, il s'abstient, quand il la restitue à son époux, de commentaires sur la faiblesse de ses reins (scènes V, VII et IX de la version de 1941). Les confidences obscènes du « Vieux Sénateur », qui ouvraient l'acte, n'ont plus davantage droit de cité. Mais disparaissent également, de la scène II, les considérations de Cherea sur la « passion » de Caligula pour la poésie identifiée à l'« arbitraire » et à l'« absurde ». Lui sont prêtées en revanche, dans son débat avec les patriciens, des formules de nature plus politique : on le voit plus résolument décidé à « lutter contre une grande

---

1. Voir ci-dessus, p. 1307. — Ce développement est repris et modifié à la scène X, p. 398.
2. *Le Mythe de Sisyphe*, p. 256.
3. Voir J. Guérin et M. Valette-Fondo, « *Caligula*, ou la Nécessité du roman pour dire le totalitarisme », p. 204.

idée dont la victoire signifierait la fin du monde ». C'est, selon la formule d'A. James Arnold, un « Cherea-Résistant » qui s'affirme désormais contre le « Caligula-Tyran[1] ». Faut-il s'étonner de la suppression, à la dernière scène de l'acte, d'une phrase prononcée par Scipion au cours de cet émouvant dialogue où il communie avec Caligula dans l'évocation de la nature : « Je ne me souviens jamais de ce que j'ai trop aimé » ? Elle plaide sans doute en faveur du métier de l'homme de théâtre : les belles formules n'offrent pas forcément les répliques les plus efficaces.

L'acte III, récemment introduit, a été naturellement moins retouché que les autres. On sera toutefois attentif à l'introduction du mot « tyran » dans la pièce, à cinq reprises dans le dialogue qui, à la scène II, oppose Scipion et l'empereur. Peut-être contribue-t-il, lui aussi, à l'aspect politique de la pièce.

Les phrases que Camus ajoute à la tirade de Caligula à la fin de l'avant-dernière scène, « Mais tuer n'est pas la solution », et, au cœur de la dernière, « Ma liberté n'est pas la bonne[2] », résument à partir de 1944, d'une manière un peu simpliste, la morale de la pièce. L'étonnant est que, placées dans la bouche de l'empereur, elles le créditent d'un repentir qui change profondément au dénouement. Le défi lancé par Caligula, non aux dieux (puisqu'il n'y croit pas), mais au sens que les hommes donnent d'ordinaire à la vie, a parfois été comparé par la critique à celui que lance Don Juan[3] ; mais imaginerait-on que, quand s'entrouvre l'enfer, celui-ci confessât enfin son erreur ?

La suppression des deux principaux monologues de Caligula a peut-être empêché celui-ci de recueillir auprès du public une forme de sympathie. Pour l'essentiel, la guerre de 1939-1945 n'a guère modifié son rôle. Excepté son étonnant *mea culpa* final, ce qui a le plus changé est la mise en perspective de ses crimes grâce à des figures qui, soit en s'en rendant odieusement complices, soit en fournissant des arguments raisonnables pour s'y opposer, ont rendu plus claire l'inutilité de cette forme de révolte.

Annonçant à Jean Grenier, le 11 octobre 1943, qu'il va donner *Caligula* et *Le Malentendu* à Gallimard, Camus lui avoue sa préférence pour la seconde pièce : « Je suppose que c'est la différence d'une pièce conçue et écrite en 38 et d'une autre faite cinq ans après. Mais j'ai beaucoup resserré mon texte autour d'un thème principal. De plus les deux techniques sont absolument opposées et cela équilibrera le volume[4]. » L'expression « écrite en 38 » minimise les remaniements successifs[5].

---

1. « La Poétique du premier *Caligula* », p. 174.
2. « [...] ma liberté n'a pas de limites », disait Caligula en 1941 (acte I, scène VIII), élargi, en 1944, en « la liberté n'a plus de frontières » (acte I, scène IX). La restriction impliquée par l'adjectif possessif apparaît en revanche dans la formule de la fin.
3. On sait l'importance que ce mythe a dans la pensée de Camus : il esquisse en avril 1940 un « Pour Don Juan » (*Carnets*, p. 914), projet auquel il songe toujours à la fin de sa vie.
4. *Correspondance 1932-1960*, p. 107.
5. C'est la date qu'il donne toujours comme celle de la composition de sa pièce. Voir dans les Appendices l'« Émission de Renée Saurel », p. 444, la « Lettre à monsieur le directeur de *La Nef* », p. 446, et le « Programme pour le Nouveau Théâtre », p. 450 ; ainsi qu'une interview donnée à la revue *Opéra* du 12 septembre 1945 : « *Caligula* est ma première pièce, puisque je l'écrivis en 1938 — alors que *Le Malentendu* ne date que de 1943. Ceci expliquera peut-être certaines " concessions " que l'on ne manquera pas d'y relever. » Quand il dit, en 1946, au directeur de *La Nef* que « *Caligula* a été écrit en 1938 », il s'agit surtout pour lui de marquer que la pièce ne doit rien à l'existentialisme.

Est-il paradoxal que Camus qualifie de « resserrement » un travail qui a surtout consisté à créer un nouveau personnage et à étoffer le rôle de quelques autres ? Monologique à l'excès, le tout premier *Caligula* livrait au public une figure énigmatique, voire, comme l'avait noté Jean Grenier, « contradictoire ». Ces contradictions s'éclairent mieux à la faveur d'une action dramatique où le héros trouve du répondant, et certaines scènes, comme les exécutions de patriciens ou le concours de poésie, ont chance d'apparaître moins comme des épisodes jalonnant gratuitement le parcours d'un empereur-bouffon que comme les vertigineuses mises à l'épreuve d'une illusoire liberté.

Sauf quelques légères modifications probablement apportées sur épreuves[1], cette version (c'est-à-dire le dactylogramme de 1941 corrigé à la main), prête en octobre 1943, servira à la première édition de la pièce, publiée conjointement avec *Le Malentendu*, chez Gallimard, en mai 1944. Le livre ne suscite qu'assez peu d'échos. « On peut faire à cette pièce le reproche souvent fait aux pièces de Giraudoux : l'émotion ressentie est une émotion de l'intelligence, ce n'est pas une émotion de la sensibilité », écrit J.-M. Maféi dans *Nouvelle jeunesse* (1er décembre 1944), et François Erval, dans *Libertés* (8 décembre 1944) : « Camus s'y contente, à la manière de Giraudoux, de repenser un ancien mythe, celui de l'empereur romain qui se croyait Dieu. » Le parallèle encombrant avec Giraudoux fait aussi bien tort à Jean-Paul Sartre, dont *Huis clos*, créé à la même époque, a pu être considéré comme « du Giraudoux à l'envers » ; il viendra à nouveau sous la plume des critiques qui assisteront à la représentation de la pièce.

Création et accueil de la pièce.

Caligula n'est créé que seize mois après sa publication, le 26 septembre 1945, au théâtre Hébertot, dans une mise en scène de Paul Œttly. L'accueil du public, souvent acquis d'avance au courageux éditorialiste de *Combat*, fut plutôt favorable ; celui de la presse, beaucoup moins. « Trente articles. La raison des louanges est aussi mauvaise que celle des critiques[2]. À peine une ou deux voix authentiques ou émues », note Camus[2]. Même *Combat*, le 27 septembre 1945, n'apporte à la pièce qu'un soutien un peu tiède. Après y avoir qualifié *Caligula* de « drame extrêmement dense, où le rire a sa place », Jacques Lemarchand ajoute : « Une chose m'étonne, parfois me gêne. Cette humanité que Caligula méprise et déteste, ce sont ces sénateurs, ces poètes officiels, cette tourbe de cour vers qui, vraiment, aucun élan de sympathie ne peut aller. Je sais bien que c'est la seule portion d'humanité qu'un tyran ait des chances d'approcher. Mais l'espèce de tendresse sourde que Caligula manifeste à l'égard du jeune Scipion, à l'égard de Cherea lui-même, qui le tuera, il le sait, — cette sorte de complicité fatiguée dont il fait preuve envers des gens qu'il sent aussi intelligents que lui, ennemis, et, dans un sens, de son

---

1. « Ajouter épreuves Caligula : " Allons, la tragédie est terminée, l'échec est bien complet. Je me détourne et je m'en vais. J'ai pris ma part de ce combat pour l'impossible. Attendons de mourir, sachant d'avance que la mort ne délivre de rien " » (*Carnets*, p. 1006-1007). Cette addition, qui amplifiait le *mea culpa* du dernier monologue de Caligula, n'a finalement pas été retenue par Camus.

2. *Carnets*, p. 1033 (octobre 1945).

bord, — cela ôte un peu de rigueur à la volonté de logique. Cela lui donne une teinte romantique, et qui plaît, — et qui, en même temps, affaiblit une dureté magnifique, — magnifique parce qu'elle va payer. » On a le sentiment qu'un critique théâtral aussi averti que J. Lemarchand est un peu à court d'arguments pour défendre les vertus proprement scéniques de l'ouvrage. De façon générale, les louanges, quand elles s'expriment, vont au philosophe, auteur du *Mythe de Sisyphe*, plutôt qu'au dramaturge. « Philosophie au théâtre », titre Georges Huisman dans *France au combat* (4 octobre 1945), qui reproche au drame son manque d'action. Paul Chauveau lui fait écho, le même jour, dans *Les Nouvelles littéraires* : « Ce n'est point un conflit dramatique qui nous est soumis, ce n'est pas la crise morale et mentale, le choc physique qui fait de Caligula ce monstre actif et orgueilleux, c'est seulement le spectacle commenté des suites de cette crise auquel nous assistons. » À la question : « Peut-on écrire du théâtre philosophique ? », Jacques Mauchamps répond (avec nuances) dans *Spectateur* (6 octobre 1945) ; intitulé « Raisonnement par l'absurde », son article reconnaît dans *Caligula* « un moment d'art dramatique. Il comporte plusieurs morceaux de vrai théâtre. C'est une œuvre probe, solide et originale. On y regrette un peu la présence sournoise d'une littérature par trop *enerféenne*[1] pour notre goût et une tendance familière maintenant à magnifier le linge sale, mais c'est égal : voilà un auteur et, cette fois, sans *malentendu* possible. » Mais, sous le titre « *Caligula* ou " le Philosophe sans l'ignorer " », Jean-Baptiste Barrère écrit le même jour dans *Témoignage chrétien* : « Ces héros philosophiques demeurent des idées incarnées, ils manquent de chair et n'atteignent pas à la vie des caractères. » « *Caligula* commence où *Antigone* s'arrête », écrit, le même encore, M. Braspart dans *Réforme*, soulignant l'indulgence que l'auteur manifeste envers son héros : « M. Camus est d'un temps et d'une génération où on comprend tout. » Les considérations morales qui suivent ne manquent pas d'intérêt : « C'était le temps de Caligula et c'est le nôtre, le temps de l'anarchie morale, de l'anarchie tout court et de la bombe atomique. En ces temps-là, la vie n'a plus de sens, ou semble n'en plus avoir. » Il fallait que le critique ignorât les prises de position de Camus sur l'épuration ou son éditorial au lendemain de l'explosion d'Hiroshima[2] pour lui imputer cette sorte de mollesse morale et d'indifférence au prix de la vie ; mais que sa pièce donnât de lui pareille image suggère que les *malentendus* demeuraient possibles. Henri Troyat pèche plus gravement dans *La Nef* (novembre 1945) en avançant que « toute la pièce de M. Camus n'est qu'une illustration des principes existentialistes de M. Sartre ». L'article d'Henri Troyat n'était pas encore paru quand Camus dénonçait, dans ses *Carnets*, les mauvaises raisons[3] qui avaient inspiré les critiques de sa pièce. Le contresens mérite, pour le coup, une réponse particulière[4]. Dans la revue *Europe* (janvier 1946), Francis Crémieux reviendra sur la question de la complémentarité ou du conflit de l'intérêt dramaturgique de la pièce avec le message philosophique qu'elle prétend délivrer : « Au lever du rideau, quand les lumières de la salle s'éteignent et que le spectateur a refermé son programme, il

---

1. Pour : marquée par l'esprit de la NRF.
2. *Actuelles*, « Le Journalisme critique », 8 août 1945, p. 409-410.
3. Voir les *Carnets*, p. 1033.
4. Voir la « Lettre à monsieur le directeur de *La Nef* », p. 445.

doit choisir entre ce qu'il a lu et ce qu'il va voir. Si l'argument philosophique de la pièce l'emporte sur sa théâtralité, le spectateur va alors
accepter ou refuser sa philosophie. Mais si au contraire il considère, au-
delà des principes qui la soutiennent, le fait théâtral que représente la
pièce, il la suivra de la même façon qu'il a suivi une œuvre d'Ibsen ou de
Giraudoux. » François Crémieux, dans la suite de son article, apparente
à son tour Camus et les existentialistes en comparant *Caligula* avec *Les
Bouches inutiles*, de Simone de Beauvoir[1] ; au moins marque-t-il entre les
deux dramaturges quelques différences, qui consacrent la supériorité de
Camus.

Le jugement formulé par Pierre-Aimé Touchard dans *Opéra* (7 octobre
1945) mérite d'être longuement cité, à la fois parce qu'il émane d'un spé-
cialiste éminent de la scène et parce qu'il résume de façon éclairante les
réticences qui déçoivent Camus. Après avoir rendu hommage au caractère saisissant du premier acte et constaté que la pièce offre, comme *Huis
clos*, le « développement logique d'une hypothèse », P.-A. Touchard écrit à
propos de la suite du drame : « Le lien logique subsiste : le lien dramatique a disparu. Les scènes se succèdent comme une série de tableaux
sans nécessité. C'est pourquoi brusquement l'intérêt change de nature.
Ce qui reste, c'est l'attente confiante du spectateur que tout cela doit
avoir un sens qui nous sera révélé à un moment ou à l'autre. Mais cette
curiosité est de nature philosophique : elle se lasse vite d'un mode d'expression aussi inadéquat que peut l'être celui du théâtre, d'autant plus
que Camus introduit dans son drame des éléments canularesques qui
achèvent de déconcerter. On a l'impression d'une force centrifuge qui
cherche à s'épanouir dans tous les sens sans jamais déboucher, comme
si l'on assistait à un enfantement douloureux et sans cesse retardé. On
se demande même parfois si ce retard apporté à la révélation n'est pas
un truc, un procédé pour forcer l'attention. Cette inquiétude est ren-
forcée par la mise en scène, qui, très franche et vigoureuse au début,
utilise de plus en plus des rouieries très évidentes. / Ainsi, en dépit des
singulières beautés dont l'ouvrage est éclairé, l'attention se détend, et le
plaisir fait place à un malaise de plus en plus sensible. Le complot qui
finalement éclate et aboutit contre Caligula ne parvient plus à nous
émouvoir, car les personnages ont depuis longtemps cessé d'être vivants.
Il semble que M. Camus, comme son héros, a tenté d'être libre contre
les hommes. Il les a dépouillés de leur chair. Ils se vengent. »

La révélation de Gérard Philipe, âgé de vingt-trois ans quand Camus
lui confie le rôle principal de sa pièce, mobilise l'attention de nombreux
critiques[2]. Selon Raymond Cogniat, dans *Arts* (28 septembre 1945),
Gérard Philipe « au lieu d'un empereur conventionnel nous donne une
manière d'Hamlet plus inquiétant mais non moins tourmenté, non moins
obsédé de l'explication du monde et de soi-même ». « Gérard Philipe
jouerait fort bien Hamlet », pense de même Jean Lauxerrois dans *Paysages*
(7 octobre 1945), tandis que Pierre Loewel trouve, dans *Les Lettres françaises* paru la veille, que le jeune acteur « supporte et exhausse tout le

---

1. La pièce de S. de Beauvoir a été créée le 29 octobre 1945.
2. Sur les circonstances de l'engagement de Gérard Philipe dans la troupe, à la suite de
la défection d'Henri Rollan (victime d'une insolation en Afrique), on lira *Gérard Philipe.
Souvenirs et témoignages*, recueillis par Anne Philipe et présentés par Claude Roy, Gallimard,
1960, p. 55.

poids du spectacle ». Les critiques remarquent moins l'acteur âgé de dix-neuf ans qui interprète le rôle de Scipion et qui fera lui aussi une belle carrière : Michel Bouquet. Le décor et les costumes ne suscitent que de brefs commentaires. Jugée « grandiose » par l'un, la simplicité du décor paraît à tel autre plutôt « passe-partout ». Tel autre encore est choqué par les costumes, parce qu'ils constituent le seul élément « historique » d'une pièce pour laquelle, on le sait, Camus avait souhaité éviter le « genre " romain " »[1]. Ce n'est pas l'avis de Raymond Cogniat : dans *Arts*, celui-ci rend hommage au travail de Marie Viton qui, « au lieu de rechercher pour les costumes une reconstitution plus ou moins exacte de l'Antiquité romaine, s'est inspirée des fresques de Tavant[2] ».

Retouches et reprises.

En 1950, *Caligula* est repris au théâtre Hébertot d'après l'édition de 1947, avec Michel Herbault dans le rôle principal. Puis, en vue de la représentation du festival d'Angers de 1957, Camus procède à de nouveaux ajouts, en particulier le meurtre d'Hélicon qui témoigne ainsi jusque dans la mort sa fidélité à son maître, et il renouvelle profondément les décors (il n'est plus réaliste — il n'y a plus de palais — et se réduit à sa plus simple expression : trois portes, une tour, trois plans de remparts, deux escaliers) et la distribution[3]. Selon Morvan Lebesque, « la seule erreur scénique de Camus fut de monter *Caligula* à Angers : étrange entreprise, en vérité, une conspiration feutrée sous les Césars jetée aux quatre vents d'un château Renaissance[4] ». En 1958, la pièce est reprise avec de jeunes comédiens au Nouveau Théâtre de Paris, dirigé par Elvire Popesco et Hubert de Malet[5] ; Jean-Pierre Jorris, qui tenait le rôle d'Hélicon à Angers, tient cette fois celui de Caligula, tandis qu'Héléna Bossis incarne Cæsonia. Quelques modifications sont introduites dans le texte joué par les comédiens, visant notamment à accentuer la caricature des patriciens, mais elles ne sont pas reproduites dans l'édition que Camus fait paraître en cette même année 1958.

Jean-Pierre Jorris interprétera à nouveau le rôle de l'empereur, après la mort de Camus, au théâtre des Galeries de Bruxelles, en 1962. De toutes les pièces de Camus, *Caligula* sera d'assez loin la plus souvent représentée. Citons, entre autres, les représentations données à la Maison de la culture de Nantes, en 1970, dans une mise en scène de Georges Vitaly (qui jouait le rôle d'Hélicon lors de la création de la pièce, en 1945), reprise au théâtre de La Bruyère, à Paris, en septembre 1971. Cette mise en scène que Georges Vitaly avait voulu très simple (une sorte d'arène où les personnages s'entre-déchireraient) ne convainc guère la critique. Dans *Le Figaro* (23 septembre 1971), Jean-Jacques Gautier écrit : « Cette pièce, jadis, nous retenait vaguement par le genre d'intelligence qui traînait sur les scènes du temps ; elle n'atteignait guère la sensibilité :

---

1. Voir la version de 1941, p. 389.
2. Voir l'« Interview donnée au *Figaro* » (25 septembre 1945), Appendices, p. 444, et n. 1.
3. Indiquons, pour les principaux personnages : Caligula : M. Auclair ; Cæsonia : M. Jamois ; Hélicon : J.-P. Jorris ; Scipion : D. Manuel ; Cherea : H. Etcheverry. Sur une note manuscrite, Camus a aussi indiqué Jean-Pierre Marielle pour le rôle de Cherea, et Jean-Marc Bory pour celui de Lepidus. (Voir *Pléiade TRN*, p. 1778.)
4. Dans *Camus*, « Génies et réalités », Hachette, 1964, p. 178.
5. Voir « Le Programme pour le Nouveau Théâtre », p. 450.

elle ne nous touche toujours point le cœur. » « C'est le drame des pièces à thèse : elles vieillissent aussi vite que les idées qui les portent », déclare plus crûment encore Pierre Marcabru le même jour, dans *France-Soir*. Dès le 13 février 1970, pourtant, la troupe du Tréteau de Paris est partie aux États-Unis pour une tournée destinée à représenter *Caligula* (en français) devant cent mille étudiants américains, à travers vingt-cinq universités des États du Sud et du Sud-Ouest. *Caligula* est encore à l'affiche du Théâtre-14 – Jean-Marie Serreau en 1991, dans une mise en scène de Jacques Rosny, reprise la même année à Versailles, puis au théâtre des Mathurins, avec Emmanuel Dechartre dans le rôle principal, avant d'entrer le 15 février 1992 à la Comédie-Française. Cette consécration est l'aboutissement d'un long projet que Camus avait commencé à négocier en 1957 avec Pierre Descaves, alors administrateur du théâtre national. Poursuivies après la mort de Camus avec Maurice Escande, ces négociations aboutissent enfin grâce à Jacques Lassalle. La mise en scène de la Comédie-Française est assurée par Youssef Chahine, l'empereur est incarné par Jean-Yves Dubois, Cæsonia par Martine Chevalier, Hélicon par Nicolas Silberg, Cherea par Michel Favory, Scipion par Lilah Dadi, tandis que le rôle du Vieux Patricien est confié à une actrice, Catherine Samie. Le décor de Françoise Darne, juxtaposant ruines romaines et panneaux où se profilent des gratte-ciel, autant que les costumes intemporels de Jean-Pierre Delifer, vont à la rencontre du vœu de Camus de ne pas faire de sa pièce une reconstitution historique.

PIERRE-LOUIS REY.

NOTE SUR LE TEXTE

— *Caligula* [1938-1940], 30 feuillets manuscrits. Version incomplète. Cote à la Bibliothèque Méjanes d'Aix-en-Provence : CMS2. Ab1-02.01.

— *Caligula ou le Joueur*, 66 feuillets dactylographiés en 1939 (sigle : *dactyl. 1*). Il s'agit, selon les notes de Francine Camus, de la « dactylographie du texte manuscrit [de 1938 ?] ». Cette version dactylographiée est déposée au Fonds Camus de la Méjanes en trois exemplaires sous les cotes CMS2. Ab1-02.02, Ab1-02.03 (même version que la précédente dans un caractère typographique différent) et Ab1-02.03*bis* (double carbone de la version précédente).

— *Caligula* (février 1941 ; cote : CMS2. Ab1-03.01 ; sigle : *dactyl. 2*), 65 feuillets dactylographiés avec corrections manuscrites autographes aboutissant pour l'essentiel à l'édition de 1944.

— *Caligula*, édition couplée avec celle du *Malentendu*, Gallimard, achevé d'imprimer : mai 1944 (sigle : *1944*). (Sera suivie la même année d'une impression séparée de *Caligula*.)

— *Caligula* (réimpression en 1946 de l'édition séparée de 1944), Gallimard, 126 pages, avec des corrections manuscrites autographes dont certaines seront utilisées pour la mise en scène du festival d'Angers de 1957 (cote : CMS2. Ab1-03-04 ; sigle : *1944 corr.*).

— *Caligula*, deuxième édition couplée avec celle du *Malentendu*, Gallimard, 1947 (sigle : *1947*).

— *Caligula* (édition séparée de 1947), Gallimard, 112 pages (manquent les pages 109 et 110), avec des additions et corrections ayant servi à la mise en scène du festival d'Angers de 1957 (cote : CMS2. Ab2-01.01 ; sigle : *1947 corr.*).

— Notes prises en vue de la représentation du festival d'Angers de 1957, deux feuillets manuscrits (cote : CMS2. Ab2-02.04), qui contiennent des indications de décor et d'« effets sonores ».

— Notes prises en vue de la représentation du festival d'Angers de 1957, autres que ces deux feuillets et absentes de *1944 corr.* et de *1947 corr.*, mais relevées par Roger Quilliot dans son édition de Camus, *Théâtre, récits, nouvelles*, Bibl. de la Pléiade, Gallimard, 1962.

— *Caligula*, édition dite définitive, publiée en un volume intitulé « *Le Malentendu* » suivi de « *Caligula* », Gallimard, coll. « Blanche », 1958 (sigle : *1958*). Le texte de cette édition a été repris dans *Récits et théâtre* (sur une maquette de Paul Bonet avec, pour *Caligula*, des aquarelles de P.-Y. Trémois), Gallimard, 1958. Nous reproduisons le texte de cette dernière édition.

P.-L. R.

NOTES ET VARIANTES

Acte premier.

a. *Les trois répliques suivantes n'apparaissent pas avant 1958.* ◆◆ b. *Entre Cherea. /* scène ii */* premier patricien */ Eh bien ? 1944 corr. L'indication « scène ii » a figuré ici jusque dans 1947. Elle disparaît de 1958, où la scène* iii *devient par conséquent la scène* ii. ◆◆ c. hélicon / Allons, [messieurs, add. ms.] ne nous affolons pas. /* premier patricien */ Mais oui. /* hélicon / Ne nous affolons pas, c'est l'heure du déjeuner. /* le vieux patricien */ C'est juste, 1947 corr.* ◆◆ d. « *Je suis bien trop intelligent pour ça* » *est absent des éditions jusqu'à 1958.* ◆◆ e. *le sait. Il suit son idée, voilà tout. Et personne ne peut prévoir où elle le mènera. [Du reste, c'est un bon petit cœur add. ms.]. Mais, vous permettez, 1947 corr.* ◆◆ f. *près de Caesonia et entoure sa taille. /* caligula : Écoute *1944* ◆◆ g. *Notez d'ailleurs [...] sait ça. add. 1947 corr. (addition très peu différente de la leçon de 1958).* ◆◆ h. *Mais il y a [...] gagne-petit. add. 1944 corr.* ◆◆ i. *venir, la liberté 1944*

1. En vue de la représentation du festival d'Angers de 1957, Camus a écrit, d'après Roger Quilliot (voir ci-dessus la Note sur le texte), sous « acte i » : « La lumière monte. Immobiles, trois secondes, tous les personnages et les gardes sont disposés sur les trois plans scéniques, dans l'attitude du guet et de l'attente. » Sur les « trois plans scéniques », voir la Notice, p. 1321.

2. Les « sénateurs » de la version de 1941 ont été, à partir de l'édition de 1944, appelés « patriciens ». Camus a-t-il voulu éviter une résonance politique involontaire ? « Le Sénat n'avait pas bonne presse à la fin des années 30 », notent Jeanyves Guérin et Madeleine Valette-Fondo (« *Caligula*, ou la Nécessité du roman pour dire le totalitarisme », p. 206), et guère plus à la Libération.

3. L'expression « *le miroir* » surprend, puisque, jusqu'à présent, il n'a nulle part été question de miroir. Il s'agit en fait d'un vestige de l'indication du décor placée en tête de la version de 1941 (voir p. 389).

4. Ce grommellement prend la place de l'important monologue (de la scène IV) placé à cet endroit dans la version de 1941 (voir p. 393).

5. Cette indication, « *se dégageant* », est sans doute un vestige de « *et entoure sa taille* » supprimé par Camus après 1944 (voir var. *f*).

Acte II.

a. Depuis trois ans ! *add. 1944 corr.* ◆◆ *b.* la permission *[p. 341, 3ᵉ ligne en bas de page].* / CHEREA. / *Lepidus, veux-tu fermer cette porte ? / On ferme la porte. 1947* ◆◆ *c.* Début de la scène (voir p. 345) dans 1944 :* CALIGULA, *au vieux patricien.* / Bonjour, ma chérie. (*Aux autres.*) *[Texte très peu différent de la version de 1941, p. 405-408]* Au contraire, César. : *Début de la scène dans 1947 :* CALIGULA, *au vieux patricien.* / Bonjour, ma chérie. (*Aux autres.*) Messieurs, une exécution m'attend. Mais j'ai décidé de me restaurer auparavant chez toi, Cherea. Je viens de donner des ordres pour qu'on nous apporte des vivres. Mucius, je me suis permis d'inviter ta femme. (*Un temps.*) Rufius a de la chance que je sois si prompt à avoir faim. (*Confidentiel.*) Rufius, c'est le chevalier qui doit mourir. (*Un temps.*) Vous ne me demandez pas pourquoi il doit mourir ? / (*Silence général. Pendant ce temps, des esclaves ont servi la table et apporté des vivres.*) CALIGULA, *de bonne humeur.* / Allons, je vois que vous devenez intelligents. (*Il grignote une olive.*) Vous avez fini par comprendre qu'il n'est pas nécessaire d'avoir fait quelque chose pour mourir. (*Il s'arrête de grignoter et regarde les convives d'un air farceur.*) Soldats, je suis content de vous. / [N'est-ce pas Hélicon ? / HÉLICON / Superbe ! Quelle armée […] s'écroule ! *add. ms.*] (*Entre la femme de Mucius.*) / CALIGULA / Voyons, plaçons-nous au hasard. Pas de protocole. / (*Tout le monde s'est assis.*) CALIGULA / Tout de même […] Au contraire, César. *1947 corr.* ◆◆ *d.* commun ! [HÉLICON / Mucius a raison. Il faut bien aimer sa femme. Sinon comment la supporter ! *add. ms.*] (*Il a 1947 corr.* ◆◆ *e. Cette réplique est absente des éditions jusqu'à 1958.* ◆◆ *f.* absurde *1944* ◆◆ *g.* renfloué. / [HÉLICON / Et de façon très morale, remarquez-le bien. Il vaut mieux après tout taxer le vice que la vertu. *add. ms.*] / CALIGULA *1947 corr.* ◆◆ *h.* Scipion, comme piqué par une vipère, se rejette *1947*

1. En vue de la représentation du festival d'Angers de 1957, Camus a marqué ici, d'après R. Quilliot : « Intermède musical. » Il a aussi écrit sur un croquis : « Cherea très fatigué ne bouge pas pendant tout le début de l'acte. »

2. De la trilogie « travail, famille, patrie », la version de 1941 ne retenait que la famille (voir p. 404). Camus a ensuite eu l'idée de prêter la devise du régime de Vichy au premier patricien.

3. « N'allez pas croire que je sois venu apporter la paix sur terre. Je ne suis pas venu apporter la paix, mais le glaive » (Matthieu, x, 34). Du message du Christ, Caligula ne renforticira donc que la violence.

4. Pour la représentation du festival d'Angers de 1957, Camus a indiqué ici, d'après Roger Quilliot : « Hélicon paraît au rempart. »

Acte III.

　　a. SCIPION / Un lâche.　　*dactyl.* 2. *Le texte, depuis « Il suffit de se faire tyran »* (*2 lignes au-dessus) jusqu'à « appris à adorer » (p. 363, fin de l'avant-dernière réplique de Caligula), se trouve approximativement (nous en indiquons les principales variantes : voir aussi var. b) sur un feuillet écrit de la main de Camus (f° 41 bis) dans l'ensemble dactyl. 2.* ✦✦ *b. et de pouvoir [p. 362, 5ᵉ ligne en bas de page]. /* SCIPION / Il n'empêche que des hommes meurent autour de toi. / CALI-GULA / Si peu *dactyl.* 2 ✦✦ *c.* la lune ! / HÉLICON / [Ça progresse.　*add. ms.*] C'est une question　*1947 corr.* ✦✦ *d. Cette indication scénique est absente de la scène* IV *(voir n. 1) de 1944. On enchaînait donc de « Te chercher la lune » (p. 365, fin de la scène* III*) à « Amène Cherea ».* ✦✦ *e.* Oui, Cherea. [Gardes ! Des flambeaux !　*add. ms.*]　*1947 corr.*

　　1. La scène IV est absente de la version de 1941 et de celle de 1944. Elle est ajoutée pour l'édition de 1947 et introduit un décalage, de sorte que les scènes V et VI du texte de 1958 sont les scènes IV et V de 1944.

Acte IV.

　　a. en informer *[dernière réplique de la scène* V*, p. 375]* Caligula. (*Elle sort*). / [HÉLICON / Dites-moi, elle était vraiment belle ? / [...]　*add. ms.*] / SCÈNE VI / CHEREA / Et maintenant,　*1947* ✦✦ *b.* trop. Les bien-por-tants détestent les malades. Les heureux ne peuvent voir les malheureux. Trop d'âme !　*1944* ✦✦ *c.* veux-tu ? Les autres n'ont pas besoin de concourir. (*À Scipion*)　*1947* ✦✦ *d. Dans* 1944*, la sortie de Scipion marquait la fin de la scène* IX *(voir n. 2). La scène* X *commençait par : «* CAESONIA / *Que dit-il ? »* ✦✦ *e.* ton père ! [(*Les gardes se placent en haut et surveillent la scène.*)　*add. ms.*] / SCÈNE XII. / SCIPION / Allons　*1947 corr.* ✦✦ *f.* n'est pas la bonne *[8 lignes plus haut].* Rien ! rien encore. Oh cette nuit est lourde ! Hélicon n'est pas venu : nous serons coupables à jamais ! Cette nuit est lourde ! comme la douleur humaine. / *Des bruits d'armes s'entendent en coulisse. Il se relève* 1947

　　1. Dans des notes en vue de la représentation du festival d'Angers de 1957, Camus, d'après R. Quilliot, a indiqué que la scène se passait chez Cherea. En outre, après avoir écrit dans *1947 corr.* : « Hélicon assiste à la scène d'en haut », il a précisé dans ces mêmes notes : « Hélicon observe la scène du palier de l'escalier. » Les scènes I et II sont absentes de la ver-sion de 1941 et de celle de 1944.
　　2. La scène VI était absente jusque dans l'édition de 1947, y compris sur l'édition corrigée de la main de Camus. On suppose donc qu'elle a été ajoutée en vue de la représentation du festival d'Angers de 1957. Ce qui était la scène IV en 1944 et la scène VI en 1947 est ainsi devenu la scène VI de l'édition de 1958 (voir la note précédente). Même décalage jusqu'à la fin de la pièce.
　　3. En vue de la représentation du festival d'Angers de 1957, Camus a inscrit après cette réplique : « Commencement de mouvement vers le haut. » (*1947 corr.*), et sans doute ultérieurement, sur les notes relevées par R. Quilliot : « Le mouvement gagne le rempart. Courses furtives. Masses qui s'agglomèrent. »

4. Indication de Camus pour la représentation de 1957 (d'après R. Quilliot) : « Gardes poignardés qui tombent sur le rempart. »

5. Le meurtre d'Hélicon a été imaginé par Camus après l'édition de 1947. Cet ajout se constate sur *1947 corr.* En vue de la représentation du festival d'Angers de 1957, Camus a écrit à la suite de « Garde-toi, Caïus ! Garde-toi ! », d'après R. Quilliot : « Sur le haut de l'escalier un homme se dresse et le frappe en plein élan. Hélicon tombe et glisse de l'escalier la main tendue vers Caïus. / Coulisse jardin et cour s'emplissent de monde. »

Appendices

CALIGULA
(Version de 1941)

Cette première version de *Caligula* est le résultat de deux étapes de composition, qui ont abouti à deux dactylogrammes distincts, dus l'un et l'autre à Christiane Galindo, le premier exécuté en septembre 1939, le second en février 1941 (voir la Notice). Parmi les modifications apportées par Camus d'une dactylographie à l'autre, les plus importantes sont : 1) l'ajout de l'acte III (l'acte III du dactylogramme de 1939 devient donc l'acte IV en 1941), 2) l'invention du personnage d'Hélicon.

Ce texte a été publié pour la première fois par A. James Arnold dans le numéro 4 des *Cahiers Albert Camus* : « *Caligula », version de 1941*, suivi de « La Poétique du premier *Caligula* » (Gallimard, 1984). Cette édition agglomérait les états de 1939 et de 1941 en rendant visibles, grâce à une typographie différenciée, la totalité des modifications (ponctuation comprise) effectuées d'un état à l'autre.

Le texte que nous donnons est conforme à celui du deuxième dactylogramme. Les ajouts par rapport au dactylogramme de 1939 sont identifiés en note lorsqu'ils sont significatifs ; les rares suppressions figurent seulement dans les notes. Rappelons que nous désignons par *dactyl.* 1 le premier dactylogramme et *dactyl.* 2 le deuxième.

À partir d'une date indéterminée, Camus a utilisé un des exemplaires de la dactylographie de février 1941 pour y apporter des retouches (voir la Notice, p. 1314 et suiv.). Les ajouts ou modifications conduisant à la version de 1944 ont été signalés dans les notes et variantes du texte définitif. Les simples suppressions sont signalées dans les notes de la version de 1941, avec la mention *dactyl.* 2.

1. La mention « Pièce en quatre actes » ne figure pas encore. On sait que la pièce a été portée de trois à quatre actes entre 1939 et 1941.

2. Cette phrase d'exergue a été biffée sur *dactyl.* 2.

3. Dans *dactyl.* 1, l'âge de Caligula est : « 25 ans » ; sont absents l'indication « maîtresse de Caligula », à la suite de « CÆSONIA », ainsi que le personnage d'Hélicon.

4. Ces deux phrases ont été biffées sur *dactyl.* 2.

5. Ces deux « Notes » ont été biffées sur *dactyl.* 2.

6. Ce sous-titre, ainsi que ceux des actes suivants, a été biffé sur *dactyl.* 2.

7. Dans *dactyl.* 1, la réplique est : « Rien. Ne réfléchis pas. »

8. Ces trois dernières répliques sont absentes dans *dactyl.* 1.

9. « DEUXIÈME SÉNATEUR, *magnifique* » dans *dactyl.* 1.

10. Réplique absente dans *dactyl.* 1.

11. « — où elle marchait [...] à l'horizon » a été biffé sur *dactyl.* 2.

12. Ces quatre dernières répliques et l'indication « *Il sort* » sont absentes dans *dactyl.* 1.

13. « Les maladies de l'âme [...] par la mélancolie » absent dans *dactyl.* 1.

14. « Tu as entendu [...] le Trésor public ! » absent dans *dactyl.* 1.

15. « Tu as bien fait aussi de nous calmer » absent dans *dactyl.* 1.

16. « *d'Hélicon et* » ainsi que « *Il s'arrête et regarde les autres conjurés* » absents dans *dactyl.* 1.

17. Ces cinq dernières répliques sont absentes dans *dactyl.* 1.

18. Dans *dactyl.* 1, on lit ici : « *(Il boit, puis dictant)* ».

19. Les quatre répliques précédentes et celle de Caligula jusqu'à « le plus en vous. » sont absentes dans *dactyl.* 1.

20. Cette didascalie est absente dans *dactyl.* 1.

21. « ou le perdre » absent dans *dactyl.* 1.

22. L'indication « *Entre Hélicon* » et toute la scène XIII sont absentes dans *dactyl.* 1.

23. L'acte III est tout entier absent dans *dactyl.* 1.

24. « Venu de plus haut ? » absent dans *dactyl.* 1.

25. « On croit connaître [...] privée de sens » et « Elle n'était qu'un alibi » absents dans *dactyl.* 1.

26. Cette dernière phrase est absente dans *dactyl.* 1.

27. « Hélicon n'est pas venu ! [...] j'ai peur. » et « Mais cela [...] s'apaise. » absents dans *dactyl.* 1.

28. « Tout a l'air [...] changé » absent dans *dactyl.* 1.

29. « Cette nuit [...] humaine » absent dans *dactyl.* 1.

PRIÈRE D'INSÉRER
DE L'ÉDITION DE 1944

Le Malentendu et *Caligula* ont paru dans le même volume en 1944 aux Éditions Gallimard (achevé d'imprimer : mai). Ce prière d'insérer est écrit par Camus.

ALBERT CAMUS NOUS PARLE DE « CALIGULA »

Interview donnée au *Figaro* (25 septembre 1945).

1. Fresque décorant l'église Saint-Nicolas, à Tavant (Indre-et-Loire), et datant du XIᵉ ou XIIᵉ siècle.

DOUZE AUTEURS EN QUÊTE DE PERSONNAGES

Transcription d'une émission de Renée Saurel en 1945 (ou 1946 ?).

LETTRE À MONSIEUR LE DIRECTEUR DE « LA NEF »

Revue dirigée par Robert Aron et Lucie Faure, et publiée aux Éditions Albin Michel.

PRÉFACE À L'ÉDITION AMÉRICAINE
DE « CALIGULA AND THREE OTHER PLAYS »

Dans cette édition (New York, Knopf, 1958), les pièces (*Caligula, Le Malentendu, État de siège* et *Les Justes*) sont traduites par Stuart Gilbert et la préface de Camus par Justin O'Brien. Celle-ci est datée de décembre 1957.

LE PROGRAMME POUR LE NOUVEAU THÉÂTRE
(1958)

Voir la Notice, p. 1321. À l'occasion de la reprise de *Caligula* au Nouveau Théâtre de Paris en 1958, Camus donne à la revue *Liberté* (nᵒ 3, 14 février 1958) un article intitulé « Concernant *Caligula* » qui reprend le texte du « Programme pour le Nouveau Théâtre ». Voir *Appendices de « Caligula »*, p. 451.

LE MALENTENDU

NOTICE

Dans une lettre que Camus écrit à Jean Grenier alors qu'il vient de terminer une première version du *Malentendu*, il décrit ainsi ce qui est pour lui le thème principal de sa pièce : « C'est une histoire de paradis perdu et pas retrouvé[1]. » Pensée qui ne cessera de hanter l'auteur. Dans un de ses premiers textes, « Entre oui et non », dont il conçoit le projet dès 1934 et qu'il rédige en 1936, l'écrivain explique que « les seuls paradis sont ceux qu'on a perdus », et aborde le thème par le biais de l'image de l'« émigrant [qui] revient dans sa patrie » : ce sera là toute l'histoire du *Malentendu*. Mais en 1936, il s'agit d'abord pour Camus de pénétrer le monde de son enfance ; et surtout de tenter une nouvelle fois de comprendre ce qui se cache derrière le personnage énigmatique de sa mère. Car le premier sentiment d'exil relève de la séparation d'avec la mère, et dans le cas de Camus cette expérience est au cœur même de son œuvre. « L'indifférence de cette mère étrange » qui l'étonne, déjà dans « Entre oui et non[2] », continuera à inspirer de belles pages jusque dans *Le Premier Homme*. Le lien qui unit les souvenirs d'enfance au *Malentendu* réside vraisemblablement dans la remarque : « Elle ne l'a jamais caressé puisqu'elle ne saurait pas[3]. » Jan se rappellera, lui aussi, que, lors de son départ du foyer familial, sa mère n'était « pas venue[l]'embrasser ». « Je croyais alors que cela m'était égal », ajoute-t-il, exprimant le sentiment de regret qui

---

1. Albert Camus-Jean Grenier, *Correspondance 1932-1960*, éd. Marguerite Dobrenn, Gallimard, 1981, p. 99, lettre du 17 juillet 1943.
2. *L'Envers et l'Endroit*, p. 50.
3. *Ibid.*, p. 49.

a poussé cet émigrant à revenir sur ses pas dans l'espoir de retrouver la demeure qu'il ne peut se résoudre à avoir perdue.

Une note des *Carnets*, qui doit dater du printemps de 1939, offre une première ébauche du *Malentendu* : « Sujet de pièce. L'homme masqué. / Après un long voyage, il rentre chez lui masqué. Il le reste pendant toute la pièce. Pourquoi ? C'est le sujet. / Il se démasque à la fin. C'était pour rien. Pour voir sous un masque. Il serait resté longtemps ainsi. Il était heureux, si ce mot a un sens[1]. » Ne nous trompons pas au désaveu que voudrait recouvrir le « C'était pour rien ». L'homme qui revient chez lui sous l'aspect d'un étranger ressemble à celui qui détient l'anneau de Gygès : le masque confère une forme d'invisibilité qui permet de surprendre la vérité chez l'autre. C'est la raison pour laquelle Jan se présente à sa mère et à sa sœur « en prenant l'air de ce qu'[il] n'est pas » ; cela, explique-t-il, lui permettra de « les voir un peu de l'extérieur ». Loin d'atteindre pourtant à l'objectivité qu'il prétend désirer, grâce à ce subterfuge le personnage pourra se faufiler derrière la façade qu'on lui oppose habituellement : c'est une manière de forcer l'intimité des êtres chers qui, ne se sachant pas guettés par un amour peut-être exigeant, baisseront la garde. Ainsi, le fils pourra-t-il connaître, en sa qualité de simple voyageur, le comportement de sa mère en son absence : elle se montrera telle qu'elle apparaît à n'importe quel homme. À supposer, ce qui est tout à fait vraisemblable, que ce fantasme ait traversé l'esprit de Camus, on ne s'étonne pas de voir comment l'auteur en vient à rattacher la leçon brutale d'un fait divers qu'il lit précisément à l'époque où il rêve de percer le secret d'une mère impénétrable. Le 6 janvier 1935, nous apprend Roger Grenier[2], *L'Écho d'Alger* ainsi que *La Dépêche algérienne* publient une dépêche d'agence : « Belgrade, 5 janvier. *La Vreme* rapporte un effroyable meurtre commis dans un petit hôtel de Bela-Tserkva par la tenancière de cet établissement et sa fille, sur la personne de leur fils et frère, Petar Nikolaus. / Celui-ci, travaillant depuis vingt ans à l'étranger, avait amassé un petit capital dont il voulait rapporter une partie… » Les journaux renchérissent sur l'horreur. Les titres font ressortir les liens de parenté et le fait que « la voix du sang » n'a pas empêché la catastrophe : « Effroyable tragédie. Aidée de sa fille, une hôtelière tue pour le voler un voyageur qui n'était autre que son fils. En apprenant leur erreur la mère se pend, la fille se jette dans un puits » (*L'Écho d'Alger*) ; « Un homme, revenant chez lui après une absence de vingt ans, est assassiné et dévalisé par sa mère et sa sœur qui ne l'avaient pas reconnu » (*La Dépêche algérienne*).

Peu importe, à notre sens, que le fait divers redonne vie à un thème folklorique ; son intérêt véritable dérive de la manière dont cette actualisation d'un mythe vient recouper les préoccupations du jeune auteur. Dans le prologue inédit de la pièce Jan expliquera ainsi les raisons de son retour : « Mon père était le seul obstacle et j'ai appris sa mort. J'ai cru alors que tout serait facile. » C'est le mécanisme du complexe d'Œdipe qui anime ici le jeune homme. La donnée initiale de la pièce porte donc, en quelque sorte, sur la punition qu'entraîne la transgression d'un tabou[3].

---

1. *Carnets 1935-1948*, t. II de la présente édition, p. 879.
2. Roger Grenier, *Albert Camus, soleil et ombre*, Gallimard, coll. « Folio », p. 155.
3. Sans que le motif de la punition ait attiré l'attention de la critique, la dimension œdipienne de la pièce a été évoquée à plusieurs reprises, notamment par Géraldine F. Montgomery, « Œdipe mal entendu : langage et reconnaissance dans *Le Malentendu* de Camus », *French Review*, 70, 3, 1997, p. 427-438.

Celui qui revêt l'aspect d'un étranger pour jouir du privilège de voir sa mère, non avec les yeux d'un fils, mais avec ceux de n'importe quel homme, frise l'inceste. Comme le héros de *L'Étranger*, lui aussi assassiné en principe pour avoir manqué d'égards envers sa mère, Camus a dû lire et relire la coupure de presse. On sait qu'il fait dire à Meursault que le fils avait un peu mérité le châtiment dont il est victime : « D'un côté, [cette histoire] était invraisemblable. D'un autre, elle était naturelle […] il ne faut jamais jouer¹. »

Dans sa première réécriture de l'incident, à la suite de celles qui avaient paru dans les journaux algériens, Camus introduit des éléments qu'il lui faudra reconsidérer lors de la rédaction de sa pièce. Telle que Meursault peut la lire, par exemple, le début manque à l'histoire, mais, dit-il, « elle avait dû se passer en Tchécoslovaquie ». Pourquoi cette transposition s'est-elle imposée ? En coupant le fait divers de son origine, Camus se ménage la possibilité de le modifier dans le sens d'un autre impératif intime. Car, en 1936, entre le moment où il lit l'article pour la première fois et celui où il le récrit dans *L'Étranger*, Camus a lui-même séjourné en Tchécoslovaquie. Il rapporte de ce voyage des souvenirs qu'il publiera en 1937 dans *L'Envers et l'Endroit*, sous le titre « La Mort dans l'âme », tout en en incorporant quelques-uns au manuscrit de *La Mort heureuse*. La teneur de ces réminiscences contribuera largement à l'atmosphère de la pièce, et mérite qu'on s'y attarde un peu.

Le dépaysement prive le voyageur des points d'appui garants jusque-là d'un certain équilibre psychologique. Dans l'état d'hypersensibilité qui s'ensuit, Camus s'aperçoit : « […] ce que je touchais du doigt, c'était une forme dépouillée et sans attraits de ce goût du néant que je portais en moi ». Le pays étranger le met « face à face avec lui-même » et avec son « angoisse secrète ». Cette crise proprement existentielle l'accable avec une intensité toute particulière à Prague, où il essaie de se réfugier dans un hôtel anonyme, s'y retrouvant pourtant « sans parure […]. De cette chambre où arrivent les bruits d'une ville étrangère, je sais bien que rien ne peut me tirer pour m'amener vers la lumière plus délicate d'un foyer ou d'un lieu aimé. Vais-je appeler, crier ? Ce sont des visages étrangers qui paraîtront […]. Et voici que le rideau des habitudes, le tissage confortable des gestes et des paroles où le cœur s'assoupit, se relève lentement et dévoile enfin la face blême de l'inquiétude ». Dans la chambre d'hôtel, « quelque chose à nouveau se creuse en moi comme une faim de l'âme² ». De même Patrice Mersault, dans sa chambre d'hôtel où il ne sait pas combien de temps il restera, rumine « ce qu'il y a d'absurde et de misérable au fond des vies les mieux préparées³ ».

En écrivant *Le Malentendu* Camus transposera bon nombre de ces notations pour en faire la substance de ce qu'il appelle dans ses plans « Méditation du fils sur les chambres d'hôtel et les sonnettes », et dont quelques rares traces (« ma vieille angoisse, là, au creux de mon corps ») ; « La sonnerie fonctionne, mais lui ne me parle pas. Ce n'est pas une réponse ») subsistent dans la version finale des monologues des scènes I, II et III de l'acte II. Il faut cependant observer que, Jan n'étant pas précisément dépaysé, le sentiment de dénuement éprouvé par Camus aurait man-

---

1. P. 187.
2. « La Mort dans l'âme », *L'Envers et l'Endroit*, respectivement p. 62, 58, 62 et 57-58.
3. *La Mort heureuse*, p. 1139.

qué de vraisemblance chez le personnage. Toujours est-il que l'homme retrouvé mort dans la chambre voisine de celle de l'auteur à Prague préfigure sans doute aucun le destin de Jan, de même que le souvenir des « jours mortels » vécus par l'auteur dans la ville nourrit l'atmosphère entière de la pièce[1]. Le cloître évoqué dans le dialogue entre Jan et sa mère (acte I, scène VI) a été visité par Camus ; et il n'y a pas jusqu'à certaines réflexions, dans le prologue abandonné, sur l'art baroque et la misère humaine qui ne trouvent leur origine dans des réminiscences de ce séjour capital que Camus a confiées aux textes précédents[2].

À mesure que l'auteur assimile ces expériences, le projet de la pièce se définit avec plus de précision. En avril 1941, ayant terminé à peine un mois plus tôt *Le Mythe de Sisyphe* et se jugeant désormais affranchi des « absurdes[3] », Camus inaugure ce qu'il appelle la « II⁰ série » — le cycle de la révolte — avec la mention : « Le monde de la tragédie et l'esprit de révolte » et l'indication des deux œuvres à venir, « Budejovice (3 actes) » et « Peste ou aventure (roman)[4] ». Petite ville de Bohême sur la Vltava à quelque 250 kilomètres de Prague, Budejovice surgit à l'improviste ici, n'ayant pas laissé de trace explicite dans les notes de voyage de Camus. Certes, même s'il s'être intéressé à tout ce qu'il vit après avoir quitté Prague, y compris les « pruniers [de Moravie] aux fruits aigres[5] » — auxquels Marthe fera allusion dans une variante supprimée du *Malentendu* —, il n'empêche que l'on ignore les raisons qui ont pu inciter le dramaturge à retenir ce nom. Le nom subsistera cependant jusqu'au premier manuscrit, où il figure en tête de la pièce, après avoir reparu sous la plume de Camus au cours de l'automne 1942[6]. Dans une note de décembre 1942 il voisine avec un autre titre possible : « L'Exilé (ou Budejovice) : *comédie*[7] ».

À cette époque, deux événements capitaux se produisent qui vont influer sur la gestation de la pièce. D'une part, depuis mars 1939 la Tchécoslovaquie est livrée aux nazis : lorsque Jean Grenier écrit à Camus au printemps de 1943 pour demander des nouvelles sur la « tragédie tchèque » que son ami serait en train d'écrire[8], la formule a un retentissement contemporain tout particulier qu'il convient de ne pas oublier, d'autant plus que la France elle-même est occupée et que Camus dessine au même moment cette allégorie de la guerre (y compris de la drôle de guerre) qu'est *La Peste*. D'autre part, pour des raisons de santé, Camus est venu s'installer en France et depuis septembre 1942 il habite au Panelier, d'où il se rend chaque semaine à Saint-Étienne pour se faire soigner. Le débarquement des Alliés en Afrique du Nord, en novembre 1942, coupe Camus des siens et de son pays natal : « *Comme des rats !* » s'écrie-t-il amèrement le 11 novembre[9]. C'est lui « l'Exilé » qui figure désormais dans le titre qu'il donne au projet du *Malentendu*[10]. Camus

---

1. « La Mort dans l'âme », *L'Envers et l'Endroit*, p. 59-60 et 63.
2. *Ibid.*, p. 57 ; *La Mort heureuse*, p. 1138 et suiv.
3. *Carnets*, p. 920.
4. *Ibid.*, p. 923.
5. « La Mort dans l'âme », p. 60.
6. *Carnets*, p. 957.
7. *Ibid.*, p. 971.
8. Albert Camus-Jean Grenier, *Correspondance 1932-1960*, p. 93.
9. *Carnets*, p. 966.
10. *Ibid.*, p. 973.

expliquera plus tard que la pièce se ressent de sa situation personnelle : « Je vivais alors, à mon corps défendant, au milieu des montagnes du centre de la France. Cette situation historique et géographique suffirait à expliquer la sorte de claustrophobie dont je souffrais alors et qui se reflète dans cette pièce. On y respire mal, c'est un fait. Mais nous avions tous la respiration courte en ce temps-là[1]. »

Certains se sont étonnés que la pièce ne reflète pas plus explicitement l'Occupation et la Résistance telles que Camus les avait vécues. C'est oublier que dans une large mesure l'auteur réserve l'évocation de ces expériences pour *La Peste*. Mais c'est aussi, nous semble-t-il, passer trop rapidement sur quelques allusions qu'on peut déceler dans la pièce. Rapprochons-la, d'abord, d'une remarque que la critique associe à juste raison avec *La Peste* — mais écrite à la fin de 1942 lorsque Camus nourrit *Le Malentendu* des sentiments qui le tourmentent. Dans les *Carnets* on lit : « Je veux exprimer [...] l'étouffement dont nous avons tous souffert et l'atmosphère de menace et d'exil dans laquelle nous avons vécu[2]. » Quant à l'« atmosphère de menace », la méfiance et l'hostilité dont font preuve à l'égard de leur hôte les propriétaires de l'auberge ne sont peut-être pas sans rapport avec l'attitude des habitants d'un pays occupé vis-à-vis des visiteurs. On pourrait même se risquer à quelques comparaisons avec *Le Silence de la mer*, roman publié clandestinement en 1942 par Jean Bruller sous le pseudonyme de Vercors, et qui porte précisément sur l'équivoque qui affecte la notion d'hospitalité à cette époque[3].

Cependant, les lettres que Camus écrit à Jean Grenier à la fin de 1942-début de 1943 témoignent de la nouvelle orientation que va alors connaître la pièce : « Je commence à en avoir assez des ciels couverts et des chemins pleins de neige », se plaint l'auteur. « Je n'ai jamais autant pensé à la lumière et à la chaleur. C'est vraiment l'exil[4]. » Ce pays lui « pèse » ; il n'y est pas « chez [lui] » et, tourmenté par « des souvenirs de lumière et de liberté[5] », il craint, lorsque viendra le temps où il pourra « à nouveau courir sur les plages », d'être « trop vieux[6] ». Parallèlement on constate, dans les brouillons qu'il rédige pour *Le Malentendu*, qu'une nouvelle voix s'affirme. Sur cinq morceaux de dialogue qu'il consigne dans ses *Carnets*, quatre mettent en scène l'amertume méprisante de « la sœur[7] ». Un revirement se produit : occupé d'abord à faire vivre le personnage du fils à travers ses fantasmes de réunion avec la mère, Camus s'identifie maintenant à celle qui sera Martha. En proie aux affres de rêves irréalisables de soleil, de plages et de joie, il comprend soudain ce qui a pu pousser cette jeune femme à tuer. Il prête donc au personnage anonyme sorti du fait divers des mobiles relevant de ses propres tourments. Est-ce aussi à ce

1. Préface à l'édition américaine. Nous citons d'après le manuscrit rédigé en 1954 ; Fonds Albert Camus, Aix ; vérifié d'après un texte conservé dans le Fonds Knopf au H.R.H.R.C., Université du Texas à Austin.
2. *Carnets*, p. 979.
3. Olivier Todd, *Albert Camus. Une vie*, Gallimard, 1996, p. 323 et n. 18 (coll. « Folio », p. 443 et n. 18), indique que les Œttly, chez qui Camus logeait, hébergeaient régulièrement des résistants en mission et notamment, en 1944, l'espionne américaine Virginia Hall, qui apportait du matériel pour la Résistance.
4. Albert Camus-Jean Grenier, *Correspondance 1932-1960*, p. 86-87, lettre de Camus du 17 février 1943.
5. *Ibid.*, p. 88, lettre de Camus, 9 mars 1943.
6. *Ibid.*, p. 91, lettre de Camus, 15 avril 1943.
7. *Carnets*, p. 973-974.

moment-là qu'il décide que le pays d'où revient Jan est précisément l'Afrique du Nord — mettant ainsi en place un chassé-croisé qui alimentera le désir de Martha et qui fournira un tournant capital de l'intrigue ?

Dès septembre 1942, Camus avait envisagé comme chute la scène où l'épouse de Jan, rabrouée par la sœur, « hurle et pleure » et finit par s'entendre dire « Non » par la « servante taciturne » qu'elle supplie de l'aider[1]. Vers octobre, pour la pièce qui s'intitule à présent « Budejovice (ou Dieu ne répond pas) », « la servante taciturne est un vieux serviteur » dont l'arrivée coïncide avec la prière que la femme endeuillée lance vers le « Seigneur » au nom de « ceux qui s'aiment et qui sont séparés ». Camus se promet alors de « Chercher des détails pour renforcer le symbolisme » de ce « Non » du domestique[2].

On constate ici, comme dans les dialogues larvés dont il a déjà été question, que Jan commence à s'éclipser devant la souffrance des femmes. Tout porte à croire que, face aux thèmes véhiculés par les personnages féminins, le rêve de Jan ne fait guère le poids (et le thème de la recherche du paradis s'estompe : le mot même disparaîtra du texte). Il est vrai que Camus verra plus tard en une « certaine incertitude dans le personnage du fils[3] » une faiblesse. Il est certain qu'une thématique autrement plus noire s'échappe des dialogues de Martha et de sa mère. Celle-ci aspire au « pardon éternel » qu'elle espère obtenir en différant l'assassinat, en ménageant une « marge » qui permettrait une intervention du sort[4]. La sœur, aussi volontaire que désabusée, a pris sur elle la responsabilité de se pardonner à elle-même. De façon semblable, elle écarte avec dédain le langage que l'épouse lui oppose — « Amour, joie et douleur, je n'ai jamais entendu ces mots-là » — et lui donne un conseil propre à achever son désespoir : « Rejoignez la pierre pendant qu'il en est temps[5] ». Il est clair que le rôle de la sœur, tel que Camus en vient à l'envisager, l'emportera sur celui du frère. Dans un fragment non repris, l'homme qui expire par ses soins se plaint avant de mourir de ce que ce monde n'est pas fait pour lui : elle riposte, impitoyable : « Le monde est fait pour qu'on y meure[6]. » Comme pour sceller cette diminution du personnage, Camus réduira considérablement dans le manuscrit les deux méditations qu'il avait prévues pour Jan dans l'acte II. De plus, il supprimera dans le monologue de la mère (acte I, scène VII) tout ce qui concernait la manière dont Jan va au-devant du son sort, « se désigne au sacrifice ». Du coup, la pièce perd de vue un de ses ressorts tragiques initiaux : l'*hubris* de Jan, proclamant dans l'univers de l'absurde qu'il « [fait] confiance à la force des choses » ; et cette affirmation elle-même sera supprimée après l'édition de 1947.

Entre-temps, digne sœur de Caligula, celle qui sera Martha renchérit sur le constat de l'empereur — « Les hommes meurent et ils ne sont pas heureux » — et s'affirme comme la voix de la révolte désespérée contre cette injustice qu'inflige l'univers de l'absurde. Et pour renforcer le « symbolisme » du « Dieu » qui ne répond pas, Camus ébauche dans ces mêmes pages des *Carnets* la scène où le voyageur essaie la sonnette,

1. *Ibid.*, p. 957.
2. *Ibid.*, p. 961.
3. *Le Figaro littéraire*, 15-16 octobre 1944.
4. *Carnets*, p. 973.
5. *Ibid.*, p. 974.
6. *Ibid.*

comme il l'explique au vieux silencieux qui apparaît, pour « savoir si quelqu'un répondait[1] ».

La thématique de la pièce est donc assez développée quand en mars 1943 Camus envisage des épigraphes tirés de Montaigne pour faire ressortir les idées maîtresses de l'œuvre[2]. Vers mars ou avril il se met à en rédiger le texte. Il en fera une lecture en juin chez René Leynaud, 6, rue Vieille-Monnaie à Lyon, en présence de Francis Ponge et Michel Pontremoli. Le 17 juillet il aura terminé une première version, qu'il mettra de côté pour remanier *Caligula*[3]. Il reprendra *Le Malentendu* vers la fin de l'été et il y mettra la dernière main en septembre au cours d'un séjour au monastère Saint-Maximin-la-Sainte-Baume, dans le Var. Il en fait une lecture publique devant son hôte le père R.-L. Bruckberger et quelques dominicains de ses amis, dans la maison des Arcades à Saint-Maximin[4].

Camus procède pour sa pièce selon sa méthode habituelle : « des notes, des bouts de papier, et tout cela des années durant[5] ». Le travail de mise en ordre semble avoir été dicté par la logique que nous venons d'évoquer : Camus commence par nourrir le personnage de Jan de réflexions sur sa mère et de l'angoisse qu'il a éprouvée à Prague ; puis, grâce à son expérience de l'exil (et dans un souci de dépasser « les absurdes »), il parvient à donner chair à Martha. Pour ce qui est de la structure de la pièce, il a en vue, au préalable, un certain nombre de points de repère, rédigés sous une forme que l'on connaît depuis la publication des *Carnets* mais qui, dans un premier temps, avaient été griffonnés sur un carnet bleu destiné à recueillir également des notes pour *La Peste* et « L'Essai sur la Révolte[6] ». Dans ces sources on relève la solitude et l'angoisse du frère ; la fatigue qui s'annonce chez la mère, et qui renforce par contrecoup l'impatience de la sœur ; l'explosion chez celle-ci d'une amertume qu'elle déverse tour à tour sur la victime puis sur sa femme ; et le « Non » retentissant de la conclusion. À ces éléments de balisage il convient d'ajouter le leitmotiv du vieux qui, bien que non « muet », parle « le moins possible ».

Il faut également tenir compte d'un prologue qui se déroule dans « Un petit cloître baroque » et où le frère raconte à son épouse une première rencontre à l'auberge au cours de laquelle, pris au dépourvu parce que sa mère et sa sœur ne l'ont pas reconnu, il n'a pu que demander une chambre[7]. C'est de cet accident fortuit que lui viendra l'idée de « continuer ». Ce dialogue d'introduction fait une place plus importante que la

1. *Ibid.*

2. « Ce qui naît ne va pas à perfection et cependant jamais n'arrête » (*Carnets*, p. 993) ; « Voilà pourquoi les poètes feignent cette misérable Niobé, ayant perdu premièrement sept fils et par la suite sept filles, surchargée de pertes, avoir été enfin transmuée en rocher… pour exprimer cette morne, muette et sourde stupidité qui nous transit lorsque les accidents nous accablent, surpassant notre portée » (*ibid.*, p. 995).

3. Albert Camus-Jean Grenier, *Correspondance 1932-1960*, p. 99.

4. *Ibid.*, p. 101-103 ; lettre à Blanche Balain du 16 septembre 1943 dans *Correspondance 1939-1947 Albert Camus-Pascal Pia*, Fayard-Gallimard, 2000, p. 137 ; lettre à Brice Parain, 10 septembre 1943, extrait cité dans le catalogue de vente Sotheby's, juin 2002 ; Note de Bruckberger, conservée avec le manuscrit au H.R.H.R.C., Université du Texas à Austin.

5. Voir « Réponses à Jean-Claude Brisville », *Pléiade Essais*, p. 1921.

6. Il s'agit du Carnet bleu, Bibliothèque nationale de France, cote N.a.fr. 25252, qui nous a été signalé par Marie-Thérèse Blondeau.

7. Au cours de son séjour à Prague, c'est dans le petit cloître baroque que, tentant « d'adoucir [son] angoisse », Camus sentit naître en lui, dit-il, « un silence tout peuplé de larmes qui [le] mit à deux doigts de la délivrance » (« La Mort dans l'âme », p. 57).

version définitive au projet de Jan, et aux raisons qui motivent sa mise en œuvre, ainsi qu'aux principes qui animent Maria et Jan : l'amour et la connaissance — « C'est le même mot », selon la conclusion de trois répliques esquissées dans les *Carnets*[1]. On voit donc se dessiner ici une opposition entre l'épouse, qui finira par défendre l'amour contre son mari mais aussi contre la sœur révoltée, et le frère, qui, tel Œdipe, poussera l'*hubris* jusqu'à exiger une connaissance, une « réponse », qu'il ne trouvera que dans la mort.

Dans les brouillons plusieurs plans montrent que Camus reste fidèle à sa conception initiale d'une pièce en trois actes. D'emblée il dresse un premier plan où ne figure pas le prologue mais qui intègre les composantes que l'on vient de recenser.

« Budejovice
1ᵉʳ plan
3 Actes
Acte I L'auberge. Salle commune. Retour d'exil. Contacts.
Acte II L'assassinat
Acte III Retour de la femme du frère.
Acte I
1. La sœur et la mère se présentent.
2. Le vieux serviteur traverse la scène.
3. Le couple arrive et lui décide de jouer. Elle s'en va après l'avoir supplié de n'en rien faire.
4. Contact avec la sœur et la mère.
[4b) Le f[rère] explication avec la sœur *add. interl.*]
5) La mère demande une marge. [La sœur refuse *biffé*] Une marge
Acte II Dans la chambre
1. Méditation sur les chambres d'hôtel et sur la sonnette
2. Le vieux répond à l'appel de la sonnette
3. La sœur lui apporte du thé qu'il n'a pas demandé. Scène.
4. Il boit le thé. Monologue. S'endort.
5. Entrent la mère et la sœur. " Il faut pourtant commencer. " La mère demande une marge.
Acte III
1. La mère découvre des papiers d'identité. Scène. Elle se pend.
2. Monologue sœur [*add. interl., sans renumérotation de ce qui suit*]
2. [*sic*] La F[emme] entre affolée. Sc[ène] avec la sœur. " Il est mort il est noyé "
3. Scène femme avec le vieux. »

Aucun des personnages n'a encore de nom. Tel sera le cas dans le manuscrit où il s'agit d'un drame entre types. Ce qui ressort notamment, c'est l'insistance avec laquelle la mère cherche à se ménager « une marge » ; elle voudrait qu'elle et sa fille renoncent à leurs pratiques meurtrières. Mais l'ironie du sort veut que ce soit elle précisément qui découvre l'identité de l'homme qu'elle vient de tuer. La mère aurait eu, dans la perspective que suggère ce plan, un rôle assez marqué, et le frère deux monologues importants : en revanche le monologue de la sœur, capital dans la version définitive, n'est inséré qu'après coup. Dans des notes

1. *Carnets*, p. 997.

rédigées au bas de ce plan et difficiles à déchiffrer, Camus attire l'attention sur ce qu'il appelle les « passages » entre les « 3 grandes scènes par acte ». Manifestement, il lui importe que les « lignes » de sa pièce soient clairement dessinées. « Mais attention au mélo », note-t-il.

Dans un deuxième plan Camus cherche à étoffer ces grandes lignes, tout en ajoutant le prologue :

« Budejovice. La scène se passe à Budejovice. Petite ville sans caractère du sud de la Tch.

3 actes et un prologue.

Titre : *Le Malentendu*. On dit du vieux que ce n'est pas qu'il n'entend pas, mais qu'il entend mal. " Il parle le moins possible et seulement pour l'essentiel. "

Prologue à Budejovice dans le petit cloître

J. est allé à l'auberge. Elles ne l'ont pas reconnu. L'idée lui est venue de " continuer ". Elle n'aime pas cela, elle n'aime pas ce pays, elle si loin du sien et il veut maintenant qu'elle soit loin de lui. Mais il faut bien qu'il continue.

Acte I. Salle commune de l'auberge. Elle est propre, nullement triste. Le matin.

Sc. I La mère et la sœur parlent du nouveau voyageur — et des anciens. La mère est fatiguée. Mais elles aussi doivent continuer. Dans un coin, silencieux, le vieux. Elles sortent.

Sc. II Le vieux est en scène. Le fils entre. Il demande des patronnes. Le vieux le regarde, se lève, traverse la scène et s'en va.

Sc. III Entre la sœur. Fiche d'identité. Famille etc. Scène du passeport… (?)

Sc. IV La mère entre et s'assied. Scène où il essaie d'aller plus loin. On le prie de prendre du thé.

Sc. V La mère demande une marge. La sœur ne veut pas de marge. La mère aspire au pardon éternel. La sœur se l'est déjà accordé à elle-même.

Acte II La Chambre du fils. Le soir.

Sc. I Méditation du fils sur les chambres d'hôtel et les sonnettes

Sc. II Il sonne — le vieux répond. Scène : " Il semblait cassé "

Sc. III Remédiation. — très *[un mot illisible]*

Sc. IV La sœur apporte le thé. Il ne l'a pas demandé. Qu'à cela ne tienne. Les voyages et la mer. Justement ce qui peut la décider.

Sc. V Il boit, il médite. Il s'endort.

Sc. VI Entrent la mère et la sœur. Il faut bien se décider.

Acte III Salle commune le lendemain matin

Sc. I Le vieux fait tomber le passeport. La sœur l'ouvre. Elle le lit très longtemps — le tend à sa mère. La mère regarde. Il fallait *[huit mots illisibles]*. Elle va se jeter ds le puits

Sc. II La sœur désespère.

Sc. III On frappe. C'est la femme. Elle demande son mari. La sœur la met au fait. Elle lui conseille de se faire le plus vite possible semblable à la pierre. Elle va se pendre.

Sc. IV La femme se *[désole lecture conjecturale]* et demande *[aide lecture conjecturale]* à Dieu. Le vieux apparaît et dit " Non " »

Selon ce plan le dialogue entre le frère et la femme a lieu à l'extérieur de l'auberge, et la femme est écartée du cœur de l'action, en quelque sorte : elle reste dans les coulisses jusqu'à la fin. Ici c'est le vieux qui provoque la découverte du passeport et la sœur qui la première a la révélation de l'identité de la victime.

Entre ces deux plans et la version que Camus rédigera, on constate des différences intéressantes. Pour l'instant il ne semble pas envisager le monologue important de la mère sur le sort et sur l'attitude de la victime (acte I, scène VII). Ce sera plus tard également qu'il créera des scènes dépeignant une interaction émouvante entre le frère et la mère (acte I, scène VI ; acte II, scène VI). D'autre part l'ébauche d'une discussion entre le frère et la sœur sur « Les voyages et la mer. / Justement ce qui peut la décider » sera scindée pour produire le dialogue sur lequel s'ouvrira le IIᵉ acte, véritable scène de marivaudage grinçant qui renforce la résolution sanglante de la sœur. Et on sait que celle-ci sera emportée par une vague de lyrisme désespéré qui gonflera non seulement son monologue mais aussi ses répliques, en germe ici, dans la scène qui la mettra aux prises avec la femme.

Sur le plan de l'efficacité scénique, certains éléments semblent faire problème. Les femmes ne s'empresseront pas notamment d'offrir la boisson droguée au voyageur dès le Iᵉʳ acte. En outre, le point d'interrogation dont Camus fait suivre « passeport » indique les difficultés à faire passer l'incident de la fiche d'identité sans nuire à la vraisemblance. D'un texte à l'autre, il aura recours à diverses solutions. Camus hésite aussi sur la manière la plus appropriée d'amener la reconnaissance de la victime. Dans un premier temps, comme on l'a vu, c'est la mère qui découvre des papiers personnels ; puis c'est le vieux qui fait tomber le passeport et la sœur qui le ramasse. Camus note dans ses brouillons la possibilité d'une scène muette au début du troisième acte : « Le vieux serviteur fait le lit, range la chambre. Il remet *l'ordre*. Il brouille les cartes. »

Continuant dans le même sens, ce sera le vieux serviteur qui, entre la version de 1944 et celle de 1958, d'agent fortuit de la révélation assumera un rôle plus sombre en ramassant le passeport le soir du meurtre sans être vu des femmes, et en le gardant pour le leur présenter le lendemain matin. On se demande pourquoi, ayant inventé la femme de la victime, Camus a cependant renoncé à lui faire jouer un rôle dans l'*anagnorisis* : « Le matin, la femme était venue, avait révélé sans le savoir l'identité du voyageur », selon le texte que lit Meursault[1]. Alain Laubreaux, dans deux comptes rendus de juillet 1944, reprochera amèrement à Camus d'avoir fait preuve ici d'« un dédain [...] total de la péripétie dramatique, du coup de théâtre à la Sophocle[2] ». Il est pourtant à noter que Camus a supprimé d'autres détails dont il avait enrichi l'intrigue dans la version qu'il prête à Meursault. Le voyageur et sa femme ne sont plus accompagnés d'enfant, et la victime n'est plus assassinée « à coups de marteau » ; ces deux modifications permettent de gommer le côté grand-guignolesque du crime. De plus, Camus réserve un sort inverse aux deux meurtrières : la mère se noie (pour rejoindre son fils) et la sœur se pend (pour marquer sa rancune à l'égard de ce frère prodigue qui finit néanmoins entre les bras de sa mère).

À en juger d'après les brouillons, la première rédaction témoigne du travail sur les monologues de Martha qui prendront une ampleur signi-

---

1. P. 187.
2. *Le Petit Parisien*, 1-2 juillet, et *Je suis partout*, 7 juillet 1944.

ficative. Camus laisse courir sa plume sous la dictée du souffle qui les anime ; ensuite, selon les besoins de la pièce, il morcelle les tirades pour les intégrer au dialogue. Cet attachement au lyrisme noir du personnage prouve que Camus en vient à voir en Martha la véritable héroïne de la pièce. L'auteur y montre également un don pour le monologue dramatique qu'il mettra à profit notamment dans « Le Renégat », puis dans *La Chute*. Quant à la mère, c'est surtout la fatigue et la renonciation qui la caractériseront. L'auteur fait un effort pour éviter les redites dans son cas ; mais ce que les brouillons révèlent, c'est que les répliques du Iᵉʳ acte où elle demande une « marge » (devenu « sursis » dans la version définitive) et évoque la possibilité du « pardon éternel » font suite, dans le premier jet, au dialogue du IIᵉ acte où la mère demande à nouveau à Martha un répit, lui proposant d'attendre à côté de Jan endormi.

Autre observation qu'inspirent les brouillons sur la manière dont Camus procède pour écrire son texte : l'auteur semble confier à ces feuilles volantes des formules et des tournures qui lui viennent à l'esprit au hasard de la rédaction. Il les biffe ensuite, vraisemblablement après les avoir intégrées en lieu et place. On relève ainsi parmi des ébauches initiales de morceaux de dialogue : « Je suis celle qui est restée et cela se paye » / « La sonnette marche mais lui ne parle pas. Non, ce n'est pas une réponse » / « Lui — Tout si étrange ici… comment ce qui est si familier peut-il être si étrange » / « 2ᵉ méditation dans la chambre : *Le Soir*. Comme une porche pleine d'ombres » / « Il cherche ses mots et pendant ce temps on le tue[1] ».

Ayant repris et terminé *Le Malentendu* au cours de son séjour à Saint-Maximin, Camus en envoie le manuscrit le 20 septembre 1943 à Jean Grenier pour connaître son avis sur la pièce en lui demandant d'« indiquer quelques corrections possibles[2] ». Grenier ne pourra lui répondre avant le 6 octobre, date à laquelle il donne son *satisfecit* et précise qu'il a pris sur lui de « souligner au crayon des phrases qui en elles-mêmes sont irréprochables mais qui sont peut-être trop oratoires ou qui renferment un symbole relevant plutôt du livre que de la scène[3]. » Pour Grenier le personnage le plus réussi est Martha, « parce qu'il vous ressemble et vous exprime presque entièrement. C'est autour de lui que la pièce tourne et par lui qu'elle prend son sens ».

Ayant revu tous les passages soulignés par Jean Grenier, Camus s'empresse d'envoyer à Gallimard le manuscrit du *Malentendu* avec *Caligula*. Déjà dans la lettre à l'éditeur qu'il rédige le 16 octobre à leur sujet, comme auparavant dans sa correspondance avec Grenier, Camus fait ressortir ce qui sera toujours pour lui l'enjeu de ces pièces, et en particulier du *Malentendu* : « Je me suis proposé avec *Le Malentendu* de faire une tragédie moderne. Il y a un tragique qui nous est propre et pourtant je ne fais pas de tragédie là-dessus — puisqu'en général, on emprunte aux anciens leurs cadres ou leurs légendes (les Atrides, hélas). La raison est qu'il est très difficile de faire du " tragique en veston ". J'ai essayé de le faire, mais il y a tant de dangers que j'ai besoin de votre avis — surtout

---

1. À côté de brouillons de répliques de Martha, on n'est pas surpris de découvrir cette citation en anglais : « *Evil, be thou my good / Milton* » — qui montre à quel point cette héroïne fraye la voie vers les révoltes romantiques que Camus dépeindra dans *L'Homme révolté*.
2. Albert Camus-Jean Grenier, *Correspondance 1932-1960*, p. 103.
3. *Ibid.*, p. 104.

en ce qui concerne le ton — ni trop, ni trop peu, la distance sans le ridicule. Mais je ne suis pas sûr d'y être arrivé[1]. » « Comment faire prendre, sans ridicule, ou sans malaise, le ton tragique à des personnages habillés comme vous et moi, qui ne bénéficient pas de l'éloignement du héros historique[2]. »

Lors des répétitions de la pièce, en mai 1944, Marcel Herrand rapportera les propos de Camus — propos qui font écho au brouillon de la lettre à Gallimard — pour expliquer comment l'auteur croit avoir résolu ce problème du *ton* : « L'auteur a essayé de résoudre le problème : 1. En choisissant un ton assez hautain, assez " écrit " pour rester tragique et en même temps assez naturel pour demeurer acceptable ; 2. En traduisant l'éloignement, non pas dans l'action, mais dans le caractère des personnages ; 3. En graduant ses effets et son langage de façon à ce que le ton et les personnages, naturels au début, se hissent d'acte en acte pour arriver à la hauteur du mythe[3]. »

Le dactylogramme que Camus aurait envoyé chez Gallimard en octobre 1943 contenait ses deux premières pièces. Il porte la mention *Le Malentendu*, « tragédie en un prologue et trois actes[4] ». Toutefois le volume qui sort des presses le 20 mai 1944 comprend *Le Malentendu*, pièce en trois actes, et *Caligula*, pièce en quatre actes. Est-ce en réponse à la réaction d'un lecteur chez Gallimard que Camus a supprimé le prologue ? Les premières répétitions de la pièce auraient-elles amené l'auteur à prendre la décision ? Ces questions resteront sans réponse.

Un peu plus d'un mois après la sortie du livre, le 23 juin 1944, a lieu la première du *Malentendu* au théâtre des Mathurins, dans une mise en scène de Marcel Herrand. Cependant, les Alliés avançant sur Paris, la pièce fut retirée de l'affiche après la représentation du 23 juillet. Peu de temps après la Libération, Herrand proposa à Camus de reprendre la pièce, et celui-ci, après quelque hésitation, donna son accord. Une nouvelle série de représentations furent données du 17 au 31 octobre[5].

À deux reprises, donc, la pièce subit l'accueil de la critique. En juin la majorité des comptes rendus furent nettement hostiles. Avec des titres tels que « Un simple malentendu[6] », certains prirent plaisir à attaquer en Camus le représentant d'une nouvelle génération dont la « philosophie » les déconcertait ou les agaçait, et en tout cas tenait trop de place, selon eux, pour la scène. (*Huis clos* de Sartre avait eu sa première quelques semaines auparavant.) De toute évidence des affiliations politiques teintaient de malveillance certains articles parus dans des feuilles qui ne survivraient pas à la Libération ; mais même en faisant la part de telles critiques, les appréciations défavorables donnaient à penser. D'une part, le fait divers ayant servi de point de départ (et que beaucoup se souve-

---

1. *Ibid.*, p. 103, lettre du 20 septembre 1943.
2. Brouillon de lettre à Gallimard, 16 octobre 1943, Fonds Albert Camus, bibliothèque Méjanes.
3. *Comœdia*, 27 mai 1944, coll. « Rondel », bibliothèque de l'Arsenal.
4. Catalogue de vente de la Collection littéraire Pierre Leroy, Sotheby's Paris, juin 2002, n° 81.
5. Herbert Lottman, *Albert Camus*, Le Seuil, 1978, p. 337 et n. 17. Il dut y avoir une représentation gratuite le 23 juin, générale à laquelle le public était convié sur invitations, et c'est sans doute lors de cette représentation que, selon certains, le public siffla. La pièce fut jouée les 24 et 25 juin ; du 2 au 23 juillet, puis du 18 au 31 octobre (6 novembre selon *Combat*).
6. Claude Jamel, *Germinal*.

naient d'avoir lu dans *L'Étranger*) paraissait à certains incompatible avec la tragédie et prêtait à des interprétations relevant plutôt du Grand-Guignol. D'ailleurs, le topos de l'auberge sanglante qui sautait aux esprits sous plusieurs formes (Peyrebeille, l'auberge des Adrets, *Le 24 Février*, pièce du dramaturge allemand Werner) se renforçait d'allusions plus récentes à des cas de meurtres en série tels que Landru : et au sortir de l'Occupation l'affaire Petiot, qui battait son plein, soulignait la pertinence contemporaine de la pièce, mais tendait à en faire un reflet plutôt macabre d'une réalité trop haute en couleur. D'autre part, si on se plaignait de la « dissertation philosophique » qui supplantait le drame[1], on s'en prenait aussi, parfois sans ménagements, à la « lenteur accablante » de la pièce[2], à ses « redites[3] », à son aspect trop littéraire[4], au « caractère d'abstraction[5] » que revêtait l'ouvrage. Les personnages, que la conception camusienne de la tragédie moderne avait bien voulu distants, paraissaient artificiels ou caricaturaux au contraire[6] et ne s'imposaient pas plus que l'intrigue, jugée invraisemblable[7]. Bref, « pas un mot qui soit naturel, pas un sentiment vrai ou simplement humain[8] », selon Georges Ricou…

À la reprise, on pouvait s'attendre à une réception moins sévère : Camus était alors connu comme romancier d'avenir, mais aussi comme l'éditorialiste de *Combat*. De plus, l'auteur était intervenu lui-même pour parer aux… malentendus. Il s'était expliqué sur ses intentions et sur l'échec de la pièce lors de la première, dans un article paru dans *Le Figaro* du 15-16 octobre 1944 : « Dans un sens, peut-être, la pièce est manquée. Des maladresses de détail, des longueurs plus graves, une certaine incertitude dans le personnage du fils, tout cela peut gêner à bon droit le spectateur. Mais dans un autre sens, pourquoi ne l'avouerai-je pas, j'ai le sentiment que quelque chose dans mon langage n'a pas été compris et que cela est dû au public seulement. » Camus reconnaît volontiers que sa tentative de créer une tragédie moderne a été mal reçue par le public. Il se souvient peut-être de la remarque de Claude Jamet sur « sa langue fausse […] à faire grincer les dents[9] ». Il répond : « Le langage aussi a choqué. Je le savais. Mais si j'avais habillé de péplums mes personnages, tout le monde peut-être aurait applaudi. Faire parler le langage de la tragédie à des personnages contemporains, c'était au contraire mon propos, et mon idée est que le public doit s'y habituer. Si je suis capable de beaucoup de concessions en ce qui concerne cette pièce, c'est là du moins une intention que je ne désavouerai jamais. » C'était rappeler, en somme, la consigne qu'avait transmise Marcel Herrand lors de la première. Cette fois-ci les critiques semblaient l'avoir écoutée : les jugements hostiles furent sensiblement moins nombreux. Seuls Marcel Augagner, appelant la pièce « une dissertation nébuleuse[10] », et César Santell, y voyant une « abstraction dialoguée[11] », à qui faisait écho le critique anonyme de

1. Robert Francis, *Libération*, 9 juillet 1944.
2. Henri Bauer, *L'Écho de France*, 1-2 juillet 1944.
3. Armory, *Nouveau temps*, 4 juillet 1944.
4. Castelot, *La Gerbe*, 29 juin 1944.
5. Roland Purnal, *Comœdia*, 8 juillet 1944.
6. Jacques Berland, *Paris-Soir*, 10 juillet 1944.
7. Méré, *Aujourd'hui*, 12 juillet 1944.
8. *France sociale*, 15 juillet 1944.
9. *Germinal*, 14 juillet 1944.
10. *Défense de la France*, 21 octobre 1944.
11. *Résistance*, 20 octobre 1944.

France d'abord, y allaient d'un franc éreintement. Alexandre Astruc, pour sa part, déclara que le malentendu était dissipé[1]. Cependant, les critiques favorables, à présent majoritaires, ne se privaient pas en passant d'exprimer quelques jugements sévères, signalant qui « l'histoire invraisemblable[2] », qui les personnages manquant de vie[3], qui « une méconnaissance excessive des règles de l'art du théâtre[4] ». Enfin, on soulignait cependant chez Camus, écrivain de race, le côté prometteur — « on peut compter sur lui », conclut Pol Gaillard, alors que Pierre-Aimé Touchard alla jusqu'à affirmer : « il n'est pas impossible qu'Albert Camus, s'il consent à se discipliner, ne soit devenu dans 10 ans le plus grand écrivain de théâtre de ce demi-siècle ». Tout cela revenait à dire, peut-être, que pour l'instant *Le Malentendu* laissait toujours à désirer…

À quelques détails près, la fortune ultérieure de la pièce permet d'avancer que quelques-uns de ces premiers critiques étaient parvenus à cerner avec assez de précision les questions principales que *Le Malentendu* met en jeu — même celles que l'on déchiffrait mal. Dans une analyse remarquable, H.-R. Lenormand (compagnon comme il l'avoue de Maria Kalff qui jouait la mère) loue le « véritable pouvoir d'envoûtement » de ces scènes « où la mère hésite devant l'acte, atteinte par un obscur message de son inconscient, où la fille étourdit le voyageur de justifications, de questions, d'excuses, de demi-confessions, de professions de foi sur la civilité hôtelière » ; il salue « un des messages les plus hautains, les plus farouchement désolés, qui aient retenti sur la scène française[5] ». D'autres scènes attirent des éloges sans réserve : celle où Martha réclame le droit de jouir malgré tout des fruits de son assassinat ; celles où le fils et la mère tâtonnent pour se retrouver, « quelques dialogues où l'intensité poétique se joint à la vérité psychologique et vous élève aux plus hauts sommets de la tragédie[6] ». Malgré ses maladresses, on reconnaît que cette œuvre met en scène une sensibilité nouvelle : Maurice Rostand n'a pas tort quand il dit : « Un grand thème intérieur rachète la bizarrerie apparente du drame : la créature humaine étrangère à tout, seule au milieu du monde, et révoltée contre la création[7]. » Gabriel Marcel affirme que, nonobstant les faiblesses que révèle la pièce « considérée selon les critères habituels », « cette perspective n'est pas celle qu'il convient d'adopter ici[8] ». Albert Buesche, convaincu que « *Le Malentendu* est une de ces formes annonciatrices », signale que l'auteur a péché par manque d'audace, et qu'en réalité ses conceptions théâtrales sont en avance sur les conventions traditionnelles : « Camus aurait dû […] briser les cadres d'une pièce à la fois romantique et naturaliste[9] », déclare-t-il.

Au sortir de ces deux premières séries de représentations, Camus pouvait juger que *Le Malentendu*, comme *Caligula*, restait en quelque sorte une œuvre inachevée. Mais pris par ses fonctions à *Combat* et par la

1. *Action*, 20 octobre 1944.
2. Pol Gaillard, *L'Humanité*, 19 octobre 1944.
3. Gabriel Marcel, *Temps présent*, 27 octobre 1944.
4. Pierre-Aimé Touchard, *Parisien libéré*, 27 octobre 1944.
5. *Panorama*, 7 juillet 1944.
6. Pierre-Aimé Touchard, *Parisien libéré*, 27 octobre 1944.
7. *Paris-Midi*, 1er juillet 1944.
8. *Temps présent*, 27 octobre 1944.
9. *Paris Freit*, 15 juillet 1944.

rédaction de *La Peste*, il renonça, dans l'immédiat, à revoir la pièce. Une deuxième édition, publiée en 1947, comporte au total une dizaine de modifications plus ou moins mineures. En 1949, ayant assisté à une nouvelle représentation de la pièce, Camus écrit à sa femme : « J'ai vu *Le Malentendu* avec émotion. C'est la pièce qui me ressemble le plus. Bien joué, sauf Martha. Le deuxième acte est mauvais, je le sais maintenant. Mais le reste méritait au moins qu'on l'écoute. As-tu remarqué qu'on y parle beaucoup de soi[1] ? » Ce n'est qu'en 1955 que Camus reprend son texte pour le remanier assez profondément par endroits. En effet, pour préparer le scénario télévisuel, daté du 3 juin 1955, Camus relit l'édition de 1947 et en récrit entièrement certains passages. Le texte du scénario ne sera pas publié tout de suite mais, à l'exception de quelques notes de régie dictées par les exigences de la télévision, il constituera à peu près dans sa totalité la « nouvelle version » du *Malentendu* éditée en 1958.

Nous avons déjà évoqué certains éléments de cette révision. Camus se décide à supprimer des phrases malencontreuses qui avaient prêté à sourire ou même à ricaner en 1944. Reconnaissant que l'ironie tragique sur laquelle jouait son dialogue « en porte à faux[2] » frisait parfois fâcheusement l'humour noir, il avait déjà coupé dans son manuscrit la réplique de Jan : « Ce que je veux de cette demeure c'est d'être pacifié pour toujours. » Nous savons, grâce au compte rendu de Castelot[3], que les spectateurs riaient lorsque, le lendemain du meurtre, la mère dit à sa fille : « Tu [es belle], ce matin. Il y a des actes qui te réussissent. » De même, pour éviter une ironie un peu lourde, Camus coupe « Il suffit parfois d'une tasse de thé pour retenir nos clients » et « Je crois en tout cas que nous avons fait tout ce qu'il faut pour que vous restiez dans cette maison. » Ailleurs il s'attache à resserrer et à remodeler la frappe des répliques : ainsi, par exemple, « Et, quoique je me soucie peu de mourir devant la mer ou au centre de nos plaines, je voudrais bien qu'ensuite nous partions ensemble » devient « Je me soucie peu de mourir devant la mer ou au centre de nos plaines, mais je voudrais bien… » (acte I, scène I). De même, « Si je suis malheureuse aujourd'hui, c'est que je suis bien sûre de ton amour et certaine pourtant que tu vas me renvoyer » remplace « Ce qui me rend malheureuse aujourd'hui… » (acte I, scène IV). Camus s'efforce de dépouiller la pièce de certaines longueurs, notamment à l'acte II, scène VIII, où dans un premier temps Martha détaillait le travail qui restait à faire pour se débarrasser du cadavre. Ailleurs, l'auteur peaufine le détail de la grande scène entre la mère et le fils (acte II, scène VI).

Cherchant à mieux dégager la ligne de la pièce, Camus poursuivra certains développements déjà annoncés au stade antérieur de la rédaction. Il réduira encore les monologues de Jan de l'acte II, scènes V et VII. Il récrira de fond en comble la découverte de l'identité de la victime, faisant en définitive du vieux serviteur l'agent principal de la déconvenue des femmes (actes II scène VIII ; acte III, scène I). En fin de compte, donc, ce vieillard, que Camus voyait très tôt prononcer le mot sur lequel se clôt la pièce, s'affirme comme l'incarnation du malheur. Il se substituera aux forces aveugles du destin qui régissent le sort des héros dans

---

1. Lettre du 2 juin 1949, citée dans O. Todd, p. 476 (coll. « Folio », p. 667).
2. *Carnets*, p. 1040.
3. *La Gerbe*, 29 juin 1944.

la tragédie antique. Ici le tragique n'aura rien d'édifiant, comme la souffrance n'aura pas de spectateur : se manifestera par de simples accidents de parcours et il revêtira l'aspect banal de ce vieillard beckettien, que l'on aura tort de prendre pour Dieu, absent de cet univers de l'absurde.

Le dénouement de la tragédie, la confrontation entre Martha et Maria, subira entre 1947 et 1958 une réécriture qui en dit long sur les intentions de Camus. Les modifications seront d'ordre mineur, certes, mais l'effet cumulatif de la suppression des mots de liaison — « et », « car », « il est vrai » —, et de substitutions telles que « dit » pour « prévenu », est de resserrer le dialogue, de donner plus d'attaque aux répliques et plus d'urgence à ce face-à-face capital. Jan, mort sans avoir retrouvé la demeure qu'il cherchait, se révèle en définitive comme celui qui « croi[t] stupidement que les paradis sont faits pour être perdus », alors que Maria lui apprend que « le seul Éden est à portée de [sa] main », selon une variante du manuscrit. C'est ici que les arguments de Maria viennent engager le combat contre les anathèmes de Martha : les exigences de l'amour lutteront contre les vitupérations de la révolte. On n'oublie pas pourtant que le lyrisme noir des monologues de Martha s'est affirmé indépendamment des interventions de Maria : ce n'est que par l'insertion après coup d'expressions et de tournures visant à reconnaître la présence de l'autre — « n'est-ce pas » — ou à briser le cercle de leur solipsisme intense — « À quoi bon ?... Pourquoi ? » — que l'auteur parvient à endiguer ces torrents pour les canaliser dans un dialogue. Camus note, sans doute à propos du *Malentendu* : « Ce qui fait une tragédie c'est que chacune des forces qui s'y opposent est également légitime, a le droit de vivre[1] » ; et il s'était bien promis, dans une note de ses brouillons, de « Tenir la *balance* pendant tout l'acte ». D'ailleurs certains voient en Maria, « caractère mûr et frémissant de chaleur humaine », une rivale à la hauteur de Martha[2]. Il n'en demeure pas moins qu'il s'agit ici d'un combat inégal, car, comme le dit Jan dans une variante qui sert à illuminer l'enjeu de ce dialogue : « Hélas ! tout est plus facile pour [Martha] car il est plus aisé de trouver le mot qui rejette que de former ceux qui réunissent. La révolte a son langage tout prêt et l'amour en est encore à chercher le sien. »

Martha l'emportera donc sur Maria et s'en ira se pendre, laissant celle-ci à son désespoir. On peut voir en Martha un « révolté romantique » tel que Camus l'analysera dans *L'Homme révolté* : dans sa protestation élémentaire, elle « exalte l'individu et le mal [et] ne prend donc pas le parti des hommes, mais seulement son propre parti[3] ». « Remarque sur la révolte », que Camus rédigea parallèlement à sa pièce, aide aussi à comprendre la signification précise de Martha dans le contexte du titre que Camus a fini par choisir : « Cette part [du révolté] qui lui donne désormais les raisons dénonce seulement son origine absurde dans la mesure où elle est faite à la fois pour tout le monde et pour personne. C'est la valeur en lui qui sera tuée, c'est la part du malentendu, mais c'est aussi cette vérité d'innocence qui nie que les hommes soient coupables et qu'il leur faille un Juge[4]. »

1. *Carnets*, p. 1001.
2. Raymond Gay-Crosier, *Les Envers d'un échec*, Minard, 1967, p. 121.
3. Albert Camus, *L'Homme révolté*, Gallimard, coll. « Folio », p. 79.
4. *Pléiade Essais*, p. 1697 ; Camus reprendra une partie des termes de cette remarque dans sa présentation de la pièce dans *Le Figaro*.

La révolte de Martha tourne court sans dégager ce raisonnement que Camus lui opposera plus tard ; elle ne portera pas de fruits. Dans cet échec, aussi bien que dans le déséquilibre manifeste entre les forces que la pièce met en scène, on voit la raison pour laquelle *Le Malentendu*, conçu à l'origine pour inaugurer le cycle de la révolte, bascule en dernière analyse du côté des « absurdes ».

DAVID H. WALKER.

NOTE SUR LE TEXTE

On dispose pour étudier la genèse du *Malentendu* de plusieurs documents :

— Le manuscrit ayant appartenu à Maria Casarès (sigle : *ms. 1*), conservé à la Bibliothèque nationale de France (N.a.fr. 25532). Terminé en juillet 1943 (voir Albert Camus-Jean Grenier, *Correspondance 1932-1960*, p. 99), ce texte présente une première version de la pièce, et comprenait, à l'origine, un prologue dont il a été amputé (voir p. 1339).

— Les pages (sigle : *ms. 1v*) sur lesquelles figurent notamment de nouvelles versions, postérieures au manuscrit, des dialogues qui, lors de la suppression du prologue, seront intégrés à l'acte I. Reliées sous l'intitulé « variantes » à la fin de *ms. 1*, ces pages témoignent de la réécriture de certains passages de *ms. 1* en vue du texte définitif.

— Les brouillons (sigle : *ms. 1b*) à partir desquels le manuscrit a été rédigé, reliés parfois directement à la suite des pages qu'ils ont servi à établir. Toutefois d'autres documents, conservés sous l'intitulé « variantes » où ils ont été placés probablement par mégarde, sont manifestement antérieurs au manuscrit et constituent des brouillons préparatoires. Nous les désignons sous le même sigle.

— Le prologue de *ms. 1* (sigle : *pm*), conservé dans le Fonds Albert Camus de la bibliothèque Méjanes à Aix-en-Provence (CMS2. Ab 5-03.02), tel qu'il a été recopié par Francine Camus lors de sa remise en vente en décembre 1965, Albert Camus en ayant fait don dans un premier temps à la Croix-Rouge. Il s'agit d'un texte très lacunaire.

— Le deuxième lot de brouillons constitué de 19 feuillets photocopiés (sigle : *bm*) et lui aussi conservé dans le Fonds Albert Camus de la bibliothèque Méjanes (CMS2. Ab 5-03.03).

— Le manuscrit Bruckberger (sigle : *ms. 2*), conservé dans le Fonds Carlton Lake, Harry Ransom Humanities Research Center de l'Université du Texas à Austin. Terminé à Saint-Maximin-la-Sainte-Baume en septembre 1943, ce manuscrit constitue manifestement une version revue et corrigée du texte de *ms. 1* : des pages entières de dialogue de *ms. 1* y sont recopiées puis biffées et récrites sur des feuilles numérotées « bis » que Camus y insère ; d'autres éléments n'y sont toutefois pas repris et certaines scènes difficiles (l'assoupissement de Jan sous l'effet du poison, par exemple) y font l'objet d'une réécriture. *Ms. 2* témoigne d'un travail de dépouillement en cours, et offre une version proche de celle qui sera jouée en juin 1944 ; au demeurant les indications scéniques, ajoutées parfois en marge, apparaissent souvent pour la première fois ; le jeu de scène devient plus explicite. Ce manuscrit porte par ailleurs quelques traits de crayon qui pourraient bien être des indications de Jean Grenier. Camus lui avait, en effet, adressé le manuscrit de Saint-Maximim le 20 septembre 1943, lui faisant part de son désir de ne pas envoyer son texte à Gallimard « avant d'avoir reçu vos critiques et d'en avoir tenu compte pour de nouvelles corrections. Pourriez-vous me dire votre avis et m'indiquer quelques corrections possibles ? Si vous n'en avez pas le temps cela ne fait rien, j'ai un autre exemplaire que j'enverrai directement, après l'avoir revu[1] ». Le 6 octobre 1943 Grenier répond : « J'ai mis un trait au crayon en marge en face des passages ou des pages qui m'ont particulièrement plu. [...] Pourtant je me suis permis de souligner au crayon des phrases qui en elles-mêmes sont irréprochables mais qui sont peut-être trop oratoires ou qui renferment un symbole relevant plutôt du livre que de la scène[2]. » Ces indications correspondent effectivement à des endroits du texte où Camus a apporté des corrections consistant pour la plupart à modifier une leçon présente déjà dans *ms. 1*. C'est à partir de *ms. 2* que la pièce a été dactylographiée pour l'éditeur par le père R.-L. Bruckberger. Camus lui offrit le manuscrit en gage de son amitié. Ce manuscrit contient une version du prologue.

— La dactylographie du manuscrit dit « Bruckberger », *Le Malentendu, tragédie en un prologue et trois actes*, comprenant 68 feuillets dont 7 manuscrits et 61 dactylographiés (sigle : *dactyl.*), acquise par le Fonds Albert Camus de la bibliothèque Méjanes en juin 2002. Ce texte conserve notamment le prologue[3], et est donc antérieur à la refonte en vue de l'édition originale de 1944, qui intègre le prologue au corps de la pièce.

— L'édition de 1944 (sigle : *1944*), *Le Malentendu, pièce en trois actes. Caligula, pièce en quatre actes* (Gallimard, achevé d'imprimer le 20 mai 1944).

— L'édition de 1947 (sigle : *1947*), *Le Malentendu, pièce en trois actes* (Gallimard).

— Le texte abondamment révisé de *1947* par Camus en juin 1955 pour l'adaptation à la télévision (sigle : *T*). Ce document qui comprend 85 feuillets imprimés, avec annotations autographes, et 11 feuillets manuscrits est conservé par le Fonds Albert Camus de la bibliothèque Méjanes (CMS2. Ab 5-03.04).

— La dactylographie (66 feuillets) établie à partir de *T* (sigle : *T 2*) et qui porte également des annotations manuscrites. Ce texte est à l'origine de la « nouvelle version » de la pièce qui a été publiée en 1958. Cette dactylographie est conservée par le Fonds Albert Camus de la bibliothèque Méjanes (CMS2. Ab 5-03.05).

Le texte fut publié en 1958 une première fois aux Éditions Gallimard dans Albert Camus, *Caligula et Le Malentendu, nouvelles versions* (achevé d'imprimer le 6 mars 1958), puis repris quatre mois après dans Albert Camus, *Récits et Théâtre* (Gallimard, 1958, achevé d'imprimer le 23 juillet 1958). La présente édition suit le texte de *Récits et Théâtre*, le dernier revu par l'auteur.

D. H. W.

---

1. Albert Camus-Jean Grenier, *Correspondance*, p. 103. Voir aussi la Notice, p. 1338.
2. *Ibid.*, p. 104.
3. Prologue que nous reproduisons en appendice, p. 499-504.

NOTES ET VARIANTES

[Page de titre.]

a. Le Malentendu / Un prologue et 3 Actes / ... *Invitus invi-*
tam... ms. 1. *Il s'agit d'un texte de Suétone dont s'est inspiré Racine, qui le cite*
dans sa Préface à « Bérénice » (« Titus reginam Berenicen, [...] ab Urbe dimisit
invitus invitam » [« Titus renvoya de Rome la reine Bérénice, malgré lui et malgré
elle »]). Tout en signalant un antécédent dans la tragédie classique, l'épigraphe sert en
même temps à souligner le thème de l'exil et à indiquer que le sort de chacun est indé-
pendant de la volonté des protagonistes. En outre ms. 1 porte une dédicace sur la pre-
mière page, probablement à Maria Casarès : Le Malentendu, Solus ad solam,
6 juin 1944 : Le Malentendu / [pièce *biffé et corrigé dans l'interligne*
en tragédie] en un prologue et trois actes *ms. 2, dactyl. Ms. 2 porte la*
dédicace : à R.-L. Bruckberger / cette tragédie dont il suffit / de modifier
un mot pour / qu'il soit la sienne / Avec l'amitié du cœur et de l'esprit
/ Albert Camus.

[Distribution.]

a. À Budovice, petite ville de Tchécoslovaquie // Personnages : LE
VIEUX [domestique — 70 ans *corrigé en* sans âge *ms. 2*] / LA SŒUR
[30 ans *ms. 2*] / LA MÈRE [60 ans *ms. 2*] / [Jan, *ms. 2*] LE FILS
[38 ans *ms. 2*] / [Maria, sa *ms. 2*] LA FEMME [30 ans *ms. 2*] *ms. 1,*
ms. 2

1. La première a eu lieu le 24 juin 1944.

Acte premier.

a. Didascalie dans ms. 1 : Midi [...] net. Mais il n'y a rien de naturel. *:*
didascalie dans T : Images de la mer douce et claire sur une plage. La salle
commune d'une auberge de campagne en Europe centrale. C'est le matin. Les volets
sont fermés. Le vieux domestique traverse la pièce dans la pénombre. Une à une il
ouvre les fenêtres. La lumière entre à flots. Le vieux domestique va vers la table, au
centre, dispose deux sièges, regarde encore si tout est bien en place, puis considère
le public sans rien exprimer, et sort. Entrent Martha et sa mère. ◆◆ *b.* [Il
n'a pas l'aspect d'un homme pauvre *corrigé en* Son aspect n'est pas
celui d'un homme pauvre] *ms. 1, ms. 2, dactyl., 1944, 1947* ◆◆ *c.* prix
[9 l. plus haut]. / MARTHA : [C'est une bonne chose *corrigé en* Cela est
bien. *ms. 1 ; leçon commune à ms. 2 et dactyl.*] Mais il est rare qu'un homme
riche soit seul. Et c'est ce qui nous rend les choses difficiles. Quand
on ne s'intéresse qu'aux hommes qui sont à la fois riches et solitaires, on
s'expose à attendre longtemps. / LA MÈRE : Oui, les occasions sont rares.
[Nous pourrions les compter, Martha *ms. 1, biffé ms. 2*] / MARTHA :
[Cela n'est pas nécessaire. Mais *ms. 1, biffé ms. 2*] Il est vrai que toutes
ces années nous ont laissé de grandes vacances. Cette demeure est
souvent déserte. Les pauvres qui s'y arrêtent n'y restent pas longtemps
et les riches qui s'y égarent n'y [arrivent *ms. 1*] [viennent *ms. 2,*

dactyl.] reviennent que de loin en loin. / LA MÈRE : Ne t'en plains pas, Martha. Les riches donnent beaucoup de travail. / MARTHA *(la regardant)* : Mais ils payent bien. *(Un silence.)* / [LA MÈRE : L'argent est une bonne chose, Martha, et nous en avons besoin. Mais je n'aime pas… / MARTHA : On dirait, mère, qu'il est des mots qui vous bouchent les lèvres. Vous ne parlez jamais. LA MÈRE : Qu'est-ce que cela peut te faire si je ne recule pas devant les actes ? *biffé dès ms. 1*] / Mère, vous êtes singulière *ms. 1, ms. 2, dactyl., 1944, 1947* ◆◆ *d.* te *bm, ms. 1* ◆◆ *e.* devant [les flots *add. interl.*] dont j'attends depuis [trente ans *biffé*] [15 ou 20 ans *corrigé en* ces années] la caresse amère, ce jour-là *ms. 1* ◆◆ *f. Phrase supprimée dans T.* ◆◆ *g.* venir. Car, s'il est [raisonnablement *add. interl. ms. 1*] riche, ma liberté commencera peut-être avec lui. / LA MÈRE : S'il est riche, et s'il est seul. / MARTHA : Et s'il est seul en effet, puisque c'est l'homme seul qui nous intéresse [puisque nous faisons notre proie de l'homme seul *ms. 1, biffé ms. 2*]. Vous a-t-il [Est-ce qu'il vous a *ms. 1*] *ms. 1, ms. 2, dactyl., 1944, 1947* ◆◆ *h.* tuer les ombres. *(Un temps.)* Tu vois, je n'ai pas peur *ms. 1, ms. 2* ◆◆ *i.* Il ne serait pas juste de dire que j'y ai pensé, mais l'habitude est une grande force. *ms. 1, ms. 2, dactyl., 1944, 1947* ◆◆ *j. Tirade supprimée dans T.* ◆◆ *k. Fin de la tirade dans ms. 2, dactyl., 1944 et 1947 :* repos et je verrai enfin ce que je n'ai jamais vu. ◆◆ *l.* coupable [et que je suis juste capable *corrigé en* C'est à peine s'il m'est *ms. 1*] possible de me sentir fatiguée. *ms. 1, ms. 2, 1944, 1947* ◆◆ *m.* dévorait tout [9 l. plus haut] et même les âmes et qu'il formait des corps resplendissants mais [tout *ms. 2*] vidés par l'intérieur. / LA SŒUR : Oui, c'est cela qu'on a dit. Et si les âmes meurent sous le soleil, si le corps seul donne la joie et l'oubli, si je suis assurée d'être heureuse sans âme, je sais que là-bas est mon paradis et que ma demeure n'est pas ici. J'en ai assez de porter toujours mon âme, et quelquefois celle des autres. C'est trop lourd, c'est encombrant. Et voilà vingt ans que j'attends que tout soit simplifié, vingt ans que j'éteins toutes les questions en moi. Mais cela est difficile et j'ai hâte de trouver un pays où le soleil tue les questions. Ma vraie patrie a une frontière de vagues, mon paradis est aux âmes mortes. Dépêchons, mère, d'y retourner. / LA MÈRE : Auparavant, hélas *ms. 1, ms. 2* ◆◆ *n.* parfois que le silence taise les douleurs. Mais *ms. 1* ◆◆ *o. Dans ms. 1 b, pm, ms. 1 et ms. 2 les scènes III et IV n'existent pas à cet endroit, mais l'essentiel des dialogues constitue le prologue.* ◆◆ *p. À un certain âge [p. 460, fin de la scène 1, 7 l. du bas], il n'est pas de demeure où le repos soit possible…* Préparez tout Martha. *(Le vieux se lève.)* Si vraiment cela en vaut la peine. *Martha la regarde sortir, puis regarde le vieux domestique. Elle sort à son tour. Le vieux domestique va à la fenêtre, aperçoit Jan et Maria, et se dissimule. // SCÈNE II // Dans le chemin qui mène à l'auberge, Jan et Maria s'avancent.* / JAN : Laisse-moi maintenant. / MARIA : Non, je veux voir l'endroit où je te laisse. / JAN : On peut venir et tout sera découvert. / MARIA : Eh bien, je l'aurais fait reconnaître malgré toi. C'est ici ? / JAN : Oui. J'ai pris cette porte il y a vingt ans. *T* ◆◆ *q.* mon argent [4 l. plus haut]. Cela m'a ôté les mots de la bouche. J'ai pensé que je devais continuer. / MARIA : Il n'y avait rien à continuer. C'était encore une de tes idées, et il aurait suffi d'un mot. / JAN : Ce n'était pas une idée, Maria, c'était la force des choses. Je fais confiance à la force des choses. Je ne suis pas si pressé, d'ailleurs. Je suis venu *ms. 1v, 1944, 1947* ◆◆ *r.* Mais pourquoi […] ce qu'on n'est pas *supprimé dans T.* ◆◆ *s.* possible [*fin de la scène III, 2 l. du bas*]. (Ils *attendent. Le vieux repasse, se dirigeant vers le fond.)* / JAN : Et maintenant　*T* ◆◆ *t.* peu de chose *[5 l. plus haut].* / MARIA, *secouant　T* ◆◆ *u.* rester un étranger. Un homme a besoin de bonheur, il est vrai, mais il a besoin aussi de trouver sa définition. Et j'imagine que retrouver mon pays, rendre heureux tous ceux que j'aime m'y aidera. Je ne vois pas　*ms. IV, 1944, 1947* ◆◆ *v.* langage simple *[p. 464, 2 l. du bas].* / JAN, *la prenant contre lui :* […] / MARIA : Ah ! fais ce que tu veux. Je ne peux pas　*T* ◆◆ *w.* redoutable. [Tu fais quand même confiance aux anges baroques　*biffé*] *ms. IV. Il s'agit d'un vestige du texte du prologue.* ◆◆ *x.* SCÈNE III // *Le frère a posé sa valise sur une chaise. Il s'est assis. Entre la sœur.　ms. I :* SCÈNE III // *Jan s'assied. Entre Martha.　1944, 1947* ◆◆ *y.* adieu, mon amour te protège *[fin de la scène IV, 3 l. du bas].* // SCÈNE III // *Elle s'éloigne puis se retourne vers lui et de loin lui montre ses mains vides. Jan la regarde partir, il hésite, se retourne vers un autre point de l'horizon. On aperçoit plus bas la rivière. Il revient avec résolution vers la maison et entre. La salle semble déserte, puis il aperçoit, dans un coin, le vieux domestique. Silence.* / JAN : Il n'y a personne ? / *Le vieux se lève et, sans un mot, sort de la pièce. Un instant après, par la même porte, entre Martha.* / JAN : Bonjour.　*T* ◆◆ *z.* 8 janvier 1909.　*ms. I, ms. 2, dactyl.* : J'ai trente-cinq ans.　*T 2* ◆◆ *aa.* À Prague.　*ms. I,* LA SŒUR : Vous êtes Tchèque naturellement　*ms. I. Sur la marge de droite figure la suite du dialogue jusqu'à* Je ne suis pas très pauvre *[6 l. plus bas]. et l'indication d'insertion à cet endroit.* ◆◆ *ms. I	ms. 2, dactyl.* ◆◆ *ac.* Non, je viens du Maroc　*ms. I* : Maroc *(elle a l'air de ne pas comprendre)* du Maroc, oui, de l'étranger　*ms. 2, dactyl.* : Non, je viens du Sud.　*1944, 1947* : MARTHA : Domicile habituel ? / JAN : Je viens de l'Afrique.　*T 2* ◆◆ *ad.* JAN *[7 l. plus haut], insistant :* C'est un passeport. Le voilà. Voulez-vous le voir ? / *Elle l'a pris dans ses mains, mais pense visiblement à autre chose. Elle semble le soupeser, puis le lui rend.* / MARTHA : Non, gardez-le. Quand vous allez là-bas [au Maroc　*ms. I, ms. 2, dactyl.*] *ms. I, ms. 2, dactyl., 1944, 1947* ◆◆ *ae. Soucieux de vraisemblance sur ce point capital, Camus a biffé sur ms. I une première version apparemment moins plausible de cette réplique* C'est une habitude que l'expérience nous a fait prendre *[1 mot illisible]* d'un éventuel *[4 mots illisibles] pour y substituer la réplique définitive.* ◆◆ *af.* Je ne l'ai pas vue. Je ne suis pas là pour regarder vos mains, je suis là pour remplir votre fiche. Pouvez-vous　*ms. I, ms. 2, dactyl., 1944, 1947* ◆◆ *ag.* vous fâcher *[4 l. plus haut].* / LA SŒUR : Je vois　*ms. I* ◆◆ *ah.* pardonné et si maintenant les choses sont claires entre nous, il faut　*ms. I* ◆◆ *ai.* SCÈNE III *dans ms. I ;* SCÈNE IV *dans dactyl.* ◆◆ *aj. Phrase absente de bm et ms. I et ajoutée dès ms. 2.* ◆◆ *ak.* ma fille. Mais elle m'a suivi tout au long de ce temps et c'est pour cela que je la sais ma fille. Sans cela elle aussi serait oubliée… / LA SŒUR : Mère　*bm, ms. I* : ma fille. Elle m'a suivie tout au long de ce temps et, sans doute, c'est pourquoi je la sais ma fille. Sans cela elle aussi serait peut-être oubliée. / MARTHA : Mère　*ms. 2, dactyl., 1944, 1947* ◆◆ *al.* JAN : Je suis encore trop jeune pour le croire　*dactyl.* ◆◆ *am. (très vite) [p. 470, 7 l. du bas].* Laissez… [il n'y a donc pas d'homme ici ? Un fils *[qui　ms. I]* vous aurait prêté son bras, vous ne l'auriez pas oublié. L'épaule d'un homme et le *[lecture conjecturale]* d'une femme ce sont deux choses sûres dans ce monde.　*biffé ms. I]* / S[ŒUR]. Venez, mère. / M[ÈRE]. Un fils ! Je suis une trop vieille femme. Les vieilles femmes désapprennent même d'aimer leur fils. Vous ne savez pas combien un cœur peut s'user [. Le nôtre il est vide. Il ignore

l'amour la pitié ou la haine.   *bm*] [se dessécher et se vider peu à peu de
son amour, de sa pitié et de sa haine.   *ms. 1*] / s[œur.] Un fils qui entre-
rait ici   *bm, ms. 1 ◆◆ an.* petit point du centre de l'Europe. Vous
n'aurez rien, ni compassion, ni haine. Vous aurez   *bm* : petit point du
centre de l'Europe. Elles ont [...] le goût de la compassion et de la haine.
Je vous [...] de l'intimité. Vous aurez   *ms. 1* : petit point du centre de
l'Europe. Elles ont [...] de l'intimité. Vous aurez   *ms. 2, dactyl., 1944,
1947 ◆◆ ao.* d'un homme. Et je n'aurai besoin d'aide que pour le maintenir tout entier.   *ms. 1, ms. 2* : pourraient soutenir le poids d'un
homme.   *T ◆◆ ap. Fin de la scène dans ms. 1. ◆◆ aq.* de mes mains *[6 l.
plus haut]*. Comme si à la fois j'avais été poussée à l'avertir et incapable
de l'éclairer. Je n'ai pu lui livrer que cette phrase obscure. [Il est vrai qu'il
l'a à peine entendue. Il s'arrange bien de notre vieux, tous les deux
occupés à entendre à demi et de ne rien éclaircir.   *biffé dans dactyl.*] Si,
pourtant [...] peut-être aurait-il saisi ce qu'il se refuse à comprendre dans
les discours de Martha. Mais il regarde aussi peu qu'il écoute [ne regarde
pas plus qu'il n'écoute   *ms. 2, dactyl.*]. On n'a jamais vu d'homme aussi
peu susceptible, aussi entêté à ne pas comprendre le langage hostile, à ne
pas ressentir la gêne, aussi résolu à vouloir rester là où il n'a que faire. /
Même Martha semble ne pas vouloir de cette victime ingénue. Mais la
victime s'offre, elle tend le cou, c'est devant l'autel qu'elle veut être et
non pas ailleurs. Je le sens, il réclamera sa tasse de thé ou plutôt, si nous
l'oublions, il reviendra se montrer, il étalera sa solitude, jusqu'à ce qu'on s'occupe de lui, jusqu'à ce qu'il ait obtenu son
thé et le sommeil. Il se désigne au sacrifice, [il a la force de l'inno-
cence,   *ms. 2*] il est [sourd et   *biffé dactyl.*] aveugle devant [à   *ms. 2,
dactyl.*] tout ce qui le menace et chacun de ses actes et chacune de ses
paroles appelle [chacun de ses actes attire   *dactyl.*] la menace. / Oh ! Que
la victime qui s'abandonne [et qui s'offre   *absent de dactyl.*] est bien plus
lourde à porter que celle qui se débat. Pourquoi faut-il que cet homme
ait tant de cœur à mourir, et moi si peu à tuer de nouveau. Je voudrais
que soient écartées de moi cette épreuve et cette fatigue. Que cet
homme [comprenne que cette demeure lui est ennemie et qu'enfin
il   *ms. 1, biffé ms. 2*] s'en aille   *ms. 1, ms. 2, dactyl.* : de mes mains *[6 l.
plus haut]* [...] Martha / Mais pourquoi faut-il que cet homme ait tant de
cœur à mourir et moi si peu à tuer de nouveau. Je voudrais bien qu'il s'en
aille   *1944, 1947 ◆◆ ar. L'acte premier se termine ici dans ms. 1 par un passage
que l'on retrouve dans ms. 2 à quelques variantes près :* parfaite. [, elle exige
d'être endormie, traînée, précipitée et noyée. Avec une irrésistible douceur, une ingénuité implacable, toute la force de l'innocence, elle réclame
ce qui lui revient. Et moi seule   *biffé ms. 2*] je dois [...] propre nuit. C'est
mon malheur que de devoir lui accorder ce que j'espérais [atten-
dais   *ms. 2*] pour moi : l'affreuse douceur d'être ballottée sur les chemins
de la nuit [nocturnes   *ms. 2*], inerte à travers les parfums d'herbe et de
rivière [et de s'enfermer   *ms. 2*] pour un sommeil sans fin dans les eaux
noires de l'oubli.   ◆◆ *as.* demain. À quoi sert de ne pas regarder cet
homme, si vous devez de même y penser ? Vous l'avez dit vous-même,
il est plus facile de tuer [les ombres.   *ms. 2*] [Mais ne faites pas de cette
ombre votre fantôme   *biffé ms. 2*] ce qu'on ne connaît pas. Soyez positive.   *ms. 2, dactyl., 1944, 1947 ◆◆ at.* raison *[7 l. plus haut]*. Mais pourquoi faut-il que le hasard nous envoie une victime si peu engageante ? /
MARTHA : Le hasard n'a rien à faire ici. Mais il est vrai que ce voyageur

est trop distrait et qu'il exagère […] pas bon *[2 l. plus haut]*. Mais quoi ! cela m'irrite en même temps, et j'apporterai à m'occuper de lui un peu de la colère que je me sens devant la stupidité de l'homme. *ms. 2, dactyl, 1944, 1947* ◆◆ *au.* parler sur le ton de l'accusation. *ms. 2, dactyl., 1944, 1947* ◆◆ *av.* Laissons-lui *[10 l. plus haut]* un temps, cette halte ; cette longue aspiration de la nuit, un reste du soleil de demain. Donnons-nous cette marge. C'est de cette marge peut-être que nous serons sauvées. — Qu'appelez-vous être sauvées ? — Peut-être est-ce recevoir le pardon éternel. — Alors, je suis déjà sauvée. Car pour tous les temps à venir je me suis d'avance pardonné à moi-même. Mère, nous devons sortir de cette indécision, ce sera ce soir ou ce ne sera pas. *ms. 2. La fin de la scène a été retravaillée à plusieurs reprises. Dans tous ces brouillons, y compris les plans de la pièce, le mot* marge *revient avec insistance. Camus finira pourtant par y renoncer.*

1. Allusion à la parabole de l'enfant prodigue : Luc, xv, 11-32.
2. À partir de « je n'ai plus rien à dire » (p. 468, 5 l. du bas) et jusqu'ici : passage coupé par Camus sur le scénario ayant servi à l'adaptation de la pièce à la télévision.

Acte II.

a. Début de l'acte II, sc. 1 dans ms. 1 :   Le fils est dans sa chambre. Entre la sœur. / LA SŒUR : Je voudrais savoir, monsieur, si je ne vous dérange pas ? / LE FRÈRE : Je n'ose pas vous répondre « au contraire ». Vous m'en tiendriez rigueur. Disons seulement que vous ne me dérangez pas. / LA SŒUR : Vous voyez bien que vous ne pouvez pas répondre comme tout le monde, même en essayant de tout concilier. Mais je voulais seulement vous remplacer votre eau. Le vieux domestique a quelquefois des distractions. / LE FRÈRE : Oui. Faites ce que vous voulez. / *Il s'en détourne et regarde par la fenêtre. Elle le regarde. Il a toujours le dos tourné. Elle parle en travaillant.* / LA SŒUR : Vous avez dû remarquer, monsieur, que votre chambre n'est pas aussi confortable que vous pourriez la désirer. / LE FRÈRE : Il est vrai. Mais elle est particulièrement propre et cela a bien son prix. / LA SŒUR : Vous êtes très indulgent et nous vous sommes reconnaissants. Mais bien des clients regrettent l'absence d'eau courante et l'on ne peut pas vraiment leur donner tort. / LE FRÈRE : L'essentiel est de pouvoir se laver. Le reste importe peu. / LA SŒUR : Il y a longtemps aussi que vous voulions […] de se lever pour éteindre. / LE FRÈRE, *il se retourne* : En effet, je ne l'avais pas remarqué. Mais ce n'est pas un gros ennui et ce n'est pas sur ces détails que j'aurais l'idée de me montrer exigeant. / LA SŒUR : Et sur quel détail le seriez-vous ? / LE FRÈRE : Sur aucun. / LA SŒUR, *elle s'arrête* : J'avoue que je ne comprends pas. / LE FRÈRE : C'est moi qui me suis mal expliqué. Mais c'est pourtant très simple. Je n'ai pas l'idée de rien exiger des détails de l'existence quotidienne. / LA SŒUR : Vous êtes pourtant riche. / LE FRÈRE : Sans doute. Mais j'ai été pauvre et je crois que je n'aurai pas de peine à l'être encore. Je place en tout cas mes désirs ailleurs et s'il me fallait être exigeant, j'aurais plutôt tendance à l'être en général. Non pour le détail. / LA SŒUR : Voilà qui est encore mystérieux. / LE FRÈRE : Oui. Mais c'est encore très simple. Je me sens seulement capable d'exiger beaucoup de la vie. / LA SŒUR, *plus froide* : Ah ! C'est ce que j'appellerai être très exigeant sur les détails. / LE FRÈRE :

Croyez-vous donc qu'il soit plus important d'avoir de l'eau courante que d'être heureux ? / LA SŒUR : Pas exactement. Mais ceci ne s'accorde pas avec nos conventions et je préfère ne pas vous répondre. Je suis heureuse en tout cas que les nombreuses imperfections de notre hôtel vous soient indifférentes et vous préoccupent moins que moi. J'en ai connu d'autres qu'elles auraient suffi à chasser. / LE FRÈRE : Malgré nos *[p. 475, 3 l. du bas]* conventions ◆◆ *b. Début de la scène dans* T : *La chambre. Le soir. Jan est à la fenêtre. / Jan regarde par la fenêtre. /* JAN : Ce pays est triste, Maria a raison. Cette heure est difficile. Tous les soirs de là-bas sont des promesses de bonheur, celui-ci a l'odeur d'agonie. Et nous voici, elle et moi, dans cette fin de jour, pour la première fois séparés, tournés en vain l'un vers l'autre et commençant d'apprendre que l'amour s'épuise plus sûrement dans la pensée que dans la chair. Qu'importe, au moins pour un moment, ce qui m'appelle ici, quand ma pensée va vers elle toute nouée au creux d'une chaise dans sa chambre d'hôtel, le cœur ferme et les yeux secs, qui regarde avec angoisse le ciel couleur de malheur. Savoir, savoir seulement si cet amour n'est pas ma seule demeure ! *[(Image de Maria dans sa chambre. Assise à la fenêtre elle regarde elle aussi, rêveuse et triste)* biffé] / JAN : Allons, il faut savoir ce que l'on veut. *(Il regarde la chambre autour de lui.)* C'est dans cette chambre que tout sera réglé. / MARTHA : J'espère […] et votre eau. / JAN : Vous ne me dérangez pas. J'ose à peine vous le dire. / MARTHA : Pourquoi *[p. 475, 12 l. du bas]* ? ◆◆ *c.* désertes *[p. 476, 8 l. du haut]* / LE FRÈRE : Oui, on n'y trouve aucun rappel de l'homme. Les seuls signes de vie sont tracés sur le sable par les pattes des oiseaux de mer. Si vous ne connaissez pas ce pays, vous n'imaginez pas ce que peuvent être les petits matins d'été sur ces sables sauvages. On dirait que chaque jour le monde y naît pour la première fois. Quant aux *[p. 476, 4 l. du bas]* soirs... […] Ils sont bouleversants comme la grande passion du jour. Oui, c'est un beau pays. / L'innocence y trouve sa patrie. / LA SŒUR, *avec un nouvel accent* […] gorge. Aujourd'hui même, des milliers de fleurs escaladent des murs blancs et se déversent vers la mer avec une grande clameur. Si vous vous promenez une heure *ms. 1* ◆◆ *d.* remuer *[11 l. plus haut]* le sang pâle de nos hommes d'Europe. Leurs âmes sont semblables à cette rose avare, née à grand'peine et poursuivant son existence incertaine entre des murs épais et sous un ciel couvert. *(Avec mépris.)* Mais un souffle plus puissant les éteindrait, ils ont le printemps qu'ils méritent. / LE FRÈRE : Peut-être n'êtes-vous pas tout à fait juste et je puis le dire moi qui connais les deux pays. Celui-ci a son automne si l'autre a son printemps. Il a des azurs mêlés d'or, des aboiements creux, la voix rauque des corneilles. C'est alors qu'il fleurit, mais il fleurit dans ses feuilles, le cerisier couleur de sang, le miel de *[un mot illisible]*, le hêtre coulé dans le bronze, la terre tout entière brûlant des mille flammes d'un deuxième printemps. Peut-être en est-il ainsi des âmes que vous verriez fleurir si seulement vous les aidiez de votre patience. / LA SŒUR : Je n'ai plus de patience *ms. 1* : remuer *[11 l. plus haut]* […]. Car vous avez *[7 l. plus haut]* aussi l'automne. / MARTHA, *elle rêve :* images de la mer sur la plage : Non, je n'ai plus de patience *T* ◆◆ *e.* G veut savoir si vous êtes à moi ! Étranger ! *(en haut de page)* // [Acte II // La chambre est vide. La clé. La porte. Entre le fils. biffé] / Un moment assez long se passe après la sortie de la sœur. / Le soir *[un mot illisible]* la chambre. [Le fils est près de la fenêtre. biffé] Il regarde au-dehors. / Peut-être est-ce moi en effet... *(Un temps.)* / Maria a raison. *[comme dans* T *(voir var. b, p. 474)* à *quelques variantes près]* n'est pas ma seule demeure ! *(Il quitte la fenêtre, revient vers le lit, s'y assied un moment.)* / Mais quoi, tout cela est vain et je ne puis savoir qu'en avançant. Qu'y a-t-il dans un soir qui ressemble au bonheur ou au malheur. Qu'y a-t-il dans un ciel qui puisse être fait pour l'homme. Tous les soirs parlent dans tous les ciels de la même indifférence. Ils peuvent m'asservir ou m'aider à vivre mais ils ne me servent de rien pour connaître. Qu'ai-je à faire de contempler ou d'aimer. [Ma part est celle de la méditation et voici   *biffé*] S'il est vrai que ma part est celle de l'aventure, il n'y a pas de plus grande aventure que la méditation, et ceci est ma cellule. / *(Il se lève, tourne autour de la chambre.)* / Je n'en reconnais rien cependant. Tout a été remis à neuf. Cette chambre ressemble maintenant à toutes les chambres d'hôtel de ces villes étrangères où chaque soir des hommes seuls arrivent dans la nuit. J'ai connu cela et c'est pourquoi le désert ne m'a rien appris sinon la beauté. Et j'ai toujours pensé dans ces chambres toutes pareilles que je me trouvais sur une terre interdite aux humains, défendue contre l'amour, privée des eaux du bonheur, mais consacrée à une idole impassible dont le sourire bouleversant était celui du secret. Est-ce un hasard si je le retrouve ici et ne puis-je penser que pour finir ce secret m'est enfin promis ? Oui, dans toutes les chambres d'hôtel, toutes les heures du soir sont difficiles pour l'homme seul. Mais c'est peut-être la promesse du secret et mon angoisse est vaine. La voici pourtant ici *(il désigne l'endroit)* au creux de mon corps, et je le sens comme une blessure vivante, une fleur douloureuse que chaque mouvement irrite. Je connais ce symbole. Elle est peur de la solitude éternelle, elle est crainte qu'il n'y ait pas de réponse car c'est cela la chambre d'hôtel qu'on y puisse crier, appeler et que rien que d'étrange ne puisse alors venir. Oui, c'est cela ma blessure réveillée, le froid de la solitude et l'idée que personne ne répondra à mon appel… si j'appelle. / *(Il s'est avancé vers la sonnette.)* // SCÈNE II // La sonnette marche, mais lui ne parle pas. Non, ce n'est pas une réponse et cette chambre est toujours étrangère. Où trouver mes repères, [la demeure où je pourrai dormir   *biffé*] la main fraîche qui se posera sur cette blessure enfiévrée, la [demeure   *corrigé en*   chambre] où je pourrai dormir. Certes j'avais tout cela, mais à certaines heures la fleur altérée s'ouvrait à nouveau en moi et ce que [je viens chercher ici est la pacification   *biffé*] je veux de cette demeure c'est d'être pacifié pour toujours. L'amour d'une femme est bouleversant mais il n'est que démence et confusion. Celui d'une mère [peut   *corrigé en*   devrait] tout sauver et sa grâce devrait être un sommeil. Mais que le chemin est long vers cette nuit de la tendresse… *(Il regarde le ciel.)* Les ombres s'accumulent… [*(On frappe deux coups.)*   *biffé*] Elles vont crever bientôt sur toute la terre. Mais mon espoir stupide est qu'il faille traverser le désert pour rencontrer la source qui désaltère toute soif et qu'il faille connaître l'angoisse des chambres étrangères avant de retrouver la chambre du fils. [Pourquoi, pourquoi…   *biffé*] *(On frappe deux coups. La sœur entre* [p. 480, 3 l. du haut, fin de la scène III] *avec du thé.   ms. I*   : Sc. III // Jan se lève. / JAN : Peut-être est-ce moi en effet… mais qu'il est dur d'être rejeté [et que cette chambre est froide   *biffé*]. *(Il va vers la fenêtre, revient vers le lit où il s'assoit.* [*et regarde autour de lui.)* Mais qu'il est dur d'être repoussé   *biffé*] / Marie m'attend. Pourquoi ne pas y courir, et que me fait la connaissance si je suis privé d'amour, que me fait ma patrie si j'y demeure un étranger ? Mais quoi, tout cela est vain et je ne puis savoir qu'en avançant. C'est dans cette chambre que je serai pacifié. *(Il se lève.)* Qu'elle est froide cependant ! *ms. 2, dactyl. À partir d'ici ms. 2 et dactyl. donnent jusqu'à la fin de la scène* III *le même texte que ms. 1 à quelques variantes de détail près.* ◆◆ *f.* longtemps. Je leur dois quelque chose, je suis responsable d'elles. Et ce n'est pas assez dans ce cas-là de se faire reconnaître, et dire « C'est moi. » Il faut encore se faire aimer. *(Il se lève.)* 1944 ◆◆ *g.* se couvre. C'est ainsi, dans toutes les chambres d'hôtel, toutes les heures du soir sont difficiles pour l'homme seul. Et voici 1944, 1947 ◆◆ *h. Fin de la réplique dans 1944 et 1947 : (Il regarde le ciel.)* Les ombres s'accumulent. Elles vont bientôt crever sur la terre. Que faire ? [Et qui donc a raison de Maria ou de mes rêves ? *1944*] ◆◆ *i.* à moitié. Mais puisque le thé est servi, je suppose que nous le prendrez. *([Elle met le plateau sur la table. ajout ms. 2] Jan fait un geste.)* Il ne vous sera pas compté de supplément. / JAN : Oh ! ce n'est pas cela. Mais je suis content que vous m'apportiez du thé. / MARTHA : Je vous assure qu'il n'y a pas de quoi. Ce que nous en faisons est dans notre intérêt. / JAN : [Vous ne voulez pas me laisser d'illusion *absent de bm*]. Mais je ne vois pas votre intérêt dans tout cela. / MARTHA : Il y est pourtant. [Il suffit parfois d'une tasse de thé pour retenir nos clients. *ms. 1, ms. 2, dactyl., 1944* [Un geste comme celui-là suffit quelquefois à retenir nos clients. *bm*] *(Elle sort.)* *bm, ms. 1 ms. 2, dactyl, 1944, 1947* ◆◆ *j. la pose à nouveau [7 l. plus haut].)* [C'est le repas du prodigue qui continue. Un verre de bière mais contre mon argent ; une tasse de thé mais c'est pour retenir le client. Mais aussi je n'ai pas l'éloquence de celui qui revient du désert et pas une seule fois devant elles je n'ai su trouver mes mots. En face de cette fille au langage net, je cherche en vain la parole qui déliera tout. Hélas ! tout est plus facile pour elle car il est plus aisé de trouver les mots qui rejettent que de former ceux qui réunissent. La révolte a son langage tout prêt et l'amour en est encore à chercher le sien. Du moins j'en suis encore à chercher le mien. / Mais peut-être me lasserai-je d'être rejeté et de cette lassitude aussi j'attends quelque chose : qu'elle m'apprenne à garder ma place. Cette place est ici-bas dans un pays violent et généreux, auprès de celle que j'aime. / Hors de ce pays ensoleillé, [En dehors de leurs deux visages émerveillés, *ms. 2]* il n'est rien qui m'attende et que je puisse espérer. Et une fois de plus me voilà retourné vers Maria, fidèle à sa pureté, maintenant dans la nuit et appelant le jour à grands cris silencieux. Et moi aussi j'appelle le jour pour le voir à nouveau couler sur son visage. Elle est mon poids, ma balance en ce monde, c'est par elle que je rejoins la terre. Je convoite la science amère et elle m'offre la sagesse humaine. Je dis « Bientôt », je m'écrie « Peut-être » et elle répond « Voilà ». Je crois stupidement que les paradis sont faits pour être perdus et elle m'apprend que le seul Éden est à portée de ma main. Car elle est bien ce que j'ai de plus sûr au monde quoiqu' [bien que pour le savoir *ms. 2]* il me faille toujours attendre [pour le savoir *absent de ms. 2]* d'en être dépossédé. Mais elle m'affermit dans la terre et c'est par elle que je tiens au sol. Quand je vais vers elle, c'est un chasseur d'ombres qui l'approche et quand je quitte son corps fraternel c'est un homme abandonné au repos de la terre. Si je me détourne, si je me sépare, si je quitte les chemins de ce monde, elle reste mon assurance et mon repère. Oh ! Maria plantée devant les vagues sur ses jambes qui tire ses cheveux salés en arrière et rit la bouche pleine de soleil, comment puis-je en faire cette femme sans couleur dans une chambre inconnue sous un ciel ennemi et comment puis-je me détourner de ce qui plus d'une fois a fait monter à ma bouche tous les cris de la joie ? Mon Dieu donnez-moi la force de choisir ce que je préfère — et de m'y tenir   *biffé ms. 2] ms. 1, ms. 2* ◆◆ *k.* C'est seulement un malentendu   *ms. 1, ms. 2, dactyl.* ◆◆ *l.* reviendrai. [J'en suis même sûr.   *add. marg. ms. 2]* À ce moment-là, les choses iront sans doute mieux et je suis [sûr *corrigé en* persuadé *ms. 2]* que nous [pourrons avoir   *ms. 1, ms. 2]* aurons alors de la satisfaction à nous [revoir   *ms. 1]* retrouver. Mais pour l'instant   *ms. 1, ms. 2, dactyl., 1944, 1947* ◆◆ *m.* faire. / JAN : C'est ce qu'il semble du moins. Mais, en vérité, on ne sait jamais. / LA MÈRE : Je crois en tout cas que nous avons fait tout ce qu'il faut pour que vous restiez dans cette maison. / JAN : Oh ! cela   *ms. IV, 1944, 1947* ◆◆ *n. Fin de la scène dans ms. 1 :*   Je veux du moins vous remercier pour votre thé. / LA MÈRE : C'était peu de chose, monsieur. [Et d'ailleurs   *biffé]* ne prenez pas cela pour une remarque hostile mais il est vrai qu'il ne vous était pas destiné et que c'est un embarras pour moi que d'être remercié pour un malentendu.   *: fin de la scène dans ms. 2, dactyl., 1944 et 1947 :*   Je voudrais, du moins, vous remercier, pour votre thé et pour l'accueil que vous m'avez fait. / LA MÈRE : Je vous en prie, monsieur, c'était peu de chose. [Et quant à mon thé, ne prenez pas cela pour une remarque hostile, mais il est vrai qu'il ne vous était pas destiné.   *supprimé 1947]* C'est un embarras pour moi que de recevoir des remerciements par l'effet d'une méprise. / (Elle sort.) ◆◆ *o.* sortir *[1 1 l. plus haut, début de la scène VII].* [(Il est tout à coup dans une grande animation.) / LE FILS : Maria ! Cette nuit du moins nous ne serons pas séparés. Non, cette maison n'est pas la mienne et je me retourne vers une autre demeure où m'attend l'amour humain. Il n'est pas d'amour plus haut que cet amour et je suis bien vain de chercher ce qui me dépasse. Je reviendrai demain avec dans ma main la main de ma femme et je dirai : « C'est moi. » Qu'importe que je sois reconnu de telle ou telle façon puisqu'ensuite je partirai et que j'irai vivre à nouveau cet amour qui doit mourir avec moi dans ce pays où la beauté est sans avenir. Et voilà. Et je ne regretterai rien si du moins de ce long voyage je pouvais transformer en certitude ce qui n'est encore qu'appréhension et savoir pour toujours qu'il faut consentir à mourir à ses rêves pour renaître au bonheur [Et je ne regretterai rien quand au terme de ce long voyage je saurai pour toujours si mes rêves avaient raison.   *ms. 2].* Ce soir tout est encore confus [et l'assoit sur le lit.) mais] demain j'aurai appris enfin si oui ou non, mes rêves avaient raison [mais demain, sans doute, ce qui n'est encore qu'appréhension sera devenu certitude et j'aurai appris peut-être qu'il faut consentir à mourir à ses rêves pour renaître au bonheur   *ms. 2].* / (Il se couche. Il dit quelques paroles indistinctes. Il remue. Il dort. La pièce est sombre. Long silence. La nuit. La porte s'ouvre. Entrent avec une lumière les deux femmes.) *biffé ms. 2] ms. 1, ms. 2*   : sortir *[1 1 l. plus haut, début de la scène VII].* / JAN : « C'est moi. » Mais, oh, mère, que vous êtes lointaine. C'est étrange, tout me paraît si lointain, même Maria qu'il me faut maintenant aller rejoindre. (Il soupire, s'étend à moitié.) Plus personne auprès de moi, tout s'éloigne. Maria de l'autre côté de la mer, si loin, et vous, mère, à quelle distance ! (Il balbutie, s'étend. On l'entend encore.) Et où chercher ce qui me dépasse, savoir si mes rêves avaient raison (d'une voix entrecoupée) Cette heure… est difficile. / (Quelques paroles indistinctes. Il remue. Il dort. […] avec une lumière.)   *ms. 2, dactyl.* ◆◆ *p.* À partir d'ici la scène telle qu'on la lit actuellement a été rédigée pour la télévision. *Dactyl., 1944 et 1947* comportaient la scène suivante, déjà présente à quelques *variantes près dans ms. 1 et ms. 2 :* LA MÈRE : Comme il dort, Martha ! / MARTHA : Il dort comme ils dormaient tous. Allons, maintenant ! / LA MÈRE : Attends un peu. Il est vrai que tous les hommes endormis ont l'air de déposer les armes. / MARTHA : C'est un repos qu'ils se donnent avant de redevenir les bêtes féroces ou les singes stupides qu'ils sont tous. [C'est un air qu'ils se donnent. Mais ils finissent toujours par se réveiller… *1947*] / LA MÈRE *(comme si elle réfléchissait)* : Non ! les hommes ne sont pas si remarquables. Et dans leur sommeil, ils ne changent pas en réalité. [C'est nous qui les regardons autrement et qui sommes surprises de voir soudainement nus des visages que nous ne connaissons qu'enflammés de désir ou assombris par l'ennui. *supprimé 1947*] Mais, toi, tu ne sais pas ce dont je veux parler. / MARTHA : Non, je ne sais pas, mais je sais que nous perdons notre temps. / LA MÈRE *(avec une sorte d'ironie lasse)* : Rien ne presse. [C'est au contraire le moment de se laisser aller, puisque le principal est fait. L'acte n'est rien, c'est d'y entrer qui coûte. Mais quand tout a commencé, l'esprit revient au repos. *supprimé 1947*] Pourquoi tant d'âpreté maintenant, cela en vaut-il la peine ? / MARTHA : Rien ne vaut la peine, dès l'instant qu'on en parle. Il vaut mieux travailler et ne pas s'interroger. / LA MÈRE, *avec calme* : Asseyons-nous, Martha. / MARTHA : Ici, près de lui ? / LA MÈRE : Mais oui, pourquoi pas ? Il vient de commencer un sommeil qui le mènera loin, et il n'est pas près de se réveiller pour nous demander ce que nous faisons là. Quant au reste du monde, il s'arrête à la porte de cette chambre close. Lui et nous pouvons jouir en paix de cet instant et de ce repos. / *(Elle s'assied.)* MARTHA : Vous plaisantez et c'est à mon tour de ne pas aimer cela. / LA MÈRE : Je n'ai pas envie de plaisanter. Je montre seulement du calme là où tu apportes de la fièvre. Assieds-toi plutôt *(elle rit bizarrement.* [*Martha s'assied.) 1947*] et regarde cet homme, plus innocent encore dans son sommeil que dans son langage. Lui, du moins, en a terminé avec le monde. À partir de ce moment, tout lui sera facile. Il passera seulement d'un sommeil peuplé d'images à un sommeil sans rêves. Et ce qui, pour tout le monde, est un affreux attachement [arrachement *ms. 1, ms. 2*] ne sera pour lui qu'un long dormir. / MARTHA : L'innocence a le sommeil qu'elle mérite. Et pour celui-là, au moins, je n'avais pas de raison de le haïr. Aussi, je suis heureuse que la souffrance lui soit épargnée. Mais je n'ai pas de raison non plus de le contempler, et je crois que vous avez une idée malheureuse que de tant regarder un homme que, tout à l'heure, il vous faudra porter. / LA MÈRE, *hochant la tête, et d'une petite voix* : Nous le porterons quand il le faudra. Mais rien ne presse encore et, si nous le regardons attentivement, peut-être, pour lui au moins, ne sera-ce pas une idée malheureuse. Car il est encore temps, le sommeil n'est pas la mort. Regarde-le. Il est dans cet instant où son destin même lui est étranger, où ses chances de vie sont remises dans des mains indifférentes. Que ces mains restent là, comme elles sont, abandonnées sur mes cuisses, jusqu'à l'aube et, sans qu'il en sache rien, il aura ressuscité. Mais qu'elles s'avancent vers lui et qu'elles forment autour de ses chevilles des anneaux durs et il entrera pour toujours dans une terre sans mémoire. / MARTHA, *elle se lève brusquement* : Mère, vous oubliez en ce moment que les nuits ne sont pas éternelles et que nous avons beaucoup à faire. Nous devons dépouiller ses papiers et le descendre dans la chambre du bas. Il nous faut éteindre toutes les lampes et guetter sur le pas de la porte le temps qu'il faudra… / LA MÈRE : Oui, nous avons beaucoup à faire, et c'est notre différence avec lui qui est maintenant déchargé du poids de sa propre vie. Il ne connaît plus l'angoisse des décisions, le raidissement [de la volonté, l'œuvre à édifier, le visage difficile que l'homme se modèle à lui-même   *ms. 1, corrigé sur ms. 2 en* , le travail à terminer. Il ne porte plus la croix de cette vie intérieure qui proscrit le repos, la distraction ou la faiblesse]. À cette heure, il n'a plus d'exigences envers lui-même, et moi, vieille et fatiguée, je suis tentée de croire que c'est là le bonheur. / MARTHA : Nous n'avons pas le temps de nous interroger sur le bonheur. Quand j'aurai guetté le temps nécessaire, il nous faudra encore parcourir le chemin jusqu'à la rivière et vérifier qu'aucun ivrogne ne s'est endormi dans le fossé. Nous aurons alors à le porter rapidement et vous savez que la besogne n'est pas facile. Nous devrons nous y reprendre à plusieurs fois avant d'arriver au bord de l'eau et de l'envoyer, aussi loin que possible, au creux de la rivière. Laissez-moi vous dire encore une fois que les nuits ne sont pas éternelles. / LA MÈRE : C'est en effet ce qui nous attend et, d'avance, j'en suis fatiguée, d'une fatigue tellement vieille que le sang ne peut plus la digérer. Pendant ce temps, lui ne se doute de rien et jouit de son repos. Si nous le laissons se réveiller, il devra recommencer et, tel que je l'ai vu, je sais bien qu'il ne diffère pas des autres hommes et ne peut être pacifié. Peut-être est-ce pour cela qu'il nous faut le conduire là-bas et l'abandonner à la course de l'eau. *(Elle soupire.)* Mais il est bien dommage qu'il faille tant d'efforts pour arracher un homme à ses [dieux silencieux   *ms. 1, corrigé en*   folies   *ms. 2*] et le conduire à la paix définitive. / MARTHA : Je suppose, mère, que vous déraisonnez. Encore une fois, nous avons beaucoup à faire et, lui précipité, nous devrons effacer les traces au bord de la rivière, brouiller nos pas sur le chemin, détruire ses bagages et son linge, dissiper tous les signes de son passage et le rayer enfin de la surface de cette terre. L'heure approche où il sera trop tard pour mener ce travail dans le sang-froid, et je vous comprends mal, assise près de ce lit, faisant mine de regarder cette femme que vous apercevez à peine, et poursuivant avec entêtement un futile et ridicule monologue. / LA MÈRE : Savais-tu, Martha, qu'il voulait *[p. 485, 12 l. du haut]* partir ce soir ? […] / LA MÈRE : Oui, je suis montée ici *[p. 485, 18 l. du haut]*, lorsque tu m'as dit qu'on lui avait porté son thé. Il l'avait déjà bu. Si je l'avais pu, j'aurais empêché cela. Mais quand j'ai compris que tout venait de commencer, j'ai admis l'idée qu'on pouvait continuer et qu'en somme, cela n'était pas tellement important. / MARTHA : Si vous avez admis cette idée, nous n'avons pas de raison de nous attarder ici, et je voudrais qu'enfin vous vous leviez et que vous m'aidiez à en finir avec une histoire qui m'excède. / *(La mère se lève.)* / LA MÈRE : Je finirai sans doute par t'aider. Mais laisse encore un peu de temps à une vieille femme dont le sang coule moins vite que le tien. Depuis ce matin, tu as tout précipité et tu voudrais que je suive ton allure. Celui-là [même   *supprimé 1947*] n'a pas su aller plus vite et, avant qu'il ait formé son idée de partir, il avait déjà bu le thé que tu lui donnais. / MARTHA : Puisqu'il faut vous *[p. 485, 21 l. du bas]* le dire

---

1. Dans *ms. 1*, la méditation de Jan (dont les premières lignes ont été ici reprises) figure au début de la scène II (voir var. *e*, p. 479).
2. Sur *T 2* figure ici une note marginale : « amour de la mère ».

Acte III.

a. je respire. Jamais meurtre ne m'a moins coûté. Il me semble que j'entends déjà la mer et il y a *ms. IV, 1944, 1947* ◆◆ *b.* belle ? / LA MÈRE : Il me semble que tu l'es, ce matin. Il y a des actes qui te réussissent. *ms. IV, 1944, 1947* ◆◆ *c.* LA MÈRE : Bien *[p. 486, 8 l. du bas]*, bien. Quand ma fatigue sera partie, je serai tout à fait contente. C'est une compensation à toutes ces nuits où nous étions debout, que de savoir qu'elles vont te rendre heureuse. Mais ce matin, je vais aller me reposer, je sens seulement que la nuit a été dure. / MARTHA : Qu'importe ! Aujourd'hui est un grand jour. Vieux, prends garde, nous avons fait tomber en passant les papiers du voyageur et le temps nous a manqué pour les ramasser. Cherche-les. / *(La mère sort. Le vieux balaie sous une table, en retire le passeport du fils, l'ouvre, l'examine et vient le tendre, ouvert, à Martha.)* / MARTHA : Je n'ai rien à en faire. Range-le. Nous brûlerons tout. / *(Le vieux tend toujours le passeport, Martha le prend.)* LA MÈRE : Qu'y a-t-il ? / *(Le vieux sort. Martha lit le passeport, très longuement, sans une réaction. Elle appelle d'une voix apparemment calme.)* / MARTHA : Mère ! / LA MÈRE, *de l'intérieur* : Que veux-tu encore ? / MARTHA : Venez. / *(La mère entre, Martha lui donne le passeport.)* / MARTHA : Lisez ! / LA MÈRE : Tu sais bien *dactyl., 1944, 1947* ◆◆ *d.* plus longtemps que mon fils. Cela n'est pas dans l'ordre. Je peux *ms. 1, ms. 2, dactyl., 1944, 1947* ◆◆ *e.* au fond de cette carrière à chaux où il est déjà tout mangé par moitié *ms. IV* ◆◆ *f.* moins fort. Mais si cela peut te consoler, je viens d'apprendre que l'amour de mon fils était plus fort que le mien et c'est pour ne pas avoir su aller au-devant d'un tel amour que je vais mourir *ms. 1* ◆◆ *g.* vingt ans de silence et qui, du fond d'un pays heureux, ramène vers sa mère un fils que l'on croyait aussi oublieux qu'il était oublié. Bel amour qui lui fait élire entre tous les sentiments celui qui ne mourra qu'avec lui — celui que précisément j'ai fait mourir et hors duquel maintenant je ne peux plus vivre. Mais qu'importe *ms. 1* : vingt ans de silence et qui, à travers les mers, ramène vers [sa mère *ms. 1* : la maison *ms. 2, dactyl., 1944*] un fils que l'on croyait aussi oublieux qu'il était oublié. [[Et il faut croire en tout cas que cet amour est assez beau pour moi puisque en dehors de lui je ne vaux plus rien *corrigé en* Bel amour en tout cas puisque en dehors de lui je ne peux plus vivre *ms. 2*] *biffé*] Mais qu'importe ! *ms. 2, dactyl., 1944* ◆◆ *h.* pas alors à cette liberté que la première fois vous auriez gaspillée d'un seul coup. Vous ne pensiez pas qu'il vous fût désormais interdit de vivre. Et vous continuiez déjà comme si votre capital depuis ce temps-là n'était pas épuisé. Que peut changer *ms. 1* : pas alors à la liberté et à l'enfer. Vous ne croyiez pas qu'il vous fût interdit de vivre. Et vous avez continué. Que peut changer *ms. 2, dactyl., 1944, 1947* ◆◆ *i.* raisonnable. Une fois pour toutes, le premier crime a tout fixé et la douleur n'a plus de raison d'être. Mais aussi *ms. 1* ◆◆ *j.* ici et toute l'Europe s'est refermée autour de moi. Jamais la mer n'a apporté ici une odeur de sel, ses plaintes, ses appels au départ. Je suis restée. *ms. IV* : ici et toute l'Europe s'est refermée autour de moi. La plainte de la mer n'est jamais venue jusqu'à moi, et je ne sais pas ce qu'est l'odeur du sel. Je suis restée, petite *ms. 1* ◆◆ *k.* Tirade dans *ms. 1, biffée dans ms. 2* : C'est que je ne t'ai jamais embrassée et pourtant je n'ai jamais cessé de t'aimer, toi aussi.

Mais je vivais à l'aise avec cet amour qui avait le même visage que mes crimes et qui était froid comme eux. *(Elle écarte doucement Martha qui lui cède peu à peu le passage.)* Ce n'est [Tandis   *ms. 2*] qu'à la fin de ma vie que je découvre maintenant qu'il y avait du moins quelque chose en moi que l'horreur du meurtre n'a pu réduire et dont je ne puis supporter la douceur à présent et qu'il faut que j'aille tuer avec moi. ◆◆ *l. Fin de la tirade dans ms. 2, 1944 et 1947 :* puisque ton frère est venu réveiller [ce que la flamme du meurtre n'a pu réduire dans mon cœur,   *ms. 2*] cette douceur insupportable qu'il faut, à présent, que je tue avec moi. / *(Le passage est libre.)* ◆◆ *m.* voilà chassée, vagabonde et fugitive sur la surface de la terre, il n'est plus de lieu pour mon repos, ma mère   *ms. 1* : voilà exilée [sur la surface de la terre   *biffé ms. 2*] dans mon propre pays ; il n'est plus de lieu pour mon [repos *ms. 2*] sommeil, ma mère   *ms. 2, dactyl., 1944, 1947* ◆◆ *n.* le ciel est comme un couvercle, pour   *bm* ◆◆ *o.* prunier de Moravie   *bm, ms. 1, ms. 2, dactyl., 1944, 1947* ◆◆ *p.* terre, [exilée du bonheur *add. interl.*] rejetée   *ms. 1* ◆◆ *q.* Mon frère n'est plus là   *ms. 1, ms. 2, dactyl., 1944, 1947* ◆◆ *r. Ms. 1 ajoute ici :* et vous venez d'un pays que maintenant je déteste. ◆◆ *s.* démence. Et, au moment même où vos paroles arrêtent toute vie en moi [où vous me videz de mon sang *ms. 2*], je crois vous entendre parler d'un autre être que celui qui partageait mes nuits et d'une histoire lointaine où mon cœur n'a jamais eu de part. / MARTHA : Mon rôle   *ms. 1, ms. 2, dactyl., 1944, 1947* ◆◆ *t.* Écoutez, Martha, — car vous vous appelez ainsi, n'est-ce pas ? — cessons   *ms. 1, ms. 2, 1944* ◆◆ *u.* Oh ! [Douleur de cette plaie ouverte brusquement comme d'un membre tranché *biffé ms. 2*]. Je savais   *ms. 1, ms. 2* ◆◆ *v.* ma chambre et la poutre en est solide.   *ms. 2, dactyl., 1944, 1947* ◆◆ *w.* personne *[p. 495, 9 l. du bas].* [Car c'est à partir de maintenant que je ne pourrai plus me reposer de lui et qu'il me faudra porter son souvenir plus lourd et plus embarrassant que son amour vivant. C'est maintenant le temps des larmes qui commence et celui de la révolte qui finit. Et en vérité, j'ai à peine eu le temps de souffrir ou de me révolter. Le malheur est plus grand que moi. / MARTHA : Tant que vous n'aurez pas une idée juste des choses, vous me lasserez encore avec vos pleurs et votre amour. Il me semble pourtant que tout devrait vous être clair et vous persuader que c'est maintenant que vous êtes dans l'ordre. L'ordre veut que tous ceux qui ne sont pas reconnus meurent assassinés. Et l'ordre veut que personne ne soit reconnu. Ai-je été reconnue moi qui vous parle et qui reste pour toujours éloignée de mon ciel ? Suis-je reconnue au moment où je perds l'amour de ma mère ? Et pourtant vous ne m'entendez pas me plaindre. / MARIA : Et pourtant je veux me plaindre et m'abandonner à la douleur. C'est maintenant le temps des larmes et c'est à peine si je peux vous entendre — cherchant plutôt dans vos paroles un reflet de ce que fut celui que j'aimais. Je n'ai de curiosité que pour lui. / MARTHA : À quoi bon plaindre celui qui ne vous est plus rien *biffé ms. 2*]. Il est entré   *ms. 1, ms. 2* ◆◆ *x.* cette maison épouvantable où je vais les rejoindre et où des racines viendront fouiller nos yeux. *(Avec haine.)* Vous le recevrez aussi et si vous le pouviez alors   *ms. 1* ◆◆ *y.* toujours *[25 l. plus haut].* Mon frère avait toutes les folies du cœur humain. Il voulait être à la fois reconnu et réuni. Il a été réuni mais ignoré. Et quand enfin il a été reconnu, il était entré dans la grande séparation. Comprenez donc cela, femme gâtée par l'amour, et arrêtez vos larmes. On ne trouve de patrie que dans la mort mais c'est alors la fin des rêves. Oh ! ni dans la vie ni dans la mort il n'y a de paix pour le cœur des hommes. Et ceux qui ont vécu dans l'exil reçoivent avec la mort l'exil définitif. Car on ne peut appeler patrie, n'est-ce pas, cette terre épaisse, privée de lumières, où l'on s'en va nourrir des animaux aveugles. Arrêtez donc ces larmes et apprenez que tout est vain. / MARIA : Celui que j'aimais pensait autrement et il s'était levé pour se mettre en route à la recherche de sa patrie. / MARTHA : Il a reçu aujourd'hui sa réponse et vous la recevrez aussi. Ces clameurs, cette alerte des âmes, ce grand appel de l'être, ce cri profond vers la mer ou vers l'amour, oui, tout cela est dérisoire. Cette grande espérance recevra sa réponse. « Fils de la terre, vous aurez votre maison. » Et il est vrai qu'ils l'ont pour finir puisqu'ils retournent à cette maison épouvantable où des racines viendront fouiller leurs yeux. Vous y retournerez aussi et si vous le pouviez, vous vous souviendriez avec délices de ce jour où pourtant vous vous croyiez entrée dans le plus déchirant des exils. Comprenez donc que votre douleur ne s'égalera jamais à l'injustice qu'on fait à l'homme et pour finir écoutez mon conseil. Car je vous dois un conseil puisque je vous ai tué votre mari. Priez *ms. 1* ◆◆ *z.* pierre *[p. 496, 3 l. du bas].* C'est le bonheur qu'il a choisi, c'est le seul vrai bonheur. Il s'est rendu sourd et muet, indifférent comme un rocher. Faites comme lui, rejoignez la pierre pendant qu'il est encore temps, vous obtiendrez peut-être la paix aveugle des colonnes et des statues. Et si vous n'y parvenez pas, il vous restera toujours à nous rejoindre dans notre maison commune. *ms. 2*

1. *Cf. L'Homme révolté*, Gallimard, coll. « Folio », p. 80 : « Le cri le plus profond d'Ivan [Karamazov], celui qui ouvre les abîmes les plus bouleversants sous les pas du révolté, c'est le *même si.* " Mon indignation persisterait même si j'avais tort. " »

Appendices

PROLOGUE DACTYLOGRAPHIÉ
DU MANUSCRIT DIT « BRUCKBERGER »

Le manuscrit dit « Bruckberger », conservé dans le Fonds Carlton Lake, Harry Ransom Humanities Research Center de l'université du Texas à Austin, a été terminé à Saint-Maximin-la-Sainte-Baume en septembre 1943. C'est à partir de cet état que la pièce a été dactylographiée pour Gallimard par le père R.-L. Bruckberger. Camus lui offrit le manuscrit en gage de son amitié.

TEXTE DU PROGRAMME
DES REPRÉSENTATIONS DE JUIN 1944

C'est le 23 juin 1944 qu'a lieu la première du *Malentendu* au théâtre des Mathurins, dans une mise en scène de Marcel Herrand. La pièce sera retirée de l'affiche après la représentation du 23 juillet. Une nouvelle série de représentations seront données du 17 au 31 octobre.

PRÉSENTATION
DU « MALENTENDU »

Première et deuxième versions du Fonds Camus : CMS2. Ab5-03.01.

PRIÈRE D'INSÉRER
et PRÉFACE À L'ÉDITION AMÉRICAINE

Voir respectivement p. 1327 et 1328.

Articles, préfaces, conférences
(1931-1944)

Textes publiés dans « Sud »
(1931-1932)

NOTICE

Sud est une « revue mensuelle de littérature et d'art », fondée en 1931 par les lycéens de la classe de Philosophie à laquelle appartient Camus, encouragés par leur professeur, Jean Grenier. Dans le premier numéro (décembre 1931), un « Poème », évident pastiche verlainien, est signé P. Camus : l'initiale avoue l'emprunt, et, dans son étude sur « Un nouveau Verlaine », quelques mois plus tard (mars 1932), Camus reprendra certains des vers utilisés dans « Poème ». Dans ce même numéro 1, un texte beaucoup plus intéressant : « Le Dernier Jour d'un mort-né », est suivi d'une brève présentation signée P. C., ce qui renvoie explicitement au pastiche verlainien. Directement inspiré par _Le Dernier Jour d'un condamné_ de Victor Hugo, ce tout premier essai de création originale de Camus fait apparaître un curieux fantasme — le fait d'assister à sa propre naissance — que l'on retrouvera dans l'œuvre à venir[1] ; il contient aussi la première formulation de l'opposition entre l'annonce d'une mort imminente et la volonté de vivre.

Camus publie encore dans _Sud_ quatre articles de critique littéraire ou philosophique, reprises probables de dissertations : « Un nouveau Verlaine » propose un portrait baudelairien du poète ; « Le Poète de la misère. Jehan Rictus » dit son admiration pour un écrivain qui lui paraît un témoin authentique de la misère, donc habilité à en parler, contrairement à ceux qui s'approprient une parole qui n'est pas la leur. Dans un numéro spécial consacré à la philosophie, avec une introduction de Jean Grenier qui souligne qu'il s'agit d'« esquisses », Camus propose

---

1. Voir _L'Envers et l'Endroit_, p. 71.

deux textes. Un long essai « Sur la musique », exposé des idées de Schopenhauer et de Nietzsche, permet au jeune auteur d'exprimer sa conception, idéaliste et sentimentale, de l'art. Nous en donnons à la suite le manuscrit, dans les marges duquel Jean Grenier a porté des corrections et suggestions, dont le texte publié tient compte. Dans un second article de ce même numéro, « La Philosophie du siècle », Camus dit sa déception à la lecture du dernier livre de Bergson, *Les Deux Sources de la morale et de la religion* (Alcan, mars 1932), dans lequel il n'a pas trouvé « l'évangile du siècle » qu'il attendait.

JACQUELINE LÉVI-VALENSI et SAMANTHA NOVELLO.

NOTES

◆ POÈME. — *Sud*, nº 1, décembre 1931, p. 11 ; signé « P. Camus ».

◆ LE DERNIER JOUR D'UN MORT-NÉ. — *Sud*, nº 1, décembre 1931, p. 12 ; signé « P. C. ».

◆ UN NOUVEAU VERLAINE. — *Sud*, nº 4, mars 1932, p. 58 ; signé « Camus ».

◆ LE POÈTE DE LA MISÈRE. JEHAN RICTUS. — *Sud*, nº 6, mai 1932, p. 90-91 ; signé « Albert Camus ».

◆ SUR LA MUSIQUE. — *Sud*, nº 7, juin 1932, p. 125-130 ; signé « Albert Camus ».

Il existe une version manuscrite de la dissertation sur la musique, que Camus publiera, avec des changements considérables, dans *Sud* en juin 1932. Le manuscrit, 26 feuillets de grand format, peu raturé, porte en marge les corrections et les commentaires de Jean Grenier, dont Camus a tenu compte dans la rédaction du texte définitif.

À propos de l'ensemble de l'essai, Grenier note : « À revoir : plus serré, plus net. Enlever ce qu'il peut y avoir de scolaire. » Parmi les remarques de Grenier, quelques observations se révèlent particulièrement intéressantes pour le développement de la pensée de Camus. Nous les donnons en note.

La version manuscrite de l'introduction de « Sur la musique » (c'est-à-dire jusqu'à la partie, non comprise, consacrée à Schopenhauer), un plan et une bibliographie, que nous reproduisons ci-dessous, ainsi que les remarques de J. Grenier, ont été publiés dans *CAC 2* par Paul Viallaneix (p. 290-295).

1. Remarque de J. Grenier : « Très juste. C'est un optimisme héroïque, parent de ceux de Calderón, Corneille, Claudel. Cf. *Naissance de la tragédie*. »

2. Remarque de J. Grenier : « Rappeler en quelques mots cette objection : N<ietzsche> pousse trop loin l'irréalisme grec. Ne pas oublier leur sens de la mesure. Eurythmie des danses grecques (qui se survivent à Barcelone par les sardanes). Et la musique grecque donne-

t-elle absolument raison à N\<ietzsche> ? N\<ietzsche> pousse la Grèce vers l'Inde. Il est vrai qu'il n'admet pas la Grèce post-socratique ! »

3. Camus opposait dans la version manuscrite la raison ou la technique et la musique ; remarque de J. Grenier : « Refondre pour qu'on ne puisse croire à une attaque contre la technique quand c'est une attaque contre la Raison. Non, exemple : Bach. Le grand malheur pour l'artiste, c'est de partir des idées, des sentiments, au lieu d'aboutir à en suggérer. Ce qui survit dans Wagner, c'est ce par quoi il est musicien, et non penseur. Sa musique (pure) nous fait penser ; et sa pensée nous embête. Primauté de la technique (à ne pas confondre avec la raison). »

4. Remarque de J. Grenier : « La poésie de Burns, Shelley, par exemple ? Avez-vous lu l'*Intermezzo* de Heine ? »

5. Remarque de J. Grenier : « L'art qui a le moins besoin de matière, c'est l'écriture — et cette absence d'obstacles est un malheur pour l'écrivain, qui risque bien plus de se tromper que l'architecte. Le musicien doit tenir compte de l'instrument, de l'acoustique, des exécutants, etc. Heureuses difficultés matérielles. Si la musique est le plus spirituel des arts, ce n'est pas parce qu'elle a à la base la moins matérielle, c'est parce qu'elle a un substrat mathématique. Connaissez-vous l'admirable définition de Leibnitz : *Musica, exercitium occultum nescientis se numerare animi.* Arithmétique inconsciente. »

◆ SUR LA MUSIQUE. [EXTRAIT DE LA VERSION MANUSCRITE.] — Voir p. 1361.

Des microfiches de ce manuscrit sont conservées dans le Fonds Camus (cote : CMS2. Af5-01.01).

Nous donnons ici le plan et la bibliographie qui accompagnent la version manuscrite de l'article.

PLAN

Introduction.
A. Rejet de la théorie réaliste de l'Art.
   Abaisser l'art à l'imitation de la nature c'est le détruire.
B. Le but de l'Art est de nous faire oublier le Monde où nous vivons pour nous projeter dans le monde du Rêve.
C. C'est pourquoi la musique, réalisant pleinement cet idéal, est l'art le plus parfait. Nous allons tâcher de le démontrer en nous appuyant sur Schopenhauer et sur Nietzsche.

Schopenhauer et la Musique.
A. Rapide aperçu sur la théorie générale de Schopenhauer : La Volonté.
B. L'art de Schopenhauer : Connaissance des Idées.
C. La Musique : Expression de la Volonté parallèle au Monde des Idées.

Nietzsche et la Musique.
A. Rapide exposé de la philosophie générale de Nietzsche. Deux aspects dans sa théorie sur la musique.
B. Idées qui outrancient Schopenhauer : Naissance de la Tragédie. Apollon. Dionysos. La musique est une Rédemption.
C. Idées qui contrarient Schopenhauer : Sur la Musique et la

Pensée. La Musique n'a pas pour seule fonction d'évoquer en nous des sentiments.

D. Les premières de ces idées conduisent à l'apologie de Wagner. Les secondes de ces idées conduisent à la critique de Wagner.

Essai de définition inspiré par ces deux philosophes.

A. La Musique est l'expression de la Réalité méconnaissable. Cette Réalité serait un Monde parallèle au Monde Réel.

B. Preuve de cette affirmation :
  La Musique est capable d'inspirer des sentiments soit littéraires soit personnels. Le contraire ne peut se produire. Irréductibilité du connu à l'Inconnu.

C. Valeur de la Musique. Ce sera une valeur de Rédemption.
  La Musique nous permet une évasion temporaire peut-être mais réelle grâce à l'Ivresse du Beau.

D. Rapports avec les autres arts : La Musique est l'art le plus parfait.

Conclusion.

A. J'ai gardé de la théorie de Nietzsche tout ce qui concordait avec Schopenhauer. J'ai rejeté le reste : pourquoi ?

B. C'est pourquoi je crois que Nietzsche s'est trompé dans sa critique de Wagner.

C. Quelle sera la Musique qui doit nous plaire.

BIBLIOGRAPHIE

Schopenhauer. *Le Monde comme Représentation et comme Volonté. IIIe Livre.*

Nietzsche. *Le Cas Wagner.*
  Nietzsche contre Wagner.
  La Naissance de la tragédie (consulté).

Pierre Lasserre. *Les Idées de Nietzsche sur la Musique.*
H. Lichtenberger. *La Philosophie de Nietzsche.*

Plotin. *1re Ennéade.* VIe traité : *Du beau.*

Divers articles de journaux. En particulier : *Revue musicale.*

◆ LA PHILOSOPHIE DU SIÈCLE. — *Sud,* n° 7, juin 1932, p. 144 ; signé « Albert Camus ».

Articles publiés
dans « Alger-Étudiant »
(1932-1934)

NOTICE

En 1932-1933, Camus est en classe de première supérieure (hypokhâgne) ; il évoquera « cet appétit de vivre et de connaître[1] » qui l'habitait au lendemain de la maladie qui lui laisse alors quelque répit. À son professeur de lettres, Paul Mathieu, il écrit que cette année fut « la meilleure de ses années d'études », et qu'il lui doit « les deux ou trois références où [il s]'appuie sans cesse », Racine, Pascal, « le goût du style ferme, l'horreur de la fausse éloquence, et le respect de l'intelligence[2] ». Il retrouve dans cette classe ses amis de l'année précédente, Claude de Fréminville, André Belamich. C'est aussi le temps des rencontres : celle de Simone Hié, celles de Louis Bénisti, peintre et sculpteur, Jean de Maisonseul, futur architecte, Max-Pol Fouchet, homme de gauche déjà politisé et épris de poésie, sans doute aussi, très tôt, Edmond Charlot, dont la librairie et la maison d'édition, à l'enseigne gionienne des Vraies Richesses, joueront un rôle essentiel dans la vie littéraire d'Alger, René-Jean Clot, peintre et poète. On imagine aisément la fébrilité créatrice qui animait ce petit groupe.

Entre 1933 et 1935, Camus achève sa licence de philosophie, qui comporte un certificat d'études littéraires classiques. Il lit beaucoup, comme l'attestent ses « Notes de lecture » d'avril 1933[3]. Mais sa collaboration à *Alger-Étudiant*, organe officiel et hebdomadaire de l'Association générale des étudiants d'Alger, consiste en huit articles essentiellement consacrés à la musique ou à la peinture. Par rapport à la musique, Camus se montre surtout sensible aux sentiments qu'elle lui inspire, loin des pensées philosophiques de « Sur la musique[4] » (juin 1932). C'est un recueil de son ami Claude de Fréminville, *Adolescence*[5], qui lui inspire la seule critique littéraire qu'il donne à ce journal ; dans ce dialogue avec un poète qu'il connaît bien, Camus laisse entrevoir sa propre conception du rapport entre l'œuvre et l'artiste[6].

Il en va de même quand il parle de peinture ; entre janvier et mai 1934, il signe cinq articles consacrés à quatre expositions : le Salon des orientalistes, l'exposition Assus, l'exposition Pierre Boucherle et l'exposition

---

1. Lettre à Paul Mathieu, citée en partie dans l'article de celui-ci, « Petite histoire de la khâgne africaine », *Revue de la Méditerranée*, n° 5-6, t. XIX, novembre-décembre 1959, p. 625-630.
2. Lettre inédite, datée de 1947, aimablement communiquée par P. Mathieu à J. Lévi-Valensi.
3. Voir les Premiers écrits, p. 955.
4. Voir les Textes publiés dans *Sud*, p. 522.
5. Poitiers, Amis de la poésie, 1933.
6. On trouve dans l'article l'expression « rêveuses insignifiances » (p. 550) qui figure également dans un texte contemporain, « La Maison mauresque » (voir les Premiers écrits, p. 971).

des Abd-el-Tif (comme l'on nommait les pensionnaires de la villa de ce nom qui accueillait des peintres s'intéressant à l'Orient). Sans que Camus se targue de compétence technique ou veuille cacher son ennui ou sa sévérité, ses comptes rendus révèlent souvent ses préoccupations de créateur. L'article sur Assus, en particulier, peut être lu comme une véritable introduction aux textes que, quelques mois plus tard, il réunira sous le titre « Les Voix du quartier pauvre[1] » (décembre 1934), tant il trouve dans les tableaux du peintre la consécration artistique « du banal et du quotidien[2] » qui seront au centre des écrits du « quartier pauvre ». L'article sur Pierre Boucherle, quant à lui, dans sa forme très littéraire, poétique, un peu précieuse, se situe dans la veine de « La Maison mauresque ». De valeur très inégale, ces articles apportent un témoignage précieux sur la quête esthétique et personnelle que Camus commence alors à mener.

JACQUELINE LÉVI-VALENSI et SAMANTHA NOVELLO.

NOTES

◆ LES CONCERTS. — *Alger-Étudiant*, nᵒ 145, 10 décembre 1932, p. 3 ; signé « A. C. ».

◆ LA MUSIQUE. À PROPOS DU RÉCITAL RAOUL DESCHAMPS. — *Alger-Étudiant*, nᵒ 153, 18 février 1933, p. 6 ; signé « Albert Camus ».

◆ LA POÉSIE. CLAUDE DE FRÉMINVILLE : « ADOLESCENCE ». CINQ SONATES POUR SALUER LA VIE. — *Alger-Étudiant*, nᵒ 166, 10 juin 1933, p. 3 ; signé « A. C. ».

◆ À PROPOS DU SALON DES ORIENTALISTES. — *Alger-Étudiant*, nᵒ 172, 25 janvier 1934, p. 2 ; signé « Albert Camus ».

◆ SALON DES ORIENTALISTES. — *Alger-Étudiant*, nᵒ 173, 10 février 1934, p. 2 ; signé « Albert Camus ».

◆ PEINTURE. L'EXPOSITION ASSUS. — *Alger-Étudiant*, nᵒ 174, 9 mars 1934, p. 9 ; signé « Camus ».

◆ LA PEINTURE. PIERRE BOUCHERLE. — *Alger-Étudiant*, nᵒ 176, 19 avril 1934, p. 6 ; signé « Albert Camus ».

1. Tel est bien le nom imprimé dans la note originale, sans doute pour Derain.

◆ LES ABD-EL-TIF. — *Alger-Étudiant*, nᵒ 177, 1ᵉʳ mai 1934, p. 3 ; signé « Albert Camus ».

---

1. Texte reproduit parmi les Appendices de *L'Envers et l'Endroit*, p. 75.
2. P. 557.

Articles, préfaces, conférences
(1937)

NOTES

◆ LA CULTURE INDIGÈNE. LA NOUVELLE CULTURE MÉDITERRANÉENNE. —
Jeune Méditerranée, n° 1, avril 1937, n.p.

Le texte de cette conférence, prononcée le 8 février 1937, fut publié
dans le premier numéro du bulletin mensuel de la Maison de la culture
d'Alger.

Camus, qui a adhéré au Parti communiste algérien en août ou septembre 1935, s'est plié d'abord aux directives qui régissent le comportement des militants d'un parti ouvrier, dont les mots d'ordre et les credo
s'alignent sur ceux du « grand parti frère » d'U.R.S.S. Dans une lettre à
Claude de Fréminville, non datée mais datable du début de 1936, le jeune
propagandiste fait montre d'un zèle mesuré : « J'y vois [dans le commu-
nisme] une aventure et un pari ; plus qu'une certitude de communion[1]. »
Jusqu'à cette date, il a donné des signes de prosélytisme loyal, comme en
témoignent les projets d'action confiés à ce même Fréminville, à la fin
de 1935 : « 1) Le Parti : / Journal / École Marxiste / Conférence / 2) La
création peut-être d'un théâtre prolétarien [...][2]. »

Il s'engagea donc comme cheville ouvrière du Théâtre du Travail,
puis dans le rôle de secrétaire général de la Maison de la culture de sa
ville, aux côtés d'Émile Scotto-Lavina, trésorier. Ladite Maison a son
siège 8, rue Charras et publie deux bulletins mensuels incluant des articles
de Jacques Heurgon sur Pouchkine, des poèmes arabes traduits par José
Aboulker, un article de Frédéric Joliot-Curie sur la radioactivité artificielle[3]. Dans l'orbite de cette Maison gravitent une Union franco-musulmane, structure de dialogue créée pour accueillir les chefs religieux, les
oulémas, lesquels animent le Cercle du Progrès, ouvert aux hommes de
dialogue des autres confessions, qu'un avocat hostile à ce genre d'initiative qualifiera, au cours des audiences du procès d'el-Okbi, de « ménages
à trois[4] ».

Moins d'un mois après cette conférence, Camus, désabusé sur la
capacité du P.C.A. à construire un dialogue fructueux avec les indépendantistes de Messali Hadj, réagit de plus en plus mal aux directives
orthodoxes des dirigeants de sa cellule. La lecture des critiques de Gide
(*Retour de l'U.R.S.S.* paraît en novembre 1936) à l'encontre du système
soviétique a laissé des traces chez beaucoup d'intellectuels, et notamment chez Camus, dès cette date.

En mai-juin 1937, confronté aux propos diffamatoires du camarade

1. Cité dans Olivier Todd, *Albert Camus. Une vie* (1996), Gallimard, coll. « Folio », p. 131.
2. Cité dans *ibid.*, p. 132 (lettre datée de novembre-décembre 1935).
3. Voir *ibid.*, p. 187.
4. Voir *Alger républicain*, 27 juin 1939, p. 709.

Prédhumeau qui l'accusa de détourner l'argent de la Maison de la culture, alors qu'avec d'autres amis il renfloue cette caisse chroniquement vide, Camus obtint de justesse l'exclusion de celui-ci de la Maison. Mais la plaie fut au vif. D'autres reproches de déviationnisme survinrent, au moment où le reflux du Front populaire mettait à nu un P.C.A. submergé par la vague des suffrages messalistes. Il fallait trouver un bouc émissaire. Camus fut invité à démissionner du P.C.A. par Émile Padula, secrétaire de la section de Belcourt. Mais il décida sans doute de se faire exclure, ayant déjà rompu avec la Maison de la culture.

Dès lors, il convient d'attacher l'importance appropriée au libellé de ce texte. Si les propos alambiqués — « une culture dont l'existence et la grandeur ne sont plus à démontrer » — et les artifices de révérence au principe sacro-saint de la soumission de l'intellectuel au prolétariat — « Ce n'est pas à [l'intellectuel] qu'il appartient de modifier l'histoire[1] » — ne manquent pas, des appréciations inhabituelles et étranges surgissent. En particulier ce qu'il convient de prendre pour des dérapages idéologiques et verbaux, sauf à considérer Camus comme un baladin chimérique. Ils donnent une impression de pensée baroque empêtrée dans une mythologie de pacotille. Que valent en effet l'assimilation de la « Patrie » à l'esprit de terroir, de même que les concepts ambigus comme ceux de « race » et de christianisme « ferm[é], judaïque avant tout[2] », devenu tolérant et universel avec le catholicisme ? S'agit-il de sembler consentir à ce que l'Église espagnole bénisse les armes d'origine italienne et allemande qui tuent les républicains, et à tourner le dos aux effets dévastateurs du nazisme en Allemagne ? Mais on sait que Camus, dès février 1937, après la conférence de Claude Aveline sur Anatole France, a appelé à soutenir les républicains espagnols « avec les armes[3] ». On sait aussi ce qu'il pense du régime nazi. À Fréminville, le 22 août 1936, il avait écrit : « Je viens d'Allemagne où tout sent la haine[4]. » D'autres écarts de pensée et de plume, sur Luther censé « séparer le christianisme du monde[5] », ou sur le fascisme plus doux de Mussolini que celui du Führer, autorisent à penser que Camus multiplie les improvisations hasardeuses pour tester et accélérer son exclusion du Parti.

ANDRÉ ABBOU.

◆ MANIFESTE DES INTELLECTUELS D'ALGÉRIE EN FAVEUR DU PROJET VIOLLETTE. — *Jeune Méditerranée*, n° 2, mai 1937, n.p.

Maurice Viollette (1870-1960) fut le gouverneur de l'Algérie de 1925 à 1937. En 1936, après la victoire du Front populaire, il fut ministre d'État dans le gouvernement de Léon Blum. Chargé des Affaires algériennes, il rédigea avec le président du Conseil un projet de loi conférant la citoyenneté française et l'exercice des droits politiques correspondants à environ 21 000 Algériens choisis parmi l'élite des « indigènes » musulmans, sur la base de services rendus, de titres acquis (diplômes, distinctions militaires) et prêts à renoncer au statut coranique qui régissait

1. P. 565 et 570.
2. P. 567.
3. O. Todd, *Albert Camus. Une vie*, p. 189.
4. Cité dans *ibid.*, p. 158.
5. P. 567.

certains actes de la vie civile et de la vie privée. La logique était d'amorcer un mouvement de nature à persuader de la volonté d'émancipation des élites algériennes et destiné à contrebalancer les effets de la propagande indépendantiste. De même qu'à développer le courant « libéral » au sein des collectivités régionales et locales.

À la fin de juillet 1936, une délégation d'élus et de responsables de mouvements musulmans furent reçus par MM. Blum et Viollette qui leur présentèrent le projet de loi, lequel fut adopté en commission parlementaire en 1937. Les démonstrations de force des deux courants opposés à sa mise en œuvre — colons et « autonomistes » — amena le gouvernement Blum à retirer de l'ordre du jour de l'Assemblée nationale le projet de loi.

Le 26 avril 1937, Camus le soutint lors d'un meeting organisé par la cellule communiste du Plateau. En mai, *Jeune Méditerranée*, le bulletin mensuel édité par la Maison de la culture d'Alger, publia un Manifeste en faveur du projet écrit collectivement. Jusqu'en avril 1939, Camus espéra, contre toute probabilité, que le gouvernement Daladier prendrait un décret-loi œuvrant à la mise en route de ce statut en raison de l'imminence d'une guerre où les « indigènes » algériens seraient, une nouvelle fois, mobilisés.

L'article premier du texte du projet Viollette est reproduit dans *CAC 3 **, p. 143-144.

A. A.

Articles publiés
dans « *Alger républicain* »
et dans « *Le Soir républicain* »
(1938-1940)

NOTICE

Le journalisme n'a pas été, pour Camus, une activité mineure. Dès le 9 septembre 1937, dans une lettre à Gabriel Audisio, il revendiquait « un an de journalisme pratique (rédaction et mise en page) ». Une recherche dans les quotidiens algérois de la période a permis de relever quelques relations d'expositions picturales non signées, et des billets à forme de nouvelle, dont l'une exploite, au tout début de 1936, le thème de Sisyphe.

La période 1937-1939 fut en effet, pour Camus, rude et bouillonnante d'activisme culturel. Rude, parce qu'il tenta de subvenir à des besoins pécuniaires, tout en préservant ses projets de création littéraire. Bouillonnante, parce qu'il multiplia les initiatives, au profit de la vie culturelle algéroise, sur le plan théâtral, comme au plan des essais littéraires.

Mais les quinze mois qu'il passa au marbre des deux quotidiens algérois, où furent publiés les articles repris dans la présente édition, se révélèrent d'une tout autre importance pour sa maturation intellectuelle et sociale. Certes, au plan quotidien, il put avoir, au début de sa collaboration, le sentiment d'une activité brouillonne et peu novatrice. Il le confia à Jean Grenier, dans une lettre de la fin de 1938 : « Je fais du journalisme (à *Alger républicain*) — les chiens écrasés et du reportage — quelques articles littéraires aussi. Vous savez mieux que moi combien ce métier est décevant. Mais j'y trouve cependant quelque chose : une impression de liberté — je ne suis pas contraint et tout ce que je fais me semble vivant[1]. » Mais à confronter les particularités de pensée et d'expression du jeune écrivain, telles qu'elles apparaissent dans les manuscrits et notes d'avant octobre 1938, puis celles qui virent le jour, à compter de la fin de 1939, l'évolution paraît considérable.

Car, avant cette phase journalistique, c'est une vision du réel comme jeu social qui prévaut, teintée de gravité et de cynisme, de souci de paraître et de réminiscences nietzschéennes. Le tout jeune essayiste (*L'Envers et l'Endroit* paraît en 1937) balança, jusqu'en 1938, entre le désir de vivre à l'extrême et la conscience d'une limite tragique que lui imposèrent les expériences de la maladie et de la pauvreté. Les personnages privilégiés de la période, Mersault, ou Caligula, s'accomplissent dans des vies hors normes qui se dénouent dans la quête d'une « mort heureuse » revendiquée, naturelle ou provoquée.

Avant octobre 1938, il n'a d'expérience concrète de l'action collective que par ses pratiques de militant politique et d'acteur-metteur en scène amateur. La collaboration aux deux quotidiens algérois change la donne. La fraternité agissante, qu'il rencontre au cours de son engagement journalistique, l'extrait du tête-à-tête avec ses lamentos habituels. Il y a une solidarité à partager avec ceux qui souffrent d'une condition plus précaire que la sienne. Aux côtés d'un Pascal Pia, venu de France pour prendre la direction de la rédaction d'*Alger républicain*, plus âgé et mieux préparé, tant aux sournoiseries de la vie littéraire parisienne qu'aux duplicités des politiciens, Camus apprend le métier de journaliste, ses routines, ses ficelles et sa grandeur quand il lui fait côtoyer et dénoncer la misère, la souffrance, l'humiliation, l'injustice, les turpitudes et les bassesses imposées aux hommes. Aux premières loges d'un monde qui se décompose, Camus plonge concrètement dans le réel sans subtilités ni apprentissage d'esthète.

Les articles sélectionnés dans la présente édition ont été écrits entre octobre 1938 et janvier 1940 pour les deux quotidiens algérois[2] ; ils sont le plus souvent signés par leur auteur, mais, lorsque ce n'est pas le cas, divers éléments permettent de leur attribuer avec assurance la même paternité.

La substance et la forme des contributions de cette période sont diverses, bien que témoignant de préoccupations identiques. Certaines traitent d'une actualité algéroise, d'autres répercutent les échos de débats

---

1. Albert Camus-Jean Grenier, *Correspondance 1932-1960*, éd. Marguerite Dobrenn, Gallimard, 1981, p. 33.

2. Le premier numéro d'*Alger républicain* paraît le 6 octobre 1938 et le dernier le 15 septembre 1939, jour où le journal change de titre et paraît désormais le soir ; *Le Soir républicain*, qui a donc pris la suite ce jour-là, sera suspendu le 10 janvier 1940. — Pour la liste exhaustive des contributions journalistiques de Camus en 1938-1940, lire J. Lévi-Valensi et A. Abbou, « La Collaboration d'Albert Camus à *Alger républicain* et au *Soir républicain* », *Revue des Lettres modernes*, série « Albert Camus » n° 2, n° 212-216, 1969, p. 203-224. Et voir *CAC 3 ** et *CAC 3 ***.

nationaux qui interfèrent avec un contexte international tragique et guerrier. Quelques-unes rendent compte d'une misère matérielle et morale
insoutenable, d'autres balancent entre le comique farcesque et le sarcasme pour dénoncer les injustices des tribunaux et les provocations
policières. Celles qui furent publiées dans *Le Soir républicain* brassent des
informations provenant de sources plus ou moins censurées, dont celles
de la B.B.C.

Comme l'a rappelé le directeur de publication des deux quotidiens
algérois, Jean-Pierre Faure, l'hétérogénéité et la relative dispersion géographique des collaborateurs régionaux du journal impliquaient des
interventions incessantes du duo Pia-Camus, pour relire, corriger, élever
les faits rapportés aux grandes préoccupations de la période[1].

La naissance d'*Alger républicain* ne fut pas plus aisée que sa courte vie.
Le projet de quotidien établi par les groupes sociaux-économiques et
socioculturels de gauche visait à soutenir un Front populaire en proie
au doute qui gagna les milieux progressistes algérois après la chute du
gouvernement Blum. Le journal ne disposa de statuts qu'au début de
novembre 1937. La parution était prévue pour le 1er janvier 1938. Mais
les difficultés de souscription du capital donnèrent lieu à de fréquents
rappels dans *L'Algérie ouvrière*, périodique syndical. Ce capital dut être
souscrit en plusieurs tranches[2]. Les slogans de rappel se révélèrent assez
vains. Le 27 avril 1939 la souscription de Maurice Viollette, concepteur
du statut de l'indigénat[3] jamais adopté, fut l'occasion de rappeler dans
les colonnes du journal les enjeux de la pérennité d'*Alger républicain* : « Il
ne faut pas qu'*Alger républicain* disparaisse ; c'est une question capitale
pour l'avenir de l'Algérie et le statut de la démocratie dans ce pays. »

Tout au long des années 1937 et 1938, la presse syndicale martela, par
communiqués, les items de la mission attachée au quotidien projeté :
« honnêteté », « indépendance », « vocation populaire », « objectivité »,
« mission démocratique et égalitaire », « journal des classes modestes »,
« porte-parole de l'Algérie auprès du gouvernement, du parlement et de
l'opinion publique de la métropole ». Dans son premier numéro, le quotidien annonça son programme : « Rassemblement populaire », « égalité
sociale immédiate de tous les Français », « acheminement des indigènes
d'Algérie vers l'égalité politique[4] ». Mais dès mai 1939 le duo Pia-Camus
sut que le climat international et l'échec des solutions politiques projetées pour l'Algérie condamnaient à court terme la raison d'être du quotidien. Le lectorat militant et les supporters musulmans du journal s'en
étaient détournés. Ils ne croyaient plus à l'issue heureuse d'une ligne
politique qui alliait le combat contre le fascisme et la dénonciation des
turpitudes d'une administration s'entêtant à freiner l'émancipation des
Algériens musulmans. Les thèses extrémistes avaient attiré la majorité de
ceux-ci. L'éparpillement de la presse de gauche et l'« insoutenable légèreté » des défenseurs de la démocratie agissaient comme autant de forces
de dilution. Le quotidien ne se lassa pas de tonner contre les causes du
déclin politique et moral de la période[5].

---

1. Voir les Documents sur *Alger républicain* et *Le Soir républicain*, Témoignages, p. 862
et suiv.
2. Voir *CAC 3 **, p. 32-33.
3. Voir le « Manifeste des intellectuels d'Algérie en faveur du projet Viollette », p. 572.
4. « Lecteurs », *Alger républicain*, 6 octobre 1938, p. 853 et 854.
5. Voir « Un journal pour les travailleurs », *Alger républicain*, 6 octobre 1938, p. 855.

De telles considérations, jointes à des reportages et à des campagnes de presse jugés contraires à l'ordre colonial en Algérie, valurent, au moment de la parution des décrets-lois en juillet 1939 (mesures prises par le gouvernement Daladier devant l'imminence de la déclaration de guerre, sur les dépenses de Défense nationale, etc.) puis de l'instauration de la censure, un traitement de rigueur qui conduisit à l'interdiction de paraître prononcée le 10 janvier 1940 à l'encontre du substitut vespéral — *Le Soir républicain* — du quotidien matinal. Celui-ci avait tenté, en septembre 1939, par cette substitution et par la réduction du nombre de pages, de pallier les effets du manque de papier et de la mobilisation de ses rédacteurs. Mais sachant inéluctable, à court terme, la disparition du journal, tant par manque de papier que par l'impossibilité de s'opposer en temps de guerre à la massification des consciences, le duo éditorial qui dirigea le nouveau quotidien, puis Camus seul, allèrent jusqu'au bout de leur logique en provoquant la colère des militaires par la dénonciation quotidienne, sous forme d'entrefilets vengeurs, du zèle des censeurs : « Lis à partir de demain dans *Le Soir républicain* la série d'études consacrées par Pascal Pia à l'origine et au filtrage des informations de politique extérieure. / Tu sauras la vérité » ; « Lecteur, conserve ce journal, il te donnera plus tard les preuves de notre volonté de paix » ; « Ce journal n'est pas un journal officieux »[1]. À chaque séquence censurée, les deux journalistes répondaient par un nouveau défi qui laissait deviner aux lecteurs le nombre et la nature des mots interdits, en exposant des textes devenus elliptiques[2]. Ce qui motiva la plainte déposée contre Camus aux prud'hommes, en janvier 1940, par les administrateurs du journal en réplique à celle de Camus qui demandait à bénéficier des indemnités de licenciement. Il lui était fait reproche de n'avoir pas mis en œuvre la « prudence et la conciliation » qu'on lui avait recommandé d'observer et son obstination à rester sourd « aux consignes qui lui étaient données »[3].

Sans sous-estimer le tort causé aux nombreux petits souscripteurs du journal qui avaient confié leurs économies, Pia et Camus avaient mesuré la double infidélité à la cause commune qu'il y aurait eu à déguiser, aux derniers lecteurs, le sens et les enjeux du combat à mener contre la barbarie, et à sembler cautionner l'irresponsabilité et l'impéritie de gouvernants conduisant la France à la défaite et à l'humiliation. « Tout ça ne m'empêche pas d'ailleurs d'être pessimiste et légèrement écœuré. Je veux la paix, naturellement. Il y a des millions de Français qui la veulent. Mais ils ne savent pas comment la vouloir. Et M. Daladier est venu qui leur a dit : "C'est comme ça que nous l'aurons [...]. " Alors, la France a marché. / Elle marche encore. Et elle marchera jusqu'au bout, M. Daladier à sa tête, jusqu'à ce qu'elle meure d'épuisement[4] », avait écrit Camus dans *Alger républicain* en août 1939, sous le pseudonyme de Vincent Capable.

La nécessité de s'opposer à toutes les dérives de l'heure, en préservant la qualité d'information et de réflexion des deux quotidiens, pour s'acquitter auprès du public des tâches confiées, explique la diversité des

---

1. Respectivement : 6, 17 et 26 novembre 1939. Voir aussi, notamment, la « Mise au point » parue le 7 novembre 1939, p. 772.
2. Voir p. 754.
3. Voir la lettre adressée par la direction du journal aux prud'hommes, « *Alger républicain* et M. Camus », p. 860.
4. « Quatrième lettre de Vincent Capable », *Alger républicain*, 28 août 1939, p. 754.

terrains de lutte auxquels la plume de Camus fut mêlée. Qu'il s'agisse, comme il le relève lui-même, des reliefs pittoresques de la vie quotidienne algéroise — les petites trahisons entre amis au cours des élections sénatoriales de 1938 — ou des débats houleux du vote du budget municipal en 1939, ou de « la catastrophe de la rue Blanchard[1] », ou du couscous du Nouvel An « offert par Mme Chapouton aux meskines d'Alger », fille de M. le gouverneur Le Beau[2], Camus s'amuse à souligner les indignités que s'infligent les notables de la bonne société : les comportements ridicules, les reniements, les contradictions cyniques, l'étalage de la bonne conscience, la déchéance.

Les billets d'humour et du jour (comme ceux de « La Gazette de Renaudot[3] ») offrirent un florilège des inepties prétentieuses ou sanglantes. Du « bon mot » récurrent du colonel de La Rocque à la prosopopée du député P.S.F. Jean Ybarnegaray (qui protesta contre l'« invasion » des réfugiés espagnols), de la sensualité gourmande du maire d'Alger à « la bible aryenne[4] », l'écrivain recense la triste actualité et la pimente d'une saveur qui l'accable. Tout autant qu'il fustige les mesquineries et les turpitudes infligées aux « indigènes » et au petit peuple, « au nom du peuple français[5] ». Le refus d'équité en matière d'assurances sociales, l'ordre spécial imposé dans les Territoires du Sud, les procès manipulés intentés aux Hodent, el-Okbi, Priaud et Bouhali, paraissent comme autant de dérèglements graves infligés aux consciences et aux espoirs, et comme une lente accommodation aux déchéances qui entament les résistances à la barbarie et à l'abjection.

Ce ne fut donc pas une cause vaine ou mineure que ce travail patient et obstiné de chroniqueur. La conception du journalisme que s'est forgée Camus est exigeante et parente du métier d'écrivain, dont il a exposé à maintes reprises les servitudes et les grandeurs, et ce jusqu'aux conférences et allocutions prononcées à l'occasion de la réception du prix Nobel, en 1957. « Nous réclamons le droit de défendre la vérité humaine, celle qui recule devant la souffrance et aspire à la joie. Tout se tient et se rejoint dans le monde fermé et machinal que nous avons construit. Les hommes de bonne volonté dont nous sommes veulent du moins ne pas désespérer et maintenir les valeurs qui empêcheront un suicide collectif[6] », écrit-il, dès le 6 novembre 1939, dans *Le Soir républicain*.

Des articles aux éditoriaux, Camus a refusé d'admettre un journalisme futile et une politique distraite des exigences éthiques. « La presse constitue à notre époque une arme terrible dans les mains de ceux qui la contrôlent. Elle fait ou elle défait l'opinion, elle la dirige, la freine ou l'exaspère. Un homme d'État bien connu disait qu'il lui suffisait d'une campagne de presse de six semaines pour préparer une guerre. Il avait tout à fait raison. Mais les pouvoirs meurtriers de la presse s'expliquent autant par la corruption de ceux qui la dirigent que par le manque de sens critique de ceux qui la lisent[7]. »

Le parti pris de l'écrivain resta cependant lucide. Il réaffirma simple-

1. Série d'articles du 26 au 31 décembre 1938 ; voir *CAC 3* *, p. 185-208.
2. *Alger républicain*, 14 janvier 1939, p. 607.
3. Voir p. 594, 598 et 649.
4. *Alger républicain*, 17 mai 1939, p. 649.
5. P. 739.
6. *Le Soir républicain*, « Notre position », 6 novembre 1939, p. 768.
7. *« À nos lecteurs »*, *Le Soir républicain*, 18 décembre 1939, *CAC 3* **, p. 733.

ment une limite au-delà de laquelle il ne voyait que la déchéance ou la négation de l'homme. Ainsi jugeait-il que l'honneur commandait de se retirer quand l'exercice de la fonction devenait impossible, ce qu'il fera aussi, plus tard, en 1947, quand il quittera *Combat* et, en 1956, quand il cessera sa collaboration à *L'Express*. Tarrou comme Rieux, explicitant la pensée de l'écrivain, acceptaient de se condamner « à un exil définitif », estimant « qu'il n'[était] pas important que [les] choses aient un sens ou non », mais qu'il fallait simplement répondre à « l'espoir des hommes[1] ».

Quant aux causes directes de la suspension du journal, il faut lire la lettre de Pascal Pia reproduite aux pages 864-867 dans la présente édition. L'éthique du journalisme chère aux deux compères de la rédaction, leur philosophie politique respective, l'épuisement des moyens financiers en décembre 1939, l'amenuisement du stock de papier disponible, la guerre d'escarmouches incessantes avec les officiers censeurs, l'évidence jour après jour de la gratuité de la cause (eu égard à la faible diffusion du journal), la préoccupation de Camus de se consacrer à ses projets littéraires, celle de Pia d'échapper à la grisaille algéroise, tout ceci a contribué à provoquer sciemment la réaction violente de la censure mettant fin à la parution du journal. Les administrateurs de celui-ci étaient donc fondés à considérer que *Le Soir républicain* avait été sabordé par ses deux animateurs parvenus au bout de leur science et de leur énergie.

QUELQUES GRANDS DOSSIERS

Les soixante-huit articles que nous donnons relèvent de domaines variés, allant de la défense de la démocratie locale à Alger, au combat pour la justice et pour la « vraie paix », en passant par l'émancipation politique et sociale des Algériens, la description de la misère en Kabylie, la cause de l'Espagne républicaine et l'éthique du journalisme.

La démocratie locale à Alger.

La démocratie locale en Algérie en 1938-1940 ne fut jamais une priorité du Gouvernement général. Les pesanteurs propres à la vie politique française de l'époque et les conflits idéologiques et économiques entre les tenants du Front populaire ou du radicalisme d'une part, et les sympathisants de la vieille droite nourrie de maurrassisme et de sympathie pour les gouvernements « énergiques » de l'autre, expliquent en partie cette inertie des mentalités et des comportements. En Algérie, les composantes locales de ces querelles opposaient partisans et adversaires d'une évolution politique maîtrisée, destinée à contrer par l'émancipation politique les thèses autonomistes, voire indépendantistes, de certains groupes musulmans convaincus que l'administration coloniale n'admettrait jamais la remise en cause de ses privilèges. À Alger, évidemment, la majorité politique en charge de la mairie regroupait les multiples tendances de la droite opportuniste, férocement opposée à toute remise en cause des privilèges de la minorité bourgeoise qui prétendait régenter l'ensemble de la communauté pied-noire. Le maire d'Alger, Augustin Rozis, hâbleur et brouillon, avait recours aux multiples ficelles du politicien retors, se plaisant à donner des gages aux différents clans de sa

1. *La Peste*, p. 210 et 242.

majorité « nationale ». À lire les articles de Camus, il apparaît comme l'homme dont il faut libérer la capitale de l'Algérie. Gestion « douteuse » et désastreuse, politique répressive à l'égard des travailleurs, racisme envers les « indigènes », les objets de conflits sont si nombreux que l'on pourrait soupçonner le journal d'en faire un bouc émissaire et de céder à l'esprit partisan. Mais il suffit de parcourir *L'Écho d'Alger* (radical-socialiste) — sans parler, bien entendu, de *La Lutte sociale* (communiste) — pour s'assurer qu'*Alger républicain* n'innove pas en s'attaquant au maire d'Alger, « parrain » du clan municipal. Très actif au sein de la Fédération des maires d'Algérie, Rozis assortissait ses positions municipales de considérations sur les péripéties de la politique internationale. Il contrecarra, autant qu'il le put, toute expression de sympathie à l'égard de l'Espagne républicaine, tout au long de la période du Front populaire[1].

Ainsi s'explique la constance des accusations portées par *Alger républicain* contre celui que Camus appelle « le regrettable maire d'Alger[2] ».

L'émancipation politique et sociale.

L'Algérie connaît, en 1938-1939, des difficultés économiques et sociales quasi identiques à celles de la métropole, mais plus accentuées. Car la législation y est adaptée à ce qu'on appelle les réalités locales. Le niveau de vie en baisse, largement entamé par les conflits du travail et les budgets militaires nécessaires à une guerre que tout le monde sait inévitable, la gouvernance par décrets-lois qui annulent les « conquêtes sociales » de 1936, l'ajournement de toutes les réformes projetées, au plan politique comme au plan réglementaire, tout concourt à aiguiser les conflits latents que l'espoir des réformes avait refrénés.

En Algérie, faute de réformes politiques promises et différées, les problèmes urgents concernent l'application de la législation sociale en matière d'allocations familiales, d'assurance-maladie et d'indemnités de chômage, et la régulation des coûts des matières premières, notamment pour protéger les petits paysans. L'Office du blé, créé en août 1936 (un décret d'application de septembre en fixe les modalités propres à l'Algérie), avait permis de rassembler et de répartir les récoltes et de réactiver les sociétés indigènes de prévoyance qui facilitaient l'octroi de crédits à des fermiers indigènes en difficulté. Des décrets pris en avril 1937 avaient fait lever un vent d'espoir que *L'Algérie ouvrière*, périodique des forces syndicales de gauche, résumait en ces termes : « Ainsi nous allons voir disparaître le principal facteur de la misère physiologique et morale de nos amis indigènes. » Albert Camus y fera écho dans son enquête sur les conditions de vie en Kabylie, en dénonçant les « salaires insultants[3] ». Mais le climat politique tournant à l'avantage de la droite, les mauvaises volontés et un zèle réactionnaire de quelques potentats locaux freinèrent ou annulèrent les effets des conquêtes sociales.

Qui se préoccupe des ravages irréversibles que ce laisser-faire aura sur le désespoir des électeurs musulmans, lesquels se livreront aux thèses nationalistes, ne peut que souscrire aux propos de Camus, maintes et maintes fois martelés. Qu'il s'en prenne aux spéculateurs, ou au prési-

1. Voir la Notice de *Révolte dans les Asturies*, p. 1207.
2. *Alger républicain*, 29 novembre 1938.
3. *Alger républicain*, « La Grèce en haillons », 5 juin 1939, p. 655.

dent du Conseil Daladier, ou qu'il étale chiffres et pourcentages pour exposer la misère économique des travailleurs, son plaidoyer prend la forme d'un long reportage, ou d'un compte rendu de meeting, ou du résumé des propos d'un responsable syndical.

Appel à une prise de conscience de la gravité du moment, protestation contre l'injustice, dénonciation des petits calculs d'intérêt égoïste qui ruinent les efforts de tous ceux qui veulent une Algérie équitable, prospère et détournée des thèses panarabes, tels sont les thèmes de ses contributions. Journaliste scrupuleux, il répugne aux discours et aux slogans idéologiques sans base économique et sociale probante. On trouve donc dans ses articles non un exposé doctrinal systématique mais l'exposé de faits et de leurs causes, qui se veulent des incitations à mettre en œuvre des processus correctifs urgents. Ainsi, le reportage sur la traditionnelle offrande du « couscous aux meskines de Belcourt et de la Casbah[1] » sera l'occasion de rappeler que la misère indigène n'est pas fortuite, qu'elle est le produit d'une aliénation politique, économique et sociale, et qu'elle n'est pas traitable par les bonnes œuvres.

Camus se démarque ainsi des chantres des bienfaits de la colonisation. Il s'intéresse aussi à la situation des travailleurs nord-africains en France qui, revenus en Algérie, perdent le bénéfice des droits acquis en France par leur travail, alors qu'il s'agit de la simple couverture des risques de santé par le régime des assurances sociales. En mars 1938, Henri Lozeray, député communiste de Paris, vice-président de la Commission de l'Algérie et des colonies, avait adressé au ministre de l'Intérieur, Albert Sarraut, une demande d'arrêté mettant fin à cet illogisme. En avril 1939, date des articles de Camus[2], rien n'avait été fait. Il faudra attendre mai 1941 pour qu'un arrêté du gouverneur général fixe les conditions du régime d'allocations familiales en Algérie, pour tous les travailleurs algériens, régime largement dérogatoire puisque les indemnités versées étaient des deux tiers inférieures à celles qui étaient perçues en France. En octobre 1945, cet arrêté reçut force d'ordonnance.

Misère en Kabylie.

Ne seront donnés dans ce dossier que les articles que Camus ne reprit pas en 1958 dans *Actuelles III*. L'écrivain, à cette période, jugea utile de verser au débat qui allait décider du sort de l'Algérie une grande partie de la substance de son « enquête en Kabylie » dans la section « Misère de la Kabylie ». Mais il s'en tint aux données factuelles et sociales qui pouvaient éclairer la cause en instance. « Trop long et trop détaillé pour être reproduit en entier, ce reportage est réimprimé ici à l'exclusion de considérations trop générales et des articles sur l'habitat, l'assistance, l'artisanat et l'usure[3] », prévint-il.

Mais dans la présente édition, il paraît indispensable de resituer l'enquête menée en 1939 dans le contexte historique, sociologique et psychologique de l'époque, car celui-ci rend aux aspects évoqués et aux prises de position du journaliste leur originalité et leur pouvoir émotionnel.

---

1. *Alger Républicain*, 14 janvier 1939, p. 607.
2. Voir p. 636 (20 avril 1939) et 642 (30 avril 1939).
3. *Actuelles III. Chroniques algériennes 1939-1958* (1958), Gallimard, coll. « Folio », p. 31.

Publiés entre le 5 juin et le 15 juin 1939, les onze textes de ce reportage (nous en donnons quatre) furent accompagnés de photos dont certaines exposaient les réalités quotidiennes accessibles au visiteur de la région : un enfant qui a la chance de ne pas paraître trop pauvre, des objets fabriqués par les Africains de Djemaa-Saridj, la mairie des Oumalous, les fontaines de Beni-Yenni et de Port-Gueydon. À côté d'une chimère figurant l'espoir d'une Kabylie rendue à la dignité, d'autres photos affichaient les divers aspects de la misère constatée. Assurément rien qui intéressât le touriste à la recherche d'émotions exotiques.

C'est que la Kabylie, plus que les Aurès et les autres parties de l'Algérie, était épisodiquement l'enjeu de campagnes d'information qui tendaient, soit à gommer les questions politiques au profit de la célébration des vertus folkloriques, soit, au contraire, à opposer aux stéréotypes officiels des réalités économiques et sociales qui justifiaient que l'Algérie puisse revendiquer à terme son autonomie, voire son indépendance, conformément aux thèses du P.P.A. (Parti populaire algérien). Depuis 1935, en effet, les ouvrages et les articles journalistiques de convenance n'avaient cessé de vanter l'intérêt de cette Kabylie qui, comme l'Algérie en général, « était de toute éternité destinée au tourisme ». « Fière », « sauvage », « pittoresque », « splendide et voluptueuse », constituaient le chapelet de qualifications habituelles associées à la Kabylie. En décembre 1935, *L'Écho d'Alger* avait publié un reportage de Claude-Maurice Robert intitulé « Un an dans les Aurès », où les poncifs de convenance revenaient : « pèlerins émerveillés de la terre africaine », « Quel pays pittoresque que les Aurès ». Les périodiques algérois s'employaient à faire rêver plutôt qu'à laisser voir le quotidien des populations indigènes. Quand éclataient les manifestations de colère et de protestation contre la misère, les mêmes quotidiens s'employaient à mettre celle-ci sur le compte du climat ou des milieux communistes, voire, plus tard, de l'action pernicieuse de l'Office du blé, qui empêchait pourtant les potentats locaux de manipuler les cours de cette céréale. Vite réprimées, ces manifestations donnaient lieu à des rappels sur les bienfaits de la présence civilisatrice de la France : « Ce serait la famine si nous ne l'avions pas en tutelle. » « Tuons le communisme et la misère, sinon ils nous tueront », avait-on pu lire le 20 mars 1937 dans *La Dépêche algérienne*. Des scénettes agrestes illustraient ces pétitions de principe. « Autour de sa mechta, le moins fortuné des [fellahs algériens] cultive un lopin de terre, d'où en année normale il tire sa subsistance et peut même faire quelque argent en vendant l'excédent de grain *[sic]* qui dépasse ses besoins. Il vit de laitage, de beurre que lui procure son petit troupeau, il tire ses vêtements de la laine de ses moutons. Pour peu qu'il y ait dans le voisinage un colon chez qui il puisse trouver des journées de travail pour lui et ses enfants […]. » Conclusion évidente, tout allait bien dans le meilleur des mondes possibles.

Cette année-là, Jean Grenier, comme le note R. Quilliot dans la première édition Pléiade des œuvres de Camus, avait essayé d'attirer l'attention sur la « misère » indigène. Que ce soit dans *Santa Cruz* (chapitre « Corps et âmes ») ou dans l'article du 1er décembre 1937 de la *N.R.F.*, publié sous le titre « Ils ont faim », le philosophe et maître à penser du premier Camus montrait les visages contradictoires de la réalité algérienne, « splendeur de la nature et beauté physique de la race » opposées au « spectacle multiplié de la misère, de l'ignorance, de la famine et de la mort ».

En décembre 1938, René Janon, dont Camus appréciait le talent[1], avait fait paraître dans *L'Écho d'Alger* un reportage sur la Kabylie où il récapitulait les défaillances de la situation locale : émigration importante vers la métropole, absence de colons, difficultés de l'agriculture et extension de l'usure, mauvais état des routes, manque d'eau, indigence de l'équipement sanitaire. Sans raison apparente, Janon reliait ces handicaps au caractère particulier du paysan kabyle, « race de vrais paysans, individualiste, attaché à son sol, jaloux du bien de ses voisins », « acheteur de terre à n'importe quel prix ». Pire, il associait la malnutrition endémique aux nuisances de l'Office du blé, censé appauvrir le Kabyle, tout en louant les sociétés indigènes de prévoyance qui parvenaient à maintenir l'approvisionnement du pays.

À l'automne de 1938 et au printemps de 1939, la lente désespérance des « indigènes » sur l'inaptitude française à promouvoir le statut Blum-Viollette porta les masses musulmanes à soutenir les thèses et à voter pour les candidats du P.P.A. de Messali Hadj, lequel était poursuivi en France pour visées « antifrançaises ».

L'enquête de Camus sur la Kabylie intervint donc à un moment capital pour l'avenir de l'Algérie au sein de l'ensemble français. Camus, qui a été exclu du P.C.A. (Parti communiste algérien) en 1937, refusait de cautionner l'entrisme du Parti au sein des masses algériennes pour contrer l'action du P.P.A.[2]. Dès 1938, il sait, à suivre les revirements politiques des anciens partisans du statut Blum-Viollette, que, faute d'une réorientation désespérée de la politique gouvernementale, c'est tout le destin algérien qui basculera dans la rébellion. Il faut donc lire ce reportage comme une ultime tentative de réveiller les consciences et de montrer aux lecteurs indigènes du journal que celui-ci ne baissait pas les bras.

Coïncidence heureuse prouvant que les services spécialisés du Gouvernement général savaient utiliser les renseignements fournis par les indicateurs infiltrés au sein de la rédaction d'*Alger républicain*, *La Dépêche algérienne* publia, du 8 au 17 juin 1939, de Roger Frison-Roche, guide de haute montagne réputé et écrivain connu des déserts algériens, une sorte de contre-enquête intitulée « Kabylie 39 ».

« Si je pense à la Kabylie, ce n'est pas ses gorges éclatantes de fleurs ni son printemps qui déborde de toutes parts que j'évoque, mais ce cortège d'aveugles et d'infirmes, de joues creuses et de loques qui, pendant tous ces jours, m'a suivi en silence[3] », martelait Camus. La sensibilité contenue et l'exposé d'une philosophie de l'existence centrée sur la dignité de l'homme accordée à la terre annonçaient la puissance évocatoire du créateur de *L'Étranger* et l'effet dévastateur de sa sourde protestation. « Là, nous regardions la nuit tomber. Et à cette heure où l'ombre qui descend des montagnes sur cette terre splendide apporte une détente au cœur de l'homme le plus endurci, je savais pourtant qu'il n'y avait pas de paix pour ceux qui, de l'autre côté de la vallée, se réunissaient autour d'une galette de mauvais orge. Je savais aussi qu'il y aurait eu de la douceur à s'abandonner à ce soir […][4]. »

---

1. Voir son article sur *Les Salopards*, de R. Janon, publié dans la rubrique « Le Salon de lecture » d'*Alger républicain*, le 2 novembre 1938, p. 799.
2. Voir la notule de « La Culture indigène. La Nouvelle Culture méditerranéenne », p. 1366.
3. « La Grèce en haillons », p. 654-655.
4. *Alger républicain*, 6 juin 1939 ; *CAC 3* *, p. 288 (voir aussi *ibid.*, p. 324-325).

Pour l'Espagne républicaine.

La contribution journalistique de Camus à la cause de l'Espagne républicaine, d'octobre 1938 à janvier 1939, est à la fois limitée en nombre et indirecte par les objets dont elle traite. Mais révélatrice de la sensibilité du jeune écrivain à l'égard de la terre et de la culture ibériques, auxquelles le lie la partie maternelle de ses ancêtres. Que cette terre et cette culture soient porteuses de valeurs qui lui sont chères — amour de vivre et désespoir de vivre, exigence de dignité en dépit de la pauvreté et du malheur, refus des souillures et des entraves de l'histoire — ne font que justifier cette adhésion quasi instinctive.

Le climat international des années 1936-1939, marqué par la guerre d'Espagne et son lot d'atrocités ainsi que par la paralysie des démocraties européennes, explique les réactions contenues de l'ancien secrétaire général de la Maison de la culture d'Alger, de l'ex-membre du P.C.A. devenu sympathisant des positions anarcho-libertaires, et du lecteur des écrivains antifranquistes, comme André Malraux, dont il le verra en mars 1940, lors d'une projection privée, le film tiré de *L'Espoir*.

Ce qui mérite d'être apprécié en l'occurrence est le travail psychique et mythique à l'œuvre. L'adolescent, relégué dans le quartier pauvre de Belcourt, faubourg tout imprégné de la culture de ceux que la misère et l'histoire ont condamnés aux exils successifs, et qui a ressenti sa marginalité à l'égard des héritiers de la culture bourgeoise et traditionnellement dominante, trouve l'occasion, avec la cause de la République espagnole bafouée, de revendiquer une « hispanolitude » qui se renforcera, l'exil métropolitain y aidant, d'année en année, de 1945 à 1958, à travers les éditoriaux de *Combat*, les interviews accordées, les propos de meeting et les conférences consacrées aux écrivains hispaniques. Citoyen du monde et patriote de cœur d'une Espagne mi-réelle, mi-mythifiée, Camus ne cessera de proclamer ses raisons d'avoir « son » Espagne sur le cœur.

Combat pour la justice.

Relèvent de ce volet cinq dossiers, de volume et d'importance inégaux, qui traitent de sujets et de causes distincts, mais dont la thématique majeure reste celle des relations conflictuelles entre la justice et l'homme, entre la faute et la sanction, entre la générosité et l'obsession de punir, entre le pouvoir exécutif et le pouvoir judiciaire, entre la démocratie et la négation des valeurs républicaines. Camus s'est moins intéressé aux aspects sociologiques des affaires judiciaires et politiques qu'aux préoccupations qu'elles faisaient naître sur la capacité des sociétés à aménager un espace symbolique propice au développement de valeurs morales et humaines.

Les textes publiés dans cette édition gardent le caractère fondamental et représentatif de la réalité des contributions que Camus y a consacrées. À qui veut comprendre la vie de la société algérienne travaillée par les appétits de pouvoir et de lucre, par les traquenards juridico-administratifs installés et maintenus pour dissuader toute revendication contraire aux intérêts immédiats de la caste dominante, les articles de Camus apportent une pluralité d'éclairages et d'explications sur les causes et les origines de la guerre d'indépendance algérienne, survenue quinze ans plus tard. À qui s'interroge sur les réalités politiques, sociales et économiques qui ont, chez l'écrivain, vivifié les convictions idéologiques originelles, affermi la personnalité, suscité les mutations thématiques et expressives de son œuvre, entre 1938 et 1942, puis au-delà, les indices et les trouvailles ne font pas défaut.

On sait que l'administration coloniale, préfecture en tête, ne goûta guère l'insolence et la fronde permanente du chroniqueur. Elle le lui fit payer chèrement en lui interdisant à la mi-janvier tout réemploi en Algérie comme journaliste, autrement que comme chroniqueur officiel à la botte du pouvoir. Le « philosophe pour classes terminales », si inapte par la suite à s'élever aux splendeurs philosophiques favorites de ses confrères « engagés », avait eu le tort de réfléchir aux problèmes sociaux et aux problèmes d'éthique, en abordant les traumatismes quotidiens infligés aux sans-grade de la société, coloniale en particulier.

L'affaire Hodent.

Michel Hodent, ingénieur de l'Institut agricole, nommé, en avril 1937, agent technique de la Société indigène de prévoyance de Trézel (Oranie), devait, dans le cadre de la législation et des attributions de l'Office du blé, acheter les récoltes des producteurs de blé et les stocker, afin de réguler les cours et d'éviter les spéculations de quelques gros colons désireux d'imposer leurs prix au marché, ou celles d'intermédiaires abusant du désarroi de petits cultivateurs, indigènes notamment. L'administrateur de la Société indigène de prévoyance de Trézel, M. Crosier, avait, dès sa prise de fonction, recommandé à son subordonné Hodent de ne pas faire de zèle en s'opposant aux trafics de quelques intermédiaires et de venir toucher son traitement.

M. Hodent refusa de s'incliner. Le 23 août 1938, après que des bruits calomnieux et des plaintes eurent été diffusés, il fut arrêté et incarcéré à la prison civile, sous l'accusation, non vérifiée, d'avoir détourné des quantités de blé au détriment des cultivateurs clients de la société et de les avoir négociées à son profit. Quand la vérification commença, on recommanda aux témoins favorables de ne pas intervenir. M. Mas, le magasinier de la société, ne tint pas compte de la recommandation. Il fut lui aussi incarcéré pour complicité. Quelques clients algériens aussi. L'association des anciens élèves de l'Institut agricole délégua à M. Miette, agent technique à Zemmora, la charge de suivre l'affaire. Le juge d'instruction Garaud s'ingénia à l'en dissuader. À l'inverse, il accueillit sans vérification les témoignages de convenance des administrés du caïd accusateur, comparse des colons plaignants. Quatre demandes de mise en liberté provisoire déposées par M. Hodent demeurèrent sans effet. En désespoir de cause, ce dernier écrivit à Albert Camus ou à *Alger républicain*. Le journaliste mit du temps à constituer un dossier et fit savoir qu'il entreprenait une enquête. Le 22 décembre 1938, l'instance judiciaire accorda la liberté provisoire aux inculpés. Mais l'imbroglio judiciaire ne prit pas fin. Pendant quatre mois, le suppléant du premier juge et l'institution judiciaire tentèrent de camoufler l'erreur ou l'abus de pouvoir en multipliant les chefs d'inculpation inconsistants. Durant ces quatre mois, la campagne de presse d'Albert Camus, tenant l'opinion en haleine et dénonçant tous les vices de l'instruction, dissuada les comparses de tenter d'étouffer le scandale par de nouvelles manœuvres. Au terme de ce procès, l'acquittement des inculpés prononcé, il ne resta plus à Camus qu'à faciliter l'édition et la diffusion du témoignage du principal inculpé sous le titre *Des charognards sur un homme*[1].

La stratégie, que le journaliste initia à cette occasion, mérite d'être soulignée, car on la retrouvera à l'œuvre dans les grandes affaires de la période, de « Misère de la Kabylie » au procès el-Okbi. Sous une périodicité variable, les articles de Camus éclairent, pan après pan, les différents aspects du dossier abordé. Il faut susciter l'intérêt de l'opinion, la tenir en haleine par des révélations progressives, mettre la partie adverse en mauvaise posture par la gradation des arbitraires révélés ou des manipulations dénoncées, jusqu'au moment où les méfaits commis et mis au jour disqualifieront définitivement l'institution ou le responsable qui a couvert l'imposture. Que le juge Cassius vienne au secours de son collègue Garaud, dessaisi du dossier, et Camus dénonce l'esprit de corps et de caste, la collusion entre l'administration et le monde de l'argent, la subornation de témoins, et diffuse le nom des témoins à charge pour les soustraire à toute pression. Jamais Camus ne prit à partie le Gouvernement général ou la majorité de droite qui gouvernait la France avec autant de sarcasme. Camus rappelle qu'une injustice qui frappe un individu éclabousse la collectivité, dégrade et corrompt l'ensemble des serviteurs du corps concerné et porte atteinte aux principes supérieurs qui fondent la confiance de chacun dans la démocratie et la justice, et le respect dû aux institutions qui s'ensuit.

L'affaire el-Okbi.

Quand vint devant la cour d'assises d'Alger le dossier des assassins du muphti d'Alger nommé Kahoul, l'intérêt qu'avait suscité l'affaire en 1936 était dissipé. Trois ans après le meurtre, le contexte politico-administratif de 1936, qui avait, après la victoire du Front populaire en France, déclenché les réactions en chaîne des tenants et des opposants à une évolution institutionnelle en Algérie, s'était radicalement retourné. Les organisations réformistes des milieux indigènes n'avaient plus d'arguments à opposer aux thèses nationalistes du P.P.A., triomphantes aux élections d'avril 1939. Les opposants à toute évolution s'étaient divisés en sympathisants des puissances fascistes et en défenseurs de la démocratie. Quant au service des Affaires indigènes du Gouvernement général qui, depuis 1933, tentait de contenir les courants nationalistes algériens en leur opposant le cycle provocations-répressions, il devait, depuis l'automne 1938, réfléchir à la meilleure façon de gérer la participation des « indigènes » aux armées françaises, en cas de guerre avec l'Allemagne. Le principal intéressé, le cheikh el-Okbi, responsable du Congrès musulman (nous y revenons plus bas) mis en cause à propos de cet assassinat, avait été libéré et disculpé par ses propres accusateurs depuis août 1936. L'affaire el-Okbi n'avait plus d'intérêt qu'anecdotique et conjoncturel pour faire diversion à une actualité bien plus pesante.

Le courant politico-religieux dont les organisations musulmanes réformistes furent en partie héritières prit forme en 1931, quand el-Okbi, revenu de La Mecque, commença ses exégèses coraniques à la Grande Mosquée d'Alger. Professant une conception religieuse exempte de superstition et toute puritaine, il fit rapidement figure de moderniste, sinon d'hérétique. La direction des Affaires indigènes prêta l'oreille aux accusations d'agitation lancées contre lui par ses adversaires et essaya même de l'intégrer à l'organisation religieuse officielle en lui proposant un emploi qu'il refusa. Dès lors, devenu suspect, il fut, en 1933, personnellement visé et atteint par les effets de la circulaire Michel qui réservait le prêche dans les mosquées aux membres du seul clergé intégré et limitait, sinon supprimait, toute ouverture d'école coranique prétendument liée au mouvement nationaliste tunisien. Par de telles mesures, l'administration crut réduire le développement des mouvements réformistes sur les plans religieux et politique. Le mouvement des Oulémas, le Cercle du Progrès, sans parler de l'Étoile nord-africaine et de ses avatars parvinrent à survivre, à prospérer et à s'organiser.

Et le problème, éludé pendant trois ans, prit un tour nouveau avec le succès du Front populaire, auquel contribuèrent d'ailleurs certains de ces mouvements réformistes. Le 7 juin 1936 eut lieu la réunion du Congrès musulman, mis sur pied depuis 1934, et qui prônait le rattachement pur et simple de l'Algérie à la France, avec collège électoral unique mais sous maintien du statut personnel coranique, et à condition de redistribuer la terre inexploitée aux fellahs, de favoriser le bilinguisme. Ses divers responsables décidèrent d'envoyer à Paris une délégation munie d'un cahier de doléances. Cette délégation, composée d'élus à titre délibératif (Lamoudi, F. Abbas, Bendjelloul, Amara) et des cheikhs el-Okbi, Ben Badis et Brahimi à titre consultatif, fut reçue par MM. Blum, Viollette, Sarraut et Daladier, qui leur communiquèrent des projets de décrets conformes aux désirs des populations. La délégation décida de rendre compte publiquement du succès de sa mission au stade municipal d'Alger le 2 août 1936.

Selon la technique habituelle de la direction des Affaires indigènes, la réplique vint sous la forme d'un télégramme adressé à Paris et signé du muphti d'Alger et de ses subordonnés — certains affirmèrent avoir été abusés sur la nature du document — qui déniait toute accréditation à la délégation et la présentait comme composée d'agitateurs. Le texte du télégramme publié (dans les journaux) avait de quoi provoquer la réprobation et la curiosité quant à l'identité de son véritable auteur, le muphti Kahoul écrivant fort mal en français. Par son mélange de violence réfléchie et de servilité, le texte trahissait la provocation : « Nous, Bendali muphti [...] apprenons qu'une délégation quelques élus ne représentent pas opinion générale musulmane et prétendus Oulémas algériens sans titre ni diplômes se rend à Paris dans but présenter revendications politiques des indigènes Algérie Stop. Interprètes fidèles des sentiments des musulmans mosquées, plaçons confiance dans Gouvernement et Parlement seuls qualifiés pour réaliser réformes opportunes respectant statut personnel coranique. Stop. [...] La plupart membres délégation vivent complètement à l'européenne et ne mettent jamais pieds dans mosquées. [...] poignée agitateurs qui tentent de semer troubles dans pays. Stop. [...] tenons à rendre hommage à administration française qui en Algérie fait preuve à l'égard notre religion plus large tolérance. Nous demandons avec déférence maintien *statu quo* mosquées département Alger [...] Exprimons sincère et profond attachement à grande France et éminents Gouverneur Le Beau et préfet Bourrat qui la représentent si dignement en Algérie. »

Ainsi, le muphti s'aventurait, hors de son ministère, sur un terrain politique pour complaire aux défenseurs du *statu quo*. Pour disqualifier le Congrès musulman et le compromettre, le dimanche 2 août, vers 10 heures, dans un quartier fréquenté, une fatalité « providentielle » désigna à une main meurtrière le muphti Kahoul. Le scénario rapporté était de taille à susciter la colère des fidèles face à ces impies meurtriers. Le muphti n'avait pas été frappé le soir, dans l'obscurité, par les ruelles solitaires où il avait coutume de passer seul, mais justement ce jour de liesse pour les membres du Congrès musulman et sur le passage emprunté par ses participants. Aux membres du gouvernement Blum même, ce meurtre, préfigurant la dégradation des rapports intercommunautaires tant prédits par les « coloniaux », ne pouvait qu'inspirer la prudence et la suspension de toute réforme.

L'émoi fut grand dans la métropole, et la plupart des journaux parisiens dépêchèrent leurs enquêteurs. À Alger, les milieux réformistes n'ignoraient pas qu'ils seraient parmi les premiers impliqués, puisque le crime n'avait apparemment pour but que de les compromettre, bien que el-Okbi eût recommandé aux musulmans le calme et la réserve, avant le départ de la délégation. Akacha, le meurtrier, accusa effectivement el-Okbi et Abbas Turqui, le bailleur de fonds du Cercle du Progrès. Un échafaudage policier ayant établi la culpabilité d'hommes de main grâce à des témoignages de prostituées, l'on passa rapidement à l'inculpation des deux membres de l'association en cause, le Cercle du Progrès.

Malgré l'aide de l'inspecteur Chennouf, et l'incuriosité de certains policiers chargés de l'enquête, les confidences d'Akacha s'essoufflèrent. Elles s'achevèrent sur des rétractations et la mise en cause des services policiers. Dès le 11 août 1936, les inculpés el-Okbi et Abbas Turqui furent mis en liberté provisoire. Le 26 février 1938, ils bénéficièrent d'un non-lieu. Mais sur appel de la famille du muphti, devenue partie civile, la chambre des mises en accusation renvoya les deux amis devant la cour d'assises.

Le procès vint donc devant la cour d'assises d'Alger en juin 1939. Comme nous l'avons évoqué, bien des curiosités étaient éteintes depuis la rupture du Front populaire. Le temps n'était plus aux espoirs de réforme, au projet Blum-Viollette, à la représentativité du Cercle du Progrès et du Congrès musulman. Il demeurait quand même, en certains, la volonté de connaître les responsables de la rupture entre les communautés. On espérait vainement que le procès établirait les culpabilités et les complicités. Il ne passa donc pas inaperçu.

La conclusion tardive de cette affaire intervint à un moment où les implications politiques voulues par ceux qui complotèrent l'échec des réformes n'intéressaient plus personne. Le cynisme l'avait emporté. Et chacune des parties prenantes de cet échec savait que, la guerre venant, un gel de la situation prévaudrait et que l'issue du combat différé entre conservateurs et nationalistes serait réglée par le sort des armes.

Les « incendiaires » d'Auribeau.

Le dossier qu'ouvrit Camus à la fin de juillet 1939 lui parut sans doute des plus désespérants. Il concernait douze ouvriers agricoles du Constantinois condamnés en première instance, le 28 février 1939, par la cour criminelle de Philippeville à une somme de quelque soixante années de travaux forcés, et qui attendaient, avec leurs familles, le verdict de la Cour de cassation au sujet de leur pourvoi. Les faits se rapportent au début de septembre 1937, dans la région de Jemmapes, où ces ouvriers, lassés d'être payés à des « salaires insultants », entre 4 et 6 francs par jour, décidèrent de refuser l'embauche qui leur avait été proposée en début de saison, et ce pour contraindre les colons à augmenter leur paye. Le 3 septembre, un accord intervint, prévoyant une rémunération journalière de 10 à 12 francs. Le soir même, coïncidence troublante, éclatèrent quelques incendies de gourbis inhabités qu'on imputa aux ouvriers agricoles. Ils furent arrêtés et, au cours de l'instruction, leur affaire fut montée en épingle : la discussion salariale fut présentée comme une cessation de travail et les incendies de gourbis devinrent ceux d'édifices habités puisqu'on apprendra, au cours de l'audience, la nouvelle que l'un d'eux aurait été occupé la veille par un berger. Pour les contraindre aux aveux, ils furent torturés, et leur refus de se rétracter ou leurs rétractations furent qualifiés de circonstances aggravantes.

Condamnés chacun à une peine de travaux forcés de cinq à sept ans, ils attendaient, depuis cette date, la cassation du premier jugement ou le départ pour le bagne. Camus, à l'approche de cette décision, revint sur les faits, dans l'espoir de démontrer l'injustice et d'inciter les magistrats à la clémence. Peine perdue : le 8 août 1939, le journaliste annoncera le rejet du pourvoi.

Ce troisième grand procès pour Camus fut aussi le résultat d'une affaire ouverte vingt et un mois plus tôt. Les lenteurs de l'instruction, habituelles en ce genre d'affaire, parurent peu justifiées sur le plan judiciaire quand l'instruction n'apporta qu'un éclairage douteux à une affaire apparemment anodine.

Certes, le journaliste tenta de renouveler la campagne de presse qui aida à l'acquittement de Hodent. Il chercha à maintenir l'attention de ses lecteurs en espaçant ses révélations les 25, 26, 28 et 31 juillet. « Mais nous verrons demain qu'il ne lui a pas suffi d'utiliser des charges illusoires et qu'elle [l'accusation] a mis en œuvre tous les artifices nécessaires [...] », conclut l'article du 26[1]. Mais qui s'occupait encore de l'affaire de Jemmapes ?

La Lutte sociale du 28 juillet refusait d'abandonner les martyrs de Jemmapes à leur sort. Elle reproduisit l'appel au combat de toutes les organisations démocratiques, publié le 25 dans *Alger républicain*. Elle protestait contre l'« inique verdict qui [avait] envoyé au bagne des innocents ». *L'Algérie ouvrière*, elle, avait curieusement oublié les responsables syndicaux poursuivis et condamnés pour « incitation à des désordres ». Les autres quotidiens algérois, qui avaient depuis longtemps approuvé les sentences, ne jugèrent guère utile d'y revenir. Seul *Alger républicain*, à travers la communication de son correspondant, avait dénoncé, dès le début, la vengeance politique abritée derrière une pitoyable machination.

Il est donc aisé de relever ce que Camus apporta à la connaissance des faits. Il appliqua d'abord les guillemets à tous les travestissements de la vérité. Et cela dès le titre de l'article du 25 juillet. « Incendiaires » se trouvait ainsi dépourvu de tout référent convenu. Et dût en souffrir son parti pris de relation objective et concise, bornée « à l'exposé des faits et des circonstances[2] » (25 juillet), Camus exprima, dans les titres, ses conclusions et son dégoût, au moyen de disjonctions sémantiques lapidaires, doublées parfois d'une explicitation brutale et accusatrice.

1. P. 735.
2. P. 731.

Le non-droit dans les Territoires du Sud.

Entre octobre 1938 et juin 1939, une série de billets initièrent le lecteur au monde quotidien des Territoires du Sud[1] : des impositions frauduleuses (8 octobre), la corvée des « indigènes » pour établir et entretenir des canalisations dont l'eau leur est vendue (1er novembre, 12 et 15 décembre), les obstacles à l'alphabétisation des enfants, le maintien de l'ignorance pour séparer les communautés (1er et 11 novembre), les sévices, les escroqueries à el-Amir (7 novembre), la préfiguration des « camps de concentration », l'agression contre le correspondant d'*Alger républicain* (9 janvier-2 mars 1939). Quelques analogies flatteuses accompagnaient ce livre d'heures des Territoires du Sud : « féodalité », « Moyen Âge », « mafia ».

L'un des exemples les plus frappants de ce déni de justice quasi permanent fut révélé à l'heure de l'épilogue de l'affaire Chebbah Mekki, dont l'avatar grotesque devint l'affaire Priaud et Bouhali du Secours populaire d'Algérie. Dans le panorama général des contributions de l'écrivain que cette édition suit, il a paru nécessaire d'insérer quelques extraits des rédactions anonymes de Camus. Nos procédures d'identification, longuement détaillées dans les volumes consacrés à la publication exhaustive des articles de Camus (voir *CAC 3* * et *3* **), signés et non signés, reposent sur des croisements de critères objectifs. Les deux articles du 22 janvier et du 5 mai 1939, présentés ici, relèvent de la sphère dévolue à Camus, celle des procès à connotation politique intentés aux « indigènes », sous des motifs divers, et mettent en évidence les atteintes aux droits de l'homme en Algérie. Autre critère non négligeable dans l'identification des articles en cause, le fait qu'ils affichent de façon indéniable les particularités et subtilités expressives dont l'écrivain fit montre tout au long de sa contribution aux deux quotidiens algérois[2].

L'image de Chebbah Mekki cheminant derrière son cavalier[3] devait, d'ailleurs, passer de la figurine du timbre, émis par le Secours populaire français en guise de soutien, à l'œuvre de Camus, puisque, en 1957, la nouvelle « L'Hôte » (*L'Exil et le Royaume*) s'ouvre sur un couple similaire, trottinant depuis trois kilomètres, constitué, cette fois, d'un meurtrier et d'un gendarme à cheval, « lequel maintenait sa bête au pas pour ne pas blesser l'Arabe[4] ».

Nationalisme et répression.

Camus s'est gardé, durant les premiers mois de sa présence au journal, de prendre position explicitement et directement sur la réponse politique qu'il convenait d'apporter au nationalisme algérien. Non qu'il s'estimait le plus mal placé pour en parler, mais probablement parce que, depuis son éviction-démission du P.C.A., en 1937, s'il réprouvait la répression policière et judiciaire infligée aux militants musulmans mis

---

1. Ont un statut administratif différent des Territoires du Nord et sont placés directement sous le contrôle du Gouvernement général (Affaires indigènes civiles et militaires).
2. « Il ne faut pas prendre le Pirée pour un homme ni l'administration pour la France elle-même » (p. 609) ; « Il importerait de convenir avec M. Rozis que sa gestion est la plus intelligente et la plus généreuse… » (p. 610) ; « […] les hommes libres d'une démocratie ont bien le droit de critiquer » (p. 646).
3. Voir p. 645.
4. *L'Exil et le Royaume*, « L'Hôte » ; Gallimard, coll. « Folio », p. 84.

en cause, il ne se sentait pas en accord avec les objectifs extrémistes du nationalisme algérien, à savoir la rupture radicale avec la France et l'expulsion des communautés autres que la communauté indigène. Camus ne doutait pas qu'à différer ou à refuser l'émancipation politique des musulmans algériens, et à se contenter de réprimer ouvertement ou insidieusement, quand ce n'était pas à provoquer purement et simplement les tenants d'une évolution politique au sein de l'ensemble français, on ne faisait que promouvoir l'argumentation des thèses nationalistes, en leur agrégeant la masse des Algériens qui n'aspirait qu'à la dignité politique et humaine et à des conditions économiques plus supportables.

Jusqu'à la fin de mars 1939, Camus a limité sa contribution, en ce domaine, à revoir, corriger ou compléter les articles signés de collaborateurs musulmans du journal (Antar-Bensalem, K. Makaci, Iaoulen). De cette participation à la teneur et à la forme des articles en question transparaissent des veines thématiques qui valent signature. L'article du 24 avril 1939, qui met en cause les palinodies du gouvernement Daladier, lesquelles doivent conduire à la victoire du P.P.A., est un bon exemple de cette contribution. Signé Antar, il expose les positions respectives des partis et des organisations indigènes qui soutiennent, avec des variantes, l'émancipation politique des « indigènes », en soulignant les effets néfastes des promesses non tenues et de la répression exercée sur les courants autonomistes. On y relève les mêmes remarques, arguments et termes, que dans l'article publié le 1er juin 1939 dans la toute jeune *Revue Méditerranée-Afrique du Nord*, sous l'intitulé « Les Progrès du nationalisme algérien ». Rappel des résultats enregistrés aux scrutins des 23 et 30 avril 1939, analyse des partis en présence et de leurs doctrines, signification du scrutin, leçon à tirer de l'événement et condamnation de la politique gouvernementale sont des éléments communs que soulignent des expressions identiques. « Il est très dangereux de promettre et de ne pas tenir » (*Alger républicain*, 24 avril) ; « C'est une vérité, en politique algérienne, qu'une promesse non tenue fait plus de ravages qu'un refus définitif » (*Revue Méditerranée-Afrique du Nord*, 1er juin 1939) ; « On ne fait pas impunément d'intéressants martyrs, car plus on sévira contre eux, plus leur influence grandira » (*Alger républicain*) ; « Ce ne sont pas des martyrs qu'il faut faire [...]. La montée du nationalisme algérien s'accomplit sur les persécutions dont on le poursuit » (*Revue Méditerranée-Afrique du Nord*)[1].

Les résultats du scrutin du 30 avril connus, Camus ne s'abritera plus derrière son fictif collègue Antar et publiera, le 10 mai 1939, une prise de position courageuse, au nom d'*Alger républicain*, sous le titre : « Il faut libérer les détenus politiques indigènes[2] ». Cherchant à rétablir l'exactitude des faits survenus et à dénoncer la responsabilité de Daladier, en confrontant les discours et les actes, il s'emploie aussi à révéler le caractère factice des méthodes et l'irresponsabilité des choix, en opposant trait à trait les écarts entre les effets d'annonce et les décisions.

Trois mois après, dans l'article du 18 août 1939, clouant au pilori les pratiques « malencontreuses » à l'égard de ceux à qui on allait bientôt demander de se sacrifier, il défendit la légalité et le sens politique contre les « reniements de M. Daladier », « le matraquage républicain », « la poli-

1. *Revue Méditerranée-Afrique du Nord*, 1er juin 1939, p. 872 et 873.
2. P. 646.

tique inintelligente et incroyablement bornée[1] » qui fabriquait les opposants et les martyrs.

Preuve du discernement administratif et policier, ce jour-là, parmi les personnes inculpées, sur trois mille « manifestants » présents, on put compter l'épouse de Messali Hadj et Mohammed Khider, le futur député à la seconde Assemblée constituante française en juin 1946, futur ministre d'État du G.P.R.A., assassiné en 1967 pour s'être opposé à Boumediene.

La « vraie paix ».

L'expression « vraie paix » s'est étalée à longueur de manchettes des numéros du *Soir républicain*, en septembre 1939. En réaction probablement au mot d'ordre du Parti communiste français qui, à la suite de la nouvelle politique « prolétarienne » édictée par Moscou, après la conclusion du pacte germano-soviétique, demandait au gouvernement Daladier d'entamer des négociations pour une « paix juste, loyale et durable ». Mais les fondements et le contenu que donne Camus à cette « vraie paix » puisent dans une autre logique que celle de la tactique du P.C.F. de l'époque.

En fils de soldat tué à la Grande Guerre, par solidarité avec les prolétaires et les intellectuels opposés à un nouveau gâchis de civilisation et d'hommes, en analyste raisonné d'une histoire où les guerres surviennent par imprévoyance, incompétence, politique du pire et consentement à l'horrible, Camus est viscéralement opposé à la guerre. Non par doctrine, mais par expérience des ruines qu'elle entraîne et par volonté de lutter contre l'absurde et les fatalités qui l'aggravent.

La « vraie paix » que revendiqua le journaliste dans les colonnes du *Soir républicain*, de septembre à décembre 1939, alors que la « drôle de guerre » laissait croire à une tactique de positions où les jeux n'étaient pas encore faits, a tout du credo sincère et argumenté. Il refuse de consentir à « la mort de millions d'êtres humains », selon les termes qu'il utilise dans une lettre à Blanche Balain du 15 novembre 1939. Camus tente, en réaction au conformisme et à la naïveté qui s'est emparée de l'opinion, de ranimer les braises d'une intelligence autonome et d'une pensée libre. Mais ce n'est qu'en août 1940 qu'il s'avouera à lui-même qu'il s'agissait d'autre chose que d'une simple guerre entre belligérants[2].

Selon les confidences de Pascal Pia[3], sachant dès septembre 1939 que la censure et la pénurie de papier ne permettraient pas à leur journal de survivre, ils avaient décidé de témoigner pour le futur. Sous la diversité des sujets abordés, derrière la multiplicité des signatures dont la plupart dissimulent mal un même énonciateur, la cohérence et l'unité de la pensée demeuraient. Les revendications paraissaient simples et explicables aux yeux du pacifiste libertaire, refusant de graduer la responsabilité du régime hitlérien à sa juste nature : « logique » de rivalité idéo-

---

1. P. 750 et 751.
2. « Politique pro-allemande, constitution à l'image des régimes totalitaires [...], tout cela pour essayer d'amadouer des ennemis qui nous écraseront quand même » (lettre à Francine Faure d'août 1940, citée dans O. Todd, *Albert Camus. Une vie* [1996], Gallimard, coll. « Folio », p. 350).
3. Voir la Lettre de Pascal Pia, p. 864-867.

logique, expansionnisme guerrier et plongée dans la barbarie. Pouvait-on encore, en toute conscience, se référer à des principes comme ceux qui étaient exposés dans les déclarations diverses publiées dans *Le Soir républicain* : paix immédiate par une conférence internationale, respect des libertés collectives et individuelles par l'organisation de plébiscites, mise en place de gouvernements véritablement issus de la volonté des peuples, création d'un organisme international où s'exprimeraient les peuples et non leurs dirigeants, et création d'un droit international en évolution constante pour répondre aux problèmes à mesure de leur apparition ?

Alors que les atrocités commises en Espagne par l'armée allemande ne pouvaient être ignorées de Camus, alors que l'institution du crime comme méthode de gouvernement en Allemagne avait été illustrée par l'incendie du Reichstag et par la « Nuit des longs couteaux », était-il pertinent de se référer encore aux erreurs de découpage territorial commises par le traité de Versailles[1] ? Les censeurs militaires ne manquèrent donc pas de matière à sourire, tant par l'angélisme de certaines propositions que par le fait que, faute d'information à transmettre ou à commenter, le journaliste se transformait en tribun.

À plus long terme, Camus croyait à l'avenir du fédéralisme et de l'internationalisme économique et politique. À sa façon, il tenta de dessiner les contours et les principes d'une gouvernance mondiale pour faire contrepoids aux égoïsmes et aux dictateurs de toutes espèces.

Éthique et journalisme.

On ne peut clore ce dossier sans relever l'origine et la constance de l'éthique de Camus en matière de presse. L'acharnement qu'il mit à se battre tient au rôle éminent qu'il accorda toujours à la presse et qui lui rendit d'autant plus monstrueuses les compromissions et les lâchetés de ses confrères. En 1949, ne déclarait-il pas à l'envoyé de *Caliban* : « Une société, qui supporte d'être distraite par une presse déshonorée et par un millier d'amuseurs cyniques, décorés du nom d'artistes, court à l'esclavage malgré les protestations de ceux-là mêmes qui contribuent à sa dégradation[2]. » Il mentionnait ainsi explicitement la corrélation qu'il établissait entre le devoir d'informer et l'éducation intellectuelle et morale du public.

ANDRÉ ABBOU.

NOTES

◆ LE COUSCOUS DU NOUVEL AN A ÉTÉ OFFERT PAR MME CHAPOUTON AUX MESKINES D'ALGER. — *Alger républicain*, 14 janvier 1939.

1. Dans le vocabulaire local, ce mot désigne « les pauvres », ceux qui n'ont ni foyer ni nourriture.

1. Voir « Notre position », *Le Soir républicain*, 6 novembre 1939, p. 768.
2. *Pléiade Essais*, p. 1564.

◆ IL FAUT LIBÉRER LES DÉTENUS POLITIQUES INDIGÈNES. — *Alger républicain*, 10 mai 1939.

1. « […] chacun sait que la France, patrie juste, ne fonde pas les exigences de sa défense sur la misère de ses fils. / Des définitions nouvelles de la vie sont proposées aux peuples angoissés pour recouvrir les plus vieilles pratiques et les plus vieux expédients. On appelle liberté, la servitude ; on appelle adhésion volontaire, la soumission […] » (Daladier, « Ce que veut la France », discours du 29 mars 1939, publié dans la presse métropolitaine et algérienne — *L'Écho d'Alger*, 30 mars 1939).

◆ LA GUERRE. — *Le Soir républicain*, 17 septembre 1939.

1. Ces crochets signalent des séquences censurées. Camus, plutôt que de renoncer à écrire ce qui risquait d'être censuré, décida de signaler à ses lecteurs l'attitude parfois vétilleuse des censeurs en dénombrant le nombre de mots ou de lignes supprimés.

◆ « SOUS LES ÉCLAIRAGES DE GUERRE ». OUI ! OUI ! MANIFESTE DU CONFORMISME INTÉGRAL. — *Le Soir républicain*, 30 octobre 1939.

1. Tant pour des raisons financières (le nombre des collaborateurs étant réduit) que pour des raisons tactiques (afin de se protéger contre d'éventuelles poursuites de la part des censeurs), Camus et Pia décidèrent de tisser une toile de noms d'emprunt. Après le 17 septembre 1939, Camus ne signa plus de son patronyme. Nous avons recensé une quinzaine de pseudonymes utilisés par lui (voir *CAC 3 ***, p. 714 ; voir aussi *ibid.*, p. 616-618).

◆ PROFESSION DE FOI. — *Le Soir républicain*, novembre 1939.

Article censuré et retrouvé sur épreuves par le directeur du quotidien (Paul Schmitt) après le licenciement de Pia et de Camus. La référence à l'article du 21 novembre 1939 paru dans *L'Émancipation nationale* permet de dater le texte censuré, soit entre le 23 et le 28 novembre.

« Le Salon de lecture »
d'*« Alger républicain »*
(1938-1939)

NOTICE

Publié à contretemps pour conforter un Front populaire lui-même déclinant dans l'esprit de son soutien originel (le peuple), *Alger républicain* a cherché à se distinguer de ses concurrents algérois en se dotant d'une tribune culturelle affirmant des ambitions novatrices. Pia avait « chiné » chez les libraires et s'était frotté à l'écriture, tout comme Camus avait œuvré sur le plan théâtral, avant de publier chez Charlot, l'éditeur algérois. Il aborda donc « Le Salon de lecture » avec un zèle de néophyte. Il avançait, à son actif, quelques timides essais de critique intitulés « Le Poète de la misère. Jehan Rictus », « Sur la musique », « La Philosophie du siècle », ou une réflexion d'ensemble sur « La Nouvelle Culture méditerranéenne », publiés en revue[1]. Sa contribution majeure en la matière, depuis 1935, se ramenait à des notes de lecture, à des réflexions critiques qui eussent pu figurer dans un journal intime et à des esquisses de projets romanesques, le tout consigné en partie dans ses Cahiers à l'origine des *Carnets*.

La chance d'exercer un petit magistère complétant son action culturelle locale fut donc saisie avec opportunité. Fidèle lecteur des revues majeures de l'époque (*N.R.F.*, *Commune*, *Mesures*, *Nouveaux cahiers*), le jeune auteur de *L'Envers et l'Endroit* eut-il conscience qu'il élargissait ainsi ses repères habituels et s'obligeait à peser ses réactions de lecteur ? En tout cas, on relève, à compter de l'automne 1938, à travers les notes des *Carnets*, une vie culturelle plus intense et des préoccupations nouvelles.

Comme tout créateur, même débutant, traitant d'autres créations que la sienne, Camus assortit ses comptes rendus de considérations esthétiques qu'il puise dans un lot de convictions empiriques. « Penser, c'est avant tout vouloir créer un monde. » Il croit fermement que l'écriture littéraire permet au critique d'accéder à l'univers que tout créateur porte en lui. « Il n'est donc pas indifférent pour terminer de retrouver les principaux thèmes de cet essai dans l'univers magnifique et puéril du créateur », consigne-t-il dans des notes reprises plus tard dans *Le Mythe de Sisyphe*. « On ne raconte plus d'" histoires ", on crée son univers[2] », aime-t-il à répéter.

L'attrait de la chronique s'est donc imposé au fil des commentaires. Il y a comme un effet d'écho entre les points de vue qui s'y manifestent et ceux que l'on relève dans les *Carnets*, *Le Mythe de Sisyphe* et « L'Intelligence et l'Échafaud[3] » (*Confluences*, 1943). Par bien des aspects, ces points de vue explicitent ou anticipent des options qui seront affichées et illustrées postérieurement.

Un embryon de théorie littéraire propre à l'écrivain trouve ainsi matière à se constituer au contact des publications du moment. Le romancier en puissance se hasarde à établir des passerelles et des oppositions entre roman, récit et nouvelles. Mais Camus fuit les distinctions formalistes. L'art est du côté de la vie, voire « barbare », selon une de ses expressions favorites à l'époque, quand il parle de culture ou de littérature. « S'il est vrai que la vraie culture ne se sépare pas d'une certaine barbarie, rien de ce qui est barbare ne peut nous être étranger[4] » : ce point de vue servit à étalonner les œuvres, qu'elles soient celles de Montherlant, de Simenon ou de Giraudoux. De quelle barbarie s'agissait-il ? Celle probablement qui dérange les représentations ordonnées et aseptisées, sinon consensuelles du monde. Elle fut particulièrement revendiquée dans le compte rendu du livre de Jorge Amado, *Bahia de tous les saints* : « Et l'on y lit clairement ce que peut avoir de fécond une certaine barbarie librement consentie[5]. » Le travail de l'écriture littéraire, et de la forme en général, devait laisser place à l'intuition et à un certain désordre, lequel se résorbe au fur et à mesure des évolutions de l'œuvre.

---

1. Publiés dans la revue *Sud* en 1932 (voir p. 517, 522 et 543), et dans *Jeune Méditerranée* en 1937 (voir p. 565).
2. *Le Mythe de Sisyphe*, respectivement : p. 287, 284 et 288.
3. Voir p. 894.
4. « *Rivages*. Revue de culture méditerranéenne », p. 869-870.
5. « *Bahia de tous les saints* », 9 avril 1939, p. 830.

Camus devance plutôt qu'il ne suit. Mis à part les billets consacrés à *La Nausée* de Sartre, à *L'Équinoxe de septembre* de Montherlant et à *Forêt vierge* de Ferreiro de Castro, les comptes rendus publiés dans *Alger républicain* précèdent assez souvent ceux que la *N.R.F.* accorde aux mêmes ouvrages. Créateur encore au stade des promesses, il se risque à énoncer des principes et des critères esthétiques dont l'illustration paraîtra au service de l'œuvre qui suivra. L'écrivain en herbe affirme ainsi très tôt des convictions, même si elles sont le fruit d'une approche empirique du travail d'écrivain.

Une critique littéraire, pour quoi faire ?

Abordant, dès la première chronique (9 octobre 1938), les objectifs, les principes et les perspectives de la critique littéraire, Camus se plaît à en souligner les limites et la finalité. Conscient de la subjectivité de toute appréciation, le journaliste projette qu'une ronde de collaborateurs interviendra, de sorte que « la confrontation et le brassage des opinions individuelles permettront d'atteindre une approximation ». Le souhait ne sera pas suivi d'effet, faute de moyens financiers. Car en ce domaine aussi, les bonnes volontés seront rares et Camus rédigera la quasi-totalité des comptes rendus. Il demeure que l'ambition de collecter « le plus grand nombre de témoignages sur le plus grand nombre d'œuvres[1] » situe d'emblée l'entreprise de Camus non pas sur le plan d'une préoccupation égoïste étriquée, mais sur celui d'une réflexion d'ensemble sur la création littéraire. Il souligne, à maintes reprises, l'importance du principe d'intersubjectivité. Des *Carnets* à la critique d'*Ondine* dans *La Lumière* en 1940[2], puis à « L'Intelligence et l'Échafaud », c'est un leitmotiv qui exprime la nécessité d'un langage et d'un contexte communs à l'écrivain et à son lecteur. « Le problème en art est un problème de traduction. Les mauvais écrivains : ceux qui écrivent en tenant compte d'un contexte intérieur que le lecteur ne peut pas connaître. Il faut être deux quand on écrit : La première chose, une fois de plus, est d'apprendre à se dominer[3]. » Ce souci d'intersubjectivité impose, dit-il, de ne céder ni aux préjugés ni à ses préoccupations favorites. Une œuvre doit être lue et interprétée pour ce qu'elle crée et non pour ce qu'elle flatte. Investi d'une responsabilité sociale, le commentateur doit s'efforcer à la cohérence. Mais « bien des critiques ne reconnaissent comme valables que les œuvres qui flattent leurs préjugés[4] », déplore-t-il.

Prenant le contre-pied de ces dérives, Camus défend ce que doivent être, selon lui, l'attitude et la tâche du critique : compréhension, loyauté envers une pensée différente de la sienne, voire adverse, respect des principes logiques et artistiques propres à chaque œuvre, ne succomber ni au parti pris ni à la simplification. Le critique ne peut succomber à la tentation du journaliste : tout résumer par une formule. Il précise dans l'article sur *L'Équinoxe de septembre*, à propos de ce que Montherlant écrit des « semaines hideuses de septembre » 1938 : « La tâche du critique est [...] de commencer par comprendre » ; « [...] le jugement que Monther-

---

1. « Le Salon de lecture », 9 octobre 1938, p. 787.
2. Voir p. 877.
3. *Carnets 1935-1948*, t. II de la présente édition, p. 926.
4. P. 787.

lant porte sur la guerre ne vaut que pour lui seul. Et il l'affirme. Et l'honnêteté, même si l'on n'est pas disposé à le suivre, est de l'accepter tel qu'il veut être[1]. » Refusant d'y voir satisfaction esthétique et pouvoir comme ses confrères, Camus s'oblige à des préoccupations d'éthique. Certes, il se montre d'autant plus sensible aux options de Montherlant qu'elles paraissent, à l'époque, proches des siennes. Mais il réagit avant tout en défenseur de la critique littéraire, face aux risques de subjectivité. Celle-là doit être autonome et refuser de restreindre la singularité d'une œuvre particulière, en la soustrayant à l'ensemble dans lequel elle trempe. « Une pensée profonde est en continuel devenir […]. De même, la création unique d'un homme se fortifie dans ses visages successifs et multiples que sont les œuvres. Les unes complètent les autres, les corrigent ou les rattrapent, les contredisent aussi[2]. » Si l'œuvre littéraire est singulière, c'est parce qu'elle échappe à toutes les confusions : entre réalité et art, entre esthétique et morale, entre art et politique. « C'est ainsi du moins qu'on peut voir la dernière œuvre de Montherlant. Je dis voir et non juger[3] », conclut-il, au terme de sa protestation.

On ne peut taire, cependant, que Camus, à l'occasion du billet consacré à *La Nausée* (20 octobre 1938), ait eu du mal à respecter en totalité ce principe. Il était confronté à un univers proche de celui qu'il avait construit pour évoquer les épreuves de sa courte vie passée. Mais les présupposés philosophiques qu'il détecte chez Sartre lui paraissent dégrader le traitement artistique. « Il s'agit aujourd'hui d'un roman où cet équilibre est rompu, où la théorie fait du tort à la vie » ; « Constater l'absurdité de la vie ne peut être une fin, mais seulement un commencement. […] Ce n'est pas cette découverte qui intéresse, mais les conséquences et les règles d'action qu'on en tire. […] Car enfin presque tous les écrivains savent combien leur œuvre n'est rien au regard de certaines minutes. Le propos de M. Sartre était de décrire ces minutes. Pourquoi ne pas être allé jusqu'au bout[4] ? » Une œuvre qui discrédite les forces vitales, qui risque de donner une vision théorique et doctrinale de l'absurde, qui n'offre pas une image tragique et « stylisée » du destin, et qui, par là, n'achève pas la catharsis du lecteur, est une œuvre imparfaite et partiale. Il marqua donc son désaveu.

La critique de Camus s'élabore ainsi au chevet d'une théorie littéraire et romanesque, d'esprit classique, qui a du mal à se faire à une autre conception que celle dont il s'est doté pour relater des expériences « initiatiques » et les relier à des représentations symboliques du monde auxquelles il adhère. Il en prit néanmoins conscience et, dans son article sur le recueil de nouvelles *Le Mur* le 12 mars 1939, il s'attacha à rendre à l'œuvre commentée sa cohérence et à l'univers ainsi projeté sa singularité. Reconnaissant « la prédication » que tout « grand écrivain apporte toujours avec lui », il s'étonne néanmoins du « parti pris » ou du caractère superflu de « l'obscénité » introduite, tout en reconnaissant la spécificité de Sartre. Il la justifie parfois. Maniant le freudisme pour constater que

1. « *L'Équinoxe de septembre* », 5 février 1939, p. 817 et 819.
2. *Le Mythe de Sisyphe*, p. 297.
3. P. 819.
4. « *La Nausée* », 20 octobre 1938, p. 794 et 795-796. — Voir *Le Mythe de Sisyphe* : « Ce qui m'intéresse […] ce ne sont pas tant les découvertes absurdes. Ce sont leurs conséquences. […] Faudra-t-il mourir volontairement, ou espérer malgré tout ? » (p. 230).

« le plus banal des êtres est déjà un monstre de perversité », et l'existentialisme pour établir que l'anormalité, indissociable de la normalité, est affaire de circonstances, il remodèle l'affirmation dostoïevskienne en une sentence dont le tranchant fera sursauter l'avocat de Meursault, le personnage principal de *L'Étranger* : « [...] nous souhaitons tous, plus ou moins, la mort de ceux que nous aimons[1]. »

Ainsi Camus mûrit et évolue. Désormais, sur le plan idéologique, au fur et à mesure qu'il avance dans sa description de l'absurde, il sait que seules les images extrêmes de celui-ci permettent d'en rendre sensibles les incarnations. Lui-même, un raccourci tragique et absurde, s'essaiera, dans *Le Mythe de Sisyphe*, à figurer le monde inhumain du condamné à mort. Les événements de la fin des années 1930 ne permettent plus de douter que l'anormalité soit devenue la règle du monde. On note, et on notera au long de la lecture des billets, que la critique chez Camus n'est pas exempte de sarcasme et de passion, chaque fois que les erreurs et les impostures prennent figure d'endoctrinement.

Poétique et métaphysique.

Aux yeux du chroniqueur, l'œuvre littéraire ne résidait ni dans les préoccupations esthétiques, désuètes, ni dans les manifestations d'intellectualisme, irresponsable. Peindre la vie sous des aspects significatifs, absurde et tragique mêlés, excluait qu'on la recouvrît d'un optimisme béat ou d'un pessimisme outrancier. L'absurde n'était, selon lui, perceptible que confronté aux exigences humaines et antagonistes de logique et d'unité, et le tragique de l'existence n'éclatait qu'au sein d'un monde qui niait l'innocence et le besoin d'être heureux. C'est à ce titre que Camus avait contesté l'authenticité de la représentation sartrienne dans *La Nausée*. Par-delà les treize années qui s'écoulèrent, les vieux antagonismes resurgirent au moment de *L'Homme révolté* (1951), les visions teintées de romantisme et de « prophétisme » prêtées à l'un s'opposant à la vision délibérément partisane et truquée reprochée à l'autre. Les partis pris artistiques ou philosophiques n'étaient que la face avouée d'un vieux débat sur le sens de la vie et la finalité de l'homme. Le vrai débat avec l'univers de Sartre fut donc instauré dès 1938. Étayé de préoccupations antérieures exprimées dans les *Carnets*[2], il peut être repéré au long du *Mythe de Sisyphe*[3].

Perçue à l'époque comme mutilée dans *La Nausée*, la dualité de la vie fut saluée à travers *Les Camarades* : « Et ce qui préoccupe Remarque, c'est de trouver dans ces cœurs torturés par la triple et cruelle expérience de la guerre, de la révolution et de la misère, les raisons qu'ils peuvent avoir de croire encore dans leurs vies sans grandeur[4]. » Camus côtoyait en ce monde ses thèmes de méditation favoris, et, sous une forme moins tra-

---

1. « *Le Mur* », 12 mars 1939, p. 827 et 825.

2. « À ce titre, une œuvre d'art qui retracerait la conquête du bonheur serait une œuvre révolutionnaire » (*Carnets*, p. 849).

3. Voir par exemple : « Dans les vies les mieux préparées, il arrive toujours un moment où les décors s'écroulent » (compte rendu de *La Nausée*, p. 795) ; et « Toutes les grandes actions et toutes les grandes pensées ont un commencement dérisoire. [...] Il arrive que les décors s'écroulent. [...] Un jour seulement, le " pourquoi " s'élève [...] » (*Le Mythe de Sisyphe*, p. 227-228 ; voir aussi *ibid.*, p. 229).

4. « *Les Camarades* », 10 octobre 1938, p. 791-792.

gique et moins explicitée, les motivations et le destin des personnages qu'il tentait de construire. Entre *Les Camarades* et *La Mort heureuse*, les convergences sont notoires. Si la révolte s'exprime différemment, la détresse prend le même visage : « [...] Pat, touchée par la tuberculose, meurt dans un sanatorium. Et cette vie miraculeuse qu'ils touchaient au fond même de la misère du monde, voici déjà qu'elle n'est plus rien[1]. »

On perçoit ainsi un des penchants de l'acte critique chez Camus : confronter les destins ou les personnages des ouvrages dont il rend compte aux séquences de vie et aux êtres croisés dans son « quartier pauvre », pour y lire les tourments analogues. Des horizons du *Quartier Mortisson*, de Marie Mauron, il retiendra « un peuple d'hommes, hâbleurs, mauvais garçons et poètes, toujours en désaccord avec la loi, mais juste ce qu'il faut pour mériter le nom d'hommes libres ». C'est le peuple familier des *Carnets*, des essais, des *nouvelles* et des principaux romans. L'effet majeur produit par ce décor grandiose d'un « roman sans intrigue, attaché seulement à la vie d'un quartier, d'un pays et de ses hommes[2] », paraît en tout cas à la chaleur du commentaire. Il semble avoir disposé l'écrivain à faire de la nature un protagoniste majeur de la fiction qui suivit, *L'Étranger*.

Les reliefs d'une nature humaine, installée dans le fondamental, unie à la terre et poursuivant une existence édénique, non ébranlée par l'absurde, trouvèrent, à maintes reprises, crédit auprès du critique. Ainsi *De la brousse au zoo* (1938), simple carnet de route de Armand-Henry Flassch, lui entrouvrit le monde magique des rites et des prières, des pratiques et des incantations. Dix-sept ans plus tard, un intérêt similaire le portera à inclure, dans sa nouvelle « La pierre qui pousse[3] », le récit d'une « macumba au Brésil ». Ce monde innocent, celui de l'enfance et de ses nostalgies, de ses rêves et de ses déroutes, entrevu dans les contes de fées de son adolescence, Camus le rencontrera aussi chez Chazournes. À ses yeux, encore pleins de soliloques juvéniles, de noces à Tipasa et de vérités farouches, prend forme une image mythique de la femme, avec « sa sévérité, son indifférence et le poids de son amour ».

Mais cette réalité symbolique s'inversera rapidement. L'écrivain relie certains tableaux de *Forêt vierge* aux aspects inquiétants d'un univers inhumain, livré à la démesure et au chaos, et de l'absurde. « Il reste un monde où rien n'est à la taille de l'homme, où les pluies finissent en inondations et la sécheresse en désastre, où la pierre et le végétal sont les ennemis de l'homme, où l'homme lui-même est une menace pour ses pareils. [...] La vie individuelle retrouve ici son vrai sens, qui est de n'en point avoir[4]. » *Forêt vierge*, déréglant l'univers du *Quartier Mortisson*, confirmait la vision d'un monde muable, tour à tour apaisant et inhumain. Sous le souffle de l'absurde, l'univers y perdait stabilité et consistance.

Des styles de vie.

Comme Stendhal, Camus s'exerça à confronter comportements et attitudes, tels qu'ils affleuraient dans les œuvres. S'y exposaient des « styles

1. P. 792
2. « *Le Quartier Mortisson* », 28 janvier 1939, p. 815 et 816.
3. *L'Exil et le Royaume.*
4. « *Forêt vierge* », 28 mars 1939, p. 828.

de vie » opposés aux « contrefaçons » de la grandeur. De la « jeune fille sportive, garçonnière, qui prend des amants comme elle se met à table[1] » (dans *L'Amour de soi-même* de Guy Mazeline), il ne restait qu'une caricature de liberté, qu'une manifestation épisodique de la vie. L'aventurier, le héros absurde, le héros révolté, le révolutionnaire offraient, au contraire, des modèles de conduites « authentiques » parce que abreuvées d'une mythologie de l'existence. Personnage entre tous cher à Camus, parce que parent du joueur — cet ancêtre du héros absurde —, le portrait qu'en traçait Henri-Paul Eydoux dans *L'Exploration du Sahara*, mi-réel, mi-fictif, était celui d'un homme exceptionnel, généreux, courageux, désintéressé, prêt au sacrifice. Et puisant à cette même mythologie, certainement inspirée et instruite de l'exemple de Malraux, Camus en amplifia la symbolique pour l'ériger en paladin des temps modernes, refusant de servir et n'ayant que « le goût de l'aventure pour elle-même et la passion du danger[2] ».

À l'opposé, le héros absurde campé dans *Le Mur* paraissait étrangement limité, désagrégé et « sans attaches, sans principes », n'espérant aucun salut dans l'action. Il s'identifiait au « seul problème » qui le « préoccupe et [qu'il n'a] pas défini[3] ». Insensible à ce qui n'est pas lui, stérile, sans vouloir-vivre et sans ambition, il manquait de substance vitale et paraissait vaincu avant même de combattre.

Le révolté d'instinct, déjà entrevu et décrit à travers le personnage d'Antonio Balduino dans *Bahia de tous les saints*, est, en effet, l'homme « qui dit non », mais aussi « qui dit oui, dès son premier mouvement », conformément à ce qui sera dans *L'Homme révolté*. Le critique énonçait ainsi dans son texte sur ce roman d'Amado, pour la première fois et de façon rigoureuse, une illustration cohérente de l'idéologie qu'il affichera en 1951 dans cet essai. Recherche de la liberté, expérience de l'absurde, révolte sous de multiples formes, révolution, les différentes phases et faces de l'aventure humaine sont ici esquissées. Ainsi, Balduino s'extrait de sa condition pour incarner « la quête passionnée d'un être élémentaire à la recherche d'une révolte authentique ». Et de même qu'il refuse la fausse liberté du « travail organisé » et qu'il vit « splendidement parmi les joies de la chair[4] », de même son choix ébauche une réplique d'artiste à l'absurdité du monde. Enfin, aliéné par une réalité sociale qui le contraint à la soumission, Balduino tombe dans la révolution, « seule révolte valable et la seule satisfaisante », où il trouve « le sens d'une fraternité qui le délivre de sa solitude[5] ». On observe, à douze ans d'intervalle, la pérennité des convictions de Camus, en réplique aux pièges de l'histoire.

Camus multiplia les nuances et les réserves. Un de ses derniers comptes rendus, concernant *Le Pain et le Vin* d'Ignazio Silone, campe un portrait de révolutionnaire qui « se demande si les théories dont il a travesti l'amour qu'il portait à ce peuple ne l'ont pas éloigné de ce peuple lui-même ». Le révolutionnaire d'Ignazio Silone est donc celui qui met en question ses actes et ne voile pas « les conflits les plus angoissants de la Révolution[6]. » Le vrai militant, pour Camus, se distingue plus par ses

1. « Romans français », 23 avril 1939, p. 835.
2. « *L'Exploration du Sahara* », 28 mars 1939, p. 830.
3. « *Le Mur* », p. 826.
4. « *Bahia de tous les saints* », 9 avril 1939, p. 831.
5. *Ibid.*
6. « *Le Pain et le Vin* », 23 mai 1939, p. 837.

doutes que par ses certitudes. De tels rappels à l'égard du militantisme révolutionnaire, lesquels se feront plus pressants après-guerre au moment de la dénonciation des répressions ouvrières dans le bloc de l'Est, vaudront à Camus, parce qu'ils furent appuyés sur une critique virulente du stalinisme, un bannissement de l'intelligentsia « progressiste » française.

Une économie de l'expression.

Tout aussi clairement que ces fondements idéologiques, les credo esthétiques apparus durant cette période, persisteront. Tout comme si le critique exprimait moins les certitudes du philosophe, du militant et de l'artiste, que leurs refus du conformisme et des compromissions.

L'écrivain en herbe n'a cessé de mettre en garde contre le didactisme, l'outrance phraséologique et le verbalisme comme principes artistiques formels. Dès le compte rendu de *La Nausée*, il en exposa les malentendus et en souligna les impasses : « [...] dans un bon roman, toute la philosophie est passée dans les images. Mais il suffit qu'elle déborde les personnages et les actions, qu'elle apparaisse comme une étiquette sur l'œuvre, pour que l'intrigue perde son authenticité et le roman sa vie[1]. »

Que l'œuvre d'art transmette une représentation idéologique du monde, et soit donc de fait liée au domaine de l'action politique, voire révolutionnaire, Camus la revendique ; mais qu'elle soit conçue comme une littérature à thèse, qu'elle « sacrifie [...] à la volonté de prouver[2] », voilà qui lui paraît contraire à la nature de l'œuvre d'art. C'est précisément ce qu'il reproche à *La Nausée* et à *Commune mesure* de Renaud de Jouvenel. « Le roman à thèse, l'œuvre qui prouve, la plus haïssable de toutes, est celle qui le plus souvent s'inspire d'une pensée *satisfaite*[3]. » Il s'agit donc, avant tout et uniquement, de formes et de limites à ne pas méconnaître, de « fusion secrète de l'expérience et de la pensée, de la vie et de la réflexion sur son sens », bref, d'une « philosophie passée dans les images[4] ». L'œuvre « est l'aboutissement d'une philosophie souvent inexprimée, son illustration et son couronnement. Mais elle n'est complète que par les sous-entendus de cette philosophie[5] », ajoutera-t-il dans *Le Mythe de Sisyphe*.

À chaque occasion d'accorder ou non son adhésion, il tiendra compte de la forme qui donne à l'œuvre son sens. Car tout témoignage humain, politique, révolutionnaire ou social doit se couler dans une forme qui en fait une œuvre d'art. L'écrivain prit soin de souligner que l'œuvre, dite engagée, ne pouvait se soustraire aux nécessités de la représentation artistique[6]. Ainsi, Camus loue Chamson, auteur de *La Galère*, d'avoir réussi dans sa tentative d'ériger l'histoire en œuvre d'art : « Son propos est, en effet, de faire une œuvre d'art de la nuit du 6 février[7]. » Et, à propos des difficultés surmontées par celui-ci pour bâtir son œuvre, il examine les conditions d'insertion de l'histoire ou de l'actualité dans la

1. « *La Nausée* », p. 794.
2. « *Commune mesure* », 3 janvier 1939, p. 808.
3. *Le Mythe de Sisyphe*, p. 298.
4. « *La Nausée* », p. 794.
5. *Le Mythe de Sisyphe*, p. 288.
6. Voir par exemple les articles sur *Les Camarades*, p. 791, et sur *Bahia de tous les saints*, p. 830.
7. « *La Galère* », 23 mai 1939, p. 838.

trame romanesque. L'histoire doit donc être suffisamment distante pour
être disjointe de nos passions et suffisamment proche pour ne pas
« s'estomper derrière la légende[1] » — à mi-chemin du réel et de l'imaginaire. Tel sera d'ailleurs le point de vue explicité plus tard dans *L'Homme
révolté* et les *Discours de Suède*. Camus refuse, à ce sujet, le manichéisme
politique, les raisons transitoires d'État, de classe ou de parti. La révolution est un processus de découverte des erreurs et des mensonges, une
révélation progressive. La révolution serait donc surtout l'occasion de
mesurer le retentissement des événements sur les êtres, de tester leur
aptitude à triompher de l'irrationnel et de l'imprévisible. L'art qui mémo-
rise le triomphe de la vie sur les épisodes dérisoires prend figure de
revanche limitée et éphémère sur une histoire tragique. Camus, en ce
sens, faisait sienne la conception de Chamson.

On comprend donc que Camus ne suive pas Nizan ni Jouvenel dans
la manifestation littéraire de leur militantisme politique, encore que leurs
œuvres ne soient guère comparables. Car si Nizan « est un écrivain de
race et le prouve[2] », Jouvenel se laisse, lui, abuser par ses passions et son
besoin d'édification : « Appeler M. Renault " un grand exploiteur des
ouvriers français ", c'est un peu enfoncer une porte ouverte. En tout cas,
cela n'ajoute rien à une œuvre d'art. » Camus le souligne : « [...] ce qui
surgit ici, c'est le problème de la littérature militante[3]. » Il n'admet pas
l'engagement dans les œuvres autrement dans sous une forme qui ne
dégrade pas l'art. Car il sait que tenter de donner une expression pérenne
à ce qui est du franc domaine de la dialectique et du choix politique, c'est
viser trop haut ou trop bas.

La révolution ne suffit pas pour faire une œuvre d'art. Et elle ne
saurait discréditer le romantisme révolutionnaire, dont la condamnation, au nom de l'action, fut trop vite admise par Nizan, selon Camus[4].
D'ailleurs, dès novembre 1939, prenant acte du ralliement de certains
communistes français au dépeçage de la Pologne entre Hitler et Staline,
Camus, dans les *Carnets*, assignait au processus révolutionnaire une fin
plus humaine qu'historique : « Lawrence : [...] / " Il ne faut pas faire
la Révolution pour donner le pouvoir à une classe mais pour donner une
chance à la vie[5]. " »

Si le but de l'œuvre, pour Camus, était bien de prendre nettement
position contre les impostures et les oppressions du moment, l'aboutissement de la protestation restait de l'ordre du concret. En cela, il
approuve Nizan qui croyait peu aux songeries et aux broderies verbales.
« Un homme est toujours plus utile à son parti en collant des timbres
ou des affiches, qu'en imprimant noir sur blanc de beaux prêches sur la
condition de l'homme[6]. »

Vivre et témoigner, tels sont donc les deux commandements de
l'artiste engagé. L'artiste ne doit pas être obligatoirement un franc-tireur.
Et, s'il l'est, il doit l'oublier dans sa création, précisera-t-il dans les
Discours de Suède. Mais on doit accorder crédit à l'artiste qui, respectueux

1. *Ibid.*
2. « *La Conspiration* », 11 novembre 1938, p. 802
3. « *Commune mesure* », p. 808.
4. Voir p. 801-802.
5. *Carnets*, p. 895.
6. P. 801.

des nécessités artistiques, a d'abord choisi de témoigner dans la vie. « Il est courant, par exemple, de dénoncer l'attitude romantique d'un écrivain comme Malraux, seulement la question n'est pas de savoir si Malraux, dans la Révolution, préfère l'épopée à la construction économique […], mais bien de se demander s'il risque sa vie tous les jours pour la façon de voir qu'on lui prête[1]. » Témoigner activement de la cohérence entre propos professés et actes assumés traçait une ligne de démarcation crédible entre créateurs et contrefacteurs.

Créateurs et contrefacteurs.

Camus prit donc soin de souligner la vigueur et la conviction que dégageaient la vie et les œuvres des auteurs accueillis dans ses chroniques. Les « tours d'ivoire » tomberaient vite lor de la guerre. Dans « une époque intéressante », il fallait vivre dangereusement et « ramer à son tour » (*Discours de Suède*). Nizan, Sartre, Malraux, Amado, Remarque avaient, d'une manière ou d'une autre, conféré à leurs œuvres le souci de la rectitude morale et le poids de leur angoisse.

Trois œuvres permirent plus particulièrement au chroniqueur de sonder la fidélité des auteurs à leurs mondes respectifs et de disgracier les convenances d'esthète ou de « divertisseurs » irresponsables.

Giono, dont il avait apprécié les élans et les chants de retour au dénuement et à la vérité de la nature, fut l'une de ceux que Camus crédita d'abord d'une adhésion sincère à ses idées. Vu, tour à tour, sous l'aspect d'un « prophète », d'un « poète », du prosateur moraliste, l'auteur des *Vraies richesses* présentait des attitudes qui inspiraient confiance : constance envers ses goûts, choix de la solitude, conviction ardente et, surtout, foi dans le pacifisme. Son univers et celui de l'auteur de *Noces* semblaient converger vers une vie défendue et sauvegardée, « loin de l'argent et des spéculations d'État ». Giono en devenait même rassurant, promis à « quelque chose de plus qu'une actualité sans avenir[2] ». Ce n'est que progressivement, et même assez tard, que l'abandon de ses principes apparents devint évident aux yeux de Camus. Ridiculisé pour avoir accepté la Légion d'honneur, il fit néanmoins figure de pacifiste opprimé au moment de son arrestation, annoncée par *Alger républicain* le 13 octobre 1939[3], avant de se commettre dans les revues de collaboration, quoique Camus fût loin de soutenir ceux qui, comme Tristan Tzara[4], appelèrent sur lui la vindicte officielle à la Libération.

Aussi proche et aussi éloigné des valeurs estimées de Camus, bien que relié à d'autres affinités, le style de vie de Montherlant inspira au chroniqueur maintes notes laudatives et une compréhension sympathique[5]. Dans la défense ardente qu'il porta à *L'Équinoxe de septembre*, comptèrent certainement le souvenir de *Service inutile*, « salué en son temps comme un des grands manuels de morale de l'époque », et les dispositions communes aux deux écrivains, le « sens de la grandeur », la virilité et l'amertume, un « héroïsme lucide ». « Il n'y a peut-être pas dans notre

---

1. *Ibid.*
2. « *Lettre aux paysans sur la pauvreté et la paix* », 3 janvier 1939, p. 809 et 810.
3. La note du *Canard enchaîné* fut reproduite : « Jean Giono, écrivain de grand talent et pacifiste convaincu, a été arrêté à Manosque. »
4. Voir son article « Un romancier de la lâcheté » (*Les Lettres françaises*, octobre 1944).
5. Voir *Carnets*, p. 827, 841, 843 et 895.

littérature de passage plus viril et plus amer que celui où Montherlant affirme qu'il combattra sans croire, sans autre idéal que celui d'être à la hauteur d'un destin venu sans qu'on l'appelle[1]. »

S'il continua à partager avec lui un pacifisme actif et la revendication de l'individualisme, il s'en sépara vite, dès lors que le sens moral et la responsabilité, sinon la survie de l'homme, furent en cause. D'ailleurs, sur ce point, l'estime portée à Montherlant n'était pas aveugle. Convaincu comme lui de l'absurdité des choses et de la réponse « virile » à opposer au destin, Camus jugea cependant sa réplique inefficace, voire ambiguë. « Car, à cet instant, se pose un problème de valeur : que vaut cet héroïsme sans illusions, cette grandeur non sans amertume et cette magnifique prédication de la lucidité ? La réponse est facile : cette morale vaut ce que vaut l'homme qui la propose ou celui qui la fait sienne. Et par ce détour, le " cas Montherlant " est tout entier posé à nouveau[2]. » La guerre se chargea de dissiper les équivoques.

Limitée à dix mois, l'activité de chroniqueur littéraire se révéla donc, pour Camus, particulièrement dense et fructueuse, tout comme le fut celle de journaliste engagé dans les combats de l'actualité algéroise, judiciaire, sociale et politique. Les billets critiques de ce « Salon » livrent le témoignage d'une période de vie, où, en raison et en dépit des inquiétudes du temps, Camus participa de façon militante et responsable aux différents combats de ses contemporains. « L'artiste se forge dans cet aller-retour perpétuel de lui aux autres, à mi-chemin de la beauté dont il ne peut se passer et de la communauté à laquelle il ne peut s'arracher. C'est pourquoi les vrais artistes ne méprisent rien ; ils s'obligent à comprendre au lieu de juger[3]. »

Les critiques littéraires données dans ce volume constituent la majeure partie des articles de Camus parus dans la rubrique « *Le Salon de lecture* » d'*Alger républicain*. Ont été retranchés de notre sélection ceux, d'un intérêt mineur, portant par exemple sur des activités culturelles algéroises[4].

ANDRÉ ABBOU.

NOTES

◆ « MARINA DI VEZZA », LE NOUVEAU ROMAN D'ALDOUS HUXLEY. — 9 octobre 1938.

Traduit de l'anglais par Julia Bastin : *Those Barren Leaves* ; Plon, octobre 1938.

◆ « LES SALOPARDS », PAR RENÉ JANON. — 2 novembre 1938.

Tanger, Éditions internationales, 1938.

1. *L'Équinoxe de septembre*, 5 février 1939, p. 818, 817 et 819.
2. P. 819. — Voir aussi « Maurice Barrès et la querelle des " héritiers " », p. 874, où l'on voit que Camus réserva ses coups les plus vifs à l'égard de la création barrésienne.
3. « Discours du 10 décembre 1957 », *Discours de Suède*, Gallimard, coll. « Folio », p. 15.
4. Sur la totalité de cette contribution, voir *Revue des Lettres modernes*, série « Albert Camus » n° 2, n°s 212-216, 1969, p. 211-219.

◆ « LES FABLES BÔNOISES », D'EDMOND BRUA. — 22 novembre 1938.

Ce texte (Alger, Éditions Carbonel, 14 novembre 1938) est repris, à l'exception du paragraphe consacré aux dessins de Brouty, en guise de préface ; il est accompagné de deux autres critiques dans une nouvelle édition des *Fables, dites bônoises*, Charlot, 1946. À l'allusion de Camus aux « comptines bônoises », l'auteur répond en précisant : « Algéroises seulement, et encore ! »

◆ « COMMUNE MESURE », PAR RENAUD DE JOUVENEL. — 3 janvier 1939.

Éditions sociales internationales, décembre 1938.

◆ « LETTRE AUX PAYSANS SUR LA PAUVRETÉ ET LA PAIX », PAR JEAN GIONO. — 3 janvier 1939.

Grasset, 1938.

◆ LITTÉRATURE NORD-AFRICAINE. — 21 janvier 1939.

La Cage ouverte (Charlot), de Gabriel Audisio, *Trois contes de la musaraigne* (Charlot), de Françoise Berthault, et *Le Long des oueds de l'Aurès* (Baconnier), de Claude-Maurice Robert ont paru en 1938.

◆ MANIFESTE DU THÉÂTRE DE L'ÉQUIPE. — 21 janvier 1939.

Voir la Notice sur le Théâtre du Travail et le Théâtre de l'Équipe, p. 1438-1439.

◆ « LE QUARTIER MORTISSON », PAR MARIE MAURON. — 28 janvier 1939.

Denoël, 1938.

◆ « L'ÉQUINOXE DE SEPTEMBRE », PAR HENRY DE MONTHERLANT. — 5 février 1939.

Grasset, 1938.

1. Les allusions visent Roger Caillois qui, dans la *N.R.F.* (janvier 1939), avait exprimé sa déception sinon son indignation vis-à-vis des positions jugées esthétiques de Montherlant : « De même, si je ne suis pas gêné par le goût que M. de Montherlant avoir pour la guerre, il me déplaît qu'il le fasse *passer* en le mettant au compte de l'esprit de contradiction, d'une sorte de coquetterie de grand seigneur de l'esprit [...] : je n'ai pas d'indulgence pour cette façon de provoquer d'un mot et d'apaiser de l'autre [...] » (p. 151-152).

2. La dénonciation de Camus vise, encore, R. Caillois qui avait également pris à partie les orientations de Montherlant à travers ce livre. « Libre à M. de Montherlant de préférer l'alternance qu'il vante à la servitude [vis-à-vis de la rigueur et de la cohérence de la pensée]. [...] je ne suis pas fâché de constater sur le fait où mènent les voies de complaisance qu'il préconise, ce qu'il en coûte nécessairement de vanter tour à tour la ligne droite et l'arabesque, le plaisant et l'austère. Les termes ne sont nullement complémentaires comme il paraît d'abord. [...] Car ni la vertu ne permet une fois la licence, ni la loi le jeu » (*ibid.*, p. 151-153).

3. Il s'agit des palinodies consécutives aux revendications d'Hitler sur la Tchécoslovaquie : rappel des réservistes et réquisitions militaires, puis entretien de Munich et cession des Sudètes au Reich nazi.

◆ LIVRES DE FEMMES. — 18 février 1939.

Dernier vol, d'Amelia Earhardt (Gallimard, 1938), a été traduit de l'anglais par Andhrée Vaillant.

Femmes soviétiques d'Hélène Iswolsky ; Desclée de Brouwer, 1937.

◆ LITTÉRATURE NORD-AFRICAINE. — 5 mars 1939.

Périple des îles tunisiennes d'Armand Guibert ; Tunis, Éditions du Monomotapa, 1938.

Introduction à l'étude de l'islam d'Abd-Errahman Ben el-Haffaf ; Alger, s. d.

1. Sans doute faut-il lire « autour d'elles ».

◆ « L'EXPLORATION DU SAHARA », PAR HENRI-PAUL EYDOUX. — 28 mars 1939.

Gallimard, 1938.

1. Paul Flatters : colonel, chef d'une expédition scientifique destinée à étudier le tracé du transsaharien ; fut assassiné par les Touaregs en 1881.

2. Henri Duveyrier : explorateur du Sahara algérien et tunisien ; séjourna chez les Touaregs, puis publia le récit de ses explorations en 1864.

◆ « BAHIA DE TOUS LES SAINTS », PAR JORGE AMADO. — 9 avril 1939.

Traduit du brésilien par Michel Berveiller et Pierre Hourcade ; Gallimard, 1938.

◆ ROMANS FRANÇAIS. — 23 avril 1939.

1. Le second tome des *Apprentis faussaires* de Jacques Baïf, *L'Oiseleur des ombres*, fut publié en 1945 (Denoël).

◆ « LE PAIN ET LE VIN », PAR IGNAZIO SILONE. — 23 mai 1939.

Traduit de l'italien par Jean-Paul Samson ; Grasset, 1939.

◆ « DES CHAROGNARDS SUR UN HOMME », PAR MICHEL HODENT. — 23 mai 1939.

Ce texte, non signé, est cependant publié dans la rubrique « Le Salon de lecture » assurée régulièrement et sous sa signature par Albert Camus.

Sur Michel Hodent, voir la Notice sur les Articles publiés dans *Alger républicain* et dans *Le Soir républicain*, p. 1379.

Sur les Éditions Cafre, voir la Chronologie, année 1937.

◆ LES ÉCRIVAINS ET LEURS CRITIQUES. — 25 juin 1939.

Constantin Léontieff, de Nicolas Berdiaeff (ou Berdiaev), a paru, en 1938, chez Desclée de Brouwer et Cie, et non pas chez Denoël, comme l'écrit Camus.

Le titre complet de l'ouvrage d'Edmond Vermeil est *Henri Heine. Ses vues sur l'Allemagne et les révolutions européennes*.

Le titre exact de l'ouvrage d'Armand-M. Petitjean est *Présentation de Swift*.

◆ L'ÉDITION ALGÉRIENNE. — 24 juillet 1939.

Le titre exact de l'ouvrage est *Quinta pugneta !* (voir p. 850), avec un point d'exclamation. Le sous-titre est « Janvier 1939 en Espagne rouge » (achevé d'imprimer en avril 1939). « *Pugneta* » est un juron qui possède diverses connotations (le plus souvent sexuelles) mais, ici, on peut sans doute traduire l'expression « *quinta pugneta* » par « la cinquième colonne ».

Le roman d'Alexandre-Louis Breugnot (voir p. 851) s'intitule précisément *Keboul, le bâtard. Études de mœurs israélites.*

Documents sur « Alger républicain »
et « Le Soir républicain »

NOTES

◆ [LE LANCEMENT D'« ALGER RÉPUBLICAIN »]. — 6 octobre 1938.

Voir la Notice sur les Articles publiés dans *Alger républicain* et dans *Le Soir républicain*, p. 1369-1370.

A. A.

1. Ce texte a paru dans la rubrique « La Vie syndicale » d'*Alger républicain*.

◆ [« LE SOIR RÉPUBLICAIN », DU LANCEMENT À LA SUSPENSION].

Voir la Notice sur les Articles publiés dans *Alger républicain* et dans *Le Soir républicain*, p. 1369-1373.

A. A.

◆ « ALGER RÉPUBLICAIN » ET M. CAMUS.

Texte de la lettre (que l'on peut dater entre le 17 et le 24 janvier 1940) adressée aux prud'hommes par les administrateurs du journal pour justifier le licenciement de Camus, sans indemnité ni préavis.

A. A.

◆ [TÉMOIGNAGES].

C'est au cours d'un entretien oral avec Pascal Pia que nous avons formulé les questions auxquelles il a bien voulu répondre dans sa lettre. Sur son conseil, nous avons posé des questions complémentaires à Jean-Pierre Faure, le directeur de publication d'*Alger républicain* et du *Soir républicain*. Grand commis de l'État, engagé dans le Front populaire en France et en Algérie, il était membre de bien des rouages de la vie politique en Algérie. Il fut l'un des garants financiers et politiques lors de la création du journal. Il n'a pas conservé grand souvenir de ses démêlés avec Albert Camus, à partir de novembre 1939.

A. A.

1. Il s'agit de l'Union socialiste républicaine (U.S.R.), constituée par les socialistes dissidents de la S.F.I.O. en 1933.

2. Il s'agit probablement de Roger Ménicucci, président actif de l'Union démocratique des syndicats confédérés d'Alger.

3. Il s'agit peut-être de Mohammed Lechani (voir « À nos frères musulmans », p. 855).

4. À notre connaissance, il n'y en avait pas, en tant que tels. Voir le communiqué de *La Lutte sociale* de novembre 1937 (*CAC 3 **, p. 32, n. 1).

5. K. Makaci (voir « À nos frères musulmans », p. 855).

6. Les noms sont donnés à l'alinéa 3 du procès-verbal de constitution de la société anonyme *Alger républicain*, dont le texte est publié dans *CAC 3 **.

7. J.-P. Faure ne se souvient plus des circonstances particulières de la suspension du *Soir républicain* en janvier 1940.

Articles, préfaces, conférences
(1938-1944)

NOTES

◆ « RIVAGES ». REVUE DE CULTURE MÉDITERRANÉENNE. — 1938.

Cette revue n'a édité que deux numéros, le premier datable de décembre 1938 et le second de février-mars 1939, si l'on en croit les repères déductibles des publications et des revues qui sont recensées dans ces deux numéros. Son comité de rédaction comptait des figures tutélaires, tels Gabriel Audisio, Jean Hytier, Jacques Heurgon, et trois jeunes écrivains soucieux d'entreprendre, Albert Camus, Claude de Fréminville et René-Jean Clot.

Revue née trop tard, si l'on songe à l'élan historique passé du Front populaire, son lancement intervient à un moment opportun pour Camus, en raison de son parcours professionnel et littéraire, à la fin de 1938, mais inopportun pour l'éditeur prévu (Charlot), régulièrement en proie à des difficultés financières, bien que son nom soit suggéré par l'adresse du siège social mentionnée sur ce premier numéro. Ces difficultés et le contexte politique de la période expliquent les défaillances de périodicité, puis l'interruption de parution.

Rivages fait irruption dans un éventail de revues méditerranéennes, déjà riche de spécificités autoproclamées, mais rarement à la hauteur des objectifs postulés. *Les Cahiers de Barbarie*, animés par Armand Guibert et Jean Amrouche, *Mithra*, la revue de Max-Pol Fouchet bientôt rebaptisée *Fontaine*, *Aguedal* (Rabat) d'Henri Bosco, *La Revue algérienne*[1], particulièrement imprévisible et dont le numéro où Camus publia, en février 1939, « Chronique du jeune Alger » reste introuvable, et les *Cahiers du Sud* composent une fresque typique et bigarrée.

Dans la présentation de *Rivages*, Camus revendique le bassin méditerranéen comme lieu d'inspiration, d'expression et d'audience, mais les rivages orientaux de la *mare nostrum* sont absents et du comité de rédac-

---

1. Voir « Le Salon de lecture » d'*Alger républicain*, « Poésie », 28 novembre 1938, p. 806. — Voir aussi la notule de « L'Été à Alger » (*Noces*), p. 1239.

tion et des textes proposés dans les deux premiers numéros, indices d'une difficulté à rassembler les énergies indigènes en ces temps désemparés, où le projet Blum-Viollette[1] est retourné aux archives. Camus, qui le sait, le perçoit et le déplore.

Si le jeune journaliste se félicite qu'une sève originale, porteuse d'esprit nouveau et d'œuvres littéraires en promesse, soit perceptible, les réflexions désabusées ne sont pas absentes du panorama. Dans « Le Salon de lecture » d'*Alger républicain*, il regrettait que l'éditeur d'*Aguedal*, Armand Guibert, ferme « les yeux sur certaines esthétiques périmées », que la terre nord-africaine soit un espace « où la littérature souffre surtout de complaisance[2] ». D'autant qu'il déplorait que l'Algérie soit « un pays que la haine défigure ».

On comprend dès lors mieux que la présentation de *Rivages*, émise sur feuille libre, et hors sommaire du premier numéro, cherche encore à exalter les forces communes, à stimuler les énergies, et affirme combattre « les puissances d'abstraction et de mort au nom de nos forces de vie[3] ».

Selon les informations disséminées dans des billets ultérieurs, publiés notamment dans *Alger républicain*, il ressort que le numéro 3, consacré au théâtre, aurait dû paraître quand éclata la guerre. Un autre numéro, consacré à la mémoire de García Lorca, fut retrouvé et saisi par la police de Vichy en 1941.

A. A.

◆ LETTRE D'ALGER. LES PROGRÈS DU NATIONALISME ALGÉRIEN. — *Revue Méditerranée-Afrique du Nord*, n° 1, juin 1939.

Voir la Notice sur les Articles publiés dans *Alger républicain* et dans *Le Soir républicain*, p. 1385.

A. A.

◆ MAURICE BARRÈS ET LA QUERELLE DES « HÉRITIERS ». — *La Lumière*, 5 avril 1940.

Pour généreuse et équitable qu'elle fût, et tel qu'en témoignent ses articles du « Salon de lecture » d'*Alger républicain*, la critique littéraire de Camus fit grise mine aux dérives de Barrès et de Giraudoux (voir « Jean Giraudoux ou Byzance au théâtre », *La Lumière*, mai 1940, p. 877). Leur « actualité » supposée survenait à contre-courant de l'histoire qui s'écrivait. Pour des hommes de conviction qui s'étaient refusés à croire que la bêtise et la barbarie l'emporteraient sur leurs espérances de paix et de démocratie, il y avait plus que de l'indécence, au moment où les forces alliées reculaient face aux hordes hitlériennes, à s'interroger sur la postérité et les « héritiers » de Barrès. François Mauriac, confondant les urgences, proposait des chimères à ceux qui allaient mourir, dans un article paru dans *Le Figaro littéraire* le 23 mars 1940. Voici la séquence plus particulièrement visée par Camus : « Soyons francs : presque tous ses disciples l'ont trahi ; ils ont fui et l'ont laissé seul. Essayez donc de faire l'appel : qui d'entre nous monte la garde autour de cette grande

---

1. Voir p. 572.
2. « Le Salon de lecture », « *La Revue algérienne* », 28 novembre 1938, p. 805.
3. P. 870.

mémoire ? Bien sûr : Duhoureau, Benjamin répondront : Présents !
Et qui encore ? Le jeune Massis ? — Ouais, ouais… / Mais ceux que
L'Homme libre et *L'Ennemi des lois* a marqués de sa griffe, les barrésiens
de la race royale, dans quelles ténèbres nous faudrait-il descendre, pour
les ramener, par la peau du cou au risque d'être mordus jusqu'à l'os ! C'est
C'est Louis Aragon, c'est André Malraux qui, dès l'adolescence, sombres
dandys, n'ont pas haï les lois pour rire et qui ont joué sans tricherie
la partie du démon : c'est Drieu La Rochelle : c'est Montherlant, l'héritier le plus comblé parce qu'il a reçu en partage le clairon et le violon-
celle. L'auteur du *Chant funèbre pour les morts de Verdun*, le voilà bien,
l'héritier authentique qui aurait eu droit à tout, et jusqu'aux obsèques
nationales à NOTRE-DAME, s'il ne s'était pas préféré lui-même. » Ajoutons
que la polémique eut quelque écho, puisque le numéro de mai 1940 de
la *N.R.F.* mentionna l'objet de la querelle.

Camus dénonça donc l'illusion mauriacienne de remettre Barrès à
l'honneur, en essayant d'y atteler Aragon, Malraux, Montherlant et tous
ceux qui, antimunichois, incarnant à cette époque la pensée libre et
l'énergie teintée de patriotisme, servaient un autre idéal que celui de
« la terre et les morts ». Il ridiculisa les « héritiers », promus par Mauriac,
peu ou prou sympathisants du fascisme : Henry Bordeaux, Drieu La
Rochelle, Maurras.

Sans doute, Camus lui-même eut-il conscience de solder quelque
vieux compte avec l'auteur d'*Un homme libre*. Mersault, le héros de *La
Mort heureuse*, n'était pas exempt de prétentions et d'attitudes parentes de
celles du héros du *Culte du moi* (êtres jeunes et sensibles, à la recherche
tous deux d'une vie intérieure exempte de sentimentalisme, et d'une libre
affirmation de soi à travers des vies parallèles, ils professaient la même
méfiance, un peu trop satisfaite d'elle-même, et la même crainte de
s'aliéner par amour ; mais là s'arrête le parallèle). On conçoit ainsi l'ardeur que Camus mit à distinguer le faux du vrai individualisme, la virilité et la révolte, de leurs grossières contrefaçons.

A. A.

1. Camus se réfère ici à diverses œuvres de Barrès : *Du sang, de la
volupté et de la mort*, *L'Ennemi des lois*, *Gréco ou le Secret de Tolède* et *Le Jardin
de Bérénice*.

◆ JEAN GIRAUDOUX OU BYZANCE AU THÉÂTRE. — *La Lumière*, 10 mai
1940.

Giraudoux n'eut guère plus de chance que Barrès (voir ci-dessus). À
peine Sartre venait-il de consacrer une étude à Giraudoux[1] que Camus
dénombra avec persiflage et équivoque les différentes scènes, théâtrales
ou politiques, où celui qui en un temps le commissaire général à
l'Information et à la Propagande avait paru. Il brocarda tout autant
« l'auteur à succès » de la scène politique, patron de la Censure et des
émissions de propagande sur « la journée de la ménagère allemande »,
que l'auteur de théâtre.

A. A.

1. Voir n. 2, p. 881.

1. Séquence de la relation de Suétone (*Vies des douze Césars*, XI, « Titus », VII), qui, selon la préface de Racine, inspira la tragédie de *Bérénice* : « *Titus* [...] *dimisit invitus invitam* » (« Titus [...] la renvoya malgré lui, malgré elle »).

2. « Pourtant dès que l'on ouvre un de ses romans, on a l'impression d'accéder à l'univers d'un de ces rêveurs éveillés que la médecine nomme " schizophrènes " et dont le propre est, comme on sait, de ne pouvoir s'adapter au réel. Tous les traits principaux de ces malades, leur raideur, leurs efforts pour nier le changement, pour se masquer le présent, leur géométrisme, leur goût pour les symétries, pour les généralisations, les symboles, pour les correspondances magiques à travers le temps et l'espace, M. Giraudoux les reprend à son compte, les élabore avec art [...]. M. Giraudoux se divertirait-il à faire le schizophrène ? / [...] Or, voici qu'un univers romanesque paraît, nous séduit par son charme indéfinissable et par son air de nouveauté ; on s'en approche et on découvre le monde d'Aristote, un monde enterré depuis quatre cents ans » (Sartre, « À propos de Jean Giraudoux. M. Giraudoux et la philosophie d'Aristote. À propos de *Choix des élues* », *N.R.F.*, 1er mars 1940).

◆ « PIERROT MON AMI », DE RAYMOND QUENEAU. — *Le Mot d'ordre*, 12 décembre 1942 ; article signé des initiales de Camus.

Le Mot d'ordre était un journal du soir illustré, fondé en août 1940 par deux socialistes ralliés à cette date à Vichy — René Gounin et Ludovic-Oscar Frossard —, et installé à Marseille. Les pages littéraires étaient dirigées par Stanislas Fumet.

Sans doute s'agit-il ici de l'unique contribution de Camus à ce journal. Nous donnons le texte tel qu'il est établi d'après un brouillon manuscrit.

◆ LETTRE AU SUJET DU « PARTI PRIS ». — *N.R.F.*, septembre 1956.

Cette lettre, datée du 27 janvier 1943, n'a été publiée qu'en septembre 1956, dans la *N.R.F.* Il a semblé toutefois plus naturel de la publier ici (et non dans le tome IV de la présente édition, à paraître), compte tenu de sa date de rédaction. Camus y aborde la difficile question du dire face à un monde ambigu et au non-sens de la création. Ladite lettre appartient à la correspondance échangée avec l'auteur du *Parti pris des choses*, dès 1942, et dont dix-sept lettres demeurent conservées dans les archives Camus. Au-delà du sujet lui-même — les trente-deux poèmes en prose par lesquels Ponge tenta d'échapper au « ronron poétique », en plaçant l'acte de création littéraire dans la quête irrépressible de l'expression « parfaite » —, Camus aborde le soubassement philosophique du *Mythe de Sisyphe*. Ponge prit connaissance de cet essai avant sa publication, par l'entremise de Pia. Camus et Ponge s'en entretinrent au cours de leurs rencontres au Chambon-sur-Lignon, puisque tous deux y séjournèrent en 1942. Leur parcours intellectuel était parent. Né en 1899, protestant et ex-disciple de Barrès, devenu communiste dès 1936, Ponge accomplissait son travail de poète, soutenu par Paulhan. Avant de rencontrer Camus, il se déclara en sympathie avec la hauteur morale de *Sisyphe*, tout en soulignant que le choix illustré par ce dernier n'était pas transposable à l'actualité de 1942. Jouer à cache-cache avec les dieux ne convenait pas à des hommes en lutte pour leur survie physique et morale.

« Bien entendu, le monde est absurde ! Bien entendu, la non-signi-

fication du monde ! Mais qu'y a-t-il de tragique ? J'ôterais volontiers
à l'absurde son coefficient de tragique [...]. Le suicide ontologique n'est
le fait que de quelques jeunes bourgeois (d'ailleurs sympathiques). »
Dans une autre lettre de septembre 1943, il accentua le trait humoristique : « Sisyphe, redescendant sa pente ne sera plus seul, mais bras dessus bras dessous avec tous ses camarades, vous, moi, Paulhan, Éluard,
Pia et *les millions* d'hommes enfin fraternels. »

Le 20 janvier 1943, dans la lettre à laquelle répond Camus et qui explicite les dires de ce dernier, Ponge faisait mine de s'intéresser à une
paresse qui tiédirait l'ardeur de Sisyphe à faire rouler indéfiniment son
rocher : « Autre chose que je ne vous ai pas dite : moi, la lourdeur de
mon rocher me décourage souvent, me rend très paresseux. Est-ce possible d'imaginer Sisyphe paresseux : ne serait-ce pas le comble de l'absurde, ou serait-ce seulement contradictoire ? »

A. A.

◆ PORTRAIT D'UN ÉLU. — *Cahiers du Sud*, avril 1943.

Secrétaire de rédaction au sein de *Paris-Soir*, le journal de Pierre
Lazareff, dès la mi-mars 1940 et jusqu'à la fin de l'année, Camus consacrait à son travail ses journées et de laborieuses soirées. Une fois
L'Étranger publié, et son assise au sein de Gallimard plus affermie, il
suivit le conseil de Malraux et Paulhan, de se faire connaître comme
jeune auteur non inféodé aux cénacles anciens et aux approbateurs explicites ou cachés de l'esprit collaborationniste.

Dans « Portrait d'un élu », Camus rend compte de sa lecture de
Portrait de M. Pouget (Gallimard, coll. « Leurs figures », 1941), de Jean
Guitton. L'incursion de Camus dans le monde de M. Pouget fut
conjecturelle. Ce fut certainement J. Grenier et Paulhan, dont le principe alchimique, en des temps difficiles, fut toujours de marier les
contraires, qui incitèrent Camus à lire cet ouvrage. Volume d'un auteur
maison dont le parfum « maréchaliste » nuisait à l'image de cette N.R.F.
qu'il s'ingéniait à sauver. Car, si le portrait que consacra J. Guitton au
lazariste Pouget, pouvait avoir, en 1941, une fraîcheur innocente, il la
perdit quand Guitton publia son *Journal de captivité (1942-1943)* en 1943,
ouvertement dévoué à Vichy. La « sainte candeur » de l'ex-Tala devint
duplicité évidente quand il dédiera la réédition du *Portrait de M. Pouget*
en 1944 à Jacques Chevalier, lequel avait été ministre du gouvernement
sous Pétain.

Mais l'apologiste Guitton, qui disposa initialement auprès de Camus
d'un crédit intellectuel dû à sa thèse sur *Le Temps et l'éternité chez Plotin et
saint Augustin*, n'entraîna pas la figure de l'ancien lazariste dans son déclin
provisoire. Ayant vécu de longs mois auprès d'une communauté protes-
tante, simple et active à sauver les hommes pourchassés, au Chambon-
sur-Lignon, l'agnostique qu'était le romancier de *L'Étranger* se garda de
confondre le modèle et son illustrateur. Pour faire vivre le père Paneloux
de *La Peste*, Camus avait besoin de comprendre la logique d'un ecclésiastique disgracié auprès de sa hiérarchie et vivant dans une cellule de
six mètres carrés, qui resta simple, probe et soucieux de convaincre pour
sauver les âmes. Il y avait connivence entre les protestants du Chambon-
sur-Lignon et l'incroyant, car ce qui les intéressait, c'était « l'essentiel ».
Chez ceux-là, la préoccupation était de communier avec le souffle divin

qui animait le monde. Chez celui-ci, l'adhésion à un univers dans lequel il fallait se fondre pour retrouver l'énergie des origines, primait. Mais l'objectif était commun : trouver une éthique de vie résistant aux turpitudes du temps.

Passé cet intérêt momentané, Camus ne semble pas avoir accordé beaucoup d'attention au destin ultérieur de J. Guitton.

A. A.

◆ L'INTELLIGENCE ET L'ÉCHAFAUD. — *Confluences*, numéro spécial « Problèmes du roman », n° 21-24, juillet 1943.

En juillet 1943, Camus publia dans *Confluences* la synthèse de ses réflexions sur le roman classique français. Imprimée à Lyon, cette revue avait été suspendue en août 1942, pour avoir persiflé et exposé des idées contraires à l'ordre vichyssois, dans un poème, « Nymphée ». La revue reparut en 1943, alors que la *N.R.F.* de Drieu La Rochelle allait cesser de paraître.

Confluences bénéficiait du soutien d'écrivains engagés dans la Résistance et sous la bannière de Paulhan. Le volume de juillet 1943, dédié aux « Problèmes du roman », fut dirigé par Jean Prévost, l'auteur d'une thèse de doctorat d'État soutenue à Lyon en novembre 1942 et intitulée *La Création chez Stendhal*. Prévost devait être tué au combat le 1er août 1944 dans le maquis du Vercors.

L'intérêt de Camus pour le roman classique français remonte à 1937, quand il se préoccupait d'acquérir une technique qui l'eût délivré des récits autobiographiques avortés. La lecture des numéros de la *N.R.F.* s'est étendue tout au long des années 1937, 1938 et 1939. Il y puisa nombre de remarques et d'analyses qui conduisirent à une réflexion personnelle[1].

La revendication des exigences du roman classique français, pour une forme sans concession, inspira occasionnellement certaines critiques que le journaliste consacra aux œuvres qu'il commenta dans le « Salon de lecture », en 1939, tout comme elle contribua à la dislocation irréversible des modèles narratifs antérieurs, au profit de celui qui s'imposa dans *L'Étranger*.

A. A.

◆ SUR UNE PHILOSOPHIE DE L'EXPRESSION. — *Poésie 44*, janvier-février 1944.

C'est par souci de clarification et de synthèse que Camus aborda les réflexions de Parain sur le langage et sur l'expression. Les thèses de doctorat d'État de ce dernier sur le logos platonicien et sur les fonctions du langage avaient été publiées par Gallimard en 1942 (les dates qu'indique Camus dans sa note, p. 905, sont celles des ouvrages, respectivement anti- et postdatés).

Antérieurement, Parain, dont l'ancien engagement communiste était connu, avait publié chez Grasset *Essai sur la misère humaine* (1934) et *Retour à la France* (1936). Par Pia, sinon par Paulhan, Camus savait que

---

1. Voir la Notice de *L'Étranger*, p. 1245-1246.

Parain faisait partie du comité de lecture des Éditions Gallimard (il était le secrétaire particulier de Gaston Gallimard depuis 1927). Rencontrant Parain lors de son escapade à Paris, chez son éditeur, en janvier 1943, il put mesurer la prégnance des convictions et des craintes de son interlocuteur sur la déficience irréversible du cogito et de la morale en ces temps troublés, de même que sa référence à Nietzsche et sa conception platonicienne du langage, quelles que fussent les traces de cet héritage.

L'argumentation sur la place centrale des mots dans l'édification du sujet et de la conscience, à l'instar de ce qu'affirmera, bien plus tard, Michel Foucault dans son *Archéologie du savoir* et dans *Les Mots et les Choses*, Camus en partageait la conviction. Même s'il ne pouvait le suivre dans sa conception d'une origine divine du langage, trop convaincu qu'il était du caractère arbitraire des mots par rapport aux significations et aux référents. Mais la dimension morale de ce débat l'entraînait vers une métaphysique humaine de la parole. Par deux autres séquences des *Carnets*, datées de mai et novembre 1943, se référant de nouveau à Parain, Camus balança entre l'espoir : « On peut conclure de là que le monde a un sens », et l'amertume : « Ils ont tous triché. Ils n'ont jamais dépassé le désespoir où ils se trouvaient. Et cela, à cause de la littérature. Un communiste pour lui c'est quelqu'un qui a renoncé au langage et l'a remplacé par la *révolte de fait*[1]. »

Camus n'a pas découvert, à la lecture de Parain, les distorsions infligées à la langue commune. Il a apprécié qu'un philosophe confirme, après un travail de fond, que l'imposture morale, le conditionnement des consciences et le dérèglement du monde dérivaient des torsions infligées à la langue de la cité. C'est que Camus avait été à bonne école lors de son passage au Parti communiste algérien, où la langue de bois et la dialectique, plus léniniste et hégélienne que socratique, avaient cours. Mais c'est comme s'il s'était, alors, refusé à en prendre conscience, émerveillé par la puissance évocatoire des mots en littérature. En 1939, engagé dans un chaos qui allait conduire à la ruine de ses derniers espoirs, il renonça aux envolées lyriques du Mersault de *La Mort heureuse* pour dénoncer, à travers les comptes rendus des procès, les travestissements de la réalité et le « bourrage de crâne » entrepris par les dépositaires d'une parcelle d'autorité sur le peuple. Parain a donc simplement apporté de nouveaux arguments à des convictions anciennes.

Signalons enfin que dans la revue créée et dirigée par Pierre Seghers dans le Gard, Elsa Triolet avait publié un article qui traitait de *L'Étranger* et du *Mythe de Sisyphe* sous le titre : « Quel est cet étranger qui n'est pas d'ici ? ou le Mythe de la baronne Mélanie » (*Poésie 43*, mai-juin 1943).

A. A.

---

1. *Carnets 1935-1948*, t. II de la présente édition, p. 996 et 1006.

Articles publiés
dans « Combat » clandestin

(mars-juillet 1944)

NOTICE

Du mouvement Combat au journal « Combat ».

Lorsque, le lundi 21 août 1944, *Combat* paraît au grand jour dans Paris qui se libère, il porte le numéro 59. Né du mouvement de résistance créé par Henri Frenay[1] en 1941, il a connu pendant quatre ans une existence clandestine.

On sait que Camus a toujours été d'une extrême discrétion sur son activité dans la Résistance, estimant que ceux qui avaient pris le plus de risques avaient payé ce courage de leur vie et qu'eux seuls auraient eu le droit de parler. L'un des rares témoignages directs est un bref résumé qu'il fait en septembre 1944 dans une lettre à sa femme, encore en Algérie : « Après avoir essayé de passer en Espagne et y avoir renoncé puisqu'il fallait faire plusieurs mois de camp ou de prison et que je ne pouvais le faire dans mon état, je suis entré dans les mouvements de résistance. J'ai beaucoup réfléchi et je l'ai fait en toute clairvoyance parce que c'était mon devoir. J'ai travaillé en Haute-Loire et puis tout de suite après à Paris avec Pia, au mouvement Combat. »

On ne saurait aborder sa participation au journal *Combat* sans rappeler brièvement l'histoire du mouvement avec lequel il est entré en contact en 1943. Des notes manuscrites et restées inédites permettent de restituer les circonstances qui ont présidé à la naissance du journal dans la clandestinité.

Le capitaine Henri Frenay fait partie de l'armée d'armistice dont il démissionne à la fin de l'année 1940. Avec Bertie Albrecht[2], Jacqueline Bernard et son frère, Jean-Guy Bernard, ils créent l'un des premiers mouvements de résistance : le Mouvement de libération nationale, qui se manifeste par un « Bulletin d'information » qui s'appelle *Vérités*. La rencontre entre Frenay et François de Menthon, qui a, lui aussi, avec Pierre-Henri Teitgen, René Capitant, Alfred et Paul Coste-Floret, fondé le journal clandestin *Liberté* et un mouvement de résistance du même nom, est un moment important dans l'histoire de la Résistance et des publications clandestines : en novembre 1941, le Mouvement de libération nationale et Liberté s'unissent pour devenir le Mouvement de la libération française ; en décembre sort le premier numéro de leur journal commun, sous le titre *Combat*. Ainsi *Combat* est né de l'union de *Vérités*

---

1. Voir Henri Frenay, *La nuit finira : mémoires de Résistance*, Le Livre de Poche, 1974.

2. Fondatrice avec Jacqueline Bernard du premier service social de la Résistance, arrêtée par la Gestapo, elle fut fusillée le 6 juin 1943 (voir l'article d'Emmanuel Mounier, *Combat*, 11 novembre 1945).

et de *Liberté*. On peut y voir un beau symbole du sens et de la valeur que Camus continuera à attribuer au journal.

« Combat » clandestin.

Dès son premier numéro, *Combat* porte en manchette la phrase de Georges Clemenceau qu'il répétera tout au long de sa parution clandestine : « Dans la guerre comme dans la paix, le dernier mot est à ceux qui ne se rendent jamais. »

Sobrement intitulée « Appel », la présentation du journal due à Henri Frenay est à la fois un faire-part de naissance et une définition de ses objectifs et de sa spécificité ; l'accent est mis sur la qualité des « informations précises puisées aux meilleures sources », sur l'étendue de l'aire de diffusion « de Brest à Nice et de Dunkerque à Bayonne », sur la volonté de lutter « contre l'anesthésie du peuple français », de dépasser les « tendances » et les « milieux » particuliers sous l'égide d'une large « union », d'être « accessible à tous » et de faire en sorte qu'« à la défaite des armes succède la victoire de l'esprit ». En même temps, il s'agit d'un appel à la lutte armée : « Le journal *Combat* appelle les Français à la lutte. Il les convie à s'unir pour vaincre l'esprit de soumission et préparer l'appel aux armes. »

À ses débuts, *Combat* n'est pas hostile à Pétain et s'attaque plutôt à son entourage. Ce n'est qu'en mai 1942 que le journal français prend ses distances à l'égard du chef de l'État français : « La France entière contre Laval est désormais contre vous. Vous l'avez voulu. » Dans le numéro suivant, *Combat*, à l'instar des journaux clandestins de France, reproduit la déclaration du général de Gaulle du 23 juin : « L'enjeu de cette guerre est clair pour tous les Français : c'est l'indépendance ou l'esclavage. [...] La France et le monde luttent et souffrent pour la liberté, la justice, le droit des gens à disposer d'eux-mêmes. » En août 1942, dans le numéro 33 est publié un communiqué commun avec *Libération*, reconnaissant le général de Gaulle « comme chef et symbole de la Résistance française ».

Il faut noter la volonté de rassemblement qui, malgré les désaccords internes, se manifeste par exemple en janvier 1943 lorsque les mouvements de la zone Sud, « Combat », « Franc-Tireur » et « Libération » fusionnent en Mouvements unis de la Résistance (M.U.R.) dont *Combat* reste l'organe. *Combat* reflète ainsi la vie des mouvements de Résistance, les difficultés de leur organisation et leur pluralisme politique.

Il faut signaler enfin que, sous l'impulsion de René Capitant, le mouvement « Combat » a étendu son action en Algérie et publié un journal du même nom.

Camus et « Combat » clandestin.

À partir de quand Camus a-t-il songé à rejoindre le mouvement « Combat » ? Une fausse carte d'identité établie au nom d'Albert Mathé, datée du 20 mai 1943, prouve qu'à cette date il est déjà bien engagé dans la Résistance.

Dès juillet 1943, la première des *Lettres à un ami allemand* rend compte d'un état d'esprit de révolte, de colère, de combattant, même si ce combattant déteste la guerre, la haine et la violence : « C'est beaucoup que de se battre en méprisant la guerre, d'accepter de tout perdre en gardant le goût du bonheur, de courir à la destruction avec l'idée d'une civilisation supérieure » ; « Nous luttons pour cette nuance qui sépare le sacrifice de la mystique, l'énergie de la violence, la force de la cruauté, pour cette plus faible nuance encore qui sépare le faux du vrai et l'homme que nous espérons des dieux lâches que vous révérez[1]. »

Tous les témoignages s'accordent pour rappeler que c'est Pascal Pia qui, à l'automne de 1943, introduit Camus sous son pseudonyme de Bauchard dans l'équipe du journal. À l'issue de cette rencontre, il est chargé de la mise en pages de *Combat* clandestin. Le journal, tiré à environ 300 000 exemplaires, est en grande partie rédigé à Paris et imprimé à Lyon grâce à André Bollier[2]. Mais là ne se limite pas la participation de Camus au journal. Il est probable qu'en plus de sa collaboration à la rédaction il intervint aussi dans le transport et la diffusion. L'auteur de l'un des articles peut être identifié avec quasi-certitude. En effet, dans « À guerre totale résistance totale », signé « Combat » en mars 1944 (n° 55), des formules telles que : « Il suffit du moins que la vérité soit dite pour que le mensonge recule », ou « ce cœur tranquille que les meilleurs des nôtres emporte jusque dans les prisons », ou encore « ce combat vous concerne ». Dites-vous seulement que nous y apporterons tous ensemble cette grande force des opprimés qu'est la solidarité dans la souffrance[3] » — évoquant nettement le thème et le ton de *La Peste* —, laissent peu de doutes quant à l'identité de leur auteur.

Dès la clandestinité en tout cas, il apparaît que *Combat* était conçu et rédigé par une équipe solidaire. Équipe que les arrestations, les déportations et les exécutions vont considérablement réduire. Les notes manuscrites de Camus sur *Combat* clandestin s'achèvent par cette conclusion :

« Ici s'arrête l'histoire du journal proprement clandestin. *Combat* avait publié 56 numéros pendant ces 4 ans[4].

« Ma seule ambition est d'avoir pu vous faire imaginer un peu ce que représentait chacun de ces numéros. Il n'y a pas de doute qu'ils nous ont coûté d'abord les meilleurs d'entre nous. Car si nous sommes quelques-uns à avoir survécu à Bollier[5], c'est seulement que nous avons fait moins que Bollier et que lui a fait tout ce qu'il était convenable de faire à ce moment. Je sais que sur ce sujet la littérature devient facile. Et beaucoup cèdent quelquefois à la tentation de dire que nos camarades morts nous dictent notre devoir d'aujourd'hui et de toujours. Mais naturellement, nous savons bien que ce n'est pas vrai. Et que ces morts ne peuvent plus rien pour nous comme nous ne pouvons plus rien pour eux. C'est une perte sèche. Ce n'est pas maintenant qu'il convient de les aimer ostensiblement. C'était au temps où ils étaient vivants. Et notre plus grande amertume est peut-être de ne pas les avoir assez aimés alors, parce que la fatigue et l'angoisse de ces jours de lutte nous donnaient des distractions. Non, nous ne pouvons plus rien pour eux qui se sont battus. Du moins, nous sommes quelques-uns encore à garder au fond du cœur le

---

1. *Lettres à un ami allemand*, Première lettre, t. II de la présente édition, p. 10 et 12.
2. Voir plus bas.
3. P. 912.
4. En réalité, 58 numéros ont été publiés.
5. André Bollier a joué un rôle essentiel pour l'impression et la diffusion de *Combat*, *Franc-Tireur*, *Défense de la France*, *La Voix du Nord* (et d'autres tracts) ; il semblerait qu'il se soit suicidé lors de l'attaque de la Milice contre son imprimerie clandestine, alors même qu'il préparait le numéro 58 de *Combat*, le 17 juin 1944.

souvenir de ces visages fraternels et à les confondre un peu avec le visage de notre pays. Nous leur donnons ainsi les seules choses que sans doute ils auraient admises, les seules choses qu'un individu puisse donner à ceux qui l'ont aidé à se faire une plus haute idée de l'homme en général et de son pays en particulier, les seules choses qui seront à la hauteur de cette dette inépuisable contractée envers eux et qui sont le silence et la mémoire. »

Le 21 août 1944, l'heure ne sera cependant pas au recueillement dans « le silence et la mémoire », mais à la tâche urgente, ample et quotidienne qui sera la sienne pendant les mois qui vont suivre[1].

JACQUELINE LÉVI-VALENSI.

NOTES

◆ À GUERRE TOTALE RÉSISTANCE TOTALE. — *Combat* clandestin, n° 55, mars 1944.

À la suite de Roger Quilliot, et d'Yves-Marc Ajchenbaum (*À la vie, à la mort : l'histoire du journal « Combat » : 1941-1974*, Le Monde éditions, 1994), on peut penser que l'attribution à Camus de cet article est plus que probable. L'accent mis sur le fait que c'est toute la communauté des Français qui est concernée par l'Occupation et la Résistance, et l'idée que la souffrance partagée et solidaire est une force pour les opprimés sont des thèmes essentiels de *La Peste*, déjà en gestation à cette époque.

◆ LES HORS-LA-LOI. — *Combat* clandestin, n° 56, avril 1944.

Selon le témoignage de Jacqueline Bernard, rapporté par Yves-Marc Ajchenbaum dans *À la vie, à la mort* (p. 80), l'attribution à Camus serait peu vraisemblable. Cependant, l'accroche de l'article par une phrase interrogative est un procédé que l'on retrouvera à plusieurs reprises dans les éditoriaux de Camus (voir, par exemple, « Qu'est-ce qu'une insurrection ? », dans « Ils ne passeront pas », le 23 août 1944, t. II de la présente édition, p. 520 ; ou « Que fait le peuple allemand ? », le 17 septembre, article reproduit dans *Camus à « Combat »*, CAC 8, p. 194) ; la répétition « il a fallu quatre années » est semblable à celle de l'article « De la Résistance à la Révolution », du 21 août (voir t. II de la présente édition, p. 516) ; associer l'ironie et la gravité est une caractéristique du style de Camus.

◆ PENDANT TROIS HEURES ILS ONT FUSILLÉ DES FRANÇAIS. — *Combat* clandestin, n° 57, mai 1944.

Comme celui de mars 1944, cet article est unanimement attribué à Camus (voir Y.-M. Ajchenbaum, *À la vie, à la mort*, p. 80).

1. Le texte est continué en deuxième page sous le titre « La Tuerie d'Ascq ».

2. Fernand de Brinon (1885-1947). Partisan actif de la Collaboration,

1. Un large choix des articles parus entre 1944 et 1947 dans *Combat* non clandestin, après la libération de Paris, est reproduit dans le tome II de la présente édition, p. 515 et suiv. (Voir aussi *Camus à « Combat »*, CAC 8.)

représentant du gouvernement de Vichy auprès des autorités allemandes à Paris, puis secrétaire d'État, il sera condamné à mort à la Libération par la Haute Cour de justice et exécuté.

◆ LA GRANDE PEUR DES ASSASSINS. — *Combat* clandestin, n° 58, juillet 1944.

Le numéro de juillet est tout entier de la main de Camus et de Marcel Gimont-Paute (voir Y.-M. Ajchenbaum, *À la vie, à la mort*, p. 88). S'il est difficile de procéder à une attribution certaine, le ton, le thème et les allusions à Bernanos et à Malraux (voir n. 1) dans cet article permettent de penser qu'il est dû à Camus.

« La Grande Peur des assassins » est en effet une reprise du titre du livre-pamphlet de Bernanos, *La Grande Peur des bien-pensants* (Grasset, 1931), que Camus admirait.

10. Dans *L'Espoir*, lors des combats à l'Alcazar de Tolède, l'un des combattants républicains, le Négus, se trouve face à face avec un fasciste qui tient un lance-flammes ; parce qu'il hésite « un quart de seconde » avant de diriger le lance-flammes sur lui, le Négus a le temps de tirer, et commente ensuite : « Ça doit être difficile, brûler vif un homme qui vous regarde » (*Œuvres complètes*, t. II, Bibl. de la Pléiade, p. 113).

◆ VOUS SEREZ JUGÉS SUR VOS ACTES. — *Combat* clandestin, n° 58, juillet 1944.

L'insistance sur l'engagement que constituent les paroles, et sur la justice, des expressions comme « la chair même de la France », qui préfigure le titre d'un chapitre d'*Actuelles* (voir t. II de la présente édition, p. 411), ou « la guerre est devenue totale », qui s'inscrit dans la continuité de l'article de mars 1944, et le ton même de cet article de juillet, dans la ligne des précédents, plaident en faveur de l'attribution à Camus.

◆ LA PROFESSION DE JOURNALISTE. — *Combat* clandestin, n° 58, juillet 1944.

Ce petit encadré, par sa vivacité, son ironie et la conception du journalisme qui le fonde, ne laisse guère de doute sur son auteur.

Articles, préfaces, conférences
(mai-décembre 1944)

NOTES

◆ TOUT NE S'ARRANGE PAS. — *Les Lettres françaises*, n° 16, mai 1944.

Pierre Pucheu, condamné à mort le 11 mars 1944 par un tribunal militaire en Afrique du Nord, est passé par les armes le 20 mars, tous les recours en grâce ayant été rejetés par le général de Gaulle. C'est sur cette première grande affaire de l'épuration que Camus revient dans le numéro 16 des *Lettres françaises* de mai 1944.

Normalien d'origine très modeste, Pierre Pucheu, né en 1899, poursuit avant-guerre une carrière dans la sidérurgie. Anticommuniste et croyant à la nécessité d'un État fort, il militera chez les Croix-de-Feu du colonel de La Rocque et au P.P.F. (Parti populaire français) de Jacques Doriot. En février 1941, proposé par Darlan qui aimait s'entourer de « technocrates à poigne[1] », il est nommé secrétaire d'État à la Production industrielle avant de devenir à partir de juillet 1942 ministre de l'Intérieur. Il s'en prend alors particulièrement aux communistes, devançant souvent les exigences des nazis. C'est lui qui désignera les otages français, la plupart communistes, fusillés par les Allemands en octobre 1941 à Châteaubriant. Le retour de Laval en 1942 met fin à sa carrière à Vichy. Ayant pris contact avec le général Giraud, il décide de partir pour le Maroc en mai 1943. Peu après son arrivée, il est arrêté. Le Parti communiste et les résistants, par la voix du C.N.R., ont réclamé sa tête.

Le Comité national des écrivains (C.N.É.) et son journal clandestin *Les Lettres françaises* sont les fruits de la coopération entre les écrivains communistes et non communistes qui s'amorce, sur une initiative d'Aragon, à partir de décembre 1941 autour du germaniste Jacques Decour, dernier rédacteur en chef de *Commune*, et Jean Paulhan qui, grâce à sa position aux Éditions Gallimard et à la *N.R.F.*, est en contact avec de nombreux écrivains dispersés. Toutes les tendances sont représentées au Comité, des nationalistes comme Jacques Debû-Bridel aux communistes, en passant par les catholiques (François Mauriac, Jean Maydieu, dominicain) et la gauche des luttes antifascistes d'avant-guerre. Les discussions, en plus de leur fonction d'échanges d'informations si nécessaires à l'époque, tournent autour d'une sorte de déontologie des lettres résistantes — a-t-on le droit d'écrire dans la presse officielle ? de recevoir un prix littéraire[2] ? — et de la question de la future épuration des milieux littéraires : on commence à dresser des listes noires. *Les Lettres françaises*, elles, sont plus strictement contrôlées par les communistes et, après l'arrestation de Jacques Decour et son exécution comme otage le 30 mai 1942, c'est Claude Morgan qui reprend en main le projet du journal et en réalise seul le premier numéro ronéotypé (septembre 1942). Il sera aidé à partir de 1943 par Paul Éluard, qui a réadhéré au Parti, et George Adam. Dans la zone Sud, Aragon met un autre comité en place, avec lequel Albert Camus a dû entrer en contact[3] au début de l'automne de 1943. Les liens sont permanents entre les deux comités. Ils ne feront plus qu'un en septembre 1944, mois qui voit à la fois une inflation subite du nombre des participants et l'une des premières démissions : celle de Camus pour des raisons qui ne sont pas sans rapport avec son article dans *Les Lettres françaises*[4].

En effet, « Tout ne s'arrange pas » est moins un appel à une justice sévère allant jusqu'à la condamnation à mort des collaborateurs, qu'une réflexion, après l'exécution de Pucheu, sur l'abîme qui peut exister entre des décisions prises dans le confort des bureaux ou celui des idées

---

1. Jean-Louis Crémieux-Brilhac, *La France libre*, Gallimard, 1996, p. 604.

2. Ainsi au moment où il est question du prix Goncourt pour *L'Invitée*, le C.N.É. fait savoir à Simone de Beauvoir, par l'intermédiaire de Sartre, qu'elle peut accepter à la condition qu'elle n'accorde ni article ni interview à la presse (voir *La Force de l'âge*, Gallimard, 1960, p. 573).

3. Voir Gisèle Sapiro, *La Guerre des écrivains. 1940-1953*, Fayard, 1999, p. 521.

4. Voir *ibid.*, p. 570.

abstraites et les conséquences extrêmes qu'elles peuvent avoir dans la réalité. D'où l'impératif d'un recours à l'imagination[1], qui est ici la faculté de rendre présent ce qui est absent, pour saisir derrière les mots, les décors ou les cérémonies la réalité de la vie et de la mort. Ce constant souci de démystification est une des caractéristiques de tous les écrits politiques de Camus depuis ses articles dans *Alger républicain* et *Le Soir républicain*, qui le conduit à s'attaquer non seulement aux institutions mais aussi à toutes les idéologies pour retrouver la chair dans ses souffrances mais aussi ses joies. Il soutient et nourrit ses luttes contre la peine de mort après-guerre[2].

On comprend que ce texte ait pu causer chez des résistants en particulier communistes quelques remous. D'après Herbert R. Lottman, il devait être publié en avril mais fut remplacé par un éditorial de Claude Morgan sur le même sujet[3]. Lorsqu'il paraît dans le numéro suivant, il est suivi de ces quelques lignes titrées « La Volonté de nuire », dues à Morgan et Éluard : « Devant l'article " Tout ne s'arrange pas " que l'on peut lire d'autre part, plusieurs de nos amis, d'accord avec la thèse générale de l'auteur, tiennent néanmoins à affirmer que ce manque d'imagination si commode, dont il parle, leur paraît toujours, et particulièrement dans le cas de Pierre Pucheu, volontaire. C'est volontairement qu'un criminel comme Pucheu, désireux avant tout d'assouvir ses haines, n'a pas de conscience. »

Si on ajoute à cela le fait qu'à la même époque un tract communiste dénonçait les existentialistes et les prétentions à la résistance de gens comme Sartre et Camus[4], on sera en droit de constater que « Tout ne s'arrange pas » fut l'occasion d'une des premières polémiques de l'épuration et s'inscrit au début de la montée des dissensions entre communistes et non communistes au C.N.É.

PHILIPPE VANNEY.

1. Le même reproche est adressé à Philippe Pétain dans l'éditorial de *Combat* du 2 novembre 1944 (t. II de la présente édition, p. 559).

2. L'abstraction est un des éléments de la « crise de l'homme » que diagnostique Camus en mars 1946 dans sa conférence à l'université Columbia (voir t. II de la présente édition, p. 737). Dans *Actuelles*, il y revient plusieurs fois : voir « Ni victimes ni bourreaux » (*ibid.*, p. 437), « L'Incroyant et les Chrétiens » (p. 472), « Pourquoi l'Espagne ? » (p. 484) et « Le Témoin de la liberté » (p. 491 et 495). Elle fait aussi dans *La Peste* l'objet d'un dialogue entre Rambert et Rieux et des réflexions subséquentes de ce dernier (*ibid.*, p. 93-96).

3. Georges Politzer, né en Hongrie en 1903, arrive à Paris en 1921. Philosophe marxiste et membre du Parti communiste, il est l'artisan pionnier, dès l'automne de 1940, de la résistance intellectuelle communiste. Il lance deux revues, *L'Université libre* et *La Pensée libre*, avec Jacques

1. C'est un des thèmes clés d'*Actuelles* (voir les pages 382, 404-405, 414, 439, 445 et 468-469 du tome II de la présente édition).

2. Voir la « Lettre au Garde des Sceaux » du 5 décembre 1946 (t. II de la présente édition, p. 754) et *Réflexions sur la guillotine* (tome IV, p. 125).

3. Voir H. R. Lottman, *Albert Camus* (1978), Le Seuil, coll. « Points Biographie », p. 324-326.

4. Voir Jean Lescure, *Poésie et liberté. Histoire de « Messages », 1939-1946*, Éditions de l'I.M.E.C., 1998, p. 306-308.

Decour et le physicien Jacques Solomon. Les trois sont arrêtés par la police française, livrés à la Gestapo et fusillés comme otages au mont Valérien en mai 1942.

4. La formule sera reprise par Camus pour dénoncer la peine disproportionnée infligée au pacifiste René Gérin à la Libération (voir « Morale et politique », *Actuelles*, t. II de la présente édition, p. 408). Camus a eu l'occasion de voir ce genre de justice à l'œuvre en Algérie, en particulier au moment de l'affaire Hodent et de celle des « incendiaires » d'Auribeau, en 1939. Voir la Notice sur les articles publiés dans *Alger républicain* et *Le Soir républicain*, p. 1379 et 1382.

◆ INTRODUCTION AUX « MAXIMES ET ANECDOTES » DE CHAMFORT.

Rédigée et publiée dans une édition de 1944 des *Maximes*[1], cette introduction privilégie plusieurs principes qui se recoupent avec ceux de l'esthétique du roman camusien alors en pleine évolution (voir les Cahiers IV et V des *Carnets 1935-1948*, t. II de la présente édition, p. 937-1111). Cette esthétique, liée comme celle de Chamfort à « une morale d'engagement », trouvera son articulation dans la quatrième partie de *L'Homme révolté* (« Révolte et art »).

Selon Camus, loin d'être détachés de leur temps, les moralistes de la grande tradition, de Pascal à Nietzsche – duquel il ne manque pas de rapprocher Chamfort –, sont des romanciers ou chroniqueurs inavoués portés par leur passion pour les hommes. Camus voit en Chamfort un champion du concret et du paradoxe vécu qui sait éviter l'abstraction stérile des maximes traditionnelles. Sa manière de s'exprimer par des « coups de sonde » aussi précis que concis le rapproche plutôt de Mme de La Fayette et de Stendhal que de Vauvenargues ou de La Rochefoucauld. Sa technique est « celle du roman et même du roman moderne », sa référence toujours l'expérience. En filigrane se détache derrière les maximes de Chamfort un « roman du refus[2] ». Cinq ans plus tard, lors du voyage en Amérique du Sud (juin-août 1949), Camus reprendra l'essentiel de cette préface pour l'une des conférences qu'il y a faites et qu'il intitule tantôt « Un moraliste français : Chamfort », tantôt « Un moraliste de la révolte : Chamfort ». Au même réseau thématique appartient une autre conférence présentée lors de cette tournée sud-américaine : « Roman et révolte »[3]. Le texte en demeure introuvable, mais il est permis de penser que Camus y résume les premiers principes qu'il développera, deux ans plus tard, dans le chapitre éponyme de la partie « Révolte et art » de *L'Homme révolté* évoquée ci-dessus.

Ni manuscrit ni version dactylographiée de cette introduction ne se trouvent au Fonds Camus de la Bibliothèque Méjanes.

En revanche, il existe un avant-texte (CMS2. An1-01.07) de la conférence de 1949. Non titrée, cette version orale commence par « M. M. »

---

1. Chamfort, *Maximes et anecdotes. Avec une biographie par Ginguené et une introduction par Albert Camus*, Monaco, DAC, 1944.

2. P. 929.

3. Pour de plus amples détails sur ce voyage, voir Fernande Bartfeld, *Albert Camus, voyageur et conférencier. Le Voyage en Amérique du Sud* (Lettres Modernes, 1995), en particulier l'examen comparé (p. 74-89) entre l'« Introduction aux *Maximes* de Chamfort » de 1944, la conférence sur « Un moraliste de la révolte : Chamfort » de 1949, et les variantes qu'elle présente.

(pour « Mesdames, messieurs ») et est truffée de corrections de la main de l'auteur.

RAYMOND GAY-CROSIER.

◆ AU SERVICE DE L'HOMME. — *Résistance ouvrière. Hebdomadaire du Comité d'étude et de documentation économique et syndicale*, n° 4 (nouvelle série), 14 décembre 1944.

La profondeur et la constance des liens d'Albert Camus avec le monde ouvrier ne peuvent être ignorées lorsqu'on lit « Au service de l'homme ». L'écrivain n'oubliera jamais ses origines modestes ni les conditions matérielles difficiles de son enfance et de sa jeunesse. Elles seront pour lui comme un rappel incessant à la réalité et un garde-fou contre les emballements de l'intelligence et de l'imagination. Son œuvre créatrice y puise une partie de son inspiration, que ce soit dans les écrits de jeunesse comme « Les Voix du quartier pauvre » ou *L'Envers et l'Endroit*[1], ou dans une nouvelle plus tardive, « Les Muets »[2] ; ses écrits politiques ne manqueront pas d'évoquer et de soutenir les luttes ouvrières dans le monde en rappelant que la dignité de l'ouvrier ne se nourrit pas seulement de pain et de justice mais aussi de liberté. Rien non plus de théorique ni d'artificiel dans ses convictions socialistes qui sont plus le fruit de son expérience et de celle des siens que celui de la lecture du *Capital*[3]. Il le montre aussi dans son travail, les contacts et les partages avec les ouvriers du livre[4]. Être journaliste pour lui ne se réduit pas à la rédaction solitaire d'articles dans un bureau mais implique la participation aux tâches les plus concrètes de l'entreprise commune d'information. Son action militante enfin le verra participer autant à des meetings rassemblant des célébrités intellectuelles de l'heure qu'à des réunions de petits groupes fraternels d'aide ou de réflexion liés aux milieux syndicalistes et libertaires[5].

« Au service de l'homme » est publié dans le numéro du 14 décembre 1944 de l'hebdomadaire syndicaliste *Résistance ouvrière*. Fondé en août 1943 après la deuxième réunification de la C.G.T.[6], en tant qu'« Organe ouvrier de la France combattante », il paraît pour la première fois légalement le 29 novembre 1944. Point de ralliement de la tendance non communiste autour de Léon Jouhaux, il change de titre un an plus tard, le 20 décembre 1945, pour prendre celui de *Force ouvrière*. Ce sera le nom du nouveau syndicat créé en 1948, suite au basculement de la majorité de la C.G.T. dans le camp communiste.

---

1. Voir p. 75 et 31.
2. Dans le recueil *L'Exil et le Royaume* (voir t. IV, p. 34).
3. Voir les « Deux réponses à Emmanuel d'Astier de La Vigerie », *Actuelles*, t. II de la présente édition, p. 457, et la Préface de *La Maison du peuple* de Louis Guilloux, dans les Articles, préfaces, conférences, *ibid.*, p. 711.
4. Voir *À Albert Camus, ses amis du livre*, Gallimard, 1962.
5. En témoigne, par exemple, son action dans le cadre des Groupes de liaison internationale (voir l'avant-propos du *Bulletin d'information des Groupes de liaison internationale*, n° 1, mars 1949 et du « Manifeste constitutif des Groupes de liaison internationale », t. III, p. 860-863).
6. La première réunification entre la C.G.T. et la C.G.T.U. intervient en 1936 mais le pacte de 1939 entre Hitler et Staline a pour conséquence une nouvelle scission entre les communistes et la majorité de la C.G.T. L'unité d'action se reforme avec l'accord du Perreux du 17 avril 1943.

Écrit au moment où ses activités à *Combat* le sollicitent certainement beaucoup, « Au service de l'homme » reprend un thème souvent développé dans le journal : celui de la morale et de la politique[1]. Alors que, dans *Combat*, il est fortement associé à l'action et aux projets de la Résistance, Camus l'enracine, ici, dans l'expérience ouvrière. Le rôle qu'il donne à la classe ouvrière est somme toute le même que celui qu'il espère faire jouer à la Résistance.

PHILIPPE VANNEY.

1. Cette remarque et le paragraphe suivant qui la développe offrent des similitudes avec le « code de la rue » dont parle « L'Été à Alger », *Noces*, p. 122.

2. Le mobilier proposé par les Galeries Barbès, du même nom qu'un quartier populaire de Paris, était considéré comme typique des goûts de la classe moyenne du milieu du XXe siècle.

Écrits posthumes
(1932-1944)

PREMIERS ÉCRITS
(1932-1936)

NOTICE

C'est vers dix-sept ans que Camus, selon ses propres termes, découvre « le monde de la création » ; cette découverte passe par ses lectures, celle de Gide en particulier et, parmi les livres que Jean Grenier lui fait connaître, *La Douleur* d'André de Richaud[2] ; elle passe aussi par sa propre naissance à l'écriture. Les années 1930 sont à la fois douloureuses et exaltantes : la maladie, le départ hors du logis maternel, les études de philosophie et les petits métiers de l'étudiant nécessiteux ; mais aussi les engagements : le mariage avec Simone Hié en 1934 (et la séparation deux ans plus tard), l'adhésion au Parti communiste entre l'été de 1935 et l'automne de 1937, une intense activité culturelle, principalement au théâtre. C'est au cœur de cette vie ardente que Camus commence à écrire ; sa vie, déjà, est aimantée par l'œuvre mais largement ouverte sur le monde extérieur, partagée entre la solitude de l'écrivain et la solidarité de l'homme attentif aux enjeux de l'histoire de son temps. En même temps qu'il affirme des certitudes et essaie sa plume dans les textes de *Sud* et d'*Alger-Étudiant*, il cherche son identité dans des textes

1. Titre du troisième chapitre d'*Actuelles*, t. II de la présente édition, p. 390.
2. Voir « Rencontres avec André Gide », *Hommage à André Gide*, N.R.F., novembre 1951, p. 224.

beaucoup plus subjectifs et souvent lyriques, qui traduisent les inquiétudes et les fièvres d'une âme en mal d'infini.

À partir de 1932, il accumule les manuscrits plus ou moins aboutis, de longueur très variable ; il ne les publie pas mais il les garde, et l'on en trouvera parfois la trace indéniable et même la reprise dans les œuvres à venir. Parmi ceux-ci, les textes qui relèvent du « quartier pauvre » (ils sont donnés en appendice à *L'Envers et l'Endroit*, avec lequel ils entretiennent un rapport étroit).

Les premiers textes conservés constituent une suite réunie en octobre 1932 ; la date apparaît à plusieurs reprises, preuve de l'importance que Camus attribue à ce recueil, qui porte le titre très bergsonien d'« Intuitions » ; mais c'est sous une épigraphe empruntée à *La Tentative amoureuse ou le Traité du vain désir* de Gide[1] qu'il place ces pages fiévreuses où se disent ses « rêveries », sa quête du bonheur, ses contradictions, l'opposition entre ses désirs et sa conscience des limites de l'être, sa « ferveur » qui ne sait à quoi se vouer. La disposition typographique des manuscrits, faisant apparaître des sortes de strophes, invite à voir dans ces textes une tentative poétique ; mais ils semblent plutôt se situer à mi-chemin du poème en prose et du récit ; et la présence de personnages autres que le « Je » — celui du « Fou[2] », très nietzschéen, en particulier — crée un embryon de dialogue dramatique. L'incertitude de la forme et la difficulté de trouver un ordre satisfaisant pour ces feuillets qui ne sont pas paginés contribuent à traduire le désarroi intellectuel dont ces premiers textes se veulent essentiellement l'expression. Le même désarroi enveloppait sans doute un texte de la même époque, « Bériha ou le Rêveur », qui n'a pas été retrouvé mais dont on peut deviner les grands traits à travers une note de Camus à Max-Pol Fouchet en réponse aux critiques de celui-ci au texte. Cette « note » montre la vigueur avec laquelle Camus défend ses idées, à un moment où il est cependant, selon ses propres termes, en proie aux « incertitudes » et aux « inquiétudes ».

L'année 1933, année d'hypokhâgne, voit s'affirmer en Camus le désir d'écrire, et s'affermir ses procédés d'écriture. Datées d'avril 1933, des « Notes de lecture », première approche de ce que seront ses Cahiers (à l'origine des *Carnets*[3]), permettent de suivre ses enthousiasmes et ses réflexions sur Stendhal, Chestov, Grenier, Gide ; il s'y montre souvent plus sensible aux rapports de l'auteur et de son œuvre qu'à l'œuvre elle-même. Dans le même temps, il rassemble ses théories esthétiques dans un texte au titre programmatique : « L'Art dans la Communion » ; l'exergue est cette fois demandé à Pascal, à sa formule bien connue qui fait de la quête douloureuse une valeur morale : « Et je ne puis approuver que ceux qui cherchent en gémissant[4]. » Tout en se situant dans la continuité de la vision idéaliste de l'art déjà présente dans l'essai « Sur la musique », au point d'en reprendre certains passages, et en proclamant à nouveau la supériorité de l'art sur la vie — le terme est toujours gratifié

---

1. André Gide, *Romans*, Bibl. de la Pléiade, p. 71 ; l'épigraphe est tirée de l'avertissement (voir p. 941).
2. Voir p. 943.
3. Voir t. II de la présente édition.
4. Pascal, *Pensées*, Le Guern, nᵒ 384. Camus aimait suffisamment cette phrase pour la reprendre à son compte dans « Le Livre de Mélusine » (voir p. 960 et 993).

d'une majuscule —, ce nouveau credo marque clairement l'émancipation intellectuelle de son auteur hors du cadre scolaire de la dissertation. Camus se met en scène, d'abord sous les traits anonymes d'un « homme jeune », puis à travers un « je » totalement assumé, qui a confiance dans ses propres forces. C'est là une étape importante de l'écriture : le « je » peut supporter autre chose que l'expression des tourments de l'âme. De plus, ce texte, qui se veut très théorique, donne naissance à un ensemble beaucoup plus original et plus abouti, sans doute immédiatement contemporain — il est daté d'avril 1933 —, qui en reprend des passages entiers : « La Maison mauresque ».

L'importance que Camus lui-même accorde à ce que l'on peut considérer comme sa première création véritable est certaine : il s'y réfère à plusieurs reprises dans diverses notes, recopie avec soin le manuscrit, qui ne comporte que quelques ratures, dans un petit cahier d'écolier cartonné, et le fait lire à Jean Grenier, comme l'attestent les « Notes de lecture »[1]. Il ne s'agit pas seulement de décrire l'architecture traditionnelle d'une maison arabe — encore que cette description soit fidèle. À travers elle, non seulement Camus exprime ses « émotions », ses tourments, ses désirs, mais il établit un système métaphorique qui donne à chaque pièce une signification affective ou intellectuelle : il s'oriente ainsi vers le réalisme symbolique qui sera à l'origine de son œuvre romanesque. Imprégné des lectures de Gide, toujours, et plus encore peut-être de Baudelaire (le terme même de « correspondances[2] » lui est emprunté), quelque peu précieux dans certaines formulations, ce texte, véritable poème en prose, fait entendre le ton personnel et maîtrisé auquel s'efforçaient, sans toujours y parvenir, les textes précédents : Camus semble découvrir ses propres moyens d'expression et reconnaître que la pesanteur du réel n'est pas un obstacle à sa valeur significative. La sensibilité à l'alternance de l'ombre et de la lumière, qui apparaissent comme l'envers et l'endroit d'une même réalité à la fois extérieure et subjective, est beaucoup plus qu'un motif poétique dans la pensée et l'œuvre à venir ; elle trouve ici, avec un certain bonheur, sa première expression.

En cette même année 1933, Camus s'essaie dans les voies diverses ; il donne à Jean de Maisonseul un poème sur la Méditerranée, daté d'octobre. Le texte est sans titre ; c'est, avec la chanson de la forêt du « Livre de Mélusine[3] » et la chanson « La Maison devant le monde[4] », l'une des rares tentatives de Camus dans le domaine de la poésie rimée ou rythmée ; il peut surprendre par la froideur de son lyrisme, peut-être due à l'influence de Valéry, mais bien loin des pages en prose que la Méditerranée inspirera à Camus, dans ses aspects culturels et politiques et, plus encore, par sa beauté naturelle.

Deux autres fragments de la même époque (sans doute octobre 1933) portent sur le même thème : la disparition de l'être aimé. Le premier, qui commence par « Voilà ! Elle est morte… », de type narratif, insiste sur la

---

1. Voir p. 955.
2. Voir p. 967.
3. Voir p. 995-996.
4. Cette chanson, plus tardive puisqu'elle est de la fin de 1936-début de 1937, est liée à *La Mort heureuse* et donnée en appendice de cette œuvre, p. 1197.

comédie sociale liée aux rites funéraires. La mort, ici, n'est plus un thème mais un événement ; c'est dire que le premier récit événementiel que l'on trouve chez Camus est consacré à la mort, et contient déjà en germe un pan majeur de *L'Étranger*. Quant à l'un de ses épisodes, la gifle donnée au cadavre[1], on le retrouvera dans *Le Mythe de Sisyphe*[2], et nul doute qu'il ne vienne de *La Condition humaine*[3]. Le second fragment, « Perte de l'être aimé », est une réflexion sur la perte et sur la douleur ; menée à la première personne du pluriel, elle vise à l'universalité tout en conservant un ton très personnel. Ces deux textes contiennent des idées, ou même des phrases, qui réapparaîtront dans « L'Ironie » de *L'Envers et l'Endroit* et dans *L'Étranger* ; ils énoncent tous deux l'idée, peu conformiste et digne de Meursault, que l'être disparu obscurcissait le ciel, qui apparaît alors comme « lavé […] après la pluie[4] ».

Deux courts textes (sans doute de 1933, eux aussi), de facture et de portée très différentes, reprennent sous une autre forme les thèmes des écrits lyriques. Le premier, qui commence par « Accepter la vie… », est peut-être un fragment ou un brouillon de lettre, puisqu'il se termine par un « À plus tard[5] » ; Camus y dit avec véhémence sa révolte contre la condition humaine et affirme à nouveau la place centrale de la douleur (nouvelle preuve de l'ébranlement provoqué en lui par le livre d'André de Richaud). Le second texte fait entendre sur le mode ironique un curieux « Dialogue de Dieu avec son âme[6] » : en proie à l'ennui parce qu'il est seul, Dieu en vient à douter de lui-même, tout comme l'adolescent d'« Intuitions ».

On voit à quel point Camus, en cette année-là, explore des pistes différentes ; les tâtonnements sont féconds puisqu'on a là le creuset de bien des textes ultérieurs.

Dans l'année 1934, il tente une voie nouvelle, celle du conte de fées ; il mène l'entreprise assez loin puisque, en décembre, il offre à sa femme[7] un ensemble de trois textes intitulé « Le Livre de Mélusine », où l'on peut entendre un écho de leur expérience conjugale, alors exaltante et difficile. Organisés comme des compositions musicales, « Conte pour des enfants trop tristes », « Le Rêve de la fée » et « Les Barques » adoptent un ton à la fois léger et grave pour dire l'enchantement du rêve et sa fra-

---

1. Voir p. 979.
2. Voir *Le Mythe de Sisyphe*, p. 229.
3. Hemmelrich rapporte l'histoire de « ce Russe affamé, presque son voisin, qui, devenu manœuvre, s'était suicidé un jour de trop grande misère, et dont la femme folle de rage avait giflé le cadavre qui l'abandonnait » (André Malraux, *Romans*, Bibl. de la Pléiade, p. 642). Paru en volume à la fin de 1933, le roman avait d'abord été publié de janvier à juin 1933 dans la *N.R.F.*, que Camus lisait attentivement. On peut rapporter également qu'Aragon interrogeait : « Avez-vous déjà giflé un mort ? » dans le pamphlet violemment provocateur, *Un cadavre*, publié collectivement par les surréalistes en 1924, à la mort d'Anatole France.
4. P. 981.
5. P. 985.
6. Camus a-t-il lu le « Dialogue avec le bon Dieu » que Gide avait fait paraître en 1925 sous le titre *Caractères* dans une plaquette confidentielle, mais qu'il avait repris en 1931 dans *Divers* et qu'il reprendra en 1935 dans *Les Nouvelles Nourritures terrestres* (voir *Romans*, Bibl. de la Pléiade, p. 273-274 et p. 1494) ? En tout cas, son « Dialogue » a quelque chose de l'ironie gidienne.
7. Selon le témoignage de Simone Hié, rapporté par Paul Viallaneix, dans *CAC 2*, p. 302.

gilité. Certes, « le beau secret du monde[1] » ne se laisse pas atteindre mais le conteur suggère les merveilles du chemin. C'est lui, d'ailleurs, qui est au premier plan de la narration, avec ses souvenirs, ses désirs ; il médite sur les rapports entre le rêve et le réel et affirme hautement les pouvoirs de la fiction et, au-delà, ceux de l'écriture. Sa présence imprime au texte un humour enjoué dont le charme pallie les maladresses du récit et l'insuffisance de l'imagination ; elle est aussi le vecteur d'un lyrisme discret, en particulier dans une première mise en musique du motif de l'enfant, des silences de l'enfant, ainsi que dans la solitude à laquelle le conteur est rendu à la fin de chacun des récits. Cette incursion dans le conte merveilleux sonne comme un adieu au monde du rêve et à une appréhension poétisée de l'existence : Camus, désormais, sait que c'est du réel qu'il doit témoigner. Il s'est déjà mis à l'écoute du « quartier pauvre ».

En quatre ans, donc, il a, dans ses tentatives apparemment décousues et désordonnées, fait ses gammes et, avec la ténacité nécessaire à tout apprentissage, il revient sur certains motifs, retravaille certaines phrases qu'il réemploie. Surtout, écartant définitivement certaines voies, il commence à savoir avec certitude ce qu'il veut faire, comme le montrent les textes qu'on lira dans les appendices de _L'Envers et l'Endroit_ et comme le disent clairement les _Carnets_ de cette période.

JACQUELINE LÉVI-VALENSI et SAMANTHA NOVELLO.

NOTES ET VARIANTES

◆ INTUITIONS. — Octobre 1932.

En octobre 1932, Camus réunit une suite de pages sous le titre « Intuitions ». Il fait figurer cette date (l'abréviation « O. » désigne octobre) dans la plupart des textes qui composent cet ensemble (même si, pour « La Volonté de mensonge », il biffe le mois), comme si octobre 1932 lui apparaissait comme la date de naissance de sa première œuvre.

Nous disposons pour cet ensemble de deux manuscrits : le premier (sigle : _ms. 1_) rassemble tous les textes hormis le prologue et « La Volonté de mensonge », textes que le second manuscrit, postérieur au premier, comprend. Pour « Délires », il existe un état dactylographié jusqu'à « … être comme tout le monde. » (p. 944, avant-dernière ligne).

L'ordre de la présentation des textes d'« Intuitions », rendu aléatoire par l'absence de pagination des feuillets qui constituent les deux ensembles manuscrits, a été reconstitué à partir des indications textuelles — thèmes, etc. La disposition de la présente édition diffère de celle qui fut choisie par M. Viallaneix dans les _CAC 2_ (où l'on pourra trouver un très large choix de variantes).

_a._ spirituelle. Et dans notre indifférence respective, je sentais pourtant un drame. _ms. 1_ ◆◆ _b. Ms. 1_ donne en exergue : Non pas la sympathie mais mon appel aux autres. / A. G. _(pour : André Gide.)_ ◆◆ _c._ plus fort,

il n'aura pas connu l'intelligence. Il agira   *ms. 1* ◆◆ *d.* Cherche — tu
ne trouveras point. Je ne trouverai pas non plus. Nous chercherons
donc toujours. Car [notre esprit [ton esprit   *biffé*]   *biffé en définitive*] tu
es   *ms. 1* ◆◆ *e. Fin du texte dans ms. 1 :*   Où me tourner. Mais il est une
chose que je sais. C'est qu'il est autre chose. Cette vie n'est pas tout —
[Et mes intuitions soudaines sont là pour   *biffé*] Et je forge mon espérance avec mes intuitions soudaines. Là est la vérité. Là est le But. /
Encore ne devrais-je espérer aucun but et aucun départ. / Mais peut-être
dois-je m'éloigner de ces choses trop vagues. Peut-être… / Mais qu'importe — Puisque mon infini n'est pas sur terre. / A. Camus

◆ [NOTE À MAX-POL FOUCHET SUR « BÉRIHA »].

Voir la Notice, p. 1419.
Il existe un manuscrit de ce texte, daté de 1932 ou 1933.

◆ NOTES DE LECTURE. — Avril 1933.

◆ L'ART DANS LA COMMUNION.

Onze feuillets manuscrits, dont la rédaction est particulièrement soignée, composent le manuscrit de ce texte, signé et daté « 33 ». Mais on
peut dater ce texte plus précisément et émettre l'hypothèse qu'il est antérieur à avril 1933. Nous le plaçons toutefois juste avant « La Maison
mauresque » (daté d'avril, comme les « Notes de lecture »), étant donné
le lien existant entre ces textes.

◆ LA MAISON MAURESQUE. — Avril 1933.

Le manuscrit dont nous avons disposé est contenu dans un cahier
d'écolier de petit format ; la date figure dans le manuscrit, ainsi que la
signature d'Albert Camus.

◆ [MÉDITERRANÉE]. — Octobre (« O. », p. 978) 1933.

Le manuscrit appartient à Jean de Maisonseul ; il est constitué de deux
feuillets dépourvus de titre, signés et datés d'octobre 1933.

◆ « VOILÀ ! ELLE EST MORTE… »

Quatre feuillets de grand format avec corrections. Sans titre.
Ce texte est peut-être antérieur à octobre 1933 ; mais comme il est
aussi antérieur et étroitement lié à « Perte de l'être aimé », nous les plaçons côte à côte.

◆ « PERTE DE L'ÊTRE AIMÉ… » » — Octobre 1933.

Trois feuillets manuscrits sans titre de grand format, avec très peu de
ratures et datés.

a. l'homme, [l'héautontimoroumenos,   *biffé*] se fournisse   *ms.*

◆ « ACCEPTER LA VIE... »

Une feuille manuscrite au crayon, sans titre ni date. À la suite de
P. Viallaneix, nous datons ce texte de 1933, en constatant des parentés
dans le style et dans les thématiques avec d'autres textes de même
époque. Par ailleurs, ce texte comme le suivant (« Dialogue de Dieu avec
son âme ») se trouvent dans une chemise portant la mention « L'Envers
et l'Endroit. Notes. 1933 » dans le Fonds Camus (cote : CMS2. Ad-
01.03).

◆ DIALOGUE DE DIEU AVEC SON ÂME.

Deux feuillets manuscrits de grand format.
Voir ci-dessus.

◆ LE LIVRE DE MÉLUSINE. — Décembre 1934.

Pour ce texte, nous nous sommes appuyées sur la lecture donnée dans
les *CAC 2* par P. Viallaneix du manuscrit en possession de Mme Hié. Le
texte, recopié dans un cahier d'écolier de petit format, n'est pas daté,
mais Simone Hié affirme que Camus lui en a fait cadeau en décembre
1934. Les corrections, rares dans le « Conte pour des enfants trop
tristes », sont absentes ailleurs.

◆ MÉTAPHYSIQUE CHRÉTIENNE ET NÉOPLATONISME. — Diplôme d'études
supérieures, 1936.

Camus a fait ses études secondaires au Grand Lycée d'Alger de 1924
à 1932 et obtenu sa licence en philosophie en 1935 à l'université d'Alger,
son Diplôme d'études supérieures le 25 mai 1936 avec la mention Bien
et la note de 14 sur 20. Son directeur de mémoire était René Poirier, les
deux autres membres du jury Louis Gernet et Jean Grenier. L'obtention
du diplôme était un préalable obligatoire à la préparation de l'agrégation.
Selon Marguerite Dobrenn, éditrice de la *Correspondance* entre Albert
Camus et Jean Grenier[1], les membres du jury ont déconseillé à Camus
de préparer ce concours : la tuberculose dont il était atteint l'aurait
empêché d'obtenir le certificat médical qui était exigé pour y prendre
part. Le jury avait vu juste, puisque Camus devait annoncer à Grenier
dans une lettre de la fin de 1938[2] que le certificat lui avait en effet été
refusé.

Les années 1935-1936 sont d'ailleurs des années d'une activité débordante : membre du Parti communiste depuis 1935, participant et animant le Théâtre du Travail, écrivant *Révolte dans les Asturies* publié en
1936 chez Charlot, travaillant à *L'Envers et l'Endroit* et à *La Mort heureuse*,
le jeune Camus doit en même temps préparer son diplôme. Le thème —
le développement du christianisme et sa rencontre avec l'hellénisme, la
tentative de synthèse de ces deux courants dans la gnose, les pensées

---

1. *Correspondance 1932-1960*, Gallimard, 1981 ; voir la lettre de Camus à Grenier du 22
août 1936, p. 27-28, et la note 3, p. 240.
2. Voir la lettre de Camus, *ibid.*, p. 33.

plotinienne et augustinienne — couvre cinq siècles de l'histoire du bassin méditerranéen. Inutile de dire que ce thème est pour un homme de vingt-deux ans plus qu'une gageure.

Le sujet devait intéresser Camus à plus d'un titre : issu d'un milieu catholique bien que très peu pratiquant, entouré par une majorité musulmane, découvrant des ruines du monde antique païen et chrétien, participant au culte de la Méditerranée et de la lumière, il devait avoir le sentiment d'approfondir par ce travail son enracinement dans un univers auquel il était viscéralement attaché. Qui plus est, Plotin et Augustin sont des Africains et des Méditerranéens. Camus, qui met l'accent sur la sensibilité artistique du premier, n'a pas pu ne pas remarquer qu'Augustin est aussi un très grand écrivain. Le thème de la lumière, physique et spirituelle, est d'ailleurs récurrent dans leurs écrits. Dans ses souvenirs, Grenier rapporte les propos bien ultérieurs de l'écrivain : « J'aime assez le côté statique de l'hellénisme ; et ce n'est pas une anomalie que j'aie choisi comme sujet de diplôme quelque chose qui se rapporte à cette période (celle du néoplatonisme). Je m'y suis toujours intéressé[1]. » L'intérêt pour Plotin et saint Augustin demeurera donc. Camus a pensé à l'époque prolonger cette étude universitaire par d'autres travaux[2] et plus tard encore il est revenu sur l'idée ; dans les *Carnets* il note ainsi en 1938 : « Reprendre le travail sur Plotin[3] » et il renvoie à son diplôme.

D'après le document officiel du diplôme, celui-ci porte comme titre « Néoplatonisme et pensée chrétienne ». La dactylographie du mémoire qui est conservé au Fonds Camus est intitulée « Métaphysique chrétienne et néoplatonisme ». Ce titre correspond d'ailleurs de manière plus précise au contenu. Le texte comporte une introduction, quatre chapitres et une conclusion. Le christianisme et l'hellénisme sont présentés comme deux civilisations qui manifestent des aspirations communes mais aussi de grandes différences. La thèse générale est que le christianisme, pour se répandre dans le bassin méditerranéen — expansion qui est conçue par l'auteur comme la destinée historique de la nouvelle religion —, doit se faire universel, accéder à la catholicité (au sens étymologique). Cette universalité n'est accessible que dans la mesure où le christianisme parvient à s'assimiler la pensée grecque, à se penser philosophiquement, sans pourtant renier la spécificité de son message propre (incarnation et philosophie de l'histoire, misère de la condition humaine, problème du mal et du péché). Les deux premiers chapitres et le dernier sont dès lors consacrés respectivement aux efforts des Pères apostoliques, des gnostiques et d'Augustin pour réaliser cette tâche extrêmement difficile. Celle-ci implique l'éloignement à l'égard du judaisme. Le troisième chapitre est consacré au néoplatonisme, à Plotin. Celui-ci n'est pas chrétien, mais c'est un pur esprit grec confronté aux mythes et mystères et à la dissémination des religions orientales. Toute sa pensée vise à maintenir les exigences rationnelles grecques mais en s'ouvrant à la nouvelle sensibilité : à faire collaborer la raison et la mystique. À cet effet il va développer l'idée de la participation entre les trois hypostases (l'Un, l'Intelligence et l'Âme) pensées comme intemporelles et non spatiales. Si les Pères apostoliques n'ont pu que commencer le travail après le rejet

1. Jean Grenier, *Albert Camus. Souvenirs*, Gallimard, 1968, p. 135.
2. Voir *Correspondance 1932-1960*, lettre de Camus du 22 août 1936, p. 27.
3. *Carnets 1935-1948*, t. II de la présente édition, p. 861.

de la pensée grecque par le christianisme évangélique des débuts, si les gnostiques (Basilide, Marcion, Valentin) n'ont réussi qu'à développer un « monstrueux Christianisme[1] », il a fallu tout le génie d'Augustin pour accomplir la tâche, une « métaphysique de l'Incarnation[2] », ce qui fait écrire à Camus qu'Augustin est l'auteur d'une « seconde révélation[3] ». Celle-ci, qui suppose le développement d'une métaphysique chrétienne, n'a toutefois été possible que par le fait qu'Augustin a lu les néoplatoniciens et surtout Plotin, et qu'il a emprunté les instruments mis au point par l'auteur des *Ennéades*, notamment pour penser la Trinité, le mystère par excellence du christianisme. Si Augustin insiste sur le fait qu'il faut commencer par croire, c'est néanmoins avec l'intention de comprendre la foi : les exigences rationnelles ne sont donc pas simplement évacuées. Camus n'hésite pas à utiliser le terme de miracle pour désigner la réussite de la conciliation[4]. Dès l'introduction, il parle « d'un mouvement où le miracle chrétien a su s'assimiler le miracle grec[5] ».

Les différentes tentatives à l'intérieur du christianisme pour atteindre à la catholicité sont pensées comme l'actualisation de combinaisons possibles entre l'hellénisme et le christianisme[6] et ce n'est qu'avec l'augustinisme que le christianisme trouve la solution. Camus est bien conscient néanmoins du fait que le travail d'Augustin a été préparé par le travail des autres Pères de l'Église, latins ou grecs[7].

Il s'agit incontestablement d'un mémoire bien construit — la ligne directrice n'est jamais perdue de vue —, même si la mise en forme, la présentation du document est par trop souvent négligée. Paul J. Archambault, dans *Camus' Hellenic Sources*[8], a reproché au mémoire d'être essentiellement un travail de seconde main, fondé sur la lecture des historiens ou commentateurs modernes — cités partiellement seulement — plutôt que sur la lecture des textes eux-mêmes. La constatation est correcte surtout pour ce qui concerne les deux premiers chapitres ; elle vaut moins pour Plotin dont Camus a une bonne connaissance, ce qu'Archambault reconnaît au demeurant. Quant à la réalisation pratique du mémoire et aux références des textes cités, elles sont fréquemment incorrectes, surtout en ce qui concerne la quatrième partie ; les citations sont, de plus, ici et là incomplètes.

En soi, le travail n'a en somme que peu d'intérêt, mais il vaut par les renseignements qu'il fournit sur les années de formation de l'écrivain. Toute sa réflexion ultérieure qui associe le culte de la Grèce et la confrontation avec le christianisme (avec l'histoire) se situe dans le prolongement de la problématique abordée dans le diplôme. La problématique de l'unité, chère à Plotin, sera, dans son opposition à celle de la totalité, un des thèmes porteurs de *L'Homme révolté*, tout comme l'opposition de la grâce, dont Augustin est le porte-parole, et de la justice. Dans ses *Carnets*, Camus note : « Sens de mon œuvre : Tant d'hommes sont

1. P. 1039.
2. P. 1005.
3. P. 1004, 1040 et 1073.
4. Voir p. 1073.
5. P. 1004.
6. Voir p. 1039.
7. Voir p. 1021-1022.
8. Paul J. Archambault, *Camus' Hellenic Sources*, Chapel Hill, University of North Carolina Press, 1972.

privés de la grâce. Comment vivre sans la grâce ? Il faut bien s'y mettre et faire ce que le Christianisme n'a jamais fait : s'occuper des damnés[1]. » Le thème de la mort des enfants, baptisés ou non, le problème du mal, omniprésents chez Augustin, sont récurrents chez Camus : là où Augustin croit avoir une réponse au problème de la théodicée, l'écrivain maintient sa révolte. Soulignons en passant que Pascal est évoqué à cinq reprises et Nietzsche à deux reprises. Grenier rapporte dans ses souvenirs ce que Camus lui a dit de l'essai « Le Mythe de Némésis » qu'il comptait écrire : « Ce nouvel essai aurait porté sur ce qu'il y a à gagner et sur ce qu'il y a à perdre dans le christianisme par rapport à l'hellénisme. […] Comment une sensibilité aussi nouvelle a-t-elle pu faire son apparition, une sensibilité aussi différente de l'ancienne[2] ? » On lit aussi dans les *Carnets* : « Reprendre le passage de l'Hellénisme au Christianisme, véritable et seul tournant de l'histoire. Essai sur destin. (Némésis ?)[3] »

Soulignons que Plotin comme Augustin se sont penchés sur le problème du suicide, le premier dans les *Ennéades* (I, 9), le second dans *De libero arbitrio* (III, 18-23) et dans *La Cité de Dieu* (I, 17-24). Est-il nécessaire de rappeler que *Le Mythe de Sisyphe* commence par la phrase célèbre : « Il n'y a qu'un problème philosophique vraiment sérieux : c'est le suicide. » La dernière phrase, tout aussi célèbre, du même texte, « Il faut imaginer Sisyphe heureux[4] », s'oppose presque terme à terme à la phrase d'Augustin dans *De Trinitate* (XIII, 10) : « […] *quia sine immortalitate [beatitudo] non potest esse* » (« […] parce que sans immortalité le bonheur ne peut être[5] »). Ce que Camus écrit d'Augustin, « Grec par son besoin de cohérence, Chrétien par les inquiétudes de sa sensibilité[6] », vaut en somme pour lui-même.

Enfin, signalons que le mémoire de Camus a été traduit et commenté en allemand et en anglais : *Christliche Metaphysik und Neoplatonismus*, par Michael Lauble, Reinbek bei Hamburg, Rowohlt, 1978 ; *Christian Metaphysics and Neoplatonism* par Joseph McBride (dans *Philosopher and Littérateur* [sic]), New York, St Martin's Press, 1992.

Nous avons établi le texte du mémoire à partir du dactylogramme corrigé à la main par Camus et conservé au Fonds Camus (cote : CMS2. Ap2-04.07). Sur ce document, le texte principal se trouve sur la page à droite, les notes dans la marge gauche, à hauteur des renvois du texte principal. Nous avons maintenu certaines corrections apportées par Roger Quilliot (voir *Pléiade Essais*, p. 1223), et en avons ajouté quelques-unes par souci de lisibilité. À cet effet nous avons introduit dans le texte et ses notes des crochets pour signaler nos corrections. Dans les notes, les références entre crochets donnent les références exactes des citations.

MAURICE WEYEMBERGH.

1. « Notre Royaume est de ce monde » par opposition au « Notre Royaume n'est pas de ce monde » du christianisme (Jean, XVIII, 36),

1. *Carnets*, p. 1019.
2. J. Grenier, *Albert Camus. Souvenirs*, p. 134.
3. *Carnets II*, Gallimard, 1964, p. 342 — à paraître au tome IV de la présente édition.
4. *Le Mythe de Sisyphe*, p. 221 et 304.
5. Les traductions du latin sont de nous, sauf exceptions signalées.
6. P. 1063.

2. Dans la théogonie d'Evhémère, les dieux sont des êtres humains divinisés par les hommes. *Evhémériser les dieux* signifie donc les considérer d'après cette théorie rationaliste.

3. Le *galle* est le participant aux cultes d'Attis, le compagnon de Cybèle (la Mère des dieux).

4. Le texte de Lucrèce est « *eadem sunt omnia semper* » (*De rerum natura*, III, 945) : « toutes choses sont toujours les mêmes ».

5. Pensée 211 dans la classification de Brunschvicg.

6. « Personne n'est bon » ; « Tous ont péché. »

7. « On ne peut pas ne pas pécher » (*cf.* pour des formules analogues mais moins péremptoires, *De peccatorum meritis et remissione*, II, 7 et 34 ; *De fide et symbolo*, X, 21 ; *De Gratia Christi*, I, 54 ; *De Trinitate*, XIII, 23). Augustin accepte l'« impeccabilité » de l'homme (celle d'Adam et d'Ève avant la Chute), mais nie son « impeccance » (voir Serge Lancel, *Saint Augustin*, Fayard, 1999, p. 466). Seuls Jésus et peut-être Marie y échappent.

8. Il s'agit de la classification de Brunschvicg.

9. « Connaître Dieu et l'âme : voilà ce que je désire. — Et rien de plus ? — Rien, absolument » (saint Augustin, *Les Soliloques*).

10. *L'Épître apocryphe de Barnabé* n'est pas le *Didache*, même si certaines parties de celui-ci sont reprises dans celle-là.

11. Le texte cité reproduit les premières lignes du *Didache*, manuel de morale et d'instruction liturgique populaire, dont le titre grec est *La Doctrine des douze apôtres*.

12. Les dix « Similitudes » (le mot signifie « parabole ») constituent la troisième partie du *Pasteur* d'Hermas.

13. 389 est la date de l'ouvrage *De Reditu suo*.

14. La parenthèse ne peut indiquer le numéro de chapitre (l'ouvrage ne comporte que quarante-deux chapitres) mais renvoie probablement à la date de l'ouvrage.

15. Il s'agit du *Panarion* (le mot signifie « boîte à drogues », destinée à combattre les hérésies) d'Épiphane de Salamine, un traité réfutant quatre-vingts hérésies.

16. Il s'agit des *Philosophumena* ou *Refutatio omnium Haeresium* (*Réfutation de toutes les hérésies*) d'Hippolyte de Rome. Les chapitres I à XVI du livre VII sont consacrés à Basilide.

17. « [Puisque l'autre monde et son dieu n'apparaissent pas], il en résulte qu'ils divisent les choses en deux classes, les choses visibles et les invisibles, avec deux dieux comme auteurs, et qu'ils réclament les choses invisibles pour leur dieu. »

18. L'Évangile de Luc est le seul Évangile que Marcion reconnut. Le texte cité ensuite se trouve dans Luc, XI, 11-13. Notons cependant que les références à *Adversus Marcionem* de Tertullien, données par Camus en note, sont étranges, étant donné que le texte de Tertullien ne compte que cinq livres.

19. Le livre VI de la *Réfutation de toutes les hérésies* contient une analyse de la pensée valentinienne. *Les Stromates* de Clément d'Alexandrie ne comptent que huit livres, et il est question de Valentin par exemple dans plusieurs chapitres des livres II et III.

20. « Plus intérieur que le plus intime de moi-même. » Il s'agit d'une citation de saint Augustin, *Les Confessions*, III, VI, 11.

21. La référence V, 2, 7 n'est pas correcte car le deuxième livre de la cinquième *Ennéade* ne contient que deux chapitres.

22. Les références au livre de Caird indiquent les pages consacrées à Plotin ; la citation figure à la page 346 (voir la Bibliographie à la fin du mémoire, p. 1078).

23. Ces chiffres indiquent la date de la naissance et du décès d'Augustin.

24. « J'étais encore très fortement attaché à la passion d'avoir une femme » (traduction d'Arnauld d'Andilly établie par Odette Barenne, Gallimard, coll. « Folio », p. 258-259).

25. La citation se trouve dans *Opus Imperfectum contra Julianum* (saint Augustin a écrit deux textes qui portent approximativement le même titre : celui cité ci-dessus et qui est inachevé, et *Contra Julianum*).

26. « Par soi-même l'on ne possède que le mensonge et le péché » ; « Je te déclare que sans l'aide de Dieu tu ne fais rien, rien de bon, dis-je ; sans l'aide de Dieu tu disposes d'une volonté libre pour faire le mal. »

27. « Que les vraies vertus ne peuvent être là où la vraie religion est absente. »

28. Il s'agit du *De diversis quaestionibus ad Simplicianum libri duo* (à ne pas confondre avec *De diversis quaestionibus 83*).

29. Ici aussi il s'agit de l'*Opus Imperfectum contra Julianum*. « Le libre arbitre, par lequel l'homme est émancipé de Dieu, consiste dans la possibilité de se livrer au péché et de s'en abstenir. »

30. « Et moi je dis que l'homme peut être sans péché. »

31. « Que les nouveau-nés sont dans la même condition qu'Adam avant sa transgression de la loi divine. » Le texte figure dans le *De utilitate credendi*, IX, 22.

32. Pélage distingue le pouvoir d'être juste, la volonté de l'être et l'agir (l'être) juste. La capacité d'être juste est une grâce que Dieu a donnée à l'homme en créant sa nature ; la volonté et l'agir justes, par contre, dépendent de l'homme lui-même et la grâce ne leur est pas nécessaire, elle peut seulement rendre leurs opérations plus faciles. Augustin rejette cette conception en renvoyant à saint Paul (Philippiens, II, 13), pour qui Dieu opère sur les plans du pouvoir être juste, de la volonté de l'être et de l'agir juste, et en critiquant sévèrement le *facilius* que Pélage introduit pour qualifier l'action de la grâce sur la volonté et l'agir (*De Gratia Christi*, I, 5-7, 28-31).

33. « pouvoir ne pas pécher » (*De correptione et gratia*, XII, 33).

34. Ici aussi et ci-dessous, il s'agit de l'*Opus imperfectum*.

35. La référence que donne Camus (*De diversis quaestionibus ad Simplicianum libri duo*, I, II, 16) renvoie au texte suivant : « una quaedam massa peccati » (« une certaine masse de péché »). Le texte qu'il cite (« universa massa perditionis » ; « toute la masse de perdition ») vient du *De Gratia Christi et de peccato originali*, II, xxix, 34. L'expression « massa perditionis » n'est pas rare et est utilisée par exemple au moins quatre fois dans le *De correptione et gratia* (10, 12, 25, 26).

36. « Non seulement il y a des idées, mais elles sont vraies parce que éternelles et qu'elles demeurent immuablement ce qu'elles sont » (*De diversis quaestionibus 83*, trad. J.-A. Beckaert ; *Œuvres de saint Augustin*, X, *Mélanges doctrinaux*, Desclée de Brouwer, 1952, p. 127).

37. Il s'agit du *Contra sermonem Arianorum*, réponse au *Sermo Arianorum* : « La Trinité elle-même est en effet un Dieu un et ce Dieu un est de la même manière un créateur un. » La formule augustinienne dans le *De Trinitate* est « una essentia, tres personae » (« une essence, trois personnes »)

par laquelle il traduisait, non sans grandes difficultés, la formule grecque : « *mia ousia, treis hypostaseis* » (« une substance, trois hypostases »). Voir, sur ce problème, S. Lancel, *Saint Augustin*, p. 530-535.

38. La citation correcte est la suivante : « *Ubi nulla naturarum nulla est diversitas voluntatum* » (« Là où il n'y a aucune diversité des natures, il n'y en a aucune des volontés »), *Contra Maximinum Arianum*, II, 10, 2 (il s'agit d'une réponse de saint Augustin à l'évêque arien Maximinus).

39. P. J. Archambault (*Camus's Hellenic Sources*, p. 148) a montré que ces deux citations d'Augustin (*Contra Maximinum* et *De Trinitate*) sont extraites de J. Tixeront (*Histoire des dogmes*, vol. II, 1931, p. 364-365) mais que Camus a mal compris la seconde ; s'il est vrai que pour Augustin la Trinité tout entière est apparue à l'humanité dans les théophanies de l'Ancien Testament, l'Incarnation, qui est celle du Fils, n'est pas celle de toute la Trinité.

40. Le texte figure dans *De Trinitate*, VI, 9 : « Le Père seul, le Fils seul, le Saint Esprit seul est aussi grand que le Père, le Fils et le Saint Esprit ensemble. »

41. « Que le Verbe a été fait chair ne signifie pas que le Verbe accède à la chair pour périr, mais que la chair accède au Verbe pour qu'elle ne périsse pas elle-même… ce dieu lui-même qui est homme et qui est Dieu, cet homme lui-même (qui est homme et qui est Dieu) ne l'est pas par la confusion des natures mais par l'unité de la personne. »

42. Le texte amalgame deux citations différentes ; la première figure dans *Sermo 118*, la référence de la seconde est correcte. « Si tu ne peux comprendre, crois pour que tu comprennes ; la foi précède, l'intellect suit » ; « Ne veuille donc pas chercher à comprendre pour croire, mais crois afin de comprendre. »

43. Le texte figure dans *De utilitate credendi*, IX, 22 : « […] par quoi tu seras persuadé que tu ne dois, pour t'instruire, mettre la raison avant la foi. »

44. Pensée 168 dans la classification de Brunschvicg.

LE THÉÂTRE DU TRAVAIL
LE THÉÂTRE DE L'ÉQUIPE

NOTICE[1]

Le Théâtre du Travail.

La vie politique et intellectuelle d'Alger suit, à sa mesure, celle de Paris. En l'absence d'une vie culturelle réellement autonome, quelques jeunes gens doués et conscients de ce vide éprouvent le besoin de le combler. C'est avec les relatives facilités que peut offrir une ville assez importante

---

1. Cette notice reproduit plusieurs passages d'une étude de Jacqueline Lévi-Valensi parue sous le titre « L'Engagement culturel » dans la *Revue des Lettres modernes*, série « Albert Camus » n° 5, n°ˢ 315-322, 1972, p. 83-106. Elle a été remaniée et augmentée par Raymond Gay-Crosier.

pour qu'un public puisse s'y trouver, et cependant assez limitée pour que des initiatives intéressantes s'y fassent remarquer, avec, bien entendu, les difficultés que rencontre toute novation en ce domaine, que des groupes mi-politiques, mi-intellectuels, qui sont souvent des filiales ou des fédérations des associations métropolitaines, voient le jour à Alger.

Camus prend part à ces mouvements que créaient et animaient certains de ses camarades. Des peintres comme Louis Bénisti[1] ou Louis Miquel, un futur architecte, Jean de Maisonseul, ainsi que des étudiants et/ou des écrivains déjà confirmés, comme René-Jean Clot — également peintre —, Max-Pol Fouchet, Claude de Fréminville, Emmanuel Roblès, ont vécu avec passion le Front populaire à Alger et tenté de former « un Front culturel » qui fût son « pendant », comme le dira le communiqué annonçant la création d'une Maison de la culture à Alger en 1937 — nous y revenons plus bas. À ceux-ci se joignent, outre le jeune éditeur-libraire Edmond Charlot, des professeurs comme Jacques Heurgon ou Jean Grenier, le musicien Frank Turner, Marie Viton (de son vrai nom Marie Destournelles de Constant) qui dessinera et créera les costumes des deux troupes théâtrales fondées par Camus — le Théâtre du Travail et le Théâtre de l'Équipe.

En 1935, selon le témoignage de Charles Poncet[2], et de Max-Pol Fouchet[3], Camus milite au sein du comité Amsterdam-Pleyel. En juillet, il est sans aucun doute de ceux qui accueillent André Malraux (venu à Alger sur l'invitation du Comité de vigilance des intellectuels, et du Comité des jeunes antifascistes : il est probable qu'Albert Camus ait fait partie de ces groupements). C'est en août ou en septembre de cette même année que Camus adhère au Parti communiste[4].

Dès ce moment, selon le même témoignage de Charles Poncet, Camus songe à créer un « théâtre populaire et politique[5] », ce qui est tout à fait dans la ligne des mouvements de défense de la culture : la Fédération du théâtre ouvrier de France, créée en 1931, s'était formée pour montrer que « le Théâtre n'est pas un simple divertissement d'oisifs, mais qu'il est une arme, une arme puissante dans la lutte des classes[6] ». En avril 1935, un débat à la Mutualité à Paris et une enquête de *Monde* essayèrent de fixer les buts et les moyens d'un tel théâtre[7]. Si l'on ajoute qu'à Alger il n'y avait pratiquement aucun théâtre local — les critiques ne

---

1. Louis Bénisti a laissé une ébauche d'un manuscrit qui date de 1985 et qui a été publiée sous le titre « " On choisit pas sa mère " ou Souvenirs sur Albert Camus », dans *Algérie Littéraire-Action*, n° 67, janvier 2002, p. 7-47.

2. Charles Poncet, « Camus à Alger », *Simoun*, n° 32, 1960, p. 3 et suiv.

3. Max-Pol Fouchet, *Un jour, je m'en souviens. Mémoire parlée*, Mercure de France, 1968, p. 15-16. M.-P. Fouchet ne précise pas de date, mais il parle de la lecture de *Monde* ; or, après la mort de Barbusse, son fondateur, cet hebdomadaire cessa de paraître, en octobre 1935.

4. Voir J. Lévi-Valensi, « L'Entrée d'Albert Camus en politique », *Camus et la politique*, Actes du colloque de Nanterre, 5-7 juin 1985, dir. Jeanyves Guérin, L'Harmattan, 1986, p. 137-151. Voir aussi *La Lutte sociale*, 31 juillet 1935. Malraux, on le sait, est le « maître à penser » de toute une génération ; *Le Temps du mépris* paraît en mai 1935. Camus, en mai 1951, parlera de la « conjonction Malraux-Gide » qui a régné sur sa jeunesse (« Rencontre avec Albert Camus », *Les Nouvelles littéraires* ; *Pléiade essais*, p. 1339).

5. Charles Poncet, « Camus à Alger », p. 4.

6. *Monde*, 1er mars 1935.

7. Voir *Monde*, mars et avril 1935, série d'articles et enquête menée par Stéfan Priagel ; ce dernier montre les limites du « Théâtre ouvrier » dont le répertoire tombe parfois dans la trivialité, et qui « abuse du chœur parlé » : procédé que Camus et ses coauteurs emploie-

cesseront de s'en plaindre longtemps encore[1] — on comprend aisément que Camus et quelques-uns de ses amis aient tenté l'aventure du Théâtre du Travail sous l'égide du Parti communiste.

Selon le tract qui annonçait sa première représentation, celle de l'adaptation du *Temps du mépris* de Malraux, ses buts étaient de « faire prendre conscience de la valeur artistique propre à toute littérature de masse et démontrer que l'art peut parfois sortir de sa tour d'ivoire. Le sens de la beauté étant inséparable d'un certain sens de l'humanité[2] ». Ce sont bien là les objectifs que se fixent les différents Congrès pour la défense de la culture : il s'agit de rendre la culture vivante et populaire ; en ces années 1935-1936, cela va de pair avec des objectifs politiques, extérieurs et intérieurs : lutte contre le fascisme et défense du prolétariat.

La première création du Théâtre du Travail eut lieu le 25 janvier 1936[3] aux bains Padovani à Alger. Il est significatif qu'elle soit empruntée à Malraux, et que Camus se manifeste, dès l'abord, à la fois comme directeur de troupe, acteur, metteur en scène, et adaptateur, puisque c'est lui qui, de certaines scènes et dialogues du roman *Le Temps du mépris*, tire une pièce. Les comptes rendus parus dans *La Lutte sociale*, organe bimensuel du Parti communiste, et *L'Écho d'Alger* louent, malgré ses maladresses, autant les qualités politiques de l'adaptation que le jeu dramatique des jeunes acteurs. Malraux a manifesté son approbation concernant cette adaptation en envoyant un télégramme qu'évoque Louis Bénisti : « L'adaptation du *Temps du mépris* d'André Malraux est devenue célèbre, depuis le télégramme laconique de l'écrivain : " Joue ", jusqu'à l'installation d'une scène improvisée dans un dancing au-dessus des établissements de bains de mer de Mme Padovani et jusqu'au rythme des vagues qui accompagnait les accents des meetings. Tout cela réalisé par un travail d'équipe anonyme. Camus cependant y révélait son penchant pour le théâtre et l'expression littéraire. Louis Miquel pour son dessin exigeant et pour sa vision poétique de la scène. Ce fut un succès[4]. »

Pour le 2 avril 1936, *La Lutte sociale* annonce la représentation d'une pièce portant sur le soulèvement des mineurs à Oviedo de 1934 sous le titre *Révolte dans les Asturies*, qui promet « une mise en scène entièrement nouvelle à Alger en particulier et au théâtre en général ». Le maire d'Alger ayant refusé une salle pour la représentation de cette « création collective » — écrite par Camus en collaboration avec Jeanne-Paule Sicard, Yves Bourgeois et Alfred Poignant[5] —, la pièce ne put être jouée. Ce refus incita Camus, comme en témoigne une lettre inédite à ses deux amies coauteurs — à qui il a pour habitude de s'adresser dans ses lettres à l'aide des initiales MJ ou JM —, à envisager l'organisation d'une campagne de protestation sous forme de tracts et d'affiches mais aussi

ront dans *Révolte dans les Asturies*. Le thème de l'enquête est : « À la recherche d'une rénovation du théâtre et pour un théâtre révolutionnaire. »

  1. Voir les articles de Charles Delp, dans *La Dépêche algérienne*, et de R. Janon ou G. S. Mercier, dans *L'Algérie ouvrière*.
  2. Cité par Jean Négroni, « Albert Camus et le Théâtre de l'Équipe », *Revue de la Société d'histoire du théâtre*, n° 4, 1962, p. 343.
  3. Tel que l'annonce *La Lutte sociale* du 1ᵉʳ-15 avril 1936 ; et non pas au printemps, comme l'avance Charles Poncet (« Camus à Alger », p. 6), et comme l'ont repris les commentateurs après lui.
  4. Louis Bénisti, « Souvenirs sur Albert Camus », p. 24.
  5. Voir la Notice sur *Révolte dans les Asturies*, p. 1207.

à manifester une certaine lassitude. Si ses protestations multiples ne devaient pas aboutir, écrit-il, il faut « monter *Les Bas-Fonds* — ou donner une 3ᵉ représentation du *T[emps] du M[épris]* et y lire *R[évolte] dans les A[sturies]*. Tout ça est bien lassant. Et j'attends le retour des autres — pour tout abandonner. Ce sont eux qui accompliront le reste du programme. Ce n'est pas par manque de combativité. Mais plutôt par besoin de me retrouver ». Mais en avril de l'année suivante, pendant les entractes de séances de cinéma organisées par la Maison de la culture, qui projetait des films sur la Guerre d'Espagne, le Théâtre du Travail donnera « Espagne 34, chœur parlé » ; sans doute s'agit-il d'une version remaniée et abrégée de *Révolte dans les Asturies*. Se reportant à un passage de la pièce que Robert Jaussaud se souvient avoir récité, le biographe Herbert Lottman pense que « Camus avait sans doute des raisons personnelles de présenter cet extrait-là de *Révolte dans les Asturies*, car il s'était brouillé [pendant le voyage en Europe centrale] avec Yves Bourgeois et cette partie de la pièce avait indiscutablement été écrite par lui même[1] ».

L'Algérie ouvrière mentionne, par deux fois, une autre création du Théâtre du Travail, qui n'a jamais été relevée : dans son numéro du 21 octobre au 7 novembre 1936, se trouve cette annonce : « Le Théâtre du Travail va jouer une pièce inédite : *Le Secret* de Ramón Sender. Oui, mais ce sera à la fête de *L'Algérie ouvrière*. » Et dans le numéro du 21 décembre 1936 au 7 janvier 1937, dans un article non signé, qui relate la réussite de la fête de *L'Algérie ouvrière* du 6 décembre, on peut lire : « Nos camarades du Théâtre du Travail, dont il serait superflu de faire l'éloge ici, nous présentent ensuite *Le Secret* de Ramón Sender. [...] La pièce qu'ils ont montée pour eux l'a été en 6 jours, ce qui représente un véritable tour de force artistique [...]. » De cette pièce il ne reste aucune trace écrite dans les archives.

Cependant, il serait bien étonnant que les artisans de ce « tour de force » ne fussent pas ceux-là mêmes qui avaient triomphé dans *Le Temps du mépris*, avaient mis sur pied une « création collective » et s'apprêtaient à monter une nouvelle pièce, « engagée » elle aussi : *Les Bas-Fonds* de Gorki. Encore selon *L'Algérie ouvrière*, la troupe avait eu un autre projet, celui de représenter *La Mandragore*, de Machiavel. Toujours soucieux des questions administratives, Camus mentionne cette pièce dans une esquisse de programme qui se trouve dans une lettre envoyée d'Alger mais sans date à MJ :

« Je vous écris rapidement pour ces questions de service. Hier, réunion du T[héâtre] du T[ravail]. Composition du programme pour 36-37. Dans l'ordre : 1) *Les Bas-Fonds*, de Gorki. 2) *La Mandragore*, de Machiavel + reprise du *T<emps> du M<épris>* — 3) *Vautrin*, de Balzac. 4) *La Célestine*.

« Pour ce programme, il faut une salle. J'ai proposé une combinaison : si la Salle de l'Entr'aide [Alger] convient j'irai trouver la directrice, lui expliquerai la situation avec franchise (théâtre populaire, constructions de décors supplémentaires, etc.) et lui demanderai si, malgré ces difficultés, elle consentirait à passer un *contrat* avec nous pour l'année, en lui offrant toutes les garanties. Par ailleurs, vous m'aviez dit, M[arguerite]

1. Herbert R. Lottman, *Albert Camus* (1978), Le Seuil, coll. « Points Biographie », p. 149.

D[obrenn], que Borgeaud[1] pourrait nous recommander : dites-moi comment et ce qu'il faut faire pour ça. Mais si vous avez à écrire ne le faites pas avant ma réponse (il faut avoir la salle).

« Enfin nous nous sommes réparti le travail pour *Les Bas-Fonds*. Pièce magnifique, je l'ai relue. Mais c'est un monde à jouer. Ici nos possibilités " scéniques " ne nous serviront pas. Il faut savoir jouer. Alors nous n'avons retenu que des gens " compréhensifs " (5 femmes et 12 hommes)[2]. »

Mais comme Copeau avait déjà mis au programme du Vieux-Colombier *La Mandragore*, le Théâtre du Travail renonça à la jouer.

Au cours de son difficile voyage en Europe centrale durant l'été de 1936, Camus assiste à plusieurs représentations théâtrales et s'y forme ses propres idées sur les mises en scène de maîtres aussi bien que d'amateurs dont il tire les leçons pour le programme de sa troupe. *Les Bas-Fonds* est mentionné plusieurs fois dans ses lettres à MJ/JM, la première de Salzbourg, le 26 juillet 1936 :

« Je vous écris au sortir d'un " mystère " par Hofmannsthal et mis en scène par Max Reinhardt, *Jedermann ou le Jeu de la mort de l'homme riche*. C'était joué sur la place de la Cathédrale à 5 heures de l'après-midi. J'y ai appris beaucoup de choses. Mais surtout c'était étrangement émouvant. Vers la fin, c'était le crépuscule. L'homme riche mourait repentant. Et la Foi, penchée sur sa tombe, disait : " Il est dénudé de tout, même de la vie. " Un grand silence et puis l'orgue et des chœurs de femmes. À ce moment précis, par un hasard prodigieux, des grappes de colombes se sont détachées des statues du fronton et dans la belle lumière d'ici, avec cette musique et toute cette émotion, cela formait un des spectacles les plus remuants que j'ai vus. […]

« À part ça, M.D., vous avez raison pour *Les Bas-Fonds*. J'essaierai d'arranger ça à la rentrée — ou à défaut de moi, vous-mêmes. En attendant, étudiez les deux rôles (l'enfant russe aussi). »

C'est sans doute Gorki qui l'attire à un spectacle d'amateurs auquel il a assisté et qu'il évoque dans la lettre envoyée le 14 août de Dresde : « J'ai vu à Prague jouer du Gorki par le théâtre du travail local (intellectuels de gauche-amateurs). La pièce s'appelait *Les Petits Bourgeois*. Le décor était ignoble, de mauvais goût. La lumière inintelligente et mal entendue. Mais c'était joué magnifiquement. Conclusion : Nous ferons mieux (salle comble naturellement). » De retour à Alger, l'organisation de la mise en scène des *Bas-Fonds* devient pressante et les conseils à Marguerite Dobrenn et Jeanne-Paule Sicard, amies pressenties comme actrices, se font nombreux. Une fois de plus, la concurrence parisienne menace, mais, dans un post-scriptum qui fait figure de défi, Camus tient ferme : « Oui. Je sais que Renoir tourne *Les Bas-Fonds*. Aussi vais-je annoncer notre saison dans la presse[3]. »

Au terme d'une série de difficultés dues surtout à la distribution des rôles et au manque de salles disponibles, c'est le 28 novembre 1936

---

1. « Henri Borgeaud, fils de Lucien, un des maîtres de l'Algérie, exploite les mille hectares du domaine de la Trappe, et il possède en partie les distilleries d'Alger et les usines de cigarettes Bastos » (Olivier Todd, *Albert Camus. Une vie* [1996], Gallimard, coll. « Folio », p. 162).

2. Lettre inédite, en partie reproduite dans *ibid.*, p. 161-162.

3. Lettre inédite.

qu'ont enfin lieu les représentations des *Bas-Fonds* de Gorki. Les annonces publicitaires réitèrent le souci de la ville d'Alger d'exister par rapport aux créations parisiennes, puisque l'on y compare le budget dont dispose la troupe algéroise et celui dont ont pu bénéficier Lugné-Poe ou Pitoëff… La critique de ce spectacle fut très bonne et contribua à la satisfaction que devaient ressentir les membres du Théâtre du Travail, dont la première année d'existence, malgré la déception et l'amertume entraînées par l'impossibilité de jouer *Révolte dans les Asturies*, se soldait, dans l'ensemble, par un succès prometteur. Le désintéressement de la troupe avait été remarqué : les représentations — dont chaque annonce rappelle qu'elles sont gratuites pour les chômeurs — étaient données au profit de ceux-ci ou de l'enfance malheureuse. Il faut croire que les recettes et le succès furent suffisamment encourageants pour que la troupe continuât son activité l'année suivante.

Malgré les déboires que lui cause le pénible voyage en Europe centrale et la séparation avec sa première femme qui s'ensuit, 1936-1937 est une période d'activité fébrile pour Camus puisque son engagement artistique et administratif au sein du Théâtre du Travail ne l'empêche ni de travailler sur son Diplôme d'études supérieures (« Métaphysique chrétienne et néoplatonisme[1] ») ni de participer à la création de la Maison de la culture — dont il est le secrétaire général et où il donne des conférences —, ni encore de jouer le rôle d'Olivier le Daim dans *Gringoire* de Banville, donné au cours d'une représentation « classique » de la troupe d'Alec Barthus, qui, par ailleurs, se produit régulièrement sur Radio-Alger. Enfin, *L'Envers et l'Endroit* sortira de presse à la fin du mois de mai 1937.

Les 6 et 7 mars 1937, le Théâtre du Travail joue *Prométhée enchaîné* d'Eschyle, dans une adaptation de Camus, et une mise en scène très remarquée : Prométhée excepté, les acteurs portaient des masques. Au cours de la même soirée, est également représenté *La Femme silencieuse* de l'auteur élisabéthain Ben Jonson : on comprend que les critiques aient trouvé le spectacle de deux tragédies un peu trop « copieux[2] ». Devant le succès de cette représentation, et aussi pour tenter de toucher le public populaire, qui ne semble pas avoir répondu à l'attente des animateurs du Théâtre du Travail, une nouvelle représentation est donnée le 13 mars[3].

Quant au *Prométhée enchaîné*, plusieurs lettres échangées entre son metteur en scène et MJ, qui s'occupent aussi des costumes, fournissent un véritable débat sur la musique qui devait accompagner cette pièce classique et révèle un pan moins connu de l'imagination de Camus. Voici un extrait de la lettre datée du 10 octobre 1936, qui marque aussi le début de l'intérêt que celui-ci porte à cette pièce et, surtout, son sens des détails techniques : « Un nouveau projet cependant, né un dimanche d'ennui : Adapter (au lieu de *La Mandragore*) le *Prométhée enchaîné* d'Eschyle. Musique de scène : 1) " petite fugue " de Bach, sur la flûte 2) sardanes espagnoles sur deux guitares et trompettes pour la catastrophe finale. Costumes : burnous blancs et bruns + gandourah violette pour la jeune fille du chœur. Des masques pour tous sauf pour Prométhée (peau presque noire et yeux très clairs) : masque de vache

1. Voir p. 999.
2. Article de G. S. Mercier, *L'Écho d'Alger*, 10 mars 1937.
3. Voir *ibid.*, et *L'Algérie ouvrière*, 13 mars 1937.

pour Io, barbouillé de rouge pour Vulcain, etc. Les dieux sont montés sur de petites échasses. Paysage mexicain très linéaire : fond gris-bleu avec aloès et cactus. Action et dialogues aux 4 coins de la salle, sur le mode incantation. En bref, la tragédie dionysienne, à la Nietzsche. Je suis emballé par l'idée de jouer ça en même temps que Malraux. Comparer 2 efforts tragiques à plus de 2 000 ans d'intervalle. Quant aux *Bas-Fonds* ça m'enchante de moins en moins[1]. »

Sur le ton à la fois persifleur et sérieux que ses amis lui connaissent, Camus conclut le débat, qui semble avoir engagé surtout Jeanne-Paule Sicard, de la manière suivante :

« Pour entretenir votre excitation, je vais daigner répondre à vos suggestions pour Eschyle. Je les trouve intéressantes mais inapplicables ou superflues (j'en oublie de vous signaler que je me suis coupé en me rasant ce matin). Pour " Rumores de la caleta " (que je connais) l'idée est bonne. Mais j'avais tendance à préférer les " sardanes ", parce que moins artistes et plus populaires. Vous dites " *outre* Bach ", Déodat. Oui, mais je crois qu'il faut tout sacrifier à une unité d'expression dans le texte comme dans la musique et d'ailleurs j'ai travaillé beaucoup tout ça : j'en suis arrivé à faire de la composition musicale (vous savez que je ne sais pas distinguer un *do* d'un *si*). Oui j'ai monté une réplique musicale de la tragédie elle-même.

« Écoutez plutôt :

Flûte = chœur = la pitié

Guitares = Océan + Mercure + Io = Forces qui essaient de fléchir Prométhée, diplomatie

Trompettes = Jupiter = jamais là et toujours présent.

« Mais chaque fois qu'on parle de lui : bref éclat de trompette. Bon. Alors les thèmes s'entrecroisent jusqu'à la fin où Prométhée est volatilisé. Ça, dans le vacarme des trompettes, des bombes et des éclairs. À ce moment brève accalmie, la flûte puis les guitares tentent de se faire entendre. Mais les trompettes de Jupiter éclatent avec plus de force aux 4 coins et submergent le tout. Seul Prométhée se tait. Toute la tragédie est ainsi résumée à la fin et symbolisée dans l'architecture musicale. Vous voyez que pour réaliser ça, il faut exactement le même nombre de motifs que de forces en présence.

« Pour ce qui est du texte, naturellement vous avez raison, toutes les traductions sont très lourdes. Mais je suis en train de le réécrire d'un bout à l'autre. J'espère que j'aurai fini à votre arrivée et qu'alors je pourrai vous le lire. À ce moment pourtant il faudra que vous m'aidiez à le revoir et à en assouplir le rythme. Parce que comme toujours ce que j'écris est trop tendu[2]. »

Le 24 mars 1937, la Maison de la culture organise un gala « Pouchkine », pour célébrer le centenaire de la mort du « père de la littérature russe », selon les termes des annonces publicitaires. Au cours de ce gala qui, comme le dit *L'Écho d'Alger* ce jour-là, « constituera une éclatante démonstration du rôle coordinateur des efforts culturels assumé par la Maison de la culture », sont donnés une conférence de Jacques Heurgon, un récital de piano de Frank Turner consacré à des musiciens contemporains de Pouchkine et une représentation du *Don Juan* de Pouchkine,

1. Lettre inédite.
2 Lettre inédite.

par le Théâtre du Travail[1]. Camus en est le principal interprète. Une fois de plus, le texte n'est pas disponible, mais certains témoignages de cette soirée le sont. Ainsi celui de Louis Bénisti qui, en 1940, visitant son ami à Paris, rencontre un Camus exhibant « l'inconfort du " donjuanisme " et le cruel pouvoir du " Commandeur " », ce qui rappelle au visiteur le jeu de celui-ci incarnant un Don Juan « en frac d'ambre, en manchettes et jabot de dentelles sous le verbe de Pouchkine, devant les camaïeux d'un jardin de noir et de gris. Ainsi Albert Camus offrait à chacun de nous les profils différents du baladin multiple, animant les estrades ou crevant les écrans de l'adversité puis retrouvant le geste sauveur et l'équilibre de son pas ». Bénisti reprend ailleurs son récit de cette soirée de conférence et de théâtre apparemment mémorable : « J'ai le souvenir d'un long monologue qui se terminait par la chute de Don Juan sous le poids de la statue du Commandeur. Alors, Albert Camus, drapé sous le manteau d'un Don Juan, nous apparut comme le play-boy à qui beaucoup de femmes allaient encore accorder leurs faveurs[2]. »

Les dernières représentations du Théâtre du Travail, les 4 et 10 avril 1937, sont consacrées à *L'Article 330* de Georges Courteline, « parfaite satire de la pompe officielle [qui] remportait un succès facile dans les fêtes locales de la gauche, avec Camus dans le rôle de La Brige, le défendant harcelé dont la réaction, face aux atermoiements bureaucratiques, consiste à baisser son pantalon devant le tribunal[3] ». Une fois de plus il n'existe pas de cette représentation, destinée à agrémenter un événement politique, de traces écrites. Camus jouera dans la même pièce, le 18 avril, à Blida, dans une représentation de la troupe d'Alec Barthus qui parcourt le pays et que Camus a rejointe pour des raisons financières.

Le rayonnement de la Maison de la culture fut assez grand pour être signalé, à plusieurs reprises, par la presse, qui ne manqua pas de louer ses activités et, surtout, le succès croissant du Théâtre du Travail. Cependant, dès le mois de juin 1937, des dissensions étaient nées au sein de la Maison de la culture. Camus se trouvait être la victime de bruits calomnieux — il aurait détourné les fonds de la Maison de la culture — dont celui qui les avait lancés, un certain Gabriel Prédhumeau, avait aussi été un acteur de *Prométhée*. Un communiqué, publié dans *La Lutte sociale* et dans *L'Algérie ouvrière*[4], annonçant l'assemblée générale de clôture pour le 25 juin, prononça « à l'unanimité [l']exclusion immédiate et définitive [de l'instigateur de ces bruits] en décidant de donner à cette sanction la plus large publicité ».

Sans nous perdre en conjectures hasardeuses sur le fond de l'affaire, nous pouvons penser qu'elle ne fut pas étrangère au retrait que Camus, atteint par cette calomnie, effectua ensuite. Sans doute faut-il encore l'associer à certaines manifestations organisées par la Maison de la culture en juin et juillet, la dernière étant, le 31 juillet, une grande fête, avec le concours de différentes organisations culturelles qu'elle regroupe et parmi lesquelles figure toujours le Théâtre du Travail. Celui-ci avait

---

1. Le titre de la pièce est, en russe, *L'Invité de pierre*.
2. Louis Bénisti, « Souvenirs sur Albert Camus », p. 36.
3. Herbert R. Lottman, *Albert Camus*, p. 149.
4. *La Lutte sociale*, 26 juin 1937 ; *L'Algérie ouvrière*, juin 1937. Le nom de Prédhumeau apparaît souvent au bas d'articles de *L'Algérie ouvrière* en 1936 et 1937 ; sans doute s'agit-il du même personnage. Voir aussi O. Todd, *Albert Camus. Une vie*, p. 197-198.

annoncé, en mai, sa prochaine création, jamais réalisée : *Othello*[1] ; à l'origine, cette pièce était donc prévue pour le Théâtre du Travail. Mais après
les dissensions politiques qui amenèrent un changement de nom, ce
fut le Théâtre de l'Équipe qui commença les répétitions que la guerre
interrompit.

C'est à l'automne de 1937 que Camus quitta le Parti communiste. Par
la suite, d'après les souvenirs de Louis Bénisti, qui avait fabriqué les
masques pour *Prométhée enchaîné*, « il y eut une grande réunion des " Amis
du Théâtre du Travail ", amis puisqu'une réelle amitié donnait cohésion
à ce groupe. La réunion eut lieu au Café Richelieu. Deux hommes de
bonne foi exposèrent leur point de vue sans acrimonie, sans fâcherie :
Jean Degeuerce[2] et Albert Camus. Il fut décidé que Camus quitterait le
Théâtre du Travail. Camus annonça alors qu'il animerait un théâtre de
même aspiration mais indépendant du parti. Une décision à mains levées
détermina ensuite qui suivrait les nouvelles directives d'Albert Camus. Il
y eut très peu de défections[3] ».

Le Théâtre de l'Équipe.

Le Théâtre de l'Équipe doit probablement son nom à Jacques Copeau
qui avait choisi, au Vieux-Colombier, « d'assembler, de faire ensemble,
et d'instruire une équipe[4] ». La dactylographie d'une annonce publicitaire, à paraître dans *Nouvelles et informations d'Algérie* et datée du
10 novembre 1937, indique simplement le programme envisagé et l'identité des membres. Sous le label « Le jeune théâtre d'Alger », le texte
annonce qu'« Un groupe de littérateurs et d'artistes d'Alger, parmi lesquels on relève le nom d'Edmond Charlot, directeur des Éditions
de Maurétanie, vient de fonder le Théâtre de l'Équipe qui " s'attachera
à jouer de bonnes œuvres dans un esprit de jeunesse " ». Le programme
envisagé est le même que celui que l'on trouve dans le « Manifeste ».
Quant au personnel, « Albert Camus fera [la] mise en scène, Marie Viton
et Louis Miguel [*sic*] dessineront costumes et décors, Frank Turner écrira
la musique. Les masques et sculptures seront de Louis Bénisti[5]. »

Le « Manifeste » par lequel s'expriment les intentions de la nouvelle troupe se place explicitement sous le patronage de Copeau et lui
emprunte une épigraphe : « *Des Théâtres, dont le mot d'ordre est* : travail,
recherche, audace, on peut dire qu'ils n'ont pas été fondés pour pros-

---

1. Il existe une dactylographie de 73 pages d'*Othello*, avec d'amples corrections et ajouts
manuscrits dont une bonne partie, à en juger d'après l'écriture, n'a pas l'air d'être de la
main de Camus. À partir de l'acte IV, la dactylographie est à double interligne et il n'y a
plus aucune modification. Visiblement le projet a été abandonné à mi-chemin.
2. Dans une note, Bénisti ajoute : « Jannot Degeuerce, militant communiste, représentant de commerce et artiste peintre avait hébergé son ami Albert Camus dans son chalet
de Lucinge en Haute-Savoie, surnommé " le chalet des affamés ". » Olivier Todd (voir
Albert Camus. Une vie, p. 197-198) note que ce militant représente la ligne « dure » qu'il préfère au dilettantisme de Camus, dont le programme comporte des pièces sans message
politique clair telles que les tragédies d'Eschyle et de Ben Jonson. L'absence d'orientation
politique sera aussi mentionnée dans une version du « Manifeste du Théâtre de l'Équipe » :
voir plus bas.
3. Louis Bénisti, « Souvenirs sur Albert Camus », p. 26.
4. Cité par Ilona Coombs, *Camus, homme de théâtre*, Nizet, 1968, p. 32. Le nom, de plus,
avait de quoi séduire les jeunes gens qui, déjà au Théâtre du Travail, avaient souhaité
représenter une « création collective ».
5. Fonds Camus (cote : CMS2. Ab1-01.14).

pérer mais pour durer sans s'asservir.» Lancé dès octobre 1937, ce manifeste sera repris dans les deux numéros de l'éphémère revue *Rivages* de décembre 1938 et de février-mars 1939[1], et aussi dans «Le Salon de lecture» d'*Alger républicain* le 21 janvier 1939[2]. En 1937, le texte comprenait un paragraphe qui disparaît ensuite ; il soulignait l'absence d'orientation politique de la troupe, par là réclamait son autonomie par rapport au Théâtre du Travail et tentait de créer entre l'Équipe et son public une liaison permanente : «Le Théâtre de l'Équipe, sans parti pris politique ni religieux, entend faire de ses spectateurs des amis.» Ce même paragraphe fut réinséré dans une réimpression du manifeste, au début de 1938, sous le titre «Pour un théâtre jeune[3]». Nous reproduisons ici la préface du manifeste tel qu'il parut dans la revue *Rivages* (le texte du manifeste lui-même ayant paru, et donc étant reproduit dans ce volume, parmi les articles du «Salon de lecture» sans cette préface) :

L'ÉQUIPE
Théâtre d'Études de la Revue «RIVAGES»

Le *Théâtre de l'Équipe* a fait connaître au public algérois :
— *La Célestine*, de Fernando da Rojas,
— *Le Retour de l'enfant prodigue*, d'André Gide,
— *Le Paquebot «Tenacity»*, de Charles Vildrac,
— *Les Frères Karamazov*, de Dostoïewski.

Cette année encore, fidèle aux principes exposés dans son manifeste, il se propose de porter à la scène une œuvre de Cervantès, inédite : *La Comédie des bagnes d'Alger*[4].

Mais il souhaite, auparavant, grouper autour de lui tous ceux qui aiment le théâtre pour lui-même. À cet effet, les animateurs du *Théâtre de l'Équipe* ont décidé de commencer une période de travail en commun, purement technique et désintéressée, doublée d'un effort de prospection pour découvrir des talents neufs. Il fait un appel pressant aux amis du théâtre pour qu'ils viennent à lui. Une première et sévère élimination formera la troupe de travail qui participera à tous les exercices. Et c'est au sein de cette troupe de travail que les troupes de représentations seront formées par une sélection naturelle.

Pour tous renseignements, s'inscrire aux «Vraies Richesses[5]», 2 *bis*, rue Charras, Alger.

Si le programme écarte consciemment l'orientation politique, il ne fait que réitérer un souci de collaboration étroite (plutôt que collective) qui marquait déjà le Théâtre du Travail. Cet effort d'une relation «interactive» s'articule tant dans la publicité du groupe que dans une carte d'invitation qui était aussi une fiche d'inscription s'adressant à l'«Ami de l'Équipe» et que certains habitants d'Alger reçurent à l'automne :

1. Voir la notule de «*Rivages*. Revue de culture méditerranéenne», p. 1402.
2. Voir p. 814.
3. Fonds Camus, cote : CMS2. Ab1-01.07.
4. Texte traduit par J.-P. Sicard, mais le projet fut abandonné.
5. Librairie tenue par Edmond Charlot.

« Cette carte d'Ami de l'Équipe vous crée à la fois des droits et des devoirs. Elle vous donne droit à une réduction de 20 % sur tous les spectacles du Théâtre de l'Équipe. Elle vous permettra d'être informé de ses manifestations et de recevoir gracieusement ses annonces et prospectus.

« Mais elle vous fait un devoir de nous aider de vos conseils et de vos critiques. Demandez à chaque représentation le cahier qui vous permettra de nous les communiquer. D'avance merci.

Le Théâtre de l'Équipe[1]. »

La troupe joue, les 3 et 5 décembre 1937, *La Célestine* de Fernando de Rojas. Selon la critique, la représentation n'était pas un échec, mais l'entreprise trop ambitieuse ne pouvait être une réussite complète[2]. En revanche, remportèrent un franc succès les spectacles des 27 et 28 février 1938, *Le Retour de l'enfant prodigue* (1907) de Gide, dans une adaptation de Camus qui joua le rôle du Prodigue, et *Le Paquebot « Tenacity »* de Charles Vildrac[3], où il joua le rôle de Ségard — celui qui ne part pas[4].

Le décor du *Retour de l'enfant prodigue*, avec sa porte haute et droite, fut très remarqué ; nous signalerons aussi la fidélité de Camus à l'esprit de l'œuvre et de son auteur : celui-ci écrivait, dans son avertissement, « comme un donateur dans le coin du tableau, je me suis mis à genoux, faisant pendant au fils prodigue, à la fois comme lui souriant et le visage trempé de larmes[5] » ; et c'est ce que Camus fait dire au récitant dès le début de la pièce[6]. À la scène, figure un personnage en « charmant costume d'adolescent botticellien[7] » : Camus tint ce rôle et cette place — traduisant ainsi les intentions de Gide.

Le Paquebot « Tenacity » avait été monté au Vieux-Colombier par Jacques Copeau. C'est encore sous sa tutelle que se placent, les 28 et 29 mai, les représentations des *Frères Karamazov*, que le metteur en scène métropolitain avait adapté et joué. Camus interpréta le rôle d'Ivan.

Programme assez hétérogène, apparemment, mais outre le fait que deux de ces pièces sont directement tirées du répertoire de Copeau, on peut y trouver une certaine unité dans le refus de la facilité, et dans le désir de ne pas s'en tenir à une seule forme de théâtre ; « travail, recherche, audace » : le mot d'ordre de Copeau est bien respecté, qui entraîne l'Équipe du siècle d'Or espagnol au symbolisme gidien.

Enfin, les 31 mars et 2 avril 1939, l'Équipe donne *Le Baladin du monde occidental* de John Millington Synge, qui fut encore un succès ; Camus interprétait le rôle de Christy Mahon. Mais ce devait être la dernière réalisation de la troupe, qui ne put réaliser l'ambitieux programme qu'elle s'était fixé. Ce programme prévoyait, pour 1939-1940, un certain

---

1. Texte reproduit dans l'article de Germaine Brée, « Albert Camus et le " Théâtre de l'Équipe " », *French Review*, n° 3, janvier 1949, p. 225-229. Voir aussi R. Gay-Crosier, « Les Débuts d'un amateur aux influences déterminantes », *Les Envers d'un échec. Étude sur le théâtre d'Albert Camus*, Lettres Modernes, 1967, p. 11-39.
2. Voir les comptes rendus dans *L'Écho d'Alger* et *La Dépêche algérienne*.
3. Charles Vildrac adhérait à l'A.E.A.R. (Association des artistes et écrivains révolutionnaires) et collaborait à *Monde*.
4. Voir *L'Écho d'Alger* du 2 mars 1938.
5. André Gide, *Romans*, Bibl. de la Pléiade, p. 475.
6. Voir p. 1101.
7. *L'Écho d'Alger* du 2 mars 1938.

nombre de créations : le 3 novembre, *Le Coup de Trafalgar* de Roger Vitrac ; le 29 décembre, *La Condition humaine* d'après le roman de Malraux, ou *La Locandiera* de Goldoni ; pour le début de mars, *Hamlet* dans la traduction de Copeau, et pour le début de mai une pièce d'Aristophane dans une « traduction nouvelle en langue familière[1] ». On imagine mal que l'adaptateur de Malraux et d'Aristophane dût être un autre que celui qui avait fait ses preuves avec *Le Temps du mépris* et le *Prométhée*.

L'urgence de la politique et la guerre quelques mois plus tard allaient requérir toutes les énergies. Et Camus était entré à *Alger républicain*. Tout le mois de juin 1939 fut absorbé par le grand reportage en Kabylie et le procès el-Okbi. Déjà, durant l'été de 1938, les difficultés croissantes à trouver des acteurs compétents et fidèles le tracassaient au point qu'il s'en plaignit, dans sa dernière lettre à Marguerite Dobrenn, le 19 août 1938 : « Pour le théâtre, il se peut que vos regrets soient inutiles. Peu d'acteurs me continuent leur concours. Et je n'ai pas assez de courage pour reprendre les choses à zéro. Je renoncerai sans doute à ce luxe. Cela a moins d'importance que vous ne pensez. Mais je ne penserai jamais sans regrets à ce merveilleux milieu. Je lui dois quelques-unes de mes joies les plus pures et un certain nombre d'amitiés solides. Voilà toute l'histoire[2]. » Enfin, il suffit pour se rendre compte de ce que fut l'Équipe pour lui de songer à la persévérance de son goût pour le théâtre qui ne l'abandonnera jamais, non seulement en tant qu'écrivain, mais aussi et même surtout en tant qu'adaptateur et metteur en scène. Dans un fragment de lettre il ne cache pas ce qui lui tenait le plus à cœur : « Parlez-moi aussi de la vie de l'Équipe, c'est ce que nous avons fait de plus propre avant la guerre et j'y tiens beaucoup[3]. »

JACQUELINE LÉVI-VALENSI ET RAYMOND GAY-CROSIER.

NOTES ET VARIANTES

LE THÉÂTRE DU TRAVAIL

LE TEMPS DU MÉPRIS

Le seul texte disponible de l'adaptation du *Temps du mépris* est un dactylogramme[4]. Ce texte est en deux actes ; il se compose des scènes II et III de l'acte I et de trois scènes de l'acte II. La scène I de l'acte I est introuvable et il manque également la fin d'un segment biffé dans la scène III de l'acte II[5].

---

1. Ce programme est annoncé dans *La Revue algérienne* d'avril-mai 1939, nouvelle série, n° 5, dans un article d'André Vailland sur la représentation du *Baladin du monde occidental*. Camus songeait aussi à inscrire à ce programme son propre *Caligula*.
2. Lettre inédite. Voir aussi Blanche Balain : *La Récitante*, récit autobiographique sur Alger, le Théâtre de l'Équipe et Albert Camus, paru à Nice, aux Éditions La Tour des Vents, 2000 ; et ses « Souvenirs sur l'Équipe », dactylogramme de 7 feuillets daté de 1950 et déposé au Fonds Camus (cote : CMS2. Ab1-01.19).
3. Cité dans Jean Négroni, « Albert Camus et le Théâtre de l'Équipe », p. 349.
4. Fonds Camus, cote : CMS2. Ab1-01.17. Il n'existe ni manuscrit ni autre avant-texte de cette adaptation.
5. Voir var. *b*, p. 1092.

Nous indiquons, entre crochets, les pages de référence du *Temps du mépris* dans les *Œuvres complètes* de Malraux, t. I, édition de Robert Jouanny sous la direction de Pierre Brunel, Bibl. de la Pléiade, 1989. Lorsque l'adaptation diffère du texte original, et pourvu que cela soit significatif, une note fournit le texte de référence de Malraux. Enfin, la ponctuation de Camus — qui omet de nombreuses virgules présentes dans le texte de Malraux — a été maintenue. Il ne modifie que rarement, et alors modestement, le texte original, en général pour assouplir la syntaxe du texte parlé.

L'adaptation de Camus suit de près les dialogues de Malraux. Les trois actes reproduisent la chronologie du récit original : la lecture des inscriptions au mur de la cellule et les réflexions de Kassner qui s'y trouve emprisonné, le dialogue avec la police à la suite de sa libération, les allocutions du meeting, et enfin le dialogue avec sa femme, Anna, après le retour à Prague.

a. Camus avait écrit « ses mains que le dossier » ; nous corrigeons ce qui est une erreur. ◆◆ *b. Suit ici un passage biffé dans dactyl. (ce passage s'interrompt en pleine phrase ; il manque la page sur laquelle il devait se poursuivre) :*   ANNA : C'était… comment ? Dis-moi. / ᴋ. : Terrible. *(Il caresse la tête de l'enfant.)* / ᴀ. : Ils ont accepté la fausse identité, à la… / *(K. allume une cigarette.)* / ᴀ. : J'avais si peur que… [p. 833]. *(Lueur.)* / ᴀ., *reprend :* Ils ont accepté la fausse identité ? / ᴋ. : Non. C'est-à-dire, pas au début. Ensuite, quelqu'un a déclaré qu'il était Kassner. — *(Lumière dans la cellule — Un homme est attaché — Regard fixe —)* / *(Les yeux d'Anna interrogent.)* / ᴋ. : Non, je ne sais pas qui… / *(Anna s'assoit.)* / ᴀ. : Tué ? / ᴋ. : Je ne sais pas… / ᴀ. : J'ai tant de choses à te dire, mais je ne peux pas. Il faut parler de n'importe quoi… pour que je me réhabitue à savoir que tu es avec moi… / ᴋ., *en indiquant l'enfant :* Comment va-t-il ? / *(Geste émerveillé d'Anna.)* / ᴋ. : Quand l'avion est parti, il y avait au-dessous de nous des tourbillons de feuilles légères et

1. Cette dédicace n'est pas reprise dans l'édition de la Pléiade, mais se trouve par exemple dans l'édition Gallimard de 1935 du *Temps du mépris*.
2. La première scène demeure introuvable.
3. Texte de Malraux : « les visages » (p. 830). Cette modification apportée par Camus reflète le souci de renforcer l'aspect collectif de l'effort.
4. Camus semble avoir une prédilection pour la musique de Bach jouée sur la flûte. Voir la Notice, p. 1435 et 1436.
5. Texte de Malraux : « La joie n'a pas de langage » (p. 836).

RÉVOLTE DANS LES ASTURIES

Voir la Notice de cette pièce, p. 1207-1210.

PROMÉTHÉE ENCHAÎNÉ

Le manuscrit de cette adaptation, de la main de Camus, compte 20 pages. Il n'a pas été possible de déterminer la traduction dont Camus s'est servi. La transcription du manuscrit a été établie d'après une photocopie qui se trouve au Fonds Camus (cote : CMS2. Ab11-05.01). Le texte se divise en onze scènes dont certaines sont très courtes. À titre d'exemple, nous reproduisons les scènes I et II, la première n'étant pas numérotée. On y trouvera le ton familier que Camus tient à adopter pour la version populaire que doit jouer le Théâtre du Travail. La « Petite fugue » de Bach fait l'objet d'un débat épistolaire sur la musique à choisir pour cette pièce entre Camus et J.-P. Sicard, et les didascalies confirment certains détails annoncés dans la lettre du 10 octobre 1936 qui esquisse le projet (voir la Notice, p. 1435-1436). Cette pièce, écrit Louis Bénisti dans ses « Souvenirs », « pour laquelle j'avais fait de beaux masques et pour laquelle Louis Miquel avait fait un magnifique praticable ne fut qu'un demi-succès, largement compensé par la parfaite réussite de la pièce de Ben Jonson, *La Femme silencieuse*, pour les décors de laquelle les copains déménagèrent les meubles anciens de la salle à manger de mes parents[1] ».

LE THÉÂTRE DE L'ÉQUIPE

LE RETOUR DE L'ENFANT PRODIGUE

Il existe de cette adaptation une dactylographie de 15 pages conservée au Fonds Camus (cote : CMS2. Ab1-01.16). Le texte présente un petit nombre de corrections de la main de Camus et se compose de cinq scènes. Nous reproduisons le prologue et la première scène, le texte entier suivant de près celui de Gide.

Nous avons situé les dialogues empruntés au texte de Gide en renvoyant, entre crochets, à la pagination du volume *Romans*, édition de Jean-Jacques Thierry, Bibl. de la Pléiade, 1958.

1. Camus indique par des guillemets, mais d'une manière irrégulière, les passages empruntés à Gide.

LA MORT HEUREUSE

NOTICE

Une cristallisation difficile (1936-1938).

Le premier roman achevé de Camus, *La Mort heureuse*, dont la publication fut ajournée par l'auteur et finalement posthume, mérite plus que tout autre l'aveu confié à Jean-Claude Brisville sur sa « méthode de travail » : « Des notes, des bouts de papier, la rêverie vague, et tout cela des années durant. Un jour, vient l'idée, la conception, qui coagule ces particules éparses. Alors commence un long et pénible travail de mise en ordre. Et d'autant plus long que mon anarchie profonde est déme-

1. L. Bénisti, « Souvenirs sur Albert Camus », p. 26.

surée[1]. » Durant les années de gestation de *La Mort heureuse*, si les tentatives de rédaction ont bien suivi le cheminement décrit, la conception a varié parce que plusieurs schémas d'intrigue se sont succédé. Ce roman a été élaboré et rédigé entre 1936 et la fin de 1938, date à laquelle son auteur y renonce finalement. La parenté de patronyme des personnages principaux de *La Mort heureuse* et de *L'Étranger* — Mersault et Meursault — a parfois laissé croire à une proximité de projet, sinon à une similarité, entre ces deux romans. Le roman abandonné et le roman paru en 1942 présentent, il est vrai, des points communs ; mais on ne peut affirmer pour autant que *La Mort heureuse* est la matrice de *L'Étranger*.

La Mort heureuse, dans sa version ultime, se présente en deux parties. Le chapitre 1 de la première (intitulée « Mort naturelle ») place le lecteur au cœur de l'intrigue : Mersault tue Zagreus pour s'emparer de sa fortune. Les quatre chapitres suivants rétablissent une chronologie et laissent entrevoir comment un homme ordinaire, malheureux et tuberculeux, rencontre par le biais de Marthe, sa maîtresse, cet homme fortuné et impotent, et en devient l'assassin. La deuxième partie (« La Mort consciente ») tente de redonner au meurtre — en apparence crapuleux — une valeur symbolique, une signification et une détermination qui l'élèvent au rang de protestation métaphysique contre le non-sens d'une vie subie par le héros. Au travers des fréquentations et des pérégrinations de celui-ci, il est aisé de reconnaître quelques épisodes autobiographiques que l'auteur n'a nullement cherché à dissimuler : le « quartier pauvre », la tuberculose (Mersault en meurt à la fin du roman), les expériences de vie communautaire, les voyages en Europe centrale et en Italie.

C'est principalement à travers les *Carnets* que l'on peut suivre la genèse de *La Mort heureuse* dont la dualité n'est pas sans évoquer *L'Envers et l'Endroit* (1937) : « la mort dans l'âme » et l'« amour de vivre », pour emprunter les titres de deux essais de ce recueil. La circulation des séquences dédiées à *La Mort heureuse* dans les pages des *Carnets* justifie que l'on observe une grande prudence en matière de datation de ces séquences, celles-ci y étant rarement datées avec précision. Comme pour la plupart des notations composant ces *Carnets*, celles qui concernent le projet de roman se présentent souvent sous forme de pages volantes écrites au crayon, rangées entre les pages non mobiles des *Cahiers*[2] à des places aléatoires. À l'époque où les notes sont rédigées, Camus n'attache nulle importance à ces questions de place et de date. Seule une critique interne permet de référer une notation à une période particulière. Par commodité, et chaque fois qu'il n'y a pas lieu de remettre en cause telle ou telle datation, on se servira de repères chronologiques pour décrire l'évolution de la genèse de *La Mort heureuse*.

À une date réputée être mai 1935, le recueil des *Carnets* s'ouvre ainsi sur les préoccupations, les expériences, les ambitions de l'étudiant-philosophe qui achève ses études supérieures et entreprend de collecter ses pensées. Depuis 1930, en effet, il est certain de sa vocation littéraire[3].

1. « Réponses à Jean-Claude Brisville », *Camus*, par Jean-Claude Brisville, Gallimard, coll. « La Bibliothèque idéale », 1959 ; *Pléiade Essais*, p. 1921.

2. Voir la Note sur le texte des *Carnets 1935-1948*, t. II de la présente édition, p. 1384.

3. Voir « Rencontres avec André Gide », *Hommage à André Gide*, N.R.F., novembre 1951 : « *La Douleur* [d'André de Richaud, roman que me fit lire Grenier en 1930] me fit entrevoir le monde de la création, où Gide devait me faire pénétrer. »

Dans la foulée de son maître à penser, Jean Grenier, dont il suit les goûts et les conceptions esthétiques, il entend faire de son œuvre le cercle clos de ses réflexions et de ses visées. C'est par le détour de son être qu'il rejoindra et explicitera le monde. « Chaque hiver se clôt dans un printemps. Il me faut témoigner[1]. » L'erreur de jeunesse sera de vouloir intégrer de vive force, en des lieux qui ne le requièrent pas, ce quant-à-soi dispersé en notations discontinues et digressives. Car si, dans *L'Envers et l'Endroit* ou *Noces*, une construction symphonique de thèmes alternés, superposés ou chevauchants, peut bien correspondre à la démarche égotiste d'un expérimentateur transférant au monde les aspects significatifs ou subjectivement privilégiés, dans les fictions, l'échec n'est que trop certain. Les contraintes logiques rigoureuses ne sauraient s'agrémenter d'une rédaction discontinue, d'affabulations concurrentes, de dissonances thématiques, de discordances temporelles, d'invraisemblances psychologiques, d'oppositions factuelles. Il faut choisir le motif fondamental qui donne forme à l'intrigue et unité sémantique à l'œuvre. Il faut tailler. À défaut, on ne peut que rapetasser l'intrigue, mobiliser les personnages, transférer les propos, combler les intermittences. Au bout du compte, le résultat est décevant : les épisodes demeurent toujours décousus, sinon autonomes ou anarchiques. *La Mort heureuse* est l'exemple de cette méconnaissance des contraintes romanesques.

C'est probablement durant la dernière semaine de décembre 1935 que surgit dans les *Carnets*, sous forme de notes, un premier fait divers qui prendra place dans le récit romanesque. Un convive ivre, tué un soir de réveillon à Alger, donne lieu à description et à prolongement affectif[2]. En pleine période d'allégeance stendhalienne, Camus, en raison d'une note de fait divers comparable figurant dans *Promenades dans Rome*, semble avoir accordé à ce spectacle une portée pittoresque. Un à deux ans plus tard, le récit de ce meurtre observé à Alger sera versé au compte des spectacles de Prague (IIe partie, chapitre 1) dans le cadre de la fiction qui s'élabore depuis mars 1936[3] et dont le titre n'est pas encore arrêté.

La naissance de Mersault.

La Mort heureuse ne s'est organisé sous la forme que nous lui connaissons qu'au début de l'été 1937. Trois périodes nous paraissent déterminantes pour le suivi de cette évolution : août 1937, novembre 1937, janvier 1938.

Antérieurement, deux ou trois plans, aux épisodes enchevêtrés et successivement rejetés, ont schématisé une faible intrigue autour d'épisodes autobiographiques[4] et de dénouements incertains par mort ou par suicide. Les titres désignant ces épisodes montrent que Camus les conçoit plus sous forme de tableaux et de scénettes que de péripéties dramatiques. Mersault, dont le patronyme apparaît tardivement au cours de la genèse du roman, ou plutôt son devancier Patrice — qui finira par lui léguer son prénom —, unique héros, y occupe le devant de la scène et distribue les rôles, à sa maîtresse Marthe, à ses voisins ou à sa mère.

---

1. *Carnets 1935-1948*, t. II de la présente édition, p. 811.
2. Voir *ibid.*, p. 798.
3. Voir *ibid.*, p. 805.
4. Voir *ibid.*, p. 810-811.

Pour dissiper tout malentendu au sujet de ce patronyme qui a donné lieu à une glose peu convaincante d'Emmanuel Roblès[1] (Mersault = Mer+sol [soleil en espagnol]), précisons qu'il nous paraît tout simplement formé sur le nom d'un greffier près d'un juge d'instruction du tribunal d'Alger, M. Marsault, dont les journaux, *L'Écho d'Alger* et *La Dépêche algérienne*, ont maintes fois mentionné la présence lors d'enquêtes judiciaires. Ainsi, *L'Écho d'Alger* du 5 mars 1938, à propos d'un meurtre commis à la Point-Pescade, relate : « De très bonne heure, hier matin, M. Bourdon, juge d'instruction, s'est rendu assisté de M. Marsault, son greffier, à l'hôpital civil [...]. » On sait par ailleurs l'intérêt anecdotique ou cocasse que Camus accorde à ces reliefs de vie quand il attribue des patronymes à ses personnages. On en verra maints exemples probants dans *L'Étranger* et dans *La Peste*.

Dès 1934-1936, les mêmes épisodes autobiographiques avaient figuré dans plusieurs ébauches romanesques bâties autour de la mère et du fils. La première de ces ébauches, sans doute contemporaine de la réunion des matériaux prévus pour *L'Envers et l'Endroit*, se trouve matérialisée dans des feuillets manuscrits que l'on a retrouvés glissés parmi les brouillons du premier essai. Selon une habitude de travail confirmée tout au long de sa vie, la circulation de thèmes et d'idées entre différents projets littéraires concomitants permet à Camus d'amasser des notes et des esquisses d'intrigue dont le tente ensuite la cristallisation sous la forme d'un essai, d'une pièce théâtrale ou d'un roman. On peut donc parler, pour qualifier les premières ébauches d'intrigue nouées autour des scénarios de sa vie d'enfant et d'adolescent, d'un cycle « Louis Raingeard » / *L'Envers et l'Endroit*. Jacqueline Lévi-Valensi a montré dans sa thèse de doctorat d'État (*Genèse de l'œuvre romanesque d'Albert Camus*) que l'ébauche du premier projet du roman avait été poussée assez avant, mais que le travail de mise en ordre n'avait pas abouti. « Il n'a cessé de le piller au profit [...] de *L'Envers et l'Endroit*, et enfin de *La Mort heureuse*, auxquels il apporte des personnages, des événements, des thèmes [...][2]. » Il y a renoncé, probablement pour des raisons analogues à celles qui lui feront ajourner la publication du deuxième roman plus abouti, *La Mort heureuse* : insuffisante maturation de l'intrigue, écrasement des personnages, réduits aux rôles de comparses sous l'omnipotence du héros substitut de son créateur, inexpérience expressive. Dès que Camus passera à l'imbrication des notes rédigées et des péripéties, la soumission aux nécessités de la progression logique et dramatique aboutira au recentrage de l'intrigue et à l'éviction des attitudes égotistes.

C'est à partir d'août 1937 que le récit a évolué vraiment. L'intrigue est modifiée, et Mersault, devenu entreprenant et volontaire, part à la conquête de l'argent et du bonheur : il « se donne tout entier à cette conquête de l'argent, y réussit, vit et meurt *heureux*[3]. » Relativement tardive, cette date s'explique par la révision de *L'Envers et l'Endroit*, publié en mai 1937. Trois mois plus tard, en novembre 1937, l'action est ampli-

---

1. Voir E. Roblès, « Jeunesse d'Albert Camus », *Hommage à Albert Camus. 1913-1960, La Nouvelle Revue française*, VII, n° 87, 1ᵉʳ mars 1960.
2. La thèse de J. Lévi-Valensi est reprise sous le titre *Albert Camus ou la Naissance d'un romancier* (Gallimard, coll. « Cahiers de la NRF », 2006, p. 208). — Voir aussi la notule de « Louis Raingeard », p. 1224-1225.
3. *Carnets*, p. 827.

fiée. Camus introduit un comparse infirme et l'érige en protagoniste, héritier des propos cyniques ou amers de « Claire » apparaissant dans les *Carnets*[1] (voir le chapitre IV de la Ire partie) et du penchant au suicide de Mersault.

À la base de ce changement fondamental apporté à la représentation du monde conçu pour le roman et à la personnalité de son principal protagoniste, on trouve, peut-être, outre des réminiscences littéraires de Gide et de Dostoïevski, l'écho d'une affaire crapuleuse qui avait secoué la ville d'Alger à la fin de septembre 1937. *L'Écho d'Alger* du 26 septembre titrait ainsi la relation de l'assassinat d'une vieille dame par l'enfant qu'elle avait élevé : « Rue de la Liberté, un garçon de dix-huit ans assomme sa bienfaitrice. / Je voulais la dévaliser, je ne voulais pas la tuer, — j'avais le vivre et le couvert. Mais je voulais pouvoir m'amuser. » Le rédacteur de l'article précisait les circonstances de l'assassinat en insistant sur l'horaire matinal, la connaissance que la victime avait de son visiteur, le cynisme du jeune homme et sa fuite :

« 26, rue de la Liberté.

« La maison est bourgeoise et tranquille.

« Dans son appartement, coquettement arrangé et amoureusement entretenu, Mlle Duchêne, visiteuse des enfants assistés, s'occupe à quelques soins de ménage.

« Sept heures ont sonné depuis un moment. Les laitiers ont rempli devant les portes les petits pots d'aluminium.

« Dans la rue l'activité naît peu à peu.

« Soudain un coup de sonnette retentit. Mlle Duchêne va ouvrir.

« — Tiens, c'est toi Octave, dit-elle au jeune garçon qui se tient au seuil de la porte, qu'est-ce que tu viens faire de bonne heure ?

« — Chercher quelques livres pour envoyer à mon frère Justin qui est au régiment. [...]

« À ce moment, ce dernier se rue sur Mlle Duchêne. Il tient un marteau à la main. Il frappe avec violence sur la tête de la malheureuse femme. [...] Il ouvre la porte et fuit. [...] »

Ce qui incite à considérer ce fait divers comme déterminant pour l'évolution de l'intrigue est la corrélation des dates. Ce même 26 septembre 1937, on trouve de façon révélatrice, dans les Cahiers de l'écrivain, la mention : « 1) Faire précéder roman de fragments de journal [...][2]. » Il est vraisemblable que l'un des épisodes fondamentaux du roman en gestation ait trouvé son origine dans cette relation d'un fait divers. Le découpage est encore provisoire : les trois parties encore prévues le 17 novembre 1937[3] seront réduites à deux. Dans les *Carnets*, il est à maintes reprises fait référence à une distribution des épisodes et des péripéties en trois parties à des dates qui demeurent incertaines[4]. On s'intéressera plus particulièrement à celui qui est donné ci-dessous (et qui figure dans les avant-textes de *La Mort heureuse*), parce qu'il est le plus clair et probablement l'un des derniers à relever du schéma initialement conçu et maintenu au moins jusqu'en février 1938[5] : « Ire partie : 1° Le

1. *Ibid.*, p. 834-835.
2. *Ibid.*, p. 838.
3. Voir *ibid.*, p. 843.
4. Voir *ibid.*, p. 810, 811, 824, 825 et 826.
5. Voir *ibid.*, p. 848.

quartier pauvre ; 2° Patrice Mersault ; 3° Patrice et Marthe ; 4° [P. et ses amis ?] ; 5° Patrice et Zagreus. IIe partie : 1° Assassinat de Zagreus ; 2° Fuite devant l'angoisse ; 3° Retour au bonheur. IIIe partie : 1° Les femmes et le soleil ; 2° Le bonheur secret et ardent à Tipasa ; 3° La mort heureuse. »

Les remaniements opérés à partir de mars-avril 1938 font que des séquences additives sont soit déplacées, soit finalement écartées. Le fragment daté de décembre[1] est transféré de Salzbourg à la villa de Zagreus (voir p. 1125). Des lettres de rupture prévues et destinées à Marthe[2], une seule verra le jour (voir p. 1137) ; l'appendice à la conversation Mersault-Céleste[3] n'est pas utilisé. À la fin de janvier 1938, l'intrigue a trouvé son moteur[4]. Mersault à la recherche de la liberté et du bonheur tue l'infirme et prend conscience d'un mal révélateur dont les chapitres ultérieurs diront qu'il dégénère en maladie avant même son départ d'Alger[5]. Corrélativement à la réduction en deux parties, le meurtre est transféré de la deuxième à la première partie.

Au terme de ce travail, Camus parut insatisfait. A-t-il pris conscience tout seul d'une intrigue faible et quasi allégorique, d'un héros au moi hypertrophié qui passait son temps à se plaindre et à se contempler, et d'une technique expressive insuffisamment travaillée ? En juin 1938, la conclusion vint sans appel : « Récrire roman[6]. » On verra plus bas que la critique de Jean Grenier y contribua pour beaucoup. Camus essaya timidement, au cours de l'été de 1938, d'enrichir le cinquième et ultime chapitre de la deuxième partie[7].

Alors, semble-t-il, *La Mort heureuse* déclina dans l'esprit de son créateur. Celui-ci découvrit l'impossible gageure de maintenir unité et cohérence à des épisodes étrangers les uns aux autres, soumis antérieurement à un autre schéma narratif. Les ultimes concessions aux nécessités dramatiques, loin de pondérer les expériences désinvoltes d'un héros indifférent, égotiste, élu à la ressemblance de l'écrivain, ont distendu les faibles liens thématiques qui reliaient encore les chapitres. Le réexamen esthétique sera l'occasion d'une remise en question fondamentale.

Commença alors une longue période d'incertitude, durant laquelle Camus balança entre l'espoir de récrire son texte et de tonifier son intrigue, et la conviction progressive qu'il n'était plus en phase avec ce projet, parce que la plongée dans la réalité sociale et politique de l'époque avait alors agi à la manière d'une thérapie cognitive, c'est-à-dire d'une prise de distance progressive vis-à-vis d'un passé dont il relativisa l'importance et dont il s'émancipa pour donner ses chances à une nouvelle vie.

---

1. Voir *ibid.*, p. 844.
2. Voir *ibid.*, p. 852.
3. Voir *ibid.*
4. Voir *ibid.*, p. 848.
5. L'indifférence de Mersault au mal qui le ronge dès le meurtre accompli n'est pas sans laisser penser à un « suicide » — un suicide par « mort naturelle », pourrait-on dire, dont il est question dans les *Carnets* (voir p. 824 et 825).
6. *Ibid.*, p. 853.
7. Voir *ibid.*, p. 860.

L'ajournement de « La Mort heureuse ».

Un examen de l'évolution thématique et discursive permet de comprendre l'origine et les causes de la distance progressive que l'écrivain prit vis-à-vis de sa fiction. Elles furent de deux ordres.

Les *causes structurelles* procèdent du mode et des conditions de rédaction du roman. Impatient de produire une œuvre qui fasse la preuve de son talent et le libère du trouble psychologique qui l'accable chaque fois qu'il pense à sa condition présente et à ses expériences passées, Camus a cru pouvoir constituer une fiction cohérente et dramatique en assemblant des séquences relevant de projets antérieurs. De « Louis Raingeard » et de *L'Envers et l'Endroit*, ou de brouillons plus anciens, sont demeurés des fragments, exploités ou non, dont il a espéré tirer encore parti en les adaptant au projet du second roman. Celui-ci, d'abord centré autour du « quartier pauvre », a recueilli les reliefs du projet dépassé « Louis Raingeard ». Jacqueline Lévi-Valensi en a recensé quelques-uns. Ceux notamment dans lesquels il est question de l'histoire du tonnelier, de la relation mère-fils et de la découverte de la phtisie[1]. Mais la dynamique dramatique a évincé les accents de *lamento* au profit d'un style de vie revendiqué. Le personnage principal, qui dispose d'un prénom, Patrice, va au cours du deuxième semestre 1937 hériter d'un patronyme (Mersault), et se trouver associé à un protagoniste dont le patronyme symbolique (Zagreus) et la condition physique et sociale (infirme riche) paraissent peu adéquats à la substance narrative antérieure. C'est l'époque où Camus hésite entre ses deux identités, le moi de la fidélité au monde maternel et familial, le moi de l'émergence sociale et de la rupture avec celui-ci. La fiction sur le premier mode était centrée sur la vie de Patrice, futur Mersault. La mort de la mère intervenait presque à la fin de la première partie, après le récit des expériences familiales et professionnelles du jeune Camus ; la seconde partie détaillait les relations féminines. Le héros se suicidant assez tôt, la nature de la narration restait ambiguë, puisqu'elle alternait évocation au présent et évocation au passé. La juxtaposition de ces deux plans temporels accroissait la complexité de la structure narrative et lui donnait un caractère inutilement artificiel.

Ce n'est qu'en décembre 1937 que le dénouement prévu (suicide) subira l'effet du revirement idéologique, thématique et dramatique majeur. Mersault décide d'assassiner Zagreus, puisque la voie choisie est celle de la révolte et de la rupture avec le moi passé. L'allégeance initiale aux expériences familiales de l'enfance n'est plus de mise, puisque toute référence explicite à des symboles familiaux est supprimée. Le caractère du dénouement choisi marque une mutation idéologique profonde. La délivrance ne s'accomplit plus par le récit de son passé douloureux et son suicide, mais par le crime. L'indifférence au rapport mère-fils antérieur devient décisive et légitime la transgression d'un ordre social fictif. En même temps, l'inconscient de l'écrivain transgresse les interdits familiaux. Il y a élaboration d'un plan symbolique. Zagreus, père putatif, cultivé et riche, privé de ses jambes, unit en sa figure mythique les attributs contraires de la parentèle masculine, l'oncle Acault et l'oncle Sintès.

1. Voir *La Mort heureuse*, respectivement : p. 1133-1136, 1112 et 1111.

Les pulsions agressives de l'enfant et de l'adolescent, nées des frustrations successives, se résolvent par le meurtre symbolique des oncles. Le prototype de Caligula entre en scène. Dans une note confiée aux *Cahiers* en septembre 1937, et qui ne sera pas reprise dans la dactylographie, l'écrivain exalte sa transformation. La confidence aurait dû s'insérer entre l'observation sur « Les roses tardives dans le cloître de Santa Maria Novella » et l'extrait concernant Fiesole[1] : « Pour moi, je sais bien aujourd'hui que les jours qui viennent de passer sont comme une charnière, à cause de ce grand amour si neuf que la terre fait lever en moi et qui me laisse sans forces. » Toute l'écriture et l'organisation du roman auraient dû, en bonne logique, être reconsidérées. Il n'en fut rien ou presque, Camus n'ayant pas eu le temps de remettre en chantier son canevas.

Des *causes conjoncturelles* vinrent aussi s'ajouter aux incertitudes et aux défaillances structurelles dont il vient d'être question. À la fin de juin 1938, J. Grenier, consulté sur la qualité du roman, émit une appréciation très négative. Camus y acquiesça non sans amertume : « D'abord merci. Votre voix est la seule aujourd'hui que je puisse entendre avec profit. Ce que vous me dites me révolte toujours pendant quelques heures. Mais cela me force à réfléchir et à comprendre. [...] Aujourd'hui ce que vous me dites est tout à fait juste. Ce livre m'a coûté beaucoup de peine. [...] / Je suis content cependant que certaines parties vous aient plu — content aussi d'avoir fait des progrès. Je dois avouer que cet échec ne me laisse pas indifférent. Je n'ai pas besoin de vous dire que je ne suis pas d'accord avec la vie que je mène. Et j'avais par là même accordé une grande importance à ce roman. J'avais tort sans doute[2]. »

Interrogé sur l'utilité de récrire la fiction, J. Grenier approuva cette décision. Au bout de six mois de travaux, l'entreprise parut impossible à prolonger. L'écrivain tenta de reprendre l'ancienne thématique du « quartier pauvre ». L'histoire des relations mère-fils et celle du condamné à mort redevinrent d'actualité. La séquence de décembre 1938[3], précédée d'une mention dont la lecture au manuscrit est incertaine (« 22 » ou « QP », pour « quartier pauvre »), montre qu'un nouveau pôle de fiction pouvait s'imposer, sous l'effet de l'actualité de la période 1938-1939. De juin 1938 à mars 1939, d'autres causalités conjoncturelles contribuèrent aussi à une nouvelle perception des conflits personnels permanents. L'entrée de Camus en journalisme, à partir d'octobre 1938, et les engagements idéologiques qu'elle suscita placèrent la thématique du roman, toujours en gestation, sur le plan des multiples formes d'aliénation sociale et de destins que la réalité dévoilait. Elles conduisirent à *L'Étranger*.

Une tentative de réécriture.

En août 1938, le style du roman est confronté à celui des modèles classiques[4]. Le désaveu du style passé ne fait point de doute. La critique du jeune journaliste Camus consacrée à *La Nausée* de Sartre, et publiée

---

1. *Carnets*, p. 831.
2. Lettre du 18 juin 1938 de Camus à Grenier, *Correspondance 1932-1960*, éd. Marguerite Dobrenn, Gallimard, 1981, p. 28-29.
3. Voir les *Carnets*, p. 863.
4. Voir *ibid.*, p. 856 et 861-862. — Voir aussi la Notice sur *L'Étranger*, p. 1246.

le 20 octobre 1938 dans « Le Salon de lecture » d'*Alger républicain*, laisse entrevoir un second désaveu[1].

La théorie littéraire qui fut élaborée au fil des chroniques d'*Alger républicain* consacrées à l'actualité littéraire est décrite dans la notice concernant ces contributions critiques[2]. La prise de distance vis-à-vis de *La Mort heureuse* a dû être d'autant plus marquée que Camus était désormais conscient des faiblesses de tout roman où justement abondaient le bavardage et les images essentiellement décoratives. Aux yeux d'un écrivain soudainement dégrisé des coquetteries lyriques et égotistes, la remise en cause du mode narratif passé soulignait le caractère peu amendable de l'édifice construit. Dramatiquement injustifiable, le dénouement conventionnel et plaqué de *La Mort heureuse* n'avait d'autre logique que la subjectivité du romancier, ses craintes et ses tentations passées. Il dérobait Mersault au moment où sa situation morale le rendait encombrant. Le meurtre lui-même, aussi discret que secret, apparemment proche du crime crapuleux, devenait le signe paradoxal d'une fraternité élective et supérieure : Zagreus, tenté par la mort, n'acceptait de mourir que pour libérer Mersault, lequel consentait au meurtre pour mettre un terme à la détresse de son ami. On était loin du roman policier et de ses entreprises machiavéliques, mais proche du genre précieux ou baroque. Psychologiquement aussi les personnages semblaient vivre dans une bulle où les contingences du réel n'avaient nulle place : on restait dans une sphère de gratuité profonde, de confort esthétique et de scrupules absents. *La Mort heureuse*, par sa facture ironique et ses préoccupations égotistes, n'avait pas grand rapport avec la réalité tragique qui s'imposait alors, avec la guerre d'Espagne et son cortège d'horreurs précédant la capitulation de Munich et les signes avant-coureurs d'un naufrage de civilisation.

Il ne pouvait être question de remédier au style et à ces ambiguïtés sans toucher à la nature du récit, aux événements et aux profils psychologiques des personnages. Dans un premier temps, Camus n'a tenté qu'une rénovation dramatique des épisodes les plus faibles et notamment du dénouement. Comme il est dit plus haut, en août 1938, Mersault sort de sa passivité antérieure et clame son désespoir de mourir[3]. On ne sait si la cause de la mort fut elle-même modifiée. Quoi qu'il en soit, maladie ou condamnation à mort, déjà se profile le refus de l'aliénation et de l'absurde.

Il est possible cependant que la rupture avec le roman en sursis ait été plus franche. Décidé à le récrire, Camus en aurait d'abord extrait, pour les exploiter autrement, les épisodes les moins artificiels ou correspondant à la nouvelle actualité. Deux pôles (le pôle mère-fils et le pôle du condamné à mort), en effet, débiteurs à cet égard de deux des « 6 histoires » passées en revue dans les *Carnets*[4], ne sont pas sans suggérer la constitution d'un nouveau schéma d'intrigue. Ce sont précisément celles autour desquelles, depuis « Louis Raingeard », l'imaginaire du jeune écrivain s'était polarisé : « Histoire du quartier pauvre. Mort de la mère » ; et « Histoire du condamné à mort ».

---

1. Voir p. 794.
2. Voir la Notice du « Salon de lecture », p. 1388.
3. Voir les *Carnets*, p. 860.
4. Voir *ibid.*, p. 811.

Seul le « quartier pauvre » a donné lieu à développement au chapitre
v de la première partie du roman. Le décès maternel, ou plutôt son
enterrement, évoqué succinctement, n'avait servi qu'à manifester la
désinvolture du fils et son défi aux conventions. « On attendait beaucoup de l'enterrement. On rappelait le grand sentiment du fils pour la
mère. [...] Lui, cependant, s'habilla du mieux qu'il put et, le chapeau à
la main, contempla les préparatifs. Il suivit le convoi, assista au service
religieux [...]. Ce fut tout[1]. »

Il semble que Camus se soit accroché à cette thématique mais pour
en subvertir l'évocation. L'enterrement de Marie Burg en mai 1938,
belle-mère de son frère Lucien, morte à l'asile de Marengo, avait réintroduit le romancier dans le monde de la vieillesse, de la pauvreté et de
l'infirmité. Le fragment « La vieille femme à l'asile de vieillards[2]... », dès
cette date, et alors qu'il rien ne laissait prévoir le recours à une nouvelle
fiction, avait décrit l'attitude des pensionnaires, le chagrin de l'amie de
la défunte, le concierge et ses ragots, l'obstination du petit vieux à suivre
le convoi, le chance de l'infirmière mauresque. Mais, en août, à peine la
transformation de *La Mort heureuse* paraissait-elle ébauchée (« Thème :
L'univers de la mort. Œuvre tragique : œuvre heureuse ») que la stylisation romanesque du fragment de mai 1938 concernant l'enterrement
était effectuée — au profit de *L'Étranger*, on le sait[3]. Elle réduit le nombre
de personnages, concentre les liens affectifs sur le petit vieux, infirme et
entêté, promu ami de la morte, et esquisse l'insertion d'un plan symbolique et mythique. Démesure solaire et enfoncement dans les choses
deviennent les manifestations préliminaires du triomphe de l'absurde.
De la « nausée » aussi. On ne saurait, en effet, méconnaître en ce premier
approfondissement de la situation vécue les reliefs des visions kaf-
kaïennes (*La Métamorphose* parut en mai 1938 en traduction française)
et sartrienne (*La Nausée* parut en avril 1938). En décembre 1938, la dra-
matisation de l'enterrement de la mère se poursuivit. L'espoir de son
exploitation romanesque ne fait pas de doute. Les personnages sont
typés dans leurs propos et leur attitude, et un personnage-narrateur, non
identifiable, prend en charge la relation. Assiste-t-on à l'écroulement de
l'univers romanesque antérieur ?

Probablement. Car il semble bien, grâce au repérage ici et là du sigle
« QP » (pour « quartier pauvre », rappelons-le) sur les manuscrits des
Carnets, que Camus ait travaillé à une nouvelle écriture des schémas thématiques projetés dès 1936. Peut-être, la substitution d'un « je » au « il »,
c'est-à-dire l'identification du narrateur au personnage, procédait-elle
simplement de l'évolution logique d'une forme narrative latente et sous-
jacente au projet de *La Mort heureuse*. Hypersensible comme son créateur,
Mersault, en effet, s'était proposé, à l'automne de 1936[4], de relater l'histoire d'un condamné à mort en s'identifiant au supplicié. Il sied de
remarquer aussi que la réflexion sur la structure narrative de *La Nausée* a
fait son chemin. Le 20 octobre 1938, Camus avait noté dans son compte
rendu du livre : « [...] le livre n'a pas figure de roman, mais plutôt de
monologue. Un homme juge sa vie et par là se juge. Je veux dire qu'il

---

1. P. 1112.
2. *Carnets*, p. 852.
3. Voir *ibid.*, p. 860, août 1938. — Voir la Notice sur *L'Étranger*, p. 1244.
4. Voir les *Carnets*, p. 810.

analyse sa présence au monde, le fait qu'il remue ses doigts et mange à heure fixe — et ce qu'il trouve au fond de l'acte le plus élémentaire, c'est son absurdité fondamentale[1]. »

Non retenue, de fait, pour le récit disgracié, la séquence du condamné à mort, en tant qu'histoire et mode narratif, ne devait reparaître qu'au moment favorable, au détour de considérations sommaires sur la liberté métaphysique et ses limites. En août 1938 déjà, les rapports de la liberté et de la mort avaient été abordés et ponctués du mot attribué à Ivan Karamazov[2]. Courant décembre, en prélude au *Mythe de Sisyphe*, la liberté fut de nouveau confrontée à l'absurde et à la mort : « Kirilov a raison. Se suicider c'est faire preuve de sa liberté. [...] Les hommes ont l'illusion d'être libres. Les condamnés à mort n'ont pas cette illusion[3]. » Il semble alors que la vieille tentation de Mersault se soit réveillée. Avec méthode, le monde du condamné à mort est repéré subjectivement et objectivement, avant et après l'exécution : « *Avant* : "Ce cœur, ce petit bruit qui depuis si longtemps m'accompagne [...] / (La mère : "Et maintenant ils me le rendent [...] en deux morceaux[4].") » Il est approfondi et peuplé d'instants diversifiés par la mutation des préoccupations. Du verdict au pourvoi ou à la grâce, les différents termes de la « mathématique de la mort » sont en place.

Cette plongée dans l'univers du condamné à mort intervint parce que l'actualité y contribua. *La Dépêche algérienne*, dont Camus exécrait le manque de pudeur dans le traitement de l'actualité, publia le 30 décembre 1938 le récit circonstancié de l'exécution d'Aaron Zaoui, accusé de l'assassinat d'un comparse pour un motif crapuleux. Rien ne manquait pour faire vibrer les lecteurs en quête de mise à mort.

« AARON ZAOUI A EXPIÉ SON HORRIBLE FORFAIT

« Par M. Arnaud [...] nous apprenons que Zaoui qui, depuis que son pourvoi en cassation a été rejeté, passe des nuits agitées, s'est réveillé vers 1 heure. Il n'a plus fermé l'œil, comme s'il avait été averti par un pressentiment. Il sursaute au moindre craquement et n'entend que les battements de son cœur. »

Au terme de la course, Mersault est devenu fortuitement le narrateur de l'histoire projetée deux ans plus tôt, si l'on se fie aux datations aléatoires des *Carnets*. Il exploite l'une des six histoires dédiées au « quartier pauvre ». Au début et au terme de sa réécriture, *La Mort heureuse* semble avoir, en évinçant d'autres thématiques mineures, privilégié deux pôles dramatiques (enterrement de la mère et exécution du héros) que l'on retrouvera pour *L'Étranger*.

L'abandon de « La Mort heureuse ».

L'idée de récrire son roman en cours de rédaction ne date sans doute pas de juin 1938. En 1937, Camus, dans ses *Carnets*, évoque à deux reprises l'effort qu'exige la nécessaire réécriture : « Question de paresse pour ceux qui ne réussissent pas[5]. » Le terme des tentatives de réécriture

---

1. P. 795.
2. Voir les *Carnets*, p. 857.
3. Voir *ibid.*, p. 871.
4. *Ibid.*
5. Voir *ibid.*, p. 816, et aussi p. 838. — Les tensions expressives qui parcourent le texte de *La Mort heureuse* sont la conséquence des dispositions stylistiques évolutives du roman-

entamées durant l'été de 1938 semble dater de décembre 1938 et de janvier 1939 : il est encore question du narrateur (« Mersault »)[1]. Mais en février 1939, une note lapidaire et énigmatique paraît suspendre toutes les recherches antérieures : « Des vies que la mort ne surprend pas. Qui se sont arrangées pour. Qui en ont tenu compte[2]. » Après celle-ci, nulle date, nulle mention de personnage, nul sigle, nulle séquence ne viendront rappeler l'ancienne fiction. Un fragment de mars 1939 n'est en rien destiné à *La Mort heureuse*[3]. Malgré les apparences, le voyage dont il est question n'est pas celui de Mersault à Prague ou ailleurs, mais celui de Camus en Oranie, à Tiaret, plus précisément. Chargé de suivre pour *Alger républicain* l'affaire Hodent, dont il rendra compte du 5 au 25 mars 1939, il visite la région. Il faut donc que la note de février 1939 ait bouleversé les dernières prévisions. Celle-ci, de prime abord, n'est en rien singulière et pourrait condenser l'expérience de Mersault, en ses choix successifs. Mais la date reste inexplicable. Ce n'est pas au moment où l'ancienne fiction s'éloigne que l'écrivain entreprendrait d'en dégager la signification. Pas plus d'ailleurs qu'on ne saurait considérer cette épure comme anticipatrice de *L'Étranger* à venir, puisque, nonobstant sa prétention à vivre dans la vérité et son rejet de toutes les ambitions, tout le malheur du héros Meursault naîtra de son imprévoyance (« J'étais toujours pris par ce qui allait arriver, par aujourd'hui ou par demain[4] »). L'explication est, semble-t-il, ailleurs : sur la couverture du catalogue NRF du 1er février 1939 et, probablement, dans le bulletin publicitaire du mois antérieur. On y récapitule les titres d'un certain nombre de romans choisis, au milieu desquels figure *La Mort jeune* de Jean Merrien. L'ouvrage, publié chez Gallimard, le 26 juillet 1938, relate l'existence brève d'un jeune étudiant qui a ajourné tous les plaisirs, organisé sa vie rationnellement, dans l'espoir de réussir et de réaliser ses ambitions.

Mais alors que tout lui promettait l'avenir rêvé, la contagion d'un mal sans rémission, le sarcome, ne lui laisse que trois mois de sursis et une vie à réorganiser immédiatement en fonction de la nouvelle et seule échéance. Au-delà de l'identité des titres, on reconnaît là une intrigue fort proche de *La Mort heureuse*. On peut facilement imaginer la stupeur de l'écrivain découvrant exposé le sujet couvé deux années durant. Ce n'est pas là une vague conjecture. Camus, nous le savons, est d'abord un lecteur assidu des catalogues littéraires, d'autant plus que, chroniqueur littéraire à *Alger républicain* depuis octobre 1938, il lui faut rendre compte des nouvelles publications. Mais surtout, Jean Merrien est le pseudonyme du frère de Claude de Fréminville, l'ami de Camus, ami qui prendra plus tard lui-même le pseudonyme de Claude Terrien. On peut comprendre dès lors pourquoi le thème commun à *La Mort jeune* et à *La Mort heureuse*

cier entre 1936 et 1938. Entré en littérature avec la conviction que l'écriture littéraire disposait de marques spécifiques — envolées lyriques, recherches métaphoriques, souci des « effets » ou des écarts avec la langue ordinaire —, Camus exprimera quelque temps plus tard combien l'œuvre artistique exige dépouillement, « renoncement », élaboration d'une forme spécifique porteuse d'une vision du monde (voir la Notice de *L'Étranger*, p. 1246).

1. Voir *ibid.*, p. 873.
2. *Ibid.*
3. Voir *ibid.*, p. 875.
4. *L'Étranger*, p. 200.

réapparaît subitement en février 1939. Dès le début du roman de Jean Merrien, le problème de la véritable estimation de la vie est posé. Remise en cause des valeurs, modes de vie fallacieux, proclamation de la seule conduite signifiante à l'égard des échéances inéluctables sont des leçons d'existence tant les récits de morts prématurées ne manquent pas. Le cousin du héros de *La Mort jeune*, héros de la guerre d'indépendance, renia courage et dévouement dès qu'il fut prévenu de sa maladie mortelle. « Les balles anglaises ? Il s'agissait de passer à travers. On jouait tout ou rien ; pas à crever comme ça. Le risque faisait partie du jeu, mais partie seulement. Maintenant, je ne peux plus passer à travers. Alors quoi ? J'ai vingt-neuf ans. Je ne veux pas mourir à vingt-neuf ans[1]. » Bernard, confronté à sa mort, se trouve dépouillé de toutes les illusions. L'amour lui-même, objet de sa quête antérieure, est dénoncé comme « un cliché, sur lequel il avait bâti sa vie ; et l'approche de la mort détruisait tous les clichés. Il voyait vrai "maintenant" ». Ainsi se structure un univers bien connu de Camus, celui de la maladie galopante et des révisions psychologiques conséquentes. Alentour, les entrelacements thématiques composent, comme dans l'ancienne fiction, les ballets d'idées ou de figures où le roman puise son équilibre. Des étudiants en vacances échangent leurs projets, des idylles se nouent entre Bernard et ses compagnes, des dialogues sur l'argent, la vie, les femmes, la mort préludent aux premiers combats de l'existence. L'amour de la nature, de longues promenades sur la place rythment les élans et les propos. Il n'est pas jusqu'au regard fatal que Bernard jette sur sa destinée, jusqu'à l'affirmation implicite d'un univers absurde, qui ne soient présents : « Après l'enterrement, [...] ce sera quoi ? Le printemps. Il y aura du monde partout, à travailler. [...] Peut-être les pêchers de vignes seront-ils en fleurs ? [...] Au fond, quand je n'y serai plus, je ne manquerai guère à personne[2]. »

Mais comme au terme de *La Mort heureuse*, c'est l'image d'une mort heureuse et apaisée qui éclôt au dernier moment : « Comme tu es calme. Si j'osais, Bernard, je dirais presque, tu es heureux. — Je le suis, Paul[3]. » Le choix tardif et contraint de Bernard a rejoint l'opinion libre et décisive de Mersault. « À cette heure, où sa vie lui paraissait si loin, seul, indifférent à tout et à lui-même, il parut à Mersault qu'il avait atteint enfin ce qu'il cherchait et que cette paix qui l'emplissait était née du patient abandon de lui-même qu'il avait poursuivi et atteint avec l'aide de ce monde chaleureux qui le niait sans colère[4]. »

Comme nos deux héros, *La Mort heureuse* mourait de sa belle mort. L'écrivain ne pouvait plus espérer faire œuvre originale avec un roman dont le titre (à peu de chose près) et le sujet étaient déjà publics. Il lui fallait trouver une autre fiction. Les pôles dramatiques, dégagés par la tentative de réécriture, allaient la lui offrir, en amorçant une nouvelle intrigue décrochée de l'ancienne.

ANDRÉ ABBOU.

1. Jean Merrien, *La Mort jeune*, Gallimard, 1938, p. 109.
2. *Ibid.*, p. 201-202.
3. *Ibid.*, p. 205.
4. P. 1188-1189.

NOTE SUR LE TEXTE

La Mort heureuse fut publié en 1971 ; ce roman posthume, paru avec une introduction et des notes de Jean Sarocchi, inaugure la série des *Cahiers Albert Camus*.

On dispose, pour distinguer les phases de rédaction du texte, de quatre types de documents :

— Des feuillets épars, manuscrits au crayon mine, de tous formats, y compris sur du papier provenant de l'Institut de météorologie d'Alger, où Camus travailla de novembre 1937 à septembre 1938. On les désignera par *ms.*

Ils ne forment pas un texte rédigé de façon suivie et méthodique mais plutôt des fragments de narration tournés selon les commodités du moment. Hormis le chapitre III de la deuxième partie, rédigé de façon cursive, qui relate la vie de la « Maison devant le Monde » et dont tout laisse penser qu'il fut récrit à partir d'un texte antérieur, l'ensemble de ces feuillets ne forme pas un manuscrit, au sens habituel du terme. Ce que Camus a reconnu dans une correspondance adressée à Francine Faure, intervenue entre février et juillet 1938 : « J'ai travaillé sans arrêt et écrit (je peux vous l'assurer n'est-ce pas ?) tout un roman que j'ai terminé depuis peu. [...] Seulement, tout cela a été écrit dans l'exaspération, porté des heures durant pour être écrit le soir seulement. Alors, malgré les compliments d'usage qu'on m'en a fait (Grenier, Heurgon), il ressort de ce qu'ils disent quelque chose de clair : c'est un échec. Trop haletant pour être artistique [...]. J'ai travaillé seul. Je n'avais personne à qui lire une ligne. [...] Alors je me suis aveuglé et noyé. J'ai remplacé ce que je devais exprimer par ce que je voulais exprimer. [...] Ce que je fais est toujours très obscur pour moi. »

— Un premier dactylogramme (sigle : *dactyl. 1*) rangé dans une chemise portant la mention autographe : « La Mort heureuse — premier état (1937-1938) ». Il s'agit d'un texte issu de deux états dactylographiés préalables et non retrouvés — la double foliotation de *dactyl. 1* témoigne de l'existence de feuillets dactylographiés antérieurs —, l'un datable de la période 1936-juillet 1937, l'autre d'août 1937-janvier 1938.

Il est corrigé à la main par Camus ; nous désignerons cet état corrigé par le sigle *dactyl. 1 corr.* Ces interventions, dont des ajouts parfois très longs, sont portées en marge ou rejetées en bas de page et au verso, voire sur des becquets de tous formats et dont le point d'insertion a dû être incertain pour la dactylographe. Ce document atteste, par les souschemises qui le scindent en chapitres, un travail attentif de découpage et de réaménagement.

— Un deuxième dactylogramme (sigle : *dactyl. 2*) dans lequel ont été intégrées les corrections de *dactyl. 1 corr.* Sur ce document sont portées des corrections allographes.

Il est rangé dans une chemise portant la mention autographe : « La Mort heureuse — deuxième état (1937) », ce qui n'est pas logique puisque le premier état est daté de « 1937-1938 ». Cependant, cette anomalie peut s'expliquer simplement. Sans doute la mention « deuxième état (1937) » n'est-elle qu'une mention de circonstance, sachant que rien n'indique

que la répartition des feuillets de *dactyl. 1* et de *dactyl. 2* dans leur chemise respective ait été faite par Camus : soit la mention fut apposée avec quelque désinvolture par celui-ci sur une chemise avant remisage pour archive, soit il a réutilisé une chemise sur laquelle figurait la date « 1937 » qui n'aurait pas été effacée.

— Un troisième dactylogramme (sigle : *dactyl. 3*) que Francine Camus fit taper après la mort de son mari à partir du premier état, et sur lequel elle recopia les corrections manuscrites portées sur le deuxième état et acceptées par Camus.

Nous reproduisons ici le dactylogramme établi par Francine Camus, à partir de *dactyl. 1* et des corrections de *dactyl. 2*. Nous ajoutons, pour la commodité, la numérotation des chapitres.

Au total, on peut considérer qu'il y eut quatre étapes de rédaction :
1) une première dont témoignent les feuillets manuscrits de la première période ;
2) une deuxième — hypothétique, car aucun document n'est aujourd'hui disponible — consistant en l'état modifié et enrichi par quelques extraits des cycles « Louis Raingeard » / *L'Envers et l'Endroit* / « quartier pauvre » ;
3) une troisième correspondant à *dactyl. 1 corr.* ;
4) et une quatrième correspondant à *dactyl. 2*.

La diversité des apports textuels et thématiques à la source de *La Mort heureuse* a pour conséquence une pluralité de microsystèmes expressifs distincts et juxtaposés. Il serait donc difficile d'en rendre compte, au plan global, par un relevé exhaustif des variantes, tant elles sont mineures parfois, douteuses aussi parce que les états de rédaction s'enchevêtrent, et sans perspective d'analyse pertinente, puisque le système expressif et le style de l'écrivain dans ce roman se situent dans une approche plus synchronique que diachronique. Ne sont donc données ci-dessous que des variantes ayant valeur d'exemples de l'évolution des états successifs du texte.

A. A.

NOTES ET VARIANTES

Première partie.

a. déserte. C'était deux jours après sa conversation avec Roland. On était *ms. Le repère temporel a été supprimé parce qu'il y a eu transfert de la scène du meurtre du chap. v au chap. 1.* ◆◆ *b.* des troncs et comme le rire fou de la terre dorée. La route *ms.* ◆◆ *c.* matin riait de toutes ses dents bleues et brillantes sur la terre *ms.* ◆◆ *d.* un visage à la fois jeune et vieux d'enfant et de mandarin. C'était le visage même de la vérité qui dans le ciel souriait à Mersault. Mersault s'était arrêté *ms.* ◆◆ *e. Dans dactyl. 1, la suite de la phrase est entrecoupée d'espaces blancs ou en pointillés, comme si la dactylographe laissait à Camus le soin de déchiffrer les ambiguïtés du manuscrit.* ◆◆ *f.* cinquantaine. L'homme qui parlait grattait son ventre, en relevant sa longue chemise flottante à chaque allée et venue de ses mains velues. Sa face éclairée de deux paires de moustaches grisonnantes regardait Louis. Quelque chose en cet homme disait l'intelligence et la franchise inséparables d'un cœur simple. Moi, j'ai connu un copain *ms.* ◆◆ *g. Le passage qui suit, jusqu'à « Je n'ai pas su finir… » (p. 1130, 3ᵉ ligne en bas), correspond à ce texte de ms. (nous en donnons des extraits) :* Lui, Zagreus, tenait pour certain qu'on ne pouvait être heureux sans argent. Chez certains êtres d'élite il y a une sorte de snobisme spirituel qui les fait essayer de croire que l'argent n'est pas nécessaire au bonheur. Pour un homme bien né, disait Zagreus, être heureux est reprendre le destin de tous, non pas avec la volonté du renoncement, mais avec la volonté du bonheur. Seulement il fallait du temps pour être heureux, beaucoup de temps. […] / Et puisque c'est une certaine étape de notre civilisation qui nous met dans cet état, il n'y avait aucun scrupule à avoir en ce qui concerne les moyens. […] / Il suffirait à Mersault de savoir qu'il n'avait pas reculé devant le vol. […] Mersault se rendait-il compte de ce que ça représentait ? […] la vie qu'il aurait eue sans la guerre qui emporta ses jambes. Il avait cru comme tout le monde que ça durerait six mois. Il n'avait pas su fuir. *L'évolution depuis ms. s'est faite par le passage d'un discours indirect à des séquences de discours direct associées à une relation par discours indirect libre. La mise en roman des « histoires » à la source de « La Mort heureuse », à partir de formes à mi-chemin de l'essai et de la nouvelle, a résulté d'une « théâtralisation ». Chez Camus, le type de narration premier semble être l'essai, centré sur le sens des réalités et des destins de son univers personnel. Dans ms., Zagreus est censé avoir perdu ses jambes durant la guerre 1914-1918. Dans dactyl. 1 corr., la référence à la bataille de la Marne a disparu. C'est un accident qui est cause de l'invalidité. Une rature sur ce dactylogramme autorise la lecture de « finir » à la place de « fuir » qu'on lit dans ms. Mais « finir » ne satisfait pas pleinement la logique. Ce verbe implique soit une inadvertance de Camus à l'égard de la nouvelle cause alléguée de l'infirmité, soit l'évocation d'une pensée suicidaire non conduite à terme.*

1. Le raccordement entre les prénoms et les patronymes des deux protagonistes s'est fait tardivement, au hasard des évolutions de l'intrigue, ballottée entre les diverses ébauches de récits romanesques antérieurs et leurs cortèges de personnages. La plupart du temps, seuls les prénoms attribués permettent de distinguer entre emprunts et ébauches, la typologie et les scénarios évoluant peu. Défilent ainsi au hasard des épisodes et des rôles interchangeables Louis (d'où le lien avec les fragments de « Louis Raingeard »), Jean, René, Marcel, Lucienne, Marthe, Catherine (voir n. 3, p. 1155, IIᵉ partie). Au dernier stade, l'unification se fera au détriment de ce qui est infonctionnel. C'est au début de 1937 que Patrice reçoit son patronyme, par déformation probable du nom d'un greffier de justice cité à maintes reprises dans les chroniques d'affaires judiciaires. On sait qu'une bonne partie des patronymes des personnages de fiction, chez Camus, est issue de la réalité quotidienne côtoyée par celui-ci. — Le nom de Zagreus ou de Zagrée semble issu de la légende populaire de la Grèce antique. Fils de Zeus et de Perséphone ou de Zeus et de Déméter, il est le personnage central des croyances orphiques. Pour s'unir à Perséphone, Zeus aurait pris l'apparence d'un serpent. Il voulait faire de l'enfant son successeur et le confia à Apollon. Mais les Titans envoyés par Héra le retrouvèrent grâce à ses jouets et le mangèrent en partie cru, en partie bouilli. Seul le cœur encore vivant permit

à Zeus de le régénérer, sous la forme d'un autre enfant qui prit le nom de Dionysos (celui qui naît deux fois). Victime sacrificielle consentante pour que la collectivité se régènère, Zagreus inaugure le cycle des figures prométhéennes qui, de *La Mort heureuse* à *L'Étranger* et au *Mythe de Sisyphe*, illustrent la cause de la libération de l'homme. À suivre la généalogie mythologique et la symbolique de Camus, Mersault serait à la fois celui qui tue l'envoyé des dieux et le ressuscite en poursuivant son combat, avec le savoir et le pouvoir de sa victime. *La Mort heureuse* se conclurait donc sur le constat qu'on n'échappe pas à un absurde « congénital » puisque le don de vie porte en lui le germe de mort.

2. La phrase descriptive qui suit, comme de nombreuses autres dans ce premier chapitre, n'est pas sans rappeler le modèle que l'on verra caricaturé dans *La Peste*. La recherche du rythme privilégie le recours à une structure binaire, les phrases étant composées de deux propositions coordonnées. En 1938-1939, Camus, à la faveur de lectures qui le convaincront de recourir à d'autres modes expressifs, s'orientera vers une écriture qui contribue à la création d'un univers spécifique. L'écriture de *L'Étranger* illustre le changement formel intervenu entre 1937 et 1940 (voir la Notice sur *L'Étranger*, p. 1245-1246).

3. Cette scène de meurtre placée en ouverture du récit a pu être comparée (mais de nombreuses différences sont évidemment à distinguer) à celle qui ouvre *La Condition humaine*.

4. La séquence « Du ciel bleu [...] d'être heureux. » (p. 1108) est empruntée à « L'Hôpital du quartier pauvre » (voir Appendices de *L'Envers et l'Endroit*, p. 73) et adaptée au nouveau contexte.

5. Emmanuel est dénommé Marcel dans les feuillets de *ms*. Le « petit des courses » hérite, à ce stade, du prénom dévolu initialement au narrateur de « La bataille de la Marne » (voir les *Carnets*, p. 818). Mais l'âge supposé de celui qui est censé avoir participé à la bataille de la Marne (voir plus loin, p. 1110), eu égard à celui de Mersault, rend dubitatif quant au bien-fondé de l'appellatif « petit ». Ces inadvertances sont la marque des emboîtements hâtifs de séquences appartenant à des projets romanesques antérieurs. Camus semble pressé d'en terminer avec un récit qui doit le délivrer des traumas de l'enfance et de l'adolescence et lui assurer aussi la reconnaissance sociale du statut d'écrivain qu'il ambitionne.

6. La référence à l'agilité et à la prestance physique est une disposition récurrente dans les récits de Camus, et ce jusque dans *La Chute*. Tout se passe comme si l'être confronté aux atteintes physiques de la maladie trouvait une compensation dans l'affirmation d'une aptitude physique ostensible. Celle-ci paraît comme une composante non négligeable de l'identité personnelle et sociale.

7. Dans des fragments épars, manuscrits et antérieurs à *ms.*, l'anecdote est destinée à Louis (un des premiers noms pour Patrice). On retrouve cette anecdote dans les fragments manuscrits de « Louis Raingeard » (voir p. 94). Voir aussi var. *f*.

8. Ce fragment, reproduit dans les *Carnets* (p. 818), est, dans le manuscrit des Cahiers, rédigé sur un becquet et collé sur une feuille volante. Ceci indique qu'il servit probablement d'anecdote dans « Louis Raingeard », puis dans *La Mort heureuse*. Sa réinsertion parmi les feuillets des Cahiers illustre la double fonction de ceux-ci : consignation en vue d'une utilisation, puis, après exploitation éventuelle, dépôt *in memoriam*.

9. Le passage suivant fait référence aux reliefs d'inſtants de vie et de conversation vécus, observés ou entendus, au moment où Camus soigna sa tuberculose. Consignés dans «L'Hôpital du quartier pauvre» (voir p. 75) et sous une forme reſtreinte dans les *Carnets*, ces inſtants ne seront plus évoqués par l'écrivain, passé le roman en cours.

10. L'hiſtoire et les péripéties ici transposées figurent, sous des formes variables, dans les multiples ébauches romanesques attachées aux épisodes autobiographiques. Elles servent de support à une symbolique récurrente dans l'œuvre de Camus : «la perte» d'un repère important d'une vie, le choc et la remise en cause qui s'ensuivent. Mersault et Meursault perdent leur mère, le tonnelier Cardona aussi, Caligula sa sœur et maîtresse, Rieux son épouse, Clamence la désespérée qui se noie et qu'il ne sauve pas. Dans les fragments manuscrits les plus anciens de *La Mort heureuse*, le personnage endeuillé n'eſt pas Mersault mais un entrepreneur de transports.

11. La scène de vie dominicale d'un quartier, à partir des comportements et des signes perceptibles et interprétables, eſt décrite conformément au réalisme subjectif cher à Stendhal. Elle passera presque sans retouches, sinon celles qui seront rendues indispensables par le changement de narrateur, dans *L'Étranger* (voir p. 151-152). Voir la Notice sur ce roman, p. 1251, n. 4 en bas de page.

12. Voir *L'Étranger*, n. 8, p. 152 (Iʳᵉ partie).

13. Le personnage féminin qui sert de support au thème de la jalousie eſt prénommé, tour à tour, Lucienne, Catherine et Marthe. Marthe finira par s'imposer. Mais, comme pour Emmanuel, sa consiſtance et sa crédibilité sont sujettes à caution. Elle fut la maîtresse de Zagreus lorsque tous deux étaient jeunes. Or celui-ci ne l'eſt plus puisque, selon ses dires, vingt ans se sont écoulés jusqu'au moment présent du récit (voir en effet, au chapitre IV, p. 1130 : «Depuis vingt ans, mon argent eſt là, près de moi»). Comment Marthe pourrait-elle être la jeune maîtresse de Mersault ?

14. L'hiſtoire de Cardona ici relatée eſt la énième version du récit d'un épisode familial, à partir duquel Camus donne corps à un deſtin du «quartier pauvre». Voir «Louis Raingeard», p. 88. Ces premières ébauches permettent d'observer comment intervient, à partir d'une donnée autobiographique, le traitement fictionnel : *dépersonnalisation* par transfert dans une narration de type conte, *diſtanciation émotionnelle, sublimation* en une métaphore de fatalité élective (l'avatar eſt présenté comme une péripétie réservée au héros), *réinsertion dans un vécu collectif* qui survient à terme pour la révélation à tous d'une vérité essentielle sur l'existence. Ceci sera récurrent de «Louis Raingeard» à *La Chute*. Dans les premières fictions de l'écrivain sont observables les deux premières phases de la mythogenèse : dépersonnalisation et diſtanciation.

15. Quelques aspects de Cardona seront reversés dans les personnages de Salamano et de Raymond : voir *L'Étranger*, p. 155-156.

Deuxième partie.

a. *Dans ms., la lettre adressée aux amies d'Alger ne figure pas. Elle eſt simplement prévue. De même pour la réponse, qui suit, de ces amies à Mersault.* ◆◆ b. *Cette phrase ne figure pas dans ms.* ◆◆ c. *Dans le passage correspondant de ms., plusieurs phrases sont biffées comme si Camus avait jugé inutile de développer en*

un épisode autobiographique les infidélités de sa première épouse. En particulier, la
séquence suivante : De là ce que sa souffrance avait eu d'atroce. Non, il
n'y avait pas de miracle. D'autres l'avaient eue. [...] Mais cette blessure
faite à la bête immonde de la vanité, l'avait rendu furieux [...]. Ces
grandes souffrances nous mènent au bord de la folie, parce que c'est
notre personnalité tout entière qui croule [...]. Mais il n'avait jamais aimé
Lucile et il ne l'aimait pas. Maintenant, il savait ◆◆ *d.* [Christiane *cor-*
rigé en Catherine] *dactyl. 1 corr. Ce qui laisse penser que bien des traits de*
Christiane Galindo (voir la notule de « La Maison devant le Monde », p. 1464)
passent en ce personnage. ◆◆ *e.* sans fond. Patrice dit : « Je sais. Mais les
hommes qui se lassent d'aimer ne sont pas dignes de l'amour. Si je
me lassais de ce visage de lumière que sait prendre le monde [...], je
ne serais pas digne de ce monde. » / Il parlait au Monde *ms. Cette*
variante laisse paraître, comme en bien d'autres séquences de cette première version,
une propension aux épanchements égotistes que dactyl. 1 corr. condensera ou filtrera.
◆◆ *f. Dans dactyl. 1, Camus transpose au profit du Chenoua ce qu'il avait écrit sur*
Djémila dans ms. : [Djémila] comme une forêt d'ossements, sans espoir
ni désespoir, non le désespoir et l'espoir d'aimer, avec le souvenir d'une
vie de vinaigre et de fleurs. *La référence au vinaigre renvoie probablement à*
l'épisode de la nuit passée à veiller sa mère (voir n. 1 ci-dessous).

1. Camus est revenu assez longuement, notamment dans « La Mort
dans l'âme » de *L'Envers et l'Endroit*, sur la cause et les circonstances de
l'angoisse ressentie à Prague, et déclenchée par l'odeur de vinaigre, plus
ou moins aiguë (voir *ibid.*, p. 55, et aussi « Entre oui et non », p. 50). Voir
var. *f*, p. 1169.

2. Deux titres successifs, l'un rayé et l'autre surajouté, sont portés
sur la sous-chemise où sont regroupés les feuillets dactylographiés de
ce chapitre dans *dactyl. 1*. « Les Femmes et le monde » est substitué
à « Gagner du temps » (pour Camus, le combat contre le temps est un
combat contre ce qui arrache l'homme à lui-même et à sa vie ; dans
L'Étranger, Meursault veut « tuer le temps », p. 186, c'est-à-dire, au sens
plein de l'expression, sortir de l'histoire et se retrouver soi-même, se
penser comme partie de la nature). Il est à noter que les scènes de vie
quotidienne qui composent ce chapitre sont absentes de *ms.*, comme si
Camus avait prévu de les rédiger à partir d'ébauches antérieures.

3. Sur cette maison, voir la notule de la chanson intitulée « La Maison
devant le Monde » et reproduite en Appendice (p. 1197), p. 1462.
Derrière les trois prénoms des locataires de la Maison, il est aisé de
distinguer leurs modèles grâce aux variantes de *ms.* : Rose est Marguerite
Dobrenn, Claire est Jeanne-Paule Sicard, et Catherine est Christiane
Galindo (voir aussi var. *d*, p. 1157).

4. Dès lors que le « monde » est devenu personnage, selon le dire du
narrateur, et qu'il figure avec une majuscule initiale, il convient, chaque
fois que le terme apparaît avec une connotation symbolique, de lui
rendre son attribut graphique, même si le texte de *dactyl. 1 corr.*, non revu
par l'auteur en vue d'une publication, ne le mentionne pas de façon
systématique.

5. L'examen des adjonctions et des translations de séquences et de
paragraphes intervenues dans ce chapitre donne une idée du travail
d'emprunt et d'intégration auquel Camus s'est plié pour tenter de
donner corps, autour d'intrigues successives, à cette ultime tentative

de construire un récit autour des péripéties de son enfance et de son adolescence.

6. Voir les *Carnets*, p. 842.

7. Fragment similaire à celui figurant dans « L'Été à Alger », *Noces*, p. 126, et qui montre l'intertextualité qu'entretient *La Mort heureuse* avec les œuvres de la même période. Le texte de ce roman suit le fragment noté dans les *Carnets*, en date du 18 octobre 1937, p. 840.

8. Voir *L'Étranger*, p. 212, et « La Femme adultère », *L'Exil et le Royaume* : « Alors, avec une douceur insupportable, l'eau de la nuit commença d'emplir Janine [...] » (Gallimard, coll. « Folio », p. 34).

9. Voir « Les Amandiers » (*L'Été*), Gallimard, coll. « Folio », p. 113 : « Quand j'habitais Alger, je patientais toujours dans l'hiver parce que je savais qu'en une nuit, une seule nuit froide et pure de février, les amandiers de la vallée des Consuls se couvriraient de fleurs blanches. »

10. La texture de ce chapitre, le mode narratif utilisé et l'étroite imbrication des manifestations du cycle de la nature et de ses incidences sur l'homme semblent conçus sur le modèle du chapitre XIV d'*Une vie*, de Maupassant, et du tome II de *Sahara et Sahel (Une année dans le Sahel)*, d'Eugène Fromentin. Un choix de textes littéraires paru chez Armand Colin en 1924, de même qu'un autre manuel pour les classes de cours moyen publié la même année (éditeur : Libraire l'École), comportent des extraits de l'œuvre de Fromentin, dont ceux qui sont issus du tome I de *Sahara et Sahel (Un été dans le Sahara)*. Ces deux manuels, que Camus a très probablement utilisés (il était, en 1924, en classe de cours moyen deuxième année), présentaient l'extrait suivant : « Vers onze heures, la chaleur devint subitement très forte. Le ciel, jusque-là sans nuages, commençait à se tendre de raies blanchâtres [...] Le vent se levait [...] D'abord ce ne furent que des souffles passagers, tantôt chauds, tantôt presque frais. [...] Peu à peu, il y eut moins d'intervalle entre les bouffées. [...] L'horizon cessa d'être visible et prit la noirceur du plomb [...]. »

11. Voir les dernières phrases de *L'Étranger*, p. 212-213.

12. Voir « Le Désert », *Noces*, p. 135-136.

13. Voir « Noces à Tipasa », *ibid.*, p. 110.

14. Voir *ibid.*

Appendices

LA MAISON DEVANT LE MONDE

Cette chanson a probablement été écrite à la fin de 1936 et au début de 1937. Le présent texte, en lui-même anodin, était chanté et scandé sur un air allemand (peut-être celui de *Ich hatt ein Kamarad*, chant des vétérans de la Première Guerre, rapporté du voyage en Autriche durant l'été de 1936). Il évoque les instants brefs d'une vie hédoniste placée sous le signe d'une sensation d'éternité précaire.

La localisation précise de la Maison devant le Monde garde un certain mystère, car l'expression désigna une première demeure située à Hydra (banlieue d'Alger), habitée avec sa première femme, Simone Hié, puis la maison Fichu (du nom de son propriétaire), située dans les hauteurs d'Alger et à laquelle on accédait, après une longue montée, par le chemin Sidi-Brahim. Le premier étage de cette maison servit de port d'attache (puis de résidence régulière) à Camus à compter de l'automne de 1936. Les premiers colocataires, qui payaient chacun 100 francs par mois, furent Jeanne-Paule Sicard, Marguerite Dobrenn et Camus, lequel accueillit, à partir de janvier 1937, une jeune sténodactylo dénommée Christiane Galindo, à qui l'attacha une longue liaison amoureuse.

SANS LENDEMAINS

Les fragments constituant ce texte sont consignés dans un cahier de type écolier, à petits carreaux, couverture beige foncé. Ce cahier était resté à Oran au départ de Camus pour Alger, puis pour Le Panelier, à la mi-août 1942. Il a été rapporté d'Oran par Christiane Faure en 1962, qui l'a remis à Catherine Camus en juin 1988.

Le titre « Sans lendemains » figure sur le feuillet 5, et les fragments que nous reproduisons ici sont portés sur les feuillets 6 à 19 (les feuillets 6 à 14 sont foliotés par Camus de 1 à 9).

Le texte, à en juger notamment par la graphie, la couleur de l'encre et les espaces laissés entre les fragments, a été écrit à des périodes différentes, entre le 17 mars 1938 et la mi-août 1942.

La première séquence de ce texte relate une expérience particulière de Camus d'où n'est pas absente une vélléité de suicide, et comprend un plan de l'œuvre à venir. On y trouve des échos au *Mythe de Sisyphe* (voir la Notice de cet essai, p. 1278).

La deuxième séquence (fragments des feuillets 17 et 18 : « La première partie de cette œuvre me demanda trois ans. », p. 1203) fait référence à la publication de *L'Étranger* et du *Mythe de Sisyphe*.

La troisième séquence (fragment du feuillet 19 : « Naturellement je donne ce manuscrit pour ce qu'il vaut. », p. 1204) est de la même graphie que la fin de la première séquence (voir p. 1202) et se réfère à la vie de Patrice Mersault et au témoignage qu'il aurait laissé après sa mort sous forme d'un « manuscrit ». Peut-être s'agit-il d'une tentative de réécriture (ou de récupération pour un autre texte) de *La Mort heureuse*.

Notons que le titre « *Sans lendemain* » (au singulier) est repris dans les *Carnets*, notamment p. 951, parmi des pages datées de 1942.

TABLE

Table 1469

Articles, préfaces, conférences *(1931-1944)*

Table 1471

Table 1473

Table 1475

Écrits posthumes

NOTICES, NOTES ET VARIANTES

Table 1477

Ce volume, portant le numéro
cent soixante et un
de la « Bibliothèque de la Pléiade »
publiée aux Éditions Gallimard,
mis en page par CMB Graphic
à Saint-Herblain,
a été achevé d'imprimer
sur Bible des Papeteries Bolloré Thin Papers
le 4 septembre 2017
par Normandie Roto Impression s.a.s.
à Lonrai,
et relié en pleine peau,
dorée à l'or fin 23 carats,
par Babouot à Lagny.

ISBN : 978-2-07-011702-4.
N° d'édition : 316679 - N° d'impression : 1702454.
Dépôt légal : septembre 2017.
Premier dépôt légal : 2006.

Imprimé en France.